KB033789

民衆

單位語辭典

朴 成 勳 編

辭書專門
民衆書林

머 리 말

본 사전은 세계 여러 나라의 각종 단위어는 물론, 삼국사기(三國史記)·삼국유사(三國遺事)·고려사(高麗史)·조선왕조실록(朝鮮王朝實錄)을 비롯한 여러 선현(先賢)의 문집(文集)이나 의궤류(儀軌類) 등의 우리 나라 문헌과, 같은 한자 문화권인 중국(中國)·일본(日本)의 것까지 합하여 약 300여 종류의 문헌에서 지금까지 밝혀지지 않은 단위어를 모두 채록하여 주석하고, 이에 출전과 예문을 붙여 엮은 사전이다.

단위어는 언어 생활이 단순하였던 고대 사회로부터 자연 발생적으로 생겨나 이미 사용하기 시작하였다. 문화의 발달과 더불어 인류의 생활이 복잡해지면서 점차 수량을 정확하게 헤아릴 필요가 생기게 되었고, 그 결과 자연스럽게 기본이 되는 단위어가 생기게 되었다. 그 후 현대 과학의 발전과 더불어 그 수효뿐만 아니라 사용 범위도 더욱 다양해지고 있으며, 앞으로도 이러한 현상은 인류 사회가 지속되는 한 계속될 것이다.

모든 물건이나 동식물, 심지어는 무생물까지도 단위어를 수반하지 않는 것은 없다. 대개의 단위어는 예로부터 지금에 이르기까지 그 뜻은 변하지 않고 그대로 쓰이고 있으나, 그 수와 양, 무게 따위는 지금과 비교할 때 같은 것도 있지만 달라진 것도 많이 있다. 그 까닭은 시대의 변천에 따라 쓰임이나 목적 등이 달라졌기 때문이다. 어느 한 단위어가 있을 때 그것이 얼마만한 길이와 크기이며, 갯수로는 몇 개가 되며, 넓이는 얼마이며, 부피는 얼마쯤인가, 또 무게는 얼마나 되는 것인가를 알면 한 문장이나 말을 이해하기 쉽다. 그러나 지금에 와서는 각각의 사물에는 그에 따른 알맞은 단위어가 있는데도 불구하고, 모든 물건을 몇 개, 몇 장, 몇 마리 정도로 통틀어서 헤아리고 있는 실정이다.

한 개의 물건에는 한 개의 단위이가 쓰이는 것이 원칙이다. 그러나 그들 중에는 생긴 모양이나 크기에 따라 여러 개의 단위어가 쓰이기도 하고, 어떤 것은 문헌에 따라 같은 물건이라도 달리 쓰이기도 한다. 또, 그 크기나 양의 많고 적음에 따라 '동(同)·급(級)'과 같은 상위 단위(上位單位), '개(箇)·장(張)'과 같은 하위 단위(下位單位)로 나뉘어 쓰이고 있기 때문에 하나의 물건에 여러 개의 단위어가 함께 쓰이고 있는 것도 상당수가 있다.

대개의 단위어에는 '병(柄)'과 같이 그 생긴 모양과 관계 있는 것도 있고, '두(斗)'와 같이 부피와 관계 있는 것도 있으며, '급(級)'과 같이 역사적인 사실이나 글자의 어원에 따른 것도 있고, '사리(沙里)·송이(宋伊·松伊)·님〔里音〕·오리(五里)'와 같이 우리 고유어를 차자 표기한 단위어도 많은 부분을 차지하고 있다. 또, 한국·중국·일본 3국이 같은 뜻으로 함께 쓰는 것도 많이 있다.

고유어로 된 단위어 중 한자로 표기할 수 없을 때에 한자를 새로 만들어

쓴 국자(國字), 음(音)과 의(義)를 새로 만들어 쓴 국음자(國音字)나 국의자(國義字)도 많이 있다. 이것들은 한자 문화권 중에서도 오직 우리 나라에서만 쓰이는 것이기 때문에 한국 한자의 연구에도 많은 도움이 될 수 있을 것이다.

단위어도 말과 같이 생성, 성장, 소멸의 과정을 거치기 때문에, 과거에 쓰였으나 현재에는 쓰이지 않는 것도 있고, 과거에서부터 현재까지 써 오는 것도 있으며, 근래에 새로 생겨난 것도 있다. 과거부터 써 오던 것도 시간이 지남에 따라 그 뜻이 바뀌기도 하고, 양이나 수가 변한 것도 매우 많다. 어떤 것은 과거에도 쓰였고, 지금도 쓰이고 있지만, 그 뜻과 갈래가 달라진 것도 있다.

일상 생활에서 단위어가 차지하는 위치는 수량의 적확성뿐 아니라, 언어 생활에서의 명확성과 감각의 형상화(形象化)라는 측면에서도 매우 중요한 역할을 하고 있다. 따라서, 단위어의 명확한 이해와 이의 정확한 사용은 문자 생활뿐 아니라, 언어 생활을 더욱 풍부하고 윤택하게 하여 줄 것이다.

우리의 것도 힘든데 중국·일본을 비롯한 세계 여러 나라의 단위어를 뽑아 정리한다는 것이 얼마나 어려운 일이며, 개인의 능력에는 한계가 있다는 사실을 깨닫지 못하고 종이에 먹물을 묻힌 것 같아 못내 송구하고 죄스러울 뿐이다. 빠진 것, 잘못된 것은 학계와 독자 여러분의 질정(叱正)을 겸허하게 받아들여 깁고 다듬어서 완벽하게 만들어 나갈 것을 약속하는 바이다.

끝으로, 본 사전을 엮기까지 지도와 조언을 아끼지 않은 동양학연구소(東洋學硏究所)의 동학, 선배 여러분과 사전의 성격상 정말로 힘들고 까다로운 일인데도 기꺼이 조판을 맡아 준 동국전산(東國電算), 또 이를 흔쾌히 펴내어 준 민중서림(民衆書林) 배효선(裵孝善) 사장님과 관계자 여러분께 깊은 감사의 말씀을 전한다.

1997년 월 일

지 은 이

일 러 두 기

1. 채록 범위

우리 나라의 단위어를 중심으로 하여, 주변국인 중국(中國)·일본(日本)과 그 외 세계 여러 나라의 것을 모두 모아 실었다. 그 중에서도 순수하게 우리 나라에서만 쓰이는 단위어는 빠짐없이 채록하여 주석하였으며, 예문 중 우리 고유어를 한자를 빌려 표기한 물명은 모두 현재 이름으로 바꾸어 표기하였다.

2. 싣는 순서

① 모든 표제어는 우리 한글의 음순(音順)에 따랐다.
② 음이 같을 때에는 순 우리말로 된 것을 먼저 싣고, 다음에 한자로 된 것, 그 다음에 외국어로 된 것을 실었다.
③ 한자로 된 표제어에서, 음이 같을 때에는 획수(畫數)가 적은 것을, 획수도 같을 때에는 부수(部首)가 앞선 것을 먼저 실었다.
④ 외국어로 된 표제어는, 먼저 우리 한글의 음순에 따르되, 음이 같을 때에는 영어의 알파벳 순서에 따랐다.
⑤ 일본의 어휘는 가장 뒤에 실었다.

3. 기술(記述) 순서

표제어(標題語) → 표제어의 외래어 및 외국어 표기 → 표제어의 종류 구분 → 주석(註釋) → 동의어(同義語) → 표제어의 기호(記號) 및 약호(略號) → 출전(出典) → 예문(例文)의 순서로 기술하였다.

4. 표제어(標題語)

순 우리말로 된 것과 한자어 또는 외래어나 외국어로 된 것 중 순 우리말로 된 것 이외의 것은 우리말을 앞세우고, 외래어나 외국어는 괄호 안에 넣었다.

5. 표제어의 외래어 및 외국어 표기

① 영어(英語)로 표기하는 것을 원칙으로 하였다. 다만, 영어를 사용하지 않는 나라의 표제어는 그 나라의 발음에 가장 가깝게 표기하였다.
② 중국에서만 사용하는 표제어에는 한자는 물론, 1985년 12월 중국 국가어언문자공작위원회(國家語言文字工作委員會) 등이 수정하여 공포한 한어병음자모(漢語拼音字母)에 의한 중국어의 발음도 아울러 표기하였다.
③ 일본에서만 사용하는 표제어에는 한자만 표기하고, 일본어의 발음은 표기하지 않았다.
④ 각 표제어에는 그 나라에서만 사용하거나, 또는 주로 사용하는 나라의 이름을 밝혔다.
⑤ 우리 나라에서만 쓰거나, 한자 문화권(漢字文化圈)에서 공통으로 사용하는 표제어에는 나라 표시를 하지 않았다.

6. 표제어의 종류 구분

각 단위어는 쓰임과 목적에 따라 각도(角度)·경도(硬度)·경제(經

濟)・공해(公害)・광속(光速)・광학(光學)・군사(軍事)・굴절도(屈折度)・길이・넓이・물리(物理)・밀도(密度)・방사능(放射能)・방사선(放射線)・부피・섬도(纖度)・소음(騷音)・속도(速度)・수(數)・순도(純度)・시간(時間)・압력(壓力)・유량(流量)・음(音)・음악(音樂)・인쇄(印刷)・자기(磁氣)・재적(材積)・전기 저항(電氣抵抗)・전력(電力)・전압(電壓)・점도(粘度)・접두어(接頭語)・정보량(情報量)・조도(照度)・조직(組織)・주파수(周波數)・질량(質量)・천문(天文)・탁도(濁度)・통화(通貨)・포장 단위(包裝單位)・해설(解說)・행정(行政)・화학(化學)・휘도(輝度)・힘〔力〕……등 여러 가지로 나누었다.

7. 주석(註釋)

① 순 우리말로 된 표제어에는 그 뜻만을 간단히 설명하였다.

② 외래어나 외국어로 된 표제어에는, 먼저 기본적인 뜻을 밝히고, 뒤에 간단한 설명이나 다른 단위로 환산(換算)된 수치(數値)를 보였다.

③ 한자어로 된 표제어에는, 먼저 그것이 지칭(指稱)하는 뜻을 한두 어휘로 밝히고 간단한 설명을 하였다.

8. 뜻갈래 표기

표제어에 두 가지 이상의 뜻갈래가 있을 경우, 단위어의 종류를 구분하는 데에는 1 2 3으로 나누었고, 같은 종류에서 뜻갈래가 여럿 있을 때에는 ❶❷❸으로, 한 뜻갈래에서 다시 세분할 필요가 있을 때에는 ㉮㉯㉰의 기호를 사용하였다.

9. 동의어(同義語)

동의어는 표제어의 주석이 끝난 다음에 음순(音順)으로 열거(列擧)하였다.

10. 기호(記號) **및 약호**(略號)

미터법이나 통화 단위 등 외국의 여러 나라에서 일반적으로 널리 사용하는 기호나 약호는 동의어(同義語) 뒤에 표기하였다.

11. 출전(出典)**과 예문**(例文)

① 우리의 문헌을 싣는 것을 원칙으로 하였다. 다만, 우리 문헌에서 채록하지 못한 어휘에 한하여 중국이나 일본의 것을 인용하였다.

② 인용한 출전에는 서명(書名)과 편명(篇名)・제명(題名)・권수(卷數)・소제목(小題目)・연월일(年月日) 등을 차례로 밝혀 독자들이 원문을 찾아보는 데 편리하도록 하였다.

③ 출전과 예문은 시대순으로 싣는 것을 원칙으로 하였다. 다만, 우리의 예문이 부족하여 중국이나 일본의 것을 보충할 때에는 우리의 것 뒤에 실었다.

④ 예문은 독자가 내용과 의미를 파악하기에 충분하도록 인용하고 구두점을 찍었다.

⑤ 주(註)는 괄호 안에 넣었다. 다만, 주를 낸 사람이 밝혀진 것은 그 사람의 이름만 괄호로 묶었다.

인용 서목(引用書目)

가례도감의궤(嘉禮都監儀軌<顯宗明聖后>)
각사수교(各司受教)
각전기사(各廛記事)
간이벽온방(簡易辟瘟方)
감응편(感應篇)
경국대전(經國大典)
경기읍지(京畿邑誌)
경도잡지(京都雜志)
경세유표(經世遺表)
계림유사(鷄林類事)
계원필경집(桂苑筆耕集)
고금석림(古今釋林)
고금운회거요(古今韻會擧要)
고려사(高麗史)
곡량전(穀梁傳)
공양전(公羊傳)
공자가어(孔子家語)
관서읍지(關西邑誌)
관자(管子)
광류정속(匡謬正俗)
광아(廣雅)
광운(廣韻)
광재물보(廣才物譜)
구급간이방언해(救急簡易方諺解)
구급방(救急方)
구당서(舊唐書)
구토지매매문기(舊土地賣買文記)
구한국관보(舊韓國官報)
구황보유방(救荒補遺方)
국어(國語)
국책(國策)
국조오례의(國朝五禮儀)
군도목(羣都目)
군문등록(軍門謄錄)
군서유종(羣書類從)
균여전(均如傳)
금률영초등록(禁律營抄謄錄)
금양잡록(衿陽雜錄)
급취편(急就篇)
기전읍지(畿甸邑誌)
난중일기(亂中日記)
남사(南史)
남양부읍지(南陽府邑誌)
남제서(南齊書)
노걸대언해(老乞大諺解)
노잔유기(老殘遊記)
녹색적연대(綠色的年代)
논어(論語)
논형(論衡)
농가집성(農家集成)
농정신편(農政新篇)
농정전서(農政全書)
농포집(農圃集)
다경(茶經)
당대중국단편소설선(當代中國短篇小說選)
당서(唐書)
대동야승(大東野乘)
대동운부군옥(大東韻府群玉)
대동지지(大東地志)
대명률직해(大明律直解)
대백록(待百錄)
대인국(大人國)
대전통편(大典通編)
대전회통(大典會通)
대전후속록(大典後續錄)
대학(大學)
대학중국어(大學中國語)
도산서원전장기(陶山書院傳掌記)
동경잡기(東京雜記)
동국병감(東國兵鑑)
동국통지(東國通志)
동의보감(東醫寶鑑)
만기요람(萬機要覽)
매자신서(賣子新書)

매천야록(梅泉野錄)
맹자(孟子)
목민심서(牧民心書)
목은문고(牧隱文藁)
목천자전(穆天子傳)
몽계필담(夢溪筆談)
무과총요(武科摠要)
무예도보통지(武藝圖譜通志)
묵자(墨子)
문선(文選)
문심조룡(文心雕龍)
미암집(眉巖集)
박통사언해(朴通事諺解)
반계수록(磻溪隨錄)
반고전(班固傳)
발해고(渤海考)
백운소년(白雲少年)
벽온신방(辟瘟新方)
벽위편(闢衛編)
보리선생전(甫里先生傳)
보상청절목(褓商廳節目)
부생육기(浮生六記)
북사(北史)
북한지(北漢誌)
분문온역이해방(分門瘟疫易解方)
불교대사전(佛教大辭典)
비변사등록(備邊司謄錄)
사개송도치부법(四介松都治簿法)
사기(史記)
사류박해(事類博解)
사산비명(四山碑名)
사소절(士小節)
사조문견록(四朝聞見錄)
산경(算經)
산림경제(山林經濟)
산법통종(算法統宗)
삼국사기(三國史記)
삼국사절요(三國史節要)
삼국유사(三國遺事)
삼례도(三禮圖)
삼명일방물등록(三名日方物謄錄)
상방정례(尙方定例)
상서대전(尙書大典)
서경잡기(西京雜記)
서상기(西廂記)
서유기(西遊記)
서전(書傳)
석문(釋文)
석보상절(釋譜詳節)
선천부읍지(宣川府邑誌)
선화유사(宣和遺事)
설문(說文)
설문통훈정성(說文通訓定聲)
설원(說苑)
성어고사(成語故事)
성제고(城制考)
성호사설(星湖僿說)
세시기(歲時記)
소년소설(少年小說)
소문쇄록(謏聞瑣錄)
소부인(小婦人)
소이아(小爾雅)
소학감주(小學紺珠)
속대전(續大典)
속문헌통고(續文獻通考)
속유양잡조(續酉陽雜組)
속호소설(俗呼小說)
손자(孫子)
손자산경(孫子算經)
송남잡지(松南雜識)
송사(宋史)
쇄미록(瑣尾錄)
수교집록(受教輯錄)
수련(水蓮)
수서(隋書)
수술기유(數術記遺)
수호전(水滸傳)
순원왕후국장도감의궤(純元王后國葬都監儀軌)
순자(荀子)

시전(詩傳)
시흥현읍지(始興縣邑誌)
신간구황촬요(新刊救荒撮要)
신보수교집록(新補受敎輯錄)
신자전(新字典)
신전자초방(新傳煮硝方)
신증동국여지승람(新增東國輿地勝覽)
신증유합(新增類合)
신편집성마의방(新編集成馬醫方)
신편집성우의방(新編集成牛醫方)
실용신문선독(實用新聞選讀)
심양장계(瀋陽狀啓)
십일월적고사(十一月的故事)
아녀영웅전(兒女英雄傳)
아언각비(雅言覺非)
악기조성청의궤(樂器造成廳儀軌)
악학궤범(樂學軌範)
앙엽기(盎葉記)
양근읍지(楊根邑誌)
양지현읍지(楊智縣邑誌)
어록해(語錄解)
어사고풍첩(御射古風帖)
어우야담(於于野譚)
여주읍지(驪州邑誌)
역어유해(譯語類解)
연려실기술(燃藜室記述)
연조귀감(掾曹龜鑑)
연천부읍지(漣川府邑誌)
예기(禮記)
예산임방절목(禮山任房節目)
옥편(玉篇)
완서잡기(宛署雜記)
용강현읍지(龍岡縣邑誌)
용비어천가(龍飛御天歌)
용재총화(慵齋叢話)
우마양저염역치료방(牛馬羊猪染疫治療方)
우서(迂書)
우인선(愚人船)
욱달부소설흔상(郁達夫小說欣賞)
운림별록(雲林別錄)
운회(韻會)
원곡(元曲)
위서(魏書)
유림외사(儒林外史)
유서필지(儒胥必知)
유세명언(喩世明言)
육서고(六書考)
육전조례(六典條例)
융원필비(戎垣必備)
은대조례(銀臺條例)
음청사(陰晴史)
의금부등록(義禁府謄錄)
의례(儀禮)
이문(吏文)
이문집람(吏文輯覽)
이아(爾雅)
이충무공전서(李忠武公全書)
인조국장도감의궤(仁祖國葬都監儀軌)
인천부읍지(仁川府邑誌)
일지록(日知錄)
임원십육지(林園十六志)
임진장초(壬辰狀草)
자산어보(玆山魚譜)
자전석요(字典釋要)
자치통감(資治通鑑)
자휘(字彙)
자휘보(字彙補)
잡동산이(雜同散異)
장원낭자(狀元娘子)
재물보(才物譜)
전국책(戰國策)
전록통고(典錄通考)
전율통보(典律通補)
전제상정소준수조획(田制詳定所遵守條劃)
정자통(正字通)
정종대왕빈전혼전도감의궤(正宗大

王殯殿魂殿都監儀軌)
제공전(濟公傳)
제기도감의궤(祭器都監儀軌)
조선도교사(朝鮮道教史)
조선무속고(朝鮮巫俗考)
조선사료총람(朝鮮史料總覽)
조선여속고(朝鮮女俗考)
조선왕조실록(朝鮮王朝實錄)
조선의 궁술(朝鮮의 弓術)
조선해어화사(朝鮮解語花史)
좌전(左傳)
좌포도청등록(左捕盜廳謄錄)
주례(周禮)
주자소응행절목(鑄字所應行節目)
주자증손여씨향약언해(朱子增損呂氏鄕約諺解)
주해어록총람(註解語錄總覽)
죽산부읍지(竹山府邑誌)
중국동화(中國童話)
중국신문학대계(中國新文學大系)
중화대자전(中華大字典)
증보문헌비고(增補文獻備考)
증정교린지(增正交隣志)
지봉유설(芝峰類說)
진서(晉書)
진연의궤(進宴儀軌〈高宗壬寅〉)
진중흥서(晉中興書)
진찬의궤(進饌儀軌〈純祖己丑〉)
집운(集韻)
창경궁영건도감의궤(昌慶宮營建都監儀軌)
창선감의록(彰善感義錄)
천기대요(天機大要)
철산부읍지(鐵山府邑誌)
청구영언(青丘永言)
청죽화사(聽竹畫史)
초사(楚辭)
초학금보(初學琴譜)
최문창후전집(崔文昌侯全集)
추관지(秋官志)
추안급국안(推案及鞫案)
춘관지(春官志)
춘관통고(春官通考)
춘추위(春秋緯)
탁지론(度志論)
탁지정례(度支定例)
탁지준절(度支準折)
탁지지(度支志)
태상지(太常志)
태평어람(太平御覽)
태현경(太玄經)
통문관지(通文館志)
통전(通典)
통지(通志)
평양지(平壤志)
포천현읍지(抱川縣邑誌)
풍속통(風俗通)
한경지략(漢京識畧)
한서(漢書)
한중무역회화(韓中貿易會話)
한청문감(漢淸文鑑)
해국견문록(海國見聞錄)
해동죽지(海東竹枝)
해행총재(海行摠載)
행용이문(行用吏文)
형음의종합대자전(形音義綜合大字典)
홍루몽(紅樓夢)
홍일대사전(弘一大師傳)
화성성역의궤(華城城役儀軌)
황극경세서(皇極經世書)
황조문헌통고(皇朝文獻通考)
회남자(淮南子)
효종영릉산릉도감의궤(孝宗寧陵山陵都監儀軌)
후한서(後漢書)
훈국등록(訓局謄錄)
훈련도감중기(訓鍊都監重記)
훈몽자회(訓蒙字會)
흠흠신서(欽欽新書)

가(伽 : jiā) [가속도] 중국(中國)의 단위. '갈(gal)'의 음역.

가(架) ① [수효] ❶'채'의 뜻으로, 집이나 건물의 수를 세는 데 쓰는 말. 가(家). 구(區). 당(幢). 동(棟). 소(所). 실(室). 우(宇). 원(院). 장(爿). 전(廛). 좌(坐·座). 진(進).《平壤志 1, 公署》司獄局六間, 囚獄東西梗各二架三間, 中門一間, 大門一座, 四圍荊墻.《儀禮, 小牢饋食禮》主人獻祝, 大夫士廟室也, 皆兩下五架.《新唐書, 車服志》三品, 堂五間九架, 門三間五架. ❷'마리'의 뜻으로, 매〔鷹〕를 낱으로 세는 데 쓰는 말. 개(箇). 연(連). 연(聯).《朝鮮宣祖實錄 86, 30年3月庚申》前請鷹子十餘架, 諸府郡以送何如. ❸'대'·'틀'의 뜻으로, 받침대가 있는 물건이나 악기를 매다는 악가(樂架)의 수를 세는 데 쓰는 말. 면(面).《高麗史 70, 樂志, 軒架樂獨奏節度》太祖皇帝, 賜樂器·編鐘十六架.《高麗史 70, 樂志, 宋新賜樂器》今因信使安稷崇回, 俯賜卿新樂, 鐵方響五架……石方響五架.《朝鮮世宗實錄 36, 9年5月壬寅》樂學別坐奉常判官朴堧, 進新制石磬一架十二枚.《朝鮮世宗實錄 47, 12年2月庚寅》樂懸之制, 本取法於十二辰, 每一辰, 設編鐘一架, 編磬一架. ❹(jià) 중국(中國)의 단위. ㉮'대'의 뜻으로, 피아노·오르간 따위 악기의 수를 세는 데 쓰는 말.《小婦》爲的是沒有人敎她的音樂, 又沒有一架好銅琴. ㉯'대'의 뜻으로, 촬영기(撮影機) 따위 기계의 수를 세는 데 쓰는 말.《苦女努力記》你的意思, 是說他隨身帶着一架攝影機嗎. ㉰'대'의 뜻으로, 비행기나 재봉틀 따위의 수를 세는 데 쓰는 말. 대(台). 〈예〉 五～飛機. 三～縫紉機. ㉱산(山)의 수를 세는 데 쓰는 말. 좌(座). 〈예〉 翻四～山. 山一座叫一架. ❺일본(日本)의 단위. ㉮궤(櫃)의 수를 세는 데 쓰는 말. 탁(棹). 궤(櫃). 수(秀). 합(合). 〈예〉 櫃五～. ㉯병풍(屛風)의 수를 세는 데 쓰는 말. 장(張). 좌(坐). 첩(帖). 〈예〉 屛風二～. ㉰액자(額子)의 수를 세는 데 쓰는 말. 면(面). 〈예〉 額一～. ㉱횃대〔衣架〕의 수를 세는 데 쓰는 말. 〈예〉 衣桁二～. ㉲필가(筆架)의 수를 세는 데 쓰는 말. 〈예〉 筆架三～. ② [넓이] '간(間)'의 뜻으로, 간살의 넓이를 헤아리는 데 쓰는 말. 1 가는 1 간의 2 분의 1 에 해당한다.《新唐書, 奸臣傳 下, 盧杞》屋二架爲間, 差稅之, 上者二千, 中千, 下五百. 吏執籌入第室計之, 隱不盡, 率二架抵罪, 告者以錢五萬畀之.

가(柯 : kē) [길이] 중국(中國)의 단위. 1 가는 3 자〔尺〕에 해당된다.《周禮, 考工記, 車人》車人爲車, 柯長三尺, 柏車二柯. (鄭玄注) 鄭司農云, 柯長三尺, 謂斧柯, 因以爲度. (賈公彥疏) 凡造作皆用斧, 因以量物, 故先論斧柄長短及刃之大小也.

가(家) ① [조직] 사회 조직(社會組織)이나 가족 제도(家族制度)의 한 단위. 또는 그 수를 세는 데 쓰는 말. 가(家)는 호주(戶主)와 가족으로 구성되는데, 호주의 지위는 호주 승계에 의하여 자손에게 전해진다. 따라서, 혈연(血緣) 또는 혼인 등으로 이루어진 가장 작은 조직의 하나로서 한 호적에 올려 있는 전체를 말한다. 호(戶).《朝鮮仁祖實錄 48, 25年4月丙子》刑曹判書趙絅上疏曰, 臣在鄕時, 目見數縣, 田野太半汚萊, 其所耕種者, 非宮家免稅, 豪勢家奴, 則他邑流徙之人也. 舊日累千戶閭井, 今之存者僅五六家, 而亦且朝夕逃徙者也.《增補文獻備考 161, 戶口考, 歷代戶口》肅宗元年備邊司五家統節目……每家作統, 而如或有餘戶, 未準五數, 則不必越合他面, 以致混錯.《闢衛編 2, 五家統慈教》各邑守令, 各於其境內, 修明五家統之法, 其統內如有邪學之類, 則統首告官懲治. [2] [순서] '째'의 뜻으로, 차례대로 헤아려 그 수만큼 해당되는 때나 물건임을 나타내는 데 쓰는 말.《漢淸文鑑 9, 技藝, 賭戲》頭家, 첫재. 二家, 둘재. 末家, 말재. [3] [수효] (giā) 중국(中國)의 단위. '채'의 뜻으로 집이나 건물의 수를 세는 데 쓰는 말. 가(架). 구(區). 당(幢). 동(棟). 소(所). 실(室). 우(宇). 원(院). 장(爿). 전(廛). 좌(坐·座). 진(進).《吶喊, 社戲》平橋村住戶不滿三十家……只有一家很小的雜貨店. 《中國新文學大系續編》忽然在一家門口, 我看見了一塊房間出租的紙牌.

가(笴) [길이] 길이의 단위. 1 가는 3 자〔尺〕에 해당된다. 본래는 화살대의 길이였는데, 뒤에 길이의 단위로 쓰이게 되었다.《儀禮, 鄕射禮》弟子相工如初入, 降自西階阼階下之東南堂前, 三笴西面北上坐. (鄭玄注) 笴, 矢幹也. (賈公彦疏) 案矢人注, 矢幹長三尺, 是去堂九尺也.

가(街) [1] [행정] 큰 동(洞)이나 대로(大路)를 다시 몇 개로 구분하여 나타내는 데 쓰는 말. 〈예〉 종로 1~·2~·3~……6~. [2] [수효] '거리'의 뜻으로, 길이 몇으로 갈라진 수를 세는 데 쓰는 말.《紅樓夢, 24回》這三街六巷, 憑他是誰, 若得罪了我醉金剛倪二的街坊, 管叫他人離家散.《蕩寇志, 75回》雖有三街六市, 出門便被紗兜兒厮蒙着臉, 眞是討厭. 《邯鄲行》 長袖曳三街, 兼金輕一顧.

가(歌) [수효] 가곡(歌曲)이나 가창(歌唱)의 수를 세는 데 쓰는 말.《乾元中寓居同谷縣歌》 嗚呼二歌兮歌始放, 鄰里爲我色惆悵.

가(價) [호칭] 원소(元素)의 원자가(原子價)·기(基)·이온(ion)·수산기(水酸基)의 수를 나타내는 데 쓰는 말. 원자가에서 염소·산소·질소 및 탄소는 각각 1 가, 2 가, 3 가, 4 가의 원소라고 하며, 기(基)에서 질산기(窒酸基 : NO_3)와 수산기(水酸基 : OH)는 1 가기(價基)이며, 황산기(黃酸基 : SO_4)는 2 가기이다.

가(駕 : jià) [거리] 중국(中國)의 단위. 말〔馬〕의 하루 노정(路程) 거리를 나타내는 데 쓰는 말.《荀子, 勸學》駑馬十駕, 功在不舍. (劉台拱補注) 一日所行爲一架, 十駕, 十

日之程也.《蘇軾, 和叔盎畫馬次韻》駑駘飽官粟, 未受一洗空. 十駕均一至, 何事籋雲風.

가구(家口) [수효] 한 집안이나 한 골목 안에서 각 살림을 하는 집의 수를 세는 데 쓰는 말. 세대(世帶)와 같은 뜻으로 쓰인다. 〈예〉 이 골목에는 네 ~가 산다.

가닥 [수효] 한 군데 합쳐 있거나, 또는 한 군데에서 갈라져 나간 줄이나 줄기의 수를 세는 데 쓰는 말. 〈예〉 한 ~의 실. 한 ~ 희망.

가라바(garava) [부피] 시리아의 고유 단위. 1 가라바는 41.15 미(美) 액량(液量) 쿼트(quart)에 해당된다.

가라파(garrafa) [부피] 브라질의 고유 단위. 1 가라파는 0.704 미(美) 액량(液量) 쿼트(quart), 또는 0.666*l* 에 해당된다.

가락 1 [수효] 가느스름하고 기름하게 토막친 물건의 수를 세는 데 쓰는 말. 〈예〉 엿 다섯 ~. 떡 여덟 ~. 2 [부피] 가래로 흙을 떠낸 수나 양을 헤아리는 데 쓰는 말. 〈예〉 흙 네 ~. 두엄 다섯 ~.

가랍(加拉 : jiālā) [순도(純度)] 중국의 단위. '캐럿(carat, karat)'의 음역(音譯). 개(開).

가레(gareh) 1 [부피] 이란(Iran)의 단위. 1 가레는 1 세제곱 데시미터〔dm³〕에 해당된다. 2 [길이] 이란의 단위. 1 가레는 10 cm 에 해당된다.

가륜(加侖 : jiālún) [부피] 중국(中國)의 단위. '갤런(gallon)'의 음역(音譯).

가르니에츠(garniec) [부피] 폴란드(Poland)의 옛 단위. 1 가르니에츠는 1.06 미(美) 갤런(gallon), 또는 4*l* 에 해당된다.

가르니에츠(garniets) [부피] 러시아(Russia)의 옛 단위. 주로 곡물(穀物)의 양(量)을 헤아리는 데 쓴다. 1 가르니에츠는 체트비에리크(chietvierik)의 8 분(分)의 1 이며, 0.37 미(美) 펙(peck), 또는 3.277*l* 에 해당된다.

가름 [수효] 문장을 몇 부분으로 크게 나눈 단락(段落)의 수를 세는 데 쓰는 말. 〈예〉 이 글은 세 ~으로 이루어졌다.

가리 [수효] ❶삼을 벗길 때, 널어 말리기 위하여 몇 꾹지씩 한데 묶어 한 줌 남짓하게 만든 묶음의 수를 세는 데 쓰는 말. 〈예〉 삼 다섯 ~를 말리다. ❷곡식이나 땔나무 같은 것을 높이 쌓은 더미의 수를 세는 데 쓰는 말. 산(山). 〈예〉 땔나무 세 ~가 있다.

가리바(gariba) [부피] 고대 아라비아(Arabia)·아시리아(Assyria)·칼데아(Chaldea)·페르시아(Persia)의 단위. 1 가리바는 7.50 미(美) 부셸(bushel)이며, 69.8 미(美) 갤런(gallon), 또는 264*l* 에 해당된다.

가마 1 [수효] 갈모나 쌈지 따위 100 개를 하나치로 세는 데 쓰는 말. 〈예〉 쌈지 한 ~. 2 [부피] ❶'가마니'와 같다. 〈예〉 한 섬〔石〕은 두 ~이다. ❷가마솥에 밥이나 국을 끓이어 그 양을 헤아리는 데 쓰는 말. 〈예〉 세 ~의 밥을 지었다. ❸가마에 벽돌·기와·숯 따위를 구워 낸 양을 헤아리는 데 쓰는 말. 〈예〉 기와 세 ~를 구웠다.

가마니 ① [부피] 가마니에 곡식·소금·비료 따위를 담아 그 양을 헤아리는 데 쓰는 말. 예전에는 소두(小斗) 10 말〔斗〕을 1 가마니로 하거나 대두(大斗) 5 말을 1 가마니로 하였으나, 현재는 리터되(liter 升)로 10 되를 1 말, 10 말을 1 가마니로 치고 있다. 가마.

구제 1 가마니=소두(小斗) 10 말
=대두(大斗) 5 말
=소승(小升) 100 되
=대승(大升) 50 되
≒90 l

신제 1 가마니=리터 말 10 말
=리터 되 100 되
=100 l

② [질량] 가마니에 담은 곡식·소금·비료 따위의 무게를 헤아리는 데 쓰는 말. 곡식의 1 가마니의 무게는 그 종류에 따라 각각 다르기 때문에 포장 단위(包裝單位)로서의 뜻을 아울러 가지고 있다.

〈곡물의 가마니당 무게〉

종 류	무게 (kg)	종 류	무게 (kg)
벼	54	납작보리	42
쌀	80	좁쌀	54
보리쌀	60	메밀	60
밀	60	기장	54
옥수수	60	맥주보리	54
팥	60	수수	60
녹두	60	호밀	54
완두	60	피	60

가밀(gammil) [농도] 1 가밀은 용매(溶媒) 1 l 당(當) 용질(溶質) 1 mg 을 함유하고 있는 농도와 같다.

가비유티(gavyuti) [길이] 고대 인도(印度)의 단위. 1 가비유티는 하스타(hasta)의 16,000 배(倍)이며, 6.38 마일(mile), 또는 10.27 km에 해당된다.

가스(garce) [부피] 인도(印度)의 단위. 1 가스는 149 부셸(bushel), 또는 52.44 헥토리터〔hl〕에 해당된다.

가우스(gauss) [자속 밀도(磁束密度)] 자기 유도(磁氣誘導), 또는 C.G.S. 단위. 1 전자 단위의 자기량(磁氣量)을 가지는 자극에 1 다인(dyne)의 힘을 미치는 강도(強度)를 말한다. 독일의 물리학자 가우스(Gauss; 1777~1855)의 이름에서 따온 것이다. 고사(高斯). 기호 : G, Γ, Gs

1 G=10^{-4}〔Wb/m^2〕

가웃 ① [부피] 말〔斗〕이나 되〔升〕로 곡식 따위를 되고 남는 반분(半分), 또는 그 양을 헤아리는 데 쓰는 말. 〈예〉 두 되 ~. 서 말 ~. ② [길이] 자〔尺〕로 길이를 재고 남는 반분(半分), 또는 그 길이를 나타내는 데 쓰는 말. 〈예〉 한 자 ~. 석 자 ~.

가웃지기 [넓이] 논밭의 넓이를 헤아리는 데 쓰는 말. 한 마지기〔斗落只〕 이상 되고 남는 반 마지기를 이르는 말이다. 〈예〉 한 ~의 논을 갈았다.

가원(加元 : jiāyuán) [통화] 중국의 단위. '캐나다 달러(dollar)'의 역어(譯語).

가족(家族) [조직·수효] 부부(夫婦)를 핵심으로 하여 그 근친자(近親者)와 함께 영위되는 사회의 최소 단위. 또는 그 수를 세는 데 쓰는 말. 〈예〉 그 주택에는 네 ~이 모여 산다.

가즈(gaz) [길이] 인도(印度)·이란의 옛 단위. 1 가즈는 14~44 인치(inch), 또는 36~112 cm 에 해당된다. 현재 이란의 1 가즈는 약 1 m 에 해당된다.

가지 ① [수효] 사물(事物)을 종류별로 따로따로 구별하거나, 또는 그 수를 세는 데 쓰는 말. 물(物). 사(事). 색(色). 열(列). 유(流). 장(樁). 종(種). 종류(種類). 〈예〉 한 ~. 여러 ~. ② [시간] 제기를 찰 때, 차기 시작해서부터 땅에 떨어지기까지의 동안을 이르는 말. 〈예〉 한 ~에 몇이나 찼느냐?

가차(架次 : jiàcì) [수효] 중국(中國)의 단위. 비행기가 출동한 횟수와 대수를 하나치로 세는 데 쓰는 말. 〈예〉 出動四批飛機共六十~.

가호(家戶) [수효] 작은 촌락이나 어떤 지역 안에 있는 집의 수나 세대수를 세는 데 쓰는 말. 〈예〉 이 촌락에는 다섯 ~가 살고 있다.

가화(家伙 : jiāhuǒ) [수효] 중국(中國)의 단위. '바탕'·'번'·'회'·'차'의 뜻으로, 동작이나 일의 횟수를 세는 데 쓰는 말. 〈예〉 引得先生和小學生們嘩一~都哈哈大笑起來.

각(角) ① [수효] ❶'통(通)'·'건(件)'의 뜻으로, 공문서·편지·증서 따위를 낱으로 세는 데 쓰는 말. 예전에 중국에서 공문서를 보낼 때에는 각이 지게 삼각형으로 접어 보낸 데에서 생긴 말이다. 건(件). 도(度·道). 봉(封). 장(丈·張). 종(宗). 지(紙). 찰(札). 통(通). 폭(幅). 함(緘). 《大明律 17, 兵律, 郵驛, 遞送公文》若沈匿公文及拆動原封者, 一角杖之十, 每一角如一等, 罪止杖一百. 《朝鮮中宗實錄 42, 16年7月辛酉》今差本職, 齎送該部公文一角, 前赴朝鮮國王處, 交割途毋遲滯, 須至咨者, 計咨公文二角內, 禮部公文一角, 本司公文一角. 《瀋陽狀啓, 已卯 2月初 8日》內官金希顏承令, 戶部咨文一角, 賫送爲白在果. 《中華大字典》角, 俗稱公文一封爲一角. ❷'뿌리'의 뜻으로, 짐승의 뿔과 같은 모양으로 생긴 삼(蔘)·생강(生薑)·토란〔芋〕 따위의 수를 낱으로 세는 데 쓰는 말. 《續大典 2, 戶典, 雜稅》雖一角蔘, 若無帖文, 而私貿者與受俱以潛商論. 《陽智縣邑誌, 事例》生芋十五角. 《度支準折, 菜蔬》生薑一斤(十角作一升, 鹽一升, 重八兩, 皮一升作實半升, 重七兩). ❸'마리'의 뜻으로, 소〔牛〕의 수를 세는 데 쓰는 말. 예전에 소를 셀 때에는 네 개의 발과 뿔을 합하여 1 마리로 셈하였다. 10 각(角)은 소 두 마리이다. 《陸龜蒙, 放牛歌》江草秋窮似秋牛, 十角吳牛放江岸. 《元好問, 兩山行記》吳牛買十角, 溪田耕半頃. ❹(jiǎo) 중국(中國)의 단위. ㉮떡의 수를 세는 데 쓰는 말. 1 각은 떡 4 분의 1 쪽에 해당된다. 〈예〉 一~餠. ㉯'알'·'개'의 뜻으로, 작고 둥글게 생긴 물체를 낱으로 세는 데 쓰는 말. 〈예〉 吃一~淸心丸. ② [부피] '갑(匣)'의 뜻으로, 차〔茶〕·다식(茶食)·중배끼〔桂〕·떡 따위를 담아 그 양을 헤아리는 데 쓰는 말. 각(脚). 갑(匣). 《高麗史 7, 文宗世家》三年三月庚子……王親臨賜酒, 仍賜輔成·顒等, 公服各

一襲, 幞頭二枚, 腦原茶三十角, 澤成公服一襲. 《朝鮮世宗實錄 102, 25年12月甲午》 特賜鞍具馬一匹……茶一十觔, 桂二角, 茶食二角, 鯉魚五十尾, 大鵝五隻. 《朝鮮端宗實錄 10, 元年2月乙未》 殿下嘉之, 特賜白細苧布·白細綿紬各五匹……燒酒五十瓶, 密餅子八角. 《朝鮮成宗實錄 1, 卽位年12月癸亥》 燒酒二十瓶, 淸酒五十瓶, 乾雉一百首, 雁一十首, 桂三角, 茶食三角, 綿紬一十匹. ③ [통화] (jiǎo) 중국(中國)의 단위. 1 각은 전(錢)의 10 배(倍), 또는 원(元·圓)의 10 분의 1에 해당된다. ④ [질량] (jiǎo) 중국의 단위. 1 각은 파운드의 4 분의 1 에 해당된다. ⑤ [넓이] (jiǎo) 중국의 단위. 토지 면적을 헤아리는 데 쓰는 말. 1 각은 1 묘(畝)의 10 분의 1 에 해당된다. 《金陀續編 13》 省田柒頃捌拾捌畝壹角壹步, 地壹拾壹頃玖拾陸畝參角.

각(刻) ① [시간] 시헌력(時憲曆)의 15 분(分) 동안, 또는 그 동안의 길이를 헤아리는 데 쓰는 말. 시헌력 이전에는 밤과 낮을 100 각(刻)으로 나누어, 춘분(春分)과 추분(秋分)에는 밤과 낮을 각각 50 각으로 하였고, 동지(冬至)에는 밤을 60 각, 낮을 40 각으로 하였으며, 하지(夏至)에는 동지의 반대로 하였다. 그 때에는 하루를 자시(子時)·축시(丑時)·인시(寅時)·묘시(卯時)·진시(辰時)·사시(巳時)·오시(午時)·미시(未時)·신시(申時)·유시(酉時)·술시(戌時)·해시(亥時)의 12 시로 등분(等分)하였는데, 이 때의 1 시는 현재의 2 시간에 해당된다. 《高麗史 59, 禮志, 吉禮大社, 圜丘》 未明一刻, 王服袞冕. 《朝鮮成宗實錄 77, 8年閏2月乙丑》 先詣親蠶所, 授尙傳, 以授執鉤·筐者, 從採桑外命婦, 亦先詣前一刻. 《眉巖集 11, 日記》 甲戌六月初二日……初二刻, 殿坐, 臣等入侍, 賜酒果. 《事類博解, 天時》 十五分爲一刻 《廣才物譜 1, 天道部, 年》 十五分爲一刻. ② [음악] 정악(正樂)과 민속악(民俗樂)에서, 장단(長短)을 헤아리는 데 쓰는 말. 16 박자의 가곡(歌曲) 장단에서 11 번째까지의 박을 끝낸 뒤, 12 번째로 가지 않고 다음 첫 박으로 건너뛰는 경우, 나머지 5 박을 이른다. 또 24 박자의 진양조는 6 박을 한 단위로 하는 4 개의 소단위로 구성되는데, 이 6 박의 소단위를 이른다.

각(脚) ① [부피] '갑(匣)'의 뜻으로, 갑에 물건을 담아 그 양을 헤아리는 데 쓰는 말. 절초(折草)는 살담배를 말한다. 각(角). 갑(匣). 《朝鮮世宗實錄 35, 9年正月壬寅》 使人獻土物, 硫黃二千斤, 南木香二斤, 赤銅五十斤, 龍腦三兩, 胡椒五斤, 折草一脚, 菓子盆十斤, 大盆一片. ② [수효] ❶짐승을 잡아 그 고기를 나눌 때, 전체를 몇으로 각을 뜬 부위의 수를 세는 데 쓰는 말. 《進宴儀軌(高宗壬寅) 2, 饌品》 猪肉醬方湯一器(猪肉二脚, 牛內心肉半半部). 《進饌儀軌(純祖己丑) 2, 饌品》 陳鷄二脚……生雉·軟鷄各一首二脚. ❷'마리'의 뜻으로, 문어(文魚)의 수를 세는 데 쓰는 말. 《陶山書院傳掌記, 癸未2月25日》 文魚二脚. ❸횃대〔衣桁〕의

수를 세는 데 쓰는 말. 횃대는 간짓대를 잘라 두 끝에 끈을 매어 달아 옷을 걸 수 있게 만든 제구이다. 대(擡).《通文館志 5, 交隣, 差倭》參判前別幅金小屛風二雙, 水晶緖三結, 彩花衣桁一脚. ❹서가(書架)와 같이 긴 물건이나 다리가 달린 물건의 수를 세는 데 쓰는 말. 서가는 책을 얹어 두는 시렁이다.《通文館志 5, 交隣, 差倭》參議前別幅彩花書架一脚. ❺(jiǎo) 중국(中國)의 단위. 걸음을 걷거나 넘어지는 따위의 수를 세는 데 쓰는 말.《中國新文學大系續編》一脚一脚挺踏實地踱着, 好像飯後散步似的. ❻일본(日本)의 단위. 사방침(四方枕)·책상(册床 : 机)·어상(御床) 따위의 수를 세는 데 쓰는 말.《羣書類從 7》正宮御床二脚.

각(覺 : jiào) [수효] 중국(中國)의 단위. 잠을 잔 횟수를 세는 데 쓰는 말.《列子, 周穆王》西極之南隅有國焉, 其民不食不衣而多眠, 五旬一覺.《官場現形記, 19回》困了一覺中覺, 以補早晨之不足.《鮑老催曲》從教酩酊玉山倒, 共化下眠一覺.《超級巨星》會睡一覺, 所以我就睡了.

각라사(各羅斯 : gèluósī) [질량] 중국의 단위. '그로스(gross)'의 음역(音譯).

각수(角數 : jiǎoshǔ) [통화] 중국(中國)의 보조 화폐 단위. 1 원(元)을 단위로 하여 헤아릴 때 남는 잔돈을 이르는 말.

각전(角錢) [통화] 엽전이나 동전 따위의 잔돈을 이르는 말.

간(干 : gǎn) [수효] 중국(中國)의 단위. '무리'·'패'·'떼'의 뜻으로, 어떤 관계로 여럿이 모여서 이룬 동아리의 수를 세는 데 쓰는 말.《紅樓夢, 59回》那婆子深妒襲人·晴雯一干人……凡見了這一干人, 心中又畏又讓.《李自成 1, 19章》率領着一干人衆策馬而去.

간(杆) [수효] '자루'의 뜻으로, 창(槍) 따위의 긴 물건을 세는 데 쓰는 말. 간(竿·桿).〈예〉一~槍. 一~秤.

간(竿) ① [수효] ❶㉮ '간(幹)'의 ❶과 같다.《西遊記, 13回》一徑野花香襲體, 數竿幽竹綠依依.《張籍, 竹巖詩》獨入千竿裏, 綠巖踏石層.《蘇軾, 贈惠山僧惠表》閉門新竹自千竿.《納蘭性德, 采桑子詞》幾竿修竹三更雨, 葉葉蕭蕭. ㉯장대와 같이 긴 물건의 수를 세는 데 쓰는 말.《宋史, 輿服志》龍肩輿, 一名椶檐子, 一名龍檐子, 舁以二竿, 故名檐子, 南渡後所製也. ❷일본(日本)의 단위. '자루'의 뜻으로, 창(槍) 따위 긴 물건의 수를 세는 데 쓰는 말. 간(杆·桿).《羣書類從 6》鉾肆竿. ② [길이](gān) 중국의 단위. 장대를 잣대로 하여 다른 사물의 길이를 헤아리는 데 쓰는 말.《南齊書, 天文志》日出高三竿.

간(桿) [수효] '간(杆)'과 같다.《朝鮮正祖實錄 45, 20年12月乙未》以外生擒頭目僧廣寧聶涓聶泮及劉芳萬宗相等四十八名, 餘黨男婦大小七百四十九名口, 奪獲及搜出大砲二尊, 怡鎗八桿, 鳥鎗三百七十八桿, 長矛一千五百二十一桿, 腰刀七十二口, 米麥雜穀數百石.《陰晴史, 下》潘曰, 向見王筱雲, 論及貴國所

買前後門槍千桿外, 槍子宜多買去.

간(間) ① [넓이] ❶건물의 간살의 넓이를 헤아리는 데 쓰는 말. 보통 6 자〔尺〕 제곱의 넓이를 말하지만, 현재에는 8 자, 또는 9 자 제곱을 한 간으로 하기도 한다.《三國遺事 2, 紀異, 駕洛國記》王后爰處中宮, 勑賜媵臣夫妻私屬, 空閑二室分入, 餘外從者以賓舘, 一坐二十餘間, 酌定人數區別安置.《朝鮮太祖實錄 8, 4年 9月庚申》大廟及新宮造成, 大廟大室七間, 同堂異室, 內作石室五間……以上爲內殿正殿.《仁祖國葬都監儀軌, 都廳, 甘結秩》堂上三員, 假家四間內, 溫堗二間, 都廳二員, 假家連造二間內, 溫堗一間. ❷땅의 넓이를 헤아리는 데 쓰는 말. 사방 3 보(步) 또는 10 보 등 쓰이는 목적과 시대에 따라 그 넓이가 각각 달랐다.《磻溪隨錄 1, 田制 上》凡公廨基, 每南北六步, 東西十步爲一座, 俗稱一間.《海行摠載, 海遊錄 上》奉行二人代理者, 掌征稅, 三步爲一間, 六十間爲一町, 三十六町爲一闆, 闆置一主管, 作里門禁盜禁火甚嚴. ② [길이] 척관법(尺貫法)의 한 단위. 여섯 자를 하나치로 하여 그 길이를 헤아리는 데 쓰는 말. 주로 건물이나 토지 따위에 쓰인다. 곳에 따라서는 6 자 5 치, 8 자, 또는 10 자를 1 간으로 하기도 한다.

1 간=6 자
=1.81818 m
=1.98842 야드
=0.001129 마일

《增補文獻備考 91, 樂考, 度量衡》測量尺, 十釐爲分, 十分爲一周尺(六寸六分), 六尺爲一步, 十尺爲一間, 一百尺爲一鏈, 二千一百尺爲一里(卽三百五十步), 三十里爲一息. 泰西米突, 則一米突準我五尺.《度支準折, 草物》草飛乃一同(十束作一舍音, 長四間, 五舍音作一同, 三同作一馱), 草把子一浮(廣一把, 三十浮作一同, 三同作一馱). ③ [수효] ❶건물의 간살의 수를 세는 데 쓰는 말. 간살은 집의 도리 네 개로 둘러막은 넓이이다. 간취(間取). 개간(開間). 영(楹).《三國遺事 2, 紀異, 孝恭王》奉聖寺外門, 東西二十一間鵲巢.《高麗史 6, 靖宗世家》六年春二月庚寅, 昇平門廊屋數百間, 灾延燒御史臺.《朝鮮太宗實錄 6, 3年11月丙申》予聞前日甲士等, 欲破河演之家, 雖一間屋, 豈可破乎.《平壤志 1, 公署》司獄局六間, 囚獄東西梗各二架三間, 中門一間, 大門一坐, 四圍荊墻. ❷어느 대상물의 표면을 가로와 세로로 구획을 나누었을 때, 그 사이에 이루어지는 공간의 수를 세는 데 쓰는 말. 〈예〉 모눈종이 위에 가로 세 ~, 세로 네 ~ 되는 직사각형을 만들었다. ❸(jiān) 중국(中國)의 단위. '번'·'회'의 뜻으로, 동작이나 생각의 횟수를 세는 데 쓰는 말.《寄蕭二十三慶中》我憶君兮千百間, 千百間兮不得還.

간(幹) [수효] ❶'그루'의 뜻으로, 나무의 수를 세는 데 쓰는 말. 간(竿·榦). 과(科·棵·窠·顆). 근(根). 두(頭). 수(樹). 장(章). 정(挺). 조(条·條). 주(株).《朝鮮明宗實錄 9, 4年8月丁酉》宗廟垣內之木, 爲風所拔者一百八十七幹, 折者三十一, 如此風災, 古所無也. ❷

나무의 줄기나 가지의 수를 세는 데 쓰는 말. 《元史, 五行志》一本五幹, 高尺有二寸, 一本二幹, 高五寸有半, 幹皆兩岐, 二本相依附扶疎, 瑰奇如珊瑚枝.

간(榦 : gǎn) [수효] 중국(中國)의 단위. '간(幹)'과 같다. 《陶潛, 讀山海經詩》 亭亭凌風柱, 八榦共成林.

간(澗) [수] 매우 큰 수의 하나. 1 간은 구(溝)의 1만 배(倍)이며, 정(正)의 1만 분의 1, 또는 10^{36}에 해당된다. 《孫子算經, 上》凡大數之法, 萬萬曰億, 萬萬億曰兆, 萬萬兆曰京, 萬萬京曰陔, 萬萬陔曰秭, 萬萬秭曰穰, 萬萬穰曰溝, 萬萬溝曰澗. 《數術記遺》黃帝爲法, 數有十等, 及其用也, 及有三焉, 十等者, 億・兆・京・垓・秭・壤・溝・澗・正・載. 三等者, 謂上・中・下也.

간(簡) [수효] ❶옥책(玉册)・죽책(竹册)・시책(諡册)・애책(哀册) 따위에 쓰는 대나무나 옥(玉)의 조각을 세는 데 쓰는 말. 옥책・죽책・시책・애책은 종이가 발명되기 전에 문자를 기록하던 서책으로, 종이가 발명된 뒤에도 그 풍습이 남아 궁중에서 사용되었다. 《高麗史 2, 惠宗世家》竹册・法物等, 竹册一副八十簡. 《朝鮮世宗實錄 17, 4年9月庚申》 玉册・諡册四十八簡, 哀册八十四簡, 皆書而亥之, 簡長六寸, 廣七分, 厚四分(尺用布帛尺). ❷'통'의 뜻으로, 편지의 수를 세는 데 쓰는 말. 《宋史, 喩樗傳》樗善鑒識, 建炎初, 謂今歲進士, 張九成第一, 凌景夏次之, 會, 風折大槐, 樗以作二簡遺之, 後果然.

간(ngan) [넓이] 태국(泰國)의 단위. 1 간은 0.1 에이커(acre), 또는 4 아르〔a〕에 해당된다.

간둠(gandum) [질량] 이란(Iran)의 고유 단위. 1 간둠은 노후드(nokhōd)의 4 분의 1 이며, 0.74 그레인(grain), 또는 47.95 mg 에 해당된다.

간살 ① [수효] 사이를 띄운 거리(距離), 또는 그 수를 세는 데 쓰는 말. 〈예〉 배추를 심은 ~마다 파를 심었다. ② [넓이] 집의 도리 네 개로 둘러막은 면적, 또는 그 넓이를 헤아리는 데 쓰는 말. 간(間). 영(楹).

간시(間時) [시간] 12 지(支)로 일컫는 하루의 12 시(時)를 24 시로 나눌 때, 한 시마다 절반씩을 떼어 사이사이 딴 이름으로 일컫는 시. 곧, 계(癸)・간(艮)・갑(甲)・을(乙)・손(巽)・병(丙)・정(丁)・곤(坤)・경(庚)・신(辛)・건(乾)・임(壬)의 열두 시를 이른다.

간의(艮衣) [길이] '거리'의 차자 표기로, 새끼・줄 따위의 길이를 헤아리는 데 쓰는 말. '거리'는 발〔把〕의 상위 단위로서 실・칡줄〔葛乼〕・줄바〔條所・条所〕・뭇줄〔束乼〕・세겹바〔三甲所〕 따위의 길이를 헤아릴 때에 쓰이었으나, 그 만들어진 재료와 쓰임에 따라 각각 그 길이와 무게가 달랐다. 같은 한 '거리'라도 뭇줄은 열 발〔十把〕이지만 줄바는 서른 발이 되고, 같은 뭇줄이라도 대・중・소에 따라 그 무게가 달라진다. 세겹바도 별세겹바〔別三甲所〕 또는 흰 무명으로 만든 세겹바〔白木三甲所〕 따위에 따라 그 길이는 같지만 그 무게는 달랐다. 대체로 한 '거리'의 길이는 열 발이 되고, 한 발을 3자〔尺〕 6치〔寸〕로 치면 한 거리는 36자가 된다. 거리(巨里). 《正宗大王殯殿魂殿都監儀軌, 中, 稟目》紅小索二艮衣. 《正宗大王殯殿魂殿都監儀軌, 下, 稟目》葛乼十艮衣. 《昌慶宮營建都監儀軌, 實入》別條所七十五艮衣八把. 《純元王后國葬都監儀軌 4, 實入》東乼二艮衣. 《進宴儀軌(高宗壬寅) 3, 修理》黃綿絲二十艮衣. 《度支準折, 索綯》大葛乼一艮衣(重六十五斤), 中葛乼一艮衣(重四十五斤), 小葛乼一艮衣(重三十五斤), 大東乼一艮衣(長十把, 重二十五斤), 中東乼一艮衣(長十把, 重二十斤), 小東乼一艮衣(長十把, 重十五斤), 別三甲所一艮衣(長十把, 重七斤), 三甲所一艮衣(一把長三尺六寸, 長十把, 重二斤十兩), 条所一艮衣(長三十把, 重二斤十兩).

간취(間取) [수효] 일본(日本)의 단위. '간(間)'의 뜻으로, 건물의 간살을 세는 데 쓰는 말. 1간취는 보통 7자〔尺〕 사방을 이른다. 간(間). 영(楹). 〈예〉 房一~.

간타(ganta) [부피] 필리핀(Philippines)의 고유 단위. 1간타는 추파(chupa)의 8배(倍)이며, 3.17미(美) 액량(液量) 쿼트(quart), 2.72미(美) 건량(乾量) 쿼트, 또는 약 3l에 해당된다.

간탕(gantang) ① [부피] ❶네덜란드(Netherlands)·인도네시아(Indonesia)의 단위. 1간탕은 7.79미(美) 건량(乾量) 쿼트(quart), 또는 8.58l에 해당된다. ❷인도(印度) 동부(東部) 지역의 단위. 1간탕은 1.08미(美) 갤런(gallon), 또는 4.09l에 해당된다. ❸말레이 반도(Malay 半島)의 단위. 1간탕은 1.20미(美) 갤런, 또는 4.55l에 해당된다. ② [질량] 인도 동부 지방의 단위. 지방에 따라 다소 차이가 있는데, 1간탕은 약 17파운드, 또는 7.7kg에 해당된다.

간통(間—) [수효] 집의 몇 간 되는 넓이. 또는 그 수를 세는 데 쓰는 말. 〈예〉 저 기와집은 일곱 ~이나 되는 집이다.

갈(gal) [속도] 가속도의 시 지 에스(C.G.S) 단위계의 보조 단위. 1갈은 미터 매초매초(每秒每秒)〔m/s^2〕의 100분의 1, 또는 센티미터 매초매초〔cm/s^2〕에 해당된다. '갈'이라는 명칭은 이탈리아의 물리학자이며 천문학자인 갈릴레이(Galilei, Galileo ; 1564~1642)의 이름에서 유래되었다. 가(伽).

$$1\,gal = 1\,cm/s^2 = 0.01\,m/s^2$$

갈래 [수효] 한 군데로부터 몇 군데로 갈라져 나간 낱낱의 부분의 수를 세는 데 쓰는 말. 고(股). 〈예〉 두 ~로 갈리다. 세 ~의 길.

갈론(galon) [부피] ❶아르헨티나(Argentina)의 단위. 1갈론은 1.01미(美) 갤런(gallon), 또는 3.80l에 해당된다. ❷페루(Peru)의 단위. 1갈론은 0.89미(美) 갤런, 또는 3.36l에 해당된다. ❸베네수엘라(Venezuela)의 단위. 1갈론은 0.925미(美) 갤런, 또는 3.5l에 해당된다.

갈론 몰라시스(gallon molases)

[질량] 서인도(西印度)의 단위. 1 갈론 몰라시스는 5.33 kg 에 해당된다.

갈바(ghalva) [길이] 고대 아라비아(Arabia)·아시리아(Assyria)·칼데아(Chaldea)·페르시아(Persia)의 단위. 1 갈바는 약 252 야드, 또는 230 m 에 해당된다.

갈이 [넓이] 하루에 소 한 마리가 갈 만한 논밭의 넓이. 또는 그 넓이를 헤아리는 데 쓰는 말. 지방에 따라 다소 차이는 있으나, 보통 2천 평(坪)을 말한다. 경(耕). 일경(日耕). 〈예〉 하루 ~. 사흘 ~.

감 [수효] 어떤 일을 하거나 무엇을 만드는 데 바탕이 되는 재료의 수량을 헤아리는 데 쓰는 말. 차(次). 〈예〉 저고리 한 ~. 양복 두 ~.

감덕랍(坎德拉 : kǎndélā) [광도(光度)] 중국(中國)의 단위. '칸델라(candela)'의 음역(音譯).

감마(gamma) [질량] 1 감마는 그램〔g〕의 10^6 분의 1, 또는 10^{-3} mg 에 해당된다. 마이크로 그램〔μg〕과 같다. 기호 : γ

감탑이(坎塔爾 : kǎntǎ'ěr) [질량] 중국의 단위. '칸타르(kantar)'의 음역(音譯).

갑(甲) ① [전제(田制)] 전세(田稅)의 수세율(收稅率)을 계산하는 데 쓰는 말. 갑에는 단갑(單甲)과 이갑(二甲)이 있는데, 단갑은 한전(旱田) 1 결(結)에 전미(田米) 5 되〔升〕 3 홉〔合〕 3 작(勺), 콩 1 말〔斗〕 6 되를, 수전(水田) 1 결에는 쌀 2 말 6 되 6 홉 6 작을 징수하였다. 전세의 분수(分數)의 하나로 납세하는 방법은 한전 10 분(分)을 표준으로 하여 4 분은 조밭, 6 분은 콩밭으로 하여 연분(年分)의 3 분의 1 을 징수하였다. 이갑은 전세를 단갑의 배로 징수하는 읍으로, 한전 1 결에는 전미 5 되 6 홉 6 작, 콩 1 말 7 되, 수전에는 쌀 3 말 3 되 3 홉 3 작을 징수하며, 수전의 결세를 감(減)하는 방법은 단갑과 같으나 실제의 수량은 단갑의 배가 되므로 도로 두 배를 감해 주었다. 《萬機要覽, 財用 2, 收稅》 關西平壤及江邊七邑(義州·朔州·昌城·碧潼·楚山·渭原·江界), 謂之單甲邑……二甲則旱田·水田倍之, 還減二斗. 《增補文獻備考 149, 田賦考, 租稅》 中和等三十四邑二甲, 粟田每結, 小米二斗內, 減三分一, 仍爲倍甲, 而粟田·豆田合元數中, 每結小米五升式磨鍊, 以其數還減於元收稅, 二甲小米中, 實小米一斗四升一合六勺零. 《度支準折, 雜錄》 江邊七邑及平壤(單甲), 旱田每結內(十分四粟田, 十分六太田), (朔州·義州·楚山·昌城·渭原·碧潼·江界七邑), 平安道三十四邑(二甲), 旱田一結內(十分四粟田, 十分六太田), (中和·順安·肅川……甑山·三登三十四邑). ② [수효] ❶'겹'의 차자 표기로, 물건이 포개어지거나 합하여진 수를 세는 데 쓰는 말. 삼갑소(三甲所)는 세 겹으로 꼰 밧줄을 말한다. 습(襲). 《朝鮮의 弓術, 弓矢의 種類》 弦의 圓(시위 몸피)은 五分으로 六分이 되니, 三甲絲(삼겹실)로 強弓은 二百四十合, 中弓은 二百十合, 軟弓은 一百八十合이며. 《萬機要覽, 財用編 1, 供上, 大殿》 四朔一改 油紙三卷……三甲所三艮

衣.《樂器造成廳儀軌, 啓辭秩》結紅熟麻三甲所二艮衣. ❷'마리'의 뜻으로, 게〔蟹〕의 수를 세는 데 쓰는 말.《瑣尾錄 2, 癸巳閏11月12日》麴二圓, 沈蟹十甲.《瑣尾錄 3, 甲午8月26日》生蟹三十甲, 松耳十七本, 眞油一升, 好油之饍. ❸'벌'의 뜻으로, 갑옷의 수를 세는 데 쓰는 말.《左傳, 昭公27年》令尹好甲兵, 子出之, 吾擇焉, 取五甲五兵, 曰, 寘諸門, 令尹至必觀之, 而從以酬之.《唐書, 薛仁貴傳》帝曰, 古善射有穿七札子, 卿試以五甲射焉, 仁貴一發洞貫, 帝大驚, 更取堅甲賜之.《徐晉卿, 春秋經傳類對賦》蔡昭侯兩佩兩裘, 已爲怨府, 郤子惡五兵五甲, 更作禍胎. ③ [넓이] (jiǎ) 대만(臺灣)의 고유 단위. 주로 논밭의 넓이를 나타내는 데 쓴다. 1 갑은 96.991 아르〔a〕에 해당된다. 갑은 분(分)의 10 분의 1 이고, 리(釐)의 10 배(倍)이다. ④ [과거] 진사(進士) 시험에 급제한 사람을 점수에 따라 나눈 등급. 1 갑에서 5 갑까지 있었다.《宋史, 選擧志》乾道二年御試, 始推登極恩, 第一甲, 賜進士及第並文林郎, 第二甲, 賜進士及第並從事郎, 第三甲, 第四甲, 進士出身, 第五甲, 同進士出身.《事物紀原, 學校貢擧部, 五甲》宋朝會要曰, 淳化二年三月四日, 帝御崇政殿試進士, 昭糊名考校, 定其優劣, 爲五等, 第一至第二等賜及第, 第三, 第四賜同出身, 五等之分, 自此爲始也, 天聖五年始曰甲.

갑(匣) [부피] 갑이나 상자에 물건을 담아 그 양을 헤아리는 데 쓰는 말. 분(粉)·아다개(阿多介: 털가죽으로 만든 깔개)·날고기〔腥〕·붓·벼루·먹·지삼이(只三伊·きざみ: 살담배)·과자·떡·차(茶) 따위에 쓰이었다. 각(角). 각(脚).《朝鮮世宗實錄 46, 11年11月丙午》使臣, 進紵絲·紗各二匹, 玉帽頂一甜, 薰香一罐, 紅纓尾子一. 中宮, 紵絲·羅各一匹, 紗二匹, 綿燕脂五百箇, 粉一匣.《朝鮮宣祖實錄 203, 39年9月乙未》禮曹啓曰……大鷹子十五連, 白綿紬五十匹, 阿多介一匣, 白米二百石.《度支志 13, 宗廟》豕腥三匣, 牛腥一匣, 羊腥一匣.《朝鮮正祖實錄 15, 7年2月戊子》仍賜臣等, 紋緞一匹, 絹紙一軸, 猫金牋一軸, 貢筆一匣, 貢墨一匣.《關西邑誌, 龍灣誌, 下, 進上》只三伊三十匣.《進宴儀軌(高宗壬寅) 2, 饌品》御菓子二匣.《進宴儀軌(高宗壬寅) 2, 饌品》金箋餠十匣.《度支準折, 唐餠果茶膏》葉茶一匣, 茶膏一匣, 龍井茶一匣, 倭密膏一匣.

갑절(甲折) [수효] 어떠한 수량이나 분량을 두 번 합친 것. 또는 그 양이나 수를 헤아리는 데 쓰는 말.《大明律 7, 戶律, 倉庫, 鈔法, 直解》其中詳番不冬, 誤錯用使爲在乙良 杖一百, 鈔甲折生徵爲乎矣, 見使之人乙, 與罪齊.

갓 [수효] 비웃·굴비 따위의 10 마리, 고사리·고비 따위의 10 모숨을 한 줄로 엮은 묶음을 하나치로 세는 데 쓰는 말. 〈예〉 조기 두 ~. 고사리 한 ~.

강(扛) [수효] '杠'의 ❶과 같다.《朝鮮世宗實錄 27, 7年正月丙申》使臣今月二十二日, 越江到義順館, 頭目官三十三內, 北京來十八, 遼東來十

五櫃子五扛， 護送軍卒六百二十五員名.

강(杠) [수효] ❶'짐'의 뜻으로, 짐짝의 수를 세는 데 쓰는 말. 예전에는 가축을 잡아 짐짝같이 묶어서 길고 굵은 장강(長杠)에 올려놓거나 매달고, 마주 메거나 들어 옮겼기 때문에 이 단위어가 쓰인 것이다. 강(扛). 《朝鮮世宗實錄 19, 5年月戊戌》平安道監司報, 使臣三月十五日到義順館, 櫃子四十杠, 猪二杠, 羊二杠, 軍指揮一千戶一, 鎭撫一百戶三, 舍人三十三名, 旗軍三百四名. 《朝鮮宣祖實錄 87, 30年4月壬申》仍謂恒福曰, 楊方亨以三十杠十餘車, 輸運行李云, 然乎. ❷(gàng) 중국(中國)의 단위. '줄'의 뜻으로, 공책이나 어떤 물건에 그은 줄의 수를 세는 데 쓰는 말. 〈예〉畫了一～兒.

강(降) [수효] 일본(日本)의 단위. '번'·'회'·'차례'의 뜻으로, 순서 있게 벌여 나가는 관계(關係), 또는 일의 횟수를 세는 데 쓰는 말. 〈예〉雨一～.

강(腔 : qiāng) [수효] 중국(中國)의 단위. '강(羫)'과 같다. 《謝滕王賚猪啓》奉敎垂賚肥豕一腔. 《朝野僉載 4》安後一腔凍猪肉, 所以名爲姜侍郎. 《紅樓夢, 75回》果然賈珍煮了一口豬, 燒了一腔羊.

강(羫) [수효] '마리'의 뜻으로, 양(羊) 따위 짐승의 수를 세는 데 쓰는 말. 강(腔). 골(骨). 구(口). 두(頭). 수(首). 제(蹄). 척(隻). 투(套). 필(匹·疋). 《朝鮮太宗實錄 27, 14年正月辛巳》茂昌及幹, 各進勅賜胡馬一匹及羊羫.

강다리 [수효] 쪼갠 장작 100 개비를 하나치로 세는 데 쓰는 말. 두 강다리는 200 개가 된다.

가트(gat) [길이] 에티오피아의 단위. 1 가트는 0.20 m 에 해당된다.

개(个) [수효] '개(介·芥·個·箇)'와 같은 뜻으로, 낱으로 된 물건이나 사람의 수를 세는 데 쓰는 말. 《三國遺事 2, 紀異, 元聖大王》帝曰, 朕有如意珠四枚, 前年失一个, 今見此珠, 乃吾所失也. 《釋文》介, 字又作个. 《大學》若有一个臣.

개(介) [수효] '개(个·芥·個·箇)'와 같은 뜻으로, 낱으로 된 물건의 수를 세는 데 쓰는 말. ❶'명(名)'·'분(分)'·'인(人)'의 뜻으로, 사람의 수를 셀 때 쓰이었다. 개(個·箇). 구(口). 두(頭). 명(名). 분(分). 영(領). 원(員). 위(位). 인(人). 정(丁). 한(漢). 《高麗史 20, 明宗世家》若義旼者, 特一匹夫耳, 遣一介使, 數其殺君之罪, 誅而族之可也. 《禮記, 聘義》聘禮, 上公七介, 侯伯五介, 子男三介, 所以明貴賤也. ❷귀신(鬼神)의 수를 셀 때 쓰이었다. 《三國遺事 2, 紀異, 駕洛國記》幾臨事畢, 而甚勞倦, 忽一夕夢, 見七八介鬼神, 執縲紲, 握刀劍而至. ❸패(牌)의 수를 셀 때 쓰이었다. 닙(立). 면(面). 주(柱). 《度支準折, 成器物種》粉牌一介, 薄松板, 長一尺, 廣五寸一片, 眞粉三戔, 明油五夕, 阿膠五分. ❹홰〔炬〕의 수를 셀 때 쓰이었다. 동(同)의 하위(下位) 단위로, 1 개는 1 동의 10 분의 1 에 해당된다. 홰는 싸리나 갈대 따위를 묶어 밤길을 밝히거나, 제사 때 화톳불을 놓을 때 쓰

는 물건이다. 거(炬). 병(柄).《度支準折, 木柳器》杻中炬一同(十介), 価錢五戔, 杻木一丹, 価錢一戔. ❺금전지(金錢紙)의 수를 셀 때 쓰이었다.《度支準折, 金銀》金錢紙一介, 価錢五分. 藍絨絲大金錢紙一介, 価錢一戔. ❻뿔〔角〕의 수를 셀 때 쓰이었다. 근(根). 부(部). 정(丁). 조(条). 지(枝). 통(桶).《度支準折, 牙角》鹿角, 方一寸, 価錢二分. 首一介, 価錢七分. 常角一介, 価錢五分. ❼물고기의 알주머니 수를 셀 때 쓰이었다. 10 자래〔折里〕면 1 되〔升〕가 되고, 3 말〔斗〕이면 1 통(桶)이 된다.《度支準折, 鹽卵》蘇魚醢一桶(二十介作一升, 三斗作一桶). 卵醢一桶(一介卽二折里, 十介作一升, 三斗作一桶). 秀魚卵一介. ❽새의 깃털이나 짐승의 꼬리의 수를 셀 때 쓰이었다.《萬機要覽, 軍政編 2, 訓鍊都監, 財用》雉羽五萬八千二百介.《度支準折, 毛鬣》半白雕羽一介, 雉尾羽十介, 唐鷹羽一介, 牛尾一介, 豹尾一介. ❾화로(火爐)·봉로(烽爐)·도마(刀馬)·부젓가락〔火箸〕·적쇠〔炙金〕·석쇠〔乶金〕·삼발이〔阿里金〕 따위의 수를 셀 때 쓰이었다.《正宗大王殯殿魂殿都監儀軌, 中, 各處手本》土烽爐十介, 土火爐十介.《仁祖國葬都監儀軌, 下, 3房》土火爐一介.《孝宗寧陵山陵都監儀軌, 別工作》中刀馬八介.《度支準折, 鐵物》火箸一介, 炙金大一介, 乶金大一介, 阿里金一介. ❿알〔卵〕의 수를 셀 때 쓰이었다.《度支準折, 畜物》鷄卵七介, 鴨卵四介. ⓫홍두깨〔橫道介〕·채반〔盤〕·소쿠리〔所昆里〕·고리(古里)·주격(周冟)·표주박〔瓢子〕 따위의 수를 셀 때 쓰이었다.《正宗大王殯殿魂殿都監儀軌, 1房, 稟目》橫道介一介.《度支準折, 木柳器》杻盤一介, 杻所昆里一介, 杻古里一介, 木食棿一介(一名周冟), 木瓢子大一介, 瓢子一介. ⓬'개(箇)'의 ⓯와 같다.《度支準折, 珠玉寶石》五色珠一百介, 白眞玉珠一介, 靑玉一介, 紅珠一介, 黑珠一介. ⓭화살·남날개〔南羅介·南飛介〕·칼〔刀子〕·화살촉〔箭鏃〕 따위의 수를 셀 때 쓰이었다.《朝鮮宣祖實錄 41, 26年8月戊子》今宜更其揭帖, 專人送禮, 內下環刀一把, 粧弓一丁, 帿箭二十介, 並送之.《宣川府邑誌, 上》木南羅介六百介.《度支準折, 鐵物》倭刀子一介, 眞刀子一介, 南飛介一介, 戈鎗一介, 將軍箭鏃一介. ⓮촛꽂이〔燭串之〕·가위〔加耳〕·인두〔引刀〕·전반〔剪板〕·거울〔銅人勝〕 따위의 수를 셀 때 쓰이었다.《度支準折, 鐵物》燭串之一介, 加耳一介, 引刀一介, 大銅人勝一介.《仁祖國葬都監儀軌, 下, 3房》剪板二介. ⓯대접〔大貼〕·보시기〔甫兒〕·사발(沙鉢)·항아리·방구리〔方文理〕·시루밑〔甑本〕·시룻방석〔甑蓋〕·용수(容水)·조리〔助乃〕 따위의 수를 셀 때 쓰이었다.《仁祖國葬都監儀軌, 2房, 稟目》白沙缸一介. 沙貼是三竹.《仁祖國葬都監儀軌, 3房, 雜物, 實入》沙大貼六介, 沙甫兒五介, 沙鉢五介.《孝宗寧陵山陵都監儀軌》陶方文里十五介, 陶小方文里三介.《仁祖國葬都監儀軌, 1房, 己丑9月4日, 山陵都監》方文里五介.

《度支準折, 雜種貿易》 甑本一介, 甑蓋一介, 容水一介. 《正宗大王殯殿魂殿都監儀軌, 1房, 實入》 助乃二介. ⓰곶감〔乾柿〕·배·석류·모과〔木瓜〕·유자(柚子)·수박〔西果〕·참외〔眞果〕 따위 과일의 수를 셀 때 쓰이었다. 《度支準折, 果物》 乾柿一貼(十介作一串, 十串作一貼), 生梨一介, 石榴一介, 木瓜一介, 柚子一介, 西果一介, 眞果一介. ⓱생강〔生干〕·송이(松耳)버섯·무〔蘿葍根〕·마늘〔蒜〕·고추〔苦椒〕·오이〔苽子〕·가지〔茄子〕·호박(胡朴)·파〔葱〕 따위의 수를 셀 때 쓰이었다. 《關西邑誌, 龍岡縣邑誌》 生干一升, 價一戔, 二十五介爲一升. 《度支準折, 昆藿耳蕈屬》 松耳一介, 生松耳一介. 《度支準折, 菜蔬》 蘿葍根十介(卽一丹), 菁根(十介作一丹, 又作一束), 生蒜五介, 苦椒一丹(十介), 苽子十介(三十介作一斗), 茄子一介(四十介作一斗), 胡朴一介, 生葱(十介作一束, 又作一握). ⓲솔〔省〕·참빗〔眞梳〕·빗치개〔梳次介〕·바늘〔針子〕 따위의 수를 셀 때 쓰이었다. 《度支準折, 雜種貿易》 猪毛省一介, 眞梳一介, 小眞梳一介, 黑眞梳一介, 梳次介一介, 針子一介. ⓳줄〔乼:鑢〕·몽둥이〔夢同伊〕·바곳〔朴串〕·쇠손〔金手〕·삼태기〔三太〕·삽(鍤)·괭이(鐷伊)·곡괭이〔串鐷伊〕·고무래〔古未乃〕·방망이〔方亇赤〕·쇠스랑〔小時郞〕·집개(執介)·장도리(長道里) 따위의 연장이나 도구의 수를 셀 때 쓰이었다. 《度支準折, 鐵物》 大乼一介, 方乼大一介, 夢同伊一介, 水夢同伊一介, 朴串一介, 金手一介, 竹三太一介, 鍤一介, 執介大一介, 長道里大一介. 《孝宗寧陵山陵都監儀軌, 雜物秩》 廣鐷伊十五介, 串鐷伊十五介, 古未乃二十一介, 木小時郞二十介. 《仁祖國葬都監儀軌, 下, 2房》 朴達方亇赤二十介. ⓴저울의 수를 셀 때 쓰이었다. 반(槃). 부(部). 연(連). 좌(坐). 파(把). 《高麗史 28, 忠烈王世家》 小邦秤制, 異於上國, 前者蒙賜一十六斤秤一連, 十斤半等子一槃, 三斤二兩等子一介, 用之中外, 未可周遍, 乞更賜秤子·等子各五百. ㉑가랫장부(加乃杖夫)·담배설대〔烟竹〕·대나무〔竹〕·대부등(大不等)·참나무〔眞木〕·윗가지〔棖木〕·물푸레나무〔水青木〕 따위의 수를 셀 때 쓰이었다. 《度支準折, 木物》 栗木一介, 加乃杖夫一介, 乇太木一介. 《度支準折, 雜種貿易》 別小烟竹一介, 小烟竹一介, 螺鈿烟竹一介. 《萬機要覽, 軍政編 2, 訓鍊都監, 財用》 海長竹二千介(全羅左·右水營式年納). 《度支準折, 木物》 別大不等一介(長十九尺, 末圓經一尺五寸). 眞椽木一介(長十二尺, 末圓經二寸五分). 棖木一同一丹七介, 一同(二十介作一丹, 五丹作一同). 水青木一丹(一介長八尺, 至十三尺, 二十介作一丹, 五丹作一同). ㉒가자미〔加佐味〕·강고도리〔姜古道魚〕·게〔蟹〕·낙지〔落蹄〕·대하(大蝦)·명태(明太)·오징어〔烏賊魚〕·전복(全卜)·조기〔石首魚〕·청어(青魚)·해삼(海蔘)·홍합(紅蛤) 따위 물고기나 조개의 수를 셀 때 쓰이었다. 미(尾). 《度支準折, 魚物》 明太一介, 乾明太一

介, 落蹄一介, 加佐味一介, 切全卜一介.《度支準折, 雜錄》姜古道魚(一斤作十介).《京畿邑誌, 長端府邑誌》 進上生雌蟹一千六百五十一介.《關西邑誌, 龍岡誌, 折價式》大口魚一尾. 海蔘一介, 價一分五里, 二十介爲一串. 大蝦一級, 價一戔, 十介爲一級.《度支準折, 魚物》烏賊魚一介, 大切全卜一貼(十介作一串, 十串作一貼), 石首魚一束(十介作一束, 百束作一同), 眞魚一束(十介), 青魚一冬音(二十介作一冬音, 百冬音作一同), 塩青魚一介, 乾紅蛤(二十五介作一升). ㉓망새〔鷲頭〕·문살〔門箭〕·북수(北首)·연가(煙家)·용두(龍頭)·용상(龍像)·운각(雲角)·잡상(雜像)·토수(吐首) 따위 건축 장식물의 수를 셀 때 쓰이었다.《正宗大王殯殿魂殿都監儀軌, 內下需用》門箭五十八介.《孝宗寧陵山陵都監儀軌, 造成所, 雜物實入》常瓦二十九訥七百五張, 方甎四訥八百三十三張, 半甎一訥五百五十四張, 鷲頭三, 土首六介, 龍頭十四介, 雜像四十二介, 北首三介, 雲角三介.《昌慶宮營建都監儀軌, 稟目》龍頭六十八介, 龍像一百六十八介.《度支準折, 瓦甎》龍頭一介(常瓦一百張), 吐首一介(常瓦一百張), 雲角一介(常瓦一張), 北首一介(常瓦一張), 鷲頭一介(常瓦一百張), 雜像一介(常瓦五十張), 煙家一介(常瓦一百張). ㉔가막쇠〔加莫金〕·감잡이〔甘佐非〕·거멀못〔巨勿丁〕·광두정(廣頭丁)·국화동(菊花童)·삼배목(三排目)·대접쇠〔大貼金〕·오리목못〔鴨項丁〕 따위의 수를 셀 때 쓰이었다.《正宗大王殯殿魂殿都監儀軌, 內下需用》中加莫金兩排貝八介, 大甘佐非丁具八介.《度支準折, 鐵物》小巨勿丁八介, 廣頭丁小一介, 鴨項丁大一介(重六兩), 鼠目丁一介(重五分), 菊花童大一介, 三排目大一介(重一斤), 大貼金一介(重三兩), 龍頭板鐙子金一介(重三斤四兩).

개(芥) [수효] '개(个·介·個·箇)'와 같은 뜻으로, 낱으로 된 물건의 수를 세는 데 쓰는 말.《雜同散異1, 珍寶品》琥珀, 一名江環, 琥珀拾芥.

개(個) ① [수효] '개(个·介·芥·箇)'와 같은 뜻으로, 낱으로 된 물건의 수를 세는 데 쓰는 말. ❶단지〔罐〕의 수를 셀 때 쓰이었다.《陰晴史, 上, 高宗19年壬午3月》二十二日, 晴風……鹽強水一磅, 火酒二磅, 鉛罐二個, 漆罐二個, 紅泥罐二個, 青鉛粉一包, 巴麻油一瓶. ❷종(鐘)의 수를 셀 때 쓰이었다.《審陽狀啓, 癸未5月14日》烟竹三十根, 銅鐘三個. ❸(gē) 중국(中國)의 단위. ㉮'개(介)'의 ❶과 같다.《元曲, 單刀會》有一個黃漢升猛似彪, 有一個趙子龍膽大如斗. ㉯'번'·'차례'·'회'의 뜻으로, 일이나 그 관계의 횟수를 셀 때 쓰이었다. 계(季). 과(過). 기(起). 도(度·道). 말(末). 반(返·班). 배(輩). 번(番). 삽(霎). 성(成). 운(運). 장(場). 쟁(趟). 조(遭). 주(注). 하자(下子). 헐(歇). 호(號). 화(伙). 회(回·廻·會).《劉辰翁, 張協狀元戲文》它爹爹是當朝執宰, 媽媽是兩國夫人, 終不成不求得一

個好姻緣. ㉰그릇의 수를 셀 때 쓰이었다. 《元曲, 鴻門宴》拔劍將那兩個玉斗, 砍得粉碎. ❹일본(日本)의 단위. ㉮감·곶감〔干柿〕·무〔大根〕·밤·새앙·오이〔胡瓜〕·양파〔玉葱〕 따위의 과일이나 푸성귀 따위의 수를 셀 때 쓰이었다. ㉯과자·도시락·엿·달걀 따위의 수를 셀 때 쓰이었다. ㉰돌·연탄 따위의 수를 셀 때 쓰였다. ㉱그릇이나 병 따위의 수를 셀 때 쓰이었다. [2] [질량] 지금(地金) 10 냥쭝을 하나치로 헤아리는 데 쓰는 말. [3] [유량(流量)] 땅에서 솟아 나오는 물이나 논물의 양을 나타내는 데 쓰는 말. 매초(每秒) 1 세제곱 자(尺), 곧 0.027826474 m^3, 또는 27.826l의 유수량에 해당된다.

개(蓋) [수효] 일본(日本)의 단위. 갓이나 삿갓 등 머리에 쓰는 물건의 수를 세는 데 쓰는 말. 구(口). 닙(立·笠). 매(枚). 부(部). 사(事). 월(月). 정(頂). 조(條). 《羣書類從》御笠二蓋.

개(開: kāi) [1] [순도(純度)] 중국(中國)의 단위. 캐럿(carat)의 역어(譯語). 순금(純金)이나 보석의 함유도(含有度)를 나타내는 데 쓰는 말. 가랍(加拉). 금(金). 분(分). 성(成·星). 품(品). 〈예〉 18~金. [2] [질량] 중국의 단위. 보석의 무게를 나타내는 데 쓰는 말. 1 개는 200 mg에 해당된다. [3] [수효] 중국의 단위. ❶'절(切)'의 뜻으로, 온 장의 종이를 적당한 크기로 나누어 잘랐을 때, 자른 종이의 크기, 또는 그 자른 횟수를 세는 데 쓰는 말. 절. 절(折·切). 〈예〉 三十二~紙. ❷'번'·'회'의 뜻으로, 차(茶)를 우리기 위하여 끓은 물을 찻잔에 부은 횟수를 세는 데 쓰는 말. 《儒林外史, 33回》因在卓上坐着, 吃了一開茶. 《海上花列傳, 2回》遂去華衆會樓上, 泡了一碗茶, 一直吃到七八開, 將近十二點鐘時分, 始回棧房.

개(箇) [수효] '개(个·介·芥·個)'와 같은 뜻으로, 낱으로 된 물건의 수를 세는 데 쓰는 말. ❶구기〔勺·提子〕·떡메〔餠亇赤〕·동이〔東海〕·막자(莫子)·소래기〔所羅〕·방구리〔方文里〕·병(甁)·부젓가락〔火箸〕·사발(沙鉢)·석쇠〔銐金〕·석자〔銐煮〕·숟가락〔匙〕·소반〔盤〕·시룻밑〔甑本〕·자배기〔者朴只〕·대접〔大楪〕·접시〔楪匙〕·주발〔碗〕·주전자〔亇飛介〕·종지〔鍾子〕·주걱(周亐)·조리〔助乃〕·적쇠〔炙金〕·삼발이〔阿耳鐵〕·탕기(湯器)·표주박〔瓢子〕·화로(火爐) 따위의 그릇이나 기구의 수를 셀 때 쓰이었다. 《純元王后國葬都監儀軌 3, 稟目》龍勺一箇. 《朝鮮世祖實錄 7, 3年3月戊寅》金粧屛風二張, 紅柒木椀一百事, 紅柒盤大小二十片, 綵畫扇二十把, 大刀十把, 銚子十柄, 提子十箇. 《正宗大王殯殿魂殿都監儀軌, 中, 1房, 各處手本》餠亇赤一箇. 《正宗大王殯殿魂殿都監儀軌, 上, 稟目》東海六十箇. 《正宗大王殯殿魂殿都監儀軌, 中, 1房, 稟目》唐沙莫子一箇. 《純元王后國葬都監儀軌 1, 移文》陶東海·所羅·方文里各一箇, 草省·助乃·周亐·鼎蓋各二箇. 《進宴儀軌(高宗壬寅) 2, 甘結》砂甁十箇. 《純元王后國葬都

監儀軌 1, 祭器, 魂殿》長火箸一箇, 周㪅一箇, 長炙金一箇.《正宗大王殯殿魂殿都監儀軌, 中, 1房, 稟目》唐沙鉢二箇, 唐沙鍾子二箇.《正宗大王殯殿魂殿都監儀軌, 中, 1房, 各處手本, 奉常寺》大乫金二箇, 乫煮十箇.《尙方定例 3, 別例 下, 親迎》銀匙二箇.《高麗史 70, 樂志》盤子七箇.《正宗大王殯殿魂殿都監儀軌, 中, 1房, 各處手本, 奉常寺》甑本二箇.《純元王后國葬都監儀軌 2, 實入》者朴只六箇. 湯器五箇.《進宴儀軌(高宗壬寅) 2, 稟目》砂大楪·楪匙各五箇.《昌慶宮營建都監儀軌, 實入》沙磁碗一竹六箇.《朝鮮世宗實錄 34, 8年11月丁巳》奉書謝賜物, 仍獻朱椀二百一箇, 漉柒一十桶, 蠟燭五十炷.《度支志 9, 內人各房事例》銅亇飛介一箇.《進饌儀軌(純祖己丑) 2, 器用》大炙金·大乫金各四箇.《萬機要覽, 軍政編 3, 御營廳, 軍器》阿耳鐵一千四百二十箇.《萬機要覽, 軍政編 3, 摠戎廳, 軍器》阿里金九十五箇.《萬機要覽, 軍政編 2, 龍虎營, 軍器》銅瓢子五百九十二箇, 皮瓢子一千箇.《度支志 9, 內人名房事例》木瓢一箇.《正宗大王殯殿魂殿都監儀軌, 下, 稟目》土火爐五竹八箇. ❷'닢'·'푼〔分〕'의 뜻으로, 엽전의 수를 셀 때 쓰이었다. 엽전 1백 닙이면 1 꿰미가 되고, 10 꿰미이면 1 관(貫)이 된다.《吏文輯覽 3, 新鈔五百貫》新鈔, 新造楮貨也. 十串爲一貫, 錢則百箇爲一貫. ❸깃의 수를 셀 때 쓰이었다. '동(同)'의 하위 단위로, 1 동은 깃 100 개이다. 잠(箴).《朝鮮世祖實錄 43, 13年9月壬辰》察訪金順生·鄭穗各粉一封, 雄黃一封, 白翎兒一箇.《朝鮮肅宗實錄(補闕正誤) 5, 3年 3月甲申》三月甲申, 下教曰……內弓房箭竹, 幾至累萬, 除出箭竹一百編, 雉羽五千箇, 送于江都, 以爲修補之地.《六典條例 8, 兵典, 軍器寺》雉羽六百九十一同十五箇, 尾羽九十七同七十三箇. ❹남날개〔南飛介〕·동개〔筒兒〕·마름쇠〔菱鐵〕·활시위〔弓弦〕·이화통(梨花筒)·잠철(箴鐵)·족철(足鐵)·주장(朱杖)·총(銃)·칼〔刀子〕·탄환〔鉛丸〕·화살〔箭〕 따위 무기의 수를 셀 때 쓰이었다. 화살 1 부(部)는 100 개이다.《萬機要覽, 軍政編 2, 龍虎營, 軍器》南飛介十箇, 朱杖二十九箇.《萬機要覽, 軍政編 2, 訓鍊都監, 軍器》筒兒四百三箇, 菱鐵三千一百三十一箇.《萬機要覽, 軍政編 3, 摠戎廳, 軍器》空弓弦五百箇, 長箭三千三百七十五浮, 片箭二千五百七十五浮, 刀子七百二十一箇.《萬機要覽, 軍政編 3, 御營廳, 軍器》梨花筒二百箇, 體鐵銃二百二十箇.《朝鮮顯宗實錄 10, 6年5月癸巳》令統制使鄭傅賢, 造佛狼機四五號幷五十位, 正鐵子砲二百門, 箴鐵一百箇, 足鐵每位一箇, 輸送于江華.《朝鮮純祖實錄 10, 7年5月辛卯》平安監司李勉兢狀啓, 慈母山城火藥庫失火, 被燒火藥三萬八千四百七斤零, 火繩一萬二千三百五圓, 軍幕八十三浮, 大小鼓一百四十六面, 鉛丸四十萬九千六十六箇, 該鎭將論罪.《萬機要覽, 軍政編 2, 訓鍊都監, 軍器》長箭五千二百五十六部十四箇, 體箭六百八十四部七箇. ❺가위〔剪刀〕·다

리미〔熨刀〕· 바늘〔針〕· 인두〔引刀〕· 전반〔剪板〕따위 바느질에 필요한 물건의 수를 셀 때 쓰이었다.《純元王后國葬都監儀軌 2, 稟目》剪刀·引刀·熨刀各二箇.《朝鮮世宗實錄 25, 6年8月丁巳》然恐其被害, 與木緜三匹, 廣綃一匹, 針一百箇, 朱紅一封, 白蛤一百箇, 弓絃一條.《正宗大王殯殿魂殿都監儀軌, 1房, 稟目》剪板四箇. ❻징〔錚〕이나 징채〔錚槌〕따위의 수를 셀 때 쓰이었다.《萬機要覽, 軍政編 2, 訓鍊都監, 軍器》中錚, 每箇二石. 小錚, 每箇一石. 錚槌, 每箇一斗. ❼포(脯)의 수를 셀 때 쓰이었다. 닙(立). 정(挺·脡). 조(条·條). 편(片).《朝鮮成宗實錄 108, 10年9月辛未》海衣一十斤, 鹿中脯五十箇, 鹿片脯五十箇. ❽'명(名)'·'인(人)'의 뜻으로, 동남(童男)·동녀(童女)의 수를 셀 때 쓰이었다. 개(介·個). 구(口). 두(頭). 명(名). 분(分). 영(領). 원(員). 위(位). 인(人). 정(丁). 한(漢).《高麗史 23, 高宗世家》十九年夏四月壬戌, 遣上將軍趙叔昌·侍御史薛愼如蒙古, 上表稱臣……其書曰……又稱, 國王·諸王·公主·郡主·大官人, 童男五百箇, 童女五百箇, 須管送來事, 如前書所載.《西廂記, 借廂》豈沒(一)箇兒郎. ❾단연(短椽)·머름산〔遠山〕·산륜(散輪)·서돌〔西道里〕·운각(雲角)·인방(引防)·잡상(雜像)·장여〔長舌〕따위 재목이나 장식물의 수를 셀 때 쓰이었다.《昌慶宮營建都監儀軌, 實入》短椽二千二百五十五箇.《純元王后國葬都監儀軌 4, 造作》遠山一箇, 西道里一箇.《正宗大王殯殿魂殿都監儀軌, 1房, 稟目》散輪十五箇, 支乃枕木四介.《昌慶宮營建都監儀軌, 實入》雲角十一箇, 晝引防八箇, 雜像二百三箇, 長舌五十六箇. ❿귀얄〔歸也〕·빗〔梳〕·솔〔省〕·풀솔〔草省〕따위의 수를 셀 때 쓰이었다.《昌慶宮營建都監儀軌, 實入》歸也二十九箇次家猪毛六斤.《三名日方物謄錄》竹梳五十箇.《萬機要覽, 財用編 1, 供上, 大殿》省四箇, 每箇價二錢四分. 以上戶曹.《正宗大王殯殿魂殿都監儀軌, 1房, 各處手本, 奉常寺》草省三箇. ⓫대나무·도피(桃皮)·연죽(烟竹)·화살대〔箭竹〕따위의 수를 셀 때 쓰이었다.《增正交隣志 1, 差倭》空石四十一立, 篁竹四十二箇, 藁草二十六同.《萬機要覽, 財用編 1, 各貢, 宣惠廳》桃皮, 每箇一升. 京畿.《萬機要覽, 財用編 5, 燕使, 禮單》各樣烟竹一千三十二箇.《朝鮮宣祖實錄 82, 29年11月丁巳》成龍曰, 小臣送箭三百餘部, 又送箭竹一萬箇, 京畿監司分給箭竹二萬箇矣. ⓬세란〔鷄子〕·마늘〔蒜〕·무〔菁根〕따위의 수를 셀 때 쓰이었다.《新編集成馬醫方, 治脾部》右爲細末, 好酒一大鍾, 眞油一中盞, 鷄子一箇.《進饌儀軌(純祖己丑) 2, 饌品》生蒜四箇, 菁根五箇. ⓭항아리〔甕〕의 수를 셀 때 쓰이었다. 관(罐). 옹(瓮). 항(缸).《朝鮮成宗實錄 81, 8年6月庚子》砂糖百斤, 水牛角百本, 天竺酒甕二箇, 藤二千本, 鮐皮二百枚, 種樹器青磁一對. ⓮부대〔袋·帒〕·주머니 따위의 수를 셀 때 쓰이었다. 건(件).

구(口). 부(部). 부대(負袋).《高麗史 9, 文宗世家》全白錦外袋十箇.《朝鮮太宗實錄 6, 3年10月辛未》大紅熟絲線縧一副, 大紅素線羅旒珠袋二箇.《萬機要覽, 軍政編 2, 龍虎營, 軍器》甲布帒一千箇. ⓯'알'의 뜻으로, 구슬〔珠〕의 수를 셀 때 쓰이었다. 개(介). 과(窠·顆). 괴(塊). 매(枚).《三國遺事 5, 感通, 月明師, 兜率歌》王嘉之, 賜品茶一襲, 水精念珠八箇.《尙方定例 2, 別例 上》五色珠各貳拾箇. ⓰대부등(大不等)·땔나무〔燒木〕·물푸레나무〔水靑木〕·싸리나무〔杻木〕·서까래〔椽〕·조리목(條里木)·횡강(橫杠) 따위 나무의 수를 셀 때 쓰이었다.《昌慶宮營建都監儀軌, 實入》大不等十七箇半.《純元王后國葬都監儀軌 4, 實入》燒木二百七十九丹半六箇.《純元王后國葬都監儀軌 2, 稟目》水靑木十箇.《萬機要覽, 財用編 1, 供上, 大殿》栝杻木二千一百六十箇, 每箇價八分.《朝鮮光海君日記 133, 10年10月壬戌》各所監役官, 因中使分付手本進呈, 據此而召匠, 計之材木, 多至二萬五千七百二十餘条, 各樣椽木二萬八千六十餘箇.《進宴儀軌(高宗壬寅) 3, 修理》條里木五十箇.《純元王后國葬都監儀軌 2, 稟目》外梓宮轝長杠, 長四十三尺, 橫杠十七箇, 各長十四尺十六寸. ⓱줄기와 가지를 갖춘 조화(造花)의 수를 셀 때 쓰이었다. 본(本).《三名日方物謄錄》二枝首拱花四千二百箇, 價錢四百二十兩. 紅桃三枝花二百三十四箇. ⓲감귤(柑橘)·동아〔冬苽〕·모과〔木果〕·밤〔栗〕·배〔梨〕·석류(石榴)·수박〔西果〕·유자(柚子)·참외〔眞瓜〕 따위 과실의 수를 셀 때 쓰이었다.《朝鮮世宗實錄 53, 13年9月己巳》尹鳳求柑橘·木瓜各一百箇, 乾柿三十貼, 早稻種三十斗, 皆許之.《萬機要覽, 財用編 1, 供上, 大殿》冬苽, 每箇一斗五升. 木果六十箇. 石榴三十箇.《進宴儀軌(高宗壬寅) 2, 饌品》生栗二千箇. 生梨二千箇.《度支志 9, 御供》西果一箇.《萬機要覽, 財用編 1, 供上, 大殿》柚子七十五箇. 眞瓜一百七十九箇. ⓳멱(羃)·조(罩) 따위의 수를 셀 때 쓰이었다.《純元王后國葬都監儀軌 1, 魂殿祭器》羃二十五箇.《萬機要覽, 軍政編 3, 御營廳, 軍器》三升黑油罩四百七十八箇. ⓴연적(硯滴)의 수를 셀 때 쓰이었다.《昌慶宮營建都監儀軌, 甘結》硯滴三箇. ㉑'마리'의 뜻으로, 게〔蟹〕·오징어〔烏賊魚〕·은구어(銀口魚)·전복(全鰒)·조기〔石首魚〕·조개〔蛤〕·청어(靑魚)·해삼(海蔘)·홍합(紅蛤) 따위 해산물의 수를 셀 때 쓰이었다.《萬機要覽, 財用編 1, 供上, 大殿》生蟹五千五百箇. 銀口魚二十箇. 生蛤八百箇.《進饌儀軌(純祖己丑) 2, 饌品》烏賊魚四箇. 全鰒十箇.《度支志 9, 御供》石首魚九箇.《萬機要覽, 財用編 1, 各貢, 宣惠廳》靑魚四萬五千九百二十箇半, 每箇價八分.《進宴儀軌(高宗壬寅) 2, 饌品》海蔘三十箇. 紅蛤一百箇. ㉒농(籠)의 수를 셀 때 쓰이었다. 건(件). 부(部). 잔(盞). 척(隻). 태(駄). 통(筩).《朝鮮成宗實錄 33, 4年8月甲申》謹獻上不腆方物……堆食籠一箇, 碼碯一塊, 鑞鉢幷提子

各一箇, 椀一具, 折草一束, 水晶單衣一領.《萬機要覽, 軍政編 3, 御營廳, 軍器》銅絲鐵籠四百二十三箇. ㉓대패〔大波〕·도끼〔斧子〕·마치〔亇赤〕·모루받침〔毛老臺〕·몽둥이〔蒙同〕·바곳〔朴串〕·방망이〔方亇赤〕·도래송곳〔道乃松串〕·장도리〔長道里〕·저울〔稱子〕·지레〔地乃〕·집개(執介) 따위 연장의 수를 셀 때 쓰이었다. 《昌慶宮營建都監儀軌, 實入》長舌大波三箇. 大長道里三十三箇. 《正宗大王殯殿魂殿都監儀軌, 1房, 還下》斧子三箇. 執介一箇.《正宗大王殯殿魂殿都監儀軌, 1房, 稟目》亇赤一箇.《純元王后國葬都監儀軌 4, 造作》毛老臺一箇. 朴串二箇. 道乃松串一箇.《孝宗寧陵山陵都監儀軌, 座目》大蒙同六箇, 中蒙同十箇, 小蒙同三百箇.《純元王后國葬都監儀軌 1, 實入》方亇赤一箇.《訓鍊都監重記, 軍色, 時遺在秩》百斤稱子壹箇, 五十斤稱子壹箇. 《孝宗寧陵山陵都監儀軌, 座目》大排地乃十六箇, 中排地乃十五箇, 小排地乃十一箇. ㉔가래〔加乃〕·갈퀴〔乫只〕·광주리〔篚〕·괭이〔錁耳〕·되〔升〕·삼태기〔三太〕·삽(鍤)·키〔箕〕 따위 농기구의 수를 셀 때 쓰이었다.《朝鮮光海君日記 153, 12年6月庚申》營建都監啓曰, 薪串別將金純, 措備車牛七首, 鹽一百石, 薪金四十七夫里, 正鐵三千四百斤, 刃加乃一百三十六箇, 廣錁耳一百二十五箇, 鍤一百十三箇, 大釜十坐. 《昌慶宮營建都監儀軌, 實入》乫只二百二十箇.《純元王后國葬都監儀軌 1, 魂殿祭器》巾匱三箇.《度支志 9, 內人各房事例》鍮斗一坐, 鍮升一箇.《純元王后國葬都監儀軌 4, 造作》杻三太十箇.《萬機要覽, 財用編 1, 供上, 大殿》柳箕二箇, 每箇價一兩. ㉕감잡이〔甘佐非〕·거멀못〔巨勿釘〕·대접쇠〔大貼金〕·배목〔排目〕·비녀못〔釵釘〕·못〔釘〕 따위 건축 재료의 수를 셀 때 쓰이었다.《昌慶宮營建都監儀軌, 實入》長甘佐非丁具六十三箇. 大貼金六十九箇.《純元王后國葬都監儀軌 4, 造作》巨勿釘二箇. 排目一箇. 釵釘五箇.《純元王后國葬都監儀軌 2, 稟目》三寸釘十六箇, 二寸釘二十二箇. ㉖뼈〔骨〕·뿔〔角〕·용지(龍脂) 따위의 수를 셀 때 쓰이었다.《朝鮮世祖實錄 7, 3年5月戊子》大藏經一部, 石燈盞五事, 鞍子一面……油芚一十張, 牛黃一十部, 乾虎臟五十二箇, 乾虎骨四十二箇, 乾虎肉四百七十條.《朝鮮世祖實錄 26, 7年12月戊辰》今開禮物, 錫二千斤, 蘇木二千斤……象兒四條, 犀角六箇.《正宗大王殯殿魂殿都監儀軌, 1房, 稟目》龍脂五箇. ㉗거울〔銅人勝〕의 수를 셀 때 쓰이었다. 면(面).《萬機要覽, 財用編 1, 供上, 大殿》大銅人勝二箇, 每箇價四錢一分. ㉘모자〔帽〕·비녀〔簪〕·전대(戰帶)·전립(氈笠) 따위의 수를 셀 때 쓰이었다.《朝鮮太宗實錄 16, 8年10月庚子》每人暖帽一箇, 暖靴一雙, 厚緜衣三件內, 綿大襖一件, 裙一件, 袴一件.《尙方定例 3, 別例 下》黑角簪大中小幷貳拾伍箇.《萬機要覽, 軍政編 2, 訓鍊都監, 軍器》藍禾紬戰帶一百二十箇.《萬機要覽, 軍政編 3, 禁衛營, 軍器》紅氈笠七十七箇. ㉙'마리'의 뜻으로,

매〔鷹〕를 낱으로 셀 때 쓰이었다. 가(架). 연(連·聯). 《老乞大朴通事諺解, 單字解》連(及也, 幷也, 조쳐. 又稱一把曰一連. 又鷹一箇, 亦曰一連, 字又作聯). ㉚(gè) 중국(中國)의 단위. ㉮화살〔矢〕의 수를 셀 때 쓰이었다. 근(筋). 매(枚). 본(本). 시(矢). 조(条). 지(枝). 척(隻). 파(把). 편(編). 《荀子, 議兵》負矢五十箇. ㉯'마리'의 뜻으로, 꾀꼬리〔鸝〕 따위 날짐승의 수를 셀 때 쓰이었다. 거(居). 과(窠). 매(枚). 수(首). 시(翅). 우(羽). 익(翼). 척(隻). 핵(翮). 《杜甫, 絕句詩》兩箇黃鸝鳴翠柳, 一行白鷺上青天. ㉛일본(日本)의 단위. 베개〔枕〕의 수를 셀 때 쓰이었다. 〈예〉 枕一〜.

개간(開間 : kāijiān) [수효] 중국(中國)의 단위. 집의 간살의 수를 세는 데 쓰는 말. 간(間).

개륵(開勒 : kāilè) [순도(純度)] 중국의 단위. '캐럿(carat, karat)'의 음역(音譯).

개발이(開勃耳 : kāibóěr) [길이] 중국의 단위. '케이블(cable)'의 음역(音譯).

개비 [수효] 가늘고 긴 물건의 수를 세는 데 쓰는 말. 대체로 쪼갠 나무 토막이나 담배의 낱개를 셀 때 쓰인다. 〈예〉 장작 10 〜와 담배 3 〜를 가지고 왔다.

개소 [수효] '곳'의 뜻으로, 공간(空間)의 어느 지점(地點)이나 부분, 또는 사물의 개체(個體)나 집단(集團)이 위치하고 있는 장소의 수를 세는 데 쓰는 말. 고(庫). 곳(串). 군데. 소(所). 처(處).

개월(個月) (month) [시간] 달〔月〕의 수를 세는 데 쓰는 말. 대체로 30 일이나 31 일을 하나치로 그 수를 센다. 삭(朔). 월(月).

객(客 : kè) [부피] 중국(中國)의 단위. '인분'의 뜻으로, 음식·음료 따위 각각의 몫이 되는 분량을 헤아리는 데 쓰는 말. 구(口). 분(分). 《愚人船》 他們喝了第二客茶如甜酒, 顯出很舒適的樣子.

갤럭시(galaxy) [천문] 우주(宇宙) 따위의 매우 큰 질량의 단위. 1 갤럭시는 태양 질량의 1.6×10^{11} 배(倍), 또는 3.2×10^{44}g 에 해당된다.

갤런(gallon) [부피] 야드(yard)·파운드법(pound法)의 한 단위. 영국(英國)·캐나다에서 사용하고 있는 영(英) 갤런(Imperial gallon)과 미국(美國)에서 사용하고 있는 미(美) 갤런(United States gallon)이 있으며, 그 수치는 다음과 같다. 기호 : gal ❶영(英) 갤런 : 현재 영국의 갤런은 1963년 영국의 도량형법에 의하여 0.001217 g/ml의 밀도를 갖는 공기 중에서 8.136 g/ml 의 밀도를 갖는 10 파운드의 분동(分銅)과 균형을 유지하는 0.998859 g/ml 의 밀도의 물의 부피라고 정의되어 있으나, 이것은 4.54596l 에 해당된다. 1824년의 구제(舊制)에서는 4.5439631l이기 때문에 현행 영(英) 갤런은 구제(舊制)보다 약간 크다. 1824년 이전에는 다음과 같이 세 종류가 사용되었다.

1 와인 갤런=231 세제곱 인치
1 비어 갤런=282 세제곱 인치

1 곡물 갤런=272.25 세제곱 인치 ❷미(美) 갤런 : 미국에서는 231 세제곱 인치〔in^3〕, 또는 3.785328l 에 해당된다. 영국 갤런과 미국 갤런과의 관계는 1 영(英) 갤런=1.20094 미(美) 갤런이다. 이 양자를 구별하기 위하여 영(英) 갤런은 U.K. gal, 미(美) 갤런은 U.S. gal로 표시하기도 한다. 영 갤런과 미 갤런과의 사이에 차이가 있는 것은 영 갤런이 1824년에 282 세제곱 인치〔in^3〕의 비어 갤런(beer gallon)을 취하고, 미(美) 갤런은 231 세제곱 인치의 와인 갤런(wine gallon)을 채택하였기 때문이다.

갤런 매분(一每分) (gallon per minute) [유량(流量)] 야드·파운드법(法)의 한 단위. 1 갤런 매분은 1 분(分) 동안에 흐르는 유체(流體)의 양(量)을 말한다. 기호 : gpm, gal/min

1 gpm=3.7852l/min(미(美) 갤런으로 환산)

갤런 매시(一每時) (gallon per hour) [유량(流量)] 야드(yard)·파운드법(pound 法)의 한 단위. 1 갤런 매시는 1 시간(時間) 동안에 흐르는 유체(流體)의 양(量)을 말한다. 기호 : gal/h

1 gal/h=3.785328l/h(미(美) 갤런으로 환산)

갤런 매초(一每秒) (gallon per second) [유량(流量)] 야드·파운드법(法)의 한 단위. 1 갤런 매초는 1 초(秒) 동안에 흐르는 유체(流體)의 양(量)을 말한다. 기호 : gal/s

1 gal/s=3.785328l/s(미(美) 갤런으로 환산)

거(車) [부피] '수레'의 뜻으로, 수레에 물건이나 짐을 실어 그 양을 헤아리는 데 쓰는 말.《儀禮, 聘禮》門外米禾皆二十車.《水調歌頭, 和趙景明知縣韻》五車書, 千石飮, 百篇才.《羣書類從 69》乾胡餠二車, 乾蒸餠一車, 拾頭一半車.

거(拒) [군사·수효] 방진(方陣)의 수를 세는 데 쓰는 말. 사방으로 창(創)을 쓸 수 있는 대형(隊形)의 진이다.《左傳, 桓公5年》曼伯爲右拒, 祭仲足爲左拒. 戰于繻葛, 命二拒曰, 旝動而鼓. (杜預注) 拒, 方陣.

거(炬) [군사(軍事)·수효] 조선 시대에 적정(敵情)의 상황을 알릴 때 쓰는, 횃불의 수를 세는 데 쓰던 말. 보통 평시(平時)에는 1 개, 적의 모습이 보이면 2 개, 국경에 근접하면 3 개, 국경을 넘으면 4 개, 우리 군사와 접전(接戰)하면 5 개의 횃불을 올렸다. 개(介). 병(柄).《經國大典 4, 兵典, 烽燧》烽燧, 平時一炬, 賊現形則二炬, 近境則三炬, 犯境則四炬, 接戰則五炬, 京則五員告本曹, 外則伍長告鎭將.《宋史, 潘美傳》遂分遣丁夫數千人, 人持二炬, 間道造其柵, 及夜, 萬炬俱發, 會天大風, 火勢甚熾.

거(居) [수효] 일본(日本)의 단위. '마리'의 뜻으로, 매〔鷹〕 따위 날짐승의 수를 세는 데 쓰는 말. 개(箇). 과(窠). 매(枚). 수(首). 시(翅). 우(羽). 익(翼). 척(隻). 핵(翮).

거(法) [수효] '자래'·'자내'의 차자 표기. '아름'·'단(丹)'·'동(同)'·'바리'의 뜻으로, 풀이나 나뭇단·나무 토막 따위 묶음을 세는 데 쓰는 말. 심마니들의 말 가운데 '자래'는 땔나무나 생나무라는 뜻으로 쓰이는데, 이 말에서 연유된 것이 아닌가 한다. 거내(法乃). 《芝峰類說 7, 文字部, 字義》我國用字, 以水田爲畓, 米穀未滿石者爲㕽, 柴束之大者爲法, 皆意作也. 《盎葉記 2, 法》我國有法字, 以不合於劉夫人碑字, 州縣以鐵索・東柴以量之曰一二法, 無音義, 只稱ㅈ래. 《鐵山府邑誌, 事例》穀草二十二法半束. 柴二十法. 《字典釋要》法, 〔鮮〕物不滿束, 자래 거. 《新字典, 朝鮮俗字部》法, 〔걷〕官司以鐵索量柴曰一, 자내・자래. 見旬五志, 又郡名杆城別號.

거(据) [수효] 일본(日本)의 단위. 목욕통〔風呂桶〕의 수를 세는 데 쓰는 말.

거(筥) ① [부피] ❶멱둥구미에 과일이나 물건을 담아 그 양을 헤아리는 데 쓰는 말. 등(橙)은 등자나무의 열매로, 귤과 비슷하며 약재로 쓴다. 《海行摠載, 姜弘重東槎錄, 乙丑2月9日》九月戊子, 或雨或霽, 風勢不歇, 留風本浦, 平明後馬島船隻, 稍稍來泊, 其餘四五隻漂散於外洋, 僅泊於一浦云, 玄方都送白酒一桶, 橙一筥. ❷(jŭ) 중국(中國)의 옛 단위. 1거는 5,120되〔升〕에 해당된다. 주대(周代 : B.C. 1122∼B.C. 256)에는 993.28l, 진(秦)에서 전한(前漢 : B.C. 221∼A.D. 8)까지는 1,756.16l, 후한(後漢 : 25∼220) 때에는 1,013.76l 정도였다. 《儀禮, 聘禮》十斗曰斛, 十六斗曰籔, 十籔曰秉, 四秉曰筥, 十筥曰稯, 四百秉爲一秅. ② [수효] (jŭ) 중국의 단위. '줌'의 뜻으로, 벼의 묶음의 수를 세는 데 쓰는 말. 1거는 4줌이다. 《小爾雅, 廣物》把謂之秉, 秉四曰筥. 《儀禮, 聘禮》四秉曰筥. (鄭玄注) 此秉刈禾盈手之秉也.

거(擧) ① [수효] '방(放)'의 뜻으로, 총포(銃砲)를 발사(發射)하는 횟수를 세는 데 쓰는 말. 도(度). 발(發). 방(放). 향(響). 《萬機要覽, 軍政編 1, 形名制度》號砲(用三眼, 主號令. 一擧起令, 三擧升帳, 肅靜・吶喊・閉營, 擧無定數. 分合報警, 一擧賊小, 二擧賊衆, 守城, 北一・南二・東三・西四). ② [질량] (jŭ) 중국(中國)의 옛 단위. 1거는 지금의 3냥쭝에 해당된다. 각 시대별 1거의 무게는, 주(周)나라(B.C.1122∼B.C.256) 때에는 44.76 g, 진(秦)나라에서 전한(前漢 : B.C.221∼A.D.8)까지는 48.42 g, 후한(後漢 : 25∼220) 때에는 41.76 g 정도였다. 《廣才物譜, 庶類, 數》擧, 倍捷, 三兩. 《事類博解, 上, 人道, 財寶》三兩爲擧. 《小爾雅, 廣衡》二十四銖曰兩, 兩有半曰捷, 倍捷曰擧.

거내(法乃) [수효] '거(法)'와 같다. 《萬機要覽, 軍政編 2, 訓鍊都監, 諸屯》加羅洞屯, 場內居民歲捧煮硝吐木一百五十法乃, 今罷. 《純元王后國葬都監儀軌, 3房, 稟目》本房所掌, 祭器皿所用, 松明・吐木各十二法乃, 依謄錄捧甘, 三軍門取用何如, 題辭內依. 《六典條例 10, 工典, 尙衣院, 總例》楊根柴場, 每年春秋, 郎廳下去監刈後, 燒木三十法乃(六馱爲一法乃). 《六典條例 10, 工

典, 繕工監, 鴨島色》正草薍三十九萬束(兩手圍爲薍乃, 卽一束).

거리 [1] [수효] 오이·가지 따위의 50 개를 하나치로 세는 데 쓰는 말. [2] [민속] 굿이나 재래의 춤에서 장면의 수를 세는 데 쓰는 말. [3] [연극] 연극의 막, 또는 각본의 수를 세는 데 쓰는 말.

거리(巨里) '거리'의 차자 표기로, 끈·철사·줄 따위의 길이를 헤아리거나 물건의 수를 세는 데 쓰는 말. 1 거리는 물건의 종류와 쓰임에 따라 각각 그 길이가 달라지는데, 1 간(間) 정도의 길이가 될 때도 있고, 10 발〔十把〕이나 3 발, 또는 1 필(疋)이 될 때도 있다. 간의(艮衣). 《行用吏文》巨里, 十把謂之巨里. [1] [수효] ❶말다래〔月乃〕의 수를 셀 때 쓰이었다. 기(機). 《訓鍊都監重記, 內策應所, 雜物秩》倭鞍壹部, 熊皮月乃參巨里. ❷서까래〔椽木〕·서살(西乷 : 발비)·재목 따위의 수를 셀 때 쓰이었다. 《朝鮮光海君日記 106, 8年8月癸卯》今年七月十二日, 原州牧使牒報, 前項鹽二百石, 椽木 千四百五十巨里, 板子六百十葉, 材木二十四條. 《純元王后國葬都監儀軌 4, 造作》每間所入, 椽次眞長木九十巨里. 西乷次眞長木八十巨里. ❸길이 몇 갈래로 나뉜 수를 셀 때 쓰이었다. 차(岔). [2] [길이] ❶갸자줄〔架子乼〕·멜줄〔擔乼〕·뭇줄〔束乼〕 따위의 길이를 헤아릴 때 쓰이었다. 《正宗大王殯殿魂殿都監儀軌, 1房, 各處手本, 奉常寺》架子乼四巨里. 《度支準折, 袱帒巾衣裳》輦擔乼一巨里, 玉轎一巨里, 白木三甲所一巨里(長一疋). 《度支志, 外篇 16, 經費司》熟麻大束乼四巨里. ❷달피바〔㯚皮所〕·세겹바〔三甲所〕·줄바〔条所·條所〕 따위 밧줄의 길이를 헤아릴 때 쓰이었다. 1 거리는 10 발〔把〕이다. 《度支志, 外篇 16, 經費司》條所·㯚皮所各三十巨里. 《嘉禮都監儀軌(顯宗明聖后), 辛卯7月22日都監, 世子宮》樽花結裹紅綿絲三甲所一巨里. 《關西邑誌, 龍岡誌, 折價式》条所一巨里, 作生麻二斤, 價錢五戔, 三十把爲一巨里. 《孝宗寧陵山陵都監儀軌, 雜物秩》熟麻三甲所三巨里, 熟麻條所三巨里. ❸구슬을 끈에 꿰어 그 길이를 헤아릴 때 쓰이었다. 구슬 400 개면 1 자〔尺〕의 길이가 되고, 1 거리가 된다. 《度支準折, 珠玉寶石》五色珠(四百介作一尺, 卽一巨里). ❹유소(流蘇)의 길이를 헤아릴 때 쓰이었다. 유소는 기(旗) 또는 승교(乘轎) 따위에 매다는 술이다. 《純元王后國葬都監儀軌 2, 稟目》流蘇四巨里, 每巨里紅鄕絲四兩. ❺도화선(導火線)의 길이를 헤아릴 때 쓰이었다. 1 거리는 1천 발〔把〕이다. 《訓鍊都監重記, 鳥銃色, 庚午雲峴宮別備秩》走火索肆巨里貳佰壹把. ❻줄이나 노끈의 길이를 헤아릴 때 쓰이었다. 《尙方定例 1, 準折式》都入捲索, 每巨里鄕絲陸兩. 《華城城役儀軌 5, 財用 1》㯚皮索一千一百四十七巨里(每巨里, 價錢一分五里). 《樂器造成廳儀軌》小木匠所用, 陶罐二, 延日礪石二片, 魚膠一斤, 小索二巨里. ❼사슬〔沙乷·絲乷〕의 길이를 헤아릴 때 쓰이었다. 《昌慶宮營建都監儀軌, 實入》一間巨里五峯障子

一雙, 長沙乼兩排具二十五折二巨里, 十七折二巨里.《萬機要覽, 軍政編 3, 摠戎廳, 軍器》鐵絲乼四十八巨里.《度支準折, 打鐵》長沙乼半巨里, 重二斤八兩, 折價一兩六戔七里二戶. ❽용말음〔龍舍音〕·바자〔把子〕 따위의 길이를 헤아릴 때 쓰이었다.《度支準折, 草物》龍舍音一間巨里(穀草三束), 杻把子(一間巨里, 價錢三戔, 二間巨里, 價錢五戔). 紫門.

거리(居里 : jūiǐ) [방사선(放射線)] 중국(中國)의 단위. '퀴리(curie)'의 음역(音譯).

거웃 [수효·넓이] 논밭을 갈아 넘긴 골의 수를 세는 데 쓰는 말. 물갈이에서는 두 거웃이 한 두둑이 되고, 마른갈이나 밭에서는 네 거웃이 한 두둑이 된다.

거플 [수효] 여러 겹으로 된 껍질이나 껍데기의 층(層) 수를 세는 데 쓰는 말.

건(件) ① [수효] '건(件)'·'벌'·'가지'·'개'의 뜻으로, 옷이나 문서(文書)·서적(書籍)·사건(事件) 따위의 수를 세는 데 쓰는 말. '건(件)'은 '벌'의 이두(吏讀) 표기로서, 옛말로는 한 건을 'ᄒᆞᆫ 볼', 두 건을 '두 볼'이라 하였다. 지금도 물품의 이름이나 금액을 벌이어 적은 종이를 '발기'라고 하는데, 한자로는 '건기(件記)'라고 쓴다. ❶물건의 가짓수를 셀 때 쓰이었다.《朝鮮太宗實錄 6, 3年10月辛未》王妃冠服禮物……靑白膽珠四顆, 金事件一副, 共八十箇件內, 金簪一枝, 金葵花大·小六箇, 金池大·小二箇, 金釘幷螞蝗搭釘五十八箇, 金條一十三條, 大紅熟絲線緣一副, 大紅素線羅旒珠袋二箇.《朴通事諺解, 上》這兩件東西做時. 이 두 가지 거슬 ᄆᆡᆫ들려 ᄒᆞ면. ❷'장'·'통'의 뜻으로, 사문(赦文)·정문(呈文)·해유장(解由狀) 따위의 문서(文書)의 수를 셀 때 쓰이었다. 각(角). 도(度·道). 봉(封). 장(丈·張). 종(宗). 지(紙). 찰(札). 통(通). 폭(幅). 함(緘).《朝鮮中宗實錄 42, 16年5月癸酉》都監, 以千戶李秀賫來赦文一件, 懿旨一件.《朝鮮宣祖實錄 49, 27年 3月戊子》冬至使許晉啓曰, 臣賫去呈文一件, 禮兵部謄書進呈.《度支準折, 雜錄》戶·兵曹解由狀各二件. ❸갓끈〔纓子〕·댕기〔唐只〕·동정(同正)·호수(虎鬚) 따위의 수를 셀 때 쓰이었다.《度支準折, 雜種貿易》冠纓子一件, 價錢三戔.《進安儀軌(高宗壬寅) 3, 樂器風物》唐只四件.《度支準折, 守別隸羅服色》同正次(每三件), 白苧布一尺二寸.《度支準折, 毛鬣》虎鬚一件, 價錢二戔. ❹농(籠)의 수를 셀 때 쓰이었다. 개(箇). 부(部). 잔(盞). 척(隻). 태(馱). 통(筩).《萬機要覽, 軍政編 2, 訓鍊都監, 軍器》 欄後哨五色紗燭籠五百四十五件, 假倭木綿衣一百二十領, 假倭木綿旗一百二十面(式年改造), 挾輦紅紗燭籠一百五十件及燈油索油紙籠六百四十三件.《祭器都監儀軌, 都監單子》床花籠一件. ❺'장'·'매(枚)'의 뜻으로, 지도(地圖)나 그림의 수를 셀 때 쓰이었다.《朝鮮端宗實錄 8, 元年10月庚子》朝鮮諸圖一件, 八道各圖一件, 州·府·郡·縣各圖一件. ❻'장'·'면(面)'의 뜻

으로, 기(旗)의 수를 셀 때 쓰이었다. 면(面). 병(柄). 부(副). 수(首). 유(旒). 조(條). 《朝鮮世宗實錄 25, 6年9月壬午》兵曹啓, 大闕時左右廂中衛中所所用二十八宿旗二件, 十二神旗二件, 大纛二, 中纛十二, 小纛八, 令軍器監造作輸送. ❼광다회(廣多繪)·금대(金帶)·두건(頭巾)·버선〔襪〕·복건(覆巾)·복두(幞頭)·장갑(掌匣)·행전(行纏)·휘건(揮巾) 따위의 수를 셀 때 쓰이었다. 《進宴儀軌(高宗壬寅) 3, 樂器風物》紅廣多繪帶二件. 《度支準折, 冠帶》也字金帶一件. 黑革帶一件. 《孝宗寧陵山陵都監儀軌, 座目》白布頭巾一百二十七件. 《尙方定例 3, 別例 下, 國婚》赤襪壹件. 《正宗大王殯殿魂殿都監儀軌, 內下需用》覆巾一件. 揮巾一件. 《度支準折, 樂工服色》冒羅幞頭一件. 《昌慶宮營建都監儀軌, 實入》掌匣二十件. 《純元王后國葬都監儀軌 2, 實入》靑木行纏六件. ❽유소(流蘇)의 수를 셀 때 쓰이었다. 《高麗史 70, 樂志》五色流蘇二件. ❾명정(銘旌)의 수를 셀 때 쓰이었다. 《正宗大王殯殿魂殿都監儀軌, 1房, 稟目》行路銘旌一件. ❿'장'·'매(枚)'의 뜻으로, 목판(木版)의 수를 셀 때 쓰이었다. 엽(葉). 판(板). 《陶山書院傳掌記, 萬曆30年2月》文集板一件, 別文集板一件. ⓫'장'의 뜻으로, 보〔袱〕의 수를 셀 때 쓰이었다. 부(浮). 조(條). 《尙方定例 1, 準折式》肆幅襦袱, 每件磻紅鼎紬貳拾尺肆寸. 《正宗大王殯殿魂殿都監儀軌, 儀軌事例》前排紅木五幅袱二件, 三幅袱三件. 《度支志, 外篇 16, 經費司》袱六件, 五幅三, 三幅二. ⓬'장'의 뜻으로, 수건(手巾)·상건(床巾)·족건(足巾)의 수를 셀 때 쓰이었다. 《昌慶宮營建都監儀軌, 甘結》布手巾一件. 《進宴儀軌(高宗壬寅) 3, 排設》紅水紬十幅床巾(每件每幅, 紅水紬長一尺七寸). 同道里次草綠水紬半骨七尺, 幷內下. 《正宗大王殯殿魂殿都監儀軌, 1房, 稟目》盥洗白苧布三, 足巾三件. ⓭'켤레'의 뜻으로, 신〔烏皮履〕의 수를 셀 때 쓰이었다. 《度支準折, 樂工服色》烏皮履一件. ⓮'곡(曲)'의 뜻으로, 악곡(樂曲)의 수를 셀 때 쓰이었다. 체(體). 해(解). 《朝鮮世宗實錄 64, 16年5月庚子》頒欽賜陰騭書四百四十一件, 于各司及群臣, 分下名稱歌曲一百三十五件, 于禪教兩宗藏之. ⓯'벌'의 뜻으로, 강사포(絳紗袍)·군복(軍服)·단령(團領)·동달이〔東道里〕·예복(藝服)·철릭〔天益〕·저고리〔赤古里〕·치마〔裙〕·행주치마〔行子赤亇〕 따위 옷의 수를 셀 때 쓰이었다. 《尙方定例 3, 別例 下, 國婚》絳紗袍壹件. 《萬機要覽, 軍政編 3, 摠戎廳, 軍器》木軍服俱三百五十件. 《進饌儀軌(純祖己丑) 2, 稟目》黑苧團領二件. 《正宗大王殯殿魂殿都監儀軌, 1房, 稟目》藍鼎紬東道里一件. 《朝鮮世宗實錄 31, 8年3月庚戌》賜白彦母綾段·羅紬·苧衣服三襲, 藝服二件. 《朝鮮宣祖實錄 41, 26年8月甲午》委官以安世熙推案入啓……入往陵寢, 則屍體在壙內, 卽爲入置壙中. 屍體所着, 白綿紬女人赤古里·綿紬末古各一件, 甘察天益半件, 禿音里村家後山

埋置.《朝鮮成宗實錄 76, 8年2月癸酉》青暗花紵綵夾裙一件, 綿布表絹裏夾包袱一條, 熟絹單包袱二條.《仁祖國葬都監儀軌, 下, 3房》行子赤亇四件. ⓰'채'의 뜻으로, 이불〔衾〕이나 요〔褥〕따위의 수를 셀 때 쓰이었다. 권(卷). 조(條). 중(重).《尙方定例 3, 別例 下, 親迎》紫的吐紬褥壹件.《尙方定例 3, 別例 下, 大內進排》草綠鼎紬襦衾貳件. ⓱'벌'의 뜻으로, 도롱이〔簑衣〕·우비(雨備)·지유삼(紙油衫) 따위의 수를 셀 때 쓰이었다.《度支準折, 雜種貿易》簑衣一件. 紙油衫一件.《萬機要覽, 軍政編 3, 摠戎廳, 軍器》旗雨備一百二件.《度支準折, 袱帒巾衣裳》神轝甲雨備一件, 青木三疋.《萬機要覽, 軍政編 3, 禁衛營, 軍器》紙油衫一千一百八件. ⓲'장'의 뜻으로, 자루·부대〔帒〕의 수를 셀 때 쓰이었다. 개(箇). 구(口). 부(部). 부대(負袋).《萬機要覽, 軍政編 3, 禁衛營, 軍器》木帒五百件.《正宗大王殯殿魂殿都監儀軌, 1房, 各處手本, 奉常寺》五尺布帒一件.《度支志 9, 內人房事例》帒一件. ⓳'채'의 뜻으로, 자리〔席〕·답장(踏掌)·등메〔登每〕·방석(方席)·의자(倚子)·안석〔案息〕·깔개〔座子〕따위의 수를 셀 때 쓰이었다. 매(枚). 부(浮). 석(席). 엽(葉). 영(領). 장(丈·張). 전(揃). 좌(坐). 진(陳).《進宴儀軌(高宗壬寅) 3, 排設》上排彩花單席一件.《尙方定例 1, 大王大妃殿》毛踏掌壹件. 涼倚子參件.《正宗大王殯殿魂殿都監儀軌, 稟目》白紋登每三件. 白紋案息三件.《純元王后國葬都監儀軌 1, 來關秩》滿花方席一件.《正宗大王殯殿魂殿都監儀軌, 內下需用》座子一件. ⓴장식물(粧飾物)의 수를 셀 때 쓰이었다.《度支準折, 打鐵》大貫革粧飾一件, 圓貫革粧飾大一件, 中一件, 小一件. ㉑'질'의 뜻으로, 여러 권으로 된 책의 한 벌을 하나치로 세는 데 쓰는 말. 반(件). 본(本). 부(部). 사(事). 질(帙·秩·袠).《朝鮮世祖實錄 40, 12年11月乙酉》大司憲梁誠之上書……一, 銃筒謄錄, 國家秘密文書也, 春秋館有一件, 文武樓有二十一件. 自弘文館入內一件, 軍器監有幾件. 萬一姦細偸之, 因以爲利, 則東南之害, 不可勝言, 乞以諺字書寫, 內外史庫各藏三件, 弘文館三件. 稱臣堅封, 其漢字書寫者, 並皆燒毁, 以爲萬世之慮.《朝鮮成宗實錄 239, 21年4月癸未》道內諸色鄕校所藏書册, 或不滿帙, 或破毁, 儒生未得讀書, 請將令送布物, 令校書館庸學各十件, 詩書各六七件, 換易下送.《朝鮮中宗實錄 65, 24年7月丙申》初讀所用千字·類合·懸吐小學各二十件, 卽令印出入內.《朝鮮明宗實錄 17, 9年11月己亥》依紹修書院例, 四書五經各一件, 以文武樓所藏帙賜送, 而綱目及事文類聚, 則餘在只一件, 賜給爲難.《度支志, 內篇, 事例》首堂上青粧曆二件, 白曆二十件, 中曆五十件, 常曆一百件. ㉒'장(張)'의 뜻으로, 유둔(油芚)·지의(地衣)·초둔(草芚)·황전(黃氈) 따위의 수를 셀 때 쓰이었다. 번(番). 부(浮·部). 장(丈·張).《正宗大王殯殿魂殿都監儀軌, 1房, 稟目》

油芚上下各一件. 魂殿供上奉入時都薛里逐日監膳是如乎, 監膳廳所排地衣一件. 《朝鮮世宗實錄 5, 元年9月戊子》 上王命曰, 予於宮中設遮陽, 只蓋草芚一件. 《進宴儀軌(高宗壬寅) 3, 排設》 蓋覆黃氈一件. ㉓홀기(笏記)의 수를 셀 때 쓰이었다. 《進宴儀軌(高宗壬寅) 2, 稟目》 御覽睿覽笏記二件. ㉔관(冠)의 수를 셀 때 쓰이었다. 《進宴儀軌(高宗壬寅) 3, 樂器風物》 花冠二件. ㉕관의(棺衣)·장(帳) 따위의 수를 셀 때 쓰이었다. 《正宗大王殯殿魂殿都監儀軌, 內下需用》 草綠貢緞初棺衣一件. 唐家前面帳一件. 《孝宗寧陵山陵都監儀軌, 別工作》 白木仰遮三件. 《進饌儀軌(純祖己丑) 2, 修理》 紅鼎紬甲帳九件. ㉖첩지〔接只〕 따위의 수를 셀 때 쓰이었다. 《進宴儀軌(高宗壬寅) 3, 樂器風物》 接只二件. ㉗(jiàn) 중국(中國)의 단위. '동(同)'의 뜻으로, 피륙 20필(약 350 m)을 하나치로 헤아리는 데 쓰는 말. 〈예〉 一~布匹. ② [질량] (jiàn) 중국의 단위. 실의 무게를 헤아리는 데 쓰는 말. 1 건은 실 400 kg 에 해당된다.

건량(乾兩) [수효] 꿰미에 1백 문(文)마다 짚으로 매듭을 지어 놓은 표. 또는 그 매듭의 수를 세는 데 쓰는 말.

건량(乾量) [부피] 곡물·과일 같은 마른 물건의 양을 헤아리는 데 쓰는 말. 부셸(bushel).

걸음 [수효] 두 발을 번갈아 앞으로 옮겨 놓은 수를 세는 데 쓰는 말. 〈예〉 한 — 앞서다.

겁(劫) [시간] 매우 긴 시간의 하나. 또는 그 시간을 헤아리는 데 쓰는 말. 이 말은 본래 범어(梵語)의 겁파(劫波 : kalpa)에서 온 말인데, 일반적으로 천인(天人)이 사방 40리(里)의 큰 돌을 얇은 옷으로 100년에 한 번 떨어, 돌이 마멸(磨滅)되어도 다하지 않는 긴 시간이라 한다. 또는 사람의 수명 무량세(壽命無量歲)에서 백 년마다 한 살을 감하여 마침내 열 살이 되는 동안을 일중겁(一中劫)이라 하고, 또 1백년을 지날 때마다 한 살을 더해 가서 8만 살에 이르기까지를 일중겁이라 한다. 이 증감(增減)을 18 번 되풀이하여, 마지막으로 또 8만 살에 이르기까지의 일중겁을 더한 20 중겁을 이 세계가 존속(存續)하는 사이라 하여 주겁(住劫), 이 주겁 뒤에 세계가 파괴되어 가는 사이가 괴겁(壞劫), 마침내 공무(空無)로 돌아가는 사이가 공겁(空劫), 그 후 다시 세계가 이룩되는 동안을 성겁(成劫)이라 한다. 《釋迦文佛象銘》 能仁奚感, 將唯妙法. 駐景上天, 降生右脇. 始出四門, 終超九劫. 《高僧傳, 忘身論》 昔土子投身, 功踰九劫, 刳肌貿鳥, 駭震三千. 《生經, 墮珠著海中經》 我等世尊, 從無數劫精進不懈, 不抱生死五道之患……超越九劫, 自致無上正眞之道, 爲最正覺. 《雲笈七籤》 經二劫, 天地又壞, 無復光明.

게라(gerah) [질량] 고대 헤브라이(Hebrai)의 단위. 주로 은(銀)의 무게를 헤아리는 데 쓴다. 1 게라는 베카(beka)의 10 분의 1 이며, 시켈(sekel)의 20 분의 1, 또는 712.79 mg 에 해당된다.

게르베(gerbe) [질량(質量)] 모로코(Morocco)의 단위. 1 게르베는 6.61 파운드(pound), 또는 2.998 kg에 해당된다.

게르시(gersh) [통화] 에티오피아의 옛 통화 단위. 1 게르시는 2 베사(besa)와 같다.

게베타(ghebeta) [부피] 에리트레아(Eritrea)의 단위. 1 게베타는 메세(messē)의 16 배(倍)이며, 6.34 미(美) 갤런(gallon), 또는 24*l* 에 해당된다.

게브(gev) [에너지] 기가(giga) 전자(電子) 볼트(volt)의 약어(略語). 1 게브는 10억(億) 전자 볼트에 해당된다.

게이라(geira) [넓이] 포르투갈(Portugal)의 고유 단위. 1 게이라는 1.43 에이커(acre), 또는 58.03 아르〔a〕에 해당된다.

게즈(gez) [길이] 이란(Iran)의 단위. 1 게즈는 1.04 m에 해당된다.

격(格) 1 [섬유] 생사의 등급을 나타내는 데 쓰는 말. 이 격은 국제협정(國際協定)으로 정해져 있는데, 모두 12 등급으로 구분되어 있다. 이 격은 상위(上位)부터 순서대로 6A·5A·4A·3A·2A·A·B·C·D·E·F·G로 되어 있다. 2 [부피] (gē) 중국(中國)의 단위. '항아리'·'독'의 뜻으로, 독〔瓮〕에 곡식이나 액체를 담아 그 양을 헤아리는 데 쓰는 말. 《臺海使槎錄, 物產》鳳邑鹽埕一千三百二十一格, 每格廣狹不一, 計丈定課. 3 [수효] (gē) 중국의 단위. ❶'권(卷)'의 뜻으로, 책의 수를 세는 데 쓰는 말. 〈예〉 一～兒書. ❷'칸'의 뜻으로, 사방을 둘러막은 안의 수를 세는 데 쓰는 말. 〈예〉空兩～兒. ❸'조각'의 뜻으로, 피륙의 조각을 세는 데 쓰는 말. 〈예〉 一～布. ❹'덩이'의 뜻으로, 고깃덩이의 수를 세는 데 쓰는 말. 〈예〉 一～肉. ❺'뙈기'의 뜻으로, 논밭의 한 구획의 수를 세는 데 쓰는 말. 〈예〉一～地. ❻'모'의 뜻으로, 두부의 수를 세는 데 쓰는 말. 〈예〉 一～豆腐.

격라희(格羅希, gēluóxī) [통화] 중국(中國)의 단위. '그로시(groszy)'의 음역(音譯).

격령(格令 : gēlǐng) [질량] 중국의 단위. '그레인(grain)'의 음역.

견(肩) 1 [수효] (jiān) 중국(中國)의 단위. '짐'의 뜻으로, 들거나, 지거나, 또는 운송하도록 만든 물품의 수를 세는 데 쓰는 말. 《徐霞客遊記, 滇遊日記 9》油碧輿五六肩, 乃婦人之遊於林間者. 《儒林外史, 41回》自己一肩行李, 跨一個疲驢, 出了泗州城. 2 [부피] 일본(日本)의 단위. 목재의 부피를 헤아리는 데 쓰는 말. 일본 남 큐슈(南九州) 지방에서 쓰던 단위로, 1 견은 보통 3.5 세제곱자〔立方尺:139.15 dm³〕, 또는 약 15 관(貫 : 56.25 kg)에 해당된다.

견(畎) [넓이] 토지의 면적을 헤아리는 데 쓰는 말. 1 견은 사방 6천 자(尺), 또는 묘(畝)의 10 배에 해당된다.《經世遺表 7, 地官修制, 田制 9, 井田議》其可井而未井者, 其終不可爲井者, 乃皆打量, 算其實積, 凡方六尺爲步, 十步爲一畮, 十畮爲一畝, 十畝爲一畎, 十畎爲一昳.

견(甄) [군사·수효] 군진(軍陣)의

수를 세는 데 쓰는 말.《宋書, 禮志 1》大司馬屯北旌門, 二甄帥屯左右旌門.

결(紇) [부피] '줌'의 뜻으로 주먹으로 쥘 만한 분량. 또는 그 양을 헤아리는 데 쓰는 말. 악(握). 촬(撮). 파(把).《漢淸文鑑 10, 產業, 絨棉》一紇麻, 호 줌 삼.

결(結) 1 [넓이] 조세를 계산하기 위한 토지 면적의 단위. 속음(俗音)으로는 '먹'이라고 한다. 신라 시대부터 조선 시대까지 사용되었다. 본래는 곡식의 수확량을 표시하기 위하여 1 줌을 1 파(把), 10 파를 1 속(束 : 뭇), 10 속을 1 부(負 : 짐), 100 부를 1 결(結 : 목)이라 하였다가, 차차 토지의 넓이를 헤아리는 단위로 전용(轉用)되었다. 그러다가 고려 시대에는 사방 33 보(步)를 1 결로 정하여 6 치(寸)를 1 푼〔分〕, 10 푼을 1 자〔尺〕, 6 자를 1 보(步)로 하였고, 조선 세종 26년(1444) 전제상정소(田制詳定所)에서 제정한 전분 육등(田分六等)에 의하면, 주척(周尺)으로 1 등 전척(田尺)은 4.775 자, 2 등 전척은 5.179 자, 3 등 전척은 5.703 자, 4 등 전척은 6.434 자, 5 등 전척은 7.55 자, 6 등 전척은 9.55 자로 규정하였다. 당시 과세의 기준은 수확량이 전제가 되었기 때문에, 일정한 수확량에 따라 그 기준을 달리하여 그 면적을 산출해 낸 것이다.

주척(周尺) 方 1 尺=1 把
10 把=1 束
10 束=1 負
10 負=1 結

《崔文昌侯全集 3, 知證和尙碑銘》遂於乾符六年, 捨庄(田廬)十二區, 田百結(百卜爲一結. 方俗, 以周百弓爲一結, 四肘爲弓, 一尺八寸爲肘. 王荊公詩, 臥占寬閒五百弓.《三國遺事 2, 紀異, 駕洛國記》後人奉使來, 審檢厥田十一結十二負九束, 不足者三結八十七負一束也.《高麗史 32, 食貨志》靖宗二十三年, 定量田步數, 田一結, 方三十三步(六寸爲分, 十分爲一尺, 六尺爲一步).《大典會通 2, 戶典, 量典》凡田分六等, 每二十年改量成籍, 藏於本曹·本道·本邑(一等田尺準周尺四尺七寸七分五釐, 二等五尺一寸七分九釐, 三等五尺七寸三釐, 四等六尺四寸三分四釐, 五等七尺五寸五分, 六等九尺五寸五分. 實積一尺爲把, 十把爲束, 十束爲負, 百負爲結. 一等田一結準二十八畝, 二等田四十四畝七分, 三等田五十四畝二分, 四等田六十九畝, 五等田九十五畝, 六等田一百五十二畝.《田制詳定所遵守條畫》舊制田品 只有上中下, 所量之尺, 參等各異(上田尺貳拾指, 中田貳拾伍指, 下田參拾指), 而皆以實積, 肆拾肆尺壹寸爲束, 拾束爲負, 百負爲結.《增補文獻備考 91, 樂考, 度量衡》地積, 十勺爲合, 十合爲把, 十把爲束, 十束爲負, 百負爲結. 泰西地積, 則先知戞, 當我一把, 百先知戞爲戞, 當我一負, 百戞爲赫得戞, 當我一結.《萬機要覽, 財用編 2, 田結》孝宗癸巳, 罷舊制隨等異尺之法, 直以周尺四尺七寸七分五里爲量尺, 毋論等之高下通量解負, 田一尺爲把, 十把爲束, 十束爲負, 百負爲一結, 計積萬尺之地, 一等則爲一結, 二等則爲

八十五負, 三等則爲七十負, 四等則爲五十五負, 五等則爲四十負, 六等則爲二十五負, 隨其田品差等收稅, 而田形各異, 各色易眩.《度支準折, 雜錄》一等一結, 一萬尺爲一結, 一百尺爲一負. 二等八五, 一萬一千七百六十四尺爲一結, 一百十七尺六寸四分爲一負. 三等單七, 一萬四千二百八十五尺爲一結, 一百四十二尺八寸五分爲一負. 四等五五, 一萬八千一百八十一尺爲一結, 一百八十一尺八寸一分爲一負. 五等單四, 二萬五千尺爲一結, 二百五十尺爲一負. 六等二五, 四萬尺爲一結, 四百尺爲一負.《續大典 2, 戶典, 量田》火田二十五日耕爲一結. ② [수효] 갓끈의 수를 세는 데 쓰는 말. 매(枚). 부(部).《通文館志 5, 交隣, 差倭》參判前別幅金小屛風二雙, 水晶笠緖三結, 彩花衣桁一脚.

결(絖) [수효] '오리'의 뜻으로, 실 오리의 수를 세는 데 쓰는 말. 본(本). 오리(五里).《說文》絖, 縷一枚也. (段玉裁注) 一枚, 猶一箇也.

결(闋 : què) [수효] 중국(中國)의 단위. ❶'곡(曲)'·'수(首)'의 뜻으로, 가곡(歌曲)이나 사(詞) 따위의 수를 세는 데 쓰는 말. 두 단락으로 된 사를 나누어 앞의 단락을 상결(上闋), 뒤의 단락을 하결(下闋)이라 한다.《史記, 項羽本記》歌數闋, 美人和之, 項王泣數行下.《楊芳燦, 納蘭詞序》先生所著飮水詞, 僅百餘闋耳. ❷'회(回)'·'번'·'차례'의 뜻으로, 일이나 음악을 연주하는 횟수를 세는 데 쓰는 말.《續玄怪錄, 楊恭政》樂作三闋, 靑衣引白鶴來.《平山冷燕, 1 回》樂奏三闋, 酒行九獻.

겸(鉗 : qián) [수효] 중국(中國)의 단위. '석(石)'의 뜻으로, 시계의 부속에 쓰이는 보석(寶石)의 수를 세는 데 쓰는 말. 석(石).

겸(縑 : jiān) [길이] 중국(中國)의 단위. '필(匹)'의 뜻으로, 일정한 길이로 짠 피륙을 하나치로 세는 데 쓰는 말. 1 겸은 4 장(丈), 또는 40 자(약 12 m) 정도가 된다. 냥(兩). 단(段·端). 정(丁). 제(製). 필(匹·疋).《宋史, 宗室, 不㥁傳》堅守勿動, 密檄諸蕃部, 生獲吐蕃一人賞十縑, 殺一人二縑.《後趙錄》劉芳爲諸僧寫經, 論筆迹稱善, 卷直一縑.《袁枚, 戱答慶都統書》豈不聞古人有獻一字而索千縑.

겹 [수효] 넓고 얇은 물건이나 선(線)이 합쳐서 포개진 켜의 수를 세는 데 쓰는 말. 〈예〉 ~저고리.

겹(掐) [부피] '움큼'·'줌'의 뜻으로, 한 손 또는 두 손으로 쥘 만한 분량. 또는 그 수를 세는 데 쓰는 말. 봉(捧). 일(溢).《漢淸文鑑 7, 人, 拿放》一掐, 두 손가락 마촌 에움.

경(更) ① [시간] 일몰(日沒)로부터 일출(日出)까지를 5 등분하여 시간을 헤아리는 데 쓰는 말. 초경(初更)은 오후 7 시~9 시, 2 경은 9 시~11 시, 3 경은 11 시~새벽 1 시, 4 경은 1 시~3 시, 5 경은 3 시~5 시까지를 이른다. 고(鼓). 누(累). 야(夜).《朝鮮世宗實錄 19, 5年正月庚子》書雲觀啓, 前此人定鐘, 則一更三點末 放皷則五更三點末, 前後不均, 乞自今放皷五更三點初. 從之. 《左捕盜廳謄錄 1, 乙未6月25日》三更三點量, 武藝別監李益輝·

梁致彦等, 亦爲犯夜而來, 欲爲奪去, 幷依例治罪之意, 敢啓.《眉巖集 10, 日記》癸酉十月二十六日, 去夜三更一點, 起寢, 四更一點, 動駕.《顏氏家訓, 書證》或問, 一夜何故五更, 更何所訓, 答曰, 魏漢以來謂, 爲甲夜, 乙夜, 丙夜, 丁夜, 戊夜, 又云, 一鼓, 二鼓, 三鼓, 四鼓, 五鼓, 亦云, 一更, 二更, 三更, 四更, 五更, 皆以五爲節, 西都賦亦云, 衛以嚴更之署, 所以爾者, 假令正月建寅, 斗柄夕則指寅, 曉則指午矣, 自寅至午, 凡歷五辰, 冬夏之月, 雖復長短參差, 然辰間遼闊, 盈不至六, 縮不至四, 進退常在五者之間, 更, 歷也, 經也, 故曰五更爾. ② [길이] (gēng) 중국(中國)의 단위. 항해(航海)의 이정(里程)을 헤아리는 데 쓰는 말. 1경은 60리(里)에 해당된다. 1보(步)는 6자〔尺〕, 1 리(里)는 300 보이므로, 1경은 108,000자가 된다. 1자가 30.72 cm인 송·원(宋元) 시대에는 552.96 m, 31.10 cm인 명(明)나라 때에는 559.80 m, 32.00 cm인 청(淸)나라 때에는 576 m에 해당되었다.《海國聞見錄, 南洋記》每更約水程六十里.《癸巳類稿9》自澎湖往, 水程四更, 自厦門往十一更.

경(京) [수(數)] ❶매우 큰 수의 하나. 1경은 조(兆)의 1억 배(倍)이며, 해(垓)의 1억분(分)의 1, 또는 10^{24}에 해당된다. ❷조(兆)의 1만 배이며, 해(垓)의 1만분의 1, 또는 10^{16}에 해당된다.《太平御覽, 工藝, 數》風俗通, 論數云, 十億曰兆, 十兆曰京, 十京曰核.

경(坰 : jiōng) [넓이] 중국(中國)의 단위. '갈이'의 뜻으로, 하루에 갈 수 있는 땅의 넓이. 또는 그 넓이를 헤아리는 데 쓰는 말. 동북(東北) 지방에서는 6묘(畝)~12묘, 섬서(陝西) 지방에서는 3묘~5묘를 1경(坰)으로 한다. 천지(天地).

경(耕) [넓이] '갈이'의 뜻으로, 하룻동안에 소와 사람이 갈 만한 논밭의 넓이. 또는 그 넓이를 헤아리는 데 쓰는 말. 보통 2천 평(坪)을 이른다. 그 넓이는 지방에 따라 다르며, 하루갈이·이틀갈이라고 부른다. 화전(火田)에서는 보통 소로 25일 갈이를 1결(結)로 쳐서 세금을 거두어들였다. 일경(日耕).《訓鍊都監重記, 位田秩》圃田肆日耕, 山田壹日耕, 花鏡洞田壹日耕, 江邊大路東邊田壹䄿.《續大典 2, 戶典, 量田》火田幷置六等(火田, 二十五日耕爲一結, 別件成册, 不排字號).

경(梗) ① [수효] '채'의 뜻으로, 빙고(氷庫)의 수를 세는 데 쓰는 말. 서빙고(西氷庫)는 지금의 서울 용산(龍山) 한강(漢江)가 둔지산(屯智山) 아래에 있었는데, 빙고는 8채이며 얼음은 주로 궁중과 백관(百官)이 사용하였다.《增補文獻備考 223, 職官考, 諸司》氷庫, 本朝置東氷庫·西氷庫, 掌藏氷. 東庫, 供祭祀, 西庫, 供御廚頒百官. 有提調一員, 別坐一員, 別提各一員, 別檢各一員, 後減別坐. 吏屬, 書員各一人, 庫直各一名, 軍士各二名. 西庫, 在漢江下屯智山之麓, 庫凡八梗. 藏氷時, 軍器監·軍資監·禮賓寺·內資寺·內贍寺·司贍寺·司宰監·濟用監主之.《萬機要覽, 財用編 5, 藏氷, 總例》受香日, 主梗(音

치)官, 辭朝待氷堅, 鑿藏後復命(主梗官, 以本庫郎廳, 奉常寺郎廳一, 禮曹劃出入啓). ② [군사] 고려 시대, 동계(東界)의 주진군(州鎭軍)에 두었던 부대의 하나로, 전지(田地)를 소유한 공장(工匠)으로 편성된 집단의 수를 세는 데 쓰는 말. 1경은 33명으로 편성되었다. 《高麗史 83, 兵志, 東界》安邊府, 都領一, 郎將二, 別將四, 校尉十二, 隊正二十七, 抄軍左右軍各八隊, 寧塞軍三隊五人, 計百五十, 工匠一梗, 計三十三人. 瑞谷縣, 別將一, 校尉二, 隊正三, 左軍一隊, 右軍二隊, 寧塞一隊三十一人, 工匠一梗. 汶山縣, 右軍一隊, 工匠一梗.

경(莖) [수효] ❶'줄기'·'뿌리'의 뜻으로, 초목(草木)의 수를 세는 데 쓰는 말. 파〔葱〕는 한 뿌리, 두 뿌리라 하며, 등심(燈心)은 한의학(漢醫學)에서 말하는 골풀의 속인 골속을 이르는 말이다. 《朝鮮世祖實錄 30, 9年7月乙巳》行司直魯參, 進粟一莖兩穗者二本. 《新編集成馬醫方, 腎部》 酒半升, 豆豉半兩, 燈心十莖, 葱白二莖. 《史記, 孝武本紀》 甘泉防生芝九莖. 《漢書, 宣帝紀》 金芝九莖, 產於函德殿銅池中. 《何遜, 七召, 8》收六穗於征賦, 翫九莖於池沼. ❷(jīng) 중국(中國)의 단위. 머리카락이나 대나무 따위의 가늘고 긴 물건의 수를 세는 데 쓰는 말. 《杜甫, 樂遊園歌》數莖白髮那拋得, 百罰深杯亦不辭. 《張籍, 題僧院詩》靜掃空房唯獨坐, 千莖秋竹在簷前. 《韓偓, 秋霜夜憶家詩》不知短髮能多少, 一滴秋霜白一莖. ❸일본(日本)의 단위. '자루'의 뜻으로, 붓이나 연필 따위의 수를 세는 데 쓰는 말. 관(管). 매(枚). 병(柄). 지(枝). 〈예〉筆一～.

경(頃) [넓이] 조세를 계산하기 위한 토지 면적의 단위. 1경은 100묘(畝)에 해당된다. 1묘의 넓이는 시대에 따라 다소 변경이 있었는데, 당대(唐代 : 618～907)에는 5.803 a, 송대(宋代 : 960～1279) 및 원대(元代 : 1260 ～ 1367)에는 5.662 a, 명대(明代 : 1368 ～ 1644)에는 5.803 a, 청대(淸代 : 1616 ～ 1912)에는 6.144 a로 추정되기 때문에 이것으로 환산하면, 1경(頃)은 당대에는 5.803 ha, 송대 및 원대에는 5.662 ha, 명대에는 5.803 ha, 청대에는 6.144 ha 정도가 된다. 우리나라에서의 1경은 40마지기〔斗落只〕 정도에 해당된다. 《三國史記 50, 甄萱傳》其義不可忘, 仍許職左丞, 賜田一千頃. 《三國遺事 2, 紀異, 惠恭王》又是年, 今浦縣稻田五頃中, 皆米顆成穗. 《高麗史 8, 文宗世家》 大雲寺, 先王始創, 以福邦家, 其所給公田, 地瘠稅少, 齋供不周, 加賜良田一百頃. 《朝鮮世宗實錄 103, 26年正月庚午》議政府據戶曹呈啓, 以田方五尺, 積二十五尺爲一步, 二百四十步爲一畝, 百畝爲一頃, 五頃爲一字丁……今以田方五尺爲一步, 二十四步爲一分, 十分爲一畝, 百畝爲一頃, 五頃爲一字丁, 其分下餘數內, 半分以上其收爲分, 半分以下則棄而勿用, 以爲定規.

경(景) [수효] 그림이나 연극 무대(舞臺)의 동일(同一)한 장(場)에서, 등장 인물의 교체(交替) 따위에 의해서 변화가 나타난 장면의 수를 세는 데 쓰는 말. 〈예〉 10∼으로 된 남산의 봄 경치가 그려진 병풍.

경(經) [1] [수] 매우 큰 수의 하나. 1 경은 10 조(兆)에 해당된다. 《太平御覽, 工藝部, 數》風俗通曰, 十十謂之百, 十百謂之千, 十千謂之萬, 十萬謂之億, 十億謂之兆, 十兆謂之經, 十經謂之垓, 十垓謂之補, 十補謂之選, 十選謂之載, 十載謂之極. [2] [수효] ❶술병의 수를 세는 데 쓰는 말. 《廣才物譜 2, 飮食部, 罇》經, 酒甁也, 一甁曰一經. 《趙令畤, 侯鯖錄》陶人爲器有酒經, 晉安人凡饋人酒, 書云酒一經或二經, 至五經, 他境人有遊於是邦, 不達其義, 聞五經至, 束帶迎於門, 乃知是酒五缾爲五經. ❷천하를 다스리는 큰 도(道)의 수를 세는 데 쓰는 말. 구경(九經)은 몸을 닦고, 어진 사람을 존경하고, 친척을 친애하고, 대신(大臣)을 공경하고, 여러 신하를 사랑하고, 백성을 자식과 같이 여기고, 백공(百工)이 모여들게 하고, 먼데 사람을 회유하고, 제후를 따르게 하는 아홉 가지이다. 《禮記, 中庸》 凡爲天下國家有九經. 修身也, 尊賢也, 親親也, 敬大臣也, 體羣臣也, 子庶民也, 來百工也, 柔遠人也, 懷諸侯也. (孔穎達疏) 治天下國家之道, 有九種常行之事, 論九經之目次也. ❸남북(南北)으로 통하는 큰 길의 수를 세는 데 쓰는 말. 《周禮, 考工記, 匠人》國中九經九緯, 經涂九軌. (賈公彥疏) 南北之道爲經, 東西之道爲緯. ❹경전(經典)의 수를 세는 데 쓰는 말. 《宋書, 百官志 上》國子祭酒一人, 國子博士二人, 國子助教十人. 周易·尙書·毛詩·禮記·周官·儀禮·春秋左氏傳·公羊·穀梁 各爲一經, 論語·孝經 爲一經, 合十經. 《南史, 隱逸傳 上, 周續之》續之年十二, 詣甯受業. 居學數年, 通五經, 五緯, 號曰十經, 名冠同門, 稱爲顏子.

경척(鯨尺) [길이] 곡자〔曲尺〕로 1 자〔尺〕 2 치〔寸〕 5 푼〔分〕에 해당되는 자. 또는 경척으로 길이를 헤아리는 데 쓰는 말. 1 경척은 33.88 cm 에 해당된다. 주로 피륙의 길이를 재는 데 쓰이며, 고래의 수염으로 만들었기 때문에 붙여진 이름이다.

경척장(鯨尺丈) [길이] 척관법(尺貫法)의 한 단위. 1 경척장은 경척척(鯨尺尺)의 10 배(倍), 또는 3.787878 m 에 해당된다.

경척척(鯨尺尺) [길이] 척관법(尺貫法)의 한 단위. 1 경척척은 1 m 의 66 분의 25 이며, 약 0.3787878 m 에 해당된다.

경척푼(鯨尺分) [길이] 척관법(尺貫法)의 한 단위. 1 경척푼은 경척척의 100 분의 1, 또는 0.003787878 m 에 해당된다.

계(屆 : jiè) [수효] 중국의 단위. '계(季)'와 같다. 《一片石, 訪墓》五十屆月課歲考科場, 昔日紅花, 也算做傳家寶. 《今日中國 136》中共在北平擧行十二屆中央委員會第六次全體會議.

계(季 : jì) [수효] 중국(中國)의 단위. ❶'번(番)'·'회(回)'의 뜻으로, 차례나 횟수(回數)를 세는 데 쓰는 말. 계(屆). 《幼獅文藝 75》還記得

那小學六年級, 在一季西瓜豐收的季節, 我也跟着幇忙搬西瓜, 收工了. ❷계절의 시기를 세는 데 쓰는 말. ❸'그루'의 뜻으로, 한 해 동안에 같은 땅에서 농사 짓는 횟수를 세는 데 쓰는 말.

계(計) [수효] '계'의 뜻으로, 계책(計策)이나 모계(謀計) 따위의 수를 세는 데 쓰는 말. 《彰善感義錄》 吾有陳孺子之六計……騙弄癡夫, 而奪其美妻, 三也. 《漢書, 陳平傳》 凡六出奇計, 輒益邑封, 奇計或頗祕, 世莫得聞也. 《陳基, 二十六日自通州赴淮安詩》 六計西來思撓楚, 三軍左袒欲安劉.

계(桂) [수효] '명(名)'·'분(分)'·'인(人)'의 뜻으로, 사람의 수를 세는 데 쓰는 말. 본래 계수나무라는 뜻이지만, 전의되어 뛰어난 사람으로 쓰인다. 《孫鎭, 許氏雙桂堂詩》 許家二桂聯翩秀, 孫氏三枝次第春.

계(階) [등급] ❶벼슬 등급(等級)의 순서나 차례, 또는 그 수를 세는 데 쓰는 말. 《高麗史 3, 成宗世家》 八月癸未, 御威風樓, 大赦, 陞文武官一階. 《朝鮮太宗實錄 19, 10年5月己卯》 先王因才以任官, 因德以詔職, 才有大小則官有輕重之差, 德有淺深則爵有上下之異, 一階一級, 皆人君之命也, 人臣之職. 《李忠武公全書, 敎書, 策宣武元勳》 肆策勳爲宣武功臣一等, 超三階爵, 其父母妻子, 亦超三階, 無子則甥姪女壻, 超二階, 嫡長世襲不失其祿. ❷일본(日本)의 단위. '층'의 뜻으로, 건물의 층수(層數)를 세는 데 쓰는 말. 단층(單層)은 평가(平家), 1층은 1계(一階), 2층은 2계(二階)라고 한다.

계(溪) [수효] '가닥'·'줄기'의 뜻으로, 구름이나 무지개 따위가 피어오르거나 서리어 있는 수를 세는 데 쓰는 말. 누(縷). 도(度·道). 조(條). 타(朶). 《高麗史 71, 樂志, 唐樂》 金殿樂慢(踏歌昌)……淸夜無塵, 月色如銀. 酒斟時, 須滿十分. 浮石浮利, 休苦營神. 嘆隙中駒, 石中火, 夢中身. 雖把文章, 開口誰親. 且逍遙, 樂取天眞. 幾時歸去, 作箇閑人. 對一張琴, 一壺酒, 一溪雲.

계급(階級) [등급] 지위(地位)·관직(官職) 등의 등급(等級)을 세는 데 쓰는 말. 〈예〉 일 ~ 특진.

계단(階段) [수효] ❶층층대의 단(段)을 낱으로 세는 데 쓰는 말. 〈예〉 1층부터 2층까지는 40 ~이다. ❷어떤 일을 이루는 데 밟아야 할 차례를 세는 데 쓰는 말. 〈예〉 이 물건이 완성되기까지는 4 ~의 공정(工程)을 거쳐야 한다.

계도(季度 : jìdù) [시간] 중국(中國)의 단위. '분기(分期)'의 뜻으로, 한 해를 석 달씩 나누어 놓은 그 하나하나의 기간을 헤아리는 데 쓰는 말.

고(考) [1] [수효] ❶벼슬아치의 성적을 고사하는 횟수를 세는 데 쓰는 말. 조선 시대 관원(官員)의 근무 성적(勤務成績)은 경관(京官)의 경우 각 사(各司)의 당상관(堂上官)이나 제조(提調)가, 지방관(地方官)의 경우는 그 도(道)의 관찰사(觀察使)가 매년 6월과 12월에 상(上)·중(中)·하(下)의 3등급(等級)으로 매겨서 인사 행정(人事行

政)에 반영(反映)시켰다. 세종(世宗) 29년(1447)에는 동·서반(東西班)에 걸쳐서 6품 이상은 만 30 개월〔仕滿九百〕에 5고 3상(五考三上), 7품 이하는 만 15 개월〔仕滿四百五十〕에 3고 2상(三考二上)이면 가자(加資)하였다. 《朝鮮世宗實錄 118, 29年12月乙丑》傳旨吏曹, 東西班相間受職者, 除無褒貶, 西班朔數, 而合計東班朔數, 叅上則滿三十朔五考三上, 叅外則滿十五朔三考二上, 依他例加資. 《經國大典 1, 吏典, 京官職》六品以上, 仕滿九百, 七品以下, 仕滿四百五十, 遷官又加資(無祿官同, 堂上官否. 六品以上則五考三上, 七品以下則三考二上者許加). 《朝鮮端宗實錄 10, 2年正月戊寅》 議政府據兵曹呈啓, 靖難日, 侍衛軍士並令給到三十. 然忠義衛四品以上, 則不許仕到, 滿三十朔加資, 請給一考. 從之. ❷관원(官員)에게 시험 보일 때의 시험 항목의 수를 세는 데 쓰는 말. 《隨園隨筆, 官職》三考者, 試流外之官, 一曰書, 二曰計, 三曰時務. ② [시간] 3년을 하나치로 헤아리는 데 쓰는 말. 예전에 관리에게 3년마다 한 번씩 치적(治績)을 고찰하였는데, 아홉 번 고찰하면 27년이 된다. 《三國志, 蜀志, 郤正傳》挺身取命, 幹玆奧秘. 躊躇紫闥, 喉舌是執. 九考不移, 有入無出. (裴松之注) 尙書曰, 三載考績, 三考黜陟幽明. 九考則二十七年.

고(估) [등급] 서체(書體)의 가치를 헤아리는 데 쓰는 말. 1고에서 5고까지 다섯 등급이 있다. 《張懷瓘, 書估》然文質相沿, 立其三估, 貴賤殊品, 置其五等. 三估者, 篆·籀爲上估, 鍾(鍾繇)·張(張芝)爲中估, 羲(王羲之)·獻(王獻之)爲下估.

고(告) [수효] 왕세자(王世子)의 거둥이 있을 때 경계의 신호로 치는 북. 또는 그 차례나 순서를 나타내는 데 쓰는 말. 첫번째 알리는 신호를 초고(初告), 두번째 알리는 신호를 이고(二告), 세번째 알리는 신호를 삼고라 하였다. 《朝鮮世宗實錄 102, 25年10月乙巳》禮曹啓, 王世子受朝參時, 初嚴改稱初告, 二嚴稱二告, 三嚴稱三告, 皆擊鼓爲節. 初告畢會, 二告就門外, 三告入庭, 若擊光化門鼓, 則嫌於朝會. 請於繼照堂庭門外, 別設鼓以擊. 從之.

고(股 : gǔ) [수효] 중국(中國)의 단위. ❶'줄기'·'가닥'·'갈래'·'가락'의 뜻으로, 마음·냄새·힘 따위 추상적인 느낌이나 정도, 또는 그 수를 세는 데 쓰는 말. 괄(括). 괘(掛). 《紅樓夢, 5回》剛至房中, 便有一股細細的甜香·寶玉……連說好香. 《中國童話, 7月》他知道救國不能只憑一股熱情, 還要鍊成一身好本事, 努力讀書和學習兵法才行. ❷'자루'의 뜻으로, 가위와 같이 긴 물건을 세는 데 쓰는 말. 《瞿佑, 剪刀詩》雙環對展魚腸快, 兩股齊開燕尾張. ❸'가닥'의 뜻으로, 한 곳에서 갈려 나간 낱낱의 줄이나 줄기의 수를 세는 데 쓰는 말. 《急就篇 3, 纍繘繩索紋紡纑》繩謂糾兩股以上, 總而合之者也. ❹'무리'·'패'의 뜻으로, 패거리나 집단의 수를 세는 데 쓰는 말. 〈예〉一~亂軍.

고(苦) [호칭] 아주 고통스럽거나 고생스러운 정도를 나타내는 데 쓰는 말.《度支準折, 算學總例》極苦, 版籍司, 不許閏與大小朔. 一苦, 版別, 禁衛營. 二苦, 支調色·解由色. 三苦, 歲幣色. 四苦, 作米色·收貢案色, 御營廳.《武帝, 遊鍾山大愛敬寺詩》二苦常追隨, 三毒自燒然.《祝穆, 事文類聚》廣人歌曰, 邵父陳母, 除我二苦.

고(庫) [수효] '곳'의 이두(吏讀) 표기로, 공간(空間)의 어느 지점이나 부분, 또는 사물의 개체(個體)나 집단이 위치하고 있는 장소의 수를 세는 데 쓰는 말. 곳. 개소. 곳(庤). 군데. 소(所). 처(處).《度支志, 外篇, 版籍司, 成垛分援》自敦義門至彰義門十四庫.

고(觚) [수효] 모서리의 수를 세는 데 쓰는 말.《漢書, 律曆志》成六觚爲一握. (顔師古注) 蘇林曰, 六觚, 六角也.

고(鼓) 1 [부피] 용량을 헤아리는 데 쓰는 말. 1 고는 12 석(石)에 해당된다. 일설에는 12 곡(斛)이라고도 한다.《廣才物譜, 庶流, 數》鼓, 斛也, 휘.《廣雅, 釋器》斛謂之鼓.《禮記, 曲禮 上》獻米者操量鼓.《釋文》樂浪人呼客十二石者爲鼓.《管子, 地數》民自有百鼓之粟者不行(鼓, 十二斛也) 2 [질량] 무게를 헤아리는 데 쓰는 말. ❶ 1 고는 4 백 80 근(斤)에 해당된다.《孔子家語, 正論解》趙簡子賦晉國一鼓鐘(三十斤謂之鐘, 鐘四謂之石, 石四謂之鼓). ❷ 1 고는 7,680 냥(兩)에 해당된다. 주(周)나라 때에는 114.66 kg, 진(秦)나라에서부터 전한(前漢) 때에는 123.96 kg, 한(漢)나라 때에는 106.91 kg 에 해당되었다. 3 [시간] 일몰(日沒)로부터 일출(日出)까지를 5 등분하여 시간을 헤아리는 데 쓰는 말. 초고(初鼓)는 오후 7 시~9 시, 2 고는 9 시~11 시, 3 고는 11 시~새벽 1 시, 4 고는 1 시~3 시, 5 고는 3 시~5 시까지를 이른다. 경(更). 누(累). 야(夜).《漢官舊儀》夜漏起, 中黃門持五夜, 甲夜畢傳乙夜, 乙夜畢傳丙夜, 丙夜畢傳丁夜, 丁夜畢傳戊夜, 戊夜畢, 是爲五更.《顔氏家訓, 書證》或問, 一夜何故五更, 更何所訓, 答曰, 魏漢以來謂, 爲甲夜, 乙夜, 丙夜, 丁夜, 戊夜, 又云, 一鼓, 二鼓, 三鼓, 四鼓, 五鼓, 亦云, 一更, 二更, 三更, 四更, 五更, 皆以五爲節, 西都賦亦云, 衛以嚴更之署, 所以爾者, 假令正月建寅, 斗柄夕則指寅, 曉則指午矣, 自寅至午, 凡歷五辰, 冬夏之月, 雖復長短參差, 然辰間遼闊, 盈不至六, 縮不至四, 進退常在五者之間, 更, 歷也, 經也, 故曰五更爾.《王明淸, 揮塵後錄 1》夜漏已二鼓五籌, 衆前奏丐罷, 始退,《紀昀, 閱微草堂筆記, 灤陽消夏祿 1》漏下二鼓, 我遙聞北窗外吃吃有笑聲.

고(篙 : gāo) 1 [수효] 중국(中國)의 단위. '척(隻)'의 뜻으로, 배의 수를 세는 데 쓰는 말. 배(杯). 소(艘). 정(艇). 척(隻).《李鴻章, 龍潭阻風詩》萬篙烟雨樓船靜, 六代江山畫角愁. 2 [길이] 중국의 단위. 물의 깊이를 상앗대를 잣대로 하여 나타낼 때 쓰는 말.《楊萬里, 再病書懷詩》夜雨遣人歸思動, 不知湘水幾篙深.

고개 1 [나이] 사람의 나이를 10 단

위로 헤아리는 데 쓰는 말. 나이를 비탈진 언덕에 비유하여 이르는 말이다. 〈예〉 40 ~. 2 [수효] 산이나 언덕을 넘어 다니게 된 비탈진 곳의 수를 세는 데 쓰는 말. 〈예〉 우리 집은 세 ~를 넘어가면 있다.

고덕(古德 : gǔdé) [통화] 중국(中國)의 단위. '구르드(gourde)'의 음역(音譯).

고드(goad) [길이] 영국(英國)의 옛 단위. 1 고드는 4.5 피트(feet), 또는 1.37 m 에 해당된다.

고라프(gorraf) [질량(質量)] 리비아(Libya)의 고유 단위. 1 고라프는 오카(oka)의 9 ¾이며, 27.6 파운드(pound), 또는 12.5 kg 에 해당된다.

고랑 [수효] 두둑의 사이, 또는 두두룩한 두 땅의 사이의 수를 세는 데 쓰는 말. 〈예〉 밭 7 ~을 매었다.

고로(庫魯 : kùlǔ) [통화] 중국(中國)의 단위. '쿠루스(kurus)'의 음역(音譯).

고록(軲轆 : gūlù) [수효] 중국(中國)의 단위. '토막'의 뜻으로, 동강이 난 물체의 수를 세는 데 쓰는 말.

고륜(庫侖 : kùlún) [전기] 중국(中國)의 단위. '쿨롬(coulomb)'의 음역(音譯).

고리 [부피] 소주(燒酒) 10 사발을 하나치로 헤아리는 데 쓰는 말. 고리(古里).

고리(古里) [부피] '고리'·'소주고리'의 차자 표기로, 소주고리로 내린 소주의 양을 헤아리는 데 쓰는 말. 1 고리는 소주 10 사발이다.《度支準折, 鹽醬酒醋》內贍寺燒酒依淸酒式, 每石作二十五瓶(燒酒每瓶所入, 粘米二斗, 蒸飯酒米, 每石燒木二百斤, 曲末四升, 每石十古里式, 每古里煮取, 燒木十五斤). 醋一斗造釀(中米七升, 古里次小麥一升四合, 大麥一升四合, 曲末一升四合), 折價四戔一分.

고마리(gomari) [부피] 키프로스(Kypros)의 단위. 1 고마리는 오카(oka)의 128 배이며, 43.23 미(美) 갤런, 또는 1.637l 에 해당된다.

고물 [수효] 우물마루를 놓는 데 두 귀틀 사이의 구역. 또는 그 구역의 수를 세는 데 쓰는 말. 〈예〉 한 ~. 두 ~.

고사(高斯 : gāosī) [자속 밀도(磁束密度)] 중국(中國)의 단위. '가우스(gauss)'의 음역(音譯).

고을 [행정] 조선 시대에 도(道)를 몇으로 나눈 행정 구역 중 부(府)·주(州)·군(郡)·현(縣)의 총칭으로, 몇 개의 현이 합하여 이루어진 구역을 셀 때 쓰는 말. 〈예〉 5 ~에서 민란(民亂)이 일어났다.

고자(股子 : gǔzi) [수효] 중국(中國)의 단위. '줄기'·'가닥'의 뜻으로, 실이나 연기 따위의 길게 뻗어 있는 것의 수를 세는 데 쓰는 말.

고팽이 [수효] ❶새끼나 줄 따위를 사리어 놓은 한 돌림을 세는 데 쓰는 말. 〈예〉 새끼 네 ~를 가져오너라. ❷일정한 거리를 한 번 오고 간 횟수를 세는 데 쓰는 말. 〈예〉 학교에서 집까지 두 ~나 뛰었더니 힘이 꽤 든다.

고평량(庫平兩 : kùpíngliǎng) [질량] 중국(中國) 청(淸)나라 때의

단위. 1고평량은 37.301g에 해당된다.

곡(曲) ① [음악] '곡(曲)'의 뜻으로, 음악이나 가사(歌詞) 및 가락의 수를 세는 데 쓰는 말.《三國史記 32, 樂志》太唐武后時尙二十五曲, 今唯能習一曲.《三國史記 32, 樂志》于勒所制十二曲, 一曰下加羅都, 二曰上加羅都……十一曰爾赦, 十二曰上奇物. 泥文所製三曲, 一曰烏, 二曰鼠, 三曰鶉.《增補文獻備考 106, 樂考, 俗部樂》箕子朝鮮樂……箕子教民禮樂, 施八條之約, 逾年而民自化, 以成中國之風, 是必有傳寫中國之正音, 以導之於民生者, 而文獻無徵, 獨有西京·大同江二曲, 高麗樂志, 以爲箕子時民間之詞, 然未必非高麗人之擬作也.《文選, 稽康, 琴賦》下逮謠俗, 蔡氏五曲.(李善注) 俗傳蔡氏五曲, 遊春, 淥水, 坐愁, 秋思, 幽居也. ② [수효] ❶나사(螺絲)의 빙빙 비틀리어 고랑이 진 골의 수를 세는 데 쓰는 말.《戎垣必備, 火器類, 飛震天雷》飛震天雷. 倣於古昔……且椴木用鉅刀作谷, 欲速則十曲, 欲遲則十五曲, 遲速在於此. ❷물굽이의 수를 세는 데 쓰는 말.《泛舟淸溪》十圍但見諸營柳, 九曲難尋故國溪.

곡(斛) [부피] 곡식·액체·가루 따위의 분량을 헤아리는 데 쓰는 말. ❶1곡은 1말〔斗〕2되〔升〕에 해당된다.《周禮, 冬官》鬲實五斛(斛, 受一斗二升). ❷1곡은 3말〔斗〕에 해당된다.《周禮, 考工記, 陶人》庾實二斛, 厚半寸, 脣寸.(鄭玄注) 鄭司農云, 斛, 讀爲斛, 斛, 受三斗.《漢書, 蒯通傳》守儋石之祿者, 闕卿相之位.(顔師古注) 齊人名小甖爲儋, 受二斛.

곡조(曲調) [수효] 음악이나 가사(歌詞)의 가락의 수를 세는 데 쓰는 말.

곡지(曲之) [수효] ❶'꼭지'의 차자표기로, 실·다시마〔多士麻〕·미역〔甘藿〕따위 모숨을 지어 잡아맨 긴 물건을 세는 데 쓰는 말. 실은 5오리, 다시마는 50오리, 미역은 4오리면 한 꼭지가 된다. 꼭지.《關西邑誌, 龍岡縣邑誌, 折價式》白紬糸一太, 價四分, 八曲之爲一太, 一曲之五里, 十太爲一釜.《關西邑誌, 三和府邑誌, 事例》甘藿一曲之(四條作一曲之).《關西邑誌, 龍岡縣邑誌, 折價式》多士麻一曲之, 價五戔, 五十条爲一曲之. ❷'꼭지'의 차자 표기로, 모숨을 지어 잡아맨 포도송이를 세는 데 쓰는 말. 한 꼭지는 10송이(松伊)이다.《關西邑誌, 龍岡縣邑誌》葡萄一曲之(十松伊爲一曲之).

곤(捆 : kǔn) [수효] 중국(中國)의 단위. '곤(綑)'과 같다.《針樅之鄉》把一小捆東西到屋前的綠色斜坡上.《兒女英雄傳, 33回》過冬的時候還用……大捆地買王瓜韮菜作甚麼呀.《肯綮錄, 俚俗字義》草束曰捆.

곤(梱) [포장 단위] 일본(日本)의 단위. 포장된 물건의 수를 세는 데 쓰는 말. 보통 화물(貨物)·면사(綿絲)·생사(生絲)를 셀 때 사용한다. 1곤은 33.75kg(9貫) 안팎이며, 수출입(輸出入)에서는 60kg에 해당되고, 면사(綿絲)의 경우는 181.4368kg에 해당된다.

곤(棍 : gùn) [수효] 중국(中國)의

단위. '대'의 뜻으로, 몽둥이나 곤장으로 때리는 횟수를 세는 데 쓰는 말. 권(拳). 도(度). 돈(頓). 매(枚). 장(杖). 타(打). 판(板). 〈예〉 打丁一～.

곤(綑) [수효] '단'·'묶음'·'뭇'·'다발'의 뜻으로, 묶어 놓은 물건의 수를 세는 데 쓰는 말. 곤(捆·緄). 단(丹). 속(束). 제(穧). 파(把). 《通文館志 9, 紀年, 顯宗大王 8年丁未》禮部咨, 進獻紙每綑內, 有三四卷顏色不及向年. 《譯語類解, 補, 算數》二綑, 두뭇.

곤(滾) [수효] '번'의 뜻으로, 물이나 기름, 또는 꿀물 따위가 끓거나 끓어 오르는 횟수를 세는 데 쓰는 말. 《林園十六志, 鼎俎志 3, 菓飣之類, 蜜煎菓》蜜煎薑方. 秋社前取嫩芽二斤, 洗淨控乾, 以沸湯焯過漉乾, 用白礬一兩半搥碎, 湯泡一宿澄清, 浸薑三兩, 宿漉出再控, 用蜜二升煎一滾, 放冷磁器收之, 約十日. 半月, 別換蜜一升半, 若要經年, 換蜜兩次.

곤(緄 : gǔn) [수효] 중국(中國)의 단위. '곤(綑)'과 같다. 《戰國策, 宋衛策》衛君懼, 束組三百緄, 黃金三百鎰, 以隨使者. (高誘注) 十首爲一緄也.

곤(gon) ① [길이] 베트남(Vietnam)의 단위. 주로 피륙의 길이를 헤아리는 데 쓴다. 1곤은 투오크(thuoc)의 300배(倍)이며, 313야드(yard), 또는 195m에 해당된다. ② [각도(角度)] 독일(獨逸)의 단위. 1곤은 직각(直角)의 100분의 1에 해당된다.

골(骨) [수효] ❶피륙·종이·널빤지 따위와 같은 것을 똑같은 길이와 폭으로 나누어 자르거나 접은 수를 세는 데 쓰는 말. 예문에서 보이는 소주단(蘇州緞)은 중국 소주에서 나는 비단으로, 족자(簇子)나 장첩(粧帖)의 화장에 많이 쓰이는 비단이다. 따라서 반 골(半骨)은 피륙의 반 폭(半幅)을, 전골(全骨)은 전폭(全幅)을 이르는 말이다. 《嘉禮都監儀軌(顯宗明聖后), 稟目》綿草綠大段全骨十一尺七寸, 黃丹半骨六寸, 藍段半骨六寸. 《仁祖國葬都監儀軌, 下, 2房》大紅蘇州段半骨三尺五寸. 《正宗大王殯殿魂殿都監儀軌, 下, 別工作》雲足次厚板半骨二尺八片. 《純元王后國葬都監儀軌 4, 造作》下竹次松板半骨四尺三寸. ❷'마리'의 뜻으로, 소 따위 짐승의 수를 세는 데 쓰는 말. 강(腔·羫). 공(鞚). 구(口). 두(頭). 수(首). 제(蹄). 척(隻). 투(套). 필(匹·疋). 《度支志, 外篇, 版籍司, 慶源公市摠數》牛價(一等每骨……五等每骨, 大鹿皮三領).

골(goal) [수효] 축구·농구·핸드볼·하키 등의 운동 경기에서 공이 상대편의 골 속에 들어가서 득점(得點)한 점수를 세는 데 쓰는 말. 〈예〉 4 ～ 차로 이겼다.

곱절 [수효] 같은 물건의 수량을 두 번이나 그 이상 몇 번 되짚어 합친 횟수를 세는 데 쓰는 말. 〈예〉 이문이 ～이다.

곳 [수효] '곳(毘)'과 같다.

곳(毘) [수효] '곳'의 차자 표기로, 공간(空間)의 어느 지점이나 부분, 또는 사물의 개체(個體)나 집단(集團)이 위치하고 있는 장소의 수를 세는 데 쓰는 말. 개소. 고(庫). 군데. 소(所). 처(處).《訓鍊都監重記, 兼料色, 屯畓秩》蘆田陸毘.《度支準折, 成器物種》柱塗合三十二毘.

공(工) [1] [작업량] 농촌이나 광산(鑛山) 등에서 일꾼의 작업량을 헤아리는 데 쓰는 말. 1공은 8시간의 작업을 이른다.《閩西歌謠》春耕生產要加緊, 早起三朝當一工.《中國農村的社會主義高潮, 耕牛問題》每犂一工田得兩分或三分. [2] [수효] '알'·'개'의 뜻으로, 옥(玉)의 수를 세는 데 쓰는 말. 1공은 3개이다.《淮南子, 道應》玄玉百工, 大貝百朋. (高誘注) 三玉爲一工也.

공(孔) [수효] ❶물건에 뚫어진 구멍의 수를 세는 데 쓰는 말. 구멍. 〈예〉 19~탄(孔炭). ❷(kǒng) 중국(中國)의 단위. ㉮동굴(洞窟)이나 가마니 따위의 수를 세는 데 쓰는 말.《徐霞客遊記, 遊武彝山日記》崖端穴數孔.《難忘的春天》還是這一孔窄小的窑洞. ㉯문(門)이나 길의 수를 세는 데 쓰는 말.《管子, 國蓄》利出於一孔者, 其國無敵, 出二孔者, 其兵不詘, 出三孔者, 不可以擧兵, 出四孔者, 其國必亡. 先王知其然, 故塞民之養.《張君房, 雲笈七籤》上智者心有七孔, 中智五孔, 下智三孔, 明達者, 心有二孔, 尋常有一孔, 愚癡無孔也.

공(空) (hole) [수] 소수(小數)의 단위. 1공은 허(虛)의 1억분(億分)의 1, 청(淸)의 1억(億) 배, 곧 10^{-112}에 해당된다.

공(拱) [길이] ❶'아름'의 뜻으로, 두 팔을 벌려 껴안아 길이를 헤아리는 데 쓰는 말. 누(摟). 위(韋·圍). ❷두 손의 엄지와 장지를 이어 댄 길이. 또는 수를 세는 데 쓰는 말.《玆山魚譜 1, 鱗類, 蟒魚》蟒魚(仍俗名). 大者八九尺, 體圓三四圍, 頭小目小(圍, 拱也), 鱗極細, 背黑似蟒, 有黑紋(似碧紋魚而大), 頗勇健, 能跳數丈, 味酸而厚, 但劣濁.《廣才物譜 1, 庶類, 數》拱, 兩手所圍.

공(鞚) [수효] '마리'의 뜻으로, 양(羊)이나 소 등 굴레를 씌워 끌고 다니는 짐승의 수를 세는 데 쓰는 말. 강(腔·羫). 골(骨). 구(口). 두(頭). 수(首). 제(蹄).《朝鮮太宗實錄 16, 8年9月癸酉》今特遣使賜賻, 至可領也, 故勅絹五百匹, 布五百匹, 羊一百鞚, 酒一百瓶.

공경(公頃 : gōngqǐng) [넓이] 중국(中國)의 단위. 1공경은 1헥타르〔ha〕에 해당된다.《臺灣社會檔案》包括下營·學甲·北門·將軍·西港·七股·善化·新市·歸仁等鄉鎭 共一萬四千餘公頃.

공근(公斤 : gōngjīn) [질량] 중국(中國)의 단위. 1공근은 1kg에 해당된다.《國民學校, 數學第七册》李伯伯家前年收稻 1628 公斤, 去年收 2013 公斤.

공기(空器) [부피] 공기(空器)에 음식을 담아 그 양을 헤아리는 데 쓰는 말. 〈예〉 밥 두 ~.

공담(公擔 : gōngdàn) [질량] 중국(中國)의 단위. 1공담은 100 kg에 해당된다.

공두(公斗 : gōngdǒu) [부피] 중국(中國)의 단위. 1공두는 1데카리터〔dl〕에 해당된다.

공둔(公屯 : gōngtún) [질량] 중국(中國)의 단위. 1공둔은 1,000 kg, 또는 1톤(ton)에 해당된다.

공량(公兩 : gōngliǎng) [질량] 중국(中國)의 단위. 1공량은 1헥토그램〔hg〕에 해당된다.

공리(公里 : gōnglǐ) [길이] 중국(中國)의 단위. 1공리는 1km에 해당된다. 《小年小說》 雖然地屬濱海, 其海岸綫却不到一公里長, 故全鎭居民以農・工・商業爲主.

공리(公厘(釐) : gōnglì) 1 [길이] 중국(中國)의 단위. 1공리는 1 mm에 해당된다. 《臺灣社會檔案》 雨勢勁疾, 落雨量高達每小時一百三十公厘. 2 [넓이] 중국(中國)의 단위. 1공리는 1 m^2에 해당된다. 3 [질량] 중국(中國)의 단위. 1공리는 1데시그램〔dg〕에 해당된다.

공묘(公畝 : gōngmǔ) [넓이] 중국(中國)의 단위. 1공묘는 1아르〔a〕, 또는 100 m^2에 해당된다.

공방(公方 : gōngfāng) [넓이] 중국(中國)의 단위. 1공방은 1 m^3에 해당된다.

공병(公秉 : gōngbǐng) [부피] 중국(中國)의 단위. 1공병은 1킬로리터〔kl〕에 해당된다.

공부(公夫 : gōngfū) [길이] 중국(中國)의 단위. 1공부는 1m에 해당된다.

공분(公分 : gōngfēn) 1 [길이] 중국의 단위. 1공분은 1cm에 해당된다. 《我們只有一個地球》 毛柿俗稱臺灣黑檀, 是臺灣生長得最緩慢的植物, 平均每一百多年直徑才長十公分, 也是因爲它生長緩慢. 2 [질량] 중국의 단위. 1공분은 1g에 해당된다.

공사(公絲 : gōngsī) [질량] 중국(中國)의 단위. 1공사는 1mg에 해당된다.

공석(公石 : gōngdàn) 1 [부피] 중국(中國)의 단위. 1공석은 1헥토리터〔hl〕, 또는 100l에 해당된다. 2 [질량] 중국의 단위. 1공석은 1헥토그램〔hg〕, 또는 100 g에 해당된다.

공승(公升 : gōngshēng) [부피] 중국(中國)의 단위. 1공승은 1l에 해당된다.

공인(公引 : gōngyǐn) [길이] 중국(中國)의 단위. 1공인은 1 헥토미터〔hm〕, 또는 100 m에 해당된다.

공작(公勺 : gōngsháo) [부피] 중국(中國)의 단위. 1공작은 1센티리터〔cl〕에 해당된다.

공장(公丈 : gōngzhàng) [길이] 중국(中國)의 단위. 1공장은 1데카미터〔dam〕, 또는 10 m에 해당된다.

공전(公錢 : gōngqián) [질량] 중국(中國)의 단위. 1공전은 1데카그램〔dag〕, 또는 10 g에 해당된다.

공정(工程) [경영] 근대 기계 공업에서의 대량 생산 방식 중 계획적・분업적으로 생산하기 위하여 여러 종, 혹은 수십 종으로 나눈 가공 단계(加工段階)에서 그 하나하나의 단계의 수를 세는 데 쓰는 말. 〈예〉 이 물건은 다섯 ~을 거쳐야 완성품이 된다.

공척(公尺 : gōngchǐ) [길이] 중국(中國)의 단위. 1공척은 1m에 해당된다. 《小年小說 3》 去年校運會

時, 李政彬原本被看好是一百公尺賽跑的冠軍得主.

공촌(公寸 : gōngcùn) [길이] 중국(中國)의 단위. 1 공촌은 1 데시미터〔dm〕, 또는 10 cm 에 해당된다.

공촤(公撮 : gōngcuō) [부피] 중국(中國)의 단위. 1 공촤은 1 밀리리터〔ml〕에 해당된다.

공합(公合 : gōnghé) [부피] 중국(中國)의 단위. 1 공합은 0.1l, 또는 1 데시리터〔dl〕에 해당된다.

공형(公衡 : gōnghéng) [질량] 중국(中國)의 단위. 1 공형은 10 kg 에 해당된다.

공호(公豪(毫) : gōngháo) [질량] 중국의 단위. 1 공호는 1 센티그램〔cg〕, 또는 10 mg 에 해당된다.

과(夸 : kuā) [수효] 중국(中國)의 단위. '덩이'·'덩어리'의 뜻으로, 차〔茶〕의 덩이 수를 세는 데 쓰는 말. 과(胯). 《大金弔伐錄, 宋主致謝書及報因便附問, 別幅》興國茶場揀芽小龍團一大角, 建州壑源夸茶三十夸(共二百角, 每角一夸). 《武陵舊事, 進茶》此乃雀舌水芽所造, 一夸直四十萬, 僅可供數甌之啜耳.

과(科) [수효] ❶구덩이의 수를 세는 데 쓰는 말. 엄(俺). 《林園十六志, 本利志 7, 穀名攷, 菽》韓兒者, 方言一箇也. 是豆播種之法, 必一科種一粒, 不然則叢雜而鮮實, 所以名韓兒也. ❷'과(棵)'의 ❶과 같다. 《朴通事諺解, 上》當路一科麻(길헤 당한 ᄒᆞᆫ 퍽이 삼이). 《譚用之, 山中春寄賈員外詩》高添雅興松千尺, 暗養淸香竹數科. ❸과전법(科田法)에 의한 벼슬아치의 녹봉(祿俸)의 등급을 헤아리는 데 쓰는 말. 정 1 품(品)을 제 1 과로 하여 품계에 따라 종 9 품은 제 18 과가 되었다. 과전법은 고려 말기와 조선 초기에 걸쳐 실시하던 토지 제도로, 고려 공양왕(恭讓王) 3년(1391)에 정하여 권문세가(權門勢家)의 사전(私田)을 혁파하여 전국을 경기(京畿)와 외방(外方)으로 구분하여, 경기 가운데는 과전을 지급하고, 외방으로는 군전(軍田)·공신전(功臣田)·공전(公田)에 충당하였다. 과전은 문무 백관(文武百官)을 18 등급으로 나누어 재직(在職), 휴직(休職)을 불문하고 그 지위에 따라 지급하였다. 벼슬의 등급과 그에 따른 결수(結數)는 다음 표와 같다.

과(科)	결수(結數)	과(科)	결수(結數)
제 1 과	150	제10과	65
제 2 과	130	제11과	57
제 3 과	125	제12과	50
제 4 과	115	제13과	43
제 5 과	105	제14과	35
제 6 과	97	제15과	25
제 7 과	89	제16과	20
제 8 과	81	제17과	15
제 9 과	73	제18과	10

《高麗史 78, 食貨志, 田制》恭讓王三年五月, 都評議使司上書, 請定給科田法. 從之. 依文宗所定, 京畿州郡, 置左·右道, 自一品至九品, 散職分爲十八科……第一科, 自在內大君至門下侍中一百五十結. 第二科, 自在內府院君至檢校侍中一百三十結. 第三科, 贊成事一百二十五結. 第四科, 自在內諸君至知門下一百十五結. 第五科 自判密直至同知密直一百五結. 第六科, 自密直副使

至提學九十七結. 第七科, 自在內元尹至左右常侍八十九結. 第八科, 自判通禮門至諸寺判事八十一結. 第九科, 自左右司議至典醫正七十三結. 第十科, 自六曹摠郎至諸府少尹六十五結. 第十一科, 自門下舍人至諸寺副正五十七結. 第十二科, 自六曹正郎至和寧判官五十結. 第十三科, 自典醫寺丞至中郎將四十三結. 第十四科, 自六曹佐郎至郎將三十五結. 第十五科, 東西七品二十五結. 第十六科, 東西八品二十結. 第十七科, 東西九品十五結. 第十八科, 權務散職十結.《大典會通 2, 戶典, 祿科》各科祿從實職, 四孟朔領賜. ❹병원(病院)에서 진료(診療)를 행하는 부서의 수를 세는 데 쓰는 말. 〈예〉 이 병원에는 내과(內科)·외과(外科)·소아과(小兒科)의 3 ~로 되어 있다. ❺조목(條目)의 수를 세는 데 쓰는 말.《後漢書, 虞詡傳》詡到朝歌, 設令三科, 以募求壯士. ❻'번'·'차'·'회'의 뜻으로, 과거를 본 횟수를 세는 데 쓰는 말.《警世通言, 蘇知縣羅衫再合》此人胸藏錦繡, 腹隱珠璣, 奈時運不通, 三科不第.

과(胯 : kuà) [수효] 중국(中國)의 단위. '과(夸)'와 같다.《金史, 食貨志 5》泗州場歲供進新茶千胯, 荔支五百斤.

과(棵) [수효] ❶'그루'·'포기'의 뜻으로, 초목(草木)의 수를 세는 데 쓰는 말. 간(竿·幹·榦). 과(科·窠·顆). 근(根). 두(頭). 수(樹). 장(章). 정(挺). 조(条·條). 주(株).《紅樓夢, 94回》怡紅院的海棠……萎了幾棵.《兒女英雄傳, 14回》大門左右兩邊, 排列著那二十八棵紅柳樹. ❷'통'의 뜻으로, 배추 따위의 수를 세는 데 쓰는 말. ❸'알'의 뜻으로, 작고 둥근 물체의 수를 세는 데 쓰는 말.

과(窠) [수효] ❶관직(官職)의 자리, 또는 그 수를 세는 데 쓰는 말.《朝鮮英祖實錄 123, 50年7月壬戌》我東州·縣三百六十, 而其中文·武交遞者三十餘窠, 以文差出者三十餘窠, 以武差出者八十餘窠, 其餘一百九十餘窠, 皆以蔭官差出者也. 臣謂東萊·義州外, 其他牧·府·郡·縣, 幷作三年窠, 以文·武蔭輪回差遣, 都事責任不輕, 而便作冗官, 申飭銓曹, 各別擇差, 依各道虞候例, 受其常廩, 準其瓜限, 以爲內擬之階梯宜矣. 上嘉納.《萬機要覽, 財用編 2, 料祿, 祿制雜規》三醫司·觀象監·司譯院·畫員·寫字官·律官·樂工·樂生, 各有取才祿遞兒窠(內醫院十二窠, 典醫監十一窠, 惠民署九窠, 觀象監十五窠, 司譯院二十五窠, 畫員十三窠, 寫字官九窠, 律官五窠, 樂工·樂生四十六窠). ❷띠돈의 수를 세는 데 쓰는 말. 띠돈은 조복(朝服)에 띠는 띠에 붙이는 납작한 장식으로, 서각(犀角)·금(金)·은(銀)으로 만든다.《三國遺事 2, 紀異, 萬波息笛》太子理恭守闕, 聞此事, 走馬來賀. 徐察奏曰, 此玉帶諸窠皆眞龍也. 王曰, 汝何知之. 太子曰, 摘一窠沈水示之, 及摘左邊第二窠沈溪, 卽成龍上天. ❸(kē) 중국(中國)의 단위. ㉮'과(棵)'의 ❶과 같다.《文昌雜錄》李冠卿說揚州所居堂前杏一窠, 極大花多而不實.《續酉陽雜俎》李

衢公言北都惟童子寺有竹一窠, 纔長數尺相傳其寺綱維, 每日報竹平安. ㉯'알'의 뜻으로, 구슬 따위의 수를 세는 데 쓰는 말. 개(介·箇). 과(顆). 괴(塊). 매(枚). 《唐書, 地理志》 蔡州汝南郡土貢珉玉棊子四窠. ㉰'개'의 뜻으로, 새의 둥지의 수를 세는 데 쓰는 말. ❹일본(日本)의 단위. '마리'의 뜻으로, 매〔鷹〕 따위 날짐승의 수를 세는 데 쓰는 말. 개(箇). 거(居). 매(枚). 수(首). 시(翅). 우(羽). 익(翼). 척(隻). 핵(翮). 〈예〉 鷹一～.

과(過) [수효] '번'·'회(回)'·'차(次)'의 뜻으로, 일의 횟수를 세는 데 쓰는 말. 개(個). 계(季). 기(起). 도(度·道). 말(末). 반(返·班). 배(輩). 번(番). 삽(霎). 성(成). 운(運). 장(場). 쟁(趟). 조(遭). 주(注). 하자(下子). 헐(歇). 호(號). 화(伙). 회(回·廻·會). 《救急簡易方諺解 1, 九竅出血》 使人含其背上三過(머구미 그 등의 세 번을 썀고). 《朱子增損呂氏鄕約諺解, 患難相恤》 一過(一過謂一遍). 《素問, 玉版論要》 八風四時之勝, 終而復始, 逆行一過, 不復可復數. 《後漢書, 孔融傳》 不知貶毁之於已, 猶蚊虻之一過. 《漢武故事》 東郡獻短人, 帝呼東方朔, 朔至, 短人指朔曰, 西王母種桃, 三千年一著子, 此兒不良. 已三過偸之矣. 《淸史稿, 江水 2》 余嘗往返十許過, 正可再見遠蓬耳.

과(夥 : huǒ) [수효] 중국(中國)의 단위. '무리'의 뜻으로, 어떤 관계로 여럿이 모여서 이룬 동아리의 수를 세는 데 쓰는 말. 군(群). 기(起). 반(班). 배(輩). 비(批). 운(運). 진(陣). 퇴(堆). 패(牌). 화(伙). 《隱地編, 爾雅》 從民國五十七年起, 他和一夥朋友合編了十年的年度小說選, 這是一系列深受文壇重視的年度小說集. 《水滸全傳, 2回》 大郎原來不知, 如今近日上面添了一夥強人, 扎下一个山寨.

과(裹) [부피] '꾸러미'·'갑'·'봉지'의 뜻으로, 포장된 물건의 수량을 헤아리는 데 쓰는 말. 《朝鮮成宗實錄 211, 19年正月 甲辰》 黃金六十二挺, 各四十二文目, 朱二百二十裹, 進上練二匹, 大刀二把. 《朝鮮成宗實錄 263, 23年3月辛巳》 以是今特贈以黃金三十九斤六十文目, 數大小二百三十一挺, 朱紅百裹遣之者. 《穆天子傳 2》 珠四百裹. 《老學庵筆記 2》 忽有兩人持燭栗各十裹來獻.

과(課) ① [조직] 사무 조직이나 행정 조직의 수를 세는 데 쓰는 말. 《舊韓國官報, 第3856號, 隆熙元年 8月28日》 勅令第十四號, 軍部官制. 第一條, 軍部大臣은 陸軍軍政及敎育을 管理ᄒᆞ고, 軍人·軍屬을 統督ᄒᆞ며, 所轄諸部ᄅᆞᆯ 監督홈……第十條, 軍務局長은 陸軍參將 或正領으로 此에 補ᄒᆞ고 左의 六課ᄅᆞᆯ 置홈. 一, 人事恩賞課. 二, 敎育課. 三, 兵器課. 四, 馬政課. 五, 衛生課. 六, 軍法課. 第十一條, 人事恩賞課長은 領官으로 此에 補ᄒᆞ고, 課員二人을 置ᄒᆞ되, 參領或正尉로 此에 補홈. 《舊韓國官報, 第3936號附錄, 隆熙元年11月29日》 布達第一百六十一號, 宮內府官制. 第一條, 宮內府大臣은 帝室에 關ᄒᆞᆫ 一切 事務를

總理ᄒᆞ고 所屬官吏를 統督ᄒᆞᆷ이라 ……第二十一條, 大臣官房을 人事·庶務·調査·主馬 四課에 分ᄒᆞ야 左갓치 職員을 置ᄒᆞᆷ이라. 人事課長一人, 宮內府大臣 秘書官으로 充ᄒᆞᆷ. 大臣官印과 府印管守及官吏의 進退·任免·陞等·陞給·敍品·敍勳·恩賞·懲戒에 關ᄒᆞᆫ 事務를 掌ᄒᆞᆷ이라. ② [수효] 서로 독립적인 내용을 차례로 엮은 교과서에서, 한 제목의 교재의 수를 세는 데 쓰는 말. 〈예〉 이 교과서는 모두 25 과로 되어 있다.

과(顆) [수효] 작고 둥근 것, 또는 알맹이 모양으로 된 물건의 수를 세는 데 쓰는 말. ❶배〔梨〕나 포도 따위의 과일의 수를 셀 때 쓰이었다. 《朝鮮太祖實錄 1, 總書》 太祖嘗盛集親朋, 置酒射侯, 有梨樹立百步外, 樹頭有實數十顆, 相積離離, 衆賓請太祖射之, 一發盡落, 取以供賓, 衆賓歎服, 擧酒相賀. 《林園十六志 43, 鼎俎志, 煨葉》 燒梨方. 梨一顆刺五十孔, 每孔納椒一粒, 麪裹灰火煨熟, 停冷去椒食之, 又方, 去核納酥蜜麪裹, 燒熟冷食. 《六典條例 10, 工典, 掌苑署, 進上》 各殿乾生果, 各五斤逐日供上, 代封則箇果十五箇, 乾柹二貼, 葡萄五顆, 各進五升. ❷'덩이'의 뜻으로, 골무떡〔拳拇餠〕과 같이 작고 동그란 모양의 떡을 낱으로 셀 때 쓰이었다. 번(番). 《海行摠載, 申靑泉海遊錄》 有曰篠粽者, 如我國拳拇餠, 而裹竹葉以蒸, 狀如竹筍, 以十顆爲一把. 《大平御覽 860》 王歡耽學貧窶, 或人惠蒸餠一顆, 以充一日. ❸편종(編鐘)에 달린 종의 수를 셀 때 쓰이었다. 《高麗史 70, 樂志》 編鐘, 正聲一十六顆, 中聲一十二顆. 《朝鮮世宗實錄 47, 12年2月庚寅》 軒架三面, 編鐘之位九, 而九架之內, 各懸十二律, 鐘總一百單八顆……每顆各添四顆, 凡一百四十四顆, 乃其足數, 並祭則倍之, 爲二百八十八顆也. ❹목을 벤 적수(敵首)의 수를 셀 때 쓰이었다. 급(級). 두(頭). 수(首). 옹(顒). 《朝鮮宣祖實錄 30, 25年9月壬申》 月串鎭僉節制使, 乘船進擊, 賤退入土城, 諸軍射殺二百餘人, 斬獲首級九十二顆. 《朝鮮宣祖實錄 99, 31年4月丁巳》 本路至陜川三嘉, 遇倭賊約有二百餘名, 斬獲首級七十二顆. 《朝鮮光海君日記 209, 8年11月辛卯》 總兵李光榮, 領兵出戰, 得首級十二顆, 馬百七十匹. 《吏文 3, 咨奏呈題奏 50》 直抵亦廝納等寨, 與賊交鋒, 斬獲首級二百顆, 攻破賊寨五十三處. ❺테의 수를 셀 때 쓰이었다. 테는 통·항아리 따위의 깨진 곳을 메우거나 조각이 어그러지지 못하도록 둘러 맨 줄이다. 《戎垣必備, 圖說, 大將軍箭》 大將軍箭, 以二年木造成, 箭身通長十一尺九寸……羽長二尺五寸, 仍以鐵箍四顆, 分四層, 環粧箭末施水鐵鏃, 長七寸, 發去九百步. ❻'통'의 뜻으로, 마늘의 수를 셀 때 쓰이었다. 두(頭). 《新編集成馬醫方, 六陰圖》 熊膽一戔半, 大蒜一顆. 《救急簡易方諺解 2, 2a》 蒜(마ᄂᆞᆯ)一顆, 去皮硏取自然汁(마ᄂᆞᆯ ᄒᆞ나ᄎᆞᆯ 거플 밧기고 ᄀᆞ라 뽄 즙). ❼도장이나 인주갑(印朱匣)의 수를 셀 때 쓰이었다. 《高麗史 29, 忠烈王世家》 高麗僉議府正四品, 銅印一

顆.《朝鮮太祖實錄 5, 3年2月丁酉》每一司亦置五領, 屬右軍右侍衞, 巡衞等十司, 每司印信一顆, 鑄給都尉使掌之.《朝鮮太宗實錄 5, 3年4月甲寅》給賜朝鮮國王誥命一道, 金印一顆, 金印池一顆.《朝鮮世祖實錄 44, 13年10月壬寅》命都承旨權孟禧……木篆印二顆, 熨刀三事, 胡麻海松子餠一箱. ❽방울〔鈴〕의 수를 셀 때 쓰이었다. 구(口).《三國史記 11, 新羅景文王本紀》金花鷹鏴鈴子二百顆, 金花鷂子鈴子二百顆.《高麗史 2, 惠宗世家》乙巳二年, 晉遣范匡政·張季凝, 來册王……鍍金鷹鈴二十顆, 銀鏁鏇子五色絛銀尾銅全鍍金鷂子鈴二十顆, 銀鏁尾銅全細白氎布一百匹. ❾마구(馬具)의 한 가지인, 가슴걸이의 수를 셀 때 쓰이었다.《老乞大諺解, 上》馬纓一百顆(몰 손동 일 빅 낫과). ❿'알'의 뜻으로, 구슬의 수를 셀 때 쓰이었다. 개(介·箇). 과(窠). 괴(塊). 매(枚).《三國遺事 4, 義解, 義湘傳教》齋戒七日, 浮座具晨水上, 龍天八部侍從引入崛內, 參禮空中, 出水精念珠一貫, 獻之湘領受, 而退東海龍, 亦獻如意寶珠一顆, 師捧出.《高麗史 2, 光宗世家》冬遣使如周, 獻銅五萬斤, 紫·白水精各二十顆.《朝鮮太宗實錄 6, 3年10辛未》 國王冠服一副……五色珊瑚·玉旒珠幷膽珠共一百六十六顆內, 紅三十六顆, 白三十六顆, 蒼三十六顆, 黃三十六顆, 黑一十八顆, 靑白膽珠四顆. ⓫표주박〔瓢〕의 수를 셀 때 쓰이었다.《朝鮮太宗實錄 10, 6年4月庚辰》 上如大平舘, 宴使臣, 是日朝, 黃儼使其副韓帖木兒, 詣闕獻茄藍香間珊瑚帽珠一部, 建康弓二張, 綵段錦線各一匹, 金剛子三貫, 椰瓢八顆及諸菓實, 帖木兒亦自獻綵段八匹, 紅綃四匹, 錦線二匹. 上出便殿, 見帖木兒, 設茶禮以謝. ⓬(kē) 중국(中國)의 단위. ㉮'과(棵)'의 ❶과 같다.《孫昌胤, 牡丹詩》近來無奈牡丹何, 數十千錢買一顆.《儒林外史, 40回》我如今親自手種一顆柳樹, 俪們衆百姓每人也種一顆. ㉯'환(丸)'·'알'의 뜻으로, 환약(丸藥)의 수를 셀 때 쓰이었다. 원(圓). 정(錠). 환(丸). 태블릿(tablet).《西遊記》天地未開的時候, 生成的一顆靈丹. ㉰별〔星〕의 수를 셀 때 쓰이었다.《少年小說》前一天夜半, 起來上廁所的時候, 發覺天上一顆星都沒有.

과다파(科多巴 : kēduōbā) [통화] 중국의 단위. '코르도바(cordoba)'의 음역(音譯).

과라니(guarani) [통화] 파라과이(Paraguay)의 현재 통화 단위. 1과라니는 100 센티모(centimo), 또는 0.010 달러에 해당된다. 과랍니(瓜拉尼).

과랍니(瓜拉尼 : guālāní) [통화] 중국의 단위. '과라니(guarani)'의 음역(音譯).

과랑(科郞 : kēláng) [통화] 중국의 단위. '콜론(colon)'의 음역(音譯).

과목(科目) [수효] 교과(敎科)를 세분하여 계통을 세운 영역(領域)의 수를 세는 데 쓰는 말.

과비(戈比 : gēbǐ) [통화] 중국(中國)의 단위. '코페이카(kopeika)'의 역어(譯語).

과아(過兒 : guòr) [수효] '번'·'도

(度)'·'회'의 뜻으로, 일의 횟수를 세는 데 쓰는 말. 〈예〉這衣服洗了三~了.

과탈(誇脫：kuātuō) [부피] 중국의 단위. '쿼트(quart)'의 음역(音譯).

관(貫) [1] [통화] '쾌'의 뜻으로, 엽전 열 꾸러미, 곧 열 냥을 하나치로 세는 데 쓰는 말. 1 관은 10 냥(兩), 100 돈〔錢〕, 또는 1,000 문(文)에 해당된다. 민(緡). 천(串). 《朝鮮太宗實錄 11, 6年3月丁酉》大明律文, 老幼廢疾者, 許收贖其銅錢一千文爲一貫, 准寶鈔一貫. 《大明律 1, 名例律, 八議, 二罪俱發以重論, 直解》二度乙犯竊盜後, 一度亦先發爲去乙, 偸取贓物乙計一十貫是乎等用良, 決杖七十爲有去乙, 一度後發爲去乙, 贓物乙計爲乎矣, 四十貫合決杖一百是去乙, 已決七十杖導良, 餘三十杖乙充數爲, 決斷爲乎合計一百杖是齊. 《朝鮮顯宗實錄 9, 5年8月己巳》上命給戶曹常平見錢百二十餘貫……又令戶曹, 前給黑角四桶外加級三十桶, 以爲修造弓子之用. 《大典會通 2, 戶典, 國幣》國幣用銅錢(百文爲兩, 丨兩爲貫). 《欽欽新書 7, 祥刑追議, 故誤之劈 3》講曰, 過失殺人者, 依死罪贖銅錢四十二貫, 四十二貫者, 四百二十兩也, 東人誤以百錢爲一貫, 收贖錢皆收十分之一. [2] [점수] 활쏘기에서 과녁에 맞힌 점수를 헤아리는 데 쓰는 말. 활쏘기의 점수로는 관(貫)과 변(邊)의 두 가지가 있는데, 관은 화살이 과녁의 정곡(正鵠)에 맞았을 때로 2 분(分)의 점수를 주고, 정곡의 바깥 부분에 맞았을 때에는 변이라 하여 1 분(分)의 점수를 주었다. 한 순(巡)에서 화살 5 대를 쏘아 모두 정곡에 맞히면 10 점으로 만점이 된다. 《御射古風帖》壬子十月三十日, 御射柳葉箭十巡四十九矢七十二分. 第一巡, 五中八分, 邊貫邊貫貫. 第二巡, 五中七分, 邊邊貫邊貫. 第三巡, 五中七分, 邊邊貫邊貫. 第四巡, 五中七分, 邊邊邊貫貫. 第五巡, 五中六分, 邊邊邊貫邊. 《萬機要覽, 軍政編 2, 訓鍊都監, 試藝》騎蒭·柳葉箭·片箭·鞭蒭以上四技, 通計七分以上爲上上等, 六分爲上中等, 五分爲上下等. 而騎蒭二中雖未滿五分, 亦入於上下等, 柳葉箭貫一中·邊三中雖是五分, 無兼藝則不入於上下等. [3] [수효] ❶'꿰미'의 뜻으로, 물고기를 꿴 꿰미의 수를 세는 데 쓰는 말. 색(索). 조(條). 천(串). 《陶山書院傳掌記, 甲申12月25日》文魚二貫. ❷'꿰미'의 뜻으로, 구슬이나 열매 따위를 실이나 끈에 꿰어 놓은 것의 수를 세는 데 쓰는 말. 주로 구슬이나 오감주나무의 열매〔金剛子〕로 만든 염주(念珠)에 쓰였나. 소(條). 전(串). 《三國遺事 4, 義解, 義湘傳敎》齋戒七日, 浮座具晨水上, 龍天八部侍從引入崛內, 參禮空中, 出水精念珠一貫, 獻之湘領受, 而退東海龍, 亦獻如意寶珠一顆, 師捧出. 《高麗史 11, 肅宗世家》四年八月甲戌, 幸僧伽窟設齋, 仍施銀香椀·手爐各一事, 金剛子·水精念珠各一貫, 金帶一腰. 《朝鮮太宗實錄 11, 6年4月庚辰》黃儼使其副韓帖木兒, 詣闕獻茄藍香間珊瑚帽珠一部, 建康弓二張, 綵段錦線各一匹, 金剛子三貫, 椰瓢

八顆及諸菓實. 《朝鮮世宗實錄 3, 元年2月丁丑》上命知申事元肅, 贈黃儼·劉泉……石燈盞一, 念珠一百貫. [4] [통화] 지폐(紙幣)의 화폐 단위. 엽전으로는 10 냥, 또는 1 천 문(文)에 해당된다. 《朝鮮太宗實錄 15, 8年4月庚辰》召世子賜馬四匹……圓眼·荔技·橘·椰瓢·魚醢揔十六擔, 寶鈔一千貫, 墨五丁. 《吏文輯覽, 新文鈔五百貫》新鈔, 新造楮貨也, 十串爲一貫, 錢則以百箇爲一貫. [5] [질량] 척관법(尺貫法)에 의한 단위의 한 가지. 1 관은 3.75 kg 에 해당된다. 1964년 1월 이후부터는 계량법 개정으로 사용하지 않게 되었다. 보조 계량 단위에는 모(粍)·리(釐)·푼〔分〕·근(斤) 등이 있다. 《宋史, 食貨志》乾道四年, 糴本給會子及錢銀石錢二貫五百文. 《元史, 食貨志》世祖平江南時, 科差未定, 折支中統鈔五錢, 至成宗, 復加至二貫.

관(款) [호칭] 법률문(法律文)이나 규약(規約)의 조항(條項)을 나타내는 데 쓰는 말. 《朝鮮高宗實錄 40, 光武4年3月30日》詔曰, 光武三年六月二十二日, 頒下元帥府官制改正如左……第一款……第四條, 元帥府官員은 無論何等職任ᄒᆞ고, 文事官員은 被選ᄒᆞᆷ을 得지 못ᄒᆞ고, 左開ᄒᆞᆫ 定員으로 編成ᄒᆞᆷ이라. 將官四員, 領官四員, 尉官十五員. 第二款, 第一條, 元帥府에 軍務·檢查·記錄·會計 四局을 置ᄒᆞ고, 各局에 總長·副長·局員을 置ᄒᆞᆷ이라.

관(管) [수효] 가늘고 긴 대롱 모양의 물건을 세는 데 쓰는 말. ❶'자루'의 뜻으로, 붓의 수를 셀 때 쓰이었다. 경(莖). 매(枚). 병(柄). 지(枝). 《高麗史 22, 高宗世家》八年八月, 乃許八人升殿, 傳蒙古皇太弟鈞旨, 索獺皮一萬領, 細紬三千匹, 細苧二千匹, 綿子一萬觔, 龍團墨一千丁, 筆二百管, 紙十萬張. 《古今釋林 16, 洛閩語錄, 釋文》界行. 爾雅翼, 鄭虔曰, 麝毛筆一管, 直行寫書四十張, 狸毛筆一管, 界行寫書八百張. 舍弟仲命曰, 界行, 猶今井間, 行音抗. 《新五代史, 蘇循傳》明日又獻畫日筆三十管, 晉王益喜. ❷'자루'의 뜻으로, 저〔篪〕나 피리 따위의 악기를 셀 때 쓰이었다. 《高麗史 9, 文宗世家》紅黃牙笛一十管, 紅黃牙篳篥一十管. 《高麗史 24, 樂志, 登歌樂器》篪中正聲二管……篴中正聲各一管. 《高麗史 24, 樂志, 軒架樂器》篪中正聲各二十四管……篴中正聲各二十四管.

관(關 : guān) [수효] 중국(中國)의 단위. '고비'의 뜻으로, 일을 해 나가거나 살아가는 데 있어서, 중요한 단계나 막다른 대목의 수를 세는 데 쓰는 말.

관(罐) [부피] 작은 항아리나 단지에 곡식이나 물건을 담아 그 양을 헤아리는 데 쓰는 말. 개(箇). 옹(瓮). 항(缸). 《朝鮮世宗實錄 46, 11年11月丙午》使臣, 進紵絲紗二匹, 玉帽頂一, 甜薰香一罐, 紅纓尾子一. 中宮, 紵絲羅各一匹, 紗二匹, 綿燕脂五百箇, 粉一匣. 《朝鮮世祖實錄 47, 14年7月乙丑》命宦官申雲, 賫燒酒四十瓶, 鹿尾四百箇……白細三稜綿布二匹, 黑硏香一罐, 金珀一串, 紫檀香一串進上.

괄(括) [1] [수효] 일본(日本)의 단

위. '묶음'의 뜻으로, 서류(書類) 따위를 한데 모아서 묶어 놓은 덩이를 세는 데 쓰는 말. 고(股). 괘(掛). ② [포장 단위] 일본의 단위. 생사(生絲)의 포장 단위. 1 괄은 실패에 일정한 양(70 g)을 감은 것 30 개를 면사(綿絲)로 묶은 묶음을 말한다. 한 묶음의 무게는 실패의 무게를 합하여 2.5 kg 이 된다. 이것을 100 근(斤 : 60 kg)이 되게 28~30 괄을 1 포(包)로 하여 묶은 것을 표(俵)라고 한다. 일본 국내에서는 약 10 관(37.5 kg)이 되도록 16~20 괄을 1 포로 하기도 한다.

광(桄 : guàng) [수효] 중국(中國)의 단위. '토리'·'타래'의 뜻으로, 실 따위를 사리어 감은 덩이의 수를 세는 데 쓰는 말.

광(眶 : kuàng) [수효] 중국(中國)의 단위. '방울'의 뜻으로, 눈에 맺힌 눈물 방울의 수를 세는 데 쓰는 말. 적(滴). 점(點). 〈예〉 兩~熱泪.

광(筐 : kuàng) [부피] 중국(中國)의 단위. '광주리'의 뜻으로, 광주리에 물건을 담아 그 양을 헤아리는 데 쓰는 말. 《趕集》天一來看他, 帶來一束鮮花 一筐水果, 一套武俠愛情小說.

광(絖 : kuàng) [수효] 중국(中國)의 단위. '광(纊)'과 같다. 《玉篇, 糸部》絖, 八十縷也.

광(廣) [군사] 부대의 뜻으로, 그 수를 세는 데 쓰는 말. 《左傳, 宣公12年》 其君之戎分爲二廣, 廣有一卒, 卒偏之兩. (楊伯峻注) 其君之戎謂楚王之親兵戎車也. 楚王親兵分爲左右兩部, 每部皆名曰廣. 《舊五代史, 唐書, 莊宗紀 3》帝分軍爲二廣, 追躡數十里, 獲阿保機之子.

광(纊 : kuàng) [수효] 중국(中國)의 단위. '새'의 뜻으로, 피륙의 날수를 세는 데 쓰는 말. 1 광은 80 오리이다. 광(絖). 《玉篇, 糸部》纊, 八十縷也.

광년(光年) [거리] 항성(恒星)이나 성운(星雲) 따위의 거리를 나타내는 데 쓰는 말. 빛이나 전파가 1 년간 걸려 가는 거리이다. 1 광년은 9.46050×10^{12} km 에 해당된다.

광주리 [부피] 광주리에 물건을 담아 그 양을 헤아리는 데 쓰는 말. 광(筐). 〈예〉 사과 두 ~.

괘(卦 : guà) [수효] 중국(中國)의 단위. '번'·'차'·'회'의 뜻으로, 일의 횟수를 세는 데 쓰는 말. 〈예〉 打聽一~.

괘(挂 : guà) [수효] 중국(中國)의 단위. ❶'괘(掛)'의 ❸㉮와 같다. 《紅樓夢, 58回》我昨夜作了一個夢, 夢見杏花神和我要一挂白紙錢. ❷'괘(掛)'의 ❸㉯와 같다. 〈예〉 一~葡萄.

괘(掛) [수효] ❶등갓〔燈蓋〕의 수를 세는 데 쓰는 말. 등갓은 등불이나 촛불 위를 가려서 그을음을 받아 내는 제구이다. 《朝鮮成宗實錄 136, 12年12月壬戌》聖節使韓致亨, 奉勑來自京師, 上幸慕華舘迎勑……各樣黑柒螺甸大小盒兒三十箇, 燈蓋十一掛, 觀音臍文蛤·班蛤·回蛤散的每樣一斗. ❷안경(眼鏡)의 수를 세는 데 쓰는 말. 부(部). 《增正交隣志 5, 一行回受禮單》彩畫屛風一雙, 金皮目鏡六掛, 銅藥罐三提, 雨傘六柄. ❸(guà) 중국(中國)

의 단위. ㉮'꿰미'·'묶음'의 뜻으로, 한데 모아서 묶어 놓거나 꿰어 하나로 이어진 물체의 수를 세는 데 쓰는 말. 고(股). 괄(括). 괘(挂). 《中國新文學大系續編》油火炙着水珠, 燃了一掛小小的鞭炮似地響. ㉯'송이'의 뜻으로, 꽃이나 열매 같은 것이 꼭지에 달려 하나로 된 것의 수를 세는 데 쓰는 말. 괘(挂). ❹일본(日本)의 단위. ㉮북〔鼓〕의 수를 세는 데 쓰는 말. 병(柄). 〈예〉太鼓一~. ㉯ [비율] 거래 가격(去來價格)의 할인(割引) 또는 할증(割增)의 비율을 나타내는 데 쓰는 말. 3괘는 0.3으로, 정가의 0.3배에 해당된다.

괘목(掛目) [생사(生絲)] 일본(日本)의 단위. 누에고치의 거래에서 가격의 기준을 나타내는 데 쓰는 말. 생사(生絲) 1 kg을 만드는 데 필요한 누에고치의 가격에 사량(絲量)을 곱하면 누에고치의 가격이 형성된다.

괴(拐 : guǎi) [수효] 중국(中國)의 단위. 지팡이의 수를 세는 데 쓰는 말. 조(條). 《少年小說》就拿上次餵豬仔餵慢了這件事來說吧, 他意毫無辯解的挨了一拐杖哩.

괴(塊) ① [수효] 덩어리로 된 물건의 수를 세는 데 쓰는 말. ❶'알'·'덩이'의 뜻으로, 마노(碼碯)·옥(玉) 따위 구슬의 수를 셀 때 쓰이었다. 개(介·箇). 과(窠·顆). 매(枚). 《正宗大王殯殿魂殿都監儀軌, 上, 稟目》成川玉五塊. 《朝鮮成宗實錄 33, 4年8月甲申》謹獻上不腆方物……堆食籠一箇, 碼碯一塊, 鑞鉢幷提子各一箇, 椀一具, 折草一束, 水晶單衣一領. ❷널빤지〔木板〕나 귀틀〔耳機〕따위와 같이 넓적한 물건의 수를 셀 때 쓰이었다. 닙(立). 엽(葉). 《朝鮮宣祖實錄 102, 31年7月丙午》副摠曰, 牛一百頭, 木枋一塊, 木板一百塊等物, 速令措備, 此乃攻城之具也. 《昌慶宮營建都監儀軌, 實入》橋耳機一塊. ❸종이를 묶어 놓은 덩이의 수를 셀 때 쓰이었다. 1괴는 조선 종이 1백 권(卷)이며, 1권은 20장이다. 《瀋陽狀啓, 癸未8月初6日》爲先通於平安監營, 貿得白紙二十二塊, 黃染紙一塊, 青染紙一塊, 急速入送爲乎矣, 勿爲煩說. 《朝鮮宣祖實錄 200, 39年6月庚戌》禮曹, 去癸卯年冬至使宋駿賚來流球國回咨禮物……黃毛筆五十枝, 油煤墨五十錠, 花硯二面, 連陸厚油紙五塊. 《萬機要覽, 財用編 5, 燕行八包》紙物充包, 曾無定限, 癸亥爲始, 壯紙定以節行一百四十塊(百卷爲一塊), 曆行七十塊, 後市四十塊, 其外潛入者嚴禁. 《四介松都治簿法 16》權禮得으로붓터 見樣紙十五塊를 每塊에 四十七圓式 買入하고. ❹향(香)의 덩이를 셀 때 쓰이었다. 《昌慶宮營建都監儀軌, 甘結》紫丹香一塊. ❺살코기나 기름 덩이의 수를 셀 때 쓰이었다. 《正宗大王殯殿魂殿都監儀軌, 1房, 實入》肉膏十塊. 《芝峰類說 34, 雜事部, 數名》中朝麵·肉·柴·炭, 皆以斤稱, 而我國則, 麵以斗, 肉以塊, 柴以束, 炭以石, 輕重多小, 亦不的矣. 《度支準折, 肉物》猪首把一塊, 價錢五戔. ❻'두름'의 뜻으로, 물고기 20마리를 하나치로 셀 때 쓰이었다.

급(級). 동음(冬音). 동을음(冬乙音). 모(茅). 체(締). 파(把).《陶山書院傳掌記, 癸未正月14日》大口魚一塊. ❼차〔茶〕를 일정한 모양으로 만들어 놓은 덩이의 수를 셀 때 쓰이었다.《度支準折, 唐餠果茶膏》雨前茶一甁, 朱亦茶一塊, 寶月茶一塊, 毛尖茶一塊, 白毫茶一塊, 桂花茶一塊. ❽지전(紙錢)을 묶어 놓은 덩이의 수를 셀 때 쓰이었다.《朝鮮世宗實錄 69, 17年7月丙子》謝恩使花川君權恭回至平安道……紗帽靴一, 鈔一塊. ❾쇳덩이의 수를 셀 때 쓰이었다.《陶山書院傳掌記, 萬曆24年丙申正月》銅鐵二塊. ❿숫돌〔礪石〕이나 장대석(墻臺石)과 같은 석물(石物)의 수를 셀 때 쓰이었다. 매(枚). 부(部). 정(挺).《朝鮮世宗實錄 49, 12年8月辛未》命知申事許誠問安于兩使臣, 昌盛書示進獻物數, 海靑等鷹五十連, 豹子三十兒, 騸狗六十隻, 魚蝦海味鮓六十壜, 礪石三十塊.《昌慶宮營建都監儀軌, 實入》大柱礎石十九塊, 八尺墻臺石二塊, 橋耳機一塊. ⓫(kuài) 중국(中國)의 단위. ㉮'배미'·'뙈기'의 뜻으로, 논밭의 구획(區劃)을 세는 데 쓰는 말. ㉯'조각'의 뜻으로, 어떤 물체에서 떨어져 나온 작은 부분의 수를 세는 데 쓰는 말. ②[통화] (kuài) 중국의 단위. 1괴는 1원(元·圓)에 해당된다. 〈예〉 三~錢.

괴변 매분(壞變每分) (disintegration per minute) [방사능] 방사성 물질(放射性物質)이 붕괴(崩壞)하는 비율을 나타내는 단위. 1괴변 매분은 괴변 매초(壞變每秒)의 60분의 1에 해당된다. 기호 : dpm

괴변 매분 매 그램(壞變每分每—) [방사능 농도] 괴변 매분 매 그램은 괴변 매초 매 킬로그램〔dps/kg〕의 3.7×10^{10} 배(倍)에 해당된다. 기호 : dpm/g

괴변 매분 매 리터(壞變每分每—) [방사능 농도] 괴변 매분 매 리터는 괴변 매초 매 세제곱 미터〔dps/m^3〕의 $10^3/60$ 배(倍)에 해당된다. 기호 : dpm/l

괴변 매분 매 세제곱 미터(壞變每分每—) [방사능 농도] 괴변 매분 매 세제곱 미터는 괴변 매초 매 세제곱 미터〔dps/m^3〕의 60분의 1에 해당된다. 기호 : dpm/m^3

괴변 매분 매 제곱 미터(壞變每分每—) [방사능 면밀도(放射能面密度)] 괴변 매분 매 제곱 미터는 괴변 매초 매 제곱 미터〔dps/m^2〕의 60(分)분의 1에 해당된다. 기호 : dpm/m^2

괴변 매초(壞變每秒) (disintegration per second) [방사능] 방사성 물질 중의 방사성 핵종이 1초(秒)에 1개씩 괴변(壞變)할 때의 방사성 물질의 괴변율(壞變率)을 말한다. 기호 : dps

괴변 매초 매 그램(壞變每秒每—) [방사능 농도] 괴변 매초 매 그램은 괴변 매초 매 킬로그램〔dps/kg〕의 10^3 배(倍)에 해당된다. 기호 : dps/g

괴변 매초 매 리터(壞變每秒每—) [방사능 농도] 괴변 매초 매 리터는 괴변 매초 매 세제곱 미터〔dps/m^3〕의 10^3 배(倍)에 해당된다. 기호 : dps/l

괴변 매초 매 세제곱 미터(壞變每秒每一) [방사능 농도] 물질 1 kg에 대하여 방사능이 1 괴변 매초인 경우의 방사능 농도를 말한다. 이것의 보조 계량 단위에는 괴변 매분 매 세제곱 미터〔dpm/m³〕, 괴변 매초 매 리터〔dps/*l*〕, 퀴리 매 세제곱 미터〔Ci/m³〕 및 퀴리 매 리터〔Ci/*l*〕와 이들의 정수승 단위(整數乘單位)가 있다. 기호 : dps/m³

괴변 매초 매 제곱 미터(壞變每秒每一) [방사능 면밀도(面密度)] 물체의 표면 1 m²에 대하여 방사성 물질의 괴변(壞變)이 1 초에 1 개인 때의 방사능 면밀도를 말한다. 이 보조 계량 단위(補助計量單位)에는 괴변 매분 매 제곱 미터〔dpm/m²〕, 퀴리 매 제곱 미터〔Ci/m²〕 등이 있다. 기호 : dps/m²

괴변 매초 매 킬로그램(壞變每秒每一) [방사능 농도] 물질 1 kg 마다의 방사능이 1 괴변 매초인 경우의 방사능 농도를 말한다. 이 보조 계량 단위에는 괴변 매초 매 그램〔dps/g〕, 괴변 매분 매 킬로그램〔dpm/kg〕, 괴변 매분 매 그램〔dpm/g〕, 퀴리 매 킬로그램〔Ci/kg〕, 퀴리 매 그램〔Ci/g〕 등이 있다. 기호 : dps/kg

괴변 상수(壞變常數) [방사능] 방사 물질이 방사선을 방사하고 단위 시간에 원자의 갯수가 붕괴되어 다른 물질로 변화하는 비율을 말한다. 1 초간에 1 개가 괴변하는 비율을 괴변 매초〔dps〕라 하고, 1 분에 1 개가 괴변하는 비율을 괴변 매분〔dpm〕이라 한다.

1 dps＝60 dpm

괵(斛) [부피] ❶'휘'·'섬〔石〕'의 뜻으로, 곡식의 양을 헤아리는 데 쓰는 말. 일반에서는 20 말〔斗〕을 1 괵으로 하고, 관부(官府)에서는 15 말을 1 괵으로 하였는데, 20 말을 전석(全石), 15 말을 평석(平石)이라 하였다. 섬의 10 분의 1 을 대두(大斗) 1 말이라 하고, 가마니의 10 분의 1 을 소두(小斗) 1 말이라 한다. 따라서 섬은 대두로 10 말이고, 소두로는 20 말이다. 담(擔·甔). 석(石·碩). 소(召). 용(甬). 점(苫). 표(俵). 《三國史記 19, 高句麗安藏王本記》 五月, 王至自卒本, 所經州邑貪乏者, 賜穀人一斛. 《三國遺事 5, 孝善, 貧女養母》 母曰, 昔日之糠粃, 心和且平, 近日之香秔, 膈肝若刺, 而心未安, 何哉. 女言其實, 母痛哭, 女嘆己之但能口腹之養, 而失於色難也, 故相持而泣, 見此而遲留爾. 郎聞之潸然, 送穀一百斛, 郎之二親亦送衣袴一襲, 郎之千徒, 斂租一千石遺之. 《芝峰類說 17, 雜事部, 數名》 沈括筆談曰, 鈞石之石, 五權之名. 漢志曰, 四鈞爲石, 重百二十斤, 又十斗爲石, 後人以一斛爲一石. 《簡易辟瘟方, 虎頭殺鬼元辟瘟》 穿地深三尺, 闊亦如之, 取淨沙三斛實之, 以醇酒三升, 沃其上(ᄯᅡᄒᆞᆯ ᄑᆞ디 석 자히오, 너븨도 ᄀᆞ티 ᄒᆞ고, 조ᄒᆞᆫ 몰애 석 셤을 메오고, 됴ᄒᆞᆫ 수을 서 되ᄅᆞᆯ 그 우희 븟고). 《才物譜, 秋, 數》 斛, 十斗爲斛. 《磻溪隨錄 1, 田制後錄 上》 今國, 俗以十五斗爲斛, 稱平石, 官府用之. 又二十斗爲大斛, 稱全石, 民間例以皮穀二十斗爲一石. 《春官志, 下, 荒唐舡》 多設機許米十五斗

爲一斛, 馬島以七斗爲斛, 布三十七尺爲一匹, 馬島以二十尺爲匹, 紙二十番爲一束, 且甚長, 馬島機爲三束. ❷'섬'의 뜻으로, 술이나 기름 따위 액체의 양을 헤아리는 데 쓰는 말. 1 섬은 10 말〔斗〕이다. 담(擔·甔). 석(石·碩). 소(召). 점(苫). 표(俵). 《朝鮮宣祖實錄 146, 35年2月庚午》 納采用鴈一頭, 白羊一口……獸皮二枚, 錢二百萬, 玉璧一枚, 酒十二斛, 白米十二斛. 《李白, 江上吟》 美酒樽中置千斛, 載妓隨波任去留. 《蘇軾, 中秋見月寄子由詩》 誰爲天公洗眸子, 應費明河天斛水.

교(交 : jiāo) [수효] 중국(中國)의 단위. '번'·'차(次)'·'회(回)'의 뜻으로, 일의 횟수를 세는 데 쓰는 말. 《儒林外史, 14 回》 前前後後跑了一交, 又出來坐在那茶亭內. 《中國諺語資料, 農諺》 土倒三交就成糞.

교(校) [인쇄] ❶문장(文章) 또는 출판물의 잘못된 글자나 글귀 따위를 바르게 고칠 때, 그 고친 횟수를 세는 데 쓰는 말. 초교(初校)·재교(再校)·삼교(三校)……라 부른다. 《陶山書院及門錄營刊時日記, 6月9日》 陰, 琴坐基曰, 勘校極公正, 然後可免外人之厚誚(豈不愼哉). 李康鎬曰, 此校凡至三校, 而無一毫偏私, 如是正本, 則亦非公正乎. ❷'명'·'인'의 뜻으로, 장교(將校)의 수를 세는 데 쓴다. 《漢書, 趙充國傳》 卽夜遣三校, 銜枚先道.

교(絞) [수효] 여러 가닥으로 꼬아 만든 줄의 수를 세는 데 쓰는 말. 《雪官綉譜, 綉引》 凡線一絞大約三十根.

교(窖) [수효] 움의 수를 세는 데 쓰는 말.

교(踤 : jiāo) [수효] 중국(中國)의 단위. '판'·'번'의 뜻으로, 씨름을 하는 횟수를 세는 데 쓰는 말.

교대(交代) [수효] 하루 종일 일하는 작업장에서, 24 시간을 몇으로 똑같이 나누어 그 나눈 시간마다 작업원(作業員)을 교대시킬 경우, 그 순서를 나타내는 데 쓰는 말. 〈예〉 1～·2～.

교시(校時) [수효] 학교에서 수업상 정한 시간의 차례. 또는 그 수를 세는 데 쓰는 말. 〈예〉 3 ～는 국어 시간이다. 오늘은 4 ～만 한다.

구(口) ① [수효] ❶'명(名)'·'인(人)'의 뜻으로, 사람의 수를 세는 데 쓰는 말. 개(介·個). 두(頭). 명(名). 분(分). 영(領). 원(員). 위(位). 인(人). 정(丁). 한(漢). 《三國史記 18, 高句麗廣開土王本記》 秋七月, 南伐百濟拔十城, 九月, 北伐契丹, 虜男女五百口. 《三國遺事 2, 紀異, 聖德王》 丁未正月初一日至七月三十日, 救民給組, 一口一日三升式, 終事而計三十萬五百碩. 《高麗史 24, 高宗世家》 宜爵其子六品, 給田一百結, 奴婢各十五口. 《朝鮮太宗實錄 28, 14年閏9月丁卯》 各宗判事以上僧人十五口, 大禪師大德十口, 中德以下七口, 其餘法孫奴婢屬公. 《朝鮮宣祖實錄 38, 26年5月乙亥》 城中還集人民. 西部, 男三千一百七十二名口, 女七千七百八十五名口. 東部, 男一千九百十名口, 女二千五百三名口. 南部, 男四千十三名口, 女九千四十二名口. 《萬機要覽, 財用編 4, 奴婢貢給代》

戶曹所管, 已未條, 八道實貢, 奴一萬二千六百四十一口, 婢一萬三千八百五十四口. ❷'마리'의 뜻으로, 양(羊)·사슴·노루·돼지·호랑이·염소 따위 짐승의 수를 세는 데 쓰는 말. 강(腔·羫). 골(骨). 두(頭). 수(首). 제(蹄). 척(隻). 투(套). 필(匹·疋). 《朝鮮太宗實錄 28, 14年12月癸酉》 賜永均, 銀三丁, 馬五匹……鈔五十張, 羊三十二口, 餘各有差. 《朝鮮世宗實錄 33, 8年9月乙未》 今丙午年以上三年, 各司納獐·鹿幷六十一口, 鹿脯七十貼, 鹿角九對, 獐·鹿皮幷一百八張. 《朝鮮世宗實錄 82, 20年 7月癸卯》 議政府據禮曹呈啓, 分禮賓寺別養猪一百口, 常養猪一百五十口, 使臣及隣國客人支待, 似爲不敷, 請令各道客官, 於詳定孳息數內, 牧官以上十五口, 知官以上十口, 縣官五口, 京畿牧官八口, 知官四口, 縣官三口, 定數別養. 《朝鮮成宗實錄 226, 20年3月癸酉》 且大典內, 守令一年捕虎十口, 以上加階, 而捕盜則無論賞之法. 《萬機要覽, 財用編 1, 各貢, 宣惠廳》 生猪, 每口六石, 三南. 羊, 每口二十石, 三南. 羔, 每口, 湖西七石, 京圻六石十斗. ❸노구솥〔鍋〕의 수를 세는 데 쓰는 말. 좌(坐·座). 《朝鮮世宗實錄 20, 5年6月庚午》 使人進銅鐵六百觔, 丹木一百觔 盤五十片, 大刀一十把, 素麪一百觔, 葛粉三十觔, 銅鍋一十口, 乾梅一千枚. 《城制考, 城制圖說》 墩一座, 小房一間, 床板一副, 鍋·竈各一口, 水缸一箇, 碗五箇, 碟五箇. ❹병(瓶)의 수를 세는 데 쓰는 말. 조관(澡灌)은 승려들이 가지고 다니는 물병이다. 좌(坐). 척(隻). 파(把). 《三國遺事 4, 義解, 勝詮髑髏》 今附西國軍, 特澡灌一口, 用表微誠, 幸願檢領, 謹宣. 《高麗史 18, 毅宗世家》 遂幸普賢寺, 飯僧, 命造銀瓶十口, 重三十斤, 各盛五香五藥, 納于寺. 《高麗史 22, 高宗世家》 出內庫銀瓶三百口, 分付諸道, 慶尙道二百口, 全羅道六十口, 忠淸道四十口. ❺종(鐘)의 수를 세는 데 쓰는 말. 사(事). 《三國遺事 3, 塔像, 奉德寺鐘》 又捨黃銅一十二萬斤, 爲先考聖德王, 欲鑄巨鐘一口, 未就而崩, 其子惠恭大王乾運. ❻부대나 자루 따위의 수를 세는 데 쓰는 말. 개(箇). 건(件). 부(部). 부대(負袋). 《東國兵鑑, 上, 隋煬帝復伐高句麗》 遼東城久不下, 帝遣造布囊百餘萬口, 滿貯土, 欲積爲魚梁大道, 闊三十步, 高與城齊, 使戰士登而攻之. 又作八輪樓車, 高出於城, 夾魚梁道, 欲俯射城內, 指期將攻, 城內危. ❼'통(桶)'의 뜻으로, 물통이나 술통 따위의 수를 세는 데 쓰는 말. 《三國史記 10, 新羅元聖王本紀》 今賜卿羅錦綾綵等三十匹, 衣一副, 銀榼一口. ❽'자루'의 뜻으로, 칼의 수를 세는 데 쓰는 말. 병(柄). 본(本). 요(腰). 정(挺). 진(振). 척(隻). 파(把). 《高麗史 2, 惠宗世家》 金銀裝欛鞘細縷雲天玉劍一十口, 金銀裝罽錦鞘匕首一十口. 《朝鮮宣祖實錄 26, 25年4月壬寅》 以申砬爲三道巡邊使, 上親臨遣之, 賜寶劍一口. 《朝鮮宣祖實錄 101, 31年6月丙辰》 經理令杜正甫拿來, 則開單以進鳥銃十六門, 長劍四把, 大刀十一口, 中刀八口. 《朝鮮

正祖實錄 45, 20年 12月乙未》以外生擒頭目僧廣寧·聶渭·聶泮及劉芳萬·宗相等四十八名, 餘黨男婦大小七百四十九名口, 奪獲及搜出大砲二尊, 怡鎗八桿, 鳥鎗三百七十八桿, 長矛一千五百二十一桿, 腰刀七十二口. ❾'몫'의 뜻으로, 여럿이 나누어 가질 때의 앞앞이 가지는 수량을 헤아리는 데 쓰는 말. 흔히 계(契) 따위에서 쓴다. 객(客). 분(分). ❿(kǒu) 중국(中國)의 단위. ㉮시계(時計)의 수를 세는 데 쓰는 말. 〈예〉 一~鐘. ㉯침(針)의 수를 세는 데 쓰는 말.《天工開物, 錘鍛, 針》留針二三口插于其外, 以試火候. ㉰출입구(出入口)의 수를 세는 데 쓰는 말.《水經注, 江水》江水又東得淸揚, 土塢二口. ㉱구멍의 수를 세는 데 쓰는 말.《水經注, 汶水》泉上數丈, 有石穴二口, 容人. ⓫일본(日本)의 단위. ㉮갓의 수를 세는 데 쓰는 말. 개(蓋). 닙(立·笠). 매(枚). 부(部). 사(事). 월(月). 정(頂). 조(條).《羣書類從 1》菅御笠二口. ㉯방울〔鈴〕의 수를 세는 데 쓰는 말. 과(顆).《羣書類從 6》但鞘着鈴八口. ㉰막(幕)의 수를 세는 데 쓰는 말. 〈예〉 草一~. ㉱안장〔鞍〕의 수를 세는 데 쓰는 말. 구(具). 면(面). 배(背). 지(枝). 〈예〉 鞍一~. ㉲구유〔槽〕·절구〔臼〕·절구공이〔杵〕·통(桶) 따위의 수를 세는 데 쓰는 말.《羣書類從 4》槽七口, 臼七口, 杵七口, 桶七口. ㉳병〔壺〕·항아리〔甕〕·장군〔缶〕·도가니〔堝〕 따위와 같이 아가리가 있는 물건을 세는 데 쓰는 말. 좌(坐). 척(隻). 파(把).《羣書類從 2》酒壺三口, 甕二口, 神酒缶十口, 堝一口. ㉴표기〔幡〕·함(函)·덮개〔蓋〕 따위의 수를 세는 데 쓰는 말.《羣書類從 69》道場幡一百卄口, 王環手幡八口, 螺鈿經函五十口, 大銅蓋四口. ㉵가래〔鍬〕·호미〔鋤〕 따위 농기구의 수를 세는 데 쓰는 말. 정(丁).《羣書類從 1》鍬五口, 鋤五口. ㉶그릇의 수를 세는 데 쓰는 말. 닙(立). 사(事). 엽(葉).《羣書類從 1》陶器五十口, 土師器五十口. ㉷인형(人形)의 수를 세는 데 쓰는 말.《羣書類從 1》鐵人形四口. [2] [부피] '모금'의 뜻으로, 물·술·국 따위의 음료(飮料)가 입 안에 차는 분량. 또는 그 양을 헤아리는 데 쓰는 말. 합(呷).《新傳煮硝方, 再煉》然後盡盛磁盆, 噴一二口冷水(欲其不作粥被). 그러흔 후의 가마롤 긁어 퍼셔 사픈즈의 담고, 두어 먹음 닝슈롤 뿜고 (그 쥭에 니블쳐로 되디 아니케 홈이라).

구(句) [수효] ❶둘 이상의 단어가 모이어 절(節)이나 문장(文章)의 일부분이 되는, 짧은 토막의 수를 세는 데 쓰는 말.《詩, 周南, 關雎疏》句則古者謂之爲言, 秦漢以來, 衆儒各爲訓詁, 乃有句稱.《文心雕龍, 章句》因于而生句, 積句而成章. ❷시조(時調)나 사설(辭說)의 짧은 토막을 세는 데 쓰는 말. 대개 세 음절 또는 네다섯 음절로 이루어진다.《青丘永言》還山別曲, 退溪著, 二十四句. ❸'마디'의 뜻으로, 말의 한 동가리를 세는 데 쓰는 말. 단(段). 성(聲). 언(言).《老乞大諺解, 上》我說一句語(내

ᄒᆞᆫ 말ᄋᆞᆯ 니ᄅᆞ려 ᄒᆞ노라).《暴風驟雨, 2 部》大夥靜一靜, 听我說兩句.

구(丘 : qiū) ① [수효] 중국(中國)의 단위. '배미'의 뜻으로, 논의 한 구획(區劃)의 수를 세는 데 쓰는 말. 〈예〉一～田. ② [넓이] 토지 넓이의 단위. 1 구는 16 정(井), 또는 사방 4 리(里)에 해당된다.《周禮, 地官, 小司徒》九夫爲井, 四井爲邑, 四邑爲丘. (鄭玄注) 四邑爲丘, 方四里.《漢書, 形法志》至魯成公作丘甲, 哀公用田賦. (顏師古注) 丘, 十六井也.《春秋, 成公元年》三月, 作丘甲. (杜預注) 周禮, 九夫爲井, 四井爲邑, 四邑爲丘, 丘十六井, 出戎馬一匹, 牛三頭. 四丘爲甸, 甸六十四井, 出長轂一乘, 戎馬四匹, 牛十二頭, 甲士三人, 步卒七十二人, 此甸所賦, 今魯使丘出之, 譏重斂. (顧炎武補正) 要之, 其實爲益兵, 向之四丘共出三甲者, 今使每丘出一甲爾.

구(扣 : kòu) [수효] 중국(中國)의 단위. ❶'타래'·'뭉치'의 뜻으로, 실 따위를 감아서 틀어 놓은 덩이나 문서·서류 따위의 묶음의 수를 세는 데 쓰는 말. 구(絇·鉤). 대내(臺乃). 요(繞). 월내(月乃) 〈예〉一～線. 一～文書. ❷'덩이'·'덩어리'의 뜻으로, 금(金)이나 은(銀)의 덩이를 세는 데 쓰는 말.《二十年目睹之怪現狀, 55回》勞佛便取出一扣三千銀子往來的莊折.

구(玖) [수] '구(九)'의 갖은자.

구(具) [수효] ❶'벌'의 뜻으로, 바리때〔佛鉢〕·주발〔椀〕 따위의 수를 세는 데 쓰는 말.《三國遺事 3, 塔像, 臺山五萬眞身》明旦忽有一僧, 將緋羅金點袈裟一領, 佛鉢一具, 佛頭骨一片, 到于師邊, 問何以無聊.《朝鮮世宗實錄 90, 22年8月庚午》謹獻, 大刀二十振……黃鍊綃二匹, 摺疊扇二百本, 香一十斤, 紅漆椀一十具. ❷'채'·'벌'의 뜻으로, 견여(肩輿)나 책갑(冊匣) 따위와 같이 여러 가지가 한데 모여서 갖추어진 물건의 수를 세는 데 쓰는 말.《高麗史 2, 惠宗世家》紫絲絛聯紅綿裝背册匣一具.《高麗史 18, 毅宗世家》肩輿一具.《漢淸文鑑 10, 產業, 農工》一具, 농긔 ᄒᆞᆫ 벌. ❸침통(針筒)의 수를 세는 데 쓰는 말.《三國史記 11, 新羅景文王本紀》金花銀針筒三具. ❹(jù) 중국(中國)의 단위. ㉮'대'의 뜻으로, 사진기의 수를 세는 데 쓰는 말.《兩代情》三十幾年前的一具袖珍相機, 五六歲時帶來臺灣的一管小黑笛. ㉯'채'의 뜻으로, 깔개의 수를 세는 데 쓰는 말.《史記, 貨殖傳》旃席千具. ㉰'구'의 뜻으로, 시체나 관〔柩〕의 수를 세는 데 쓰는 말. 체(體). ㉱'짝'·'벌'의 뜻으로, 장농이나 옷농의 수를 세는 데 쓰는 말. ㉲'벌'의 뜻으로, 옷이나 갑옷〔鎧〕의 수를 세는 데 쓰는 말.《隋書, 南蠻傳, 眞臘》娶妻者, 唯送衣一具, 擇日遣媒人迎婦.《魏書, 蠕蠕傳》呵那瓌等拜辭, 詔賜阿那瓌細明光人馬鎧二具, 鐵人馬鎧六具. ㉳'벌'의 뜻으로, 등자〔鐙〕의 수를 세는 데 쓰는 말.《北史, 蠕蠕傳》光人馬鐙一具, 鐵人馬鐙六具. ❺일본(日本)의 단위. ㉮'벌'의 뜻으로, 갑옷〔鎧〕·가사(袈裟) 따위의 수를 세는 데 쓰는 말. 영(領). 장(張). 정(頂). 첩

(帖). 〈예〉 鎧一~. 袈裟一~. ㉯'매'의 뜻으로, 젓가락〔箸〕·부젓가락〔火箸〕 따위의 수를 세는 데 쓰는 말. 선(膳). 전(揃). 〈예〉 箸一~. 火箸一~. ㉰궤(机·樻)나 상(床)의 수를 세는 데 쓰는 말.《羣書類從 1》 漆韓樻八具. 幣帛机二具, 御床三具(太神一具, 相殿坐神二具).《羣書類從 2》結机八具, 上机九具. ㉱당(幢)의 수를 세는 데 쓰는 말.《羣書類從 69》漆合子盤卅具, 行天幢子一具, 月令幢子一具. ㉲안장〔鞍〕의 수를 세는 데 쓰는 말. 구(口). 면(面). 배(背). 지(枝).《羣書類從 6》御鞍二具. ㉳'벌'의 뜻으로, 옷의 수를 세는 데 쓰는 말. 대(對). 부(副·福). 사(事). 습(襲). 신(身). 엽(葉). 영(領). 요(腰). 전(揃). 착(著). 칭(稱). 투(套).《羣書類從 1》小文紫御衣二具(各長三尺五寸, 納純一屯). 禰宜內人物忌等, 明衣百五十二具.《羣書類從 2》給生絁明衣二具(男衣一領, 袴一腰, 女衣一領, 裳一腰). ㉴인롱(印籠)·행등(行縢) 따위의 수를 세는 데 쓰는 말. 〈예〉 印籠三~. 行縢二~. ㉵일정한 길이로 짠 피륙을 하나치로 세는 데 쓰는 말.《羣書類從 6》調布陸十具(男卅具, 人別二丈六尺, 女卅具, 人別二丈).

구(溝) [수(數)] 1 구는 10 자(秭)에 해당된다.《集韻》溝, 數也.《韻會》溝, 數也, 十秭曰溝.《古算經》壤生溝, 溝生澗.

구(區) ① [수효] ❶'채'의 뜻으로, 집이나 건물의 수를 세는 데 쓰는 말. 가(架·家). 당(幢). 동(棟). 소(所). 실(室). 우(宇). 원(院). 장(爿). 전(廛). 좌(坐·座). 진(進).《三國史記 8, 新羅聖德王本紀》三月, 遣使入唐獻方物, 出成貞王后, 賜彩五百匹, 田二百結, 租一萬石, 宅一區.《三國遺事 5, 孝善, 孫順埋兒》今孫順埋兒, 地湧石鐘, 前孝後孝, 覆載同鑑, 乃賜屋一區, 歲給粳五十碩.《高麗史 129, 崔怡傳》十六年, 怡占奪隣舍百餘區, 築毬場……日聚都房馬別抄, 令擊毬.《朝鮮端宗實錄 9, 元年 11月甲子》林桂水等, 綿布各一百匹, 家舍各一區, 水山·莫同等, 綿布各七十匹, 家舍各一區, 咸貴·朴莫同等, 家舍各一區, 軍子·衆伊等, 綿布各五十匹, 家舍各一區. ❷단(壇)이나 성(城)채의 수를 세는 데 쓰는 말.《朝鮮宣祖實錄 45, 26年閏11月庚子》將平壤·開城·碧蹄·王京肆廝殺地方, 各設壇場一區, 縱二十丈, 橫十丈, 外築圍墻, 內築壇臺, 高四尺, 闊四丈.《朝鮮宣祖實錄 46, 26年12月丙辰》方屯據邊城十餘區, 築城蓋屋日肆搶殺. ❸지방 자치 단체의 하부 행정 구역의 하나. 또는 그 수를 세는 데 쓰는 말. 일반적으로 서울특별시·광역시 및 인구 50만 이상의 시(市)에 설치되어, 국가가 위임한 사무를 처리하는 보통 행정 기관으로 시와 동(洞) 사이에 해당된다. ❹넓은 범위의 것을 몇으로 나눈 구획(區劃)의 수를 세는 데 쓰는 말. ❺법령 집행의 목적으로 정한 토지의 구획으로서, 선거구·투표구·학구(學區) 따위의 순서, 또는 그 수를 세는 데 쓰는 말. ❻옥(玉) 10 개를 하나치로 세는 데 쓰

는 말.《爾雅, 郭注》雙玉曰嗀, 五嗀曰區.《爾雅, 釋器》玉十謂之區. ❼지역(地域)의 수를 세는 데 쓰는 말. 8구는 팔방(八方)의 지역이라는 뜻이다.《漢書, 揚雄傳 下》天下之士, 雷動雲合, 魚鱗雜襲, 咸營於八區. (顔師古注) 八區, 八方也.《左思, 詠史詩 4》悠悠百世後, 英名擅八區,《王安石, 寓言詩 11》行失几席間, 惡名滿八區. ❽방(房)의 수를 세는 데 쓰는 말. 8구는 후궁(後宮)에 있는 8개의 방으로, 소양(昭陽)·비상(飛翔)·증성(增成)·합환(合驩)·난림(蘭林)·피향(披香)·봉황(鳳凰)·원란(鴛鸞)을 이른다.《漢書, 外戚傳, 孝成班倢伃》爲倢伃, 居增成舍. (顔師古注) 後宮有八區, 增成第三也. ② [부피] 척관법(尺貫法)의 한 단위. ❶1구는 두(豆)의 4배이다. 지금의 1구는 1되〔升〕7홉〔合〕정도, 또는 약 3.1l에 해당된다. 《芝峰類說 17, 雜事部, 數名》一手盛爲溢, 兩手爲掬, 掬四爲豆, 豆四爲區, 區四爲釜, 釜二有半爲藪, 藪二有半爲缶, 缶二爲鍾, 鍾二爲秉. ❷1구는 부(釜)의 4분의 1, 또는 16말〔升〕에 해당된다.《左傳, 昭公3年》豆區釜鍾(四區爲釜, 釜六斗四升).《才物譜, 秋, 數》釜, 四區爲釜.

구(球) [수효] 농구·야구 따위의 운동 경기에서 공을 던지는 횟수를 세는 데 쓰는 말.

구(絇) ① [질량] 실의 무게를 헤아리는 데 쓰는 말. 1구는 5냥(兩)에 해당된다. 구(釦).《新唐書, 百官志》絲五兩爲絇, 麻三斤爲緵.《資治通鑑, 唐玄宗開元 15年》丁酉夏至, 賜貴近絲, 人一緵. 杜佑曰, 唐令, 緜六兩爲屯, 絲五兩爲絇, 麻三斤爲緵.《促織》秖向貧家促機杼, 幾家能有一絇絲. ② [수효] 일본(日本)의 단위. '구(鉤)'와 같다.《羣書類從 1》糸一絇.

구(釦 : kòu) [수효] 중국(中國)의 단위. ❶'구(絇)'의 ①과 같다. ❷'뭉치'의 뜻으로, 서류 따위의 묶음을 세는 데 쓰는 말.

구(犋 : jù) [축력(畜力)] 중국(中國)의 단위. '겨리'의 뜻으로, 쟁기·써레 따위의 농기구를 소 한 마리 또는 두 마리가 끌 때 그 수를 세는 데 쓰는 말.《農政全書, 農事, 營治 上》假如一犋牛, 總營得小畝三頃(據齊也, 大畝一頃三十五畝也), 每年一易, 必須頻種.

구(溝) [수] 매우 큰 수의 하나. ❶1구는 양(穰)의 1억 배(億倍), 또는 간(澗)의 1억분의 1에 해당된다. 곧, 10^{56}. ❷1구는 양(穰)의 1만 배, 또는 간(澗)의 1만분의 1에 해당된다. 곧, 10^{32}.《數術記遺》黃帝爲法數, 有十等……十等者, 億·兆·京·垓·秭·壤·溝·澗·正·載.《孫子算經, 上》凡大數之法, 萬萬曰億, 萬萬億曰兆, 萬萬兆曰京, 萬萬京曰陔, 萬萬陔曰秭, 萬萬秭曰穰, 萬萬穰曰溝.

구(鉤) [수효] '꾸리'·'타래'의 뜻으로, 실 따위를 감은 뭉치의 수를 세는 데 쓰는 말. 구(扣·絇). 대내(臺乃). 요(繞). 월내(月乃).《渤海考 22, 臣考》美濃絁三十疋, 絲一百五十鉤.《渤海考 33, 臣考》絹三十疋, 美農絁三十匹, 絲二百鉤.《杜陽雜編》以絲一鉤, 分爲三段,

染成五色.

구(歐 : ōu) [저항(抵抗)] 중국(中國)의 단위. '옴(ohm)'의 음역(音譯).

구(駒) [수효] 일본(日本)의 단위. 윷놀이에서, 말의 수를 세는 데 쓰는 말.

구(甌) [부피] ❶'사발'·'보시기'의 뜻으로, 사발이나 보시기에 술이나 액체를 담아 그 양을 헤아리는 데 쓰는 말. 담(壜). 《分門瘟疫易解方, 不相傳染門》又方凡入瘟疫家, 先令開啓門戶, 以大鍋盛水二斗, 於堂中心, 用蘇合元二十圓煎, 其香能算疫氣, 凡病子, 各飮一甌後, 醫者却入診視, 不致相染(쏘 모딘 병흔 지븨 드러가디 몬져 문과 지게ᄅᆞᆯ 열오, 큰 소티 믈 두 말 다마 집 온디셔 소합원 스므 환을 달히면, 그 향이 능히 모딘 긔가 운을 엽게 ᄒᆞᄂᆞ니라. 병흔 사ᄅᆞ미 각각 ᄒᆞᆫ 보ᅀᆞ곰 머근 후에 의원이 드러가 ᄆᆡ 자바보아도 서ᄅᆞ 뎐염티 아니 ᄒᆞᄂᆞ니라). ❷단지에 물이나 액체를 담아 그 양을 헤아리는 데 쓰는 말. 《三國遺事 2, 紀異, 景德王, 忠談師, 表訓大德》王曰, 寡人亦一甌茶有分乎, 僧乃煎茶獻之.

구(軀) [수효] ❶불상(佛像)의 수를 세는 데 쓰는 말. 두(頭). 존(尊). 좌(坐·座). 《三國遺事 3, 塔像, 栢栗寺》鷄林之北岳曰金剛嶺, 山之陽有栢栗寺, 寺有大悲之像一軀. 《高麗史 41, 恭愍王世家》王在王輪寺, 宴淮王·吳王使, 各獻黃金佛一軀. 《朝鮮世宗實錄 8, 2年4月丁巳》贈使臣鍍金小象佛二軀, 鍮鉢二雙, 鍮筋四十二雙. 《南齊書, 扶南國傳》上表幷獻金鏤龍王座像一軀, 白檀像一軀, 牙搭二軀. ❷인삼(人蔘)의 수를 세는 데 쓰는 말. 근(筋). 본(本). 편(片). 《桂苑筆耕集 18, 書狀啓, 獻生日物狀》海東人形蔘一軀, 銀裝龕者盛, 海東實心琴一張, 紫綾帒盛. ❸탑(塔)의 수를 세는 데 쓰는 말. 《朱曇思等造塔頌》敬造寶塔一軀. ❹시체(屍體)의 수를 세는 데 쓰는 말. 《北邙說法》呀, 元來有一具枯骨, 一軀死屍在此.

구(鏂) [부피] 고대 용량의 단위. 1구는 1말〔斗〕2되〔升〕8홉〔合〕에 해당된다. 《管子, 輕重 丁》今齊西之粟釜百泉, 則鏂二十也. (尹知章注) 斗二升八合曰鏂. 《孫承宗, 錢梅谷高陽事宜册序》家之藏鏹, 曾不供輿皁, 而歲不三鬴, 則粟一鏂而泉幾伯.

구(衢) [수효] '거리'의 뜻으로, 길이 여러 갈래로 갈라진 수. 또는 넓은 길의 수를 세는 데 쓰는 말. 《管子, 輕重 甲》昔者桀之時, 女樂三萬人, 晨噪於端門, 樂聞於三衢, 是無不服文繡衣裳者. (阮元纂詁) 聞於三衢, 音樂之聲, 達於城外第三衢也.

구(ngu) [길이] 베트남(Vietnam)의 고유(固有) 단위. 1구는 투오크(thuoc)의 5배(倍)이며, 2.67야드(yard), 또는 2.44m에 해당된다.

구경(口徑) [군사] 총구(銃口)나 포구(砲口)의 직경을 나타내는 데 쓰는 말. 구경은 총구나 포구의 지름과 같다.

구기 [부피] 구기로 기름이나 술을 퍼서 그 양을 헤아리는 데 쓰는 말.

구지(句只). 〈예〉 참기름 3 ~를 주었다.

구단(區段 : qūduàn) [수효] 중국(中國)의 단위. '구간(區間)'의 뜻으로, 일정한 두 구역 사이, 또는 그 수를 세는 데 쓰는 말.

구대(口袋 : kǒudài) [부피] 중국(中國)의 단위. ❶'자루'의 뜻으로, 자루에 물건을 담아 그 양을 헤아리는 데 쓰는 말. ❷'섬'의 뜻으로, 섬에 곡식 따위를 담아 그 양을 헤아리는 데 쓰는 말.

구람(久覽 : gram, gramme) [질량] 그램(gram)의 음역(音譯). C.G.S.의 기본 단위. 4℃의 물 1 cm^3의 질량 및 무게를 1 그램이라 한다. 정확하게는 국제(國際) 킬로그램 원기(原器)의 1천분의 1의 질량에 해당된다. 《增補文獻備考 91, 樂考, 度量衡》泰西衡法, 則一美利久覽, 當我二絲七忽, 十美利久覽爲先知久覽, 當我二毫六絲七忽, 十先知久覽爲大始久覽, 當我二釐六毫六絲七忽, 十大始久覽爲久覽. 當我二分六釐六毫六絲七忽, 十久覽爲大可久覽, 當我二錢六分六釐六毫六絲七忽, 十大可久覽爲赫得久覽, 當我二兩六錢六分六釐六毫六絲七忽, 十赫得久覽爲岐路久覽, 當我二十六兩六錢六分六釐六毫六絲七忽.

구르드(gourde) [통화(通貨)] 아이티(Haiti)의 현재 화폐 단위. 1 구르드는 상팀(centime)의 100 배(倍), 또는 1 달러(dollar)의 126 분의 1에 해당된다. 고덕(古德).

구리(衢里) [수효] '거리'의 차자 표기로, 몇 갈래로 나누인 길의 수를 세는 데 쓰는 말. 기리(歧里). 《大東野乘 44, 凝川日錄 1, 壬子 6 月 21 日》 柳永慶·金大來·李弘老·金日昇·丁蒙民, 追刑于四衢里.

구멍 [수효] 파냈거나 뚫어진 자리의 수를 세는 데 쓰는 말. 공(孔).

구메니아(goumenia) [길이] 그리스(Greece)의 단위(單位). 스타디온(stadion)의 속칭. 주로 해상(海上)의 길이를 나타낼 때 쓴다. 1 구메니아는 오르귀아(orgyia)의 100 배(倍)이며, 해리(海里)의 10 분의 1, 또는 185 m에 해당된다.

구모(歐姆 : ōumǔ) [저항] 중국의 단위. '옴(ohm)'의 음역(音譯).

구에르세(guerche) [통화] 이집트의 옛 통화 단위. 1 구에르세는 40 파라(para)이다.

구이(歐爾 : ōuěr) [통화] 중국의 단위. '외레(öre)'의 음역(音譯).

구자(口子 : kǒuzi) [수효] 중국(中國)의 단위. '명'의 뜻으로, 사람의 수를 세는 데 쓰는 말.

구좌(口座) [수효] 저금·적금·보험 따위에서 금융 기관에서 계정(計定)한 수를 세는 데 쓰는 말.

구즈(guz) [길이] 인도(印度)의 캘커타·봄베이(Bombay)·마드라스(Madras) 지방의 단위. 1 구즈는 캘커타에서는 0.9144 m, 봄베이에서는 0.6859 m, 마드라스에서는 0.8382 m에 해당된다.

구지(句只) [부피] '구기'의 차자 표기로, 구기로 기름이나 술 따위를 퍼서 그 양을 헤아리는 데 쓰는 말. 술은 석 잔(盞)이면 한 구기가 되고, 세 구기면 한 복자〔鐥〕가 된다. 《度支準折, 鹽醫酒醋》 醴酒一瓶, 放榜所用(三盞作一句只, 三句只作

一鐥, 三鐥作一瓶, 三瓶作一升).

국(局) ① [조직] 관청·회사의 사무를 분담하여 처리하는 부서, 또는 그 부서의 수를 세는 데 쓰는 말. ② [수효] '판'·'회전'의 뜻으로, 장기·바둑 따위에서 대국(對局)의 수나 차례를 나타내는 데 쓰는 말. 《浩然齋雅談, 對偶》平生能著幾緉屐, 長日惟消一局棋. 《因夢有悟》欸曲幾杯酒, 從客一局棋. 《徐霞客遊記, 滇遊日記 4》對奕兩局, 又指戰鬪的場次.

국(掬) [부피] ❶'움큼'의 뜻으로, 두 손으로 물건을 움켜쥐어 그 양을 헤아리는 데 쓰는 말. 《朝鮮宣祖實錄 39, 26 年 6 月辛亥》靖陵灰燼, 大小二封內, 小一封則燒骨僅半半掬, 形色及堅硬, 與宣陵灰燼一樣. 《芝峯類說 17, 雜事部, 數名》一手盛爲溢, 兩手爲掬. 掬四爲豆, 豆四爲區, 區四爲釜. 《譯語類解, 補, 算數》三掬, 세 우흠. 《廣才物譜 1, 庶類, 數》一掬, 흔 우큼. 《詩, 唐風, 椒聊》蕃衍盈掬, (毛傳) 兩手曰掬. 《正字通, 手部》掬, 今俗謂兩手所奉爲一掬. ❷ 1 국은 5 홉〔合〕에 해당된다. 《小爾雅, 廣量》兩手謂之掬(半升也).

국(國) ① [수효] 나라의 수를 세는 데 쓰는 말. 《三國史記 2, 新羅奈解尼師今本紀》十四年秋七月, 浦上八國謀侵加羅, 加羅王子來請救, 王命太子于老與伊伐湌利音, 將六部兵往救之, 擊殺八國將軍, 奪所虜六千人還之. 《朝鮮太宗實錄 10, 5 年 11 月癸丑》佛法到東方, 始於三國, 高句麗十七代小獸林王時, 胡僧順道, 至自符秦. 《漢書, 西域傳序》西域以孝武時始通, 本三十六國, 其後稍分至五十餘, 皆左匈奴之西, 烏孫之南. (王先謙補注) 三十六國者, 婼羌·樓蘭·且末……渠犂·烏壘. ② [행정] 일본(日本) 행정 구역(行政區域)의 한 단위. 7 세기경에는 전국에 58 개를 두어 다스렸다.

국제 인치(國際 inch) [길이] 길이의 단위. 1 국제 인치는 2.540000 cm 에 해당된다. 캐나다 인치(Canada inch)라고도 부른다.

국척(菊尺) [길이] 국화꽃의 크기를 재는 데 쓰는 자. 민간(民間)에서 쓰는 자의 한 가지로, 주척(周尺)의 변동과 관계가 있다고도 한다. 1 국척은 6 치〔寸 : 18.1818 cm〕에 해당된다.

군(軍) [군사(軍事)] ❶육군(陸軍)의 최고 편성 단위. 또는 그 수를 세는 데 쓰는 말. 사령부(司令部)와 몇 개의 군단(軍團)으로 이루어진다. 〈예〉 제 1~, 제 2~. ❷고려 시대에 두었던 군사 편성 단위. 응양(鷹揚)과 용호(龍虎)의 2 군(軍)으로 6 위(衛)보다 상위에 있었으며, 각각에는 2 영(領)으로 조직되었다. 공양왕(恭讓王) 때에는 2 군 6 위를 합하여 8 위(衛)라 불렀다. 《高麗史 77, 百官志, 西班》穆宗五年, 備置六衛職員, 後置鷹揚·龍虎二軍, 在六衛之上, 後又設重房, 使二軍六衛上·大將軍皆會焉, 毅明以降, 武臣用事, 重房之權益重, 忠宣罷而旋復, 終高麗之世, 不能廢焉, 至恭讓王時, 二軍六衛, 並稱八衛. ❸고대 군대의 편성 단위. 1 군은 1만 2천 5백 명으로 조직되었다. 1 군은 5 사(師), 1 사는 5 여

(旅), 1 여는 5 졸(卒), 1 졸은 4 량(兩), 1 량은 5 오(伍), 1 오는 5 명으로 편성되었다. 《周禮, 夏官, 序官》 凡制軍, 萬有二千五百人爲軍. 王六軍, 大國三軍, 次國二軍, 小國一軍. 《左傳, 襄公14年》 周爲六軍, 諸侯之大者, 三軍可也. 《三國志, 魏志, 辛毗傳》 且四方之寇, 莫大於河北. 河北平, 則六軍盛而天下震. 《范成大, 州橋詩》 州橋南北是天街, 父老年年等駕廻. 忍淚失聲詢使者, 幾時眞有六軍來.

군(郡) [행정] 우리 나라 행정 구획(行政區劃)의 한 단위. 또는 그 수를 세는 데 쓰는 말. 광역시(廣域市)의 아래, 읍(邑) 또는 면(面)의 위이다. 고구려 시대에는 홀(忽)·파의(巴衣)·내노(內奴)·세홀차(世忽次)·군(郡)·현(縣), 신라 시대에는 성(城)·촌(村)·군·현, 고려 시대에는 목(牧)·군·현, 조선 시대에는 목·부(府)·군·현 등을 군의 전신으로 볼 수 있다. 갑오경장(甲午更張) 이후 도제(道制)와 아울러 다양한 명칭의 행정 구역이 부와 군으로 구분 통칭되었는데, 이 부·목·군·현이 군으로 통칭된 것은 1906년이다. 《增補文獻備考 15, 輿地考, 郡縣沿革》 新羅, 郡·縣共百三十九, 統合後, 九州郡·縣四百十五……高句麗, 州·郡·縣共百六十四……百濟, 五部, 統郡三十七, 城二百……高麗, 太祖二十三年, 改州·府·郡·縣名, 成宗又改州·府·郡·縣, 及關·驛·江·浦之號, 遂分境內爲十道, 就十二州各置節度使, 其所管州·郡共五百八十餘. 《增補文獻備考 16, 輿地考, 郡縣沿革》 本朝太宗十三年, 始定八道·州·郡, 處四方之中曰京畿, 西南曰忠淸, 東南曰慶尙, 偏南曰全羅, 正東曰江原, 正西曰黃海, 東北曰咸鏡, 西北曰平安, 安凡留都府一, 府尹六, 大都護府五, 牧二十, 都護府七十四, 郡七十三, 縣一百五十四, 合三百三十四. 《新增東國輿地勝覽, 序》 凡京二, 府四, 大都護府四, 牧二十, 都護府四十四, 郡八十三, 縣一百七十三. 《朝鮮高宗實錄 34, 建陽元年8月41》 勅令第三十六號, 地方制度官制改正件, 裁可領布. 全國二十三府, 以十三道改正……十三道所管三百三十九郡, 以五等分定, 而郡守仍舊.

군(群) [수효] ❶'무리'의 뜻으로, 양(羊) 300 마리를 하나치로 세는 데 쓰는 말. 《詩, 小雅, 無羊》 誰謂爾無羊, 三百維群. (孔穎達疏) 羊三百頭爲群. ❷'무리'의 뜻으로, 짐승 3 마리를 하나치로 세는 데 쓰는 말. 《國語, 周語 上》 獸三爲群. ❸'무리'의 뜻으로, 사람이나 동물이 여럿이 모여서 이룬 동아리나 떼의 수를 세는 데 쓰는 말. 말〔馬〕은 피마 1백 마리와 상마 15 마리, 또는 50 마리를 1 군이라 한다. 과(夥). 기(起). 반(班). 배(輩). 비(批). 운(運). 진(陣). 퇴(堆). 패(牌). 화(伙). 《朝鮮世宗實錄 30, 7年11月庚申》 兵曹啓……自今雌馬百匹爲一群, 定群頭一人. 《經國大典 4, 兵典, 廐馬》 諸道牧場, 以雌馬一百匹, 雄馬十五匹爲一群(牛同), 每一群, 定群頭一人. 《磻溪隨錄 22, 兵制後錄, 牧馬》 每雌馬一百匹, 雄馬五十匹爲一群(牛同). 每一群, 定群

頭一人, 群副二人, 牧子七人.

군단(軍團) [군사(軍事)] 군대편성에 있어서, 군(軍)과 사단(師團) 중간의 전략 단위 병단(戰略單位兵團). 또는 그 수를 세는 데 쓰는 말.

군단(群團) [수효] 벌의 무리를 세는 데 쓰는 말. 여왕벌 1 마리와 수펄·일벌을 합쳐 9천 마리를 1 군단이라 한다.

군데 [수효] 공간(空間)의 어느 지점이나 부분, 또는 사물의 개체(個體)나 집단(集團)이 위치하고 있는 장소의 수를 세는 데 쓰는 말. 개소(個所). 고(庫). 곳(毘). 소(所). 처(處). 〈예〉 여러 ~에 상처를 입다.

굴(屈 : qū) [수효] 중국(中國)의 단위. '개'·'덩이'의 뜻으로, 떡의 수를 세는 데 쓰는 말. 《歷代名家筆記類選, 米粫》劉孝威謝官, 賜交州米粫四百屈.

굴덴(gulden) [통화(通貨)] 네덜란드(Netherlands)의 현재 화폐 단위. 길더(guilder), 또는 플로린(florin)이라고도 한다. 1 굴덴은 100 센드(cent)에 해당된다. 돈(盾). 길더(guilder). 기호 : D. Gl.

굽이 [수효] 휘어서 굽은 곳. 또는 구부러진 곳의 수를 세는 데 쓰는 말.

궁(弓) [길이] 척관법(尺貫法)의 한 단위. ❶1 궁은 5 자〔尺〕에 해당된다. 《淸史稿, 食貨志, 田制》凡丈蒙地五尺爲弓, 二百四十弓爲畝, 百畝爲頃. ❷1 궁은 6 자〔尺〕에 해당된다. 《儀禮, 鄕射禮記, 疏》六尺爲步, 弓之下制六尺, 與步相應, 而云弓者, 侯之所取數, 宜於射器. ❸1 궁은 8 자〔尺〕에 해당된다. 지금의 5 자로서 보(步)와 같다. 《度地論》二尺爲一肘, 四肘爲一弓, 三百弓爲一里, 二百四十方弓爲一畝.

권(卷) ① [수효] ❶한지(韓紙) 20 장을 하나치로 세는 데 쓰는 말. 장(張)의 상위 단위(上位單位)로 쓰였다. 한지 한 장의 크기는 일정하지 않고 종류, 쓰임, 목적에 따라 달랐는데, 같은 도련지(搗練紙)라도 상품(上品)이냐 하품(下品)이냐에 따라 그 규격이 다르고, 같은 초주지(草注紙)라도 공상(供上)이냐 아니냐에 따라 그 규격이 달랐다. 《朝鮮世祖實錄 43, 13年8月庚戌》贈琉球國王……厚紙十卷, 油紙席十五張. 《尙方定例 1, 大殿》按紙次楮注紙貳卷拾陸張. 《朝鮮景宗實錄 13, 3年9月癸未》皇帝特減年貢中綿布八百疋, 獺皮一百張, 靑黍皮三百丈, 白綿紙二千卷, 召見正使, 優禮之. 《度支準折, 紙地》白休紙一斤(三卷作一卷, 一卷重一兩》, 供上草注紙一卷(長二尺九寸, 廣一尺九寸), 草注紙一卷(長二尺二寸, 廣一尺五寸), 上品搗鍊紙一卷(長二尺三寸, 廣一尺八寸), 下品搗鍊紙一卷(長二尺三寸, 廣一尺八寸), 靑扇子紙一卷(長八寸, 廣六寸五分). 《孝宗寧陵山陵都監儀軌, 座目》擣鍊楮注紙五卷十二張, 草注紙八卷十張, 楮注紙六十一卷. ❷두루말이로 된 그림의 수를 세는 데 쓰는 말. 본(本). 정(幀). 축(軸). 포(鋪). 폭(幅). 《三國史記 10, 新羅元聖王本紀》大舍武烏獻兵法十五卷, 花鈴圖二卷. 《高麗史 3, 成宗世家》祭器圖一卷. ❸책의 권수를 세는 데 쓰

는 말. 지금은 인쇄된 종이를 겹쳐 서 꿰맨 책의 수를 세는 데 쓴다. 《三國遺事 3, 塔像, 前後所將舍利》陳使劉思與釋明觀, 載送佛經一千七百餘卷. 《三國史記 20, 高句麗嬰陽王本紀》十一年春正月, 遣使入隋朝貢, 詔大學博士李文眞, 約古史爲新集五卷, 國初始用文字時, 有人記事一百卷, 名曰留記, 至是刪修. 《高麗史 5, 顯宗世家》丁亥, 宋江南人李文通等, 來獻書册, 凡五百九十七卷. 《朝鮮世宗實錄 42, 10年 11月丁丑》 詳定所提調星山府院君李稷等, 撰六典五卷, 謄錄一卷, 以進. ❹(juǎn) 중국(中國)의 단위. '채'의 뜻으로, 이불이나 요의 수를 세는 데 쓰는 말. 건(件). 조(條). 중(重). 〈예〉一～鋪蓋. ❺일본(日本)의 단위. 새끼·피륙·종이·전선(電線) 따위를 일정한 길이로 둥글게 사리어 놓은 수를 세는 데 쓰는 말. [2] [길이] 영화 필름의 길이를 헤아리는 데 쓰는 말. 1권은 305 m이다.

권(拳) [수효] ❶'번'·'회'의 뜻으로, 반죽 따위를 손으로 주무르는 횟수를 세는 데 쓰는 말. 곤(棍). 《林園十六志, 鼎俎志 2, 炊餾之類, 餠餌》白熟餠子方. 頭麪三斤內, 一斤作酵麪, 一斤作盪麪, 一斤錫蜜水, 和三件麪一處和勻, 揉一二百拳, 再放煖處, 停一時許, 伺麪性行暄泛, 再揉一二百拳, 逐旋取麪作劑, 用骨魯槌捍開, 入紅爐煿熟鏉上亦可. ❷'건'·'가지'의 뜻으로, 사건이나 일의 수를 세는 데 쓰는 말. 《合汗衫, 2折》我這一去, 不得一拳兒好買賣不回來. ❸'대'의 뜻으로, 쥐어박거나 때리는 수를 세는 데 쓰는 말. 곤(棍). 도(度). 돈(頓). 매(枚). 장(杖). 타(打). 판(板). 《水滸傳, 39回》你便在我臉上打一百拳也不妨.

권(圈) [수효] ❶권점(圈點)의 수를 세는 데 쓰는 말. 권점은 조선 시대에 관원을 뽑을 때 후보자의 성명 아래에 찍는 점이다. 《六典條例 6, 禮典, 承文院, 總例》大科新榜後, 差博士三員(以權知副正字, 都提調劃差), 列書新榜人會圈(三圈, 付槐院, 一二圈, 付國子, 無圈, 芸閣), 分館後, 都提調·提調(備三員)·博士, 會座公廨, 啓稟陞降(年滿五十歲人員陞六). ❷(juàn) 중국(中國)의 단위. ㉮'바퀴'의 뜻으로, 원을 그리며 빙 돌아서 본디 위치까지 이르는 한 번의 차례. 또는 그 횟수를 세는 데 쓰는 말. 〈예〉跑了三～. 繞場一～. ㉯'판'의 뜻으로, 승부(勝負)를 겨루는 일의 횟수를 세는 데 쓰는 말. 〈예〉打四～. ㉰'우리'의 뜻으로, 짐승을 가두어 기르는 칸의 수를 세는 데 쓰는 말.

권(捲 : juǎn) [수효] 중국(中國)의 단위. 통(筒) 모양으로 되었거나, 말아 원통형으로 된 물건의 수를 세는 데 쓰는 말. 《老殘遊記, 17章》叫把昨兒信的一捲舊鋪蓋取回去. 《塞梅》從這一天開始, 金來每天傍晚一吃過晚飯, 便帶捲草席來在大榕樹下, 待土地公扛一箱黃金來給也.

권(眷) [수효] 권속(眷屬)이나 혈족(血族)의 수를 세는 데 쓰는 말. 육권(六眷)은 육친(六親)과 같은 뜻이다.《金瓶梅詞話, 25回》爲人就沒個親戚六眷, 此是我姨娘家借來的釵梳.《儒林外史, 5回》過了三日, 王德·王仁果然到嚴家來, 寫了幾十副帖子, 遍請諸親六眷.

궤(机) [수효] 글의 요긴한 대목을 적은 찌의 수를 세는 데 쓰는 말. 찌는 전강(殿講)이나 강경(講經) 때에 강생(講生)이 뽑는 대쪽으로, 그 위에 사서(四書)와 삼경(三經)의 각 편(編), 각 장(章)의 글귀를 하나하나씩 따로 써서 직경 11 cm, 길이 18 cm 되는 통에 넣었다. 기(機).《高麗史 73, 選擧志, 科目》仁宗十一月, 第三日以後, 讀律, 破文兼義理, 通六机, 每義六問, 破文通四机, 讀令, 破文兼義理, 通六机, 每義六問, 破文通四机……兩日, 並全通, 讀九章十卷, 破文兼義理, 通六机, 每義六問, 破文通四机, 讀綴術四机, 內兼問義二机, 三開三卷, 兼問義二机, 謝家三机, 內兼問義二机.

궤(軌) 1 [넓이] 수레가 갈 수 있는 길의 넓이로, 1 궤는 8 자〔尺〕에 해당된다. 9 궤는 수레 9 내가 나란히 갈 수 있는 길의 넓이이다.《周禮, 考工記, 匠人》國中九經九緯, 經涂九軌. (鄭玄注) 經緯之涂, 皆容方九軌. 軌, 謂轍廣. 乘車六尺六寸, 旁可七寸, 凡八尺, 是爲轍廣. 九軌積七十二尺, 則此涂十二步也. 旁加七寸者, 輻內二寸半, 輻廣三寸半, 綆三分寸之二, 金轄之間, 三分寸之一.《張衡, 東京賦》經途九軌, 城隅九雉.《蘇軾, 贈眼醫王生彥若詩》如行九軌道, 並驅無擊轂.《潛書, 法王》執此致之, 直而無曲, 顯而無隱, 如行九軌之途, 更無也歧. 2 [수효] '대'의 뜻으로, 수레의 수를 세는 데 쓰는 말.《陸游, 度浮橋至南臺詩》九軌徐行怒濤上, 千艘橫繫大江心.《文選, 王延壽, 魯靈光殿賦》高門擬于閶闔, 方二軌而並入. (張銑注) 方, 謂二車相並而入, 言大也. 3 [행정] 1 궤는 5 호(戶)로 조직되었다. 5 가(家)를 궤(軌), 6 궤를 읍(邑), 10 읍을 솔(率), 10 솔을 향(鄕), 3 향을 속(屬)이라 하였다.《管子, 小匡》桓公曰, 五鄙奈何. 管子對曰, 制五家爲軌, 軌有長, 六軌爲邑, 邑有司, 十邑爲率, 率有長, 十率爲鄕, 鄕有良人, 三鄕爲屬, 屬有師, 五屬一大夫, 武政聽屬, 文政聽鄕.《戰國策, 齊策》蘇秦說齊宣王曰, 齊地方二千里, 帶甲數十萬, 齊軍之良, 五家之兵, 疾如錐矢. (注) 五家之兵, 管子之制也, 管子曰, 制五家爲軌, 軌有長.《史記, 齊太公世家》桓公既得管仲, 與鮑叔, 隰朋, 高傒, 修齊國政, 連五家之兵.

궤(櫃) [부피] 궤에 물건을 담아 그 수량을 헤아리는 데 쓰는 말. 가(架). 수(秀). 합(合).《朝鮮端宗實錄 4, 卽位年 12月辛卯》頭目張源等十一人, 齎進獻雜物二十九櫃, 海靑四連, 私物五十櫃三百六十笥.《朝鮮世祖實錄 8, 3年 6月丁酉》鑑等還太平舘, 命以黃鼠毛筆一百四十枚, 龍煤十笏, 銅鑪具紫石硯二事, 白麻骨紙二千幅, 紫燒酒二壜, 靑橘二櫃, 分贈之.

궤(簣) [부피] '삼태기'의 뜻으로, 삼태기에 흙이나 곡식 따위를 담아 그 양을 헤아리는 데 쓰는 말.《陶

山書院雲影臺川防時日記, 丙戌 3月 29日》圖久遠者, 不許小費, 且一簣之土, 皆百年舊物……巖石失其古處, 諸君當何繼乎.

규(圭) [부피] 척관법(尺貫法)의 한 단위. 1 규는 작(勺)의 1천분의 1, 또는 되〔升〕의 10만분의 1에 해당된다. 《增補文獻備考 91, 樂考, 度量衡》十先知翊突爲大始翊突, 準我五勺五抄四撮四圭, 十大始翊突爲翊突, 準我五合五勺四抄三撮五圭.

규(跬) [길이] 척관법(尺貫法)의 한 단위. 1 규는 한 걸음의 2 분의 1, 또는 3 자〔尺〕에 해당된다. 《芝峰類說 17, 雜事部, 數名》按跬一擧足也, 倍跬爲步, 四尺爲仞, 倍仞爲尋, 倍尋爲常, 五尺爲墨, 倍墨爲丈, 倍丈爲端, 倍端爲兩, 倍兩爲疋.

규(竅 : qiào) [수효] 중국(中國)의 단위. '구멍'의 뜻으로, 뚫어졌거나 오목하게 파낸 자리의 수를 세는 데 쓰는 말. 《黃庭外景經》出入二竅合黃庭, 呼吸虛無見吾形. 《宋史, 石普傳》穿二竅容筆墨, 上施紙札, 每臨陣則分持, 或傳令則書其言, 繫軍吏之頸, 至彼爲合契. 《元史, 天文志》銅條兩端, 各屈其首, 爲二竅以對.

균(均 : jūn) [부피] 중국(中國)의 단위. 1 균은 술 2천 5백 섬〔石〕에 해당된다. 《漢書, 食貨志 下》令官作酒以二千五百石爲一均, 率開一盧以賣.

균(囷 : qūn) [수효] 중국의 단위. 곳집의 수를 세는 데 쓰는 말. 《詩, 魏風》不稼不穡, 胡取千三百囷.

균(鈞) [질량] 척관법(尺貫法)의 한 단위. 1 균은 30 근(斤)에 해당된다. 《朝鮮宣祖實錄 116, 32年8月丙戌》況今大賊纔退, 國勢奄奄, 瘡痍者未蘇, 呻吟者未起, 如人僅延殘喘, 其一線之脉, 如一髮引千鈞. 《芝峰類說 17, 雜事部, 數名》斤十爲衡, 衡有半爲秤, 秤二爲鈞, 秤卽十五斤, 鈞三十斤也. 鈞四爲石, 石四爲鼓. 《說文, 金部》鈞, 三十斤也. 《漢書, 律曆志 上》十六兩爲斤, 三十斤爲鈞, 四鈞爲石. 《左傳, 定公8年》士皆坐列, 曰顔高之弓六鈞. 皆取而傳觀之. (杜預注) 顔高, 魯人. 三十斤爲鈞, 六鈞百八十斤. 古稱重, 故以爲異强. 謂張滿弓用力六鈞, 后因以指强弓.

그라노(grano) [질량(質量)] 스페인·아르헨티나(Argentina)·칠레(Chile)의 단위. 1 그라노는 0.77 그레인(grain), 또는 49.90 mg 에 해당된다.

그라두스(gradus) [길이] 고대 로마(Roma)의 단위. 1 그라두스는 페데(pede)의 2 ½이며, 0.808 야드(yard), 또는 73.82 cm 에 해당된다.

그라드(grade) [각도(角度)] 프랑스(France)의 단위. 직각의 1백분의 1에 해당된다. 프랑스 혁명(1789～1795) 당시에 사용하였다. 영어로는 '그레이드'라고 한다. 기호 : gr

그라마(gramma) [질량] 그리스(Greece)의 단위. 주로 약용(藥用)에 쓴다. 1 그라마는 드라크메(drachmē)의 3 분의 1 이며, 코코스(kokkos)의 20 배, 또는 1.25 g 에 해당된다.

그라메(gramme) [길이] 그리스(Greece)의 단위. 1 그라메는 1 mm 에 해당된다. 구제(舊制)로는 0.0833 인치(inch), 또는 2.12 mm 에 해당된다.

그란(Gran) [질량] 독일(獨逸) 바이에른(Bayern) 지방의 옛 단위. 1 그란은 푼트(Pfund)의 7,680 분의 1 이며, 1.13 그레인(grain), 또는 73 mg 에 해당된다.

그랑(grão) [질량] 포르투갈(Portugal)의 고유 단위. 1 그랑은 리브라(libra)의 9,216 분의 1 이며, 0.77 그레인(grain), 또는 49.90 mg에 해당된다.

그램(gram, gramme) ① [질량] 미터법에 의한 질량(質量) 및 무게의 기본 단위. 4℃의 물 1 dm^3의 질량의 1,000 분의 1 을 1 그램이라 한다. 국제 킬로그램 원기(元器)의 1 천분의 1 의 질량이다. 구람(久覽). 극(克). 와(瓦). 기호 : g, gr, gm ② [순도(純度)] 금(金)이나 은(銀) 따위의 품위(品位)를 나타내는 데 쓰는 말. 이들은 광석 내에 미세한 양이 함유되어 있기 때문에 이것을 백분율〔%〕로 나타내면 매우 적은 숫자가 된다. 그래서 광석 1 톤(ton)에 함유된 양을 이 단위로 표시하게 되었다. 은 품위 10 g 은 광석 1 톤에 은의 양이 10 g 이라는 말이다. 기호 : g/t

그램 농도(— 濃度) (gram(me) concentration) [농도] 용액 1l 중에 녹아 있는 물질의 그램수(g 數)를 말한다. 용액 100 cc 중의 용질(溶質)의 그램수를 나타내기도 한다. 기호 : g/100 cc, gin 100 cc, g/l

그램 당량(— 當量) (gram(me) equivalent) [화학(化學)] 수소(水素) 1 원자량을 기준으로 그것과 화합되는 원소(元素)의 양을 당량이라 하고, 이것을 그램으로 나타낸 것을 말한다.

그램래드(grammerad) [흡수선량(吸收線量)] 적산 흡수 방사선량(積算吸收放射線量)의 한 단위. 1 그램래드는 10^3 에르그(erg)에 해당된다.

그램 뢴트겐(gram(me) roentgen) [조사선량(照射線量)] 1 뢴트겐의 조사선량이 1 g 의 공기 중에 조사(照射)될 때의 실(實) 에너지의 변환 단위를 말한다.

그램 매 리터(— 每 —) [밀도] 킬로그램 매 세제곱 미터〔kg/m^3〕의 보조 계량 단위. 1 그램 매 리터는 1l 에 대한 1 g 의 밀도를 말한다. 기호 : g/l

그램 매 세제곱 미터(— 每 —) (gram(me) per cubic meter) [습도] 공기 1 m^3 의 용적(容積) 속에 포함된 수증기의 양을 그램수(g 數)로 나타낼 경우의 절대 습도(絶對濕度)의 단위를 말한다. 기호 : g/m^3

그램 매 세제곱 센티미터(— 每 —) (gram(me) per cubic centimeter) [밀도] 시 지 에스 단위계(C.G.S. 單位系)의 한 단위. 1 cm^3 에 대한 1 g 의 밀도를 말한다. 기호 : g/cm^3

그램 매초(— 每秒) [유량(流量)] 킬로그램 매초(kilogramme 每秒)의 보조 단위. 1 초 동안에 흐르는 유체(流體)의 질량을 g으로 나타낸 것이다. 이의 배수 단위(倍數單位)로는 그램 매분〔g/min〕, 그램 매시〔g/h〕, 톤 매초〔t/s〕, 톤 매분〔t/min〕, 톤 매시〔t/h〕가 있다. 기호 : g/s

그램 매 킬로그램 대시(— 每 —) (gram(me) per kilogram) [습도] 공기 1 kg 중에 있는 수증기의 양을 그램으로 나타낼 경우의 절대 습도(絶對濕度) 단위를 말한다. 기호 : g/kg′

그램 분자(— 分子) (gram(me) molecule) [화학(化學)] 물질의 분자량(分子量)과 같은 수의 g 단위의 질량을 말한다. 몰(mol)이라고도 한다. 기호 : g mol

그램 식량(— 式量) (gram(me) formula weight) [화학] 식량(式量)에 g을 붙인 양을 말한다. 일반적으로 이온 결합에 의하여 이루어진 화합물(化合物)에 쓰인다. 이온 결합 물질은 분자(分子)가 존재하지 않기 때문에 분자량이라는 말 대신 식량이라는 말을 쓴다.

그램 원자(— 原子) (gram(me) atom) [화학] 산소 1 원자의 16 분의 1과 같은 질량을 기준으로 나타낸, 각종 원자의 질량에 g을 붙인 것을 말한다.

그램 이온(gram(me) ion) [화학] 이온의 식량(式量)에 g을 붙인 것을 말한다. 예로, 나트륨 이온 Na^+는 23.0 g, 염소 이온 Cl^-은 35.5 g이 1 그램 이온이다.

그램 이온 농도(— 濃度) (gram(me) ion concentration) [농도] 용액 1*l* 중에 함유된 이온 농도를 g으로 나타낸 것을 말한다.

그램 중(— 重) ① [힘] 1 킬로그램중(重)의 1,000 분의 1, 또는 약 980 다인(dyne)에 해당된다. 기호 : gw, gwt, g중 ② [질량] 1 그램의 질량을 갖는 물체가 중력 가속도 980.665 cm/s² 인 지점에서의 무게를 말한다.

그랭(grain) [질량] 프랑스의 단위. 지방에 따라 다소 차이가 있는데, 파리(Paris)에서의 1 그랭은 5.31 mg에 해당된다.

그레이드(grade) [각도] 1 직각의 100 분의 1을 말한다. 1 그레이드의 100 분의 1을 분, 1 분의 100 분의 1을 초라고 한다. 프랑스(France)에서는 '그라드'라고 한다. 기호 : gr.

그레인(grain) [질량(質量)] 야드·파운드법(pound 法)의 한 단위. 1 그레인은 상용(常用)으로는 7,000 분의 1 파운드, 또는 64.798918 mg이고, 트로이(troy)·약용(藥用)에서의 1 그레인은 5,760 분의 1 트로이 파운드, 또는 64.798918 mg에 해당된다. 극랭(克冷). 영리(英釐). 이(喱). 기호 : gr, grain

그레인(grein) [질량(質量)] 네덜란드(Netherlands)의 고유 단위. 1 그레인은 64.8 mg에 해당된다.

그로셴(Groschen) [통화] 오스트리아(Austria)의 보조 통화 단위. 1 그로셴은 실링(Schilling)의 1백분의 1에 해당된다.

그로스(gross) ① [수효] 12 다스. 곧, 144 개를 하나치로 세는 데 쓰는 말. 나(羅). 기호 : gr ② [질량] 프랑스(France)의 단위. 지방에 따라 다소 차이가 있는데, 파리(Paris)에서의 1 그로스는 3.824 g에 해당된다.

그로시(groszy) [통화(通貨)] 폴란드(Poland)의 보조 통화 단위. 1 그로시는 즐로티(zloty)의 1 백분의 1에 해당된다. 격라희(格羅希).

그루 [수효] ❶식물의 포기 수를 세는 데 쓰는 말. 간(竿·幹·榦). 과(科). 과(棵·窠·顆). 근(根). 두(頭). 수(樹). 장(章). 정(挺). 조(条·條). 주(株). ❷한 해 동안 같은 땅에 농사를 짓는 횟수를 세는 데 쓰는 말.

그릇 [수효] 그릇 안에 음식을 담아 그 양을 헤아리는 데 쓰는 말. 기(器). 정(丁).

그리브나(grivna) [통화] 고대 러시아(Russia)의 통화 단위. 15 세기 루블(rouble)이 채용될 때까지 통용되었다. 그러나 민간에서는 그 후에도 10 코페이카(kopeika)의 의미로 사용하였다.

그리스 피트(Greece feet) [길이] 고대 그리스의 단위. 푸스(pous)라고도 한다.

그웨(ngwee) [통화] 잠비아(Zambia)의 보조 통화 단위. 1 그웨는 콰차(kwacha)의 1 백분의 1에 해당한다.

극(克 : kè) [1] [질량] ❶중국(中國)의 단위. '그램〔g〕'의 역어(譯語). 《新字典, 新字新義部》克, 그램, Gramme. 法國衡制, 以此爲單位. 日本用瓦字代之. ❷티베트(Tibet) 지방의 단위. 1 극은 25 근(斤)에 해당된다. [2] [넓이] ❶중국(中國)의 단위. '정보(町步)'의 뜻으로 쓰인다. ❷티베트 지방의 단위. 1 극은 1 시묘(市畝), 또는 6.667 아르〔a〕에 해당된다.

극(極) [수(數)] 매우 큰 수의 하나. ❶1 극은 재(載)의 1억 배(倍)이며, 항하사(恒河沙)의 1억분(億分)의 1, 또는 10^{88}에 해당된다. ❷1 극은 재(載)의 1만 배(倍)이며, 항하사(恒河沙)의 1만분(分)의 1, 또는 10^{48}에 해당된다. ❸1 극은 재(載)의 10 배, 또는 조(兆)의 1백만분의 1에 해당된다.《風俗通》十十謂之百, 十百謂之千, 十千謂之萬, 十萬爲之億, 十億爲之兆, 十兆爲之經, 十經謂之垓, 十垓謂之補, 十補謂之選, 十選謂之載, 十載謂之極.

극란모(克蘭姆 : kèlánmǔ) [질량] 중국의 단위. '그램(gram)'의 음역(音譯).

극랍(克拉 : kèlā) [순도(純度)] 중국의 단위. '캐럿(carat, karat)'의 음역(音譯).

극랑(克郎 : kèlāng) [통화] 중국의 단위. ❶'코루나(koruna)'의 음역(音譯). ❷'크로나(krona)'의 음역. ❸'크로네(krone)'의 음역.

극랭(克冷 : kèlěng) [질량] 중국의 단위. '그레인(grain)'의 음역(音譯).

극로새라(克魯塞羅 : kèlǔsàiluē) [통화] 중국(中國)의 단위. '크루제이로(cruzeiro)'의 음역(音譯).

극와사(克瓦查 : kèwǎchá) [통화] 중국의 단위. '콰차(kwacha)'의 음역(音譯).

근(斤) [질량] 통일 신라 시대 이전부터 오늘날까지 사용하는 단위. 중국 한(漢)나라 때의 1근은 222.72 g, 당(唐)나라 때에는 한나라 때의 3배(倍)였는데, 이것이 신라에 전해졌다. 1근은 현재 161 돈쭝으로, 1902년 도량형(度量衡)의 개혁에 의하여 16냥(兩)을 1근으로 하여 현재에 이르고 있으며, 관(貫)의 보조단위(補助單位)로서 1근은 0.16관으로 규정하였다. 1근은 600 g에 해당된다. 근(觔). 《三國遺事 3, 塔像, 皇龍寺丈六》鑄成丈六尊像, 一皷而就, 重三萬五千七斤, 入黃金一萬一百九十八分, 二菩薩入鐵一萬二千斤, 黃金一萬一百三十六分. 《經國大殿 6, 工典, 營繕, 度量衡》衡之制, 黃鍾之管, 其容水重八十八分, 十釐爲分, 十分爲錢, 十錢爲兩, 十六兩爲斤. 《萬機要覽, 財用編 4, 戶曹各掌事例, 版籍司, 度量衡》度量衡. 度, 用鍮尺, 量, 用銅斛, 衡, 有大中小三等, 中小二等, 等各有二稱(十釐爲分, 十分爲錢, 十錢爲兩, 十六兩爲斤, 大稱一百斤, 中稱三十斤或七斤, 小稱三斤或一斤). 《漢書, 律曆志 上》二十四銖爲兩, 十六兩爲斤……十六兩成斤者, 四時乘四方之象也. ❶휴지(休紙)의 무게를 헤아릴 때 쓰이었다. 《正宗大王殯殿魂殿都監儀軌, 稟目》料布磨鍊時所用, 白休紙二斤. 《仁祖國葬都監儀軌, 下, 2房》月乃所入, 草度十立, 休紙七斤. 《度支準折, 紙地》白休紙一斤(三卷作一卷, 一卷重十兩). ❷실이나 활시위의 무게를 헤아릴 때 쓰이었다. 《朝鮮太宗實錄 31, 16年5月丁巳》蠶室採訪使李迹·別監李士欽復命, 迹獻所養生繭九十石十斗, 繰絲二十二斤, 種連一百四十張, 士欽獻所養熟繭二十四石, 繰絲一十斤, 種連一百四十張. 《萬機要覽, 財用編 1, 供上, 大殿, 月令》弓絃絲十四斤三兩五錢內, 十斤, 每斤價十四兩. 四斤三兩五錢, 每斤價十兩. 《度支準折, 各色絲繭》紫的絨絲一斤, 艮三兩二戔, 白鄉絲一斤, 貿米一石九斗, 一兩折價四錢. 《純元王后國葬都監儀軌 2, 稟目》擔泗二巨里, 每巨里, 熟麻六斤. ❸줄이나 끈 따위의 무게를 헤아릴 때 쓰이었다. 《度支準折, 索綯》細繩一斤(每把重二戔, 每把長三尺), 杻繩一沙里(長五十把). ❹향(香)의 무게를 헤아릴 때 쓰이었다. 《朝鮮世宗實錄 35, 9年正月壬寅》使人獻土物, 硫黃二千斤, 南木香二斤, 赤銅十斤, 龍腦三兩, 胡椒五斤, 折草一脚. 《朝鮮世祖實錄 26, 7年12月戊辰》今開禮物, 錫二千斤, 蘇木二千斤, 檀香一百斤, 丁香一百斤, 木香一百斤, 象牙四條. 《朝鮮中宗實錄 67, 25年2月庚寅》使臣曰, 自正月至于是日, 計內用油七石, 眞末十石, 淸蜜十石, 䌓子二百五十斤, 色絲一百五十斤, 唐粉·沈香各一百斤, 黃蜜二百斤, 丹木四百斤, 各色果實二十四石, 他物亦多有難悉記. ❺염료(染料)의 무게를 헤아릴 때 쓰이었다. 《正宗大王殯殿魂殿都監儀軌, 內下需用》三碌六斤二兩. 倭朱紅一斤. 唐朱紅十二斤二兩四戔. 《昌慶宮營建都監儀軌, 實入》三青一斤十四兩六錢. ❻꿀〔蜜〕의 무게를 헤아릴 때 쓰이었다. 《春官志 2, 通信使, 康熙壬戌禮單》白蜜八十五斤, 松笠(房栢子)五百枚. ❼인삼의 무게를 헤

아릴 때 쓰이었다.《三國史記 8, 新羅聖德王本紀》 先時遣王姪志廉謝恩, 獻小馬兩匹, 拘三頭, 金五百兩, 銀二十兩, 布六十匹, 牛黃二十兩, 人蔘二百斤, 頭髮一百兩, 海豹皮一十六張, 及是援志廉鴻臚少卿員外置.《高麗史 2, 惠宗世家》人蔘五十斤, 頭髮二十斤, 香油五十斤, 松子五百斤事. ❽명반(明礬)·소방목〔蘇木〕·유황(硫黃)·지초(芝草)·홍화(紅花) 따위의 약재의 무게를 헤아릴 때 쓰이었다.《朝鮮世宗實錄 14, 3年11月乙丑》仍獻硫黃一千二百斤, 丹木一千斤, 明礬二百斤, 象牙二本, 犀角三本.《朝鮮世祖實錄 4, 2年7月壬午》命在承旨韓明澮, 問安于明使, 各贈蘇木百斤, 胡椒一斗, 狐皮四十長, 熊皮四張.《尙方定例 1, 本院元貢》芝草百伍拾斤.《萬機要覽, 財用編 1, 供上, 中宮殿》紅花, 每斤一石. 三南·江原. ❾구리〔銅〕·납(鑞)·두석(豆錫)·무쇠몽둥이〔水夢同伊〕·유철(鍮鐵)·지남석(指南石)·함석(含錫)·수은(水銀) 따위의 쇠붙이의 무게를 헤아릴 때 쓰이었다.《度支準折, 銅鑞》熟銅一稱(百斤). 常鑞一稱(百斤). 豆錫一稱(百斤). 中水夢同伊(重六十斤). 鍮鐵一稱(百斤). 指南石(一斤, 燕貿艮四兩, 一片價錢一分). 含錫一稱(百斤), 価艮三十兩.《尙方定例 1, 大殿》水銀伍斤. ❿젓갈의 무게를 헤아릴 때 쓰이었다.《度支準折, 鹽卵》鹿醢一斤, 元貿, 米三斗, 獐去骨重十斤, 鹿去骨重大三十斤. 白蝦醢一桶, 一斗重六斤四兩, 三斗作一桶. ⓫해삼(海蔘)·홍합(紅蛤) 따위의 무게를 헤아릴 때 쓰이었다.《萬機要覽, 財用編 5, 方物, 年例方物》海蔘二百斤, 紅蛤二百斤(補五斤).《度支準折, 魚物》海蔘一斤. ⓬소나 돼지의 살코기, 또는 내장(內臟) 따위의 무게를 헤아릴 때 쓰이었다.《萬機要覽, 財用編 1, 供上, 大殿》正筋五百九十三斤四兩八錢.《度支準折, 肉物》牛廣腸半斤, 価錢二戔. 猪肉一斤, 価錢四戔. 正筋一斤, 元米十一斗, 一兩折価. 熟肉一斤, 価錢三戔. 黃肉一斤, 価錢二戔, 內局. 一戔四分, 應辦. ⓭잣〔松子〕이나 귤병(橘餠) 따위의 무게를 헤아릴 때 쓰이었다.《高麗史 9, 文宗世家》松子二千二百斤, 人蔘一千斤.《朝鮮太宗實錄 11, 6年正月丁未》 貴志佐殿, 銀錘·銀盂一事, 苧·麻布各五匹, 虎·豹皮各二張, 松子一百斤, 米·豆各一百石.《度支準折, 唐餠果茶膏》橘餠一斤五元, 価錢五戔. ⓮말총〔馬尾〕이나 짐승의 털의 무게를 헤아릴 때 쓰이었다.《朝鮮英祖實錄 113, 45年10月寅戌》濟州御使朴師崙啓言, 益祥濫刑殺人, 貿馬尾七白斤, 凉臺一千五百立, 濫刑不法狀.《尙方定例 1, 本院元貢》北道羊毛參拾伍斤玖兩.《正宗大王殯殿魂殿都監儀軌, 1房, 實入》家猪毛二斤四兩.《度支準折, 毛鬣》羔毛一斤, 家猪毛一斤. ⓯미역〔藿〕·미역귀〔藿耳〕·우뭇가사리〔加士里〕·다시마〔多士麻〕·김〔甘苔〕·황각(黃角) 따위의 해조류(海藻類)의 무게를 달 때 쓰이었다. 다시마는 30 닢이 한 죽기〔注之〕이고, 감곽(甘藿)은 30 닢이 한 단(丹)이 된다.《正宗大王殯

殿魂殿都監儀軌, 上, 禮關》藿耳一百九十五斤四兩. 加士里二十斤.《萬機要覽, 財用編 1, 供上, 大殿, 逐日供上》 黃角二百三十二斤十四兩, 每斤價四錢八分.《度支準折, 昆藿茸藁屬》常角一斤, 一立重一兩六戔, 粉藿一斤, 十立作一注之, 重三斤. 早藿一斤, 十立作一注之, 重三斤. 甘藿一斤, 三十立作一丹, 一立重一兩六戔. 藿耳一斤, 一升重四兩八戔. 昆布一斤, 二十立作注之, 重二斤. 多士麻一斤, 三十立作一注之, 重五斤. 牛毛一斤, 一升重一兩, 一波拱一斤十二兩. 甘苔一斤, 一注之重一兩六戔, 十注之作一貼. ⓰토막〔吐木〕나무·맬나무〔燒木〕·향나무·나무뿌리 따위의 무게를 헤아릴 때 쓰이었다.《朝鮮世宗實錄 26, 7年12月戊辰》今開禮物, 錫二千斤, 蘇木二千斤, 檀香一百斤, 丁香一百斤, 木香一百斤, 象牙四條, 犀角六箇.《朝鮮光海君日記 153, 12年6月庚申》營建都監啓曰, 薪串別將金純……炭一千五百石, 燔瓦吐木十二萬斤, 松板一百葉.《正宗大王殯殿魂殿都監儀軌, 1房, 稟目》燒木一斤.《度支準折, 木物》燒木一斤, 一介重十斤, 三介作一丹. 吐木一斤, 湖米八合, 京米一升.《度支準折, 草物》白楮一斤, 一日花根一斤(二束). ⓱속새〔木賊〕·쑥〔艾〕·연잎〔荷葉〕·짚〔穀草·藁草〕·소루쟁이 뿌리〔羊蹄根〕 따위의 무게를 헤아릴 때 쓰이었다.《朝鮮成宗實錄 4, 元年4月乙卯》國用田則, 水田一結, 穀草四束, 重四十斤, 生草一同七束半, 重一百十斤.《正宗大王殯殿魂殿都監儀軌, 上, 內下需用》荷葉一十斤二兩.《孝宗寧陵山陵都監儀軌, 座目》熟麻一百斤. 正藁草六十同, 每同重一百斤. 正藁草二十同, 每同重一百斤.《新編集成馬醫方, 諸黃門》又方, 羊蹄根(一斤), 艾葉(三斤), 右水一盆, 煎至七分, 常欽之.《度支準折, 草物》木賊一斤, 一月乃重八兩, 一兩折価二分七里. ⓲솜〔綿子〕의 무게를 헤아릴 때 쓰이었다.《高麗史 22, 禮志》老人賜設儀……各賜酒十盞……鍊緜二斤, 腰帶銀一斤, 金一目五刀, 紅鞓皮一腰.《朝鮮太宗實錄 11, 6年2月乙巳》日本國王使僧周棠等……緜子一斤……紅紬一匹, 綿子一斤.《度支準折, 紬紵木布綿》襦衣綿花一斤, 雪綿子一斤, 常綿子一斤, 紅綿子一斤. ⓳밀가루〔上末〕나 쌀 등 곡식의 무게를 달 때 쓰이었다.《正宗大王殯殿魂殿都監儀軌, 上, 稟目》錄事一人, 每日米三升, 錢三錢.《萬機要覽, 財用編 1, 供上, 大殿, 逐日供上》上末五斤十兩, 每斤價一兩. ⓴송진〔松脂〕이나 송연(松烟) 따위의 무게를 헤아릴 때 쓰이었다.《昌慶宮營建都監儀軌, 移文》松烟二百斤. 江原道.《萬機要覽, 財用編 1, 各貢, 宣惠廳, 繕工監》松烟, 每斤七斗. 湖西. ㉑생강〔生干·生薑〕이나 버섯〔耳·茸〕 따위의 무게를 달 때 쓰이었다.《關西邑誌, 龍岡縣邑誌》生干一斤, 價一戔, 二十五介爲一升.《進宴儀軌(高宗壬寅) 2, 饌品》生薑十斤.《度支準折, 昆藿茸藁屬》生薑一斤, 十角作一升. 石耳一斤, 一升重一兩五戔. 眞耳一斤, 一升重二兩一戔. 藁古一斤, 一升重三兩六戔. 熟松古

一斤, 皮一斤, 實一斤. ㉒아교(阿膠)나 어교(魚膠) 따위의 무게를 달 때 쓰이었다.《正宗大王殯殿魂殿都監儀軌, 上, 內下需用》阿膠一斤九兩.《萬機要覽, 財用編 1, 大殿, 月令》 魚膠六百七十一斤內, 七十六斤, 每斤價三兩二錢, 五百九十五斤, 每斤價二兩四錢.《度支準折, 柒物》阿膠一斤, 一張重二戔, 一兩折價三分三里, 丹青着柒所用. 魚膠一斤, 一張重二兩, 一兩折價一戔三分三里, 都監諸處所用. ㉓설탕이나 밀랍(蜜蠟)의 무게를 헤아릴 때 쓰이었다.《進宴儀軌(高宗壬寅) 2, 饌品》 白糖二十七斤.《萬機要覽, 財用編 1, 供上, 大殿, 逐朔供上》黃蜜, 每斤十二斗五升.《度支準折, 唐餠果茶膏》橘餠一斤五元, 價錢五戔. 砂糖一斤, 一元重四兩二戔, 二十五元作一軸. 推耳糖一斤, 価錢二兩五戔.

근(听) [질량] 서양 종이의 무게를 헤아리는 데 쓰는 말. 한 연(連), 곧 500 장의 무게를 말한다. 파운드(pound)와 같다. 〈예〉 120 ~ 모조지(模造紙).

근(觔) [질량] '근(斤)'과 같다.《高麗史 22, 高宗世家》八年八月, 乃許八人升殿, 傳蒙古皇太弟鈞旨, 索獺皮一萬領, 細紬三千匹, 細苧二千匹, 緜子一萬觔, 龍團墨一千丁, 筆二百管, 紙十萬張.《朝鮮世宗實錄 36, 9年6月庚辰》上御慶會樓引見, 賜毛衣·毛冠各一, 豹鼠皮三十領, 土豹皮一令, 人蔘三十觔, 黑麻布一十匹.《朝鮮世祖實錄 46, 14年4月乙卯》 遣中樞府同知事金良璥……雜綵花席二十張, 人蔘一百觔, 松子二百觔, 雜色馬二十匹.

근(根) ① [수효] 가늘고 긴 물건의 수를 세는 데 쓰는 말. ❶'그루'의 뜻으로, 나무의 수를 셀 때 쓰이었다. 간(竿·幹·榦). 과(科·棵·窠·顆). 두(頭). 수(樹). 장(章). 정(挺). 조(条·條). 주(株).《高麗史 79, 食貨志》令諸道州縣, 每年桑苗, 丁戶二十根, 白丁十五根, 田頭種植, 以供蠶事.《許有壬, 代書寄可行弟詩》文竹移栽只五根, 來時無數長兒孫. ❷옥형(玉桁)의 수를 셀 때 쓰이었다.《朝鮮太宗實錄 6, 3年10月辛未》朝鮮國王幷王父段匹書籍等件……平天冠板一片, 玉桁一根. ❸'자루'의 뜻으로, 창(槍)이나 낭선(狼筅) 따위의 수를 셀 때 쓰이었다. 병(柄). 본(本). 정(挺). 조(條). 좌(坐). 지(枝). 총(叢).《高麗史 2, 惠宗世家》金銀裹槍一十根.《朝鮮宣祖實錄 94, 30年11月丙申》 今將萬景山城別儲軍粮四千餘石, 長片箭一千餘部, 銃筒一百餘部, 筤筅五百餘根. ❹화살이나 화살촉 따위의 수를 셀 때 쓰이었다.《朝鮮世宗實錄 123, 31年2月丁卯》 止帶黃騍馬幷角弓二張, 箭四十一根, 氈衫等物來了.《朝鮮成宗實錄 69, 7年7月丁卯》島主使宗大膳, 送修荅書契二道, 進上草綠段子一匹, 鴉青段子一匹, 環刀二柄, 箭鏃一百根. ❺담뱃대의 수를 셀 때 쓰이었다.《瀋陽狀啓, 癸未5月14日》烟筒二十根.《通文館志 4, 事大, 禮單》鄉封草二十帒, 烟筒二十根.《春官通考 2, 迎勅禮單》烟筒三十根.《瀋陽狀啓, 癸未 5月14日》烟竹三十根, 銅鍾三個. ❻뿔〔角〕의

수를 셀 때 쓰이었다. 개(介). 부(部). 정(丁). 조(条). 지(枝). 통(桶). 《朝鮮世宗實錄 53, 13年8月戊午》尹鳳, 進羚羊角一根. ❼비녀의 수를 셀 때 쓰이었다. 지(枝). 《朝鮮成宗實錄 120, 11年8月甲子》韓致亨賫來韓氏所送物件……石珍珠葵花簪一根, 法郎眞武一尊. ❽바늘의 수를 셀 때 쓰이었다. 매(枚). 《高麗史 2, 高宗世家》金銀裝所剌六根. ❾숟가락의 수를 셀 때 쓰였다. 《通文館志 4, 事大, 禮單》銀匙二根. ②[조세] '몫'·'~명분'의 뜻으로, 군역(軍役)이나 보(保) 따위에 배당된 몫이나 납부해야 할 양을 헤아리는 데 쓰였다. 《牧民心書, 兵典六條, 簽丁》軍役一根, 簽至五六, 咸收米布, 以歸吏槖, 斯不可不察也. 砲手保一根. 本里流來舊役(甲子式金得三住東山, 丁卯式金得三住東山, 庚午式李得中住東山). 砲手保一根. 本里流來舊役(甲子式李起福住東山, 丁卯式崔同伊住南川, 庚午式朴老味住東山).

근(筋) ①[수효] ❶인삼 따위와 같이 가늘고 긴 물건의 수를 세는 데 쓰는 말. 구(軀). 본(本). 지(支). 편(片). 《朝鮮中宗實錄 90, 34年4月己酉》兩使答曰, 一路不無茶也, 而况三十筋, 豈茶參耶, 紙筆墨受之者已多, 不可更受. ❷일본(日本)의 단위. ㉮끈·활시위·띠 따위의 수를 세는 데 쓰는 말. 본(本). 상(箱). 조(条). 통(桶). 〈예〉紐一~. 弦一~. 帶一~. ㉯'꼭지'의 뜻으로, 다리의 수를 세는 데 쓰는 말. 조(条). 〈예〉かもじ一~. ㉰'장'의 뜻으로, 수건의 수를 세는 데 쓰는 말. 본(本). 조(條). 〈예〉手拭一~. ㉱'자루'의 뜻으로, 창(槍)의 수를 세는 데 쓰는 말. 본(本). 조(条). 〈예〉槍一~. ㉲'대'의 뜻으로, 화살의 수를 세는 데 쓰는 말. 개(箇). 매(枚). 본(本). 시(矢). 조(条). 지(枝). 척(隻). 파(把). 편(編). 〈예〉矢一~. ②[섬유] 면사(綿絲) 1.5야드(yard)나 생사(生絲) 1.5 m를 하나치로 헤아리는 데 쓰는 말.

근후(近侯) [길이] 과녁의 멀고 가까운 정도에 따라 나눈 단위의 하나. 무과 시험(武科試驗)이나 교습(敎習)을 하기 위하여 240보(步) 거리에 세운 것을 원후(遠侯), 180보 거리에 세운 것을 중후(中侯), 80보 거리에 세운 것을 근후라 하는데, 원후와 중후는 바탕이 청색(青色)이고 근후는 백색이다. 《朝鮮世祖實錄 3, 2年2月庚申》遠侯距壇二百四十步, 以青色布爲質, 崇廣丈八尺三分, 其廣鵠居, 一鵠方六尺……中侯距壇一百八十步, 亦以青色布爲質, 崇廣丈四尺, 鵠方四尺六寸, 有奇. 近侯距壇八十步, 以白漆布爲質, 崇廣四尺六寸, 皆畫以豕首, 取中者.

금(金) ①[통화] ❶'냥'의 뜻으로, 1금은 1돈〔錢〕의 10배에 해당된다. 《朝鮮仁祖實錄 50, 27年2月甲午》全南兵使朴敬祉, 曾爲本道兵使, 以五百金買妾之事, 重被臺彈. 《朝鮮顯宗改修實錄 22, 11年3月己未》我人之貿白絲於淸國者, 皆入倭館, 則輒得大利, 白絲百斤, 貿以六十金, 而徃市倭館, 則價至一百六十金, 皆大利. 《朝鮮英祖實錄 72, 26

年10月戊子》列朝公翁主第宅, 價不過千金, 而卽今則諸駙馬第宅之價, 皆不下二三千金, 或爲加買隣舍以廣之.《迂書, 論商販事理額稅規制》凡店主出百金或千金, 買得市中家舍外, 設長窩行閣, 或造店房之屬, 募集傭保, 或造餠, 或賣餠. ❷(jīn) 중국(中國)의 통화 단위. 1금은 1만 전(錢)에 해당된다.《史記, 項羽本紀》項王乃曰, 我聞漢購我頭千金, 邑萬戶. (張守節正義) 漢以一斤金爲千金, 當一萬錢也.《史記, 呂不韋傳》呂不韋者, 陽翟大賈人也. 往來販賤賣貴, 家累千金.《公羊傳, 隱公 5年》百金之魚, 公張之(百金, 猶百萬也, 古者以金重一斤, 若今萬錢. ② [질량] 1금은 24냥에 해당된다.《戰國策, 齊策》乃使人操十金(二十四兩爲一金). ③ [순도(純度)] 금(金)과 다른 금속으로 이루어진 합금(合金)에서 금의 순도를 나타내는 데 쓰는 말. 순금(純金)을 24금(金)이라 하는데, 14금은 24분의 14, 18금은 24분의 18을 이른다. 캐럿(carat · karat)이라고도 하는데, 14금은 14k, 또는 14캐럿이라 한다. 개(開). 분(分). 성(成 · 星). 품(品).

금(衿) [수효] '깃'의 이두 표기로, 몫이나 주권(株券)의 수를 세는 데 쓰는 말. 주권은 주주(株主)의 출자(出資)에 대하여 교부(交付)하는 유가 증권(有價證券)을 이른다.《增補文獻備考 155, 財用考, 錢貨》六年, 定中央銀行條例. 皇城設中央銀行本店, 各府各港及緊要地方, 設支店及分支所, 又與他銀行去來締約, 而其理由與規, 則必受度支部大臣認可, 中央銀行營業年限, 自開業日滿三十個年爲定, 而因衿主決議延期, 則請願承認, 資本金以三百萬圜爲定, 分六萬衿, 每衿以金五十圜爲定.《增補文獻備考 159, 財用考, 錢貨》六年, 定中央銀行條例, 資本金以三百萬圜爲定, 分六萬衿, 每衿以金五十圜爲定, 而因衿主之決議, 或增加衿金.《舊韓國官報, 2470號, 光武7年3月26日》勅令第八號, 中央銀行條例. 第一條, 中央銀行은 有限ᄒᆞᆫ 責任이니 本銀行에셔 負責辦償ᄒᆞᄂᆞᆫ 時에ᄂᆞᆫ 衿金摠數을 限ᄒᆞᆯ 事……第四條, 中央銀行 資本金은 三百萬圜으로 定하고, 六萬衿에 分하야 一衿에 金五十圜으로 定ᄒᆞᆯ 事. 但衿主의 決議로 衿金 增加도 ᄒᆞᆯ 事.

급(急) [등급] ❶공문서 전송(傳送)의 완급(緩急) 정도를 나타내는 데 쓰는 말. 지급 공문을 3급 · 2급 · 1급의 세 등급으로 나누고, 3급은 봉투에 방울을 세 개, 2급은 두 개, 1급은 한 개를 달아서 전송하였다.《高麗史 82, 兵志, 站驛》懸鈴傳送, 三急三懸鈴, 二急二懸鈴, 一急一懸鈴, 隨事緩急行之. 津驛皮角傳送, 自二月至七月, 三急六驛, 二急五驛, 一急四驛. 八月至正月, 三急五驛, 二急四驛, 一急三驛. ❷봉수(烽燧) 제도에서, 변경(邊境)의 경계 소식을 전달할 때에 그 완급(緩急) 정도를 나타내는 데 쓰는 말. 평시를 1급, 적이 출현한 경우를 2급, 적이 국경에 근접한 경우를 3급, 적이 월경(越境)한 경우를 4급이라 하고, 1급에는 봉화 하나를, 2급에는 둘을, 3급에는 셋을, 4급에는 넷을 피워 올려서 신호하였다. 《高麗史 81, 兵志, 兵制》 毅宗三年八月, 西北面兵馬使曺晉若奏定烽燧式. 平時夜火·晝煙各一, 二急二, 三急三, 四急四, 每所防丁二, 白丁二十人, 各例給平田一結.

급(級) ① [수효] ❶예전에 사살(射殺)하거나 목을 벤 적수(敵首)의 수를 세는 데 쓰는 말. 본래는 중국(中國) 진(秦)나라 제도로서, 적군의 목을 하나 베면 위급(位級)이 한 급씩 올랐다는 데서 온 말이다. 과(顆). 두(頭). 수(首). 옹(顒). 《三國史記 2, 新羅奈解王本記》 二十九年秋七月, 伊伐飡連珍與百濟戰烽山下破之, 殺獲一千餘級. 《朝鮮世宗實錄 21, 5年9月癸未》 妄報云, 與賊相戰射殺十二級, 斷頭一級. 《壬辰狀草, 萬曆20年6月14日》 倭大船一隻, 下陸時, 追捕焚滅, 具思稷段, 斬首二級, 呂島權管金仁英, 斬首一級, 所非浦權管李英男, 乘小船突入追射, 斬首二級. 《朝鮮宣祖實錄 103, 31年8月丙寅》 統制使李舜臣馳啓曰, 頃日海中之戰, 我軍銃砲齊發, 撞破賊船, 賊屍滿海, 倉卒之際, 不得盡爲鉤斬, 只斬七十餘級. ❷사로잡은 적의 수를 세는 데 쓰는 말. 《高麗史 41, 恭愍王世家》 牙州獲倭船三艘, 獻俘二級. 《龍飛御天歌, 33章》 太祖時爲通議大夫金吾衛上將軍東北面上萬戶, 斬賊王元帥以下百餘級, 擒一人以獻(級, 居立切, 本以斬敵一首, 拜爵一級, 因複名生獲一人爲一級). ❸목을 벤 적의 귀의 수를 세는 데 쓰는 말. 본래는 적수(敵首)로서 그 수를 세었으나, 운반이나 관리가 어렵고 부피가 큰 적수 대신 한쪽 귀만 모으면 목을 벤 적의 수를 정확하고 간편하게 알 수 있기 때문에 이 방법을 사용한 것이다. 《朝鮮世祖實錄 44, 13年10月丙辰》 政院奉旨, 馳書于右參贊尹弼商曰……當日, 殺擄不知其數, 而截左耳二百八十六級, 已送到王京, 若問送遼東乎, 答曰未知. ❹단(壇)이나 층계에서, 층의 수를 세는 데 쓰는 말. 단(段). 등(蹬). 중(重). 《三國遺事 3, 塔像, 前後所將舍利》 壇有二級, 上級之中, 安石蓋如覆鑊. 《朝鮮太祖實錄 8, 4年10月庚申》 東西北階, 廣各十五尺, 上層階高四尺, 石橋五級, 中階四面, 廣各十五尺, 下層階高四尺, 石橋五級. ❺'두름'의 이두(吏讀) 표기로, 물고기를 한 줄에 열 마리씩 두 줄에 엮은 20 마리를 하나치로 세는 데 쓰는 말. 경우에 따라서는 열 마리를 이를 때도 있다. 동음(冬音). 동을음(冬乙音). 모(茅). 체(締). 파(把). 《朝鮮景宗實錄 10, 2年12月乙丑》 一帖之價, 勒捧乾鰈魚十五級, 幷皆船軍方元山. 《陶山書院傳掌記 21, 己卯8月17日》 靑魚三級. 《華城城役儀軌 2, 頒賜》 內下葦魚一百級, 蘇魚一百級, 外帑庫米六石五斗一升, 監董·牌將·員役·工匠等分等頒給. 《與猶堂全書, 雅言覺非》 一級者一等也, 秦法斬賊一首, 拜爵一級, 故一首曰一級. 乃東語, 凡編物至十, 謂之一級(方言曰두름). 海艾一級, 乾魚一級(魚或以二十爲一級). 《字典釋要》 級, (鮮), 編魚二十曰級, 두룸 급. 《行用吏文》 冬音, 들음. 猶級也. 《度支志 13, 宗廟》 生落蹄(每

級).《進宴儀軌(高宗壬寅) 2, 饌品》落蹄十級.《關西邑誌, 龍岡誌, 折價式》大蝦一級, 價一戔, 十介爲一級. ❻'두름'의 이두 표기로, 쑥〔艾〕·고비(古非)·고사리(古沙里) 등 나물이나 약초 따위를 한 줄에 열 모숨씩 엮은 것을 하나치로 세는 데 쓰는 말. 동음(冬音). 동을음(冬乙音). 모(茅). 체(締). 파(把).《萬機要覽, 財用編 5, 信使, 盤纏》各道卜定(陳艾五級).《與猶堂全書, 雅言覺非》乃東語, 凡編物至十, 謂之一級(方言曰드름). 海艾一級, 乾魚一級(魚或二十爲一級).《華城城役儀軌 6, 財用 下》苦椒六升, 朴古之四百一土里, 古非四十三級.《度支準折, 菜蔬》古沙里菜一級.《六典條例 6, 禮典, 典醫監, 進上藥材》每年四仲朔間二日進排, 大殿燒木一斤八兩, 陳艾五級. ❼관계(官階)의 급수(級數)를 헤아리는 데 쓰는 말.《三國史記 6, 新羅文武王本紀》蘇判以下, 並增位一級.《三國史記 9, 職官志 下》新唐書云, 高句麗官凡十二級. 《三國遺事 5, 感通, 金現感虎》元聖王聞之, 申令曰, 戡虎者爵二級.《高麗史 3, 成宗世家》大赦, 賜文武爵一級, 執事者二級.《朝鮮太宗實錄 19, 10年5月己卯》先王因才以任官, 因德以詔職, 才有大小則官有輕重之差, 德有淺深則爵有上下之異, 一階一級, 皆人君之命也, 人臣之職. ❽어떤 일의 중요도(重要度)나 수준의 정도를 나타내는 데 쓰는 말. 〈예〉특~ 비밀. 1~ 비밀. ❾유도·바둑·수판·타자(打字) 따위의 기술에 의한 등급을 나타내는 데 쓰는 말. 종류에 따라 일정하지 않으나, 바둑의 경우에는 초단(初段)에 이르기까지 10 급에서 1 급까지 10 단계로 나뉘어 있다. ❿'층(層)'의 뜻으로, 탑(塔)·부도(浮圖)의 층(層) 수를 세는 데 쓰는 말.《三國遺事 3, 塔像, 高麗靈塔寺》僧傳云, 釋普德, 字智法, 前高麗龍岡縣人也. 常居平壤城, 有山方老僧, 來請講經, 師固辭不免, 赴講涅槃經四十餘卷. 罷席, 至城西大寶山嵓穴下禪觀, 有神人來請, 宜住此地, 乃置錫杖於前, 指其地曰, 此下有八面七級石塔. 掘之果然, 因立精舍曰靈塔寺, 以居之.《醒世恒言, 賣油郎獨占花魁》奴是好人家兒女, 誤落風塵, 倘得姨娘主張從良, 勝造九級浮圖. ②[인쇄] 사진 식자(寫眞植字)에서 글자의 크기를 나타내는 데 쓰는 말. 사진 식자는 활자(活字)를 쓰지 않고 글자의 원판(原板)에서 크기나 형상이 다른 글자를 인화지(印畫紙) 또는 필름 위에 사진 찍듯이 재현한 것으로, 글자의 크기나 자간(字間)·행간(行間) 등은 모두 톱니바퀴의 조작에 의하여 정해진다. 이 톱니바퀴는 톱니 하나가 감광면(感光面)에서 4 분의 1 mm 의 간격을 만들게 되었는데, 이를 급이라 한다. 이 급수를 활자의 포인트(point)·호수(號數)와 대조하면 다음과 같다.

급수	포인트	호수
8	5.5	7
11	7.5	6
13	6	
14	10	

15	10.5	5
18	12	
20	14	4
24	16	3
28	20	
32	22	2
38	26	1 초(初)
62	42	

급이(及耳 : jíěr) [질량] 중국(中國)의 단위. '질(gill)'의 음역(音譯).

기(技) [수효] ❶조선 시대, 무과(武科) 시험에서 실시하던 무예(武藝) 과목의 수를 세는 데 쓰던 말. 십일기(十一技)와 십팔기(十八技)가 있는데, 십일기는 초기에 목전(木箭)·철전(鐵箭)·편전(片箭)·기사(騎射)·기창(騎槍)·격구(擊毬)의 여섯 과목이었으나, 뒤에 과녁·유엽전(柳葉箭)·조총(鳥銃)·편추(鞭芻)·강서(講書)를 첨가하여 11과목이 되었다. 《銀臺條例, 兵攷, 道科》道科, 因特旨設行, 無初試(西北兩道·江華·濟州·全州·松都·喬桐). 遣重臣(或道臣), 則試取啓聞, 卽其地放榜. 遣御史(或守令), 則直赴殿試. 規矩, 十一技中受點. ❷(zhī) 중국(中國)의 단위. ㉮'가지'의 뜻으로, 꽃가지의 수를 세는 데 쓰는 말. 〈예〉 一~梅花. ㉯'대'·'자루'의 뜻으로, 장대처럼 긴 물건의 수를 세는 데 쓰는 말.

기(紀) ① [시간] ❶목성(木星)이 그 궤도(軌道)를 일주(一周)하는 시간, 곧 12년을 하나치로 헤아리는 데 쓰는 말. 《崔文昌侯全集 3, 大嵩福寺碑銘》雜茅茨而避風雨, 僅踰六紀(十二年爲一紀, 取歲星一周天). 《高麗史 19, 明宗世家》卿襲封二紀, 作屛一邦. 《龍飛御天歌 10, 107章》產育男女, 十年長養, 一紀教訓, 可以足兵(長, 上聲, 十二年日紀). 《山林經濟 4, 月水》好酒一盃和服, 一時後如醉, 只以人乳飮之, 一日後自醒, 已後能絶房事者, 延壽一紀. 《文選, 潘岳, 西征賦》圖萬載而不傾, 奄摧落於十紀. (李善注) 孔安國尙書傳曰, 十二年曰紀. ❷1440년을 하나치로 헤아리는 데 쓰는 말. 《詩, 大雅疏》三統曆, 七十二歲爲一蔀, 二十蔀爲一紀. ❸'세(世)'의 뜻으로, 30년을 하나치로 헤아리는 데 쓰는 말. 세(世). 《漢書, 叙傳 上》皇十紀而鴻漸兮, 有羽儀於上京. (顏師古注) 十紀, 漢十世也. 《班固, 幽通賦》皇十紀而鴻漸兮, 有羽儀於北京, 應劭曰, 紀世也. ❹'해'·'년(年)'의 뜻으로, 365일을 하나치로 헤아리는 데 쓰는 말. 《三國遺事 5, 避隱, 朗智乘雲, 普賢樹》歃良州阿曲縣之靈鷲山, 有異僧, 庵居累紀, 而鄕邑皆不識. ② [수효] (jì) 중국(中國)의 단위. ㉮실 40오리를 하나치로 세는 데 쓰는 말. 《遺公孫弘書》五絲爲䋰, 倍䋰爲升, 倍升爲紅, 倍紅爲紀. 倍紀爲緵. 《西京雜記 5》五絲爲䋰, 倍䋰爲升, 倍升爲紅, 倍紅爲紀. ㉯'대'의 뜻으로, 손바닥으로 뺨 등을 때리는 횟수를 세는 데 쓰는 말.

기(起) [수효] ❶'번'·'차례'의 뜻으로, 일의 횟수를 세는 데 쓰는 말. 개(個). 계(季). 과(過). 도(度·道). 말(末). 반(返·班). 배(輩).

번(番). 삽(霎). 성(成). 운(運). 장(場). 쟁(趟). 조(遭). 주(注). 하자(下子). 헐(歇). 호(號). 화(伙). 회(回·廻·會). 《高麗史 81, 兵志, 兵制, 五軍》恭愍王二十年七月, 羅州牧使李進修上疏曰, 盜賊四起, 國家軍務, 一無統紀, 倉卒臨時, 何時而可. 宜四怯薛外, 別置軍帥府. 仍令左·右·前·後軍, 各有將帥·僚佐, 以管時散文·武品官, 受約束於都統使, 都統使受約束於怯薛官. 《度支準折, 雜錄》方物一起, 假令錢一萬二千五百兩, 方物三起(聖節·冬至·正朝, 合三起, 此則定例所在), 節行三起, 所入折錢二萬三千六百三十六兩內, 別使一起, 方物所入折錢九千四百八十三兩. ❷(qǐ) 중국(中國)의 단위. '떼'·'무리'의 뜻으로, 어떤 관계로 여럿이 모여서 이룬 사람이나 짐승의 동아리의 수를 세는 데 쓰는 말. 과(夥). 군(群). 기자(起子). 반(班). 배(輩). 비(批). 운(運). 진(陣). 퇴(堆). 패(牌). 화(伙)《水滸傳, 41回》五起人馬登程, 節次進發, 只隔二十里而行. 《中華大字典》起, 計人或事物之辭, 如一羣, 俗云一起, 一次亦曰一起.

기(記 : jì) [수효] 중국(中國)의 단위. '번'·'대'의 뜻으로, 일의 횟수나 손으로 때리거나 박수를 치는 수를 세는 데 쓰는 말. 《太平天國歌謠傳說集, 夜破潘家壩》拍手三記爲號, 城門就開了. 《霜葉紅似二月花》這件事要是經了官, 只要三記屁股, 他們就會張三李四亂板起來. 《青春之歌, 1部, 8章》道靜突然象被人在頭上重重打了一記.

기(氣) [수효] ❶'철'의 뜻으로, 절기(節氣)의 수를 세는 데 쓰는 말. 《宋書, 律曆志 下》沖之曰, 四分志云, 立冬中影長一丈, 立春中影九尺六寸. 尋冬至去南極, 日晷最長, 二氣去至, 日數既同, 則中影應等, 而前長後短, 頓差四寸, 此曆景冬至後天之驗也. ❷(qì) 중국(中國)의 단위. '차례'·'바탕'의 뜻으로, 일의 횟수를 세는 데 쓰는 말. 〈예〉 胡說一～.

기(基) [수효] '기'의 뜻으로, 일정한 모양을 갖추어 설치해 놓은 물건의 수를 세는 데 쓰는 말. 주로 기계(機械)·궤장(几帳)·무덤·비석·등롱(燈籠)·발전기 따위를 세는 데 쓴다.

기(期) [1] [수효] ❶'기'의 뜻으로, 일정한 기간씩 반복되는 과정의 횟수를 세는 데 쓰는 말. 《現代文摘》他是黨校第一期畢業, 我們是好友. ❷어떤 시기를 몇으로 나눈 하나를 단위로 하여 기간을 나타내는 데 쓰는 말. [2] [시간] '해'·'년'의 뜻으로, 365 일을 하나치로 헤아리는 데 쓰는 말. 기(朞). 《晉書, 夏侯湛傳》鳳棲五期, 龍蟠六年.

기(朞) [시간] '기(期)'의 [2]와 같다. 《新唐書, 張巡傳》賊將李懷忠, 過城下, 巡問, 君事胡幾何, 曰, 二朞.

기(旗) [군사(軍事)] 예전 군대의 편성 단위(編成單位)의 하나. 1 기는 3 대(隊), 또는 30 명으로 편성된다. 《磻溪隨錄 21, 兵制, 右道》五人爲伍, 二伍爲隊, 幷隊長爲十二人, 三隊爲旗.

기(器) [1] [부피] ❶'그릇'의 뜻으

로, 그릇에 음식을 담아 그 양을 헤아리는 데 쓰는 말. 정(丁).《朝鮮世宗實錄 90, 22年7月丁巳》翌日之朝, 粟燒酒二器, 生年魚三十餘首, 生雉一十餘首, 設方射廳.《春官志 1, 祭禮總論》陵寢節祀饌品, 則只有油蜜菓四坐, 白米餠三品, 泡湯三器, 實果四色, 麵食一器, 蔬菜兩楪而已.《進宴儀軌(高宗壬寅)2, 饌品, 咸寧殿外進宴》大殿進御饌案……四色茶食一器(一千箇, 栗末·松花·黑荏子末·菉末各七升).《六典條例 6, 禮典, 禮賓寺, 燕享》下馬宴·館所宴·餞宴, 通官二員, 頭目十九名, 每盤各麪(一器)·沉菜(一器)·炙(一器, 鷄)·湯(二器, 猪肉·鷄)·果(一器)·醬方(一器, 猪肉). ❷작은 용기(容器)에 물건을 담아 그 양을 헤아리는 데 쓰는 말.《朝鮮成宗實錄 13, 2年12月己卯》別幅屛風一雙, 絳練緯一匹, 白粉一器, 薄樣牋二百枚, 朱五, 褁鷹羽九十六, 白蠟水瓶一雙, 菓子盆十枚, 扇子五十柄. ② [수효] ❶악기의 수를 세는 데 쓰는 말.《文選, 馬融, 長笛賦》昔庖羲作琴, 神農造瑟, 女媧制簧, 暴辛爲塤, 倕之和鍾, 叔之離磬……若然, 六器者, 猶以二皇聖哲黈益. (李善注) 六器, 琴瑟簧塤鍾磬. ❷병기(兵器)의 수를 세는 데 쓰는 말.《管子, 幼官》動愼十號, 明審九章, 飾習十器.

기(機) [수효] ❶글의 요긴한 대목을 적은 찌의 수를 세는 데 쓰는 말. 찌는 전강(殿講)이나 강경(講經) 때에 강생(講生)이 뽑는 대쪽으로, 그 위에 사서(四書)와 삼경(三經)의 각 편(編), 각 장(章)의 글귀를 하나하나씩 따로 써서 직경 11 cm, 길이 18 cm 되는 통에 넣었다. 궤(机).《增補文獻備考 184, 選擧考, 科制》顯宗十五年, 判, 諸州·縣千丁以上歲貢三人, 五百丁以上二人, 以下一人, 令界首官試選, 製述業則試以五言六韻詩一首, 明經則試五經各一機, 依例送京, 國子監更試. ❷가마채의 수를 세는 데 쓰는 말.《關西邑誌, 龍岡誌, 折價式》雙轎鞭一機, 價二兩, 獨轎鞭一機, 價一兩. ❸말다래의 수를 세는 데 쓰는 말. 거리(巨里).《關西邑誌, 龍岡誌, 折價式》月乃一機. ❹아악(雅樂)의 치화평(致和平)에서 틀의 수를 세는 데 쓰는 말. 치화평에는 만기(慢機)·중기(中機)·급기(急機)의 세 틀이 있다.《經國大殿 3, 禮典, 取才》樂工, 試唐樂三眞勺譜……鄕樂……致和平三機·維皇曲.《梁琴新譜, 玄琴鄕部》時用大葉慢·中·數, 皆出於瓜亭三機曲中. ❺비행기의 수를 세는 데 쓰는 말.

기(騎) [수효] ❶말을 탄 사람의 수를 세는 데 쓰는 말.《高麗史 100, 杜景升傳》北路處置使李景伯, 欲與議軍事, 遣五百騎邀之, 西人設伏, 狙擊于路, 騎兵皆沒, 唯郎將高勇之等十餘人, 走免.《朝鮮世祖實錄 42, 13年5月癸巳》徵鏡城以北, 每鎭能射者一百, 總一千五十騎, 聚于吉州. ❷구종(驅從)하는 사람의 수를 세는 데 쓰는 말.《北史, 于謹傳》朝參往來, 不過從兩三騎. ❸'필(疋·匹)'의 뜻으로, 말의 수를 세는 데 쓰는 말.《水滸全傳, 50回》這騎馬號烏騅馬, 鞴上鞍子, 扣了三條肚帶, 腕上懸了虎眼鋼鞭, 綽槍上

馬.《醒世恒言, 徐老僕義憤成家》挣下一頭牛兒, 一騎馬兒.《新唐書, 車服志》五品以二騎.《元史, 世祖紀》僞爲牧馬者, 詣押剌伊, 而逢父子二騎先後行, 臂鷹而獵.

기(驥) [수효] 준마(駿馬)의 수를 세는 데 쓰는 말.《新唐書, 回鶻傳下》骨利幹處澣海北, 勝兵五千. 草多百合. 產良馬……其大酋俟斤因使者獻馬, 帝取其異者號十驥, 皆爲美名, 曰騰霜白, 曰皎雪驄, 曰縣光驄, 曰決波騟, 曰凝露驄, 曰飛霞驃, 曰發電赤, 曰流金騧, 曰翔麟紫, 曰奔虹赤.

기가(giga-) [접두어] 10억 배(倍), 곧 10^9 의 뜻을 나타내는 보조 단위. 그리스어(Greece語)로 거인(巨人)의 뜻인 기가스(gigas)에서 온 말이다. 기호 : G

기가래드(gigarad) [흡수선량(吸收線量)] 1 기가래드는 래드(rad)의 10^9 배에 해당된다. 기호 : Grad

기가래드 매분(一 每分) [흡수선량률(吸收線量率)] 1 기가래드 매분은 래드 매분의 10^9 배(倍)에 해당된다. 기호 : Grad/min

기가래드 매시(一 每時) [흡수선량률(吸收線量率)] 1 기가래드 매시는 래드 매시의 10^9 배(倍)에 해당된다. 기호 : Grad/h

기가사이클(gigacycle) [주파수(周波數)] 1 기가사이클은 사이클(cycle)의 10^9 배(倍)에 해당된다. 기호 : Gc

기가사이클 매초(一 每秒)(gigacycle per second) [주파수(周波數)] 1 기가사이클 매초는 사이클 매초의 10^9 배(倍)에 해당된다. 기호 : Gc/s

기가에르그 매 제곱 센티미터 매초(一 每 一 每秒) [에너지 속밀도(束密度)] 에르그 매 제곱 미터 매초의 10^9 배에 해당된다. 기호 : Gerg/cm²s

기니(基尼 : jīní) [화폐] 중국(中國)의 단위. '기니(guinea)'의 음역(音譯).

기니(guinea) [화폐] 영국(英國)의 화폐 단위. 1663년부터 1813년까지 사용하던 금화(金貨)로 21 실링(shilling)에 해당된다. 처음 아프리카(Africa)의 기니(Guinea)에서 나는 금(金)으로 주조(鑄造)하였기 때문에 붙여진 이름이다. 기니(基尼).

기라(girra) [질량] 리비아(Libya)의 고유 단위. 1 기라는 165.3 파운드(pound), 또는 75.0 kg 에 해당된다.

기라(geerah) [길이] 인도(印度)의 단위. 1 기라는 구즈(guz)의 16 분(分)의 1 이며, 2.25 인치(inch), 또는 5.83 cm 에 해당된다. 기레(gireh).

기레(gireh) [길이] '기라(geerah)'와 같다.

기로구람(岐路久覽) [질량] '킬로그램(kilogram)'의 음역(音譯). 1 기로구람은 1 g 의 1,000 배(倍)이며, 척관법(尺貫法)으로는 26 냥(兩) 6 돈〔錢〕6 푼〔分〕6 리(釐) 6 호(毫) 6 사(絲) 7 홀(忽)에 해당된다.《增補文獻備考 91, 樂考, 度量衡》泰西衡法……十大可久覽爲赫得久覽, 當我二兩六錢六分六釐六毫六絲七忽, 十赫得久覽爲岐路久

覽, 當我二十六兩六錢六分六釐六毫六絲七忽.

기로미돌(岐路米突) [길이] '킬로미터(kilometer)'의 음역(音譯). 1 기로미돌은 1 m 의 1,000 배(倍)이며, 척관법(尺貫法)으로는 3,300 자〔尺〕에 해당된다.《增補文獻備考 91, 樂考, 度量衡》十赫得米突爲岐路米突, 準我三千三百尺.

기보(基普 : jīpū) [통화] 중국(中國)의 단위. '키프(kip)'의 음역(音譯).

기슬라(gisla) [질량(質量)] 탄자니아(Tanzania) 잔지바르(Zanzibar) 지방의 단위. 주로 쌀의 무게를 헤아리는 데 쓴다. 1 기슬라는 360 파운드(pound), 또는 163 kg 에 해당된다.

기압(氣壓) (atmospheric pressure) [기상] 대기의 압력 단위. 대기가 지구의 인력으로 인하여 끌리어 지구 표면에 생기는 압력. 또는 그 압력을 헤아리는 데 쓰는 말. 1 기압은 13,595.10 kg/m^{3}의 밀도(密度)를 가지고 있는 0.76 m 의 높이의 액주(液柱)가 가속도 9.80665 m/s^{2}의 중력 밑에서 그 액주의 저면(底面)에 미치는 압력을 말한다. 1 기압은 1,013.25 밀리바와 같으며, 지면에서 10 m 높아짐에 따라 약 1.2밀리바씩 높아진다. 기호 : atm

기자(起子 : qǐzi) [수효] 중국(中國)의 단위. '무리'·'떼'의 뜻으로, 어떤 관계로 여럿이 모여서 이룬 동아리의 수를 세는 데 쓰는 말. 과(夥). 군(群). 기(起). 반(班). 배(輩).

기통(氣筒) [공학] 내연 기관·증기 기관·수력(水力) 기관 따위의 원동력(原動力)이 되는 실린더(cylinder)의 수를 세는 데 쓰는 말. 〈예〉 이 자동차는 4 ~이다.

긴 [수효] 윷놀이에서 자기의 말이 남의 말을 쫓아 잡을 수 있는 거리를 헤아리는 데 쓰는 말. 〈예〉 갯 ~. 걸 ~.

길 1 [수효] ❶권수(卷數)가 여러 권으로 된 책의 벌 수를 세는 데 쓰는 말. ❷책의 권수(卷數)의 차례를 나타내는 데 쓰는 말. 2 [길이] ❶사람의 키의 한 길이. 또는 그 길이를 헤아리는 데 쓰는 말. 인(仞). 장(丈). ❷여덟 자〔尺〕 또는 열 자를 하나치로 헤아리는 데 쓰는 말.

길더(guilder) [통화(通貨)] 네덜란드(Netherlands)의 화폐 단위. 1 길더는 100 센트(cent)에 해당된다. 하순(荷盾). 굴덴(gulden). 기호 : D. Gl.

길이의 단위(一 單位) (units of length) [길이] 길이는 엠 케이 에스 에이 단위계(M.K.S.A. 單位系), 시 지 에스 단위계(C.G.S. 單位系), 야드(yard)·파운드(pound) 등의 기본 단위의 하나이다. 우리 나라 조선 시대에는 리(釐)·푼〔分〕·치〔寸〕·자〔尺〕·장(丈)이 있었는데, 이들의 관계는 10 리=1 푼, 10 푼=1 치, 10 치=1 자, 10 자=1 장의 십진법(十進法)으로 이루어졌었다. 각 자〔尺〕의 길이를 비교하면, 황종척(黃鐘尺) 1 자=주척(周尺) 0.66 자=영조척(營造尺) 0.899 자=조례기척(造禮器尺) 0.823 자=포백척(布帛尺) 1.348자였다. 이를

1750년의 정리에 의한 각 단위와 비교하면, 주척 1자=황종척 0.6자=영조척 0.663자=조례기척 0.73자=횡서척(橫黍尺) 0.709자, 영조척 1자=황종척 0.899자=주척 1.499자=조례기척 1.09자, 조례기척 1자=황종척 0.825자=주척 1.38자, 횡서척 1자=황종척 0.76자=조례기척 0.932자=주척 1.28자, 황종척 1자=주척 1.5자=영조척 1.001자였다. 1902년 도량형법에 의하여 미터법과 비교하면, 1cm=3푼 3리, 1m=3.3자, 1km=3,300자였으며, 측량척(測量尺)으로 10리=1푼, 10푼=1주척, 6자=1보(步), 10자=1간(間), 100자=1연(連), 2,100자=1리(里), 30리=1식(息)이었다. 현재의 계량법에서는 미터〔m〕를 기본단위로 하고 그 보조 계량 단위로 밀리미크론〔mμ〕·미크론〔μ〕·밀리미터〔mm〕·센티미터〔cm〕·데시미터〔dm〕·킬로미터〔km〕·옹스트롬〔Å〕·해리(海里)가 있고, 그 시행령(施行令)의 부칙에서 경과 규정으로 야드〔yd〕·인치〔in〕·피트〔ft〕·체인(chain)·마일(mile)·모(毛)·리(釐)·푼〔分〕·치〔寸〕·자〔尺〕·장〔丈〕·간(間)·정(町)·리(里)·경척분(鯨尺分)·경척촌(鯨尺寸)·경척척(鯨尺尺)·경척장(鯨尺丈)을 규정하고 있다. 그러나 이 경과 규정의 제단위는 현재 거래나 증명용으로 사용할 수 없도록 규정되어 있다. 그 외 소립자(素粒子)에서는 유카와(yukawa), 천문학에서는 광년(光年)·파섹(parsec) 따위가 쓰이고 있다. 이들 여러 단위를 환산하면 다음과 같다.

〈미터법〉

1μμ=10^{-12} cm
1Å=10^{-10} m
1mμ=10^{-9} m
1μ=10^{-3} mm=10^{-6} m
1mm=0.001m
1cm=0.01m
1dm=0.1m
1km=1,000m

〈척관법〉

1푼=0.1치
≒3.030mm
1치=0.1자
≒3.030cm
1자=10치
=10/33m
≒30.30cm
1장=10자
≒3.030m
1간=6자
≒1.818m
1정=60간
≒109.1m
1리=36정
≒3.927km
1경척척=1.25자
≒37.88cm

〈야드·파운드법〉

1인치=1/12피트≒2.54cm
1피트=1/3야드
≒3.048dm
1야드=3피트
≒0.9144m
1마일=5,280피트
≒1.609km

〈기타〉

1광년=0.94608×10^{13} km

≒10^{13} km
1 파섹=3.258 광년
=3.0826×10^{13} km
1 해리=1.852 km
=6,080.3 피트
=1/60 경도(經度)

까풀 [수효] 여러 겹으로 된 깝질이나 깝대기의 겻지를 세는 데 쓰는 말. 〈예〉 양파 세 ~을 벗기었다.

깡통 [부피] 깡통에 물건을 담아 그 양을 헤아리는 데 쓰는 말. 〈예〉 새우젓 세 ~을 사 왔다.

꺼풀 [수효] 여러 겹으로 된 껍질이나 껍데기의 겻지를 세는 데 쓰는 말.

꼬치 [수효] 음식물이나 곶감 따위를 꿴 꼬챙이의 수를 세는 데 쓰는 말. 〈예〉 곶감 다섯 ~.

꼬투리 [수효] 콩과(科) 식물의 열매를 싸고 있는 껍질의 수를 세는 데 쓰는 말.

꼭지 [수효] ❶미역이나 다시마 따위를 모숨을 지어 잡아 맨 묶음의 수를 세는 데 쓰는 말. 곡지(曲之). 〈예〉 다시마 다섯 ~. ❷일정한 양으로 묶은 교정쇄(校正刷)의 수를 세는 데 쓰는 말. 〈예〉 교정쇄 네 ~.

꾸러미 [수효] ❶꾸리어 뭉치어서 싼 물건의 수를 세는 데 쓰는 말. 파(把). 포(包). ❷달걀을 10 개씩 짚으로 길게 묶어 중간중간 동인 것의 수를 세는 데 쓰는 말. 〈예〉 달걀 다섯 ~를 사 왔다.

꾸리 [수효] 실 따위를 감은 뭉치를 세는 데 쓰는 말. 구(絇·鉤). 요(繞).

꿰미 [수효] 노끈 같은 것으로 꿰어 놓은 분량. 또는 그 수를 세는 데 쓰는 말. 관(串). 관(貫). 색(索).

끗 [수효] ❶접쳐서 파는 피륙의 접은 곱이를 세는 데 쓰는 말. 반(反). ❷노름 등에서 셈치는 점수를 헤아리는 데 쓰는 말. ❸성적(成績)이나 점수의 결과를 헤아리는 데 쓰는 말.

끼 [수효] 끼니의 수를 세는 데 쓰는 말. 돈(頓). 시(時). 찬(餐). 〈예〉 오늘 아침까지 꼬박 두 ~를 굶었다.

나(摞 : luò) [수효] 중국의 단위. '무더기'·'더미'의 뜻으로, 쌓아 놓은 물건의 수를 세는 데 쓰는 말. 뇌(磊). 〈예〉 一~碗. 一~書.

나(羅 : luó) [수효] 중국(中國)의 단위. '그로스(gross)'의 역어(譯語). 12 다스를 하나치로 헤아릴 때 쓰는 말. 낱개로는 144 개가 된다. 2 나는 24 다스이며, 대라(大羅)는 144 다스이다.

나노(nano-) [접두어] 미터법의 여러 단위의 이름 위에 붙여, 10억분의 1, 곧 10^{-9} 배를 나타내는 데 쓰는 말. 기호 : n

나노래드(nanorad) [흡수선량(吸收線量)] 1 나노래드는 래드(rad)의 10^{-9} 배에 해당된다. 기호 : nrad

나노미터(nanometer) [길이] 길이의 단위. 1 나노미터는 10^{-9} m에 해당된다. 밀리미크론(millimicron : 10^{-7} cm)과 같은 수치이다. 기호 : nm

나노세컨드(nanosecond) [시간(時間)] 시간의 단위. 1 나노세컨드는 10억분(億分)의 1 초에 해당된다.

나노에르그 매 제곱 센티미터(— 每 —) [에너지 플루언스] 에르그 매 제곱 미터[erg/m²]의 10^{-5} 배에 해당된다. 기호 : nerg/cm²

나노줄 매 제곱 센티미터(— 每 —) [에너지 플루언스] 줄 매 제곱 미터〔J/m²〕의 10^{-5} 배(倍)에 해당된다. 기호 : nJ/cm²

나노줄 매 제곱 센티미터 매초(— 每 — 每秒) [에너지 속밀도(束密度)] 줄 매 제곱 미터 매초〔J/m²·s〕의 10^{-5} 배(倍)에 해당된다. 기호 : nJ/cm²·s

나노퀴리 매 그램(— 每 —) [방사능 농도] 퀴리 매 그램〔Ci/g〕의 10^{-9} 배(倍)에 해당된다. 기호 : nCi/g

나노퀴리 매 제곱 미터(— 每 —) [방사능 면밀도(面密度)] 퀴리 매 제곱 미터〔Ci/m²〕의 10억(億)분의 1 에 해당된다. 기호 : nCi/m²

나엘(nael) [질량(質量)] 에스토니아(Estonia)의 단위. 1나엘은 0.903 파운드(pound), 또는 0.410 kg 에 해당된다.

나유타(那由他 : nayuta) [수] 고대 인도(印度)의 단위(單位). 니유타(niyuta)라고도 한다. 1 나유타는 아유타(ayuta)의 100 배이며, 코티(koṭi)의 10,000 배(倍), 또는 10^{11}~10^{12} 에 해당된다.

나절 [시간] 하루 낮의 절반 되는 동안. 또는 그 시간을 헤아리는 데 쓰는 말. 〈예〉 아침 ~. 한 ~ 동안 논을 갈았다.

나트르(natr) [질량] 에티오피아의 단위. 1 나트르는 1.86 파운드, 또는 0.842 kg 에 해당된다.

낙(落 : luò) [수효] ❶중국(中國)의 단위. '무더기'·'더미'의 뜻으로, 물건이 모여 쌓인 더미의 수를 세는 데 쓰는 말. 《古代兒歌資料, 北京兒歌》 公公拿着一落磚. ❷촌락(村落)의 수를 세는 데 쓰는 말. 《北史, 勿吉國傳》 其國先破高句麗十落, 密共百濟謀, 從水道幷力取高麗.

난(欄) [수효] ❶'난'의 뜻으로, 책이나 신문 따위에서 글이나 그림을 싣기 위하여 구분된 수를 세는 데 쓰는 말. ❷(lán) 중국의 단위. '우리'의 뜻으로, 짐승을 가두어 기르는 칸의 수를 세는 데 쓰는 말.

난특(蘭特 : lántè) [통화] 중국(中國)의 단위. '란드(rand)'의 음역(音譯).

날 [시간] 하루 동안. 곧, 자정(子正)으로부터 다음 자정까지의 사이. 또는 그 기간을 헤아리는 데 쓰는 말. 일(日). 〈예〉 스무 ~ 동안 기다렸다.

날날아(捏捏兒 : niēniēr) [부피] 중국(中國)의 단위. '줌'의 뜻으로, 주먹으로 쥘 만한 분량. 또는 그 수를 세는 데 쓰는 말.

남(男) [수효] '명'·'인(人)'의 뜻으로, 아들의 수를 세는 데 쓰는 말. 《漢書, 陸賈傳》 賈有五男, 廼出所使越槖中裝, 賣千金, 分其子. 《北史, 隋宗室傳》 有五男, 止教讀論語孝經而已. 《晉, 陶潛, 責子詩》 雖

有五男兒, 總不好紙筆.

남(籃) [부피] '바구니'의 뜻으로, 바구니에 물건을 담아 그 양을 헤아리는 데 쓰는 말. 〈예〉 提着一~菜.

남짓 [수효·질량·부피] 어떤 크기·수효·부피 따위가 한도에 차고도 약간 남음이 있거나, 어떤 기준보다 약간 더 되는 정도임을 나타내는 데 쓰는 말. 〈예〉 천 명 ~한 학생이 모였다.

납(臘) [시간] 7 일을 하나치로 헤아리는 데 쓰는 말. 사람이 태어나서 7 일째 되는 날을 납, 죽은 지 7 일째 되는 날을 기(忌)라고 한다. 《東京夢華錄, 育子》 就蓐分娩娩訖, 人爭送粟米炭醋之類. 三日落臍灸顖. 七日謂之一臘. 《夢粱錄, 育子》 三朝與兒落臍炙囟, 七日名一臘, 十四日謂之二臘, 二十一日名曰三臘.

납덕(拉德 : lādé) [흡수선량(吸收線量)] 중국(中國)의 단위. '래드(rad)'의 음역(音譯).

납뢰(拉雷 : lāléi) [통화] 중국(中國)의 단위. '라리(laree)'의 음역(音譯).

납사(拉司 : lāsī) [질량] 중국(中國)의 단위. '라스트(last)'의 음역(音譯).

낭(浪 : làng) [수효] 중국(中國)의 단위. '번'·'차(次)'·'회(回)'의 뜻으로, 행위나 동작의 횟수를 세는 데 쓰는 말. 《牡丹亭, 肅花》 俺待到老爺回時說一浪. (徐朔方注) 說一浪, 猶言說一下.

낱 [수효] 셀 수 있게 된 물건의 하나하나를 세는 데 쓰는 말. 〈예〉 사과 열 ~을 사 왔다.

낱말 [수효] 낱말의 수를 세는 데 쓰는 말. 낱말은 문법상의 뜻·기능을 가지는 언어의 최소 단위이다. 〈예〉 받아쓰기에서 일곱 ~을 맞히었다.

내(內) [수효] 방(房)의 수를 세는 데 쓰는 말. 《漢書, 晁錯傳》 先爲築室, 家有一堂二內, 門戶之閉, 置器物焉. (顏師古注) 二內, 二房也.

내림 [넓이] 건물의 정면으로 보이는 간수를 세는 데 쓰는 말. 〈예〉 삼간(三間) ~.

냥(兩) ① [통화] 예전 화폐의 단위. 1 냥은 1 돈〔錢〕의 10 배, 또는 100 문(文)에 해당된다. 《高麗史 32, 忠烈王世家》 鈔六百一十錠 二十五兩, 來轉藏經. 《欽欽新書 7, 祥刑追議, 故誤之劈 3》 講曰, 過失殺人者, 依死罪贖銅錢四十二貫, 四十二貫者四百二十兩也. 東人誤以百錢一貫, 收贖錢皆收十分之一. 《增補文獻備考 159, 財用考, 錢貨》 貨幣最低位爲分, 十分爲錢, 十錢爲兩. 《大典會通 2, 戶典, 國幣》 國幣用銅錢(百文爲兩, 十兩爲貫). 《朝鮮高宗實錄 45, 9年1月18日》 貨幣條例實施件……第二條, 舊貨銀十兩(銀二元도 亦同), 新貨金一圜에 相當ᄒᆞᆫ 比額으로 政府便宜ᄅᆞᆯ 依ᄒᆞ야 漸次로 交換 或還收ᄒᆞᆯ 事. ② [질량] 척관법(尺貫法)에서의 무게의 단위. 1 냥은 1 돈〔錢〕의 10 배, 또는 근(斤)의 16 분의 1 에 해당된다. 《朝鮮太宗實錄 2, 元年10月庚辰》 召前典書尹琠還, 琠爲安東採訪使, 採銀于春陽縣, 上以天寒未克事召之, 琠納銀十錠, 錠十六兩. 《經國大典 6, 工典, 營繕, 度量衡》 衡之制, 黃鍾之

管, 其容水重八十八分, 十釐爲分, 十分爲錢, 十錢爲兩, 十六兩爲斤. 《萬機要覽, 財用編 4, 戶曹各掌事例, 度量衡》衡有大中小三等, 中小二等, 等各有二稱(十釐爲分, 十分爲錢, 十錢爲兩, 十六兩爲斤). 《宛署雜記, 緜賦》正賦中通共起存銀參千陸百陸拾捌兩柒錢五分貳釐陸毫五絲肆微捌纖陸沙陸塵陸埃壹渺貳漠五模. ❶다시마〔多士麻·昆布〕·미역〔早藿〕·미역귀〔藿耳〕·김〔甘苔〕·우뭇가사리〔加士里·牛毛〕 따위 해조류(海藻類)의 무게를 헤아릴 때 쓰이었다. 《正宗大王殯殿魂殿都監儀軌, 上, 禮關》多士麻七百六十三斤四兩. 昆布七百六十三斤四兩. 絲藿一百三十三斤二兩. 早藿五百三十二斤十五兩. 《萬機要覽, 財用編 1, 供上, 大殿》多士麻三十三斤十二兩. 藿耳十六斤十四兩. 粉藿七十八斤十二兩. 甘苔二十二斤八兩. 《度支準折, 昆藿茸蕈屬》加士里一兩(一斤重一兩五戔). 牛毛一斤(一斤重一兩, 一波拱一斤十二兩). ❷분(粉)이나 향(香)의 무게를 헤아릴 때 쓰이었다. 《正宗大王殯殿魂殿都監儀軌, 1房, 稟目》唐粉四兩. 《萬機要覽, 財用編 5, 方物》沈束香三兩. ❸풀솜〔雪綿子〕·삼〔麻〕 따위의 무게를 헤아릴 때 쓰이었다. 《高麗史 18, 毅宗世家》綿二兩. 《高麗史 78, 食貨志》辛禑14年3月……生麻十一兩八刀, 白麻五兩二目四刀. 《尙方定例 1, 大殿》中綿子貳兩. 《進宴儀軌(高宗壬寅) 2, 饌品》 雪綿子一兩. ❹동아〔冬苽〕씨·건포도(乾葡萄) 따위의 무게를 헤아릴 때 쓰이었다. 《度支準折, 唐餠果茶膏》乾葡萄一兩, 価錢一戔. 《度支準折, 菜蔬》冬苽仁一兩, 価錢一戔. ❺속새〔木賊〕·연잎〔荷葉〕 따위의 무게를 헤아릴 때 쓰이었다. 《萬機要覽, 財用編 1, 供上, 大殿》養齒所入木賊三斤十二兩(每斤價一兩六錢). 《正宗大王殯殿魂殿都監儀軌, 上, 內下需用》荷葉十一斤二兩. ❻계핏가루〔桂皮末〕·생강(生薑)·후춧가루〔胡椒末〕·석이버섯〔石茸〕·표고버섯〔蕈古〕 따위의 무게를 헤아릴 때 쓰이었다. 《正宗大王殯殿魂殿都監儀軌, 上, 禮關》蕈古七百三十六斤十兩. 生薑三兩. 《萬機要覽, 財用編 1, 供上, 大殿》石茸二十二斤八兩(每斤價一兩六錢). 生薑一百三十二斤十二兩(每斤價一兩二錢). 《進宴儀軌(高宗壬寅) 2, 饌品》胡椒末·桂皮末各三兩. 《度支準折, 昆藿茸蕈屬》蕈古一斤(一斤重三兩六戔). 《度支準折, 熟造作末》桂皮末一兩, 価錢六戔. ❼인삼(人蔘)·우황(牛黃)·용뇌(龍腦) 따위 약재의 무게를 헤아릴 때 쓰이었다. 《三國史記 8, 新羅聖德王本紀》 先時遣王姪志廉謝恩, 獻小馬兩匹, 狗三頭, 金五百兩, 銀二十兩, 布六十匹, 牛黃二十兩, 人蔘二百斤, 頭髮一百兩, 海豹皮一十六張, 及是援志廉鴻臚少卿員外置. 《高麗史 9, 文宗世家》牛黃五十兩, 龍腦八十兩, 朱沙三百兩. 《高麗史 68, 禮志, 老人賜設儀》紅鞓皮一腰, 人蔘十兩, 花八枝, 紅蠟燭三丁. 《新編集成馬醫方, 腎部》右等分爲末, 每用藥一兩, 葱白二條, 細切. ❽금은(金銀)·두석(豆錫)·구리줄〔銅絲〕·숙동(熟銅〕 따

위 쇠붙이의 무게를 헤아릴 때 쓰이었다. 《三國史記 9, 新羅孝成王本紀》 三年春正月……賜邢璹黃金三十兩, 布五十匹, 人蔘一百斤. 《三國遺事 2, 紀異, 文虎王法敏》國人以金一千兩贈之. 《高麗史 3, 成宗世家》銀三十兩. 《朝鮮太宗實錄 35, 18年3月庚申》江原道淮陽等處採訪副使尹興義, 獻金一百三十七兩四錢. 《朝鮮端宗實錄 9, 元年11月庚申》賜靖難功臣一等, 鄭麟趾以下十一人, 廐馬鞍子具一匹, 白銀五十兩, 綵段二表裏. 《正宗大王殯殿魂殿都監儀軌, 上, 內下需用》豆錫七斤五兩, 正鐵四百八十斤. 《仁祖國葬都監儀軌, 2房, 凶儀仗, 梳函》注乙只豆錫六兩. 《孝宗寧陵山陵都監儀軌, 座目》銅絲十兩. 《進饌儀軌(純祖己丑) 1, 移文》熟銅三十四斤二兩. ❾실이나 끈 따위의 무게를 헤아릴 때 쓰이었다. 《正宗大王殯殿魂殿都監儀軌, 1房, 稟目》細繩二兩. 紅眞絲一兩五錢. 《萬機要覽, 財用編 1, 供上, 大殿》眞絲三十五斤三兩. ❿살코기의 무게를 헤아릴 때 쓰이었다. 《萬機要覽, 財用編 1, 供上, 大殿》正筋五百九十二斤四兩八錢(每斤價四兩四錢). 《度支準折, 肉物》羊肉一兩, 價錢一兩二戔. ⓫양털이나 돼지털 따위 털의 무게를 헤아릴 때 쓰이었다. 《尙方定例 1, 本院元貢》北道羊毛參拾伍斤玖兩. 《正宗大王殯殿魂殿都監儀軌, 1房, 實入》家猪毛二斤四兩. 《純元王后國葬都監儀軌 3, 造作》山猪毛一兩. ⓬아교(阿膠)·어교(魚膠)·녹각교(鹿角膠) 따위 접착제의 무게를 헤아릴 때 쓰이었다. 《度支準折, 柒物》阿膠一斤, 一兩折價三分三里. 魚膠一斤, 一兩折價一錢三分三里. 鹿角膠一兩, 價錢一戔. 版貿. ⓭삼록(三碌)·당주홍(唐朱紅)·삼청(三靑) 따위 염료(染料)의 무게를 헤아릴 때 쓰이었다. 《正宗大王殯殿魂殿都監儀軌, 上, 內下需用》三碌六斤三兩. 石碌五兩. 唐朱紅十二斤二兩四戔. 同黃六兩三戔. 三靑二兩. 二靑一兩. ③ '량(兩)'을 보라.

냥쭝(兩—) [통화·질량] 1 냥쯤 되는 돈, 또는 무게를 헤아리는 데 쓰는 말. 〈예〉 돈 열 ~. 금 한 ~.

넓이의 단위(— 單位) (units of area) [넓이] 넓이의 단위로는 여러 가지가 있는데, ❶미터법에 의한 넓이의 단위로는 제곱 킬로미터〔km^2〕·제곱 미터〔m^2〕·헥타르〔ha〕·아르〔a〕·제곱 센티미터〔cm^2〕 등이 있는데, 이들과의 관계는 다음과 같다.

$1\ km^2 = 10^6\ m^2 = 100\ ha$
$1\ ha = 100\ a = 10,000\ m^2$
$1\ a = 100\ m^2$
$1\ m^2 = 10,000\ cm^2$
$1\ dm^2 = 10^{-2}\ m^2$
$1\ cm^2 = 10^{-4}\ m^2$
$1\ mm^2 = 10^{-6}\ m^2$

❷척관법(尺貫法)에 의한 넓이의 단위로는 제곱 치〔寸〕·제곱 자〔尺〕·제곱 푼〔分〕·작(勺)·홉〔合〕·평(坪)·보(步)·묘(畝)·단(段)·정(町)이 있는데, 이들과의 관계는 다음과 같다.

1 제곱 치=9.183 cm^2
1 제곱 자=0.09183 m^2
1 제곱 간=1 평

=1 보
=3.305 m²

1 묘=0.9917 a
1 단=10 묘
=9.917 a
1 정=10 단
=0.9917 ha
1 제곱 리=15.42 km²
1 홉=0.1 평
1 작=0.1 홉
=0.01 평

❸야드(yard)·파운드법(pound 法)에 의한 넓이의 단위로는 제곱 인치〔in²〕·제곱 피트〔ft²〕·제곱 야드〔ya²〕·에이커〔ac〕·제곱 마일〔mi²〕 등이 있는데, 이들과의 관계는 다음과 같다.

1 제곱 인치=6.452 cm²
1 제곱 피트=9.290 dm²
1 제곱 야드=0.8361 m²
1 에이커=0.4047 ha
1 제곱 마일=2.590 km²

네뚜리 [부피] 새우젓 한 독을 네 몫으로 가른, 각각의 몫을 헤아리는 데 쓰는 말.

네일(nail) [1] [길이] 야드(yard)·파운드법(pound 法)의 한 단위. 미국(美國)의 단위. 주로 피륙의 길이를 헤아리는 데 쓴다. 1 네일은 16분의 1 야드, 또는 5.715 cm에 해당된다. [2] [질량] 미국(美國)·영국(英國)의 단위. 주로 피륙의 무게를 헤아리는 데 쓴다. 1 네일은 클로브(clove)와 같으며, 7~10 파운드, 또는 3.2~4.5 kg에 해당된다.

네테르(neter) [질량] 에티오피아의 단위. 1 네테르는 0.741 파운드(pound), 또는 336 g에 해당된다.

년 [수효] 여자를 멸시하거나 하대(下待)하여서 일컫는 말. 또는 그 수를 세는 데 쓰는 말. 〈예〉 고 ~ 참 예쁘기도 하다.

-년(年) [시간] '해'의 뜻으로, 햇수를 헤아리는 데 쓰는 말. 백(白). 사(祀). 상(霜). 세(歲). 영(齡). 재(載). 《三國史記 1, 新羅始祖赫居世居西干本紀》五年春正月, 龍見於閼英井, 右脇誕生女兒, 老嫗見而異之, 收養之, 以井名名之. 《高麗史 3, 成宗世家》 十年春二月辛酉, 遣諸道安慰使, 問民疾苦. 《朝鮮仁祖實錄 22, 8年正月壬寅》 禁府啓曰, 祖宗朝, 遠竄·付處·徒三年以下之罪, 各隨其罪之輕重, 而徒三年以下, 則依大明律, 或定配於造紙署·瓦署, 限年立役矣.

-년대(年代) [시간] 10 진법에 따라 10 년을 하나치로 헤아리는 데 쓰는 말. 〈예〉 2천~의 번영을 위하여 생각해 보자.

노(路) [수효] ❶길의 수를 세는 데 쓰는 말. 《增補文獻備考 36, 輿地考, 北間島疆界》 高宗二十二年九月, 勘界使李重夏與從事官趙昌植及淸國派員德玉·賈元桂·秦瑛等, 分三路並進. ❷도(道)의 수를 세는 데 쓰는 말. 《增補文獻備考 120, 兵考, 舟師》 仁祖五年, 置銃禦營, 領京畿·黃海·忠淸三路舟師, 用李廷龜建請也. ❸경로(經路)의 수를 세는 데 쓰는 말. 《山林經濟 1, 攝生, 省嗜慾》 病者, 所由適于死之路也, 慾者, 所由適于病之路也, 邇聲色者, 所由適于慾之路也, 塞此三路, 可以延生. ❹(lǜ) 중국(中國)의 단위. ㉮'선(線)'의 뜻으로, 노

선(路線)의 수를 세는 데 쓰는 말. 〈예〉 三~進軍. 七~公共汽車. ㉯ '종'·'건'의 뜻으로, 종류나 부류 따위의 수를 세는 데 쓰는 말. 〈예〉 白糖有三~兒. ㉰등급이나 품등(品等) 따위를 세는 데 쓰는 말. 〈예〉 頭~貨. 二~貨. 二三~角色. ㉱'방면'·'구역'의 뜻으로, 행정 구역의 수를 세는 데 쓰는 말.《文獻通考, 輿地考, 總敍》宋至道三年, 分天下爲十五路, 其後又增三路, 一曰, 東京路, 二曰, 京西路, 三曰, 河北路, 四曰, 河東路, 五曰, 陝西路, 六曰, 淮南路, 七曰, 江南東路, 八曰, 江南西路, 九曰, 荊湖南路, 十曰, 荊湖北路, 十一曰, 兩浙路, 十二曰, 福建路, 十三曰, 益州路, 十四曰, 梓州路, 十五曰, 利州路, 十六曰, 夔州路, 十七曰, 廣南東路, 十八曰, 廣南西路. ㉲일의 가짓수를 세는 데 쓰는 말.《大戴禮記, 子張問入官》孔子曰, 有善勿專, 教不能勿搢, 已過勿發, 失言勿踦, 不善辭勿遂, 行事勿留. 君子入官, 自行此六路者, 則身安譽至而政從矣. (盧辯注) 上六者可以自通, 故稱路也. ㉳ 모서리의 수를 세는 데 쓰는 말.《本草綱目, 木 2, 訶黎勒》(集解)嶺南異物志云, 廣州法性寺有四五十株, 子極小而味不澀, 皆是六路……蕭炳曰, 波斯舶上來者, 六路黑色肉厚者良. 六路卽六稜也. ㉴천자(天子)나 황후(皇后)가 타는 수레의 가짓수를 세는 데 쓰는 말. 천자가 타는 5로는 옥로(玉路)·금로(金路)·상로(象路)·혁로(革路)·목로(木路)이고, 황후가 타는 5로는 중적(重翟)·염적(厭翟)·안거(安車)·적거(翟車)·연거(輦車)를 이른다. 노(輅).《周禮, 春官, 巾車》王之五路, 一曰玉路, 錫樊纓, 十有再就, 建大常, 十有二斿, 以祀. 金路, 鉤, 樊纓九就, 建大旂以賓, 同姓以封. 象路, 朱, 樊纓七就, 建大赤以朝, 異姓以封. 革路, 龍勒條纓五就, 建大白以卽戎, 以封四衞. 木路, 前樊鵠纓, 建大麾, 以田, 以封蕃國.《文選, 潘岳, 藉田賦》五輅鳴鑾, 九旗揚旆. (李善注) 周禮曰, 王之五路, 一曰玉路, 二曰金路, 三曰象路, 四曰革路, 五曰木路.《周禮, 春官, 巾車》王后之五路, 重翟, 錫面朱總. 厭翟, 勒面繢總. 安車, 彫面鷖總. 皆有容蓋. 翟車, 貝面組總, 有握. 輦車, 組輓, 有翣羽蓋.

노(輅 : lù) [수효] 중국(中國)의 단위. '노(路)'의 ㉴와 같다.《文選, 潘岳, 藉田賦》五輅鳴鑾, 九旗揚旆. (李善注) 周禮曰, 王之五路, 一曰玉路, 二曰金路, 三曰象路, 四曰革路, 五曰木路.《顏延之, 宋文皇帝元皇后哀策文》五輅遷迹.《資治通鑑, 齊紀》武帝, 永明九年丙辰, 魏初造五輅. (胡三省注) 五輅, 玉·金·象·革·木也.

노긴(noggin) [부피] 영국(英國)의 단위. 1 노긴은 1 쿼턴(quartern)이며, 갤런(gallon)의 32 분의 1, 또는 0.14207*l* 에 해당된다.

노득(路得 : lùdé) [길이·넓이] 중국의 단위. '로드(rod)'의 음역.

노비(盧比 : lúbǐ) [부피] 중국(中國)의 단위. '루피(rupee)'의 음역(音譯).

노이(noy) [소음(騷音)] 항공기(航空機) 소음의 단위. 제트기가 이륙

할 때 내는 소음은 110 노이이다. 이 단위는 미국(美國)의 크라이터(K. D. Kryter)가 제안(提案)한 것이다.

노트(knot) [속도] 배·항공기·풍속(風速)·조류(潮流) 따위가 1 시간에 1 해리(海里), 약 1,852 m 를 가는 속도. 또는 그 속도를 헤아리는 데 쓰는 말. 나라마다 그 길이가 각각 다른데, 프랑스에서는 1,852 m, 영국은 1,853.1824 m, 미국에서는 1,853.1887 m 이다. 이(浬). 기호 : kt, kn

노포(廬布 : lúbù) [통화] 중국(中國)의 단위. '루블(rouble)'의 음역(音譯).

노후드(nokhōd) [질량] 근대 이란(Iran)의 단위. 1 노후드는 2.96 그레인(grain), 또는 0.19 g 에 해당된다.

녹스(nox) [조도(照度)] 조도의 보조 계량 단위. 1 녹스는 럭스(lux)의 10^{-3} 에 해당된다.

녹타트(nocktat) [길이] 터키의 단위. 1 녹타트는 아르신(aršin)의 3.456 분의 1 에 해당된다. 1 아르신은 1 m 이다.

논배미 [수효] 논의 구획(區劃)의 수(數)를 세는 데 쓰는 말. 곧, 논의 배미의 수를 세는 데 쓰는 말이다. 구(丘). 배미(裵味). 야매(夜昧).

놈 [수효] 사내를 낮추어서 그 수(數)를 세는 데 쓰는 말. 한(漢). 〈예〉 다섯 ~이 한 ~을 당하지 못한다.

농(壟 : lǒng) [수효] 중국(中國)의 단위. '고랑'의 뜻으로, 밭이랑의 수를 세는 데 쓰는 말.

농(籠) [부피] 바구니에 물건을 담아 그 양을 헤아리는 데 쓰는 말. 누(簍). 〈예〉 다섯 ~의 포도.

뇌(牢 : láo) [수효] 중국(中國)의 단위. 희생(犧牲)의 수를 세는 데 쓰는 말. 《周禮, 秋官, 大行人》上公之禮, 執桓圭九寸, 繅藉九寸, 冕服九章, 建常九斿, 樊纓九就, 貳車九乘, 介九人, 禮九牢. 《國語, 周語, 上》饋九牢, 設庭燎. (韋昭注) 牛·羊·豕爲一牢. 《于邵, 迎爼酌獻詩》五齊絜, 九牢碩.

뇌(磊 : lěi) [수효] 중국(中國)의 단위. '무더기'·'더미'의 뜻으로, 물건을 한데 쌓아 놓은 덩어리의 수를 세는 데 쓰는 말. 나(摞).

뇌보탑(雷普塔 : léipǔtǎ) [통화] 중국(中國)의 단위. '레프타(lepta)'의 음역(音譯).

뇌파돈(雷波頓 : léibōdùn) [통화] 중국의 단위. '레프톤(lepton)'의 음역.

누(累 : lěi) [수효] '가지'·'종류'의 뜻으로, 과실의 가짓수를 세는 데 쓰는 말. 《鄧析子, 無厚》君有三累, 臣有四責. 何謂三累. 惟親所信, 一累, 以名取士, 二累, 近故親疏, 三累. 《論衡, 累害》夫鄕里有三累, 朝庭有三害……凡人操行, 不能愼擇友, 友同心恩篤, 異心疎薄, 疎薄怨恨, 毁傷其行, 一累也. 人才高下, 不能鈞同, 同時並進, 高者得榮, 下者慚恚, 毁傷其行, 二累也. 人之交遊, 不能常歡, 歡則相親, 忿則疎遠, 疏遠怨恨, 毁傷其行, 三累也.

누(絫) [질량] 무게의 단위. 1 누는

기장 10 알의 무게를 하나치로 헤아리는 데 쓰는 말. 《說文, 厽部》絫, 十黍之重也. 《孫子算經, 上》稱之所起, 起于黍, 十黍爲一絫. 《廣才物譜, 庶流, 數》絫, 十黍. 銖, 十絫. 兩, 二十四銖. 《字類註釋, 物類, 名數》絫, 녈기장 류. 十黍爲絫. 거듭 류, 重也. 累古字. 《才物譜, 秋, 數》絫, 音類, 十黍爲絫.

누(漏) [시간] '경(更)'의 뜻으로, 일몰(日沒)로부터 일출(日出)까지를 5 등분하여 시간을 헤아리는 데 쓰는 말. 1 누는 오후 7 시~9 시, 2 누는 9 시~11 시, 3 누는 11 시~새벽 1 시, 4 누는 1 시~3 시, 5 누는 3 시~5 시 까지를 이른다. 경(更). 고(鼓). 야(夜). 《杜甫, 奉和賈至舍人早朝大明宮詩》 五夜漏聲催曉箭, 九重春色醉仙桃. 《黃滔, 貽張蠙同年詩》驅車先五漏, 把菊後重陽.

누(摟) [길이] '아름'의 뜻으로, 두 팔을 벌려 껴안아 그 길이를 헤아리는 데 쓰는 말. 공(拱). 위(韋·圍). 《廣才物譜, 庶類, 數》一摟, ᄒᆞᆫ 아름. 《才物譜, 秋, 數》一摟, ᄒᆞᆫ 아름. 《譯語類解, 補, 算數》四摟, 네 아름.

누(樓 : lǒu) [수효] 중국(中國)의 단위. ❶'층(層)'의 뜻으로, 건물의 층수(層數)를 세는 데 쓰는 말. ❷ '동(棟)'의 뜻으로, 집이나 건물의 수를 셀 때 쓰는 말. 〈예〉 一號~.

누(簍 : lǒu) [부피] 중국(中國)의 단위. 바구니에 물건을 담아 그 양을 헤아리는 데 쓰는 말. 농(籠). 《臺北一夜》到了活動中心, 意然看到林福生的併裝車停在外面, 上面還載著五六簍橘子.

누(縷 : lǚ) [수효] 중국(中國)의 단위. '줄기'·'오리'·'가닥'의 뜻으로, 실오리나 연기 따위가 피어 오르거나 서리어 있는 수를 세는 데 쓰는 말. 계(溪). 도(度·道). 조(條). 타(朶). 《長安遇馮著》昨別今已春, 鬢絲生幾縷. 《紅樓夢, 18回》軟襯三春草, 柔拖一縷香. 《王虞鳳, 春日閒居詩》 濃陰柳色罩輕紗, 風送爐烟一縷斜. 《李淸照, 點絳脣詞》寂寞春閨, 柔腸一寸千縷. 《枚乘, 諫吳王書》夫以一縷之任, 係千鈞之重, 上懸無極之高, 下垂不測之淵, 雖甚愚之人, 猶知哀其將絕也.

누리 [수효] '눌〔訥〕'과 같다.

누스피아(nusfiah) [부피] 아라비아(Arabia)의 고유 단위. 1 누스피아는 1.00 미(美) 액량(液量) 쿼트(quart), 또는 0.95l 에 해당된다.

눈 [수효] ❶'눈금'과 같다. ❷그물 같은 물건의 코와 코를 이어 이룬 구멍의 수를 세는 데 쓰는 말.

눈금 [수효] 자·저울·온도계 따위에 길이·수·양·구획을 나타내기 위하여 표를 한 금의 수를 세는 데 쓰는 말. 눈.

눌(訥) [수효] '누리'의 차자 표기로, 기와나 벽돌 따위의 1천 장을 하나치로 세는 데 쓰는 말. 장(張)의 상위 단위이다. 국어 사전에는 '우리'가 표준말로 되어 있으나, '우리'보다는 '누리'가 표준말에 가깝다. 눌의 음(音)에는 '눌'·'찰'의 두 음이 있을 뿐 '울'의 음은 없다. 따라서, 눌은 우리말의 '누리'를 나타내기 위하여 눌(訥)자를 차자 표기한 것으로 보인다. '울'이 '우리'의 준말이라면 '눌'이 아닌 '울'의 음이 있는 '尉'·'鬱'·'苑' 따위의 한자를 사용하여 '우리'의 음을 취했을 것이다. 눌(訥)이 첫 음절에 쓰인 말을 찾아보면, 눌변(訥辯)·눌삽(訥澀)·눌어(訥魚)·눌옥도(訥玉島)·눌음(訥音)·눌재선생(訥齋先生)·눌지왕(訥祗王)·눌최(訥催) 따위로, 물고기 이름, 땅 이름, 책 이름, 사람 이름 따위를 막론하고 모두 '눌'의 음으로 현재 쓰이고 있다. 또, 눌어(訥魚)와 중순어(重脣魚)는 현재 누치를 이르는 말로서, 옛 문헌에는 '눌치'·'눕치'·'눈치'·'눗티' 따위로 표기되어 있다. 이들은 모두 '누'에 ㄹ·ㅂ·ㄴ·ㅅ 따위의 받침이 붙은 음으로 나타나 있을 뿐 '우'의 음으로는 표기되어 있지 않다. 이는 예부터 지금까지 초성은 변하지 않고 그대로 쓰였다는 것을 뜻하는 것이다. 그러므로 '우리'보다는 '누리'가 표준말에 더 가깝다고 생각된다. 또, 국어 사전에는 2천 장이 한 우리라 하였으나, 1천 장이 한 누리이다. 왜냐 하면, 대개의 단위어는 10 진수를 기본으로 상위 단위와 하위 단위로 구분되기 때문에 2천 장보다는 1천 장이 더 타당하다고 여겨진다.《朝鮮光海君日記 106, 8年8月戊午》今雖有若干未覆之處, 不過二十許訥, 此亦計除用餘之數, 大牙鍊幾至七十餘訥, 中牙鍊亦如之, 常瓦亦至六十餘訥, 合而計之, 不下二百餘訥, 方磚二十餘訥, 半磚十五六訥, 防草四訥, 穴磚百餘訥, 龍頭·土首·烟家·雜像等物, 亦有餘數, 此皆初用之物.《孝宗寧陵山陵都監儀軌, 造成所》常瓦二十九訥七百五張, 方磚四訥八百三十張, 半磚一訥五百五十四張……(以上燔瓦所).《華城城役儀軌 5, 財用 上》中女夫瓦一百六十訥九百二十一張(每訥價錢十二兩, 旺倫燔造).《度支準折, 瓦甎》常瓦一訥(一千張, 一駄四十張內, 夫瓦十六張, 女瓦二十四張), 防草一張(常瓦三張), 大方甎一張(常瓦十張), 龍頭一介(常瓦百張).《古今釋林 28, 東韓譯語, 釋宮》鴛瓦謂之夫瓦, 鴦瓦謂之女瓦, 瓦一千張爲一訥.

뉘밀(nymil) [길이] 스웨덴의 미터계(系) 단위. 1 뉘밀은 10 km, 또는 6.21 마일(mile)에 해당된다.

뉠라스트(nylast) [질량] 스웨덴의 고유 단위. 1 뉠라스트는 스칼푼드(skalpund)의 12,000 배(倍), 또는 4,250.8 kg 에 해당된다.

뉴턴(newton) [힘] 힘의 엠 케이 에스(M.K.S.) 단위. 질량 1 kg 의 물체에 작용하여, 매초 1 m 의 가속도를 만드는 힘. 1 뉴턴은 10만 다인(dyne)에 해당된다. 기호 : N

뉴턴 미터(newton meter) [일·에너지] 1 kg 의 물체에 1 뉴턴의 힘이 가해져서 그 힘의 방향으로 1 m 만큼 움직였음을 이르는 말. 기호 : N·m

늑(仂 : lè) [수] 중국(中國)의 단위. 1 늑은 10 분의 1, 또는 3 분의 1 에 해당된다.《集韻》仂, 什一也.《禮記, 王制》喪用三年之仂(喪大事, 用三歲之什一.

늑(阞 : lè) [수] 중국(中國)의 단위. 1 늑은 3 분의 1 에 해당된다.《周禮, 考工記, 輪人》以其圍之阞捎其數(阞, 三分之一也).

늑(勒 : lè) [조도(照度)] 중국의 단위. '늑극사(勒克斯)'의 준말.

늑극사(勒克斯 : lèkèsī) [조도] 중국(中國)의 단위. '럭스(lux)'의 음역(音譯). 늑(勒).

능(畯) [넓이] 토지의 면적을 헤아리는 데 쓰는 말. 1 능은 사방 10 보(步), 또는 1 묘(畝)의 10 분의 1 에 해당된다.《經世遺表 7, 地官修制, 田制 9, 井田議》其可井而未井者, 其終不可爲井者, 乃皆打量, 算其實積, 凡方六尺爲步, 十步爲一畯, 十畯爲一畝, 十畝爲一畎, 十畎爲一畉.

능(稜 : léng) ① [넓이] 중국(中國)의 당·송(唐宋) 시대의 단위. '뙈기'의 뜻으로, 논밭의 구획을 세는 데 쓰는 말.《正字通, 禾部》稜, 農家指田遠近多小曰幾稜.《秋日夔府詠懷奉寄鄭監李賓客一百韻》 塹抵公畦稜, 村依野廟壖.《陸龜蒙, 奉酬襲美苦雨見寄詩》 我本曾無一稜田, 平生嘯傲空漁船.《范成大, 晩春田園雜興十二絕 7》汗萊一稜水周圍, 歲歲蝸廬沒半扉.《通俗編, 數目, 一稜》杜甫夔州詩, 塹抵公畦稜, 稜讀去聲, 注云, 京師農人, 指田遠近, 多曰幾稜, 今稱一稜兩稜, 是也. ② [수효] 모서리의 수를 세는 데 쓰는 말.《本草綱目, 訶黎勒》集解, 蕭炳曰, 波斯舶上來者, 六路, 黑色肉厚者良, 六路卽六稜也.

니랑가(niranga) [길이] 인도(印度) 캘커타(Calcutta) 지방의 단위. 1 니랑가는 구즈(guz)의 10 배, 또는 3.6 m~11.2 m 에 해당된다.

니스프 케다(nisf keddah) [부피] 이집트의 단위. 1 니스프 케다는 케다(kedah)의 2 분의 1 이며, 0.936 건량(乾量) 쿼트, 또는 1.031*l* 에 해당된다.

니우(nìu) [길이] 태국의 고유 단위. 1 니우는 케우프(keup)의 12 분의 1, 또는 2.083 m 에 해당된다.

니트(nit) [휘도(輝度)] 휘도의 단위. 1 m² 당 1 칸델라(candela)의 광도(光度)를 지니는 표면의 휘도를 말한다. 기호 : nit, nt

님 [수효] 바느질에 사용하는 토막친 실의 수를 세는 데 쓰는 말. 이(里). 이음(里音).

-닙(立) ① [수효] '닢'의 뜻으로, 넓적한 물건을 낱으로 세는 데 쓰는 말. ❶등메〔登每〕·안석(案息 : 案席)·방석(方席)·뜸〔草芚〕·바자〔把子〕·멍석〔網席〕·황화석(黃花席) 따위 깔고 앉거나, 둘러 치거나, 덮는 것의 수를 셀 때 쓰이었다.《純元王后國葬都監儀軌 1, 移文》登每·方席·案息各二立.《純元王后國葬都監儀軌 4, 造作》草把子五立.《純元王后國葬都監儀軌 1, 甘結》網席四立.《陶山書院傳掌記, 萬曆46年正月19日》花文方席四立, 白文方席六立.《正宗大王殯殿魂殿都監儀軌, 中, 稟目》草方席二立.《孝宗寧陵山陵都監儀軌, 雜物秩》厚草芚九十二立.《度支準折, 席子》細草席一立(長四尺三寸, 廣二尺二寸五分), 草席一立(長二尺六寸七分, 廣一尺七寸八分), 黃花席一張(十紋, 長六尺五寸, 廣二尺五寸). ❷그물의 수를 셀 때 쓰이었다. 지(旨). 첩(帖).《舟橋司節目》船隻纜結葛索, 不如藁索, 別營網具三千立式, 每年移送本司, 以爲取用之地爲白齊.《六典條例 10, 工典, 舟橋

司, 總例》結船網口, 每年三千立式, 取用於別營, 不足則加取用.《陶山書院傳掌記, 乙丑正月24日》小川魚網子二立, 銀川魚網子二立. ❸박철(朴鐵 : 縛鐵) 따위 쇳조각의 수를 셀 때 쓰이었다.《度支準折, 打鐵》城門朴鐵一立. ❹포(脯)의 수를 셀 때 쓰이었다. 개(箇). 정(挺·脡). 조(条·條). 편(片).《進饌儀軌(純祖己丑) 2, 饌品》片脯十五立. ❺연잎〔荷葉〕따위 나뭇잎의 수를 셀 때 쓰이었다.《度支準折, 雜種貿易》荷葉一立, 重五分, 一兩価錢二分. ❻패(牌)의 수를 셀 때 쓰였다. 개(介). 면(面). 주(柱).《純元王后國葬都監儀軌 1, 甘結》工匠牌二立. ❼갓양태〔凉臺〕·감투〔甘土〕·전립(氈笠)·주립(朱笠)·모자(帽子) 따위 머리에 쓰는 물건의 수를 셀 때 쓰이었다. 개(蓋). 구(口). 닙(笠). 매(枚). 부(部). 사(事). 월(月). 정(頂). 조(條).《朝鮮英祖實錄 113, 45年 10月庚戌》濟州御使朴師崙啓言, 益祥濫刑殺人, 貿馬尾七百斤, 凉臺一千五百立, 濫刑不法狀.《萬機要覽, 軍政編 3, 禁衞營, 軍器》甘土四十立.《萬機要覽, 軍政編 2, 訓鍊都監, 軍器》紅氊笠六十二立.《進宴儀軌(高宗壬寅) 3, 樂器風物》朱笠二立.《度支準折, 毛鬣》白帽子一立. ❽사발(砂鉢)·탕기(湯器)·종지〔鍾子〕·접시(楪匙)·시접〔是貼〕·보시기〔甫兒〕따위 그릇의 수를 셀 때 쓰이었다. '죽(竹)'의 하위 단위이다. 구(口). 사(事). 엽(葉).《正宗大王殯殿魂殿都監儀軌, 1房, 各處手本》甫兒一竹五立. 沙磁碗一竹五立.《正宗大王殯殿魂殿都監儀軌, 上, 稟目》白沙磁碗二立, 白沙鉢二立, 白大貼二立, 白沙盆二立. 沙鍾子五立.《陶山書院傳掌記, 天啓8年正月20日》是貼二竹八立.《進饌儀軌(純祖己丑) 2, 器用》砂鉢·砂湯器·砂鍾子各四十一竹六立, 砂楪匙二竹四立. ❾상(床)·소반(小盤) 따위의 수를 셀 때 쓰이었다. '죽(竹)'의 하위 단위이다. 엽(葉). 좌(坐·座). 척(隻). 편(片).《正宗大王殯殿魂殿都監儀軌, 中, 各處手本》黑柒小盤一竹八立. 卓床五立.《陶山書院傳掌記, 乙丑正月24日》高足床三竹, 高足小床二竹五立.《昌慶宮營建都監儀軌, 實入》大圓盤十四竹三立.《度支準折, 雜種貿易》大杻盤一立, 價錢六分, 中五分. ❿다시마〔多士麻〕·미역〔藿〕·미역귀〔藿耳〕따위의 해조류(海藻類)의 수를 셀 때 쓰이었다.《秋官志, 定制, 遺棄兒收養事目》自十歲至七歲, 一日每口, 米七合, 醬二合, 藿二立. 自六歲至四歲, 一日每口, 米五合, 醬一合, 藿一立, 計給.《進饌儀軌(純祖己丑) 2, 饌品》多士麻二十立.《度支準折, 昆藿茸藁屬》常藿一斤(一立重一兩六戔), 粉藿一斤(十立作一注之, 重三斤), 早藿一斤(十立作一注之, 重三斤), 甘藿一斤(三十立作一注之, 一立重一兩六戔), 昆布一斤(二十立作一注之, 重二斤), 多士麻一斤(三十立作一注之, 重五斤). ⓫벽돌〔甎石〕·기와·돌 따위의 수를 셀 때 쓰이었다.《昌慶宮營建都監儀軌, 實入》大甎石一千九百七十五立, 小甎石九百九十四立.

《孝宗寧陵山陵都監儀軌, 都監》薄石四千立.《度支準折, 雜錄》瓦子六十立, 二件張九十立, 三件張以上, 加差三十立. 磚石十二立, 或十六立. 大磚石十四立, 二牛幷車. ⓬널빤지의 수를 셀 때 쓰이었다. 괴(塊). 엽(葉).《鑄字所應行節目》濕紙板參立(壹立失), 墨石拾坐(貳立失), 褙板壹立.《大典會通 2, 戶典, 雜稅》歸厚署恩賜棺板, 每年一次二百立定數, 自備局發關, 許其流下.《尙方定例 1, 本院元貢》山柚子板肆立.《度支準折, 木物》栢子板一立(長七尺, 厚一寸五分, 廣一尺二寸, 該一千二百六十寸), 椵板一立(長七尺, 廣一尺, 厚二寸, 該一千四百寸), 椺子板一立(長二尺, 厚四寸, 廣一尺二寸). ⓭박공(朴工)·익공(翼工) 따위의 건축 재료의 수를 셀 때 쓰이었다.《昌慶宮營建都監儀軌, 實入》朴工四立, 翼工十二立. ⓮전복〔鰒 : 全鰒〕의 수를 셀 때 쓰이었다.《進饌儀軌(純祖己丑) 2, 饌品》搥鰒五立. ⓯저울판〔稱板〕의 수를 셀 때 쓰이었다.《仁祖國葬都監儀軌, 3房, 雜物實入》稱板一立. ⓰빈 섬〔空石〕의 수를 셀 때 쓰이었다.《山林經濟, 治膳》貯水於陶器內, 仍以藁草慢火煮之, 待其陶器水熱, 易以他水, 三易則肉已爛熟, 用空石二三立足矣, 其味極佳, 小無犬臭.《交隣志 1, 差倭》空石四十一立, 篁竹四十二箇.《度支志, 內篇, 事例》空石二百八十立. ⓱약과(藥果)·다식(茶食)·만두(饅頭) 따위의 수를 셀 때 쓰이었다.《海行摠載, 各處書契》傳語官六十人中, 各藥果十立, 大口二尾, 石魚一束, 扇子三柄, 乾柿一貼.《進饌儀軌(純祖己丑) 2, 饌品》茶食果一器, 二百立, 眞末四斗, 眞油·淸各一斗六升, 胡椒末·桂皮末各五夕. 茶食果·饅頭果一器, 高一尺二寸, 茶食果·饅頭果各六十立, 眞末三斗, 淸·眞油各一斗二升, 大棗·黃栗各三升, 桂皮末·胡椒末各一合. 2 [부피] (lì) 중국(中國)의 단위. '리터(liter)'의 역어(譯語).《新字典, 新字新義部》立, 리트르. Litre. 法國量制, 以此爲單位, 我五合五勺四抄三撮.

-닙(笠) [수효] '닢'의 뜻으로, 입모(笠帽)나 방갓〔方冠〕 따위 모자의 수를 세는 데 쓰는 말. 개(蓋). 구(口). 닙(立). 매(枚). 부(部). 사(事). 월(月). 정(頂). 조(條).《度支準折, 毛氅》方冠一笠, 價錢六戔.

닢 [수효] ❶넓적한 물건을 낱으로 세는 데 쓰는 말. 닙(立·笠). ❷예전에 시(詩)나 노래의 수를 세는 데 쓰는 말.《古時調, 金壽長》平調 한 니페 白雲이 절로 난다.

다뉴슈(dhanush) [길이] 고대 인도(印度)의 단위. 1 다뉴슈는 하스타(hasta)의 4 배(倍)이며, 8.42 피트(feet), 또는 2.57 m 에 해당된다.

다라트(darat) [넓이] 소말리아(Somalia)의 단위. 1 다라트는 1.98 에이커(acre), 또는 80 아르〔a〕에 해당된다.

다래끼 [부피] 다래끼에 물건을 담

아 그 양을 헤아리는 데 쓰는 말. 다래끼는 아가리가 작은 바구니이다.

다리바(daribah) [부피] 이집트(Egypt)의 단위. 1 다리바는 아르다브(ardabb)의 8배(倍)이며, 45 미(美) 부셸(bushel), 또는 15.84 hl에 해당된다.

다릭(Daric) [통화] 고대 이란에서 유통된 금화(金貨). 《舊約聖書, 第2章, 69節》 어떤 족장들이 예루살렘 여호와의 전(터)에 이르러, 하나님의 전을 그 곳에 다시 건축하려고 예물을 즐거이 드리되, 역량대로 역사하는 곳간에 드리니, 금이 육만 일천 다릭이요, 은이 오천 마네요, 제사장의 옷이 일백 벌이었더라.

다발 [수효] 꽃이나 푸성귀 같은 것의 묶음을 세는 데 쓰는 말. 단(丹). 속(束).

다스(dozen) [수효] 물건 12 개를 하나치로 세는 데 쓰는 말. 타(打).

다인(dain) [길이] 미얀마(Myanmar) 양곤(Yangon) 지방의 단위. 1 다인은 2.43 마일(mile), 또는 3.91 km에 해당된다.

다인(dyne) [힘] 힘의 시 지 에스(C.G.S.) 절대 단위. 질량 1 g의 물체에 작용하여 1 초 동안에 1 cm의 가속도를 내는 힘. 뉴턴의 100,000 분의 1 에 해당된다. 1 중량 그램은 980 다인〔dyn〕에 해당된다. 달인(達因). 기호 : dyn

다임(dime) [통화] 영국(英國)·캐나다(Canada)에서 사용되는 10 센트(cent) 은화(銀貨). 1 다임은 달러(dollar)의 10 분의 1, 곧 10 센트(cent)에 해당된다.

다크(dak) [통화] 네팔(Nepal)의 옛 보조 통화 단위. 1 다크는 모하르(mohar)의 16 분의 1, 또는 파이사(paisa)의 2 배에 해당된다.

닥툴로스(daktulos) [길이] 근대 그리스(Greece)의 단위. 1 닥툴로스는 구제(舊制)로는 1 인치, 또는 2.54 cm이고, 미터계(系)로는 1 cm에 해당된다. 폰토스(pontos).

닥틸로스(daktylos) [길이] 고대 그리스(Greece)의 단위. 1 닥틸로스는 큐빗(cubit)의 24 분의 1 이며, 0.76 인치(inch), 또는 1.93 cm에 해당된다.

단 [수효] '단(丹)'과 같다.

단(丹) [수효] '단'의 차자 표기로, 짚·땔나무·푸성귀·물고기 따위의 묶음을 세는 데 쓰는 말. 곤(捆·綑). 속(束). 제(穧). 파(把). 《行用吏文》 丹, 단. 如蔬菜·柴薪之束, 稱曰단. ❶미역〔甘藿〕의 묶음을 셀 때 쓰이었다. 30 닢이면 한 단이 된다. 《度支準折, 昆藿茸藁屬》 甘藿一斤(三十立作一丹, 一立重一兩六戔), 價錢二戔. ❷도라지〔桔梗〕·파〔葱〕·고추〔苦椒〕·달래〔月乃〕·더덕〔沙蔘〕·염교〔薤〕·상추〔萵苣〕·배추〔白菜〕·무〔菁根〕·미나리〔水芹〕·자총이〔紫葱〕·순무〔蔓菁〕 따위 푸성귀의 묶음을 셀 때 쓰이었다. 《進饌儀軌(純祖己丑) 2, 饌品》 桔梗一丹. 各色花陽炙一器, 各色花陽炙一千二百串, 桔梗五斗, 牛臀四部……胡椒末二合, 生葱五丹. 鷄卵四十箇. 《度支準折, 菜蔬》 苦椒一丹(十介), 月乃菜一丹, 沙蔘一丹, 菁根(十介作一丹, 又作一

束), 紫葱一丹, 蒿苣菜一丹, 薤菜一丹, 松菜一丹, 蔓菁根菜一丹(卽十握), 蘿蔔菜一丹(卽十握), 白菜一斤, 價米二斗, 太常. 一丹價錢一分, 蔓菁根一介(十介作一丹), 莨子十介(三十介作一斗), 蘿蔔根十介(卽一丹). ❸싸리가지〔杻骨〕·황회목(黃灰木)·싸리나무〔杻木〕·불쏘시개〔點火木〕·땔나무〔燒木〕·윗가지〔椳木〕·물푸레나무〔水靑木〕 따위 묶음의 수를 셀 때 쓰이었다. 《昌慶宮營建都監儀軌, 實入》杻骨一百丹. 黃灰木三丹. 《純元王后國葬都監儀軌 2, 稟目》 硯石匣具一面, 書案一坐, 每朔杻木半丹, 尾箒二柄. 本房郎廳二員, 監造官二員, 坐起處所, 每日點火木半丹, 爐炭五合. 《度支準折, 木物》燒木一斤(一介重十斤, 二介作一丹, 貿米三合). 椳木一同一丹七介. 水靑木一丹(一介張八尺至十三尺, 二十介作一丹, 五丹作一同). 《度支準折, 入染物種》黃灰木一同(六丹作一同). ❹숟가락〔匙〕·젓가락〔箸〕·접시〔楪匙〕 따위의 10 개, 또는 10 쌍을 하나치로 셀 때 쓰이었다. 《純元王后國葬都監儀軌 3, 造作》匙一丹. 箸一丹. 《陶山書院傳掌記, 萬曆26年戊戌4月》 上箸一丹, 中箸二丹, 上匙一丹, 中匙一丹. 《度支志 9, 內人各房事例》鍮匙二丹. 《進饌儀軌(純組己丑) 2, 器用》三十斤稱子一部, 鍮楪匙二丹(以上平市署還下). ❺다리〔髢髮〕 10 개를 하나치로 셀 때 쓰이었다. 《尙方定例 3, 別例 下》首飾次髢髮貳拾丹. 《度支志, 外篇 17, 經費司, 嬪御嘉禮》首飾髢髮二十丹. 《度支準折, 雜種貿易》髢髮一丹(十子十条, 並稱一丹), 価錢十兩五戔. ❻물고기의 묶음을 셀 때 쓰이었다. 《各廛記事, 天, 乙卯10月》 眞魚一丹, 則三戔, 麻魚一束, 則七分式.

단(旦) [시간] '날'·'일(日)'의 뜻으로, 날짜를 헤아리는 데 쓰는 말. 《蕭綜, 悲落葉詩》一霜再霜猶可當, 五晨六旦已颯黃.

단(段) 1 [수효] ❶'조각'·'토막'의 뜻으로, 갈라져서 따로 떨어진 물건의 수를 세는 데 쓰는 말. 편(片). 《三國史記 13, 高句麗瑠璃王本紀》汝若生男子, 則言……乃搜於柱下, 得斷劍一段. 《高麗史 70, 樂志》耀葉板五段. 《漢淸文鑑 12, 營造, 飯肉》一段魚, 흔 토막. ❷책이나 신문 같은 인쇄물의 지면(紙面)을 위아래로 가른 구획을 세는 데 쓰는 말. 〈예〉 3~ 표제의 기사. ❸'단'의 뜻으로, 유도(柔道)·검도·태권도 따위 운동이나, 주산 또는 바둑·장기에 있어서 잘 하는 정도를 매긴 등급. 또는 그 등급을 헤아리는 데 쓰는 말. 〈예〉 주산 초~. 바둑 6~. ❹계단의 층수를 세는 데 쓰는 말. 급(級). 등(蹬). 중(重). 《水經注, 江水》江中有節度石三段, 廣百步, 高五六丈. ❺솜〔綿〕을 묶어 놓은 덩이를 세는 데 쓰는 말. 《高麗史 26, 元宗世家》 宜申寵錫, 用答勤誠, 今賜卿西綿一段. 《朝鮮世宗實錄 36, 9年4月乙卯》國王白銀一千兩, 紵絲五十匹, 紗十五匹, 羅十五匹, 絨錦五段, 兜羅緜二十五段, 綵絹五十匹. ❻일정한 길이로 짠 피륙을 하나치로 세는 데 쓰는 말. 1 단은 2 장(丈), 곧 20 자〔尺〕

정도의 길이가 된다. 겸(縑). 냥(兩). 단(端). 순(純). 정(丁). 제(製). 필(匹·疋).《三國史記 8, 新羅聖德王本紀》 初帝賜王白鸚鵡雄雌各一隻……五色羅綵, 共三百餘段.《朝鮮太祖實錄 15, 7年10月癸卯》一等功臣各田二百結, 奴婢二五口, 內廐馬一匹, 鞍轡具, 金帶一腰, 表裏各一段.《朝鮮世宗實錄 102, 25年11月己巳》大刀十把, 長刀十柄, 槍十條, 塗金彩花屛風一雙, 諸色密絹二十段, 彩花扇一百把.《李忠武公全書, 敎書, 策宣武元勳》 仍賜奴婢十三, 田一百五十結, 銀子十兩, 表裏一段, 內廐馬一匹.《吏文續集輯覽, 端布》會典云, 丈二爲端. 一云, 端與段通, 卽段子也. ❼(duàn) 중국(中國)의 단위. ㉮일의 가닥을 세는 데 쓰는 말.《王羲之, 17 帖》一段奇事. ㉯한때 마음에 느끼는 감정. 또는 그 횟수를 세는 데 쓰는 말. 단(端).《李白, 長門怨詩》月光欲到長門殿, 別作深宮一段愁.《紅樓夢, 5回》女爾則天分中生成一段癡情, 吾輩推之爲意淫. ㉰'마디'의 뜻으로, 문장이나 말의 한 동강을 세는 데 쓰는 말. 구(句). 성(聲). 언(言).《南史, 儒林傳, 嚴植之》講說有區段次第, 析理分明.《兒女英雄傳, 33回》你聽他兩個這一段, 話你我竟聞所未聞.
[2] [넓이] 땅의 넓이를 헤아리는 데 쓰는 말. 1 단은 1 정(町)의 10 분의 1 이며, 사방 65 보(步), 또는 3백 평(坪)에 해당된다.

1 단=사방 65 보(步
　=10 묘(畝)
　=0.1 정(町)
　≒991.736 m^2

《朝鮮世祖實錄 8, 3年8月甲午》御札傳旨戶曹曰, 在前逐段定稅, 故一野之內, 犇馳賂事者免稅, 不能賂事者不免.《星湖僿說, 經史門, 日本史》始定町段, 方六十五步爲一段, 十段爲一町.《海行摠載, 申高靈海東諸國紀》七年癸巳, 定町段, 中人平步兩足相距爲一步, 方六十五步爲一段, 十段爲一町.

단(團) [수효] ❶'덩어리'·'덩이'·'뭉치'의 뜻으로, 조그만 덩이의 수를 세는 데 쓰는 말.《玆山魚譜 1, 鱗類, 鰈魚》牛舌鰈(仍俗名), 大掌許而長, 酷似牛舌. 金尾鰈(俗名套袖梅), 似小鰈而尾上有一團金鱗.《中國小說選》走不到三十餘步, 只見草地上一團血跡.《歲暮六首 4》啖飯著衣常苦懶, 爲誰欲理一團絲. ❷'단(端)'의 [2]❶과 같다.《花月痕, 6回》我一團好意, 倒惹得他搶白起我來.

단(摶 : tuán) [수효] 중국(中國)의 단위. '단'·'묶음'의 뜻으로, 깃 100 개를 하나치로 세는 데 쓰는 말.《周禮, 地官, 羽人》凡受羽, 十羽爲審, 百羽爲摶, 十摶爲縛. (鄭玄注) 審·摶·縛, 羽數束名也.《墨子, 備城門》十步積摶, 大二圍以上, 長八尺者二十枚.

단(端) [1] [길이] 일정한 길이로 짠 피륙의 길이를 헤아리는 데 쓰는 말. 보통 1 단은 2 장(丈), 곧 20 자〔尺〕의 길이를 이르지만 피륙의 쓰임과 시대에 따라 11 자〔尺〕 5 치〔寸〕, 1 장〔丈〕 6 자, 1 장 8 자, 2 장, 5 장, 6 장, 8 장 등 각각 그 길이가 달랐다. 겸(縑). 냥(兩). 단

(段). 순(純). 정(丁). 제(製). 필(匹·疋). ❶ 1 단은 2 장(丈), 또는 20 자〔尺〕에 해당된다. 《三國遺事 4, 義解, 慈藏定律》 貞觀十七年癸卯, 本國善德王上表乞還, 詔許引入宮, 賜絹一領, 雜綵五百端, 東宮亦賜二百端, 又多禮貺. 《朝鮮太祖實錄 1, 總書》 四月, 恭讓遣中使問疾……給廐馬一匹, 白金五十兩, 帛絹各五端, 金帶一腰, 仍慰宴于內殿. 《朝鮮明宗實錄 17, 9年7月乙丑》 監考色吏一人所得牛隻·馬匹·布端·田結, 不知其數. 《吏文續集輯覽, 端布》 會典云, 丈二爲端. 一云, 端與段通, 卽段子也. ❷ 1 단은 1 장(丈) 8 자에 해당된다. 《純元王后國葬都監儀軌, 3房, 移文》 贈帛十端(玄六黑貢緞, 纁四紅貢緞, 每端十八尺, 用禮器尺, 玄束紅絲, 纁束藍絲. 尙方). ❸ 1 단은 11 자 5 치에 해당된다. 《度支志, 外篇, 經費司, 祭物器數式》 白幣一端(十一尺五寸). ❹ 1 단은 1 장(丈) 6 자에 해당된다. 《六書考, 人 2》 布帛一丈六尺曰端, 二端爲匹. ❺ 1 단은 5 장(丈)에 해당된다. 《孫子算經, 上》 五十尺爲一端. 《新唐書, 百官志 3》 布五丈爲端. ❻ 1 단은 6 장(丈)에 해당된다. 《集韻, 桓韻》 端, 布帛六丈曰端. 《通志, 食貨志 1》 舊制, 民間所織絹布, 皆幅廣二尺二寸. 長四十尺爲一疋, 六十尺爲一端. ❼ 1 단은 8 장(丈)에 해당된다. 《資治通鑑, 漢獻帝初平 2年》 烈聞而使人謝之, 遺布一端. (胡三省注) 布帛六丈曰端, 一曰八丈曰端. ② [수효] ❶(duān) 중국(中國)의 단위. 한때 마음에 느끼는 감정. 또는 그 횟수를 세는 데 쓰는 말. 단(段). 단(團). 《史記, 信陵君傳》 賓客辯士, 說王萬端. 《西廂記, 琴心》 離恨千端, 閒愁萬種. ❷'끗'의 차자 표기로, 피륙의 접은 곱이를 세는 데 쓰는 말. 《朝鮮宣祖實錄 145, 35年正月丙午》 都下之民, 率皆流離甫合, 僅得自活, 一端之布, 辦給無路, 頗有怨苦之心. ❸'폭(幅)'의 뜻으로, 병풍 따위 폭의 수를 세는 데 쓰는 말.

단(斷 : duàn) [길이] 중국(中國)의 단위. '조각'의 뜻으로, 1 단은 10 자〔尺〕에 해당된다. 《墨子, 備梯》 伐裾之法, 小大盡本斷之, 以十尺爲斷. 《紅樓夢, 85回》 寶玉也不答言, 把那帖子已經撕作了幾斷.

단(dhan) ① [질량] 인도(印度) 캘커타(Calcutta) 지방의 고유 단위. 1 단은 판크(pank)의 4 배(倍)이며, 0.47 그레인(grain), 또는 30.4 mg 에 해당된다. ② [길이] 인도 캘커타 지방의 고유 단위. '단다(danda)'의 딴 이름.

단개아(單介兒 : dāngèr) [수효] 중국(中國)의 단위. '짝'의 뜻으로, 한 쌍 가운데 하나를 각각 세는 데 쓰는 말. 〈예〉 那副手套只剩下～了.

단계(段階) [수효] 일의 차례를 따라 나아가는 과정이나 순서·차례 따위를 나타내는 데 쓰는 말. 〈예〉 이 다리는 제 1 ～ 공사(工事)가 끝났다.

단니이(但尼爾 : dànníěr) [섬도(纖度)] 중국(中國)의 단위. '데니어(denier)'의 음역(音譯).

단다(danda) [길이] 인도(印度) 캘커타(Calcutta) 지방의 단위. 1 단

다는 구즈(guz)의 2 배(倍)이며, 2 야드(yard), 또는 1.8288 m 에 해당된다. 단(dhan).

단락(段落) [수효] 긴 문장 중에 내용상으로 크게 끊어지는 구획의 수를 세는 데 쓰는 말. 장(章). 〈예〉 이 글은 크게 세 ~으로 되어 있다.

단보(段步) [넓이] 우리 나라 논밭의 면적을 나타내는 단위. 1 단보는 3백 평(坪), 또는 약 991.736 m² 에 해당된다. 단(段)으로 끝나고 우수리가 없을 때 쓴다. 단(段).

단어(單語) (word) [수효] 문법상의 뜻·기능을 가지는 언어(言語)의 최소 단위. 또는 그 수를 세는 데 쓰는 말. 〈예〉 이 사전은 30만 ~를 수록하였다.

단원(單元) [교육] 교수—학습 장면에 있어서 일정한 과제를 해결하는 데 필요한 학습 내용 및 경험을 전체성과 통일성을 지니도록 조직해 놓은 한 단위. 또는 그 단원의 수를 세는 데 쓰는 말. 여러 개의 소단원이 모여 대단원을 이룬다.

단지 [부피] 단지에 물건을 담아 그 양을 헤아리는 데 쓰는 말. 구(甌). 담(罎). 〈예〉 꿀 한 ~.

달〔月〕(month) [시간] ❶1 년을 열둘로 나눈 것의 하나. 또는 그 수를 세는 데 쓰는 말. 개월(個月). 삭(朔). 월(月). 〈예〉 1 년은 12 ~이다. ❷평균 30 일을 하나치로 세는 데 쓰는 말.

달(達) [수효] '거리'의 뜻으로, 여러 곳으로 갈라진 길의 수를 세는 데 쓰는 말. 《爾雅, 釋宮》 五達謂之康, 六達謂之莊. 《謝莊, 送神歌》 開九重, 肅五達. 《權德輿, 廣陵詩》 八方稱輻湊, 五達如砥平. 《劉禹錫, 劉氏集略設》 五達之井, 百汲而盈科, 未必涼而甘, 所處之勢然也.

달러(dollar) [통화] 미국(美國 : U $)·오스트레일리아(Australia : A $)·라이베리아(Liberia)·캐나다(Canada : C $)·필리핀·볼리비아(Bolivia)·콜롬비아(Colombia)·쿠바(Cuba)·멕시코·니카라과(Nicaragua)·파나마(Panama)·홍콩(Hong Kong : HK $)·말레이시아(Malaysia : M $)·뉴질랜드(New Zealand : NZ $)·트리니다드 토바고(Trinidad and Tobago : TT $) 등지에서 사용하는 통화 단위. 1 달러는 100 센트(cent)에 해당된다. 기호 : $

달인(達因 : dáyīn) [힘] 중국(中國)의 단위. '다인(dyne)'의 음역(音譯).

담(儋 : dān) [부피] 중국(中國)의 단위. 1 담은 2 섬에 해당된다. 담(擔).

담(擔) ① [부피] ❶'섬〔石〕'의 뜻으로, 곡식이나 액체의 양을 헤아리는 데 쓰는 말. 섬의 10 분의 1 을 대두(大斗) 1 말〔斗〕이라 하고, 가마니의 10 분의 1 을 소두(小斗) 1 말이라 한다. 따라서, 섬은 대두로 10 말이고, 소두로는 20 말이다. 곡(斛). 담(甔). 석(石·碩). 소(召). 점(苫). 표(俵). 《朴通事諺解(重刊本), 上》 關幾擔(몃 짐을 타료). 所負曰擔, 俗作担, 今按關八擔, 則八石也……然今俗皆稱一石爲擔, 謂任力所勝, 而負擔之也, 字俗作召, 音단. 《皇朝文獻通考, 征榷考》 船實能受載百擔, 而所裝之

貨, 乃在七十擔以下者.《形音義綜合大字典》擔, 衡名, 古以百廿斤爲石, 今以百斤爲石. 量名, 十斗爲石. ❷'섬'의 뜻으로, 곡식 2 섬〔石〕또는 2 섬 3 말〔斗〕을 하나치로 그 양을 헤아리는 데 쓰는 말. 담(儋).《瀋陽狀啓, 壬午3年19日》其餘米石, 則孔王二百擔, 耿王五十擔, 沈志祥六十五擔, 尙王五十擔, 佟柱國一十擔分給. 所謂一擔, 卽我國斗平二石三斗也. [2] [수효·부피] '짐'의 뜻으로, 들거나 지거나, 또는 멜대에 매달아 운송하도록 만든 짐짝의 수. 또는 그 양을 헤아리는 데 쓰는 말. 도(挑). 대(擡). 부(負). 척(隻). 태(笞). 하(荷).《朝鮮太宗實錄 15, 8年4月庚辰》召世子賜馬四匹……圓眼荔枝·橘·椰瓢·魚醢摠十六擔, 寶鈔一千貫, 墨五丁.《城制考, 城制圖說》墩一座, 小房一間, 床板一副, 鍋·竈各一口, 水缸一箇, 碗五箇, 碟五箇, 米一石, 鹽菜·種火糞三擔, 種火一般.《水滸全傳, 16回》夫人也有一擔禮物, 另送與府中寶眷.

담(壜) [부피] '단지'의 뜻으로, 단지에 물건을 담아 그 양을 헤아리는 데 쓰는 말. 구(甌). 답(荅).《朝鮮世宗實錄 44, 11年5月戊申》昌盛書示進獻物目, 小內史八名, 會歌舞小女兒五名, 會做甜食大女兒二十名, 燒酒十壜, 松子酒十五壜, 黃酒十五壜, 梨花酒十五壜, 石燈盞十箇, 大狗五十隻, 皁鷹六連.《朝鮮世祖實錄 8, 3年6月丁酉》鑑等還太平館, 命以黃鼠毛筆一百四十枚, 龍煤十笏, 銅鑪具紫石硯二事, 白厤骨紙二千幅, 紫燒酒二壜, 靑橘二櫃, 分贈之.《朝鮮成宗實錄 108, 10年9月辛未》早藿五十斤, 香蕈一十斤, 石首魚卵鮓一壜, 銀口魚鮓一壜, 中樣三事刀子五十把.

담(甔) [부피] '담(擔)'의 [1]❶과 같다.《譯語類解, 上, 算數》十甔, 열 섬.《史記, 貨殖傳》醬千甔.《集韻》甔, 大甖, 可受一石.《廣韻》甔, 甖也, 容一石.

담불 [부피] 벼 100 섬을 하나치로 그 양을 헤아리는 데 쓰는 말.

담파랍(擔巴拉：tănbālā) [통화] 중국(中國)의 단위. '탐발라(tambala)'의 음역(音譯).

답(沓：dá) [수효] 중국(中國)의 단위. '뭉치'·'덩이'의 뜻으로, 포개어 놓은 종이 따위 얇은 것의 묶음의 수를 세는 데 쓰는 말. 〈예〉我把報紙一～ 一～地整理好了.

답(荅：dá) [부피] 중국(中國)의 단위. '단지'의 뜻으로, 단지에 곡식이나 소금 따위를 담아 그 양을 헤아리는 데 쓰는 말. 1 답은 1 말〔斗〕6 되〔升〕가 들어가는 단지이다.《史記, 貨殖傳》糱麴鹽豉千荅. 徐廣曰, 或作台, 器名有瓵. 孫叔然云, 瓵, 瓦器, 受斗六升合爲瓵, 音貽.

당(堂：tāng) [수효] 중국(中國)의 단위. ❶'벌'·'조(組)'의 뜻으로, 짝을 이루거나 여러 가지가 한데 모여서 갖추어진 물건의 수를 세는 데 쓰는 말.《大波, 2部, 2章》一堂墨漆雕花高背椅. ❷'번'·'차례'의 뜻으로, 고문이나 재판을 받는 횟수를 세는 데 쓰는 말. ❸'시간'의 뜻으로, 수업 시간의 수를 세는 데 쓰는 말.

당(當) [수효] ❶임금(賃金)을 주는

횟수를 세는 데 쓰는 말.《右捕盜廳謄錄 1, 戊辰4月12日》軍士六十四名雇價, 一年六當, 錢四百四十八兩, 木一同十四疋, 自兵曹受來.《萬機要覽, 財用編 3, 給代, 庚午給代, 京廳上下》二軍色, 錢六萬五千八百七十兩二錢八分(兩朔爲一當, 一年分六當上下, 而閏朔通計).《萬機要覽, 軍政編 1, 捕盜廳, 總例》書員各四人, 使令各三名, 軍士各六十四名(軍士雇價, 一年六當, 每當錢八白九十六兩, 木二同二十八疋, 自兵曹分下於兩廳). ❷중국(中國)의 단위. ㉮'다발'·'묶음'·'단'의 뜻으로, 꽃이나 푸성귀 같은 것의 묶음을 세는 데 쓰는 말.《曼殊別誌書罇》母夢隣嫗以白花一當寄使賣. ㉯'송이'·'가지'·'그루'의 뜻으로, 꽃이나 나무의 수를 세는 데 쓰는 말.《碎簪記》余飯后, 復至醫院, 以紫白相間之花十二當贈莊湜.

당(幢 : zhuàng) [수효] 중국(中國)의 단위. ❶'채'의 뜻으로, 집이나 건물의 수를 세는 데 쓰는 말. 가(架·家). 구(區). 동(棟). 소(所). 실(室). 우(宇). 원(院). 장(爿). 전(廛). 좌(坐·座). 진(進).《燕知草, 重過西園碼頭》非但北京天津也者沒有去成, 即在上海租着的一幢洋房也沒有全家搬去住. ❷'가리'·'더미'의 뜻으로, 물건이 쌓여 모인 큰 덩어리의 수를 세는 데 쓰는 말.《紅稻米, 2幕》稻場上推着五七幢稻草, 在那溫和的冬日陽光中, 高似一座座的金塔. ❸기념비 따위의 수를 세는 데 쓰는 말.《白洋淀紀事, 碑》站在河邊的老人, 就是平原土的一幢紀念碑.

당(撞 : zhuàng) [수효] 중국(中國)의 단위. '번'·'회(回)'의 뜻으로, 종(鐘)이나 물건을 친 수를 세는 데 쓰는 말.《太平廣記 499, 中國故事》乃扣新鐘十撞, 捨錢一萬貫.

당(檔 : dàng) [수효] 중국(中國)의 단위. '건(件)'·'번'의 뜻으로, 일의 횟수를 세는 데 쓰는 말.

당(黨 : dǎng) [조직] 중국(中國)의 단위. 민호(民戶) 편제의 하나. ❶ 1 당은 500 가(家)로 조직되었다.《釋名, 釋州國》五百家爲黨.《周禮, 地官, 大司徒》令五家爲比, 使之相保, 五比爲閭, 使之相受, 五閭爲族, 使之相葬, 五族爲黨, 使之相救, 五黨爲州, 使之相賙, 五州爲鄉, 使之相賓. (鄭玄注) 族, 百家, 黨, 五百家.《漢書, 食貨志》五家爲隣, 五隣爲里, 四里爲族, 五族爲黨.《禮記, 學記》古之敎者, 家有塾, 黨有庠. ❷ 1 당은 250 가(家)로 조직되었다.《正字通, 黑部》黨, 二百五十家爲黨.

당(dāng) [질량] 이란(Iran)의 고유 단위. 1 당은 데람(deram)의 4 분의 3 이며, 11.8 그레인(grain), 또는 약 750 mg 에 해당된다.

당오전(當五錢) [화폐] 조선 고종(高宗) 20년(1883)에 주조한 동전(銅錢). 1 푼〔分〕이 상평통보(常平通寶) 1 문(文)의 5 배(倍)였으나, 주전비(鑄錢費)가 상평통보의 5 분의 2 나 되고 통화 가치가 떨어져 뒤에 가서는 상평통보 1 냥(兩)과 당오전 5 냥이 같게 되자, 동왕 31년에 주조를 중단하였다. 당오동전(當五銅錢)이라고도 불렀다.《朝鮮高宗實錄 20, 20年2月18日》淳穆曰

當五錢設鑄事, 蒙允矣. 以協辦軍國事務朴定陽, 使之句檢何如. 允之. 《朝鮮高宗實錄 20, 20年2月18日》洪淳穆曰, 近來經費, 萬分艱窘, 方設鑄錢, 而其爲通用, 猶有所不敷. 臣意則以當五銅錢, 及今鼓錢, 與銀標互行共濟, 似無窒礙之慮矣.

대 [수효] ❶담배통에 담배를 담는 분량. 또는 담배를 피우는 횟수를 세는 데 쓰는 말. ❷쥐어박거나 때리는 수를 세는 데 쓰는 말. 곤(棍). 권(拳). 도(度). 돈(頓). 매(枚). 장(杖). 타(打). 판(板).

대(大) [넓이] 일본(日本)의 옛 단위. 1 대는 단(段)의 3 분의 2 이며, 사방 240 보(步 : 793.39 m²), 또는 사방 200 보(661.16 m²)에 해당된다.

대(代) [1] [시간] ❶'대'의 뜻으로, 임금의 치세(治世), 가계(家系)나 호주 승계(戶主承繼)의 순서, 또는 존속 기간(存續期間) 따위를 헤아리는 데 쓰는 말. 손(孫). 《高麗史 2, 景宗世家》冬十月甲子, 加政丞金傅爲尙父, 制曰, 姬周啓聖之初, 先封呂望, 劉漢興王之始, 首册蕭何, 自此大定寰宇, 廣開基業, 立龍圖二十代, 躡麟趾四百年, 日月重明, 乾坤交泰. 《朝鮮太宗實錄 10, 5年11月癸丑》佛法到東方, 始於三國, 高句麗十七代小獸林王時, 胡僧順道, 至自符秦. 《經國大典 1, 吏典, 鄕吏》連二代立役, 則雖訴本非鄕孫, 勿聽(二代立役, 謂祖及父連二代鄕役者). 《續大典 5, 刑典, 補充隊》連二代良役, 事在六十年前, 非當身具存, 雖無文帖, 亦勿沒入公賤. ❷연대(年代)나 나이 따위의 대강의 범위를 나타내는 데 쓰는 말. 〈예〉 1990年～. 20～의 청년. ❸가장 넓은 구분(區分)으로 나눈 지질 시대(地質時代)를 나타내는 데 쓰는 말. 고생대(古生代 : Palaeozoic era. 6억 년 전 ～ 2억 3천만 년전) · 중생대(中生代 : Mesozoic era. 2억 3천만 년 전 ～ 7천만 년 전) · 신생대(新生代 : Cainozoic era. 7천만 년 전～기원전 4천 년)로 나뉜다. ❹'세대'의 뜻으로, 30 년을 한 구분으로 하는 연령층. 또는 그 기간을 헤아리는 데 쓰는 말. [2] [수효] '대'의 뜻으로, 소나 돼지의 갈비〔乫非〕의 수를 낱으로 세는 데 쓰는 말. 대(對). 《度支準折, 肉物》牛乫非一代, 価錢(二戔, 應辦. 一戔二分, 內局. 一部重二斤, 一隻六代). [3] [넓이] 일본(日本)의 옛 단위. 1 대는 사방 7 보(步) 2 홉〔合〕, 또는 1 단(段)의 50 분의 1 에 해당된다.

대(台) [수효] '대(臺)'의 [1]❶과 같다. 《讀者文摘》平均每四個人便有一台電視機, 每二點六人便有一具電話, 每十三個人便有一輛汽車. 《中國新文學大系 5》寢榻中間有一台風琴.

대(坮) [수효] 술잔의 수를 세는 데 쓰는 말. '坮'는 '臺'의 고자(古字)이다. 집(執). 《陶山書院傳掌記 29, 己卯8月17日》爵四坮, 觸坮二雙, 鍮盞三坮.

대(帒) [부피] '대(袋)'와 같다. '帒'는 '袋'와 동자(同字)이다. 《高麗史 46, 恭讓王世家》司幕韓幹, 於本闕遺址, 得新埋骨一帒. 《朝鮮世宗實錄 5, 元年9月戊午》上遣元肅, 贈

黃儼……滿花席六張……石燈盞一事, 念珠一帒, 厚紙六百丈, 茶三斗.《朝鮮成宗實錄 212, 19年正月甲戌》定護喪官, 賻給棺及大小斂所入, 緜布十匹, 緜花一帒, 炭·燭·喪服等物, 各遣人致祭.《瀋陽狀啓, 辛巳8月19日》 此後車子運粮之事, 萬分緊急, 而恐或不易爲白乎乙去, 極爲渴悶爲白臥乎事是良尒, 詮次云云. 後, 豹皮一令, 虎皮一令, 豺皮二令, 果樻一秀, 輿子一部, 狗皮毛浮一部, 土猪皮毛浮一部, 土猪皮方席一坐. 水剌米二帒, 白米三帒, 每一帒六斗入. 常糯袴三領, 常白糯衣五領, 常青衣一領, 入送. 義州來銀口魚卵七升, 狀達書塡, 而不爲載去云, 故內入.

대(帶) [수효] 일정한 길이와 굵기로 꼬아서 만든 칡줄〔葛注乙〕·세겹줄〔三甲注乙〕 따위의 줄의 수를 세는 데 쓰는 말.《孝宗寧陵山陵都監儀軌, 造成所, 雜物實入摠數》生葛注乙五帶, 用後小浮石所移給.《孝宗寧陵山陵都監儀軌, 左右輪石所》 實在一百五十七同三十六沙里造注乙, 大九甲注乙十二帶, 大三甲注乙六十帶, 中三甲注乙八十帶, 小三甲注乙一百十帶, 小二甲注乙二百二十帶, 合四百八十二帶.《吏文輯覽 3, 50》一帶, 흔 줄.

대(袋) [부피] '자루'·'부대'·'주머니'·'포대'의 뜻으로, 부대나 주머니 따위에 물건을 담아 그 양을 헤아리는 데 쓰는 말. 대(帒).《瀋陽狀啓, 癸未 5月14日》原細折南草二十袋, 烟筒二十根, 今減去.《鏡花綠, 76回》要象這樣處處起課, 將來喝碗茶, 吃袋烟, 還要問問吉凶哩.

대(隊) 1 [군사] ❶고려 시대 군대 편제(編制)의 한 단위. 1 대는 25 인으로 조직되고, 지휘자를 정(正)이라 하였다.《高麗史 81, 兵志, 兵制, 五軍》恭讓王元年十二月, 憲司上疏. 一, 府兵領於八衛, 八衛統於軍簿, 四十二都府之兵, 十有二萬, 而隊有正, 伍有尉, 以至上將, 以相統屬.《高麗史 83, 兵志, 東界》安邊府, 都領一, 郎將二, 別將四, 校尉十二, 隊正二十七, 抄軍左·右軍各八隊, 寧塞軍三隊五人, 計五十, 工匠一梗, 計三十三人. ❷조선 초기, 군대 편제의 한 단위. 여(旅)의 아래. 1 대는 25 인으로 조직되었다.《朝鮮文宗實錄 8, 元年6月丙戌》大將有五衛, 每衛各有五部, 每部各有四統……大將令衛將, 衛將令部將, 部將令統將, 統將令旅帥, 旅帥令隊正, 隊正令伍長, 伍長令其卒(五人爲伍, 二十五人爲隊, 一百二十五人爲旅). ❸조선 시대, 군대 편제(編制)의 맨 아래 단위. 각 이(里)에 두었다.《增補文獻備考 113, 兵考, 教閱, 五禮儀講武儀》宣祖二十九年, 定鍊兵規式……其二曰, 分軍之法, 依紀效新書, 一營統五司, 一司統五哨, 一哨統三旗, 一旗統三隊, 各里團結爲一隊. 2 [행정] 조선 시대, 민호 편제(民戶編制)의 한 단위. 세종(世宗) 때에는 10 인을 1 통(統), 10 가(家)를 1 대로 편성하였다.《朝鮮世宗實錄 97, 24年8月辛卯》兵曹啓, 各道沿海散居人民, 並令每里聚居, 每十人爲統, 每十家爲一隊. 3 [수효](duì) 중국(中國)의 단위. '무리'·'떼'의 뜻으로, 사람이나 짐승, 또는 물건

이 여럿 모여서 이룬 동아리의 수를 세는 데 쓰는 말.《徐霞客遊記, 粤西遊日記 4》洞之西垂, 又有石柱一隊, 外自洞口排列, 抵洞後西界, 別成長榭.《故事新編, 補天》伊無法可想的向四處看, 便看見有一隊巨鰲正在海面上遊玩.《少年小說 3》到子比賽的前一天, 爸爸帶著我們這一隊隊員下山.

대(對) [수효] '짝'·'벌'·'쌍'·'켤레'의 뜻으로, 두 개가 합하여 한 벌을 이루거나 낱으로 된 물건의 수를 세는 데 쓰는 말.《朴通事諺解, 下》簸箕來大一對耳朶(키만치 크게 흔 흔 빵 귓바회와).《吏文輯覽 2, 8》三五對. 對, 一雙也.《譯語類解, 補, 筭數》六對, 여섯 쌍. ❶'벌'의 뜻으로, 옷의 수를 셀 때 쓰이었다. 구(具). 부(副·福). 사(事). 습(襲). 신(身). 엽(葉). 영(領). 요(腰). 전(揃). 착(著). 칭(稱). 투(套).《高麗史 9, 文宗世家》三十二年春二月丙辰……賜國王衣二對, 各金銀葉裝漆匣盛一對, 紫花羅夾公服一領, 淺色花羅汗衫一領.《高麗史 14, 睿宗世家》省所差人進奉御衣二對. ❷종(鐘)·합(盒)·창(鎗)·거울·등(燈) 따위의 수를 낱으로 셀 때 쓰이었다.《朝鮮正祖實錄 42, 19年2月甲辰》取見進貢物件單子, 則萬年如意八音樂鐘一對, 時刻報喜各式金表四對, 鑲嵌金小盒一對, 珊瑚珠一百八顆, 鑲嵌帶板四副……風鎗一對, 金眼線三十斤……大玻璃鏡一對, 花玻璃鏡一對, 玻璃桂燈四對. ❸'쌍'의 뜻으로, 비둘기〔鵓鴿〕 등의 날짐승의 암수를 하나치로 셀 때 쓰였다.《朝鮮太宗實錄 16, 8年8月丙子》賜以大藏經一部, 懶翁畫像中鍾一事, 紅墨氈帽虎豹皮·雌雄羔二雙, 鵓鴿五對, 鞍子一面. ❹'벌'의 뜻으로, 그릇·칼 따위의 수를 셀 때 쓰이었다.《朝鮮成宗實錄 81, 8年6月庚子》砂糖百斤, 水牛角百本, 天竺酒甕二箇, 藤二千本, 鮐皮二百枚, 種樹器青磁一對.《朝鮮成宗實錄 182, 16年8月戊申》別幅長刀一對, 鎧一領, 諸綠具朱漆鑓子一對, 屛風一雙, 疊畫扇二十把, 大碗盆兩箇, 鋋瓶二對, 紫石紋硏十枚. ❺비녀〔簪〕·무적(舞翟) 따위의 수를 낱으로 셀 때 쓰이었다.《朝鮮太宗實錄 6, 3年10月辛未》王父段匹·書籍等件及中宮殿下賞賜……金事件一副內, 疊絲金翟一對, 金簪一對, 疊絲寶鈿花九箇. ❻'자루'의 뜻으로, 초의 수를 낱으로 셀 때 쓰이었다. 병(柄). 정(丁·挺). 조(條). 지(枝). 척(隻).《高麗史 9, 文宗世家》龍鳳燭二十對, 龍一十對, 鳳一十對.《朝鮮端宗實錄 2, 卽位年8月甲子》別幅祭物, 沈束香一觔, 祭酒三十瓶, 果卓大小共四事, 各色湯物一十二道, 粧花蠟大燭一對. ❼갑(匣)·등경걸이 따위의 수를 낱으로 셀 때 쓰이었다.《高麗史 9, 文宗世家》三十二年春二月丙辰……賜國王衣二對, 各金銀葉裝漆匣盛一對, 紫花羅夾公服一領.《春官通考 46, 嘉禮, 迎勅禮單》玲瓏燈臺二對. ❽뿔〔角〕의 수를 낱으로 셀 때 쓰이었다.《朝鮮世宗實錄 36, 9年4月辛酉》全羅道監司啓, 典醫監所納鹿茸十對, 濟生院三十對……上命, 典醫監三十對內十對, 惠民局五對, 濟生院三十

一對內五對, 仍舊其餘盡減之.《朝鮮燕山君日記 56, 10年10月甲戌》寄書大監李珍等曰……弓角非我國所產, 而天朝法禁甚嚴, 一年常數二百對外, 不得私貿, 以故前者大人奉使來時, 爲陣奏之意, 大人已知之矣.《度支準折, 牙角》羚羊角一對, 價錢八戔. 內局. 一兩價艮二戔八分五里七戶. 版貿. ❾채〔槌〕나 징〔鐲〕 따위의 수를 낱으로 셀 때 쓰이었다. 징은 군중(軍中)에서 북 소리를 조절하기 위하여 치는 악기이다.《高麗史 70, 樂志, 有司攝事登歌軒架》編鍾, 正聲一十六顆, 中聲一十二顆……盤子七箇, 紅線條全牌一面, 角槌一對.《朝鮮成宗實錄 16, 3年3月辛丑》韓致仁, 進韓氏所送物件……大紅花羅一匹, 銀連珠手鐲一對. ❿족자(族子)의 수를 낱으로 셀 때 쓰이었다.《朝鮮世祖實錄 43, 13年8月丁未》贈琉球國王……屛風一坐, 石燈盞四事, 短珠一貫, 族子二對, 錫硯滴一事, 白摺扇百把. ⓫'켤레'의 뜻으로, 신의 수를 셀 때 쓰이었다.《朝鮮太宗實錄 19, 10年3月丁卯》賜檢校漢城尹朱希靖, 衣一襲, 靴一對, 米·豆十石, 希靖年老家貧, 上憐之有是賜.《朝鮮世宗實錄 47, 12年2月己丑》日本國王所遣宗金·道性等辭, 答書曰……油靑韂二副, 藍斜皮靴二對, 紫獐皮靴二對, 大犬三隻, 小犬一隻. ⓬병풍(屛風)·장막(帳幕)·장(杖)·기(旗) 따위를 낱으로 셀 때 쓰이었다.《高麗史 9, 文宗世家》畫龍帳二對.《朝鮮肅宗實錄 51, 38年3月壬辰》別幅鎧二十副, 大刀二十把, 長刀二十條, 厨子一坐, 全副屛風二十對.《通文館志 4, 事大, 勅使行牌文》御杖一對, 龍旗一對(有賜物則某物一擡), 衣樻一擡, 欽差牌二面, 黃傘二柄. ⓭등롱(燈籠)·보자기〔袱〕의 수를 낱으로 셀 때 쓰이었다.《京都雜志 1, 風俗, 婚儀》新婦乘黃銅釘八人轎, 四面垂簾, 前排靑紗燈籠四對, 案袱一對, 戴棗脩衣函鏡臺, 擎芙蓉香, 十二婢靚粧麗服, 作雙前導.《京都雜志 1, 風俗, 婚儀》新郎跨白馬, 衣紫綃團領, 繫犀帶, 戴複翅紗帽, 前排靑紗燈籠四對. 鴈父, 朱笠·黑團領, 捧鴈徐步在前, 借諸司吏隷, 陪護籠街. ⓮일정한 길이로 짠 피륙을 하나치로 셀 때 쓰이었다. '段'은 '緞'과 통용한다.《高麗史 44, 恭愍王世家》今後, 將來的方物, 只土產布子不過三五對.《朝鮮太祖實錄 14, 7年6月戊辰》賜大銀一箇, 段一對, 鈔二十錠, 欽此移咨, 開讀訖. ⓯소·돼지 따위의 갈비의 도막을 낱으로 셀 때 쓴다. 대(代). ⓰한시(漢詩)를 짓는 데 있어서의 대구법(對句法)의 종류를 세는 데 쓰는 말.《李淑, 詩苑類格》唐, 上官儀曰, 詩有六對, 一曰正名對, 天地日月是也. 二曰同類對, 花葉草芽是也. 三曰連珠對, 蕭蕭赫赫是也. 四曰雙聲對, 黃槐綠柳是也. 五曰疊韻對, 彷彿, 放曠是也. 六曰雙擬對, 春樹秋池是也. ⓱떡의 수를 세는 데 쓰는 말.《王士禛, 香祖筆記 3》明大內英華殿, 供西番佛像……四月八日, 供大不落夾四百對, 小不落夾三百對. 叔祖李木考功詩云, 慈寧宮裏佛龕崇, 瑤水珠燈照碧空. 四月虔供不落夾, 內宮催辦小油紅, 蓋紀此事也.

대(臺) 1 [수효] ❶차(車)나 기계 같은 것의 수를 세는 데 쓰는 말. 주로 라디오·카메라·TV·세탁기·피아노·비행기 따위에 쓴다. 가(架). 대(台). ❷인쇄물(印刷物)에서 인쇄기에 한 번 건 판(版)의 수를 세는 데 쓰는 말. 16 페이지 또는 32 페이지를 한데 묶어 1 대라 한다. 2 [호칭] 연수(年數)·액수(額數) 따위의 밑에서 그 대체의 범위를 나타내는 데 쓰는 말. 〈예〉 수억 ~의 재산.

대(擡) [수효] '짐'의 뜻으로, 들거나 지거나, 또는 멜대에 매달아 운송하도록 만든 짐짝의 수를 세는 데 쓰는 말. 각(脚). 담(擔). 《通文館志 4, 事大, 牌文》詔書一道, 御杖一對, 龍旗一對(有賜物則曰, 某物一擡), 衣槓一擡, 欽差牌二面, 黃傘二柄, 廻避牌二面, 肅靜牌二面. 《贈太子少保兵部尙書忠烈楊公傳》請告歸籍, 止用肩輿一乘, 行李二擡而已. 《儒林外史, 10回》金·銀·珠·翠, 首飾……羊酒·菓品, 共是幾十擡.

대가구람(大可久覽) [질량] '데카그램(decagram)'의 음역(音譯). 1 대가구람은 1 그램의 10 배이며, 척관법(尺貫法)으로는 2 돈〔錢〕 6 푼〔分〕 6 리(釐) 6 사(絲) 7 홀(忽)에 해당된다. 《增補文獻備考 91, 樂考, 度量衡》十久覽爲大可久覽, 當我二錢六分六釐六絲七忽, 十大可久覽爲赫得久覽, 當我二兩六錢六分六釐六毫六絲七忽.

대가미돌(大可米突) [길이] '데카미터(decameter)'의 음역(音譯). 1 대가미돌은 1 미터의 10 배이며, 척관법(尺貫法)으로는 33 자(尺)에 해당된다. 《增補文獻備考 91, 樂考, 度量衡》十米突爲大可米突, 準我三十三尺, 十大可米突爲赫得米突, 準我三百三十尺.

대가익돌(大可翊突) [부피] '데카리터(decaliter)'의 음역(音譯). 1 대가익돌은 1 리터의 10 배이며, 척관법(尺貫法)으로는 5 되〔升〕 5 홉〔合〕 4 작(勺) 3 초(抄) 5 촬(撮) 2 규(圭)에 해당된다. 《增補文獻備考 91, 樂考, 度量衡》十翊突爲大可翊突, 準我五升五合四勺三抄五撮二圭.

대곡(大斛) [부피] 휘로 곡식이나 액체의 양을 헤아리는 데 쓰는 말. 20 말들이로서 전석(全石)이라고도 한다. 15 말은 평석(平石), 또는 소곡(小斛)이라 한다. 《經國大典 6, 工典, 營繕, 度量衡》量之制, 十勺爲合 十合爲升, 十升爲斗, 十五斗爲小斛(平石), 二十斗爲大斛(全石). 《磻溪隨錄 1, 田制 上》今國俗, 以十五斗爲斛, 稱平石, 官府用之, 又以二十斗爲大斛, 稱全石, 民間例, 以皮穀二十斗爲一石.

대내(臺乃) [수효] '타래'의 차자 표기로, 실이나 줄 따위를 감아서 틀어 놓은 덩이의 수를 세는 데 쓰는 말. 구(扣). 월내(月乃). 《萬機要覽, 軍政編 3, 摠戎廳, 軍器》火繩九千三百七十六臺乃, 訓七百臺乃, 禁六千六十九臺乃, 御一千七百六十七臺乃, 僧八百四十臺乃.

대대(大隊) [군사] 육군 군대 조직(軍隊組織)의 최소 전술 단위(戰術單位). 연대(聯隊)의 아래이고 중대(中隊)의 위로, 3 개 대대가 1 개

연대를 이루고, 4 개 중대가 1 개 대대를 이룬다. 공군에서는 4~5 편대(編隊)가 1 개 대대를 이룬다. 고종(高宗) 때에는 5 개 중대를 1 개 대대로 편성하고, 각 중대에는 중대장 1 원(員)을 두었다.《增補文獻備考 283, 職官考, 更張官制》侍衛隊, 今上三十一年, 廢諸軍門, 設訓鍊隊. 三十二年, 改設侍衛隊, 以二大隊編成聯隊, 長一員, 大隊長二員, 副官二員, 餉官二員, 中隊長四員, 小隊長十四員. 光武二年, 改置聯隊長一員, 副官一員, 武器主管一員, 旗官附下士三員. 親衛隊, 今上三十二年, 設親衛隊, 置聯隊長一員, 副官一員, 武器主管一員, 旗官一員. 光武二年, 以一二三大隊, 編成一聯隊, 各大隊, 大隊長一員, 餉官二員, 副官一員, 正校一員, 副校三員. 五中隊爲一大隊, 各中隊, 中隊長一員, 小隊長四員, 正校·副校各一員.

대손(代孫) [수효] 시조(始祖)나 중시조(中始祖)로부터 쳐서 몇 대째의 자손인가를 헤아리는 데 쓰는 말. 세손(世孫).《三國遺事 2, 紀異, 駕洛國記》元君八代孫金銍王……於元君與皇后合婚之地創寺, 額曰王后寺, 遣使審量近側平田十結, 以爲供億三寶之費.《朝鮮太祖實錄 6, 3年6月甲申》切念臣先世本朝鮮遺種, 至臣二十二代祖翰, 仕新羅爲司空, 及新羅亡翰六代孫兢休入高麗, 兢休十三代孫安社仕于前元, 是臣高祖自後世不受高麗官爵, 及元季兵興.

대시구람(大始久覽) [질량] '데시그램(decigram)'의 음역(音譯). 1 대시구람은 1 그램의 10 분의 1 이며, 척관법(尺貫法)으로는 2 리(釐) 6 호(毫) 6 사(絲) 7 홀(忽)에 해당된다. 《增補文獻備考 91, 樂考, 度量衡》十先知久覽爲大始久覽, 當我二釐六毫六絲七忽.

대시미돌(大始米突) [길이] '데시미터(decimeter)'의 음역(音譯). 1 대시미돌은 1 미터의 10 분의 1, 또는 10 센티미터. 척관법(尺貫法)으로는 3 치〔寸〕 3 푼〔分〕에 해당된다.《增補文獻備考 91, 樂考, 度量衡》十先知米突爲大始米突, 準我三寸三分.

대시익돌(大始翊突) [부피] '데시리터(deciliter)'의 음역(音譯). 1 대시익돌은 1 리터의 10 분의 1 이며, 척관법(尺貫法)으로는 5 작(勺) 5 초(抄) 4 촬(撮) 4 규(圭)에 해당된다. 《增補文獻備考 91, 樂考, 度量衡》十先知翊突爲大始翊突, 準我五勺五抄四撮四圭.

대야 [부피] 대야에 물이나 물건을 담아 그 양을 헤아리는 데 쓰는 말.

대접 [부피] 대접에 음식물을 담아 그 양을 헤아리는 데 쓰는 말.

대조(代祖) [수효] 나의 위로 거슬러 쳐서 몇 대째의 선조(先祖)인가를 헤아리는 데 쓰는 말.《朝鮮太祖實錄 6, 3年6月甲申》切念臣先世本朝鮮遺種, 至臣二十二代朝翰, 仕新羅爲司空, 及新羅亡翰六代孫兢休入高麗, 兢休十三代孫安社仕于前元, 是臣高祖自後世不受高麗官爵, 及元季兵興.

대주원(大周元) [시간] 3,600 년을 하나치로 헤아리는 데 쓰는 말.《高麗史 112, 白文寶傳》積三千六百年

爲一大周元.

대칭(大稱) [질량] 무게를 헤아리는 데 쓰는 말. 1 대칭은 100 근(斤)에 해당된다. 16 냥(兩)을 1 근으로 하였을 때, 3 근을 소칭(小稱), 30 근을 중칭(中稱), 100 근을 대칭이라 한다. 《經國大典 6, 工典, 度量衡》 衡之制, 黃鍾之管, 其容水重八十八分, 十釐爲分, 十分爲錢, 十錢爲兩, 十六兩爲斤. 大稱一百斤, 中稱三十斤或七斤, 小稱三斤或一斤. 《增補文獻備考 91, 樂考, 度量衡》 大稱一百斤, 中稱三十斤或七斤, 小稱三斤或一斤.

대통(大通) [시험] 조선 시대, 강경(講經) 시험의 첫째 등급. 조선 초기에는 대통(大通)·통(通)·약통(略通)·조통(粗通)·불통(不通)의 다섯 등급이 있었으나, 그 후에는 통(通)·약(略 : 혹은 略通)·조(粗 : 혹은 粗通)·불(不 : 혹은 不通)의 네 등급으로 나누었다. 《朝鮮世宗實錄 103, 26年2月己丑》 禮曹啓文科講經節目. 一, 句讀·訓釋皆不錯誤, 講論雖不該通, 不失一章大旨者, 爲粗通. 一, 句讀·訓釋皆熟, 講論詳明, 雖通大旨, 未至融貫者, 爲略通. 一, 旣能句讀明白, 訓釋·辨說無疑, 開析義理, 融貫旨趣者, 爲通. 一, 句讀·訓釋·義理·旨趣, 旣皆曉釋, 又能連上接下, 典暢旁通, 融貫一書大旨, 深得言意之表者, 爲大通. 《慵齋叢話 2》 擧子讀大文釋之, 試官講論註疏, 胥吏書通·略·粗·不四字, 以爲講籤, 各置於試官前. 《經國大典 1, 吏典, 內侍府》 講所讀書, 通給別仕二, 略通一, 粗通半, 不通削仕三.

더미 [수효] 물건이 모여 쌓인 큰 덩어리의 수를 세는 데 쓰는 말.

덕랍극마(德拉克馬 : délākèmǎ) [질량] 중국(中國)의 단위. '드라흐메(drachme)'의 음역(音譯).

덩어리 [수효] ❶뭉쳐서 크게 이루어진 덩이의 수를 세는 데 쓰는 말. ❷여럿이 모여 이루어진 집단의 수를 세는 데 쓰는 말. 과(裹). 정(挺·錠). 흘(疙).

덩이 [수효] 작게 뭉쳐진 것의 수를 세는 데 쓰는 말.

데나로(denaro) [질량] 이탈리아(Italia)의 고유 단위. 1 데나로는 리브라(libbra)의 288 분의 1 이며, 18.17 그레인(grain), 또는 1.18 g에 해당된다.

데나리(denarii) [통화] 고대 로마(Roma)와 신약 시대(新約時代)의 은화(銀貨). 1 데나리는 약 100 펜스(pence)에 해당된다.

데나리우스(denarius) [통화] 고대 로마(Roma)에서 통용되었던 은화(銀貨). 기원전 269년에 처음 주조되어 그 당시는 10 아스(as)였으나, 그 후 은(銀)의 수입 증가에 따라 그 가치도 증가되어 기원전 217년에는 16 아스가 되었다. 신약성서(新約聖書)에는 페니(penny)라고 기록되어 있다. 당시 농경(農耕)에 종사하는 자유 노동자와 병사(兵士)의 일급(日給)이 1 데나리우스였다고 한다.

데나트(Denat) [질량] 오스트리아(Austria)의 옛 단위. 1 데나트는 푼트(Pfund)의 512 분의 1 이며, 16.88 그레인(grain), 또는 1.094 g에 해당된다.

데니어(denier) [섬도(纖度)] 견사(絹絲)·인견사(人絹絲)·나일론사(絲) 따위의 연속사(連續絲)에 쓰인다. 면사(綿絲)·마사(麻絲)·모사(毛絲) 따위의 방적사(紡績絲)에는 번수(番手)를 쓴다. 1 데니어는 길이 450 m, 무게 50 mg 인 실의 굵기를 말한다. 데니어는 수가 크면 클수록 실이 굵지만, 번수는 이와 반대이다. 실의 굵기는 지름을 재어서 정하기가 어렵기 때문에 길이와 무게를 가지고 정하고 있다. 단니이(但尼爾). 조분(條分). 기호 : D, d

데도(dedo) [길이] 스페인(Spain)의 고유 단위. 1 데도는 바라(vara)의 48 분의 1 이며, 0.69 인치, 또는 1.74 m 에 해당된다.

데라(derah) [길이] 에리트레아(Eritrea)의 고유 단위. 1 데라는 18.11 인치(inch), 또는 0.46 m 에 해당된다.

데람(deram) [질량] 현재 이란의 단위. 지역에 따라 다소 차이가 있는데, 1 데람은 약 15.43 그레인(grain), 또는 1 g 에 해당된다.

데벤(deben) [질량] 고대 이집트(Egypt)의 단위. 1 데벤은 그레인(grain)의 1,440 배, 또는 93.3 g 에 해당된다.

데샤티나(desyatina) [넓이] 러시아의 토지 면적의 단위. 1 데샤티나는 109.25 헥타르〔ha〕이며, 2,400 제곱 사젠(sazhen'), 또는 3,304 평(坪)에 해당된다.

데시(deci-) [접두어] 10 분의 1 을 나타내는 미터법에서의 접두어(接頭語). 기호 : d

데시그램(decigram) [질량] 1 데시그램은 그램의 10 분의 1 에 해당된다. 분극(分克). 대시구람(大始久覽). 기호 : dg

1 dg $=10^{-1}$ g
$=10^{-4}$ kg
$=1.543236$ 그레인

데시리터(deciliter) [부피] 1 데시리터는 1 리터의 10 분의 1 에 해당된다. 대시익돌(大始翊突). 분승(分升). 기호 : dl

1 dl $=0.1l$
$=0.1000028$ dm^3

데시모(decimo) [통화] 칠레·콜롬비아(Colombia)·에콰도르(Ecuador)의 옛 통화 단위. 1 데시모는 센타보(centavo)의 10 배(倍)에 해당된다.

데시미터(decimeter) [길이] 1 데시미터는 1 미터의 10 분의 1, 또는 10 cm 에 해당된다. 대시미돌(大始米突). 분미(分米). 특서미특(特西米特). 기호 : dm

1 dm $=0.1$ m
$=10$ cm

데시밀리(decimilli-) [접두이] 1 만분의 1, 또는 10^{-4} 를 나타내는 미터계의 접두어.

데시벨(decibel) [음압(音壓)·소음] 전기·전압·전류와 소리의 세기 따위에 대한 수치(數値)의 변화의 크기를 표시하는 단위. 간신히 들을 수 있는 소리는 10 dB, 전화벨 소리는 60 dB, 열차 소리는 100 dB 이다. 10 dB 이 올라갈 때마다 음의 강도는 10 배로 늘어난다. 80 dB 이상의 소음을 오랜 기간 계속 들으면 평생 청각 장애자가 될 수도 있다. 데시벨의 벨은 미국의 전기 공학자 벨(Bell Alexander Graham ; 1847~1922)의 이름에서 따온 것으로서, 1 데시벨은 10 분의 1 벨(bel)이다. 분패(分貝). 기호 : dB, db

데시스테르(décistère) [부피] 프랑스(France)의 단위. 1 데시스테르는 스테르(stère)의 10 분의 1, 또는 0.1 m^3 에 해당된다. 기호 : dst

데시아르(deciare) [넓이] 면적의 단위. 1 아르〔a〕의 10 분의 1, 또는 10 m^2 에 해당된다. 기호 : da

데시아틴(deciatine) [넓이] 라트비아(Latvia)의 단위. 1 데시아틴은 2.70 에이커(acre), 또는 109.25 아르〔a〕에 해당된다.

데심(decime) [통화(通貨)] 프랑스의 현재 통화 단위. 1 데심은 프랑(franc)의 10 분의 1 이며, 상팀(centime)의 10 배(倍), 또는 미화(美貨)로는 약 2 센트(cent)에 해당된다.

데카(deca-) [접두어] 10 배를 뜻하는 미터법 단위의 접두어. 기호 : da

데카그램(decagram) [질량] 1 데카그램은 1 그램의 10 배이다. 대가구람(大可久覽). 기호 : dag

$$1\ dag = 10\ g = 10^{-2}\ kg$$
$$= 0.3527396\ 온스$$
$$= 154.3236\ 그레인$$

데카르(decare) [넓이] 면적의 단위. 1 데카르는 아르〔a〕의 10 배, 또는 0.247 에이커(acre)에 해당된다.

데카리터(decaliter) [부피] 1 데카리터는 1 리터의 10 배이다. 대가익돌(大可翊突). 두(㪷). 기호 : da*l*

데카미터(decameter) [길이] 1 데카미터는 1 미터의 10 배이다. 대가미돌(大可米突). 기호 : dam

데카스테르(décastère) [부피] 프랑스(France)의 미터법 단위. 1 데카스테르는 스테르(stère)의 10 배(倍), 또는 10 m^3 에 해당된다. 기호 : dast

데카포데(dekapode) [넓이] 고대 그리스(Greece)의 단위. 1 데카포데는 11.39 제곱 야드(yard), 또는 9.52 m^2 에 해당된다.

데카푸아즈(decapoise) [점도(粘度)] 푸아즈(poise)의 10 배에 해당된다. 기호 : daP

데케이드(decade) ① [수효] 10 개가 한 벌로 된 물건의 수를 세는 데 쓰는 말. ② [시간] 10 년을 하나치로 헤아리는 데 쓰는 말. 3 데케이드는 30 년이다.

데켐페다(decempeda) [길이] 고대 로마(Roma)의 단위. 1 데켐페다는 파수스(passus)의 2 배(倍)이며, 9.70 피트(feet), 또는 2.96 m 에 해당된다.

데파(depa) [길이] 네덜란드(Netherlands)·인도네시아의 단위. 1 데파는 66.93 인치, 또는 1.7 m 에 해당된다. 데포(depoh).

데포(depoh) [길이] '데파(depa)'와 같다.

덴(den) [부피] 고대 아라비아의 단위. 1 덴은 카피즈(qafiz)의 8 배(倍)이며, 69.77 미(美) 갤런, 또는 264.11*l* 에 해당된다.

덴다(denda) [길이] 고대 인도(印

度)의 단위. 1 덴다는 8.42 피트(feet), 또는 2.57 m에 해당된다.

도(刀) ① [부피] 되〔升〕의 차자 표기로, 되에 곡식·액체·가루 따위를 담아 그 양을 헤아리는 데 쓰는 말. 1 말〔斗〕의 10 분의 1에 해당된다. 승(升). 《雞林類事, 說郛》升曰刀(音堆). 《新字典, 朝鮮俗字部》刀(도), 升也. 되. 《陶山書院傳掌記, 萬曆28年10月7日》雜米幷二百七十六石一斗三刀三合. ② [질량] 뜻 미상. 푼〔分〕의 뜻이 아닌가 한다. 《高麗史 68, 禮志, 老人賜設儀》……各賜酒十盞……鍊緜二斤, 腰帶銀一斤, 金一目五刀, 紅鞓皮一腰. 《高麗史 78, 食貨志》宣宗五年七月, 定雜稅栗·栢大木三升, 中木二升, 小木一升, 漆木一斤, 麻田一結, 生麻十一兩八刀, 白麻五兩二目四刀. ③ [수효] ❶'번'의 뜻으로, 물건을 자르거나 목을 치기 위하여 칼을 내려친 횟수를 세는 데 쓰는 말. 《吏文 3, 咨奏呈題奏, 48章》砍訖一刀. 《說店》旨未讀完, 邱福大怒, 一刀便把天使砍死. ❷(dāo) 중국(中國)의 단위. 종이 100 장을 하나치로 세는 데 쓰는 말. 《宛署雜記, 鄕試》包裹紙十刀. 《第四病室, 2章》我看見別人托他買草紙……我也托買了一刀. 《形音義綜合大字典》刀, 紙的量詞, 俗以紙百張爲一刀.

도(到) [수효] 예전에 관리의 근무 평정(評定) 및 승진에 필요한 근무 일수를 나타내는 데 쓰는 말. 도목정사(都目政事)의 자료로 하기 위하여 해마다 음력으로 6월과 섣달에 행하였다. 《朝鮮世祖實錄 33, 10年4月己亥》兵曹啓, 軍士仕日, 或稱到, 或稱仕, 仕則每一日一, 到則每一日或三·或二, 甚爲不均. 請自今皆稱仕. 《朝鮮文宗實錄 4, 卽位年11月丁巳》御序賢亭, 觀騎射, 五發五中者, 給到五十. 自後每當觀射五中者, 必給到.

도(度) ① [수효] ❶'통·건'의 뜻으로, 문서나 편지 따위의 수를 세는 데 쓰는 말. 각(角). 건(件). 도(道). 봉(封). 장(丈·張). 종(宗). 지(紙). 찰(札). 통(通). 폭(幅). 함(緘). 《朝鮮中宗實錄 75, 28年8月丙申》以密封二度, 下于政院曰……密封內別書之事, 爲先馳啓事言之. 《左捕盜廳謄錄, 乙未6月14日》追贈加資七張, 文案一度, 幷以移送爲去乎. 《瀋陽狀啓, 辛巳 9月29日》領兵大將柳廷益, 本月十三日成貼狀啓一度, 及二十一日成貼狀啓一度, 並只送于館中, 使之傳上乙仍于, 上送爲白濟, 同狀啓二度內辭緣乙, 亦爲草報於侍講院是白去乙. ❷낙복지(落幅紙)의 수를 세는 데 쓰는 말. 낙복지는 생원이나 진사를 뽑던 과거 시험에서 떨어진 사람의 글장을 이르는 말로, 두 장이면 1 도가 되고, 20 장이면 1 축(軸)이 된다. 사(事). 《正宗大王殯殿魂殿都監儀軌, 上, 稟目》監試落幅紙一度, 內下. 《度支準折, 紙地》監試落幅紙一軸(二張作一度, 十度作一軸). 《度支志, 內篇》落幅紙一度上下. ❸'번'·'차례'의 뜻으로, 일의 횟수를 세는 데 쓰는 말. 개(個). 계(季). 과(過). 기(起). 도(道). 말(末). 반(返·班). 배(輩). 번(番). 삽(霎). 성(成). 운(運). 장

(場). 쟁(趟). 조(遭). 주(注). 하자(下子). 헐(歇). 호(號). 화(伙). 회(回·廻·會). 《三國史記 7, 新羅文武王本紀》新羅兵馬, 不可獨入, 先遣細作三度, 船相次發遣, 覘候大軍. 《高麗史 104, 金方慶傳》本國自國初, 至今三百六十餘年, 率以三年一度, 當孟春設會. 《新篇集成馬醫方》柳條三十箇, 五寸長, 地上炮窩火燒, 柳條汗出, 灸百會穴二十度, 或三十度, 見上諸穴門. 《救急方 1, 中風》煮取一升, 傅頭以布裹之, 日一度(글혀 흔 되 드외어든 머리예 브티고 뵈로 빠미요딕 ᄒᆞᄅᆞ 흔 번곰 ᄒᆞ라). 《眉巖集 15, 經筵日記, 丁卯11月初 5日》自所讀修身, 在正其心, 至或不能不失其正矣, 音讀二度, 釋一度, 上卽音讀一度, 釋一度畢. ❹'대'의 뜻으로, 쥐어박거나 곤장으로 볼기를 치는 횟수를 세는 데 쓰는 말. 곤(棍). 권(拳). 돈(頓). 매(枚). 장(杖). 타(打). 판(板). 《朝鮮世宗實錄 84, 21年2月辛亥》訊杖三十度, 猶爲不足, 因以杖端, 衝其復處, 刻深侵虐者或有之. 《朝鮮中宗實錄 43, 16年10月乙未》鶴年訊杖二十八度, 供云, 今年七月二十四日, 聞康翎正發引, 臣與處謙權磌, 同宿于磌家. 《萬機要覽, 軍政編 2, 龍虎營, 逃律》軍兵逃者, 初次決棍三十度, 再次五十度, 三次或八十度或百度或梟示. 《禮山任房節目, 罰目》一, 不孝不悌者, 笞五十度. 二, 譏於先生者, 笞四十度. 三, 市中抑賣者, 笞三十度. 四, 頑悖同頻者, 笞三十度. 五, 酗酒作亂者, 笞三十度. 六, 不義行事者, 笞三十度. 七, 言語不恭者, 笞三十度……十四, 共會時嚬笑雜談者, 笞十五度. ❺'방(放)'의 뜻으로, 총포(銃砲)를 발사하는 횟수를 세는 데 쓰는 말. 거(擧). 발(發). 방(放). 향(響). 《朝鮮明宗實錄 18, 10年6月丁卯》巳時坤方有聲, 如放砲一度. ❻'줄기'·'가닥'의 뜻으로, 구름이나 안개 따위가 피어 오르거나 떠 있는 수를 세는 데 쓰는 말. 계(溪). 누(縷). 도(道). 조(條). 타(朶). 《朝鮮世祖實錄 157, 35年12月乙巳》三更, 白雲一度如氣, 自東至西, 長可十餘丈, 廣尺餘, 良久內滅. ❼'번'·'차(次)'·'회(回)'의 뜻으로, 명령(命令)을 내린 횟수를 세는 데 쓰는 말. 《北史, 李彪傳》彪前後六度銜命. ❽'차(次)'의 뜻으로, 순서·차례를 나타내는 데 쓰는 말. 《白居易, 醉中得上都親友書詠而補之》一生耽酒客, 五度棄官人. 《李頻, 春日旅舍詩》如何一別故園後, 五度花開五處看. ❾'종'·'종류'·'가지'의 뜻으로, 물건의 가짓수를 세는 데 쓰는 말. 《海行摠載, 申高靈海東諸國紀, 朝聘應接記, 三浦熟供》國王使, 早飯, 正官以下, 車食七果床, 伴從人, 車食五果床, 並三度湯. ② [길이] 10자〔尺〕를 하나치로 헤아리는 데 쓰는 말. 《感應篇, 大文》左道惑衆, 短尺狹度, 輕稱小升, 以僞雜眞(요술노 사름을 혹ᄒᆞ이며 져른 자와 좁은 도(십 척이 일 도라)와 가바야온 저울과 젹은 되며 거즛 거슬 가져 참 것인 체ᄒᆞ여). ③ [온도] 온도를 나타내는 데 쓰는 말. 나타내는 기호에 따라 ℃. ℉. °K. °R. 따위가 있다. ④ [음악] 음정을 헤아

리는 데 쓰는 말. 악보(樂譜)에서 줄이나 칸〔間〕에 있는 음정(音程)을 1 도라 한다. 줄이나 칸이 하나씩 올라가거나 내려갈 때마다 2 도, 3 도 등으로 부른다. 5 [인쇄] ❶ 인쇄할 때 인쇄하는 판(版)의 수를 세는 데 쓰는 말. 1 도 인쇄기에서 1 번 인쇄하면 1 도 인쇄라 하고, 3 도 인쇄기에서 1 번 인쇄하면 3 도 인쇄라 한다. ❷인쇄할 때 색의 종류를 세는 데 쓰는 말. 3 색을 인쇄하면 3 도 인쇄라고 한다. 6 [농도] 술에 들어 있는 알코올의 백분율(百分率)을 나타내는 데 쓰는 말. 알코올이 35%이면 35 도라 한다. 7 [굴절도] 안경(眼鏡) 렌즈의 굴절도(屈折度)를 나타내는 데 쓰는 말. 도는 렌즈의 촛점 거리(焦點距離)를 인치(inch)로 나타낸 것이다. 8 [탁도(濁度)] 토목(土木) 등에서 사용하는 탁도(濁度)의 단위. 1*l* 의 순수한 물 가운데 백도토(白陶土) 1 mg 이 함유된 것을 말한다. 9 [경도(硬度)] 물의 경도(硬度)의 단위. 물 속에 함유(含有)된 칼슘(calcium)과 마그네슘(magnesium)의 양으로, 물 100 cc 중에 산화 칼슘 1 mg 가 함유된 물의 경도를 말한다. 보통 20 도 이상의 물을 경수(硬水), 10 도 이하의 것을 연수(軟水)라 한다. 10 [각도] ❶ 60 분법(分法)에 따른 각도(角度)의 단위. 원주(圓周)를 360 으로 등분(等分)하였을 때, 그 1 호(弧)에 대응한 중심각을 이른다. 《朝鮮世宗實錄 156, 七政算內篇 上》天行諸率, 周天分三百六十五萬二千五百七十五分, 周天度三百六十五度二十五分七十五秒, 半周天一百八十二度六十二分八十七秒半, 周天象限九十一度三十一分四十三秒太. 《朝鮮成宗實錄 248, 21年12月己酉》去夜一更, 彗星, 移入室星二度, 去極八十一度. 觀象監書啓曰, 去夜一更, 彗星入室南大星東, 光長一丈許. 《禮記, 月令, 季秋之月, 疏》正義曰, 三統曆, 九月節, 日在氐五度, 昏盧二度中, 去日九十七度, 旦張初度中, 九月中, 日在房五度, 昏危三度中, 去日九十三度, 旦張十八度中. ❷경도(經度)나 위도(緯度)를 나타내는 데 쓰는 말. 지구 둘레의 360 분의 1 에 해당된다. 《東國通志 4, 律曆志》周天三百六十五度, 東西爲經, 南北爲緯, 平分南北極之, 中橫帶天腰者, 爲赤度, 斜交赤道, 而半出其南, 半出其北者, 爲黃度.

도(陶) [수효] 질로 만든 항아리·소래기〔所羅〕·동이〔東海〕·귀때복자〔耳鐥〕 따위의 수를 세는 데 쓰는 말. 《仁祖國葬都監儀軌, 都廳, 乙丑5月13日, 甘結秩》陶瓮·陶所羅·陶東海·陶耳鐥各一陶.

도(堵) 1 [수효] 담장이나 산 따위의 수를 세는 데 쓰는 말. 《救急簡易方諺解, 68 a》先打壁土(ᄇᆞᄅᆞᇝ ᄒᆞᆰ) 一堵, 置地上, 以死者仰臥其上 (몬져 ᄇᆞᄅᆞᇝ ᄒᆞᆰ ᄒᆞᆫ 쟝을 ᄇᆞᅀᆞ텨 ᄯᅡ해 셜오 주근 사ᄅᆞᄆᆞᆯ 그 우희 졋바뉘이고). 《純甫出僧惠崇畫要子作詩》金波·巨然山數堵, 粉墨空多眞譍與. 《水滸全傳, 53回》李逵拔出大斧, 先砍翻一堵壁. 2 [길이] 성(城)이나 담장의 높이를 헤아리는 데 쓰는 말. 1 도는 30 자〔尺〕, 또

는 5판(板)에 해당된다. 1판은 6자이다. 《朴通事諺解, 上》我教與伱(내 너를 ᄀᄅ치마), 多少一板(언머에 ᄒᆞᆫ 판고·六尺爲板, 五板爲堵). 《形音義綜合大字典》堵, 量詞, 牆一段曰一堵. 板, 城牆高, 牆壁高之量詞.

도(棹) [수효] 일본(日本)의 단위. 궤(櫃)·사(笥)·양갱(洋羹) 따위의 수를 세는 데 쓰는 말.

도(都 : dōu) [수효] 중국(中國)의 단위. '번'·'차례'·'회(回)'의 뜻으로, 일이나 행동의 횟수를 세는 데 쓰는 말. 《封氏聞見記, 打毬》吐蕃贊咄奏言, 臣部曲有善毬者, 請與漢敵. 上令仗內試之. 決數都, 吐蕃皆勝.

도(道) ① [수효] ❶'통(通)'·'편(編)'·'건(件)'의 뜻으로, 편지·시권(試卷)·문서·증서·공문(公文) 따위의 수를 세는 데 쓰는 말. 각(角). 건(件). 도(度). 봉(封). 장(丈·張). 종(宗). 지(紙). 찰(札). 통(通). 폭(幅). 함(緘). 《三國遺事 4, 義解, 寶壤梨木》開雲三年丙辰, 雲門山禪院長生標塔公文一道. 《高麗史 6, 靖宗世家》五年夏四月辛酉……今差大理卿韓保衡, 往彼賜卿官告一通, 勅牒一道, 到可祗受. 《朝鮮世宗實錄 20, 5年4月丙辰》禮府爲告訃等事……告命一道, 祭文一道, 祭物壇, 生綃五百匹, 麻布五百匹, 檀香一炷, 箋香三斤. 《朝鮮中宗實錄 88, 33年8月戊午》前者, 金安國爲判書時, 製述科次事立限, 日短時初·中場, 小則五六十道, 多不過七八十道, 終場, 小則四五十道, 多不過六七十道. 長時初·中場, 小則八九十道, 多不過一百二十道, 終場, 小則六七十道, 多不過八九十道矣. 《增補文獻備考 186, 選擧考, 科制》太宗十四年, 上幸太學, 親試士, 對策五百四十餘道, 讀劵官河崙等, 取三人劵子以進. ❷'번'·'건(件)'의 뜻으로, 일의 횟수나 가짓수를 세는 데 쓰는 말. 개(個). 계(季). 과(過). 기(起). 도(度). 말(末). 반(返·班). 배(輩). 번(番). 삽(霎). 성(成). 운(運). 장(場). 쟁(趟). 조(遭). 주(注). 하자(下子). 헐(歇). 호(號). 화(伙). 회(回·廻·會). 《朝鮮太宗實錄 28, 14年 10月庚午》京畿觀察使所送誤決事, 共一萬一百八十三道內, 已決絕二千六百五道, 不受理四千二百六十八道, 限內不現身一千三百九道, 親着不及一千二百九十道. ❸'권(卷)'의 뜻으로, 책(册)의 수를 세는 데 쓰는 말. 축(軸). 편(編). 《高麗史 26, 元宗世家》安慶公淐, 還自蒙古, 賜王西綿一匹, 曆日一道. ❹'줄기'·'가닥'의 뜻으로, 빛이나 구름 따위가 피어 오르거나 떠 있는 수를 세는 데 쓰는 말. 계(溪). 누(縷). 도(度). 조(條). 타(朶). 《朝鮮仁祖實錄 7, 2年9月庚申》夜一更, 白雲一道, 起乾方指巽方, 掩月而過. 《朝鮮明宗實錄 20, 11年5月己卯》白雲一道如氣, 自坤方指南方橫布, 日微暈, 日入後有黑雲一道, 如氣布天. 《廬山謠寄盧侍御虛舟》黃雲萬里動風色, 白波九道流雪山. 《舍利感應記》十四日夜, 有光三道, 從堂而出. ❺'가닥'·'오리'의 뜻으로, 줄이나 긴 끈의 수를 세는 데 쓰는 말. 조(條·

條).《高麗史 70, 樂志, 雅樂, 登歌樂器》篪中正聲各二管, 各鍍金銀絲札纏二道, 紅絃一十道. ❻음식의 가짓수를 세는 데 쓰는 말. 두(豆). 미(味). 효(肴).《朝鮮端宗實錄 2, 卽位年8月甲子》 果卓大小共四事, 各色湯物一十二道, 粧花蠟大燭一對. ❼악가(樂架)의 아래위에 가로로 맨 부재(部材)의 수를 세는 데 쓰는 말.《高麗史 70, 樂志, 軒架樂器》方輪一, 圓輪一, 鼓竿一, 額二道, 白鷺子一隻. ❽다리〔橋〕나 문짝, 또는 담장 따위를 세는 데 쓰는 말.《大業雜記》渠上有通仙橋五道, 時人亦謂之五橋.《晉書, 石勒載紀 上》速鑿北壘, 爲突門二十餘道. ❾'가지'·'종류'의 뜻으로, 책략(策略)이나 명령(命令) 따위를 세는 데 쓰는 말.《新唐書, 選擧志 上》凡秀才, 試方略策五道.《存孝打虎, 1折》賜與你五百面金字牌, 五百道空頭宣敕. ❿강이나 하천같이 긴 것의 수를 세는 데 쓰는 말.《李白, 廬山謠》 黃雲萬里東風色, 白波九道流雪山.《登梅崗望金陵贈族侄高座寺僧中学詩》江水九道來, 雲端遙明沒. ⓫유가(儒家)에서 이르는, 도(道)의 가짓수를 세는 데 쓰는 말.《尙書大傳, 1 下》五作十道, 孝力爲右. (鄭玄注) 十道, 謂君令, 臣共, 父慈, 子孝, 兄愛, 弟恭, 夫和, 妻柔, 姑慈, 婦聽者也. ⓬해와 달이 운행하는 궤도의 수를 세는 데 쓰는 말.《論衡, 說日》日月有九道.《漢書, 天文志》日有中道, 月有九行, 中道者黃道, 一曰光道. 月有九行者, 黑道二, 出黃道北, 赤道二, 出黃道南, 白道二, 出黃道西, 靑道二, 出黃道東, 立春·春分, 東從靑道, 立秋·秋分, 西從白道, 立冬·冬至, 北從黑道, 立夏·夏至, 南從赤道, 然用之一決房中道. (王先謙補注) 日道獨黃, 月行靑·朱·白·黑道, 各兼黃道而言, 故又謂之九道也.《成公綏, 天地賦》望舒弭節於九道, 羲和正轡於中黃. ⓭학문(學文)의 종류를 세는 데 쓰는 말.《鶡冠子, 學問》始於初問, 終於九道, 一曰道德, 二曰陰陽, 三曰法令, 四曰天官, 五曰神徵, 六曰伎藝, 七曰人情, 八曰械器, 九曰處兵. ⓮도로(道路)의 수를 세는 데 쓰는 말.《漢書, 匈奴傳》莽新卽位, 怙府庫之富, 欲立威, 迺拜十二部將卒, 發郡國勇士, 武庫精兵, 各有所屯守, 轉委輸于邊, 議滿三十萬衆, 齎三百日糧, 同時十道並出, 窮追匈奴, 內之于一令. ② [행정] 도(道)의 수를 세는 데 쓰는 말. 고려 시대에는 10 도, 조선 시대에는 8 도, 현재는 14 도로 나뉘어 있다.《高麗史 56, 地理志》至二十三年, 始改諸州·府·郡·縣名. 成宗, 又改州·府·郡·縣, 及關驛江浦之號, 遂分境內, 爲十道, 就十二州, 各置節度使, 其十道, 一曰關內, 二曰中原, 三曰河南, 四曰江南, 五曰嶺南, 六曰嶺東, 七曰山南, 八曰海陽, 九曰朔方, 十曰浿西, 其所管州郡, 共五百八十餘, 東國地理之盛, 極於此矣.《朝鮮太宗實錄 22, 11年閏12月庚午》置開渠都監, 以星山君李稷, 工曹判書朴子靑, 知議政府事李膺爲提調. 提日, 經始開渠之基, 令全羅·慶尙·忠淸三道軍人, 正月十五日始役.《朝鮮太宗實錄 23, 12年

正月庚子》遣大臣以開渠, 告宗廟·社稷·山川之神. 慶尙·全羅·忠淸三道軍人, 共五萬二千八百.《增補文獻備考 16, 輿地考, 郡縣沿革》本朝太宗十三年, 始定八道·州·郡, 處四方之中曰京畿, 西南曰忠淸, 東南曰慶尙, 偏南曰全羅, 正東曰江原, 正西曰黃海, 東北曰咸鏡, 西北曰平安.《萬機要覽, 軍政編 1, 備邊司, 所掌事目, 還餉》八道·四都歲末磨勘成册, 上送本司, 自本司入啓.

도(稻) ① [수효] '개(箇)'·'알'·'과(顆)'의 뜻으로, 옥(玉) 따위 작고 둥근 물건의 수를 세는 데 쓰는 말.《高麗史 9, 文宗世家》金鍍銀匣盛一條, 玉一十六稻.《高麗史 72, 輿服志》要帶二條, 各紅秀背袋盛羅繡複一條, 金鍍銀匣一條, 玉一十六稻. ② [길이] (dào) 중국(中國)의 단위. 옥대(玉帶)의 너비를 나타내는 데 쓰는 말.《兪正燮, 癸巳存稿 8》猗覺寮雜記云, 帶闊狹以道言, 常用稻字. 五代史云, 契丹遺北漢以十二稻玉帶是也. 鐵圍山叢談云, 高宗十三年, 海客得紫雲樓帶, 金膀大至十二稻. 老學庵筆記云, 王荆公所賜玉帶, 闊十四稻, 號玉抱肚.

도눔(dönum) [넓이] ❶키프로스(Kypros)의 단위. 1 도눔은 1,600 제곱 야드(yard), 또는 13.378 아르〔a〕에 해당된다. ❷리비아의 단위. 1 도눔은 1,600 제곱 피크(pik)이며, 1.83 에이커(acre), 또는 73.98 아르에 해당된다. ❸팔레스티나(Palestina)의 단위. 1 도눔은 0.22 에이커, 또는 9 아르에 해당된다. ❹터키(Turkey)의 단위. 1 도눔은 구제(舊制)로는 40 제곱 피크이며, 0.227 에이커, 또는 9.19 아르이고, 현재는 0.618 에이커, 또는 9.19 아르에 해당된다. ❺유고슬라비아(Yugoslavia)의 단위. 1 도눔은 700 m^2 에 해당된다.

도드란스(dodrans) [질량] 고대 로마(Roma)의 단위. 1 도드란스는 9 웅키아(uncia)이며, 8.62 온스, 또는 244 g 에 해당된다.

도로(嘟嚕 : dū·lu) [수효] 중국의 단위. ❶'송아리'의 뜻으로, 열매나 꽃 등이 잘게 한데 모여 달린 덩어리의 수를 세는 데 쓰는 말. 송이(松伊). 〈예〉 一~葡萄. ❷'꾸러미'의 뜻으로, 꾸리어 뭉치어 싼 물건의 수를 세는 데 쓰는 말. 〈예〉 手里提着一丈~東西.

도막 [수효] 짤막하고 작은 동강의 수를 세는 데 쓰는 말. 절(切·折·截).

도자(道子 : dào·zi) [수효] 중국(中國)의 단위. '줄'의 뜻으로, 선이나 끈 모양으로 된 것의 수를 세는 데 쓰는 말.

도펠첸트너(Doppelzentner) [질량] 독일(獨逸)의 단위. 1 도펠첸트너는 100 kg 에 해당된다.

독 [부피] 독에 액체나 곡식을 담아 그 양을 헤아리는 데 쓰는 말. 〈예〉 간장은 두 ~이고, 쌀은 세 ~이다.

독(讀) [수효] 책이나 글을 읽는 횟수를 세는 데 쓰는 말.

독회(讀會) [수효] 의회(議會)에서 중요한 법률안을 심의하는 단계를 나타내는 데 쓰는 말. 1 독회, 2 독회, 3 독회가 있다. 제 1 독회는 법률안의 설명·질의·응답, 제 2 독회에서는 축조 심의(逐條審議), 제 3 독회에서는 가부(可否)를 결정한다.

돈〔錢〕 [1] [질량] '전(錢)'과 같다. [2] [통화] '전(錢)'과 같다.

돈(囤 : dǔn) [부피] 중국(中國)의 단위. '뒤주'의 뜻으로, 뒤주에 곡식을 담아 그 양을 헤아리는 데 쓰는 말.

돈(盾 : dǔn) [통화] 중국(中國)의 단위. ❶'굴덴(gulden)'의 역어(譯語). ❷'루피아(rupiah)'의 역어. ❸'동(dong)'의 역어.

돈(頓) [수효] ❶'대'의 뜻으로, 쥐어박거나 곤장으로 볼기를 치는 횟수를 세는 데 쓰는 말. 곤(棍). 권(拳). 도(度). 매(枚). 장(杖). 타(打). 판(板). 《高麗史 44, 恭愍王世家》姓朴的宰相, 不容說, 打了一頓, 更與了毒藥藥死. 《朴通事諺解, 上》却喫這一頓打也是(또 ᄒᆞᆫ 디위 마즘을 니버도 올흐니라). 《風雪之夜, 套繩》把一只嫩牛狠狠地鞭打了一頓. ❷'끼'·'끼니'의 뜻으로, 아침·점심·저녁과 같이 일정한 시간에 먹는 밥. 또는 그 먹는 횟수를 세는 데 쓰는 말. 시(時). 찬(餐). 《救荒補遺方, 辟穀絶食方》第一頓, 七日不食, 第二頓, 七七日不食, 第三頓, 一百日不食, 第四頓, 永不飢(ᄒᆞᆫ 번 머그면 닐웨를 밥을 아니 먹고……네 번 곳 머그면 영영 비고프디 아니ᄒᆞᄂᆞ니라). 《朴通事諺解, 上》一日三頓家饋他飽飯喫(ᄒᆞᄅᆞ 세 ᄢᅵ식 뎌를 주어 밥을 비브리 먹이고). 《註解語錄總覽, 西遊記語錄》要吃也不勾一頓吃(먹고ᄌᆞ 할진뎐 ᄒᆞᆫ 번의 먹엇슬 터이오). 《古今韻會擧要, 願韻》頓, 食一次也. 《世說新語, 任誕》聞鄕祠, 欲乞一頓食耳.

돈(墩 : dūn) [수효] 중국(中國)의 단위. '떨기'·'포기'의 뜻으로, 초목(草木) 따위가 한 뿌리에서 여러 개의 줄기가 나와 더부룩하게 피어 있는 것의 수를 세는 데 쓰는 말. 〈예〉 在一般土壤肥力條件下, 每畝花生種八千至九千~, 每墩兩粒爲宜.

돈(噸) [질량] 야드(yard)·파운드계(pound 系)의 한 단위. '톤(ton)'의 음역(音譯). 1 돈은 1,000 kg 에 해당된다. 톤(ton). 《朝鮮高宗實錄 46, 光武 9年8月12日》韓日約定書成. 約定書……第三條, 日本國船舶은 准單을 受ᄒᆞᄂᆞᆫ 其時에 左開 金額을 韓國 海關에 納入ᄒᆞᆯ 事. 百噸以下西洋式船舶十五圓, 日本式船舶十五圓, 百噸以上五百噸以下西洋式船舶五十圓, 五百噸以上千噸以下西洋式船舶一百圓, 千噸以上西洋式船舶一百五十圓. 第四條, 日本國船舶은 自由로 其航行區域內를 航行ᄒᆞᆷ을 得ᄒᆞᆷ. 《新字典, 新字新義部》噸, 톤, Ton. 英美衡名. 英噸, 我二千七百九十五兩六錢. 美噸, 我二千四百二十兩六錢.

돈공리(噸公里 : dūngōnglǐ) [운수(運輸)] 중국의 단위. '톤킬로미터(ton-kilometer)'의 역어(譯語).

돈사 [통화] 돈을 냥으로 셀 때에 남은 몇 돈을 이르는 말. 〈예〉 두 냥~.

돈쭝 [질량] 무게의 단위. 한 돈〔錢〕 가량 되는 무게. 흔히 한 돈의 무게라는 뜻으로 쓰인다.

돌 1 [수효] ❶어린아이가 난 날부터 한 해씩 쳐서 해마다 돌아오는 날. 또는 그 수를 세는 데 쓰는 말. 주로 2~3 살까지 쓴다. ❷회사 따위를 창업(創業)한 뒤에 해마다 돌아오는 날. 또는 그 수를 세는 데 쓰는 말. 2 [시간·수효] 어떤 날짜나 해로부터 시작하여 해마다 돌아오는 그 날이나 그 해. 또는 그 수를 세는 데 쓰는 말.

돌랴(dolya) [질량] 러시아(Russia)의 옛 단위. 1 돌랴는 잘라트니크(zolotnik)의 96 분의 1 이며, 0.686 그레인(grain), 또는 44.438 mg 에 해당된다.

돌리움(dolium) [부피] 고대 로마(Roma)의 액량 단위(液量單位). 1 돌리움은 134.7 미(美) 갤런(gallon), 또는 510l 에 해당된다.

돌리코스(dolichos) [길이] 고대 그리스(Greece)의 단위. 1 돌리코스는 스타디온(stadion)의 12 배(倍)이며, 1.38 마일(mile), 또는 2.22 km 에 해당된다.

돌림 [수효] 일이 차례대로 돌아가는 횟수를 세는 데 쓰는 말. 〈예〉 노래가 한 ~까지는 차례로 가더니 그 뒤부터는 왔다 갔다 하였다.

돌턴(dalton) [질량·화학] 산소 원자(原子)의 질량의 16 분의 1, 또는 1.65×10^{-24}g 에 해당된다.

동 [수효] ❶묶어서 한 덩어리로 만든 묶음을 세는 데 쓰는 말. 묶음에 따라 먹〔墨〕은 10 장, 붓은 10 자루, 피륙은 50 필, 백지는 100 권, 조기는 1천 마리, 비웃은 2천 마리, 생강은 10 접, 건시는 100 접, 토지는 100 뭇〔束〕, 볏짚은 100 단을 일컫는다. 동(同). ❷'채'의 뜻으로, 집이나 건물의 수를 세는 데 쓰는 말. 가(架·家). 구(區). 당(幢). 동(棟). 소(所). 실(室). 우(宇). 원(院). 장(爿). 전(廛). 좌(坐·座). 진(進).

동(同) 1 [수효] 묶어서 한 덩어리로 만든 묶음을 세는 데 쓰는 말. ❶물고기의 묶음을 셀 때 쓰이었다. 조기〔石首魚〕는 1천 마리, 청어(青魚)는 2천 마리, 추복(搥鰒)이나 안다미조개〔江瑤珠〕 따위는 1백 개가 한 동이 된다. 《磻溪隨錄 1, 田制上》 今石首魚稅, 大船, 石首魚六同, 每一千尾爲一同……青魚稅, 大船十八同, 每二千尾爲一同. 《進宴儀軌(高宗壬寅) 2, 饌品, 咸寧殿外進宴》各色截肉一器, 洪魚·沙魚十尾, 白大口魚七十尾, 廣魚三十尾……片脯·烏賊魚各五貼, 江瑤珠十同, 搥鰒五同, 乾大鰕五十級. 《度支準折, 魚物》石首魚一束(十介作一束, 百束作一同), 眞魚一束(十介), 青魚一冬音(二十介作一冬音, 百冬音作一同). ❷피륙의 묶음을 셀 때 쓰이었다. 일반적으로 50 필(匹)을 한 동으로 친다. 체(締). 《朝鮮中宗實錄 37, 14年11月辛酉》命納緜紬二同于內(俗云, 五十匹爲一同). 《朝鮮明宗實錄 14, 8年2月庚午》胡椒·丹木之貿, 不爲定數, 胡椒·丹木加貿則通計, 布三百餘同(五十匹爲一同). 《大東野乘 3, 謏聞瑣錄》綿布三十五尺一疋, 五十疋爲一同, 居積者多不過千同. 《尙方定例 1, 本院元貢》田正布參同肆拾疋, 每疋價米壹石貳斗伍升, 合米貳百貳拾壹石拾斗. 《萬機要覽, 財

用編 2, 收稅》布二十二同十疋十二尺, 錢三兩(五升布一同四十七疋五尺, 四升布二十同一疋二十四尺五寸). ❸바자〔把子〕의 묶음을 셀 때 쓰이었다. 바자는 싸리·짚·수숫대·널 같은 것으로 엮거나 나란히 세워서 집 둘레나 일정한 곳의 경계를 삼는 물건으로, 싸리바자〔杻把子〕는 20 뜸〔浮〕이 한 동이 되고, 3 동이면 한 짐〔駄〕이 된다.《純元王后國葬都監儀軌 4, 造作》草把子七百六十三同.《度支準折, 草物》杻把子一浮(廣一把) (二十浮作一同, 三同作一駄), 草苫一浮, 藁簾一浮, 大蘆簟一浮(長二十尺, 廣五尺). ❹이엉〔草飛乃·藁草飛乃〕이나 달발〔草薍〕의 묶음을 셀 때 쓰이었다. 1 동의 길이는 쓰임에 따라 다른데, 대개 5~6 마름〔舍音〕 정도이며, 1 마름은 짚단 10 뭇〔束〕으로 엮은 길이로서 15 발〔把〕이 된다.《昌慶宮營建都監儀軌, 實入》細沙九百五十駄, 沙壁一千三十五駄, 草飛乃六十七駄一同二舍音, 椳木一百七十八駄, 楡皮一駄半.《孝宗寧陵山陵都監儀軌, 別工作》藁草飛乃二百四十一同, 每同六舍音, 每舍音十五把.《度支準折, 草物》草飛乃一同(十束作一舍音, 五舍音作一同, 長四間, 三同作一駄). 草薍(十束爲一舍音, 五舍音爲一同, 三同爲一駄). ❺갈줄〔生葛〕·새끼〔藁索〕 따위를 꼬아 사리어 묶어 놓은 수를 셀 때 쓰이었다. 갈줄과 축승(杻繩)은 50 사리(沙里)가, 새끼는 1백 사리가 1 동이 된다. 1 사리는 50 발〔把〕이다.《孝宗寧陵山陵都監儀軌, 座目》生葛二百三十三同十沙里, 每同五十沙里, 藁索十五同, 每同一百沙里, 各長五十把.《度支準折, 索綯》杻繩一沙里, 長五十把, 一把折價二分六里. 生葛一同(五十沙里, 重一百斤), 貿錢一兩七戔. 別契. ❻쑥〔艾〕이나 삼보(三甫：염료의 한 가지) 따위의 묶음을 셀 때 쓰이었다. 삼보는 6 뭇〔束〕이면 1 동이 된다.《尙方定例 1, 本院元貢》三甫拾同, 每同價米拾斗, 合米陸石拾斗.《萬機要覽, 財用編 1, 各貢, 宣惠廳》陳艾, 每同五斗. 京圻.《度支準折, 入染物種》三甫一月乃(一束重十斤, 六束作一同), 貿米二斗五升. ❼먹〔墨〕 10 개를 하나치로 셀 때 쓰이었다. 체(締).《正宗大王殯殿魂殿都監儀軌, 稟目》眞墨三同二丁.《孝宗寧陵山陵都監儀軌, 上, 稟目》眞墨三同二丁內, 二同, 內下, 一同二丁, 工曹.《度支準折, 筆墨》中眞墨一同(十丁), 翰林風月墨一同, 公山烏玉墨一丁, 大節常墨一同.《度支志, 內篇, 事例》翰林風月墨四十三同二丁. ❽붓 10 개를 하나치로 셀 때 쓰이었다. 체(締).《正宗大王殯殿魂殿都監儀軌, 上, 稟目》黃筆八同七柄, 六同, 內下, 二同七柄, 公曹.《進饌儀軌(純祖己丑) 1, 移文》畫筆八同八柄.《進宴儀軌(高宗壬寅) 2, 稟目》寫字官所用, 黃筆十二同. ❾짚·풀 따위의 묶음을 셀 때 쓰이었다.《朝鮮成宗實錄 4, 元年4月乙卯》國用田則, 水田一結, 穀草四束, 重四十斤, 生草一同七束半, 重一百十斤.《朝鮮中宗實錄 55, 20年9月壬戌》內農外苑牛馬, 分養于外, 則可除稿草二千五百三十同矣.《孝宗寧陵山陵都監儀

軌, 座目》正藁草六十同, 每同重一百斤. ❿나무나 재목, 또는 나무 껍질 따위의 묶음을 셀 때 쓰이었다. 단(丹)의 상위 단위이다.《朝鮮光海君日記 21, 元年10月庚午》明年昌慶宮修理所用材木……斫伐用木六七同, 雇牛曳下.《萬機要覽, 軍政編 2, 訓鍊都監, 財用》樺皮二十同.《度支準折, 木物》黃灰木一同(六丹作一同), 水靑木一丹(一介長八尺至十三尺, 二介作一丹, 五丹作一同), 楓木一同, 椵木一同一丹七介. ⓫홰〔炬〕10 개를 하나치로 셀 때 쓰이었다.《訓鍊都監重記, 內策應所, 時遺在秩》中炬拾壹同玖柄.《度支準折, 草物》杻中炬一同(十介), 價錢五戔. ⓬미역 2,500 줄기를 하나치로 셀 때 쓰이었다. 50 줄기가 1 뭇〔束〕, 50 뭇이 1 동이다.《萬機要覽, 財用編 3, 海稅》藿田(五十條爲一束, 五十束爲一同).《增補文獻備考 158, 財用考, 魚鹽》至於蔚珍·平海, 則自前有藿田直, 又有藿田監考直, 以藿田收稅, 故今亦以藿田定稅. 而每五十條爲一束, 五十束爲一同, 每同折錢四兩四十文. ⓭자귀밥〔斫耳食〕을 모아 묶어 놓은 묶음을 셀 때 쓰이었다.《昌慶宮營建都監儀軌, 實入》斫耳食三千同. ⓮누룩〔麯子·曲子〕10 덩이를 하나치로 셀 때 쓰이었다.《通文館志 5, 年例送使》生葱二十丹, 牟曲三石四斗二升, 眞曲一百七十三同.《孝宗寧陵山陵都監儀軌, 補土所》麯子三同九圓. ⓯꽁지깃 100 개를 하나치로 셀 때 쓰이었다. 혼(緷).《六典條例 8, 兵典, 軍器寺, 弓箭色, 應入》雉羽六百九十一同十五箇, 尾羽九十七同七十三箇. ② [넓이] 논밭의 넓이를 헤아리는 데 쓰는 말. 1 동은 사방 100 리에 해당된다.《正字通》同, 司馬法, 田十成爲終, 終千井, 十終爲同, 同萬井, 地方百里爲一同.《左傳, 昭公 23年》土不過同 (方百里爲一同).《通志, 食貨志, 田制》畝百爲夫, 夫三爲屋, 屋三爲井, 井十爲通, 通十爲成, 成十爲終, 終十爲同, 同方百里.

동(洞) ① [행정] 시(市) 안의 행정구역(行政區域)의 가장 작은 단위. 또는 그 수를 세는 데 쓰는 말. 시(市)·읍(邑)·구(區)의 아래. 동 밑에는 통(統)과 반(班)이 편제되어 있다. ② [수효] 동굴의 수를 세는 데 쓰는 말.《李渤, 南溪詩序》巖下有灣, 壤沮洳, 因導爲新泉山, 有二洞九室.

동(棟) [수효] '채'의 뜻으로, 집이나 건물의 수를 세는 데 쓰는 말. 가(架·家). 구(區). 당(幢). 소(所). 실(室). 우(宇). 원(院). 장(爿). 전(廛). 좌(坐·座). 진(進).《陶山書院降廳重建時日記, 甲戌3月初7日》本役告訖, 屋凡二十棟, 是仍舊而但庫廚堂室, 換易增刪, 以從便宜故也.

동(dong) ① [질량] 옛 베트남의 고유 단위. 1 동은 60.16 그레인(grain), 또는 3.898 g 에 해당된다. 돈(盾). ② [통화] 북(北)베트남의 현재 화폐 단위. 1 동은 수(xu)의 100 배(倍)에 해당된다. 남(南)베트남에서는 피아스터(piaster)가 사용되었다.

동강 [수효] 긴 물건을 작고 짤막하

게 자른 토막의 수를 세는 데 쓰는 말.

동원(銅元 : tóngyuán) [통화] 중국(中國) 청(淸)나라 말기의 보조 화폐 단위. 100 장이 은(銀) 1 원(元)에 해당되는 동화(銅貨)였다.

동을음(冬乙音) [수효] '두름'의 차자 표기. '동음(冬音)'과 같다. 《瑣尾錄 3, 甲午日錄》十四日, 宋奴自咸悅入來, 咸悅贈送正租一石, 眞麥十斗, 末醬二斗, 粘米四升, 生葦魚一冬乙音, 朝飮白粥半鉢, 飢餒方極, 今得此物, 卽與妻子炊飯烹魚共食, 深謝厚意.

동음(冬音) [수효] 두름〔冬乙音·冬音·級〕의 차자 표기로, 물고기나 나물을 두 줄로 엮은 묶음의 수를 세는 데 쓰는 말. 물고기는 한 줄에 열 마리씩 스무 마리가 한 두름이고, 고사리나 나물 따위는 일정한 모숨이 없다. 급(級). 동을음(冬乙音). 모(茅). 체(締). 파(把). 《行用吏文》冬音, 들음. 猶級也. 《字典釋要》級, 編魚二十曰級. 두룸 급. 《陶山書院傳掌記, 萬曆46年正月19日》青魚二冬音. 《祭器都監儀軌, 都監》生葦魚五冬音. 生蘇魚一冬音. 《尙方定例 1, 準折式》草綠吐紬, 每匹, 三甫參冬音, 黃灰木拾伍斤. 《各廛記事, 人, 亂廛事》散賣之鹽魚等屬, 每駄一冬音式, 收捧事. 《萬機要覽, 財用編 1, 供上, 大殿》生小螺十冬音, 每冬音價六錢六分六里. 《度支準折, 魚物》大蝦一冬音, 価錢三戔. 青魚一冬音, 二十介作一冬音, 百冬音作一同. 《度支準折, 菜蔬》蕨菜一冬音, 価錢三分.

동이 [부피] 동이에 물이나 술을 담아 그 양을 헤아리는 데 쓰는 말. 동이는 둥글고 배가 부르며 아가리가 넓은 그릇의 한 가지이다. 동해(東海). 분(盆).

동해(東海) [부피] '동이'의 차자 표기. '동이'와 같다. 《度支準折, 鹽醬酒醋》淸酒一甁半, 十二甁作一東海. 中米作本甁一斗一升, 交粘米一升, 曲末一升. 《度支志 9, 御拱》灑豆湯二東海.

되〔升〕 [부피] '승(升)'과 같다.

되드리 [부피] 예전에 사용하던 척관법(尺貫法)의 한 단위. 1 홉〔合〕의 10 분의 1, 또는 1 작(勺)과 같다. 《新增類合, 下》勺, 되드리 쟉.

되사 [부피] 말을 단위로 하여 될 때에 남는 한 되 가량의 분량을 이르는 말. 〈예〉 한 말 ~. 닷 말 ~.

되지기 [넓이] 논밭의 넓이를 헤아리는 데 쓰는 말. 볍씨 한 되로 모를 부어 낼 수 있는 논의 넓이. 또는 씨 한 되를 뿌릴 수 있는 밭의 넓이를 이른다. 열 되지기가 한 마지기이다. 승(升). 승락(升落). 승락지(升落只).

두(斗) [1] [부피] 곡식이나 물 같은 것의 양을 헤아리는 데 쓰는 말. 1 말〔斗〕은 섬〔石〕의 10 분의 1, 또는 되〔升〕의 10 배(倍)에 해당된다. 말에는 구두(舊斗)·신두(新斗)가 있고, 큰 말과 작은 말이 있는데, 큰 말은 작은 말의 2 배에 해당된다. 큰 말을 대두(大斗), 작은 말을 소두(小斗)라 부른다. 두(蚪).

구대두(舊大斗) = 10 구대승
= 1/5 가마니
= 1/10 섬〔石〕

≒1.8l
구소두(舊小斗)＝10 구소승
＝1/10 가마니
＝1/10 섬
≒9l
신두(新斗)＝10 승(升)
＝1/10 가마니
＝1/20 섬
＝10l

《經國大殿 6, 工典, 營繕, 度量衡》量之制, 十勺爲合, 十合爲升, 十升爲斗, 十五斗爲小斛, 二十斗爲大斛. 《之峰類說 17, 雜事部, 數名》且中朝麵肉柴炭, 皆以斤稱, 而我國則麵以斗, 肉以塊, 柴以束, 炭以石, 輕重多少, 亦不的矣. 《經世遺表 9, 地官修制, 田制別考 2, 魚鱗圖說》我邦水利之田, 其美者, 當以種一收百者爲上上, 此俗謂五出畓也, 五出謂種一斗而五苫也(俗以二十斗爲一苫). ❶쌀·보리쌀〔大麥米〕·비누팟〔飛陋小豆〕·멥쌀〔粳米〕·기장〔稷米〕·콩〔大豆〕·참깨〔荏子〕·녹두〔菉豆〕·찹쌀〔粘米〕 따위 곡식의 양을 헤아릴 때 쓰이었다. 《三國遺事 1, 紀異, 太宗春秋公》然計, 一日米六斗, 酒六斗, 雉十首. 《高麗史 1, 太祖世家》昌瑾曰, 能買我鏡乎, 昌瑾以二斗米買之. 《朝鮮世宗實錄 31, 8年正月甲寅》逃亡奴婢役價, 依匠人收稅例, 楮貨一張, 准米一斗, 每米一斗, 准銅錢四十文, 一年役價, 徵銅錢一千四百四十文, 給還本主. 《萬機要覽, 財用編 1, 供上, 大殿》大麥米十二斗. 飛陋小豆十三斗二升. 粉糠粳米二石六斗. 稷米二石一斗八升六合. 黃大豆二斗七升. 實荏子十斗八升. 《度支準折, 穀物》赤豆一斗. 菉豆一斗. 《度支準折, 鹽醬酒醋》內贍寺燒酒依清酒式, 每石作二十五瓶(燒酒每瓶所入, 粘米二斗 蒸飯酒米, 每石燒木二百斤, 曲末四升, 每石十古里式, 每古里煮取, 燒木十五斤). ❷짐승의 몸에 난 털의 양을 헤아릴 때 쓰이었다. 《正宗大王殯殿魂殿都監儀軌, 中, 稟目》獐毛五十斗. 《度支準折, 毛鬣》獐毛一斗. ❸염료(染料)나 분(粉) 따위의 양을 헤아릴 때 쓰이었다. 《昌慶宮營建都監儀軌, 移文》磊碌七百斗, 慶尙道. 丁粉三百斗, 黃海道. 《孝宗寧陵山陵都監儀軌, 都監》丁粉八斗一升. ❹방어(魴魚)·굴〔石花〕·조개〔蛤〕 따위 해산물(海産物)의 양을 헤아릴 때 쓰이었다. 《陶山書院傳掌記, 萬曆46年正月19日》塩魴魚一斗. 《萬機要覽, 財用編 1, 供上, 大殿》生竹蛤一斗, 價二兩四錢. 生石花二斗, 每斗價一兩六錢. ❺술〔酒〕·초(醋)·장자반〔全豉〕 따위의 양을 헤아릴 때 쓰이었다. 《三國遺事 1, 紀異, 太宗春秋公》然計一日米六斗, 酒六斗, 雉十首. 《度支準折, 鹽醬酒醋》醋一斗造釀, 中米七升, 古里次小麥一升四合, 大麥一升四合, 曲末一升四合. 全豉一斗所入, 黃熟太價米五斗. 《行用吏文》全豉, 장좌반. 煎醬合豉曰全豉. ❻참기름〔眞油〕·들기름〔法油〕·명유(明油〕 따위 기름의 양을 헤아릴 때 쓰이었다. 《昌慶宮營建都監儀軌, 實入》明油一石九斗七升五合. 《正宗大王殯殿魂殿都監儀軌, 1房, 實入》眞油一斗二升. 法油一斗六升五合. 《萬機要覽, 財用編 1, 供上, 大

殿》 粳米十四石二斗四升……黃角汴眞油一斗八升六合三夕. 燈眞油五升, 每斗價十二兩. 眞油二十三石十斗一升八合. 砲燈眞油一斗八升. 法油一斗, 髮油次眞油一斗二升. ❼꿀〔蜜〕의 양을 헤아릴 때 쓰이었다. 《朝鮮世祖實錄 29, 8年12月甲戌》 清蜜二十斗, 麝香四臍, 白鵝二雙, 白鴨二雙. 《朝鮮成宗實錄 109, 10年10月己巳》 卒昭惠宮主盧氏致賻, 依明嬪例, 給米・豆幷七十碩……淸蜜十斗, 油一碩. 《萬機要覽, 財用編 1, 供上, 大殿》 淸蜜十斗六升二合, 每斗價二十兩. ❽차(茶)의 양을 헤아릴 때 쓰이었다. 《朝鮮世宗實錄 8, 2年4月丁巳》 遣元肅贈使臣趙亮……黑斜皮靴一對, 茶二斗. 《正宗大王殯殿魂殿都監儀軌, 上, 禮關》 雀舌十斗. ❾쪽〔藍〕・무〔菁〕・배추〔白菜〕 따위 씨앗의 양을 헤아릴 때 쓰이었다. 《尙方定例 1, 大殿》 鄕藍種肆斗. 《度支準折, 菜蔬》 唐藍種十斗, 每斗重五斤. 白唐菁種二斗, 每斗重三斤十二兩. 紅唐菁種二斗, 每斗重三斤十二兩. 白菜種八斗, 每斗重五斤. ❿회(灰)・탄(炭)・모래〔沙〕 따위의 양을 헤아릴 때 쓰이었다. 《仁祖國葬都監儀軌, 3房, 都監》 雜物實入都數……骨灰四斗(細沙入量, 大沙入量), 檜木皮七召角. 《正宗大王殯殿魂殿都監儀軌, 1房, 稟目》 爐炭一石六斗四升. 常碇玉沙一斗. 炭五石九斗六升. 《進饌儀軌(純祖己丑) 1, 移文》 炭七十九石九斗. 《度支準折, 入染物種》 角太灰一石(十五斗). 《度支準折, 草物》 白加木灰一斗, 重四斤六兩. ⓫녹두나물〔菉豆菜〕・도라지〔桔梗〕・가지〔茄子〕 따위 나물이나 채소의 양을 헤아릴 때 쓰이었다. 《進宴儀軌(高宗壬寅) 2, 饌品》 菉豆菜一斗. 桔梗八斗. 《度支準折, 菜蔬》 茄子一介(四十介作一斗), 価米一合五夕, 錢一分. ⓬밤〔栗〕・호두〔胡桃〕・잣〔栢子〕・개암〔榛子〕・대추〔大棗〕・다래〔獼猴萄〕・포도(葡萄)・배〔梨〕・오얏〔李〕・살구〔杏〕・능금〔林檎〕・자두〔紫桃〕・사과(沙果) 따위 과일의 양을 헤아릴 때 쓰이었다. 《正宗大王殯殿魂殿都監儀軌, 上, 禮關》 黃栗七石一斗五升. 胡桃十五石十一斗六升七合. 栢子十五石十一斗六升七合. 榛子十五石十一斗六升七合. 大棗七石一斗五升. 《通文館志 3, 方物數目》 生栗十斗, 大棗十斗, 銀香盒一事, 畫龍燭一雙. 《萬機要覽, 財用編 1, 供上, 大殿》 獼猴萄三斗. 生栗二石三斗. 山葡萄三斗. 栢子一石九斗. 《度支準折, 果物》 李實一斗, 価錢七戔. 蓮實一斗. 積梨一斗, 価錢一兩五戔. 黃杏一斗, 価錢七戔. 丹杏一斗, 価錢七戔. 林檎一斗, 価錢一兩二戔. 紫桃一斗, 価錢七戔. 沙果一斗, 価錢一兩二戔. ⓭감장(甘醬)・간장(艮醬)・간수(艮水) 따위의 양을 헤아릴 때 쓰이었다. 《純元王后國葬都監儀軌 3, 造作》 甘醬一斗四升. 《萬機要覽, 財用編 1, 供上, 中宮殿, 陳賀》 甘醬八十四石十一斗三升四合. 艮醬六石十一斗八升五合六夕. 《度支準折, 鹽醬酒醋》 艮水一升, 四斗作一瓶. 淸醬一斗(艮醬代用), 価米三斗五升. ⓮겨자〔芥子〕・후추〔胡椒〕 따위의 양을 헤아릴 때 쓰이었다.

《朝鮮成宗實錄 285, 24年12月甲申》司憲府啓, 在逃崔潘, 前任金堤郡守時……芥子二斗, 麴五十圓, 油七斗八升二合.《朝鮮宣祖實錄 17, 16年2月戊戌》巡察使鄭彥信拜辭, 賜頭口水銀甲……豹皮一令, 胡椒一斗. ⓯알젓〔卵醢〕·새우젓〔蝦醢〕따위의 양을 헤아릴 때 쓴다.《萬機要覽, 財用編 1, 供上, 大殿》卵醢十四桶二斗一升.《度支準折, 鹽卵》白蝦醢一桶, 一斗重六斤四兩, 三斗作一桶. ⓰소금의 양을 헤아릴 때 쓰이었다.《朝鮮世宗實錄 15, 4年正月癸未》衙中藏麤布九十匹, 乾魚百五十首, 塩十斗……又以衙中乾魚及官中乾魚并百五十首.《正宗大王殯殿魂殿都監儀軌, 1房, 實入》塩二石二斗.《萬機要覽, 財用編 1, 供上, 大殿》洗淨鹽十一斗八升, 每石價八兩. ⓱고치〔繭〕의 양을 헤아릴 때 쓰이었다.《朝鮮太宗實錄 31, 16年5月丁巳》蠶室採訪使李迹·別監李士欽復命, 迹獻所養生繭九十石十斗, 繰絲二十二斤, 種連一百四十張. 士欽獻所養熟繭二十四石, 繰絲一十斤, 種連一百四十張. ⓲송진〔松脂〕의 양을 헤아릴 때 쓰이었다.《朝鮮世祖實錄 3, 2年正月壬辰》賜棺槨·米豆并三十石, 紙七十卷, 石灰五十石, 松脂三斗, 油芚四部. ⓳밀가루〔眞末〕·보릿가루〔木麥末〕·흑임자가루〔黑荏子末〕따위 가루의 양을 헤아릴 때 쓰이었다.《萬機要覽, 財用編 1, 供上, 中宮殿》木麥末九斗, 每斗價一兩三錢三分. 新眞末二十五斗, 每斗價四兩.《進宴儀軌(高宗壬寅) 2, 饌品》黑荏子末一斗. ② [넓이] '마지기〔斗落只〕'의 준말. '두락지(斗落只)'와 같다.《華城城役儀軌 4, 稟目》南陽鷗浦田三十二斗二升五合落, 禾利㪺一百九十三斗五升, 代錢二十九兩三分, 畓一斗七升四合落, 租禾利十五斗七升, 代錢三兩一錢四分.《訓鍊都監重記, 兼料色, 屯畓秩》汗坪洞畓新築垈田貳日耕, 添付次民垈貳拾捌石貳斗落只, 添付次民畓拾壹石拾斗參升落只.《萬機要覽, 財用編 2, 耤田》西耤田, 癸未查得田四日耕, 畓二十石十三斗九升落只(幾落云者, 謂下種如此數之地也), 合收稅正租四百二十三石五斗一升七合五夕. ③ [질량] (dǒu) 중국(中國)의 단위. 1두는 2근 반(斤半)의 무게에 해당된다.《正字通》斗, 斤數, 吳中市魚以斗數, 一斗爲二斤半. 松陵倡和詩, 一斗霜鱗換濁醪. ④ [시간] 10 년을 하나치로 헤아리는 데 쓰는 말. 두(斗)는 10 승(升)으로, 10 년을 뜻한다.《晉書, 五行志 中》哀帝隆和初, 童謠曰, 升平不滿斗, 隆和郁得久, 桓公入石頭, 陛下徒跣走. 朝廷聞而惡之, 改年曰興寧, 人復歌曰, 雖復改興寧, 亦復無聊生. 哀帝尋崩, 升平五年而穆帝崩, 不滿斗, 升平不至十年也.

두(豆) ① [부피] 용량의 단위. 1두는 소두(小斗)로는 4 되〔升〕, 대두(大斗)로는 2 되에 해당된다. 두(梪).《芝峰類說 17, 雜事部, 數名》一手盛爲溢, 兩手爲掬, 掬四爲豆, 豆四爲區, 區四爲釜, 釜二有半爲藪, 藪二有半爲缶, 缶二爲鍾, 鍾二爲秉.《左傳, 昭公3年》齊舊四量, 豆·區·釜·鍾, 四升爲豆(四升之量, 其名曰豆). ② [질량] 1두는 기

장알 16 개의 무게에 해당된다.《說苑, 辨物》十六黍爲一豆, 六豆爲銖, 二十四銖重一兩.《酉陽雜俎, 黥》房孺復妻崔氏, 性忌, 左右婢不得濃粧高髻, 月給燕脂一豆, 粉一錢. ③ [수효] 음식의 가짓수를 세는 데 쓰는 말. 평시에 천자(天子)는 26, 제공(諸公)은 16, 제후(諸侯)는 12, 상대부(上大夫)는 8, 하대부(下大夫)는 6 가지로 하였다. 도(道). 미(味). 효(肴).《小學紺珠 10, 器用, 四豆》天子豆二十六, 諸公十六, 諸侯十二, 上大夫八, 下大夫六.《與猶堂全書, 小學紺珠》二十六豆者, 天子之盛饌也.

두(竍 : dǒu) [부피] 중국(中國)의 단위. '데카리터(decaliter)'의 역어(譯語). 1 데카리터는 1*l* 의 10 배(倍)이다.《形音義綜合大字典》竍, 我國標準制容量, 卽公斗, 爲公升之十倍, 亦卽法國量名之特卡立脫爾.

두(拉 : dǒu) [부피] 중국(中國)의 단위. 1 두는 4 움큼에 해당된다.《集韻, 候韻》拉, 四匊(掬)曰拉.

두(兜 : dōu) [부피] 중국(中國)의 단위. '주머니'의 뜻으로, 주머니에 물건을 담아 그 양을 헤아리는 데 쓰는 말.

두(斞) [부피] '두(斗)'의 ①과 같다. '斞'는 '斗'의 갖은자이다.《朝鮮世祖實錄 4, 2 年 7月壬午》命左承旨韓明澮, 問安于明使, 各贈蘇木百斤, 胡椒一斞, 狐皮四十張, 熊皮四張.《牧民心書 13, 賑荒, 規模》案勝斞者, 升斗也. 中國吏文, 升斗石改之勝斞碩, 如一二三改之爲壹貳參, 所以防奸也.《救急簡易方諺解 2, 吐血》地黃汁, 中以瓷器, 盛於一斞米, 飯甑上蒸之. 디황 즙에 녀허 사그르세 다마 밥 ᄒᆞᆫ 말 ᄢᅵᄂᆞᆫ 시르 우희 ᄢᅵ.《字類註釋, 物類, 名數》斞, 말 두. 斗(見星)俗字. 十升石, 斞.

두(梪 : dǒu) [부피] 중국(中國)의 단위. 1 두는 4 되〔斗〕에 해당된다. 두(豆).《廣雅, 釋器》合十曰升, 升四曰梪.

두(蔸 : dōu) [수효] 중국(中國)의 단위. ❶'그루'·'포기'의 뜻으로, 나무나 풀의 수를 세는 데 쓰는 말. ❷'떨기'의 뜻으로, 꽃이나 풀, 나무 같은 것이 무더기를 이룬 수를 세는 데 쓰는 말.

두(頭) ① [수효] ❶'마리'의 뜻으로, 소〔牛〕·말〔馬〕·양(羊)·개〔狗〕·당나귀〔驢〕·노루〔獐〕·표범〔豹〕·낙타〔駞〕 따위의 짐승의 수를 세는 데 쓰는 말. 강(腔·羫). 골(骨). 구(口). 두(頭). 수(首). 제(蹄). 척(隻). 투(套). 필(匹·疋).《三國史記 21, 高句麗寶藏王本紀》使還平壤, 收靺鞨三千三百人悉坑之, 獲馬五萬匹, 牛五萬頭, 光明鎧萬領.《高麗史 6, 靖宗世家》八年夏四月壬寅, 東女眞大相吳於達, 請耕牛, 乃賜東路屯田司牛十頭.《朝鮮宣祖實錄 102, 31年7月丙午》副摠曰, 牛一百頭, 木枋一塊, 木板一百塊等物, 速令措備, 此乃攻城之具也.《朝鮮中宗實錄 62, 23年8月癸亥》論賞漂流人率來之功, 以稻米四石, 塩四石, 麤緜布二十匹, 馬二頭出級.《高麗史 18, 毅宗世家》來賜羊二千頭.《朝鮮世宗實錄 3, 元年正月丁卯》韓確, 獻受賜羊二十頭, 馬二匹.《三國史記 8, 新羅聖德

王本紀》二十九年春二月, 遣王族志滿朝唐, 獻小馬五匹, 狗一頭, 金二千兩, 頭髮八十兩, 海豹皮十張. 《朝鮮成宗實錄 126, 12年2月乙卯》賜宦官金孝江·安仲敬·李孝智, 驢子各一頭. 《朝鮮中宗實錄 62, 23年7月己亥》第二十日, 與島人七八名同獵, 獲獐二十頭乾之. 《朝鮮高宗實錄 20, 20年正月初2日》今日酉時, 量仁旺山下, 小豹一頭捉得, 故謹此封進, 而捉虎將卒, 自各該營, 考例施賞. 《朝鮮宣祖實錄 71, 29年正月丁酉》晩者等二十餘名, 率胡百餘人, 持戰馬百疋, 橐駞十頭來獻. 馬六十匹, 駞六頭, 與奴酋. 馬四十疋, 駞四頭, 與小酋. ❷목을 벤 적수(敵首)의 수를 세는 데 쓰는 말. 과(顆). 급(級). 수(首). 옹(顒). 《朝鮮中宗實錄 48, 18年6月壬寅》政院以己巳年李宗仁捕倭時論賞事, 書啓曰, 當初宗仁, 斬倭十七頭上送, 特加嘉善, 其後又獻十三頭, 更加一資. ❸'통'의 뜻으로, 마늘이나 배추 따위의 수를 세는 데 쓰는 말. 과(顆). 《通文館志 3, 事大, 入京下程》水粉三斤半, 醋四兩, 蒜十頭, 淸醬四兩. ❹(tóu) 중국(中國)의 단위. ㉮'명(名)'·'인(人)'·'분(分)'의 뜻으로, 사람의 수를 세는 데 쓰는 말. 개(介·個). 구(口). 명(名). 분(分). 영(領). 원(員). 위(位). 인(人). 정(丁). 한(漢). 《春秋元命苞》十紀, 其一曰, 九頭紀, 卽人皇氏兄弟九人故也. 《梁簡文帝, 書》安城王餉胡子一頭. 《正字通, 頁部》頭, 古者謂一人爲頭. 《謝惠連, 祭古冢文》刻木爲人, 長三尺, 可二十餘頭, 初開見悉是人形, 以物棖撥之, 應手灰滅. ㉯'상(床)'의 뜻으로, 음식을 차린 밥상이나 요리상(料理床)의 수를 세는 데 쓰는 말. 《五雜俎, 物部 3》六朝時呼食爲頭. 晉元帝謝賜功德淨饌一頭, 又謝齋功德食一頭. 一頭, 卽今一筵也. ㉰'그루'의 뜻으로, 나무의 수를 세는 데 쓰는 말. 간(竿·幹·榦). 과(科·棵·窠·顆). 근(根). 수(樹). 장(章). 정(挺). 조(条·條). 주(株). 《張籍, 贈殷山人詩》已種千頭橘, 新開數脈泉(引襄陽, 舊傳, 李衡爲丹陽太守, 遣人往武陵作宅, 種橘千株). 《水調歌頭, 舟次揚州和楊齊翁, 周顯先韻》倦遊欲去江上, 手種橘千頭. ㉱'번'·'차'·'회'의 뜻으로, 일의 횟수를 세는 데 쓰는 말. 《儒林外史, 51回》儞帶好纜, 放下二錨, 照顧好了客人. 我家去一頭. ㉲'가지'·'종류'의 뜻으로, 사건이나 일의 가짓수를 세는 데 쓰는 말. 《水滸全傳, 45回》只要證明懺疏, 也是了當一頭事. ㉳우두머리, 또는 수장(首長)의 수를 세는 데 쓰는 말. 《唐書, 王世充傳》子弟皆將兵, 分官吏爲十頭, 以主軍政. ㉴'뭇'·'단'의 뜻으로, 풀이나 나뭇단의 수를 세는 데 쓰는 말. 1두는 4뭇〔束〕해당된다. 《齊民要術》種紫草, 九月中子熟, 刈之……整理一扼, 隨以茅結之, 四扼爲一頭. 五十頭作一洪. ❺일본(日本)의 단위. '구(軀)'의 뜻으로, 불상(佛像)의 수를 세는 데 쓰는 말. 구(軀). 존(尊). 좌(坐·座). 〈예〉一~ 佛像. [2] [시간] 1일부터 9일까지 곧, 9일 동안을 하나치로 헤아리는 데 쓰는 말. 11일~19일까

지를 10두, 21일~29일까지를 20두라고 한다. 《歐陽修, 與大寺丞書 10》 二哥十頭出京, 三五日到家. 《通俗編, 數目》十頭二十頭……按, 自十一至十九日, 俗皆謂之十頭. 二十一至二十九日, 皆謂之二十頭. 北宋時有斯言矣.

두개(豆介) [수효] '둘레'의 차자 표기로, 누룩〔麯〕 따위와 같이 가루를 반죽하여 네모지거나 둥글넓적하게 만든 덩이의 수를 세는 데 쓰는 말. 둘개(乭介). 《六典條例 5, 禮典, 奉常寺, 小管貢物》 麯(每六斤五合作一豆介, 重三斤), 別貿(每豆介價錢二錢五分), 上末別貿.

두둑 [수효] 논이나 밭을 갈아 골을 타서 만든 우뚝한 바닥의 수를 세는 데 쓰는 말. 물갈이에는 두 거웃이 한 두둑이고, 마른갈이나 밭에서는 네 거웃이 한 두둑이 된다.

두라(dhurra) [질량] 인도(印度) 캘커타(Calcutta) 지방의 고유 단위. 1두라는 10.29 파운드, 또는 4.67 kg에 해당된다.

두락(斗落) [넓이] '마지기〔斗落只〕'의 준말. '두락지(斗落只)'와 같다. 《朝鮮文宗實錄 9, 元年9月癸亥》 穿川峴行幸時, 小畓損兩麥田, 每一斗落種處, 各賜穀十斗. 《華城城役儀軌 4, 稟目》 廣州旺倫田六十九斗落, 禾利麰三百四十五斗, 代錢五十一兩七錢五分, 畓一斗五升落, 禾利租十五斗, 代錢三兩. 《牧民心書 4, 戶典, 稅法 上》 俗以酷災, 謂之全災, 以輕災謂之內災, 然全災者, 本今一結之田, 一結都傷者也. 內災者, 本今一苫之落, 其十斗落, 黃熟, 其十斗落, 無實者也. 與酷災・輕災, 其情不同, 所謂內災, 亦有酷災, 此宜有區別也.

두락지(斗落只) [넓이] '마지기'의 차자 표기. 논이나 밭의 넓이의 단위로, 볍씨 한 말로 모를 부어 낼 수 있는 논의 넓이. 또는 한 말의 씨를 뿌릴 만한 밭의 넓이를 이른다. 각 지방마다 서로 다른데, 대개 논은 150~300평(坪), 밭은 100평 내외가 된다. 열 되지기〔升落只〕가 한 마지기이다. 두(斗). 두락(斗落). 락(落). 《朝鮮史料總覽 3, 同生中和會成文》 縣二作伏, 在水同畓十二斗落只, 下西五作伏, 在橋下畓八斗落只. 《山林經濟 1, 治農, 種稻》 秧基, 以灰和人糞布秧基, 則假如五斗落只. 《訓鍊都監重記, 兼料色, 屯畓秩》 汗坪垌畓新築垈田貳日耕, 添付次民垈貳拾捌石拾貳斗落只, 添付次民畓拾壹石拾斗參升落只.

두렁 [수효] 논이나 밭의 가장자리에 작게 쌓여진 둑이나 언덕의 수를 세는 데 쓰는 말.

두름 [수효] ❶물고기를 한 줄에 열 마리씩 두 줄에 엮어서 20마리를 하나치로 세는 데 쓰는 말. 급(級). 동음(冬音). 동을음(冬乙音). 모(茅). 체(締). 파(把). ❷쑥・박고지・고비나물・고사리나물・약초 따위를 한 줄에 열 모숨씩 엮은 것을 하나치로 세는 데 쓰는 말. 급(級). 동음(冬音). 동을음(冬乙音). 모(茅). 체(締). 파(把).

두엘라(duella) [질량] 고대 로마(Roma)의 단위. 1두엘라는 리브라(libra)의 36분의 1이며, 140그레인, 또는 9.06 g에 해당된다.

두임(duim) [길이] 네덜란드의 옛 단위. 1 두임은 0.3937 인치(inch), 또는 1 cm에 해당된다.

두지엠(douzième) [길이] 시계 관계(時計關係)에서 쓰는 관습적 길이의 단위. 1 두지엠은 리뉴(ligne)의 12분의 1, 또는 0.188 mm에 해당된다.

두품(頭品) [등급] 등급(等級)을 나타내는 데 쓰는 말. 신라 시대의 골품제(骨品制) 가운데 성골(聖骨)·진골(眞骨)을 제외한 일반인의 족제(族制)로서 6 등급으로 구분되어 있는데, 육두품(六頭品)·오두품(五頭品)·사두품(四頭品)은 귀족이고, 그 이하는 평민이다. 《三國史記 33, 色服志》六頭品, 幞頭用繐羅絁絹布……五頭品, 幞頭用羅絁絹布……四頭品, 幞頭只用紗絁絹布, 表衣, 袴只用布……布用十二升已下.

둔(屯) [1] [수효] ❶조선 시대, 목장에서 한 사람의 목동에게 기르게 하였던 마필(馬匹)의 단위. 피마 1필(匹)과 상마 5필을 1둔이라 하였다. 《朝鮮太宗實錄 33, 17年6月戊子》 兵曹上馬政事宜啓曰……牧子每一名, 雌馬五匹, 雄馬一匹, 爲一屯. 然考察無門, 無識牧子, 不能看養, 馬不蕃息, 有名無實, 請令府使兼牧場. 從之. ❷둔전(屯田)의 수를 세는 데 쓰는 말. 《新唐書, 楊行密傳》又拜盱眙·曲溪二屯, 籍其士, 爲黃頭軍. 《元史, 世祖紀》己酉, 徐邳屯田, 及靈壁·濉寧二屯, 雨雹如雞卵害苗. [2] [군사](tún) 중국(中國)의 단위. 예전 병거(兵車)의 편제 단위. 1둔은 20량(輛)으로 조직되었다. 《歷代車戰叙略》險戰之法, 車必循道. 十車爲聚, 二十車爲屯. [3] [질량] 무게의 단위. 1둔은 6냥(兩)에 해당된다. 주로 씨를 뺀 솜뭉치를 매만져서 만든 반대기의 무게를 헤아리는 데 쓴다. 《渤海考, 臣考, 胥婁德, 已珍蒙, 已閼棄蒙》 附獻美濃絁三十疋, 絹十疋, 絲一百五十鉤, 調綿三百屯. 《通典, 食貨典, 賦稅 下》綿則百五十萬餘屯, 每丁三兩, 六兩爲屯, 則兩丁合成一屯. 《唐故河南令張君墓誌銘》 歲徵緜六千屯. 《資治通鑑, 唐玄宗開元 15年》 丁酉夏至, 賜貴近絲, 人一綟. 杜佑曰, 唐令, 緜六兩爲屯, 絲五兩爲絇, 麻三斤爲綟. 《通志, 食貨志 1》其絹絁爲匹, 布爲端, 綿爲屯, 麻爲綟. [4] [거래(去來)] 일본(日本)의 단위. 주로 솜〔綿〕의 거래에 쓴다. 1둔은 12몸메, 또는 450 g에 해당된다.

둘개(乭介) [수효] '둘레'의 차자 표기로, 누룩〔曲〕과 같이 가루를 반죽하여 네모지거나 둥글넓적하게 만든 덩이의 수를 세는 데 쓰는 말. 두개(豆介). 《度支準折, 熟造作末》 方曲一乭介, 小麥六升五合, 重三斤, 價錢二戔半. 太常.

듀임(dyujm) [길이] 러시아(Russia)의 옛 단위. 1 듀임은 푼트(funt)의 12분의 1이며, 1 인치(inch), 아르신(arshin)의 28분의 1, 또는 2.54 cm에 해당된다.

드니에(denier) [질량] 프랑스의 단위. 지방에 따라 다소 차이는 있으나, 파리(Paris)에서의 1 드니에는 약 1.275 g에 해당된다.

드라(draa, dra) [길이] 아프리카

(Africa)의 트리폴리(Tripoli) 지방의 단위. 1 드라는 36.77 인치(inch), 또는 68 cm에 해당된다.

드라미(drami) [질량] '드라미온(dramion)'과 같다.

드라미온(dramion) [질량] 근대 그리스의 고유 단위. 1 드라미온은 오카(oka)의 400 분의 1이며, 49.38 그레인(grain), 또는 3.2 g에 해당된다. 드라미(drami).

드라이시거(Dreissiger) [부피] 독일 바이에른(Bayern) 지방의 단위. 1 드라이시거는 메체(Metze)의 32 분의 1, 또는 1.16l에 해당된다.

드라일링(Dreiling) [부피] 오스트리아(Austria)의 단위. 1 드라일링은 마스(Mass)의 1,200 배(倍), 또는 16.98 헥토리터〔hl〕에 해당된다.

드라크마(drachma) 1 [질량] 영국(英國)·미국(美國)의 단위. 주로 약제(藥劑)의 무게를 헤아리는데 쓴다. 1 드라크마는 약 3.879 g에 해당된다. 2 [통화] 그리스(Greece)의 현행 화폐 단위. 1 드라크마는 레프타(lepta)의 100 배, 또는 프랑(franc)과 같다. 기호 : Dr.

드라크메(drachme) [질량] 근대 그리스(Greece)의 단위. 주로 약재의 무게를 헤아리는 데 쓴다. 1 드라크메는 코코스(kokkos)의 60 배(倍)이며, 웅이아(ouggia)의 8 분의 1, 또는 3.75 g에 해당된다. 미터계(系)로는 1 g에 해당된다. 덕랍극마(德拉克馬).

드라크메(drachmē) 1 [질량] 고대 그리스(Greece)의 단위. 1 드라크메는 66.4 그레인(grain), 또는 4.30 g에 해당된다. 2 [통화] 고대 그리스의 화폐 단위. 1 드라크메는 오볼로스(obolos)의 6 배(倍)이며, 므나(mna)의 100 분의 1, 또는 4.37 g의 은의 값에 해당된다.

드라흐메(Drachme) [질량] 독일(獨逸)의 단위. 주로 약제(藥劑)의 무게를 헤아리는 데 쓴다. 지방에 따라 다소 차이가 있는데, 대략 1 드라흐메는 운체(Unze)의 8 분의 1이며, 57.5 그레인(grain), 또는 3.73 g에 해당된다.

드램(dram) [질량] ❶유고슬라비아(Yugoslavia)·터키(Turkey)의 단위. 1 드램은 오카(oka)의 400 분의 1이며, 49.4 그레인(grain), 또는 3.2 g에 해당된다. 타란(打蘭). 특랍모(特拉姆). ❷영국(英國)·미국(美國)의 야드(yard)·파운드법(pound 法)에 있어서의 단위. 상용(常用)은 16 분의 1 온스, 또는 1.772 g에 해당되고, 약용(藥用)에 있어서는 8 분의 1 온스, 또는 3.8879 g에 해당된다. 타란(打蘭). 특답모(特拉姆). 기호 : 영국(英國) dm(상용), du(약용). 미국(美國) dr(상용), dr ap(약용)

상용 1 드램 =1/256 파운드
=1/16 온스
=27 11/32 그레인
=1.7718454 g

약용 1 드램 =60 그레인
=3 스크루플
=1/8 온스
=3.8879351 g

드럼(drum) [부피] ❶드럼통에 액체를 담아 그 양을 헤아리는 데 쓰는 말. 드럼통은 비교적 두꺼운 철판으로 만든 원기둥같이 생긴 통으로, 휘발유·석유 같은 액체나 반유동체(半流動體)를 넣는 데 쓴다. 용적은 50 갤런(gallon)이다. ❷미국(美國)의 석유용 단위. 1 드럼은 50～55미(美) 갤런, 또는 189～208*l* 에 해당된다.

드로나(drona) [부피] 고대 인도(印度)의 단위. 액량(液量)으로는 17.4 쿼트(quart), 또는 16.47*l* 에 해당되고, 건량(乾量)으로는 15.0 쿼트, 또는 16.52*l* 에 해당된다.

드로이트(droit) [질량] 영국(英國)·미국(美國)의 화폐용 고유 단위. 1 드로이트는 그레인(grain)의 480 분의 1, 또는 0.135 mg 에 해당된다.

드롭(drop) [질량] 스코틀랜드의 고유 단위. 1 드롭은 온스(ounce)의 16 분의 1 에 해당되는데, 29.72 그레인(grain), 또는 1.926 g 과 37.59 그레인, 또는 2.436 g 의 2 가지가 있다.

드룸(drum) [질량] 인도(印度)의 단위. 주로 황마(黃麻)와 그 섬유의 무게를 헤아리는 데 쓴다. 1 드룸은 100～300 파운드(pound), 또는 45～136 kg 에 해당된다.

드미스티에(demi-setier) [부피] 프랑스(France)의 액체(液體) 계량(計量) 단위. 지방에 따라 다소 차이가 있는데, 파리(Paris)에서의 1 드미스티에는 0.2328*l* 에 해당된다.

드미푸아송(demi-poisson) [부피] 프랑스(France)의 액체(液體) 계량(計量) 단위. 파리(Paris)에서의 1 드미푸아송은 0.0562*l* 에 해당된다.

등(等) [등급] ❶같은 종류의 사물이나 행위, 또는 인사(人事)에서의 등급(等級)·등수(等數)·차례 따위를 나타내는 데 쓰는 말. 《三國史記 40, 雜志, 職官 下》一說, 大官有大對盧, 次有太大兄……凡十三等. 《高麗史 1, 太祖世家》當其廢主之時, 竭忠臣之節者, 宜行賞賚, 以獎勳勞, 其以洪儒·裴玄慶·申崇謙·卜智謙爲第一等. 《朝鮮世宗實錄 64, 16年4月己巳》傳旨禮曹, 今甲寅年親試文科一二三等, 並稱乙科, 武科一等稱乙科, 二等稱丙科, 稱號不同, 磨勘以啓. 《朝鮮世宗實錄 64, 16年5月丁酉》禮曹啓……近年別試, 並稱乙科, 分三等, 武科則式年·別試皆稱乙科, 或分一二等. 至于丁未年別試, 一等稱乙科, 二等稱丙科, 三等同丙科, 皆不考元典, 妄立新法, 輕變成憲, 實爲未便, 臣等乞式年·別試, 勿論文武科, 分等一依元典. 從之. 《朝鮮世宗實錄 106, 26年11月戊子》以六等田結實積開方, 所得一面之數, 各有寸分之奇, 計算甚難. 故六等田, 每一面分爲百, 爲其田所量之尺, 一等田尺, 周尺四尺七寸七分, 二等田尺, 周尺五尺一寸八分, 三等田尺, 周尺五尺七寸, 四等田尺, 周尺六尺四寸三分, 五等田尺, 周尺七尺五寸五分, 六等田尺, 周尺九尺五寸五分. 如此則尺有六等長短, 而數則皆以百尺爲面, 萬尺爲積. 《經國大典 2, 戶典, 量田》凡田分六等, 每二十年, 改量成籍, 藏於本曹·本道·本邑(一等田尺, 長準周尺四尺七寸

七分五釐, 二等, 五尺一寸七分九釐, 三等, 五尺七寸三釐, 四等, 六尺四寸三分四釐, 五等, 七尺五寸五分, 六等, 九尺五寸五分). 《朝鮮高宗實錄 39, 光武 3年7月4日》勅令第三十號, 表勳院官制裁可頒布. 表勳院官制……第九條, 表勳院에 勳章製造ᄒᆞ기 爲ᄒᆞ야 制章局을 另置ᄒᆞ니 三等局으로 定ᄒᆞᆯ 事. 《度支準折, 雜錄》大典各等尺數(把未滿六則棄之). 一等一結, 一萬尺爲一結, 一百尺爲一負. 二等八五, 一萬一千七百六十四尺爲一結, 一百十七尺六寸四分爲一負……六等二五. ❷조세나 공물(貢物) 따위를 나누어 내는 횟수를 세는 데 쓰는 말. 백성들로부터 징수한 미곡(米穀)이나 포백(布帛)을 각 해당 지역에서는 나누어진 횟수에 따라 해상이나 육로로 정해진 관청에 납부하였다. 단등(單等)은 1년에 한 번, 춘등(春等)은 춘추(春秋)로 두 번 나누어 내게 된 조세를 봄에, 추등(秋等)은 가을에 내는 것을 이른다. 《萬機要覽, 財用編 1, 各貢, 奉常寺》奉常寺. 米一萬一千五百二十二石九斗八升五合四夕, 嶺南八等(元米二千一百十三石一斗二升一合七夕), 湖南七等, 湖西七等, 京畿二等……分奉常寺, 米一百三十二石十四斗五升四合, 嶺南單等, 湖南單等, 湖西單等. 《袱商廳節目》京都所·留財所, 每年春等參百兩, 秋等三百兩, 自武衞所劃下. 《六典條例 3, 戶典, 戶曹, 版別房》所管貢物……鐵絲契, 大銅絲四等(三月·六月·九月·十二月), 各五百尺(每十一尺, 價玄木一匹)……定鐵細絲四等(三月·六月·九月·十二月), 各二十五尺(每五十二尺, 價玄木一匹), 豆錫絲四等(三月·六月·九月·十二月), 各五十尺(每三十三尺, 價玄木一匹). ❸'등성(等星)'과 같다. ❹'층'의 뜻으로, 층계의 수를 세는 데 쓰는 말. 《史記, 孔子世家》會齊侯夾谷, 爲壇位, 土階三等.

등(燈) [수효] 불을 켜서 어두운 곳을 밝히는 전등(電燈)·연등(燃燈) 따위의 수를 세는 데 쓰는 말. 〈예〉 한 집에서 한 ~ 끄기 운동을 펼치자.

등(縢 : téng) [수효] 중국(中國)의 단위. '덩어리'의 뜻으로, 끈으로 묶은 덩이를 세는 데 쓰는 말. 《資治通鑑》陳主與任忠金兩縢(以繩約束物曰縢).

등(蹬) [수효] '층'의 뜻으로, 층계나 사다리 따위의 층수를 세는 데 쓰는 말. 급(級). 단(段). 중(重). 《漢淸文鑑 7, 人, 行走》一蹬一蹬的上. 층층이 올으다.

등기돈(登記噸 : dēngjìdūn) [부피] 중국(中國)의 단위. 총 톤수에서 기관실·승무원실을 제외하고 실지로 짐을 실을 수 있는 선박의 적재량. 1 등기돈은 2.83 세제곱 미터〔m^3〕, 또는 100 세제곱 피트〔ft^3〕에 해당된다.

등분(等分) [수효] 어떤 물건이나 수량을 두 개 또는 여러 개의 똑같은 부분으로 나눈 수를 세는 데 쓰는 말. 〈예〉 이 삼각형을 세 ~으로 나누어라.

등성(等星) (stellar magnitude) [천문] 별의 밝기를 표시하는 데 쓰는

말. 별빛의 강도(強度)에 따라 가장 밝은 1등성부터 육안으로 간신히 볼 수 있는 6등성까지 6단계로 나누고 있다. 광도(光度)가 2.512배씩 증가될 때마다 등급이 1등급씩 줄어들며, 측정 방법에 따라 실시(實視) 등급·사진 등급·복사계(輻射計) 등급이 있다. 등(等).

디(D) [수효] 겉에 유당(乳糖)을 입힌 알약의 수를 세는 데 쓰는 말.

디그리(degree) [온도·각도·농도(濃度)] '도(度)'의 영어(英語)식 표기.

디기투스(digitus) [길이] 고대 로마(Roma)의 단위. 1디기투스는 0.73인치(inch), 또는 1.85 cm에 해당된다.

디깃(digit) [길이] ❶고대 바빌로니아(Babylonia)의 단위. 1디깃은 큐빗(cubit)의 30배(倍)에 해당된다. ❷고대 그리스(Greece)의 단위. 1디깃은 큐빗의 40분의 1이며, 약 0.4555인치, 또는 1.157 cm에 해당된다.

디나르(dinar) [통화] ❶이라크의 화폐 단위. 1디나르는 스털링 파운드(sterling pound)와 같고, 필(fil)의 1,000배(倍)에 해당된다. 제납이(第納爾). 지나(地那). 기호 : ID ❷요르단(Jordan : JD)·쿠웨이트(Kuwait : KD)의 화폐 단위. 1디나르는 필(fil)의 1,000배(倍)에 해당된다. 제납이(第納爾). 지나(地那). ❸튀니지(Tunisie)의 화폐 단위. 1디나르는 밀리엠(milliem)의 1,000배(倍)에 해당된다. 제납이(第納爾). 지나(地那). ❹유고슬라비아(Yugoslavia)의 화폐 단위. 1디나르는 파라(para)의 100배에 해당된다. 제납이(第納爾). 지나(地那). ❺이란(Iran)의 보조 통화 단위. 1디나르는 리알(rial)의 100분의 1에 해당된다. 디나르라는 명칭은 고대 로마(Roma)의 통화(通貨)인 데나리우스(denarius)에서 유래되었다. 제납이(第納爾). 지나(地那).

디네로(dinero) [질량(質量)] 스페인(Spain)의 고유 단위. 1디네로는 리브라(libra)의 384분의 1이며, 18.5그레인(grain), 또는 1.20 g에 해당된다.

디라 미나리(dira minari) [길이] 그리스(Greece)의 단위. 시대에 따라 다소 차이가 있는데, 대개 1디라 미나리는 약 29.53인치(inch), 또는 75 cm에 해당된다.

디라 발라디(dira baladi) [길이] 이집트(Egypt)의 단위. 시대에 따라 다소 차이가 있는데, 대개 1디라 발라디는 약 22.83인치(inch), 또는 58 cm에 해당된다.

디르함(dirham) [1] [질량] 아라비아(Arabia)·이집트(Egypt)의 고유 단위. 1디르함은 약 48.15그레인(grain), 또는 3.12 g에 해당된다. [2] [통화] ❶모로코(Morocco)의 현재 통화 단위. 1디르함은 모로코 프랑(Morocco franc)의 100배(倍)에 해당된다. 기호 : DH ❷고대 오리엔트(Orient) 시대의 은화(銀貨). 이는 고대 그리스의 드라크메(drachmē)에 해당되며, 고대 시리아어(語)로는 주즈(zuz)라 하였다. 1디르함은 상형(常衡)으로는 은(銀) 66.5 그레인(grain), 또는 4.309 g에 해당되었다. ❸아랍(Arab) 연합(連合)의 현재 통화 단위. 1 디르함은 필(fil)의 100 배(倍)에 해당된다. 기호 : DH ❹탕헤르(Tangier)의 현재(現在) 통화 단위. 1 디르함은 모로칸(moroccan)의 100 배에 해당된다. 기호 : DH

디르헴(dirhem) [질량] 터키의 옛 단위. 1 디르헴은 오카(okka)의 400 분(分)의 1 이며, 48.15 그레인(grain), 또는 3.12 g에 해당된다.

디메를리에(dimerlie) [부피] 루마니아(Rumania)의 단위. 1 디메를리에는 약 22.34 미(美) 건량(乾量) 쿼트(quart), 또는 24.6*l* 에 해당된다.

디아일로스(diaylos) [길이] 고대 그리스(Greece)의 단위. 1 디아일로스는 스타디온(stadion)의 2 배(倍)이며, 405.0 야드(yard), 또는 370.3 m에 해당된다.

디에샤티나(diesyatina) [넓이] 러시아(Russia)의 키예프(Kiev)·우크라이나(Ukraina)·백(白)러시아의 옛 지적(地積) 단위. 지방에 따라 다소 차이가 있는데, 1753년 이후에는 2,400 제곱 사젠(sazhen)이며, 2.70 에이커, 또는 109.25 아르〔a〕에 해당된다.

디엠(D.M) [부피] 드럼(drum)의 약자. 내용물에 따라 양이 다르다. 메탄올은 150 g, 소맥피는 36 kg이 1 디엠이다.

디오볼로스(diobolos) [질량] 고대 그리스(Greece)의 단위. 1 디오볼로스는 오볼로스(obolos)의 2 배이며, 드라크메(drachmē)의 3 분의 1, 22 그레인(grain), 또는 1.43 g에 해당된다.

디옵터(diopter) [굴절도] '디옵트리(Dioptrie)'와 같다. 기호 : D

디옵트리(Dioptrie) [굴절도] 안경의 굴절도(屈折度)의 단위. 안경 상측(像側)의 정점 거리(頂點距離)를 미터로 나타낸 수치의 역수(逆數)로 나타낸다. 정점 거리가 0.5 m이면 안경의 굴절도는 2 디옵트리(1/0.5)가 된다. 디옵터(diopter). 초도(焦度). 기호 : Dptr, D

디짓(digit) [길이] 태양이나 달의 겉보기 지름의 12 분의 1 을 말한다. 영국(英國)의 옛 길이의 단위인 디깃(digit)에서 유래한 것이다. 1 디짓은 4 분의 3 인치(inch), 또는 1.905 cm에 해당된다.

디카스(dichas) [길이] 고대 그리스(Greece)의 단위. 1 디카스는 닥틸로스(daktylos)의 8 배(倍)이며, 6.07 인치(inch), 또는 15.4 cm에 해당된다.

디토(dito) [길이] 이탈리아(Italia)의 옛 단위. 1 디토는 0.5 인치, 또는 1.27 cm에 해당된다.

땀 [수효] 바느질할 때에 바늘을 한 번 뜬 눈의 수를 세는 데 쓰는 말.

떨기 [수효] 무더기진 풀이나 나무, 또는 꽃 따위의 수를 세는 데 쓰는 말. 족(簇). 총(叢). 〈예〉 한 ~ 장미꽃.

떼 [수효] 사람·동물 또는 어떤 사물이 한데 많이 몰려 있는 동아리의 수를 세는 데 쓰는 말.

뙈기 [수효] 논밭의 경계나 일정하게 나눈 구획(區劃)의 수를 세는 데 쓰는 말. 편(片).

뜸 [수효] 한 동네 안에서 따로따로 몇 집씩 한데 모여 있는 구역의 수를 세는 데 쓰는 말.

라나즈(lanaz) [넓이] 유고슬라비아(Yugoslavia)의 단위. 1 라나즈는 1,600 제곱 크바트(khvat)이며, 1.42 에이커(acre), 또는 75.5 아르〔a〕에 해당된다.

라디안(radian) [각도] 원호(圓弧)의 길이에 의하여 각도를 나타내는 단위. 원(圓)의 반지름과 같은 호(弧)에 대한 중심각(中心角)의 크기를 말한다. 원주율(圓周率)을 π로 나타내면 다음과 같다. 기호 : rad

$$360° \div 2\pi = 57.29578° = 57°17'48.8''$$

라디안 매초(— 每秒) [속도] 각속도(角速度)의 계량 단위. 1 라디안 매초는 1 초 동안에 1 라디안〔rad〕을 움직이는 각속도를 말한다. 기호 : rad/s

라디안 매초 매초(— 每秒每秒) [가속도] 각가속도(角加速度)의 단위. 1 라디안 매초 매초는 1 초에 대한 1 라디안 매초〔rad/s〕의 각가속도를 말한다. 기호 : rad/s^2

라리(laree) [통화] 몰디브(Maldives) 공화국(共和國)의 보조 화폐 단위. 1 라리는 1 루피(rupee)의 100 분의 1에 해당된다. 납뢰(拉雷).

라마니(lamany) [부피] 미얀마(Myanmar) 양곤(Yangon) 지방의 단위. 1 라마니는 0.067 액량(液量) 쿼트(quart), 또는 0.063l 에 해당된다.

라보르(labor) [넓이] ❶멕시코(Mexico)의 옛 단위. 1 라보르는 약 174 에이커(acre), 또는 70.22 헥타르〔ha〕에 해당된다. ❷미국(美國) 텍사스(Texas) 지방의 단위. 1 라보르는 177.14 에이커, 또는 71.68 ha 에 해당된다.

라브(lāb) [길이] 헝가리의 단위. 1 라브는 욀(öl)의 6 분의 1 이며, 1 피트(feet), 또는 약 30.48 cm 에 해당된다.

라스트(last) [질량] ❶독일 · 네덜란드(Netherlands) · 덴마크(Denmark)의 단위. 1 라스트는 4,409.2 파운드(pound), 또는 2 톤〔t〕에 해당된다. ❷스웨덴의 단위. 1 라스트는 10 센트네르(centner)이며, 9,371.3 파운드, 또는 4.251 메트릭 톤(metric ton)에 해당된다. 납사(拉司).

라스트레(lastre) [부피] 아르헨티나(Argentina)의 단위. 1 라스트레는 파네가(fanega)의 15 배이며, 58.40 부셸(bushel), 또는 20.58 hl 에 해당된다.

라스트 마린(last marin) [부피] 러시아(Russia)의 단위. 1 라스트 마린은 아르신(arshin)의 15¾ 이며, 7.41 세제곱 야드(yard), 또는 5.66 m^3 에 해당된다.

라시온(ración) [부피] 스페인의 단위. 1 라시온은 파네가(fanega)의 192 분의 1, 또는 192 분의 55.50l

에 해당된다. 1 파네가는 50.50l 이다.

라앙(laang) [부피] 태국(泰國)의 단위. 1 라앙은 0.528 액량(液量) 쿼트, 또는 0.5l 에 해당된다.

라운드(round) [수효] ❶운동 경기에서, 한 판의 경기. 또는 그 수를 세는 데 쓰는 말. ❷권투 시합에서, 각 회의 수를 세는 데 쓰는 말. 1 회는 3 분 동안이다. ❸골프에서, 18 홀을 한 바퀴 도는 한 코스. 또는 그 코스의 수를 세는 데 쓰는 말.

라움메터(Raummeter) [부피] 독일(獨逸)·오스트리아(Austria)의 단위. 1 라움메터는 1 m^3 에 해당된다. 기호 : rm

라이(rai) [넓이] 태국(泰國)의 단위. 1 라이는 0.40 에이커(acre), 또는 16 아르〔a〕에 해당된다.

라이크(raik) [1] [부피] 인도(印度) 캘커타(Calcutta) 지방의 단위. 1 라이크는 1.25 미(美) 건량(乾量) 쿼트(quart), 또는 1.4l 에 해당된다. [2] [질량] 인도 캘커타 지방의 단위. 1 라이크는 2.57 파운드, 또는 1.166 kg 에 해당된다.

라인(line) [길이] 영국(英國)·미국(美國)의 단위. 1 라인은 0.083 인치(inch), 또는 2.12 mm 에 해당된다. 영국에서는 단추의 계량(計量)에 쓰는데, 이 경우의 1 라인은 인치의 40 분의 1, 또는 0.635 mm 에 해당된다.

라자사르샤파(rējasarshapa) [질량] 고대 인도(印度)의 단위. 1 라자사르샤파는 리크샤(līkshā)의 3 배이며, 크리슈날라(krīshnala)의 54 분의 1, 0.0347 그레인(grain), 또는 2.2593 mg 에 해당된다.

라크(lakh) [수] 고대 인도(印度)의 단위. 1 라크는 10만(萬)에 해당된다. 금액(金額)으로는 10만 루피(rupee)를 가리키는 수도 있다.

라크사(lachsa) [질량(質量)] 필리핀(Philippines)의 고유 단위. 1 라크사는 카티(catty)의 48 배(倍)이며, 66.93 파운드, 또는 30.36 kg 에 해당된다.

라트(lat) [통화] 라트비아의 옛 화폐 단위(貨幣單位). 1 라트는 상팀(santime)의 100 배에 해당된다.

라트로(latro) [길이] 체코슬로바키아(Czechoslovakia)의 단위. 1 라트로는 2.096 야드, 또는 1.917 m 에 해당된다.

라틀(ratl) [질량] ❶이란(Iran)의 단위. 1 라틀은 1.014 파운드, 또는 460 g 에 해당된다. ❷시리아의 단위. 1 라틀은 5 파운드, 또는 2.268 kg 에 해당된다. ❸사우디아라비아(Saudi Arabia)의 단위. 1 라틀은 0.450 kg 에 해당된다.

라티(rati) [질량] '라티(ratti)'와 같다.

라티(ratti) [질량] 인도(印度)의 고유 단위. 1 라티는 단(dhan)의 4 배(倍)이며, 1.87 그레인(grain), 또는 121.5 mg 에 해당된다. 라티(rati).

라틸리(ratili) [질량] 탄자니아의 단위. 1 라틸리는 0.4536 kg 에 해당된다.

-락(落) [넓이] 마지기〔斗落只〕의 준말. '두락지(斗落只)'와 같다.《舊土地賣買文記》 合畓一石八落二十八夜味臥, 合田七月耕果.《新字典,

朝鮮俗字部》落, 락. 畓斗石數, 마지기. 見俗書.

-락지(落只) [넓이] '지기〔落只〕'의 차자 표기로, 곡식의 씨를 뿌리는 양에 따라 땅의 넓이를 나타내는 데 쓰는 말. 주로 홉지기〔合落只〕·되지기〔升落只〕·마지기〔斗落只〕·섬지기〔石落只〕 따위에 붙는데, 홉지기는 한 홉을, 되지기는 한 되를, 마지기는 한 말을, 섬지기는 한 섬의 씨를 뿌릴 수 있는 밭의 넓이, 또는 그만한 씨의 양으로 모를 부어 낼 수 있는 논의 넓이를 이른다.

란(lấn) [넓이] 체코슬로바키아(Czechoslovakia)의 체코 지역의 역사적 단위. 13 세기 이후에 사용되었는데, 1 란은 18.1581 헥타르〔ha〕였다. 계층에 따라 다소 차이가 있는데, 농민의 1 란은 18.6 헥타르〔ha〕, 지주는 23.28 ha, 영주(領主)는 25.62 ha, 왕은 27.94 ha에 해당되었다. 17 C 이후에는 거의 사용하지 않았다.

란(lan) 1 [질량] 몽골〔蒙古〕의 단위. 1 란은 37.3 g 에 해당된다. 2 [넓이] 체코슬로바키아의 단위. 1 란은 코레츠(korec)의 60 배이며, 17.27 헥타르〔ha〕, 또는 42.67 에이커(acre)에 해당된다. 3 [길이] 미얀마(Myanmar) 양곤(Yangon) 지방의 단위. 1 란은 2.24 야드, 또는 20.48 m 에 해당된다.

란드(rand) [통화] 남(南)아프리카(Africa) 공화국의 현재 화폐 단위. 독립한 뒤 파운드(pound) 대신 쓴다. 난특(蘭特).

란밀(landmil) [길이] 덴마크의 단위. 1 란밀은 4.68 마일(mile), 또는 7.53 km 에 해당된다.

랄로(lalo) [넓이] '랄리차(ralica)'와 같다.

랄리차(ralica) [넓이] 유고슬라비아(Yugoslavia)의 단위. 1 랄리차는 0.618 에이커(acre), 또는 25 아르〔a〕에 해당된다. 랄로(lalo).

래드(rad) [흡수선량(吸收線量)] 방사선의 조사(照射)에 따라 물질 1 kg 마다 전리성 입자(電離性粒子)에 의하여 100 분의 1 줄〔J〕의 에너지가 주어질 때의 흡수선량을 말한다. 납덕(拉德). 기호 : rad

1 rad=10^6 마이크로래드〔μrad〕
=10^3 밀리래드〔mrad〕

래드 매분(— 每分) (rad per minute) [흡수선량률] 1 분 동안에 있어서의 1 래드(rad)의 방사선 흡수선량을 말한다. 기호 : rad/min

60 rad/min=1 rad/s

래드 매시(— 每時) (rad per hour) [흡수선량률] 1 시간 동안에 있어서의 1 래드(rad)의 방사선 흡수선량률을 말한다. 기호 : rad/h

래드 매초(— 每秒) (rad per second) [흡수선량률] 1 초 동안에 있어서의 1 래드의 방사선 흡수선량률을 말한다. 기호 : rad/s

1 rad/s=60 rad/min
=60,000 mrad/min
=3,600,000 mrad/h
=604,800,000 mrad/week

-량(兩) 1 [수효] ❶'량(緉)'과 같다. '兩'은 '緉'과 서로 통용한다. 《朝鮮世宗實錄 8, 2年4月壬子》趙亮, 請黑斜皮二領, 婦人紫斜皮鞋三兩, 軟角弓二丁. 《朝鮮世祖實錄 43, 13年8月丁未》遣注書慶俊于太

平舘……黑斜皮雲鞋一兩……念珠一貫, 人參十觔……黃毛筆三十枝, 油烟墨五笏.《詩, 齊風, 南山》葛屨五兩.(孔穎達疏)屨必兩隻相配, 故以一兩爲一物. ❷'량(輛)'과 같다. '兩'은 '輛'과 서로 통용한다.《高麗史 21, 神宗世家》金遣封册使大里卿完顔愈……下節一百人, 車二十一兩, 馬一十四匹, 綱擔夫一百人.《朝鮮太宗實錄 2, 元年9月辛丑》朝廷國子監生宋鎬相……藥材用車一百五十兩, 牛馬二百馱入京.《朝鮮宣祖實錄 84, 30年正月戊午》昨日謂臣曰, 車三十兩, 舍人家丁並八十餘名, 當先送云矣.《書, 牧誓序》戎車三百兩.(鄭玄傳) 車稱兩.《詩, 召南, 鵲巢》百兩御之.(毛傳)百兩, 百乘也.《後漢書, 吳祐傳》此書若成, 則載之兼兩(車有兩輪, 故稱兩). ❸(liǎng) 중국(中國)의 단위. ㉮수레 50 량(輛)을 하나치로 세는 데 쓰는 말. '兩'은 '輛'과 서로 통용한다.《左傳, 昭公元年》服虔引司馬法云, 五十乘爲兩, 百二十乘爲伍, 八十一乘爲專, 二十九乘爲參. ㉯'필(匹·疋)'의 뜻으로, 일정한 길이로 짠 피륙을 세는 데 쓰는 말. 겸(縑). 단(段·端). 정(丁). 제(製). 필(匹·疋).《左傳, 閔公2年》重錦三十兩(三十匹也).《韻會》兩, 匹也.《韓詩外傳 1》(孔子)抽絺紘五兩, 以授子貢.(許維遹集釋) 五兩, 猶言五匹. 古之布帛, 每匹兩端對卷, 故謂之兩. ② [길이] 피륙의 길이를 헤아리는 데 쓰는 말. 1 량은 40 자〔尺〕에 해당된다.《左傳, 昭公26年》以幣錦二兩(二丈爲一端, 二端爲兩).《小爾雅, 廣度》五尺謂之墨, 倍墨謂之丈, 倍丈謂之端, 倍端謂之兩.《周禮, 地官, 媒氏》凡嫁子娶妻, 入幣純帛, 無過五兩.(鄭玄注) 五兩, 十端也.(孔穎達疏) 云五兩十端者, 古者二端相向卷之, 共爲一兩. 五兩, 故十端也. ③ [군사] 고대 군대 편제의 한 단위. 1 량은 25 인(人)으로 조직되었다.《周禮, 地官, 小司徒》乃會萬民之卒伍而用之, 五人爲伍, 五伍爲兩, 四兩爲卒. ④ '냥(兩)'을 보라.

-량(量) [수효] 중국(中國)의 단위. ❶'緉'과 같다. '量'은 '緉'과 서로 통용한다.《字彙補, 里部》量, 與緉同, 雙履也.《與太尉楊彪書》並遺足下貴室錯綵羅穀裘一領, 織成靴一量.《晉書, 阮孚傳》未知一生當著幾量屐. ❷'장'의 뜻으로, 먹〔墨〕의 수를 세는 데 쓰는 말.《北戶錄, 米餅》墨爲螺, 爲量, 爲丸, 爲枚. ❸'냥(兩)'의 뜻으로, 1 량은 1 돈〔錢〕의 10 배, 또는 근(斤)의 16 분의 1 에 해당된다.《敦煌變文集, 衹園因由記》此則門當戶對, 要馬百尺, 黃金千量.

-량(緉) [수효] '켤레'의 뜻으로, 가죽신이나 나막신의 수를 세는 데 쓰는 말. 량(兩·量·輛·輛). 부(捊). 족(足).《高麗史 70, 樂志, 軒架樂器》編鍾九架, 每架, 正聲一十六顆……銅革帶一條, 烏皮履一緉, 文舞·武舞執旌纛一副.

-량(輛) [수효] ❶'대'의 뜻으로, 수레나 차량의 수를 세는 데 쓰는 말. 량(兩). 륜(輪). 부(部).《朝鮮明宗實錄 25, 14年 7月辛未》冬至使之行, 使帶率而去, 原帶人物卜馱外, 加以唐人, 則抄發車子, 當不下五十

餘輛.《訓鍊都監重記, 鳥銃色, 軍器及雜物秩》 龍津鎭所在牛拾肆隻內, 雄牛拾貳隻, 雌牛貳隻, 車子貳輛(牛陸隻).《朝鮮高宗實錄 13, 13年2月初4日》回旋砲一門, 彈藥二千發, 前車一輛, 六連短銃一挺. ❷'량(緉)'과 같다.《浩然齋雅談, 對偶》平生能著幾輛屐, 長日惟消一局棋.《紫釵記, 曉窗圓夢》見一人似劍俠非常遇, 着黃衣. 分明遞與, 一輛小鞋兒.

-량(鞆) [수효] '량(緉)'과 같다.《玉篇》鞆, 鞋鞆.《篇海類編, 鳥獸類, 革部》'鞆, 與緉同.《太平廣記 243》又買內鄕新麻鞋數百鞆.《中華古今注, 麻鞋》凡娶婦之家, 先下絲麻鞋一鞆, 取其和鞋之義.

러더퍼드(rutherford) [방사능(放射能)] 방사성(放射性) 물질의 붕괴 속도의 단위. 1 러더퍼드는 매초(每秒)에 10^6 개의 붕괴가 이루어지는 양이다. 1 퀴리는 $3,700 \times 10^4$ 러더퍼드이다. 기호 : rd

러시안 파운드(Russian pound) [질량] 러시아(Russia)의 단위. 1 러시안 파운드는 0.4095 kg 에 해당된다.

러트(lat) [질량] 헝가리의 옛 단위. 1 러트는 0.5 온스, 또는 17.5 g 에 해당된다.

럭스(lux) [조도(照度)] 조도(照度)의 단위. 1 촉광의 광원(光源)으로부터 1 m 거리에 있는 1 m^2 표면의 조도를 말한다. 늑극사(勒克斯). 기호 : lx

1 럭스=1 m 촉
=10^{-4} 피트
=9.29×10^{-2} 피트 캔들

런들릿(rundlet) [부피] 영국(英國)의 옛 단위. 1 런들릿은 18 갤런(gallon), 또는 68l 에 해당된다.

레게르(leaguer, legger) [부피] 네덜란드(Netherlands)의 단위. 1 레게르는 154 미(美) 갤런(gallon)이며, 128 영(英) 갤런, 또는 582l 에 해당된다.

레고아(legoa) [길이] ❶포르투갈(Portugal)의 단위. 1 레고아는 에스타디오(estadio)의 24 배(倍)이며, 3.85 마일(mile), 또는 6.20 km 에 해당된다. ❷브라질의 단위. 1 레고아는 페스(pes)의 20,000 배(倍)이며, 4.10 마일, 또는 6.60 km 에 해당된다.

레과(legua) ① [넓이] 파라과이(Paraguay)의 단위. 1 레과는 4,633 에이커, 또는 1,875 헥타르〔ha〕에 해당된다. ② [길이] ❶아르헨티나(Argentina)의 단위. 1 레과는 3.23 마일(mile), 또는 5.20 km 에 해당된다. ❷칠레(Chile)의 단위. 1 레과는 바라(vara)의 5,400 배(倍)이며, 2.81 마일, 또는 4.51 km 에 해당된다. ❸멕시코(Mexico)의 단위. 1 레과는 2.60 마일, 또는 4.19 km 에 해당된다. ❹파라과이(Paraguay)의 단위. 1 레과는 2.69 마일, 또는 4.33 km 에 해당된다. ❺스페인의 단위. 1 레과는 바라(vara)의 6,666 ⅔ 배(倍)이며, 3.46 마일, 또는 5.57 km 에 해당된다. ❻미국(美國) 캘리포니아(California) 지방의 옛 단위. 1 레과는 2.634 마일, 또는 4.238 km 에 해당된다.

레스트래드(lestrad) [부피] 영국

(英國)의 단위. '리스트레드(listred)'와 같다.

레알(reaal) [질량(質量)] 인도네시아(Indonesia)의 단위. 1 레알은 테일(tael)의 2 분의 1 이며, 417.4 그레인, 또는 27.04 g 에 해당된다.

레알(real) [통화(通貨)] ❶스페인(Spain)의 단위. 1 레알은 페소(peso)의 8 분의 1 에 해당된다. ❷포르투갈(Portugal)의 단위. 1 레알은 밀레이스(milreis)의 1,000 분의 1 에 해당된다. ❸브라질의 단위. 1 레알은 밀레이스의 1,000 분의 1 에 해당된다.

레오네(leone) [통화] 서(西)아프리카 영(英) 연방인 시에라리온(Sierra Leone)의 현재 통화 단위. 1 레오네는 100 센트(cent)에 해당된다. 기호 : Le

레우(leu) [통화] 루마니아의 현재 통화 단위. 1 레우는 바니(bani)의 100 분의 1 에 해당된다. 레우의 복수는 레이(lei)라 한다.

레이(lei) [통화] 루마니아의 화폐 단위. 레우(leu)의 복수이다. 열이(列伊).

레이스(reis) [통화] 포르투갈・브라질의 옛 보조 통화 단위. 1 레이스는 밀레이스(milreis)의 100 분의 1 이다.

레카(lekha) [넓이] 불가리아의 단위. 1 레카는 274.8 제곱 야드〔yd^2〕, 또는 229.8 m^2 에 해당된다.

레크(lek) [통화(通貨)] 알바니아(Albania)의 현재 통화 단위. 1 레크는 킨다르카(qindarka)의 100 배(倍)에 해당된다. 기호 : L

레티(retti) [질량] 고대 인도(印度)의 단위. 1 레티는 2.25 그레인, 또는 0.146 g 에 해당된다.

레프(ref) [길이] 스웨덴(Sweden)의 단위. 1 레프는 푀테르(fötter)의 100 배이며, 97.41 피트(feet), 또는 29.69 m 에 해당된다.

레프(lev) [통화] 불가리아(Bulgaria)의 현재 통화 단위. 1 레프는 스토팅키(stotinki)의 100 배에 해당된다. 열불(列弗).

레프타(lepta) [통화] 그리스의 현재 보조 통화 단위. 1 레프타는 드라크마(drachma)의 100 분의 1 에 해당된다. 고대 최초의 동화(銅貨)인 레프톤(lepton)에서 유래되었다. 뇌보탑(雷普塔).

레프톤(lepton) [통화] '아사리온(assarion)'을 보라.

렘(rem) [생체 실효선량(生體實效線量)] 방사선의 생물학적 효과로 측정한 피폭 선량(被曝線量)의 단위. 1 렘은 1 뢴트겐의 엑스선(X線)이 생체에 준 장애의 단위이다. 기호 : rem

렘피라(lempira) [통화] 온두라스(Honduras)의 현재 통화 단위. 1 렘피라는 센타보(centavo)의 100 배(倍)에 해당된다. 윤비랍(倫比拉). 윤피랍(倫皮拉). 기호 : L

렙(rep) [흡수선량(吸收線量)] 인체 조직 속의 방사선 흡수선량(放射線吸收線量)을 나타내는 단위. 인체 조직 1 g 에 대하여 93 에르그(erg)의 에너지를 부여하는 흡수선량을 이른다.

로그(log) [부피] 헤브라이(Hebrai)의 단위. 1 로그는 액량(液量)의 경우 0.54 미(美) 쿼트(quart),

또는 0.51*l* 의 것과 0.59 미(美) 쿼트, 또는 0.56*l* 의 것이 있다. 건량(乾量)으로는 카브(cab)의 4분의 1이며, 0.46 미(美) 쿼트, 또는 0.5*l* 의 것과 0.51 미(美) 쿼트, 또는 0.56*l* 의 것이 있다.

로데(rode) [길이] 덴마크(Denmark)의 단위. 1로데는 푀데르(føddder)의 10배(倍)이며, 3.43야드, 또는 3.138 m에 해당된다.

로드(lod) [질량] ❶스웨덴의 고유(固有) 단위. 1로드는 203.2 그레인(grain), 또는 13.17 g에 해당된다. ❷덴마크(Denmark)의 단위. 1로드는 마르크(mark)의 16분의 1이며, 227.0~241.13 그레인, 또는 14.71 g~15.625 g에 해당된다.

로드(lodd) [질량] 노르웨이의 고유 단위. 1로드는 스콜푼(skål-pund)의 32분의 1이며, 203.2~240.2 그레인, 또는 13.17~15.57 g에 해당된다.

로드(lood) [질량] ❶에스토니아(Estonia)의 단위. 1로드는 197.5 그레인(grain), 또는 12.80 g에 해당된다. ❷네덜란드(Netherlands)의 고유 단위. 1로드는 154.23 그레인, 또는 10.00 g에 해당된다.

로드(rod) [1] [길이] 야드(yard)·파운드법(pound 法)의 한 단위. 1로드는 16.5 피트(feet)이며, 마일(mile)의 320분의 1, 또는 5.0292 m에 해당된다. 기호 : rd [2] [넓이] 야드·파운드법의 한 단위. 1로드는 에이커(acre)의 160분의 1, 또는 25.29 m² 에 해당된다.

로마 마일(Roman mile) [길이] 고대 로마(Roma)의 단위. 1로마 마일은 1,620야드, 또는 1,482 m에 해당된다.

로마 페이스(Roman pace) [길이] 고대 로마의 단위. 1로마 페이스는 피트(feet)의 4.85배, 또는 1.48 m에 해당된다. 파수스(passus).

로마 피트(Roma feet) [길이] 고대 로마(Roma)의 단위. 1로마 피트는 11.64 인치(inch), 또는 29.75 m에 해당된다.

로바(robhah) [부피] 이집트의 단위. 1로바는 케다(kedah)의 4분의 1이며, 0.545 미(美) 액량(液量) 쿼트(quart), 또는 0.516*l* 에 해당된다.

로브(rob) [부피] 이집트(Egypt)의 단위. 1로브는 2.18 갤런(gallon), 또는 8.25*l* 에 해당된다.

로에넹(roeneng) [길이] 태국(泰國)의 단위. 1로에넹은 2,000와(wah), 또는 4 km에 해당된다.

로케트(loket) [길이] 체코슬로바키아 체코 지역의 단위. 1로케트는 23.35 인치에 해당된다.

로코티(lokot') [길이] 고대(古代) 러시아(Russia)의 단위. 1로코티는 팔꿈치에서 손목까지의 길이로, 약 57.8 cm에 해당된다.

로키에츠(lokiec) [길이] 폴란드(Poland)의 단위. 1로키에츠는 스토파(stopa)의 2배이며, 22.68 인치, 또는 0.576 m에 해당된다.

로키유(roquille) [부피] 프랑스의 단위. 주로 액체(液體)에 사용한다. 1로키유는 팽트(pinte)의 32분의 1에 해당된다. 지역에 따라 다소 차이가 있는데, 1로키유는 0.246 미(美) 질(gill), 0.25 영(英)

질(gill), 또는 0.0291 *l* 에 해당된다.

로트(lot) [질량] ❶러시아(Russia)의 옛 단위. 1로트는 푼트(funt)의 32분의 1이며, 잘라트니크(zolotnik)의 3배(倍), 또는 12.798 g에 해당된다. ❷독일의 단위. 1로트는 154.32 그레인(grain), 또는 10.00 g에 해당된다.

로틀(rotl) [질량] 요르단(Jordan)의 단위. 1로틀은 2.90 kg에 해당된다.

로파니(ropani) [넓이] 네팔의 단위. 1로파니는 112.5제곱 야드〔yd^2〕, 또는 94.05 m^2에 해당된다.

로프(lof) [부피] 러시아(Russia)의 단위. 1로프는 차스트(tchast)의 592배이며, 1.84부셸(bushel), 또는 64.72 *l* 에 해당된다.

로프(rope) ① [길이] 영국(英國)의 옛 단위. 1로프는 20피트(feet), 또는 6.096 m에 해당된다. ② [넓이] 영국의 단위 '루드(rood)'의 ②와 같다.

로프스텔레(lofstelle) [넓이] ❶에스토니아(Estonia)의 단위. 1로프스텔레는 0.458에이커(acre), 또는 18.55아르〔a〕에 해당된다. ❷라트비아(Latvia)의 단위. 1로프스텔레는 0.918에이커, 또는 37.16아르〔a〕에 해당된다.

론(loan) [넓이] 필리핀의 단위. 1론은 발리타(balita)의 10분의 1이며, 344제곱 야드〔yd^2〕, 또는 2.79아르〔a〕에 해당된다.

롤(roll) [길이] 미국(美國)의 단위. 주로 벽지(壁紙)의 길이를 나타내는 데 쓴다. 1롤은 16야드(yard), 또는 14.63 m에 해당된다. 볼트(bolt)라고도 한다.

뢰데(roede) [길이] 네덜란드의 단위. 1뢰데는 엘(el)의 10배(倍), 또는 10 m에 해당된다.

뢰알(reoal) [통화] 스페인(Spain)의 현재 통용되는 은화(銀貨). 1뢰알은 센티모(centimo)의 25배(倍), 또는 페세타(peseta)의 4분의 1에 해당된다.

뢰프(röf) [길이] 헝가리의 옛 단위. 지방에 따라 다소 차이가 있는데, 대개 1뢰프는 60~78 cm에 해당된다.

루드(rood) ① [길이] 영국(英國)의 옛 단위. 1루드는 5.5~8야드에 해당된다. ② [넓이] 영국의 옛 단위. 1루드는 4분의 1에이커(acre), 또는 10.117아르〔a〕에 해당된다. 로프(rope).

루멘(lumen) [광속(光束)] 어떤 면(面)을 단위 시간에 통과하는 방사(放射) 에너지의 양(量)을 광감각(光感覺)에 의하여 측정한 것을 말한다. 모든 방향에 방사되는 빛의 광도(光度)가 똑같이 1칸델라(candela)인 점광원(點光源)에서 입체각(立體角) 1스테라디안(steradian)에 방사되는 방사 에너지를 광속의 단위로 하고 이것을 1루멘으로 한다. 유(流). 유명(流明). 기호 : lm, cd·sr

1 lm=1 칸델라/스테라디안

루멘 매 와트(—每—) (lumen per watt) [광량(光量)] 1루멘 매 와트는 1와트의 방사속(放射束)에 대하여 1루멘의 광속(光束)을 발사하는 광원의 발산 효율(發散効率)

을 말한다. 기호 : 1 m/W

1 lm/W＝1.544×10^{-3} yong/W

루멘 매 제곱 미터 (— 每 —) (lumen per square meter) [조도(照度)] 1 럭스(lux)와 같다. 기호 : lm/m²

루멘 매 제곱 피트 (— 每 —) (lumen per square feet) [조도(照度)] 피트캔들(feet-candle)과 같다. 기호 : lm/ft²

루멘 분(—分) (lumen minute) [광량(光量)] 1 루멘의 광속(光束)이 1 분간 흐를 때 지나가는 빛의 양을 말한다. 기호 : lm·min

1 lm · min＝1/60 lm·h

＝60 lm·s

루멘 시(— 時) (lumen hour) [광량(光量)] 1 루멘 시는 1 시간에 발산(發散)하거나 통과한 총광속량(總光束量), 곧 루멘×시간〔lm·h〕을 말한다. 기호 : lm·h

1 lm·h＝60 루멘 분〔lm·min〕

＝3,600 루멘 초〔lm·s〕

루멘 초(—秒) (lumen second) [광량(光量)] 1 루멘의 광속(光束)이 1 초간 흐를 때 통과하는 빛의 양을 말한다. 기호 : lm·s

1 lm·s＝1/60 lm·min

＝1/3,600 lm·h

루부(roubouh) [부피] 이집트의 단위. 1 루부는 케다(kedah)의 4 배이며, 2.18 미(美) 갤런(gallon), 1.81 영(英) 갤런, 또는 8.25l 에 해당된다. 루브(roub).

루브(roub) [부피] 이집트(Egypt)의 단위. '루부(roubouh)'와 같다.

루블(rouble) [통화] 러시아의 현재 통화 단위. 1 루블은 100 코페이카(kopeika)에 해당된다. 노포(盧布). 기호 : Rbl.

루비오(rubbio) [부피] 이탈리아의 옛 단위. 1 루비오는 8.36 미(美) 부셀(bushel)이며, 8.10 영(英) 부셀, 또는 294.5l 에 해당된다.

루아이(ruay) [질량] 미얀마(myanmar) 양곤(Yangon) 지방의 단위. 1 루아이는 티칼(tical)의 64 분의 1 이며, 3.94 그레인(grain), 또는 0.255 g 에 해당된다.

루테(Ruthe, Rute) [길이] ❶독일(獨逸)의 옛 프러시아(Prussia)의 단위. 1 루테는 푸스(Fuss)의 12 배(倍)이며, 12.36 피트(feet), 또는 3.766 m 에 해당된다. ❷덴마크의 단위. 1 루테는 3.1336 m 에 해당된다.

루피(roupi) [길이] ❶그리스의 단위. 1 루피는 피퀴스(pechus)의 8 분의 1, 또는 0.081 m 에 해당된다. ❷독일의 단위. ㉮프러시아(Prussia) 지방의 단위. 1 루피는 푸스(Fuss)의 12 배(倍)이며, 12.36 피트(feet), 또는 3.766 m 에 해당된다. ㉯바이에른(Bayern) 지방의 단위. 1 루피는 푸스(Fuss)의 10 배이며, 9.58 피트, 또는 2.919 m 에 해당된다. ❸덴마크(Denmark)의 단위. 1 루피는 3.1336 m 에 해당된다.

루피(rupee) [통화] ❶인도(印度)의 단위. 1 루피는 안나(anna)의 16 배(倍)이며, 파이세(paise)의 100 배, 또는 파이사(paisa)의 100 배에 해당된다. 노비(盧比). 기호 : I . Re ❷파키스탄(Pakistan)의 단위. 1 루피는 안나(anna)의 16 배,

또는 파이사(paisa)의 100배에 해당된다. 기호 : P. Re ❸몰디브(Maldives)의 단위. 1루피는 라리(laree)의 100배에 해당된다. 기호 : M. Re ❹스리랑카의 단위. 1루피는 센트(cent)의 100배에 해당된다. 기호 : S.R ❺부탄(Bhutan)의 단위. 1루피는 파이사(paisa)의 100배(倍)에 해당된다. ❻네팔의 단위. 1루피는 파이사(paisa)의 100배에 해당된다. 기호 : N.R

루피아(rupia) [통화] 옛 이탈리아령(領) 소말릴란드의 통화 단위. 1루피아는 100베세(bese)와 같다.

루피아(rupiah) [통화] 인도네시아(Indonesia)의 단위. 1루피아는 센(sen)의 100배(倍)에 해당된다. 돈(盾). 기호 : Rp.

룬(loon) [넓이] 필리핀의 단위. 1룬은 발리타(balita)의 10분의 1이며, 344제곱 야드〔yd^2〕, 또는 2.79아르〔a〕에 해당된다.

리(lea) [길이·섬유] 영국(英國)·미국(美國)의 단위. 주로 목면(木綿)의 길이에 대하여 관습적으로 쓴다. 1리는 스레드(thread)의 80배(倍)이며, 120야드(yard), 또는 109.7m에 해당된다.

리(ly) [길이] 베트남의 단위. 1리는 투오크(thuoc)의 1,000분(分)의 1이며, 0.0192인치(inch), 또는 0.488mm에 해당된다.

리그(league) [길이] 영국(英國)·미국(美國)에서 사용하는 거리의 단위. 1리그는 2.4~4.6마일, 또는 3.9~7.4km이지만, 보통 3마일(4.83km)로 쓴다.

리그스달레르(rigsdaler) [통화] 덴마크(Denmark)의 옛 보조 통화 단위. 1리그스달레르는 1크리스찬도르의 10분의 1에 해당된다.

리나(lina) [길이] 아이슬란드(Iceland)의 단위. 1리나는 페트(fet)의 144분의 1이며, 0.0858인치, 또는 2.18mm에 해당된다.

리나(linha) [길이] 포르투갈(Portugal)의 고유 단위. 1리나는 페(pé)의 144분의 1이며, 0.0902인치, 또는 2.29mm에 해당된다.

리냐(linja) [길이] 폴란드(Poland)의 단위. 1리냐는 스토파(stopa)의 144분의 1이며, 0.0787인치, 또는 2mm에 해당된다.

리네(line) [넓이] 파라과이(Paraguay)·칠레(Chile)·멕시코의 단위. 1리네는 1.85에이커(acre), 또는 75.0아르〔a〕에 해당된다.

리네아(línea) [길이] ❶스페인(Spain)의 단위. 1리네아는 바라(vara)의 432분의 1이며, 0.0762인치(inch), 또는 1.93mm에 해당된다. ❷아르헨티나(Argentina)·파라과이(Paraguay)의 단위. 1리네아는 바라(vara)의 432분의 1이며, 0.0789인치, 또는 2.0mm에 해당된다. ❸칠레(Chile)의 단위. 1리네아는 바라(vara)의 432분의 1이며, 0.076인치, 또는 1.9mm에 해당된다. ❹멕시코(Mexico)의 단위. 1리네아는 바라(vara)의 432분의 1이며, 0.0764인치, 또는 1.94mm에 해당된다.

리노(lino) [넓이] 파라과이(Paraguay)의 옛 단위. 1리노는 100제곱 바라(vara)이며, 1.85에이커(acre), 또는 75.0아르〔a〕에 해당

된다.

리뉴(ligne) [길이] 프랑스·스위스의 단위. 1 리뉴는 푸스(pouce)의 12 분의 1 이며, 0.088 인치(inch), 또는 2.256 mm 에 해당된다. 린(line). 리니에(linie).

리니야(liniya) [길이] 러시아의 단위. 1 리니야는 0.1 인치(inch), 또는 2.54 mm 에 해당된다.

리니에(linie) [길이] ❶오스트리아(Austria)의 단위. 1 리니에는 페(pê)의 144 분의 1 이며, 0.087 인치(inch), 또는 2.20 mm 에 해당된다. ❷독일 바이에른(Bayern) 지방의 단위. 1 리니에는 푸스(Fuss)의 144 분의 1 이며, 0.080 인치, 또는 2.03 mm 에 해당된다. ❸스위스(Switzerland)의 단위. 1 리니에는 0.08202 인치, 또는 2.0833 mm 에 해당된다. 리뉴(ligne).

리니에(linje) [길이] ❶덴마크(Denmark)의 단위. 1 리니에는 포드(fod)의 144 분의 1 이며, 0.0858 인치(inch), 또는 2.18 mm 에 해당된다. ❷스웨덴(Sweden)의 단위. 1 리니에는 포드(fod)의 144 분의 1 이며, 0.117 인치, 또는 2.97 mm 에 해당된다.

리드(reed) [길이] 헤브라이(Hebrai)의 단위. 1 리드는 10.25 피트(feet), 또는 3.13 m 에 해당된다.

리라(lira) [통화(通貨)] ❶이탈리아(Italia)의 단위. 1 리라는 첸테시미(centesimi)의 100 배(倍)에 해당된다. 바티칸 시국(Vatican 市國)의 통화도 이탈리아와 같은 단위를 사용하며, 등가(等價)이다. 이랍(里拉). 기호 : L ❷터키(Turkey)의 단위. 1 리라는 피아스트르(piastre)의 100배이며, 쿠루스(kurus)의 1,000배, 또는 파라(para)의 4,000 배에 해당된다. 이랍(里拉). 기호 : L ❸산마리노(San Marino)의 단위. 1 리라는 첸테시미(centesimi)의 100 배에 해당된다. 이랍(里拉). 기호 : L

리브라(libbra) [질량] 이탈리아의 옛 단위. 지방에 따라 다소 차이는 있으나, 1 리브라는 0.72046 파운드, 또는 326.79 g 에 해당된다.

리브라(libra) ① [질량(質量)] ❶스페인(Spain)의 단위. 1 리브라는 1.0143 파운드, 또는 460.09 g 에 해당된다. ❷볼리비아의 단위. 1 리브라는 1.102 파운드, 또는 500 g 에 해당된다. ❸칠레(Chille)의 단위. 1 리브라는 1.0143 파운드, 또는 460.09 g에 해당된다. ❹에콰도르(Ecuador)의 단위. 1 리브라는 1.0143 파운드, 또는 460.9 g 에 해당된다. ❺페루(Peru)의 단위. 1 리브라는 1.0143 파운드, 또는 460.09 g 에 해당된다. ❻쿠바(Cuba)의 단위. 1 리브라는 1.0143 파운드, 또는 460.09 g 에 해당된다. ❼베네수엘라(Venezuela)의 단위. 1 리브라는 1.0143 파운드, 또는 460.09 g 에 해당된다. ❽멕시코(Mexico)의 단위. 1 리브라는 1.0146 파운드, 또는 460.25 g 에 해당된다. ❾아르헨티나(Argentina)의 단위. 1 리브라는 1.0128 파운드, 또는 459.4 g 에 해당된다. ❿콜롬비아의 단위. 1 리브라는 1.102 파운드, 또는 500 g 에 해당된다. ⓫고대(古代) 로마(Roma)의 단위. 1 리브라는 0.722

파운드, 또는 327.49 g에 해당된다. 아스(as). 폰두스(pondus). ⓬ 포르투갈·브라질의 단위. 1 리브라는 1.012 파운드, 또는 459.0 g에 해당된다. 아라텔(arratel). [2] [통화] 페루(Peru)의 옛 통화 단위. 1 리브라는 솔(sol)의 10 배(倍)에 해당된다.

리브라(livra) [질량] 근대 그리스의 단위. 1 리브라는 0.992 파운드(pound), 또는 450 g에 해당된다. 리트라(litra).

리브라 마요르(libra mayor) [질량] 발레아레스 제도(Baleares 諸島)의 단위. 1 리브라 마요르는 아르탈(artal)의 3 배(倍)이며, 0.80 파운드(pound), 또는 408 g에 해당된다.

리브르(livre) [1] [질량] ❶벨기에의 옛 단위. 1 리브르는 1.079 파운드(pound), 또는 489.5 g에 해당된다. ❷프랑스(France)의 옛 단위. 지방에 따라 다소 차이는 있으나, 1 리브르는 500 g에 해당된다. [2] [통화] 프랑스(France)의 옛 통화 단위. 1 리브르는 솔(sol)의 20 배(倍)에 해당된다. 1 솔은 12 드니에(denier)로, 영국(英國)의 파운드·실링(shilling)·펜스(pence)의 관계와 같다.

리스트레드(listred) [부피] 영국(英國) 웨일스(Wales) 지방의 단위. 1 리스트레드는 2.84 미(美) 부셸(bushel)이며, 2.75 영(英) 부셸, 또는 100 *l* 에 해당된다. 레스트래드(lestrad).

리스푼(lispund) [질량(質量)] 덴마크(Denmark)의 고유 단위. 1 리스푼은 17.64 파운드(pound), 또는 8 kg에 해당된다.

리스푼드(lispund) [질량] 스웨덴(Sweden)의 고유 단위. 1 리스푼드는 18.74 파운드, 또는 8.502 kg에 해당된다.

리스푼트(Liespfund) [질량] 독일(獨逸) 함부르크(Hamburg) 지방의 고유 단위. 1 리스푼트는 14.9 파운드(pound), 또는 6.78 kg에 해당된다.

리알(rial) [통화] ❶이란(Iran)의 현재 통화 단위. 1 리알은 디나르(dinar)의 100 배(倍)에 해당된다. 100 리알은 1 팔레비(pahlevi)라고 한다. 기호 : RI ❷예멘(Yemen)·아랍 공화국(Arab 共和國)의 단위. 1 리알은 부그샤(bugshah)의 40 배(倍)에 해당된다. 기호 : YRI ❸오만(Oman)의 현재 통화(通貨) 단위. 1 리알은 바이자(baiza)의 1,000 배에 해당된다. 리알 오마니(rial omani). 이이(里爾). 기호 : Rs

리알 오마니(rial omani) [통화] 오만(Oman)의 현재 통화 단위. 리알(rial)의 ❸과 같다. 기호 : Rs

리얄(riyal) [통화] ❶사우디아라비아(Saudi Arabia)의 현재 통화 단위. 1 리얄은 쿠루슈(qurush)의 20 배(倍), 또는 할랄라(halalah)의 100 배에 해당된다. 기호 : SR ❷카타르(Qatar)의 현재 통화 단위. 1 리얄은 디르함(dirham)의 100 배에 해당된다. 기호 : QR

리에스푼트(liespfund) [질량] 라트비아(Latvia)의 단위. 1 리에스푼트는 18.1 파운드(pound), 또는

8.19 kg 에 해당된다.

리외(lieue) [길이] ❶프랑스의 단위. 1 리외는 4.0 km 에 해당된다. 전에는 2,280.3 투아즈(toise), 또는 4.44 km 에 해당되었다. ❷스위스(Switzerland)의 단위. 1 리외는 2.98 마일(mile), 또는 4.8 km 에 해당된다.

리인(liin) [길이] 에스토니아(Estonia)의 단위. 1 리인은 0.1 인치(inch), 또는 2.54 mm 에 해당된다.

리쿠타(likuta) [통화(通貨)] 콩고(Congo)의 옛 통화 단위. 1 리쿠타는 셍기(sengi)의 100 배(倍)에 해당된다.

리크샤(līkshā) [질량] 고대 인도(印度)의 단위. 1 리크샤는 트라사레누(trasarenu)의 8 배(倍), 크리슈날라(krīshnala)의 162 분의 1, 0.0116 그레인, 또는 0.7531 mg 에 해당된다.

리크스달레르(riksdaler) [통화] 스웨덴(Sweden)의 옛 통화 단위. 1 리크스달레르는 현재 통화 단위인 1 크로나(krona)와 같으며, 외레(öre)의 100 배(倍)에 해당된다.

리타스(litas) [통화] 옛 리투아니아(Lithuania)의 단위. 1 리타스는 센타스(centas)의 100 배(倍)에 해당된다.

리터(liter) [부피] 미터법(meter 法)에 의한 용량(容量)의 단위. 4°C 의 물 1 kg 의 부피를 1 리터로 규정하였다. 우리 나라 계량법에서는 1 m³ 의 1000 분의 1 로 규정하고 있으며, 약 5 홉〔合〕 5 작〔勺〕에 해당된다. 리터의 보조 단위로는 리터의 1,000 배인 킬로리터〔kl〕, 10 분의 1 인 데시리터〔dl〕, 1,000 분의 1 인 밀리리터〔ml〕가 있다. 이탈이(利脫耳). 익돌(翊突). 넙(立). 기호 : l, *l*

리터 매분(— 每分) (liter per minute) [유량(流量)] 1 분 동안 1 리터의 비율로 흐르는 유체(流體)의 양을 헤아리는 데 쓴다. 기호 : *l*/min

1*l*/min=1/60 *l*/s

리터 매시(— 每時) (liter per hour) [유량(流量)] 1 시간 동안에 1 리터의 비율로 흐르는 유체(流體)의 양을 헤아리는 데 쓴다. 항공 관계에서는 주로 연료의 소비량을 나타내는 데 쓴다. 기호 : *l*/h

1*l*/h=1/60*l*/min
=1/3,600*l*/s

리터 매인·일(— 每人·日) (liter per day person) [부피] 거주자 한 사람이 하루에 쓰는 물의 양을 헤아리는 데 쓴다. 기호 : *l*/day·人

1*l*/day·人=1/24,000 m³/h·人

리터 매초(— 每秒) (liter per second) [유량(流量)] 유량의 계량 단위인 세제곱 미터 매초〔m³/s〕의 보조 계량 단위. 1 초 동안에 1 리터의 비율로 흐르는 유체(流體)의 양을 헤아리는 데 쓴다. 기호 : *l*/s

1*l*/s=1/1,000 m³/s

리트라(litra) [1] [질량] 근대 그리스(Greece)의 단위. 주로 약(藥)의 무게를 헤아리는 데 쓴다. 1 리트라는 360 g 에 해당된다. 근대 그리스의 질량 체계로 나타내면 리트라의 12 분의 1 이 웅이아(ouggia)이고, 웅이아의 8 분의 1 이 드라크메(drachme), 드라크메의 3 분의 1

이 그라마(gramma), 그라마의 20 분의 1 이 코코스(kokkos)이다. 리브라(livra). [2] [부피] 그리스의 단위. 1 리트라는 1l 에 해당된다. 리트론(litron).

리트론(litron) [부피] 그리스의 단위. '리트라(litra)'의 [2]와 같다.

리프(rif) [길이] 유고슬라비아의 단위. 1 리프는 30.59 인치(inch), 또는 0.777 m 에 해당된다.

리피(lippy, lippie) [부피] 스코틀랜드(Scotland)의 단위(單位). 코프(cop)라고도 한다. 1 리피는 스코틀랜드 펙(Scot. peck)의 4 분의 1 이며, 0.257 미(美) 펙, 0.249 영(英) 펙, 또는 2.27l 에 해당된다.

린(line) [길이] 프랑스(France)의 옛 단위. '리뉴(ligne)'와 같다.

릴(reel) [1] [수효] ❶영화용 필름의 권수(卷數)를 세는 데 쓰는 말. ❷실·철사·케이블 따위의 타래 수를 세는 데 쓰는 말. [2] [길이] 영화용 필름 및 녹음 테이프의 길이를 헤아리는 데 쓰는 말. 1 릴은 300 m 에 해당된다. 미국은 1,000~2,000 피트(feet)이다.

림(ream) [수효] 서양(西洋)에서 양지(洋紙)의 수를 세는 데 쓰는 말. 1 림은 첩(帖 : 24 매)의 20 배(倍), 또는 480 매에 해당된다.

링기트(ringgit) [통화] 말레이시아(Malaysia)의 현재 통화 단위. 1 링기트는 센(sen)의 100 배(倍)에 해당된다.

링크(link) [길이] 영국(英國)·미국(美國)의 단위. 1 링크는 체인(chain)의 100 분의 1 이며, 7.92 인치(inch), 또는 20.12 cm 에 해당된다. 영극(令克). 기호 : li

마(馬 : mǎ) [1] [통화] '마극(馬克)'의 준말. 《新字典, 新字新義部》馬, 마륵. Mark. 德國貨幣, 馬克之略稱. 德國幣制, 以馬爲單位. 我四十七錢八厘. [2] [수효] 중국(中國)의 단위. '덩어리'·'덩이'의 뜻으로, 뭉쳐서 한 개로 크게 이루어진 덩이의 수를 세는 데 쓰는 말. 《單刀劈四寇, 頭折》董卓在日, 成馬家金銀段匹送與他, 今日故來索戰, 替董卓報仇. 《紫泥宣, 頭折》就與李克用五百道空頭宣, 五百道金銀牌, 五馬金銀.

마(碼) [1] [길이] 야드(yard)의 역어(譯語). 1 야드는 3 피트(feet)이며, 36 인치(inch), 또는 약 91.44 cm 에 해당된다. 척관법(尺貫法)으로는 3 자〔尺〕에 해당된다. 《進宴儀軌 (高宗壬寅) 3, 排設, 咸寧殿內外排設》上層補階三十五間, 下排黃別紋席十張付地衣十浮, 洋彈子十一桶六百二十碼, 下層補階三十間. 《形音義綜合大字典》碼, 英美度名, 爲(yard) 之音譯, 三呎爲一碼. 《新字典, 新字新義部》碼, 야드. Yard. 英國度名, 每碼計英尺三尺. [2] [수효](mǎ) 중국(中國)의 단위. '가지'·'종류'의 뜻으로, 사물이나 일의 가짓수를 세는 데 쓰는 말. [3] [섬도(纖度)](mǎ) 중국의 단위. '번수(番手)'의 뜻으로, 실의 굵기를 나타내는 데 쓰는 말. 번

수(番手).

마(磨) [수효] '회'.'번'.'차례'의 뜻으로, 손으로 물건을 휘돌린 수를 세는 데 쓰는 말. 《武藝圖譜通志 1, 旗槍》仍作秦王磨旗勢, 左手左脚自外內一磨, 又作一磨.

마고탑(馬庫塔 : mǎkùtǎ) [통화] 중국의 단위. '마쿠타(makuta)'의 음역(音譯).

마극(馬克 : mǎkè) [통화] 중국(中國)의 단위. '마르크(Mark)'의 음역(音譯). 마(馬). 《新字典, 新字新義部》馬, 마륵. Mark. 德國貨幣, 馬克之略稱. 德國貨幣, 以馬爲單位, 我四十七錢八厘.

마네이(manei) [넓이] 인도(印度) 마드라스(Madras) 지방의 단위. 1 마네이는 코니(cawney) 의 24 분의 1 이며, 2,400 제곱 피트〔ft^2〕, 또는 222.97 m^2 에 해당된다.

마다가스카르 프랑 (madagascar franc) [통화] 말라가시 공화국(Malagasy 共和國)의 단위. 1 마다가스카르 프랑은 상팀(centime)의 100 배(倍)에 해당된다. 기호 : MG.F

마당 [수효] 판소리의 수를 세는 데 쓰는 말. 판소리는 홍부전·춘향전·심청전·토끼전·적벽가·변강쇠타령의 여섯 마당으로 되어 있다.

마디 [수효] ❶대·갈대 따위의 줄기에 사이를 두고 바퀴처럼 도드라지거나 잘록한 부분의 수를 세는 데 쓰는 말. 절(節). ❷새끼·실 따위가 엉키어 매듭진 곳의 수를 세는 데 쓰는 말. ❸말이나 노래 곡조의 한 동가리의 수를 세는 데 쓰는 말. 구(句). 단(段). 성(聲). 언(言). ❹악보의 세로줄로 구분된 작은 부분의 수를 세는 데 쓰는 말. 곧, 악보의 세로줄과 세로줄 사이의 부분으로, 마디 안의 박자 수는 악곡의 정해진 박자에 맞도록 되어 있어, 어느 마디나 박자 수는 같다. ❺쇠사슬과 같이 고리로 연결된 부분의 수를 세는 데 쓰는 말. 절(折).

마라베디(maravedi) [통화] 스페인(Spain)에서 19 세기에 쓰였던 보조 통화 단위. 1 마라베디는 레알(real)의 34 분이 1 에 해당된다.

마력(馬力) (horse power) [공률(工率)] 공률(工率)의 실용 단위. 약 한 필의 말의 힘에 해당하는데, 동력(動力) 또는 출력(出力)의 뜻으로 관용된다. 매초당(每秒當) 75 kg·m 의 일의 양에 상당하며, 746 와트(watt)의 전력에 상당함. ❶미터법에 의한 마력은 75 kg·m/s 에 해당된다. ❷영마력(英馬力)은 754.700 W, 또는 74.570 kg·m/s 에 해당된다. ❸불마력(佛馬力)은 735.5 W에 해당된다. ❹우리 나라에서의 1 영마력은 746 W, 불마력은 735.5 W로 정하고 있다. 기호 : HP, HP, PS

마르카(markka) [통화] 핀란드의 현재 통화 단위. 1 마르카는 페니(penni)의 100 배(倍)에 해당된다.

마르코(marco) [질량(質量)] 스페인(Spain)·멕시코(Mexico)·볼리비아의 고유 단위. 1 마르코는 리브라(libra)의 2 분의 1 이며, 7.40 트로이 온스(troy ounce), 또는 30 g 에 해당된다.

마르크(marc) [질량] 프랑스의 옛 단위. 지방에 따라 다소 차이가 있는데, 파리(Paris)에서의 1 마르크는 7.86 트로이 온스(troy ounce), 또는 244.76 g 에 해당된다.

마르크(mark) [1] [질량] ❶스웨덴(Sweden)·노르웨이(Norway)의 단위. 1 마르크는 6.77 트로이 온스(troy ounce), 또는 210.7 g 에 해당된다. ❷덴마크(Denmark)의 단위. 1 마르크는 7.56 트로이 온스, 또는 235.3 g에 해당된다. ❸프러시아(Prussia)의 단위. 1 마르크는 7.52 트로이 온스, 또는 233.9 g 에 해당된다. ❹빈(Wien) 지방의 단위. 1 마르크는 9.02 트로이 온스, 또는 280.7 g 에 해당된다. ❺중세기(中世紀) 유럽에서 통용하던 금은(金銀)의 중량 단위. 1 마르크는 8 온스(ounce)에 해당된다. [2] [통화] 옛 스코틀랜드와 영국의 화폐 단위. 1 마르크는 13 실링(shilling) 4 펜스(pence)에 해당된다.

마르크(Mark) [통화] 독일의 현재 통화 단위. 원래 독일 은화(銀貨)의 이름이며, 뒤에 금은(金銀)의 중량 단위로 쓰였다. 그 수치는 시대에 따라 다소 차이는 있으나, 약 230 g 에 해당된다. 마극(馬克). 기호 : M

마르할라(marhala) [길이] 아라비아(Arabia)의 단위. 1 마르할라는 파르사크(farsakh)의 8 배이며, 24.00 마일(mile), 또는 38.62 km 에 해당된다.

마름 [수효] 이엉이나 바자 따위를 엮어서 말아 놓은 수를 세는 데 쓰는 말. 사음(舍音).

마리 [수효] 짐승·물고기·벌레 따위의 수를 세는 데 쓰는 말. 강(腔·羫). 개(箇). 골(骨). 과(窠). 구(口). 두(頭). 매(枚). 수(首). 시(翅). 우(羽). 익(翼). 제(蹄). 척(隻). 투(套). 핵(翮). 필(匹·疋).

마리스(maris) [부피] 고대 그리스(Greece)의 단위. 1 마리스는 코이닉스(choinix)의 2 배이며, 0.25 미(美) 펙(peck), 0.24 영(英) 펙, 또는 2.16 l 에 해당된다.

마샤(māsha) [질량] 인도(印度)의 캘커타(Calcutta) 지방의 단위. 1 마샤는 그레인(grain)의 15 배, 또는 0.972 g 에 해당된다. 고대 인도에도 같은 동급의 단위가 있었는데, 콩의 뜻으로 크리슈날라(krīshnala)의 5 배에 해당되었다. 현재의 크리슈날라는 1.875 그레인 또는 122 mg 이기 때문에, 1 마샤는 9.375 그레인 또는 610 mg 이 된다.

마셀(Massel) [부피] 독일(獨逸) 바이에른(Bayerm) 지방의 단위. 1 마셀은 메체(Metze)의 8 분의 1 이며, 4.21 미(美) 건량(乾量) 쿼트(quart), 4.08 영(英) 쿼트, 또는 4.63 l 에 해당된다.

마스(Mass) [부피] 오스트리아의 단위. 1 마스는 1.5 미(美) 액량(液量) 쿼트(quart), 1.25 영(英) 쿼트, 또는 1.42 l 에 해당된다.

마스(Maass) [부피] ❶독일(獨逸)의 단위. 1 마스는 1.97 미(美) 쿼트(quart), 1.62 영(英) 쿼트, 또는 1.837 l 에 해당된다. ❷스위스의 단위. 1 마스는 1.58 액량(液量) 쿼트, 1.32 영(英) 쿼트, 또는 1.5 l 에 해당된다.

마스(máz) [부피] 옛 체코슬로바키

아(Czechoslovakia)의 단위. 1 마스는 제이들리크(žejdlik)의 4 배(倍), 또는 1.415l 에 해당된다.

마스카네(Masskanne) [부피] 독일의 단위. 1 마스카네는 1.13 미(美) 액량(液量) 쿼트(quart), 0.94 영(英) 쿼트, 또는 1.069l 에 해당된다.

마우(mau) [넓이] 베트남의 단위. 1 마우는 1.32 에이커(acre), 또는 53.4 아르〔a〕에 해당된다.

마운드(maund) [질량(質量)] ❶마드라스(Madras)의 단위. 1 마운드는 11.34 kg 에 해당된다. ❷봄베이(Bombay)의 단위. 1 마운드는 12.70 kg 에 해당된다. ❸방글라데시(Bangladesh)의 단위. 1 마운드는 37.322 kg 에 해당된다. ❹파키스탄(Pakistan)의 단위. 1 마운드는 37.322 kg 에 해당된다. ❺아프가니스탄(Afghanistan)의 단위. 1 마운드는 56.90 kg 에 해당된다.

마을 [수효] 여러 집이 모여 사는 곳의 수를 세는 데 쓰는 말.

마이(摩爾 : mőěr) [화학] 중국의 단위. '몰(mol, mole)'의 음역(音譯).

마이크로(micro-) [접두어] 미터법의 보조 단위. 10^{-6} 의 뜻. 1 마이크로미터(μm)는 10^{-6}m 에 해당된다. 기호 : μ

마이크로그램(microgram) [질량] 미터계의 단위로, 주로 원소의 분석 등 초미량(超微量)을 측정하는 데 쓴다. 1 g 의 100만 분의 1 에 해당된다. 미극(微克). 기호 : μg, γ

$1\mu g = 10^{-3}$ mg
$= 10^{-6}$ g
$= 10^{-9}$ kg

마이크로래드(microrad) [흡수선량(吸收線量)] 래드(rad)의 100만분의 1 에 해당된다. 기호 : μrad

마이크로래드 매분(一每分) [흡수선량률(吸收線量率)] 래드 매분〔rad/min〕의 10^{-6} 배에 해당된다. 기호 : μrad/min

마이크로래드 매시(一每時) [흡수선량률(吸收線量率)] 래드 매시〔rad/h〕의 10^{-6} 배에 해당된다. 기호 : μrad/h

마이크로래드 매초(一每秒) [흡수선량률(吸收線量率)] 래드 매초〔rad/s〕의 10^{-6} 배에 해당된다. 기호 : μrad/s

마이크로렘(microrem) [생체 실효선량(生體實效線量)] 렘(rem)의 100만분의 1 에 해당된다. 기호 : μrem

마이크로뢴트겐 (microroentgen) [조사선량(照射線量)] 1 뢴트겐의 100만분의 1 에 해당된다. 기호 : μR

마이크로뢴트겐 매분(一每分) [조사선량률(照射線量率)] 뢴트겐 매분〔R/min〕의 10^{-6} 배에 해당된다. 기호 : μR/min

마이크로뢴트겐 매시(一每時) [조사선량률(照射線量率)] 뢴트겐 매시〔R/h〕의 10^{-6} 배에 해당된다. 기호 : μR/h

마이크로뢴트겐 매초(一每秒) [조사선량률(照射線量率)] 뢴트겐 매초〔R/s〕의 10^{-6} 배에 해당된다. 기호 : μR/s

마이크로마이크로퀴리 (micromicrocurie) [방사능(放射能)] 퀴리

의 10^{12} 분의 1 에 해당된다. 기호 : $\mu\mu$Ci

마이크로마이크로퀴리 매 그램 (一每一) [방사능 농도] 물질 1 g 에 대하여 1 마이크로마이크로퀴리〔$\mu\mu$Ci〕의 방사능이 존재할 때의 방사능 농도(濃度)를 말한다. 기호 : $\mu\mu$Ci/g

마이크로마이크로퀴리 매 제곱 센티미터 (一每一) [방사능 면밀도(面密度)] 물체의 표면 1 cm^2 에 대하여 1 마이크로마이크로퀴리의 방사능이 존재할 때의 방사능의 면밀도(面密度)를 말한다. 기호 : $\mu\mu$Ci/cm^2

마이크로마이크로패럿 (cmicromicrofarad) [정전 용량(靜電容量)] 1 마이크로마이크로패럿은 10^{-12} 패럿에 해당된다. 기호 : $\mu\mu$F

마이크로바 (microbar) [압력 · 음압] 1 바(bar)의 100만분의 1 에 해당된다. 기호 : μbar

$1\mu\text{bar} = 1\ \text{dyn/cm}^2$
$= 1\mu\text{barye}$

마이크로에르그 매 제곱 센티미터 (一每一) [에너지 플루언스] 에르그 매 제곱 미터〔erg/m^2〕의 10^{-2} 배에 해당된다. 기호 : μerg/cm^2

마이크로에르그 매 제곱 센티미터 매초 (一每一每秒) [에너지 속밀도(束密度)] 에르그 매 제곱 미터 매초〔erg/cm^2/s〕의 10^{-2} 배에 해당된다. 기호 : μerg/(cm^2/s)

마이크로옴 (microhm) [전기 저항] 1 마이크로옴은 옴의 100만분의 1 에 해당된다. 미구모(微歐姆). 기호 : $\mu\Omega$

마이크로줄 매 제곱 센티미터 매초 (一每一每秒) [에너지 속밀도(束密度)] 줄 매 제곱 미터 매초〔J/m^2 · s〕의 10^{-2} 배(倍)에 해당된다. 기호 : μJ/cm^2·s

마이크로퀴리 (microcurie) [방사능] 퀴리의 100만분의 1 에 해당된다. 기호 : μCi

$1\mu\text{Ci} = 10^{-6}\ \text{Ci}$
$= 3.70 \times 10^4$ 괴변 매초
$1\ \text{mCi} = 10^{-3}\ \text{Ci}$
$= 3.70 \times 10^7$ 괴변 매초
$1\ \text{Ci} = 3.70 \times 10^{10}$ 괴변 매초

마이크로퀴리 매 그램 (一每一) [방사능 농도(濃度)] 물질 1 g 에 대하여 1 마이크로퀴리의 방사능이 존재할 때의 방사능 농도이다. 기호 : μCi/g

마이크로퀴리 매 제곱 미터 (一每一) [방사능 면밀도(面密度)] 퀴리 매 제곱 미터〔Ci/m^2〕의 10^{-6} 배(倍)이다. 기호 : μCi/m^2

마이크로퀴리 매 제곱 센티미터 (一每一) [방사능 면밀도(面密度)] 물체의 표면 1 cm^2 에 대하여 1 마이크로퀴리의 방사능이 존재할 때의 방사능 면밀도를 말한다. 기호 : μCi/cm^2

마이크로퀴리 매 킬로그램 (一每一) [방사능 농도] 물질 1 kg 에 대하여 1 마이크로퀴리의 방사능이 존재할 때의 방사능 농도를 말한다. 기호 : μCi/kg

마이크로패럿 (microfarad) [전기 용량] 1 마이크로패럿은 패럿의 100만분의 1 에 해당된다. 미법랍(微法拉). 기호 : μF

마이트 (mite) [질량] 영국(英國) · 미국(美國)의 화폐 단위. 1 마이트

는 0.05 그레인, 또는 0.00324 g 에 해당된다.

마일 (mile) 1 [길이] 야드(yard)·파운드법(pound 法)에 의한 단위. 1 마일은 1,760 야드이며, 5,280 피트(feet), 또는 1,609.344 m 에 해당된다. 영리(英里). 기호 : mil, mi

1 마일 = 1,760 야드
= 5,280 피트
= 1,609.344 미터

2 [넓이] 영국·미국의 옛 단위. 1 마일은 640 에이커(acre), 또는 2.5900 km^2 에 해당된다.

마일레 (Meile) [길이] ❶오스트리아(Austria)의 단위. 1 마일레는 푸스(Fuss)의 24,000 배(倍)이며, 4.71 마일(mile), 또는 9.59 km 에 해당된다. ❷헝가리(Hungary)의 단위. 1 마일레는 메르푈드(merföld)와 같으며, 5.19 마일, 또는 8.354 km 에 해당된다. ❸프러시아의 단위. 1 마일레는 푸스(Fuss)의 24,000 배이며, 4.68 마일, 또는 7.53 km 에 해당된다.

마장 (馬場) [길이] 주로 10 리가 못 되는 거리를 하나치로 헤아릴 때 쓰는 말. '이(里)' 대신으로도 쓴다. 《朝鮮中宗實錄 53, 20年2月壬辰》特進官安潤德曰……臣爲巡察使見之, 釜山浦倭館北邊, 有可築城之處, 其外又有鹽分而城基之廣, 不過二馬場, 可以易築 其功必不鉅矣. 《朝鮮明宗實錄 25, 14年6月癸丑》咸鏡道吉州·長白山內面二處崩頹, 一處, 長一馬場半, 廣一里, 一處, 長一馬場, 廣二里. 《秋官志 2, 詳覆部, 審理, 獄案》新產十餘日之女, 乘憤往返於一馬場之地, 方當劇炎, 挾暑促命, 亦非異事.

마저 (mázsa) [질량] 헝가리의 고유 단위. 1 마저는 110.23 파운드, 또는 50 kg 에 해당된다.

마지기 [넓이] 볍씨 한 말로 모를 부어 낼 수 있는 논의 넓이. 또는 씨 한 말을 뿌릴 수 있는 밭의 넓이를 하나치로 헤아리는 데 쓰는 말. 열 되지기가 한 마지기임. 각 지방에 따라 다소 차이는 있으나, 대개 논은 150~300 평(坪), 밭은 100 평 정도이다. 두(斗). 두락(斗落). 두락지(斗落只).

마체 (maatje) [부피] 네덜란드의 단위. 1 마체는 0.160 미(美) 액량(液量) 쿼트(quart), 0.088 영(英) 쿼트, 또는 0.1 l 에 해당된다.

마쿠크 (makuk) [부피] 고대 아라비아·아시리아(Assyria)·칼데아(Chaldea)·페르시아(Persia)의 단위. 1 마쿠크는 3.75 미(美) 건량(乾量) 쿼트(quart), 3.59 영(英) 쿼트, 또는 4.127 l 에 해당된다.

마쿠타 (macuta) [통화] 아프리카의 구(舊) 포르투갈령(領)인 앙골라(Angola)의 옛 통화 단위. 1 마쿠타는 센타보(centavo)의 5 배(倍)에 해당된다.

마쿠타 (makuta) [통화] 자이르 공화국(Zaïre 共和國)의 현재 보조 통화 단위. 1 마쿠타는 자이르(zaire)의 100 분의 1 에 해당된다. 마고탑(馬庫塔).

마타로 (mattaro) [부피] 리비아(Libya)의 단위. 1 마타로는 6.16 미(美) 갤런(gallon), 5.13 영(英) 갤런, 또는 23.32 l 에 해당된다.

마하(Mach) [속도] 비행기·로켓·고속 기류(高速氣流) 따위의 속도를 음속(音速)으로 나타내는 데 쓰는 말. 마하 1은 초속 약 340 m로 시속 약 1,224 km임. 오스트리아의 물리학자인 마하(Ernst Mach; 1838~1916)의 이름에서 딴 것이다. 기호 : M, Mach

마헤(Mache) [방사능 농도] 공기·온천수 따위에 함유되어 있는 라듐(radium)·에마나치온(emanation)의 농도(濃度)의 단위. 주로 라돈(radon)의 농도의 단위로 쓰인다. 공기 또는 물 1*l* 속에 에마나치온의 전리(電離) 작용으로 10^{-3} cgs 정전(靜電) 단위의 전류가 보존될 때의 에마나치온 함유량을 1마헤라 한다. 기호 : Mache

막(幕) [수효] 연극(演劇)에 있어서, 나누어진 단락(段落)의 차례, 또는 그 수를 세는 데 쓰는 말. 일반적으로, 무대의 막(幕)을 올리고 다음에 내릴 때까지를 이른다. 본(本). 《形音義綜合大字典》幕, 戱劇一節曰一幕, 率指其演出時, 開合幕一次而言.

막(漠) ① [수] 소수(小數) 단위의 하나. 모호(模糊)의 10배이며, 묘(渺)의 10분의 1, 또는 10^{-12}에 해당된다. ② [질량] 척관법(尺貫法)에서의 무게의 단위. 1막은 묘(渺)의 10분의 1이며, 모(糢)의 10배, 또는 1냥의 10^{-12}에 해당된다. 《宛署雜記, 繇賦》正賦中通共起存銀參千陸百陸拾捌兩柒錢五分貳釐陸毫五絲肆微捌纖陸沙陸塵陸埃壹渺貳漠五糢. 《東南賦役獨重疏》嘉定縣均徭銀共該銀一萬七百一十兩八錢三釐六毫七絲二忽五微二纖九塵五埃五漠.

만(萬) [수] 천(千)의 10배(倍), 또는 10의 4제곱에 해당된다. 《芝峯類說 17, 雜事部, 數名》十百曰千, 十千曰萬, 十萬曰億, 十億曰兆, 十兆曰京, 十京曰秭, 十秭曰垓, 十垓曰補, 蓋京兆尹之稱. 《田制詳定所遵守條畫》定爲每等量尺之長, 以備後日改量之用(尺有長短, 而皆以實積壹尺爲把, 拾尺爲束, 百尺爲負, 千尺爲拾負, 萬尺爲一結).

만(灣 : wān) [수효] 중국(中國)의 단위. 물굽이의 수를 세는 데 쓰는 말. 《江行無題一百首 90》一灣斜照水, 三版順風船, 未敢相邀約, 勞生祗自憐. 《徐霞客遊記, 粵西遊日記 1》初四日, 北二里, 至靖江·王禮儀壇, 入蕃城北門, 門內池水一灣, 南遶獨秀北麓《紅樓夢, 5回》後面又畫着幾縷飛雲, 一灣逝水.

만(man) [질량] ❶이란(Iran)의 단위. 1만은 25.0 kg에 해당된다. ❷이라크(Iraq)의 단위. 1만은 2.97 kg에 해당된다.

만사나(manzana) [넓이] ❶아르헨티나(Argentina)의 옛 단위. 1만사나는 1.85에이커, 또는 75아르〔a〕에 해당된다. 현재는 1헥타르〔ha〕임. ❷온두라스(Honduras)의 단위. 1만사나는 1.723에이커, 또는 69.72아르〔a〕에 해당된다. ❸코스타리카(Costa Rica)·과테말라(Guatemala)·엘살바도르(El Salvador)의 단위. 1만사나는 1.73에이커, 또는 69.9아르〔a〕에 해당된다. ❹니카라과(Nicaragua)의 단위. 1만사나는 1.74에이커, 또는 70.5 아르〔a〕에 해당된다.

만시온(mansion) [길이] 고대 아시리아·칼데아(Chaldea)·페르시아(Persia)의 단위. 1 만시온은 아시리아 피트(assyria feet)의 80,000배(倍)이며, 15.91 마일(mile), 또는 25.59 km에 해당된다.

말〔斗〕 [부피] '두(斗)'와 같다.

말(抹 : mŏ) [수효] 중국(中國)의 단위. '번'·'회'의 뜻으로, 일의 횟수를 세는 데 쓰는 말. 개(個). 계(季). 과(過). 기(起). 도(度·道). 반(返·班). 배(輩). 번(番). 운(運). 장(場). 쟁(趟). 조(遭). 주(注). 하자(下子). 헐(歇). 호(號). 화(伙). 회(回·迴·會). 〈예〉 開了八~會.

말(maal) [넓이] 노르웨이(Norway)의 단위. 1 말은 0.25 에이커(acre), 또는 10 아르〔a〕에 해당된다. 말(mal)이라고도 한다.

말루아(malouah) [부피] 이집트(Egypt)의 단위. 1 말루아는 케다(kedah)의 2 배이며, 4.36 미(美) 액량(液量) 쿼트(quart), 3.75 미(美) 건량(乾量) 쿼트, 3.63 영(英) 쿼트, 또는 4.12 l 에 해당된다.

망(望) [수효] 벼슬아치를 뽑을 때, 추천한 후보자(候補者)의 수를 세는 데 쓰는 말. 삼망(三望)은 후보자 세 사람을 추천한다는 뜻이다. 《朝鮮世宗實錄 115, 29年2月壬辰》 除授之際, 三品以下, 一望三人, 君上未人品而落點, 有違用人之意. 《星湖僿說, 人事門, 抽筆》 蓋庶官注擬, 先以三筆識其首·副·末三望, 任抽一枝, 從其所識而落點焉. 《銀臺條例, 禮攷, 春秋到記》 圓點(五十點) 生·四學掌色及舘學寄齋生, 分講·製赴試. 有命則處所啓稟. 講試官, 考官三望(議政一望, 正卿一望, 亞卿一望), 叅考官四望(堂上二望, 堂下二望), 執册承旨二望. 製逑試官, 讀劵官三望(議政一望, 正卿一望, 亞卿一望), 對讀官四望(堂上二望, 堂下二望), 試所承旨一望(試官受點後, 自本院成帖文知委進叅).

망겔린(mangelin) [질량] 인도(印度)의 마드라스(Madras) 지방의 단위. 주로 진주(眞珠)의 무게를 헤아리는 데 쓴다. 1 망겔린은 6.00 그레인(grain), 또는 0.39 g에 해당된다.

망태기 [부피] 망태기에 물건을 담아 그 양을 헤아리는 데 쓰는 말. 망태기는 새끼나 노로 엮어서 만든 그릇이다.

매 [수효] ❶맷고기나 살담배를 작게 갈라 놓고 팔 때에, 그 덩이의 수를 세는 데 쓰는 말. ❷젓가락 한 쌍을 하나치로 세는 데 쓰는 말. 매야(每也). 매이(每伊).

매(枚) 1 [수효] 일의 가짓수나 널따랗고 얇은 물건, 또는 일이나 짐승 따위의 수를 세는 데 쓰는 말. ❶일의 가짓수를 셀 때 쓰이었다. 《朝鮮明宗實錄 7, 3年4月乙丑》 左議政李芑, 恃功驕恣專擅威福之狀, 固不可一二枚擧, 而進言於上, 上有不從之事. ❷'마리'의 뜻으로, 날짐승의 수를 셀 때 쓰이었다. 개(箇). 거(居). 과(窠). 수(首). 시(翅). 우(羽). 익(翼). 척(隻). 핵(翮). 《字類註釋, 物類, 名數》 隻, 외 쳑. 物單曰隻. 奇也. 又鳥一枚. ❸'대'

의 뜻으로, 화살의 수를 셀 때 쓰이었다. 개(箇). 근(筋). 본(本). 시(矢). 조(条). 지(枝). 척(隻). 파(把). 편(編). 《朝鮮世宗實錄 75, 18年11月戊午》江原道嶺西防禦不緊各官, 鐵胄一百部, 帛胄五百部, 紙甲四百部, 箭四萬九千枚, 片箭二萬枚. 《朝鮮成宗實錄 109, 11年7月庚子》 強弓十張, 中弓十張, 弱弓十張, 臺古道里二十枝, 豆乙彦古都里百枝. 《朝鮮成宗實錄 136, 12年12月壬戌》弱弓二十張, 臺古都里二十枚, 豆乙彦古都里一百枚, 小古都里六十枚. ❹복두(幞頭) 따위와 같이 머리에 쓰는 물건의 수를 셀 때 쓰이었다. 복두는 모든 관원이 공복(公服)에 쓰도록 규정되었으나, 뒤에는 주로 과거(科擧) 급제자가 홍패(紅牌)를 받을 경우에 썼다. 개(蓋). 구(口). 닙(笠). 부(部). 월(月). 정(頂). 《高麗史 7, 文宗世家》王親臨賜酒, 仍賜輔成·顒等, 公服一襲, 幞頭二枚, 腦原茶一角. ❺솔〔梳省〕의 수를 셀 때 쓰이었다. 《三名日方物謄錄》梳省十五枚. ❻상아(象牙)의 수를 셀 때 쓰이었다. 본(本). 조(條). 《朝鮮太宗實錄 18, 9年9月庚寅》今將奉獻禮物數目……胡椒一百觔, 象牙二枚, 白磻五百觔, 蘇木一千觔. ❼잣송이의 수를 셀 때 쓰이었다. 《春官志 2, 通信使, 庚熙壬戌禮單》白蜜八十五斤, 松笠(房栢子)五百枚. ❽편의(片衣)의 수를 셀 때 쓰이었다. 《朝鮮純宗實錄 10, 大正8年1月26日》大斂衣襨, 黃雲紋緞龍袍……紅貢緞三尺長片衣五, 五色庫緞片衣九十枚, 補空次, 各色貢緞庫緞七十疋. ❾체자〔帖子 : 체지(帖紙)〕의 수를 셀 때 쓰이었다. 《三國遺事 4, 義解, 眞表傳簡》開皇十三年, 廣州有僧行懺法, 及皮作帖子二枚. ❿'대'의 뜻으로, 곤장(棍杖)으로 매를 치는 수를 셀 때 쓰이었다. 곤(棍). 권(拳). 도(度). 장(杖). 타(打). 판(板). 《亂中日記, 丁酉11月初2日》決八十枚. ⓫편경(編磬)의 경(磬)쇠를 셀 때 쓰이었다. 《高麗史 70, 樂志, 登歌樂器》編磬, 正聲一十六枚, 中聲一十二枚. ⓬'알'의 뜻으로, 사리(舍利)의 수를 셀 때 쓰이었다. 《三國遺事 3, 塔像, 前後所將舍利》於是, 年春出都前, 於大內集諸宗名德, 乞佛牙·舍利, 精勤雖切, 而不得一枚, 則七日限滿, 上天者幾矣. 《朝鮮太宗實錄 13, 7年5月丁卯》分遣朝臣永舍利于各道寺社……有紋得四十五枚, 之混得百六十四枚, 爲民得百五十五枚, 堂得九十枚以來. 《牧隱文藁 3, 香山安心寺舍利石鐘記》 釋覺持來曰, 吾與覺悟, 作石鐘, 以厝指空舍利九枚, 普濟頭骨一片, 舍利五枚于安心寺. ⓭해골(骸骨 : 髑髏)의 수를 셀 때 쓰이었다. 《三國遺事 4, 義解, 勝詮髑髏》其略云, 勝詮法師領石從衆, 論議講演, 今葛項寺也, 其髑髏八十餘枚, 至今爲綱司所傳, 頗有靈異. ⓮여의주나 염주 따위 구슬의 수를 셀 때 쓰이었다. 개(介·箇). 과(窠·顆). 괴(塊). 《三國遺事 2, 紀異, 元聖大王》帝曰, 朕如意珠四枚, 前年失一个, 今見此珠, 乃吾所失也. 《朝鮮世宗實錄 15, 4年正月癸未》衙中藏麤布七十匹, 乾魚百五十首, 鹽十斗……又密買境

內洛山寺眞水精念珠二十一枚.《朝鮮宣祖實錄 146, 35年2月庚午》納采用鴈一頭, 白羊一口……獸皮二枚, 錢二百萬, 玉璧一枚, 酒十二斛, 白米十二斛. ⑮바늘〔針〕의 수를 셀 때 쓰이었다. 근(根).《三國史記 7, 新羅文武王本紀》兼進貢銀三萬三千五百分, 銅三萬三千分, 針四百枚, 牛黃百二十分, 金二十分, 四十升布六匹, 三十升布六十匹. ⑯가위나 낫·젓가락〔鉗子〕 따위의 수를 셀 때 쓰이었다. 파(把). 협(挾).《高麗史 2, 惠宗世家》金銀細縷剪刀二十枚, 火鎌二十枚, 金銀細縷鉗子二十枚. ⑰'자루'의 뜻으로, 먹의 수를 셀 때 쓰이었다. 병(鉼). 장(丈·張). 정(丁·挺·錠). 쾌(快). 판(板). 편(片). 홀(笏).《朝鮮成宗實錄 64, 7年2月辛丑》副使, 進奇効良方一件, 朱丁二枚, 墨三枚. ⑱붓의 수를 셀 때 쓰이었다. 경(莖). 관(管). 병(柄). 지(枝).《朝鮮世祖實錄 8, 3年6月丁酉》鑑等還太平舘, 命以黃鼠毛筆一百四十枚, 龍煤十笏, 銅鑪具紫石硯二事, 白麻骨紙二千幅, 紫燒酒二壜, 青橘二櫃, 分贈之.《芝峯類說 17, 雜事部, 數名》凡數, 人以口, 禽獸以首, 魚以尾, 筆爲枚爲枝, 墨爲丸爲笏, 紙爲幅, 硯爲面, 帶爲腰, 衣爲領. ⑲벼루나 연적(硯滴)의 수를 셀 때 쓰이었다. 면(面). 부(部). 사(事).《朝鮮世祖實錄 46, 14年6月庚戌》進香數兩, 硯滴一枚, 扇子二把.《朝鮮成宗實錄 244, 21年9月丁卯》小紅綾五匹, 椺扇一百柄, 紫石文硯一十枚. ⑳'닢'·'푼〔分〕'의 뜻으로, 엽전(葉錢)의 수를 셀 때 쓰이었다. 개(箇). 엽(葉).《增補文獻備考 159, 財用考, 錢貨》貨幣分爲五等, 最低位一分爲黃銅, 當舊錢一枚, 其次五分爲赤銅, 當舊錢五枚, 其次二錢五分爲白銅, 當舊錢一十五枚, 其次一兩銀貨, 當舊錢一百枚, 其次五兩銀貨, 當舊錢五百枚.《形音義綜合大字典》貫, 錢一千曰一貫, 蓋往時方眼銅錢, 以千枚爲一串而貫之, 故稱. ㉑동이〔盆〕나 주발〔鉢·椀〕 따위의 수를 셀 때 쓰이었다. 지(枝).《朝鮮成宗實錄 13, 2年12月己卯》蠟水瓶一雙, 菓子盆十枚, 扇子五十柄, 柒着鉢十枚, 白磁鉢十枚, 紫檀十斤.《朝鮮成宗實錄 204, 18年6月壬午》金紋枕子五十首, 朱漆椀子一十具, 小員七百枚, 黑白柄摺扇一百把, 銀朱五十包. ㉒도마뱀의 수를 셀 때 쓰이었다.《東醫寶鑑, 雜病篇 9, 怪疾》蛟龍瘕, 春秋二時, 龍帶精入芹菜中, 人偶食之, 得病發, 則似癎面色青黃, 腹滿痛不可忍, 名爲蛟龍病, 取飴糖二三斤, 日兩度服, 吐出如蜥蜴三五枚, 卽差. ㉓배·감·대추·밤·매실·복숭아 따위 과일의 수를 셀 때 쓰이었다.《通文館志 3, 事大, 入景下程》蘋果·花紅·梨·柿各十枚.《救急簡易方諺解 2, 36 b》棗子(대초)一枚去心, 以胡桃肉於入棗肉(대초 ᄒᆞ나ᄎᆞᆯ ᄡᅵ 앗고 당츄ᄌᆞᆺ ᄉᆞᆯᄒᆞᆯ 대춋 안해 녀허).《三國遺事 4, 義解, 義湘傳教》昔有主寺者, 給寺奴一人, 一夕饌栗一枚, 奴訟于官, 官吏恠之, 取栗檢, 一枚盈一鉢, 乃皈判給一枚.《朝鮮世宗實錄 20, 5年6月庚午》平滿景, 使人進丹木一千觔……長刀五柄, 陳皮五十

觔, 朱盤五十片, 素麪二百斤, 乾梅一千枚. 《列仙傳, 西王母》進蟠桃七枚於帝. ㉔자리나 방석 따위 깔개의 수를 셀 때 쓰이었다. 건(件). 부(浮). 석(席). 엽(葉). 영(領). 장(丈·張). 전(揃). 좌(坐). 진(陳). 《朝鮮世宗實錄 19, 5年正月癸未》 九州摠管源義俊使人進土物……折敷二十枚, 蘇香油二觔, 金爛一段, 甘草二十觔. 《朝鮮成宗實錄 290, 25年5月戊戌》白檀五十斤, 丁子二十斤, 藤席大小二枚, 桄葉席二枚, 菓子盆十枚, 南蠻琉璃一箇. 《朝鮮正祖實錄 42, 19年2月甲辰》金眼線三十斤, 琥珀四十斤, 各色花氈十枚, 各色羽緞十板, 各色大呢十板, 西洋布十疋. ㉕갓끈의 수를 셀 때 쓰이었다. 결(結). 부(部). 《朝鮮世祖實錄 4, 2年6月甲子》金興遺頭目, 進蛇毒劍一把, 驄白馬一匹, 紅纓三枚, 枕頭二部. ㉖짐승이나 물고기 따위 가죽의 수를 셀 때 쓰이었다. 본(本). 영(令·領). 장(丈·張). 《朝鮮文宗實錄 4, 即位年10月丁丑》 日本國關西肥竺二州太守……木香三十斤, 鮐皮二十枚, 胡椒三十斤……白鴨一雙, 豹皮五枚, 花席十張, 付回价來, 惠之大孰加焉. 《朝鮮成宗實錄 81, 8年6月庚子》砂糖百斤, 水牛角百本, 天竺酒甕二箇, 藤二千本, 鮐皮二百枚, 種樹器青磁一對. 《朝鮮宣祖實錄 146, 35年2月庚午》納菜用鴈一頭, 白羊一口……獸皮二枚, 錢二百萬, 玉璧一枚, 酒十二斛, 白米十二斛. ㉗우박의 수를 셀 때 쓰이었다. 《高麗史 32, 忠烈王世家》慶尙道安東界, 大雨雹, 麋鹿·鳥雀或有中而死者, 雹一枚, 數人不能擧. ㉘쟁반의 수를 셀 때 쓰이었다. 《朝鮮世宗實錄 22, 5年10月壬戌》 使人來獻土物……銀地扇子二十本, 紅漆茶栍五十枚. ㉙적농(炙籠)의 수를 셀 때 쓰이었다. 《增正交隣志 5, 一行回受禮單》金皮目鏡六掛, 銅藥鑵三提……纖銅炙籠六枚, 螺金竹六握, 貼雲小扇九握. ㉚망원경의 수를 셀 때 쓰이었다. 《朝鮮正祖實錄 42, 19年2月甲辰》琥珀珠一百八顆, 千里鏡二枚, 風鎗一對, 金眼線三十斤. ㉛한의학에서, 콩·팥·천오두(川烏頭)나 목화씨 따위 열매의 수를 셀 때 쓰이었다. 《朝鮮太祖實錄 14, 7年6月丁巳》前左司議大夫文益漸卒……赴元朝, 將還見路傍木花樹, 取其實十許枚, 盛囊以來. 甲辰至晉州, 以其半與鄕人典客令致仕鄭天益, 種而培養, 唯一枚得生, 天益至秋取實, 至百許枚, 年年加種. 《救急簡易方諺解 2, 1b》 川烏頭(一枚, 炮裂去皮, 臍擣令碎)(쳔오두 ᄒᆞᆫ 나ᄎᆞᆯ ᄌᆞᆷ히에 ᄲᅡ 믈 저져 구워 거플와 머홋머홋ᄒᆞᆫ 것 앗고 디허 ᄇᆞᅀᆞ오니외) 《分門瘟疫易解方, 鎭禳門》男呑大豆七枚, 女呑小豆二七枚(남지ᄂᆞᆫ 콩 닐굽 나ᄎᆞᆯ ᄉᆞᆷᄭᅵ고, 겨지븐 ᄑᆞᆺ 닐굽 나ᄎᆞᆯ ᄉᆞᆷᄭᅵ라). ㉜황금 덩어리의 수를 셀 때 쓰이었다. 《三國史記 8, 新羅孝昭王本紀》新村人美肹, 得黃金一枚, 重百分, 獻之. ㉝'알'의 뜻으로, 진주(眞珠)나 옥돌〔琅玕〕 따위 구슬의 수를 셀 때 쓰이었다. 개(介·箇). 과(窠·顆). 괴(塊). 《高麗史 9, 文宗世家》三十三年十一月壬申, 耽羅句當使尹應均獻大眞珠二枚, 光曜如星, 時

人謂夜明珠.《朝鮮世宗實錄 54, 13年10月甲辰》全羅道處置使, 進築頭浦所得靑琅玕十三枚.《朝鮮燕山君日記 49, 9年3月癸酉》命於市裏, 眞珠體大品好者十二枚入內……政院郞令看品折價, 一枚價至二十餘匹. ㉞'장'의 뜻으로, 종이의 수를 셀 때 쓰이었다. 번(番). 장(丈·張). 편(片). 폭(幅).《朝鮮成宗實錄 13, 2年12月己卯》絳練緯一匹, 白粉一器, 薄樣牋二百枚, 朱五裹, 鷹羽九十六, 白蠟水瓶一雙, 菓子盆十枚, 扇子五十柄. ㉟'쪽'의 뜻으로, 마늘 한 통에서 갈라져 나온 낱개를 셀 때 쓰이었다.《三國遺事 1, 紀異, 古朝鮮》時, 有一熊一虎, 同穴而居, 常祈于神雄, 願化爲人. 時, 神遺靈艾一炷, 蒜二十枚.《救急簡易方諺解 2, 69 a》咽喉忽覺氣塞, 喘息不通, 須臾欲絕, 獨頭蒜(되야마놀)一枚, 削去兩頭, 可塞鼻竅(모긔믄득 긔운이 마가 숨 쉬디 몯ᄒᆞ야 저근더데 주글ᄃᆞᆺ거든, 되야마놀 ᄒᆞᆫ 나촐 두 녁 그틀 갓가 비료뎌 곳구무 마골만ᄒᆞ야). ㊱솜을 틀어서 얇고 넓적하게 매만져 놓은 반대기의 수를 셀 때 쓰이었다. 솜 1 매의 무게는 300～375 g 이며, 10 매를 합하여 묶어 놓은 것을 1 포(包)라 한다. ㊲김〔海苔〕을 낱으로 셀 때 쓰이었다. 장(丈·張). 편(片). ㊳빗〔櫛〕의 수를 셀 때 쓰이었다. 봉(封). ㊴숫돌이나 다듬잇돌과 같이 덩이로 된 것의 수를 셀 때 쓰이었다. 괴(塊). 부(部). 정(梃). ㊵발〔簾〕·널빤지〔板〕·엽서(葉書)·나뭇잎·기와·유리·그림 따위의 수를 셀 때 쓰이었다. ㊶부들자리·수건·이불·보자기 따위의 수를 셀 때 쓰이었다. ㊷'첩'의 뜻으로, 약복지(藥袱紙)에 싼 약의 뭉치를 셀 때 쓴다. 복(服). 첩(帖·貼).《漢書 97 下, 孝成趙皇后傳》武發篋, 中有裹藥二枚, 赫蹏書. ㊸중국의 단위. ㉮'자루'의 뜻으로, 창(槍)의 수를 셀 때 쓰이었다.《墨子, 備城門》槍二十枚. ㉯'그루'의 뜻으로, 나무의 수를 셀 때 쓰이었다.《後漢書, 五行志 4》安帝永初六年夏四月, 沛國, 勃海大風, 拔樹三萬餘枚. ㉰서안(書案)의 수를 셀 때 쓰이었다.《宋書, 良吏傳, 江秉之》在郡作書案一枚, 及去官, 留以付庫. ㉱'명(名)'·'인(人)'의 뜻으로, 사람의 수를 셀 때 쓰이었다.《西遊記, 11》有女一枚年十八, 有妖一洞號三絕. ㊹㉮일본(日本)의 단위. 방패의 수를 셀 때 쓰이었다.《羣書類從 1》楯一枚. ㉯부채의 수를 셀 때 쓰이었다. 병(柄). 본(本). 봉(封). 파(把). ㉰자물쇠의 수를 셀 때 쓰이었다. 부(副·部).《羣書類從 6》鑰一枚. ㉱가죽의 수를 셀 때 쓰이었다.《羣書類從 6》革三枚. ㉲'장'의 뜻으로 활의 수를 셀 때 쓰이었다. 부(副). 정(丁). 지(枝).《羣書類從 1》弓卄四枚. ㉳'장'의 뜻으로, 다다미〔疊〕의 수를 셀 때 쓴다. ㉴'마리'의 뜻으로, 붕어〔鮒〕·도미〔鯛〕·가자미〔鰈〕·송어〔鱒〕 따위 물고기의 수를 셀 때 쓰이었다. 괴(塊). 미(尾). 조(條). 지(枝). 필(匹). ㉵어교(御橋)의 수를 셀 때 쓰이었다.《羣書類從 1》御橋一枚. ㉶호미〔鎛〕의 수를 셀 때 쓰이었다.《羣書類從 1》鎛一枚. ㉷날기와의

수를 셀 때 쓰이었다. 《羣書類從 6》 戶坏四枚. ② [길이] ❶'푼〔分〕'의 뜻으로, 1매는 1치〔寸〕의 10분의 1에 해당된다. 분(分). 《周禮, 孝工記, 輪人》 十分寸之一, 謂之枚(枚, 一分). ❷줄이나 끈 따위의 길이를 헤아리는 데 쓰이었다. 1매는 1발〔把〕에 해당된다. 파(把). 《孝宗寧陵山陵都監義軌, 左浮石所》生葛十八同二十五沙里, 每沙里三十枚, 每一同五十沙里. ③ [경제] 주식(株式)의 거래에서, 주식의 수를 세는 데 쓰는 말. 주(株). ④ [질량] 일본의 단위. 콩이나 팥의 20표(俵)를 1매라 한다. 면사(綿絲)는 2곤(梱), 또는 800 파운드, 362.87 kg을 1매라 하고, 인견사는 550 kg, 생사(生絲)는 120 kg, 생고무는 1,000 파운드, 흑설탕은 1,500 kg을 1매라 한다.

매(賣 : mài) [수효] 중국(中國)의 단위. '가지'의 뜻으로, 음식점에서 음식의 가짓수를 세는 데 쓰는 말. 《儒林外史, 17回》景蘭江叫了一賣一錢二分銀子的雜膾.

매(邁 : mài) [길이] 중국의 단위. 마일(mile)의 음역(音譯). 1마일은 1,760 야드(yard)이며, 5,280 피트(feet), 또는 1,609.4 m에 해당된다. 매이(邁爾). 〈예〉 一个鍾頭走三十~.

매듭 [수효] 노·실·끈 같은 것을 잡아 맨 것의 수를 세는 데 쓰는 말.

매야(每也) [수효] '매'의 차자 표기. '매이(每伊)'와 같다. 《祭器都監儀軌, 都監單子, 孝陵》銀筋二每也.

매이(每伊) [수효] '매'의 차자 표기로, 젓가락 한 쌍을 하나치로 세는 데 쓰는 말. 면(面). 매야(每也). 본(本). 전(揃). 지(支). 《仁祖國葬都監儀軌, 下, 3房》飯工色所用……銅罐蓋具一坐, 鍮長筋一每伊.

매이(邁爾 : mài'ěr) [길이] 중국(中國)의 단위. '마일(mile)'의 음역(音譯). 매(邁).

맥스웰(maxwell) [자속] 자기 감응(磁氣感應)이 1이 되는 곳에서 1 cm² 의 면적을 통과하는 자속(磁束)의 수이다. 기호 : Mx, maxwell

머로크(marok) [길이] 헝가리의 고유 단위. 1머로크는 4.15인치, 또는 10.54 cm에 해당된다.

머치킨(mutchkin) [부피] 스코틀랜드(Scotland)의 단위. 1머치킨은 파인트(pint)의 4분의 1, 0.90 미(美) 액량(液量) 쿼트, 0.75 영(英) 쿼트, 또는 0.43l에 해당된다.

머칼(mercal) [부피] 인도(印度) 마드라스(Madras) 지방의 단위. 1머칼은 푸데(pudee)의 8배(倍)이며, 11.1 미(美) 건량(乾量) 쿼트(quart), 10.8 영(英) 쿼트, 또는 12.3l에 해당된다.

먹 [넓이] 조세를 계산하기 위한 토지 면적의 단위. 1먹은 짐의 100배(倍), 또는 파(把)의 10,000배에 해당된다. 결(結). 《萬機要覽, 財用編 2, 田結》一握者, 謂之把, 遞以上之至于結, 十把爲束, 十束爲負(或稱卜, 今每一負, 出租一斗), 百負爲結(俗音먹), 八結爲夫(或稱矣).

메가(mega-) [접두어] 미터법의 단위의 머리에 붙어, 그것의 1백만 배(倍)의 뜻을 나타내는 말. 이 말은 그리스(Greece) 말로 거대(巨大)

하다라는 뜻이다. 기호 : M

메가다인(megadyne) [힘] 힘의 단위의 하나. 1 메가다인은 10 뉴턴〔N〕, 또는 다인(dyne)의 1백만 배에 해당된다. 기호 : Mdyn

메가데스(megadeath) [군사] 핵물질(核物質)의 한 단위. 1 메가데스는 100만 명을 죽일 수 있는 핵물질의 양에 해당된다.

메가라인(megaline) [자속(磁速)] 자속수(磁速數)를 나타내는 시 지 에스(C.G.S.) 전자 단위. 1 메가라인은 맥스웰(maxwell)의 100만 배(倍)에 해당된다.

메가래드(megarad) [흡수선량(吸收線量)] 1 메가래드는 래드의 10^6 배에 해당된다. 기호 : Mrad

메가래드 매분(— 每分) [흡수선량률(吸收線量率)] 래드(rad) 매분의 10^6 배(倍)에 해당된다. 기호 : Mrad/min

메가래드 매시(— 每時) [흡수선량률(吸收線量率)] 래드(rad) 매시의 10^6 배(倍)에 해당된다. 기호 : Mrad/h

메가래드 매초(— 每秒) [흡수선량률(吸收線量率)] 래드(rad) 매초의 10^6 배(倍)에 해당된다. 기호 : Mrad/s

메가바(megabar) [압력] 압력의 단위. 1 메가바는 1 cm^2 에 대하여 100만 다인(dyne)의 힘이 가하여질 때의 압력을 말한다.

메가사이클(megacycle) [주파수] 전자파(電磁波)의 주파수, 또는 진동수(振動數)의 단위. 1 메가사이클은 1 사이클의 100만 배(倍)이며, 1,000 킬로사이클, 또는 100만 사이클에 해당된다. 곧, 1 초 동안에 100만 번 진행되는 진동수를 말한다. 조주(兆周). 기호 : Mc, Mc/s

메가톤(megaton) [군사] 핵융합(核融合)에 의한 폭발력을 나타내는 단위. 1 메가톤은 티 엔 티(T.N.T.) 100만 톤의 폭발력에 상당한다. 조돈(兆噸). 기호 : Mt

메가폰트(Megapond) [힘] 주로 독일(獨逸)에서 사용하는 단위. 1 메가폰트는 폰드(pond)의 100만 배, 또는 1,000 kgw 에 해당된다. 기호 : Mp

메그옴(megohm) [저항] 전기 저항(抵抗)을 나타내는 단위. 1 메그옴은 옴의 100만 배(倍)에 해당된다. 조구(兆歐). 기호 : MΩ

메디오(medio) [부피] 스페인의 고유(固有) 단위. 1 메디오는 파네가(fanega)의 24 분의 1 이며, 2.01 미(美) 건량(乾量) 쿼트(quart), 2.03 영(英) 쿼트, 또는 2.31l 에 해당된다.

메딤노(medimno) [부피] 키프로스(Kypros)의 고유 단위. 1 메딤노는 2.13 미(美) 부셸, 또는 75.05l 에 해당된다.

메딤노스(medimnos) [부피] 고대(古代) 그리스(Greece)의 단위. 1 메딤노스는 헥테우스(hekteys)의 6 배(倍)이며, 약 1.47 미(美) 부셸, 1.42 영(英) 부셸, 192 코틸레(kotylē), 48 코이닉스(choinix), 또는 51.8l 에 해당된다. 메딤누스(medimnus).

메딤누스(medimnus) [부피] '메딤노스(medimnos)'와 같다.

메르지체(měřice) 1 [넓이] 체코

슬로바키아(Czechoslovakia) 보헤미아(Bohemia) 지방의 옛 단위. '미라(mira)'와 같다. 2 [부피] 체코슬로바키아 보헤미아 지방의 옛 단위. 1 메르지체는 62.487l 에 해당된다.

메르푈드(merföld) [길이] 헝가리(Hungary)의 단위. 1 메르푈드는 5.19 마일(mile), 또는 8.354 km에 해당된다.

메브(mev) [에너지] 메가 전자 볼트〔million electron volt〕의 약칭. 전압의 100만 볼트와 구별하기 위하여 전자 볼트에 한하여 사용한다.

메세(messé) [부피] 에리트레아(Eritrea)의 단위. 1 메세는 1.58 미(美) 액량(液量) 쿼트(quart), 또는 1.5l 에 해당된다.

메시(mesh) [입도(粒度)] 가루나 낟알의 크기를 나타내는 단위. 이에는 미국 규격(ASMT), 한국 공업 규격(KS) 등 여러 가지가 있는데, 메시는 미국의 타일러(Tyler)에 의한 체눈의 벌어짐에 대한 호칭으로, 1 제곱 인치〔in^2〕 속에 포함된 체눈의 수(공비 $=\sqrt{2}$)로 표시된다. 미터법으로 환산하면 74μ 가 200 메시에 해당된다.

메이오(meio) [부피] 포르투갈의 단위. 1 메이오는 액량(液量)으로는 알무데(almude)의 24 분의 1 이며, 0.737 미(美) 액량(液量) 쿼트(quart), 0.614 영(英) 쿼트, 또는 0.698l 에 해당되고, 건량(乾量)으로는 파네가(fanega)의 8 분의 1 이며, 6.28 미(美) 건량(乾量) 쿼트, 6.09 영(英) 쿼트, 또는 6.92l 에 해당된다.

메체(Metze) [부피] ❶오스트리아(Austria)의 단위. 1 메체는 1.75 미(美) 부셸(bushel), 1.69 영(英) 부셸, 또는 61.5l 에 해당된다. ❷독일(獨逸) 바이에른(Bayern) 지방의 단위. 1 메체는 1.05 미(美) 부셸, 1.02 영(英) 부셸, 또는 37.06l 에 해당된다. ❸헝가리의 단위. 1 메체는 1.51 미(美) 부셸, 1.46 영(英) 부셸, 또는 53.3l 에 해당된다.

메카테(mecate) [길이] 온두라스(Honduras)의 단위. 1 메카테는 바라(vara)의 24 배(倍)이며, 22 야드(yard), 또는 20 m 에 해당된다.

메타르(mettar) [부피] 튀니지의 단위. 1 메타르는 5.2 미(美) 갤런(gallon), 4.3 영(英) 갤런, 또는 19.7l 에 해당된다. 주로 기름의 양을 헤아리는 데 쓴다.

메트레타(metreta) [부피] 고대 로마(Roma)의 단위. 고대 그리스(Greece)의 단위인 메트레테스(metretes)와 같다.

메트레테스(metretes) [부피] 고대 그리스(Greece)의 액용(液用) 단위. 1 메트레테스는 코에스(choes)의 12 배이며, 코틸라이(kotylai)의 144 배, 10.3 미 갤런(gallon), 8.3 영(英) 갤런 또는 39l 에 해당된다. 암포레우스(amphoreus). 메트레타(metreta).

메트로(metro) [길이] 이탈리아(Italia)의 단위. 1 메트로는 1.00 m 에 해당된다.

메트릭 캐럿(metric carat) [질량] 다이아몬드·진주·보석 따위의 질량을 헤아리는 데 쓰는 말. 1 메트릭 캐럿은 200 mg에 해당된다. 1913년까지 미국에서는 205.3 mg으로 통용되었다. 기호 : c, car

멜(mel) [감각·음(音)] 음(音)의 높이에 대한 주관적 판단의 단위. 보통 사람이 1 KHz, 40 dB의 음을 들었을 때, 그 음의 높이에 대한 느낌을 1,000 mel이라고 한다. 1,000 mel의 n배(倍)로 느낄 수 있는 음의 높이를 n mel로 나타낸다. 그러나 멜 수(數)는 감각량(感覺量)이기 때문에 진동수(振動數)와는 일치하지 않는다. 기호 : mel

멱둥구미 [부피] 멱둥구미에 물건을 담아 그 양을 헤아리는 데 쓰는 말. 멱둥구미는 짚으로 엮어 만든, 둥글고 울이 높은 그릇의 하나이다.

면(面) [1] [수효] 일반적으로 넓적한 면이 있는 물건을 세는 데 쓰는 말. ❶금(琴)·슬(瑟)·퉁소·징·북·쟁(箏) 따위 악기의 수를 셀 때 쓰이었다. 《高麗史 70, 樂志》琴一絃……九絃, 各二面, 瑟二面. 簫一十面. 金鉦二面. 《朝鮮純祖實錄 10, 7年5月辛卯》平安監司李勉兢狀啓, 慈母山城火藥庫失火, 被燒火藥一萬二千三百五圓, 軍幕八十三浮, 大小皷一百四十六面, 鉛丸四十萬九千六十六箇, 該鎭將論罪. 《宋書, 何承天傳》承天又能彈箏, 上又賜銀裝箏一面. ❷안장〔鞍子〕의 수를 셀 때 쓰이었다. 구(口·具). 배(背). 지(枝). 《高麗史 133, 辛禑傳》鞍子一面. 《朝鮮太宗實錄 17, 9年4月甲申》秩五品, 賜綵段六十匹, 綵絹三百匹, 錦十匹, 黃金二錠, 白銀十錠, 馬五匹, 鞍二面, 衣二襲, 鈔三千張. 《朝鮮世祖實錄 7, 3年5月戊子》大藏經一部. 石燈盞五事, 鞍子一面. ❸벼루의 수를 셀 때 쓰였다. 매(枚). 부(部). 사(事). 《朝鮮中宗實錄 84, 32年4月丁丑》天使在京時求硯, 故各贈大小硯各一面, 及回還時, 命各加贈一面, 故臣謹以贈之也. 《朝鮮宣祖實錄 200, 39年6月庚戌》禮曹, 去癸卯年冬至使宋駿賫來流求國回咨禮物……黃毛筆五十枝, 油煤墨五十錠, 花硯二面, 連陸厚油紙五塊. 《尙方定例 2, 別例 上》紫硯貳面. ❹'방면'·'쪽'의 뜻으로, 어느 곳을 향하고 있는 쪽의 수를 셀 때 쓰이었다. 《高麗史 118, 趙浚傳》西北一面, 國之藩屛. 頃者, 奸兇擅國, 廣置私人, 元帥·萬戶加於舊額, 州郡供額下賫, 民不堪命. 《朝鮮仁祖實錄 26, 10年3月庚戌》臣旣以蒙蔽之見, 妄論典禮, 臣亦不敢自謂必是, 但意見加是, 不得不爾. 主追崇之論者, 皆以臣爲罪, 顯攻隱斥, 四面而至, 臣亦受而爲過, 不復辨釋, 今者羣議旣定, 大禮將行, 設或朝廷寬假, 不復追咎, 臣何敢仍據館閣之長, 晏然若無罪者哉. 《春官志 2, 開市, 市場事蹟》又設左·右捕盜將, 自釜山亦爲四面軍堡, 加定軍官, 嚴加譏察. ❺물건의 겉을 이룬 평면(平面)의 수를 셀 때 쓰이었다. 《三國遺事 3, 塔像, 高麗靈塔寺》僧傳云, 釋普德, 字智法, 前高麗龍岡縣人也. 常居平壤城, 有山方老僧, 來請講經, 師固辭不免, 赴講涅槃經四十餘卷. 罷席, 至城西大寶山嵓穴下禪觀, 有神人來請, 宜住此地, 乃置錫杖於前, 指其地曰, 此不有八面七級石塔. 掘之果然, 因

立精舍曰靈塔寺, 以居之.《朝鮮孝宗實錄 17, 7年11月庚午》本道山城有三, 赤裳也, 金城也, 笠巖也. 赤裳在深峽衆峯之間, 天設其險, 人不可攀, 只有一面鳥道, 僅容行步, 眞是陡絶之地. 而但其城內, 井泉不洽, 數千兵馬, 彌日留屯, 則糧未告罄, 水必先竭矣.《玉樓夢, 2回》處士微笑, 俳徊石逕, 望見一處, 一面石壁, 半空陡絕.《城制考, 城制圖說》築實敵臺, 不如築虛敵臺. 其法, 用磚石砌三面, 而空其中, 中有二層, 以木板爲樓, 用木梯上下. ❻장지(障—)의 수를 셀 때 쓰이었다. 척(隻).《朝鮮世宗實錄 17, 4年9月庚申》返虞轝一……障三面, 用小朱簾垂前面. ❼책안(册案)·상보·안석 따위의 수를 셀 때 쓰이었다.《高麗史 2, 惠宗世家》銀裹脚角竿頭金栢木册案一面, 紅地金銀五色線織成龍床褥二面, 紅地金銀五色線織成花鳥罽錦倚背二面. ❽패(牌)의 수를 셀 때 쓰이었다. 개(介). 닙(立). 주(柱).《高麗史 70, 樂志, 登歌樂器》牌一面, 角槌一對.《通文館志 4, 事大, 牌文》詔書一道, 御杖一對, 龍旗一對(有賜物則曰, 某物一擡), 衣樻一擡, 欽差牌二面. ❾도장의 수를 셀 때 쓰이었다. 본(本).《高麗史 72, 輿服志》仁宗二十年五月, 金主, 賜金印一面.《舊唐書, 穆宗紀》平盧軍新加押新羅, 渤海兩蕃使, 賜印一面. ❿홀〔珪〕의 수를 셀 때 쓰이었다. 부(部). 지(枝).《高麗史 17, 仁宗世家》玉珪一面. ⓫거울·안경·천리경(千里鏡) 따위의 수를 셀 때 쓰이었다. 개(箇).《高麗史 1, 太祖世家》頭戴古冠, 被居士服, 左手持三隻椀, 右手擎一面古鏡一尺許.《萬機要覽, 軍政編 3, 禁衛營, 軍器》風眼鏡五百三十面. 千里鏡一面.《度支準折, 雜種貿易》倭鏡一面, 価錢三兩. 版貿, 三戔. ⓬기(旗)의 수를 셀 때 쓰이었다. 건(件). 병(柄). 부(副). 수(首). 유(旒). 조(條).《朝鮮宣祖實錄 94, 30年11月己酉》訓鍊副正李雲……倭旗紅·白·黑大小旗三面, 槍一柄, 劍十五柄, 鳥銃二柄, 牛四首, 馬一匹, 我國被擄人百餘名奪來.《萬機要覽, 軍政編 2, 訓鍊都監, 軍器》攔後哨五色紗燭籠五百四十五件, 假倭木綿衣一百二十領, 假倭木綿旗一百二十面(式年改造).《六典條例 10, 工典, 舟橋司, 舟橋》南北船艙, 各設一紅箭門, 以標舟橋之界, 中央最高船, 又竪紅箭門, 以標江水之中央(中央紅箭門兩邊, 各懸黃·黑大旗一面, 聽號令陞降, 而黑東黃西. 大將·協摠換班時, 不爲移易. 相風旗, 每船各二面式, 船尾各依方色列立. 粽船旗, 每船各一面式, 船頭列立, 聽號令點旗. 人軍物, 則鶻鷸旗, 每船各一面式, 列立於船尾). ⓭'틀'의 뜻으로, 악기를 매다는 악가(樂架)의 수를 셀 때 쓰이었다. 가(架).《朝鮮世宗實錄 47, 12年2月庚寅》軒架三面, 編鐘之位九, 而九架之內……我國編鐘元數, 只二百八十六顆. ⓮'매'의 뜻으로, 젓가락의 한 쌍을 하나치로 셀 때 쓰이었다. 매야(每也). 매이(每伊). 본(本). 전(揃). 지(支).《尙方定例 3, 別例 下, 國婚》銀筯貳面. ⓯동이〔盆〕의 수를 셀 때 쓰이었다.《高

麗史 9, 文宗世家》三十二年六月丁卯……碌牙金花銀器二千兩, 盆一十面, 蓋椀一十副. ⓰바둑판이나 장기판 따위의 수를 셀 때 쓰이었다. 반(盤). ⓱'쪽'의 뜻으로, 서화(書畫)나 신문의 쪽수를 셀 때 쓰이었다. ⓲(miàn) 중국(中國)의 단위. '번'·'회'·'차'의 뜻으로, 만나는 횟수를 세는 데 쓰이었다. ② [행정] 행정 구역의 한 단위. 몇 개의 이(里)로 구성되고, 군(郡)의 아래에 두었다.《高麗史 58, 地理志, 東界》成宗十四年, 分境內爲十道, 以和州·溟州等郡·縣爲朔方道. 靖宗二年, 稱東界(與北界爲兩界). 文宗元年, 稱東北面(或稱東面·東路·東北路·東北界).《高麗史 58, 地理志, 北界》成宗十四年, 分境內爲十道, 以西京所管爲浿西道, 後稱北界. 肅宗七年, 又稱西北面.《磻溪隨錄, 補遺, 郡縣制》又其稱號不一, 雖例皆稱之曰面, 而其間或有稱道者, 稱里者, 稱村者.《行用吏文》面, 邑坊謂之面. 新羅建置州·郡時, 其田丁戶未堪爲縣者, 或置鄕, 或置部曲, 今通稱面.

면(眠) [수효] 누에가 먹기를 쉬고 탈피 준비를 하는 기간. 또는 그 수를 세는 데 쓰는 말. 잠. 영(齡).

면원(緬元 : miǎnyuán) [통화] 중국(中國)의 단위. '치아트(Kyat)'의 역어(譯語).

면재(面才) [넓이] 일본(日本)의 단위. 석재(石材)를 다듬어 놓은 부분의 넓이를 헤아리는 데 쓰는 말. 1면재는 1제곱 자〔尺〕에 해당된다.

면평(面坪) [토목] 일본(日本)의 단위. 포장용(鋪裝用)의 돌의 넓이를 헤아리는 데 쓰는 말. 1면평은 사방 6자〔尺〕의 넓이이다.

명(皿) [수효] 일본(日本)의 단위. 과일이나 요리가 담긴 접시의 수를 세는 데 쓰는 말.

명(名) [수효] ❶사람의 수를 세는 데 쓰는 말. 예전에는 인(人)·구(口)·명(名) 따위가 쓰였는데, 인(人)과 명(名)은 남자나 벼슬아치를 셀 때 썼고, 구(口)는 노비나 여자의 수를 세는 데 쓰기도 하였다. 개(介·個). 구(口). 두(頭). 분(分). 영(領). 원(員). 위(位). 인(人). 정(丁). 한(漢).《高麗史 33, 忠宣王世家》東西積倉, 用船軍·其人各一百名.《朝鮮世宗實錄 17, 4年8月壬寅》京畿四十一邑, 飢民一萬八百六十名, 黃海道二十四邑, 飢民三千五百七十五名.《朝鮮睿宗實錄 5, 元年5月辛丑》仍賜伴人六人, 奴婢八口, 兵士三名, 田八十結, 銀二十五兩, 表裏一套.《朝鮮正祖實錄 45, 20年12月乙未》以外生擒頭目僧廣寧聶渭聶泮及劉芳萬宗相等四十八名. 餘黨男婦大小七百四十九名口, 奪獲及搜出大砲二尊, 怡鎗八桿, 鳥鎗三百七十八桿, 長矛一千五百二十一桿, 腰刀七十二口. ❷'가지'·'종류'의 뜻으로, 가짓수를 세는 데 쓰는 말.《張衡, 南都賦》酸甜滋味, 百種千名.《王中, 頭陀寺碑文》質判玄黃, 氣分淸濁. 涉器千名, 含靈萬族.《文選, 江淹, 別賦》與子之別, 思心徘徊, 是以別方不定, 別理千名. (李善注) 千名, 多也. ❸(míng) 중국(中國)의 단위. '등'·'위'의 뜻으로, 경기에서 등수

를 나타내는 데 쓰는 말.

명(命) [수효] '명(名)'·'인(人)'의 뜻으로, 사람의 수를 세는 데 쓰는 말. 《大明律, 問刑條例, 刑律》凡因事威逼人致死, 一家二命及非一家但至三命以上者, 發邊衞充軍, 若一家三命以上, 發邊衞永遠充軍, 仍依律各追給埋葬銀兩.

모 [수효] ❶두부나 묵의 수를 세는 데 쓰는 말. 방(方). 정(丁). 편(片). ❷윷놀이에서, 윷 가락의 네 짝이 다 엎어진 경우의 수를 세는 데 쓰는 말. ❸물건이나 도형(圖形)에서, 모서리의 수를 세는 데 쓰는 말. 〈예〉 다섯~꼴. 여섯~.

모(毛) ① [수] 작은 수의 하나. 1 모는 1천분의 1, 또는 0.001 이며, 할·푼·리·모라 할 때의 1 모는 1 할의 1천분의 1 이며, 10,000 분의 1, 또는 0.0001 에 해당된다. ② [질량] 척관법(尺貫法)의 보조 계량 단위. 1 모는 이(釐)의 10 분의 1 에 해당된다.

1 모 $=10^{-1}$ 리
$=10^{-3}$ 몸메
$=10^{-6}$ 관(貫)
$=3.750000$ mg
$=0.057871335$ 그레인

《中華大字典》毛, 毫釐字, 俗或省作毛. ③ [길이] 척관법에 의한 보조 단위. 1 모는 1 자〔尺〕의 1만분의 1, 또는 1 m 의 3만 3천분의 1 에 해당된다.

1 모=1/10,000 자〔尺〕
=1/33,000 m

④ [통화] ❶(máo) 중국(中國)의 단위. 1 모는 원(元)의 10 분의 1, 또는 10 전(錢)에 해당된다. 《從宇宙來的小年》 喬治沿辦法嘆了一口氣, 從口袋裏拿出了兩個毛錢的硬幣. ❷일본(日本)의 단위. 이(釐)의 10 분의 1 에 해당된다.

모(茅) [수효] '두름'의 뜻으로, 청어나 조기 따위를 열 마리씩 2 줄에 엮은 20 마리를 하나치로 세는 데 쓰는 말. 급(級). 동음(冬音). 동을음(冬乙音). 체(綈). 파(把). 《陶山書院傳掌記, 壬申正月初 5日》 謄錄定式, 時任三員, 青魚一茅, 海衣一貼式.

모(糢) [질량] 척관법(尺貫法)에서의 무게의 단위. 1 모는 막(漠)의 10 분의 1, 또는 1 냥의 10^{-13} 에 해당된다. 《宛署雜記, 繇賦》正賦中通共起存銀參千陸百陸拾捌兩柒錢五分貳釐陸毫五絲肆微捌纖陸沙陸塵陸埃壹渺貳漠五糢.

모(mho) [전도율(傳導率)] 전기 전도율(電氣傳導率)의 실용 단위(實用單位). 단면(斷面) 1 cm^2, 길이 1 cm 의 물체의 저항(抵抗)이 1 옴(ohm)일 때, 그 물체의 전도도(傳導度)를 말한다. 기호 : mho, ℧

모(moo) [질량] 미얀마(Myanmar)의 고유 단위. 1 모는 31.50 그레인(grain)이며, 비스(vis)의 800 분의 1, 또는 2.04 g 에 해당된다.

모극(毛克 : máokè) [질량] 중국(中國)의 단위. 1 모극은 1 mg 에 해당된다.

모금 [부피] 물·술·국 따위의 음료나 담배 연기 따위의 기체가 입에 가득 차는 분량. 또는 그 양을 헤아리는 데 쓰는 말. 구(口). 합(呷).

모디(modi) [부피] 근대(近代) 그

리스(Greece)의 단위. '모디오스(modios)'와 같다.

모디오스(modios) [부피] 근대 그리스(Greece)의 고유 단위. 곡물이나 마른 과일의 양을 헤아리는 데 쓴다. 1 모디오스는 8.75*l* 에 해당된다. 모디(modi).

모디움(modium) [부피] 고대 로마(Roma)의 단위. 1 모디움은 암포라(amphora)의 3 분의 1 이며, 0.96 미(美) 펙(peck), 0.93 영(英) 펙, 또는 8.49*l* 에 해당된다.

모르가(morga) [넓이] 폴란드의 단위. '모르크(morg)'와 같다.

모르겐(Morgen) [넓이] ❶독일(獨逸) 바이에른(Bayern) 지방의 단위. 1 모르겐은 0.84 에이커(acre), 또는 34.07 아르〔a〕에 해당된다. ❷프러시아(Prussia)의 단위. 1 모르겐은 0.631 에이커, 또는 25.53 아르〔a〕에 해당된다. ❸남(南)아프리카 공화국(Africa 共和國)의 단위. 1 모르겐은 2.12 에이커, 또는 88.65 아르〔a〕에 해당된다.

모르크(morg) [넓이] 폴란드의 단위. 1 모르크는 300 제곱 프레트(pret)이며, 1.38 에이커(acre), 또는 55.99 아르〔a〕에 해당된다. 모르가(morga).

모사(moosa) [질량(質量)] 키프로스(Kypros)의 고유 단위. 1 모사는 112 파운드(pound), 또는 50.7 kg 에 해당된다.

모숨 [수효] 길고 가느다란 물건이 줌 안에 들 만한 양. 또는 그 수를 세는 데 쓰는 말.

모승(毛升 : máoshēng) [부피] 중국(中國)의 단위. 1 모승은 1 m*l* 에 해당된다.

모요(moyo) [부피] 스페인(Spain)의 고유 단위. 1 모요는 68.19 미(美) 갤런(gallon), 56.78 영(英) 갤런, 또는 258.13*l* 에 해당된다.

모우(mou) [길이] 근대 이란(Iran)의 단위. 1 모우는 0.0394 인치, 또는 1 mm 에 해당된다.

모울레(Moule) [부피] 스위스의 단위. 1 모울레는 5.23 세제곱 야드〔yd^3〕, 또는 4.0 m^3 에 해당된다. 예전에는 4.40 세제곱 야드, 또는 3.37 m^3 에 해당되었다.

모이오(moio) [부피] ❶포르투갈(Portugal)의 단위. 1 모이오는 알케이레(alqueire)의 60 배(倍)이며, 23.6 미(美) 부셸(bushel), 22.8 영(英) 부셸, 또는 8.03 헥타르〔hl〕에 해당된다. ❷브라질의 단위. 1 모이오는 61.8 미(美) 부셸, 59.8 영(英) 부셸, 또는 21.76 h*l* 에 해당된다.

모작(毛作) [수효] 같은 논밭에서 1 년에 몇 번 수확하는가를 세는 데 쓰는 말.

모지오(moğgio) [부피] 이탈리아(Italia)의 옛 단위. 주로 곡물의 양을 헤아리는 데 쓴다. 지방에 따라 그 수치가 각각 다르다.

모춤 [수효] 볏모나 모종을 묶은 단의 수를 세는 데 쓰는 말. 보통 서너 움큼씩 묶는다.

모태 [수효] 떡 따위를 안반에 얹어 놓고 쳐 낼 수 있는 양. 또는 그 쳐 내는 횟수를 세는 데 쓰는 말.

모티카(motyka) [넓이] 유고슬라비아(Yugoslavia)의 단위. 1 모티카는 956.8 제곱 야드〔yd^2〕, 또는

800 m²에 해당된다.

모판 [수효] 못자리의 사이사이를 떼어 들어가 일하기 편리하게 장방형(長方形)으로 다듬어 나눈 부분의 수를 세는 데 쓰는 말.

모하르(mohar) [통화] 네팔의 옛 통화 단위. 1 모하르는 32 파이사(paisa)이다.

모호(模糊) [수] 소수(小數)의 하나. 1 모호는 막(漠)의 10 분의 1, 또는 10^{-13}에 해당된다.

목 [1] [넓이] 조세를 계산하기 위한 토지 면적의 단위. 1 목은 짐의 100 배(倍), 또는 파(把)의 10,000 배에 해당된다. 결(結). [2] [수효] 화투나 투전의 1 벌을 하나치로 세는 데 쓰는 말. 목(木·目).

목(木) [수효] '목(目)'의 ❹와 같다.《海東竹枝, 中, 鬭錢戱》舊俗, 鬭牋, 卽四木也, 八木之半, 此是賤輩之賭博也, 名之曰엿방망이.

목(目) [질량] ❶무게의 단위. 냥(兩)의 하위 단위로 돈〔錢〕에 해당되는 것으로 생각된다.《高麗史 68, 禮志, 老人賜設儀》各賜酒十盞…… 錬緜二斤, 腰帶銀一斤, 金一目五刀, 紅鞓皮一腰.《高麗史 78, 食貨志》宣宗五年七月, 定雜稅, 栗栢大木三升, 中木二升, 小大一升, 漆木一升, 麻田一結, 生麻十一兩八刀, 白麻五兩二目四刀. ❷바둑판의 눈이나 바둑돌의 수를 세는 데 쓰는 말. ❸그물이나 뜨개옷 같은 것의 몸을 이룬 낱낱의 고의 수를 세는 데 쓰는 말. ❹'목'의 뜻으로, 투전에서 인물(人物)·조수(鳥獸)·충어(蟲魚) 등 8 가지의 짐승이 그려진 각각의 1 벌을 하나치로 세는 데 쓰는 말. 목(木).《京都雜志 1, 風俗, 賭戱》投箋者紙牌類也, 人魚鳥雉星馬獐兎, 自一至九, 人將曰皇, 魚將曰龍, 鳥將曰鳳, 雉將曰鷹, 星將曰極, 馬將曰乘, 獐將曰虎, 兎將曰鷲, 凡八十葉, 號爲八目, 人魚鳥雉用老, 星馬獐兎用少, 箋字似篆似草奇恠.《海東竹枝, 中, 俗樂遊戱》八木會. 舊俗有八木戱(木或作目), 以紙牋八十枚, 各書自十至十, 人魚鳥雉曰老用, 獐星兎馬曰少用, 中有許多細規, 每四人相對爲戱, 名之曰수투전.《古今釋林 28, 東韓譯語, 釋戱》鬭錢. 本朝. 用厚紙八十片, 分老少, 書獐·星·烏·兎·人·馬·魚·雉八目, 鬭擲爲戱, 以決勝負曰鬭錢.

목(牧) [행정] 고려와 조선 시대의 지방 행정 단위. 또는 그 수를 세는 데 쓰는 말. 도(道) 안의 비교적 크거나 왕실(王室)의 연고지(緣故地)가 되는 지방으로 목사(牧使)가 다스렸다. 고려 성종(成宗) 때 처음으로 실시하고 그 장관으로 사(使)를 두어 다스리게 하였다. 조선 고종(高宗) 32년(1895)에 지방 관제를 고칠 때 모두 군(郡)으로 고치고 군수(郡守)를 두었다.《高麗史 76, 百官志》成宗大新制作, 定內外之官……外有牧·府·州·縣. 官有常守, 位有定員. 於是一代之制, 始大備.《新增東國輿地勝覽, 東國輿地勝覽序》太祖康獻大王, 受天命, 定鼎漢陽, 列聖相承, 封疆日闢, 定爲八道……凡京二, 府四, 大都護府四, 牧二十, 都護府四十四, 郡八十三, 縣一百七十三.《增補文獻備考 15, 輿地考, 郡縣沿革》高麗

顯宗初, 改置五都護, 七十五道安撫使, 尋改置四都護·八牧, 自是以後, 定爲五道·兩界, 摠京四, 牧八, 府十五, 郡一百二十九, 縣三百三十五, 鎭二十九.《增補文獻備考 16, 輿地考, 郡縣沿革》本朝太宗十三年, 始定八道州郡……凡留都府一, 府尹六, 大都護府五, 牧二十, 都護府七十四, 郡七十三, 縣一百五十四, 合三百三十四……今上三十二年, 悉革府·牧·郡·縣之號, 爲郡守.

목기(木器) [수효] 목기에 음식을 담아 그 양을 헤아리는 데 쓰는 말. 〈예〉 떡 세 ~.

목판(木板) [수효] 목판에 음식을 담아 그 양을 헤아리는 데 쓰는 말. 목판은 나무로 만든, 운두가 낮고 네모지게 만든 그릇이다.

몫 [수효] 여럿으로 나누어 가질 때 앞앞이 가지는 수량을 헤아리는 데 쓰는 말. 객(客). 구(口). 분(分).

몰(mol, mole) [화학] 물질의 질량을 측정하는 단위. 분자·원자·이온 등 동질(同質)의 입자가 아보가드로수(avogadro 數)만큼 존재할 때, 이것을 1 몰이라 한다. 수소 원자 1 몰은 약 1.008 g, 수소 분자의 1 몰은 2.016 g에 해당된다. 마이(摩爾). 기호 : mol, mole

몰랄(molal) [농도(濃度)] 중량몰농도(molality)의 단위. 용매(溶媒) 1,000 g 중에 용해된 용질(溶質)의 몰 수(數)를 나타낸다. m 이란 기호로 나타내는 수가 많고, 빙점(氷點) 강하 측정 등에서 많이 사용한다. 기호 : m

못가새 [부피·수효] 모 한 춤의 3분의 1 만큼을 가새모춤한 양. 또는 그 수를 세는 데 쓰는 말.

몽고(mongo) [통화] 몽골(Mongol)의 현재 통화 단위. 1 몽고는 투그리크(tugrik)의 100 분의 1 에 해당된다. 몽과(蒙戈).

몽과(蒙戈 : měnggē) [통화] 중국의 단위. '몽고(mongo)'의 음역.

묘(苗 : miāo) [수효] 중국(中國)의 단위. ❶'다발'·'묶음'의 뜻으로, 꽃이나 푸성귀 따위의 묶어 놓은 덩이의 수를 세는 데 쓰는 말. 〈예〉 一~紅薯. ❷운남(雲南) 지방에서 화폐 대신 사용하던, 조개 껍질의 수를 세는 데 쓰는 말. 1 묘는 16 매에 해당된다.《天下郡國利病書, 滇志, 沿革論》交易用貝, 一枚曰莊, 四莊曰手, 四手曰苗, 五苗曰索.

묘(畝) [넓이] 조세(租稅)를 계산하기 위한 논밭의 넓이의 단위. 주(周)나라 때(B.C. 1122～B.C. 256)에는 6 척 사방(六尺四方)을 1 보(步), 1백 보를 1 묘라 하였으나, 진(秦)나라 때(B.C. 221～B.C. 206)부터 수(隋)나라 때(581～617)까지는 240 보(步), 당(唐)나라 때(618～907)와 우리 나라에서는 대략 5 제곱 자를 1 보로 하고 240 보를 1 묘로 하였다. 묘(畮).《三國遺事 5, 感通, 善律還生》我亦南閭州新羅人, 坐父母, 陰取金剛寺水田一畝, 被冥府追檢, 久受重苦.《朝鮮世宗實錄 103, 26年正月庚午》議政府據戶曹呈啓, 以田方五尺, 積二十五尺爲一步, 二百四十步爲一畝, 百畝爲一頃, 五頃爲一字丁……今以田方五尺者爲一步, 二十四步爲一分, 十分爲一畝, 百畝爲一頃, 五頃爲一字丁, 其分下餘數內, 半分以上

其收爲一分, 半分以下則棄而勿用, 以爲定規. 《經世遺表, 地官修制, 田制 9, 井田議》其可井而未井者, 其終不可爲井者, 乃皆打量, 算其實積, 凡方六尺爲步, 十步爲一畯, 十畯爲一畝, 十畝爲一畎, 十畎爲一畎.

묘(晦) [넓이] '묘(畝)'와 같다. '晦'는 '畝'의 본자(本字)이다. 《周禮, 地官, 少司徒》以任地事而令貢賦. (鄭玄注) 司馬法曰, 六尺爲步, 步百爲晦, 晦百爲夫, 夫三爲屋, 屋三爲井, 井十爲通.

묘(渺) [수] 소수(小數)의 하나. 1묘는 1천억분의 1, 또는 애(埃)의 10분의 1에 해당된다. 《算經》十漠爲渺, 十渺爲埃. 《宛署雜記, 繇賦》 正賦中通共起存銀參千陸百陸拾捌兩柒錢五分二釐陸毫伍絲肆微捌纖陸沙陸塵陸埃壹渺貳漠五模.

묘차거(秒差距 : miǎochājù) [천문] 중국의 단위. '파섹(parsec)'의 역어(譯語).

무(繆 : miù) [수효] 중국(中國)의 단위. '단'·'묶음'·'다발'의 뜻으로, 삼실〔麻絲〕의 묶음의 수를 세는 데 쓰는 말. 1무는 10줌, 또는 1,000오리에 해당된다. 《說文, 糸部》繆, 枲之十絜也. (段玉裁注) 枲卽麻也, 十絜猶十束也.

무더기 [수효] 많은 물건을 한데 모아 수북이 쌓은 더미를 세는 데 쓰는 말.

무데(mudde) [부피] 네덜란드의 단위. 1무데는 2.84부셸(bushel), 2.75영(英) 부셸, 또는 1 hl에 해당된다. 무드(mud).

무드(mud) [부피] 네덜란드의 단위. '무데(mudde)'와 같다.

무드(mudd) [부피] 탕헤르(Tánger)의 단위. 1무드는 1.32미(美) 부셸(bushel), 1.28영(英) 부셸, 또는 46.6l에 해당된다.

무드(muid) [부피] 남(南)아프리카 공화국(Africa 共和國)의 단위. 1무드는 셰펠(schepel)의 4배(倍)이며, 3.1미(美) 부셸, 3.0영(英) 부셸, 또는 109.1l에 해당된다.

무량대수(無量大數) [수] '무량수(無量數)'와 같다.

무량수(無量數) [수] 불가사의(不可思議)의 1억 배. 곧, 10^{128} 또는 10^{88}에 해당된다. 무량대수(無量大數).

무리 [수효] 사람이나 동물들이 어떤 관계로 여럿이 모여서 이룬 동아리나 떼를 세는 데 쓰는 말. 과(夥). 군(群). 기(起). 배(輩). 비(批). 운(運). 진(陣). 퇴(堆). 패(牌). 화(伙).

무츠예(mutsje) [부피] 네덜란드(Netherlands)의 단위. 1무츠예는 0.16미(美) 액량(液量) 쿼트, 또는 0.15l에 해당된다.

무타갈라(mutagalla) [질량] 에티오피아(Ethiopia)의 고유 단위. 1무타갈라는 카슴(kasm)의 2배(倍)이며, 120.4그레인(grain), 또는 7.80 g에 해당된다.

무트(moot) [길이] 인도(印度) 캘커타(Calcutta) 지방의 단위. 1무트는 구즈(guz)의 12분의 1이며, 3인치(inch), 또는 7.62 cm에 해당된다.

무트(Muth) [부피] 오스트리아의 단위. 1무트는 메체(Metze)의 30

배이며, 52.2 미(美) 부셸, 50.7 영(英) 부셸, 또는 18.45 hl에 해당된다.

무트마셀(Muthmassel) [부피] 오스트리아(Austria)의 단위. 1무트마셀은 메체(Metze)의 16분의 1이며, 3.49 미(美) 건량(乾量) 쿼트(quart), 3.38 영(英) 쿼트, 또는 3.84l에 해당된다.

묵(墨) [길이] 길이의 단위. 1묵은 5자〔尺〕에 해당된다. 《小爾雅, 廣度》 五尺謂之墨. 《國語, 周語 下》 墨, 丈尋常之墨(五尺爲墨). 《才物譜, 秋, 數》 五尺曰墨, 墨者, 工師之五尺也, 今木工各用五尺以成宮室.

묶음 [수효] 한데 모아서 묶어 놓은 덩이를 세는 데 쓰는 말. 고(股). 괄(括). 괘(掛).

문(文) ① [통화] 조선 시대의 화폐 단위. 1문은 냥(兩)의 100분의 1이며, 돈〔錢〕의 10분의 1, 또는 1푼〔分〕에 해당되었다. 중국(中國)에서는 당(唐)나라 고종(高宗 : 628~683)이 발행한 최초의 개원통보(開元通寶)는 원형(圓形)의 화폐로 가운데 네모꼴의 구멍이 뚫려 있는데, 1닢을 1문(文)이라 하였다. 이것이 동시에 화폐의 단위가 되었다. 곧, 개원통보의 무게가 1전(錢)이었으므로, 1문은 1전을 의미하는 화폐 단위가 되었다. 우리나라에서도 조선 세종 5년(1423)에 동(銅) 1근(斤)으로 160문을 구조케 하였는데, 이것이 조선통보(朝鮮通寶)이다. 《朝鮮太宗實錄 11, 6年3月丁酉》 大明律文, 老幼廢疾者, 許收贖其銅錢一千文爲一貫, 准寶鈔一貫. 《大典會通 2, 戶典, 國幣》 國幣用銅錢(百文爲兩, 十兩爲貫). 《迂書 6, 論編審舊官新增事例》 或曰, 如背負魚塩・陶器之類, 亦當領引乎. 答曰, 渠安得稱爲商賈, 只依買賣戶例, 領帖可矣, 中國則引錢不滿萬文者, 不許行商, 今亦以此爲準, 引錢萬文以上然後, 許領幾等商引, 可矣. 《吏文輯覽 3, 48》 壹千貳百文, 錢面有文, 故錢一箇爲一文. 《梅泉野錄 1上, 甲午以前, 戊寅》 方言錢十文曰一錢. ② [길이] 신발의 크기를 나타내는 데 쓰는 말. 본래 일본(日本)에서 들어온 단위로, 1문은 곡척(曲尺)으로 0.8치〔寸〕이다. ③ [수효] ❶'문(紋)'의 뜻으로, 무늬의 수를 세는 데 쓰는 말. 9문(文)은 천자(天子)의 예복(禮服)에 수놓은 산(山)・용(龍)・화(華)・충(蟲)・조(藻)・화(火)・분미(粉米)・보(黼)・불(黻)의 아홉 가지 무늬를 이른다. 문(紋). 《左傳, 昭公25年》 爲九文・六采・五章以奉五色. (杜預注) 九文謂山・龍・華・蟲・藻・火・粉米・黼・黻也. 《晉書, 慕容儁載記》 祭饗朝慶, 宜正服袞衣九文, 冠冕九旒. ❷(wěn) 중국(中國)의 단위. '오리'의 뜻으로, 실이나 줄의 수를 세는 데 쓰는 말. 1문은 200오리에 해당된다. 《後漢書, 輿服志 下》 凡先合單紡爲一系, 四系爲一扶, 五扶爲一首, 五首爲一文.

문(匁) [수효] 일본(日本)의 단위. 투구의 수를 세는 데 쓰는 말.

문(門) [수효] ❶곳집의 간 수를 세는 데 쓰는 말. 예전에 곳집은 겉에서 보기에는 비록 한 채이지만,

안에는 몇 개씩 사이를 막아서 각각 작은 곳집을 만들고, 그 밖에는 반드시 문을 한 개씩 달았다. 균(囷). 호전(戶前).《萬機要覽, 財用編 6, 諸倉, 宣惠廳各倉庫》仁祖甲子, 又置江原廳營建內廳, 庫八十四門(京畿八門, 江原八門……凡倉庫之大者, 外雖一宇, 內多間架, 故內限幾間爲各庫, 則外必有各門, 今此幾門之門字, 卽一門各爲一庫之謂也).《萬機要覽, 財用編 6, 諸倉, 御營廳各倉庫》新營庫, 孝宗辛卯建置(在梨峴), 軍色庫十二門(一門, 金·銀所在. 六門, 錢·木·布所在. 一門, 錢物所在. 二門, 文書及鋪陳所在. 二門, 無所在), 餉色庫三門(一門, 米所在. 一門, 錢所在. 一門, 無所在), 騎士及別破陣庫四門(二門, 錢·木·布所在. 二門, 軍物所在), 冶所庫五門(一門, 米所在. 一門, 軍物所在. 二門, 鐵物所在. 一門, 無所在), 軍器庫三十一門(十六門, 軍器所在. 十五門, 軍物所在), 策應庫八門(一門, 米·太所在. 七門, 雜物所在). ❷총포(銃砲)의 수를 세는 데 쓰는 말. 문(門). 병(柄).《朝鮮顯宗實錄 10, 6年5月癸巳》令統制使鄭傅賢, 造佛狼機四五號幷五十位, 正鐵子砲二百門, 箴鐵一百箇, 足鐵每位一箇, 輸送于江華.《朝鮮宣祖實錄 101, 31年6月丙辰》經理令杜正甫拿來, 則開單以進鳥銃十六門, 長劍四把, 大刀十一口, 中刀八口.《萬機要覽, 軍政編 3, 禁衛營, 軍器》車銃三十柄, 正鐵一窩蜂銃四十五門, 鍮鐵一窩蜂銃四十五門.《朝鮮高宗實錄 13, 13年2月初4日》回旋砲一門, 彈藥二千發, 前車一輛, 六連發短銃一挺. ❸(mén) 중국(中國)의 단위. ㉮'문(門)'의 뜻으로, 집안이나 가문의 수를 세는 데 쓰는 말.《王安石, 胡笳十八拍》一門骨肉散百草, 安得無淚如黃河.《趙盼兒風月求風塵, 1折》一來去望媽兒, 二來就題這門親事, 多少是好. ㉯'가지'·'종목'의 뜻으로, 학문이나 기술 따위의 항목을 세는 데 쓰는 말. 〈예〉兩～功課. 這一～技術我不會. ㉰'채'·'호(戶)'의 뜻으로, 집의 수를 세는 데 쓰는 말.《韓維, 和景仁元夕詩》簫鼓千門沸, 弓刀萬馬騰.《班固, 西都賦》張千門而立萬戶, 順陰陽以開闔.《杜甫, 哀江頭詩》江頭宮殿鎖千門, 細柳新蒲爲誰綠.《資治通鑑, 唐文宗開城元年》流血千門, 僵尸萬計. (胡三省注) 漢武帝起建章宮, 度爲千門萬戶, 後世遂謂宮門爲千門.《吳偉業, 海市詩》千門聽擊馮夷鼓, 六博看投玉女壺.

문(紋) [수효] 자리나 방석 따위에 수를 놓은 무늬의 수를 세는 데 쓰는 말. 문(文).《正宗大王嬪殿魂殿都監儀軌, 卜, 實入》彩花席五張二紋, 黃花席三十三張四紋, 別紋席六十七張七紋.《仁祖國葬都監儀軌, 下, 3 房》交倚踏掌別紋席三紋……白紋席七百二十八張, 別紋席三十三張七紋.《度支準折, 席子》龍紋席一張(十紋), 長九尺六寸, 黃四尺一寸半. 鳳紋席一張(十紋), 長九尺六寸, 廣四尺一寸半. 彩花席一張(十紋), 長六尺五寸, 廣二尺五寸. 別紋上席一張(八紋), 張三尺八寸, 廣一尺八寸. 別文席一張(八紋), 長三尺七寸, 廣一尺八寸.

문목(文目) [질량] 무게의 단위. 지금의 냥〔兩〕에 해당되지 않나 생각된다. 《朝鮮成宗實錄 162, 15年正月甲辰》對馬州太守宗貞國, 特遣職宣, 來獻土宜, 其書啓曰……遣金四十五挺, 每挺四十二文目, 此內圓金二挺, 銅十二駄伏. 《朝鮮成宗實錄 263, 23年3月辛巳》以是今特贈以黃金三十九斤六十文目, 數大小二百三十一挺, 朱紅百裹遣之者.

문척(文尺) [길이] 일본의 단위. 1문척은 곡척(曲尺)으로 8치〔寸〕에 해당된다. 주로 버선 따위의 길이를 재는 데 사용하였다. 문척이라는 말은 1치가 1문전(文錢)의 지름과 같다는 데에서 연유하였다.

물 [수효] ❶옷을 한 번 빨래할 때마다의 동안. 또는 그 수를 세는 데 쓰는 말. 〈예〉 한 ~ 빤 옷이 벌써 해졌다. ❷채소·과일·어물 따위가 사이를 두고 한목한목 무리로 나오는 차례를 세는 데 쓰는 말. 〈예〉 맏~ 수박. ❸누에를 쓸어 놓은 차례를 세는 데 쓰는 말.

물(物) [수효] '가지'·'종류'의 뜻으로, 물건을 종류별로 따로따로 구별하여 세는 데 쓰는 말. 사(事). 색(色). 열(列). 유(流). 장(椿). 종(種). 종류(種類). 《救急簡易方諺解 2, 13 a》卒嗽以百部根·生薑二物, 各絞汁, 合煎服二合(과ㄱ론 기춤에 빅부근과 싱앙과 두 가짓 거슬 제여곰 뽄 즙을 ᄒᆞᆫ디 글혀 두 홉을 머그라). 《羣書類從 1》賚持御裝束物一百三十六物.

물럼(moolum) [길이] 인도(印度)의 단위. 1물럼은 18인치(inch), 또는 45.72 cm에 해당된다.

뭇 ① [넓이] 조세(租稅)를 계산하기 위한 토지 넓이의 단위. 열 줌〔把〕이 한 뭇〔束〕이고, 열 뭇이 한 짐〔負〕이 된다. 속(束). ② [수효] ❶생선을 세는 데 쓰는 말. 1뭇은 10마리에 해당된다. 속(束). ❷장작·잎나무 따위를 한 묶음씩 작게 묶은 단을 세는 데 쓰는 말. 속(束). ❸미역 10장을 하나치로 세는 데 쓰는 말. ❹볏단의 수를 세는 데 쓰는 말.

뭉구(mungu) [통화] 몽골의 현재 보조 통화 단위. 1투크리크(tukhrik)의 100분의 1이다.

뮈(muid) [부피] ❶프랑스의 옛 단위. 고체 또는 액체에 따라 그 부피가 각각 달랐는데, 1뮈는 곡물은 288부아소(boisseau), 석탄은 90부아소이고, 목탄(木炭)은 64부아소 또는 80부아소, 석고(石膏)는 72부아소였다. 1부아소는 파리에서 13.01 l 였다. 액체의 경우, 파리에서의 1뮈는 268.232 l 에 해당된다. ❷스위스의 단위. 1뮈는 4.25미 부셀, 또는 150 l 에 해당된다.

므나(mna) ① [통화] 고대 그리스(Greece)의 단위. 1므나는 탈란톤(talanton)의 60분의 1이며, 드라크메(drachmē)의 100배(倍), 또는 436.6 g의 은(銀)에 해당된다. ② [질량] 그리스의 고유 단위. 고대에는 0.95파운드, 또는 430 g에 해당되었고, 근대 그리스에서는 구제(舊制)와 미터계(系)가 있었는데, 구제(舊制)로는 468.75드라미온(dramion), 또는 1.5 kg에 해당하며, 미터계로는 1 kg에 해당된다. 미나(mina).

므코노(mkono) [길이] 동(東)아프리카의 지방 단위. 1 므코노는 1.50 피트(feet), 또는 45.72 cm 에 해당된다.

미(米) ① [길이] '미터(meter)'의 역어(譯語).《新字典, 新字新義部》米, 메트르. metre. 法國度制, 以此爲單位, 我三尺三寸.《少年科學智識》好比有一個直徑一米的圓球. ② [수효] (mǐ) 중국(中國)의 단위. '종'·'가지'의 뜻으로, 곡식의 종류를 세는 데 쓰는 말.《周禮, 地官, 舍人》掌米粟之出入. (鄭玄注) 九穀六米別爲書. (賈公彥疏) 六米者, 九穀之中黍·稷·稻·粱·苽·大豆, 六者皆有米·麻與小豆·小麥三者無米. 故云九穀六米.

미(尾) [수효] ❶'마리'의 뜻으로, 물고기의 수를 세는 데 쓰는 말. ㉮ 준치〔眞魚〕·민어(民魚)·상어〔沙魚〕·홍어(洪魚)·연어(年魚)·대구(大口魚)·잉어〔鯉魚〕·숭어〔秀魚〕·문어(文魚)·조기〔石首魚〕·붕어〔鮒魚〕·누치〔訥魚〕·광어(廣魚) 따위의 생선의 수를 셀 때 쓰이었다. 괴(塊). 매(枚). 조(條). 지(枝). 필(匹).《朝鮮世宗實錄 45, 11年7月癸亥》差陪臣左軍同知摠制權蹈, 賫領赴京, 進獻. 一, 眞魚一千八百三十尾, 民魚五百五十尾, 沙魚九十尾, 芒魚三百八十尾, 洪魚二百尾, 蘆魚一百尾, 年魚五百尾, 大口魚一千尾, 鯉魚二百尾, 秀魚四百四十尾, 文魚二百首, 石首魚一千尾, 靑魚五百斛……黃酒五壜, 燒酒五壜.《磻溪隨錄 1, 田制 上, 雜稅》今石首魚稅, 大船, 石首魚六同, 每一千尾爲一同. 靑魚稅, 大船, 十八同, 每二千尾爲一同.《度支準折, 魚物》黃大口魚一尾, 民魚一尾, 廣魚一尾, 文魚一尾, 沙魚一尾, 鮒魚一尾, 訥魚一尾, 錦鱗魚一尾, 錢魚一尾, 道味一尾, 古冬魚一尾. ㉯물고기의 포(脯)나 건어물(乾魚物), 또는 소금에 절인 자반〔佐飯〕따위의 수를 셀 때 쓰이었다.《陶山書院傳掌記, 壬午12月6日》脯一尾.《始興縣邑誌, 事例》佐飯(四折爲一條, 八條爲一尾).《朝鮮成宗實錄 119, 11年7月庚子》鹿片脯二百箇, 乾文魚二百尾, 乾秀魚二百尾, 乾鰱魚二百尾, 乾大口魚三百尾, 乾全鰒二百束, 乾烏賊魚八百尾, 乾廣魚二百尾.《平壤志 2, 學校》長都會規……乾魚物一千一百十尾.《度支準折, 魚物》乾秀魚一尾. ❷(wěi) 중국(中國)의 단위. '마리'의 뜻으로, 가축이나 짐승의 수를 세는 데 쓰는 말.《過新息留示鄕人任師中》却下關山入蔡州, 爲買烏犍三百尾.

미(味) [수효] ❶'가지'·'종류'의 뜻으로, 한약재(漢藥材)의 가짓수를 세는 데 쓰는 말.《朝鮮太宗實錄 5, 3年6月甲子》欽此將前項藥材, 交付差來陪臣判承寧府事李遺齡等, 收領前去, 計賜藥材一十八味, 共八十二斤八兩.《韓世忠, 臨江仙》單方只一味, 盡在不言中.《儒林外史, 11回》改用一箇丸劑的方子, 加入幾味祛風的藥.《形音義綜合大字典》味, 量詞, 食物或藥物之數量單位. ❷'가지'·'종류'의 뜻으로, 음식물의 가짓수를 세는 데 쓰는 말. 조선 말기 진연(進宴)이나 진찬(進饌) 때에는 임금이나 세자에게 아

홉 번에 걸쳐서 한 상에 일곱 가지의 음식물을 올렸는데, 음식물도 매번 다른 것으로 정해서 올렸다. 도(道). 두(豆). 효(肴). 《三國遺事 2, 紀異, 文虎王法敏》公聞而走出, 携手入宮, 喚出公之妃, 與安吉共宴, 具饌至五十味. 《朝鮮太宗實錄 3, 2年6月丁巳》一品以下大夫士公私宴樂, 初盞及進俎, 歌鹿鳴, 用金剛城調. 初味及二盞, 五冠山. 二味及三盞. 歌關雎, 用紫霞洞調. 三味及四盞, 侑食, 三絃. 四味及五盞, 方等山. 五味及六盞, 七月篇, 用洛陽春調. 《進宴儀軌(高宗壬寅) 2, 饌品, 咸寧殿外進宴》大殿進御味數(每味數各七器), 初味小饅頭果一器……九味軟杏仁果一器, 龍眠荔枝一器, 生蛤煎油花一器, 腑化炒一器, 床花七箇. ❸'가지'·'종류'의 뜻으로, 맛의 가짓수를 세는 데 쓰는 말. 《孫子兵法, 勢篇》味不過五, 五味之變, 不可勝嘗也. 《禮語, 禮運》五味, 六和, 十二食, 還相爲質也. (鄭玄注) 五味, 酸·苦·辛·鹹·甘也. 《淮南子, 原道訓》無聲而五音鳴焉, 無味而五味形焉, 無色而五色成焉. ❹(wèi) 중국(中國)의 단위. '채'의 뜻으로, 상점(商店)의 수를 세는 데 쓰는 말. 《花月痕, 1回》諸君閑暇無事, 何不往柳巷口一味涼茶肆, 聽小子說.

미(眉) [수효] '명(名)'·'인(人)'의 뜻으로, 미녀(美女)의 수를 세는 데 쓰는 말. 《蘇軾, 蘇州閭丘江君二家雨中飮酒詩 2》五紀歸來鬢未霜, 十眉環列坐生光. (自注) 容滿. 嬋態等十妓從遊也. 《張孝祥, 浣溪沙, 劉恭父席上詞》萬旅雲屯看整暇, 十眉環坐却娉婷.

미(微) 1 [통화] 화폐 단위의 하나. 1미는 홀(忽)의 10분의 1에 해당된다. 《度支準折, 木物》椵木一條, 一尺(該一千八十寸), 折價一兩一戔四分二里八戶. 方一寸, 折價一里五糸八忽一微. 楸木一条, 一尺(該一千八十寸), 折價一兩一戔四分二里八戶, 方一寸, 折價一里五糸八忽一微. 2 [질량] 척관법(尺貫法)에서의 무게의 단위. 1미는 냥의 100만분의 1, 또는 홀의 10분의 1에 해당된다. 《萬機要覽, 財用編 4, 錢貨, 鑄錢式》新錢一分, 黑骨所入, 生銅九分七里四戶六糸六忽六微, 含錫一分八里二戶六糸六忽六微, 常鑞一分八里二戶六糸六忽六微, 合重一錢三分三里九戶九糸九忽八微. 《宛署雜記, 繇賦》正賦中通共起存銀參千陸佰陸拾捌兩柒錢五分貳釐陸毫伍絲肆微捌纖陸沙陸塵陸埃臺渺貳漠伍糢. 3 [수] 작은 수의 하나. 1미는 홀의 10분의 1, 또는 섬(纖)의 10배에 해당된다. 《察微算經, 少數》忽, 十微. 微, 十纖. 4 [시간] 시간의 단위. 1미는 초(秒)의 60분의 1에 해당된다. 《漢淸文鑑 1, 時令》秒, 六十微爲一秒. 5 [각도] 각도(角度)의 단위. 1미는 초(秒)의 60분의 1에 해당된다. 《疇人傳, 諸可寶纂錄》首朔太陰交周四宮六度四十六分四十四秒九微. 《淸史稿, 疇人傳》其法, 度法百分, 日法百刻, 周天三百六十五度二十五分六十五秒五十九微三十二纖. 6 [길이] ❶척관법(尺貫法)에서의 길이의 단위. 1미는 치〔寸〕의 100만분의 1, 또는 홀(忽)의 10분의 1

에 해당된다. 《算法統宗, 零數》 寸·分·釐·毫·絲·忽·微·纖·沙·塵·埃. ❷(wēi) 중국의 단위. '미크론(micron)'의 역어(譯語).

미거리(微居里 : wēijūlǐ) [방사능(放射能)] 중국(中國)의 단위. '마이크로퀴리(microcurie)'의 역어(譯語).

미구모(微歐姆 : wēiōumū) [전기저항] 중국(中國)의 단위. '마이크로옴(microhm)'의 역어(譯語).

미극(微克 : wēikē) [질량] 중국(中國)의 단위. '마이크로그램(microgram)'의 역어(譯語).

미나(mina) [통화] 고대 그리스의 단위. '므나(mna)' ②의 딴 이름.

미님(minim) [부피] 야드(yard)·파운드법(pound 法)의 한 단위. 1 미님은 드라크마(drachma)의 60 분의 1에 해당된다. 영국(英國)의 1미님은 0.05919 ml 이고, 미국(美國)의 1미님은 0.06161 ml 이다. 기호 : min, m

미노(minot) [부피] ❶프랑스의 단위. 1미노는 민(mine)의 2분의 1이며, 스디에(setier)의 4분의 1, 또는 13.0l 에 해당된다. 주로 고체(固體)에 사용하는데, 석탄은 1부아소(boisseau), 보리는 3부아소, 목탄은 2부아소에 해당된다. 부아소는 지방에 따라 다소 차이가 있는데, 파리에서의 1 부아소는 13.01l 였다. ❷캐나다(Canada)의 단위. 1미노는 1.11 미(美) 부셸(bushel), 1.07 영(英) 부셸, 또는 39.0l 에 해당된다.

미돌(米突) [길이] '미터(meter)'의 음역(音譯). 척관법(尺貫法)으로는 3자〔尺〕 3치〔寸〕에 해당된다. 《增補文獻備考 91, 樂考, 度量衡》 十大始米突爲米突, 準我三尺三寸, 十米突爲大可米突, 準我三十三尺.

미라(míra) [넓이] 체코슬로바키아(Czechoslovakia)의 단위. 1미라는 고제(古制)로는 533⅓ 사흐(sáh)이며, 코레츠(korec)의 3분의 2, 또는 19.18 아르〔a〕에 해당되고, 신제(新制)로는 0.71 에이커(acre), 또는 28.78 아르〔a〕에 해당된다. 메르지체(měřice).

미리구람(美利久覽) [질량] '밀리그램(milligram)'의 음역(音譯). 척관법(尺貫法)으로는 2사(絲) 7홀(忽)에 해당된다. 《增補文獻備考 91, 樂考, 度量衡》 衡之制, 十毫爲釐, 十釐爲分, 十分爲錢, 十錢爲兩, 十六兩爲斤. 泰西衡法, 則一美利久覽, 當我二絲七忽. 十美利久覽爲先知久覽, 當我二毫六絲七忽. 十先知久覽爲大始久覽, 當我二釐六毫六絲七忽.

미리모(米利姆 : mǐlìmǔ) [통화] 중국의 단위. '밀리엠(milliem)'의 음역(音譯).

미리미돌(美利米突) [길이] '밀리미터(millimeter)'의 음역(音譯). 척관법(尺貫法)으로는 3리(釐) 3호(毫)에 해당된다. 《增補文獻備考 91, 樂考, 度量衡》 一美利米突, 準我三釐三毫.

미리어(myria-) [접두어] 미터법의 단위 앞에 붙어서 그 단위의 1만 배를 나타내는 것으로, 사용하는 일은 거의 없다.

미미(微米 : wēimǐ) [길이] 중국의 단위. '미크론(micron)'의 역어(譯

語).

미법랍(微法拉 : wēifǎlā) [정전용량] 중국(中國)의 단위. '마이크로 패럿(microfarad)'의 역어(譯語).

미샤라(mishara) [넓이] 이라크(Iraq)의 단위. 1 미샤라는 0.618 에이커(acre), 또는 25 아르〔a〕에 해당된다.

미스라(misra) [부피] 발레아레스 제도(Baleares 諸島) 및 스페인의 단위. 1 미스라는 4.29 미(美) 갤런(gallon), 3.57 영(英) 갤런, 또는 16.22l 에 해당된다.

미스카르(misqār) [통화] 고대 오리엔트(Orient)의 금화. 시대에 따라 다소 차이는 있지만, 1 미스카르는 약 71～72 그레인(grain), 또는 4.601～4.666 g의 금의 무게와 같다.

미스칼(misqāl) [질량] ❶고대(古代) 이란(Iran)의 단위. 1 미스칼은 나코드(nakhod)의 24 배(倍)이며, 71 그레인(grain), 또는 4.60 g 에 해당되고, 현대에는 71.6 그레인, 또는 4.64 g 에 해당된다. ❷터키의 단위. 1 미스칼은 74.2 그레인, 또는 4.81 g 에 해당된다. ❸이집트(Egypt)의 단위. 1 미스칼은 4.68 g 에 해당된다.

미스트론(mustron) [부피] 근대 그리스(Greece)의 미터계(系) 단위. 1 미스트론은 0.01l, 또는 10 cm^3 에 해당된다.

미원(美圓 : měiyuán) [통화] 중국(中國)의 단위. '달러(dollar)'의 역어(譯語).

미촉광(米燭光 : mǐzhúguāng) [조도(照度)] 중국(中國)의 단위. '럭스(lux)'의 역어(譯語).

미크론(micron) [길이] 음향이나 전기의 파장(波長), 분자와 분자 사이의 거리, 미생물의 크기 같은 것을 재는 단위. 미터법으로 1 mm 의 1천만분의 1 에 해당된다. 미미(微米). 기호 : μ

미터(meter) [길이] 미터법에 의한 길이의 기본 단위. 국제 미터 원기의 두 표선(標線) 사이의 길이로서, 원래는 지구 자오선의 4천만분의 1 로 정하였다. 1 미터는 3.28084 피트(feet), 또는 3.30000 자〔尺〕에 해당된다. 미(米). 미돌(米突). 기호 : m

미터 시간(一時間) (meter hour) [시간] 10 진법으로 나타낸 시간의 단위. 1 미터 시간은 하루의 10 분의 1, 곧 2 시간 40 분에 해당된다.

미터 캔들(meter candle) [조도(照度)] '럭스(lux)'와 같다. 기호 : m.c.

1 m.c. = 1 럭스(lux)
= 1 루멘/m^2
= 10^{-4} 피트(feet)
= 9.29×10^{-2} 피트 캔들

미터 톤(meter ton) [질량] 미터법에 있어서의 대중량(大重量)의 단위. 1 미터 톤은 1,000 kg 에 해당된다. 메트릭 톤(metric ton) 또는 불(佛) 톤이라고도 한다. 기호 : M/T, mt

민(緡) [수효] '꿰'의 뜻으로, 엽전 열 꾸러미, 곧 열 냥을 꿴 돈꿰미의 수를 세는 데 쓰는 말. 관(貫). 천(串). 《朝鮮英祖實錄 30, 7年9月庚辰》 上命許錢一萬緡, 木二百同, 稅米・太各一萬斛, 以補賑資. 《與猶堂全書, 雅言覺非》 吾東百錢一

串，謂之十兩，乃以一兩借名一貫，亦名緡.《廣才物譜 1，民業，珍寶》貫，十兩，호 쾌，緡.

민(mine) [부피] 프랑스(France)의 옛 단위. 1 민은 0.92 미(美) 부셀(bushel), 0.89 영(英) 부셀, 또는 0.32 hl 에 해당된다.

민겔렌(mingelen) [부피] 암스테르담(Amsterdam) 지방의 옛 단위. 1 민겔렌은 대략 1.28 미(美) 액량(液量) 쿼트(quart), 1.07 영(英) 쿼트, 또는 1.2l 에 해당된다.

밀(mil) ① [군사] 사격 기점(射擊記點)의 단위. 포병(砲兵)의 밀은 원주(圓周)의 6,400 분의 1 로, 호(弧)에 대한 각도(角度)이지만, 보병(步兵)의 밀은 원주의 1,000 분의 1 의 호(弧)에 대응(對應)한 각도이다. ② [각도] 1 밀은 라디안(radian)의 1,000 분의 1 에 해당된다. ③ [부피] '밀리리터(milliliter)'의 준말. 기호 : ml ④ [길이] ❶노르웨이(Norway)의 단위. 1 밀은 예전에는 11.3 km, 지금은 10 km에 해당된다. 기호 : mi ❷미국(美國)의 단위. 1 밀은 1 인치의 1,000 분의 1 에 해당된다. 전선의 직경, 절단면 및 전기 절연 재료의 두께를 측정하는 데 쓴다. 밀이(密耳). 기호 : mil

1 mil=1/1,000 인치(inch)
=25.40005 미크론(micron)
=0.02540005 mm

❸덴마크(Denmark)의 단위. 1 밀은 파븐(favn)의 4,000 배(倍)이며, 4.68 마일, 또는 7.53 km에 해당된다. ❹스웨덴의 단위. 1 밀은 예전에는 6.64 마일, 또는 10.69 km 이었고, 지금은 10 km 에 해당된다.

밀(mijl) [길이] 네덜란드(Netherlands)의 단위. 1 밀은 0.62 마일(mile), 또는 1 km 에 해당된다.

밀(mill) [통화] 미국(美國)의 통화 단위. 1 밀은 센트(cent)의 10 분의 1, 또는 달러의 1,000 분의 1 에 해당된다. 화폐는 없다. 라틴어의 밀레(mille)에서 온 말이다.

밀라(mila) [길이] 폴란드(Poland)의 단위. 1 밀라는 5.30 마일, 또는 8.53 km 에 해당된다.

밀라(milla) [길이] 스페인(Spain) 및 중남미 제국(中南美諸國)의 단위. ❶온두라스(Honduras)의 단위. 1 밀라는 1.149 마일(mile), 또는 1.85 km 에 해당된다. ❷니카라과(Nicaragua)의 단위. 1 밀라는 1.159 마일, 또는 1.866 km 에 해당된다. ❸베네수엘라의 단위. 1 밀라는 1.154 마일, 또는 1.858 km 에 해당된다. ❹스페인의 옛 단위. 1 밀라는 0.866 마일, 또는 1.393 km 에 해당된다.

밀라(milha) [길이] ❶브라질의 단위. 1 밀라는 1.21 마일, 또는 1,955 m 에 해당된다. ❷포르투갈(Portugal)의 단위. 1 밀라는 1.28 마일, 또는 2,066 m 에 해당된다.

밀라 아 란디(mila a landi) [길이] 아이슬란드(Iceland)의 단위. 1 밀라 아 란디는 피트의 24,000 배이며, 6.48 마일, 또는 7.53 km 에 해당된다.

밀레(mille) [길이] 고대 아라비아(Arabia)의 단위. 1 밀레는 아라비아 피트(Arabian feet)의 6,000 배

(倍)이며, 1.19 마일(mile), 또는 1.92 km에 해당된다.

밀레니엄(millennium) [시간] 영국(英國)과 미국(美國)에서 사용하는 단위. 1 밀레니엄은 1,000 년에 해당된다.

밀레롤(millerole) [부피] 튀니지의 단위. 1 밀레롤은 16.9 미(美) 갤런(gallon), 14.1 영(英) 갤런, 또는 64l에 해당된다.

밀레시모(milesimo) [통화] 칠레의 옛 보조 화폐 단위. 1 밀레시모는 에스쿠도(escudo)의 1,000 분의 1, 또는 센테시모(centesimo)의 10 분의 1에 해당된다.

밀레이스(milreis) [통화] 포르투갈(Portugal)·브라질(Brazil)의 옛 통화 단위. 1 밀레이스는 1,000 레이스(reis)에 해당된다. 포르투갈에서는 1911년 에스쿠도(escudo)로 바뀌었고, 브라질에서는 1942년에 크루제이로(cruzeiro)로 바뀌었다.

밀레 파수움(mille passuum) [길이] 고대 로마의 거리 단위. 1 밀레 파수움은 파수스(passus)의 1,000 배(倍)이며, 4,853.75 피트(feet), 또는 1,479.42 m에 해당된다. 기호 : M.P.

밀리(milli-) [접두어] 미터·그램(gram)·리터(liter) 등의 단위에 붙어 그 1,000 분의 1을 나타내는 말. 기호 : m

밀리갈(milligal) [가속도] 미터법에 의한 가속도(加速度)의 크기의 단위. 1 밀리갈은 1 갈의 1,000 분의 1, 또는 미터 매초 매초〔m/s^2〕의 10 만분의 1에 해당된다. 기호 : mGal, mgal

$$1\ \text{milligal} = 0.00001\ m/s^2 = 0.001\ cm/s^2$$

밀리그램(milligram) [질량] 미터법에 의한 무게의 단위. 1 밀리그램은 1 g의 1,000 분의 1, 또는 0.0002667 돈쭝에 해당된다. 미리구람(美利久覽). 호극(毫克). 기호 : mg

밀리그램 당량(— 當量) [화학(化學)] 그램 당량의 1,000 분의 1에 해당된다.

밀리그램 퍼센트(milligram percent) [농도] 100 g 중에 어떤 성분이 몇 mg 함유되어 있는가를 나타낸다. 기호 : mg%

밀리람베르트(millilambert) [휘도(輝度)] 람베르트(lambert)의 1천분의 1에 해당된다. 기호 : mL

1 mL $=10^{-3}$ 람베르트
$=10$ 아포스틸브(apostilb)
$=0.929$ 피트 람베르트 (feet lambert)
$=1/\pi\times10^{-3}$ 스틸브(stilb)
$=1/\pi\times10$ 니트(nit)
$=1/\pi\times0.2957$ 칸델라 매 제곱 피트

밀리래드(millirad) [흡수선량(吸收線量)] 1 밀리래드는 래드의 1천분의 1에 해당된다. 기호 : mrad

밀리래드 매분(— 每分) [흡수선량률(吸收線量率)] 1 분〔min〕에 대한 1 밀리래드의 흡수선량이다. 래드 매초〔rad/s〕의 6만분의 1, 또는 래드 매분〔rad/min〕의 10^{-3} 배(倍)에 해당된다. 기호 : mrad/min

밀리래드 매시(— 每時) [흡수선량률(吸收線量率)] 1 시간〔h〕에 대한

1 밀리래드〔mrad〕의 흡수선량이다. 래드 매시〔rad/h〕의 10^{-3} 배에 해당된다. 기호 : mrad/h

밀리래드 매초(— 每秒) [흡수선량률(吸收線量率)] 1 초〔s〕에 대한 1 밀리래드의 흡수선량이다. 래드 매초〔rad/s〕의 10^{-3} 배(倍)에 해당된다. 기호 : mrad/s

밀리렘(millirem) [생체 실효선량(生體實效線量)] 렘(rem)의 1,000 분의 1 에 해당된다. 기호 : mrem

밀리렘 매분(— 每分) [생체 실효선량률(生體實效線量率)] 1 분〔min〕에 대한 1 밀리렘〔mrem〕의 생체 실효선량률이다. 기호 : mrem/min

밀리뢴트겐(milliroentgen) [조사선량률(照射線量率)] 엑스선(X 線), 또는 감마선(γ 線)의 조사선량이다. 뢴트겐의 1,000 분의 1 에 해당된다. 기호 : mR

밀리뢴트겐 매분(— 每分) [조사선량률(照射線量率)] 뢴트겐 매분〔R/min〕의 10^{-3} 배(倍)에 해당된다. 기호 : mR/min

밀리뢴트겐 매시(— 每時) [조사선량률(照射線量率)] 1 뢴트겐 매초〔R/s〕의 360만분의 1, 또는 뢴트겐 매시〔R/h〕의 10^{-3} 배(倍)에 해당된다. 기호 : mR/h

밀리뢴트겐 매초(— 每秒) [조사선량률(照射線量率)] 1 뢴트겐 매초〔R/s〕의 10^{-3} 배(倍)에 해당된다. 기호 : mR/s

밀리리터(milliliter) [부피] 액체·기체·입상물(粒狀物)·분상물(粉狀物)의 양을 헤아리는 데 쓰는 말. 1 밀리리터는 리터의 1,000 분의 1 에 해당된다. 기호 : ml

$1\,\mathrm{m}l = 0.001\,l$
$= 0.001000028\,\mathrm{dm}^3$

밀리몰(millimol) [농도(濃度)] 농도의 단위. 1 밀리몰은 몰의 1,000 분의 1 에 해당된다.

밀리미크론(millimicron) [길이] 길이의 단위. 1 밀리미크론은 미크론의 1,000 분의 1 에 해당된다. 호미미(毫微米). 기호 : mμ

$1\,\mathrm{m}\mu = 0.001\,\mu$
$= 0.000000001\,\mathrm{m}$

밀리미터(millimeter) [길이] 길이의 단위. 1 밀리미터는 미터의 1,000 분의 1 에 해당된다. 미리미돌(美利米突). 기호 : mm

밀리바(millibar) [압력] 기압(氣壓)의 단위. 바(bar)의 보조 단위로 쓰인다. 10^6 다인/cm^2 을 1 바로 하고, 이의 1,000 분의 1 을 밀리바로 한다. 호파(毫巴). 기호 : mbar, mb

밀리반(millibarn) [넓이] 넓이의 단위. 1 밀리반은 반(barn)의 1 천분의 1 에 해당된다. 기호 : mbarn

밀리볼트(millivolt) [전압] 전압의 단위. 1 밀리볼트는 볼트의 1,000 분의 1 에 해당된다. 호복특(毫伏特).

밀리아드(milliard) [수] 10억(億)을 나타내는 영어(英語) 표기. 프랑스어(France 語)로는 밀리아르(Milliard), 독일어(獨逸語)로는 밀리아르데(Milliarde), 러시아어(Russia 語)로는 밀리아르드(milliard)라고 한다.

밀리아리움(milliarium) [길이] 고대 로마(Roma)의 단위. 1 밀리아리움은 페데(pede)의 500 배(倍)이며, 0.92 마일(mile), 또는 1.48 m 에 해당된다.

밀리어(millier) [질량] 미터법의 한 단위. 1 밀리어는 10^6g 이며, 10^3 kg, 또는 1 미터 톤(meter ton)에 해당된다.

밀리언(million) [수] 100만에 해당하는 구미(歐美)의 단위.

밀리엠(milliem) [통화] ❶리비아(Libya)·수단(Sudan)·이집트의 현재 보조 화폐 단위. 1 밀리엠은 파운드(pound)의 1,000 분의 1, 피아스트르(piastre)의 10 분의 1 에 해당된다. ❷튀니지(Tunisie)의 현재 보조 화폐 단위. 1 밀리엠은 디나르(dinar)의 1,000 분의 1 에 해당된다. 미리모(米利姆).

밀리오(miglio) [길이] 이탈리아(Italia)의 단위. 1 밀리오는 브라치아(braccia)의 3,000 배(倍)에 해당된다. 예전에는 1 밀리오가 1.38 마일(mile), 또는 2.226 km 였고, 로마(Roma)에서는 0.925 마일, 또는 1.489 km 에 해당되었다. 현재의 미터법으로는 1 km 에 해당된다.

밀리와트(milliwatt) [공률(工率)] 전력(電力)의 단위. 1 밀리와트는 와트의 1,000 분의 1 에 해당된다. 기호 : mW

밀리퀴리(millicurie) [방사능] 1 밀리퀴리는 퀴리의 1,000 분의 1 에 해당된다. 기호 : mCi

밀바키미(milbachimi) [길이] 이집트(Egypt)의 단위. 1 밀바키미는 0.58 km 에 해당된다.

밀이(密耳(爾) : mìěr) [길이] 중국(中國)의 단위. '밀(mil)'의 음역(音譯).

밀이뢰(密而雷 : mì'érléi) [통화] 중국의 단위. '밀레이스(milreis)'의 음역(音譯).

바(bar) [압력·기상] 압력 세기의 절대 단위. 1 m^2 에 대하여 100만 다인(dyne)의 힘이 작용할 때의 압력, 곧 1 m^2 에 대하여 100,000 뉴턴〔N〕의 힘이 작용할 때의 압력을 말한다. 기상학에서는 이것의 1,000 분의 1, 곧 1 밀리바를 대기(大氣)의 압력 단위로 사용한다. 노르웨이의 기상학자 비에르크네스(Bjerknes, Vilhelm ; 1862~1951)에 의하여 제창되었다. 파(巴). 핍(乏). 기호 : bar, b

$$
\begin{aligned}
1\ \text{bar} &= 10^5\ \text{N/m}^2 \\
&= 10^3\ \text{mbar} \\
&= 10\ \mu\text{bar} \\
&= 10^6\ \text{dyn/cm}^2 \\
&= 750.05\ \text{mmHg} \\
&= 0.98693\ \text{기압(氣壓)}
\end{aligned}
$$

바(var) [무효 전력(無效電力)] 1 바는 회로(回路)에 1 볼트(volt)의 정현파(正弦波) 교류 전압(交流電壓)을 가할 때 그 교류 전류와 위상(位相)이 90° 다른 1 암페어의 정현파 교류가 흐를 때의 무효 전력을 말한다. 파(巴). 핍(乏). 기호 : var

바가지 [부피] 바가지에 물체를 푸거나 담아 그 양을 헤아리는 데 쓰는 말. 표(瓢).

바곤(vagon) [질량] 유고슬라비아(Yugoslavia)의 고유 단위. 1 바곤은 롱 톤(long ton)의 9.842 배, 또는 메트릭 톤(metric ton)의 9.999 배에 해당된다.

바구니 [부피] 바구니에 물건을 담아 그 양을 헤아리는 데 쓰는 말. 농(籠). 누(簍).

바니(bani) [통화] 루마니아의 현재 보조 화폐 단위. 1 바니는 레우(leu)의 100 분의 1 에 해당된다. 파니(巴尼).

바드라(vadra) [부피] 루마니아(Rumania)의 지방 단위. 몰다비아(Moldavia) 지방에서의 1 바드라는 4.16 미(美) 갤런(gallon), 또는 15.2l 이고, 왈라키아(Walachia) 지방에서는 3.40 미(美) 갤런, 또는 12.88l 에 해당된다.

바라(bhara) [질량] 말레이 반도(Malay 半島)의 단위. 1 바라는 카티(kati)의 300 배(倍)이며, 400 파운드(pound), 또는 181.44 kg 에 해당된다.

바라(vara) ① [길이] 중남미(中南美)에서 사용하는 단위. 각 나라에서 사용하는 1 바라에 대한 환산표는 다음과 같다.

나　라	길　이
콜롬비아	0.80 m
온두라스	0.8128 m
멕시코	0.833 m
과테말라	0.8336 m
스페인	0.8359 m
칠레	0.8359 m
페루	0.8359 m
니카라과	0.8397 m
쿠바	0.840 m
우루과이	0.859 m
아르헨티나	0.866 m
파라과이	0.866 m
브라질	1.10 m
포르투갈	1.10 m

② [넓이] 포르투갈의 단위. 1 바라가 법제(法制)로는 약 1,875.76 제곱 인치〔in^2〕, 또는 1.21 m^2 이고, 관용(貫用)으로는 약 1,858.47 제곱 인치, 또는 1.199 m^2 에 해당된다.

바람 [길이] 실이나 새끼 같은 것의 길이를 헤아리는 데 쓰는 말. 1 바람은 한 발쯤 되는 길이이다.

바렐라(varela) [부피] 근대 그리스(Greece)의 단위. 주로 포도주의 양을 헤아리는 데 쓴다. 1 바렐라는 오카(oka)의 48 배(倍)이며, 19.6 미(美) 갤런(gallon), 또는 74.2l 에 해당된다. 이 말은 이탈리아어(語)의 바릴레(barile), 즉 통(桶)이라는 말에서 유래되었다.

바르셀라(barcella) [부피] 스페인(Spain)·발레아레스 제도(Baleares 諸島)의 단위. 1 바르셀라는 콰르테라(quartera)의 6 분의 1 이며, 0.34 미 부셸(bushel), 0.33 영(英) 부셸, 또는 12l 에 해당된다.

바리 [수효] 소나 말의 등에 실은 짐의 수(數)를 세는 데 쓰는 말. 태(馱).

바리(barye) [압력] 압력의 단위. 1 cm^2 의 넓이에 1 다인(dyne)의 힘이 가해지는 경우를 말한다. 기호 : barye

바리드(barid) [길이] 고대 아라비아의 단위. 1 바리드는 처음에는

14.32 마일, 또는 23.04 km 였는데, 그 후 12.0 마일, 또는 19.3 km 로 바뀌었다.

바릴(baril) [부피] 멕시코·아르헨티나(Argentina)의 고유 단위. 1 바릴은 20.08 미(美) 갤런(gallon)이며, 16.72 영(英) 갤런, 또는 76*l* 에 해당된다.

바릴레(barile) [부피] ❶그리스(Greece)의 단위. 주로 주류(酒類)의 양을 헤아리는 데 쓴다. 1 바릴레는 19.6 미(美) 갤런이며, 16.3 영(英) 갤런, 또는 약 74.2*l*에 해당된다. ❷이탈리아(Italia)의 단위. 주로 주류(酒類)의 양을 헤아리는 데 쓴다. 1 바릴레는 15.41 미(美) 갤런이며, 12.83 영(英) 갤런, 또는 약 58.34*l* 에 해당된다. ❸리비아(Libya)의 단위. 주로 주류(酒類)의 양을 헤아리는 데 쓴다. 1 바릴레는 17.01 미(美) 갤런이며, 14.16 영(英) 갤런, 또는 약 64.4*l* 에 해당된다.

바이에(byee) [부피] 미얀마(Myanmar)의 양곤(Yangon) 지방의 고유 단위. 1 바이에는 0.53 미(美) 액량(液量) 쿼트이며, 0.444 영(英) 액량 쿼트, 또는 0.505*l* 에 해당된다.

바이자(baiza) [통화] 오만(Oman)의 보조 통화 단위. 1 바이자는 리알 오마니(rial omani)의 1,000 분의 1에 해당된다.

바이트(byte) [컴퓨터·정보량] 컴퓨터의 정보량(情報量)의 단위. 1 바이트는 8 비트(bit)이다. 알파벳·숫자 따위의 문자(文字) 하나가 1 바이트로 나타난다.

바지(barge) [질량] 영국(英國)의 고유 단위. 주로 석탄류(類)에 사용한다. 1 바지는 21.2 롱 톤(long ton), 또는 21.54 톤(ton)에 해당된다. 킬(keel).

바첼리(vatseli) ①[넓이] 근대 그리스(Greece)의 단위. 주로 과수원(果樹園)의 넓이를 헤아리는 데 쓴다. 1 바첼리는 약 1,214 m^2 에 해당된다. ②[부피] 근대 그리스의 단위. 주로 곡물(穀物)이나 말린 과일의 양을 헤아리는 데 쓴다. 지역에 따라 그 양이 크게 다른데, 대략 1 바첼리는 30～50*l* 에 해당된다.

바켈(bachel, bacile) [부피] 그리스(Greece)의 고유 단위. 1 바켈은 30～50*l* 에 해당된다.

바퀴 [수효] 원을 그리며 빙 돌아서 본디 위치까지 이르는 한 번의 차례, 또는 그 횟수를 세는 데 쓰는 말. 권(圈).

바탕 [수효] ❶무슨 일을 한 차례 끝내는 동안의 수를 세는 데 쓰는 말. ❷활을 쏘아 살이 미치는 거리를 헤아리는 데 쓰는 말.

바트(baht) ①[통화] 태국(泰國)의 현재 통화 단위. 1 바트는 사탕(satang)의 100 배(倍)에 해당된다. 수(銖). 기호 : B, Tc ②[질량] 태국(泰國)의 단위. 1 바트는 창(chang)의 80분의 1 이며, 231.5 그레인(grain), 또는 15 g 에 해당된다.

바트(bath) [부피] 헤브라이(Hebrai)의 단위. 1 바트는 코르(kor)의 10 분의 1 이며, 9.8～10.7 미(美) 갤런, 또는 37～40.5*l* 에 해당

된다.

바트(vat) [부피] 벨기에(België)·네덜란드(Netherlands)의 단위. 1 바트는 26.42 미(美) 갤런(gallon)이며, 22.0 영(英) 갤런, 또는 100l에 해당된다.

바트만(batman) [질량] 터키의 옛 단위. 지역에 따라 다소 차이가 있는데, 1 바트만은 오카(okka)의 2~6 배(倍), 또는 7.482~7.679 kg에 해당된다. 근대에도 지방에 따라 다소 차이가 있는데, 대개 1 바트만은 5.5~22 파운드(pound), 또는 2.495~9.979 kg에 해당된다.

박 [수효] 노름에서 여러 번 지른 판돈. 또는 그 횟수를 세는 데 쓰는 말.

박(拍) [수효] ❶악기의 한 가지인 박을 치는 횟수를 세는 데 쓰는 말. 《樂學軌範 5, 時用鄕樂呈才圖說, 定大業》至奏宣威(凡十二拍), 二拍作曲陣, 又二拍作直陣, 又二拍作銳陣, 又二拍作圓陣, 又二拍作方陣. 又二拍還入初列. 《增補文獻備考 99, 樂考, 樂歌》英祖二年……予親祭時, 伶人輩以予知拍數, 不敢刪之, 予每入太廟, 則鄕黨篇翼如之義, 參衡於前, 默算拍數, 則了然易知, 至理斯寓. ❷'박자(拍子)'와 같다. 《蔡琰, 胡茄》製兹八拍兮擬俳優.

박(泊) [수] 자기가 사는 집 이외의 곳에서 밤을 지낸 수를 세는 데 쓰는 말.

박(膊 : bó) [수효] 중국(中國)의 단위. 숯이나 서까래와 같이 긴 물건을 세는 데 쓰는 말. 《淮南子, 說林》一膊炭熯, 掇之則爛指. (許愼注) 一膊, 一挺也. 《營造法式, 壕寨制度, 城》每膊椽長三尺, 用草葽一條, 木橛子一枚.

박리와(博利瓦 : bólìwā) [통화] 중국의 단위. '볼리바르(bolívar)'의 음역(音譯).

박자(拍子) [음악] 곡조의 진행하는 시간을 헤아리는 데 쓰는 말. 일정한 수의 박(拍)을 내용으로 한다. 이는 마디와 일치하는 것이 통례이며, 리듬 활동의 골격을 이룬다. 박자는 소절을 단위로 표시되며, 2 박자·3 박자·4 박자·6 박자 등의 여러 종류가 있다. 박(拍).

반(反) ① [넓이] 일본(日本)의 단위. 단보(段步)로 표기하며, 1 반은 991.74 m²에 해당된다. 중국(中國)의 단(端)에서 온 말이다. ② [수효] ❶'회'·'차'의 뜻으로, 반복하거나 왕복(往復)한 횟수를 세는 데 쓰는 말. 반(返). 《列子, 黃帝》列子師老商氏, 友伯高子, 進二子之道, 乘風而歸. 尹生聞之, 從列子居, 數月不省舍. 因間請蘄其術者, 十反而十不告. 《三國志, 蜀志, 董和傳》董幼宰參署七年, 事有不至, 至于十反, 來相啓告. 《尹文子, 治天下》文王之見太公望也, 一日五反, 桓公之奉管仲也, 列城有數. ❷일본(日本)의 단위. '끗'의 뜻으로, 피륙의 접은 곱이를 세는 데 쓰는 말.

반(半 : bàn) [부피] 중국(中國)의 단위. ❶'반'·'절반'의 뜻으로, 둘로 똑같이 나눈 것의 하나. 〈예〉~尺. ~張紙. 兩天~. ❷매우 적은 양을 나타내는 데 쓰는 말. 〈예〉

～點兒消息也沒有.

반(件) [수] '질'·'벌'의 뜻으로, 여러 권으로 된 책의 한 벌을 하나치로 세는 데 쓰는 말. 건(件). 본(本). 부(部). 사(事). 질(帙·秩·袠).《朝鮮中宗實錄 42, 16年7月辛酉》今日早朝, 上使亦遣人贈臣以聖人圖一軸, 許氏說文一件, 此皆上國人所贈, 故敢啓.

반(返) [수효] '반(反)'의 2❶과 같다.《新唐書, 西域傳 上, 吐谷渾》其相天柱王用事, 抱天子行人鴻臚丞趙德楷, 帝遣使曉敕, 十返, 無悛言.

반(㪵) [부피] ❶ 1 반은 5 되〔升〕에 해당된다.《黃韻》㪵, 五升. ❷ 1 반은 5 말〔斗〕에 해당된다.《集韻》㪵, 一曰升五十, 謂之㪵.

반(般) [수효] ❶'가지'·'종'·'종류'의 뜻으로, 조항이나 항목, 또는 사물이나 일의 가짓수를 세는 데 쓰는 말.《天機大要, 上, 元嗔煞》鼠忌羊頭角, 牛嗔馬不耕, 虎憎雞觜短, 兎怨猴不平, 龍嫌猪面黑, 蛇驚犬吠聲. 此三般, 惡星最忌, 而或有制惡反吉之處, 須分彼此而論.《遊仙窟》昔日雙眠, 恒嫌夜短, 今宵獨臥, 實怨更長. 一種天公, 兩般時節.《元稹, 連昌宮詞》李謩擫笛傍宮牆, 偸得新翻數般曲. ❷(bān) 중국(中國)의 단위. '가지'의 뜻으로, 무술 동작의 종류를 세는 데 쓰는 말.《水滸傳, 1回》史進十八般武藝……一一學得精熟.《長生殿, 賄權》前日張節度疏內, 會說地通曉六番言語, 精熟諸般武藝.

반(班) 1 [수효](bān) 중국(中國)의 단위. ❶'무리'의 뜻으로, 어떤 관계로 여럿이 모여서 이룬 동아리의 수를 세는 데 쓰는 말. 과(夥). 군(群). 기(起). 배(輩). 비(批). 운(運). 퇴(堆). 패(牌). 화(伙).《儒林外史, 32回》忙出來吩咐雇了兩班脚子.《愚人船》這一班人, 是需要將他們的事務, 好好加以整頓一番的了. ❷정기적으로 나타나는 병의 발작하는 수를 세는 데 쓰는 말. ❸'번'의 뜻으로, 교통 기관의 운행 순서나 횟수를 세는 데 쓰는 말. 〈예〉末班車. 끝～차. 2 [행정] 지방 행정 구역의 하나. 시·읍·구(區) 밑에 두는데, 지방에서는 10 가구 내외를, 서울은 20～30 가구를 기준으로 한다. 3 [조직] 한 학년을 한 교실의 수용 인원 단위로 나눈 명칭. 또는 그 수를 세는 데 쓰는 말. 4 [군사] 군대에서 병영내(兵營內)의 한 방(房), 또는 소대(小隊)를 소구분(小區分)한 단위. 또는 그 수를 세는 데 쓰는 말.

반(槃) [수효] 저울의 수를 세는 데 쓰는 말. 16 근(斤)을 달 수 있는 저울은 연(連), 10 근 반은 반(槃), 3 근 2 냥은 개(介)라 하였다. 개(介). 부(部). 연(連). 좌(坐). 파(把).《高麗史 28, 忠烈王世家》小邦稱制, 異於上國, 前者蒙賜一十六斤稱一連, 十斤半等子一槃, 三斤二兩等子一介, 用之中外, 未可周遍, 乞更賜稱子·等子各五百.

반(盤) 1 [부피] 쟁반 따위에 음식이나 물건을 담아 그 양을 헤아리는 데 쓰는 말.《城制考, 城制圖說》墩一座, 小房一間, 床板一副……米一石, 鹽菜·種火糞三擔, 種火一

盤. ② [수효] (bán) 중국(中國)의 단위. ❶'판'의 뜻으로, 장기나 바둑을 두는 횟수를 세는 데 쓰는 말. 〈예〉下三～棋. ❷'대'의 뜻으로, 기계 따위의 수를 세는 데 쓰는 말. 〈예〉一～機器. ❸'타래'의 뜻으로, 전선을 둘둘 말아서 감아 놓은 두루말이의 수를 세는 데 쓰는 말. 〈예〉一～電綫. ❹굽이지거나 구부러진 것의 수를 세는 데 쓰는 말. 《文選, 陸機日出東南隅行》姸迹陵七盤. (注) 善曰, 南都賦曰, 結九秋之增傷, 怨西荊之折盤, 張衡舞賦曰, 歷七盤而屣躡. 《盧照隣, 分水嶺詩》曾冰橫九折, 積石凌七盤.

반(蟠 : pán) [수효] 중국(中國)의 단위. '층'의 뜻으로, 빙 둘리어 싸고 있는 켜의 수를 세는 데 쓰는 말. 《春秋緯, 文耀鉤》楚有蒼雲如蜺, 圍軫七蟠.

반(barn) [넓이·원자] 원자핵(原子核)과 소립자(素粒子)가 서로 충돌할 때 핵반응(核反應) 단면적(斷面積)의 넓이를 나타내는 단위. 1반은 $10^{-24}cm^2$에 해당된다. 반의 1,000분의 1을 밀리반이라 한다. 기호 : barn, b

반 갤런(barn gallon) [부피] 영국(英國)의 단위. 1반 갤런은 2영(英) 갤런(gallon), 또는 9.085l에 해당된다.

반냥(半兩) [화폐] 중국(中國) 진(秦)나라 때의 엽전. 구멍의 왼쪽과 오른쪽에 '半兩'이라는 글자를 새겼는데, 이 반냥은 한 냥의 반, 곧 12수(銖)에 해당되었다.

반다지(般多只) [수효] '반대기'의 차자 표기로, 실꾸리나 가루 같은 것을 둥글넓적하게 만든 덩이의 수를 세는 데 쓰는 말. 《左捕盜廳謄錄1, 乙未10月30日》八月初, 長湍府使牒報內, 積城縣北面, 居金生奴京金呈狀內, 海州出使軍官二人, 軍士二名, 來到矣上典家……又奪綿紬十三尺, 白木甲袴一件, 綿紬絲二般多只, 紬絲一塊, 仍爲持去云.

반들(bandle) [길이] 아일랜드의 단위. 1반들은 피트(feet)의 2배(倍), 또는 0.6096m에 해당된다.

반병두리 [부피] 반병두리에 물이나 곡식을 담아 그 양을 헤아리는 데 쓰는 말. 반병두리는 놋쇠로 만든 둥글고 바닥이 편평한 그릇이다.

반원(半圜) [화폐] 대한 제국 광무(光武) 9년(1905)에 개정된 화폐 조례에 의하여 종래의 원(元)을 원(圜)으로 고쳐 새로 만든 50전(錢)짜리 은화(銀貨)인데, 보조 화폐의 하나이다.

발 [길이] 두 팔을 잔뜩 벌린 길이. 또는 그 수를 세는 데 쓰는 말. 비(臂). 탁(托·庹). 파(把).

발(發) [수효] ❶'방(放)'의 뜻으로, 화살이나 총포(銃砲)를 발사하는 수를 세는 데 쓰는 말. 거(擧). 도(度). 방(放). 향(響). 《高麗史42, 恭愍王世家》太祖適不御弓矢, 取從者之弓, 用片箭射之, 凡七十餘發, 皆正其面. 《朝鮮太祖實錄1, 總書》又一蜜狗走出, 取金矢射之, 於是相繼而出, 凡二十發皆斃之. 《龍飛御天歌6, 45章》城 아래 닐흔 살 쏘샤 닐흔 늬 모미 맛거늘 京觀울 뭥ᄀᆞᄅᆞ시니(維城之下, 矢七十發, 中七十人, 京觀以築). 《朝鮮世宗實錄116, 29年6月乙丑》發祥之舞, 熙光

……靈慶, 第三變一篇, 度祖夢見白龍來救云, 黑龍欲奪我居, 乃往射殪黑龍, 白龍復夢, 謝曰, 公之大慶, 將在子孫. 嗟嗟聖度, 神武天縱. 靈物告急, 爰入我夢. 往則方鬪, 禍紓一發. 復來報謝, 貞符斯昕. 其符維何, 迺終有慶. 子孫其承, 以介景命. ❷탄환(彈丸)의 수를 세는 데 쓰는 말. 방(放). 《朝鮮高宗實錄 13, 13年2月初4日》回旋砲一門, 彈藥二千發, 前車一輛, 六連短銃一挺. ❸(fā) 중국(中國)의 단위. '방(放)'의 뜻으로, 화살을 쏜 횟수를 세는 데 쓰는 말. 본래 한(漢)나라 때에는 1 순(巡)에 화살 12 대를 쏘는 것을 하나치로 세는 데 쓰였으나, 당(唐)나라 때부터는 1 대를 1 발이라 하였다. 《漢書, 匈奴傳》矢四發(服虔曰, 發十二矢也. 韋昭曰, 射禮, 矢三而止, 每射四矢, 故以十二矢爲發也. 師古曰, 猶今言箭一放兩放也, 今則以一矢爲一發也).

발(鉢) [부피] ❶바리때에 음식을 담아 그 양을 헤아리는 데 쓰는 말. 《三國遺事 4, 義解, 義湘傳敎》昔有主寺者, 給寺奴一人, 一夕饌栗二枚, 奴訟于官, 官吏恠之, 取栗檢, 一枚盈一鉢, 乃皈判給一枚. ❷사발에 음식 따위를 담아 그 양을 헤아리는 데 쓰는 말. 《朝鮮文宗實錄 5, 元年正月癸丑》平安道觀察使啓, 有金於郞者, 言治蠱毒之法……先進稷米粥一盞, 後服之良久, 量其病狀, 燒塩或一匙或二匙, 淡粥水和飮後, 熟冷水一二鉢連飮. 《陶山書院傳掌記, 萬曆46年正月19日》魚油十鉢. 《新編集成馬醫方, 諸黃門》病重則二匙, 輕則一匙半, 調幷花水一鉢. 《瑣尾錄, 3, 宣祖27年10月19日》因使留話, 饋余夕飮, 又贈白蝦醢三升, 麴二員, 醢水一鉢. 來時, 入見洪注書遵面返, 洪也來寓郡內而居憂耳.

발(潑 : pō) [수효] 중국(中國)의 단위. '발(撥)'의 ❷와 같다. 《俗呼小錄》雨一番一起, 爲一潑. 《四川諺語, 農業生産, 作物栽培》頭潑金, 二潑銀, 三潑四潑少收成(指栽紅苕的次數. 栽得早, 收成才好).

발(撥 : bō) [수효] 중국의 단위. ❶'무리'·'떼'·'패'의 뜻으로, 어울리어 이루어진 사람의 집단이나 동아리의 수를 세는 데 쓰는 말. ❷'번'의 뜻으로, 일의 차례나 횟수를 나타내는 데 쓰는 말. 발(潑). ❸'무더기'·'덩이'의 뜻으로, 한데 수북이 쌓여 있는 물건의 수를 세는 데 쓰는 말.

발(髮) [길이] 길이의 단위. 1 발은 1 자〔尺〕의 10,000 분의 1 에 해당된다. 《說文解字, 程》十髮爲程, 十程爲分, 十分爲寸. 《賈子新書, 六術》十豪(毫)爲髮. 十髮爲釐, 十釐爲分, 十分爲寸, 十寸爲尺.

발리콘(barleycorn) [1] [길이] 영국(英國)의 옛 단위. 1 발리콘은 인치(inch)의 3 분의 1, 또는 8.467 mm 에 해당된다. 이 길이는 보리알 3 개의 길이로 인치를 정한 것에서 유래되었다. [2] [질량] 영국(英國)의 옛 단위. 1 발리콘은 페니 웨이트(penny weight)의 24 분의 1 이며, 1 그레인(grain), 또는 64.8 mg 에 해당된다.

발리타(balita) [넓이] 필리핀의 고유 단위. 1 발리타는 키뇬(quiñón)

의 10분의 1, 또는 약 27.95아르〔a〕에 해당된다.

발보아(balboa) [통화] 파나마의 단위. 1발보아는 센테시모(centesimo)의 100배(倍)에 해당된다. 파파아(巴波亞). 기호 : B

발짝 [수효] 한 발씩 떼어 놓은 걸음의 수를 세는 데 쓰는 말.

발타(鉢他) [부피] 불가(佛家)의 단위. 1발타는 한 되〔升〕에 해당된다. 《佛敎大辭典》鉢他, (雜語) 譯曰一升, 見楞枷經.

밤 [시간] 저녁 어두운 뒤로부터 새벽 밝기 전까지의 동안. 또는 그 수를 세는 데 쓰는 말.

방(方) ① [수효] ❶'모'의 차자 표기로, 두부(豆腐)나 묵〔泡〕의 수를 세는 데 쓰는 말. 정(丁). 편(片). 《陶山書院傳掌記, 已卯8月17日》造泡二方, 豆腐二十方. ❷(fāng) 중국(中國)의 단위. '개'·'장(張)'의 뜻으로, 모난 물건의 수를 세는 데 쓰는 말. 《十六國春秋, 前趙錄, 劉聰》左右取得, 開有一方白玉. 《儒林外史, 11回》數錢去鎭上打了三斤一方肉. 《利娜, 十三封信》我一个人寂寞地坐在房里, 肘靠在桌上, 牙齒咬着我那方花紗手帕. ② [작업량] 일본(日本)의 단위. 교대(交代)의 뜻으로, 서로 번갈아 들어서 대신하는 수를 세는 데 쓰는 말. 아침부터 시작하여 첫 번째 8시간을 1방, 두 번째 8시간을 2방, 세번째 8시간을 3방이라 한다. 교대(交代). ③ [넓이](fāng) 중국의 옛 단위. ❶송(宋)나라 때의 단위. 1방은 41경(頃) 66묘(畝) 160보(步)에 해당되었다. 《文獻通考, 田賦 4》宋熙宗五年, 以東西南北各千步, 當四十一頃六十六畝一百六十步爲一方. ❷청(淸)나라 때의 단위. 1방은 450묘(畝)에 해당되었다. 《淸史稿, 食貨志 1, 田制》淸代札薩克圖一畝則二百八十八弓, 十畝爲晌, 四十五晌爲方. ❸제곱 미터〔m^2〕와 제곱 자〔尺〕의 약칭(略稱). ④ [부피](fāng) 중국의 단위. 세제곱 미터〔m^3〕와 세제곱 자의 약칭.

방(坊) [행정] ❶조선 시대 행정 조직(行政組織)의 단위. 조선 초기에는 한성부(漢城府)를 5부(部)로 나누고 그 5부의 밑에 각각 49방을 두었다가 뒤에 54방으로 늘리었다. 《朝鮮世宗實錄 148, 地理志, 京都》東部凡十二坊, 南部凡十一坊, 西部凡八坊, 北部凡十坊, 中部凡八坊. 《大東地志 1, 漢城府, 坊理》中部八坊……東部十二坊……西部十坊……南部十四坊……北部十坊……共五十四坊. ❷(fāng) 중국(中國)의 단위. 1방은 20려(閭), 또는 500가(家)로 조직되었다.

방(放) [수효] ❶총포(銃砲)를 발사하는 수를 세는 데 쓰는 말. 거(擧). 도(度). 발(發). 향(響). 《磻溪隨錄 21, 兵制, 諸色軍士, 試才式》各隨其藝, 依紀効新書爲之, 但騎兵則騎芻五矢, 步兵則砲手鳥銃三放, 射手立芻五矢可也. 《萬機要覽, 軍政編 2, 訓鍊都監, 試藝》右則每年四試, 中旬賞木, 戶曹進排, 銃亦九放. ❷방귀를 뀌는 수를 세는 데 쓰는 말.

방(房 : fáng) [수효] 중국(中國)의 단위. ❶처(妻)나 첩(妾)의 수를 세는 데 쓰는 말. 《喩世明言》姑夫已

死, 止存一子梁尙賓, 新娶得一房好娘子, 三口兒一處過活, 家道粗足. 《古今小說 22》只我家相公要討一房側室. 《儒林外史, 28回》我們風流人物, 只要才子佳人會合, 一房兩房, 何足爲奇. ❷'송이'의 뜻으로, 포도송이나 밤송이의 수를 세는 데 쓰는 말. 소응이(所應伊). 송이(宋伊·松伊). 《封氏聞見記, 蜀無兎鴿》今有馬乳蒲萄, 一房長二尺餘. ❸'개'의 뜻으로, 물건을 낱으로 세는 데 쓰는 말. 《嶺外代答百子》櫓罟子, 大如半升椀, 諦視之, 數十房攢聚成毬. ❹갈라져 나온 혈족(血族)이나 세대수를 세는 데 쓰는 말. 《新唐書, 宰相世系, 4 上》韋氏定著九房, 一曰西眷, 二曰東眷, 三曰逍遙公房, 四曰鄖公房, 五曰南皮公房, 六曰駙馬房, 七曰龍門公房, 八曰小逍遙公房, 九曰京兆韋氏. 宰相十四人. 《新唐書, 宰相世系表, 2上》趙郡李氏定著六房, 其一曰南祖, 二曰東祖, 三曰西祖, 四曰遼東, 五曰江夏, 六曰漢中.

방(旁 : bāng) [수효] 중국(中國)의 단위. '쪽'·'곁'·'옆'의 뜻으로, 사람이나 물체의 옆에서 가까운 곳의 수를 세는 데 쓰는 말. 〈예〉 兩路~都楂着樹.

방(梆 : bāng) [수효] 중국(中國)의 단위. '개'·'그루'의 뜻으로, 나무따위 굵고 긴 물체의 수를 세는 데 쓰는 말. 《徐霞客遊記, 滇遊日記 9》買飛松一梆於劉姓者家. 飛松子, 一名孤實, 亦作梧實.

방(幫 : bāng) [수효] 중국(中國)의 단위. '무리'·'패'의 뜻으로, 사람의 무리나 선단(船團)의 수를 세는 데 쓰는 말. 《日出》他你跑了, 他叫黑三那一幫人跟着你.

방(榜) [넓이] 토지 면적을 헤아리는 데 쓰는 말. 《徐霞客遊記, 黔遊日記 1》其東有七榜之地, 地寬而渥.

방(磅) [1] [질량] '파운드(pound)'의 역어(譯語). 1 파운드는 16 온스, 또는 0.4536 kg에 해당된다. 방(鎊). 《陰晴史, 上, 高宗19年壬辰3月22日》晴風……鹽強水一磅, 火酒二磅, 鉛罐二個, 漆罐二個, 紅泥罐二個, 靑鉛粉二包, 色麻油一瓶. 《新字典, 新字新義部》磅, 파운드. pound. 英美衡名, 我十二兩九五八. 鎊通. [2] [인쇄] (bàng) 중국(中國)의 단위. '포인트(point)'의 역어(譯語). 〈예〉 六~字太小了. [3] [통화] '파운드(pound)'의 역어(譯語). 《新字典, 新字新義部》鎊, 파운드. pound. 英國貨幣名. 九圓七十六錢三厘. 磅通.

방(鎊) [1] [통화] '파운드(pound)'의 역어(譯語). 《新字典, 新字新義部》鎊, 파운드. pound. 英國貨幣名, 九圓七十六錢三厘. 磅通. [2] [질량] '방(磅)'의 [1]과 같다. 《新字典, 新字新義部》磅, 파운드. pound. 英美衡名, 我十二兩九五八. 鎊通.

방공리(方公里 : fānggōnglǐ) [넓이] 중국(中國)의 단위. '제곱 킬로미터〔km^2〕'의 역어(譯語).

방공척(方公尺 : fānggōngchǐ) [넓이] 중국(中國)의 단위. '제곱 미터〔m^2〕'의 역어(譯語).

방금(磅金 : bàngjīn) [통화] 중국(中國)의 단위. '파운드(pound)'의

역어(譯語).

방리(方里 : fānglǐ) [넓이] 중국(中國)의 단위. 1 방리는 1 제곱 리(里)에 해당된다.

방마(方碼 : fāngmǎ) [넓이] 중국(中國)의 단위. 1 방마는 1 제곱 야드(yd²)에 해당된다.

방면(方面) [수효] '쪽'·'부분'의 뜻으로, 어떤 방향의 부분, 또는 그 수를 세는 데 쓰는 말. 《中國新文學大系續編》他們進佔這裏的時候, 倒沒有大戰, 聽說惡戰都在瑪倫河一方面.

방미(方米 : fāngmǐ) [넓이] 중국(中國)의 단위. 1 방미는 1 제곱 미터〔m²〕에 해당된다.

방보(方步 : fāngbù) [수효] 중국(中國)의 단위. '걸음'의 뜻으로, 두 발을 번갈아 앞으로 옮겨 놓은 수를 세는 데 쓰는 말. 〈예〉 二十～.

방분(方分 : fāngfēn) [넓이] 중국(中國)의 단위. 1 방분은 방촌(方寸)의 100 분의 1 이며, 방리(方厘)의 100 배(倍), 또는 약 0.1 cm² 에 해당된다.

방울 [수효] 구슬과 같이 동글동글하게 맺힌 액체나 물이 공기를 머금어서 둥글고 속이 빈 덩어리의 수를 세는 데 쓰는 말. 광(眶). 적(滴). 점(點).

방인(方引 : fāngyǐn) [넓이] 중국(中國)의 단위. '제곱인〔平方引〕'의 뜻으로, 1 방인은 사방 10 장(丈)이며, 방장(方丈)의 100 배(倍), 또는 11 아르〔a〕에 해당된다.

방장(方仗 : fāngzhàng) [넓이] 중국(中國)의 단위. '제곱장〔平方仗〕'의 뜻으로, 1 방장은 사방 1 장(丈)에 해당된다.

방지(方地 : fāngdì) [넓이] 중국(中國)의 단위. 1 방지는 시용제(市用制)에서는 10 묘(畝), 동북 지방에서는 15 묘, 서북 지방에서는 3 묘, 혹은 5 묘에 해당된다.

방척(方尺 : fāngchǐ) [넓이] 중국(中國)의 단위. 제곱자〔平方尺〕의 뜻으로, 1 방척은 사방 1 자에 해당된다.

방촌(方寸 : fāngcùn) [넓이] 중국(中國)의 단위. 제곱치〔平方寸〕의 뜻으로, 1 방촌은 사방 1 치에 해당된다.

방촌비(方寸匕 : fāngcùnbǐ) [질량] 예전에 중국(中國)에서 가루로 된 한약의 무게를 헤아리던 한 단위. 방촌비란 밑이 6 푼〔分〕, 위가 8 푼, 깊이 1 치〔寸〕인 네모진 숟가락 모양의 약저울로, 약 2 g 의 가루약을 달 수 있다.

방호(方毫 : fānghāo) [넓이] 중국(中國)의 단위. 넓이의 최소 단위로, 1 방호는 사방 0.11 mm² 에 해당된다.

방호미(方毫米 : fānghāomǐ) [넓이] 중국(中國)의 단위. '제곱 밀리미터〔mm²〕'의 역어(譯語).

배 [수효] 사람이 아이를 낳거나, 짐승이 새끼를 낳거나 알을 까는 횟수를 세는 데 쓰는 말. 복(服). 산(産). 소(巢). 유(乳). 태(胎).

배(杯) [부피] ❶'잔'의 뜻으로, 잔에 술이나 음료를 담아 그 양을 헤아리는 데 쓰는 말. 배(盃). 작(酌). 잔(盞). 종(鍾). 충(盅). 《朝鮮世祖實錄 15, 5年2月庚辰》特命中宮族親尹士昐, 賜酒肉若干, 可會

議政府飮一杯.《朝鮮成宗實錄 129, 12年5月丙申》 我不似鄭太監之去, 請殿下陞座, 敬進一杯, 我亦喫大盃辭去.《救急簡易方諺解 1, 白虎風》每日早空心一杯(날마다 아ᄎᆞᄆᆡ 공심에 ᄒᆞᆫ 잔곰 머그라).《抱朴子》仙人以流霞一杯與飮, 飮之輒不渴.《陳喧, 與兄子秀書》鄭康成一飮三百杯, 吾不以爲多.《李白, 山中獨酌詩》一杯一杯復一杯. ❷일본(日本)의 단위. ㉮전복·오징어·낙지·문어·포(鮑) 따위의 수를 세는 데 쓰는 말. ㉯우동·국수 따위의 음식이 담긴 그릇의 수를 세는 데 쓰는 말. ㉰'척(隻)'의 뜻으로, 배의 수를 세는 데 쓰는 말. 고(篙). 소(艘). 정(艇). 척(隻). ㉱꽃을 꽂은 수반(水盤)의 수를 세는 데 쓰는 말.

배(背) [1] [수효] 일본(日本)의 단위. 안장〔鞍〕의 수를 세는 데 쓰는 말. 구(口·具). 면(面). 지(枝). [2] [부피] (bēi) 중국(中國)의 단위. '짐'의 뜻으로, 지게나 등으로 져 나른 물건의 양을 헤아리는 데 쓰는 말.《呂梁英雄傳, 1回》誰要上山一背紫, 刨一點藥, 都要給他納捐上稅.《中國民間故事選, 望娘灘的故事》取出鐮刀, 滿滿割了一背.

배(盃) [수효] '배(杯)'의 ❶과 같다.《朝鮮成宗實錄 129, 12年5月丙申》都承旨酒量, 自是不淺. 上使曰, 不然, 只是三四盃酒量耳.《朝鮮明宗實錄 9, 4年3月癸未》曩時, 金安國爲禮曹判書時, 建白定制, 婚嫁之宴, 所設不過三四器, 自己先之, 至於其家, 醮蚕之日, 只巡三盃而止, 一時人皆效之. 其後漸尙豪侈, 弊習至今尤甚.《老乞大諺解, 下》咱們聊且喫一盃酒(우리 잠깐 ᄒᆞᆫ 잔 술 먹어).

배(倍) [수효] '곱'·'곱절'·'갑절'·'배'의 뜻으로, 어떠한 수량을 몇 번 합친 수를 세는 데 쓰는 말.《朝鮮定宗實錄 4, 2年4月辛丑》文武官吏之數, 固三倍於中朝之制矣. 加以成衆官……近侍·內侍府·掖庭·典樂·雅樂署. 各有祿官.《朝鮮宣祖實錄 89, 30年6月辛酉》盧稷曰, 中原官升則客入我國二升, 而私升則入三升矣. 上曰, 官升倍入, 私則三倍云乎.《星湖僿說, 萬物門, 馬明鳥》今俗見物細長者, 必曰馬明之尾, 始不知何謂. 有人見小雀如燕, 其尾長於身十倍, 問於土人, 則謂此馬明鳥也. 蓋山野之間, 往往有之, 而我偶未之見也.

배(排 : pái) [수효] 중국(中國)의 단위. '열'·'줄'의 뜻으로, 사람이나 물건이 죽 벌여 선 수를 세는 데 쓰는 말. 열(列). 유(溜).《再見秋木》遠遠望去, 沙灘的後面是一排小木屋, 木屋後面是叢林.《我們只有一個地球》對改善交通毫無幫助, 又犧牲了一排行道樹.

배(輩) [수효] ❶'명'의 뜻으로, 어떤 관계로 여럿이 모여 동아리를 이룬 사람의 수를 세는 데 쓰는 말. 과(夥). 군(群). 기(起). 반(班). 비(批). 운(運). 진(陣). 퇴(堆). 패(牌). 화(伙).《朝鮮仁祖實祿 30, 12年12月甲辰》前引儀朴弘業之子壻, 偶見騎馬賊數十輩, 言及於人, 不數日, 賊徒突入其家.《宣和遺事》上曰, 京(蔡京)多用親黨, 已逐三十餘輩矣.《史記, 劉敬傳》使

者十輩來.《新唐書, 崔戎傳》至兖州, 鉏滅姦吏十餘輩. ❷(bèi) 중국(中國)의 단위. ㉮'번'·'회(回)'·'차례'의 뜻으로, 일의 횟수를 세는 데 쓰는 말. 개(個). 계(季). 과(過). 기(起). 도(度·道). 반(返·班). 번(番). 운(運). 장(場). 쟁(趟). 조(遭). 주(注). 하자(下子). 헐(歇). 호(號). 화(伙). 회(回·廻·會).《史記, 秦始皇本紀》 趙高使人請子嬰數輩.《齊民要術, 種葵》一歲之中, 凡得三輩.《顔氏家訓, 終制》吾年十九, 値梁家喪亂, 其間與白刃爲伍者, 亦常數輩. ㉯어류(魚類)·패류(貝類)의 수를 세는 데 쓰는 말.《黃庭堅, 謝何十三送蟹詩》寒蒲束縛十六輩, 已覺酒興生江山. ㉰'항렬'의 뜻으로, 혈족의 방계(傍系)에 대한 대수(代數) 관계를 나타내는 데 쓰는 말. ㉱'대'·'세대'의 뜻으로, 전부터 이어져 오는 가계의 수를 세는 데 쓰는 말. ㉲기병(騎兵) 60 명을 하나치로 세는 데 쓰는 말.《六韜, 均兵》 三十騎爲一屯, 六十騎爲一輩. ㉳'기(基)'·'덩어리'의 뜻으로, 비석(碑石) 따위 덩이진 물건의 수를 세는 데 쓰는 말.《遊鍾山記》復折而西, 入碑亭, 碑凡數輩. ㉴'마리'의 뜻으로, 짐승의 수를 세는 데 쓰는 말.《太平黃記 441》頃間, 羣象五六百輩, 雲萃吼叫, 聲徹數十里. ㉵'진(陣)'·'무리'의 뜻으로, 동아리의 수를 세는 데 쓰는 말.《北史, 崔暹傳》至陳留, 聞暹被殺, 分爲二輩, 一奔長安, 一奔黃固.《新唐書, 韓全誨張彦忠傳》內養八輩, 候廷中授命, 每二輩以衞士十人取一首, 俄而全誨·彦弘·易簡·敬容皆死.《與王季海丞相淮》一輩無賴, 不得羣起而誤國, 其爲天下國家之福, 豈淺淺哉. ㉶수레 100 량(輛)을 하나치로 세는 데 쓰는 말.《說文, 車部》輩, 若軍發車百兩爲一輩. ㉷종류가 같은 사물의 수를 세는 데 쓰는 말.《楊萬里, 謝唐德明惠笋詩》高人愛笋如愛玉, 忍口不餐要添竹. 云何又遣十輩來, 昏花兩眼爲渠開.

배럴(barrel) ① [부피] 영국(英國)·미국(美國)의 단위. 1 배럴이 영국은 36 갤런(gallon), 또는 1.635 hl 이지만, 미국에서는 액체일 경우 31½ 갤런, 또는 1.924 hl 이고, 야채나 과일은 1.563 hl 에 해당된다. 미국에서는 주로 석유(石油)에 사용되는데, 42 미(美) 갤런, 곧 1.590 hl 에 해당된다. ② [질량] ❶미국의 단위. 주로 육류(肉類)·어류(魚類)·곡분(穀粉)에 사용한다. 육류와 어물은 200 파운드(pound), 또는 90.72 kg 이고, 곡분은 196 파운드, 또는 88.90 kg 에 해당된다. ❷남(南)아프리카 공화국(Africa 共和國)의 단위. 주로 시멘트의 무게를 헤아리는 데 쓴다. 1 배럴은 시멘트 4 부대로 375 파운드(pound), 또는 170.10 kg 에 해당된다. ③ [작업량] 제분 공장(製粉工場)에서 하루에 밀가루 196 파운드, 곧 88.90 kg 을 생산하는 능력. 이는 22.23 kg 이 든 밀가루 4 부대의 분량이다.

배럴 벌크(barrel bulk) [부피] 영국(英國)·미국(美國)의 단위. 주로 화물(貨物)의 부피를 헤아리는 데 쓴다. 1 배럴 벌크는 1 용적(容積) 톤(ton)의 8 분의 1 이며, 5 제곱 피트〔ft^2〕, 또는 141.6l 에 해당된다.

배미 1 [부피] 장작을 쌓아 놓은 부피를 헤아리는 데 쓰는 말. 1 배미는 1.5 평(坪)에 해당된다. 장작 1 평은 54(6×6×1.5) 세제곱 자〔尺〕이므로, 1 배미는 81(54×1.5) 세제곱 자가 된다. 2 [수효] 논의 구획(區劃)의 수를 세는 데 쓰는 말. 배미(裵味). 야미(夜味).

배미(裵味) [수효] '배미'의 차자 표기로 논의 구획(區劃)의 수를 세는 데 쓰는 말. 야미(夜味). 《經世遺表 6, 地宮修制, 田制 4》 㽝者, 田區也. 方諺謂之裵味. 《經世遺表 8, 地官修制, 田制 10, 井田議》 水根不渴之㽝(方諺謂之裵味), 必爲秧叢(俗謂之秧板), 若雨澤愆期, 移秧失時者, 害歸秧叢.

백(白) [시간] 불교(佛敎)에서 쓰는 단위. '연(年)'의 뜻으로, 1 백은 1 년에 해당된다. 년(年). 사(祀). 상(霜). 세(歲). 영(齡). 재(載). 《古今釋林 19, 釋氏語錄, 釋天》 一白. 字典曰, 梵言一年謂一白. 傳燈錄, 我止林間, 已經九白也.

백(百) [수] 1백은 10 의 10 배(倍)에 해당된다. 로마 숫자에서는 'C'로 표기한다. 백(佰). 《田制詳定所遵守條畫》 定爲每等量尺之長, 以備後日改量之用(尺有長短, 而皆以實積壹尺爲把, 拾尺爲束, 百尺爲負, 千尺爲拾負, 萬尺爲一結). 《太平御覽 750》 風俗通曰, 十十謂之百, 十百謂之千, 十千謂之萬, 十萬謂之億, 十億謂之兆, 十兆謂之經, 十經謂之垓, 十垓謂之補, 十補謂之選, 十選謂之載, 十載謂之極.

백(佰) 1 [수] '백(百)'과 같다. 백(百)의 갖은자이다. 《廣韻》 佰, 一百爲佰, 佰也. 《孟子, 滕文公 上》 或相仟佰. 《龔自珍, 農宗答問 1》 漢以後以財貨相倍蓰相十伯相千萬, 三代以田相十伯千萬. 2 [통화] (bǎi) 중국(中國)의 단위. 1 백은 100 전(錢)에 해당된다. 《形音義綜合大字典》 佰, 有仟佰之得. 師古曰, 仟謂千錢, 佰爲百錢.

백극(百克 : bǎikè) [질량] 중국의 단위. '헥토그램(hectogram)'의 역어(譯語).

백도(百堵 : bǎidǔ) [넓이] 중국(中國)의 단위. 1 백도는 100 방장(方丈)에 해당된다.

백미(百米 : bǎimǐ) [길이] 중국의 단위. '헥토미터(hectometer)'의 역어(譯語).

백분법(百分法) [각도] 각(角)의 단위를 정하는 각도(角度)의 단위계(單位系). 직각의 100 분의 1 을 1 그레이드(grade), 1그레이드의 100 분의 1 을 분(分), 1 분의 100 분의 1 을 1 초(秒)로 하는 방법. 보통은 도(度)·분(分)·초(秒)에 의한 60 분법 또는 호도법(弧度法)이 사용된다.

백승(百升 : bǎishēng) [부피] 중국의 단위. '헥토리터(hectoliter)'의 역어(譯語).

백호소(百戶所) [행정] 중국(中國) 명(明)나라 때 112 호(戶)로 구성되던 위소제(衛所制)의 가장 작은 단위. 백호소 10 이 모여 천호소(千戶所)를 이루었다.

버게이트(virgate) [넓이] 고대 영국(英國)의 단위. 1 버게이트는 히드(hīd)의 4 분의 1 이며, 30 에이커(acre), 또는 12.142 헥타르〔ha〕에 해당된다. 1 히드는 120 에이커이다.

버킷(bucket) [부피] 영국의 단위. 1 버킷은 4 영(英) 갤런(gallon), 또는 18.176l 에 해당된다.

버탤리언(battalion) [군사] 대대(大隊). 군대에서 본부(本部)와 3 개 중대(中隊)로 편성된 국군의 조직 단위. 기호 : Bn

버트(butt) [1] [부피] 영국(英國)의 단위. 일반적으로 1 버트는 126 영(英) 갤런(gallon), 또는 572.54l 에 해당된다. 포도주는 140 영(英) 갤런, 또는 636.15l이고, 맥주는 108 영(英) 갤런, 또는 490.75l 에 해당된다. [2] [질량] 미국(美國)의 단위. 주로 양모(羊毛)의 무게를 헤아리는 데 쓴다. 원모(原毛)는 196 파운드, 또는 87.904 kg 이고, 그 외는 112 파운드, 또는 50.802 kg 에 해당된다.

번(番) [1] [수효] ❶'번'·'차례'의 뜻으로, 일의 횟수를 세는 데 쓰는 말. 개(個). 계(季). 과(過). 기(起). 도(度·道). 반(返·班). 배(輩). 운(運). 장(場). 쟁(趟). 조(遭). 주(注). 하자(下子). 헐(歇). 호(號). 화(伙). 회(回·廻·會).《萬機要覽, 軍政編 2, 兵曹, 有廳色, 收布摠數》有廳軍三千六名, 除喪頉(二百十六名), 每名收木一疋, 幷納代錢, 七道合錢五千五百八十兩(關西一年都納, 其餘六道, 一年分作十二番納錢, 而閏朔通計).《黃韻》番, 數也.《南史, 張敷傳》往復數番.《歲時記》江南, 自初春至初夏, 五日一番風候, 謂之花信風, 梅花風最先, 楝花風最後, 凡二十四番. ❷'장(張)'·'매(枚)'의 뜻으로, 종이의 수를 낱으로 세는 데 쓰는 말. 매(枚). 장(丈·張). 편(片). 폭(幅).《春官志, 下, 荒唐船》多設機許, 米十五斗爲一斛, 馬島以七斗爲斛, 布三十七尺爲一匹, 馬島以二十尺爲匹, 紙二十番爲一束, 且甚長, 馬島裁爲束.《芝峯類說 17, 雜事部, 數名》凡數, 人以口, 禽獸以首, 魚以尾, 筆爲枚爲枝, 墨爲丸爲笏, 紙爲幅爲番, 硯爲面, 帶爲腰, 衣爲領.《新唐書, 杜暹傳》秩滿歸, 吏以紙萬番贐之, 暹爲受百番. ❸'진(陣)'의 뜻으로, 군사가 머물러 둔(屯)치는 차례, 또는 그 진의 수를 세는 데 쓰는 말.《萬機要覽, 軍政編 1, 守禦廳, 騎士蜂屯陣》一番在前, 二番在中, 三番在後.《形音義綜合大字典》番, 一陣曰一番. ❹'뜸'의 뜻으로, 띠·부들 같은 것으로 거적처럼 엮어 만든 물건의 수를 세는 데 쓰는 말. 뜸은 비 올 때 물건을 덮거나 볕을 가리는 데 쓰는 물건이다.《朝鮮睿宗實錄 10, 2年 4月戊申》今丁母喪, 其給米豆并三十碩, 草芚十番, 松脂三斗, 紙百卷, 油芚·棺槨等物.《正宗大王殯殿魂殿都監儀軌, 1房, 稟目》直草芚三番.《孝宗寧陵山陵都監儀軌, 座目》草芚二番. ❺'장(張)'의 뜻으로, 유둔(油芚)의 수를 세는 데 쓰는 말. 유둔은 비 올 때 쓰기 위하여 이어 붙인 두꺼운 유지(油紙)를 이른다. 건

(件). 부(浮·部). 장(丈·張).《朝鮮宣祖實錄 127, 33年7月丁巳》今次冬至使禮物, 只依上年之數, 而彩花席五張, 油芚十番加磨鍊, 以啓矣.《通文館志 3, 賫咨行》青黍皮十張, 六油芚一番, 四油芚一番.《度支準折, 席子》進獻六油芚一番(長七尺八寸, 廣九尺四寸), 六油芚一番(長四尺五寸, 廣四尺), 四油芚一番(長四尺二寸, 廣三尺), 四張付油芚一番(張五尺, 廣三尺五寸四分), 六張付油芚一番(長五尺五寸, 廣五尺一寸). ❻이엉〔飛乃〕을 엮어서 말아 놓은 마름〔舍音〕의 수를 세는 데 쓰는 말. 부(浮).《孝宗寧陵山陵都監儀軌, 雜物秩》藁草浮飛乃六十三番. ❼유석(油席)의 수를 세는 데 쓰는 말.《三名日方物謄錄》馬上油席四番, 三張付油席十一番, 四張付油席一番. ❽(fān) 중국(中國)의 단위. ㉮'가지'·'종류'의 뜻으로, 사물(事物)을 종류별로 따로따로 구별하여 수를 세는 데 쓰는 말.《中國諺語資料, 一般諺語》一番江水, 一番魚. ㉯'마리'의 뜻으로, 물고기의 수를 세는 데 쓰는 말.《謝趙王賚乾魚啓》蒙賚乾魚十番, 醴水朝浮, 光疑朱鼈, 文鰩夜觸, 翼似青鸞. ㉰'장'·'매'·'덩어리'의 뜻으로, 금은의 덩이의 수를 세는 데 쓰는 말.《舊唐書, 薛廷老傳》宮中造淸思院新殿, 用銅鏡三千片, 黃白金薄十萬番. ❾일본(日本)의 단위. ㉮'쌍'의 뜻으로, 새 한 쌍을 하나치로 세는 데 쓰는 말. ㉯'판'의 뜻으로, 바둑이나 장기의 대국(對局)하는 횟수를 세는 데 쓰는 말. ㉰떡의 수를 세는 데 쓰는 말. 과(顆).《羣書類從 69》乾薄餠一万番. ㉱철선(鐵線)의 굵기를 헤아리는 데 쓰는 말. ② [길이] 산탄총(散彈銃)의 구경(口徑)을 나타내는 데 쓰는 말. 1 파운드(pound) 둥근 연실탄(鉛實彈)에 적합한 구경을 1 번이라고 한다. 12 번은 1 번의 12 분의 1, 16 번은 1 번의 16 번의 1 에 해당되며, 1 번의 구경은 41.72 mm 이다.

번(翻 : fān) [수효] 중국(中國)의 단위. ❶'번'의 뜻으로, 일의 횟수를 세는 데 쓰는 말. ❷'배'·'곱'·'곱절'의 뜻으로, 같은 물건의 수량을 두 번이나 또는 그 이상 몇 번 되짚어 합치는 횟수를 헤아리는 데 쓰는 말.

번들(bundle) [질량] 남(南)아프리카 공화국(Africa 共和國)의 고유 단위. 1 번들은 7 파운드(pound), 또는 3.175 kg 에 해당된다.

번수(番手) ① [섬도(纖度)] 실의 굵기를 나타내는 데 쓰는 말. 중량이 1 kg이고 길이가 1 km인 것을 1 번수, 2 km인 것을 2 번수라 한다. ② [질량] 셀로판(cellophane)의 두께는 1 련(連), 곧 500 매(枚)의 중량에 따라 다음과 같이 구별된다. 250 번 수(11.25 kg), 350 번 수(12.15 kg), 300 번 수(13.5 kg), 500 번수(22.5 kg), 600 번수(27.0 kg)이다. 평판(平版)일 경우 한 장의 크기는 3 자〔尺〕×3.3 자(0.91 m×1 m)이지만, 롤(roll)로 된 것은 폭이 3.3 자(1 m)에 길이가 100 자(30.303 m), 900 자(272.727 m), 1,500 자(454.545 m), 3,000 자(609.091 m) 등이 있고, 또 폭이 1.65 자(0.5 m)이고 길이가 900 자

(272.727 m), 1,800 자(545.454 m), 4,500 자(1,363.636 m) 등의 여러 가지가 있으나, 롤로 된 것은 3 자×3.3 자의 평판 1 련으로 환산하여 번수를 나타낸다.

번지(番地) [행정] 번호를 매겨서 갈라 놓은 땅. 또는 그 번호를 나타내는 데 쓰는 말.

벌 [수효] ❶옷이나 그릇 등 짝을 이루는 물건을 세는 데 쓰는 말. 구(具). 대(對). 부(副·福). 사(事). 습(襲). 신(身). 엽(葉). 요(腰). 전(揃). 착(著). 칭(稱). 투(套). ❷상투를 틀 때 고를 돌려 감은 가닥의 수를 세는 데 쓰는 말.

범(帆) [수효] '척(隻)'의 뜻으로, 배의 수를 세는 데 쓰는 말. 《劉禹錫, 酬白樂天揚州初逢席上見贈詩》沉舟側畔千帆過, 病樹前頭萬木春. 《王安石, 江上詩 2》 青山繚繞疑無路, 忽見千帆隱映來. 《陳子龍, 寧前邊詞詩 1》千帆北轉敖倉粟, 萬騎東馳少府金.

법(法) [통화] '프랑(franc)'의 역어(譯語). 《新字典, 新字新義部》法, 詳見佛. 佛, 프랑. franc. 法國幣制, 以此爲單位, 亦作法, 我三十八錢七厘.

법랍(法拉 : fǎlā) [전기 용량] 중국(中國)의 단위. '패럿(farad)'의 음역(音譯).

법랑(法郞 : fǎláng) [통화] 중국(中國)의 단위. '프랑(franc)'의 음역(音譯). 《苦兒流浪記》畢達利老爹說完之後, 從身上拿出了四十法郎的銀幣攧在卓子上.

베네솔라노(venezolano) [통화] 베네수엘라의 옛 통화 단위. 1 베네솔라노는 센타보(centavo)의 100 배(倍)에 해당된다.

베두르(bedur) [질량] 싱가포르·말라카(Malacca) 지방의 단위. 1 베두르는 카티(catty)의 2 배(倍)이며, 2.67 파운드, 또는 1.21 kg에 해당된다.

베드로(vedro) [부피] 체코슬로바키아(Czechoslovakia)의 옛 단위. 1 베드로는 마스(máz)의 40 배, 또는 56.589*l* 에 해당된다.

베르쇼크(vershok) [길이] 러시아(Russia)·라트비아(Latvia)의 단위. 1 베르쇼크는 아르신(arshin)의 16 분의 1, 또는 4.445 cm 에 해당된다. 위색(胃索).

베르수스(versus) [넓이] 고대 로마의 단위. 1 베르수스는 10,000 제곱 페스(pes)이며, 0.22 에이커, 또는 0.087 헥타르〔ha〕에 해당된다.

베르스트(verst) [길이] 핀란드의 옛 단위. 러시아(Russia)의 비에르스타(viersta)와 같다. 1 베르스트는 0.6641 마일(mile), 또는 1.069 km 에 해당된다.

베르코베트(vercovet) [질량] 소련의 단위. 1 베르코베트는 361.13 파운드(pound), 또는 163.805 kg 에 해당된다.

베르텔(věrtel) 1 [넓이] 체코슬로바키아(Czechoslovakia)의 옛 단위(單位). 1 베르텔은 200 제곱 사흐(sáh), 또는 0.071933 ha 에 해당된다. 2 [부피] 체코슬로바키아의 옛 단위. 1 베르텔은 23.25*l* 에 해당된다.

베리(berri) [길이] 터키(Turkey)의 중세(中世) 단위. 1 베리는 1.04

마일(mile), 또는 1.67 km에 해당된다.

베마(bema) [길이] 고대 그리스의 단위. 1베마는 포데(pode)의 2½이며, 2.53피트, 또는 약 0.77 m에 해당된다.

베사(besa) [통화] ❶에티오피아(Ethiopia)의 옛 보조 화폐 단위. 1베사는 게르시(gersh)의 2분의 1에 해당되었다. ❷옛 이탈리아령(領) 소말릴란드(Somaliland)의 통화 단위. 1베사는 루피아(rupia)의 100분의 1에 해당되었다.

베스(bes) [질량] 고대(古代) 로마(Roma)의 단위. 1베스는 아스(as)의 3분의 2이며, 0.4813파운드(pound), 또는 218.3 g에 해당된다.

베일(bale) [수효] 섬〔石〕이나 상자 따위로 포장한 물건의 덩이를 세는 데 쓰는 말.

베카(beka) [질량(質量)] 헤브라이(Hebrai)의 고유 단위. 1베카는 110그레인이며, 게라(gerah)의 10배(倍), 또는 7.13 g에 해당된다.

베커(vêka) [부피] 헝가리(Hungary)의 옛 단위. 지방에 따라 다소 차이가 있는데, 대략 1베커는 25~30 *l* 에 해당된다.

베허(Becher) [부피] 오스트리아(Austria)의 단위. 1베허는 메체(Metze)의 128분의 1이며, 0.85영(英) 파인트(pint), 또는 0.48 *l* 에 해당된다.

벤다(benda) [질량] 기니(Guinea)의 고유 단위. 1벤다는 1.26온스(ounce), 또는 64.2 g에 해당된다.

벨(bel) [음압(音壓)·소음(騷音)] 데시벨(decibel)의 10배(倍)에 해당된다. 기호 : b, B

벨가(belga) [통화(通貨)] 벨기에(België)의 옛 보조 통화 단위. 1벨가는 프랑(franc)의 5배(倍)에 해당된다.

벨트(velte) [부피] ❶프랑스의 단위. 주로 액체의 부피를 헤아리는 데 쓴다. 1벨트는 뮈(muid)의 36분의 1에 해당된다. 1뮈는 268.232 *l* 임. ❷모리셔스 제도(Mauritius 諸島)의 옛 단위. 1벨트는 1.97갤런(gallon)이며, 1.64영(英) 갤런, 또는 7.45 *l* 에 해당된다.

벽(辟 : bì) [수효] 중국(中國)의 단위. ❶부르는 횟수를 세는 데 쓰는 말. 《蔡邕, 陳仲弓碑文》(陳寔)四爲郡功曹, 五辟預州. 《黃滔, 祭崔補闕文》五辟三顧, 懸榻開樽, 不辭小國之權, 益切高堂之養. ❷'대(代)'의 뜻으로, 제왕(帝王)의 대수를 세는 데 쓰는 말. 《文選, 班固, 幽通賦》巽羽化于宣宮兮, 彌五辟而成災. (李善注) 五辟, 謂王后, 元帝也, 成帝也, 哀帝也, 平帝也.

벽사타(辟斯他 : bìsītā) [통화] 중국(中國)의 단위. '피아스터(piaster)'의 음역(音譯).

변(辨 : biàn) [넓이] 중국(中國)의 단위. 1변은 부(夫)의 9배(倍), 또는 정(井)의 7분의 1에 해당된다. 《左傳, 襄公25年》井衍沃. (孔穎達疏) 賈逵曰, 京陵之地, 九夫爲辨, 七辨而當一井也.

변(邊) 1 [점수] 활쏘기에서 과녁에 맞힌 점수를 헤아리는 데 쓰는 말. 활쏘기의 점수로는 관(貫)과 변(邊)의 두 가지가 있는데, 관은 화살이 과녁의 정곡(正鵠)에 맞혔을 때로 2 분(分)의 점수를 주고, 정곡의 바깥 부분에 맞혔을 때에는 변이라 하여 1 분(分)의 점수를 주었다. 한 순(巡)에서 화살 5 대를 쏘아 모두 정곡에 맞히면 10 점으로 만점이 된다.《御射古風帖》壬子十月三十日, 御射柳葉箭十巡四十九矢七十二分. 第一巡, 五中八分, 邊貫邊貫貫. 第二巡, 五中七分, 邊邊貫邊貫. 第三巡, 五中七分, 邊邊貫邊貫. 第四巡, 五中七分, 邊邊邊貫貫. 第五巡, 五中六分, 邊邊邊貫邊.《萬機要覽, 軍政編 2, 訓鍊都監, 試藝》騎芻・柳葉箭・片箭・鞭芻以上四技, 通計七分以上爲上上等, 六分爲上中等, 五分爲上下等. 而騎芻二中雖未滿五分, 亦入於上下等, 柳葉箭貫一中・邊三中雖是五分, 無兼藝則不入於上下等. ② [수효] '쪽'의 뜻으로, 일의 해당되는 편의 수를 세는 데 쓰는 말.《新補受教輯錄, 刑典, 推斷》國恤時, 鞫囚物故單子, 一邊入啓後, 一邊出給其死體.

변(辮 : biàn) [수효] 중국(中國)의 단위. '접'의 뜻으로, 과실이나 마늘・무・배추 등 100 개씩을 하나치로 세는 데 쓰는 말.

변가(辨哥 : bàngē) [통화] 중국(中國)의 단위. '펭괴(pengö)'의 음역(音譯).

별(撇 : piě) [수효] 중국(中國)의 단위. 삐침(丿)과 같이 생긴 물건의 수를 세는 데 쓰는 말.《電椅集, 電椅》他有安靜的眼光, 嘴唇邊搭了兩撇濃密的須髭.

별자(撇子 : piězi) [수효] 중국(中國)의 단위. 빰을 친 횟수를 세는 데 쓰는 말.

병(兵) [수효] 병기(兵器)의 수를 세는 데 쓰는 말.《書, 顧命》二人雀弁, 執惠立于畢門之內, 四人綦弁, 執戈上刃, 夾兩階戺, 一人冕, 執劉立于東堂, 一人冕, 執鉞立于西堂, 一人冕, 執戣立于東垂, 一人冕, 執瞿立于四垂, 一人冕, 執銳立于側階.(孔穎達疏) 此所執者, 凡有七兵.

병(秉) [부피] 용량의 단위. 1 병은 160 말〔斗〕, 또는 16 섬〔石〕에 해당된다. 1 섬〔石〕을 1.5 곡(斛)으로 쳐서 10 석 10 두(斗)면 16 곡이 된다.《芝峰類說 17, 雜事部, 數名》一手盛爲溢, 兩手爲掬, 掬四爲豆, 豆四爲區, 區四爲釜, 釜二有半爲藪, 藪二有半爲缶, 缶二爲鍾, 鍾二爲秉.《集韻, 梗韻》秉, 粟十六斛爲秉.《儀禮, 聘禮》十斗曰斛, 十六斗曰藪, 十藪曰秉.《論語, 雍也》子華使於齊, 冉子爲其母請粟. 子曰, 與之釜. 請益. 曰, 與之庾. 冉子與之粟五秉. (楊伯峻注) 五秉, 則是八十斛……周秦的八十斛, 合今天的十六石.《事類博解, 上, 人道》十石十斗爲秉.《廣才物譜, 庶類, 數》秉, 二鍾.

병(柄) [수효] '자루'의 뜻으로, 자루가 있거나 긴 모양으로 된 물건의 수를 세는 데 쓰는 말. ❶총통(銃筒)・불랑기(佛狼機)・화통(火熥)・총(銃)・포(砲) 따위 총포의 수를 셀 때 쓰이었다. 문(門). 위(位).《朝鮮世宗實錄 19, 5年正月辛卯》兵曹啓, 依傳旨, 唐小火熥一百二十五柄, 前鑄小火熥, 稱中小火

桶. 從之.《朝鮮世宗實錄 62, 15年11月庚寅》昌盛請東八站, 驚虎大火砲二十柄, 小火砲三十柄, 處之何如.《朝鮮中宗實錄 77, 29年8月甲寅》宿所碧蹄通濟院, 火砲三, 銃筒各二十柄, 太平館·慶德宮各三十柄.《萬機要覽, 軍政編 2, 訓鍊都監, 軍器》佛狼機六十五柄(四號十五柄, 五號五十柄). 鳥銃八千二百三十九柄(行用銃七千九百四十六柄內, 四千四百三十八柄, 軍兵分給. 別鳥銃一百五十四柄, 長鳥銃五十四柄內, 三層火門一柄, 大鳥銃五十六柄, 銅絲大鳥銃三十二柄, 黑骨鳥銃一柄).《萬機要覽, 軍政編 3, 禁衛營, 軍器》噴火筒六百四柄. ❷모편(毛鞭)·편곤(鞭棍)·곤봉(棍棒)·주장(朱杖) 따위의 수를 셀 때 쓰이었다.《三名日方物謄錄》毛鞭四柄.《萬機要覽, 軍政編 2, 龍虎營, 軍器》着筋鞭棍六百六十九柄, 仁老里鞭棍一千三十六柄, 稜刃槍鞭棍二十二柄. 棍棒四柄. 朱杖二十九柄. ❸창(槍)·당파(鐺鈀) 따위의 수를 셀 때 쓰이었다. 근(根). 본(本). 정(挺). 조(條). 좌(坐). 지(枝). 총(叢).《朝鮮宣祖實錄 87, 30年4月乙酉》秀吉大喜, 贈良馬二疋, 銀鞍五枝, 米千石, 錦衣五十件, 苧單衣五十件, 環甲五十柄, 槍十五柄, 長劍三柄, 鳥銃七枝, 奴三百六十口, 軍官三十四名爲賞.《萬機要覽, 軍政編 2, 龍虎營, 軍器》鐺鈀八柄, 梨花槍四柄, 長槍四柄, 短槍八柄. ❹장도(長刀)·환도(還刀)·의도(儀刀)·장검(長劍) 따위 칼의 수를 셀 때 쓰이었다.《高麗史 2, 惠宗世家》金銀重口大様刀子三十柄, 銀重口大樣刀子四十柄, 金銀重口中樣刀子五十柄, 銀重口中樣刀子五十柄, 金銀重口小刀子五十柄, 銀重口小刀子一百柄.《朝鮮世宗實錄 20, 5年6月庚午》源義俊, 使人進銅錢一千觔, 大刀十五把, 長刀五柄, 陳皮五十觔, 朱盤五十片, 素麪二百斤, 乾梅一千枚.《禁衛營抄謄錄, 英祖乙未 2月24日》紘具長箭二百浮, 片箭二百浮, 環刀二百柄.《進宴儀軌(高宗壬辰) 2, 儀仗》儀刀六柄.《度支準折, 錢物》常長劍一柄, 価艮六兩. 倭長劍一柄, 価艮十五兩. 版別. ❺초〔燭〕의 수를 셀 때 쓰이었다. 대(對). 정(丁·挺). 조(條). 지(枝). 척(隻).《朝鮮世宗實錄 8, 2年4月甲子》禮曹啓, 在前文宣王朔望奠……每位簠一盛稻米, 簋一盛黍米, 左一籩鹿脯, 右一……剌燭各一柄.《朝鮮中宗實錄 26, 11年11月丙申》宣醞于弘文館承政院, 因賜白蠟燭二十柄于政院.《芝峰類說 13, 文章部, 東詩》世傳鄭知常詩曰, 三丁燭盡天將曉……余按三丁, 猶言三條, 今奉常寺祭燭以一柄爲一丁, 以三柄爲三丁.《度支準折, 祭燭龍脂》五燭一柄(黃蜜四兩八戔, 楮常紙半張), 七燭一柄(黃蜜五戔, 楮常紙半張), 小蜜燭一柄(黃蜜二兩, 楮常紙半張), 照燭一柄(黃蜜四兩八戔, 楮常紙半張). ❻비〔箒〕의 수를 셀 때 쓰이었다. 본(本).《正宗大王殯殿魂殿都監儀軌, 下, 稟目》尾箒十五柄.《純元王后國葬都監儀軌 2, 稟目》每朔杻木半丹, 尾箒二柄.《純元王后國葬都監儀軌 4, 造作》杻箒五柄. ❼붓의 수를 셀 때 쓰이었다.

동(同)의 하위 단위로, 1병은 동의 10분의 1에 해당된다. 경(莖). 관(管). 매(枚). 지(枝).《正宗大王殯殿魂殿都監儀軌, 上, 稟目》抄筆二柄. 黃筆八同七柄內, 六同, 內下, 二同七柄, 工曹.《進宴儀軌(高宗壬寅) 2, 稟目》畫筆·水筆各十五柄.《進饌儀軌(純祖己丑) 1, 移文》畫筆八同八柄.《度支準折, 筆墨》白筆十柄, 黃毛筆(方物百柄). ❽홰〔炬〕의 수를 셀 때 쓰이었다. 동(同)의 하위 단위로, 1병은 동의 10분의 1에 해당된다. 개(介). 거(炬).《訓鍊都監重記, 內策應所, 時遺在秩》中炬拾壹同玖柄.《正宗大王殯殿魂殿都監儀軌, 上, 稟目》炬子五柄. ❾기(旗)의 수를 셀 때 쓰이었다. 건(件). 면(面). 부(副). 수(首). 유(旒). 조(條).《進宴儀軌(高宗壬寅) 3, 儀仗》玄武旗一柄, 雲旗一柄, 白虎旗一柄, 靑龍旗一柄. ❿가래〔加乃·加羅〕·곡괭이〔串光伊〕·넙괭이〔廣光伊〕·쇠스랑〔小侍郎〕·삽(鍤)·괭이〔果尿〕·가랫장부〔加羅丈夫〕따위 농기구의 수를 셀 때 쓰이었다.《昌慶宮營建都監儀軌, 實入》加乃七十五柄. 串光伊二十四柄. 鍤二十柄. 廣光伊四十五柄.《陶山書院傳掌記, 萬曆 46年正月 19日》果尿三柄, 加羅二柄, 小侍郎二柄.《孝宗寧陵山陵都監儀軌, 三物所》加羅丈夫具二十柄. ⓫부채〔扇〕의 수를 셀 때 쓰이었다. 매(枚). 본(本). 봉(封). 파(把).《萬機要覽, 財用編 1, 供上, 大殿》五十竹白斑貼扇一柄, 四十竹白斑貼扇二柄, 四十竹白貼扇一百柄.《進宴儀軌(高宗壬寅) 2, 稟目》皇太子宮繖扇二柄.《度支志 9, 御供》食扇二柄. 白斑帖扇二柄. ⓬양산(陽傘)·우산(雨傘)·일산(日傘)·개(蓋) 따위의 수를 셀 때 쓰이었다.《高麗史 18, 毅宗世家》二十一年九月乙丑, 入御南京, 留守官備禮迎駕獻, 陽傘二柄, 馬二匹, 牛一頭, 是夜命內侍及重房, 射侯中者, 賜綾絹.《正宗大王殯殿魂殿都監儀軌, 上, 稟目》雨傘三柄.《進宴儀軌(高宗壬寅) 2, 稟目》陽傘一柄, 日傘一柄, 九龍黃蓋二柄. ⓭여의(如意)의 수를 셀 때 쓰이었다. 여의는 독경(讀經)·설법을 할 때 중이 가지는 도구로, 전자(篆字)의 심(心)자를 나타내는 고사리 모양의 머리를 만들며, 한 자〔尺〕 내지 석 자의 자루를 달았다.《朝鮮正祖實錄 18, 8年11月辛未》世子宮長壽玉佛一尊, 玉如意一柄, 湖筆二匣, 貢墨二匣, 歙硯二尊, 絹箋十二束. ⓮인두〔引導〕의 수를 셀 때 쓰이었다.《三名日方物謄錄》引導五柄. ⓯용지(龍脂)의 수를 셀 때 쓰이었다.《正宗大王殯殿魂殿都監儀軌, 上, 稟目》龍脂二十柄.《純元王后國葬都監儀軌 2, 實入》龍脂七十八柄.《度支志 15, 都摠府》龍脂二十柄. ⓰향(香)의 수를 셀 때 쓰이었다. 주(炷). 지(枝).《孝宗寧陵山陵都監儀軌, 啓辭, 5月17日, 都監》芙蓉香十六柄.《和何節判觀水》煙芷差差綠, 風荷柄柄香. ⓱편종(編鐘)·편경(編磬) 등의 악기를 치는 데 쓰는 방망이〔槌〕의 수를 셀 때 쓰이었다.《高麗史 70, 樂志》登歌樂器. 編鍾, 正聲一十六顆……幷鍍金銀鈒花稜,

槌一柄, 敔一隻……軒架樂器. 編鍾九架……彫木蓮花座全, 木槌三柄, 七絃流蘇四件……抹碌高脚一具, 鐵槌二柄, 紫絹緣燈心席六十領. ⑱자루가 달린 요령(鐃鈴)·쌍두탁(雙頭鐸)의 수를 셀 때 쓰이었다. 《高麗史 70, 樂志》軒架樂器. 編鍾九架……上有麾幡二首, 袋全, 鼗鼓二面, 鐃鈴二柄, 雙頭鐸二柄, 金錞二隻. ⑲편담(扁擔)의 수를 셀 때 쓰이었다. 《萬機要覽, 軍政編 2, 訓鍊都監, 軍器》扁擔四十五柄. ⑳도끼〔斧子〕의 수를 셀 때 쓰이었다. 《萬機要覽, 軍政編 2, 龍虎營, 軍器》斧子七十七柄. ㉑자루나 귀때가 달린 냄비의 수를 셀 때 쓰이었다. 본(本). 통(筒). 《朝鮮世祖實錄 7, 3年3月戊寅》金粧屛風二張, 紅柒木椀一百事, 紅柒盤大小二十片, 綵畫扇二十把, 大刀十把, 銚子十柄, 提子十箇. ㉒동발〔鈸〕의 수를 셀 때 쓰이었다. 《萬機要覽, 軍政編 2, 訓鍊都監, 軍器》摔鈸十六柄. ㉓'벌'의 뜻으로, 갑옷의 수를 셀 때 쓰이었다. 부(副). 부(部). 영(領). 《朝鮮宣祖實錄 87, 30年4月乙酉》秀吉大喜, 贈良馬二疋, 銀鞍五枝, 米千石, 錦衣五十件, 苧單衣五十件, 環甲五十柄, 槍十五柄, 長劍三柄, 鳥銃七枝, 奴三百六十口, 軍官三十四名爲賞. ㉔차양(遮陽)의 수를 셀 때 쓰이었다. 《儒林外史, 25回》一柄遮陽, 一頂大轎.

병(瓶) [부피] '병'의 뜻으로, 병에 술·간수(艮水)·차(茶)·석유(石油) 따위 액체를 담아 그 양을 헤아리는 데 쓰는 말. 호(壺). 《高麗史, 文宗世家》供御杏仁煮法酒一十瓶. 《朝鮮太宗實錄 9, 5年正月庚子》皇帝遣都司, 率兵衆, 賚燒酒百瓶及朝鮮馬三十匹來. 《朝鮮成宗實錄 1, 卽位年12月癸亥》燒酒二十瓶, 淸油五十瓶, 乾雉一百首, 雁一十首, 桂三角, 茶食三角. 《陶山書院傳掌記 29, 己卯8月17日》石油三瓶. 《度支準折, 鹽醬酒醋》艮水一升, 四斗作一瓶. 《度支準折, 唐餠果茶膏》雨前茶一瓶. 《度支準折, 雜錄》薄荷油(大一瓶, 價錢一兩, 小一瓶, 價錢六戔.

병(鉼 : bǐng) [수효] 중국(中國)의 단위. '덩이'의 뜻으로, 떡 모양으로 둥글넓적하게 생긴 금은 덩이의 수를 세는 데 쓰는 말. 병(餠). 《三國志, 魏志, 齊王芳紀》賜銀千鉼, 絹千匹. 《高僧傳, 宋京師祇洹寺釋慧義》得璧大小三十二枚, 黃金一鉼. 《太平廣記 313》以白金十鉼爲贈.

병(餠 : bǐng) [수효] 중국(中國)의 단위. 둥글넓적하게 생긴 물건의 수를 세는 데 쓰는 말. ❶금덩이나 누룩의 수를 셀 때 쓰이었다. 황금 1병은 1근(斤)에 해당된다. 병(鉼). 《南史, 梁武帝諸子傳, 蕭紀》黃金一斤爲一餠, 百餠爲簉. 《後漢書, 列女傳, 樂羊子妻》羊子嘗行路, 得金一餠, 還以與妻. 《齊民要術, 造神麴幷酒等》造作麥麴, 數千百餠. ❷차(茶)의 덩이의 수를 셀 때 쓰이었다. 《歸田錄 2》始造小片龍茶以進, 其品絕精, 謂之小團, 凡二十餠, 重一片. 《畫墁錄》丁晉公爲福建轉運使, 始製鳳團後又爲龍團, 貢不過四十餠. ❸'자루'의 뜻으로, 먹〔墨〕의 수를 세는 데 쓰이었다. 매

(枚). 장(丈·張). 정(丁·挺·錠). 쾌(快). 판(板). 편(片). 홀(笏).《春渚紀聞》太室常和, 其墨精緻, 余嘗就和得數餠.

보 [수효] 저담(豬膽)이나 웅담 따위의 수를 세는 데 쓰는 말.

보(步) ① [넓이] ❶땅의 넓이를 헤아리는 데 쓰는 말. 시대에 따라 다소 차이가 있는데, 대략 1 보는 6 제곱 자〔尺〕 또는 5 제곱 자에 해당된다.《高麗史 78, 食貨志, 田制》靖宗二十三年, 定量田步數, 田二結, 方三十三步(六寸爲分, 十分爲一尺, 六尺爲一步).《朝鮮世宗實錄 103, 25年正月庚午》議政府據戶曹呈啓, 以田方五尺, 積二十五尺爲一步, 二百四十步爲一畝, 百畝爲一頃, 五頃爲一字丁. ❷1 보는 정(井)의 10 분의 1 에 해당된다.《孔子家語, 相魯》十步爲井. ② [길이·수효] ❶일정한 거리를 발걸음으로 길이를 헤아리는 데 쓰는 말. 또는 그 발걸음의 수를 세는 데 쓰는 말.《三國史記 2, 新羅訖解王本紀》二十一年, 始開碧骨池, 岸長一千八百步.《三國遺事 2, 紀異, 孝成王》始築關門於毛火郡, 今毛火村, 屬慶州東南境, 乃防日本塞垣也, 周廻六千七百九十二步五尺.《朝鮮太宗實錄 7, 4年3月庚午》命禮曹, 詳定各品及庶人墳墓禁限步數, 一品墓地方九十步, 四面各四十五步……庶人方五步已上, 步數並用周尺.《經國大典 4, 兵典, 試取》兩手各持五十斤, 能行一百六十步爲一力, 一百三十步爲二力, 一百步爲三力. ❷1 보는 주척(周尺)으로 8 자〔尺〕에 해당된다.《禮記, 王制》古者以周尺八尺爲步, 今以周尺六尺四寸爲步. ❸1 보는 주척(周尺)으로는 6 자, 영조척(營造尺)으로는 3 자 8 치〔寸〕에 해당된다.《華城城役儀軌, 首, 圖說》城身成圭形, 而循址培土, 約闊四五丈, 通計周圍爲二萬七千六百尺, 作四千六百步(用周尺六尺爲一步, 營造尺則三尺八寸爲一步, 下皆防此).《增補文獻備考 91, 樂考, 度量衡》測量尺, 十釐爲分, 十分爲一周尺(六寸六分), 六尺爲一步, 十尺爲一間, 一百尺爲一鏈, 二千一百尺爲一里(卽三百五十步), 三十里爲一息. 泰西米突, 則一米突準我五尺.《史記, 秦始皇紀》數以六爲紀, 六尺爲步. (索隱) 管子, 司馬法皆云六尺爲步, 非獨秦制. 又王制八尺爲步, 今以六尺四寸爲步. ③ [수효](bù) 중국의 단위. '판'의 뜻으로, 바둑이나 장기에서 승부를 가리기 위하여 둔 대국의 수를 세는 데 쓰는 말.《成語故事》走錯一步棋, 可能全盤皆輸.

보(保) [부피] '보시기'의 준말로, 보시기에 음식을 담아 그 양을 헤아리는 데 쓰는 말.《雲林別錄, 戊申2月23日》痔疾, 好醋一保, 燒酒一保, 合之一器, 陰火上薰之, 薰於糞門, 看輕重, 限半日·一日·二日後, 生鷄肉付之, 則雖久痔神效也.

보(補) [수] 매우 큰 수(數)의 하나. 1 보는 10 해(垓)이며, 100 경(經), 또는 1,000 조(兆)에 해당된다.《韻會, 姥韻》補, 數也. 十兆曰經, 十經曰垓, 十垓曰補.《太平御覽 750》風俗通曰, 十十謂之百, 十百謂之千, 十千謂之萬, 十萬謂之億, 十億謂之兆, 十兆謂之經, 十經謂之垓,

十垓謂之補, 十補謂之選, 十選謂之載, 十載謂之極.

보가치(bogach) [통화] 예멘의 현재 통화 단위. 1 보가치는 리얄(riyal)의 40 분의 1 에 해당된다.

보그(vog) [질량] 덴마크의 고유 단위. 1 보그는 39.68 파운드이며, 푼(pund)의 36 배, 또는 17.999 kg 에 해당된다.

보베이트(bovate) [넓이] 고대 영국의 단위. 카루케이트(carucate)의 8 분의 1 이다. 8~32 에이커〔ac〕.

보시기 [수효] 보시기에 음식을 담아 그 양을 헤아리는 데 쓰는 말. 보(保).

보이(普爾 : pŭĕr) [통화] 중국의 단위. '풀(pul)'의 음역(音譯).

보제(bozze) [부피] 리비아(Libya)의 고유 단위. 1 보제는 바릴레(barile)의 24 분의 1 이며, 2.83 미(美) 액량(液量) 쿼트, 2.36 영(英) 액량 쿼트, 또는 2.68l 에 해당된다.

보조 계량 단위(補助計量單位) [해설] 기본 단위(基本單位), 또는 유도 단위(誘導單位)와 특정(特定)한 관계를 맺고 있는 단위. ❶길이의 기본 단위인 미터〔m〕의 보조 계량 단위로는 옹스트롬〔Å〕· 밀리미크론〔mμ〕 · 미크론〔μ〕 · 밀리미터〔mm〕· 센티미터〔cm〕· 킬로미터〔km〕· 나노미터〔nm〕· 해리〔海里 : M 또는 nm〕가 있고, ❷무게의 기본 단위인 킬로그램〔kg〕의 보조 계량 단위로는 밀리그램〔mg〕· 그램〔g〕· 톤〔ton〕· 킬로톤〔kt〕· 메가톤〔Mt〕· 캐럿〔ct, car〕이 있으며, ❸넓이의 기본 단위인 제곱 미터〔m^2〕의 보조 계량 단위로는 제곱 밀리미터〔mm^2〕· 제곱 데시미터〔dm^2〕· 제곱 킬로미터〔km^2〕· 아르〔a〕· 헥타르〔ha〕가 있다. ❹이 밖에 비중(比重)의 보조 계량 단위에는 중(重) 보메도(度) · 경(輕) 보메도 · 에이 피 아이도(API 度)가 있다.

보지(bodge) [부피] 영국(英國)의 옛 단위. 1 보지는 펙(peck)의 2 분의 1 에 해당된다.

보지락 [부피] 빗물이 땅 속에 스민 정도를 보습의 길이로 헤아리는 데 쓰는 말.

보치카(bochka) [부피] 러시아의 옛 액량(液量) 단위. 1 보치카는 비에드로(viedro)의 40 배(倍)이며, 130.0 미(美) 갤런(gallon), 108.2 영(英) 갤런, 또는 491.96l 에 해당된다. 파스(Fass).

보칼레(boccale) [부피] 이탈리아(Italia)의 옛 단위. 1 보칼레는 0.21~0.48 미(美) 갤런(gallon)이며, 0.40 영(英) 갤런, 또는 0.8~1.8l 에 해당된다.

보코이(bocoy) [부피] 쿠바(Cuba)의 고유 단위. 1 보코이는 175.0 미(美) 갤런(gallon)이며, 145.7 영(英) 갤런, 또는 6.62l에 해당된다.

보타(bota) [부피] 포르투갈(Portugal)의 고유 단위. 1 보타는 알무드(almud)의 26 배(倍)이며, 115 미(美) 갤런(gallon), 96 영(英) 갤런, 또는 435l 에 해당된다.

보텔라(botella) [부피] 엘살바도르(El Salvador)의 액량(液量) 단위. 1 보텔라는 0.77 미(美) 쿼트(quart)이며, 0.64 영(英) 쿼트, 또는 0.73l 에 해당된다.

보특(普特 : pŭtè) [질량] 중국(中

國)의 단위. '푸드(pud)'의 음역(音譯).

복(卜) ① [넓이] 조세를 계산하기 위한 토지 면적의 단위. '짐'의 뜻으로, '부(負)'라고도 한다. 1 복은 열 뭇〔束〕, 곧 백 줌〔把〕의 곡식을 거두어들일 수 있는 넓이이다. 부(負). 《朝鮮世宗實錄 74, 18年9月甲午》我國田制, 十束爲卜, 百卜爲結, 每五結而係之以字號, 分屬于各處. 《與猶堂全書, 雅言覺非》於是一負曰一卜, 二負曰二卜, 輕重之馱曰卜, 馬裝辦之載曰卜. 《萬機要覽, 財用編 2, 田結》一握者, 謂之把, 遞以上之至于結, 十把爲束, 十束爲負(或稱卜, 今每一負, 出租一斗), 百負爲結(俗音먹), 八結爲夫. 《行用吏文》卜, 卜本負之勹點, 詳見前篇, 卜馬卜馱, 皆從本音非是. ② [질량] 물건의 무게를 헤아리는 데 쓰는 말. 1 복은 1 돈〔錢〕에 해당된다. 《度支準折, 衹帒巾衣裳》綿鈴一介所入, 綿花三卜, 麻糸二卜, 常綿子二卜. 綿亇赤一介所入, 綿花一戔, 麻糸二卜, 常綿子二卜.

복(伏 : fú) [시간] 중국(中國)의 단위. 1 복은 1 주야(晝夜), 또는 하루(24 시간)에 해당된다. 《無冤錄, 毒藥死》中砒霜野葛毒死, 春夏秋冬得一伏時徧身發小皰, 作青黑色, 身上亦作青黑色. 《申三省起請開湖六條狀》每一伏時, 可溉五十頃. 《本草綱目, 草部, 蛇牀》須用濃藍汁幷百部草根自然汁, 同浸一伏時, 漉出日乾, 却用生地黃汁相拌蒸之, 自巳至亥, 取出日乾用. 《天下郡國利病書, 山東 2, 鹽法志》每歲春夏間, 天氣晴明, 取池滷注盤中煎之, 盤四角揞爲一織葦, 攔盤上周塗以蜃泥, 自子至亥, 謂之一伏火.

복(服) [수효] ❶'첩(貼)'의 뜻으로, 약복지(藥袱紙)에 싼 약의 뭉치를 세는 데 쓰는 말. 매(枚). 첩(帖·貼). 《朝鮮宣祖實錄 9, 8年3月庚子》藥房提調大臣等, 問安於懿殿, 善福言昨日生脉散, 一服三四次, 四七湯一服進御後, 始得解表, 舌上白胎盡去. 《辟瘟新方》右作一服, 入薑三, 棘二, 水煎服(이 약을 싸흐라 ᄒᆞᆫ 복 ᄆᆡᆼ그라, 믈 ᄒᆞᆫ 되 다숩과 싱강 세 편, 대쵸 둘 녀허 칠 홉 되게 달혀 즈으란 ᄇᆞ리고 머그라). 《救急簡易方諺解 1, 中風》木香(一錢), 㕮咀分二服, 每服用生薑七片(목향 ᄒᆞᆫ 돈과ᄅᆞᆯ 사ᄒᆞ라 두 복애 논화, ᄒᆞᆫ 복에 싱앙 닐굽 편곰 녀허). ❷'배'의 뜻으로, 사람이 아이를 낳거나, 짐승이 새끼를 낳고 알을 까는 횟수를 세는 데 쓰는 말. 배. 산(產). 유(乳). 태(胎). 《朝鮮宣祖實錄 25, 24年4月乙亥》慶山沙器匠石乙伊妻良女豆之, 一服二女一男生產, 並爲生存, 至爲恠異, 事下禮曹. ❸약을 먹는 횟수를 세는 데 쓰는 말. 《老乞大諺解, 下》食後喫(食後에 먹으되), 每服三十丸(ᄆᆡ ᄒᆞᆫ 복에 셜ᄒᆞᆫ 환식 ᄒᆞ여), 薑湯送下(生薑湯에 ᄂᆞ이오라).

복록령(福祿令 : fúlùlìng) [통화] 중국의 단위. '플로린(florin)'의 음역(音譯).

복림(福林 : fúlín) [통화] 중국(中國)의 단위. '포린트(forint)'의 음역(音譯).

복안(伏安 : fúān) [전력] 중국(中國)의 단위. '복특안배(伏特安培)'

의 준말.

복자(卜子) [부피·수효] '복자'·'기름 복자'의 차자 표기로, 기름 복자에 기름 따위 액체를 담아 그 양을 헤아리거나, 기름 복자로 액체를 뜬 수를 세는 데 쓰는 말. 《度支準折, 入染物種》 臙脂水一卜子(紅花五兩, 五味子一兩三戔七分), 折價七戔八分.

복투(輻透 : fútoù) [조도(照度)] 중국(中國)의 단위. '포토(photo)'의 음역(音譯).

복특(伏特 : fútè) [전압·기전력] 중국의 단위. '볼트(volt)'의 음역(音譯).

복특안배(伏特安培 : fútèānpéi) [전력] 중국(中國)의 단위. '볼트암페어(volt-ampere)'의 음역(音譯). 복안(伏安).

본(本) [수효] ❶쇠뿔이나 상아(象牙) 따위의 수를 세는 데 쓰는 말. 매(枚). 조(條). 《朝鮮世宗實錄 14, 3年11月乙丑》 仍獻硫黃一千二百斤, 丹木一千斤, 明礬二百斤, 象牙二本, 犀角三本. 《朝鮮成宗實錄 81, 8年6月辛丑》 別幅, 丹木一萬斤, 臘子五千斤……砂糖百斤, 水牛角百本, 天竺酒甕二箇, 藤二千本, 鮐皮二百枚, 種樹器青磁一對. ❷'그루'·'포기'의 뜻으로, 나무·풀·버섯·생강〔生干〕·파〔葱〕·마늘 따위의 수를 세는 데 쓰는 말. 《高麗史 53, 五行志》 太祖元年六月戊辰, 一吉粲能允家園, 生瑞芝一本, 九莖三秀, 獻于王, 賜內倉穀. 《朝鮮世祖實錄 30, 9年7月乙巳》 行司直魯參, 進粟一莖兩穗者二本. 《朝鮮成宗實錄 290, 25年5月戊戌》 別幅, 木香苗小桶一箇, 椰子苗二本, 藤苗小桶一箇, 胡椒砂糖付小壺一箇. 《鎖尾錄 3, 甲午8月26日》 生蟹三十甲, 松耳十七本, 眞油一升, 好酒六鐥. 《關西邑誌, 鐵山府邑誌, 事例》 生干五本, 胡椒五夕, 法油三升. 《進宴儀軌(高宗壬寅) 2, 饌品》 七技湯一器, 陳鷄二首, 牛內心肉三斤, 海蔘十箇……白菜一箒, 生葱三本, 實栢子二夕. 《度支準折, 菜蔬》 獨頭蒜二本, 価錢一分. ❸'권(卷)'·'질(帙)'의 뜻으로, 책의 수(數)를 세는 데 쓰는 말. 건(件). 반(件). 부(部). 사(事). 질(帙·秩·袠). 《三國遺事 3, 塔像, 前後所將舍利》 又天成三年戊子, 默和尙入唐, 亦載大藏經來, 本朝睿廟時, 彗照國師奉詔西學, 市遼本大藏三部而來, 一本今在定惠寺(海印寺有一本, 許參政宅一本). 《高麗史 6, 靖宗世家》 十一年夏四月己酉, 秘書省, 進新刊禮記正義七十本, 毛詩正義四十本, 命藏一本於御書閣, 餘賜文臣. 《朝鮮太宗實錄 7, 4年3月戊辰》 欽賜曆日書籍事, 永樂二年大通曆一百本, 古今烈女傳一百一十部. 《朝鮮宣祖實錄 85, 30年2月癸酉》 元藏實錄外謄寫二本, 一藏于金剛山, 一藏于妙香山, 以爲水火·盜賊之備. 古者有藏之名山, 在我先王朝, 如外三處史庫(星州·忠州·全州)設立之意, 卽慮此也. ❹도장의 수를 세는 데 쓰는 말. 면(面). 《高麗史 7, 文宗世家》 十年八月戊辰……秘閣所藏九經·漢晉唐書·論語·孝經·子史·諸家文集·醫卜·地理·律筭諸書, 置于諸學院. 命有司, 各印一本, 送之. ❺줄기와 가지를 갖춘 조화(造

花)의 수를 세는 데 쓰는 말. 개(箇). 《進饌儀軌(純祖己丑) 2, 饌品, 外進饌時所用》 絲圈花二本(價錢二十兩), 三枝首拱花三箇(價錢六十二兩一錢), 二枝首拱花四千二百箇(價錢四百二十兩). ❻'자루'의 뜻으로, 창(槍·鑓)의 수를 세는 데 쓰는 말. 근(根). 병(柄). 정(挺). 조(條). 좌(坐). 지(枝). 총(叢). 《朝鮮成宗實錄 244, 21年9月丁卯》 日本國大中大夫左京兆尹兼防長, 豐筑四州太守多良政弘, 遣人來獻土宜……朱漆鑓一十本, 朱漆小盆五十枝, 黑漆鞘柄大刀一十振. ❼'장(張)'·'매(枚)'의 뜻으로, 두루마리로 된 그림의 수를 세는 데 쓰는 말. 권(卷). 정(幀). 축(軸). 포(鋪). 폭(幅). 《朝鮮世宗實錄 45, 11年7月丁卯》 頒海青圖一百本于諸道, 盖欲習見捕進獻鷹也. 《朝鮮正祖實錄 12, 5年8月丙申》 先朝二十一歲甲午, 寫一本, 奉安于彰義宮, 小一本, 奉安于璿源殿, 小一本, 奉安于毓祥宮. 五十一歲甲子, 寫二本, 一本奉安于永禧殿, 一本奉安于萬寧殿. 《六典條例 5, 禮典, 永禧殿》 世祖大王御眞(第二室, 舊影幀一本, 奉安于櫃). 元宗大王御眞(第四室, 又二本奉安于櫃). ❽'장(張)'의 뜻으로, 경판(經板)의 수를 세는 데 쓰는 말. 《朝鮮世宗實錄 23, 6年正月戊寅》 殿下曰, 大藏經板只一本也, 不可賜. ❾'자루'의 뜻으로, 부채의 수를 세는 데 쓰는 말. 매(枚). 병(柄). 봉(封). 파(把). 《朝鮮世宗實錄 90, 22年8月庚午》 謹獻大刀二十振, 鑓一十挺……黃錬綃二匹, 摺疊扇二百本, 香一十斤, 紅漆椀一十具. 《朝鮮成宗實錄 294, 25年9月丁亥》 謹以祝獻, 禮練二匹, 扇子二十本, 馬一匹, 大刀二把. ❿'장'의 뜻으로, 짐승이나 물고기 따위 가죽의 수를 세는 데 쓰는 말. 매(枚). 영(令). 영(領). 장(丈·張). 《關西邑誌, 龍岡誌, 折價式》 獐皮邊青黍皮六本, 唐鞋一部, 價一兩七戔. 白黍皮六本, 唐鞋一部, 價一兩六戔. 馬皮六本, 唐鞋一部, 價一兩. ⓫'오리'의 뜻으로, 카펫이나 피륙을 짜는 데 드는 날실이나 씨실의 갯수를 세는 데 쓰는 말. 결(絖). 오리(五里). 《國民日報, 1995年2月7日》 제일모직은 최근 세계에서 가장 촘촘하고 정교한 1백 13만 本짜리 실크 카펫을 선보였다. 1 m^2 넓이에 1백 13만 개의 실을 심은 이 카펫은 기계로 생산할 수 있는 최고 밀도의 제품. 국내 판매 가격은 2 m×3 m 짜리가 1천만 원으로 예상되고 있다. ⓬(běn) 중국의 단위. ㉮'권(卷)'의 뜻으로, 영화 필름의 편(篇) 수를 세는 데 쓰는 말. 1 권은 305 m 이다. 〈예〉 這部電影是十四～. ㉯'막(幕)'의 뜻으로, 연극에 있어서 나누어진 단락의 수를 세는 데 쓰는 말. 《桃花扇, 孤吟》 昨日看完上本, 演的何如. ⓭일본(日本)의 단위. ㉮과자(菓子)·양갱(羊羹) 따위의 수를 세는 데 쓰는 말. 《羣書類從 88》 生物一木(四坏), 干物一本(四坏), 菓子一本(六坏). ㉯냄비나 다리미의 수를 세는 데 쓰는 말. 병(柄). 사(事). 통(筒). ㉰'개비'의 뜻으로, 담뱃갑에 든 궐련, 성냥갑에 든 성냥개비, 장작 따위를 낱으

로 세는 데 쓰는 말. 한 갑은 '상(箱)'이라 한다. 복(服). ㉣'띠'·'실' 따위의 수를 세는 데 쓰는 말. 부(副). 근(筋). 조(条·條). 요(腰). ㉤바늘이나 못의 수를 낱으로 세는 데 쓰는 말. 한 쌈은 '포(包)'라 한다. 정(丁). 좌(坐). 척(隻). 타(朶). ㉥'마리'의 뜻으로, 북어나 가다랭이 따위의 물고기를 세는 데 쓰는 말. 한 쾌는 '연(連)'이라 한다. ㉦'자루'의 뜻으로, 비〔箒〕의 수를 세는 데 쓰는 말. 병(柄). ㉧'장'의 뜻으로, 수건의 수를 세는 데 쓰는 말. 한 죽은 '체(締)'라 한다. 근(筋). 조(條). ㉨'매'의 뜻으로, 숟가락 또는 젓가락 한 쌍을 하나치로 세는 데 쓰는 말. 면(面). 매야(每也). 매이(每伊). 전(揃). 지(支). ㉩오이나 무의 수를 세는 데 쓰는 말. 단은 '파(把)', 접〔貼〕은 '속(束)', 가마니는 '입(叺)'이라 한다. ㉪우산이나 양산의 수를 세는 데 쓰는 말. 장(張). ㉫'편'의 뜻으로, 인삼(人蔘)의 수를 세는 데 쓰는 말. 구(軀). 근(筋). 지(支). 편(片). ㉬'자루'의 뜻으로, 연필이나 칼의 수를 세는 데 쓰는 말. 구(口). 병(柄). 요(腰). 정(挺). 진(振). 척(隻). 파(把). ㉭'대'의 뜻으로, 화살의 수를 세는 데 쓰는 말. 개(箇). 근(筋). 매(枚). 시(矢). 조(条). 척(隻). 파(把). 편(編).

볼(boll) ① [부피] 영국(英國)·뉴질랜드(New Zealand)의 단위. 지방에 따라 다소 차이가 있는데, 대략 1볼은 2~6부셸(bushel), 또는 70.28~211.44l에 해당된다. ② [질량] 스코틀랜드(Scotland)의 단위. 주로 오트밀의 무게를 헤아리는 데 쓴다. 1볼은 140파운드, 또는 63.50 kg에 해당된다.

볼리바르(bolívar) [통화] 베네수엘라(Venezuela)의 현재 통화 단위. 1볼리바르는 센티모(centimo)의 100배(倍)에 해당된다. 1878년 이전에는 페소(peso)·레알(real)·센타보(centavo)의 단위가 쓰였다. 박리와(博利瓦). 기호 : B.

볼리비아노(boliviano) [통화] 볼리비아(Bolivia)의 현재 통화 단위. 1볼리비아노는 센타보의 100배에 해당된다. 기호 : $b

볼트(bolt) [길이] '롤(roll)'과 같다.

볼트(volt) ① [전압(電壓)·기전력(起電力)] 전위차(電位差)·전압 및 기전력의 M.K.S.A. 단위. 1옴〔Ω〕의 전기 저항을 가지는 도체(導體) 중에 1암페어의 전류를 통과하였을 때, 그 도체의 양쪽 끝에 생기는 전위차를 말한다. 볼트라는 말은 이탈리아(Italia)의 물리학자 볼타(Volta ; 1745 ~ 1827)의 이름에서 따온 말이다. 복특(伏特). 기호 : V, volt ② [길이] 미국(美國)의 단위. 주로 피륙이나 벽지(壁紙)의 길이를 헤아리는 데 쓴다. 피륙의 1볼트는 40야드(yard), 또는 36.58 m이고, 벽지는 16야드, 또는 14.63 m에 해당된다.

볼트암페어(volt-ampere) [전력] 피상전력(皮相電力)을 측정하는 실용 단위. 회로(回路)에 1볼트의 교류 전압을 가했을 때, 실효치가 1암페어인 교류 전류가 흐를 때의 피상전력을 말한다. 직류(直流) 전류

에서는 언제나 와트와 같다. 복안(伏安). 복특안배(伏特安培). 기호 : VA

봄베이 캔디(bombay candy) [질량] 미얀마(Myanmar)의 단위. 1봄베이 캔디는 354.716 kg에 해당된다.

봉(封) 1 [부피] '봉지'의 뜻으로, 봉지에 물건을 담아 그 수량을 세는 데 쓰는 말. ❶바늘의 양을 헤아릴 때 쓰이었다. 《純元王后國葬都監儀軌 2, 稟目》大中小針各二封. 《朝鮮宣祖實錄 127, 33年7月辛酉》舍人文弘道, 以平安道暗行御史, 入京, 守令賢否, 民間幣瘼書啓一封. ❷담배의 양을 헤아릴 때 쓰이었다. 봉지(封只·封紙). 습(襲). 《萬機要覽, 財用編 5, 方物》封草一千四百七十五封. 《陶山書院傳掌記 29, 己卯8月17日》長壽烟十四封. 《度支志, 外篇 16, 經費司》常枝二封. ❸건포도의 양을 헤아릴 때 쓰이었다. 《進饌儀軌(純祖己丑) 2, 饌品》乾葡萄一封. ❹설탕·사탕의 양을 헤아릴 때 쓰이었다. 《進宴儀軌(高宗壬寅) 2, 饌品》雪糖二封. 榛子糖·五花糖各五封. 蜜棗青梅糖·人蔘糖各十封. 八寶糖·玉春糖·推耳糖各十二封. ❺먹〔黑〕의 수량을 헤아릴 때 쓰이었다. 《朝鮮宣祖實錄 56, 6年6月壬午》歐陽文忠公集各一帙……蘇合香油二器, 墨二封. ❻생강·후추〔胡椒〕의 양을 헤아릴 때 쓰이었다. 《朝鮮定宗實錄 1, 元年6月乙酉》大相國母獻刻木地藏堂主千佛圍繞一坐, 極精巧, 絹十匹, 胡椒十封. 初三島倭寇, 爲我國患幾五十年矣. 《度支準折, 唐餠果茶膏》閩薑一斤(一封), 價錢一兩六戔. ❼뼈가루나 분(粉)·우황의 양을 헤아릴 때 쓰이었다. 《朝鮮世祖實錄 43, 13年 9月壬辰》察訪金順生·鄭穗, 各粉一封, 雄黃一封, 白飜兒一箇. 《朝鮮宣祖實錄 39, 26年6月辛亥》靖陵灰燼, 大小三封內, 小一封則燒骨僅半半掬, 形色及堅硬, 與宣陵灰燼一樣. ❽염료(染料)의 양을 헤아릴 때 쓰이었다. 《朝鮮世宗實錄 25, 6年8月丁巳》然恐其被害, 與木緜三匹, 廣綃一匹, 針一百箇, 朱紅一封, 白蛤一百箇, 弓絃一條. ❾향(香)의 양을 헤아릴 때 쓰이었다. 《掾曹龜鑑 3, 觀感錄》瞻仰廟貌……聞其享, 適在明日, 特使禮吏, 賫傳一封香, 一祝紙, 因令錄之於邑謄錄, 使之不替. 《度支準折, 雜種貿易》萬壽香一封, 価錢一戔. 芙蓉香一劑, 価艮一百六十兩, 一封五雙, 価錢一兩, 衣香一封, 価錢一兩五戔三分. ❿약(藥)의 양을 헤아릴 때 쓰이었다. 《朝鮮太宗實錄 10, 5年11月乙卯》賜慶尙道兵馬都節制使柳龍生, 酒十瓶, 藥一封, 以用心奉職也. 《朝鮮中宗實錄 90, 34年 5月乙未》且天使臨別時所贈, 手巾二, 銀小鑷二, 香茶二封, 上青元(藥名, 主治暑氣)一封, 扇子一把. ⓫차(茶)의 양을 헤아릴 때 쓰이었다. 《朝鮮世宗實錄 5, 元年9月丙辰》上王遣李明德……石燈盞二事, 厚紙四百張, 茶一封, 念珠一俗. 《朝鮮成宗實錄 69, 7年7月丁卯》贈臣茶葉一封, 胡椒一斤, 扇子一柄. 《朝鮮中宗實錄 90, 34年5月乙未》且天使臨別時所贈, 手巾二, 銀小鑷二, 香茶二封,

上青元(藥名, 主治暑氣)一封, 扇子一把. ⓬'꾸러미'의 뜻으로, 꾸리어 뭉치어서 싼 물건의 양, 또는 그 수를 셀 때 쓰이었다. 《創業史, 1部, 3章》 你世富叔給咱送來一封點心, 一斤酒, 一包挂面. ② [수효] ❶부채의 수를 셀 때 쓰이었다. 매(枚). 병(柄). 본(本). 파(把). 《朝鮮中宗實錄 91, 34年8月己卯》蘇世讓處兩使所送, 天青綃一匹, 扇二封, 玳瑁梳一封, 書簡一封, 詩冊一卷, 手帕二件. ❷빗〔梳〕의 수를 셀 때 쓰이었다. 매(枚). 《朝鮮中宗實錄 91, 34年8月己卯》蘇世讓處兩使所送, 天青綃一匹, 扇二封, 玳瑁梳一封, 書簡一封, 詩冊一卷, 手帕二件. ❸'건(件)'·'통(通)'의 뜻으로, 문기(文紀)나 편지·서계(書啓) 따위의 수를 셀 때 쓰이었다. 각(角). 건(件). 도(度·道). 장(丈·張). 종(宗). 지(紙). 찰(札). 통(通). 폭(幅). 함(緘). 《朝鮮成宗實錄 224, 20年正月丙寅》臣搜索李汎等四兄弟家, 無他文書, 只消息一道, 奴婢文紀一封, 奴婢花名記一道, 家舍·田地·家財許與三道, 消息雜文書四道而已. 《朝鮮中宗實錄 91, 34年8月乙卯》薛天使所奉送, 墨刻一快, 蜀扇一握, 書簡三封.

봉(峰 : fēng) [수효] 중국(中國)의 단위. '마리'의 뜻으로, 낙타의 수를 세는 데 쓰는 말.

봉(捧) [부피] '움큼'의 뜻으로, 손으로 한 줌 쥘 만한 분량, 또는 그 수를 세는 데 쓰는 말. 《訓蒙字會, 下》捧, 우훔 봉. 《愈膏肓疾賦》巨川將潰, 非捧土之能塞, 大廈將崩, 非一木之能止. 《儒林外史, 31回》不管甚麼人求着他, 大捧的銀與人用. 《漢淸文鑑 7, 人, 拿放》一捧, 훈 우훔. 《朴通事諺解, 上》絟馬錢與他一捧兒米便是(물 미엿든 갑슬 더룰 훈 우흠 발을 줌이 곳 올타).

봉(蓬 : péng) [수효] 중국(中國)의 단위. '무더기'의 뜻으로, 물건이 한데 수북이 쌓여 있는 덩이. 또는 싹이나 줄기가 모여 있는 떼판의 수를 세는 데 쓰는 말. 《百煉成鋼》一大蓬金黃紫紅的光霧, 一下子升上了很高的屋頂.

봉(縫) [수효] 일본(日本)의 단위. '땀'의 뜻으로, 바느질할 때에 바늘을 한 번 뜬 땀의 수를 세는 데 쓰는 말.

봉자(棒子 : bàngzi) ① [부피] 중국(中國)의 단위. '병(瓶)'의 뜻으로, 병에 액체를 담아 그 양을 헤아리는 데 쓰는 말. 〈예〉 二~人蔘酒. ② [수효] '번'의 뜻으로, 몽둥이 같은 것으로 내리친 횟수를 세는 데 쓰는 말. 〈예〉 打了三~.

봉지 [부피] 봉지에 물건을 담아 그 양을 헤아리는 데 쓰는 말. 봉(封). 봉지(封只 : 封紙). 습(襲).

봉지(封只) [부피] '봉지'의 차자 표기. '봉지(封紙)'와 같다. 《度支志, 外篇 16, 經費司》衣香二封只.

봉지(封紙) [부피] '봉지'의 차자 표기로, 봉지에 물건을 담아 그 양을 헤아리는 데 쓰는 말. 봉(封). 봉지(封只). 습(襲). 《度支志, 外篇 16, 經費司, 通信使五員支供》淸遠香(各一雙), 衣香(各二封紙).

봉투(封套) [부피·수효] '봉투'의 뜻으로, 봉투에 물건이나 서류 따위를 넣어 그 수량을 헤아리는 데

쓰는 말.

부(夫) ① [수효] '명'·'인'의 뜻으로, 남자의 수를 세는 데 쓰는 말. 《周禮, 地官, 遂人》掌邦之野, 百夫有洫, 洫上有涂, 千夫有澮, 澮上有道. 《吳子, 論將》十夫所守, 千夫不過. 《白居易, 紫藤詩》豈知纏樹木, 千夫力不如. 《蘇軾, 送劉景文鈐轄詩》路人不識呼尙書, 但見凜凜雄千夫. 《書, 大誥》民獻有十夫, 予翼以于敉寧武圖功. 《吳子, 論將》路狹道險, 名山大塞, 十夫所守, 千夫不過, 是謂地機. 《韓愈, 論淮西事宜狀》譬如有人, 雖有十夫之力, 自朝及夕, 常自大呼跳躍, 初雖可畏, 其勢不久必自委頓, 乘其力衰, 三尺童子, 可使制其死命. ② [넓이] 조세를 계산하기 위한 토지 면적의 단위. ❶ 1 부는 8 결(結)에 해당된다. 의(矣). 《萬機要覽, 財用編 2, 田結》一握者, 謂之把, 遞以上之至于結, 十把爲束, 十束爲負(或稱卜), 百負爲結(俗音먹), 八結爲夫(或稱矣). ❷ 1 부는 100 묘(畝)에 해당된다. 《周禮, 地官, 小司徒》九大爲井, 畝百爲夫. 《周禮, 地官, 遂人》十夫有溝, 溝上有畛. (鄭玄注) 十夫, 二鄰之田. (孫詒讓正義) 十夫二鄰之田者, 以不並以家援田一夫計之, 明援田與制邑, 夫家數必上應, 故王制云, 凡居民, 量地以制邑, 度地以居民, 地邑民居, 必參相得也, 上文一夫授田百番晦, 是一夫卽一家所受, 六遂五家爲鄰, 二鄰爲聯, 則有十家, 論語昭謂十室之邑, 是也, 居同邑, 耕同野, 故十夫爲二鄰之田, 凡十夫爲田千晦. 《左傳, 襄公25年》夫井衍沃, 畝百爲夫.

부(付 : fù) [수효] 중국(中國)의 단위. ❶'벌'의 뜻으로, 짝을 이루거나 여러 가지가 한데 모여서 갖추어진 물건의 수를 하나치로 세는 데 쓰는 말. ❷'봉지'·'첩'의 뜻으로, 약이 든 봉지의 수를 세는 데 쓰는 말. ❸'켤레'의 뜻으로, 장갑의 수를 세는 데 쓰는 말.

부(缶) [부피] 용량의 단위. ❶ 1 부는 3 곡(斛) 2 말〔斗〕, 5 곡, 또는 4 곡에 해당된다. 《芝峯類說 17, 雜事部, 數名》一手盛爲溢, 兩手爲掬, 掬四爲豆, 豆四爲區, 區四爲釜, 釜二有半爲藪, 藪二有半爲缶, 缶二爲鍾, 鍾二爲秉. 《小爾雅, 廣量》釜二有半謂之藪, 藪二有半謂之缶, 缶二謂之鍾, 鍾二謂之秉, 秉十六斛也. 《小爾雅, 廣獸》二缶謂之鍾. (宋翔鳳注) 八斛也. 《左傳, 襄公29年》子皮以子展之命, 餼國人粟, 戶一鍾. (杜預注) 六斛四斗曰鍾. 《淮南子, 要略訓》一朝用三千鍾贛. (高誘注) 鍾, 十斛也. ❷ 1 부는 16 곡(斛), 또는 160 말〔斗〕에 해당된다. 《國語, 魯語》出稷禾, 秉芻, 缶米(缶, 庾也. 十六斛曰庾). ❸일본(日本)의 단위. '장군'의 뜻으로, 장군에 액체를 담아 그 양을 헤아리는 데 쓰는 말. 《羣書類從 1》神酒廿缶.

부(扶 : fú) ① [길이] 중국(中國)의 옛 단위. 네 손가락을 나란히 하였을 때의 폭의 길이로, 약 2.14 치〔寸〕에 해당된다. 《公羊傳》扶寸而合(側手曰扶, 案指曰寸). 《韓非子, 揚權》故上失扶寸, 下得尋常. 《禮記, 投壺》籌, 室中五扶, 常上七扶,

庭中九扶. (鄭玄注) 鋪四指曰扶. 2 [수효] 실오리의 수를 세는 데 쓰는 말. 1부는 8오리에 해당된다. 《後漢書, 輿服志, 下》凡先合單紡爲一系, 四系爲一扶, 五扶爲一首, 五首爲一文.

부(府) [행정] 고려·조선 시대 지방 행정 구역의 하나. 고려 시대에는 15곳에 두었고, 조선 시대에는 부 4곳, 대도호부(大都護府) 4곳, 도호부(都護府) 44곳을 두었다. 《新增東國輿地勝覽, 東國輿地序》太祖康獻大王, 受天明命, 定鼎漢陽, 列聖相承, 封疆日闢, 定爲八道……凡京二, 府四, 大都護府四, 牧二十, 都護府四十四, 郡八十三, 縣一百七十三. 《增補文獻備考 15, 輿地考, 郡縣沿革, 高麗》太祖二十三年, 改州·府·郡·縣名. 成宗又改州·府·郡·縣及關·江浦之號……自是以後, 定爲五道·兩界, 摠京四, 牧八, 府十五, 郡一百二十九, 縣三百三十五, 鎭二十九.

부(抔 : pǒu) [부피] 중국(中國)의 단위. '움큼'의 뜻으로, 손으로 한 줌 쥔 분량, 또는 그 양을 헤아리는 데 쓰는 말.

부(負) 1 [넓이] 조세를 계산하기 위한 토지 면적의 단위. '짐'의 뜻으로, 10줌〔握·把〕을 1뭇〔束〕, 10뭇을 1짐〔負·卜〕, 100짐을 1결(結)이라 한다. 복(卜). 《三國遺事 2, 紀異, 駕洛國記》後人奉使來, 審檢厥田十一結十二負九束, 不足者三結八十七負一束也. 《朝鮮太祖實錄 5, 3年4月庚辰》其多占田地互相陳荒, 禁他人耕作者, 十負笞一十, 每十負加一等. 《萬機要覽, 財用編 2, 田結》一握者, 謂之把, 遞以上之至于結, 十把爲束, 十束爲負(或稱卜, 今每一負, 出租一斗), 百負爲結(俗音먹), 八結爲夫(或稱矣). 《增補文獻備考 91, 樂考, 度量衡》地積, 十勺爲合, 十合爲把, 十把爲束, 十束爲負, 百負爲結. 2 [수효·부피] '짐'의 뜻으로, 들거나 지거나 운송(運送)하도록 만든 짐짝의 수. 또는 그 양을 헤아리는 데 쓰는 말. 담(擔). 도(挑). 척(隻). 태(笞). 하(荷). 《漢淸文鑑 10, 産業, 扛擡》一負, ᄒᆞᆫ 짐. 《度支準折, 灰石土》黃土一負, 價錢七分. 雜石一負, 價錢八分.

부(捊) [수효] '켤레'의 뜻으로, 털너널 따위 버선의 수를 세는 데 쓰는 말. 량(兩·量·緉). 족(足). 《關西邑誌, 鐵山府邑誌, 事例》毛捊三捊, 毛襪三捊.

부(浮) [수효] ❶'장(張)'의 뜻으로, 발〔簾〕의 수를 세는 데 쓰는 말. 수(垂). 《孝宗寧陵山陵都監儀軌, 座目》大藃簾二十二浮, 各長十一尺, 廣十尺. 大朱簾二浮內, 一浮, 尙衣院, 一浮, 國葬都監. 《進饌儀軌(純祖己丑) 2, 器用》大朱簾十二浮. 《度支準折, 草物》藃簾一浮, 長四尺, 廣二尺五寸. ❷'뜸'의 뜻으로, 바자〔把子〕의 수를 세는 데 쓰는 말. 20부가 1동(同), 3동이 1짐〔駄〕에 해당된다. 《孝宗寧陵山陵都監儀軌, 別工作》大杻把子二十七浮, 各長十尺, 廣二十尺. 《純元王后國葬都監儀軌 4, 造作》下排三間巨里杻把子十浮. 草把子十五浮. 《度支準折, 草物》杻把子一浮, 廣一把(二十浮作一同, 三同作一駄).

草把子一浮, 廣一把(二十浮作一同, 三同作一駄). ❸'닢'의 뜻으로, 자리〔席〕의 수를 세는 데 쓰는 말. 건(件). 매(枚). 석(席). 엽(葉). 영(領). 장(丈·張). 전(揃). 좌(坐). 진(陳). 《正宗大王殯殿魂殿都監儀軌, 上, 稟目》彩花二張付面席二浮. 《陶山書院傳掌記, 萬曆46年正月19日》草席·面席三浮. 《度支準折, 樂工服色》彩花面席二張付一浮. ❹'장(張)'의 뜻으로, 보〔袱〕의 수를 세는 데 쓰는 말. 건(件). 조(條). 《仁祖國葬都監儀軌, 3房, 雜物, 實入》白木綿襦袱二浮. ❺'장(張)'·'매(枚)'의 뜻으로, 모전(毛氈)이나 양탄자(洋彈子) 따위의 수를 세는 데 쓰는 말. 부(部). 《朝鮮英祖實錄 77, 28年6月辛丑》古文所載紵絲小棺衣, 今去之紅氈, 戊申二十浮, 而今番則十六浮, 予則約而用之. 《度支志, 外篇 16, 事例》白氈十三浮, 紅氈十六浮. 《進宴儀軌(高宗壬寅) 3, 修理》洋彈子四浮. ❻'장(張)'의 뜻으로, 유둔(油芚)이나 유지(油紙)의 수를 세는 데 쓰는 말. 유둔은 비 올 때 덮기 위하여 이어 붙인 두꺼운 유지이다. 건(件). 번(番). 부(部). 장(丈·張). 《朝鮮成宗實錄 129, 12年5月辛卯》六張付油芚二浮, 紫硯石一面, 黃毛筆二十五枚. 《朝鮮中宗實錄 87, 33年6月壬戌》天使時所用, 三十六張油芚十四浮, 令全羅·慶尙道上納事. 《陶山書院傳掌記, 萬曆30年2月》油厚紙二浮. ❼'장(張)'의 뜻으로, 대자리나 삿자리의 수를 세는 데 쓰는 말. 건(件). 매(枚). 석(席). 엽(葉). 영(領). 《正宗大王殯殿魂殿都監儀軌, 上, 稟目》竹簟一浮半. 《孝宗寧陵山陵都監儀軌, 座目》大蘆簟二十二浮, 各長九尺, 廣七尺. 小蘆簟九十八浮, 各長六尺, 廣五尺. 《度支準折, 紙地》大蘆簟一浮, 長十二尺, 廣五尺, 蘆十束, 正藁六束. 小蘆簟一浮, 長三尺, 廣二尺. ❽'장(張)'·'매(枚)'의 뜻으로, 지의(地衣)의 수를 세는 데 쓰는 말. 지의는 가선을 헝겊으로 꾸미고 이어 붙여 크게 만들어 제사 때에 쓰는 돗자리이다. 부(部). 장(張). 《正宗大王殯殿魂殿都監儀軌, 上, 稟目》彩花四張付地衣二浮. 白紋地衣四浮. 地衣二浮. 《仁祖國葬都監儀軌, 2房, 稟目》白紋席二十張付地衣二浮. 《進饌儀軌(純祖己丑) 2, 排設》別紋六張付地衣一浮. 《進宴儀軌(高宗壬寅) 3, 修理》感寧殿東西溫堗及大廳黃別紋地衣十浮. ❾차일(遮日)의 수를 세는 데 쓰는 말. 《正宗大王殯殿魂殿都監儀軌, 上, 各處手本, 奉常寺》油遮日一浮. 《昌慶宮營建都監儀軌, 甘結》二十張付油遮日二浮. 白木遮日竹具一浮. 《純元王后國葬都監儀軌 4, 實入》白木遮日一浮. 《萬機要覽, 軍政編 3, 御營廳, 軍器》布大遮日二浮. ❿휘장(揮帳)이나 장막(帳幕)의 수를 세는 데 쓰는 말. 부(部). 우(宇). 장(帳). 조(條). 첩(帖). 《朝鮮純祖實錄 10, 7年5月辛卯》平安監司李勉兢狀啓, 慈母山城火藥庫失火. 被燒火藥三萬八千四百七斤零, 火繩一萬二千三百五圓, 軍幕八十三浮, 大小皷一百四十六面, 鉛丸四十萬九千六十六箇, 該鎭將論罪. 《萬機

要覽, 軍政編 3, 御營廳, 軍器》木甲揮帳九十九浮. 布後遮帳二浮. 御軍幕二浮. 布單軍幕九十浮. 平軍幕八浮. 木甲帳幕十六浮.《度支準折, 殿內排設》 御榻前面十二幅付紅木甲帳二浮. ⓫'뜸'의 뜻으로, 초둔(草芚)이나 모둔(茅芚)의 수를 세는 데 쓰는 말. 뜸은 띠·부들 같은 것의 풀로 거적처럼 엮어 만든 물건으로, 비 올 때에 물건을 덮거나 볕을 가리는 데 쓰는 물건이다.《磻溪隨錄 3, 田制後錄 上》戶曹, 又每船收長木二十條, 茅芚二浮.《純元王后國葬都監儀軌 2, 稟目》草芚五十浮.《度支準折, 草物》草芚一浮. ⓬촛롱〔燭籠〕의 수를 세는 데 쓰는 말.《純元王后國葬都監儀軌 2, 實入》三色燭籠十二浮. ⓭일정한 길이로 엮은 산자(散子:橵子)의 수를 세는 데 쓰는 말. 산자는 지붕 서까래 위나 고물 위에 흙을 받치기 위하여 엮어 까는 나뭇개비, 또는 수수깡 따위를 이르는 말이다.《昌慶宮營建都監儀軌, 實入》散子九十二浮. 散子六浮. ⓮벽의(壁衣)의 수를 세는 데 쓰는 말.《尙方定例 1, 恒禮, 準折式》捌幅壁衣, 每浮每幅, 表青綿布玖尺貳寸. 每幅內, 裹綿布玖尺貳寸, 槊牛毛氈伍浮, 縫作鄉絲肆錢. ⓯이엉〔飛乃〕을 엮어서 말아 놓은 마름〔舍音〕의 수를 세는 데 쓰는 말. 번(番).《孝宗寧陵山陵都監儀軌, 雜物秩, 實入摠數》藁草浮飛乃一百九十浮, 各長四尺, 廣二把半.《孝宗寧陵山陵都監儀軌, 座目》藁草浮飛乃一百八十二浮, 各長四尺, 廣三把半. ⓰대나 짚으로 결어 만든 죽망(竹網)이나 세망(細網) 따위의 수를 세는 데 쓰는 말.《孝宗寧陵山陵都監儀軌, 雜物秩》藁草細網一浮.《純元王后國葬都監儀軌 2, 稟目》竹網半浮. ⓱'떼'의 뜻으로, 화살이나 화살대 100개를 하나치로 세는 데 쓰는 말. 부(桴). 부(部).《訓局謄錄, 戊戌 10月16日》司納箭竹一百三十浮, 訓鍊都監納五十浮, 軍器寺一百五十浮.《萬機要覽, 軍政編 3, 摠戎廳, 軍器》長箭八百六十二浮二十八箇(三百二十浮, 壯牙兵·旗隊長等). 空弓弦五百箇, 長箭三千三百七十五浮. 片箭二千五百七十五浮. 弓弩箭四百八十浮八箇.《六典條例 8, 兵典, 軍器寺, 弓箭色》箭竹五百七十浮三十四箇(全羅左右水營·忠淸水營三十浮二十八介, 年例納, 五百四十七介, 間年納).

부(釜) ① [부피] 용량의 단위. 1부는 4구(區), 또는 6말〔斗〕 4되〔升〕에 해당된다.《芝峯類說 17, 雜事部, 數名》一手盛爲溢, 兩手爲掬, 掬四爲豆, 豆四爲區, 區四爲釜, 釜二有半爲藪, 藪二有半爲缶, 缶二爲鍾, 鍾二爲秉.《小爾雅, 廣量》區四謂之釜.《左傳, 昭公3年》豆區釜鍾(四區爲釜, 釜, 六斗四升.《論語, 雍也》與之釜. (皇疏)釜, 容六斗四升也. ② [수효] 황모(黃毛)나 태를 지은 실의 묶음을 세는 데 쓰는 말. 1부는 황모 100개, 실은 10태, 또는 80꾸지에 해당된다.《度支準折, 鬣》 黃毛一釜(百条).《關西邑誌, 龍岡縣邑誌, 折價式》唐糸一太, 價一戔. 白紬糸一太, 價四分, 八曲之爲一太, 一曲之五里, 十太爲一釜.

부(副) [수효] ❶'벌'의 뜻으로, 칼의 수를 세는 데 쓰는 말. 부(部). 《朝鮮世宗實錄 38, 9年11月丙戌》 贈范劉油籠各十五, 厚紙各五卷, 三刀子各一副. 《老乞大諺解, 上》 大小刀子一百副. ❷'벌'의 뜻으로, 옷의 수를 세는 데 쓰는 말. 《三國史記 11, 新羅景文王本紀》 賜王妃錦綵五十匹, 衣一副, 銀器二事. 《高麗史 70, 樂志》 衣冠舞衣等樣各一副, 舞色長一副. 《朝鮮太宗實錄 6, 3年10月辛未》 國王冠服一副, 香皁皺紗九旒平天冠一頂, 內玄色素紵絲表大紅素紵絲裹平天冠板一片, 王桁一根, 五色珊瑚玉旒珠幷膽珠共一百六十六顆內. 《朝鮮端宗實錄 3, 卽位年 9月丙子》 諭賜冠服禮物, 九章冕服一副……朱紅法服匣一座. ❸'벌'·'질'의 뜻으로, 죽책(竹册)이나 옥책(玉册)의 수를 세는 데 쓰는 말. 《高麗史 2, 惠宗世家》 竹册法物等, 竹册一副八十簡. 《高麗史 17, 仁宗世家》 玉册一副. ❹'벌'의 뜻으로, 갑옷의 수를 세는 데 쓰는 말. 병(柄). 부(部). 영(領). 《高麗史 2, 惠宗世家》 罽錦銀星皮甲二副. 金星皮甲二副. 《朝鮮肅宗實錄 51, 38年 3月壬辰》 別幅鎧二十副, 大刀二十把, 長刀二十條, 廚子一坐, 金副屛風二十對. ❺안장·고삐·말다래〔韂〕 따위의 수를 세는 데 쓰는 말. 부(部). 《高麗史 9, 文宗世家》 鞍轡二副. 《高麗史 31, 忠烈王世家》 鞍轎五副. 《朝鮮世宗實錄 47, 12年2月乙丑》 日本國王所遣宗金道性等辭……簾席一張, 油靑韂二副, 藍斜皮靴二對, 紫猠靴二對, 大犬二隻, 小犬一隻. 《度支志, 外篇 16, 通信使行》 鍍金鞍具二十副. ❻증자(鐙子)의 수를 세는 데 쓰는 말. 《老乞大諺解, 上》 琥珀頂子一百副. ❼'장'의 뜻으로, 활의 수를 세는 데 쓰는 말. 매(枚). 정(丁). 지(枝). 《朝鮮仁祖實錄 34, 15年正月戊辰》 崇德二年正月二十八日, 歲幣以黃金一百兩, 白銀一千兩, 水牛角弓面二百副……布一千四百匹, 米一萬包爲定式. ❽실띠의 수를 세는 데 쓰는 말. 본(本). 요(腰). 조(条·條). 《朝鮮世宗實錄 102, 25年12月戊戌》 欽差內官太監黃儼等官至承准來咨……金條一十三條, 大紅熟絲綿縧一副, 大紅素線羅旒珠袋二箇, 九章絹地紗袞服一套. ❾둑(纛) 따위 기(旗)의 수를 세는 데 쓰는 말. 건(件). 면(面). 병(柄). 수(首). 유(旒). 조(條). 《高麗史 70, 樂志, 軒架樂器》 編鍾九架, 每架, 正聲一十六顆……銅革帶一條, 烏皮履一緉, 文舞·武舞執旌纛一副. ❿자물쇠의 수를 세는 데 쓰는 말. 매(枚). 부(部). 《高麗史 2, 惠宗世家》 黑漆銀含陵金銅鎖鑰二副. ⓫'채'의 뜻으로, 물건의 밑에 깔거나 덮는 물건의 수를 세는 데 쓰는 말. 《高麗史 2, 惠宗世家》 夾裙襆全行事紫綾席褥一副. 襯册床紫綾席褥一副. ⓬(fù) 중국(中國)의 단위. ㉮'켤레'의 뜻으로, 장갑의 수를 세는 데 쓰는 말. ㉯'첩'의 뜻으로, 약이 든 약봉지의 수를 세는 데 쓰는 말.

부(掊 : pǒu) [부피] 중국(中國)의 단위. '줌'의 뜻으로, 주먹으로 쥘 만한 분량. 또는 그 양을 헤아리는 데 쓰는 말. 《論衡, 調時》 如泰山

失火, 沃以一杯之水, 河決千里, 塞以一掊之土, 能勝之乎.

부(桴) [수효] ❶'쾌'의 뜻으로, 북어 따위의 물고기 20 마리를 하나치로 세는 데 쓰는 말. 연(連). 《陶山書院傳掌記 29, 庚辰8月1日》 北魚五桴. ❷'부(浮)'의 ⑰과 같다. 《宣川府邑誌, 上》長箭二百五十桴. 片箭二百七十七桴五十介. ❸'채'의 뜻으로, 욧속의 수를 세는 데 쓰는 말. 《關西邑誌, 龍岡誌, 折價式》褥槊一桴, 作眞末三升, 皮紙十八丈.

부(部) [수효] ❶농(籠)의 수를 세는 데 쓰는 말. 건(件). 개(箇). 잔(盞). 척(隻). 태(駄). 통(筩). 《度支準折, 雜種貿易》衣籠一部, 価米二石. 皮衣籠一隻, 価錢三兩. 《進饌儀軌(純祖己丑) 2, 器用》杻籠二十部. ❷목통(木桶)·수통(水桶) 따위 통(桶)의 수를 세는 데 쓰는 말. 《孝宗寧陵山陵都監儀軌, 各處手本, 奠禮》木桶一部, 水桶一部. 《祭器都監儀軌, 都監單子》小桶二十四部. 《進饌儀軌(純祖己丑) 2, 器用》擔桶二部. ❸맷돌의 수를 세는 데 쓰는 말. 《祭器都監儀軌, 都監單子》石磑十部. ❹화로의 수를 세는 데 쓰는 말. 사(事). 위(圍). 좌(坐). 《孝宗寧陵山陵都監儀軌, 別工作》木火爐四部, 朱土柒. ❺함지(函之)의 수를 세는 데 쓰는 말. 《孝宗寧陵山陵都監儀軌, 1房, 各處手本, 奠禮》食函之一部, 盖具. 全每柒, 鑞染粧飾. ❻적쇠〔炙金〕의 수를 세는 데 쓰는 말. 《度支志 9, 内人各房事例》大炙金一部. ❼노구솥〔爐口〕·주발(周鉢)·시접(匙貼)·회시(灰匙)·바리때 따위의 수를 세는 데 쓰는 말. 《朝鮮成宗實錄 73, 7年11月甲寅》 副提調李克基, 各三合爐口一部……賜右議政尹子雲, 阿多介一坐. 《尙方定例 3, 別例下, 親迎》銀鉢里蓋具貳部. 《尙方定例 3, 別例 下, 大內進排》銀周鉢盖具壹部. 銀匙貼盖具壹部. 《祭器都監儀軌, 都監單子》灰匙十二部. ❽강판(薑板)의 수를 세는 데 쓰는 말. 《度支準折, 雜種貿易》鍮薑板一部. ❾돌쩌귀〔乭迪耳〕·배목(排目)·비녀못〔釵釘〕·고리〔圓還〕·국화동(菊花童) 따위의 수를 세는 데 쓰는 말. 돌쩌귀는 암수 1벌을 이른다. 《昌慶宮營建都監儀軌, 實入》 大乭迪耳二千八百三十九部一隻. 《孝宗寧陵山陵都監儀軌, 造成所》三排目·釵釘具四部. 《度支準折, 鐵物》排目大一部. 圓還(排目具)中一部. 乭迪耳大一部. 菊花童大一部. ❿우비(雨備)·일산(日傘)·안롱(鞍籠) 따위의 수를 세는 데 쓰는 말. 영(領). 《正宗大王殯殿魂殿都監儀軌, 1房, 各處手本》架子雨備二部. 《尙方定例 3, 別例下》黑日傘貳部. 《三名日方物謄錄》鞍籠一部. ⓫체〔篩〕의 수를 세는 데 쓰는 말. 《正宗大王殯殿魂殿都監儀軌, 1房, 稟目》綃篩一部. 馬尾篩一部. 竹篩一部. 《祭器都監儀軌, 都監單子》馬尾篩二十一部. 《萬機要覽, 財用編 1, 供上, 大殿》馬尾篩六部(每部價五錢). 竹篩六部(每部價三錢三分). 《進饌儀軌(純祖己丑) 1, 來關秩》細馬尾篩二部. ⓬삼태기〔三太〕·쇠스랑〔小時郞〕·키〔箕〕 따위 농기구의 수를 세는 데 쓰는 말. 《正宗大王殯殿魂殿都監儀

軌, 1房, 稟目》三太三部.《孝宗寧陵山陵都監儀軌, 雜物秩》小時郎二部.《孝宗寧陵山陵都監儀軌, 啓辭, 都監》柳箕六部.《萬機要覽, 財用編 1, 供上, 大殿》蘆箕十六部(每部價一錢二分. 以上宣惠廳).《度支準折, 木柳器》柳箕一部. ⑬탁자(卓子)·서안(書案)·상(床) 따위의 수를 세는 데 쓰는 말.《孝宗寧陵山陵都監儀軌, 別工作》廣卓子七部. 細卓子三部.《尙方定例 3, 別例下》龍書案貳部. 唐朱紅漆案床壹部. 倭朱紅簨簴床壹部.《祭器都監儀軌, 都監單子》泡床十二部. 書案十五部. 燭床十二部. 洗位床三部. 卓子十八部. ⑭궤(櫃)의 수를 세는 데 쓰는 말.《昌慶宮營建都監儀軌, 甘結》櫃子具鎖鑰一部.《仁祖國葬都監儀軌, 下, 3房》櫃子一部.《正宗大王殯殿魂殿都監儀軌, 1房, 稟目》櫃子一部. ⑮두지(斗之·豆之)의 수를 세는 데 쓰는 말.《祭器都監儀軌, 都監單子》豆之十七部(每部, 長五尺, 廣四尺, 足高五寸, 深四尺五寸, 用松板).《度支志 9, 內人各房事例》斗之五部. ⑯버들고리〔柳筽〕·상자〔笥〕·행담〔行擔〕·동고리〔同古里〕 따위의 수를 세는 데 쓰는 말.《仁祖國葬都監儀軌, 下, 3房》柳筽三部.《孝宗寧陵山陵都監儀軌, 上, 座目》柳笥二部.《昌慶宮營建都監儀軌, 甘結》行擔一部. 柳筽十九部. 柳箕六部.《度支準折, 木柳器》柳同古里一部. ⑰가자〔架子〕의 수를 세는 데 쓰는 말.《昌慶宮營建都監儀軌, 甘結》架子十部.《孝宗寧陵山陵都監儀軌, 座目》莎草架子十五部.《進饌儀軌(純祖己丑) 2, 器用》木火爐五坐, 架子二十部(迲具), 書案·硯匣各二坐, 書板一箇. ⑱나무 구유〔木槽·馬槽〕·두부통〔泡槽〕·나무 물통〔木把槽〕 따위의 수를 세는 데 쓰는 말.《純元王后國葬都監儀軌 2, 稟目》木槽二部.《祭器都監儀軌, 都監單子》泡槽十六部(每部, 長二尺五寸, 廣一尺二分, 用松板).《萬機要覽, 財用編 1, 供上, 大殿, 大王大妃》木把槽一部.《度支準折, 木柳器》馬槽一部. 木把槽一部. ⑲모판〔隅板〕·전반〔翦板〕의 수를 세는 데 쓰는 말.《祭器都監儀軌, 都監單子》隅板三十二部(每部, 長二尺九寸, 廣二尺三寸, 用松板朱柒).《度支志 9, 內人各房事例》隅板三部.《進宴儀軌(高宗壬寅) 2, 稟目》大小剪板各二部. ⑳'채'의 뜻으로, 가마〔輿〕의 수를 세는 데 쓰는 말. 승(乘). 정(挺). 좌(坐).《潘陽狀啓, 辛巳 8月19日》豹皮一令, 虎皮一令, 豺皮二令, 果槽一秀, 輿子一部. ㉑모전(毛氈)의 수를 세는 데 쓰는 말. 부(浮).《正宗大王殯殿魂殿都監儀軌, 1房, 實入》紅氈十二部. ㉒매듭〔每緝〕·가슴걸이〔胷巨里〕·끈 따위의 수를 세는 데 쓰는 말.《尙方定例, 別例 下》大紅眞絲每緝壹部. 靑組壹部.《度支準折, 各色絲繭》駕轎馬胷巨里, 每部白木十二尺. ㉓부대〔帒〕의 수를 세는 데 쓰는 말. 부대는 종이·피륙·가죽 같은 것으로 만든 큰 자루이다. 개(箇). 건(件). 구(口). 부대(負袋).《孝宗寧陵山陵都監儀軌, 座目》白布帒一百部, 每部容入五斗. 白布甲帒二部, 每部容入一斗.《訓

鍊都監重記, 軍色, 時遺在秩》木綿甲帒肆部. 《度支準折, 紙地》六張付油紙帒一部(長四尺, 廣四尺). 四張付油紙帒一部(長四尺, 廣三尺二寸). ㉔물고기의 알집의 수를 세는 데 쓰는 말. 《關西邑誌, 龍岡縣邑誌, 折價式》未成魚卵一部, 價二戔五分. 十片爲一部, 一片二分五里. 明卵一升, 價二戔五分. 《度支準折, 鹽卵》魚卵一部, 価錢一戔三分. 明卵一部, 価錢四分. ㉕행전(行纏)의 수를 세는 데 쓰는 말. 《孝宗寧陵山陵都監儀軌, 座目》白布行纏七部. ㉖호갑(護匣)·함(函)·빗접〔梳貼〕·빗함〔梳函〕 따위의 수를 세는 데 쓰는 말. 《仁祖國葬都監儀軌, 3房》護匣一部. 《尙方定例 3, 別例 下》龍袍函壹部. 《萬機要覽, 財用編 1, 供上, 大殿》梳函二部. 畫梳貼一部. ㉗서판(書板)·교명(敎命)·축판(祝板)을 세는 데 쓰는 말. 《昌慶宮營建都監儀軌, 甘結》書板三部. 《尙方定例 3, 別例 下》敎命壹部. 《純元王后國葬都監儀軌 1, 魂殿, 祭器》大祝板一部. ㉘꽃틀〔花機〕·방망이틀〔杵機〕의 수를 세는 데 쓰는 말. 《正宗大王殯殿魂殿都監儀軌, 1房, 實入》床花機六部. 《度支準折, 木柳器》杵機一部. ㉙귀이개〔耳只〕의 수를 세는 데 쓰는 말. 《尙方定例 3, 別例 下》銀耳只貳部. ㉚흉배(胷背)의 수를 세는 데 쓰는 말. 척(隻). 《尙方定例 3, 別例 下》大紅糯胷背左右肩龍具壹部. ㉛홀(笏)·규(圭)의 수를 세는 데 쓰는 말. 면(面). 지(枝). 《尙方定例 1, 大殿》靑玉圭壹部. 《尙方定例 3, 別例 下, 親迎》象牙笏壹部. 《度支準折, 珠玉寶石》白玉圭一部(重十兩). ㉜모주(帽珠)·패옥(珮玉)·양(梁)의 수를 세는 데 쓰는 말. 《朝鮮太宗實錄 11, 6年4月庚辰》黃儼使其副韓帖木兒, 詣闕獻笳藍香間珊瑚帽珠一部, 建康弓二張, 綵段錦線各一匹, 金剛子三貫, 椰瓢八顆及諸菓實. 《尙方定例 1, 大殿》靑玉梁一部. 珮玉貳部. 《尙方定例 2, 別例 上》珮玉壹部. ㉝갓끈의 수를 세는 데 쓰는 말. 결(結). 부(部). 《度支準折, 雜種貿易》木纓子一部, 価錢一戔五分. ㉞망건(網巾)의 수를 세는 데 쓰는 말. 《尙方定例 1, 大殿》馬尾網巾壹部. 《萬機要覽, 財用編 1, 供上, 大殿》馬尾網巾二部(每部粧飾價八錢二分). 《度支準折, 冠帶》網巾一部, 價錢四戔三戔. ㉟저울〔稱子〕의 수를 세는 데 쓰는 말. 개(介). 반(槃). 연(連). 좌(坐). 파(把). 《正宗大王殯殿魂殿都監儀軌, 1房, 各處手本, 奉常寺》稱子一部. 《度支志 9, 內人各房事例》三十斤稱子一部. 《度支準折, 成器物種》百斤稱子一部. 供上稱子一部. 分稱一部. ㊱자물쇠〔鎖鑰〕와 열쇠〔開金〕의 수를 세는 데 쓰는 말. 매(枚). 부(副). 《昌慶宮營建都監儀軌, 實入》龍鎖鑰·開金具三部. 大乼朴只鎖鑰開金具五十六部. 《正宗大王殯殿魂殿都監儀軌, 1房, 稟目》庫間封標次中鎖鑰二部. 《度支準折, 雜種貿易》豆錫鎖鑰一部, 価錢二戔. ㊲관(冠)·모자(帽子)·입(笠) 따위 머리에 쓰는 물건의 수를 세는 데 쓰는 말. 개(蓋). 구(口). 닙(立·笠). 매(枚). 사(事). 월(月). 정

(頂). 조(條).《尙方定例 1, 大殿》毛羅翼善冠壹部.《尙方定例 1, 本院元貢》竹帽子捌部. 驄帽子陸部.《尙方定例 3, 別例 下, 親迎》小烏巾壹部. 靑箱笠伍部. 平天冠壹部. 遠遊冠壹部.《萬機要覽, 財用編 1, 供上, 大殿》斜笠一部. 毛羅翼善冠一部. 馬尾頭冕一部.《度支準折, 冠帶》烏紗帽一部. 幞頭一部. 白布紗帽一部. 金冠一部. ㊳이엄(耳掩)의 수를 세는 데 쓰는 말. 이엄은 관복(官服)을 입을 때 사모 밑에 쓰는 모피(毛皮)로 만든 방한구이다.《尙方定例 1, 準折式》貂皮耳掩(每部, 雲頭冒緞. 纓子冒緞. 槊綿花. 內拱藍紬. 以上戶曹. 貂皮三令. 黑絲伍分. 鄕絲柒分. 白紙壹張. ㊴띠〔帶〕나 광다회(廣多繪) 따위의 수를 세는 데 쓰는 말. 본(本). 요(腰). 조(条·條).《尙方定例 1, 恒例, 大殿》鶴頂帶貳部. 禿玉帶壹部.《尙方定例 3, 別例 下》大紅廣多繪壹部. 五色多繪壹部.《度支準折, 冠帶》烏角帶一部. 犀角帶一部. 咊角帶一部. 縛金帶一部. ㊵안경(眼鏡)의 수를 세는 데 쓰는 말. 괘(掛).《度支準折, 雜種貿易》眼鏡一部, 価錢一兩. ㊶언치〔鞍赤·偃赤〕·말안장〔馬鞍〕·가슴걸이〔胷巨里〕·말다래〔月乃·達乃〕·대갈〔多葛〕·고삐 따위의 마구(馬具)의 수를 세는 데 쓰는 말. 부(副).《高麗史 9, 文宗世家》鞍韂二部.《三名日方物謄錄》鞍赤一部.《訓鍊都監重記, 內策應所, 雜物秩》倭鞍壹部, 熊皮月乃參巨里.《萬機要覽, 軍政編 5, 方物》月乃九十八部.《萬機要覽, 軍政編 2, 訓鍊都監, 軍器》達乃四十部.《度支準折, 打鐵》多葛一部.《度支準折, 袱帒巾衣裳》駕轎馬胷巨里, 每部白木十二尺.《萬機要覽, 軍政編 2, 訓鍊都監, 軍器》馬鞍四十部. 偃赤四十部. 馬鐵一千五百部. ㊷'벌'의 뜻으로, 말편자 4 개를 하나치로 세는 데 쓰는 말.《京畿邑誌, 抱川縣誌》馬鐵十二部.《六典條例 8, 兵典, 司僕寺, 工房, 所掌》馬鐵契, 馬鐵四千四百二十五部一箇(每部價四錢, 二月·四月·十月三等受價). ㊸통부(通符)·밀부(密符)·표신(標信)·병부(兵符) 따위의 수를 세는 데 쓰는 말.《度支準折, 成器物種》捕盜軍官通符一部. 密符一部. 宣傳官標信一部. 兵符一部. ㊹징〔錚〕·각(角)·점자(點子)·조두(刁斗) 따위 악기의 수를 세는 데 쓰는 말.《孝宗寧陵山陵都監儀軌, 雜物秩》大錚一部. 吹角四部.《萬機要覽, 軍政編 2, 訓鍊都監, 軍器》點子六部.《萬機要覽, 軍政編 2, 龍虎營, 軍器》刁斗一百三十六部. ㊺돌이나 숫돌 따위의 수를 세는 데 쓰는 말. 괴(塊). 매(枚). 부(部).《孝宗寧陵山陵都監儀軌. 三物所》胥樻石一部, 長二尺四寸, 廣二尺四分, 高八寸. 沙器樻石一部. 木奴婢樻石一部. 樂器樻石一部. 書册樻石一部. 標信樻石一部.《度支準折, 瓦甎》磨石一部, 価錢一兩. ㊻'질'의 뜻으로, 여러 권으로 된 책의 한 벌을 하나치로 세는 데 쓰는 말. 건(件). 반(伴). 본(本). 사(事). 질(帙·秩·袠).《三國史記 9, 新羅景德王本紀》賜御注孝經一部.《朝鮮太宗實錄 15, 8年4月庚辰》賜世子通鑑

綱目·大學衍義各一部, 法帖三部, 筆一百五十枝, 墨二十五丁.《朝鮮世宗實錄 34, 8年11月癸丑》今賜王, 五經四書及性理大全一部, 共一百二十册, 通鑑綱目一部, 計十四册, 至可領也. ㊼벼루나 벼룻집의 수를 세는 데 쓰는 말. 매(枚). 면(面). 사(事).《孝宗寧陵山陵都監儀軌, 移文》硯面七部.《純元王后國葬都監儀軌 4, 手本》硯紅匣具一部.《度支準折, 雜種貿易》黑柒平硯匣一部, 価錢七戔. ㊽'장(張)'의 뜻으로, 유둔(油芚)·유지(油紙)의 수를 세는 데 쓰는 말. 유둔은 비 올 때 덮기 위하여 이어 붙인 두꺼운 유지이다. 건(件). 번(番). 부(浮). 장(丈·張).《朝鮮世祖實錄 3, 2年正月壬辰》賜棺槨米豆并三十石, 紙七十卷, 石灰五十石, 松脂三斗, 油芚四部.《通文館志 3, 方物數目》雜彩花席二十張, 豹皮六張, 水獺皮十張, 粘六張厚油紙十部.《萬機要覽, 財用編 5, 方物》油芚, 每部價米二十石, 惠廳給價於該契, 措備進排. ㊾지의(紙衣)·유지석(油紙席)의 수를 세는 데 쓰는 말. 지의는 가선을 헝겊으로 꾸미고 이어 붙여 크게 만들어 제사 때에 쓰는 돗자리이다. 부(浮). 장(張).《朝鮮世祖實錄 16, 5年4月庚申》遣都承旨尹子雲, 贈明使鞍具馬各一匹, 弓矢一部, 油紙席二部, 厚紙十卷, 油烟墨五丁, 黃毛筆七十枝, 唯鞍馬不受.《萬機要覽, 軍政編 2, 訓鍊都監, 軍器》大地衣三部.《進饌儀軌(純祖己丑) 2, 器用》地衣四十部. ㊿휘장(揮帳)이나 장막(帳幕)의 수를 세는 데 쓰는 말. 부(浮). 우(宇). 장(帳). 조(條). 첩(帖).《萬機要覽, 軍政編 2, 龍虎營, 軍器》甲布帳九十七部. 軍幕十一部.《萬機要覽, 軍政編 2, 禁衞營, 軍器》後遮帳二部. 御房帳一部. 御軍幕四部(平軍幕一部, 行路軍幕一部).《京畿邑誌, 仁川府邑誌》軍幕一部. 51'벌'의 뜻으로, 갑옷의 수를 세는 데 쓰는 말. 병(柄). 부(副). 영(領).《朝鮮世宗實錄 75, 18年11月戊午》江原道嶺西防禦不緊各官, 鐵冑一百部, 帛冑五百部, 紙甲四百部, 箭四萬九千枚, 片箭二萬枚.《朝鮮宣祖實錄 35, 26年2月甲辰》德馨曰, 李頻軍得軍粮若干, 甲二百餘部, 納于提督, 則提督, 只留甲十餘部, 其餘則還給矣.《萬機要覽, 軍政編 2, 龍虎營, 軍器》大緞甲冑一百五十三部(五十部, 駕後分給, 八十四部, 七番正領分給). 三升甲冑一百部. 木綿甲冑五百十三部(五百八部, 七番禁軍分給). 52'떼'의 뜻으로, 편전(片箭)·장전(長箭)·되마살〔狄磨箭〕·체전(體箭) 따위의 화살 100개를 하나치로 세는 데 쓰는 말. 부(浮). 부(桴).《朝鮮世祖實錄 39, 12年7月辛巳》兵曹詳定軍器以啓, 軍器寺鄕角弓七百四十張, 鹿角弓五百張, 錯箭八百八十部, 磨箭一千五百部, 筒箭(每一部, 筒兒一具)五百部, 神機箭一千四百部.《朝鮮宣祖實錄 72, 29年2月己亥》上曰, 該曹議處, 惟幾曰, 方今大賊壓境, 都城虛疎, 危亡之禍, 迫在朝夕, 禁軍武士等, 無一張一部之弓箭, 脫有緩急, 將何以應之, 不可付諸無可奈何之地, 而不爲預措也.《朝鮮宣祖實錄 94, 30年11月丙申》

今將萬景山城別儲軍粮四千餘石, 長片箭一千餘部, 銃筒一百餘部, 筤筅五百餘根.《尙方定例 1, 大殿》片箭參拾部. 長箭陸拾部.《三名日方物謄錄》片箭二部. 狄磨箭一部.《萬機要覽, 軍政編 2, 訓鍊都監, 軍器》長箭五千二百五十六部十四箇, 片箭五千六百部. 體箭六百八十四部七箇. 片箭四千四十部二十五箇. ㊼교자(轎子)·수레 따위의 수를 세는 데 쓰는 말. 량(兩·輛). 부(部).《仁祖國葬都監儀軌, 3房, 雜物實入》山陵時車子二部.《尙方定例 3, 別例 下, 親迎》轎子壹部. ㊽'켤레'의 뜻으로, 미투리〔繩鞋·草鞋〕·삽혜(靸鞋)·온혜(溫鞋)·나막신〔木鞋〕·수화자(水靴子)·발막신〔分土〕·지혜(紙鞋) 따위 신의 수를 세는 데 쓰는 말.《朝鮮顯宗實錄 1, 卽位年6月辛卯》諫院論殯殿都監誤引己丑舊例, 濫造內官所着白靴, 至於一百八十六部之多.《孝宗寧陵山陵都監儀軌, 雜物秩》繩鞋一百部.《尙方定例 1, 大殿》白唐皮草鞋壹部. 黑熊皮靸鞋壹部.《萬機要覽, 財用編 1, 供上, 大殿》白唐皮草鞋一部. 黑唐皮結花溫鞋七部. 黑唐皮靸鞋七部.《京畿邑誌, 抱川縣誌》木鞋四十八部.《進宴儀軌(高宗壬寅) 3, 樂器風物》筒箇·環刀·水靴子各二部.《度支準折, 雜種貿易》熟麻鞋一部, 価錢七分. 繩鞋一部, 価錢七分. 紙鞋一部, 後分土一部. ㊾'장(張)'·'매(枚)'의 뜻으로, 안창〔凉淸·凉精〕의 수를 세는 데 쓰는 말. 안창은 신 안에 까는 가죽이나 헝겊을 이른다.《增正交隣志 5, 京外路需》從事官章服次草綠黃的一疋…… 白綿紬五疋, 紗帽家具一部, 黑黍皮靴子白馬皮凉淸具一部.《萬機要覽, 財用編 1, 供上, 大殿》黑黍皮靴白唐皮凉精具一部. 黑麂子皮靴白羊毛精具三部. ㊿칼·동개〔筒箇〕·귀약통〔耳藥筒〕따위의 수를 세는 데 쓰는 말. 부(副).《朝鮮成宗實錄 83, 8年8月辛亥》針家兒十五箇, 獐牙兒十流, 葫蘆兒二十流, 虎牙兒五流, 靑瓜兒二十流, 中三刀子一百部.《朝鮮文宗實錄 7, 元年4月甲午》使·副使各米四十斗, 乾魚一百尾, 脯二十束, 都給刀子十部.《朝鮮成宗實錄 119, 11年7月壬戌》大樣單刀五十部, 小樣單刀五十部.《萬機要覽, 軍政編 3, 御營廳, 軍器》耳藥筒二千九百三十九部《萬機要覽, 軍政編 2, 龍虎營, 軍器》筒箇一百十八部. (57)베갯모의 수를 세는 데 쓰는 말.《朝鮮世祖實錄 4, 2年 6月甲子》金興遣頭目, 進蛇毒劍一把, 驄白馬一匹, 紅纓三枚, 枕頭二部. (58)행정부(行政府)나 회사(會社), 또는 단체 등에서 기능을 전문적으로 담당하는 부서의 수를 세는 데 쓰는 말.〈예〉총무부·경리부 등 13 개의 ~가 있다. (59)'보'의 뜻으로, 간(肝)·태(胎)·허파〔脯化〕·쇠불알〔牛囊〕·도가니〔都艮伊〕·곤자소니〔昆者巽·昆者手〕·안심〔內心〕·양(胖)·처녑〔千葉〕·콩팥〔豆太〕·양지머리〔陽支頭·兩支頭〕·업진〔業脂潤〕·염통〔靈通〕·혀〔舌〕따위의 수를 세는 데 쓰는 말.《進宴儀軌(高宗壬寅) 2, 饌品》牛胎三部. 脯化·胖領各半半部. 牛囊二十部. 都艮伊半部. 昆者巽五部. 牛內心肉半半

部. 胖五部. 千葉二部. 牛臀四部. 猪胎半部. 昆者巽·背骨各三部. 豆太十五部. 肝四部. 陽支頭·業脂潤各二部. 《度支準折, 肉物》牛靈通一部, 価錢一兩. 牛肝一部, 価錢一兩八戔, 應辦. 兩支頭一部, 価錢三兩. 牛胖一部, 価錢三兩. 昆者手一部, 価錢二戔. 牛舌一部, 価錢二戔. 牛千葉一部, 価錢一兩五戔. 牛豆太一部, 価錢二戔. 猪心肉一部, 価錢一戔. ⑩머리골〔頭骨〕·척골〔脊骨〕·쇠갈비〔牛乫非〕 따위의 수를 세는 데 쓰는 말. 《萬機要覽, 財用編 1, 供上, 大殿》虎骨(每部八斗, 江原). 《進饌儀軌(純祖己丑) 2, 饌品》頭骨一部. 腰骨五部. 《度支準折, 肉物》牛脊骨一部, 価錢一戔. 牛頭骨一部, 価錢二戔. 牛乫非一代, 一部重二斤, 一隻六代. ⑪소나 돼지 따위 다리〔脚〕의 수를 세는 데 쓰는 말. 《進宴儀軌(高宗壬寅) 2, 饌品》猪脚一部. 猪脚·牛舌一部. 《度支準折, 肉物》猪後脚一部, 価錢八戔. ⑫소·돼지·호랑이 따위의 대가리를 세는 데 쓰는 말. 《京畿邑誌, 驪州邑誌》牛頭一部. 《萬機要覽, 財用編 1, 各貢, 宣惠廳》虎頭(每部十斗, 湖西). 《度支準折, 肉物》牛頭一部, 価錢二兩二戔. 猪頭一部, 価錢二戔. ⑬뿔〔角〕의 수를 세는 데 쓰는 말. 개(介). 근(根). 정(丁). 조(条). 지(枝). 통(桶). 《度支準折, 牙角》犀角一部(燕貿), 錢一百兩. 一斤, 十兩. 裁餘一兩, 錢二戔五分. ⑭'보'의 뜻으로, 우황(牛黃)·사향(麝香)·웅담(熊膽) 따위의 수를 세는 데 쓰는 말. 《朝鮮世祖實錄 7, 3年5月戊子》大藏經一部, 石燈盞五事, 鞍子一面……油芚一十張, 牛黃一十部, 乾虎臟五十二箇. 《萬機要覽, 財用編 1, 各貢, 宣惠廳》麝香(每部二石, 三南·海西). 熊膽(每部三石, 三南·海西). 牛黃(每部十五石, 三南·京江·海西). 《度支準折, 唐藥材》唐麝香一部, 重一戔六分, 価錢七兩五戔, 一分折錢四戔六分八里. 唐熊膽一部, 価艮一兩五戔. 《度支準折, 鄕藥材》牛黃一部(重一戔五分), 価艮十五兩. 鄕麝香一部(重三戔), 貿艮一兩, 一分折錢六分六里六戶. 熊膽一戔, 価八兩. ⑮(bù) 중국(中國)의 단위. ㉮'편'·'부'의 뜻으로, 영화의 편 수를 세는 데 쓰는 말. ㉯'부'의 뜻으로, 악곡(樂曲)의 수를 세는 데 쓰는 말. ㉰'대'의 뜻으로, 기계의 수를 세는 데 쓰는 말.

부(箁 : bù) [부피] 중국(中國)의 단위. '바구니'의 뜻으로, 바구니에 물건을 담아 그 양을 헤아리는 데 쓰는 말. 《蘇軾, 與勝達道書》鰒魚三百枚, 黑金碁子一副, 天麻煎一箁, 聊爲土物. 《陳亮, 與陳君擧》雪梨甜榴各一箁, 聊以問信.

부(福 : fú) [수효] 중국(中國)의 단위. '벌'의 뜻으로, 옷의 수를 세는 데 쓰는 말. 구(具). 대(對). 부(副). 사(事). 습(襲). 신(身). 엽(葉). 영(領). 요(腰). 전(揃). 착(著). 칭(稱). 투(套). 《廣韻, 宥韻》福, 衣一福. 《匡謬正俗 6》副, 今俗呼一襲爲一福衣, 蓋取其充備之意, 非以覆蔽形體爲名也. 《集韻》福, 衣一稱.

부그샤(bugshah) [통화] 예멘 아랍

공화국(Yemen Arab 共和國)의 현재 통화 단위. 1부그샤는 리얄(riyal)의 40분의 1에 해당된다.

부당(副當) [수효] '벌'·'개'의 뜻으로, 물건의 수를 세는 데 쓰는 말. 《語錄解, 三字類》一副當, 一件也, 溪訓. 《古今釋林 15, 洛閩語錄, 釋言》一副當, 一件也. 增注, 退溪曰, 吏文凡物一件, 謂一副當者語辭.

부대(負袋) [부피] 부대에 물건을 담아 그 양을 헤아리는 데 쓰는 말. 부대는 종이·피륙·가죽 같은 것으로 만든 큰 자루이다. 개(箇). 건(件). 구(口). 부(部).

부대(部隊) [군사] 군대 편성의 한 단위. 또는 그 수를 세는 데 쓰는 말. 대개 연대(聯隊) 정도의 병력으로 편성된다.

부락(部落) [행정] 부락의 수를 세는 데 쓰는 말. 부락은 도회지(都會地) 이외의 여러 민가(民家)들이 모여 이룬 지연 단체(地緣團體)로, 대개 이(里)나 구(區)로 나뉘어져 있다.

부리(夫里) [수효] 가늘고 긴 물건을 낱으로 세는 데 쓰는 말. 섶쇠〔薪鐵〕는 줄기가 가냘픈 식물을 버티느라고 곁들여 꽂아 두는, 쇠꼬챙이와 같이 생긴 물건이다. 《朝鮮光海君日記 153, 12年6月庚申》營建都監啓曰, 薪串別將金紳, 措備車牛七首, 塩一百石, 薪鐵四十七夫里, 正鐵三千四百斤, 얏加乃一百三十六箇, 廣鍬耳一百二十五箇, 錨一百十三箇, 大釜十坐, 大加里二十六坐.

부분(部分) [수효] 전체를 몇 개로 나눈 것의 하나. 또는 그 수를 헤아리는 데 쓰는 말. 《小婦人》知道這一次的試驗已經有一部分的成功了.

부셸(bushel) ① [부피] 영국·미국에서 쓰는, 야드(yard)·파운드법(pound 法)에 있어서의 건량(乾量) 단위. 영국 부셸은 임페리얼 부셸(imperial bushel)이라고 하며, 표기할 때는 부셸 앞에 영(英)이라는 글자를 붙이고, 미국 부셸은 윈체스터 부셸(winchester bushel)이라고 하며, 표기할 때에는 미(美)자를 붙인다. 포식이(蒲式耳). 기호 : bu

1영(英) 부셸=4펙(peck)(英)
=2,219.36세제곱인치
=2말〔斗〕1홉〔合〕
=36.367708 l

1미(美) 부셸=4펙(美)
=2,150.42세제곱인치
=1말 9되〔升〕
=35.23830 l

② [질량] 영국·미국의 단위. 주로 곡물의 무게를 헤아리는 데 쓴다. 곡물의 종류에 따라 다소 차이가 있는데, 밀의 경우 영국의 1부셸은 62파운드이고, 미국에서는 60파운드, 또는 27 kg에 해당된다. 포식이(蒲式耳).

부아(voie) [재적] 목재(木材)의 부피를 헤아리는 데 쓰는 말. 1부아는 56세제곱 피에(pied)에 해당된다. 피에는 피트(feet)와 같은 뜻으로, 나라나 지역에 따라 다소 차이가 있는데, 이집트에서는 0.262 m, 그리스(Greece)에서는 0.3083 m,

로마(Roma)에서는 0.2957 m, 프랑스(France)에서는 0.3248 m 에 해당되었다.

부아소(boisseau) [부피] ❶프랑스(France)의 단위. 주로 곡물(穀物)·소금·석탄·목탄 따위의 양을 헤아리는 데 쓴다. 1 부아소는 1.42 미(美) 펙(peck)이며, 1.37 영(英) 펙, 12.5l 에 해당된다. 파리(Paris) 지방에서는 13.01l에 해당된다. ❷벨기에(België)의 단위. 1 부아소는 1.07 미(美) 펙이며, 1.65 영(英) 펙, 또는 15l 에 해당된다.

부우(bouw) [넓이] 네덜란드의 옛 단위. 1 부우는 1.75 에이커(acre), 또는 170.97 아르〔a〕에 해당된다.

부틸카(butylka) [부피] 러시아(Russia)에서 미터법 시행 이전에 사용하던 단위. 주로 주류(酒類)의 양을 헤아리는 데 쓰였다. 1 부틸카는 1.625 미(美) 파인트(pint)이며, 1.353 영(英) 파인트, 또는 0.769l 에 해당된다.

부피의 단위 [부피] 부피는 길이라고 하는 기본 단위를 곱함으로써 얻어지는 하나의 유도 단위(誘導單位)이다. 부피는 길이·질량 등과 같이 물체가 가지고 있는 속성(屬性)의 하나인 외부 공간의 크기를 의미하는 경우와 용적(容積), 곧 그 물체의 내부 공간의 크기를 의미하는 경우가 있다. ❶우리 나라의 계량법에 규정되어 있는 부피의 계량 단위는 세제곱 미터〔m^3〕이며, 이의 보조 계량 단위에는 마이크로 리터〔μl〕·세제곱 밀리미터〔mm^3〕·세제곱 센티미터〔cm^3〕·세제곱 데시미터〔dm^3〕·세제곱 킬로미터〔km^3〕·리터〔l〕·밀리리터〔ml〕·데시리터〔dl〕·킬로리터〔kl〕·용적톤(容積 t)이 있다. ❷척관법(尺貫法)에 의한 부피의 계량 단위에는 세제곱 자〔尺〕및 되〔升〕가 있는데, 세제곱 자의 보조 계량 단위에는 세제곱 푼〔分〕·세제곱 치〔寸〕·입평(立坪)이 있다. 되의 보조 계량 단위에는 작(勺)·홉〔合〕·말〔斗〕·석(石)이 있다. ❸야드·파운드법에 의한 부피의 계량 단위에는 세제곱 야드〔yd^3〕·갤런(gallon)이 있고, 세제곱 야드의 보조 계량 단위에는 세제곱 인치〔in^3〕 및 세제곱 피트〔ft^3〕가 있다.

부하르(buhār) [질량] 근대 이란의 단위. 지방에 따라 다소 차이가 있는데, 1 부하르는 300 라틀(ratl), 400 라틀, 600 라틀, 1,000 라틀 등 일정하지 않으며, 평균적으로 450 파운드(pound), 또는 240 kg 에 해당된다.

분 [수효] 사람을 높이어 그 수를 세는 데 쓰는 말. 분(分).

분(分) [1] [통화] ❶'푼〔分〕'의 뜻으로, 예전에 사용하던 엽전의 단위. 1 푼은 1 냥(兩)의 100 분의 1, 또는 1 돈〔錢〕의 10 분의 1 에 해당된다. 《增補文獻備考 159, 財用考, 錢貨》最低位分, 十分爲錢, 十錢爲兩. 《松南雜識(林氏本), 李, 方言類》無醬嗜羹. 言不量己力也, 亦似無錢一分者, 嗜尺二寸餅之說. 《度支準折, 昆藿茸藁屬》韮草一丹, 価錢一分. ❷(fēn) 중국(中國)에서 현재 통용되는 보조 통화 단위. 원(元)의 100 분의 1, 또는 각(角)의 10 분

의 1에 해당된다. ② [길이] ❶유척(鍮尺)에 의한 길이의 단위. 1푼은 1치〔寸〕의 10분의 1, 또는 1리(釐)의 10배(倍)에 해당된다. 중국(中國)에는 시제(市制)와 구제(舊制)가 있는데, 시제로는 3.33 mm이고, 구제로는 3.20 mm이다. 《萬機要覽, 財用編 4, 戶曹各掌事例, 版籍司》度量衡. 度, 用鍮尺(十釐爲分, 十分爲寸, 十寸爲尺, 十尺爲丈. 以周尺準黃鍾尺, 則周尺長六寸六釐, 以營造尺準黃鍾尺, 則長八寸九分九釐, 以禮器尺準黃鍾尺, 則長八寸二分三釐, 以布帛尺準黃鍾尺, 則長一尺三寸四分八釐).《增補文獻備考 91, 樂考, 度量衡》測量尺. 十釐爲分, 十分爲一周尺(六寸六分), 六尺爲一步, 十尺爲一間, 一百尺爲一鏈, 二千一百尺爲一里(卽三百五十步), 三十里爲一息. 泰西米突, 則一米突準我五尺. 《算法統宗, 零數》寸·分·釐·毫·絲·忽·微·纖·沙·塵·埃. ❷고려시대 양전척(量田尺)에 의한 길이의 단위. 1푼은 1자〔尺〕의 10분의 1, 또는 6치에 해당된다.《高麗史 78, 食貨志, 田制, 經理》文宗二十三年, 定量田步數, 田二結方三十三步(六寸爲一分, 十分爲一尺, 六尺爲一步). ③ [수효] ❶'분'의 뜻으로, 사람을 높이어 그 수를 세는 데 쓰는 말. 개(介·個). 구(口). 두(頭). 명(名). 영(領). 원(員). 위(位). 인(人). 정(丁). 한(漢).《仁祖國葬都監儀軌, 都廳, 都監稟目, 己丑 5月13日, 甘結秩》堂上都廳坐起時所用, 印信封標纓子鹿皮二五里……摠護使一分, 堂上三分, 都廳二員, 黃筆·眞墨, 每朔各一式……誌石陪進時, 陪往堂上一分, 郞廳一員, 監造官一員.《農圃集 3, 萬曆 20年 10月14日》 王子兩分及夫人, 與領府事·府院君·承旨等夫人敎是等乙, 各其所在處, 乘夜突入, 不意執捉結縛, 堅囚軍營爲遣. ❷전체를 10으로 나누었을 때, 그 나눈 부분의 수를 세는 데 쓰는 말.《高麗史 71, 樂志, 唐樂》 金殿樂慢(踏歌唱). 淸夜無塵, 月色如銀. 酒斟時, 須滿十分. 浮名浮利, 休苦勞神. 嘆隙中駒, 石中火, 夢中身. 雖把文章, 開口誰親. 且逍遙, 樂取天眞. 幾時歸去, 作箇閑人. 對一張琴. 一壺酒, 一溪雲.《朝鮮成宗實錄 268, 23年8月庚戌》沿海諸邑, 旱氣尤甚, 禾稼率十分三分焦傷, 請依前年逐字等第.《萬機要覽, 財用編 2, 收稅》世宗甲子, 置田制詳定所, 視年上下作斂法, 每歲九月望前, 道臣守令審定年分等第, 啓聞施行, 年分有九等, 實十分爲上上年, 每一結收二十斗, 九分爲上中年……二分爲下下年, 收四斗, 一分則免稅. ❸전체를 몇으로 나누었을 때 그 부분의 수를 세는 데 쓰는 말.《朝鮮世宗實錄 93, 23年6月癸巳》各官亦置軍器所每農隙, 守令使境內各色軍人, 依官樣造給兵器. 每一戶, 冑一, 或甲或掩心一, 環刀一, 弓箭則一牌內五分之三, 槍則五分之二, 隨其所備, 常加檢點……從之.《朝鮮世祖實錄 6, 3年正月戊辰》初, 咸吉道觀察使咸禹治啓, 月課鐵葉兒甲, 數年之內, 貫皮磨絕, 功力多而無長久之計. 請自今除鐵甲三分之二, 用猪牛皮造作. 上議于兵曹. 從之.《經

國大典 2, 戶典, 田宅》有軍役者, 死亡移徙則給遞立者, 無役人則給田少者, 移徙者五年內還則還給, 執耕者元無田則還給三分之二. ❹'몫'의 뜻으로, 여럿으로 나누어 가질 때의 앞앞이 가지는 수량을 헤아리는 데 쓰는 말. 객(客). 구(口). 《兒女英雄傳, 10回》便叫安公子去裏屋找分筆硯來用. 《南腔北調集, 爲了忘却的記念》 我便將我和北新書局所訂的合同, 抄了一分給他. ❺(fēn) 중국(中國)의 단위. '채'의 뜻으로, 집이나 건물의 수를 세는 데 쓰는 말. 《盆兒鬼, 1折》俺這裏方圓四十里, 再無一分人家. 《看錢奴, 2折》自從與那一分人家打牆, 鉋出一石槽金銀來, 那主人家也不知道. [4] [넓이] 논밭의 넓이를 헤아리는 데 쓰는 말. 1푼은 1묘(畝)의 10분의 1, 또는 1리(釐)의 10배에 해당된다. 중국(中國)에는 시제(市制)와 구제(舊制)가 있는데, 시제로는 66.67 m^2이고 구제로는 61.44 m^2이다. 《朝鮮世宗實錄 103, 26年正月庚午》今以田方五尺爲一步, 二十四步爲一分, 十分爲一畝, 百畝爲一頃, 五頃爲一字丁, 其分下餘數內, 半分以上則收爲一分, 半分以下則棄而勿用, 以爲定規. 《田制詳定所遵守條劃》準諸中朝畝法, 上田之結, 貳拾伍畝肆分有奇. [5] [각도(角度)] 육십분법(六十分法)에 의한 각도(角度)의 계량 단위(計量單位). 도(度)의 하위 단위(下位單位)로, 1분은 1도(度)의 60분의 1에 해당된다. 기호: ′《朝鮮世宗實錄 156, 七政算內篇 上, 天行諸率》周天分三百六十五萬二千五百七十五分. 周天度三百六十五度二十五分七十五秒. 半周天一百八十二度六十二分八十七秒半. 周天象限九十一度三十一分四十三秒太. 周應三百一十五萬一千〇七十五分. 《史記, 天官書》塡星, 其一名曰地侯, 主歲, 歲行十二度百十二分度之五. [6] [질량] 무게의 단위. 1푼은 1돈〔錢〕의 10분의 1, 또는 1리(釐)의 10배(倍)에 해당된다. 중국(中國)에는 시제(市制)와 구제(舊制)가 있는데, 시제로는 31.25 센티그램〔cg〕이고, 구제로는 37.301 cg이다. 《三國史記 7, 新羅文武王本紀》兼進貢銀三萬三千五百分, 銅三萬三千分, 針四百枚, 牛黃百二十分, 金二十分, 四十升布六匹, 三十升布六十匹. 《三國遺事 3, 塔像, 皇龍寺丈六》鑄成丈六尊像, 一皷而就, 重三萬五千七斤, 入黃金一萬一百九十八分, 二菩薩入鐵一萬二千斤, 黃金一萬一百三十六分. 《經國大典 6, 工典, 營繕, 度量衡》衡之制, 黃鍾之管, 其容水重八十八分, 十釐爲分, 十分爲錢, 十錢爲兩, 十六兩爲斤. 《萬機要覽, 財用編 4, 戶曹各掌事例, 度量衡》衡有大中小三等, 中小二等, 等各有稱(十釐爲分, 十分爲錢, 十錢爲兩, 十六兩爲斤). 《宛署雜記, 繇賦》正賦中通共起存銀參千陸百陸拾捌兩柒錢五分貳釐陸毫五絲肆微捌纖陸沙陸塵陸埃壹渺貳漠五糢. [7] [점수] ❶성적의 끗수를 헤아리는 데 쓰는 말. 식년(式年)마다 보이는 과거(科擧)의 문과 복시(文科覆試)에서 강서(講書)와 제술(製述)을 시험할 때, 초장(初場)에서 사서(四書)·삼경(三經)

을, 중장(中場)에서 부(賦)·표(表)를, 종장(終場)에서 대책(對策)을 시험하는데, 초장의 강서 시험에서 14분(分) 반(半) 이상의 점수를 받은 32인과 14분 이하의 조(粗)·약(略)을 받은 사람들을 모두 뽑아 중장·종장의 제술에 응시하게 하여, 초장의 강서 시험에서 14분 이하를 받은 사람 중에서 1인을 가려 뽑아 33인을 채워서, 이들을 다시 전시(殿試)에 응시하게 하였다. 《高麗史 73, 選擧志, 科目》 毅宗八年五月, 更定初場迭試論策, 中場試經義, 終場試詩賦. 又國學生, 考以六行, 積十四分以上者, 許直赴, 終場不拘其額, 仍除三場連卷法. 《朝鮮孝宗實錄 19, 8年7月戊申》禮曹啓曰, 京外公都會之規, 所以勸奬科業, 考較才藝……且小學考講, 例於一册之中, 五處考講, 合四册計之, 則乃二十處也. 純通則當爲四十分, 純略則當爲二十分, 純粗則當爲十分. 四册純粗者, 似不當參於入格之中, 而其中或有未滿十分者, 此則明是間以不通, 或不盡二十處者也. 《經世遺表 15, 春官修制, 科擧之規 1》 臣謹考國制, 明經之科, 本亦美制, 其鄕試三場第一場, 試四書疑義及史論, 第二場試賦·表, 第三場試對策. 及其會試之日, 所講三經·四書, 取句讀無錯, 只選十餘人, 其餘句讀之粗·略者, 更試賦·表·策, 以補其欠算(十五分則及第), 名之曰生畫. 生畫及第者, 每至二十餘人, 其規矩如此. 《典律通補 3, 禮典, 諸科》式年文科覆試, 兩所各差從二以上三, 正三以下四試取. 兩司各一監試. 兩所三十三人. 講取十四分以上, 而元入格未滿額(兩所各十六人, 合三十二人爲元額), 則以生畫(十四分半以下, 建畫而未入格者講製, 謂生畫). ❷활쏘기나 기사(騎射)·기창(騎槍)·사격 따위에서 과녁에 맞힌 점수를 헤아리는 데 쓰는 말. 활쏘기에서 변(邊)은 1분(分), 관(貫)은 2분을, 조총(鳥銃)에서의 변(邊)은 7분 반, 관(貫)은 15분의 점수를 주었다. 《經國大典 4, 兵典, 試取》都試, 每年春秋, 本曹·訓鍊院堂上官, 同議政府·諸曹·都摠府堂上官各一員, 試取軍士及東·西班從三品以下. 若閑良人武科及內禁衛外, 從自願. 騎射·騎槍各二次. 一百九十分以上爲一等, 一百六十分以上爲二等, 一百二十分以上爲三等. 外則兵馬節度使依京中例試取, 啓聞, 其道守令·虞候·萬戶及其子弟, 並勿試. 《御射古風帖》壬子十月三十日, 御射柳葉箭十巡四十九矢七十二分. 第一巡, 五中八分, 邊貫邊貫貫. 第二巡, 五中七分, 邊邊貫邊貫. 第三巡, 五中七分, 邊邊貫邊貫. 第四巡, 五中七分, 邊邊邊貫貫. 第五巡, 五中六分, 邊邊邊貫邊. 《武科總要 1, 覆試節目》鳥銃三柄, 一巡百步, 邊中七分半, 貫中十五分爲白齊. ⑧ [시간] 시간의 단위. 1분은 1시간의 60분의 1, 또는 1초(秒)의 60배(倍)에 해당된다. 기호 : min《漢淸文鑑 1, 時令》分, 분. 六十秒爲分. 《中華大字典》分, 時六十之一. 《兒女英雄傳, 4回》 兩隻小脚兒往兩下裏一分. ⑨ [순도(純度)] 합금(合金) 중에 포함된 금은(金銀)의 순도(純度)를

나타내는 데 쓰는 말. 10분은 가장 순도가 높은 것으로, 이보다 낮은 것은 9분, 8분, 7분 등으로 나타낸다. 개(開). 금(金). 성(成). 성(星). 품(品). 《朝鮮中宗實錄 89, 34年正月己丑》昨日延訪時, 大臣等議, 檢驗銀釵, 非十分華銀, 則事或有寃枉也. ⑩ [경위도(經緯度)] 경도(經度)와 위도(緯度)의 단위. 1푼은 1도(度)의 60분의 1, 또는 1초(秒)의 60배(倍)에 해당된다. 기호 : ′《續漢書, 律曆志》推日明所入度分, 術曰, 置其月節氣夜漏之數, 以蔀法乘之, 二百除之得一分, 卽夜半道明所行分也. 以增夜半日所在度分, 爲明所在度分也. 《張果, 星宗度數所在過宮圖圖說》 百秒爲一分, 百分爲一度.

분(盆) [1] [부피] ❶'동이'의 뜻으로, 동이에 물건을 담아 그 양을 헤아리는 데 쓰는 말. 《朝鮮世宗實錄 26, 6年10月壬寅》監司進淸酒一千瓶, 濁酒一百盆, 分賜于隨駕臣僚, 以逮賤者. 《山林經濟 3, 救荒》千金酒方. 先以糯米稃濃煎去稃, 次入千金木皮再煎, 一二沸, 待冷入瓮, 斟酌和麯末. 次日, 入米粥, 待熟澄淸, 則味甘米. 服之, 消飢腫神驗. 凡釀水二盆, 米一升爲準. 《新編集成馬醫方, 諸黃門》又方, 羊蹄根(一斤)·艾葉(三斤)·右水一盆, 煎至七分, 常飮之. 《陶山書院傳掌記, 萬曆 46年正月19日》 塩川魚一盆. ❷(fēn) 중국(中國)의 옛 단위. 주로 곡식이나 액체의 양을 헤아리는 데 썼다. 1분은 12 말〔斗〕 8 되〔升〕에 해당된다. 《荀子, 富國》今是土之生五穀也, 人善治之, 則畝數盆(蓋當時以盆爲量). 《故事新編, 非政》說定給我一千盆粟米的, 却只給了我五百盆. 我只得走了. [2] [수효] 꽃을 심은 화분(花盆)의 수를 세는 데 쓰는 말. 《朝鮮太宗實錄 11, 6年正月庚子》上親祼宗廟, 率百官詣德壽宮問安, 進梅花一盆. 《朝鮮成宗實錄 13, 2年11月己未》掌苑署, 進暎山紅一盆. 《六典條例 10, 工典, 掌苑署, 進上》重陽菊, 九月初九日, 進上(東山別監養納各殿二盆). [3] [질량] (fēn) 중국의 단위. 1분은 20 냥(兩), 또는 24 냥에 해당된다. 《墨子, 貴義》待女以千盆. (孫詒讓閒詁) 盆, 畢本改益, 云, 舊作盆誤, 古無鎰字, 只作益, 或作溢. 漢書食貨志云, 黃金以溢爲名, 注, 孟康曰, 二十兩爲溢也. 賈逵國語注云, 二十四兩, 王云, 古鎰子皆作溢, 無作益者也, 此言千盆五百盆, 盆皆謂粟, 非謂金也. 荀子富國篇, 今是土之生五穀也, 人善治之, 則畝數盆. 楊倞曰, 蓋當時以盆爲量, 引考工記曰, 盆實二鬴, 又引墨子曰, 待女以千盆, 授我五百盆, 則盆非益之譌也.

분(畚) [수효] '삼태기'의 뜻으로, 삼태기에 물건을 담아 그 양을 헤아리는 데 쓰는 말. 《牧民心書 12, 工典, 道路》路不鋪黃, 畔不植炬, 斯可曰知禮矣. 茶山筆談云, 御路之脊, 鋪以黃土, 未詳所始……奉使臣入郡縣, 另以黃土一畚, 瀉于兩旁……今監司巡歷, 直用御路中黃之法.

분(粉) [길이] '데시미터(decimeter)'의 역어(譯語). 《新字典, 新字新義部》粉, 데시메트르. decimetre.

法國度名, 米之十分之一.

분(噴 : pēn) [수효] 중국(中國)의 단위. '물'의 뜻으로, 열매를 맺거나 수확하는 횟수를 헤아리는 데 쓰는 말.

분극(分克 : fēnkè) [질량] 중국(中國)의 단위. '데시그램(decigram)'의 역어(譯語).

분기(分期) [시간] 1 년을 3 개월씩 넷으로 나눈 기간. 또는 그 기간의 수를 세는 데 쓰는 말.

분니(芬尼 : fēnní) [통화] 중국의 단위. '페니히(Pfennig)'의 음역(音譯).

분대(分隊) [군사] 군대 편성 단위의 하나로, 분대의 수를 세는 데 쓰는 말. 군대의 최하위 조직으로서 9 명의 병사로 편성된다.

분데르(bunder) [넓이] 네덜란드(Netherlands)에서 사용하였던 단위. 1 분데르는 100 아르〔a〕이며, 2.471 에이커(acre), 또는 1 헥타르〔ha〕에 해당된다.

분미(分米 : fēnmǐ) [길이] 중국의 단위. '데시미터(decimeter)'의 역어(譯語).

분승(分升 : fēnshēng) [부피] 중국의 단위. '데시리터(deciliter)'의 역어(譯語).

분종(分鐘 : fēnzhōng) [시간] 중국(中國)의 단위. '분간(分間)'의 뜻으로, 1 분 사이를 하나치로 하여 시간을 헤아리는 데 쓰는 말.

분칼(buncal) [질량] 인도네시아(Indonesia)의 고유 단위. 1 분칼은 카티(catty)의 20 분의 1 이며, 1.49 트로이 온스(troy ounce), 또는 46.5 kg 에 해당된다.

분판(分板) [호칭] 일본(日本)의 단위. 판재(板材)를 두께에 의하여 분류할 때 쓰는 말. 4 분판의 두께는 2~2.5푼(6.06 ~ 7.58mm), 또는 2.5 ~ 3푼(7.58 ~ 9.09mm)이고, 6분판은 두께가 3 ~ 4푼(9.09 ~ 12.12 mm)인데, 어느 것이나 폭이 4~10 치(12.12~30.30 cm), 길이는 6 자(1.82 m)이다.

분패(分貝 : fēnbèi) [음압(音壓)·소음] 중국(中國)의 단위. '데시벨(decibel)'의 역어(譯語).

불(不) [과거(科擧)] 과거를 보일 때 성적 등급의 하나. 조선 시대, 강경(講經) 때의 시험 등급의 최하위로, 선초(鮮初)에는 대통(大通)·통(通)·약통(略通)·조통(粗通)·불통(不通)의 다섯 등급이 있었으나, 그 이후에는 통(通)·약(略 : 혹은 略通)·조(粗 : 혹은 粗通)·불(不 : 혹은 不通)의 네 등급으로 나누었다. 불통(不通). 《朝鮮世宗實錄 103, 26年2月己丑》禮曹啓文科講經節目. 一, 句讀·訓釋皆不錯誤, 講論雖不該通, 不失一章大旨者, 爲粗通. 一, 句讀·訓釋皆熟, 講論詳明, 雖通大旨, 未至融貫者, 爲略通. 一, 既能句讀明白, 訓釋·辨說無疑, 開析義理, 融貫旨趣者, 爲通. 一, 句讀·訓釋·義理·旨趣, 既皆曉釋, 又能連上接下, 曲暢旁通, 融貫一書大旨, 深得言意之表者, 爲大通. 一, 聖賢書義理無窮, 故學者所傳或異, 試官等當講經時, 生徒句讀及釋義, 或異於己指, 爲不通者有之. 今後生徒所見雖異, 文義皆通, 則試官等勿拘己見, 以從衆議. 《慵齋叢話 2》擧子讀大文釋

之, 試官講論註疏, 胥吏書通・略・粗・不四字, 以爲講籤, 各置於試官前.《經國大典 1, 吏典, 內侍府, 注》講所議書, 通給別仕二, 略通一, 粗通半, 不通削仕三.

불(弗) [통화] '달러(dollar)'의 역어(譯語).《新字典, 新字新義部》弗, 쩔라. dollar. 美國及墨西哥之貨幣, 美貨以百仙爲一弗, 我二圓六厘.

불(佛) [통화] '프랑(franc)'의 역어(譯語).《新字典, 新字新義部》佛, 프랑. franc. 法國幣制, 以此爲單位, 亦作法, 我三十八錢七厘.

불가사의(不可思議) [수] 매우 큰 수(數)의 하나. 1 불가사의는 나유타(那由他)의 1억 배(倍)이며, 무량수(無量數)의 1억분의 1, 또는 10^{120}에 해당된다.

불쾌지수(不快指數) [감각] 온도・습도 등의 관계로 인하여 쾌・불쾌의 정도를 나타내는 데 쓰는 말. 이는 미국의 벤슨(Benson, J. F.)이 무더위를 나타내기 위하여 고안(考案)한 것으로, 0.72×〔건구(乾球) 온도 + 습구(濕球) 온도 + 40.6〕으로 계산하여 70 이상이면 약간 불쾌, 75 이상이면 반수(半數) 불쾌, 80 이상이면 모든 사람이 불쾌함을 느낀다고 한다. 기호 : DI

불통(不通) [과거(科擧)] '불(不)'과 같다.《朝鮮孝宗實錄 19, 8年7月戊申》禮曹啓曰, 京外公都會之規, 所以勸奬科業, 考較才藝……且小學考講, 例於一冊之中, 五處考講, 合四冊計之, 則乃二十處也. 純通則當爲四十分, 純略則當爲二十分, 純粗則當爲十四分, 四冊純粗者, 似不當參於入格之中, 而其中或有未滿十分者, 此則明是間以不通, 或不盡二十處也.《慵齋叢話 2》擧子讀大文釋之, 試官講論註疏, 胥吏書通・略・粗・不四字, 以爲講籤, 各置於試官前.《經國大典 1, 吏典, 內侍府, 注》講所讀書, 通給別仕二, 略通一, 粗通半, 不通削仕三.

붕(朋 : péng) ① [화폐] 중국(中國)의 화폐 단위. 예전에 조개로 화폐를 대신할 때, 한 개 또는 다섯 개를 1 붕이라 하였다.《詩, 小雅》旣見君子, 錫我百朋.《漢書, 食貨志》爲大貝十朋. ② [행정] 중국(中國)의 단위. 민호(民戶) 24 가(家)를 하나치로 헤아리는 데 쓰는 말.《晉書, 地理志》帝堯叶和萬邦, 制八家爲鄰, 三鄰爲朋, 三朋爲里. ③ [수효] 중국의 단위. '무리'・'떼'의 뜻으로, 동아리의 수를 세는 데 쓰는 말.《封氏聞見記, 拔河》今民則以大麻絙長四五十丈, 兩頭分繫小索數百條掛于前, 分二朋兩相齊挽.《新唐書, 西域傳 下, 寧遠》每元日, 王及首領判二朋, 朋出一人被甲鬪, 衆以瓦石相之, 有死者止, 以卜歲善惡.

붕(棚) ① [수효] (péng) 중국(中國)의 단위. ❶'차례'・'번'의 뜻으로, 일의 횟수를 세는 데 쓰는 말. 주로 장례식이나 경사스런 일에 쓴다. 〈예〉兩~白事. 念了一~讀經. ❷'덕'의 뜻으로, 나뭇가지 사이나 양쪽에 버티어 놓은 나무 위에 막대기를 걸쳐서 맨 시렁의 수를 세는 데 쓰는 말. ② [부피] 일본(日

本)의 단위. 주로 장작의 부피를 헤아리는 데 쓴다. 구제(舊制)로는 길이·폭·높이가 각각 3 자〔尺〕×6 자×6 자로, 그 부피는 108 세제곱 자(3.00526 m²)이고, 신제(新制)로는 2 자×10 자×5 자로, 그 부피는 100 세제곱 자(2.78265 m³)에 해당된다.

브라자(braza) ① [넓이] 필리핀(Philippines)의 고유 단위. 1 브라자는 0.0279 아르〔a〕, 또는 3.34 제곱 야드〔yd²〕에 해당된다. ② [길이] ❶아르헨티나(Argentina)의 고유 단위. 1 브라자는 5.68 피트(feet), 또는 1.732 m 에 해당된다. ❷스페인(Spain)의 단위. 1 브라자는 5.48 피트, 또는 1.672 m 에 해당된다.

브라치아(braccia) [길이] 이탈리아(Italia)의 옛 단위. 1 브라치아는 15～39 인치(inch), 또는 38～100 cm 에 해당된다.

브라카(braca) [길이] 포르투갈(Portugal)·브라질(Brazil)의 옛 단위. 1 브라카는 7.22 피트(feet), 또는 2.20 m 에 해당된다.

블로카(wloka) [넓이] 폴란드의 단위. 1 블로카는 41.50 에이커, 또는 16.796 헥타르〔ha〕에 해당된다.

블록(block) [넓이] 미국(美國) 텍사스(Texas) 지방의 단위. 지역에 따라 다소 차이가 있는데, 가장 작은 블록으로서의 1 블록은 1 제곱 마일(mile), 또는 2,590 km² 에 해당된다. 이보다 큰 것은 여러 종류가 있다.

비(比 : bǐ) [행정] 중국(中國)의 단위. 주(周)나라 때의 제도로, 5 가(家)를 비(比), 5 비를 여(閭)라 하였다. 《周禮, 地官, 大司徒》令五家爲比, 使之相保, 五比爲閭, 使之相受, 五閭爲族, 使之相葬, 五族爲黨, 使之相救, 五黨爲州, 使之相賙, 五州爲鄕, 使之相賓. (鄭玄注) 族, 百家, 黨, 五百家.

비(批 : pī) [수효] 중국(中國)의 단위. ❶'무리'·'무더기'의 뜻으로, 한데 모여 있거나, 한 곳에 수북이 쌓여 있는 더미의 수를 세는 데 쓰는 말. 과(夥). 군(群). 기(起). 반(班). 배(輩). 운(運). 진(陣). 퇴(堆). 패(牌). 화(伙). 《水蓮》大問有一批熱心政治的學生發傳單, 叫路人支持他們抗議, 俄國政府壓迫作家的示威. ❷'번째'·'차례'의 뜻으로, 일의 순서를 나타내는 데 쓰는 말. 《新方言, 釋言》今人謂土相次比, 物相次比, 皆曰一毕一毕. 或言事有先後第次, 則曰一批一批.

비(沸) [수효] 액체가 끓어 오르는 횟수를 세는 데 쓰는 말. 《林園十六志, 鼎俎志 2, 炊餾之類, 麪》芋餺飥方. 山芋煮熟去皮擂爛, 細布絞去滓, 和麪·豆粉爲餠, 捍切麁細任意. 初熟二十沸如鈇, 至百沸則軟, 滑汁食之.

비(備) [수효] 갑(匣)·광주리〔筐〕 따위의 수를 세는 데 쓰는 말. 장(張). 《增正交隣志 1, 差倭》貼金小屛風二雙, 水晶笠緖三結, 革裹大簿匣一備, 赤銅木粧火爐二圍, 彩畫一尺. 《度支志, 外篇 16, 通信使行》彩畫箋匣一備. 彩畫宴筐一備.

비(篚) [부피] '광주리'의 뜻으로, 광주리에 물건을 담아 그 양을 헤아리는 데 쓰는 말. 《和州刺史廳壁

記》按見戶萬八千有奇, 輸緡錢十六萬, 歲貢纖紵二篚, 吳牛蘇二鈞, 糝鱏九甕, 芧蒐七千兩. 《容齋續集 10》束帛一篚, 五匹, 酒一壺, 二斗, 脩一案, 三脡. 《元史, 何實傳》太宗數召入見, 實貢金幣紋綺三篚.

비(臂) [길이] '발'의 뜻으로, 두 팔을 잔뜩 벌린 길이. 또는 그 수를 세는 데 쓰는 말. 탁(托·庹). 파(把). 《廣才物譜 1, 庶類部, 數》一臂, 흔 발. 《才物譜, 秋, 數》一臂, 흔 발.

비(轡) [수효] '마리'·'필(匹)'의 뜻으로, 말의 수를 세는 데 쓰는 말. 말 1 마리에 두 개의 고삐가 있기 때문에 2 비는 말 1 마리, 8 비는 말 4 마리가 된다. 《李賀, 瑤華樂詩》穆天子, 走龍媒. 八轡冬瓏逐天迴, 五精掃地凝雲開. (王琦滙解) 轡, 馬韁也. 一馬兩轡, 故詩經正義謂四馬則八轡, 長吉則以八馬爲八轡.

비가(bigha) [넓이] 인도(印度) 벵골(Bengal) 지방의 단위. 1 비가는 1,600 제곱 야드〔yd^2〕, 또는 1,337.808 m^2 에 해당된다. 일반적으로는 3,025 제곱 야드, 또는 2,529.293 m^2 에 해당된다.

비륵(菲勒 : fēilè) [통화] 중국의 단위. '필레르(fillér)'의 음역(音譯).

비바하(vivāha) [수] 고대 인도(印度)의 단위. 1 비바하는 아크쇼비야(akṣobhya)의 100 배(倍)이며, 코티(koṭi)의 10^{12} 배, 또는 10^{19}~10^{20} 에 해당된다.

비색(比索 : bǐsǔo) [통화] 중국의 단위. '페소(peso)'의 음역(音譯).

비색와(比塞瓦 : bǐsāiwǎ) [통화] 중국(中國)의 단위. '페세와(pesewa)'의 음역(音譯).

비색탑(比塞塔 : bǐsāitǎ) [통화] 중국의 단위. '페세타(peseta)'의 음역(音譯).

비세(wisse) [부피] 네덜란드의 단위. 1 비세는 스테르(stère)와 같으며, 1.31 세제곱 야드〔yd^3〕, 또는 1,0015 m^3 에 해당된다.

비스(vis, viss) [질량(質量)] 미얀마(Myanmar)의 고유 단위. 시대에 따라 다소 차이가 있는데, 1 비스는 3.65~3.60 파운드(pound), 또는 1.6556~1.6329 kg 에 해당된다. 페이크타(peiktha).

비스메르푼(bismerpund) [질량] ❶ 노르웨이(Norway)의 단위. 1 비스메르푼은 13.2 파운드, 또는 6.0 kg 에 해당된다. ❷덴마크의 단위. 비스메르(bismer)는 '저울'이라는 뜻의 독일어 베제머(Besemer)와 같은 어원(語源)에서 나온 것이다. 1 비스메르푼은 13.2 파운드, 또는 6.0 kg 에 해당된다.

비야마(vyāma) [길이] 고대 인도(印度)의 단위. 우리 나라의 발〔把〕에 해당된다. 1 비야마는 약 1.8~2.0 m 에 해당된다.

비어 배럴(beer barrel) [부피] 미국(美國)의 단위. 주로 맥주의 생산량·출하량·판매량을 표시할 때 쓴다. 1 비어 배럴은 31.0 미(美) 갤런, 또는 117.35 l 에 해당된다.

비에드로(viedro) [부피] 러시아(Russia)의 옛 액량(液量) 단위. 1 비에드로는 보치카(bochka)의 40 분의 1 이며, 3.25 미(美) 갤런, 또는 12.30 l 에 해당된다.

비에르쇼크(viershok) [길이] 러시

아(Russia)·우크라이나(Ukraina) 지방의 옛 단위. 1 비에르쇼크는 아르신(arshin)의 16 분의 1 이며, 1.75 듀임(dyujm), 1.75 인치(in), 또는 4.445 cm 에 해당된다. 14 세기 이후부터 1918년 11월에 미터법이 시행될 때까지 사용되었다.

비에르스타(viersta) [길이] 러시아(Russia)·우크라이나(Ukraina) 지방의 옛 단위. 시대에 따라 다소 차이가 있는데, 1 비에르스타는 처음에 500~1,000 사젠(sazhen)이었으나, 18 C 이후 미터법이 시행됨으로써 폐지될 때(1918년 11월)까지는 500 사젠이었다. 현재의 1 비에르스타는 0.6629 마일(mile), 또는 1.067 km 에 해당된다.

비에르코비에스크(vierkoviesk) [질량] 러시아(Russia)의 옛 단위. 1 비에르코비에스크는 푸드(pud)의 10 배이며, 361.13 파운드, 또는 163.8 kg 에 해당된다.

비이(費爾 : fèiěr) [통화] 중국의 단위. '필(fil)'의 음역(音譯).

비자(鼻子 : bízi) [수효] 중국(中國)의 단위. '번'의 뜻으로, 우는 횟수를 세는 데 쓰는 말.

비타스티(vitasti) [길이] 고대 인도의 단위. 엄지손가락과 집게손가락, 또는 손목과 손가락 끝의 거리로, 하스타(hasta)의 1/2, 12.63 인치, 또는 32 cm 이다.

비트(bit) 〔binary digit〕 [정보량] 비트는 어떤 사상(事象)이 일어나는 확률과 일어나지 않는 확률이 똑같이 2 분의 1 이었을 때, 이자 택일(二者擇一)의 형식으로 표시되는 정보량의 최소 단위이다. 정보량을 측정하는 공식은 1928년 미국의 통신 기사 하틀리(R. V. L. Hartley)에 의하여 도입(導入)되었는데, 일반적으로 일어나는 확률 P 가 확실한 것이 알려졌기 때문에 증가되는 정보량 H는 $H=\log\frac{1}{p}$의 식이 된다. 위(位). 기호 : bit

비파통(琵琶桶 : pí·patǒng) [부피] 중국의 단위. '배럴(barrel)'의 역어.

빈(彬 : fèn) [수효] 중국(中國)의 단위. ❶'몫'의 뜻으로, 여럿으로 나누어 가질 때의 앞앞이 가지는 수량을 헤아리는 데 쓰는 말. ❷'건(件)'·'통'·'부'의 뜻으로, 문서나 서류 따위의 수를 세는 데 쓰는 말.

빈(binh) [질량] 베트남(Vietnam)의 단위. 1 빈은 동(dong)의 8,000 배(倍)이며, 68¾ 파운드(pound), 또는 31.18 kg 에 해당된다.

빔바라(viṃvara) [수] 고대 인도(印度)의 단위. 1 빔바라는 캉카라(kaṅkara)의 100 배(倍)이며, 코티(koṭi)의 10^3 배에 해당된다. 코티가 1,000만 또는 1억(億)이라 하므로, 1 빔바라는 10^{15} 또는 10^{16} 이 된다.

빙게르후트(vingerhoed) [부피] 네덜란드의 고유 단위. 1 빙게르후트는 3.38 미(美) 액량(液量) 온스(ounce)이며, 3.52 영(英) 액량 온스, 또는 10 cm^3 에 해당된다.

뼘 [길이·수효] 엄지손가락과 다른 손가락을 잔뜩 벌리어 잰 길이. 또는 그 수를 세는 데 쓰는 말. 위(圍). 지(指). 찰(札). 책(搩). 파(把).

뿌리 [수효] 파나 인삼과 같이 뿌리의 수를 세는 데 쓰는 말.

사(夕) [1] [부피] 척관법(尺貫法)의 한 단위. 1 사는 홉〔合〕의 10 분의 1, 또는 1 되〔升〕의 100 분의 1 에 해당된다. 작(勺). 《高麗史 27, 元宗世家》十四年春二月庚子, 內莊宅告匱闕御飯米一夕. 《純元王后國葬都監儀軌 2, 稟目》本房郞廳二員, 監造官二員……每三日, 燈油三夕, 黃筆·眞墨各一, 硯石匣具一面. 《行用吏文》夕, 샤. 李睟光曰, 十龠曰合, 十合曰升, 或云十勺爲合. 今俗以龠作夕. 似無理. 蓋勺字之誤. 《萬機要覽, 財用編 1, 供上, 大殿, 逐日供上》芥子一斗三升三合五夕. 黃角汴眞油一斗八升六合三夕. 醋九升三合四夕. 《度支準折, 柒物》骨灰·太末·膠末各五夕, 全柒三夕, 每柒一夕. [2] [수효] (xī) 중국(中國)의 단위. '번'의 뜻으로, 말하는 횟수를 세는 데 쓰는 말. [3] [넓이] 논밭의 넓이를 헤아리는 데 쓰는 말. 1 사는 홉〔合〕의 10 분의 1 에 해당된다.

1 夕＝1/10 홉〔合〕
＝1/100 보(步)
＝1/100 평(坪)
＝$0.0330579\ m^2$

《萬機要覽, 財用編 2, 田結》旱田·水田, 通謂之田. 今則以旱田謂之田, 水田謂之畓, 畓本無其字, 而連寫成一字, 以其近於沓, 故仍冒其音. 如勺之爲夕(音샤), 大豆之爲太, 又如結夫之夫, 加圈以標之於夫字之上, 遂以夫連圈, 爲矣, 俗稱注非矣.

사(仕) [수효] 벼슬아치나 군사들의 근무한 날. 또는 그 날수(數)를 세는 데 쓰는 말. 일정한 근무 일수가 차면 천전(遷轉)·승진(昇進) 등을 시켰는데, 휴가나 병고로 인하여 근무하지 않은 날은 일수에서 제외하고, 공로가 있을 경우에는 별사(別仕)라 하여 근무 일수를 더하여 주었다. 《朝鮮世祖實錄 33, 10年4月己亥》軍士仕日, 或稱到, 或稱仕, 仕則每一日一, 到則每一日, 或三或二, 甚爲不均. 《朝鮮文宗實錄 6, 元年3月己未》御序賢亭, 觀忠順衞步射, 結仕有差.

사(仨 : sā) [수·수효] 중국(中國)의 단위. '셋'·'세 개'의 뜻으로, 수(數)를 나타내거나 물건 따위 3 개를 하나치로 세는 데 쓰는 말. 《辭海》仨, 北方語音, 數詞, 三個也.

사(糸) [질량] '사(絲)'의 [2]와 같다. 《萬機要覽, 財用編 4, 錢貨, 鑄錢式》新錢一分, 黑骨所入, 生銅九分七里四戶六糸六忽六微, 含錫一分八里二戶六糸六忽六微, 常鑞一分八里二戶六糸六忽六微, 合重一錢三分三里九戶九糸九忽八微.

사(沙) [1] [수] 십진급수(十進級數)의 한 단위. 섬(纖)의 아래로, 1 사는 이(釐)의 100만분의 1 에 해당된다. 《謝察微算經》十塵爲沙, 十沙爲纖. [2] [질량] 척관법(尺貫法)에서의 무게의 단위. 1 사는 섬(纖)의 10 분의 1, 또는 진(塵)의 10 배(倍)에 해당된다. 《宛署雜記, 繇賦》正賦中通共起存銀叁千陸百陸拾捌兩柒錢五分貳釐陸毫五絲肆微捌纖陸

沙陸塵陸埃壹渺貳漢五模. ③ [길이] 1 사는 자〔尺〕의 10억분의 1, 또는 진(塵)의 10 배(倍)에 해당된다. 《算法統宗, 零數》 寸·分·釐·毫·絲·忽·微·纖·沙·塵·埃.

사(事) [수효] ❶벼루의 수를 세는 데 쓰는 말. 매(枚). 면(面). 부(部). 《朝鮮世祖實錄 8, 3年6月丁酉》鑑等還太平館, 命以黃鼠毛筆一百四十枚, 龍煤十笏, 銅鑪具紫石硯二事, 白麻骨紙二千幅, 紫燒酒二墁, 青橘二櫃, 分贈之. ❷'벌'의 뜻으로, 몇 개가 모여 짝을 이룬 물건의 수를 세는 데 쓰는 말. 《朝鮮成宗實錄 108, 10年9月辛未》 其書契曰……石首魚卵鮓一墁, 銀口魚鮓一墁, 中樣三事刀子五十把, 小樣三事刀子五十把, 細竹扇五十把, 小竹扇五十把. ❸'장(張)'의 뜻으로, 시지(試紙)·낙복지(落幅紙) 따위의 수를 세는 데 쓰는 말. 도(度). 《訓鍊都監重記, 軍色, 時遺在秩》 監試落幅紙拾玖軸伍事半事. 《度支志, 內篇, 事例》首堂上監試初試試紙六事, 色郎官監試初試試紙四事. 試紙一事, 價錢一兩. ❹다리미〔熨刀〕의 수를 세는 데 쓰는 말. 본(本). 《朝鮮世祖實錄 44, 13年10月壬寅》 命都承旨權孟禧……木篆印二顆, 熨刀三事, 胡麻海松子餠一箱. ❺마부(馬夫)와 말, 뱃사공과 배 따위를 하나치로 세는 데 쓰는 말. 곧, 사람과 물건, 사람과 짐승이 한 짝이 되어야만 움직이거나 부릴 수 있는 것에 대하여 쓴다. 《瀋陽狀啓, 庚辰8月9日》 軍兵禦寒之具, 則似無大段生梗之事, 而唯只軍粮夫馬一事, 非但衙門通事輩日問其來與不來. 《瀋陽狀啓, 庚辰 9月16日》臣等竊觀近日事情, 以舟師一事, 蓄疑含怒, 欲發未發, 而姑爲存留一千砲手, 以觀末抄所爲. ❻'장'의 뜻으로, 깔개의 수를 세는 데 쓰는 말. 조(條). 《朝鮮世祖實錄 43, 13年8月庚戌》 贈琉球國王, 紅細苧布十一匹……虎豹皮各十張, 滿花席·彩花席·滿花方席各十五張, 坐子二事, 鞍子二面, 厚紙十卷, 油紙席十五張, 屛風一坐, 石燈盞四事, 短珠一貫. ❼합(盒)·함(函)의 수를 세는 데 쓰는 말. 《通文館志 3, 事大, 方物數目》生栗十斗, 大棗十斗, 銀香盒一事, 畫龍燭一雙. 《度支志, 外篇 16, 經費司》螺鈿梳函一事. 《萬機要覽, 財用編 5, 方物》銀香盒一事, 螺鈿梳函一事, 價錢十六兩, 工曹造作進排. ❽밀피〔蜜韋〕의 수를 세는 데 쓰는 말. 《朝鮮成宗實錄 5, 元年5月丁酉》請兩天使宴于仁政殿, 天使還館, 命都承旨李克增問安, 贈兩天使各馬一匹, 豹皮坐子一坐, 弓矢韃服具一部, 蜜韋一事, 弓箭帽一部……笠帽二事, 上使叩頭受之, 副使只受弓箭諸緣具·蜜韋, 餘皆不受. ❾탁자(卓子)의 수를 세는 데 쓰는 말. 《朝鮮端宗實錄 2, 卽位年8月甲子》別幅祭物, 沈束香一觔, 祭酒三十瓶, 果卓大小共四事, 各色湯物一十二道, 粧花蠟大燭一對. ❿'질(帙)'의 뜻으로, 여러 권으로 된 책의 한 벌을 하나치로 세는 데 쓰는 말. 건(件). 반(件). 본(本). 부(部). 질(帙·秩·袠). 《朝鮮光海君日記 39, 3年3月甲子》經筵官徐景雨所啓, 先王實錄一事, 小臣竊憂之. ⓫등잔(燈

盞)의 수를 세는 데 쓰는 말. 주(炷). 《朝鮮太宗實錄 34, 17年8月乙酉》遣知申事趙末生, 問安於兩使臣, 贈各十二升苧麻布幷二十匹……人蔘三十斤, 滿花方席·滿花寢席幷十二張, 石燈盞一事, 念珠百貫, 襦衣一襲. 《朝鮮世祖實錄 7, 3年5月戊子》大藏經一部, 石磴盞五事, 鞍子一面……油芚一十張, 牛黃一十部, 乾虎臟五十二箇, 乾虎骨四十二箇, 乾虎肉四百七十條. ⓬병(瓶)·옥적(玉笛) 따위의 수를 세는 데 쓰는 말. 《高麗史 29, 忠烈王世家》五年春正月, 王在元, 辛亥, 帝賜王亡宋寶器·鳳瓶·玉笛等九十事, 翼日, 又賜王及從臣彩帛. ⓭'가지'의 뜻으로, 사물(事物)을 종류별로 따로따로 구별하여 세는 데 쓰는 말. 물(物). 색(色). 열(列). 유(流). 장(椿). 종(種). 종류(種類). 《朝鮮世祖實錄 13, 4年7月丙戌朔》傳旨吏曹曰, 鄕·雅樂本非二事, 別置二署, 齋郞·舞工·樂生, 額數猥濫……雅樂署及典樂署, 合爲一司, 稱掌樂署. ⓮'벌'의 뜻으로, 의복(衣服)·의대(衣帶·衣襨) 따위의 수를 세는 데 쓰는 말. 구(具). 대(對). 부(富·福). 습(襲). 신(身). 엽(葉). 영(領). 요(腰). 전(揃). 착(著). 투(套). 《朝鮮太宗實錄 25, 13年正月癸巳》賜忠寧大君, 厥後出入宮禁, 竊中宮衣襨二十餘事. 《朝鮮太宗實錄 34, 17年7月乙丑》與伴人黃貴·劉信等二十, 各衣服三事, 靴·笠一事, 鞍馬各一. 《朝鮮中宗實錄 78, 29年11月丙戌》六月二十三日, 刑曹官, 將甘吐一事, 單衣一件, 裙一件, 衣帶一事. ⓯종(鐘)의 수를 세는 데 쓰는 말. 구(口). 《高麗史 25, 元宗世家》仍獻金鍾三事, 金鐠二事, 銀鐠八事, 獺皮七十七領. 《朝鮮太宗實錄 16, 8年8月丙子朔》賜以大藏經一部, 懶翁畫像中鍾一事, 紅墨·氈帽·虎豹皮·雌雄羔二雙, 鵓鴿五對, 鞍子一面. ⓰복자〔鐠〕·종지〔鍾〕·주발〔碗子〕·주주(酒注)·접시〔楪〕·잔(盞)·바리때〔鉢〕 따위 그릇의 수를 세는 데 쓰는 말. 구(口). 닙(立)·엽(葉). 《高麗史 23, 高宗世家》十九年三月丙戌, 都旦, 又以館舍寥寂, 欲移寓人家, 贈金酒器一事, 紵布八十匹. 《高麗史 25, 元宗世家》仍獻金鍾三事, 金鉍二事, 銀鐠八事, 獺皮七十七領. 《朝鮮世宗實錄 83, 21年12月己未》判中樞院事李順蒙, 贈米五十石, 鍮鉢十事. 《朝鮮世祖實錄 30, 9年7月辛丑》綵畫扇一百把, 長刀二柄, 大刀一十把, 大紅柒木車椀大小計七十事, 大紅柒盞·方盆大小計二十事. 《朝鮮文宗實錄 3, 卽位年8月丁丑》尹鳳, 進錦犀瑪瑠帶一腰, 段子二匹, 靑畫白鍾五事, 紫色鍾六事, 畫碗子十事, 純靑小碗子十事, 純靑酒注一事, 大中小楪六十事, 靑畫沙盤九事, 靑畫臺盞一事, 羊二十七頭. 內宮, 羅一匹, 段子一匹. 東宮, 段子二匹, 純靑鍾六事. ⓱갓·감투〔甘吐〕·입모(笠帽) 따위 머리에 쓰는 물건의 수를 세는 데 쓰는 말. 개(蓋). 구(口). 닙(立·笠). 매(枚). 부(部). 월(月). 정(頂). 조(條). 《朝鮮太宗實錄 34, 17年7月乙丑》與伴人黃貴·劉信等二十, 各衣服三事, 靴·笠一事, 鞍馬各一.

《朝鮮定宗實錄 2, 元年10月甲辰》母患今日之未來, 宜速治疾, 仍賜文和網笠一事, 段子衣一領.《朝鮮成宗實錄 5, 元年5月丁酉》請兩使宴于仁政殿, 天使還館, 命都承旨李克增問安, 贈兩天使各馬一匹, 豹皮坐子一坐, 弓矢韃服具一部, 蜜韋一事, 弓箭帽一部, 扇子三十把, 笠帽二十事. 兩使頭目各油席一事, 笠帽二事, 上使叩頭受之, 副使只受弓箭諸緣具·蜜韋, 餘皆不受.《朝鮮中宗實錄 78, 29年11月丙戌》六月二十三日, 刑曹官, 將甘吐一事, 單衣一事, 裙一事, 衣帶一事. ⓲사람 몸의 부위를 세는 데 쓰는 말.《大明律 20, 刑律, 鬪毆, 直解》折人兩肢, 損人二事以上, 及因舊患令至篤疾, 若斷人舌, 及毁敗人陰陽者, 並杖一百, 流三千里(兩肢乙折斷爲旀, 他人矣二事以上乙傷損爲旀, 及舊疾乙因爲篤疾乙成病爲旀, 他人矣舌乙折斷爲旀, 陰陽乙毁傷爲在乙良, 並杖一百遣, 遠流齊). ⓳채찍〔鞭〕의 수를 세는 데 쓰는 말.《朝鮮世祖實錄 43, 13年8月庚戌》贈琉球國王, 紅細苧布十一匹……錫硯滴十事, 摺扇子百把, 毛鞭十事, 册紙一百卷, 黃毛筆二百枝, 匣具紫石硯十面, 油烟墨一百笏. ⓴화로〔爐〕의 수를 세는 데 쓰는 말. 부(部). 위(圍). 좌(坐).《高麗史 11, 肅宗世家》四年八月甲戌, 幸僧伽窟設齋, 仍施銀香椀·手爐各一事, 金剛子·水精念珠各一貫, 金帶一腰.

사(舍) [길이] 예전에 행군할 때, 군대의 하루 행정(行程) 거리를 헤아리는 데 쓰는 말. ❶1사는 50리(里)에 해당된다.《三國遺事 1, 紀異, 太宗春秋公》定方將步騎, 直趨都城一舍止, 城中悉軍拒之, 又敗死者萬餘.《新增東國輿地勝覽 47, 江原道, 鐵原, 樓亭》孤石亭, 在府東南三十里……至岩下瀦爲淵, 臨視之兢戰, 可畏如有神物居焉, 其水西走一舍許南流. ❷(shè) 중국의 단위. ㉮1사는 30리에 해당된다.《國語, 晉語 4》若以君之靈, 得復晉國, 晉·楚治兵, 會于中原, 其避君三舍. (韋昭注) 古者師行三十里而舍, 三舍爲九十里.《趙翼, 高黎貢山歌》層椒靑靑日西下, 借問下山尙三舍. ㉯별〔星〕사이의 거리를 헤아리는 데 쓰는 말.《呂氏春秋, 制樂》君有至德之言三, 天必三賞君, 今夕熒惑, 其徙三舍.《淮南子, 覽冥訓》魯陽公與韓搆難, 戰酣日暮, 援戈而撝之, 日爲之反三舍.《盧照鄰, 宴梓州南亭詩》願得廻三舍, 琴樽長若斯.《曹寅, 避熱詩 4》他日一瓻重命酒, 願回三舍倒戈鋌.

사(社) [1] [행정] ❶여말 선초, 지방 행정 구역의 하나. 함경도 지방에 이를 두었는데, 지금의 이(里)에 해당된다.《磻溪隨錄, 補遺 1, 郡縣制》雖例皆稱之曰面, 而其間或有稱道者, 稱里者, 稱村者, 黃海·平安道, 則稱之以坊, 咸鏡道則稱之以社.《大東韻府群玉 11, 上聲, 馬》廢鎭爲社(永興府, 古有平川·靜邊·寧仁·長平·耀德五鎭, 入國朝皆廢鎭爲社. 社, 猶言里也). ❷(shè) 중국(中國)의 단위. ㉮민호(民戶) 25가(家)를 하나치로 이르는 말.《說文》社, 周禮, 二十五家爲社.《左傳, 召公25年》請致千社(二十五家爲一社, 千社, 二萬五千家也).

《史記, 齊太公世家》魯昭公辟季氏難, 奔儕. 齊欲以千社封之. ㉯민간(民間)에서 임의로 만든 5 가(家), 또는 10 가를 하나치로 이르는 말. 《漢書, 五行志, 中之下》禁民私所自立社(臣瓚曰, 舊制, 二十五家爲一社, 而民或十家五家共爲田社, 是私社). ㉰사방 6 리(里) 안에 있는 민호(民戶)를 하나치로 이르는 말. 《管子, 乘馬》方六里, 名之曰社. ② [수효] 일본(日本)의 단위. 신사(神社)의 수를 세는 데 쓰는 말.

사(祀 : sì) [시간] 중국 은(殷)나라 때의 단위. '해'의 뜻으로, 1 사는 1 년에 해당된다. 년(年). 백(白). 상(霜). 세(歲). 영(齡). 재(載). 《爾雅, 釋天》載, 歲也. 夏曰歲, 商曰祀, 周曰年, 唐虞曰載. 《釋文》祀, 年也. 《後漢書, 崔駰傳》乃稱疾而屢復兮, 歷三祀而見許. 《謝瞻, 張子房詩》惠心奮千祀, 淸埃播無疆. 《柳宗元, 吊屈原文》後先生蓋千祀兮, 余再逐而浮湘. 《高啓, 吊伍子胥辭》奚千祀而勿毁兮, 緊若人之死忠.

사(師 : shī) [군사] 중국(中國) 주(周)나라 때의 군대(軍隊)의 편성 단위. 1 사는 여(旅)의 5 배(倍), 또는 2,500 명으로 구성되었다. 《說文》師, 二千五百人爲師. 《周禮, 地官, 小司徒》五人爲伍, 五伍爲兩, 四兩爲卒, 五卒爲旅, 五旅爲師. 五師爲軍. 《公羊傳, 隱公5年》曷爲或言率師(二千五百人稱師, 天子六師, 方伯二師, 諸侯一師).

사(梭) [수효] '새'의 뜻으로, 피륙의 날실의 수를 세는 데 쓰는 말. 1 새는 날실 80 올이다. 승(升). 종(稯·綜). 총(總). 《迂書, 總論四民》且以三梭布言之, 堅紉過於棉衣, 訪問其法……終不學其織作之妙.

사(笥) [부피] '상자'의 뜻으로, 상자에 물건을 담아 그 양을 헤아리는 데 쓰는 말. 사는 대오리를 결어서 옷·밥·나물·책 따위를 담는 네모진 상자이다. 상(箱). 절(折). 《朝鮮端宗實錄 4, 卽位年12月辛卯》頭目張源等十一人, 賫進獻雜物二十九櫃, 海靑四連, 私物五十櫃三百六十笥. 《陶山書院傳掌記, 天啓8年正月20日》 寒岡書簡一笥. 《萬機要覽, 財用編 1, 供上, 大殿》黃芽二笥, 每笥價三兩六錢. 薺菜二笥. 菉豆長音二笥. 靑芽二笥. 生葱三笥.

사(絲) ① [수] 십진 급수(十進級數)의 하나. 호(毫)의 10 분의 1, 또는 이(釐)의 100 분의 1 에 해당된다. 《庾信, 爲晉陽公進玉律秤尺表》分粟累黍量絲數籥. 《算法統宗, 小數》 分·釐·毫·絲·芴·微. ② [질량] 척관법(尺貫法)에서의 무게의 단위. 1 사는 이(釐)의 100 분의 1, 또는 냥(兩)의 100,000 분의 1 에 해당된다. 사(糸). 《增補文獻備考 91, 樂考, 度量衡》十久覽爲大可久覽, 當我二錢六分六釐六毫六絲七忽. 十大可久覽爲赫得久覽, 當我二兩六錢六分六釐六毫六絲七忽. 十赫得久覽爲岐路久覽, 當我二十六兩六錢六分六釐六毫六絲七忽. 《宛署雜記, 繇賦》正賦中通共起存銀參千陸百陸拾捌兩柒錢五分貳釐陸毫五絲肆微捌纖陸沙陸塵陸埃壹渺貳漠五糢. ③ [길이] 1 사는 이(釐)의

100 분의 1, 또는 자〔尺〕의 100,000 분의 1 에 해당된다.《算法統宗, 零數》寸·分·釐·毫·絲·忽·微·纖·沙·塵·埃. 4 [통화] 화폐의 단위. 모(毛)의 10 분의 1, 또는 전(錢)의 1,000 분의 1 에 해당된다.《度支準折, 木物》椵板一条, 一尺, 折価一兩一戔四分二里八戶. 方一寸, 折価一里五絲八忽一微. 5 [수효] '가닥'·'줄기'의 뜻으로, 실과 같이 가늘고 긴 물건이나 미소 따위의 수를 세는 데 쓰는 말.《裴說, 聽彈箜篌詩》箜篌二十五絲絃, 漢武當年應節宣.《弘一大師傳》和尙沒作聲, 臉上浮現一絲沈默的笑意.

사(楂 : chá) [수효] 중국(中國)의 단위. '그루'의 뜻으로, 한 해에 같은 땅에 농사 짓는 횟수를 세는 데 쓰는 말. 〈예〉 頭~, 첫 그루.

사(肆) 1 [수] '사(四)'의 갖은자.《說文通訓定聲, 履部》今官書數目一二三四作壹貳參肆, 所以防奸易也. 2 [수효] '열'·'줄'의 뜻으로, 사람이나 물건이 늘어선 것의 수를 세는 데 쓰는 말.《左傳, 襄公11年》凡兵車百乘, 歌鍾二肆, 及其鎛磬女樂二八. (杜預注) 肆, 列也, 縣鍾十六爲一肆, 二肆三十二枚. (孔穎達疏) 鍾磬皆編縣之, 在簨簴, 而各有行列也.《蔣至, 洞庭張樂賦》舞妙有爲八佾, 懸至和爲二肆.

사(駟 : sì) [수효] 중국(中國)의 단위. ❶말 4 필이나 나무로 만든 용(龍) 4 마리를 하나치로 세는 데 쓰는 말.《史記, 周本紀》閎夭之徒患之, 乃求有莘氏美女, 驪戎之文馬, 有熊九駟, 他奇怪物, 因殷嬖臣費仲而獻之紂. (張守節正義) 九駟, 三十六匹馬也.《戰國第, 齊策》遣太傅, 齎黃金千觔, 文車二駟, 服劍一, 封書謝孟嘗君.《漢書, 景帝紀》賜諸侯王列侯馬二駟. (顏師古注) 八匹也.《穆天子傳》乃獻良馬十駟.《漢書, 郊祀志》秦祀四時, 每時用木偶龍一駟(駟亦四龍也). 《論語, 季氏》齊景公有馬千駟. (邢昺疏) 馬四匹爲駟. 千駟, 四千匹也. ❷'대'·'량(輛)'의 뜻으로, 수레의 수를 세는 데 쓰는 말.《孫子, 作戰》凡用兵之法, 馳車千駟, 革車千乘……然後十萬之師擧矣.

사(篩) 1 [수효] '판'의 뜻으로, 두부〔豆泡·太泡〕·청포묵〔青泡〕 따위의 10 모〔十片〕를 하나치로 세는 데 쓰는 말.《進宴儀軌(高宗壬寅) 2, 饌品》太泡二篩.《度支準折, 熟造作末》青泡一篩, 価錢一戔二分. 豆泡一篩(十片爲一篩), 価錢八分. 2 [부피] '판'의 뜻으로, 판에 강정·감사과(甘絲果) 따위를 담아 그 양을 헤아리는 데 쓰는 말.《進宴儀軌(高宗壬寅) 2, 饌品, 大殿進御別行果》五色鈴強精一器. 五色鈴強精十三篩, 粘米二斗……四色甘絲果一器. 四色甘絲果十三篩, 粘米二斗, 酒·青·眞油各六升, 白糖十二斤, 芝草·葛梅各一斤, 紅取油二升, 鬱金二兩, 雪綿子二錢.

사(saa) [부피] 고대(古代) 아라비아(Arabia)의 단위. 1 사는 카피스(cafiz)의 12 분의 1 이며, 2.91 액량(液量) 쿼트(quart), 2.56 미(美) 건량(乾量) 쿼트, 또는 2.75*l* 에 해당된다.

사(saah, saa) [부피] 튀니지의 단위. 1 사는 위바(whiba)의 12 분의

1 이며, 2.4～3.0 미(美) 건량(乾量) 쿼트(quart), 또는 2.6～3l 에 해당된다.

사(sahh) [부피] 모로코(Morocco)의 단위. 1 사는 1.59 미(美) 부셀(bushel), 또는 56l 에 해당된다.

사가(saga) [질량] 싱가포르의 단위. 1 사가는 4.33 그레인(grain), 또는 0.28 g 에 해당된다.

사단(師團) [군사] 육군과 해병대의 편성 단위의 하나. 또는 그 수를 세는 데 쓰는 말. 사령부를 가지며, 독립적으로 작전을 수행할 수 있는 전략 병단이다. 육군에서는 군단의 아래, 연대의 위로, 보통 세 개의 연대와 하나의 포병 대대 및 여러 개의 특과(特科) 근무 부대로 편성되며, 해병대에서는 최고 상비(常備) 병단이다.

사당(沙當 : shādāng) [통화] 중국(中國)의 단위. '사탕(satang)'의 음역(音譯).

사드디르함(saddirham) [질량] 이란(Iran)의 고유 단위. 1 사드디르함은 미스카르(misqār)의 320 배(倍)이며, 3.25 파운드(pound), 또는 1.47 kg 에 해당된다.

사리 [길이] '사리(沙里)'의 ①과 같다.

사리(沙里) ① [길이] '사리'의 차자표기로, 국수·새끼〔藁索〕·화승(火繩)·생갈(生葛)·축승(杻繩)·박오가리〔朴右巨里〕 따위를 헝클어지지 않도록 사리어 감은 덩이의 수, 또는 그 길이를 헤아리는 데 쓰는 말. 동(同)의 하위 단위이다. 줄이나 끈은 종류나 쓰임에 따라 그 길이가 달라지는데, 대개 30～50 발〔把〕이 1 사리이고, 50～100 사리가 1 동이 된다. 사리(莎里). 원(圓). 《仁祖國葬都監儀軌, 都廳, 已丑5月15日禮曹》水青木三十四束(五十介爲一束), 杻骨四十束(一束徑一尺五寸), 生葛七同(十介爲一沙里, 五十沙里爲一同). 《孝宗寧陵山陵都監儀軌, 座目》生葛二百三十三同十沙里, 每同五十沙里. 藁索十四同, 每同五十沙里, 每沙里三十把. 藁索十五同, 每同一百沙里, 各長五十把. 《萬機要覽, 軍政編 2, 訓鍊都監, 軍器》火繩四千四十二沙里, 藥線一千二十六沙里. 《進宴儀軌(高宗壬寅) 2, 饌品》麵三十沙里. 《度支準折, 索綯》杻繩一沙里. 生葛一同(五十沙里, 重一百斤). 《度支準折, 菜蔬》朴右巨里一沙里, 価錢二分. 《始興縣邑誌, 事例》火繩五十沙里. ② [수효] 윷놀이에서 모나 윷을 계속 친 횟수를 세는 데 쓰는 말.

사리(莎里) [길이] '사리(沙里)'의 ①과 같다. 《孝宗寧陵山陵都監儀軌, 座目》藁索十五同, 每同一百莎里, 各長五十把.

사림(司林 : sīlín) [통화] 중국(中國)의 단위. '실링(shilling)'의 음역(音譯).

사미(絲米 : sīmǐ) [길이] 중국(中國)의 단위. 1 사미는 0.1 밀리미터〔mm〕에 해당된다.

사발(沙鉢) [부피] '사발'의 뜻으로, 사발에 음식을 담아 그 양을 헤아리는 데 쓰는 말. 완(椀·碗). 우(盂). 《朝鮮宣祖實錄 142, 34年10月甲午》沈喜壽曰, 前黃洪憲出來時, 小臣爲洪川縣監, 見之本縣, 只

定沈松茸三沙鉢, 而上納之際, 幾費布四十餘匹.《純元王后國葬都監儀軌 2, 稟目》牛毛加士里四沙鉢.《度支準折, 肉物》肉骨一沙鉢, 価錢二戔五分.

사보(絲步) [섬유] 일본(日本)의 단위. 무게 0.375 kg 의 누에고치에서 생산되는 생사(生絲)의 양을 헤아리는 데 쓰는 말.

사분기(四分期) [시간] 1 년을 석 달씩 넷으로 등분한 기간. 또는 그 기간을 헤아리는 데 쓰는 말. 1 사분기는 1~3월까지, 2 사분기는 4~6월까지, 3 사분기는 7~9월까지, 4 사분기는 10~12월까지이다.

사비타(sabbitha) [부피] 이란의 단위. 1 사비타는 체니카(chenica)의 5 ½ 이며, 6.57 미(美) 건량(乾量) 쿼트(quart), 또는 7.24 l 에 해당된다.

사오(sao) [1] [길이] 베트남의 단위. 1 사오는 투오크(thuoc)의 15 배(倍)이며, 23.98 피트(feet), 또는 7.31 m 에 해당된다. [2] [넓이] 베트남(Vietnam)의 단위. 1 사오는 9 제곱 구(ngu)이며, 64 제곱 야드〔yd^2〕, 또는 53.5 m^2 에 해당된다.

사음(舍音) [수효] '마름'의 이두 표기로, 이엉〔飛乃〕·달발〔草薍〕 따위를 엮어 말아 놓은 수를 세는 데 쓰는 말. 동(同)의 하위 단위로, 1 동은 5~6 마름이고, 1 마름은 15 발〔把〕이 된다.《昌慶宮營建都監儀軌, 實入》細沙九百五十駄. 沙壁一千三十五駄. 草飛乃七十六駄一同二舍音. 椳木一百七十八駄半.《孝宗寧陵山陵都監儀軌, 別工作》藁草飛乃二百四十一同, 每同六舍音, 每舍音十五把內, 九十八同二舍音, 京畿移給.《度支準折, 草物》草飛乃一同, 十束作一舍音, 五舍音作一同, 長四間, 三同作一駄. 草薍(十束爲一舍音, 五舍音爲一同, 三同爲一駄).

사이클(cycle) [주파수] 교류 또는 전기 진동이 1 초 동안에 교번(交番)하는 수를 나타내는 단위. 기호 : c, c/s, ∞

사자(梭子 : suō·zi) [수효] 중국(中國)의 단위. '개'의 뜻으로, 탄창의 수를 세는 데 쓰는 말. 〈예〉 打了一~子彈.

사정(士丁 : shìdīng) [통화] 중국(中國)의 단위. '사탕(satang)'의 음역(音譯).

사젠(sazhen) [길이] ❶폴란드의 단위. 1 사젠은 스토파(stopa)의 6 배(倍), 또는 1,728 m 에 해당된다. ❷헝가리(Hungary)의 단위. 1 사젠은 스토파(stopa)의 6 배, 또는 1,896 m 에 해당된다.

사젠(sazhen') [길이] 러시아·우크라이나(Ukraina) · 에스토니아(Estonia)·라트비아(Latvia)의 옛 단위. 미터법 이후에 폐지되었다. 18 세기 이후에는 1 사젠이 아르신(arshin)의 3 배(倍)로 고정되었다. 1 사젠은 7.00 피트(feet), 또는 2.133 m 에 해당된다.

사코(saco) [질량] 콜롬비아의 고유 단위. 1 사코는 리브라(libra)의 125 배(倍)이며, 137.8 파운드(pound), 또는 62.5 kg 에 해당된다.

사크(sack) [1] [재적(材積)] 건축·

토목에서 사용하는 단위. 우리 나라의 부대〔帒〕에 해당된다. 시멘트의 경우 미국(美國)에서의 1 사크는 42.64 kg 이다. ② [질량] 브라질(Brazil)의 단위. 1 사크는 60.0 kg 에 해당된다.

사탁정기(斯托汀基 : sītuōtīngjī) [통화] 중국(中國)의 단위. '스토팅키(stotinki)'의 음역(音譯).

사탕(satang) [통화] 태국(泰國)의 보조 통화 단위. 1 사탕은 바트(baht)의 100 분의 1 에 해당된다. 사당(沙當). 사정(士丁). 살당(薩當).

사트(sat) [부피] 태국(泰國)의 단위. 1 사트는 18.16 미(美) 건량(乾量) 쿼트(quart)이며, 17.6 영(英) 쿼트, 또는 20*l* 에 해당된다.

사틀리크(satljik) [질량] 유고슬라비아(Yugoslavia)의 고유 단위. 1 사틀리크는 오카(oka)의 4 분의 1 이며, 0.71 파운드(pound), 또는 0.32 kg 에 해당된다.

사흐(sáh) [길이] 체코슬로바키아(Czechoslovakia)의 옛 단위. 1 사흐는 스토파(stopa)의 6 배(倍)이며, 2.07 야드(yard), 또는 1.896 m 에 해당된다.

사흐 츠트베레치니(sáh čtverečný) [넓이] 체코슬로바키아(Czechoslovakia)의 단위. 1 사흐 츠트베레치니는 1 제곱 사흐(sáh)이며, 36 제곱 스토파(stopa), 또는 3.5966 m^2 에 해당된다.

삭(朔) [시간] 달〔月〕 수를 세는 데 쓰는 말. 개월(個月). 월(月). 《朝鮮成宗實錄 50, 5年12月壬辰》右通禮申允底等四人輪對, 都承旨申瀞啓曰, 訓鍊習讀官, 本無箇月, 或二·三朔而遞……臣意謂初設習讀官者, 欲其久習兵書也. 《朝鮮光海君日記 9, 卽位年10月丙寅》大妃殿答藥房曰, 予數三朔間, 必無更加蘇健之勢. 《受敎輯錄 4, 兵典, 官職》禁軍將, 堂下陞除者, 滿三十朔後遷動, 再授者, 以十五朔爲限. 《大典通編 1, 吏典, 京官職, 各陵》璿源殿參奉二員幷作令, 參奉序陞, 奉事 · 直長通計仕滿六十朔陞令, 別檢仕滿三十朔陞令, 令仕滿三十朔待都政移差京職.

산(山) [수효] 일본(日本)의 단위. ❶'가리'의 뜻으로, 곡식 · 땔나무 같은 것을 높이 쌓은 더미의 수를 세는 데 쓰는 말. ❷'무더기'의 뜻으로, 과일이나 나물 따위를 한데 모아 수북이 쌓은 덩이의 수를 세는 데 쓰는 말.

산(產) [수효] '배'의 뜻으로, 사람이 아이를 낳거나, 짐승이 알을 까고 새끼를 낳는 횟수를 세는 데 쓰는 말. 복(服). 유(乳). 태(胎). 《高麗史 53, 五行志》靖宗元年二月癸酉, 州民得廉妻, 一產三男, 准舊例, 賜三男租各四十碩. 三年三月, 尙州有女, 一產三男, 賜其子粟三十碩, 以爲恒式.

산(散) [부피] 산(散)으로 술의 양을 헤아리는 데 쓰는 말. 산은 술 5 되〔升〕가 들어가는 술잔이다. 《詩, 邶風, 簡兮傳》不過一散, 《釋文》散, 酒爵也, 容五升. 《禮記, 禮器》賤者獻以散(五升曰散).

산(算 : suàn) [제도] 중국(中國)의 단위. 1백 15 전(錢)을 하나치로 헤아리는 데 쓰는 말. 한(漢)나라에서는 15세부터 65세까지 인두세(人頭稅)로 사람마다 1백 15전씩 내게 하였는데, 이를 1산이라 하였다. 《漢書, 惠帝紀》女子年十五以上至三十, 不嫁, 五算. 《大學衍義補, 固邦本蕃民之生, 注》漢律, 人出一算, 令人出五算, 罪之也.

산당(sandang) [길이] 미얀마(Myanmar)의 단위. 1산당은 0.5588 m에 해당된다.

살 [시간] ❶나이를 세는 데 쓰는 말. ❷누에가 뽕을 먹고 자라는 시기를 나누어 이르는 말.

살당(薩當 : sàdāng) [통화] 중국(中國)의 단위. '사탕(satang)'의 음역(音譯).

살라이(salay) [부피] 미얀마(Myanmar) 양곤(Yangon) 지방의 단위. 1살라이는 바이에(byee)의 4분의 1이며, 0.133 미(美) 액량(液量) 쿼트(quart), 또는 0.126l에 해당된다.

살룽(salung) [질량] 태국의 고유 단위. 1살룽은 창(chang)의 320분의 1이며, 57.9그레인(grain), 또는 3.75g에 해당된다.

살마(salma) [1] [질량(質量)] 몰타(Malta) 섬의 단위. 1살마는 490파운드(pound), 또는 222.26kg에 해당된다. [2] [부피] 살름(salm)이라고도 한다. ❶몰타 섬의 단위. 1살마는 8.26 미(美) 부셸(bushel), 또는 290.94l에 해당된다. ❷팔레르모(Palermo)의 단위. 1살마는 7.8 미(美) 부셸, 또는 275.1l에 해당된다.

살투스(saltus) [넓이] 고대(古代) 로마(Roma)의 단위. 1살투스는 23,040,000제곱 페데(pede)이며, 498에이커(acre), 또는 201헥타르〔ha〕에 해당된다.

삼(參) [1] [수효] (shēn) 중국(中國)의 단위. 수레 29대를 하나치로 세는 데 쓰는 말. 《左傳, 昭公元年》服虔引司馬法云, 五十乘爲兩, 百二十乘爲伍, 八十一乘爲專, 二十九乘爲參, 二十五乘爲偏. [2] [수] '삼(三)'의 갖은자. 《說文通訓定聲, 履部》今官書數目, 一二三四作壹貳參肆, 所以防奸易也. [3] [통화] '상팀(centime)'의 역어(譯語). 《新字典, 新字新義部》參, 센팀. centime. 法國貨幣名, 一佛之百分一.

삼수전(三銖錢) [화폐] 한(漢)나라 때 사용하던 엽전의 한 가지. 건원(建元) 초(서기전 140)에 주조한 동전으로, 둥글고 네모진 구멍이 있으며, '三銖'의 두 글자가 새겨져 있다. 《史記, 平準書》令縣官銷半兩錢, 更鑄三銖錢, 文如其重. 《漢書, 食貨志 下》有司言三銖錢輕, 輕錢易作姦詐, 乃更請郡國鑄五銖錢.

삼태기 [부피] '삼태기'의 뜻으로, 삼태기에 물건을 담아 그 양을 헤아리는 데 쓰는 말. 분(畚).

삼한중보(三韓重寶) [화폐] 고려 중기에 사용하던 엽전의 한 가지. 숙종(肅宗) 연간에 쇠로 만든 것으로, 모양은 둥글고 가운데에 정사각형의 구멍이 뚫려 있으며, 상하좌우에 '三韓重寶'라는 글자가 새겨져 있다. 《高麗史 79, 食貨志, 貨幣》 恭讓王三年七月……吾東方之錢, 如三韓重寶·東國通寶·東國重寶·海東重寶·海東通寶, 載之於中國傳籍, 盖可考也.

삼한통보(三韓通寶) [화폐] 고려 중기에 쓰던 엽전의 한 가지. 숙종(肅宗) 연간(1096~2205)에 구리로 만든 것으로, 모양은 둥글고 가운데에 정사각형의 구멍이 뚫려 있으며, 상하 좌우에 '三韓通寶'라는 글자가 새겨져 있다. 《星湖僿說, 萬物門, 古錢》昔余曾王考之遷葬於金川也, 壙土中得三韓通寶·海東通寶, 兩錢或篆或隷, 其文可識云. 《增補文獻備考 159, 財用考, 錢貨》文獻通考曰, 高勾麗地產銅, 不知鑄錢, 中國所予錢, 藏之府庫, 時出傳翫而已. 崇寧後, 始學鼓鑄, 有海東通寶·重寶·三韓通寶三種錢, 然其俗不便也……孫穆鷄林類事云, 癸未年, 倣本朝鑄錢交易, 以海東重寶·三韓通寶爲記(癸未卽高麗肅宗八年也).

삽(鍤) [부피] '삽'의 뜻으로, 삽으로 파거나 떠낸 흙의 분량을 헤아리는 데 쓰는 말.

삽(霎) [수효] '번'·'차례'의 뜻으로, 일의 횟수를 세는 데 쓰는 말. 개(個). 계(季). 과(過). 기(起). 도(度·道). 말(末). 반(返·班). 배(輩). 번(番). 성(成). 운(運). 장(場). 쟁(趟). 조(遭). 주(注). 하자(下子). 헐(歇). 호(號). 화(伙). 회(回·廻·會). 《朴通事諺解, 下》一霎兒人鬧起來(흔 디위 사름이 짓궤더니).

삽시(霎時) [시간] 잠시 동안. 또는 매우 짧은 시간을 이르는 말. 《海東竹枝, 中, 雪裏炙》雪裏炙, 此是開城府內古來名物. 作法, 牛肋或牛心, 油菫作炙, 炙至半熟, 沈于冷水一霎時, 熾炭更炙至熟, 雪天冬夜, 爲下酒物, 肉甚軟, 味甚佳.

상(上) [등급(等級)] 차례나 등급, 또는 관리의 고과(考課)를 세 등급으로 나눌 때의 첫째 등급. 둘째 등급은 중(中), 가장 낮은 등급은 천(淺)이라 하였다. 《朝鮮世宗實錄 35, 9年正月丙申》吏曹啓請, 京·外官考績五考內, 有二中·二上·一淺, 則以三上論陞資, 三中·一上·一淺, 則以四中論罷黜. 從之.

상(床) [수효] ❶'상'의 뜻으로, 음식을 차린 상의 수를 세는 데 쓰는 말. ❷(chuáng) 중국(中國)의 단위. '채'의 뜻으로, 이부자리의 수를 세는 데 쓰는 말. 상(牀). 《中國新文學大系 3》一隻漆墨的木箱, 一床破被, 幾領衣服, 便是他的全盤家產了.

상(常) [길이] 길이의 단위. 1상은 심(尋)의 2배(倍), 또는 16자〔尺〕에 해당된다. 《才物譜, 秋, 數》常, 倍尋曰常. 《字類註釋, 物類, 名數》尋, 챠즐 심. 求也, 繹理也……又八尺曰尋, 倍尋曰常.

상(牀 : chuáng) [수효] 중국(中國)의 단위. ❶쇠뇌 따위 받침대가 있는 큰 물건의 수를 세는 데 쓰는 말. 《北史, 原賀傳》二鎭之間築城, 城置萬人, 給强弩十二牀, 武衞三百乘. ❷'상(床)'의 ❷와 같다. 〈예〉一~被單. 兩~鋪蓋.

상(相) [전기] 1개의 교번 전압(전류)에 의한 회로계(回路系)를 단상(單相)이라 하며, 시간적 지체(遲滯)를 갖는 2개의 교번 전압(交番電壓)에 의한 회로계를 다상(多相)이라 한다. 3상·6상 등 여럿이 있다. 기호 : ϕ

상(晑 : shǎng) [넓이] 중국(中國)의 옛 단위. 토지의 넓이를 헤아리는 데 쓰는 말. 1상이 요령(遼寧) 남부는 6묘(畝), 북부는 10묘, 길림(吉林)·흑룡강(黑龍江) 지방은 12묘였다. 상(賞). 《兪正燮, 癸巳存稿 9》壯丁領買者, 限以五晑, 計三十畝. 《淸史稿, 楊超曾傳》今增莊頭百戶, 戶給六百五十晑, 晑六畝, 都計三十九萬畝.

상(商 : shāng) [시간] 중국(中國)의 옛 단위. 1상은 1각(刻)에 해당된다. 1각은 시헌력(時憲曆)으로 15분이다. 《集韻, 陽韻》商, 刻也. 《儀禮, 士昏禮》日入三商爲昏. 《蓮花漏銘》五夜持宵, 三商定夕.

상(廂 : xiāng) [수효] 중국(中國)의 단위. '판'의 뜻으로, 두부판이나 묘판(苗板) 따위 넓적한 것의 수를 세는 데 쓰는 말. 《儒林外史, 16回》又把豆子磨了一廂豆腐, 也都賣了.

상(箱) ① [부피] ❶'상자'의 뜻으로, 상자에 물건을 담아 그 양을 헤아리는 데 쓰는 말. 사(笥). 절(折). 《朝鮮世祖實錄 44, 13年10月壬寅》命都承旨權孟禧……木篆印二顆, 熨刀三事, 胡麻·海松子餠一箱. 《萬機要覽, 財用編 1, 供上, 大殿》蕨菜八箱. 木頭菜三箱. 辛甘菜六箱. 林檎三箱. 楸子八箱. 銀杏五箱. 生栗三十箱. 櫻桃三箱. 黃杏五箱. 積梨五箱. ❷'갑'의 뜻으로, 갑에 담배·초 따위를 담아 그 양을 헤아리는 데 쓰는 말. ❸'통'의 뜻으로, 통에 성냥 따위를 담아 그 양을 헤아리는 데 쓰는 말. ❹'짝'의 뜻으로, 상자에 생선 따위를 담아 그 양을 헤아리는 데 쓰는 말. ② [수효] (xiāng) 중국(中國)의 단위. 성벽의 수를 세는 데 쓰는 말. 《水經注, 河水》虞氏記云, 趙武侯自五原河曲築長城, 東至陰山, 又於河西造大城一箱, 崩, 不就.

상(賞 : shǎng) [넓이] 중국(中國)의 단위. '상(晑)'과 같다. 《劉獻廷, 廣陽雜記 1》當日原圈地每人六賞, 一賞六畝. 《鄧之誠, 骨董瑣記, 晑》今奉天以晑計地, 每晑六畝. 續若賞. 淸初圈地時, 每人六賞, 共地三十六畝. 有壯丁二人則倍之, 再多者遞增. 言賞者, 謂以賞有功也.

상(霜) [시간] '해'·'년'의 뜻으로, 햇수를 세는 데 쓰는 말. 년(年). 백(白). 사(祀). 세(歲). 영(齡). 재(載). 《朝鮮成宗實錄 8, 元年12月己未》上詣宗廟, 丑時奉世祖神主, 陞祔太室……其詞曰, 天眷大東, 篤生我王, 遜志敏學, 日就月將, 光承基緖, 不愆不忘, 喪盡其禮, 慕切羹墻, 日月不留, 奄忽三霜, 俯從聖制, 乃擧徽章. 《無名氏, 古歌》今日樂相樂, 延年壽千霜. 《李白, 胡無人歌》胡無人, 漢道昌, 陛下之壽三千霜. 《賈島, 渡桑乾詩》客舍幷州已十霜, 歸心日夜憶咸陽.

상(sang) ① [질량] 이란(Iran)의 고유 단위. 1상은 2.2046 파운드(pound), 또는 1kg에 해당된다. ② [부피·넓이] 현재 이란의 농촌에서 사용되고 있는 사용 수량(使用水量)에 관한 권리의 단위. 또는 그 수량에 해당하는 토지 경작권이나 토지의 넓이를 나타내는 데 쓰는 말.

상자(箱子) [포장 단위] 상자에 물

건을 담아 그 수량을 헤아리는 데 쓰는 말. 담배는 500 갑, 맥주(麥酒)는 24 병(瓶), 간장은 16 병, 두 홉〔合〕들이 소주(燒酒)는 40 병이 한 상자이다. 사(笥). 상(箱). 절(折).

상팀(centime) [통화] 프랑스·스위스·벨기에(België)·룩셈부르크(Luxemburg)·모나코(Monaco)·부룬디(Burundi)·카메룬(Cameroon)·중앙(中央)아프리카 공화국(Africa 共和國)·차드(Chad)·콩고(Congo)·가봉(Gabon)·아이티(Haiti)·마다가스카르·말리(Mali)·르완다(Rwanda)·모리타니(Mauritanie)·니제르(Niger)·세네갈(Senegal)·토고(Togo) 등의 나라에서 통용 중인 보조 통화 단위. 아이티의 1 상팀은 구르드(gourde)의 100 분의 1 이지만 그 밖의 나라의 1 상팀은 프랑(franc)의 100 분의 1 에 해당된다.

새 [수효] 피륙의 날을 세는 데 쓰는 말. 1 새는 80 올이다. 사(梭). 승(升). 종(稯·綜). 총(總).

새지(塞地 : sàidì) [통화] 중국(中國)의 단위. '세디(cedi)'의 음역(音譯).

색(色) [수효] ❶고려·조선 시대 사무의 한 분장(分掌). 또는 그 수를 세는 데 쓰는 말.《高麗史 89, 徽懿魯國大長公主傳》 又設山所·靈飯·法威儀·喪帷·轜車·祭器·喪服·返魂·服玩·小造·棺槨·墓室·鋪陳·眞影等十三色, 各置別監, 以供喪事.《萬機要覽, 軍政編 2, 兵曹, 總例》見今通行有八色, 曰政色, 曰結束色, 曰武備色, 曰一軍色, 曰二軍色, 曰都案色, 曰有廳色, 曰馬色. ❷'가지'·'종류'의 뜻으로, 사물(事物)을 종류별로 따로따로 구별하여 세는 데 쓰는 말. 물(物). 사(事). 열(列). 유(流). 장(樁). 종(種). 종류(種類).《春官志 1, 祭禮總論》陵寢節祀饌品, 則只有油蜜菓四坐, 白米餠三器, 泡湯三器, 實果四色, 麵食一器, 蔬菜兩楪而已.《六典條例 5, 禮典, 奉常寺, 祀典》 太祀用太牢(牛·羊·豕)·樂章·餠六色, 三獻(社稷·宗廟·永寧殿·皇壇時享).《儒林外史, 12回》略備幾色禮物.

색(索) ① [수효] ❶'꿰미'의 뜻으로, 구멍 뚫린 물건을 노끈 같은 것으로 꿰어 하나로 이어진 물체의 수를 세는 데 쓰는 말. 관(貫). 조(條). 천(串).《均如傳 6, 感通神異分》上幸師所問曰, 修行底法, 獲致如此. 答曰, 貧道无勝行于時, 經几上有數珠一索, 自然騰空, 遶師三匝而止. ❷(suǒ) 중국(中國)의 단위. 운남(雲南) 지방에서 화폐 대신으로 사용하던, 조개 껍질의 수를 세는 데 쓰는 말. 1 색은 80 매(枚)에 해당된다.《天下郡國利病書, 滇志, 沿革論》交易用貝, 一枚曰莊, 四莊曰手, 四手曰苗, 五苗曰索. ② [길이] (suǒ) 중국의 옛 단위. 1 색은 10 장(丈), 또는 100 자〔尺〕에 해당된다.《王禹偁, 畬田詞》各願種成千百索, 豆萁禾穗滿青山(山田不知畝畝, 但以百尺繩量之, 曰某家今年種得若干索).

색도(色度) [인쇄] 인쇄(印刷)에 쓰인 색의 종류를 세는 데 쓰는 말.

색이(索爾 : suǒěr) [통화] 중국(中

國)의 단위. '솔(sol)'의 음역(音譯).

생(生) [시간] 햇수 다음에 쓰이어 사람이나 동식물이 태어나거나 자란 햇수를 나타내는 데 쓰는 말. 50년생, 57년생, 또는 5년생근(五年生根) 등과 같이 쓰인다.

생(䚇 : shěng) [길이] 중국(中國)의 단위. 1 생은 3 치〔寸〕에 해당된다. 《越諺, 中》十八䚇眠牀(每䚇闊三寸. 匽牀之大者).

생적(生的 : shēngdī) [길이] 중국(中國)의 단위. '센티(centi-)'의 음역(音譯).

생정(生丁 : shēngdīng) [통화] 중국(中國)의 단위. '상팀(centime)'의 음역(音譯).

생탈(生脫 : shēngtuō) [통화] 중국(中國)의 단위. '센트(cent)'의 음역(音譯).

생태복(生太伏 : shēngtàifú) [통화] 중국의 단위. '센타보(centavo)'의 음역(音譯).

샤르즈(charge) [질량(質量)] 벨기에(België)의 고유 단위. 1 샤르즈는 리브르(livre)의 400 배(倍)이며, 412 파운드(pound), 또는 187 kg 에 해당된다.

샤리오(chariot) [질량] 벨기에의 고유(古有) 단위. 1 샤리오는 리브르(livre) 165 배(倍)이며, 178.1 파운드(pound), 또는 80.77 kg 에 해당된다.

샤프트먼트(shaftment) [길이] 스코틀랜드의 단위. 1 샤프트먼트는 6 인치, 또는 15.24 cm 에 해당된다. 샤프트몬트(shaftmont).

샤프트몬트(shaftmont) [길이] 스코틀랜드(Scotland)의 단위. '샤프트먼트(shaftment)'와 같다.

서(黍) [1] [길이] 도량형의 기본 단위. 기장 1 알의 길이로, 1 서는 1 푼〔分〕에 해당된다. 《漢書, 律曆志上》度者, 分寸尺丈引也……一(黍)爲一分. [2] [부피] 도량형의 기본 단위. ❶기장 알 2,400 개의 부피를 1 홉〔合〕이라 한다. 《漢書, 律曆志上》量者, 龠合升斗斛也……本起於黃鐘之龠……以子穀秬黍中者千有二百實其龠, 以井水準其槩, 合龠爲合, 十合爲升, 十升爲斗, 十斗爲斛, 而五量嘉矣. 《芝峰類說 17, 雜事部, 數名》按, 十黍曰絫, 六十四黍曰圭, 四圭曰撮, 千二百黍曰龠, 合龠曰合, 十合曰升, 十升曰斗, 十斗曰斛. ❷'서'의 뜻으로, 서에 술을 담아 그 양을 헤아리는 데 쓰는 말. 서는 술 3 되〔升〕가 들어가는 그릇이다. 《呂氏春秋, 權勳》操黍酒而進之(酒器受三升曰黍). [3] [질량] 도량형의 기본 단위. 기장 10 알의 무게를 1 루(絫), 100 알의 무게를 1 수(銖)라 하였다. 《漢書, 律曆志 上》權者, 銖兩斤鈞石也……本起於黃鐘之重, 一龠容千二百黍, 重十二銖, 兩之爲兩, 二十四銖爲兩. 《芝峰類說 17, 雜事部, 數名》十黍爲絫, 十絫爲銖, 八銖爲錙, 二十四銖爲兩, 兩有半爲捷, 倍捷爲擧, 倍擧爲鍰, 鍰六兩也. 二鍰四兩爲斤, 斤十爲衡, 衡有半爲秤, 秤二爲鈞, 秤卽十五斤, 鈞三十斤也. 鈞四爲石, 石四爲鼓.

서서(西西 : xīxī) [부피] 중국의 단위. '시 시(C.C.)'의 음역(音譯). 시 시는 세제곱 센티미터(cubic centimeter)의 영어 머릿글자이다.

서큘러 밀(circular mil) [넓이] 영국(英國)·미국(美國)의 단위. 지름이 1 밀(mil)인 원(圓)의 넓이를 말한다. 1 서큘러 밀은 5.067×10^{-6} cm^2에 해당된다. 기호 : circ. mil

서큘러 인치(circular inch) [넓이] 영국(英國)·미국(美國)의 단위. 지름이 1 인치(inch)인 원(圓)의 넓이를 말한다. 1 서큘러 인치는 5.0671 cm^2에 해당된다. 기호 : circ. in

석(石) ① [부피] '섬'의 뜻으로, 섬에 곡식·꿀·밀가루·소금 따위를 담아 그 양을 헤아리는 데 쓰는 말. 민간(民間)에서는 대두(大斗) 10 말〔斗〕, 소두(小斗) 20 말을 한 섬으로 하였다. 곡(斛). 담(擔·甔). 석(碩). 소(召). 점(苫). 표(俵). ❶곡식의 양을 헤아릴 때 쓰였다. 관부용(官府用)으로는 15 말〔斗〕, 민간에서는 대두(大斗) 10 말, 또는 소두(小斗) 20 말을 1 섬으로 하였다.《三國史記 8, 新羅聖德王本紀》三月, 遣使入唐獻方物, 出成貞王后, 賜彩五百匹, 田二百結, 租一萬石, 宅一區.《三國遺事 5, 孝善, 貧女養母》郎聞之潸然, 送穀一百斛, 郎之二親, 亦送衣袴一襲, 郎之千徒, 斂租一千石遺之.《高麗史 3, 成宗世家》安城等十一驛, 賜稻穀九千三百七十五石.《朝鮮太宗實錄 19, 10年3月丁卯》賜檢校漢城尹宋希靖, 衣一襲, 靴一對, 米·豆十石.《芝峰類說 17, 雜事部, 數名》漢志曰, 四鈞爲石, 重一百二十斤. 又十斗爲石, 後人以一斛爲一石, 自漢已如此.《磻溪隨錄 1, 田制 上》今國俗, 以十五斗爲斛, 稱平石, 官府用, 又以二十斗爲大斛, 稱全石, 民間例, 以皮穀二十斗爲一石.《與猶堂全書, 雅言覺非》吾東, 公穀以十五斗爲一石, 私穀二十斗爲一石, 又以石爲苫. ❷꿀〔淸〕의 양을 헤아릴 때 쓰이었다.《正宗大王殯殿魂殿都監儀軌, 上, 禮關》淸蜜七石八斗三升.《朝鮮中宗實錄 67, 25年2月庚寅》史臣曰, 自正月至于是日, 計內用油七石, 眞末十石, 淸蜜十石, 緜子二百五十斤, 色絲一百五十斤……各色果實二十四石, 他物亦多有難悉記.《朝鮮明宗實錄 22, 12年5月丙辰》若夫淸蜜之貢, 過於二石, 而民小地荒, 未盈於厥數, 訥魚之醢, 過於百尾, 而水淸無大, 轉貿於遠地, 則亦云弊矣. ❸누룩〔曲〕이나 밀가루〔眞末〕의 양을 헤아릴 때 쓰이었다.《朝鮮中宗實錄 67, 25年2月庚寅》史臣曰, 自正月至于是日, 計內用油七石, 眞末十石, 淸蜜十石, 緜子二百五十斤……丹木四百斤, 各色果實二十四石, 他物亦多有難悉記.《通文館志 5, 年例送使》生葱二十丹, 牟曲三石四斗二升, 眞曲一百七十同. ❹소금의 양을 헤아릴 때 쓰이었다.《朝鮮中宗實錄 62, 23年8月癸亥》論賞漂流人率之功, 以稻米四石, 鹽四石, 麤緜布二十匹, 馬二頭出級.《萬機要覽, 財用編 1, 供上, 大殿》鹽三十二石, 每石價八兩. 沈菜鹽一石九斗, 每石價八兩.《度支準折, 雜錄》鹽, 每石代錢四兩式幾兩. ❺명유(明油)·들기름〔法油〕·참기름〔眞油〕따위 기름의 양을 헤아릴 때 쓰이었다.《三國遺事 3, 塔像, 臺山五萬眞身》每歲春

秋, 各給近山州縣倉租一百石, 淨油一石, 以爲恒規. 《朝鮮中宗實錄 67, 25年2月庚寅》史臣曰, 自正月至于是日, 計內用油七石, 眞末十石……黃蜜二百斤, 丹木四百斤, 各色果實二十四石, 他物亦多有難悉記. 《昌慶宮營建都監儀軌, 實入》明油一石九斗七升五合. 《孝宗寧陵山陵都監儀軌, 都監》法油一石十斗一升八合. 《萬機要覽, 財用編 1, 供上, 大殿》眞油二十三石十斗一升八合, 每斗價十二兩. 汴眞油三石八斗一升, 燈眞油四石十四斗三升四合, 別燈眞油三石二斗二升, 加進排眞油八石十三斗三升四合, 誠正閣眞油三石二斗二升. ❻간장이나 된장의 양을 헤아릴 때 쓰이었다. 《萬機要覽, 財用編 1, 供上, 大殿》末醬二十石, 每石價十二兩. 甘醬八十四石十一斗三升四合, 每石鹽價, 並十五兩二錢. 艮醬六石十一斗八升五合六夕, 每石價三十兩四錢. 《度支準折, 鹽醬酒醋》甘醬一石, 貿米一石, 宣飯所用. 末醬一石, 元貿米二石, 各殿進上, 本寺甘醬沈造所用. ❼탄(炭)이나 회(灰)의 양을 헤아릴 때 쓰이었다. 《朝鮮光海君日記 153, 12年6月庚申》營建都監啓曰, 薪串別將金純……炭一千五百石, 燔瓦吐木十二萬斤, 松板一百葉. 《芝峰類說 17, 雜事部, 數名》中朝麵肉柴炭, 皆以斤稱, 而我國則 麵以斗, 肉以塊, 柴以束, 炭以石, 輕重多少, 亦不的矣. 《萬機要覽, 軍政編 2, 訓鍊都監, 財用》柳炭三十六石, 龍津軍納. 《度支準折, 灰石土》水灰一石(法油三合, 休紙一兩五戔, 粥米一升五合), 折価五戔九分半. 油炭一石, 折価二兩九戔八分. 灰一石, 貿錢三戔三分. 蛤灰一升, 価錢二戔. ❽물고기나 조개의 양을 헤아릴 때 쓰이었다. 《陶山書院傳掌記, 天啓8年正月20日》彌魚六石. 《進宴儀軌(高宗壬寅) 2, 饌品》生蛤十石. ❾누에고치〔繭〕의 양을 헤아릴 때 쓰이었다. 《朝鮮太宗實錄 31, 16年5月丁巳》蠶室採訪使李迹·別監李士欽復命. 迹獻所養生繭九十石十斗, 繰絲二十二斤, 種連一百四十張. 士欽獻所養熟繭二十四石, 繰絲一十斤, 種連一百四十張. 《朝鮮世宗實錄 15, 4年正月癸未》衙中藏麤布九十匹, 乾魚百五十首……又以衙中乾魚及官中乾魚幷百五十首, 海藿四十束, 換生繭六石私用. 《關西邑誌, 龍岡誌, 折價式》繭子一石, 價九兩, 作糸四斤, 一斗作糸四兩二戔六分, 糸一斤, 文二兩二戔五分. ❿잣〔栢子〕·호두〔胡桃〕·대추〔大棗〕·개암〔榛子〕·밤〔栗〕 따위 과실(果實)의 양을 헤아릴 때 쓰이었다. 《朝鮮太宗實錄 19, 10年4月甲寅》球沙殿報禮, 宜用黑麻布十匹, 席子十葉, 栢子一石. 《正宗大王殯殿魂殿都監儀軌, 上, 禮關》栢子十五石十一斗六升七合. 胡桃十五石十一斗六升七合. 大棗七石一斗五升. 榛子十五石十一斗六升七合. 《朝鮮中宗實錄 67, 25年2月庚寅》史臣曰, 自正月至于是日, 計內用油七石, ……丹木四百斤, 各色果實二十四石, 他物亦多有難悉記. 《萬機要覽, 財用編 1, 供上, 大殿》黃栗一石三斗, 胡桃四石, 大棗四石. ⓫일본(日本)의 단위. 고대에서 최근까지 쓰이던 단

위로, 원래 중국(中國)에서는 처음에 곡(斛)으로 불려 오다가, 송(宋)나라 때부터 쓰이게 되었다. 현재 중국과 일본의 석(石)은 다음과 같이 환산된다.

1석(일본)＝10斗
＝100升
＝0.180390 m^3

1석(중국)＝10斗
＝100升
＝0.103490 m^3

2 [선박·재적(材積)] 일본(日本)의 단위. 1석은 10^3자〔尺〕, 또는 0.2783 m^3에 해당된다. 주로 선박의 적재량이나 목재의 부피를 헤아리는 데 쓴다. 3 [수효] 시계의 부속에 쓰이는, 보석(寶石)의 수를 세는 데 쓰는 말. 겸(鉆). 4 [넓이] '석락지(石落只)'의 준말. 석락지는 '섬지기'의 차자 표기이다.《舊土地賣買文記》 合畓一石八(斗)落二十八夜味臥, 合田七日耕果.《訓鍊都監重記, 兼料色, 屯畓秩》汗坪垌畓新築垈田貳日耕, 添付次民垈貳拾捌石拾貳斗落只, 添付次民畓拾貳石拾斗參升落只.《萬機要覽, 財用編 2, 耤田》西耤田, 癸未査得田四日耕, 畓二十石十三斗九升落(幾落云者, 謂下種如此數之地也). 合收稅正租四百二十三石五斗一升七合五夕內, 除本寺各樣用下, 實餘三百十七石七斗一升二合三夕, 以會外穀自本寺需用矣. 5 [질량] ❶1석은 균(鈞)의 4배이며, 120근(斤), 또는 1,920냥(兩)에 해당된다. 석(柘).《說文, 石部, 段玉裁注》或借爲柘字, 柘, 百二十斤也.《戰國策, 齊策》大王據千乘之地, 而建千石鐘萬石簴.《史記, 貨殖傳》素木鐵器, 若巵茜千石. (注) 集解曰, 徐廣曰, 百二十斤爲石.《書, 五子之歌》關石和鈞, (疏) 三十斤爲鈞, 四鈞爲石.《周禮, 考工記, 輪人, 權之以眡其輕重之侔也》稱兩輪鈞石, 同則等矣. (疏) 三十斤曰鈞, 百二十斤曰石. ❷일본(日本) 홋카이도(北海道) 지방의 단위. 1석은 200관(貫), 또는 750 kg에 해당된다. 주로 정어리의 어획량을 헤아리는 데 쓴다. 6 [군사] 일본(日本)의 단위. ❶도쿠카와(德川) 때 무사(武士) 등에 급여된 녹봉의 단위. ❷도요토미(豐臣)부터 에도(江戶) 때까지 영지(領地)의 현미(玄米)의 수확량을 계량하는 데 쓰던 말.

석(席) 1 [수효] ❶'닢'의 뜻으로, 자리의 수를 세는 데 쓰는 말. 건(件). 매(枚). 부(浮). 엽(葉). 영(領). 장(丈·張). 전(揃). 좌(坐). 진(陳). ❷'자리'·'석'의 뜻으로, 의석(議席)의 수를 세는 데 쓰는 말. ❸(xí) 중국(中國)의 단위. ㉮'차례'의 뜻으로, 대화의 횟수를 세는 데 쓰는 말. ㉯'상(床)'의 뜻으로, 음식을 차린 상의 수를 세는 데 쓰는 말.《杜甫, 儒林外史, 18回》將兩席改作三席, 大家圍着坐了. ㉰'두둑'의 뜻으로, 논밭을 갈아 골을 타서 만든 우뚝한 바닥의 수를 세는 데 쓰는 말.《種萵苣》旣雨已下理小畦, 隔種一兩席萵苣. ❹일본(日本)의 단위. '벌'의 뜻으로, 다기(茶器) 따위와 같이 여러 가지가 한데 모여서 갖추어진 물건의 수를 세는 데 쓰는 말. 2 [질량] (xí) 중국(中國) 송(宋)나라 때의 단위.

1 석은 약 116 근(斤)에 해당되었다. 주로 소금이나 쌀의 양을 헤아리는 데 쓴다.《蘇軾, 奏淮南閉糴狀》 如有細民過渡回運米斛不滿一碩, 卽勒白日任便渡載外, 有一碩以上, 滿一席者, 并仰地分捉拽赴官, 依法施行.《宋史, 食貨志 下》爲鹽稅百五十二萬六千四百二十九石, 石五十斤, 以席計, 爲六十五萬五千一百二十席, 席百十六斤.

석(柘) [질량] '석(石)'의 5와 같다. 예전에는 '석(石)'이라고도 하였다.《說文, 禾部》柘, 百二十斤也. 稻一柘, 爲粟二十斗, 禾黍一柘, 爲粟十六斗大半斗.(段玉裁注) 古多叚石爲柘, 月令鈞衡石是也. 斗, 宋刻皆譌升, 毛本又誤改斤, 今正.《祁恭恪公墓誌銘》建倉儲穀十萬柘有奇.

석(碩) [부피] '석(石)'의 1❶과 같다. '碩'은 '石'의 갖은자이다.《三國遺事 1, 紀異, 太宗春秋公》城中市價, 布一疋, 租三十碩, 或五十碩, 民謂之聖代.《高麗史 53, 五行志》靖宗元年二月癸酉, 州民得廉妻, 一產三男, 准舊例, 賜三男租各四十碩. 三年三月, 尙州有女, 一產三男, 賜其子粟三十碩, 以爲恒式.《朝鮮睿宗實錄 10, 2年4月戊申》今丁母喪, 其給米·豆并三十碩, 草芚十番, 松脂三斗, 紙百卷, 油芚·棺槨等物.

석락(石落) [넓이] '석락지(石落只)'의 준말. 석락지는 '섬지기'의 차자 표기이다.《華城城役儀軌, 附編 2, 節目》洑監考二名, 給私耕畓各三斗落, 垌監考二名, 給私耕田各一石落, 以爲霑漑之地爲乎矣.

석락지(石落只) [넓이] '섬지기〔石落只·苫落只〕의 차자 표기. 볍씨 1 섬으로 모를 부어 낼 수 있는 논의 넓이. 또는 씨 1 섬을 뿌릴 수 있는 밭의 넓이이다. 마지기〔斗落只〕의 10 배(倍)에 해당된다. 석(石). 석락(石落). 점락(苫落). 점락지(苫落只).《瑣尾錄 2, 癸巳日錄》夕, 今孫來, 傳結城逃役人田畓立案, 乃本官座首與留衛將同議出送, 而畓三石落只, 田五日耕云.《訓鍊都監重記, 兼料色, 屯畓秩》載寧汗坪垌, 畓肆結拾負拾參石落只.

선(仙) [통화] '센트(cent)'의 음역(音譯).《新字典, 新字新義部》仙, 센트. cent. 錢幣名, 美國以百仙爲一圓, 香港以十仙爲一毫.

선(宣 : xuān) [길이] 중국(中國)의 단위. 1 선은 13.03 치〔寸〕에 해당된다.《周禮, 考工記, 車人》車人之車, 半矩謂之宣.(鄭玄注) 半矩尺三寸三分寸之一, 人頭之長也.

선(扇) [수효] ❶'짝'의 뜻으로, 키〔舵〕·문(門)·창(窓)·병풍·골패(骨牌) 따위 넓적한 물건의 수를 세는 데 쓰는 말.《東國歲時記, 正月, 元日》 圖畫署畫壽星仙女·直日神將圖, 獻于公, 亦相贈遺, 名曰歲畫, 以寓頌祝之意. 又畫進金甲二將軍像, 長丈餘, 一持斧, 一持節, 揭于闕門兩扇, 名曰門排.《吏文 2, 咨奏申呈照會 29》遇晩忽遭西北風颶大作, 將本船打至深水下洋去訖, 及將舵一扇罷壞, 至十四日, 漂至不知地名海中山島內抛泊.《吏文輯覽 2》一扇, 猶一隻也.《漢淸文鑑 9, 居處, 室家》一扇, ᄒᆞᆫ 짝.《廣才物譜 2, 技戲部, 骨牌》扇, 骨牌一片曰

扇, ᄒᆞᆫ 짝. 人牌, 重紅二扇, 十六點, 象仁義禮智, 發爲四端也.《陸遊, 小蘭劇作長句》翠屛三扇恰相倚.《形音義綜合大字典》扇, 量詞, 門窓屛一塊曰一扇. ❷'장(張)'·'건(件)'·'권(卷)'의 뜻으로, 문서나 책의 수를 세는 데 쓰는 말.《朝鮮宣祖實錄 34, 26年正月己卯》每驛, 各置循環簿二扇, 本部, 用關防鈴印, 分別等第, 開後, 仍每驛差官一員, 坐守掛號.《吏文續輯覽, 另置二扇》另置二扇, 文簿之數, 例以扇言, 猶言二件也.《朴通事諺解, 上》勘合有了不會(勘合이 잇ᄂᆞᆫ가 못ᄒᆞ엿ᄂᆞᆫ가). 勘合, 吏學指南云, 勘合卽古之符契也. 質問云, 官府設簿册二扇, 凡事用印鈐記, 上寫外字幾號, 發行去者曰外號, 上寫內字幾號, 留在官府者曰內號. ❸(shān) 중국(中國)의 단위. '번'의 뜻으로, 부채질을 하는 수를 세는 데 쓰는 말.

선(綫 : xiàn) [수효] 중국(中國)의 단위. '선(線)'의 ❸과 같다.《巴金, 家 4》一綫希望溫暖了她的心.《劉大白, 紅色的新年》黑暗里突然地透出一綫兒紅.

선(選) [수] ❶ 1 선은 1만, 또는 1만을 단위로 하여 그 이상을 헤아릴 때 쓰는 말.《子彙補, 辵部》選, 萬也.《山海經, 海外東經》五億十選九千八百步. (郭璞注) 選, 萬也. (郝懿行疏) 選音同算. 數也. 數終於萬, 故以選爲萬也. ❷ 1 선은 1만 조(兆), 또는 자(秭)의 10 배(倍)에 해당된다.《太平御覽 750, 風俗通》十十謂之百, 十百謂之千, 十千謂之萬, 十萬謂之億, 十億謂之兆, 十兆謂之經, 十經謂之垓, 十垓謂之秭, 十秭謂之選. ❸ 1 선은 1만 조(兆), 또는 보(補)의 10 배(倍)에 해당된다.《太平御覽 750, 風俗通》十十謂之百, 十百謂之千, 十千謂之萬, 十萬謂之億, 十億謂之兆, 十兆謂之經, 十經謂之垓, 十垓謂之補, 十補謂之選, 十選謂之載, 十載謂之極.

선(線) [수효] ❶악보(樂譜)에 그려진 오선(五線)의 차례를 나타내는 데 쓰는 말. 오선은 밑에서부터 위로 제 1 선·제 2 선·제 3 선·제 4 선·제 5 선이라 부른다. ❷평면(平面) 위에 그어 놓은 선(線)이나 전선(電線)의 수를 세는 데 쓰는 말. ❸(xiàn) 중국(中國)의 단위. '줄기'·'가닥'의 뜻으로, 빛이나 희망 등 주로 추상적인 것의 수를 세는 데 쓰는 말. 선(綫). 〈예〉 一～光明. 一～生機. 一～希望.

선(膳) [1] [부피] '선(鐥)'과 같다. '선(膳)'은 '선(鐥)'의 와자(訛字)이다.《度支準折, 熟造作末》燒酒, 米作并三斗六升九合四夕, 曲末作本并五升三合八夕七里, 蒸取燒木米, 每斗二十二斤式. 折価一兩五戔四分, 一膳貿錢四戔. 內貿. [2] [수효] 일본(日本)의 단위. '매'의 뜻으로, 젓가락 한 쌍을 하나치로 세는 데 쓰는 말.

선(鮮 : xiān) [수효] 중국(中國)의 단위. 음식을 만드는 재료가 되는, 신선한 야채나 물고기의 수를 세는 데 쓰는 말.《揚州畫舫錄, 草河錄上》壩上設八鮮行. 八鮮者, 菱·藕·芋·柿·蝦·蟹·蟫螯·蘿蔔.

선(鏇) [부피] '선'의 뜻으로, 선(鏇)에 술 따위의 액체를 담아 그 양을 헤아리는 데 쓰는 말. 선은 술을 데울 때 쓰는 그릇이다. 《通文館志 3, 事大, 入京下程》燈油二兩, 牛乳一鏇, 並椒·薑·蒜細粉等物.

선(鐥) [부피] '선(鐥)'과 같다. 《瑣尾錄 3, 甲午8月26日》生蟹三十甲, 松茸十七本, 眞油一升, 好酒六鐥.

선(鐥) [부피] '복자'의 뜻으로, 복자에 술이나 기름·우유 따위를 담아 그 양을 헤아리는 데 쓰는 말. 복자는 양푼 또는 대야 모양을 한 그릇으로서, 우리 나라에서만 쓰는 한자어이다. 크기에 따라 다르지만 대개 5~9 잔(盞) 정도가 들어갈 만한 크기이다. 선(膳·鐥). 《高麗史 34, 忠宣王世家》遣左常侍金之兼, 如元賀皇太子誕日, 獻金鐥二, 酒鍾二, 銀鐥二十, 眞紫羅六匹. 《朝鮮顯宗改修實錄 14, 7年3月丁亥》各樣物種, 公然分定於各面者, 布二百五十四匹, 酒三千一百鐥, 雉·鷄·魚·果等物稱是. 《與猶堂全書, 雅言覺非》鐥者, 量酒之器, 吾東造字也. 今郡縣餽贈, 以酒五盞 謂之一鐥, 中國無此字. 方言謂之大也, 盥器亦謂之大也, 惟大小不同耳. 按匜者酒器, 亦稱與器, 然則去鐥從匜, 不害爲書同文矣. 《盎葉記 2》鐥, 我國以容酒四盃之器, 爲一大也. 也字, 或是匜字之譌歟, 一大也, 亦稱一鐥, 鐥字字書無之. 高麗史世家, 忠宣王三年, 遣左常侍金之兼, 如元賀皇太子誕日, 獻金鐥二, 益自高麗, 已用鐥字, 俗亦以盥洗盤, 稱大也, 與酒器名同, 而大小懸殊. 《書永篇, 下》量酒升稱鐥(音 션). 《字典釋要》鐥〔鮮〕, 量酒之器, 복자 션. 《新字典, 朝鮮俗字部》鐥〔션〕, 容酒四盃之器, 복자. 《行用吏文》北鐥, 뒷대야. 《度支準折, 熟造作末》醴酒一瓶, 三盞作一句只, 三句只作一鐥, 三鐥作一瓶, 三瓶作一升.

선단(船團) [수효] 선박(船舶)이 모여 이룬 집단의 수를 세는 데 쓰는 말. 선대(船隊). 종(綜).

선대(船隊) [군사] '선단(船團)'과 같다.

선령(先令 : xiānlǐng) [통화] 중국(中國)의 단위. '실링(shilling)'의 음역(音譯).

선지구람(先知久覽) [질량] '센티그램(centigram)'의 음역(音譯). 1 센티그램은 1 그램의 100 분의 1 이며, 척관법(尺貫法)으로는 2 호(毫) 6 사(絲) 7 홀(忽)에 해당된다. 《增補文獻備考 91, 樂考, 度量衡》一美利久覽, 當我二絲七忽, 十美利久覽爲先知久覽, 當我二毫六絲七忽, 十先知久覽爲大始久覽, 當我二釐六毫六絲七忽……十赫得久覽爲岐路久覽, 當我二十六兩六錢六分六釐六毫六絲七忽.

선지미돌(先知米突) [길이] '센티미터(centimeter)'의 음역(音譯). 1 센티미터는 1 미터의 100 분의 1 이며, 척관법(尺貫法)으로는 3 푼〔分〕3 리(釐)에 해당된다. 《增補文獻備考 91, 樂考, 度量衡》十美利米突爲先知米突, 準我三分三釐.

선지알(先知戛) [넓이] '센타르(centare)'의 음역(音譯). 1 센타르는 아르〔a〕의 100 분의 1 이며, 척관법(尺貫法)으로는 1 줌〔把〕에 해당된다. 미터법으로는 1 제곱 미터〔m^2〕에 해당된다. 《增補文獻備考

91, 樂考, 度量衡》地積, 十勺爲合, 十合爲把, 十把爲束, 十束爲負, 百負爲結. 泰西地積, 則先知戞, 當我一把, 百先知戞爲戞, 當我一負, 百戞爲赫得戞, 當我一結.

선지익돌(先知翊突) [부피] '센티리터(centiliter)'의 음역(音譯). 1 센티리터는 1 리터의 100 분의 1 이며, 척관법으로는 5 초(抄) 5 촬(撮) 4 규(圭)에 해당된다.《增補文獻備考 91, 樂考, 度量衡》一先知翊突, 準我五抄五撮四圭, 十先知翊突爲大始翊突, 準我五勺五抄四撮四圭.

선탈(仙脫 : xiāntuō) [통화] 중국(中國)의 단위. '센트(cent)'의 음역(音譯).

설(挈 : qiè) [질량] 중국(中國)의 단위. 재목의 무게를 헤아리는 데 쓰는 말. 10 설은 10 사람이 들어 올릴 수 있는 무게이다.《墨子, 備城門》守城之法, 必數城中之木, 十人之所擧爲十挈, 五人之所擧爲五挈.

섬 [부피] 주로 곡식이나 액체의 양을 헤아리는 데 쓰는 말. 1 말〔斗〕의 10 배이다. 섬의 10 분의 1 을 대두(大斗) 1 말이라 하고, 가마니의 10 분의 1 을 소두(小斗) 1 말이라 한다. 따라서, 섬은 대두로 10 말이고, 소두로는 20 말이다. 곡(斛). 담(擔·甔). 석(石·碩). 소(召). 점(苫). 표(俵).

섬(纖) 1 [수] 십진급수(十進級數)의 하나로, 대단히 작은 수. 1 섬은 1 의 1,000만분의 1, 곧 10^{-7} 에 해당된다. 《算法統宗, 小數》 分·釐·毫·絲·忽·微·纖·沙·塵·埃. 2 [질량] 1 섬은 미(微)의 10 분의 1, 또는 냥(兩)의 1,000만분의 1 에 해당된다.《宛署雜記, 繇賦》 正賦中通公起存銀參千陸百陸拾捌兩柒錢五分貳釐陸毫五絲肆微捌纖.《天下郡國利病書, 江南 6》均徭銀共該銀一萬七百一十兩八錢三釐六毫七絲二忽五微二纖九塵. 3 [길이] 1 섬은 미(微)의 10 분의 1, 또는 1 치〔寸〕의 1,000만분의 1 에 해당된다.《算法統宗, 零數》寸·分·釐·毫·絲·忽·微·纖·沙·塵·埃.

섬지기 [넓이] 논밭의 넓이를 헤아리는 데 쓰는 말. 1 섬지기는 볍씨 1 섬으로 모를 부어 낼 수 있는 논의 넓이. 또는 씨 1 섬을 뿌릴 수 있는 밭의 넓이이다. 마지기〔斗落只〕의 10 배이다. 석(石). 석락(石落). 석락지(石落只). 점락(苫落). 점락지(苫落只).

섭 [수효] '섶'의 뜻으로, 볏짚이나 잎나무의 수를 세는 데 쓰는 말.

섭(鍱) [부피] '접시'의 뜻으로, 접시에 음식을 담아 그 양을 헤아리는 데 쓰는 말. 접(楪·碟).《高麗史 68, 禮志, 老人賜設儀》各賜酒十盞, 果十五鍱, 味十參器, 宴幣幞頭紗二枚, 生紋羅一匹, 厚羅一匹, 衣綾二匹, 鄕大絹二匹, 鍊緜二斤, 腰帶銀一斤.

성(成) 1 [수효] ❶'번'·'차례'의 뜻으로, 춤을 추거나 음악을 연주하거나 하는 일을 끝내는 횟수를 나타내는 데 쓰는 말. 개(個). 계(季). 과(過). 기(起). 도(度·道). 말(末). 반(返·班). 배(輩). 번(番). 삽(霎). 운(運). 장(場). 쟁(趟). 조(遭). 주(注). 하자(下

子). 헐(歇). 호(號). 화(伙). 회(回·廻·會).《樂學軌範 4, 時用唐樂呈才圖說, 勤天庭》樂奏金殿樂令, 仙母與左右挾二人隨樂節, 斂手足蹈, 唱勤天庭詞一成.《增補文獻備考 105, 樂考, 習樂》社稷壇大祭, 迎神八成(軒架順安之樂, 林鍾宮·蕤賓宮·應鍾宮·蕤賓宮各二奏)……送神(軒架順安之樂, 送神林鍾宮).《禮記, 樂記》五成而分周公左, 召公右.(孔穎達疏) 五成而分周公左, 召公右者, 從第二位至第三位, 分爲左右.(孫希旦集解) 成者, 舞之一終也. ❷'층'의 뜻으로, 건물이나 대(臺)·탑 따위의 층수를 세는 데 쓰는 말.《呂氏春秋, 音初》有娀氏有二佚女, 爲之九成之臺.《文選, 馬融長笛賦》託九成之孤岑兮, 臨萬仞之石磎.(李善注) 郭璞曰, 成, 亦重也. 言九者, 數之多也.《唐寅, 金粉福地賦》黃金建百尺之臺, 白玉作九成之觀.《楚辭, 天問》璜臺十成, 誰所極焉.(洪興祖補注) 郭璞注爾雅云, 成, 猶重也. ② [순도] 합금(合金) 중에 포함된 금이나 은의 순도(純度)를 나타내는 데 쓰는 말. 순도에 따라 10 성에서 6 성까지 나뉘어지는데, 10 성은 금은(金銀)과 납〔鉛〕의 비율이 10 대 0 이고, 9 성은 9 대 1, 8 성은 8 대 2, 7 성은 7 대 3, 최하위인 6 성은 6 대 4 의 비율로 섞인 것을 말한다. 개(開). 금(金). 분(分). 성(星). 품(品).《大典會通 2, 戶典, 國幣》七成爲丁銀, 十成爲天銀.《萬機要覽, 財用編 4, 金銀銅鉛》金之最上, 謂之十品金, 又謂之葉子金……凡銀貨視其成數, 定爲高下. 最上, 謂之十成(無鉛純銀, 雖屢鍊更無劣縮. 或稱十品銀, 或稱天銀, 或稱手巾銀. 手巾銀卽吹鍊時鎔注於手巾, 故曰手巾銀), 其次, 謂之九成(銀爲九分, 鉛爲一分), 又其次, 謂之八成(銀爲八分, 鉛爲二分), 又其次, 謂之七成(銀爲七分, 鉛爲參分), 最下, 謂之六成(銀爲六分, 鉛爲四分), 丁銀, 是七成, 卽倭銀. ③ [수학] '할(割)'의 뜻으로, 어떤 수량을 십등분하여 그 중의 몇을 나타내는 데 쓰는 말. 〈예〉 今年收的莊稼比去年增加兩～. ④ [넓이] (chéng) 중국(中國)의 단위. 사방 10 리(里)의 땅을 하나치로 헤아리는 데 쓰는 말.《周禮, 地官, 小司徒九夫爲井》司馬法云, 通十爲成.《周禮, 考工記, 匠人》方十里爲成.《左傳, 哀公元年》有田一成(方十里爲成).《漢書, 刑法志》地方一里爲井, 井十爲通, 通十爲成, 成方十里, 成十爲終.《通志, 食貨志, 田制》畝百爲夫, 夫三爲屋, 屋三爲井, 井十爲通, 通十爲成, 成十爲終, 終十爲同, 同方百里.

성(姓) [수효] '대(代)'·'조(朝)'의 뜻으로, 임금의 지세(治世)한 수를 세는 데 쓰는 말.《新唐書, 逆臣傳, 下贊》天將去唐, 諸盜並出, 歷五姓, 兵未嘗少解, 至宋然後天下復安.《宋史, 儀衛志 2》國朝承五姓荒殘之弊, 事從簡略.

성(星) ① [순도] '성(成)'의 ②와 같다.《秋官志 3, 考律部, 續條, 銀銅, 造銀》以天銀雜以鉛銅, 鑄成七·八星丁銀……我國所用銀, 不過礦銀, 而所謂七星·八星, 卽倭銀. ② [군사] 군대에서 장군의 등급을 나타내는 데 쓰는 말. 준장(准

將)은 1성, 소장(少將)은 2성, 중장(中將)은 3성, 대장(大將)은 4성, 원수(元帥)는 5성 장군(五星將軍)이라 한다. ③ [시간] '년(年)'의 뜻으로, 햇수를 세는 데 쓰는 말. 《貫休, 和楊使君遊赤松山詩》爲郡三星無一事, 龔黃意外扳喬松. 《桯史, 獻陵疏文》時巡萬里, 羣心久阻於望霓, 歲閱三星, 凶問奄傳於馳馹.

성(聲) ① [음악] 악장(樂章)의 수를 세는 데 쓰는 말. 《朝鮮世宗實錄 126, 31年10月庚戌》議政府據禮曹啓申, 宗廟朝會公宴之樂, 掇拾前朝雜聲, 深爲未便, 今新定諸樂及舊樂之內, 可用諸聲, 更加刪定, 發祥呈才十一聲, 定大業呈才十五聲……與民樂漫一聲, 致和平中二聲, 眞勺四體四聲, 凡七十五聲, 常令肄習. 從之. ② [수효] ❶북 따위 악기를 쳐서 낸 소리의 수를 세는 데 쓰는 말. 《六典條例 6, 禮典, 成均館, 總例》每日朝夕時, 鳴食鼓三聲, 東西齋諸生, 具巾·服, 分東西序立, 相向行揖禮後, 入食堂, 生員入東堂, 進士入西堂. ❷(shēng) 중국(中國)의 단위. '번'의 뜻으로, 외치거나 부르는 횟수를 세는 데 쓰는 말. 《老舍, 駱駝祥子 3》也听見幾聲鳥鳴. 《滿江紅, 和郭沫若同志》嗡嗡叫, 幾聲凄厲, 幾聲抽泣. 《幸福》 這雖然像一個沈重的鐵塊壓在我底肩上, 我也並不會發出一聲痛苦的喊來.

성기(星期 : xīngqī) [시간] 중국(中國)의 단위. '주일(週日)'의 뜻으로, 이레를 하나치로 이르는 말.

성상(星霜) [시간] '년(年)'의 뜻으로, 햇수를 세는 데 쓰는 말. 년(年). 백(白). 사(祀). 상(霜). 성(星). 세(歲). 영(齡). 재(載). 《三國遺事 3, 塔像, 洛山二大聖》迫於父母之命, 強從人矣. 今願爲同穴之友, 故來爾, 信乃顚喜, 同歸鄕里, 計活四十餘星霜.

세(世) ① [수효] '세'·'대'의 뜻으로, 한 사람이 나라나 집안, 또는 조직이나 단체를 다스리고 있는 동안을 나타내는 데 쓰는 말. 《使文輯覽 2, 8》每世一見. 父子相繼爲一世. 《朝鮮道教史 28, 自謂儒佛仙合宗之教, 南學》南學者, 或云詠歌舞蹈教, 或云大宗教, 大約與東學同時, 始倡於湖西(忠淸道也). 李雲圭爲第一世. 《詩, 大雅, 文王》文王孫子, 本支百世. 《禮記, 曲禮 下》去國三世. (鄭玄注) 三世, 自祖至孫. 《論語, 季氏》陪臣唯執國命, 三世希不失矣. 《文選, 劉琨, 勸進表》况臣等荷寵三世, 位廁鼎司. (李善注) 三世, 謂邁至琨也. 王隱晉書曰, 琨祖邁, 相國參軍, 父蕃, 太子洗馬·侍御史. ② [시간] ❶30년을 하나치로 헤아리는 데 쓰는 말. 서양에서는 100년을 1세라 한다. 《釋譜詳節 19》 ᄒᆞᆫ 氣韻으로셔 十二世 ᄃᆞ외요미 一疊이오. 《說文》世, 三十年爲一世. 《論語, 子路》如有王者, 必世而後仁. (何晏集解) 孔安國曰, 三十年曰世. ❷'년'의 뜻으로, 햇수를 세는 데 쓰는 말. 《漢書, 食貨志 上》世之有飢穰, 天之行也. 《史記, 淮南衡山傳》萬世之後, 吾寧能北面臣事豎子乎. 《禮記, 曲禮 下》去國三世. (陸德明釋文) 盧王云, 世, 歲也.

세(細) [수효] '가지'·'종류'의 뜻으

로, 나쁜 일의 가짓수를 세는 데 쓰는 말. 《左傳, 昭公11年》臣聞五大不在邊, 五細不在庭. 親不在外, 覇不在內. (孔穎達疏) 五細, 賤妨貴, 少陵長, 遠間親, 新間舊, 小加大也不在庭, 不當使居朝廷爲政也.

세(勢) [수효] 마상재(馬上才)에서 재주를 부리는 종목의 수. 또는 그 순서를 헤아리는 데 쓰는 말. 《武藝圖譜通志 4, 馬上才》第一勢, 走馬立馬上, 或放三穴銃. 第二勢, 左右超馬, 俗稱左右七步. 第三勢, 馬上倒立. 第四勢, 橫臥馬上佯死. 第五勢, 左右鐙裏藏身, 俗稱障泥裏. 第六勢, 縱臥枕馬尾. 或分左右藏身, 左右超馬爲八勢. 以上諸技, 用單馬或用雙馬.

세(歲) [1] [수효] ❶'살'·'세'의 뜻으로, 사람이나 짐승의 나이를 세는 데 쓰는 말. 임(稔). 《三國遺事 1, 紀異, 高句麗》國號高句麗, 因以高爲氏, 時年十二歲. 《高麗史 77, 百官志, 宗室諸君, 異姓諸君》元尹·正尹, 年滿十五歲, 許除授, 其未滿者, 雖制下, 毋得受祿. 《朝鮮世宗實錄 18, 4年10月乙亥》命二三歲以下飢饉童子, 依五歲以上例賑之. 《朝鮮世祖實錄 33, 10年7月庚申》司僕寺提調啓, 今計平安道牧場, 三歲雄馬五十五匹, 二歲雄馬一百七十五匹. 黃海道牧場, 三歲雄馬二十匹, 二歲雄馬一百匹. 京畿牧場, 三歲雄馬一百匹. 忠淸道牧場, 二歲雄馬五十匹, 摠五百匹. ❷서도(書道)에서 필세(筆勢)의 수를 세는 데 쓰는 말. 《玉堂禁經》大凡筆法, 點畫八禮備於永字……先達八法之外, 更相五勢以備制度. 冂, 一曰鉤裹勢, 須圓而激鋒, 罔·閔, 二字用之. 刀, 二曰鉤努勢, 須圓角而趯, 均·匀·旬·勿字用之. 丶, 三曰衮筆勢, 須按鋒上下衄之, 今·令字下點用之. 丨, 四曰儓筆勢, 緊策之, 鍾法上字用之. 一, 五曰奮筆勢, 須險策之, 草書一·二·三字用之. [2] [시간] '년'의 뜻으로, 햇수를 세는 데 쓰는 말. 년(年). 백(白). 사(祀). 상(霜). 성상(星霜). 영(齡). 재(載). 《爾雅, 釋天》歲, 唐虞曰載, 夏曰歲, 商曰祀, 周曰年(歲, 取歲星一次也). 《廣雅, 釋言》歲, 遂也. 《史記, 孔子世家》孔子居陳三歲. 《諸葛亮, 與兄瑾書》瞻今已八歲, 聰慧可愛.

세구(歲口 : suìkǒu) [수효] 중국(中國)의 단위. '살'의 뜻으로, 집짐승의 나이를 세는 데 쓰는 말.

세기(世紀) [시간] '세기'의 뜻으로, 서력(西曆)에 있어서 100 년을 하나치로 하여 연대를 세는 데 쓰는 말. 《黃霧》十九世紀末, 歐州許多考古學家都來新彊發掘最有名的像樓蘭古城, 吐魯番古城, 尼雅廢址, 磨朗遺址, 都是震驚世界的發現.

세네(sene) [통화] 서(西)사모아의 현재 보조 통화 단위. 탈라(tala)의 100 분의 1 이다.

세니티(seniti) [통화] 통가(Tonga)의 현재 보조 통화 단위. 파앙가(paanga)의 100 분의 1 이다.

세대(世代) [시간] '세대'의 뜻으로, 30 년을 구분지은 한 대(代). 또는 그 대를 세는 말. 세(世).

세대(世帶) [행정] '세대'의 뜻으로, 가구의 수를 세는 데 쓰는 말. 행정적으로는 동일한 주민 등록부에

실린 인원(人員)을 단위로 하여 이르기도 한다.

세디(cedi) [통화] 가나(Ghana)의 현재 통화 단위. 1 세디는 페세와(pesewa)의 100 배(倍)에 해당된다. 새지(塞地). 기호 : ¢

세론(seron) [질량] 기니(Guinea)의 고유(固有) 단위. 1 세론은 벤다(benda)의 16 분의 3 이며, 185.5 그레인, 또는 12.02 g 에 해당된다.

세르(ser, seer) [질량] 인도의 고유 단위. 지방에 따라 다소 차이가 있는데, 대략 1 세르는 2.057 파운드, 또는 0.933 kg 에 해당된다.

세손(世孫) [수효] '세손'의 뜻으로, 시조(始祖)로부터 쳐서 몇 대째의 자손임을 나타내는 데 쓰는 말. 《三國史記 44, 金陽傳》 金陽, 字魏昕, 太宗大王九世孫也……四年正月十九日, 軍至大丘, 王以兵迎拒, 逆擊之, 王軍敗北, 生擒斬獲, 莫之能計. 《朝鮮太祖實錄 1, 總書》 太祖康獻至仁啓運聖文神武大王, 姓李氏, 諱旦, 字君晉, 古諱成桂, 號松軒, 全州大姓也. 有司空諱翰, 仕新羅, 娶太宗王十世孫軍尹金殷義之女, 生侍中諱自延.

세스마(sesma) [길이] 스페인의 고유 단위. 1 세스마는 바라(vara)의 6 분의 1 이며, 5.49 인치(inch), 또는 13.93 cm 에 해당된다.

세스테르티우스(sestertius) [통화] 고대 로마의 통화 단위. 1/4 데나리우스와 같다.

세스티(sesti) [부피] 태국(泰國)의 옛 단위. 1 세스티는 1.34 미(美) 펙(peck), 또는 11.79 l 에 해당된다.

세아(seah) [부피] 이스라엘의 단위. 1 세아는 에파(ephah)의 3 분의 1 이며, 1.53 펙, 또는 13.50 l 에 해당된다.

세이크릿 큐빗(sacred cubit) [길이] 팔레스티나(Palestina)의 옛 단위. 1 세이크릿 큐빗은 약 25.4 인치〔in〕, 또는 0.64 m 에 해당된다.

세이트(seit) [부피] 미얀마(Myanmar) 양곤(Yangon) 지방의 단위. 1 세이트는 바이에(byee)의 4 배(倍)이며, 10.81 미(美) 갤런, 또는 40.91 l 에 해당된다.

세제곱 [해설] 같은 수를 세 번 거듭 곱한다는 뜻으로, 부피를 나타내는 데 쓴다. 세제곱 미터는 1 변의 길이가 1 m 인 정육면체의 부피가 된다. 그 단위 기호는 m^3 이다.

세제곱 데시미터 [부피] 1 세제곱 데시미터는 0.001 cm^3 에 해당된다. 기호 : dm^3

세제곱 데카미터 [부피] 1 세제곱 데카미터는 1,000 m^3 에 해당된다. 기호 : dam^3

세제곱 미터 [부피] 1 세제곱 미터는 100만cm^3에 해당된다. 기호 : m^3

$$1\ m^3 = 1,000\ dm^3 = 1,000,000\ cm^3 = 1,000,000,000\ mm^3$$

세제곱 미터 매분(— 每分) [유량(流量)] 1 분 동안에 흐르는 유체(流體)의 양을 세제곱 미터로 나타낸 것. 기호 : m^3/min

$$1\ m^3/min = 1/60\ m^3/s$$

세제곱 미터 매시(— 每時) [유량(流量)] 1 시간 동안에 흐르는 유체(流體)의 양을 세제곱 미터로 나타낸 것. 기호 : m^3/h

$$1\ m^3/h = 1/60\ m^3/min$$

$=1/3,600\ m^3/s$

세제곱 미터 매초(一 每秒) [유량(流量)] 1 초 동안에 흐르는 유체(流體)의 양을 세제곱 미터로 나타낸 것. 기호 : m^3/s

$1\ m^3/s=1/60\ m^3/min$

세제곱 밀리미터 [부피] 세제곱 미터〔m^3〕의 보조 계량 단위. 기호 : mm^3

$1\ mm^3=0.000000001\ m^3$

세제곱 센티미터 [부피] 세제곱 미터〔m^3〕의 보조 계량 단위. 큐빅 센티미터(cubic centimeter)의 약자(略字)인 cc를 쓰기도 한다. 기호 : cm^3, cc

$1\ cm^3=0.000001\ m^3$

세제곱 인치 [부피] 한 변이 1 인치(inch)인 정육면체의 부피. 16.387 cm^3와 같다. 기호 : in^3

세제곱 자(一〔尺〕) [부피] 척관법(尺貫法)의 한 단위. 한 변의 길이가 1 자〔尺〕인 정육면체의 부피. 보조 계량 단위로는 세제곱 푼〔分〕, 세제곱 치〔寸〕, 세제곱 평(坪)이 있다.

1 세제곱 자$=10^3$ 세제곱 치
$=10^6$ 세제곱 푼
$=1/216$ 세제곱 평
$=0.0278265\ m^3$

세제곱 치(一〔寸〕) [부피] 척관법(尺貫法)의 한 단위.

1 세제곱 치$=10^{-3}$ 세제곱 자〔尺〕
$=(1/33)^3 m^3$

세제곱 푼(一〔分〕) [부피] 척관법(尺貫法)의 한 단위.

1 세제곱 푼$=10^{-6}$세제곱 자〔尺〕
$=0.0278265\ cm^2$

세제곱 피트 [부피] 1 변의 길이가 1 피트(feet)인 정육면체의 부피. 기호 : cu·ft, ft^3

1 세제곱 피트$=1,728$ 세제곱 인치
$=0.02831685\ m^3$

세제곱 피트 매분(一 每分) [유량(流量)] 1 분 동안에 흐르는 유체(流體)의 양을 피트(feet)로 나타낸 것. 기호 : ft^3/min, cfm

$1\ ft^3/min=28.3153\ l/min$
$=0.028315\ m^3/min$

세제곱 헥토미터 [부피] 1 변의 길이가 1 헥토미터〔hm〕인 정육면체의 부피. 기호 : hm^3

$1\ hm^3=1,000,000\ m^3$

세컨드(second) ① [길이] 영국(英國)·미국(美國)에서 사용하는 야드(yard)·파운드계(pound 系)의 관용 단위. 1 세컨드는 인치(inch)의 2 분의 1, 또는 1.27 m에 해당된다. ② [시간] 1 세컨드는 1 분의 60 분의 1, 또는 1 초(秒)에 해당된다. 기호 : ″ ③ [각도(角度)] 1 세컨드는 1 분(分)의 60 분의 1, 또는 1 초(秒)에 해당된다. 기호 : ″

세트(set) [수효] ❶옷이나 가구와 같이 벌로 된 물건의 수를 세는 데 쓰는 말. 기호 : s/t, st ❷라디오나 텔레비전과 같이 조립(組立)된 물건의 수를 세는 데 쓰는 말. 기호 : s/t, st

섹션(section) [넓이] 미국의 관용 단위. 1 섹션은 타운십(township)의 36분의 1이며, 1제곱 마일〔mi^2〕, 또는 2.5900 km^2에 해당된다.

섹스타리우스(sextarius) [부피] 고대 로마(Roma)의 건량(乾量) 단위. 1 섹스타리우스는 모디오스(modios)의 16 분의 1 이며, 0.96

건량 파인트(pint), 또는 0.53l 에 해당된다. 액량(液量)의 1 섹스타리우스는 콘기우스(congius)의 6분의 1 이며, 1.12 액량 파인트, 또는 0.53l 에 해당된다.

섹스툴라(sextula) [질량] 고대 로마(Roma)의 고유 단위. 1 섹스툴라는 웅키아(uncia)의 6 분의 1 이며, 70 그레인(grain), 또는 4.5 g 에 해당된다.

센(sen) ① [길이] 태국(泰國)의 단위. 1 센은 40 m 에 해당된다. 고제(古制)의 1 센은 와(wah)의 20 배(倍)이며, 44.44 야드, 또는 40.64 m 에 해당된다. ② [통화] ❶말레이시아(Malaysia)의 보조 통화 단위. 1 센은 링기트(ringgit)의 100 분의 1 에 해당된다. ❷인도네시아(Indonesia)의 보조 통화 단위. 1 센은 루피아(rupiah)의 100 분의 1 에 해당된다. 선(仙).

센타르(centare) [넓이] 미터법의 단위. 1 센타르는 아르〔a〕의 100 분의 1, 또는 1 제곱 미터〔m^2〕에 해당된다. 선지알(先知戛). 기호 : ca

센타보(centavo) [통화] ❶아르헨티나(Argentina)·콜롬비아·쿠바(Cuba)·도미니카(Dominica)·멕시코(Mexico)·필리핀의 보조 통화 단위. 1 센타보는 페소(peso)의 100 분의 1 에 해당된다. ❷볼리비아(Bolivia)의 보조 통화 단위. 1 센타보는 볼리비아노(boliviano)의 100 분의 1 에 해당된다. ❸에콰도르(Ecuador)의 보조 통화 단위. 1 센타보는 수크레(sucre)의 100 분의 1 에 해당된다. ❹엘살바도르(El Salvador)의 보조 통화 단위. 1 센타보는 콜론(colon)의 100 분의 1 에 해당된다. ❺과테말라의 보조 통화 단위. 1 센타보는 켓살(quetzal)의 100 분의 1 에 해당된다. ❻온두라스(Honduras)의 보조 통화 단위. 1 센타보는 렘피라(lempira)의 100 분의 1 에 해당된다. ❼니카라과(Nicaragua)의 보조 통화 단위. 1 센타보는 코르도바(cordoba)의 100 분의 1 에 해당된다. ❽페루(Peru)의 보조 통화 단위. 1 센타보는 솔(sol)의 100 분(分)의 1 에 해당된다. ❾포르투갈(Portugal)의 보조 통화 단위. 1 센타보는 에스쿠도(escudo)의 100 분의 1 에 해당된다. ❿브라질(Brazil)의 보조 통화 단위. 1 센타보는 크루제이로(cruzeiro)의 100 분의 1 에 해당된다.

센타스(centas) [통화] 옛 리투아니아(Lithuania)의 보조 통화 단위. 1 센타스는 리타스(litas)의 100 분의 1 에 해당된다.

센테시모(centesimo) [통화] ❶칠레(Chile)의 보조 통화 단위. 1 센테시모는 에스쿠도(escudo)의 100 분의 1, 또는 밀레시모(milesimo)의 10 배(倍)에 해당된다. ❷파나마(Panama)의 보조 통화 단위. 1 센테시모는 발보아(balboa)의 100 분의 1 에 해당된다. ❸우루과이의 보조 통화 단위. 1 센테시모는 페소(peso)의 100 분의 1 에 해당된다.

센트(cent) [통화] ❶미국(美國)·영국(英國)·오스트레일리아·캐나다·에티오피아(Ethiopia)·가나(Ghana)·홍콩·라이베리아(Liberia)·말레이시아(Malaysia)·뉴질랜드(New Zealand)·트리니다드 토바고(Trinidad and Tobago)의 보조 통화 단위. 1센트는 달러(dollar)의 100분의 1에 해당된다. ❷스리랑카(Sri Lanka)의 보조 통화 단위. 1센트는 루피(rupee)의 100분의 1에 해당된다. ❸케냐(Kenya)·소말리아(Somalia)·탄자니아(Tanzania)·우간다(Uganda)의 보조 통화 단위. 1센트는 실링(shilling)의 100분의 1에 해당된다. ❹네덜란드(Netherlands)의 보조 통화 단위. 1센트는 굴덴(gulden)의 100분의 1에 해당된다. ❺시에라리온(Sierra Leone)의 보조 통화 단위. 1센트는 레오네(leone)의 100분의 1에 해당된다. ❻남(南) 아프리카 공화국(Africa 共和國)의 보조 통화 단위. 1센트는 란드(rand)의 100분의 1에 해당된다. ❼베트남(Vietnam)의 보조 통화 단위. 1센트는 피아스트르(piastre)의 100분의 1에 해당된다.

센트네르(centner) [질량] ❶덴마크(Denmark)의 옛 단위. 1센트네르는 110.23파운드, 또는 50 kg에 해당된다. ❷스웨덴(Sweden)의 옛 단위. 1센트네르는 93.7파운드, 또는 42.50 kg에 해당된다. ❸노르웨이(Norway)의 옛 단위. 1센트네르는 110.23파운드, 또는 50 kg에 해당된다.

센틀(cental) [질량] 영국(英國)의 야드(yard)·파운드계(pound 系)의 단위. 1센틀은 파운드의 100배(倍), 또는 45.359243 kg에 해당된다.

센티(centi-) [접두어] 미터법의 각 단위 앞에 붙어서 100분의 1을 나타내는 말. 센티미터의 약칭(略稱)으로 쓰이기도 한다. 기호 : c

센티(senti) [통화] 옛 에스토니아의 보조 통화 단위. 1센티는 크룬(kroon)의 100분의 1에 해당된다.

센티그램(centigram) [질량] 킬로그램〔kg〕의 보조 계량 단위. 1센티그램은 그램〔g〕의 100분의 1에 해당된다. 선지구람(先知久覽). 기호 : cg

$$1\ \mathrm{cg} = 10^{-2}\ \mathrm{g}$$
$$= 10^{-5}\ \mathrm{kg}$$
$$= 0.1543236 \text{ 그레인}$$
$$= 0.02666667 \text{ 몸메〔匁〕}$$

센티리터(centiliter) [부피] 리터〔l〕의 100분의 1, 곧 0.01 l에 해당된다. 선지익돌(先知翊突). 기호 : cl

센티모(centimo) [통화] ❶스페인(Spain)의 보조 통화 단위. 1센티모는 페세타(peseta)의 100분의 1에 해당된다. ❷코스타리카(Costa Rica)의 보조 통화 단위. 1센티모는 콜론(colon)의 100분의 1에 해당된다. ❸파라과이(Paraguay)의 보조 통화 단위. 1센티모는 과라니(guarani)의 100분의 1에 해당된다. ❹베네수엘라(Venezuela)의 보조 통화 단위. 1센티모는 볼리바르(bolívar)의 100분의 1에 해당된다.

센티미터(centimeter) [길이] 시 지 에스 단위계(C.G.S. 單位系)의 기본 단위. 미터〔m〕의 100분의 1에 해당된다. 선지미돌〔先知米突〕. 기호 : cm

센티밀리(centimilli-) [접두어] 미터법 제단위계(諸單位系)의 접두어. 1 센티밀리는 10만분의 1, 곧 10^{-5} 에 해당된다. 지금은 거의 사용하지 않는다.

센티바(centibar) [압력] 1 센티바는 바(bar)의 100분의 1, 또는 0.01 바에 해당된다.

센티볼트(centivolt) [전압] 1 볼트〔V〕의 100 분의 1 에 해당된다. 기호 : cV

셀라(chela) [부피] 소말리아의 단위. 1 셀라는 1.359*l*, 또는 1.23 미 건량(乾量) 쿼트에 해당된다.

셀라민(selamin) [부피] 포르투갈(Portugal)의 고유 단위. 1 셀라민은 알케이레(alqueire)의 32 분의 1 이며, 0.393 미(美) 건량(乾量) 쿼트, 또는 0.433*l* 에 해당된다.

셀레민(celemin) 1 [부피] 스페인(Spain)·볼리비아(Bolivia)·콜롬비아(Colombia)·파나마·페루의 단위. 1 셀레민은 파네가(fanega)의 12 분의 1 이며, 0.53 미(美) 펙(peck), 또는 4.625*l* 에 해당된다. 2 [넓이] 스페인의 고유 단위. 1 셀레민은 768 제곱 바라(vara), 또는 약 5.37 아르〔a〕에 해당된다.

셍기(sengi) [통화] 콩고의 옛 보조 통화 단위. 1 셍기는 리쿠타(likuta)의 100 분의 1 이다.

셰농(chainon) [길이] 캐나다의 단위. 1 셰농은 7.92 인치(inch), 또는 20.12 cm 에 해당된다. 링크(link).

셰켈(shekel) [통화] 이스라엘의 현재 보조 통화 단위. 1 셰켈은 아고로트(agorot)의 100 배(倍)에 해당된다.

셰페(skeppe) [부피] ❶덴마크의 고유 단위. 1 셰페는 푄데(fönde)의 8 분의 1 이며, 15.79 미(美) 건량(乾量) 쿼트, 또는 17.39*l* 에 해당된다. ❷노르웨이(Norway)의 고유 단위. 1 셰페는 15.78 미(美) 건량(乾量) 쿼트, 또는 17.37*l* 에 해당된다.

셰펠(Scheffel) [부피] ❶독일(獨逸)에서 1872년부터 1884년 사이에 사용하던 단위. 1 셰펠은 50*l* 에 해당된다. ❷프러시아(Prussia)의 단위. 1 셰펠은 54.96*l* 에 해당된다. ❸작센(Sachsen)의 단위. 1 셰펠은 103.83*l* 에 해당된다.

셰펠(schepel) [부피] ❶네덜란드(Netherlands)의 단위. 1 셰펠은 1.135 미(美) 펙(peck), 또는 10*l* 에 해당된다. ❷남(南)아프리카의 옛 단위. 1 셰펠은 뮈(muid)의 4 분의 1 이며, 0.789 미(美) 부셸(bushel), 또는 27.8*l* 에 해당된다.

셰푼드(skeppund) [질량] 스웨덴(Sweden)의 고유 단위. 1 셰푼드는 푼드(pund)의 400 배(倍)이며, 375 파운드, 또는 170.0 kg 에 해당된다. 덴마크의 스키푼(skippund)과 같은 계열의 단위이다.

소(少) [각도] 1 소는 초(秒)의 4 분의 1 에 해당된다. 《朝鮮世宗實錄 156, 七政算內篇 上》日行諸率, 歲象限九十一度三十一分〇六秒少.

소(召) [부피] '섬〔石〕'의 뜻으로, 섬에 곡식 따위를 담아 그 양을 헤아리는 데 쓰는 말. 소는 담(擔)의 속자(俗子)로서, 소(召)의 중국 음이 ㄉㄢ(dàn)으로 석(石)의 음(音)

과 의(義)가 같기 때문에 통용된 것이다. 곡(斛). 담(擔·甔). 석(石·碩). 점(苫). 표(俵). 《朴通事諺解(重刊本), 上》關幾擔(몃 짐을 ㅌ료). 所負曰擔, 俗作担, 今按關八擔則八石也……然今俗皆稱一石爲擔, 謂任力所勝, 而負擔之也, 字俗作召, 音단.

소(所) ① [수효] ❶'곳'의 뜻으로, 공간(空間)의 어느 지점이나 부분, 또는 사물의 개체(個體)나 집단(集團)이 위치하고 있는 장소의 수를 세는 데 쓰는 말. 개소. 고(庫). 곳(庛). 군데. 처(處). 《三國史記 4, 新羅眞平王本紀》初, 王七年, 大宮·梁宮·沙梁宮三所, 各置私臣, 至是, 置內省私臣一人, 兼三宮. 《朝鮮世宗實錄 7, 2年2月庚申》宣旨, 講武場, 京畿廣州·楊根等處爲一所, 鐵原·安峽等處爲一所, 江原道平康·伊川等處爲一所, 橫城·珍寶等處爲一所, 如是定所, 其標內在前居住人及已起耕田外, 新到人及新墾伐木私獵等事一禁. 《朝鮮世祖實錄 4, 2年5月壬申》兵曹啓, 京城內外, 置警守一百六所, 以防盜賊. ❷'채'의 뜻으로, 집이나 건물의 수를 세는 데 쓰는 말. 가(架·家). 구(區). 당(幢). 동(棟). 실(室). 우(宇). 원(院). 장(爿). 전(廛). 좌(坐·座). 진(進). 《三國遺事 3, 塔像, 南月山》開元七年己未二月十五日, 重阿飡金志誠, 爲亡考仁章一吉干, 亡妃觀肖夫人, 敬造甘山寺一所, 石彌勒一軀. 《班固, 西都賦》離宮別館三十六所. ② [과거] '곳'의 뜻으로, 초시(初試) 또는 회시(會試) 때의 시험장. 또는 그 수를 세는 데 쓰는 말. 《朝鮮中宗實錄 20, 9年9月己巳》禮曹啓曰, 三所入格擧子李禹年, 名紙與朱草, 其文各異, 以他人所製, 誤錯勘合. 請推謄錄枝·査同等官, 削去禹年之名. 《朝鮮中宗實錄 74, 28年4月壬寅》常時式年, 則如以一所十七人, 一所十六人, 預定其數, 講分·製分, 通計出榜例也. 《朝鮮光海君日記 34, 2年10月庚辰》臣以監試官, 詣于三所, 初一日入場之時, 儒生之欲得草排者, 多趨上階而來. ③ [행정] 고려·조선 초기, 말단 지방 행정 구역의 하나. 또는 그 수를 세는 데 쓰는 말. 주로 왕실이나 관아에서 필요로 하는 공물(貢物)을 생산하는 곳으로, 생산하는 물건에 따라 금소(金所)·은소(銀所)·동소(銅所)·철소(鐵所)·사소(絲所)·유소(油所)·지소(紙所)·와소(瓦所)·탄소(炭所)·염소(鹽所)·묵소(墨所)·곽소(藿所)·자기소(瓷器所)·어량소(漁梁所)·강소(薑所)·다소(茶所)·밀소(蜜所) 따위가 있었다. 《增補文獻備考 154, 財用考, 國用》睿宗三年, 麗時未勘爲縣者稱所, 有金所·銀所·銅所·鐵所·絲所·紙所·瓦所……墨所之別, 而各供其物於所在之邑. 《行用吏文》高麗時稱所者, 爲供其物, 稱處稱莊者, 分隷各宮殿·寺院及內莊宅, 以輸其稅, 而諸所皆有土姓吏民, 今瓦所·紙所·甆所之類, 尙沿舊稱.

소(巢 : cháo) [수효] '배'의 뜻으로, 사람이 아이를 낳거나 짐승이 새끼를 낳고 알을 까는 횟수를 세는 데 쓰는 말. 산(產). 유(乳). 태(胎).

소(筲) [부피] '소'의 뜻으로, 소(筲)에 곡식 따위를 담아 그 양을 헤아리는 데 쓰는 말. 소는 1 말, 또는 1 말〔斗〕 2 되〔升〕 정도가 들어가는, 대나무를 결어서 만든 그릇이다.《事類博解, 上, 人道》筲, 一斗二升.《論語, 子路》斗筲之人. (朱熹集注) 筲, 竹器, 客斗二升.《漢書, 公孫賀, 劉屈氂等傳贊》斗筲之徒, 何足選也. 師古曰, 筲, 竹器也, 容一斗.

소(艘) [수효] '척(隻)'의 뜻으로, 배의 수를 세는 데 쓰는 말. 고(篙). 배(杯). 정(艇). 척(隻).《三國史記 8, 新羅聖德王本紀》日本國兵船三百艘, 越海襲我東邊, 王命將出兵, 大破之.《三國遺事 2, 紀異, 後百濟, 甄萱》秋九月, 萱遣一吉, 以舡兵入高麗禮城江, 留三日, 取鹽·白·眞三州船一百艘, 焚之而去.《高麗史 7, 文宗世家》遣兵馬錄事文揚烈, 以戰艦二十三艘, 追至椒子而奮擊, 大敗之, 斬九級.《朝鮮太宗實錄 3, 2年5月丙戌》三道體察使林整, 造漕運船, 慶尙道一百十二艘, 全羅道八十艘, 忠淸道六十艘.《通文館志 11, 紀年續編, 高宗5年戊辰》公忠道觀察使閔致庠馳報, 又有異樣船一艘, 來泊洪州牧外洋, 就中數百人, 到德山郡浦口, 猝地登陸, 搶掠軍器, 直向郡北伽倻山興宣大院君新山, 恣行槩損.

소곡(小斛) [부피] 휘〔斛〕에 곡식을 담아 그 양을 헤아리는 데 쓰는 말. 15 말들이로 평석(平石)이라고도 한다. 20 말들이는 대곡(大斛) 또는 전석(全石)이라 한다.《經國大典 6, 工典, 營繕, 度量衡》量之制, 十勺爲合, 十合爲升, 十升爲斗, 十五斗爲小斛(平石), 二十斗爲大斛(金石).

소극뢰(蘇克雷 : sūkèléi) [통화] 중국(中國)의 단위. '수크레(sucre)'의 음역(音譯).

소대(小隊) [군사] 군대의 편성 단위. 보통 중대(中隊)의 3 분의 1 또는 4 분의 1 의 인원으로, 분대(分隊)의 위이다.《增補文獻備考 283, 職官考, 更張官制》侍衛隊. 今上三十一年, 廢諸軍門, 設訓鍊隊. 三十二年, 改設侍衛隊, 以二大隊編成聯隊. 長一員, 大隊長二員. 副官二員, 餉官二員, 中隊長四員, 小隊長十四員. 光武二年, 改置聯隊長一員, 副官一員, 武器主管一員, 旗官, 附下士三員. 親衛隊. 今上三十三年, 設新衛隊, 置聯隊長一員, 副官一員, 武器主管一員, 旗官一員. 光武二年, 以一二三大隊, 編成一聯隊. 各大隊, 大隊長一員, 餉官二員, 副官一員, 正校一員, 副校三員, 五中隊爲一大隊. 各中隊, 中隊長一員, 小隊長四員, 正校·副校·參校各一員.《朝鮮高宗實錄 44, 光武8年3月12日》勅令第六號, 軍樂隊設置(侍衛第一聯隊付屬, 軍樂一中隊二小隊編成. 一等軍樂長一人, 中隊長, 二三等軍樂長二人, 小隊長).

소량(小兩 : xiǎoliǎng) [질량] 중국(中國)의 단위. 1 소량은 1 근(斤)의 16 분의 1 에 해당된다.

소말로(somalo) [통화] 소말리아(Somalia)의 옛 통화 단위. 1 소말로는 첸테시미(centesimi)의 100 배(倍)에 해당된다.

소시(小時 : xiǎoshí) [시간] 중국

(中國)의 단위. '시간'의 뜻으로, 어떤 시각과 시각과의 사이를 이르는 말.

소용(所用) [부피] '소용'의 차자 표기로, 소용에 액체를 담아 그 양을 헤아리는 데 쓰는 말. 소용은 기다랗고 자그마하게 생긴 병(甁)이다. 《瀋陽狀啓, 辛巳8月28日, 別單》眞油一所用, 甘醬一缸, 艮醬一缸. 《譯語類解, 補, 器具補》小口甁, 소용.

소응이(所應伊) [수효] '송이'의 차자 표기로, 열매나 꽃 같은 것이 꼭지에 잘게 한데 모여 달린 덩이의 수를 세는 데 쓰는 말. 송이(宋伊·松伊). 《萬機要覽, 財用編 1, 供上, 大殿, 月令》積梨五箱, 林檎三箱, 新栢子一百五十所應伊(每所應伊價二錢), 蓮實三十所應伊(每所應伊價二錢).

소쿠리 [부피] 소쿠리에 물건을 담아 그 양을 헤아리는 데 쓰는 말.

소크(sok) [길이] 태국(泰國)의 단위. 예전의 1소크는 와(wah)의 4분의 1이며, 케우프(keup)의 2배, 20인치(inch), 또는 50.8 cm에 해당하였고, 지금의 미터계로는 50 cm에 해당된다.

소통(小統) [행정] 국민 조직 편제의 하나로, 5가(家)로 구성되었다. 중통(中統)은 5소통, 대통(大統)은 2중통으로 조직되었다. 《朝鮮明宗實錄 24, 13年8月辛卯》五家爲一小統, 五小統爲一中統, 二中統爲一大統.

속(束) [1] [수효] ❶'권(卷)'의 뜻으로, 한지(韓紙) 20장을 하나치로 세는 데 쓰는 말. 권(卷). 《朝鮮太宗實錄 25, 13年3月庚寅》命印大藏經于海印寺, 傳旨于豐海·京畿·忠淸道觀察使, 遞輸其道所造紙二百六十七束于慶尙道. 又傳旨于慶尙道觀察使曰, 今遞輸經紙, 宜轉輸于海印寺, 印大藏經. 《朝鮮宣祖實錄 93, 30年10月丁亥》上呈禮單, 同知曰, 盛情已領矣, 白紙三束, 有用處, 只受之. 《春官志, 下, 荒唐舡》多設機許米十五斗爲一斛, 馬島以七斗爲斛, 布三十七尺爲一匹, 馬島以二十尺爲匹, 紙二十番爲一束, 且甚長, 馬島機爲三束. 《京畿邑誌, 抱川縣誌》壯紙十二束. 厚紙六十束. 白紙一百二束. ❷첩금(貼金)·첩은(貼銀)·금박(金箔)·은박(銀箔) 따위와 같이 얇고 조그만 물건 100장(張)을 하나치로 세는 데 쓰는 말. 《正宗大王殯殿魂殿都監儀軌, 內下需用》貼金九束4貼七張. 《尙方定例 3, 別例 下, 國婚, 中宮殿》厚貼金貳束捌貼參張. 《昌慶宮營建都監儀軌, 實入》金箔四十束五張. 《度支準折, 金銀》泥金一戔価, 下地木四疋半(金一戔, 箔一束). 泥銀一戔価, 下地木二疋(艮一戔, 箔一束). 貼金一束(方三寸作一張, 十張作一貼, 十貼作一束). 貼銀(方三寸作一張, 十張作一貼, 十貼作一束). ❸피륙 5필(匹·疋), 또는 10필을 하나치로 세는 데 쓰는 말. 《朝鮮太宗實錄 14, 7年7月壬戌》世子納徵之禮, 馬二匹, 帛十束. 《朝鮮正祖實錄 18, 8年11月辛未》世子宮長壽玉佛一尊, 玉如意一柄, 湖筆二匣, 貢黑二匣, 歙硯二尊, 絹箋十二束. 《儀禮, 士冠禮》束帛儷皮(束, 帛十端也). 《左傳, 襄公19年》賄荀

偃束錦, 加璧乘馬. (杜預注) 五匹爲束. 《管子, 治國》春糴以束(束, 十疋也). 《新唐書, 禮樂志 4》錦·綺·繒·布·葛, 越皆五兩爲束. ❹'뭇'·'단'의 뜻으로, 삼〔麻〕·짚·풀·달〔薍〕·삼보(三甫) 따위 묶음의 수를 세는 데 쓰는 말. 《高麗史 118, 趙浚傳》遣官吏而煩驛騎, 竭民財而盡其力, 一木之曳, 至斃十牛, 一爐之冶, 至廢十農, 一束之麻, 一把之葛, 至費十布, 取之於民也, 剝膚槌髓, 用之於私也, 如泥如沙. 《朝鮮成宗實錄 4, 元年4月乙卯》國用田, 則田一結, 穀草四束, 重四十斤, 生草一同七束半, 重一百十斤. 《經世遺表 6, 地官修制, 田制 4》稷禾者, 連藁之禾六百四十束也. 《六典條例 10, 工典, 繕工監, 鴨島色》正草薍三十九萬束(兩手圍爲一迲乃, 卽一束), 春秋監刈於鴨島(在高陽郡南江北, 一百三十結, 地坪直二十二名, 奉足二十二名, 俱在於本島近處, 春三十日刈十三萬束, 秋四十日刈二十六萬束), 定例應下, 《度支準折, 草物》草薍, 十束爲一舍音, 五舍音爲一同, 三同爲一駄. 《度支準折, 入染物種》三甫一月乃(一束重十斤, 六束作一同), 貿米二斗五升. 《關西邑誌, 鐵山府邑誌, 事例》穀草二十二迲半束. ❺살담배〔折草：切草〕의 묶음을 세는 데 쓰는 말. 《朝鮮成宗實錄 33, 4年8月甲申》謹獻上不腆方物……堆食籠一箇, 碼磂一塊, 鑞鉢并提子各一箇, 椀一具, 折草一束, 水晶單衣一領. ❻'뭇'의 뜻으로, 과실 10개를 하나치로 세는 데 쓰는 말. 《朝鮮端宗實錄 10, 元年2月乙未》特賜白細苧布·白細綿紬各五匹……天鵝五隻, 乾柿子五十束, 糙米一百石, 黃豆一百石, 土宜正布六匹. ❼'뭇'의 뜻으로, 물고기 10마리를 하나치로 세는 데 쓰는 말. 100속(束)을 1동(同)이라 한다. 《朝鮮世宗實錄 97, 24年7月己未》賜宗貞盛, 米豆二百碩, 燒酒五十瓶……乾青魚一百束. 《朝鮮顯宗實錄 10, 6年5月戊寅》上命年九十者, 賜米五斗, 石魚二束, 八十者, 賜米三斗, 石魚一束, 七十者, 賜米一斗. 《增補文獻備考 151, 田賦考, 貢制》戶曹啓, 元貢不足物種中, 眞魚五十八束, 青魚八十九束, 冬音石首魚一千五百九束. 《度支準折, 魚物》石首魚一束(十介作一束, 百束作一同). 眞魚一束(十介), 從頭至尾, 長八寸. ❽'단'의 뜻으로, 땔나무나 싸리나무〔杻骨〕·물푸레나무〔水青木〕따위의 묶음을 세는 데 쓰는 말. 곤(捆·綑). 단(丹). 제(穧). 파(把). 《仁祖國葬都監儀軌, 都廳, 己丑 5月15日禮曹》水青木四十束(五十介爲一束), 杻骨四十束(一束徑一尺五寸), 生葛七同(十介爲一沙里, 五沙里爲一同). 《芝峰類說 17, 雜事部, 數名》中朝麵·肉·紫·炭, 皆以斤稱, 而我國則, 麵以斗, 肉以塊, 紫以束, 炭以石, 輕重多少, 亦不的矣. 《萬機要覽, 財用編 1, 各貢, 宣惠廳》其人……杻木(六千束各爲一名, 每名三南一百十石, 京江一百二石). ❾먹〔墨〕10개를 하나치로 세는 데 쓰는 말. 《海行摠載 2, 慶七松海槎錄 上, 丁未正月》惟兄無違本志, 當以度生願, 前告大將軍, 盡刷生靈, 無泠舊盟辛甚, 不腆薄物,

統希笑領, 不宜. 雲孫一卷, 淸香四封, 眞笏六束, 藥蔘一斤, 管城二十柄. ❿곧게 펴서 길쭉하게 말린, 포(脯) 10 개를 하나치로 세는 데 쓰는 말. 《朝鮮世祖實錄 46, 14年 6月辛丑》遣承旨, 賚宣醞十甁, 大口魚十五尾, 脯十束, 獐一口, 醢一缸. 《呂氏春秋, 報更》乃復賜之脯二束與錢百(十脡曰束). ⓫'단'의 뜻으로, 무〔菁根〕·파〔葱〕·상추〔萵苣之〕 따위의 묶음을 세는 데 쓰는 말. 무나 파 따위는 10 개가 1 단이다. 곤(捆·綑). 단(丹). 제(穧). 파(把). 《度支準折, 菜蔬》菁根(十介作一丹, 又作一束), 一介價錢一分, 一束價錢三分. 生葱(十介作一束, 又作一握), 七介價錢一分, 一握價米一升. 萵苣之一束, 價錢三分. ⓬미역〔藿〕 50 장(張), 또는 김〔海衣〕 10 장을 각각 하나치로 세는 데 쓰는 말. 현재 김은 100 장을 1 속이라 한다. 《朝鮮世宗實錄 15, 4年正月癸未》衙中藏麤布九十匹, 乾魚百五十首, 鹽十斗……又以衙中乾魚及官中乾魚并百五十首, 海藿四十束, 換生繭六石私用……乂密買境內洛山寺眞水精念珠二十一枚. 《萬機要覽, 財用編 3, 海稅, 收稅式》霍田, 五十條爲一束, 五十束爲一同. 《關西邑誌, 龍岡誌, 折價式》海衣一貼, 價一戔五分, 十束爲一貼, 十片爲一束. ⓭(shū) 중국(中國)의 단위. ㉮화살 100 개, 또는 50 개나 12 개를 하나치로 세는 데 쓰는 말. 《周禮, 秋官, 大司寇》入束矢於朝(古者一弓百矢, 束矢其百个與. 《詩, 魯頌, 泮水》角弓其觩, 束矢其搜. (毛傳)五十矢爲束. 《淮南子, 氾論》訟而不勝者, 出一束箭. (高誘注) 箭十二爲束也. 《國語, 齊語》坐成以束矢(十二矢爲束). ㉯물건 10 개를 하나치로 세는 데 쓰는 말. 《儀禮, 聘禮》釋幣制玄纁, 束束尊于几下. (鄭玄注) 凡物十曰束. 《禮記, 雜記 下》納幣一束. (鄭玄注) 十箇爲束, 貴成數. [2] [넓이] '뭇'의 뜻으로, 조세를 계산하기 위한 토지 면적의 단위. 10 줌〔把·握〕을 1 뭇, 10 뭇을 1 짐〔負·卜〕, 100 짐을 1 결(決)이라 하였다. 신라·고려를 거쳐 조선 시대에도 사용하였는데, 그 넓이는 토지의 비척(肥瘠)에 따라 달랐다. 《三國遺事 2, 紀異, 駕洛國記》後人奉使來, 審檢厥田十一結十二負九束也, 不足者三結八十七負一束也. 《朝鮮世宗實錄 74, 18年9月甲午》我國田制, 十束爲卜, 百卜爲結, 每五結而係之以字號, 分屬于各處. 《萬機要覽, 財用編 2, 田結》一握者, 爲之把, 遞以上之至于結. 十把爲束, 十束爲負(或稱卜, 今每一負出租一斗), 百負爲結(俗音 먹), 八結爲夫(或稱矣). 《度支準折, 雜錄, 量田規式》 嶺東九邑合續田九百六十一結十一負七束, 嶺西七邑合續田二千四百六十二結五十二負二束. 一等, 一尺爲一把, 十把爲一束 十束爲一負, 百負爲一結(把·束·負·結, 言地方尺, 所收禾, 可以一把. 把, 握也, 十握可以爲束, 十束則人可負, 百負可合結也. 大抵十尺爲一束, 百尺爲一負, 萬尺爲一結, 八結爲一夫, 謂其可出一夫之役. [3] [길이] 화살의 길이를 헤아리는 데 쓰는 말. 1 속은 손가락 4 개를 나란

히 놓은 폭의 길이이다.

속(粟 : sù) ① [부피] 중국(中國)의 옛 단위. 1속은 규(圭)의 6분의 1에 해당된다. 《孫子算經》六粟爲一圭, 十圭爲一撮, 十撮爲一抄, 十抄爲一勺, 十勺爲一合. 《隋書, 律曆志 上》孫子算術曰, 六粟爲圭, 十圭爲秒, 十秒爲撮, 十撮爲勺, 十勺爲合. 應劭曰, 圭者自然之形, 陰陽之始, 四圭爲撮. ② [길이] 중국(中國)의 단위. 1속은 1치〔寸〕의 12분의 1에 해당된다. 《淮南子, 天文》律之數十二, 故十二蔈而當一粟, 十二粟而當一寸.

속(屬 : shǔ) ① [수효] ❶중국(中國)의 단위. 갑옷에 미늘을 붙일 때, 몇 개씩을 하나치로 세는 데 쓰는 말. 《周禮, 考工記, 函人》犀甲七屬, 兕甲六屬. (鄭玄注) 屬, 謂上旅下旅札續之婁也. (賈公彦疏) 云屬讀如灌注之注者, 義取注著之意也, 云上族下旅札續之數也者, 謂上旅之中, 及下旅之中, 皆有札續, 一葉爲一札, 上旅之中, 續札七節六節五節, 下旅之中, 亦有此節, 故云札續之數也, 云革堅者札長者, 則五續者, 以其堅壽年多, 卽下經三百年者也. 《漢書, 刑法志》魏氏武卒, 衣三屬之甲. 《遼史, 耶律陳家奴》賜甲一屬. ❷직계친(直系親)의 차례. 또는 그 차례의 수를 세는 데 쓰는 말. 《後漢書, 章帝紀》一人有罪, 禁至三屬. (李賢注) 卽三族也. 謂父族·母族及妻族. 《太玄經, 數》九屬, 一爲元孫, 二爲曾孫, 三爲仍孫, 四爲子, 五爲身, 六爲父, 七爲祖, 八爲曾祖父, 九爲高祖父. ❸술을 따르는 횟수를 세는 데 쓰는 말. 《儀禮, 士昏例》酌玄酒, 三屬于尊. (鄭玄注) 屬, 注也. ❹모여서 맹세한 횟수를 세는 데 쓰는 말. 《國語, 晉語 2》三屬諸侯, 存亡國三. (韋昭注) 屬, 會也. 三會, 乘車之會三也. ❺'국(國)'의 뜻으로, 5나라를 하나치로 세는 데 쓰는 말. 《公羊傳, 隱公2年》莒人入向. (徐彥疏) 謂五國爲屬, 屬有長, 二屬爲連, 連有帥, 三連爲卒, 卒有正. ② [행정] 춘추(春秋) 시대 관중(管中)의 제도로, 1속은 3향(鄕), 또는 9,000가(家)로 조직되었다. 《管子, 小匡》桓公曰, 五鄙奈何. 管子對曰, 制五家爲軌, 軌有長, 六軌爲邑, 邑有司, 十邑爲率, 率有長, 十率爲鄕, 鄕有良人, 三鄕爲屬, 屬有帥, 五屬一大夫, 武政聽屬, 文政聽鄕.

속도 표어(速度標語) [음악] 악보(樂譜)에서 그 곡(曲)의 속도를 말로 나타낸 것으로, 보통 이탈리아(Italia)어로 나타낸다. '빠르기말'이라고도 한다.

표 어	발 음	뜻	메트로놈의 속도(약)
largo	라르고	아주 느리고 폭이 넓게	40-50
larghetto	라르게토	라르고보다 조금 빠르게	46-56
lento	렌토	아주 느리게	40-56
adagio	아다지오	느리고 조용하게	50-60
adagis-simo	아다지시모	아주 느리게	
adagietto	아다지에토	아다지오보다 조금 빠르게	56-66
andante	안단테	느리게	60-80
andanti-no	안단티노	안단테보다 조금 빠르게	72-92

moderato	모데라토	보통 빠르기로	76-88
allegretto	알레그레토	알레그로보다 조금 느리게	80-100
allegro	알레그로	경쾌히 빠르게	100-132
vivace	비바체	활기를 띠고 빠르게	120-150
vivo	비보	활발히 빠르게	132-168
presto	프레스토	아주 빠르게	144-176
prestissimo	프레스티시모	가장 빠르게	180-208
accelerando	악첼레란도	점점 빠르게 강하게	
stringendo	스트링겐도	점점 빠르게	
poco a poco animato	포코 아 포코 아니마토	점점 빠르게	
allargando	알라르간도	점점 느리게 강하게	
largando	라르간도	점점 느리게 강하게	
rallentando	랄렌탄도	점점 느리게	
ritardando	리타르단도	점점 느리게	
slentando	슬렌탄도	점점 느리게	
calando	칼란도	점점 느리게 약하게	
morendo	모렌도	점점 느리게 약하게	
smorzando	스모르찬도	점점 느리게 약하게	
a tempo primo	아 템포 프리모	처음 속도로	
tempo I	템포 프리모	처음 속도로	
a tempo	아 템포	본래의 속도로	

손 [수효] ❶물건을 손으로 집을 때, 그 수를 세는 데 쓰는 말. 조기나 암치나 통배추 같은 것은 큰 놈 작은 놈 끼어 둘씩을, 미나리나 파는 한 줌씩을, 또 어떤 것은 넷이나 다섯씩을 한 손이라 한다. 수(手). ❷미역 20 장을 하나치로 세는 데 쓰는 말.

손(孫) [수효] 임금의 치세(治世), 가계(家系)나 호주 승계(戶主承繼)의 순서, 또는 존속 기간(存續期間) 따위를 헤아리는 데 쓰는 말. 대(代). 세(世). 《三國遺事 2, 紀異, 元聖大王》夢脫幞頭, 着素笠, 把十二絃琴, 入於天官寺井中……王乃辟禁左右而請解之曰, 脫幞頭者, 人無居上也, 着素笠者, 冕旒之兆也, 把十二絃琴者, 十二孫傳世之兆也, 入天官井, 入宮禁之瑞也.

손(sone) [음(音)] 음(音)의 크기를 주관적으로 나타내는 데 쓰는 말. 보통 사람이 1,000 사이클(cycle), 40 데시벨(decibel)의 음을 들었을 때의 음의 크기를 1 손이라 한다. 그러나 사람의 청각의 정확도는 한계가 있기 때문에 1,000 사이클, 80 데시벨은 16 손, 20 데시벨은 0.095 손이 된다. 이는 실험에 의하여 확인된다.

솔(率 : shuài) ① [질량] 중국(中國)의 단위. 1 솔은 6 냥(兩)에 해당된다. 열(鋝). 환(鍰). 《集韻》鋝, 量名, 或作率. 《史記, 周紀》其罪百率. 集解曰, 徐廣曰, 鋝也. 孔安國曰, 六兩曰鋝. ② [행정] 중국(中國)의 단위. 춘추(春秋) 시대 관중(管中)의 제도로, 1 솔은 10 읍(邑), 또는 300 가(家)로 조직되었다. 《管子, 小匡》桓公曰, 五鄙奈何. 管子對曰, 制五家爲軌, 軌有長, 六軌爲邑, 邑有司, 十邑爲率,

率有長, 十率爲鄕, 鄕有良人, 三鄕爲屬, 屬有良人, 五屬一大夫, 武政聽屬, 文政聽鄕.

솔(sol) [통화] 페루의 현재 통화 단위. 1 솔은 센타보(centavo)의 100 배(倍)에 해당된다. 예전에는 디메로(dimero)·레알레(reale)의 단위가 사용되었다. 솔은 프랑스의 보조 통화 단위인 수(sou)의 옛 형태이기도 하다. 색이(索爾). 기호: S/

솔리두스(solidus) [질량] 고대(古代) 로마의 단위. 1 솔리두스는 리브라(libra)의 72 분의 1 이며, 0.87 트로이 온스(troy ounce), 또는 27 g 에 해당된다.

솜파이(sompay) [질량] 태국의 고유 단위. 1 솜파이는 창(chang)의 1,280 분의 1 이며, 14.5 그레인(grain), 또는 0.937 g 에 해당된다.

송(宋 : sòng) [음향] 중국(中國)의 단위. '손(sone)'의 음역(音譯).

송이 [수효] 열매나 꽃 같은 것이 잘게 한데 모여 달린 덩이의 수를 세는 데 쓰는 말. 소응이(所應伊). 송이(宋伊·松伊).

송이(宋伊) [수효] '송이'의 차자 표기. '소응이(所應伊)'와 같다. 《陶山書院傳掌記, 萬曆46年正月14日》 栢子八十八宋伊.

송이(松伊) [수효] '송이'의 차자 표기. '소응이(所應伊)'와 같다. 《關西邑誌, 龍岡縣邑誌》 葡萄一曲之(十松伊爲一曲之).

쇄(鎖) [길이] 체인(chain)의 역어(譯語). 1 쇄는 마일의 80 분의 1, 또는 22 야드〔碼〕에 해당된다. 《新家典, 新字新義部》 鎖, 체인. chain. 英國測地衡名, 一鎖長二十二碼, 六十七呎.

쇼밀(sjomil) [길이] 핀란드(Finland)의 단위. 1 쇼밀은 약 1 해리(海里), 또는 1,852 m에 해당된다.

쇼밀라(sjomila) [길이] 아이슬란드(Iceland)의 단위. 1 쇼밀라는 1 해리(海里)이며, 또는 1,855 m 에 해당된다.

쇼펜(Schoppen) [부피] 독일(獨逸)의 단위. 1 쇼펜은 1 미(美) 액량(液量) 파인트(pint), 또는 1 리터의 2 분의 1 에 해당된다.

쇼핀(chopine) [부피] 프랑스의 고유 단위. 주로 액체의 양을 헤아리는 데 쓴다. 초기에는 지방에 따라 다소 차이가 있었는데, 파리에서는 1 쇼핀은 약 0.4657 *l* 였으나, 뒤에 0.5 *l* 로 통일되었다.

쇼핀(choppin) [부피] 스코틀랜드의 옛 단위. 1 쇼핀은 파인트(pint)의 2 분의 1, 또는 0.8537 *l* 에 해당된다.

숏(shot) [섬유] 피륙의 날실의 밀도를 나타내는 데 쓰는 말. 1 인치(inch) 사이에 날실 10 줄이 들어가 있는 것을 10 숏이라 한다.

수(手) [수효] ❶'손'의 차자 표기로, 물건을 손으로 집을 때 그 수를 세는 데 쓰는 말. 조기나 암치나 통배추 같은 것은 큰 것 작은 것을 끼어 둘씩을, 미나리〔水芹〕나 파는 한 줌씩을, 또 어떤 것은 넷이나 다섯씩을 한 손이라 한다. 《進饌儀軌(純祖己丑) 2, 饌品》 七技湯一器. 陳鷄二首, 牛內心肉三斤, 海蔘十箇, 全鰒一箇, 藁古一合, 菁根

二丹, 水芹五手, 昆者巽二部……鹽一合. ❷'수'의 뜻으로, 바둑이나 장기를 둘 때 돌이나 말을 한 번씩 번갈아 두는 횟수를 세는 데 쓰는 말. ❸(shǒu) 중국(中國)의 단위. ㉮ '가지'·'종류'의 뜻으로, 주로 기능이나 기술 따위에 쓰는 말. 《且介亭雜文, 病後雜談》瞑想的結果, 擬定了兩手太極拳. ㉯운남(雲南) 지방에서 화폐의 대신으로 사용하던, 조개껍질의 수를 세는 데 쓰는 말. 1수는 4매(枚)에 해당된다. 《天下郡國利病書, 滇志, 沿革論》交易用貝, 一枚曰莊, 四莊曰手, 四手曰苗, 五苗曰索.

수(水 : shuǐ) [수효] 중국(中國)의 단위. '물'의 뜻으로, 빨래한 횟수를 세는 데 쓰는 말. 〈예〉洗三~. 這衣裳洗幾~也不變色.

수(禾) [수효] 말〔馬〕 이〔齒〕의 수를 세는 데 쓰는 말. 《行用吏文》禾, 수. 俗稱馬齒曰禾, 一禾二禾是也. 《新字典, 朝鮮俗字部》禾〔슈〕, 馬齒數, 말 니 슈효. 見郵驛馬籍.

수(秀) [수효] ❶궤(櫃)의 수를 세는 데 쓰는 말. 가(架). 궤(櫃). 합(合). 《瀋陽狀啓, 辛巳8月19日》此後車子運粮之事, 萬分緊急, 而恐或不易爲白乎乙去, 極爲渴悶爲白臥乎事是良尒, 詮次云云. 後, 豺皮一令, 虎皮一令, 豹皮二令, 果樻一秀, 輿子一部, 狗皮毛浮一部, 土猪皮毛浮一部, 土猪皮方席一坐, 水剌米二帒, 白米三帒, 每一帒六斗入. 常襦袴三領, 常白襦衣五領, 常青衣一領, 入送. 義州來銀口魚卵七升, 狀達書塡, 而不爲載去云, 故內入. ❷이삭의 수를 세는 데 쓰는 말.

수(垂) [수효] 일본(日本)의 단위. 발〔簾〕이나 모기장〔蚊帳〕의 수를 세는 데 쓰는 말. 부(浮).

수(帥 : shuài) [행정] 중국(中國)의 단위. 춘추(春秋) 시대 관중(管中)의 제도로, 1수는 5향(鄕), 또는 1만 가(家)로 조직되었다. 《國語, 齊語》五家爲軌, 軌爲之長. 《管子, 小匡》制五家以爲軌, 軌有長, 十軌爲里, 里有司, 四里爲連, 連有長, 十連爲鄕, 鄕有良人, 五鄕一帥. 《戰國策, 齊策》蘇秦說齊宣王曰, 齊地方二千里, 帶甲數十萬, 齊軍之良, 五家之兵, 疾如錐矢. (注) 五家之兵, 管子之制也, 管子曰, 制五家爲軌, 軌有長. 《史記, 齊太公世家》桓公旣得管仲, 與鮑叔, 隰朋, 高傒, 修齊國政, 連五家之兵.

수(首) [수효] ❶'마리'의 뜻으로, 꿩〔雉〕·고니〔鵠〕·닭〔鷄〕 따위 날짐승의 수를 세는 데 쓰는 말. 개(箇). 거(居). 과(窠). 매(枚). 시(翅). 우(羽). 익(翼). 척(隻). 핵(翮). 《三國遺事 1, 紀異, 太宗春秋公》王膳一日飯米三斗, 雄雉九首, 自庚申年滅百濟後, 除晝膳, 但朝暮而已. 然計一日米六斗, 酒六斗, 雉十首. 《高麗史 31, 忠烈王世家》二十三年二月庚申, 元改大德, 赦天下. 太后以王誕日, 賜羊四十頭, 鵠十首, 幷賜內醞, 諸王·公卿, 皆來賀. 《朝鮮世宗實錄 90, 22年7月丁巳》翌日之朝, 粟燒酒二器, 生年魚三十餘首, 生雉一十餘首, 設方射廳. 《朝鮮燕山君日記 35, 5年11月庚午》傳曰, 鷹三牌, 曠日留兎山, 而獲雉只一百, 其責三牌, 各納一百首. 《度支準折, 畜物》雄鷄一

首, 価錢五戔. 活鷄(月致)一首, 価錢三戔. 鴨子一首, 貿米二斗. 唐鴈一首, 価錢二兩, 下地木二疋. 乾致一首価, 下地木半半疋. 鶉鳥一首, 価錢八戔. ❷'마리'의 뜻으로, 소〔牛〕·말〔馬〕·삽살개〔尨〕 따위 짐승의 수를 세는 데 쓴다. 강(腔·羫). 골(骨). 구(口). 두(頭). 제(蹄). 척(隻). 투(套). 필(匹·疋). 《高麗史 27, 元宗世家》 加以四千農牛料, 一首日支五升. 《朝鮮中宗實錄 96, 36年11月丙午》 平安道內, 牛隻染病故失, 去八月十七日馳啓後, 各官所報, 熙川一百六十八首, 德川三十六首, 雲山三十二首, 龍岡三百六十七首, 甑山二十五首, 江西一百二十首, 咸從一千一百三十七首, 義州二十三首, 合一千九百九首. 《朝鮮顯宗實錄 8, 5年2月丙辰》 明川府牛·馬疫斃者, 亦一百五十餘首. 《玉樓夢, 55回》 入柴門, 二首青尨, 見容而吠, 短籬雞聲. ❸'마리'의 뜻으로, 대구(大口)·문어(文魚)·상어〔沙魚〕·청어(青魚) 따위 물고기의 수를 세는 데 쓰는 말. 개(介). 미(尾). 《朝鮮世宗實錄 31, 8年2月丙子》 玆將土宜白細綿紬一十匹……松子·黃栗·大棗各三十斗, 乾大口魚二百首, 乾青魚五百首. 《朝鮮世宗實錄 45, 11年7月癸亥》 差陪臣左軍同知摠制權蹈, 賫領赴京, 進獻……秀魚四百四十尾, 文魚二百首, 石首魚一千尾. 《朝鮮成宗實錄 100, 10年正月丁丑》 對馬州太守宗貞國, 白細苧布五匹……虎肉四十缸, 茶食十角, 沙魚二百首, 淸蜜十五瓶, 燈油十五斗, 燒酒一百瓶. ❹베개의 수를 세는 데 쓰는 말. 개(箇). 《朝鮮成宗實錄 204, 18年6月壬午》 紅白練絹一十端, 金紋枕子五十首, 朱漆椀子一十具, 小員七百枚, 黑白柄摺扇一百把, 銀朱五十包. ❺'폭(幅)'의 뜻으로, 기(旗)의 수를 세는 데 쓰는 말. 건(件). 면(面). 병(柄). 부(副). 유(旒). 조(條). 《高麗史 70, 樂志, 軒架樂器》 敔一隻, 五綵裝畫座, 幷戞子全. 麾幡一首生色, 幷竿子全. 《西遊補, 15回》 小玄旗數首飛在空中. 《儒林外史, 42回》 前日還打發人來, 在南京做了二十首大紅緞子綉龍的旗. ❻목을 벤 적수(敵首)의 수를 세는 데 쓰는 말. 과(顆). 급(級). 두(頭). 옹(顒). 《農圃集 3, 狀啓, 萬曆20年10月14日》 朴林等段, 斬首合七首乙, 品官·色吏等亦準授, 幷只函送爲遣. ❼'수'의 뜻으로, 시문(詩文)이나 가곡(歌曲)의 수를 세는 데 쓰는 말. 《三國史記 9, 新羅景德王本紀》 十五年春二月……玄宗御製書五言十韻詩, 賜王曰, 嘉新羅王歲修朝貢, 克踐禮樂名義, 賜詩一首. 《高麗史 73, 選擧志, 科目》 今界守官試選, 製術業則試, 以五言六韻詩一首, 明經則試五經各一机, 依例送京, 國子監更試, 入格者許赴擧. 《朝鮮世祖實錄 31, 9年9月甲子》 庶人耋老, 分列東西庭, 妓·工人奏樂, 以太祖詩一首, 示諸宰. 《眉巖集, 序》 今之存者十不一二, 手筆日記凡十一年, 經筵日記凡九十日, 詩凡二百八十一首, 文凡六十一首. ❽(shǒu) 중국(中國)의 단위. 실오리의 수를 세는 데 쓰는 말. 1수는 40 오리에 해당된다. 《後漢書, 輿服志 下》 凡先合單紡爲一系,

四系爲一扶, 五扶爲一首, 五首爲一文.《戰國策, 宋衞策》衞君懼. 束組三百緄, 黃金三百鎰, 以隨使者, (高誘注) 十首爲一緄也.

수(遂) [행정] 민호(民戶)의 수를 세는 데 쓰는 말. 1수는 1만 2천 5백 가(家)를 이른다.《周禮, 地官, 遂人》大喪, 帥六遂之役而致之, 掌其政令. (鄭玄注) 遂人生六遂, 若司徒之於六鄕也. 六遂之也, 自遠郊以達于畿, 中有公邑·家邑·小都·大都焉. 鄭司農云, 遂謂王國百里外.

수(銖) ① [질량] 무게의 단위. ❶ 1수는 1냥(兩)의 24분의 1이며, 기장 100알, 또는 10루(絫)에 해당된다. 본래는 한(漢)나라 때 황종조(黃鐘調)의 피리를 원기(原器)로 하였다. 이 피리 속에는 1,200알의 검은 기장이 들어가게 되어 있는데, 이 기장의 무게를 12수로 한 것이다.《朝鮮成宗實錄 35, 4年10月庚申》文帝時, 行四銖錢, 自是以後, 或輕而爲三銖, 或重而爲半兩.《說文通訓定聲》銖, 十黍之重爲絫, 十絫曰銖, 二十四銖曰兩.《孫子算經 上》稱之所起, 起于黍, 十黍爲一絫, 十絫爲一銖, 二十四銖爲一兩, 十六兩爲一斤.《漢書, 律曆志上》一龠容千二百黍, 重十二銖, 兩之爲兩, 二十四銖爲兩, 十六兩爲斤. ❷1수는 기장 96알의 무게에 해당된다.《說苑, 辨物》十六黍爲一豆, 六豆爲一銖. ❸1수는 기장 10알의 무게에 해당된다.《荀子, 富國》割國之錙銖以賂之(十黍之重爲銖). ❹1수는 조 144알의 무게에 해당된다.《淮南子, 天文訓》十二粟而當一分, 十二分而當一銖. ② [통화] (zhū) 중국(中國)의 단위. '바트(baht)'의 역어(譯語). ③ [질량] 일본(日本)의 단위. 1수는 1냥(兩)의 16분의 1에 해당된다.

수(數) ① [수] 수(數)의 단위. 일이나 물건의 수를 셀 때의 많고 적음을 나타내는 데 쓰는 말. ② [넓이] 논밭의 넓이를 헤아리는 데 쓰는 말. 1수는 900묘(畝)에 해당된다.《左傳, 襄公25年》數, 疆潦, 賈注, 疆潦之地, 九夫爲數, 五數而當一井.

수(樹) [수효] '그루'의 뜻으로, 나무의 수를 세는 데 쓰는 말. 간(竿·幹·榦). 과(科·棵·窠·顆). 근(根). 두(頭). 장(章). 정(梃). 조(条·條). 주(株).《史記, 貨殖傳》安邑千樹棗, 燕秦千樹栗.《潘岳, 橘賦》成都美其家園, 江陵重其千樹.《沈約, 郊居賦》李衡則橘林千樹, 石崇則雜果萬株.《李白, 送別詩》梨花千樹雪, 楊柳萬條煙.《王烈, 雪詩》半夜一窗曉, 平明千樹春.《徐璣, 春望詩》曉晴千樹錄, 新雨半池渾.《王太守, 自題古松圖詩》烟墨一, 螺香一炷, 寫出長松兩三樹.

수(穗 : suì) [수효] 중국(中國)의 단위. ❶곡식의 이삭이나 꽃송이의 수를 세는 데 쓰는 말.《暴風驟雨, 1部 17》一穗一穗煮熟了留到冬天吃的嫩苞米甘子.《谿上行》雨溫蓼花千穗紅. ❷술 따위 장식물의 수를 세는 데 쓰는 말.《佛日山榮長老方丈五絕 2》千株王槊攙雲立, 一穗珠旒落鏡寒.

수(繸) [수효] 실 160오리를 하나치

로 세는 데 쓰는 말. 《遺公孫弘書》五絲爲緝, 倍緝爲升, 倍升爲絨, 倍絨爲紀, 倍紀爲緵, 倍緵爲䍒. 《西京雜記 5》又贈以芻一束, 素絲一䍒, 撲滿一枚. 《徐霞客遊記, 雞山十景, 獅林靈泉》千䍒明珠孰爲深, 靈源絕頂深濬靈龕.

수(籔) [부피] 용량의 단위. 1수는 부(釜)의 2.5배(倍)이며, 구(區)의 10배, 또는 16말〔斗〕에 해당된다. 《芝峯類說 17, 雜事部, 數名》一手盛爲溢, 兩手爲掬, 掬四爲豆, 豆四爲區, 區四爲釜, 釜二有半爲籔, 籔二有半爲缶, 缶二爲鍾, 鍾二爲秉. 《小爾雅》釜二有半, 謂之籔. 《才物譜, 秋, 數》籔, 十六斗曰籔. 《事類博解, 上, 人道》十六斗爲籔. 《儀禮, 聘禮》十斗曰斛, 十六斗曰籔, 十籔曰秉.

수(sou) [통화] 프랑스(France)의 옛 통화 단위. 현재에도 관용(貫用)으로 쓰고 있다. 상팀(centime)의 5배(倍), 또는 프랑(franc)의 20분의 1에 해당된다.

수(xu) [통화] 베트남(Vietnam)의 현재 보조 통화 단위. 1수는 동(dong)의 100분의 1에 해당된다.

수동이 [질량] 광석(鑛石)의 무게를 헤아리는 데 쓰는 말. 1수동이는 10관(貫), 또는 37.5kg에 해당된다.

수두(手斗) [부피] 예전에 일본(日本)에서 쓰던 되〔升〕의 한 가지. 우리 나라의 되보다 2.7배(倍) 내지 3배 가량 크다. 《海行摠載, 姜弘重東槎錄》自來泊馬島之後, 下程饌物及一行料米, 率以五日一供, 而使臣每日各五手斗, 堂上譯官三手斗, 正官二手斗, 中官一手斗半, 下官一手斗也. 一行相議, 無論使臣與下官, 皆以一日三升計受之, 餘米還給句管倭人, 蓋欲省馬島之弊也. 所謂手斗, 卽升也, 容入我國二升七合云. 《海行摠載, 任參判丙子日本日記, 10月9日》所謂一手斗, 卽我國三升容入者也. 《通文館志 6, 下程》米, 對馬島使臣五手斗, 上上官三手斗, 上官二手斗, 中官一手斗半, 下官一手斗……江戶使臣二十六手斗, 上上官二十一手斗. 《秋官志 3, 考律部, 定制, 東萊接倭事目》運監之憑藉和水者, 每諉於二手斗加給之縮. 及入給時饋饌給賂之費, 而二手斗不足之數, 自今爲始, 以落庭二升屬之運監, 則可以優準.

수르티(surti) [음악] 고대 인도(印度)의 음정(音程) 단위. 1수르티는 1옥타브(octave)를 22등분(等分)하여 그 하나를 수르티라 한다.

수바르나(suvarna) [질량] 고대 인도(印度)의 단위. 1수바르나는 크리슈날라(krīshnala)의 80배(倍)이며, 마샤(māsha)의 16배에 해당된다. 현재의 크리슈날라는 1.875그레인(grain), 또는 122mg이기 때문에 이것에 의하여 환산하면 150그레인, 또는 9.76g에 해당된다.

수애(水挨) [조수] '무날'의 차자 표기로, 조수(潮水)의 높낮이를 헤아리는 데 쓰는 말. 초열흘을 한 무날, 보름을 여섯 무날이라 하는데, 여섯 무날이 조수가 가장 높게 밀려 온다. 《增補文獻備考 35, 輿地考, 關防, 海路, 附潮汐》初九日曰水衰, 初十日曰一水挨, 十一日曰二水挨, 十二日曰三水挨, 十三日曰四水挨, 十四日曰五水挨, 望日曰六水

挨, 號生伊(水盡生而極盛也).

수유(須臾) [수] 소수(小數)의 하나. 준순(逡巡)의 1억분(億分)의 1이며, 순식(瞬息)의 1억 배(倍), 또는 10^{-64}에 해당된다. 또는 준순의 10 분의 1 이며, 순식의 10 배, 또는 10^{-15} 라고도 한다.

수은주 미터(水銀柱 —) [압력] 1 수은주 미터는 13,595.10〔kg/m^3〕의 밀도를 가지고 있는 1 m 높이의 액주(液柱)가 가속도(加速度) 9.80665〔m/s^2〕의 중력 밑에서 그 액주의 저면(底面)에 미치는 압력을 말한다. 기호 : mHg

$$1\,mHg = 13,595.10[kg/m^3] \times 9.80665[m/s^2] \times 1[m] = 100\,cmHg = 1,000\,mmHg$$

수의 단위(數 — 單位) [수] 수(數)를 셀 때 얼마씩 묶어 놓은 것을 수의 단위라 한다. 수의 단위는 나라에 따라 많은 차이가 있으나 대개의 나라에서 사용하는 것은 10 진법(十進法)이다. 우리 나라에서는 옛날부터 1,2,3,……10 을 '하나, 둘, 셋, 넷, 다섯, 여섯, 일곱, 여덟, 아홉, 열'이라 불러 왔으나, 명수법(命數法)이 들어오면서부터는 '일, 이, 삼, 사, 오, 육, 칠, 팔, 구, 십'이라 부르며, '20, 30, 40……90'은 종래 '스물, 서른, 마흔, 쉰, 예순, 일흔, 여든, 아흔'이라 불러 왔으나, 이 또한 '이십, 삼십, 사십, 오십, 육십, 칠십, 팔십, 구십'이라 부르게 되었다. 100 은 백(百), 1,000 은 천(千), 10,000 은 만(萬)이라 하고, 만의 10 배(倍)를 십만(十萬), 100배를 백만(百萬), 1,000 배를 천만(千萬)이라 부른다. 이 이상의 수에 대한 호칭과 크기는 다음과 같다.

〈천만(千萬) 이상 수의 호칭과 크기〉

호칭	환산	호칭	환산
억(億)	10^8	정(正)	10^{40}
조(兆)	10^{12}	재(載)	10^{44}
경(京)	10^{16}	극(極)	10^{48}
해(垓)	10^{20}	항하사(恒河沙)	10^{52}
자(秭)	10^{24}	아승기(阿僧祇)	10^{56}
양(穰)	10^{25}	나유타(那由他)	10^{60}
구(溝)	10^{32}	불가사의(不可思議)	10^{64}
간(澗)	10^{36}	무량대수(無量大數)	10^{68}

〈1 보다 작은 수의 호칭과 크기〉

호칭	환산	호칭	환산	호칭	환산
분(分)	10^{-1}	사(沙)	10^{-8}	수유(須臾)	10^{-15}
리(釐)	10^{-2}	진(塵)	10^{-9}	순식(瞬息)	10^{-16}
모(毛)	10^{-3}	애(埃)	10^{-10}	탄지(彈指)	10^{-17}
사(絲)	10^{-4}	묘(渺)	10^{-11}	찰나(刹那)	10^{-18}
홀(忽)	10^{-5}	막(莫)	10^{-12}	육덕(六德)	10^{-19}
미(微)	10^{-6}	모호(模糊)	10^{-13}	공허(空虛)	10^{-20}
섬(纖)	10^{-7}	준순(逡巡)	10^{-14}	청정(淸淨)	10^{-21}

〈영·미의 수의 호칭과 크기〉

발 음	영 어	환 산
원	one	1
텐	ten	10

헌드렛	hundred	10^2
다우젠	thousend	10^3
텐 다우젠	ten thousend	10^4
헌드렛 다우젠	hundred thousend	10^5
밀리언	million	10^6
텐 밀리언	ten million	10^7
헌드렛 밀리언	hundred million	10^8
빌리언	billion	10^9(미) 10^{12}(영)
트릴리언	trillion	10^{12}(미) 10^{18}(영)
쿼드릴리언	quadrillion	10^{15}(미) 10^{24}(영)
퀸틸리언	quintillion	10^{18}(미) 10^{30}(영)
섹스틸리언	sextillion	10^{21}(미) 10^{36}(영)
셉틸리언	septillion	10^{24}(미) 10^{36}(영)
옥틸리언	octillion	10^{27}(미) 10^{48}(영)
노닐리언	nonillion	10^{30}(미) 10^{54}(영)
데실리언	decillion	10^{33}(미) 10^{50}(영)

수쿠(soekoe) [질량] 인도네시아(Indonesia)의 고유 단위. 1 수쿠는 테일(tael)의 8 분의 1 이며, 104.3 그레인(grain), 또는 6.76 g 에 해당된다

수크레(sucre) [통화] 에콰도르의 현재 통화 단위. 1 수크레는 콘도르(condor)의 25 분의 1 이며, 또는 센타보(centavo)의 100 배(倍)에 해당된다. 소극뢰(蘇克雷). 기호 : S/

숙(宿 : xiǔ) [수효] 중국(中國)의 단위. 밤〔夜〕의 수를 세는 데 쓰는 말. 〈예〉 三天兩~. 談了半~.

순(旬) [시간] ❶ 10 일(日)을 하나치로 세는 데 쓰는 말.《朝鮮成宗實錄 16, 3年3月癸亥》三所載船, 正當農月, 附近諸邑負碩軍, 大官則五六十名, 小官則三四十名, 往來數旬之間, 春耕失時, 其弊三也.《大典通編 2, 戶典, 漕轉》諸道漕·站運外, 山郡作木, 沿色賃船, 訓局船再運, 限以五月初旬, 過限則令該邑募私船裝發.《周禮, 地官, 質人》國中一旬, 郊二旬, 野三旬.《春秋繁露, 官制象天》三旬而成月, 三月而成時. ❷'순'의 뜻으로, 10년(年)을 하나치로 하여 나이를 헤아리는 데 쓰는 말.《白居易, 春夜宴席上戲贈裴淄州詩》九十不衰眞地仙, 六旬猶健亦天憐.《樂伸, 閏月定四時詩》六旬餘可借, 四序應如期.

순(巡) [수효] ❶'순'의 뜻으로, 활쏘는 경기에서, 각 사람이 각각 화살 다섯 대씩 쏘아 끝내는 한 차례. 또는 그 차례의 수를 세는 데 쓰는 말.《李忠武公全書, 設式科制試狀》今四月初六日開場, 鐵箭五矢二巡二中以上, 片箭五矢一巡一中以上, 並依軍官射例, 給分試取, 入格人一百名, 一二三等, 居鄕職·姓名·父名·年歲, 並爲別狀開錄上送.《朝鮮孝宗實錄 21, 10年2月丁丑》本學官及兼教授, 每四時各一巡, 取學生, 取講誦者十人.《受教輯錄 4, 兵典, 試取》文臣朔試射, 日長之時則以十五巡, 日短之時則以十巡, 定式.《御射古風帖》壬子十月三十日, 御射柳葉箭十巡四十九矢七十二分. ❷'순'의 뜻으로, 술자리에서 술잔을 차례로 돌리어 한 바퀴 도는 횟

수를 세는 데 쓰는 말. 편(遍).《陶山書院雲影臺川防時日記, 丙戌3月29日》每日, 都監, 招役軍坐酒一巡畢曰, 不奪農時, 國之大政, 書院顧豈不念焉, 玆事緩急, 汝輩亦和之.《紅樓夢, 54回》你也去斟一巡酒, 豈不好.《水滸傳, 24回》一連斟了三巡酒, 那婆子便去燙酒來.《醒世恒言, 佛印師四調琴娘》二人對酌, 酒至三巡. ❸'번'·'차례'의 뜻으로, 일의 횟수를 세는 데 쓰는 말.《周禮, 夏官, 掌固》晝三巡之, 夜亦如之.《左傳, 桓公12年》伐絞之役, 楚師分涉於彭. 羅人欲伐之. 使伯嘉諜之, 三巡數之. (杜預注) 巡, 徧也. (孔穎達疏) 謂巡遶徧行之.

순(盾 : dŭn) [통화] 중국(中國)의 단위. '굴덴(gulden)'의 역어(譯語).

순(純) [수효] ❶일정한 길이로 짠 피륙의 수를 세는 데 쓰는 말. 1순은 15 자〔尺〕에 해당된다.《正字通》純, 絲錦布帛一段爲一純.《淮南子, 墬形訓》里間九純, 純, 丈五尺(純, 量名也.).《戰國策, 趙策》白璧百雙, 錦繡千純.《史記, 蘇秦傳》錦繡千純. (裴駰集解) 純, 匹端名. (司馬貞索隱) 純, 音淳, 高誘注戰國策, 音屯, 屯, 束也.《史記, 張儀傳》乃以文繡千純, 婦女百人遺義渠君.《穆天子傳 3》乃執玄珪白璧, 以見西王母. 好獻錦組百純. 口組三百純. (郭璞注) 純, 疋端名也. ❷셈을 하는 횟수를 세는 데 쓰는 말.《儀禮, 鄉射禮》二算爲純. 一純以取實于左手, 十純則縮而委之. (鄭玄注) 純, 猶全也.《禮記, 投壺》卒投, 司射執算曰, 左右卒投, 請數, 二算爲純, 一純以取, 一算爲奇. (孔穎達疏) 一純以取者, 純, 全也, 二算合爲一全. (陸德明釋文) 純, 音全.

순략(純略) [과거(科擧)] 과거를 보일 때의 성적 등급의 하나. 순통(純通)·순략(純略)·순조(純粗)·불통(不通) 가운데 둘째 등급인데, 글을 외고 그 음과 새김에 대략 통하는 사람에게 이 등급을 준다.《朝鮮孝宗實錄 19, 8年7月戊申》禮曹啓曰, 京外公都會之規, 所以勸奬科業, 考較才藝……且小學考講, 例於一冊之中, 五處考講, 合四冊計之, 則二十處也. 純通則當爲四十分, 純略則當爲二十分, 純粗則當爲十四分, 四冊純粗者, 似不當參於入格之中, 而其中或有未滿十分者, 此則明是間以不通, 或不盡二十處也.

순식(瞬息) [수] 소수(小數)의 하나. 1순식은 수유(須臾)의 1억(億)분의 1, 또는 10^{-72}에 해당된다. 또는 10^{-16}이라고도 한다.

순조(純粗) [과거(科擧)] 과거를 보일 때의 성적 등급의 하나. 순통(純通)·순략(純略)·순조(純粗)·불통(不通) 가운데 셋째 등급인데, 글을 외고 그 음(音)과 새김에 조금 통하는 사람에게 이 등급을 준다.《朝鮮孝宗實錄 19, 8年7月戊申》禮曹啓曰, 京外公都會之規, 所以勸奬科業, 考較才藝……且小學考講, 例於一冊之中, 五處考講, 合四冊計之, 則乃二十處也. 純通則當爲四十分, 純略則當爲二十分, 純粗則當爲十四分, 四冊純粗者, 似不當參於入格之中, 而其中或有未滿十分者, 此則明是間以不通, 或不盡二十處也.

순통(純通) [과거(科擧)] 과거를 보일 때의 성적 등급의 하나. 순통(純通)·순략(純略)·순조(純粗)·불통(不通) 가운데 첫째 등급인데, 글을 외고 그 음(音)과 새김에 아주 정통한 사람에게 이 등급을 준다. 《朝鮮孝宗實錄 19, 8年7月戊申》 禮曹启曰, 京外公都會之規, 所以勸奬科業, 考較才藝……且小學考講, 例於一册之中, 五處考講, 合四册計之, 則乃二十處也. 純通則當爲四十分, 純略則當爲二十分, 純粗則當爲十四分, 四册純粗者, 似不當參於入格之中, 而其中或有未滿十分者, 此則明是間以不通, 或不盡二十處也.

술 [부피] '숟가락'의 뜻으로, 숟가락으로 음식물이나 약제(藥劑) 따위를 떠서 그 양을 헤아리는 데 쓰는 말. 비(匕). 시(匙).

술(術) [행정] 민호(民戶) 조직의 단위. 1술은 민호(民戶) 1천 가(家)로 조직된다. 민호 100 가를 이(里)라 하고, 이(里)의 10 배(倍)를 술이라 하였다. 《管子, 度也》 百家爲里, 里十爲術.

술렁(sulung) [넓이] 영국(英國)에서 초기에 쓰던 단위. 1술렁은 요크(yoke)의 4 배(倍)이며, 10 에이커(acre), 또는 4.3 헥타르〔ha〕에 해당된다.

쉴드(süld) [길이] 에스토니아(Estonia)의 단위. 1 쉴드는 7 피트, 또는 2.134 m 에 해당된다.

슈(schuh) [길이] 스위스의 단위. 1 슈는 11.81 인치(inch), 또는 30 cm 에 해당된다. 푸스(Fuss).

슈타프(Stab) [길이] ❶독일(獨逸)의 단위. 1 슈타프는 1 m 에 해당된다. ❷스위스(Switzerland)의 단위. 1 슈타프는 1.312 야드(yard), 또는 1.20 m에 해당된다.

슈튀브헨(Stübchen) [부피] 독일의 옛 단위. 여러 종류가 있으나 1 슈튀브헨은 약 0.96 미(美) 갤런(gallon), 또는 3.6l 에 해당된다.

슈트리히(Strich) [길이] ❶독일(獨逸)의 단위. 1 슈트리히는 1 mm 에 해당된다. ❷스위스의 단위. 1 슈트리히는 0.0118 인치, 또는 0.3 mm 에 해당된다.

스레드(thread) [길이] 영국(英國)·미국(美國)에서 무명실의 길이를 나타내는 데 쓰는 말. 1 스레드는 리(lea)의 80 분의 1 이며, 5 야드(yard), 또는 1.37 m 에 해당된다.

스칼푼드(skalpund) [질량] 스웨덴(Sweden)의 고유 단위. 1 스칼푼드는 0.937 파운드, 또는 425.1 g 에 해당된다. 스칼(skal)은 영어(英語)의 스케일(scale), 곧 '저울'의 뜻이다. 푼드(pund).

스케네(schene) [길이] 고대 이집트(Egypt)·그리스(Greece)의 단위. 지역에 따라 다소 차이가 있는데, 1 스케네는 대략 3.5~7 마일(mile), 또는 5.55~11.10 km 에 해당된다.

스케아타스(sceattas) [통화] 고대 영국(英國)의 통화 단위. 1 스케아타스는 실링(shilling)의 4 분의 1 에 해당된다.

스케인(skein) [길이] 영국(英國)·미국(美國)의 단위. 주로 면사(綿絲)의 길이를 헤아리는 데 쓴다. 1 스케인은 360 피트(feet), 또는

109.73 m 에 해당된다.

스코이니스(schoinis) [길이] 근대 그리스(Greece)의 단위. 1 스코이니스는 10 km 에 해당된다.

스콜푼(skålpund) [질량] 노르웨이(Norway)의 고유 단위. 1 스콜푼은 1.098 파운드(pound), 또는 0.4981 kg 에 해당된다.

스콜푼드(skålpund) [질량] 핀란드(Finland)의 고유 단위. 1 스콜푼드는 0.937 파운드, 또는 0.425 kg 에 해당된다.

스콧(skot) [휘도(輝度)] 1 스콧은 아포스틸브(apostilb)의 1,000 분의 1 에 해당된다.

스퀘어(square) [넓이] 영국(英國)·미국(美國)의 단위. 주로 마루·지붕·타일 등의 넓이를 재는 데 쓴다. 1 스퀘어는 100 제곱 피트 〔ft^2〕, 또는 9.29 m^2 에 해당된다.

스퀘어 데시미터(square decimeter) [넓이] '제곱 데시미터'와 같다. 기호 : dm^2

스퀘어 데카미터(square decameter) [넓이] '제곱 데카미터'와 같다. 기호 : dam^2

스퀘어 로드(square rod) [넓이] '제곱 로드'와 같다. 기호 : rd^2

스퀘어 링크(square link) [넓이] '제곱 링크'와 같다. 기호 : li^2

스퀘어 마일(square mile) [넓이] '제곱 마일'과 같다. 기호 : mil^2, mi^2

스퀘어 미터(square meter) [넓이] '제곱 미터'와 같다. 기호: m^2

스퀘어 밀리미터(square millimeter) [넓이] '제곱 밀리미터'와 같다. 기호 : mm^2

스퀘어 센티미터(square centimeter) [넓이] '제곱 센티미터'와 같다. 기호 : cm^2

스퀘어 야드(square yard) [넓이] '제곱 야드'와 같다. 기호 : yd^2

스퀘어 인치(square inch) [넓이] '제곱 인치'와 같다. 기호 : in^2

스퀘어 체인(square chain) [넓이] '제곱 체인'과 같다. 기호: ch^2

스퀘어 킬로미터(square kilometer) [넓이] '제곱 킬로미터'와 같다. 기호 : km^2

스퀘어 피트(square feet) [넓이] '제곱 피트'와 같다. 기호 : ft^2

스퀘어 헥토미터(square hectometer) [넓이] '제곱 헥토미터'와 같다. 기호 : hm^2

스크루푸(skrupuł) [질량] 폴란드(Poland)의 고유 단위. 1 스크루푸는 푼트(funt)의 384 분의 1 이며, 16.30 그레인(grain), 또는 1.056 g 에 해당된다.

스크루풀룸(scrupulum) ① [넓이] 고대 로마(Roma)의 단위. 1 스크루풀룸은 10.46 제곱 야드(yard), 또는 8.74 m^2 에 해당된다. ② [질량] 고대 로마의 단위. 1 스크루풀룸은 웅키아(uncia)의 24 분의 1 이며, 17.47 그레인(grain), 또는 1.132 g 에 해당된다. 스크리풀룸(scripulum).

스크루플(scruple) [질량] 야드·파운드법에 있어서의 약용 단위. 1 스크루플은 그레인(grain)의 20 배(倍), 또는 1.2959784 g 에 해당된다. 기호 : scr, s ap

1 scr＝20 그레인
＝1/3 약용 드램
＝1/24 약용 온스

=1.2959784 g

스크리풀룸(scripulum) [질량] '스크루풀룸(scrupulum)'의 ②와 같다.

스키브슬라스트(skibslast) [질량] 덴마크의 고유 단위. 1 스키브슬라스트는 푼(pund)의 5,200 배이며, 5,732 파운드, 또는 2,600 kg 에 해당된다.

스키푼(skippund) [질량] 덴마크의 고유 단위. 1 스키푼은 푼(pund)의 320 배(倍)이며, 352.7 파운드, 또는 160.0 kg 에 해당된다.

스킬링(skilling) [통화] 노르웨이의 옛 보조 통화 단위. 1 스킬링은 스페시달레르(speciedaler)의 120 분의 1 에 해당된다.

스타디온(stadion) [길이] ❶고대 그리스(Greece)의 단위. 1 스타디온은 185 m 에 해당된다. 이 말은 '경기장(競技場)'이란 뜻의 스타디움(stadium)에서 유래한 것이다. ❷근대 그리스의 단위. 주로 해상(海上)에서 사용되는데, 공식적으로 1 스타디온은 200 m 이고, 일반적으로는 해리의 10 분의 1, 또는 185.2 m 에 해당된다.

스타이오(staio) [부피] 이탈리아(Italia)의 옛 단위. 1 스타이오는 0.5~4.2 미(美) 부셸(bushel), 또는 18~148 *l* 에 해당된다.

스타테르(statēr) [통화] 고대 그리스 아테네(Athenae)의 단위. 처음에 1 스타테르는 은화(銀貨)로는 4 드라크메(drachmē)이었으나, 뒤에는 금화(金貨)로 바뀌면서 20 드라크메에 해당되었다.

스타테르(stater) [질량] 근대 그리스의 고유 단위. 1 스타테르는 오카(oka)의 44 배(倍)이며, 124.16 파운드, 또는 56.32 kg 에 해당된다. 스타테리(stateri).

스타테리(stateri) [질량] 근대 그리스(Greece)의 고유 단위. '스타테르(stater)'와 같다.

스타트모스(stathmos) [길이] 고대 그리스·페르시아(Persia)의 단위. 1 스타트모스는 약 16 마일, 또는 25.6 km 에 해당된다.

스타파(stopá) [길이] 러시아 우크라이나 지방의 단위. 1 스타파는 아르쿠쉬(arkush)의 480 배(倍), 또는 30.48 cm 에 해당된다. 미터법이 제정될 때까지 사용되었다.

스탄젠(stanjen) [길이] 루마니아(Rumania)의 단위. 북부의 몰다비아(Moldavia) 지방에서의 1 스탄젠은 2.44 야드, 또는 2.23 m 에 해당되고, 남부의 왈라키아(Walachia) 지방의 1 스탄젠은 2.15 야드, 또는 1.97 m 에 해당된다.

스탕(stang) [길이] 스웨덴의 단위. 1 스탕은 푀테르(fötter)의 10 배(倍)이며, 9.74 피트(feet), 또는 2.97 m 에 해당된다.

스택(stack) [부피] 영국(英國)의 단위. 주로 연료(燃料)의 양을 헤아리는 데 쓴다. 1 스택은 108 세제곱 피트〔ft^3〕, 또는 1.7698 세제곱 데시미터〔dm^3〕에 해당된다.

스탠더드(standard) [부피] ❶영국(英國)의 관습적 단위. 1 스탠더드는 165 세제곱 피트〔ft^3〕, 또는 4.672 m^3 에 해당된다. ❷미국의 단위. 1 스탠더드는 16⅔ 세제곱 피트, 또는 0.47 m^3 에 해당된다.

스탠드(stand) [질량] 영국(英國)의 옛 단위. 1스탠드는 2½~3 헌드렛웨이트(hundredweight)이며, 280～336 파운드, 또는 127.0～152.4 kg에 해당된다.

스텀파트(stirmpart) [부피] 스코틀랜드의 단위. 1스텀파트는 0.25 미(美) 펙(peck), 또는 2.27l에 해당된다. 스팀퍼트(stimpert).

스테라디안(steradian) [각도] 입체각의 크기를 나타내는 단위. 국제 단위계의 보조 단위이다. 기호 : sterad, sr

스테로(stero) [부피] 이탈리아의 단위. 주로 재적(材積)의 양을 헤아리는 데 쓴다. 1스테로는 1 m^3에 해당된다.

스테르(stère) [부피] 1스테르는 1 m^3에 해당된다. 이 말은 고체(固體)라는 뜻의 그리스어(語) 스테르(stere)에서 유래하였다.

스테칸(steekkan) [부피] 네덜란드(Netherlands)의 고유 단위. 1스테칸은 민겔렌(mingelen)의 16배(倍)이며, 4.27 영(英) 갤런, 또는 19.40l에 해당된다.

스텐(sthène) [힘] 엠 티 에스 단위계(M.T.S. 單位系)에서의 힘의 크기에 관한 단위. 프랑스(France)에서 사용한다. 1스텐은 1,000 뉴턴〔N〕에 해당된다. 기호 : sn

스텝(step) [수효] 댄스(dance)에서, 되풀이되는 발과 몸의 동작의 수를 세는 데 쓰는 말.

스토팅키(stotinki) [통화] 불가리아(Bulgaria)의 현재 통화 단위. 1스토팅키는 레프(lev)의 100분의 1에 해당된다. 사탁정기(斯托汀基).

스토파(stopa) [길이] ❶체코슬로바키아(Czechoslovakia) 보헤미아(Bohemia) 지방의 단위. 1스토파는 11.65 인치(inch), 또는 29.6 cm에 해당된다. ❷폴란드의 단위. 1스토파는 11.34 인치, 또는 28.8 cm에 해당된다. ❸유고슬라비아(Yugoslavia)의 단위. 1스토파는 크바트(khvat)의 6분의 1이며, 12.44 인치, 또는 31.6 cm에 해당된다. ❹오스트리아(Austria) 빈(Wien) 지방의 단위. 1스토파는 31.608 cm에 해당된다.

스토프(stoop) [부피] 네덜란드의 고유 단위. 지방에 따라 차이가 있으나, 1스토프는 약 2.56 미(美) 액량(液量) 쿼트(quart), 또는 2.42l에 해당된다.

스톤(stone) [질량] 야드(yard)·파운드법(pound 法)의 상용 단위(常用單位). 1스톤은 파운드의 14배(倍)이며, 쿼트(quart)의 2분의 1, 또는 6.3502940 kg에 해당된다. 본래는 잘라 낸 돌의 무게를 다는 데 사용하였으나, 그 후로는 사람의 몸무게를 나타내는 데 사용하였다. 영석(英石). 기호 : st

스톱(stop) [부피] 스웨덴의 고유 단위. 1스톱은 칸나(kanna)의 2분의 1이며, 1.38 미(美) 액량(液量) 쿼트(quart), 또는 1.309l에 해당된다.

스트라이크(strike) [부피] 영국(英國)의 지방적 단위. 1스트라이크는 1/2～4 부셸(bushel), 또는 18.2～145.5l에 해당된다.

스트랜드(strand) [재적(材積)] 미국(美國) 남부 지방의 단위. 주로 목재(木材)에 쓴다. 1 스트랜드는 8 피트(2.454 m)×4피트(1.219 m)×12 인치(30.48 cm)에 해당된다.

스트레프(streep) [길이] 네덜란드(Netherlands)의 단위. 1 스트레프는 1 mm 에 해당된다.

스트렘마(stremma) [넓이] 근대 그리스의 고유 단위. 예전의 1 스트렘마는 0.314 에이커(acre), 또는 12.7 아르〔a〕이고, 현재는 10 아르에 해당된다.

스트로크(stroke) [수효] ❶공을 치는 횟수를 세는 데 쓰는 말. ❷글자의 획수를 세는 데 쓰는 말. ❸왕복 운동 기관에서 피스톤이 기통 내의 한 끝에서 다른 끝까지 이동하는 횟수를 세는 데 쓰는 말.

스트리흐(strych) [넓이] 체코슬로바키아(Czechoslovakia)의 체코 지방의 옛 단위. 주로 곡식의 양을 헤아리는 데 썼다. 1 스트리흐는 이트로(jitro)의 2 분의 1 이며, 0.71 에이커(acre), 또는 28.78 아르〔a〕에 해당된다. 코레츠(korec).

스티에(setier) [부피] ❶프랑스(France)의 단위. 지방에 따라 다소 차이가 있는데, 1 스티에는 뮈(muid)의 36 분의 1 에 해당된다. 파리에서의 1 뮈는 268.232*l* 이다. ❷스위스(Switzerland)의 단위. 1 스티에는 8.25 영(英) 갤런, 또는 37.5*l* 에 해당된다.

스팀퍼트(stimpert) [부피] 스코틀랜드(Scotland)의 단위. '스텀파트(stirmpart)'와 같다.

스판(spann) [부피] 스웨덴의 고유 단위. 1 스판은 칸노르(kannor)의 28 배(倍)이며, 2.08 미(美) 부셸, 또는 73.28*l* 에 해당된다.

스팬(span) [길이] 영국·미국의 관용 단위. 1 스팬은 9 인치(inch), 또는 22.86 cm 에 해당된다.

스페시달레르(speciedaler) [통화] 노르웨이의 옛 통화 단위. 1 스페시달레르는 120 스킬링(skilling)이다.

스페이스 벨로시티(space velocity) [속도] 물체가 지구의 인력(引力)에 저항하며 지구 주위를 돌거나, 또는 다른 천체(天體)에 도달하는 데 필요한 속도. 또는 그 속도를 헤아리는 데 쓰는 말. 우주 속도(宇宙速度)라고도 한다.

스푼(spoon) [부피] '숟가락'의 뜻으로, 숟가락으로 음식물을 떠서 그 양을 헤아리는 데 쓰는 말.

스피타메(spithamē) [길이] 그리스의 옛 단위. 1 스피타메는 푸스(pous)의 4 분의 1, 또는 19.05 cm 에 해당된다.

스핀들(spindle) [길이] 영국·미국의 야드(yard)·파운드계(pound 系)의 관용 단위(慣用單位). 무명의 경우는 1 스핀들이 행크(hank)의 18 배(倍)이며, 15,120 야드, 또는 13,826 m 에 해당되고, 리니에르(linière)의 경우 1 스핀들은 컷(cut)의 48 배(倍)이며, 14,400 야드, 또는 13,167 m 에 해당된다.

슬러그(slug) [질량] 로켓 공학(工學) 등에서 주로 사용하는 야드(yard)·파운드법(pound 法)의 한 단위. 1 파운드의 힘을 가했을 때 장소의 변화에 관계 없이 1 ft/s² 의 가속도(加速度)가 생기는 질량을 말한다. 1 슬러그는 32.17 파운드이지만 실용적으로는 32.2 파운드로 사용된다.

습(襲) ① [수효] ❶'벌'의 뜻으로, 옷의 수를 세는 데 쓰는 말. 구(具)·대(對)·부(副·福)·사(事)·신(身)·엽(葉)·영(領)·요(腰)·전(揃)·착(著)·칭(稱)·투(套).《三國史記 6, 新羅文武王本紀》唐皇帝遣使來弔, 兼進贈紫衣一襲, 腰帶一條.《三國遺事 5, 孝善, 貧女養母》郎聞之潸然, 送穀一百斛, 郎之二親亦送衣袴一襲, 郎之千徒, 斂租一千石遺之.《高麗史 7, 文宗世家》王親臨賜酒, 仍賜輔成·顒等, 公服一襲, 幞頭二枚, 腦原茶一角.《朝鮮太宗實錄 34, 17年8月乙酉》遣知申事趙末生, 問安於兩使臣, 贈各十二升苧麻布幷二十匹……人蔘三十斤, 滿花方席·滿花寢席幷十二張, 石燈盞一事, 念珠百貫, 襦衣一襲. ❷'겹'의 뜻으로, 종이 따위로 싸거나 바르는 횟수를 세는 데 쓰는 말. 갑(甲).《高麗史 14, 睿宗世家》臣敢不祗服訓辭, 對揚休命, 緘藏十襲, 不惟傳子以及孫, 勸勉一方, 期致移風而易俗.《與猶堂全書 1, 內閣應敎詩》雙紋剌綉棲鶯腋, 十襲封函蘊麝膏, 紫袖齊眉宣異渥, 玉墀低首聽溫褒.《戎垣必備, 木筒》木筒裝藥法, 木筒卽火筒也, 巢藥五兩, 菱鐵五十箇, 枝火小撥火付結, 共八十一 枝, 以艾葉塡其空處, 使不搖動, 以蓋塞口而紋之, 以紙塗其全體四五襲, 發去之時, 恐火滅, 故兩處穿穴. ② [부피] '봉(封)'·'봉지(封紙)'의 뜻으로, 봉지에 물체를 담아 그 양을 헤아리는 데 쓰는 말. 봉(封)·봉지(封只·封紙).《三國遺事 5, 感通, 月明師, 兜率歌》王嘉之, 賜品茶一襲, 木精念珠八箇.

승(升) ① [부피] '되'의 뜻으로, 곡식·액체·가루 따위의 분량을 헤아리는 데 쓰는 말. 1승은 말〔斗〕의 10분의 1, 또는 홉〔合〕의 10배(倍)에 해당된다. 승(勝).《朝鮮宣祖實錄 89, 30年6月辛酉》盧稷曰, 中原官升則容入我國二升, 而私升則入三升矣. 上曰, 官升倍入, 私則三倍云乎.《經國大典 6, 工典, 營繕, 度量衡》量之制, 十勺爲合, 十合爲升, 十升爲斗, 十斗爲小斛(平石), 二十斗爲大斛(全石).《萬機要覽, 財用編 4, 戶曹各掌事例》量用銅斛(十勺爲合, 十合爲升, 十升爲斗). ❶곡식의 양을 헤아릴 때 쓰이었다.《三國遺事 2, 紀異, 聖德王》丁未正月初一日至七月三十日, 救民給租, 一口一日三升式, 終事而計三十萬五百碩也.《萬機要覽, 財用編 1, 供上, 大殿》飛陋小豆十三斗二升. 稷米二石一斗八升六合. 黃大豆二斗七升. 實荏子十斗八升.《度支準折, 穀物》薏苡米一升. 秫葛米一升. 黃粱米一升. 青粱米一升. 小米一升. 唐米一升. 牟米一升. 青太一升. 黃太一升. 皮木麥一升. ❷콩나물〔太菜〕·녹두나물〔菉豆菜〕·산채(山菜)·죽순(竹筍) 따위 나물의 양을 헤아릴 때 쓰이었다.《度支準折, 菜蔬》太菜一升. 黃太菜一升. 菉豆菜一升. 黃豆芽一升. 山菜一升. 竹筍一升. 黃筍一升.《進宴儀軌(高宗壬寅) 2, 饌品》箓豆菜五升. ❸누룩〔曲 : 麯〕가루·밀가루〔眞末〕·녹두가루〔菉豆末〕·찹쌀가루〔粘米末〕 따위 가루〔末〕로 된 물건의 양을 헤아릴 때 쓰이었

다. 《通文館志 5, 年例送使》生葱二十丹, 牟曲三石四斗二升, 眞曲一百七十三同. 《六典條例 5, 禮典, 奉常寺, 所管貢物》麵(每六升五合作一豆介, 重三斤), 別貿(每豆介, 價錢二錢五分). 《度支準折, 熟造作末》斜粉末一升, 價錢五戔. 菉豆末一升. 眞末一升, 貿一升五合. 上末一升, 貿米一升五合. 粘米末一升, 價錢七分. 膠末一升. 木麥末一升, 價錢八分. ❹숯의 양을 헤아릴 때 쓰이었다. 《正宗大王殯殿魂殿都監儀軌, 1房, 稟目》爐炭一石六斗四升. ❺술·옻〔漆〕·꿀〔淸〕 따위 액체의 양을 헤아릴 때 쓰이었다. 승(勝). 《新編集成馬醫方, 腎部》酒半升, 豆豉半兩, 燈心十莖, 葱白二莖. 《進宴儀軌(高宗壬寅) 2, 饌品》淸一斗六升. 《度支準折, 柒物》每柒一升(元米四石五斗, 兩米二石十斗), 貿銀五兩. 全柒一升(元米三石, 兩米一石十斗). 黃柒(一升, 價錢五戔. 一兩, 價錢二分), 一斤, 價銀十兩. 《度支準折, 鹽醬酒醋》醴酒一瓶(三盞作一句只, 三句只作一鐥, 三鐥作一瓶, 三瓶作一升), 折價九戔. ❻소금의 양을 헤아릴 때 쓰이었다. 《萬機要覽, 財用編 1, 供上, 大殿》洗淨鹽十一斗八升. 鹽七石一斗二升. 《進饌儀軌(純祖己丑) 2, 饌品》鹽一升五合. ❼청각(靑角)·우뭇가사리〔牛毛〕 따위 해초(海草)의 양을 헤아릴 때 쓰이었다. 《度支準折, 昆藿茸蕈屬》靑角一斗, 価錢五分. 牛毛一斤(一升, 重一兩, 一波拱, 一斤十二兩). 細毛一斤(一升, 重二兩一戔). 黃角一斤(一升, 重二兩八戔). ❽밤〔栗〕·잣〔栢子〕·호두〔胡桃〕·대추〔大棗〕·개암〔榛子〕·딸기〔覆盆子〕 따위 과실의 양을 헤아릴 때 쓰이었다. 《正宗大王殯殿魂殿都監儀軌, 上, 禮關》黃栗七石一斗五升. 栢子十五石十一斗六升七合. 胡桃十五石十一斗六升七合. 大棗七石一斗五升. 榛子十五石十一斗六升七合. 《萬機要覽, 財用編 1, 供上, 大殿》生栗八石. 胡桃四石. 實栢子二升. 《度支準折, 果物》大棗一升, 湖米二斗, 江米一斗五升. 黃栗一升, 作末一升五合. 榛子一升, 作實二合五夕. 覆盆子一升, 価錢一戔五分. 生栗一升, 作實五合. ❾표고(蕈古)버섯·석이(石耳)버섯 따위의 양을 헤아릴 때 쓰이었다. 《進宴儀軌(高宗壬寅) 2, 饌品》蕈古二升. 石耳末五升. 《度支準折, 昆藿茸蕈屬》眞菌一升, 価錢三分. 石耳一升, 一升重一兩五戔. 眞耳一斤, 一升重二兩一戔. 蕈古一斤, 一升重三兩六戔. ❿감장(甘醬)·간장(艮醬) 따위의 양을 헤아릴 때 쓰이었다. 《純元王后國葬都監儀軌 3, 造作》甘醬一斗四升. 《萬機要覽, 財用編 1, 中宮殿, 陳賀》 甘醬八十四石十一斗三升四合, 艮醬六石十一斗八升五合六夕. 《進宴儀軌(高宗壬寅) 2, 饌品》艮醬三升. ⓫참기름〔眞油〕·들기름〔法油〕·명유(明油)·동백기름〔冬栢油〕 따위 기름의 양을 헤아릴 때 쓰이었다. 《朝鮮成宗實錄 285, 24年12月甲申》司憲府啓, 在逃崔潘, 前任金堤郡守時……芥子二斗, 麵五十圓, 油七斗八升二合. 《昌慶宮營建都監儀軌, 實入》明油一石九斗七升五合. 《正宗大王 殯殿魂殿都監

儀軌, 1房, 實入》眞油一斗二升. 法油一斗六升五合. 《萬機要覽, 財用編 1, 供上, 大殿》法油十四斗四升. 燻火燈眞油八升. 燈眞油五升. 汴眞油七斗二升. 《度支準折, 油淸蜜》猪油一升. 冬栢油一升. ⑫새우젓〔蝦醢〕·알젓〔卵醢〕·조개·굴〔石花〕·물고기·해삼(海蔘) 따위의 양을 헤아릴 때 쓰이었다. 《萬機要覽, 財用編 1, 供上, 大殿》白蝦醢十四桶二斗一升, 卵醢十四桶二斗. 卵醢十四桶二斗一升. 生竹蛤五升. 《度支準折, 魚物》細蝦一升, 價錢三戔. 石花一升, 價錢一戔三分. 小川魚一升, 價錢一戔. 乾紅蛤(八升價, 下地木一疋, 一升, 價錢二戔), 內局. 海蔘一升(十介作一升, 重八兩半). ⑬분(粉)의 양을 헤아릴 때 쓰이었다. 《孝宗寧陵山陵都監儀軌, 都監》丁粉八斗一升. ⑭생강〔生干·生薑〕·토란(土卵)·승검초〔辛甘菜〕·개자(芥子) 따위의 양을 헤아릴 때 쓰이었다. 《關西邑誌, 龍岡縣邑誌》生干一斤, 價一戔, 二十五介爲一升. 《度支準折, 菜蔬》生薑一斤(十角作一升, 鹽干一升, 重八兩, 皮一升作實半升, 重七兩), 元米三斗. 芥子一升(湖米二斗, 江米二斗), 貿米一斗半. 土卵一升, 價米二升, 錢五分. 《進宴儀軌(高宗壬寅) 2, 饌品》辛甘草末四升. ⑮(shēng) 중국(中國)의 단위. '리터(liter)'의 역어(譯語). ② [수효] ❶'죽(竹)'의 잘못. 죽(竹)자의 초서(草書)가 승(升)자와 비슷하기 때문에 잘못 쓰여진 것이다. 《昌慶宮營建都監儀軌, 實入, 丹靑假染及縣板所入》沙磁碗一升六箇, 沙鉢十一升, 沙湯器十五升, 沙貼匙五升, 沙鍾子三升. ❷'새'의 뜻으로, 피륙의 날〔經〕의 수를 세는 데 쓰는 말. 1 승은 80 올〔縷〕에 해당된다. 새가 많고 품질이 좋은 무명은 지목(地木)이라 하고, 새가 적고 거칠어 품질이 낮은 무명은 하지목(下地木)이라 한다. 사(梭). 종(稯·綜). 총(總). 《三國史記 33, 色服志》四頭品, 幞頭只用紗絁絹布, 表衣·袴只用布……布用十二升已下. 《朝鮮成宗實錄 13, 2年12月壬申》男女衣服布帛, 至十三四升, 裳幅亦至十五六. 予惟欲民節儉, 當自身先, 自今進上表裏及衣襨, 毋過十升十一升, 帖裏毋過十四幅, 裏裳毋過十二幅, 外裳毋過十四幅, 以勵儉素之風. 《萬機要覽, 財用編 2, 收稅》三南田稅作木捧上時, 升高者爲地木, 升麁者爲下地木. 江原道田稅, 捧五升廣布, 長皆三十五尺, 嶺南火稅木, 海西蘆稅木, 幷捧地木(代錢則二兩三錢), 長皆四十尺. 《大典會通 2, 戶典, 徭賦》田稅, 綿·苧·正布, 準升數, 兩端織以靑絲, 其長三十五尺, 納尙衣院·濟用監·廣興倉. 《儀禮, 喪服》冠六升(布八十縷爲升). 《正字通》緦, 禮閒傳, 緦麻十五升……一升凡八十縷……十五升, 朝服之布, 其帽之經, 一千二百縷. ❸실오리의 수를 세는 데 쓰는 말. 1 승은 10 오리에 해당된다. 《鄒長倩, 遺公孫弘書》五絲爲𦃇, 倍𦃇爲升, 倍升爲緎, 倍緎爲紀, 倍紀爲緵. ③ [넓이] '승락지〔升落只〕'의 준말. 승락지는 '되지기'의 차자 표기이다. 《華城城役儀軌 4, 稟目》南陽鷗浦田三十二斗二升五合落, 禾利

麰一百九十三斗五升, 代錢二十九兩三分, 畓一斗七升四合落, 禾利租十五斗七升, 代錢三兩一錢四分.

승(乘) 1 [수효] ❶'대(臺)'·'량(輛)'의 뜻으로, 수레의 수를 세는 데 쓰는 말. 예전에 1 승을 말 4 마리가 끄는 4 두마차(四頭馬車) 1 대를 말하지만, 병거(兵車) 1 대를 이르기도 한다. 대(臺). 량(輛). 륜(輪).《萬機要覽, 軍政編 2, 訓鍊都監, 軍器》火車一百二十一乘.《詩, 小雅, 6月》元戎十乘, 以先啓行.《左傳, 隱公元年》具卒乘(車曰乘).《禮記, 明堂位》革車千乘.《左傳, 僖公15年》千乘三去, 三去之餘, 獲其雄狐.《孟子, 梁惠王 上》萬乘之國弑其君者, 必千乘之家, 千乘之國弑其君者, 必百乘之家. (注) 千乘, 兵車千乘, 謂諸侯也.《管子, 權修》有萬乘之號, 而無千乘之用. ❷'채'의 뜻으로, 가마의 수를 세는 데 쓰는 말. 부(部)·정(挺)·좌(坐).《瀋陽狀啓, 癸未 5月14日》正副使臣, 每一員, 原有鞍馬二匹, 今以一匹爲例……木頭箭三十枝, 雹頭箭三十枝, 悉行裁革. 原馬駕轎一乘, 傘一柄. 鹿皮七張, 硯盒一個, 孔雀尾三十束, 俱照舊.《紅樓夢, 65回》一乘素轎, 將二姐兒抬來. ❸(shèng) 중국(中國)의 단위. 대(臺)의 뜻으로, 자동차(自動車)의 수를 세는 데 쓰는 말.《大學中國語, 立秋之夜》一乘汽車來了, 三叉路口又轉起了一陣黃沙. ❹승용차(乘用車)의 정원수(定員數)를 세는 데 쓰는 말. 〈예〉 4 인~. 18 인~. ❺곱하는 횟수를 세는 데 쓰는 말.《朝鮮世祖實錄 20, 6年6月辛酉》又設曆算所, 訓導三人, 學官十人, 算書·曆經, 常時習熟, 每日置簿, 每旬取才, 考其勤慢, 勸懲鍊業, 故知算法者, 相繼而出. 彼三司之人, 則粗習乘除而已, 立方·開法, 尙未知也. 安能知三乘方·四乘方·以至九乘方之法, 與夫方程·正員·開方·釋鎖·度高·測深·重表·累矩·三望·四望·勾股·重差之法乎. ❻말〔馬〕 4 필을 하나치로 세는 데 쓰는 말.《論語, 公冶長》陳文子有馬十乘. (劉寶楠正義) 一乘, 是四匹馬. ❼'척(隻)'의 뜻으로, 배〔船〕의 수를 세는 데 쓰는 말.《宋書, 臧質傳》舫千餘乘.《陳書, 高祖本紀上》舟艦二千乘. ❽'뙈기'의 뜻으로, 논밭의 구획(區劃)을 세는 데 쓰는 말.《齊已, 題鄭郎中谷仰山居詩》簷壁層層映水天, 半乘岡壠半民田. 2 [수] ❶한 쌍, 또는 둘을 하나치로 이르는 말.《廣雅, 釋詁 4》乘, 二也.《古今韻會擧要, 徑韻》物雙曰乘.《周禮, 秋官, 掌客》乘禽日九十雙. (鄭玄注) 乘禽, 乘行群處之禽, 謂雉雁之屬. 於禮以雙爲數.《文選, 張華, 鷦鷯賦》乘居匹遊, 翩翩然有以自樂也. ❷넷을 하나치로 이르는 말.《字彙, 丿部》乘, 四數曰乘,《詩, 小雅, 鴛鴦》乘馬在廐, 摧之秣之. (陸德明釋文) 乘馬, 四馬也.《禮記, 少儀》其以乘壺酒·束脩·一犬賜人. (鄭玄注) 乘壺, 四壺也.《儀禮, 聘禮》勞者禮辭, 賓揖先入, 勞者從之, 乘皮設. (鄭玄注) 物四曰乘, 皮, 麋鹿皮也.《孟子, 離婁 下》發乘矢而後反. (趙岐注) 乘, 四也.《文選, 揚雄, 解嘲》乘雁集不爲之多, 雙鳧飛

不爲之少. (李善注) 飛鳥曰雙, 四雁曰乘. ③ [넓이] 논밭의 넓이를 헤아리는 데 쓰는 말. 1승은 64정(井), 또는 사방 16리(里)의 넓이에 해당된다. 전(甸).《禮記, 郊特牲》唯社, 丘乘共粢盛. (鄭玄注) 丘, 十六井也. 四丘, 六十四井曰甸, 或謂之乘. 乘者, 以於車賦出長轂一乘. (孔穎達疏) 丘乘者, 都鄙井田也. 九夫爲井, 四井爲邑, 四邑爲丘, 四丘爲乘. 唯祭社而使丘乘共其粢盛也.《葉適, 兵總論 1》蓋嘗慮之, 三代之丘乘, 兩漢之郡國, 管仲之內政, 隋·唐之府衞, 此古人之美名也.

승(勝) ① [부피] ❶'승(升)'의 ①과 같다. '승(勝)'은 '승(升)'의 갖은자이다.《牧民心書 13, 賑荒, 規模》案勝㪷者升斗也, 中國吏文升斗石改之爲勝㪷碩, 如一二三改之爲壹貳參, 所以防奸也. ❷'승(升)'의 ① ❺와 같다.《典論, 酒海》荊州牧劉表, 跨有南土. 子弟驕貴, 并好酒, 爲三爵, 大曰伯雅, 次曰中雅, 小曰季雅. 伯雅受七勝(升), 中雅受六勝, 小雅受五勝. ② [수효] ❶'승'의 뜻으로, 전쟁 또는 운동 경기나 바둑 따위의 승패를 가리는 경기나 대국(對局)에서 이긴 횟수를 세는 데 쓰는 말.《呂氏春秋, 首時》九戰九勝, 追北千里.《宋史, 吳璘傳》高宗曰, 此孫臏三駟之法, 一敗而二勝也. ❷명승지의 수를 세는 데 쓰는 말.《王禕, 觀三峽橋記》蘇長公云, 廬山奇勝處, 不可勝紀, 獨漱玉亭·三峽橋爲二勝. ❸'자루'의 뜻으로, 보도(寶刀)의 수를 세는 데 쓰는 말.《簡文帝, 謝敕賚善勝威勝刀啓》冰鍔含釆, 彫玟表飾, 名均素質, 神號脫光. 五寶初成, 曹丕先荷其一, 二勝今造, 愚臣總被其恩.

승(繩 : shéng) ① [수효] 중국(中國)의 단위. '꿰미'의 뜻으로, 엽전을 실이나 노끈에 꿰어 묶은 수를 세는 데 쓰는 말.《農宗》十家之市, 有泉(錢)十繩. ② [넓이] 중국의 단위. 논밭의 넓이를 헤아리는 데 쓰는 말. 1승은 42묘(畝)에 해당된다.《淸史稿, 食貨志 1》以近畿民來歸者爲莊頭, 給繩地, 一繩四十二畝.

승락(升落) [넓이] '승락지(升落只)'의 준말. 승락지는 '되지기'의 차자 표기이다.《華城城役儀軌 4, 稟目, 甲寅12月16日》廣州旺倫田六十九斗落, 禾利雉三百四十五斗, 代錢五十一兩七錢五分, 畓一斗五升落, 禾利租十五斗, 代錢三兩.

승락지(升落只) [넓이] '되지기'의 차자 표기로, 논밭의 넓이를 헤아리는 데 쓰는 말. 되지기는 볍씨 한 되로 모를 부어 낼 수 있는 논의 넓이. 또는 씨 한 되를 뿌릴 수 있는 밭의 넓이이다. 열 되지기가 한 마지기〔斗落只〕이다. 승(升). 승락(升落).《訓鍊都監重紀, 兼料色, 屯畓秩》汗坪垌畓新築垈田貳日耕, 添付次民垈貳拾捌石拾貳斗落只, 添付次民畓拾臺石拾斗參升落只.《萬機要覽, 財用編 2, 耤田》西耤田, 癸未査得田四日耕, 畓二十石十三斗九升落只(幾落云者, 謂下種如此數之地也), 合收稅正租四百二十三石五斗一升七合五夕.

시(匕) [부피] '시(匙)'와 같다.《救急簡易方諺解 1, 中風》以酒服一

匕, 日移一丈一服, 忌蒜(수레 한 술을 프러 먹고, 약 머근 ᄉᆞᅀᅵ 오라거든 ᄯᅩ ᄒᆞᆫ 복을 머고ᄃᆡ 마ᄂᆞᆯ란 먹디 말라). 《新編集成馬醫方, 諸瘡門》右等分爲末, 每藥一大匕, 麵一匕, 酢一盞, 同熬敷腫處.

시(尸) [수효] '구(具)'의 뜻으로, 시체(屍體)의 수를 세는 데 쓰는 말.

시(矢) [수효] ❶'대'의 뜻으로, 화살의 수를 세는 데 쓰는 말. 개(箇)·근(筋)·매(枚)·본(本)·조(条)·지(枝)·척(隻)·파(把)·편(編). 《李忠武公全書, 設式科別試狀》今四月初四日開場, 鐵箭五矢二巡二中以上, 片箭五矢一巡一中以上, 並依軍官射例, 給分試取, 入格人一百名, 一二三等, 居鄕職·姓名·父名· 年歲, 並爲別狀開錄上送. 《御射古風帖》壬子十月三十日, 御射柳葉箭十巡四十九矢七十二分. 第一巡, 五中八分, 邊貫邊貫貫. ❷부채살의 수를 세는 데 쓰는 말. 《三名日方物謄錄》油別扇二十矢二百十柄. 代油別扇二十矢五十柄. 白貼扇四十矢二十柄. ❸'자루'의 뜻으로, 붓의 수를 세는 데 쓰는 말. 《長物志, 筆床》有古鎏金者, 長六七寸, 高寸二分, 闊二寸餘, 上可臥筆四矢.

시(時) [수효] ❶'끼'의 뜻으로, 끼니의 수를 세는 데 쓰는 말. 돈(頓)·찬(餐). 《朝鮮太宗實錄 31, 16年6月辛酉》各道都觀察使·都節制使飯米, 每一日三升, 隨陪伴儻, 一時中米一升. 《朝鮮宣祖實錄 31, 25年10月己巳》天兵十萬, 一日兩時, 則一月之粮四萬石, 三時則六萬石. 《靑莊館全書 62, 冽上方言》錦繡衣喫一時. 言豪華不過一時也, 雖錦繡之衣, 賣之不過當一朝之食. ❷'철'의 뜻으로, 일 년을 봄·여름·가을·겨울의 넷으로 나눈 그 한 동안을 세는 데 쓰는 말. 《東醫寶鑑, 雜病篇 9, 怪疾》蛟龍瘕, 春秋二時, 龍帶精入芹菜中, 人偶食之, 得病發, 則似癎面色靑黃, 腹滿痛不可忍, 名爲蛟龍病, 取飴糖二三升, 日兩度服, 吐出如蜥蜴三五枚, 卽差. 《漢書, 匈奴傳 下》近不過旬月之役, 遠不離二時之勞. (顔師古注) 離, 歷也. 三月爲一時. 《呂氏春秋, 任地》五時見生而樹生, 見死而穫死. (高誘注) 五時, 五行生殺之時也. (陳奇猷校釋) 五時者, 春·夏·秋·冬·季夏也. 本書十二紀, 春屬木, 夏屬火, 秋屬金, 冬屬水, 而於季夏之末別出中央土一節, 是以木·火·金·水·土五行, 配屬春·夏·秋·冬四季, 卽所謂五時也. 《隋書, 王劭傳》伏願遠遵先聖, 於五時取五木以變火, 用功甚少, 救益方大.

시(匙) [부피] '숟가락'의 뜻으로, 숟가락으로 음식물이나 약제(藥劑) 따위를 떠낸 양을 헤아리는 데 쓰는 말. 시(匕). 《朝鮮文宗實錄 5, 元年正月癸丑》平安道觀察使啓……病輕氣壯人七十丸, 空心米飮呑下服藥前, 先進稷米粥一盞, 後服之良久, 量其病狀, 燒鹽或一匙或二匙, 淡粥水和飮, 後熟冷水一二鉢連飮. 《新篇集成馬醫方, 諸黃門》病重則二匙, 輕則一匙半, 調井花水一鉢.

시(翅) [수효] 일본(日本)의 단위.

새〔鳥〕 따위의 날짐승의 수를 세는 데 쓰는 말. 개(箇)·거(居)·과(窠)·매(枚)·수(首)·우(羽)·익(翼)·척(隻)·핵(翮).

시(see) [질량] 아프가니스탄의 단위. 1 시는 56.9 kg 에 해당된다.

시간(市間) [경제] 예전에 어음(於音)에 기재(記載)된 금액의 지급 기일(支給期日)을 나타낼 때 쓰는 말. 1 시간은 5 일이다.

시간(時間) [시간] ❶어떤 시각과 시각 사이, 또는 그 사이를 헤아리는 데 쓰는 말. 평균 태양일(平均太陽日)의 24 분의 1 에 해당된다. 1 시간은 60 분(分)이다. ❷예전에 하루를 십이시(十二時)로 나누었을 때의 시각과 시각 사이, 또는 그 사이를 헤아리는 데 쓰는 말. 예전의 1 시간은 지금의 2 시간에 해당된다. 《林園十六志, 鼎俎志 2, 炊餾之類, 麵》經帶麪方. 頭白麵二斤, 減一兩, 鹽二兩硏細, 新汲水破開和搜. 比捍麪劑微軟, 以拗棒拗百餘下, 停一時間許, 再拗百餘下, 捍至極薄, 切如經帶樣, 滾湯下候熟, 入涼水拔汁任意.

시경(市頃 : shìqǐng) [넓이] 중국(中國)의 단위. 1 시경은 100 시묘(市畝)이며, 6.666 헥타르〔ha〕, 또는 16.474 에이커(acre)에 해당된다.

시근(市斤 : shìjīn) [질량] 중국의 단위. 1 시근은 10 시량(市兩)이며, 킬로그램〔kg〕의 2 분의 1, 또는 500 g 에 해당된다.

시담(市擔 : shìdān) [질량] 중국의 단위. 1 시담은 100 시근(市斤)이며, 킨탈(quintal)의 2 분의 1, 또는 50.80 kg 에 해당된다.

시두(市斗 : shìdǒu) [부피] 중국의 단위. 1 시두는 10 시승(市升), 또는 1 데카리터(decaliter)에 해당된다.

시량(市兩 : shìliǎng) [질량(質量)] 중국의 단위. 1 시량은 10 시전(市錢)이며, 헥토그램(hectogram)의 2 분의 1, 또는 50 g 에 해당된다.

시루 [부피] 시루에 음식을 담아 찔 때 그 양을 헤아리는 데 쓰는 말. 시루는 쌀 등을 쩌는 데 쓰는 둥근 질그릇이다. 좌(坐).

시르(sīr) [질량] 이란(Iran)의 현재 단위. 1 시르는 74.24 g 에 해당된다.

시리(市里 : shìlǐ) [길이] 중국(中國)의 단위. 1 시리는 15 시인(市引)이며, 킬로미터〔km〕의 2 분의 1, 또는 500 m 에 해당된다.

시리(市釐 : shìlí) [1] [길이] 중국(中國)의 단위. 1 시리는 10 시호(市毫), 또는 밀리미터〔mm〕의 3 분의 1 에 해당된다. [2] [질량] 중국의 단위. 1 시리는 10 시호(市毫), 또는 데시그램(decigram)의 2 분의 1 에 해당된다.

시묘(市畝 : shìmǔ) [넓이] 중국(中國)의 단위. 1 시묘는 200 평(坪)이며, 0.1647 에이커, 또는 6.667 아르〔a〕에 해당된다.

시방척(市方尺 : shìfāngchǐ) [넓이] 중국(中國)의 단위. 1 시방척은 평방 공척(平方公尺)의 9 분의 1, 또는 제곱 미터〔m^2〕의 9 분의 1 에 해당된다.

시분(市分 : shìfēn) [1] [길이] 중국(中國)의 단위. 1 시분은 10 시리

(市釐)이며, 1자〔尺〕의 100분의 1, 또는 센티미터〔cm〕의 3분의 1에 해당된다. ② [질량] 중국의 단위. 1시분은 10시리(市釐)이며, 1근(斤)의 1,000분의 1, 또는 그램〔g〕의 2분의 1에 해당된다. ③ [넓이] 중국의 단위. 1시분은 6제곱 시장(市丈)이며, 1묘(畝)의 10분의 1, 또는 아르〔a〕의 3분의 2에 해당된다.

시사(市絲 : shìsī) ① [길이] 중국(中國)의 단위. 1시사는 센티밀리미터〔cmm〕의 3분의 1에 해당된다. ② [질량] 중국의 단위. 1시사는 10시호(市毫), 또는 밀리그램〔mg〕의 2분의 1에 해당된다.

시석(市石 : shìdàn) [부피] 중국의 단위. 1시석은 10시두(市斗), 또는 100헥토리터〔hl〕에 해당된다.

시승(市升 : shìshēng) [부피] 중국(中國)의 단위. 1시승은 10시홉〔市合〕, 또는 1리터〔l〕에 해당된다.

시 시(C.C.) [부피] 큐빅 센티미터(cubic centimeter)의 약칭. 1시시는 1세제곱 센티미터〔cm^3〕, 또는 1,000분의 1리터(liter)에 해당된다.

시 오 디(C.O.D.) [공해] chemical oxygen demand의 약어. 화학적 산소 요구량(化學的酸素要求量). B.O.D.와 같이 물의 오염도를 나타내는 기준으로서, 유기물(有機物) 등의 오염 물질을 산화제(酸化劑)로 산화시킬 때 필요한 산소의 양을 표시한다. 단위는 ppm으로 표시하며, 이 숫자가 크면 클수록 그 물의 오염도는 높다.

시인(市引 : shìyǐn) [길이] 중국(中國)의 단위. 1시인은 10시장(市丈), 또는 헥토미터〔hm〕의 3분의 1에 해당된다.

시장(市丈 : shìzhàng) [길이] 중국(中國)의 단위. 1시장은 10시자〔市尺〕이며, 데카미터(decamiter)의 3분의 1, 또는 3.3m에 해당된다.

시전(市錢 : shìqián) [질량] 중국(中國)의 단위. 1시전은 데카그램(decagram)의 2분의 1에 해당된다.

시척(市尺 : shìchǐ) [길이] 중국(中國)의 단위. 1시척은 10시촌(市寸), 또는 1m의 3분의 1에 해당된다. 주로 상거래에 쓰인다. 《黃霧》在地下控掘一個瓶形的大窟, 上口直經約一市尺, 下部直徑約五六丈.

시촌(市寸 : shìcùn) [길이] 중국의 단위. 1시촌은 10시분(市分), 또는 데시미터(decimiter)의 3분의 1에 해당된다.

시타(shita) [부피] 베트남(Vietnam)의 단위. 1시타는 14.93미(美) 갤런(gallon), 또는 56.52l에 해당된다. 타오(tao).

시토프(shtof) [부피] 러시아의 옛 액량 단위(液量單位). 1시토프는 비에드로(viedro)의 10분의 1이며, 0.325미(美) 갤런(gallon), 또는 1.23l에 해당된다. 미터법 시행 이후에 폐지되었으며, 주로 술의 양을 헤아리는 데 썼다.

시트(sheet) [수효] ❶'매(枚)'의 뜻으로, 3mm 이하의 얇은 금속판의 1톤〔t〕당(當) 매수를 세는 데 쓰는 말. ❷'장(張)'의 뜻으로, 종이나 책의 장수(張數)를 세는 데 쓰는 말. ❸'장(張)'의 뜻으로, 여러 장의 우표를 인쇄한 종이의 수를 세는 데 쓰는 말. 미국에서는 1 시트에 보통 400 매(枚)를 인쇄한다. 우리 나라에서는 보통 우표 100 매, 기념 우표 200 매를 한 장에 인쇄한다.

시티오(sitio) [넓이] 멕시코의 고유 단위. 1 시티오는 파네가(fanega)의 492.28 배(倍)이며, 4,338.18 에이커(acre), 또는 1,755.61 헥타르〔ha〕에 해당된다.

시합(市合 : shìhé) [부피] 중국(中國)의 단위. 1 시합은 10 시작(市勺), 또는 1 데시리터〔dl〕에 해당된다.

시호(市毫 : shìháo) 1 [길이] 중국(中國)의 단위. 1 시호는 10 시사(市絲), 또는 데시밀리미터(deci-millimeter)의 3 분의 1 에 해당된다. 2 [질량] 중국(中國)의 단위. 1 시호는 10 시사(市絲), 또는 센티그램〔cg〕의 2 분의 1 에 해당된다.

식(式) [수효] '벌'·'세트'의 뜻으로, 옷·연장·그릇 따위의 여러 개가 한데 모여서 갖추어진 덩이를 세는 데 쓰는 말. 조(組).

식(息) 1 [길이] 거리를 헤아리는 데 쓰는 말. 1 식은 30 리(里)에 해당된다. 주척(周尺)으로 6 자〔尺〕를 1 보(步), 350~360 보를 1 리(里), 30 리를 1 식 또는 1 식정(息程)이라 한다. 식정(息程). 《朝鮮太宗實錄 28, 14年10月丁亥》罷堠子, 戶曹啓, 本國境內道路息數, 遐邇不同, 凡差遣及納貢限期. 難以預定, 請依古制, 尺量十里置小堠, 三十里置大堠, 爲一息. 從之. 《朝鮮明宗實錄 15, 8年7月乙卯》臣等伏見全羅右水使金景錫啓本, 則追逐漂流之倭船, 接戰於四十餘息之程, 儻或遇颶風舟楫失利, 則後雖噬臍不可及. 《受敎輯錄 2, 戶典, 雜令》各道途里息數, 依中朝例, 周尺量度, 六尺爲一步, 三百六十步爲一里, 三十里爲一息. 《增補文獻備考 91, 樂考, 度量衡》測量尺. 十釐爲分, 十分爲一周尺(六寸六分), 六尺爲一步, 十尺爲一間, 一百尺爲一鏈. 二千一百尺爲一里(卽三百五十步), 三十里爲一息. 泰西米突, 則一米突準我五尺. 2 [시간·수효] 숨을 한 번 쉬는 동안. 또는 그 횟수를 세는 데 쓰는 말. 국악(國樂)에서는 사람의 맥박과 호흡을 기준으로, 맥박이 6 번 뛰는 동안에 1 번 호흡하는 것을 1 식이라 한다. 《玆山魚譜 3, 雜類, 海禽》鸕鷀, 俗名烏知, 大如雁. 色如烏……齒如刀, 足如鳧, 沒水取魚, 能數十息不出, 又絶有力, 眞魚之鷹也. 《初學琴譜》·《雲笈七籤 105》閉氣九息, 咽液几過, 叩齒九通. 3 [넓이] '식경(息耕)'의 준말. 《訓鍊都監重記, 兼料色, 屯畓秩》上秩拾陸日參息耕, 每息稅租貳斗式. 4 [수효] ❶자식(子息)의 수를 세는 데 쓰는 말. 《新唐書, 源乾曜傳》請出二息補外, 以自近始, 由是, 公卿子弟, 皆出補外. ❷짐승의 새끼의 수를 세는 데 쓰는 말. 《典律通補 4, 兵典, 廐牧》各牧場馬, 以三雌一息(牛兩雌一息)例, 分春秋捧上.

식(絨) [수효] 실오리의 수를 세는 데 쓰는 말. 1 식은 20 오리에 해당된다.《鄒長倩, 遺公孫弘書》五絲爲䋰, 倍䋰爲升, 倍升爲紨, 倍紨爲紀, 倍紀爲緵, 倍緵爲襚.

식(飾) [수효] 술잔·찻잔 따위를 받치는 접시같이 생긴 그릇의 수를 세는 데 쓰는 말.《通文館志 6, 交隣, 京外路資》大刀·長刀·鎧各二十, 屛風二十雙, 銀臺子二飾, 臺子二飾.《通文館志 6, 交隣, 回答國書》若君別幅, 臺子諸具五飾, 八丈紬二百端, 越前綿五百把, 年月以下同上例.

식경(息耕) [넓이] 논밭의 넓이를 어림으로 헤아리는 데 쓰는 말. 1 식경은 한 참만에 갈 만한 넓이라는 뜻으로, 하루갈이를 여섯으로 나눈 가운데 그 하나를 이르는 말이다. 식(息).《訓鍊都監重記, 兼料色, 屯畓秩》高城三日浦內坪新築垌, 水稅所玖拾貳日柒息耕.《海東竹枝, 中, 金光草》金光草. 產於廣州郡金光里. 三十年前, 兪鎭洛家所屬垈田, 不過一息耕, 葉長不過五寸, 乾別葉厚而潤, 烟淸灰白, 吸者不知, 過門外者, 已聞其甘香, 觸鼻甚佳絕.

식정(息程) [길이] '식(息)'의 [1]과 같다.《朝鮮中宗實錄 25, 11年5月庚戌》柳順汀爲兵使時, 使不得結幕於一息程, 而時火其幕.

신(申) [수효] '번'·'차'·'회'의 뜻으로, 일의 횟수를 세는 데 쓰는 말.《史記, 孫子傳》約束旣布, 乃設鈇鉞, 卽三令五申之, 於是鼓之右, 婦人大笑, 孫子曰, 約束不明, 申令不熟, 將之罪也, 復三令五申而鼓之左.《張衡, 東京賦》三令五申, 示戮斬牲. (注) 善曰, 尹文子曰, 將戰, 有司讀誥誓, 三令五申之, 旣畢.《杜光庭, 川主太師南斗大醮詞》玉律金科, 慮爽重輕之信, 五申三令, 慚乖訓撫之宜.

신(身 : shēn) [수효] 중국(中國)의 단위. '벌'의 뜻으로, 옷의 수를 세는 데 쓰는 말. 구(具)·대(對)·부(副·福)·사(事)·습(襲)·엽(葉)·영(領)·요(腰)·전(揃)·착(著)·칭(稱)·투(套).《當代中國短篇小說選, 王文興的黑衣》原來她怕你, 她說她怕你穿的這一身黑衣服, 客人們聽後都笑了.

신제르(sinjer, singer) [길이] 에티오피아(Ethiopia)의 고유 단위. 시대에 따라 다소 차이가 있는데, 1 신제르는 대략 9 인치(inch), 또는 23 cm 에 해당된다.

신편사(新便士 : xīnbiànshì) [통화] 중국(中國)의 단위. '펜스(pence)'의 역어(譯語).

실(室) [1] [수효] ❶'채'·'호(戶)'의 뜻으로, 집이나 건물의 수를 세는 데 쓰는 말. 가(架·家)·구(區)·당(幢)·동(棟)·소(所)·우(宇)·원(院)·장(爿)·전(廛)·좌(坐·座)·진(進).《朝鮮正祖實錄 3, 元年正月丁丑》敎曰, 朝廷之彥, 未必皆賢, 草野之人, 未必皆愚, 版築釣璜之賢, 固未易論, 而孔子曰, 十室之邑, 必有忠信, 我國地方雖褊小, 千里封疆, 旣非十室地比, 則亦豈無山林之間, 讀書之士, 韞櫝而待價者乎, 諸道道薦之制, 卽周官鄕擧里選之意.《左傳, 宣公15年》晉侯賞桓子狄臣千室.《後漢書, 循吏傳贊》一夫得情, 千室鳴絃.《任昉, 爲齊明帝作相讓宣城郡公1, 表》功均一

匡, 賞同千室.《抱朴子, 用刑》天下欲反, 十室九空.《舊唐書, 蕭遘傳》中原士庶, 與賊血戰, 肝腦塗也, 十室九空. ❷방(房)의 수를 세는 데 쓰는 말. 영(楹).《三國遺事 2, 紀異, 駕洛國記》王后爰處中宮, 勅賜媵臣夫妻私屬, 空閑二室分入, 餘外從者以賓館一坐二十餘間, 酌定人數區別安置.《春官通考 24, 吉禮》正殿五室(退幷二十八間). ② [조직] 행정 조직(行政組織)의 하나로, 기관에 딸린 부서(部署)의 수를 세는 데 쓰는 말.

실링(Schilling) [통화] 오스트리아(Austria)의 현재 통화 단위. 1 실링은 그로셴(Groschen)의 100 배(倍)에 해당된다. 선령(先令). 기호 : S

실링(shilling) [통화] ❶영국(英國)·아일랜드(Ireland)·자메이카(Jamaica)·말라위(Malawi)·나이지리아(Nigeria)의 현재 사용하는 보조 통화 단위. 1 실링은 파운드(pound)의 20 분의 1, 또는 펜스(pence)의 12 배(倍)에 해당된다. 선령(先令). ❷케냐(Kenya)·소말리아(Somalia)·탄자니아(Tanzania)·우간다(Uganda)의 기본 통화 단위. 1 실링은 센트(cent)의 100 배에 해당된다. 선령(先令).

심(審) [수효] ❶소송(訴訟)에서, 심판(審判)을 받는 횟수를 세는 데 쓰는 말. ❷(shěn) 중국의 단위. 깃털의 수를 세는 데 쓰는 말. 1 심은 10 매(枚)에 해당된다. 또는 '줌'의 뜻으로 쓰이기도 한다.《周禮, 地官, 羽人》十羽爲審 (古人徵羽爲旌旄之飾, 弓箭之用, 審一束也), 百羽爲摶, 十摶爲縳. (鄭玄注) 審·摶·縳, 羽數束名也.

심(尋) [길이] ❶중국(中國) 주대(周代 ; B.C. 1122~B.C. 256) 이전부터 사용되던 단위. 1 심은 8 자〔尺〕에 해당된다.《三國史記 6, 新羅文武王本紀》絹布舊以十尋爲一匹, 改以長七步, 廣二尺爲一匹.《才物譜, 秋, 數》尋, 八尺曰尋.《字類註釋, 物類, 名數》尋, 八尺曰尋, 倍尋曰常.《左思, 吳都賦》擢本千尋, 垂蔭萬畝.《劉禹錫, 西塞山懷古詩》千尋鐵索沉江底, 一片降旛出石頭.《林則徐, 輿縴詩》一綫劃開雲徑曉, 千尋曳入洞天秋. ❷일본(日本)의 단위. ㉮'길'의 뜻으로, 길이를 헤아리는 데 쓰는 말. ㉯'발'의 뜻으로, 새끼나 끈 따위의 길이를 헤아리는 데 쓰는 말.

심(浔 : xún) [길이] 중국(中國)의 단위. 해심(海浔)의 옛 이름. 1 심은 해리(海里)의 1,000 분의 1 에 해당된다. 주로 물의 깊이를 헤아리는 데 쓴다.

심(seam) [부피] 영국(英國)의 옛 단위. 1 심은 8 부셸(bushel), 또는 0.29095 m^3 에 해당된다.

십(十) [수] 십진법(十進法)에 있어서 1 의 바로 위의 단위. 아홉에 하나를 더한 수이다. 십(拾).《國朝五禮儀序禮 1, 吉禮, 度圖說》度之制, 十釐爲分, 十分爲寸, 十寸爲尺, 十尺爲丈. 以周尺准黃鍾尺, 則周尺長六寸六釐. 以營造尺准黃鍾尺, 則長八寸九分九釐. 以造禮器尺准黃鍾尺, 則長八寸二分三釐, 以布帛尺准黃鍾尺, 則長一尺三寸四分八釐.《芝峯類說 17, 雜事部, 數名》

按, 十黍曰參, 六十四黍曰圭, 四圭曰撮, 千二百黍曰龠, 十龠曰合, 十合曰升, 十升曰斗, 十斗曰斛. 或云, 十撮爲抄, 十抄爲勺, 十勺爲合.

십(什) [군사] 군대 편제의 하나. 1십은 2오(伍), 또는 10명으로 조직된다. 《周禮, 天官, 宮正》會其什伍而教之道藝. (鄭玄注) 五人爲伍, 二伍爲什. 《漢書, 平帝紀》(顏師古注) 軍法, 五人爲伍, 二伍爲什.

십(拾) [수] '십(十)'과 같다. '십(十)'의 갖은자이다. 《田制詳定所遵守條畫》定爲每等量尺之長, 以備後日改量之用(尺有長短, 而皆以實積壹尺爲把, 拾尺爲束, 百尺爲負, 千尺爲拾負, 萬尺爲一結). 《正字通, 手部》拾, 今官文書防僞竄, 借爲數目字. 《卍齋瑣錄 1》拾, 今以代十.

십극(十克 : shíkè) [질량] 중국의 단위. '데카그램(decagram)'의 역어(譯語). 1십극은 10 g에 해당된다.

십미(十米 : shímǐ) [길이] 중국의 단위. 데카미터(decamiter)'의 역어(譯語). 1십미는 10 m에 해당된다.

십승(十升 : shíshēng) [부피] 중국의 단위. '데카리터(decaliter)'의 역어(譯語). 1십승은 10l에 해당된다.

쌈 [수효] ❶바늘 24개를 하나치로 세는 데 쓰는 말. 척(隻)·첩(帖)·포(包). ❷피륙을 다듬기 알맞은 분량으로 싸 놓은 덩이를 세는 데 쓰는 말. ❸금 100냥쭝을 하나치로 헤아리는 데 쓰는 말.

쌍(雙) [1] [수효] ❶'쌍'의 뜻으로, 가축이나 짐승의 암수를 하나치로 세는 데 쓰는 말. 《朝鮮太宗實錄 16, 8年8月丙子朔》賜以大藏經一部, 懶翁畫像中鍾一事, 紅墨·氈帽·虎豹皮·雌雄羔二雙, 鴿五對, 鞍子一面. ❷'쌍'의 뜻으로, 둘씩 짝을 이룬 물건의 수를 세는 데 쓰는 말. 《高麗史 30, 忠烈王世家》白銀滿鏤鍍金臺盞一雙. 《朝鮮世宗實錄 41, 10年8月庚辰》大護軍尹重富, 進畫龍簇一隻, 唐太宗昭陵圖簇一雙. 《朝鮮成宗實錄 204, 18年6月甲申》帖金屛風一雙, 畫鶴松黑漆鞘柄大刀一十把, 螺帖柄鐩子一十把. 《通文館志 3, 方物數目》生栗十斗, 大棗十斗, 銀香盒一事, 畫龍燭一雙. ❸'쌍'의 뜻으로, 날짐승의 암수를 하나치로 세는 데 쓰는 말. 《三國遺事 2, 紀異, 興德王》未幾有人奉使於唐, 將鸚鵡一雙而至, 不久雌死, 而孤雄哀鳴不已. 《高麗史 30, 忠烈王世家》元遣江南千戶陳勇等, 載米二十艘來, 又獻鸚鵡一雙, 其他土物甚多. 《朝鮮文宗實錄 4, 卽位年10月丁丑》且獻不腆方物, 大刀二振……更望狗子二匹, 栗鼠二匹, 鵝兒一雙, 白鴨一雙, 豹皮五枚, 花席十張, 付回价來. ❹'켤레'의 뜻으로, 신 한 쌍을 하나치로 세는 데 쓰는 말. 《朝鮮太宗實錄 16, 8年10月庚子》每人暖帽一箇, 暖靴一雙, 厚緜衣三件內, 綿大襖一件, 裙一件, 袴一件. 《朝鮮世祖實錄 11, 4年2月庚寅》判院事權擥, 彩段衣一領, 靴一雙. 《眉巖集 14, 丙子 10月13日》中官以紅袱二, 裹紅𧝡帖裹一

事, 白綿紬裹肚一事, 黑靴一雙, 置於臣希春前. ❺'매'의 뜻으로, 젓가락 한 쌍을 하나치로 세는 데 쓰는 말. 《朝鮮太宗實錄 34, 17年7月庚午》黃儼遣伴人, 獻沙糖一器, 衿錦一段, 象筋二十雙. 《朝鮮世宗實錄 8, 2年4月丁巳》贈使臣鍍金小象佛二軀, 鍮鉢二雙, 鍮筋四十二雙, 鍮匙二, 馬尾網巾二. 《度支準折, 雜種貿易》鍮隅筯一雙, 価錢一戔. 鍮筯一雙, 価錢一戔. 柒木箸一雙, 価錢二分. ② [넓이] (shuāng) 중국(中國)의 단위. ❶토지 면적의 단위. 1쌍의 넓이는 5묘(畝)·50묘·4묘·2묘 등 지역에 따라 그 넓이가 각기 달랐다. 《正字通》溫庭筠詩, 招客先開四十雙. 王弇州注, 雙, 五畝也, 四十雙, 二百畝也. 或曰, 唐書南詔傳, 官爲田, 四雙爲二百畝……又陶九成輟耕錄謂, 一雙爲四畝, 佛地以二畝爲一雙. ❷땅의 넓이를 헤아리는 데 쓰는 말. 1쌍은 하루갈이 정도의 넓이이다. 《雲南雜誌》雲南俗, 耕田, 三人使二牛, 前牽, 中壓, 後驅犂, 一日爲一雙.

아(牙 : yá) [수효] 중국(中國)의 단위. ❶'조각'의 뜻으로, 물건의 아주 작은 부분의 수를 세는 데 쓰는 말. 〈예〉一～兒西瓜. ❷'가닥'·'묶음'·'토리'의 뜻으로, 묶음으로 된 물건의 수를 세는 데 쓰는 말. 《水滸全傳, 57回》衆人看徐寧時, 果是一表好人物, 六尺五六長身體, 團團的一個白臉, 三牙細黑髭髯, 十分腰細膀闊.

아(兒) [수효] ❶'마리'의 뜻으로, 짐승의 수를 세는 데 쓰는 말. 《朝鮮世宗實錄 49, 12年8月辛未》命知中事許誠問安于兩使臣, 昌盛書示進獻物數, 海靑等鷹五十連, 豹子三十兒, 騸狗六十隻, 魚蝦海味鮓六十壜, 礪石三十塊. ❷일본(日本)의 단위. '명'의 뜻으로, 어린아이의 수를 세는 데 쓰는 말.

아(椏) [수효] 식물의 줄기나 가지의 수를 세는 데 쓰는 말. 《本草綱目, 淫羊藿》集解, 時珍曰, 高一二尺, 一莖二椏, 一椏三葉, 葉長二三寸, 如杏葉及豆藿.

아게이트(agate) [인쇄] 미국에서 활자(活字)의 크기를 나타내는 데 쓰던 말. 1아게이트는 약 5.5포인트(point), 곧 0.35146 mm에 해당된다. 1886년 포인트제(制)가 채용되기 이전에 사용하였다.

아고락(阿高洛 : āgāoluò) [통화] 중국의 단위. '아고로트(agorot)'의 음역(音譯).

아고로트(agorot) [통화] 이스라엘(Israel)의 현재 보조 통화 단위. 1아고로트는 셰켈(shekel)의 100분의 1에 해당된다. 아고락(阿高洛).

아기라게(aguirage) [질량] 기니(Guinea)의 고유 단위. 1아기라게는 벤다(benda)의 16분의 1이며, 아케이(akey)의 3배(倍), 61.88그레인(grain), 또는 4.01 g에 해당된다.

아누카비에트(anukabiet) [길이] 태국(泰國)의 고유 단위. 1아누카비에트는 와(wah)의 768 분의 1 이며, 0.103 인치(inch), 또는 0.26 cm 에 해당된다.

아다르메(adarme) [질량] 스페인(Spain)·멕시코(Mexico)의 고유 단위. 1 아다르메는 온사(onza)의 16 분의 1 이며, 27.74 그레인, 또는 1.797 g 에 해당된다.

아다카(adhaka) [부피] 고대 인도(印度)의 단위. 1 아다카는 드로나(drona)의 4 분의 1 이며, 4.4 미(美) 액량(液量) 쿼트(quart), 또는 약 4.1l 에 해당된다.

아돌리(adoulie) [부피] 인도(印度)의 봄베이(Bombay) 지방의 옛 단위. 1 아돌리는 파라(parah)의 16 분의 1 이며, 미(美) 펙(pec)의 4 분의 3, 또는 6.82l 에 해당된다.

아드파오(adpao) [질량] 인도(印度)의 고유 단위. 지방에 따라 다소 차이가 있는데, 대략 1 아드파오는 약 0.246 파운드(pound), 또는 112 g 에 해당된다.

아디(ady) [길이] 인도(印度)의 고유 단위. 1 아디는 10.46 인치, 또는 26.6 cm 에 해당된다.

아라텔(arratel) [질량] 브라질의 고유 단위. 1 아라텔은 1.012 파운드, 또는 459.036 g 에 해당된다. 리브라(libra).

아란사다(aranzada) [넓이] 스페인(Spain)의 고유 단위. 1 아란사다는 6,400 제곱 바라(vara)이며, 44.72 아르〔a〕, 또는 1.105 에이커(acre)에 해당된다.

아로바(arroba) ① [부피] 스페인(Spain) 및 주변 제국(諸國)의 고유 단위. 지역에 따라 다소 차이가 있는데, 대략 1 아로바는 12.56l, 또는 16.14l 에 해당된다. ② [질량] ❶스페인·멕시코 등 스페인계(系)의 단위. 1 아로바는 25.36 파운드(pound), 또는 11.51 kg 에 해당된다. ❷포르투갈(Portugal)·브라질(Brazil) 등 포르투갈계(系)의 단위. 1 아로바는 32.38 파운드, 또는 14.69 kg 에 해당된다.

아로바 메트릭(arroba metric) [질량] 브라질(Brazil)의 단위. 1 아로바 메트릭은 15.000 kg 에 해당된다.

아르(are) [넓이] 미터법에 의한 넓이의 단위. 제곱 미터의 보조 계량 단위로, 1 아르는 100 제곱 미터에 해당된다. 안(安). 알(戞). 기호 : a

1 a＝100 m²
≒30.25 평(坪)
≒1.008333 묘(畝)

아르다브(ardabb) [부피] 이집트 등 아랍권(圈)의 액량(液量) 단위. 나라에 따라 다소 차이가 있는데, 대략 1 아르다브는 4 쿼트(quart)에서 8 부셸(bushel), 또는 4～280l 에 해당된다. 건량 단위(乾量單位)로는 약 198l 에 해당된다.

아르신(arshin) [길이] 러시아·우크라이나(Ukraina)의 고유 단위. 미터법을 사용할 때까지 사용하였다. 1 아르신은 16～17 세기에는 27 듀임(dyujm), 18 세기부터는 28 듀임이었다. 미터법으로는 약 28 인치(inch), 또는 71.12 cm 에 해당된다.

아르신(aršin) [길이] 터키·이란·아프가니스탄(Afghanistan)의 단위. 지역에 따라 다소 차이가 있는 데, 대략 1 아르신은 26~42 인치, 또는 66.04~106.6 cm 에 해당된다. 터키에서는 미터법 시행 후 1 m 로 하였다.

아르쿠쉬(arkush) [길이] 러시아의 고대 단위. 스타파(stopá)의 480 분의 1. 약 0.635 mm.

아르타바(artaba) [부피] ❶고대 아라비아(Arabia)·아시리아(Assyria)·칼데아(Chaldaea)·이란의 단위. 1 아르타바는 17.44 미(美) 갤런(gallon), 또는 66.0l 에 해당된다. ❷고대 이집트의 단위. 1 아르타바는 1.10 미(美) 부셸, 또는 38.8l 에 해당된다.

아르팡(arpent) [넓이] ❶프랑스의 단위. 지방에 따라 다소 차이가 있는데, 51.07 아르〔a〕, 42.2 아르, 34.2 아르의 여러 종류가 있었다. ❷벨기에(België)의 단위. 1 아르팡은 168.84 아르에 해당되었다.

아름 ① [부피·수효] 땔나무나 장작 따위를 두 팔로 껴안은 양. 또는 그 수를 세는 데 쓰는 말. ② [길이] 두 팔로 껴안아 그 길이를 헤아리는 데 쓰는 말. 공(拱)·누(摟)·위(韋·圍).

아리엔소(arienzo) [질량] 스페인(Spain)의 고유 단위. 1 아리엔소는 리브라(libra)의 2,304 분의 1 이며, 3.08 그레인(grain), 또는 199.58 mg 에 해당된다.

아무눔(amunum) [부피] 스리랑카(Sri Lanka)의 단위. 1 아무눔은 파라(parah)의 8 배이며, 5.8 미 부셸, 또는 203.4l 에 해당된다.

아바스(abbās) [질량] 이란(Iran)의 고유 단위. 1 아바스는 2.25 그레인(grain), 또는 0.146 g 에 해당된다. 주로 진주(眞珠)의 무게를 헤아리는 데 쓴다.

아바시(abbasi) [통화] 아프가니스탄(Afghanistan)의 단위. 1926년 이전에 보조 통화 단위로 쓰였다. 1 아바시는 파이사(paisa)의 30 배(倍)에 해당되었다.

아바시(abbāsī) ① [질량] 이란의 고유 단위. 1 아바시는 세르(ser)의 5 배(倍)이며, 0.81 파운드, 또는 369 g 에 해당된다. ② [통화] 이란의 현재 통화 단위. 1 아바시는 디나르(dinar)의 20 배(倍), 또는 리알(rial)의 5 분의 1 에 해당된다.

아보(avo) [통화] 마카오의 현재 보조 통화 단위. 1 아보는 파타카(pataca)의 100 분의 1 에 해당된다.

아부코(abucco) [질량] 미얀마의 고유 단위(固有單位). 지방에 따라 다소 차이가 있는데, 1 아부코는 0.42~0.46 파운드(pound), 또는 0.19~0.21 kg 에 해당된다.

아부한니(阿富汗尼 : āfùhànní) [통화] 중국(中國)의 단위. '아프가니(afghani)'의 음역(音譯).

아브다트(abdat) [길이] 이집트의 옛 단위. 지방에 따라 다소 차이가 있는데, 1 아브다트는 3.6~4.9 인치, 또는 9.1~12.5cm 에 해당된다.

아사리온(assarion) [통화] 고대 로마(Roma)의 단위인 아스(as)를 신약(新約)에서 고쳐 부른 이름. 당시에는 참새구이집 등에서 참새 2 마리를 1 아사리온에 팔았으며, 2 아사리온을 내면 참새 1 마리를 덤으로 주었다 한다. 《누가복음, 12 장, 6 절》 참새 다섯이 아사리온 둘에 팔리는 것이 아니냐.

아숨브레(azumbre) [부피] 스페인(Spain)의 카스티야(Castilla) 지방과 콜롬비아(Colombia)·파나마(Panama)의 고유 단위. 1 아숨브레는 2.13 미(美) 액량(液量) 쿼트(quart), 또는 2.016l 에 해당된다.

아스(as) ① [통화] 고대 로마의 단위. 청동 화폐(靑銅貨幣)로서 처음에는 10 웅키아(uncia)의 중량이었으나, 기원전(紀元前) 269년에 은화가 주조되었을 때에는 4 웅키아, 기원전 217년에는 1 웅키아로 가치가 하락되었다. 초기에는 1 아스가 272 g 이었으나, 뒤에 가서는 27.2 g 에 해당되었다. ② [질량] 고대 로마(Roma)의 단위. 1 아스는 0.722 파운드(pound), 또는 327.49 g 에 해당되었다. 리브라(libra). 폰두스(pondus).

아스바(assbaa) [길이] 고대 아라비아(Arabia)의 단위. 1 아스바는 피트(feet)의 16 분의 1 이며, 0.79 인치(inch), 또는 2.007 cm 에 해당된다.

아스타(asta) [길이] 말레이시아 반도(半島)의 말라카(Malacca) 지방의 고유 단위. 1 아스타는 17.99 인치〔in〕, 또는 45.7 cm 에 해당된다.

아승기(阿僧祇) [수] 십진급수(十進級數)의 하나. 1 아승기는 항하사(恒河沙)의 1만 배(倍), 무량수(無量數)의 1만분의 1에 해당된다. 〈산법통종 (算法統宗)〉에서는 10^{104}로 하고 있으나, 문헌에 따라 10^{56}으로 기록한 곳도 있다. 《金剛經新注》 阿僧祇翻無數時

아우라르(aurar) [통화] 아이슬란드(Iceland)의 현재 보조 통화 단위. 1 아우라르는 크로나(krŏna)의 100 분의 1 에 해당된다. 오랍(奧拉).

아우레우스(aureus) [통화] 고대 로마의 단위. 기원전(紀元前) 49년에 시저(C. Julius Caesar; B.C. 100～B.C. 44)가 주조한 금화로, 1 아우레우스는 세스테르티우스(sestertius)의 100 배(倍)에 해당되었다.

아우루레(aurure) [넓이] 고대(古代) 이집트(Egypt)의 단위. 1 아우루레는 27.4 아르〔a〕에 해당된다.

아유타(ayuta) [수] 고대 인도(印度)의 단위. 1 아유타는 코티(koṭi)의 100 배(倍)에 해당된다. 1 코티가 1천만 또는 1억(億)이기 때문에 1 아유타는 10억 또는 1백억이 된다.

아이머(Eimer) [부피] 독일(獨逸)의 옛 단위. 시대와 지방에 따라 다소 차이가 있는데, 1 아이머는 약 29～307l 에 해당된다.

아이언(iron) [길이] 미국(美國)에서 관습적으로 피혁(皮革)에 쓰는 단위. 1 아이언은 인치(inch)의 48 분의 1, 또는 약 0.53 mm 에 해당된다.

아카에나(acaena) ① [넓이] 고대 그리스의 단위. 1 아카에나는 11 제곱 야드〔yd^2〕, 또는 9.197 m^2 에 해당된다. ② [길이] 고대 그리스의 단위. 1 아카에나는 10 피트(feet), 또는 3.048 m 에 해당된다.

아케이(akey) [질량(質量)] 기니(Guinea)의 고유 단위. 1 아케이는 아기라게(aguirage)의 3 분의 1 이

며, 벤다(benda)의 48분의 1, 20.63 그레인(grain), 또는 1.337 g 에 해당된다.

아케타불룸(acetabulum) [부피] 고대 로마(Roma)의 단위. 1 아케타불룸은 헤미나(hemina)의 4 분의 1 이며, 0.06 미(美) 액량(液量) 쿼트(quart), 또는 0.066l 에 해당된다.

아코프(akov) [부피] 유고슬라비아(Yugoslavia)의 옛 단위. 1 아코프는 오카(oka)의 40 배(倍)이며, 15.0 미(美) 갤런(gallon), 또는 56.78l 에 해당된다.

아크쇼비야(akṣobhya) [수] 고대 인도(印度)의 단위. 1 아크쇼비야는 빔바라(viṃvara)의 100 배(倍)에 해당된다. 1 빔바라가 10^{16} 또는 10^{17}이기 때문에 1 아크쇼비야는 10^{18} 또는 10^{19} 이 된다.

아크텔(achtel) [부피] 덴마크의 옛 단위. 1 아크텔은 코른퇴네(korntønde)의 64 분의 1 이며, 1.97 미(美) 건량(乾量) 쿼트(quart), 또는 2.169l 에 해당된다.

아크투스(actus) [길이] 고대 로마(Roma)의 단위. 1 아크투스는 데켐페다(decempeda)의 12 배이며, 38.8 야드(yard), 또는 35.479 m 에 해당된다.

아크투스 마요르(actus major) [넓이] 고대 로마의 단위. 1 아크투스 마요르는 0.31 에이커(acre), 또는 12.545 아르〔a〕에 해당된다.

아크투스 심플렉스(actus simplex) [넓이] 고대 로마(Roma)의 단위. 1 아크투스 심플렉스는 50.2 제곱야드〔yd^2〕, 또는 41.97 m^2 에 해당된다.

아키르(achir) [넓이] 고대 아라비아의 단위. 1 아키르는 페단(feddān)의 400 분의 1 이며, 17.7 제곱 야드〔yd^2〕, 또는 14.8 m^2 에 해당된다.

아트(at) [통화] 라오스(Laos)의 현재 통화 단위. 1 아트는 키프(kip)의 100 분의 1 에 해당된다. 아특(阿特).

아트(att) [통화] 태국(泰國)의 옛 보조 통화 단위. 1 아트는 티칼(tical)의 64 분의 1 에 해당된다.

아특(阿特 : ātè) [통화] 중국(中國)의 단위. '아트(at)'의 음역(音譯).

아파탄(apatan) [부피] 필리핀의 고유(固有) 단위. 1 아파탄은 추파(chupa)의 4 분의 1 이며, 0.17 미(美) 건량(乾量) 파인트(pint), 또는 0.094l 에 해당된다.

아프가니(afghani) [통화] 아프가니스탄(Afghanistan)의 현재 통화 단위. 1 아프가니는 100 풀(pul)에 해당된다. 아부한니(阿富汗尼). 기호 : Af.

아프트(apt) [부피] 고대 이집트(Egypt)의 단위. 1 아프트는 1,460 세제곱 인치〔in^3〕, 또는 23,900 cm^3 에 해당된다.

아흐텔(Achtel) [부피] 오스트리아(Austria)의 옛 단위. 1 아흐텔은 메체(Metze)의 8 분의 1 이며, 6.98 미(美) 건량(乾量) 쿼트, 또는 7.686l 에 해당된다.

악(握) ① [부피] '줌'의 뜻으로, 주먹으로 쥘 만한 분량. 또는 그 양을 헤아리는 데 쓰는 말. 박고지(朴古之)나 달래나물〔月乃菜〕 등 푸성귀 따위에 쓰였다. 결(紇)·촬(撮)·파(把). 《與猶堂全書, 雅言覺非》一把者一握也, 拱者把也, 以一手度圓物, 其一握者, 謂之一把, 以兩手度圓物, 其一抱者, 謂之一拱. 《救急簡易方諺解 2, 49》蘆葉(갈 닙)一握……(갈 닙 한 줌을……). 《進饌儀軌(純祖己丑) 2, 饌品》朴古之五握. 《度支準折, 菜蔬》蔓菁根菜一丹(卽十握) 価米六合. 蘿葍菜一丹(卽十握), 価米三合, 錢三分. 土卵莖一握, 価米五合. 生蕨一握, 価錢六分. 辛甘菜一握(重七兩), 価米三斗. 水芹一握, 価米三合, 錢三分. 皮吉更一斤(十握作一丹, 重十兩, 一斤半作實一斤). 生葱(十介作一束, 又作一握), 七介価, 錢一分, 一握価, 米一升. ② [수효] ❶'자루'의 뜻으로, 부채나 담뱃대 따위의 수를 세는 데 쓰는 말. 《朝鮮中宗實錄 91, 34年8月戊寅》薛天使所奉送墨刻一怏, 蜀扇一握, 書簡三封. 《增正交隣志 5, 通信使行, 一行回受私禮單》螺全竹六握, 貼雲小扇九握, 鰹節三連. 《通文館志 5, 交隣, 差倭》朱竿烟器三十握. ❷'번'·'회'·'차'의 뜻으로, 손으로 움켜쥔 횟수를 세는 데 쓰는 말. 《邵謁, 論政詩》賢哉三握髮, 爲有天下憂. 《韓詩外傳 3》周公誡之曰, 吾於天下, 亦不輕矣. 然一沐三握髮, 一飯三吐哺. 《元帝, 上忠臣傳表》三握再吐, 夙奉紫庭之慈. 《韓愈, 上宰相書》方一沐, 三握其髮. ③ [넓이] '줌'의 뜻으로, 조세(租稅)를 계산하기 위한 토지 면적의 단위. 시대에 따라 조금씩 달랐는데, 광무(光武) 9년(1905)에는 5 주척(周尺) 평방으로 하였다. 10 줌을 1 뭇〔束〕, 10 뭇을 1 짐〔負·卜〕, 100 짐을 1 결(結), 8 결을 1 부〔夫〕 또는 1 의(矣)라 하였다. 파(把). 《萬機要覽, 財用編 2, 田結, 田制》一握者, 謂之把, 遞以上之至于結. 十把爲束, 十束爲負(或稱卜, 今每一負出租一斗), 百負爲結(俗音먹), 八結爲夫(或稱矣, 佃夫中擇定戶首, 收納八結應納之役). ④ [길이] 주먹을 쥐었을 때 엄지손가락을 뺀 네 손가락을 나란이 한 길이로, 1 악은 4 치〔寸〕, 또는 12.5 cm 정도에 해당된다. 《儀禮, 鄕射禮記》 長尺有握(握, 本所持處也). 《穀梁傳, 昭公8年》流旁握 (握, 四寸也).

악장(樂章) [음악] 소나타·교향곡 따위와 같이 여러 개의 소곡(小曲)이 모여서 큰 악곡이 되는 경우, 각 악절(樂節)의 수를 세는 데 쓰는 말.

안(安 : ān) ① [넓이] 중국(中國)의 단위. '아르(are : 阿爾)'의 약칭. ② [전기] 중국의 단위. '암페어(ampere : 安培)'의 약칭. ③ [통화] 중국의 단위. '안나(anna)'의 약칭.

안(案) [부피] '상(床)'의 뜻으로, 상에 올려놓은 음식의 양을 헤아리는 데 쓰는 말. 속수(束脩)의 의식(儀式)에서, 1 안은 포〔脩〕 5 정(脡)이다. 《朝鮮世宗實錄 14, 3年12月壬子》束脩儀, 其日王世子服學生服, 至學問外, 束帛(三匹), 酒一壺(二斗), 脩一案(五脡).

안(眼 : yǎn) [수효] 중국(中國)의 단위. ❶우물의 수를 세는 데 쓰는 말. 《朴通事諺解, 中》 門窓炕壁俱全(門窓炕壁이 다 ㄱ잣고), 井一眼(우믈 ᄒᆞ나), 空地幾畝(空地幾畝ᄅᆞᆯ), 兩言議定(兩言議定ᄒᆞ야). 《錢塘湖石記》 湖中又有泉數十眼. ❷'번'의 뜻으로, 눈으로 쳐다본 횟수를 세는 데 쓰는 말. 〈예〉 看了一~就走了. ❸곳집이나 방의 수를 세는 데 쓰는 말. 《水滸全傳, 74回》 小二哥道, 只有兩眼房, 空着一眼, 一眼是箇山東貨郎, 扶着箇病漢賃了. 《夢粱錄, 監當諸局》 草料場, 在天水院橋西, 有廒十眼. ❹구멍의 수를 세는 데 쓰는 말. 《朝鮮宣祖實錄 49, 27年3月辛丑》 凡有勇力者, 使之自募, 先除雜役之被侵者, 教習之後, 隨其成才, 或除禁軍, 或免賤·免役, 一依事目施行, 則人之慕效趍赴者, 不待勸督而日多矣. 火藥·鳥銃·三眼銃, 隨其物力, 多數造作, 百分訓勵. 《雜同散異, 火砲式》 三眼銃, 每一穴, 小藥線三寸, 火藥三錢, 土隔二分, 鐵丸一箇. 《萬機要覽, 軍政編 1, 刑名制度》 號砲, 用三眼, 主號令. 一擧起令, 三擧升帳. 肅靜·吶喊·閉營, 擧無定數. 分合報警, 一擧賊小, 二擧賊衆, 守城, 北一·南二·東三·西四.

안굴라(angula) [길이] 고대 인도(印度)의 단위. 1 안굴라는 하스타(hasta)의 24 분의 1 이며, 1.05 인치(inch), 또는 2.07 cm 에 해당된다.

안나(anna) [통화] 인도(印度)·파키스탄(Pakistan)의 옛 보조 통화 단위. 1 안나는 루피(rupee)의 16 분의 1 에 해당된다. 인도에서는 1957년 5월에, 파키스탄은 1961년 1월에 각각 안나를 폐지하고 1 루피를 100 파이세(paise)로 하는 새 화폐 제도를 실시하였다. 안(安).

안배(安培 : ānpéi) [전류] 중국(中國)의 단위. '암페어(ampere)'의 음역(音譯).

알 [수효] 작고 둥근 물건의 수를 세는 데 쓰는 말. 〈예〉 수수 3 ~과 녹두 5 ~을 심었다.

알(戞) [넓이] '아르(are)'의 음역(音譯). 《增補文獻備考 91, 樂考, 度量衡》 泰西地積, 則先知戞, 當我一把, 百先知戞爲戞, 當我一負, 百戞爲赫得戞, 當我一結.

알라다(alada) [질량] 에티오피아(Ethiopia)의 고유 단위. 1 알라다는 카슴(kasm)의 4 배(倍)이며, 241 그레인(grain), 또는 15.60 g 에 해당된다.

알렌(alen) [길이] ❶덴마크(Denmark)의 옛 단위. 1 알렌은 62.77 cm 에 해당된다. ❷노르웨이의 옛 단위. 1 알렌은 62.75 cm 에 해당된다.

알른(aln) [길이] 스웨덴(Sweden)의 옛 단위. 1 알른은 23.4 인치, 또는 59.4 cm 에 해당된다.

알멘 투르마(almenn turma) [부피] 아이슬란드의 옛 단위. 1 알멘 투르마는 포투르(pottur)의 120 배(倍)이며, 30.36 미(美) 갤런, 또는 115.9*l* 에 해당된다.

알무드(almud) [부피] ❶포르투갈(Portugal)의 단위. 지방에 따라 다소 차이가 있는데, 1 알무드는 대략 4.423 미(美) 갤런(gallon), 또는 16.74*l* 에 해당되고, 오포르토

(Oporto) 지방에서는 6.63 미(美) 갤런, 또는 25.08l 에 해당된다. ❷ 브라질(Brazil)의 단위. 1 알무드는 8.44 미(美) 갤런, 또는 31.95l 에 해당된다. ❸터키(Turkey)의 단위. 1 알무드는 1.38 미(美) 갤런, 또는 5.23l 에 해당된다.

알방(挖方 : wāfāng) [부피] 중국(中國)의 단위. 토목 공사에서 채취하는 흙이나 석재(石材)를 세제곱 미터〔m^3〕로 계산하는 단위.

알붐(album) [넓이] 덴마크(Denmark)의 옛 단위. 1 알붐은 퇴네하르트 코른(tønde hart korn)의 96 분의 1 이며, 11.68 제곱 로드(rod), 또는 2.96 아르〔a〕에 해당된다.

알케이레(alqueire) [넓이] 포르투갈(Portugal) · 브라질(Brazil)의 옛 단위. 여러 가지 변화가 있었는데, 1 알케이레는 약 242~484 아르〔a〕에 해당된다. 브라질에서는 현재도 사용하고 있다.

암(am) [부피] 스웨덴(Sweden)의 옛 단위. 1 암은 칸노르(kannor)의 60 배(倍)이며, 41.48 미(美) 갤런(gallon), 또는 157.03l 에 해당된다.

암(Aam) [부피] 독일(獨逸) · 네덜란드의 옛 단위. 시대와 지방에 따라 다소 차이가 있는데, 1 암은 36~42 와인 갤런(wine gallon), 또는 136~159l 에 해당된다.

암페어(ampere) [전류] 엠 케이 에스 에이 단위계(M.K.S.A. 單位系) 및 실용 단위에 있어서의 전류의 크기 단위. 1 암페어는 1 볼트의 전위차(電位差)를 갖는 두 점을 1 옴(ohm)의 저항(抵抗)으로 결합했을 때 흐르는 전류의 크기와 같다. 암페어의 이름은 프랑스의 물리학자 앙페르(Ampère, A. M. ; 1775 ~ 1836)에서 유래하였다. 안(安). 안배(安培). 기호 : A, amp

암포라(amphora) [부피] 고대 로마(Roma)의 단위. 1 암포라는 우르나(urna)의 2 배(倍)이며, 콘기우스(congius)의 8 배, 6.7 미(美) 갤런(gallon), 또는 25.5l 에 해당된다.

암포레우스(amphoreus) [부피] 고대 그리스(Greece)의 단위. 고대 로마(Roma)의 암포라(amphora)의 약 1.5 배이며, 약 9 영(英) 갤런(gallon), 또는 41l 에 해당된다.

앙커(Anker) [부피] ❶독일(獨逸)의 옛 단위. 1 앙커는 암(Aam)의 2 분의 1, 또는 약 34~40l 에 해당된다. 주로 술의 양을 헤아리는 데 썼다. ❷네덜란드(Netherlands)의 단위. 1 앙커는 암(Aam)의 4 분의 1, 또는 약 34~40l 에 해당된다. 주로 술의 양을 헤아리는 데 썼다.

애(埃) [1] [수] 매우 작은 수(數)의 하나. 십진급수(十進級數)의 단위로, 1 애는 진(塵)의 10 분의 1, 묘(渺)의 10 배(倍)라고도 하고, 진의 1억분의 1, 묘의 1억 배, 곧 10^{-24} 이라고도 한다. [2] [넓이] 성(城)이나 담장의 넓이를 헤아리는 데 쓰는 말. 1 애는 도(堵)의 3 배, 또는 5 배라고도 한다. 1 도는 사방 10 자〔尺 : 丈〕의 넓이이다. 《集韻》 埃, 城三堵, 或作垓. 《太玄經, 閑》 閑黃垓, 席金策(五堵位垓). [3] [길이] (āi) 중국(中國)의 단위. ❶'옹

스트롬(angstrom)'의 약칭. ❷ 1 애는 진(塵)의 10 분의 1, 또는 치〔寸〕의 100억분이 1에 해당된다. 《算法統宗, 零數》 寸·今·釐·毫·絲·忽·微·纖·沙·塵·埃. ④ [질량] 1 애는 진(塵)의 10 분의 1, 또는 냥(兩)의 100억분의 1에 해당된다. 《宛署雜記, 繇賦》 王賦中, 通共起存銀參千陸百陸拾捌兩柒錢五分貳釐陸毫五絲肆微捌纖陸沙陸塵陸埃壹渺貳漠五糢. 《王象恆, 東南賦役獨重疏》(嘉定縣) 均徭銀共該銀一萬七百一十兩八錢三釐六毫七絲二忽五微二纖九塵五埃五漠.

애드미럴티 마일(admiralty mile) [길이] 영국(英國)의 단위. 1 애드미럴티 마일은 6,080 피트에 해당된다. 주로 바다의 이수(里數)를 헤아리는 데 쓴다.

애사고다(埃斯庫多 : āisīkùduō) [통화] 중국(中國)의 단위. '에스쿠도(escudo)'의 음역(音譯). 액사과다(厄斯科多).

애세이 톤(assay ton) [질량(質量)] 시금 분석(試金分析)에 있어서 편의상 사용하는 단위. 1 애세이 톤은 29.167 g 에 해당된다. 29.167 g 의 광석에서 얻어지는 귀금속의 질량을 밀리그램〔mg〕 단위로 나타냈을 때의 수치는 그 광석 1 네트 톤(net ton : 2,000 상용 파운드) 중의 귀금속의 양(量)을 트로이 온스(troy ounce)로 나타냈을 때의 수치와 일치한다. 기호 : AT

애스트러노미컬 유닛(astronomical unit) [천문] 천문(天文) 단위. 태양과 지구와의 평균 거리로, 1 애스트러노미컬 유닛은 1,496만 km 에 해당된다.

액(扼 : è) [부피·수효] 중국의 단위. '단'의 뜻으로, 짚·풀·푸성귀 같은 것을 묶은 분량. 또는 그 수를 세는 데 쓰는 말. 《齊民要術, 種紫草》 整理一扼, 隨以茅結之, 四扼爲一頭, 五十頭作一洪.

액(搤) [부피·수효] '줌'의 뜻으로, 손으로 쥘 만한 분량. 또는 그 수를 세는 데 쓰는 말. 《國朝五禮儀序例 5, 凶禮, 喪服圖說》 齊衰絞帶, 以布爲之, 而屈其右端尺餘. 首経大一搤, 只是拇指與第二指一圍. 腰経較小, 絞帶又小於腰経. 腰経象大帶, 兩頭長垂下. 絞帶象革帶, 一頭有彄子, 以一頭串於中而束之.

액량 드라큼(液量 drachm) [부피] 야드(yard)·파운드법(pound 法)의 액량(液量) 단위. 1 액량 드라큼은 1 온스(ounce)의 8 분의 1에 해당된다. 액량 드램(dram). 기호 : fl dr

액량 드램(液量 dram) [부피] '액량 드라큼(液量 drachm)'과 같다. 기호 : fl dr

액량 온스(液量 ounce) [부피] 야드(yard)·파운드법(pound 法)의 액량(液量) 단위. 미국(美國)과 영국(英國)은 각각 그 수치(數値)가 다르다. 기호 : fl oz

1 fl oz(美) = 1/4 질(gill)
= 29.573 ml

1 fl oz(英) = 1/5 질(gill)
= 28.412 ml

액량 쿼트(液量 quart) [부피] 야드(yard)·파운드법(pound 法)의 액량(液量) 단위. 1 액량 쿼트는 갤런(gallon)의 4 분의 1에 해당된다. 미국(美國)과 영국(英國)은 각각 그 수치(數値)가 다르다.

1 액량 쿼트(美)=0.946*l*

1 액량 쿼트(英)=1.136*l*

액량 파인트(液量 pint) [부피] 야드(yard)·파운드법(pound 法)의 액량(液量) 단위. 1 액량 파인트는 쿼트(quart)의 2 분의 1 에 해당된다. 미국(美國)과 영국(英國)은 각각 그 수치(數値)가 다르다. 기호 : liq pt

1 파인트(美)=0.473*l*

1 파인트(英)=0.568*l*

액사과다(厄斯科多 : èsīkēduō) [통화] 중국(中國)의 단위. '애사고다(埃斯庫多)'와 같다.

야(冶) [수효] '명'의 뜻으로, 대장장이의 수를 세는 데 쓰는 말. 《經國大典 2, 戶典, 雜稅》錄工匠等第及坐賈·公廊之數, 藏於本曹·工曹·本道·本邑, 收稅(鑄鐵匠, 每一冶, 春綿布一匹, 秋米十五斗).

야(夜) [시간] ❶밤의 수를 세는 데 쓰는 말. 《呂氏春秋, 愛類》墨子聞之, 自魯往, 裂裳裹足, 日夜不休, 十日十夜而至於郢. 《無量壽經, 下》於此修善, 十日十夜, 勝於他方諸佛國土爲善千歲. ❷'경(更)'의 뜻으로, 일몰(日沒)로부터 일출(日出)까지를 다섯 등분하여 그 하나를 이르는 말. 초경(初更)은 오후 7~9 시, 이경은 9~11 시, 삼경은 11~새벽 1 시, 사경은 1~3 시, 오경은 3 시부터 밝을 때까지이다. 경(更). 고(鼓). 《漢官舊儀》夜漏起, 中黃門持五夜, 甲夜畢傳乙夜, 乙夜畢傳丙夜, 丙夜畢傳丁夜, 丁夜畢傳戊夜, 戊夜畢, 是爲五更. 《顔氏家訓, 書證》或問, 一夜何故五更, 更何所訓. 答曰, 魏漢以來謂, 爲甲夜, 乙夜, 丙夜, 丁夜, 戊夜, 又云, 一鼓, 二鼓, 三鼓, 四鼓, 五鼓, 亦云, 一更, 二更, 三更, 四更, 五更, 皆以五爲節. 西都賦亦云, 衛以嚴更之署, 所以爾者, 假令正月建寅, 斗柄夕則指寅, 曉則指午矣, 自寅至午, 凡歷五辰, 冬夏之月, 雖復長短參差, 然辰間遼闊, 盈不至六, 縮不至四, 進退常在五者之間, 更, 歷也, 經也, 故曰五更爾.

야드(yard) [길이] 야드(yard)·파운드법(pound 法)에 있어서의 기본 단위. 1 야드는 3 피트(feet)이며, 36 인치(inch), 또는 약 91.44 cm 에 해당된다. 현재의 길이로 법제화된 것은 1963년 영국에서이며, 미국에서는 1893년에 1 야드를 0.91440183 m 로 하였다가, 미국 규격 협회(美國規格協會 ; A.S.A.)는 1933년 야드를 0.9144 m 로 규정하였다. 마(碼). 기호 : yd

1 야드=1/1,760 마일(mile)
=1/22 체인(chain)
=3 피트(feet)
=36 인치(inch)

1 파운드=16 온스(ounce)
=7,000 그레인(grain)
=1/2,240 영(英) 톤
=1/2,000 미(美) 쇼트 톤(short ton)
=1/2,240 미 그로스 톤(gross ton)

야미(夜味) [수효] '배미'의 차자 표기로, 논의 구획(區劃)을 세는 데 쓰는 말. 배미(夜味). 《舊土地賣買文記》合畓一石八落二十八夜味, 合

田七日耕果.

야바(yava) [질량] 고대 인도(印度)의 단위. 1 야바는 라티(ratti)의 10 분의 1 이며, 0.225 그레인(grain), 또는 14.6 mg 에 해당된다.

야크만(yakman) [질량] 중앙 아시아 브하라(Bharat) 지방의 단위. 1 야크만은 288.9 파운드(pound), 또는 131.04 kg 에 해당된다.

약(略) [과거] 조선 시대, 강경(講經) 시험의 하나. 선초(鮮初)에는 대통(大通)·통(通)·약통(略通)·조통(粗通)·불통(不通)의 다섯 등급이 있었으나, 그 이후에는 통(通)·약(略 : 혹은 略通)·조(粗 : 혹은 粗通)·불(不 : 혹은 不通)의 네 등급으로 나누었다. 略通. 《朝鮮世宗實錄 103, 26年2月己丑》禮曹啓文科講經節目. 一, 句讀·訓釋皆不錯誤, 講論雖不該通. 不失一章大旨者, 爲粗通. 一, 句讀·訓釋皆熟, 講論詳明, 雖通大旨, 未至融貫者, 爲略通. 一, 旣能句讀明白, 訓釋·辨說無疑, 開析義理, 融貫旨趣者, 爲通. 一, 句讀·訓釋·義理·旨趣, 旣皆曉釋, 又能連上接下, 曲暢旁通, 融貫一書大旨, 深得言意之表者, 爲大通. 一, 聖賢書義理無窮, 故學者所傳或異, 試官等當講經時, 生徒句讀及釋義, 或異於已指, 爲不通者有之. 今後生徒所見雖異, 文義皆通, 則試官等勿拘已見. 以從衆議. 《慵齋叢話 2》擧子讀大文釋之, 試官講論註疏, 胥吏書通·略·粗·不四字, 以爲講籤, 各置於試官前. 《經國大典 1, 吏典, 內侍府, 注》講所讀書, 通給別仕二, 略通一, 粗通半, 不通削仕三.

약(龠) [부피] 기장의 낟알 1천 2백 알의 용량. 곧, 1 홉〔合〕의 10 분의 1 에 해당된다. 작〔勺〕. 《芝峯類說 17, 雜事部, 數名》按, 十黍曰絫, 十四黍曰圭, 四圭曰撮, 千二百黍曰龠, 十龠曰合, 十合曰升, 十升曰斗, 十斗曰斛. 或云, 十撮爲抄, 十抄爲勺, 十勺爲合. 《漢書, 律曆志上》量者, 龠合升斗斛也. 所以量多少也. 本起於黃鐘之龠, 用度數審其容, 以者穀秬黍中者, 千有二百實其龠, 以井水準其槩, 合龠爲合, 十合爲升, 十升爲斗, 十斗爲斛, 而五量嘉矣.

약용 드램(藥用 dram) [질량] 야드(yard)·파운드법(pound 法)의 약용(藥用) 단위. 1 약용 드램은 그레인(grain)의 60 배(倍)에 해당된다. 기호 : du, dr ap.

1 약용 드램=60 그레인(grain)
=3 스크루플(scruple)
=1/8 약용 온스
=3.8879351 g

약용 온스(藥用 ounce) [질량] 야드(yard)·파운드법(pound 法)의 약용(藥用) 단위. 1 약용 온스는 트로이 온스(troy ounce)와 같으며, 그레인(grain)의 480 배(倍)에 해당된다. 기호 : oz. ap.

1 약용 온스=8약용 드램(dram)
=24 스크루플
=480 그레인(grain)
=1 트로이 온스
≒31.103481 g

약용 파운드(藥用 pound) [질량] 야드(yard)·파운드법(pound 法)의 약용(藥用) 단위. 1 약용 파운드는 그레인(grain)의 5,760 배이며, 또는 트로이 파운드(troy pound)와 같다. 기호 : lb. ap.

1 약용 파운드=5,760 그레인
=288 스크루플
=96 약용 드램
=12 약용 온스
=1 트로이 파운드
=373.24177 g

약통(略通) [과거] '약(略)'과 같다.

양(兩) [질량] '냥(兩)'·'량(兩)'과 같다.

양(梁) [수효] 금관(金冠)의 전면 상부로부터 이마에까지 힘줄 모양으로 장식한 줄. 또는 그 줄의 수를 세는 데 쓰는 말. 임금의 금관에는 9 개를 넣어 9 량이라 하고, 조신(朝臣)의 관에 있어서 1 품은 5 량, 2 품은 4 량, 3 품은 3 량, 4 품에서 6 품까지는 2 량, 7 품 이하는 1 량으로 되어 있다.《典律通寶 3, 禮典, 儀章》諸臣服, 堂上三品以上, 冠則朝服祭服, 一品五梁木簏(木簏九品同), 二品四梁, 憲府官貼獬豸, 諫官亦貼, 三品三梁, 以服·時服·常服……堂下三品以下, 冠則四品以下二梁, 七品以下一梁.《晉書, 輿服志》人主元服, 始加緇布, 則冠五梁進賢.《唐書, 輿服志》緇布冠者, 始冠之服也, 天子五梁, 三品以上三梁, 五品以上二梁, 九品以上一梁.《宋史, 輿服志》一品二品, 冠五梁, 中書門下, 加籠巾貂蟬.

양(樣) [수효] '벌'·'가지'의 뜻으로, 사물을 종류별로 따로따로 구별하여 세는 데 쓰는 말.《漢清文鑑 8, 人, 完全》樣數, 벌 수.《滿和辭典》hacir, 件·項·種(例一件, 一項).〔18, 完全, 樣數〕.《佩軒楚客談》(後蜀) 孟氏在蜀時製十樣錦, 名長安竹, 天下樂, 鵰團, 宜男, 寶界地, 方勝, 獅團, 象眼, 八搭韻, 鐵梗襄荷. 后亦以指其中的某一種.《無名氏, 千里獨行, 3折》哎. 你個奸雄曹操, 倒賠了西川十樣錦征袍.《金瓶梅詞話, 29回》我有一方大紅十樣錦緞子, 也照依姐姐描恁一雙兒.

양(壤) [수] '양(穰)'과 같다.《孫子算經 上》凡大數之法, 萬萬曰億, 萬萬億曰兆, 萬萬兆曰京, 萬萬京曰陔, 萬萬陔曰秭, 萬萬秭曰壤.《論學會》數人群而成家, 千百人群而成族, 億萬人群而成國, 兆·京·陔·秭, 壤群而成天下.

양(穰) [수] 매우 큰 수(數)의 하나. 1 양은 자(秭)의 1억 배(倍), 또는 구(溝)의 1억분의 1 에 해당된다. 문헌에 따라서는 자의 1만 배, 또는 구의 1만분의 1 의 수, 곧 10^{28} 이라고도 한다. 양(壤).《數術記遺》黃帝法, 數有十等……億兆京垓秭穰溝澗載.《孫子算經, 上》萬萬秭曰穰.

양(瓤 : ráng) [수효] 중국(中國)의 단위. '조각'·'쪽'의 뜻으로, 물건의 쪼개진 부분의 수를 세는 데 쓰는 말.《伯父聖臣公神度碑》首服皁帽, 六瓤屬武, 非秀才不得角巾也.《海防風暴》蹲在地上, 身邊是一兄小小篋籃, 剖開了的鮮檳榔一瓤一瓤的擺在綠葉上.

양재기(洋—) [부피] 양재기에 물건을 담아 그 양을 헤아리는 데 쓰는 말.

양전척(量田尺) [길이] 양전(量田)

은 신라·고려·조선 시대에 사용했던 일종의 토지 측량 제도(土地測量制度)로서 토지의 실제 경작 상황을 조사 파악하기 위하여 사용되는 척도(尺度)가 양전척이다. 원래 우리 나라의 조세 부과는 수확량을 기준으로 하였으나, 그 후 경제의 발달에 따라 수확량의 전제가 되는 토지의 넓이를 기준으로 하게 되었다. 이 경우 같은 면적이라도 비척(肥瘠)에 따라 수확량이 달라지기 때문에 척도가 다른 양전척을 마련하지 않을 수 없었다. 고려 시대에는 토지를 상·중·하의 3 등급으로 나누어 상전(上田)을 측정하는 상전척(上田尺)의 1 자〔尺〕는 농부의 중지(中指) 중절(中節)의 20 배로 하고, 중전(中田)은 25 배, 하전(下田)은 30 배로 하는 3 가지 자를 마련하였다. 조선 시대에 들어와서는 세종(世宗) 때에 주척(周尺)을 써서 양전척을 6 가지로 나누어 새로 전등(田等)을 6 등급(等級)으로 정하게 되었는데, 이것을 전분 육등법(田分六等法)이라 한다. 그 척도 관계를 표로 나타내면 다음과 같다.

척도(尺度) / 전등(田等)	주척(周尺) : 尺	척관법(尺貫法) : 尺	1결(結)당 토지면적	
			묘(畝)	평(坪)
1 등전척	4.77	3.148	38.0	2,753.1
2 등전척	5.18	3.149	44.7	3,246.7
3 등전척	5.70	3.762	54.2	3,931.9
4 등전척	6.43	4.244	69.1	4,723.5
5 등전척	7.55	4.983	95.0	6,897.3
6 등전척	9.55	6.303	152.0	11,035.5

수확량을 기준으로 한 양전척을 보면, 1 악(握)을 단위로 한 1 파(把)는 양전척으로 1 자〔尺〕, 1 속(束)은 10 파(把)이며 10 자, 1 부(負)는 10 속(束)이며 100 자, 1 결(結)은 100 부(負)이며 1,000 자로 하였다.

어러스(arasz) ［길이］ 헝가리의 고유 단위. 1 어러스는 엄지와 새끼손가락을 편 길이로, 15～20 cm 에 해당된다.

어코(akó) ［부피］ 헝가리의 옛 단위. 1 어코는 핀트(pint)의 32 배이며, 이체(ícce)의 64 배, 14.34 미(美) 갤런(gallon), 또는 54.28l 에 해당된다.

억(億) ［수］ 수(數)의 십진급수(十進級數)의 하나. 만(萬)의 1만 배(倍), 또는 10^8 에 해당된다.《芝峰類說 17, 雜事部, 數名》十百曰千, 十千曰萬, 十萬曰億, 十億曰兆, 十兆曰京.《太平御覽 750》風俗通曰, 十十謂之百, 十百謂之千, 十千謂之萬, 十萬謂之億, 十億謂之兆, 十兆謂之經, 十經謂之垓, 十垓謂之補, 十補謂之選, 十選謂之載, 十載謂之極.

언(言) ［수효］ ❶글자의 수를 세는데 쓰는 말. 자(字).《國策, 齊策》臣請三言而已矣曰, 海大魚.《左傳, 定公4年, 夫子語我九言, 會箋》秦漢以來, 乃有句稱, 今則三字以上爲一句, 以一字爲一言.《陔餘叢考, 一二言詩》吳越春秋, 黃竹之歌曰, 斷竹續竹, 飛土逐肉, 則竟以兩字相叶矣……中州韻, 入聲似平聲, 故蜀術等字, 皆與魚虞相叶. 古來通首二言詩, 惟此一首.《陔餘叢考, 十言》懷麓堂詩話又謂, 詩有十字者, 太白詩, 黃帝鑄鼎於荊山鍊丹砂, 丹砂成騎龍飛上太淸家, 是也. ❷'마디'의 뜻으로, 말이나 노래 곡조의 한 동

가리를 세는 데 쓰는 말. 구(句)·단(段)·성(聲). 《大東野乘 60, 默齋日記》 蓋雲衢卽公子時白妻甥也, 公以爲若避連家之嫌, 恝視無辜枉死, 而不爲一言. 《燃藜室記述 13, 宣祖朝故事本末, 郭士源堰訟》 甲申四月, 傳曰, 居仁郭士源等, 相訟交河作堰, 士大夫多預其間, 前者使之糾擿以啓, 已經歲月而寂無一言, 主風紀者如此, 他尙何說, 斯速察啓事, 言于憲府, 憲府避嫌. 《史記, 龜策傳》 先得此龜者爲天子, 且十言十當, 十戰十勝. 《管子, 侈靡》 潭根之毋伐, 固事之毋入, 深黧之毋涸, 不儀之毋助, 章明之毋滅, 生榮之毋失. 十言者不勝此一. (尹知章注) 謂令他事有十言之善, 不如此一言也.

언털(antal) [부피] 헝가리(Hungary)의 옛 단위. 주로 주류(酒類)의 양을 헤아리는 데 썼다. 1 언털은 13.3 미(美) 갤런(gallon), 또는 51*l* 에 해당된다.

엄(埯 : ǎn) [수효] 중국의 단위. ❶ 구덩이의 수를 세는 데 쓰는 말. 과(科). 〈예〉 種了幾十～西瓜. ❷'포기'의 뜻으로, 뿌리를 단위로 하여 나무나 풀의 수를 세는 데 쓰는 말.

에너지(energy) [에너지] 기본적인 물리량(物理量)의 하나. 일을 할 수 있는 능력, 또는 그 일의 양으로써 에너지의 양을 나타낸다. 운동(運動) 에너지·위치(位置) 에너지·전기(電氣) 에너지·자기(磁氣) 에너지 등이 있다. 단위는 시 지 에스 단위계(C.G.S. 單位系)에서는 에르그(erg), 엠 케이 에스 단위계(M.K.S. 單位系)에서는 줄(joule)을 쓴다. 1 칼로리〔cal〕의 열은 4.18 줄로 하여 에너지 단위로 환산할 수 있다.

에너지 단위(—單位) [에너지] 에너지의 모든 형태에 공통되는 M.K.S.A. 단위계에서는 줄〔J〕, C.G.S. 단위계에서는 에르그(erg)가 사용되지만, 열량에는 칼로리〔cal〕도 많이 쓰인다. 실용적으로는 와트초〔Ws〕와 중력 단위계(重力單位系)의 중량(重量) 킬로그램 미터〔kgw·m, kgm〕도 쓰인다. 원자(原子)·분자(分子)·원자핵(原子核)·소립자(素粒子) 등이 갖는 에너지를 나타내기 위해 전자 볼트〔eV〕 및 이들 요소체(要素體)의 1 몰이 갖는 에너지를 열량 단위(熱量單位)로 나타낸 몰당 칼로리〔cal/mol〕가 사용된다. 분광학(分光學)에서는 파수(波數)의 단위 카이저〔1 k.$=$Cm^{-1}〕를 에너지의 단위로 사용할 때가 많다. 상대론(相對論)의 대응은 1 kg 이 약 8.99×10^{16}J, 또는 5.61×10^{35} eV 에 해당하므로 질량 단위(質量單位)로 사용할 때도 있다.

에든버러 펄롯(edinburgh firlot) [부피] '펄롯(firlot)'을 보라.

에르그(erg) [에너지] 시 지 에스 단위계(C.G.S. 單位系)의 일에 관한 단위. 1 다인(dyne)의 힘이 작용선(作用線)의 방향으로 물체를 1 cm 움직일 때의 양. 줄(joule)의 10^{-7} 배(倍)이다. 에르그의 명칭은 일이라는 뜻의 고대 그리스어(語)인 에르가시아(ergasia)에서 온 말이다. 기호 : erg

에르그 매 제곱 미터(— 每 —) [에너지 플루언스] 에너지 플루언스의 계량 단위(計量單位)인 줄 매 제곱 미터의 보조 단위. 1 에르그 매 제곱 미터는 줄 매 제곱 미터의 1 천만분의 1 에 해당된다. 기호 : erg/m²

에르그 매 제곱 미터 매초(— 每 — 每秒) [에너지 속밀도(束密度)] 에너지 속밀도(束密度)의 계량 단위(計量單位)인 줄 매 제곱 미터 매초〔J/m²·s〕의 보조 단위. 1 에르그 매 제곱 미터 매초는 줄 매 제곱 미터 매초의 1,000 만분의 1 에 해당된다. 이 배수 단위(倍數單位)에는 마이크로에르그 매 제곱 센티미터〔μerg/cm²·s〕, 밀리에르그 매 제곱 센티미터 매초〔merg/cm²·s〕 등이 있다. 기호 : erg/m²·s

에르그 매 제곱 센티미터(— 每 —) [에너지 플루언스] 1 에르그 매 제곱 센티미터는 에르그 매 제곱 미터〔erg/m²〕의 10^4 배(倍)이다. 기호 : erg/cm²

에르그 매 제곱 센티미터 매초(— 每 — 每秒) [에너지 속밀도(束密度)] 1 에르그 매 제곱 센티미터 매초는 에르그 매 제곱 미더 매초〔erg/m²·s〕의 10^4 배(倍)에 해당된다. 기호 : erg/cm²·s

에르그 매초(— 每秒) [공률(工率)] 시 지 에스 단위계(C.G.S. 單位系)의 단위. 1 에르그 매초는 0.0000001 웨이트〔W〕에 해당된다. 기초 : erg/s

에만(eman) [방사능] 방사능(放射能)을 갖는 물질의 양을 나타내는 데 쓰는 말. 1 에만은 10^{-6} 퀴리(curie)에 해당된다. 기호 : eman

에미네(héminée) [넓이] 프랑스의 옛 단위. 1 에미네는 20～40 에이커(acre), 또는 8～16 아르〔a〕에 해당된다.

에민(hémine) [부피] 프랑스의 옛 단위. 주로 곡물의 양을 헤아리는 데 쓴다. 1 에민은 1.42 미(美) 부셸(bushel)이며, 1.37 영(英) 부셸, 또는 50 *l* 에 해당된다.

에스(äss) [질량] 스웨덴(Sweden)의 고유 단위. 1 에스는 스칼푼드(skalpund)의 8,848 분의 1 이며, 0.74 그레인(grain), 또는 47.95 mg 에 해당된다.

에스(es, æs) [질량] 덴마크(Denmark)의 단위. 1 에스는 푼(pund)의 9,152 분의 1 이며, 0.84 그레인(grain), 또는 54.43 mg 에 해당된다.

에스쿠도(escudo) [통화] ❶포르투갈(Portugal)의 단위. 1 에스쿠도는 센타보(centavo)의 100 배(倍)에 해당된다. 애사고다(埃斯庫多). 기호 : Esc ❷칠레의 단위. 1 에스쿠도는 센테시모(centesimo)의 100 배(倍), 또는 1,000 밀레시모(milesimo)에 해당된다. 기호 : Esc

에스크로풀로(escrópulo) [질량] ❶스페인(Spain)의 단위. 1 에스크로풀로는 18.49 그레인(grain), 또는 1.198 g 에 해당된다. ❷포르투갈(Portugal)의 단위. 1 에스크로풀로는 18.45 그레인, 또는 1.196 g 에 해당된다.

에스타달(estadal) [넓이] ❶스페인(Spain)의 단위. 1 에스타달은 16 제곱 바라(vara), 또는 13.37 제곱 야드〔yd²〕에 해당된다. ❷니카라과(Nicaragua)의 단위. 1 에스타달은 12.34 제곱 야드, 또는 10.32 m^2에 해당된다.

에스타델(estadel) [길이] 베네수엘라(Venezuela)의 단위. 1 에스타델은 3.57 야드, 또는 4.18 m에 해당된다.

에스타도(estado) [길이] 스페인(Spain)의 단위. 1 에스타도는 바라(vara)의 2 배(倍)이며, 1.83 야드(yard), 또는 1.67 m에 해당된다.

에스타디오(estadio) [길이] 포르투갈(Portugal)의 고유 단위. 1 에스타디오는 282 야드(yard), 또는 258 m에 해당된다.

에스테를랭(esterlin) [질량] 벨기에·네덜란드(Netherlands)·프랑스의 옛 단위. 1에스테를랭은 23.74 트로이 그레인(troy grain), 또는 1.538 g에 해당된다.

에어 마일(air mile) [항공(航空)] 항공(航空) 마일(mile). 1 에어 마일은 적도(赤道)에 있어서 호(弧)의 1 분(分)에 상당하는 거리이며, 1,852 m에 해당된다.

에이치(H) [경도(硬度)] 연필 심(芯)의 경도(硬度)를 나타내는 데 쓰는 말. 1 H에서 9 H까지 있는데, 9 H가 제일 단단하다. 보통 HB 가 사용된다. 기호 : H

에이커(acre) [넓이] 야드(yard)·파운드법(pound 法)에서의 단위. 영국(英國)·미국(美國)에서는 논밭의 넓이를 헤아릴 때에만 에이커를 사용한다. 이 단위는 영국의 에드워드 1 세(Edward Ⅰ; 1272~1307) 때에 정해진 것이다. 겨리로 하루 동안 갈 수 있는 논밭의 넓이를 1 에이커라 하였다. 1 에이커는 100 제곱 체인(chain), 또는 4,840 제곱 야드〔yd^2〕이지만, 체인의 길이가 영국과 미국이 각각 다르기 때문에 에이커도 또한 다르다. 우리 나라에서는 1 에이커를 40.469 아르〔a〕로 하고 있다. 영묘(英畝). 기호 : ac, acre

영국	1 ac≒40.46849 아르
미국	1 ac≒40.46856 아르
측량 관계	1 ac≒40.46873 아르

에이커-인치(acre-inch) [부피] 야드(yard)·파운드법(pound 法)의 한 단위. 밑넓이가 1 에이커이고 높이가 1 인치인 용적(容積)으로, 주로 관개 기류(灌漑機類)에 사용한다. 1 에이커 인치는 3,630 세제곱 피트〔ft^3〕, 또는 102.79 m^3에 해당된다.

에이커-피트(acre-feet) [부피] 야드(yard)·파운드법(pound 法)의 단위. 주로 관개 기류(灌漑機類)에 사용되는데, 밑넓이가 1 에이커이고 높이가 1 피트(feet)일 때의 용적(容積)을 말한다. 1 에이커 피트는 1,233.6 m^3에 해당된다.

에즈바(ezba) [길이] 이스라엘의 단위. 1 에즈바는 0.73 인치(inch), 또는 1.86 cm에 해당된다.

에클라인(Ecklein) [부피] 독일(獨逸)의 옛 단위. 1 에클라인은 짐리(Simri)의 32 분의 1 이며, 0.69*l*, 또는 0.21 m^3에 해당된다.

에파(ephah, epha) [부피] 이스라엘(Israel)의 단위. 1 에파는 카브(cab)의 18 배(倍)에 해당된다. 처음에는 1.05 미(美) 부셀(bushel),

또는 37.00l 였으나, 뒤에 1.15 미(美) 부셀, 또는 40.52l 가 되었다.

에프(F) [경도(硬度)] 연필 심(芯)의 경도(硬度) 단위. 펌(firm)에서 온 단위 기호이다. 1 F 는 HB 와 H 의 중간에 해당된다. 기호 : F

에프 수(F 數) [광학(光學)] 사진기나 망원경 렌즈의 명도(明度)를 나타내는 단위. 렌즈의 촛점 거리와 유효 구경(有效口徑)과의 비(比), 곧 구경비(口徑比)의 역수(逆數)이다. 따라서, 렌즈의 명도는 F 수의 제곱에 반비례한다. F 수의 표기법으로, F 수가 2 이면, F 2, F/2, F : 2, f/2, f : 2 등으로 나타낸다. 기호 : F, f

에프 피 엠(F.P.M.) [속도] 피트 매분(feet per minute)의 약칭. 유속(流速)을 나타낼 때, 거리의 단위로는 피트, 시간의 단위로는 분(分)을 사용한 것이다. 1 에프 피 엠은 0.30479 미터 매분〔m/min〕에 해당된다. 기호 : ft/min

엔데레(endere) [길이] 루마니아(Rumania)의 옛 단위. 1 엔데레는 26.06 인치, 또는 66.2 cm 에 해당된다.

엔텔람(entelam) [부피] 에리트레아(Eritrea)의 단위. 1 엔텔람은 메시(messi)의 128배(倍)이며, 50.72 미(美) 갤런, 또는 192.0l 에 해당된다.

엘(el) [길이] ❶네덜란드(Netherlands)의 근대 단위. 지방에 따라 다소 차이가 있는데, 암스테르담(Amsterdam)에서는 1 엘이 27.08 인치, 또는 0.6878 m 이고, 미터계(系)로는 1 m 에 해당된다. ❷오스트리아(Austria)의 옛 단위. 1 엘은 0.7792 m 에 해당된다.

엘(ell) [길이] 영국(英國)·미국(美國)의 관습적 단위. 주로 피륙에 쓴다. 1 엘은 45 인치(inch), 또는 1.143 m 에 해당된다.

엘레(elle) [길이] ❶에스토니아(Estonia)의 단위. 1 엘레는 21.0 인치(inch), 또는 53.34 cm 에 해당된다. ❷스위스(Switzerland)의 단위. 1 엘레는 60 cm 에 해당된다.

엘리먼트(element) [군사] 육군의 소대(小隊)에 해당하는 공군의 조직 단위. 1 엘리먼트는 25～60 명의 인원으로 이루어진다.

엠(M) [수효] 동일한 물건 1,000 개를 하나치로 세는 데 쓰는 말. 이 말은 라틴어의 1,000 의 뜻인 millē 의 첫 글자를 딴 것이다. 기호 : M

엠 케이 에스 단위계(M. K. S. 單位系) [해설] 길이에 미터〔m〕, 질량에 킬로그램〔kg〕, 시간에 초〔s〕를 기본 단위로서 사용하는 단위계. 이 단위계에 온도가 추가되는 경우에는 섭씨 온도〔°C〕가 사용된다. 이 단위계에 의한 단위는 같은 종류의 양에 대해서 시 지 에스 단위계(C.G.S. 單位系) 또는 엠 티 에스 단위계(M.T.S. 單位系)의 각 해당량에 10^n 배를 해서 사용한다. 이 단위계는 이탈리아(Italia)의 지오르지(G.L.T. Giorgi)에 의하여 제안된 것이다. 학술상 중요한 양을 시 지 에스 단위계(C.G.S. 單位系)로 환산하면 다음과 같다.

❶길이 : 1 m=100 cm
질량 : 1 kg=1,000 g
시간 : 1 초=1 초〔sec〕

힘 : 1 뉴턴 $=10^5$ 다인
에너지 : 1 줄 $=10^7$ 에르그
❷전하 : 1 쿨롬 $=1/10$〔emu〕
$\fallingdotseq 3\times10^9$〔esu〕
전류 : 1 암페어 $=1\times10$〔emu〕
$\fallingdotseq 3\times10^9$〔esu〕
전압 : 1 볼트 $=10^8$〔emu〕
$\fallingdotseq 1/300$〔esu〕
비저항 : 1 옴 미터 $=10^{11}$〔emu〕
$\fallingdotseq 1/9\times10^{-9}$〔esu〕
용량 : 1 패럿 $=10^{-9}$〔emu〕
$\fallingdotseq 9\times10^{11}$〔esu〕
❸자속 : 1 웨버 $=(1/4\pi)\times10^8$〔emu〕
$=1/(4\pi\times300)$〔esu〕
자화의 세기 : 1 웨버/m^2
$=(1/4\pi)\times10^8$〔emu〕
$\fallingdotseq 1/(4\pi\times3\times10^6)$〔esu〕
자장의 세기 : 1 암페어·회수/m
$=4\pi\times10^{-3}$ 에르스테드
$=12\pi\times10^7$〔esu〕
자속 밀도 : 1 웨버/m^2
$=10^4$ 가우스
$\fallingdotseq 1/(3\times10^6)$〔esu〕

emu, esu는 각각 시 지 에스 전자 단위(C.G.S. 電磁單位)와 시 지 에스 정전 단위(C.G.S. 靜電單位)의 약기호(略記號)이며, 전자 쿨롬, 정전 패럿, 또는 전자 단위 쿨롬, 정전 단위 패럿 등이라 부른다. M은 미터(meter), K는 킬로그램(kilogram), S는 초(secend)의 첫 글자이다.

엠 케이 에스 에이 단위계(M.K.S.A. 單位系) [해설] 엠 케이 에스 단위계(M.K.S. 單位系)에 전자기(電磁氣)의 단위인 전류의 단위 암페어〔A〕를 합친 단위계. 이 단위계에 의한 전자기에 관한 단위를 실용 단위계(實用單位系)라고 부른다. 전자기에 관한 단위계로는 이 단위계 외에 시 지 에스 정전 단위계(C.G.S. 靜電單位系), 시 지 에스 전자 단위계(C.G.S. 電磁單位系) 등 여러 단위계가 있다.

엠 티 에스 단위계(M. T. S. 單位系) [해설] 길이·질량·시간의 기본 단위로서 각각 미터〔m〕·톤〔t〕·초〔s〕를 사용하는 단위계. 이 단위계에 온도가 추가될 경우에는 섭씨 온도〔℃〕가 사용된다. 프랑스의 법정 단위계로 사용되고 있다. 이 단위계에 의한 단위는 같은 종류의 양에 대해서는 시 지 에스 단위계(C.G.S. 單位系) 또는 엠 케이 에스 단위계(單位系)의 10^n 배로 한다. M은 미터(meter), T는 톤(ton), S는 초(secend)의 첫 글자이다.

엥자테이규르(engjateigur) [넓이] 아이슬란드(Iceland)의 단위. 1 엥자테이규르는 페르파트무르(ferfathmur)의 1,600 배이며, 1.4 에이커(acre) 또는 56.74 아르〔a〕에 해당된다.

여(女) [수효] 딸의 수를 세는 데 쓰는 말. 《漢書, 刑法志》淳于公, 無男有五女, 當行會逮, 罵其女曰, 生子不生男, 緩急非有益也. 《後漢書, 戴良傳》初良五女並賢, 每有求姻, 輒便許嫁. 《王建, 宋氏五女詩》五

女誓終養, 貞孝內自持.

여(旅) [군사] ❶조선 시대, 군대 편제의 하나. 1 여는 125 명으로 조직되었다.《典錄通考, 兵典, 番上》忠淸道主鎭三旅 庇仁·藍浦·泰安等鎭, 各二旅. ❷(lǚ) 중국(中國)의 단위. ㉮ 1 여는 500 명으로 조직되었다.《說文》旅, 軍之五百人爲旅.《詩, 小雅》我師我旅, (毛箋) 五百人爲旅.《周禮, 夏官, 小司徒》五卒爲旅(旅, 五百人).《左傳, 哀公元年》夏少康有田一成, 有衆一旅(五百人爲一旅).《論語, 鄕黨》軍旅之事, (朱熹集解) 五百人爲旅也. ㉯ 1 여는 2,000 명으로 조직되었다.《國語, 齊語》古二千人爲旅.

여(緰) [질량] 삼실〔麻絲〕3 근(斤)을 하나치로 헤아리는 데 쓰는 말.《新唐書, 百官志 3》絲五兩爲絇, 麻三斤爲緰.《資治通監, 唐玄宗開元15年》丁酉, 夏至, 賜貴近絲, 人一緰. 杜佑曰, 唐令, 緜六兩爲屯, 絲五兩爲絇, 麻三斤爲緰.

여(閭) [1] [넓이] 토지 제도의 한 단위. 3 보(步)를 1 간(間)으로 하였을 때 2,160 간을 1 여라 하였다. 여에는 여장(閭長)을 두어 관리하게 하였으며, 1 여의 장정 중 3 분의 1 은 호정(戶丁)에 충당하고, 3 분의 2 는 호포(戶布)를 내게 하여 전제(田制)와 병제(兵制)를 아울러 담당하게 하였다.《海行摠載, 海遊錄上》奉行二人代理者, 掌征稅, 三步爲一間, 六十間爲一町, 三十六町爲一閭, 閭置一主管, 作里門禁盜·禁火甚嚴. [2] [행정] 행정상 사회 조직 단위의 하나. ❶ 1 여는 25 가(家)로 조직되었다.《周禮, 地官, 大司徒》族, 四閭爲族(族, 百家也).《周禮, 地官, 大司徒》令五家爲比, 使之相保, 五比爲閭, 使之相受.《事類博解, 上, 地理》百家爲族. ❷ 1 여는 24 가로 조직되었다.《華嚴經, 六十七音義 下》尙書大傳曰, 八家爲鄰, 三鄰爲閭, 三閭爲里.《尙書大傳, 洛誥》八家爲鄰, 三鄰爲閭. [3] [군사] 군대 편제의 하나. 1 여는 100 명으로 조직되었다.《尉繚子, 伍制令》軍中之制, 百人爲閭, 閭相保也.

여(廬) [수효] '채'의 뜻으로, 집의 수를 세는 데 쓰는 말.《文選, 張衡, 西京賦》徼道外周, 千廬內附. (呂延濟注) 廬, 衛兵鋪屋也, 言千者, 擧大數也.《張九齡, 和許給事中直夜簡諸公詩》武衛千廬合, 嚴局萬戶深.《李白, 贈范金鄕詩 1》百里雞犬靜, 千廬機杼鳴.

여단(旅團) [군사] 군대 편제상의 부대 단위의 하나. 사단(師團)보다 규모가 작으며, 보통 본부(本部)와 2 개의 연대(聯隊), 또는 지원 부대(支援部隊)로 편성된다.

역(力) [1] [등급] 조선 시대, 딜음질 취재(取才)의 한 가지로, 군사의 완력의 강약을 매길 때 쓰던 말. 두 손에 각각 50 근(斤)의 물건을 들고 160 보(步) 이상을 가면 1 력(力), 130 보 이상을 가면 2 력, 100 보 이상을 가면 3 력이라 하였다.《經國大典 4, 兵典, 試取, 力》兩手各持五十斤, 能一百六十步爲一力, 一百三十步爲二力, 一百步爲三力.《朝鮮文宗實錄 3, 卽位年8月戊寅》本道銃筒軍元額一千三百二十八, 然率多老弱, 令都節制使, 勿論

良賤, 依京中取才之法, 擧沙三力以上入格者, 仍定. 2 [순도(純度)] (lǐ) 중국(中國)의 단위. 여느 금속과 다른 금속으로 된 합금(合金)에서 순도를 나타내는 데 쓰는 말. 금(金). 성(成). 〈예〉 九九～鉡粉.

역(域 : yù) [질량] 중국의 단위. '헌드렛웨이트(hundredweight)'의 역어(譯語).

역(緎) [수효] 가죽옷의 솔기의 수를 세는 데 쓰는 말. 《詩, 召南, 羔羊》 羔羊之革, 素絲五緎. (毛傳) 緎, 縫也. (集傳) 緎, 裘之縫界也.

역(驛) [거리] 두 개의 역참 사이의 거리. 또는 그 역참의 수를 세는 데 쓰는 말. 《宋詩紀事 67》 去城纔半驛, 深谷自逶迤. 《讀史方輿紀要, 河南 2, 開封府》 大梁距魏, 不過十驛.

연(連) 1 [수효] ❶'마리'의 뜻으로, 매〔鷹〕의 수를 세는 데 쓰는 말. 암수 관계 없이 각각의 수를 세는 데 쓴다. 가(架). 연(聯). 《高麗史 28, 忠烈王世家》 帝賜王海東靑一連, 駙馬金印·鞍馬, 王飮餞于東宮. 《朝鮮世宗實錄 44, 11年5月戊申》 阜鷹六連, 籠雅骨十連, 兒子鴉骨十連……羅黃鷹四十連. 《朝鮮成宗實錄 138, 13年2月辛亥》 海靑與那進, 所食不相遠, 故已令北道監司, 進海靑一二連, 減那進之數. 《老乞大朴通事諺解, 單字解》 連, 及也, 幷也, 조쳐. 又秤一把曰一連. 又鷹一箇, 亦曰一連. 字又作聯. ❷저울의 수를 세는 데 쓰는 말. 16근(斤)을 달 수 있는 저울은 연(連), 10근 반은 반(槃), 3근 2냥은 개(介)라 하였다. 개(介). 반(槃). 부(部). 좌(坐). 파(把). 《高麗史 28, 忠烈王世家》 小邦稱制, 異於上國, 前者蒙賜一十六斤稱一連, 十斤半等子一槃, 三斤二兩等子一介, 用之中外, 未可周遍, 乞更賜稱子·等子各五百. 《老乞大諺解, 下》 稱三十連(큰 저울 설흔 ᄆᆞ라), 等子十連(효근 저울 열 ᄆᆞ라). 《老乞大朴通事諺解, 單子解》 連, 及也, 幷也, 조쳐. 又秤一把曰一連. 又鷹一箇, 亦曰一連. 字又作聯. ❸'쾌'의 뜻으로, 가다랭이〔鰹節〕포나 북어 따위의 스무 마리를 하나치로 세는 데 쓰는 말. 부(桴). 《增正交隣志 5, 通信使行, 一行回受私禮單》 螺全竹六握, 貼雲小扇九握, 鰹節三連. ❹'림(ream)'의 음역(音譯)으로, 양지(洋紙) 전지(全紙) 500장을 하나치로 세는 데 쓰는 말. 영·미(英美)에서는 림(ream)이라 한다. 림에는 쇼트 림(short ream)과 롱 림(long ream)이 있는데, 쇼트 림은 보통 종이 480장이고, 신문 용지 등은 500장을 롱 림이라 한다. 영(令·另·領). ❺'자루'의 뜻으로, 톱의 수를 세는 데 쓰는 말. 《農政全書, 種植》 按工, 必有用具, 細齒截鉅一連, 厚脊利刃小刀一把. ❻'줄'의 뜻으로, 사람 또는 물건의 늘어선 열(列)의 수를 세는 데 쓰는 말. 《宛署雜記, 太字, 養濟院》 宛平養濟院, 在城內河漕四坊, 有公府一所, 群房十二連. ❼'국(國)'의 뜻으로, 나라의 수를 세는 데 쓰는 말. 1연은 10개국에 해당된다. 《公羊傳, 隱公2年》 莒人入向. (徐彥疏) 謂五國爲屬, 屬有長, 二屬爲連, 連有帥, 三連爲卒, 卒有正. ❽일본

(日本)의 단위. ㉮발〔簾〕·다시마 따위를 낱으로 세는 데 쓰는 말. ㉯'쾌'의 뜻으로, 조기〔石首魚〕·북어·오징어 따위의 20 마리를 하나치로 세는 데 쓰는 말. ㉰염주나 구슬을 꿴 꿰미의 수를 세는 데 쓰는 말.《羣書類從》五色吹玉一連(長二尺, 以白糸貫復). ㉱종이 1,000 장을 하나치로 세는 데 쓰는 말. ② [행정] (lián) 중국(中國)의 단위. ❶민호(民戶) 편제의 하나. 1 연은 10 가(家)로 조직된다. 연(聯).《管子, 乘馬》十家而連, 五連而暴, 五暴而長. ❷민호 편제의 하나. 1 연은 200 가(家)로 조직된다.《漢書, 鼂錯傳》 臣又聞古之制邊縣以備敵也, 使五家爲伍, 伍有長, 十長一里, 里有假士, 四里一連, 連有假五百, 十連一邑, 邑有假候.《國語, 齊語》五家爲軌, 軌爲之長.《管子, 小匡》制五家以爲軌, 軌有長, 十軌爲里, 里有司, 四里爲連, 連有長, 十連爲鄕, 鄕有良人, 五鄕一帥.《戰國策, 齊策》蘇秦說齊宣王曰, 齊地方二千里, 帶甲數十萬, 齊軍之良, 五家之兵, 疾如錐矢. (注) 五家之兵, 管子之制也, 管子曰, 制五家爲軌, 軌有長.《史記, 齊太公世家》桓公旣得管仲, 與鮑叔, 隰朋, 高傒, 修齊國政, 連五家之兵.

연(椽 : chuǎn) [수효] 중국(中國)의 단위. '간(間)'의 뜻으로, 집의 간살의 수를 세는 데 쓰는 말. 간(間).《牟融, 陳使君山莊詩》數椽瀟洒臨溪屋, 十畝膏腴附郭田.

연(筵) [길이] 1 연은 9 자〔尺〕에 해당된다.《周禮, 考工記, 匠人》周人明堂, 度九尺之筵, 東西九筵, 南北七筵, 堂崇一筵, 五室, 凡室二筵.

연(聯) ① [수효] ❶'연(連)'의 ①❶과 같다.《通文館志 9, 紀年, 孝宗 10年》鷹十四聯, 俱係二三年籠養, 未見一聯好的, 籠過多年, 必衰滑無用.《老乞大朴通事諺解, 單字解》連, 及也, 竝也, 죠쳐. 又秤一把曰一連. 又鷹一箇, 亦曰一連. 字又作一聯. ❷한시(漢詩)에서, 상대하는 두 구(句)를 한 짝으로 하여 세는 데 쓰는 말. 또는 시의 한 행(行)을 몇 단위로 묶어서 구분한 부분을 세는 데 쓰는 말.《袁枚, 答錢東麓少司寇書》 故鯫生之一字一絣必爲噓揚曲誘于靡已.《紅樓夢, 17回》賈政……因命再題一聯來. 寶玉使念道, 寶鼎茶閒烟尙綠, 幽窗棋指猶涼. ❸일정한 길이로 짠 피륙의 수를 세는 데 쓰는 말.《孤兒行》急從販繪者, 貰縑百聯. ② [행정] 민호(民戶) 조직의 하나. ❶ 1 연은 10 가(家)로 조직된다. 연(連).《周禮, 地官, 族師》五家爲比, 十家爲聯. ❷ 1 연은 10 인(人)으로 조직된다.《周禮, 地官, 族師》五人爲伍, 十人爲聯. ❸ 1 연은 8 여(閭)로 조직된다.《周禮, 地官, 族師》四閭爲族, 八閭爲聯.

연(鏈) [길이] ❶거리의 단위. 1 연은 주척(周尺)으로 100 자〔尺〕에 해당된다.《增補文獻備考 91, 樂考, 度量衡》測量尺. 十釐爲分, 十分爲一周尺(六寸六分), 六尺爲一步, 十尺爲一間, 一百尺爲一鏈, 二千一百尺爲一里(卽三百五十步), 三十里爲一息. 泰西米突, 則一米突, 準我五尺. ❷해상(海上)의 거리를 헤아

리는 데 쓰는 말. 1 연은 1 해리의 10 분의 1, 또는 185.2 m 에 해당된다.

연(臠 : luán) [수효] 중국(中國)의 단위. '점'의 뜻으로, 살코기 따위의 작은 조각의 수를 세는 데 쓰는 말. 《莊子, 至樂》秦九韶以爲樂, 具太牢以爲膳. 鳥乃眩視憂悲, 不敢食一臠. 《淮南子, 說林》嘗一臠肉, 知一鑊之味. 《晉書, 謝混傳》每得一㹠, 以爲珍膳頂一臠尤美, 輒以奉帝. 《晉中興書》年大以來, 肉食不過十臠.

연대(年代) [수효] 십진법(十進法)에 따라 햇수를 10 년을 하나치로 하여 헤아리는 데 쓰는 말.

연대(聯隊) [군사] 육군 및 해병(海兵) 부대 편제(編制)의 단위. 사단의 아래, 대대(大隊)의 위이다. 본부와 3 개의 대대 및 지원 부대(支援部隊)로 편성되며, 대령(大領)을 장(長)으로 한다. 조선 고종(高宗) 32년(1885) 신식 군제에 의하여 실시되기 시작하였다. 《朝鮮高宗實錄 33, 32年閏5月25日》 副令洪啓薰, 補訓鍊隊聯隊長. 副領玄興澤, 補侍衛隊聯隊長. 《增補文獻備考 283, 職官考, 更張官制》侍衛隊, 今上三十一年, 廢諸軍門, 設訓鍊隊, 三十二年, 改設侍衛隊, 以二大隊編成聯隊, 長一員, 大隊長二員, 副官二員, 餉官二員, 中隊長四員, 小隊長十四員. 光武二年, 改置聯隊長一員, 副官一員, 武器主管一員, 旗管附下士三員. 親衛隊, 今上三十三年, 設親衛隊, 置聯隊長一員, 副官一員, 武器主管一員, 旗官一員. 光武二年, 以一二三大隊, 編成一聯隊, 各大隊, 大隊長一員, 餉官二員, 副官一員, 正校一員, 副校三員, 五中隊爲一大隊, 各中隊, 中隊長一員, 小隊長四員, 正校・副校・參校各一員. 《朝鮮高宗實錄 40, 光武 4年 8月 20日》詔曰, 地方各軍隊之或稱鎭衛, 或稱地方者, 非軍容齊一之規也. 竝稱鎭衛隊, 令元帥府聯隊編制以入.

연돈공리(延頓公里 : yándūngōnglǐ) [운수(運輸)] 중국(中國)의 단위. '톤 킬로미터(ton kilometer)'의 역어(譯語).

연발(連發) [수효] 새로 탄환을 장전(裝塡)하지 않고 연달아 쏠 수 있는 횟수를 세는 데 쓰는 말.

열(列) [1] [수효] ❶'열'・'줄'의 뜻으로, 사람이나 물건이 차례로 죽 벌여 선 줄의 수를 세는 데 쓰는 말. 배(排). 유(溜). 《國語, 周語 中》陳其鼎俎. (韋昭注) 俎設於左, 牛豕爲一列, 魚蠟腸胃爲一列. 《宋書, 樂志 1》自天子至士, 降殺以兩, 兩者, 減其二列爾, 預以爲一列又減二人, 至士止餘四人, 豈復成樂. 《新唐書, 李晟傳》有詔賜第永崇里・涇陽上田・廷平門之林園, 女樂一列. 《朱子語類 89》 今不異廟, 只共一堂, 排作一列, 以西爲上. 《時事中國語》陳次長表示, 以目前的莒光號客車爲例, 每一列車只能牽引九輛左右的軍廂, 電化後可增至十五輛, 不但載客量增加, 速度也加快了很多. ❷별〔星〕의 수를 세는 데 쓰는 말. 《逸周書, 成開》天有九列, 別時陰陽. (盧文弨校) 九列, 卽九星. (朱右曾校釋) 蒼龍・朱鳥・歲星・熒惑・塡星・陽也. 咸池・元武・

太白・辰星, 陰也. ❸(liè) 중국(中國)의 단위. '종류'・'부류(部類)'의 뜻으로, 일이나 사물을 종류별로 따로따로 구별하여 세는 데 쓰는 말. 물(物). 사(事). 색(色). 유(流). 장(椿). 종(種). 종류(種類). 〈예〉 不在此~. [2] [군사](liè) 중국(中國)의 단위. 예전 군대 편오(編伍)의 한 단위. 1 열은 5 인(人)으로 편성되었다. 《左傳, 僖公22年》 不鼓列也. 不成列. 《通典, 兵典, 選澤附》 五人曰列, 列有頭.

열(脟) [수효] '점'의 뜻으로, 살코기 따위의 작은 조각의 수를 세는 데 쓰는 말. 연(臠). 《呂氏春秋, 察今》 嘗一脟肉而知一鑊之味, 一鼎之調. 《畢沅輯校》 一脟, 舊本作一脬, 訛.

열(鋝) [질량] 척관법(尺貫法)의 한 단위. ❶ 1 열은 6 냥(兩)에 해당된다. 《字類註釋, 物類, 名數》 鋝, 열량 렬, 六兩. 鋝爲鍰, 或曰二十兩, 不然. 《小兩雅, 廣衡》 二十四銖曰兩, 兩有半曰捷, 倍捷曰舉, 倍舉曰鋝, 鋝謂之鍰. (宋咸注) 舉, 三兩, 鍰, 六兩. 《史記, 同紀》 其罪百率(集解曰, 徐廣曰, 鋝也. 孔安國曰, 六兩曰鋝). ❷(lüè) 중국(中國) 북부 지방에서 1 열은 약 6.6 냥(兩)에 해당된다. 《廣才物譜 1, 庶類, 數》 鋝, 倍舉六兩, 卽鍰也. 又北方以二十兩爲三鋝. 又設文, 鋝, 十一銖二十五分之十三也. 《周禮》 曰 重三鋝. 北方以二十兩三鋝.

열량의 단위(熱量 ― 單位) [열량] 온도가 같지 않은 2 개의 물체 사이에서는 하나의 물체가 잃어 가는 열량과 다른 물체가 얻는 열량은 같으며, 이 열의 이동량을 생각할 때에 사용하는 단위로는 킬로칼로리〔kcal〕, 칼로리〔cal〕, 비 티 유(B.T.U.)가 있다. 열량과 역학적 에너지는 열의 일당량(當量)에 의해서 결합된다. 열량의 단위로는 위에 든 것 이외에도 줄〔J〕, 에르그〔erg〕 킬로줄〔kJ〕, 킬로와트시〔kWs〕, 와트시〔Ws〕, 킬로그램 미터〔kg・m〕 등이 있다. 우리 나라 계량법에서 규정한 열량의 계량 단위로는 줄〔J〕, 와트초〔Ws〕, 중량(重量) 킬로그램 미터〔kgW・m, kgfm 또는 kgm〕, 칼로리〔cal 또는 calt〕이다.

열불(列弗 : lièfú) [통화] 중국(中國)의 단위. '레프(lev)'의 음역(音譯).

열위(熱位) [열량(熱量)] 일본(日本)의 단위. 도시 가스 사업에서 사용하는 열량의 단위. 1 열위는 10,000 kcal 이다.

열이(列伊 : lièyī) [통화] 중국(中國)의 단위. '레이(lei)'의 음역(音譯).

염(捻) [1] [부피] (niǎn) 중국의 단위. '줌'・'움큼'의 뜻으로, 손으로 한 줌 쥔 분량. 또는 그 수를 세는 데 쓰는 말. 《粉蝶兒》 褪羅衣楚腰一捻. [2] [포장] 일본(日本)의 단위. 생사(生絲)를 실틀에서 벗긴 그대로의 형태로, 1 염은 약 18.6 몸메(匁), 또는 69.75 g 에 해당된다.

엽(葉) [1] [수효] ❶'대(代)'의 뜻으로, 임금의 치세(治世), 가계(家系)나 호주 승계(戶主承繼)의 순서, 또는 존속 기간 따위를 나타내는 데 쓰는 말. 대(代). 《聖德大王

神鐘銘》將恩被遠, 與物霑均, 茂矣千葉, 安乎萬倫.《三國史記 33, 色服志》色服. 新羅之初, 衣服之制, 不可考色, 至第二十三葉法興王, 始定六部人服色, 尊卑之制, 猶是夷俗. 至眞德在位二年, 金春秋入唐, 請襲唐儀, 玄宗皇帝詔可之, 兼賜衣帶, 遂還來施行, 以夷易華.《三國史記 35, 地理志, 漢州》德水縣, 本高句麗德勿縣, 景德王改名, 今因之. 第十一葉文宗代, 創置興王寺於其地. ❷'닢'의 뜻으로, 화살깃의 수를 세는 데 쓰는 말.《戎垣必備, 圖說, 皮翎箭》箭身通長六尺三寸, 圓徑一寸七分, 重三斤八兩, 上下皆以鐵粧飾, 自粧限二尺四寸止, 設皮翎三葉, 爲三稜, 翎長一尺四寸, 仍以皮箍三顆, 分三層環粧. ❸'벌'의 뜻으로, 옷의 수를 세는 데 쓰는 말. 구(具). 대(對). 부(副·福). 사(事). 습(襲). 신(身). 영(領). 요(腰). 전(揃). 착(著). 칭(稱). 투(套).《高麗史 31, 忠烈王世家》二十一年三月庚午, 遣中郎將趙琛, 如元進濟州方物, 苧布一百匹, 木衣四十葉, 脯六籠, 獾皮七十六領, 野猫皮八十三領, 黃猫皮二百領, 麞皮四百領, 鞍轎五副. ❹'닢'의 뜻으로, 널빤지의 수를 세는 데 쓰는 말. 괴(塊). 닙(立).《朝鮮光海君日記 106, 8年8月癸卯》今年七月十二日, 原州牧使牒報, 前項塩二百石, 椽木一千四百五十巨里, 板子六百十葉, 材木二十四條, 色吏逢授流莅上送板子二百二十五葉, 在驪州未及上來.《朝鮮光海君日記 166, 13年6月丁亥》 營建都監啓曰……輪板三百葉, 請令京畿, 急急上納.《陶山書院傳掌記, 萬曆46年正月14日》松板一葉. ❺'닢'의 뜻으로, 목판(木版)의 수를 세는 데 쓰는 말. 건(件). 판(板).《陶山書院傳掌記, 天啓8年正月20日》自省錄板三十九葉. ❻상(床)의 수를 세는 데 쓰는 말. 죽(竹)의 하위 단위로, 1죽은 10개이다. 닙(立). 좌(坐·座). 척(隻). 편(片).《陶山書院傳掌記, 天啓8年正月20日》黑柒大盤一竹八葉, 黑柒中盤二竹六葉. ❼사발(沙鉢)·대접〔大貼〕·접시〔貼是〕·주발(朱鉢) 따위 그릇의 수를 세는 데 쓰는 말. 죽(竹)의 하위 단위이다. 구(口). 닙(立). 사(事).《陶山書院傳掌記, 萬曆25年2月16日》白沙鉢三竹七葉, 常沙鉢二竹二葉, 大貼一竹八葉, 貼是十四竹九葉.《陶山書院傳掌記, 萬曆28年10月7日》朱鉢大小幷五竹九葉. ❽'닢'·'푼'의 뜻으로, 엽전의 수를 세는 데 쓰는 말. 개(箇). 매(枚).《朝鮮英祖實錄 71, 26年5月辛亥》承旨李𤥽請鑄錢曰, 大錢, 臣在戶曹時見之矣. 上曰, 其大何如. 𤥽曰, 一葉當一錢也.《推案及鞫案, 邪學罪人演承等鞫案, 高宗5年6月20日》修答給錢二十葉.《廣才物譜 1, 民業部, 珍寶》葉, 錢一子, 卽ᄒᆞᆫ 푼. ❾'닢'의 뜻으로, 자리〔席〕의 수를 세는 데 쓰는 말. 건(件). 매(枚). 부(浮). 석(席). 영(領). 장(丈·張). 전(揃). 좌(坐). 진(陳).《朝鮮太宗實錄 19, 10年4月甲寅》球沙殿報禮, 宜用黑麻布十匹, 席子十葉, 栢子一石.《朝鮮光海君日記 91, 7年6月乙酉》本部發禁吏捕舡人及領來人幷二名所載物件, 一一照數點視,

則大米一百七十名七升, 綿布五十一疋, 小盤五十七, 玄琴四, 琵琶二, 百文席十五葉, 油紙二十卷, 油芚八浮.《陶山書院傳掌記, 萬曆24年正月 日》茵長席六葉, 短席一葉. ⑩중배끼〔中朴桂〕와 같이 납작한 모양으로 만든 조과(造果)의 수를 세는 데 쓰는 말.《瑣尾錄 4, 乙未10月11日》中朴桂二十葉. ⑪'닢'의 뜻으로, 초둔(草芚)이나 유둔(油芚), 또는 빈 섬〔石〕의 수를 세는 데 쓰는 말.《磻溪隨錄 3, 田制後錄 上》自戶曹海運使以至倉, 官不得斂一升米, 一葉芚, 一條木.《萬機要覽, 財用編 4, 戶曹各掌事例, 前例房》別致賻. 王子君, 棺槨各一部……六油芚一番, 石灰一百石, 空石一百五十葉, 米十五石, 太十五石, 眞末十五斗, 淸蜜三斗. ⑫'닢'의 뜻으로, 식물의 잎을 세는 데 쓰는 말. ⑬'척(隻)'의 뜻으로, 작은 배의 수를 세는 데 쓰는 말. 〈예〉 一～扁舟. ⑭일본(日本)의 단위. ㉮미역의 수를 세는 데 쓰는 말. ㉯엽서의 수를 세는 데 쓰는 말. [2] [부피] '잔'의 뜻으로, 잔에 술이나 음료를 담아 그 양을 헤아리는 데 쓰는 말.《林雲鳳, 題申維久蕉隱詩》惟嫌飮量勝三葉, 未得陶然大道通.

엽(縄 : niè) [수효] 중국(中國)의 단위. 실오리의 수를 세는 데 쓰는 말. 1 엽은 5 오리에 해당된다.《鄒長倩, 遺公孫弘書》五絲爲縄, 倍縄爲升. 倍升謂紱, 倍紱爲紀, 倍紀爲緵, 倍緵爲襚.《西京雜記 5》5 絲爲縄, 倍縄爲升, 倍升爲紱, 倍紱爲紀.

엽(鬣) [수효] 갈기 모양으로 생긴 침엽수의 잎을 세는 데 쓰는 말.《酉陽雜俎, 廣動植, 木篇》私第大堂前, 有五鬣松.《周密, 癸辛雜識》李賀有五粒小松歌. 粒者, 鬣也.《喬宇, 華山西峯賦》餐五鬣之長松兮, 摘蓮花之十丈.《西溪叢語, 下》名山記云, 松有量鬣·三鬣·五鬣者, 言如馬鬣形.

영(令) [1] [수효] ❶'영(領)'의 [1]❼과 같다.《朝鮮宣祖實錄 17, 16年2月戊戌》巡察使鄭彦信拜辭, 賜頭口·水銀甲……豹皮一令, 胡椒一斗.《朝鮮英祖實錄 84, 31年4月甲辰》上以淸國所送紋緞二十軸, 下戶曹, 以豹皮四百令, 下尙方.《關西邑誌, 龍岡縣邑誌》釆練二十四片爲令. 子韋一片, 一戔, 邊一片, 七分七戶.《度支準折, 皮物》皮物(有毛曰令, 無毛曰張). 唐獺皮一令. 鄕㺚皮一令, 禮單虎皮一令(長三尺一寸, 廣一尺三寸, 該四方三尺). 禮單豹皮一令(長二尺二寸五分, 廣一尺一寸, 該二百四十七寸五分). 進獻水㺚皮一令(張一尺五寸, 廣七寸, 該一百五寸). 山羊皮一令(長二尺五寸, 廣一尺四寸, 該三百五十寸). ❷(lìng) 중국의 단위. '연(連)'의 [1]❹와 같다. [2] [길이] (lìng) 중국의 단위. '영극(令克)'의 준말. 1 영은 체인(chain)의 100 분의 1, 또는 7.92 인치(inch)에 해당된다.

영(另 : lìng) [수효] 중국(中國)의 단위. '연(連)'의 [1]❹와 같다.

영(領) [1] [수효] ❶'벌'의 뜻으로, 갑옷〔鎧〕의 수를 세는 데 쓰는 말. 병(柄). 부(副·部). 《三國史記

21, 高句麗寶藏王本紀》使還平壤, 收靺鞨三千三百人悉坑之, 獲馬五萬匹, 牛五萬頭, 光明鎧萬領.《朝鮮成宗實錄 182, 16年8月戊申》別幅長刀一對, 鎧一領, 諸緣具朱漆鑓子一對, 屛風一雙, 疊畫扇二十把.《萬機要覽, 軍政編 2, 訓鍊都監, 軍器》甲冑三千八百三十領.《宣川府邑誌, 上》鐵甲衣五十一領.《晉書, 桓伊傳》謹奉輸馬具裝百具, 步鎧五百領. ❷'필'의 뜻으로, 일정한 길이로 짠 피륙을 하나치로 세는 데 쓰는 말.《三國遺事 4, 義解, 慈藏定律》貞觀十七年癸卯, 本國善德王上表乞還, 詔許引入宮, 賜絹一領, 雜綵五百端, 東宮亦賜二百端, 又多禮貺. ❸'벌'의 뜻으로, 가사(袈裟)·갖옷〔裘〕·쾌자〔掛子〕·더그레〔號衣〕·핫옷〔襦衣〕 따위 옷의 수를 세는 데 쓰는 말. 구(具). 대(對). 부(副·福). 사(事). 습(襲). 신(身). 엽(葉). 요(腰). 전(揃). 착(著). 칭(稱). 투(套).《三國遺事 3, 塔像, 前後所將舍利》善德王代貞觀十七年癸卯, 慈藏法師所將佛頭骨·佛牙·佛舍利百粒, 佛所著緋羅金點袈裟一領.《朝鮮太宗實錄 12, 6年7月丙午》如大平舘, 請使臣至解慍亭置酒, 贈四人各一匹, 又贈黃儼苧麻布一百三十五匹, 石燈盞三十事, 席子十五張, 松子三石, 駿馬三匹, 豹鼠裘一領, 角弓一張, 箭一箇, 及凡所需人蔘·厚紙·山海食物, 無所不具.《朝鮮世宗實錄 101, 25年7月癸亥》都仇羅觸冒炎熱, 難苦而來, 予甚憐之, 欲賜衣一領, 及賜伴人衣一領.《萬機要覽, 軍政編 2, 訓鍊都監, 軍器》紅三升甲掛子各一百二十領.《萬機要覽, 軍政編 2, 龍虎營, 軍器》黃號衣五十八領. 軍服三十領.《度支準折, 袱帒巾衣裳》 襦衣一領(生木四十尺, 麻糸一戔, 綿花二斤). ❹'벌'의 뜻으로, 도롱이〔蓑衣〕·유삼(油衫) 따위와 같이 비를 피하기 위하여 껴입는 물건의 수를 세는 데 쓰는 말. 부(部).《三名日方物謄》簑衣二領.《萬機要覽, 軍政編 2, 龍虎營, 軍器》 紙油衫三百三十六領(五十領, 駕後分給, 二百八十六領, 標下軍分給). 木綿油衫五百九十二領. 木油衫一百二十領. ❺'채'·'닢'의 뜻으로, 요〔褥〕·이불·자리〔席〕·가마니 따위 넓적한 물건의 수를 세는 데 쓰는 말. 건(件). 매(枚). 부(浮). 석(席). 엽(葉). 장(丈·張). 전(揃). 좌(坐). 진(陳).《高麗史 2, 惠宗世家》惠宗二年, 晉遣范匡政·張季凝, 來册王, 勅曰……銀裹脚角竿頭金栢木册案一面, 紫綾案褥一領, 夾裙襬全行事紫綾席褥一副.《高麗史 70, 樂志, 軒架樂器》紫絹緣燈心席六十領.《老乞大諺解, 上》這般精土坑上怎的睡(이런 뮌 홁 구들에 엇디 자리오), 有甚麽藁薦(아므란 딥 지즑 잇거든), 將幾領來(여러 닙 가져 오라).《漢書, 霍光傳》賜……繡被百領. ❻'닢'·'장'의 뜻으로, 언치의 수를 세는 데 쓰는 말.《三名日方物謄錄》鞍赤二領. 懸赤二領. ❼'장(張)'의 뜻으로, 털가죽의 수를 세는 데 쓰는 말. 국어 사전에는 '가죽을 세는 말'이라고만 되어 있으나, 가죽은 털이 있고 없음에 따라 그 단위를 달리하는데, 털이 있는 가죽은 영

(令·領)으로, 털이 없는 가죽은 장(張)으로 각각 달리하여 쓰인다. 매(枚). 본(本). 영(令). 장(丈·張). 《高麗史 25, 元宗世家》仍獻金鐘三事, 金鐥二事, 銀鐥八事, 獺皮七十七領. 《朝鮮太宗實錄 34, 17年7月癸未》贈貂皮百領于黃儼……欽問起居使刑曹判書權軫, 回自北京, 獻桂皮二斤, 麻黃五斤, 甸皮四領, 斜皮四領. 《朝鮮世宗實錄 118, 29年11月壬辰》 濟用監納毛獐皮一百二十三領, 減其半, 豹尾之筒, 毛鹿皮十八領. 工曹納牛皮三十領, 馬皮五領, 山猪皮二十領. ❽연(連)의 1❹와 같다. ❾(lǐng) 중국(中國)의 단위. ㉮'명(名)'·인(人)'의 뜻으로, 갑옷을 입은 병사의 수를 세는 데 쓰는 말. 개(介·個). 구(口). 두(頭). 명(名). 분(分). 원(員). 위(位). 인(人). 정(丁). 한(漢). 《戰國策, 秦策》武王素甲三千領, 戰一日, 破紂之國. ㉯'채'·'장'의 뜻으로, 자리〔席〕의 수를 세는 데 쓰는 말. 《竇娥寃, 3折》要一領淨席, 等我竇娥站立. 2 [군사(軍事)] 고려 시대, 중앙 군제의 하나. 2군(軍)의 하나로, 용호군(龍虎軍)과 함께 6위(衛)보다 상위(上位)에 있었으며, 1령(領)으로 조직되어 왕의 친위군(親衛軍)으로서 신변 경호의 임무를 가졌다. 지휘관으로는 상장군(上將軍) 1인, 대장군(大將軍) 1인이 있었으며, 영에는 장군 1인, 중랑장(中郎將) 2인, 낭장(郎將) 2인, 별장(別將) 2인, 산원(散員) 3인, 위(尉) 20인, 대정(隊正) 40인 등이 있었다. 이중 상장군·대장군은 근장(近仗) 상장군·근장 대장군으로, 장군은 친종(親從) 장군, 중랑장 이하는 근장 중랑장 등으로도 불리었으며, 상장군으로서 군부전서(軍簿典書)를 겸직하면 반주(班州)라 일컬어 서반(西班)의 우두머리가 되었다. 공양왕 때에는 8군 6위를 합하여 불렀다. 《高麗史 77, 百官志, 西班》穆宗五年, 備置六衛職員, 後置鷹揚·龍虎二軍, 在六衛之上, 後又設重房, 使二軍六衛上·大將軍皆會焉, 至恭讓王時, 二軍六衛, 並稱八衛……鷹揚軍一領, 軍置上將軍一人, 正三品, 大將軍一人, 從三品, 領置將軍一人, 正四品, 中郎將二人, 正五品, 郎將二人, 正六品, 別將二人, 正七品, 散員三人, 正八品, 尉二十人, 正九品, 隊正四十人(鷹揚·龍虎二軍上·大將軍, 稱近仗上大將軍, 將軍稱親從將軍, 中郎將以下, 亦稱近仗, 又鷹揚軍上將軍兼軍簿典書者, 稱班主.

영(營) [군사] 군영(軍營)의 수를 세는 데 쓰는 말. 《萬機要覽, 軍政編 3, 摠戎廳》仁祖甲子, 創置摠戎廳, 以完豐府院君李曙爲摠戎事, 置水原·廣州·楊州·長湍·南陽五營, 定巡操之制. 《朝鮮高宗實錄 19, 19年4月29日》左議政宋近洙陳疏辭職略……臣愚以爲五營軍制, 特命復舊爲之, 似合事宜……使我軍卒之壯健者, 學其技藝, 目之以倭別技. 《後漢書, 張奐傳》拜奐爲護匈奴中郎將, 以九卿秩, 督幽·幷·涼三州, 及度遼·烏桓二營, 兼察刺史二千石能否, 賞賜甚厚.

영(楹) [수효] ❶방(房)의 수를 세는 데 쓰는 말. 실(室). 《朝鮮世宗

實錄 84, 21年2月辛亥》議政府據刑曹呈啓, 凡中外之獄, 築高臺, 作涼獄三楹於其上……又作溫獄. 其男女輕重獄楹數, 與涼獄同.《正字通, 木部》楹, 量度屋數亦曰楹, 一列爲一楹.《陸龜蒙, 甫里先生傳》有地數畝, 有屋三十楹.《淸稗類鈔, 外交類》交民巷僅方隅之限, 苦無餘屋可租, 後得數楹. ❷'간(間)'의 뜻으로, 간살의 수를 세는 데 쓰는 말. 간(間). 간취(間取).《朝鮮燕山君日記 10, 元年11月丁亥》義州客館侈麗, 獨於鄕校聖殿只二楹, 位版粉面剝落, 未辨題字, 東·西廡, 皆蓋以茅.《無名氏, 自嘲詩》數楹東倒西歪屋, 一個南腔北調人. ❸'채'의 뜻으로, 집의 수를 세는 데 쓰는 말.《芝峯類說 2, 地理部, 山》萬瀑洞, 在金剛山中, 洞有普德窟, 鑿絕壁銅柱於外, 以搆小屋三楹於其上, 拘以鐵鎖釘于巖石, 浮在空中, 祥雲亭傍海, 有長松連十里, 仰不見白日.

영(齡) [시간·수효] ❶'년'의 뜻으로, 햇수를 세는 데 쓰는 말. 년(年). 백(白). 사(祀). 상(霜). 세(歲). 재(載).《朝鮮太宗實錄 36, 18年8月庚申》交隣有道, 倭邦來庭, 存郇王裔, 俾遂其生. 中外乂安, 垂二十齡, 浥浥甘露, 歲降咸府.《晉書, 禮志 上》方今天地更始, 萬物權輿, 蕩近世之流弊, 創千齡之英範.《張九齡, 奉和聖制登封禮畢洛城酺宴詩》運與千齡合, 歡將萬國同. ❷'살'·'세'의 뜻으로, 나이를 세는 데 쓰는 말. 세(歲).《朝鮮世祖實錄 88, 30年5月乙卯》爾已六十歲, 壽命幾何, 子未十齡, 孤弱何恃.《法言, 問神》育而不秀者, 吾家之童烏乎. 九齡而與我玄文.《陶潛, 責子詩》通子垂九齡, 但念梨與栗. ❸'령'의 뜻으로, 누에가 뽕을 먹고 발육하는 시기를 세는 데 쓰는 말. 보통 5령 끝에 가서 실을 토하여 고치를 만들기 시작한다. ❹'순(旬)'의 뜻으로, 10년을 하나치로 하여 나이를 세는 데 쓰는 말.《禮記, 文王世子》文王謂武王曰, 女何夢矣. 武王對曰, 夢帝與我九齡. 文王曰, 女以爲何也. 武王曰, 西方有九國焉, 君王其終撫諸. 文王曰, 非也. 古者謂年齡, 齒亦齡也. 我百, 爾九十, 我與爾三焉. 文王九十七乃終, 武王九十三而終. (鄭玄注) 九齡, 九十年之祥也.《殷寅, 玄元皇帝應見賀聖祚無疆詩》言因六夢接, 慶葉九齡傳.《范成大, 別擬太上皇帝挽歌詞》如何千萬壽, 不待九齡終.《掃迷帚, 2回》在文王之告武王曰, 夢帝錫九齡, 不賜管蔡, 是也.

영(young) [광속(光束)] 광속의 단위. 1영은 647.8 루멘(lumen)에 해당된다. 국제 단위계 및 계량법에서는 루멘을 광속의 단위로 쓰고 있다.

영극(令克 : lǐngkè) [길이] 중국(中國)의 단위. '링크(link)'의 음역(音譯).

영담(英擔 : yīngdàn) [질량] 중국(中國)의 단위. '파운드(pound)'의 역어(譯語).

영돈(英噸 : yīngdūn) [질량] 중국(中國)의 단위. '롱 톤(long ton)'의 역어(譯語). 1영돈은 1016.04 kg, 또는 2,240 파운드(pound)에 해당된다.

영량(英兩 : yīngliǎng) [질량] 중국(中國)의 단위. '온스(ounce)'의 역어(譯語).

영리(英里 : yīnglǐ) [길이] 중국의 단위. '마일(mile)'의 역어(譯語). 《大人國》我獨自一個人的另一方向走了一英里多路.

영리(英釐 : yīnglí) [질량] 중국의 단위. '그레인(grain)'의 역어(譯語).

영마력(英馬力) (Birtish horse power) [공률(工率)] 영마력은 매초 550 피트(feet)·파운드(pound)의 비율로 일이 이루어지는 공률(工率), 또는 일률〔力率〕이다. 그 환산 관계는 다음과 같다. 기호 : hp, HP, ꟼ, PS

1 hp=1.0143 불마력(佛馬力)
=0.74570 kW
=76.07 kg·m/sec
=0.1782 kcal/sec
=0.05502 ft·lb/sec
=0.072 BTU/sec

영묘(英畝 : yīngmǔ) [넓이] 중국(中國)의 단위. '에이커(acre)'의 역어(譯語). 《環游見聞》楓丹白露森廣袤四萬二千英畝, 是法國的第二大森林.

영방(英鎊 : yīngbàng) [통화] 중국(中國)의 단위. '파운드(pound)'의 역어(譯語).

영석(英石 : yīngdàn) [질량] 중국(中國)의 단위. '스톤(stone)'의 역어(譯語).

영심(英尋 : yīngxún) [길이] 중국(中國)의 단위. '패덤(fathom)'의 역어(譯語).

영열량(英熱量) (British thermal unit) [열량(熱量)] 질량 1 파운드(pound)의 물의 온도를 40°F 에서 1°F 높이는 데 필요한 열량을 말한다. 그 환산 관계는 다음과 같다. 기호 : BTU, Btu

1 BTU=1.0547×10^3 J
=2.9298×10^{-4} kW/h
=0.252 kcal
=1.0755×10^2 kg·m
=10.41 atm/cm^3
=777.94 ft·lb

영척(英尺 : yīngchǐ) [길이] 중국(中國)의 단위. '피트(feet)'의 역어(譯語). 《大人國》我在路上走了許久, 沒有發現什麽, 田裏的麥子已經成熟, 長得至少有四十英尺高.

영촌(英寸 : yīngcùn) [길이] 중국(中國)의 단위. '인치(inch)'의 역어(譯語). 《大人國》 我拔出蜂螫, 發覺它們有一英寸半長, 尖硬有如鋼針.

예(藝) [수효] 기예(技藝)의 수를 세는 데 쓰는 말. 《周禮, 地官, 大司徒》三曰六藝, 禮·樂·射·御·書·數. 《史記, 孔子世家》孔子以詩書禮樂教, 弟者蓋三千焉, 身通六藝者七十有二人. 《韋曜, 博奕論》伎非六藝, 用非經國, 立身者不階其術, 徵選者不由其道.

예배(禮拜 : lǐbài) [시간] 중국(中國)의 단위. '주일(週日)'·'주(週)'의 뜻으로, 월요일부터 일요일까지 이레 동안을 하나치로 세는 데 쓰는 말. 《超級巨星》畢業役, 我一禮拜總要看十五場電影.

오(伍) ① [군사] 예전 군대 편제의 하나. 1 오는 5 명으로 조직되었다. 《磻溪隨錄 21, 兵制, 右道》旗摠以

下自依定例, 蓋五人爲伍, 二伍爲隧, 并隊長爲十二人, 三隊爲旗.《正字通, 人部》伍, 軍法五人爲伍.《周禮, 夏官, 諸子》合其卒伍.(鄭玄注) 軍法百人爲卒, 五人爲伍.《左傳, 桓公5年》先偏後伍.(杜預注) 五人爲伍. ② [행정] 민호(民戶) 조직의 하나. 1 오는 5 가(家)로 조직되었다.《釋名, 釋州國》五家爲伍, 以五爲名也.《左傳, 襄公30年》田有封洫, 廬井有伍.(杜預注) 使五家相保.《管子, 乘馬》五家而伍, 十家而連.《漢書, 尹翁歸傳》盜賊發其比伍中.(顔師古注) 五家爲伍, 若今五保也. ③ [수효] 수레 120 량(輛), 또는 125 량을 하나치로 세는 데 쓰는 말.《周禮, 夏官, 司右比其乘, 疏》凡軍旅會同, 合其車之卒伍. 司馬法云, 以百二十五乘爲伍.《左傳, 昭公元年》服虔引司馬法云, 五十乘爲兩, 百二十乘爲伍, 八十一乘爲專, 二十九乘爲參, 二十五乘爲偏.

오(烏) [수효] 태양의 수를 세는 데 쓰는 말. 예전에는 태양 속에 까마귀가 살고 있다고 생각하였기 때문에 비롯된 말이다. 요(堯)임금 때에 10 개의 해가 한꺼번에 떠올라 초목(草木)이 말라 죽자, 예(羿)가 그 중 9 개를 활로 쏘아 떨어뜨렸다고 한다.《淮南子, 俶眞訓》雖有羿之知, 而無所用之.(高誘注) 是堯時羿善射, 能一日落九烏.《劉孝威, 結客少年場行》近發連雙兔, 高彎落九烏.《吳昌齡, 張天師 2折》想當初堯王時有十個日頭, 被后羿在崑崙山頂上射落九烏, 止留的你一個.

오가재비(五—) [수효] 굴비나 자반·준치 같은 것을 다섯 마리씩 한 줄에 엮은 것을 하나치로 세는 데 쓰는 말.

오나(ona) [길이] 도미니카(Dominica)의 고유 단위. 1 오나는 1.300 야드(yard), 또는 1.188 m 에 해당된다.

오네스(onnes) [열량] 엔트로피(entropy)의 실용 단위. 1 오네스는 열량을 1 줄(joule), 온도 1°k 라 하였을 때의 엔트로피를 이른다. 시지 에스(C.G.S.) 단위에서는 오네스 대신 클라우지우스(clausius)를 사용한다. 기호 : onnes

오랍(奧拉 : àolā) [통화(通貨)] 중국의 단위. '아우라르(aurar)'의 음역(音譯).

오르귀아(orguia) [길이] 근대 그리스의 단위. 1 오르귀아는 푸스(pous)의 6 배, 또는 1.83 m에 해당된다. 패덤(fathom).

오르귀아(orgyia) [길이] 고대 그리스의 단위. 두 팔을 벌린 길이로, 1 오르귀아는 푸스(pous)의 6 배(倍)이며, 6.07 피트(feet), 또는 1.85 m 에 해당된다.

오르나(orna) [부피] 이탈리아 트리에스테(Trieste) 지방의 단위. 1 오르나는 15.1 미(美) 갤런, 또는 57.0*l* 에 해당된다. 주로 주류(酒類)의 용량을 헤아리는 데 쓴다.

오르트(ort) [질량] ❶덴마크의 고유 단위. 1 오르트는 푼(pund)의 1,000 분의 1 이며, 7.27 그레인(grain), 또는 0.500 g 에 해당된다. ❷스웨덴(Sweden)의 고유 단위. 1 오르트는 스칼푼드(skalpund)의 100 분의 1 이며, 65.6 그레인, 또는

4.25 g 에 해당된다.

오리 [수효] 실이나 나무·대 따위의 가늘고 길게 오린 수를 세는 데 쓰는 말. 결(綄). 본(本). 오리(五里).

오리(五里) [수효] '오리'의 차자 표기로, 실이나 나무·대 따위의 가늘고 길게 오린 수를 세는 데 쓰는 말. 결(綄). 본(本). 《仁祖國葬都監儀軌, 都廳, 甘結秩, 己丑5月13日》堂上都廳坐起時所用, 印信封標纓子鹿皮二五里……摠護使一分, 堂上一分, 都廳二員, 黃筆·眞墨, 每朔各一式. 《孝宗寧陵山陵都監儀軌, 座目》獐皮二十一五里.

오메르(omer) [부피] 이스라엘(Israel)의 단위. 1 오메르는 에파(ephah)의 10 분의 1 이며, 0.42 미(美) 펙(peck), 또는 3.69l 에 해당된다. 또는 0.46 미(美) 펙, 또는 4.05l 에 해당되기도 한다.

오볼로스(obolos) ① [질량] 고대 그리스(Greece)의 단위. 1 오볼로스는 드라크메(drachmē)의 6 분의 1 이며, 11.0 그레인(grain), 또는 0.71 g 에 해당된다. ② [통화] 고대 그리스의 동화(銅貨). 1 오볼로스는 드라크메(drachmē)의 6 분의 1, 또는 은(銀) 0.7 g 에 해당된다.

오볼로스(ovolos) [질량] 근대 그리스(Greece)의 단위. 1 오볼로스는 0.1 g 에 해당된다.

오수전(五銖錢) [화폐] 한무제(漢武帝) 때 만든 무게가 5 수(銖)되는 동전(銅錢). 그 뒤 왕망(王莽) 때 일시 폐지되었으나, 후한(後漢) 때 다시 부활되었고, 삼국 이후 당(唐)나라 때까지 단속(斷續)되었다. 때문에 무제 이후 당나라까지를 오수전 시대(五銖錢時代)라고도 한다. 당나라 고조(高祖) 때에 폐지되어 개통원보(開通元寶)란 돈을 만들었다. 《史記, 平準書》有司言三銖錢輕, 易姦詐, 乃更請諸郡國鑄五銖錢, 周郭其下, 令不可磨取鋊焉. 《晉書, 食貨志》於是復鑄五銖錢, 天下以爲便. 《梁鉉, 天門街西觀榮王聘妃詩》燈攢九華扇, 帳撤五銖錢.

오쉴레트(auchlet) [부피] 스코틀랜드(Scotland)의 고유 단위. 1 오쉴레트는 볼(boll)의 8 분의 1, 또는 9~27l 의 여러 종류가 있다.

오스미나(os'mina) [부피] 러시아(Russia)의 옛 단위. 1 오스미나는 체트비에르티(chietviert')의 2 분의 1 이며, 2.98 미(美) 부셸, 또는 105.01l 에 해당된다. 주로 곡물(穀物)의 양을 헤아리는 데 썼다.

오카(oka) ① [질량] 원래는 터키(Turkey)의 단위였으나, 여러 나라로 전파되면서 그 수치를 달리하게 되었다. 현재 터키·불가리아에서는 1.284 kg, 그리스(Greece)·유고슬라비아(Yugoslavia)에서는 1.279 kg, 키프로스(Kypros)에서는 1.270 kg, 이집트(Egypt)·시리아(Syria)에서는 1.247 kg 이다. 터키는 미터계에 흡수되어 1 오카는 1 kg 으로 정하였다. 오케(oke). ② [부피] 질량의 오카(oka)가 전용된 것으로, 터키·불가리아·키프로스에서는 1.278l 이며, 유고슬라비아에서는 1.419l 에 해당된다.

오카(okka) [질량] 터키(Turkey)

의 옛 단위. 1 오카는 약 1.283 kg에 해당된다.

오케(oke) [질량] '오카(oka)'의 ① 과 같다.

오케트(oket) [질량] 에티오피아(Ethiopia)의 고유 단위. 1 오케트는 0.990 온스, 또는 28.066 g에 해당된다.

오크타바(okthabah) [길이] 미얀마(Myanmar)의 양곤(Yangon) 지방의 단위. 1 오크타바는 85.6 야드(yard), 또는 78.232 m에 해당된다.

오키아(okia) [질량] 요르단(Jordan)의 단위. 1 오키아는 0.2417 kg에 해당된다.

오타바(ottava) [질량] 이탈리아(Italia)의 로마(Roma) 지방의 옛 단위. 1 오타바는 리브라(libbra)의 96 분의 1 이며, 54.51 그레인, 또는 3.532 g에 해당된다.

오팅게르(ottinger) [부피] 핀란드(Finland)의 단위. 1 오팅게르는 4.15 미(美) 갤런, 또는 15.70*l* 에 해당된다.

오팅카르(ottingkar) [부피] 덴마크(Denmark)의 단위. 1 오팅카르는 코른퇴네(korntønde)의 8 분의 1 이며, 0.49 미(美) 부셸(bushel), 또는 17.39*l* 에 해당된다.

옥(玉) ① [재적(材積)] 일본(日本)의 단위. 1 옥은 길이 6.4 자〔尺〕, 굵기 6 치〔寸〕에 해당된다. 주로 오동나무의 크기를 헤아리는 데 쓴다. ② [수효] 일본의 단위. ❶'그릇'의 뜻으로, 우동〔饂飩〕이 담긴 그릇의 수를 세는 데 쓰는 말. ❷'통'의 뜻으로, 배추의 수를 세는 데 쓰는 말. ❸'알'의 뜻으로, 양파의 수를 세는 데 쓰는 말. ③ [포장 단위] 일본의 단위. 면사(綿絲), 주로 방적사(紡績絲)의 포장 단위로 쓰인다. 1 옥은 10 파운드이며, 약 1.2 관(貫), 또는 4.536 kg에 해당된다.

옥(屋 : wū) [넓이] 중국(中國)의 단위. 논밭의 넓이를 헤아리는 데 쓰는 말. 1 옥은 300 묘(畝)이며, 부(夫)의 3 배(倍), 또는 사방 18,000 자〔尺〕에 해당된다.《周禮, 地官, 小司徒》以任地事而令貢賦. (鄭玄注) 司馬法曰, 六尺爲步, 步百爲晦, 晦百爲夫, 夫三爲屋, 屋三爲井, 井十爲通.《通志, 食貨略, 田制》畝百爲夫, 夫三爲屋, 屋三爲井, 井十爲通, 通十爲成, 成十爲終, 終十爲同, 同方百里.

옥소프트(oxhoft) [부피] 이란의 고유 단위. 1 옥소프트는 54.45 미(美) 갤런(gallon), 또는 2.061 헥토리터〔h*l*〕에 해당된다.

옥스강(oxgang) [넓이] 고대 영국(英國)의 단위. 1 옥스강은 카루케이트(carucate)의 8 분의 1 이라 하지만, 그 수치는 정확하지 않다.

옥스호프트(okshoofd) [부피] 네덜란드(Netherlands)의 고유 단위. 1 옥스호프트는 민겔렌(mingelen)의 192 배(倍)이며, 61.6 미(美) 갤런(gallon), 또는 2.33 헥토리터〔h*l*〕에 해당된다.

옥스후부드(oxhuvud) [부피] 스웨덴(Sweden)의 단위. 1 옥스후부드는 칸노르(kannor)의 90 배(倍)이며, 62.2 미(美) 갤런(gallon), 또는 2.36 헤토리터〔h*l*〕에 해당된다.

옥시바폰(oxybaphon) [부피] 고대

그리스(Greece) 단위. 1 옥시바폰은 0.14 미(美) 액량(液量) 파인트(pint), 또는 0.0067 l 에 해당된다. 고대 로마(Roma)의 아케타불룸(acetabulum)과 같다.

옥타보(octavo) [질량] 스페인(Spain)·멕시코(Mexico)의 고유 단위. 1 옥타보는 온사(onza)의 8 분의 1 이며, 55.49 그레인, 또는 3.596 g 에 해당된다.

옥타브(octave) [음악] 음악 용어. 음계의 어떤 음에 대하여 그것보다 위로 8 도(度)의 음정(音程)이 되는 음을 이른다. 이 8 도의 음정은 진동수의 비(比)가 2 : 1 이 될 경우이므로, 일반적으로 음에 관계된 전기 신호(電氣信號)의 주파수의 비가 2 : 1 이 될 때에도 옥타브라 한다.

온(aune) [길이] ❶프랑스의 단위. 지방에 따라 다소 차이가 있는데, 파리 지방에서 1 온은 3 피에(pied) 7 푸스(pouce) 5⁵⁄₆ 리뉴(ligne), 또는 1.18845 m 에 해당된다. 주로 피륙의 길이를 재는 데 쓴다. ❷벨기에·스위스의 단위. 1 온은 47.24 인치(inch), 또는 1.20 m 에 해당된다. 주로 피륙의 길이를 재는 데 쓴다.

온사(onza) [1] [질량] 스페인·멕시코(Mexico) 등에서 사용하는 단위. 1 온사는 리브라(libra)의 16 분의 1 이며, 443.8 그레인(grain), 또는 28.76 g 에 해당된다. [2] [통화] 코스타리카(Costa Rica)의 옛 통화 단위. 1 온사는 에스쿠도(escudo)의 8 배(倍)에 해당된다.

온스(ons) [질량] 네덜란드의 고유 단위. 1 온스는 폰드(pond)의 10 분의 1 이며, 3.5274 온스, 또는 100 g 에 해당된다.

온스(ounce) [1] [길이] 미국·영국의 피혁(皮革)의 단위. 1 온스는 인치(inch)의 64 분의 1, 또는 0.397 mm 에 해당된다. 영량(英兩). [2] [질량(質量)] 야드(yard)·파운드법(pound 法)의 단위. 온스에는 일반적으로 사용하는 상용(常用) 온스(avdp. ounce : oz. avdp.), 귀금속과 보석에 사용하는 트로이 온스(troy ounce : oz. t.), 약품에 쓰이는 약용(藥用) 온스(apothecaries ounce : oz. ap.)의 3 가지가 있다. 우리 나라의 계량법에서의 상용 온스는 1 온스를 파운드의 16 분의 1, 또는 약 28.349527 g 으로 정하였다. 트로이 온스는 480 그레인(grain), 또는 약 31.103481 g 이고, 약용(藥用) 온스는 480 그레인, 또는 약 31.103481 g 에 해당된다. 기호 : oz

〈상용(常用) 온스〉

1 oz. avdp.＝1/16 상용 파운드
＝16 상용 드라큼
＝437.5 그레인
≒28.349527 g

〈트로이 온스(troy ounce)〉

1 oz. t.＝20 페니 웨이트
＝1/12 트로이 파운드
＝480 그레인
≒31.103481 g

〈약용(藥用) 온스〉

1 oz. ap.＝8 약용 드램
＝24 스크루플
＝480 그레인
≒31.103481 g

온치아(oncia) [질량] 이탈리아의 옛 단위. 1온치아는 리브라(libbra)의 12분의 1이며, 436.2그레인(grain), 또는 28.26 g에 해당된다.

올 [수효] 가늘고 긴 실이나 줄의 수를 세는 데 쓰는 말. 결(綄). 본(本). 오리(五里).

올로크(ollock, olluck) [부피] 인도(印度)의 마드라스(Madras) 지방의 단위. 1올로크는 0.37미(美) 건량 파인트(pint), 또는 0.205 l 에 해당된다.

올림피아스(olympias) [시간] 그리스(Greece)에서 올림피아의 축제가 끝난 뒤 다음 올림피아의 축제까지의 4년간을 이르는 말. 최초의 올림피아스는 B.C.776~B.C.773의 4년간이었다.

옴(ohm) [저항] 엠 케이 에스 에이(M.K.S.A. 單位系) 및 실용 단위계에 있어서의 단위. 양단에 있어서 1볼트의 전위차(電位差)가 있는 도선(導線)에 1암페어의 전류가 흐를 때, 그 도선이 나타내는 저항을 말한다. 옴의 명칭은 아이 이 시(IEC)의 최초의 모임에서 독일(獨逸)의 물리학자인 옴(Ohm, Geory Simon ; 1787~1854)의 이름을 따서 정한 것이다. 구(歐). 구모(歐姆). 기호 : Ω

옴 미터(ohm-meter) [전기] 전기 비저항(電氣比抵抗)의 단위. 1옴 미터는 1옴 센티미터의 100배(倍)에 해당된다. 기호 : Ω·m

옴 센티미터(ohm-centimeter) [전기(電氣)] 전기 비저항(電氣比抵抗)의 단위. 물질에 따라 각각 정해져 있는데, 반도체(半導體)인 게르마늄(germanium)의 비저항은 상온(常溫)에서 10^{-2}~50 Ω·cm이다. 기호 : Ω·cm

옴큼 [부피] 손으로 한 줌 옴켜쥔 분량을 나타내는 데 쓰는 말.

옹(瓮) [부피] '항아리'의 뜻으로, 항아리에 장이나 곡식을 담아 그 양을 헤아리는 데 쓰는 말. 개(箇)·관(罐)·항(缸).《朝鮮太宗實錄 9, 5年3月癸亥》 賜前護軍童所乙五苧布二匹, 綿布一匹, 紬布一匹, 醬一瓮.《朝鮮世宗實錄 31, 8年3月丁未》尹鳳進段子二匹, 羊七口, 荔枝一瓮, 檀香沙梨三缸, 金橘煎一缸.

옹(顒) [수효] 목을 벤 적수(敵首)의 수를 세는 데 쓰는 말. '顒'은 '顆'의 오자(誤字)이다. 과(顆). 급(級). 두(頭). 수(首).《朝鮮宣祖實錄 107, 31年12月乙卯》本院躬擐甲冑, 親自督戰, 冒犯風雪, 過十二晝夜, 焚燒內外柵房, 斬級一千餘顒.

옹스(once) [질량] 프랑스에서 사용하던 단위. 지방에 따라 다소 차이가 있는데, 대략 1옹스는 리브르(livre)의 16분의 1에 해당된다. 파리에서는 약 30.59 kg이었다.

옹스트롬(angstrom) [길이] 광(光)의 파장(波長)이나 원자의 배열 등을 측정하는 데 쓰는 말. 1옹스트롬은 10^{-8} cm, 곧 1 cm의 1억분의 1에 해당된다. 스웨덴의 물리학자 옹스트룀(Ångström, Anders Jönas ; 1814 ~ 1874)이 1868년 태양의 스펙트럼을 정밀하게 표시한 것이 단위의 시작이 되었다. 애(埃). 기호 : Å, A, A.U.

$1\text{Å} = 0.1\,m\mu$
$= 10^{-10}\,m$
$= 10^{-8}\,cm$

옹카(onca) [질량] 포르투갈(Portugal)·브라질(Brazil)의 단위. 1 옹카는 리브라(libra)의 16 분의 1 이며, 442.7 그레인(grain), 또는 28.69 g 에 해당된다.

와(瓦) [질량] 일본의 단위. '그램(gramme)'의 역어(譯語). 《新字典, 新字新義部》瓦, 그람. 詳見克. 克, 그람. gramme. 法國衡制, 以此爲單位. 日本用瓦字代之.

와(窩 : wō) [수효] 중국(中國)의 단위. ❶'배'의 뜻으로, 동물이 새끼를 낳거나 알을 부화하는 횟수를 세는 데 쓰는 말. 《水滸全傳, 43回》這條沂嶺自從有了這窩虎在上面, 整三五個月, 沒人敢行. 《兒女英雄傳, 5回》那老樹上半截剩了一個杈兒活着, 下半截都空了, 裏頭住了一窩老梟. ❷'무더기'·'덩이'의 뜻으로, 덩이진 물건이나 떼를 이룬 것의 수를 세는 데 쓰는 말. 《長相思》雲一窩, 玉一梭, 淡淡春衫薄薄羅. 《清平山堂話本, 簡帖和尙》眉分兩道雪, 髻挽一窩絲.

와(wah, wa) [길이] 태국(泰國)의 옛 단위. 1 와는 80 인치(inch), 또는 2.03 m 에 해당된다. 근래의 1 와는 소크(sok)의 4 배(倍)이며, 78.74 인치, 또는 2 m 에 해당된다.

와덕(瓦德 : wǎdé) [공률(工率)] 중국(中國)의 단위. '와트(watt)'의 음역(音譯).

와케아(wakea) [질량] 에티오피아(Ethiopia)의 고유 단위. 1 와케아는 로틀(rotl)의 12 분의 1 이며, 400 그레인(grain), 또는 25.92 g 에 해당된다.

와트(watt) [공률(工率)] 전기 공학(電氣工學)에서 쓰는 공률(工率)·전력(電力)의 단위. 1 볼트(V)의 전위차(電位差)를 가진 두 점 사이를 1 암페어(A)의 전류가 흐를 때 소비되는 일의 양(量)을 이르는데, 1 와트는 마력(馬力)의 746 분의 1 에 해당된다. 와트라는 명칭은 증기 기관의 발명자인 와트(Watt, James ; 1736～1819)의 이름에서 따온 것이다. 와덕(瓦德). 와특(瓦特). 활탈(滑脫). 기호 : W, J/s

와트 매 제곱 미터(—每—) [에너지 속밀도(束密度)] 에너지 속밀도의 계량 단위(計量單位)의 하나. 1 와트 매 제곱 미터는 줄(joule) 매 제곱 미터 매초〔$J/m^2 \cdot s$〕와 같다. 기호 : W/m^2

와트 초(—秒) ① [전력량] 유도 단위(誘導單位)의 하나. 1 와트의 공률(工率)로 1 초(秒) 동안에 행해지는 일의 양에 해당되는 전력량(電力量)을 말한다. 이 보조 계량 단위로 마이크로와트 초〔μWs〕, 밀리와트 초〔mWs〕, 킬로와트 초〔kWs〕, 와트 시〔Wh〕, 킬로와트 시〔kWh〕, 메가와트 시〔MWh〕, 기가와트 시〔GWh〕가 쓰이고 있다. 기호 : Ws ② [일] 일의 계량 단위의 하나. 1 와트 초는 1 와트의 공률로서 1 초 동안에 한 일을 말한다. 그 보조 계량 단위로는 마이크로와트 초〔μWs〕, 밀리와트 초〔mWs〕, 킬로와트 초〔kWs〕, 와트 시〔Wh〕, 킬로와트 시〔kWh〕, 메

가와트 시〔MWh〕, 기가와트 시〔GWh〕가 쓰이고 있다. 기호 : Ws

와트 초 매 제곱 미터(—秒每—) [에너지 플루언스] 에너지 플루언스의 계량 단위(計量單位)인 줄 매 제곱 미터〔J/m²〕의 보조 단위. 1 와트 초 매 제곱 미터는 1 줄 매 제곱 미터〔J/m²〕와 같다. 기호 : Ws/m²

와트 초 매 제곱 센티미터(— 秒每 —) [에너지 플루언스] 에너지 플루언스의 계량 단위(計量單位)의 하나. 1 와트 초 매 제곱 센티미터는 1 와트 초 매 제곱 미터〔Ws/m²〕의 10^4 배(倍)에 해당된다. 기호 : Ws/cm²

와특(瓦特 : wǎtè) [공률(工率)] 중국(中國)의 단위. '와트(watt)'의 음역(音譯).

완(垸) [질량] 무게의 단위. 1 완은 6 냥(兩)에 해당된다. 환(鍰). 《說文通訓定聲》垸, 叚借爲鍰. 《周禮, 考工記, 冶氏》重三垸. (鄭司農云) 垸, 量名, 讀爲丸.

완(椀) [부피] '사발'의 뜻으로, 사발에 음식을 담아 그 양을 헤아리는 데 쓰는 말. 사발(沙鉢). 완(碗). 우(盂). 《新編集成馬醫方, 治脾部》右爲末, 每用一兩, 溫水半椀, 童子小便一鍾, 同調嚾之. 《救急簡易方諺解 1, 溺死》酒一椀, 煎六分, 去滓, 雞鳴時服(술 ᄒᆞᆫ 사발애 달혀 반 남작거든 즈싀 앗고 ᄃᆞᆰ울 빼예 머기면). 《進饌儀軌(純祖己丑) 2, 饌品》膸脂四十椀. 《白居易, 詠雲母散詩》藥銷日晏三匙飯, 酒渴春深一椀茶.

완(碗) 1 [부피] '완(椀)'과 같다. 《豹子和尚自還俗》滑出出, 水泠泠, 兩碗來素匾食. 《駱駝祥子 4》要了碗餛飩, 他仍然坐在地上. 《再見秋水》我打開紗櫥, 捧起那一大碗綠豆沙, 也不用湯匙. 2 [수효] (wǎn) 중국(中國)의 단위. 초롱에 켠 등불의 수를 세는 데 쓰는 말. 《雲麓漫鈔》燈籠四百七十一碗. 燈籠以碗稱, 至今沿之. 《水滸傳》一個莊客提碗燈籠. 《水滸全傳, 22回》正勸不開, 只其兩三碗燈籠飛也似來.

왕(汪 : wāng) [부피] 중국(中國)의 단위. 고여 있는 액체에 쓰는 말. 〈예〉一~兒水. 兩~眼泪.

왜(緺 : guā) [수효] 중국(中國)의 단위. 머리카락을 사리어 감은 수를 세는 데 쓰는 말.

외레(øre) [통화] 덴마크의 단위. 1 외레는 크로네(krone)의 100 분의 1 에 해당된다.

외레 (öre) [통화] ❶스웨덴의 현재 보조 통화 단위. 1 외레는 크로나(krona)의 100 분의 1 에 해당된다. ❷노르웨이의 단위. 1 외레는 크로네(krone)의 100 분의 1 에 해당된다.

욀(öl) [길이] 헝가리(Hungary)의 고유 단위. 1 욀은 라브(lāb)의 6 배(倍), 또는 약 1.829 m 에 해당된다.

욀체크(ölçek) [질량] 터키의 고유 단위. 1 욀체크는 킬레(kile)의 4 분의 1, 또는 약 10 kg 에 해당된다.

욀퇴네(øltönde) [부피] 덴마크의 고유 단위. 1 욀퇴네는 34.71 미(美) 갤런(gallon), 또는 1.314 헥토리터〔hl〕에 해당된다.

욀투나(öltunna) [부피] 아이슬란드(Iceland)의 단위. 1 욀투나는 포투르(pottur)의 136 배이며, 34.71 미(美) 갤런(gallon), 또는 1.314 헥토리터〔hl〕에 해당된다.

요(料 : liào) 1 [수효] 중국(中國)의 단위. ❶칼 3,000 자루를 하나치로 세는 데 쓰는 말.《玉海, 兵制, 刀》乾道元年, 命軍器所造雁翎刀, 以三千柄爲一料. ❷널빤지의 수를 세는 데 쓰는 말.《吏文輯覽 2, 29》三百一十料. 料, 板葉也, 言以板三百一十葉作船也. ❸'종'의 뜻으로, 곡식의 종류를 세는 데 쓰는 말.《陳州糶米》楔子, 今有陳州官員申上文書來, 說陳州亢旱三年, 六料不收, 黎民苦楚, 幾至相食.《佚名氏, 合同文字》楔子, 如今這六料不收, 上司言語着俺分房減口. 2 [부피] 중국의 단위. 1 회분의 환약(丸藥)을 만드는 데 필요한 약재의 분량을 헤아리는 데 쓰는 말.《紅樓夢, 3回》我這裏正配丸藥呢, 叫他們多配一料就好了. 3 [조세] 중국의 단위. 1 번 내는 조세(租稅)의 양. 또는 그 횟수를 헤아리는 데 쓰는 말.《乞不給散青苗錢斛狀》候豐熟日, 分作五年十料, 隨二稅送納. 4 [길이] 중국의 단위. 목재의 길이를 헤아리는 데 쓰는 말. 1 자〔尺〕 각(角)의 목재 7 자를 이르는 말. 곧, 단면이 0.1 m^2 이고 길이가 2.1 m 인 것을 1 요라 한다.

요(腰) [수효] ❶'벌'의 뜻으로, 바지의 수를 세는 데 쓰는 말. 구(具). 대(對). 부(副・福). 사(事). 습(襲). 신(身). 엽(葉). 영(領). 전(揃). 착(著). 칭(稱). 투(套).《高麗史 2, 惠宗世家》二年, 晉遣范匡政張季凝來冊王勅曰……罽錦紅地金銀五色線織成花鳥罽錦捍胯四腰……紅地金銀五色線織成花鳥罽錦裙腰六腰.《高麗史 9, 文宗世家》百綿綾夾袴一腰. ❷'자루'의 뜻으로, 칼의 수를 세는 데 쓰는 말. 구(口). 병(柄). 본(本). 정(挺). 진(振). 척(隻). 파(把).《朝鮮世宗實錄 20, 5年6月庚午》平滿景使人進丹木一千觔……皿五百箇, 劍十五腰, 犀角二丁, 常山三觔, 爐甘石五觔. ❸띠의 수를 세는 데 쓰는 말. 본(本). 부(副). 조(条・條).《高麗史 11, 肅宗世家》 四年八月甲戌……幸僧伽窟設齋, 仍施銀香椀・手爐各一事, 金剛子・水精念珠各一貫, 金帶一腰.《朝鮮太宗實錄 11, 6年5月乙未》賜兀良哈萬戶甫里起花, 銀帶一腰, 青緜布・黑麻白苧布・廣紅綃各一匹, 古里銀帶一腰, 黑麻布・白苧布各一匹.《朝鮮睿宗實錄 9, 2年3月辛卯》太監鄭同・兄鄭擧, 進鈒白玉帶一腰, 珊瑚樹一株.《芝峰類說 17, 雜事部, 數名》凡數人以口, 禽獸以首, 魚以尾, 筆爲枚爲枝, 墨爲丸爲笏, 紙爲幅爲番, 硯爲面, 帶爲腰, 衣爲領.《隋書, 李德林傳》事訖奏聞, 別賜九環金帶一腰. ❹일본(日本)의 단위. 화살 21 대를 하나치로 세는 데 쓰는 말.

요(繚 : liáo) [수효] 중국(中國)의 단위. '꾸리'・'묶음'・'토리'・'타래'의 뜻으로, 머리카락이나 실뭉치 따위의 수를 헤아리는 데 쓰는 말. 구(絇・鉤). 요(繞).《舊唐書, 后妃傳 上, 玄宗楊貴妃》乃引刀剪髮一繚附獻.

요(繞 : rào) [수효] 중국(中國)의 단위. ❶'요(繚)'와 같다. ❷'바퀴'

의 뜻으로, 둘레나 굽이를 도는 횟수를 세는 데 쓰는 말.

요(曜) [수효] 별의 수를 세는 데 쓰는 말. 《文子, 九守》天有四時, 五行, 九曜, 三百六十日, 人有四支, 五藏, 九竅, 三百六十節. 《韓偓, 夢中作詩》九曜再北極, 萬方依舊祝南山. 《李好古, 張生煮海, 2折》望黃河一股兒渾流派, 高冲九曜, 遠映三臺. 《中國通史, 3編 7章 8節》九執, 唐人習稱九曜, 卽七曜(日·月·水·金·火·木·土)及假想的星座羅睺和計都.

요자나(yojana) [길이] 고대 인도(印度)의 단위. 우차(牛車)가 하루에 갈 수 있는 거리라고도 하나 자세하지 않다. 1요자나는 당시 약 1.5 km 이었으나, 현재는 4.10 마일(mile), 또는 6.598 km 에 해당된다.

요크(yoke) [넓이] ❶오스트리아(Austria)의 단위. 1요크는 1.422 에이커(acre), 또는 57.55 아르〔a〕에 해당된다. 요흐(joch). ❷헝가리의 단위. 1요크는 1.07 에이커, 또는 43.16 아르에 해당된다. 요흐(joch). ❸고대 영국(英國)의 단위. 1요크는 술렁(sulung)의 4분의 1이며, 40 에이커, 또는 16.2 헥타르〔ha〕에 해당된다.

요트(yot, yote) [길이] 태국(泰國)의 옛 단위. 1요트는 10.10 마일(mile), 또는 16.26 km 에 해당된다.

요흐(joch) [넓이] '하루갈이'의 뜻으로, 멍에에 맨 2마리의 소가 하루 동안에 갈 수 있는 논밭의 넓이에 해당된다. ❶오스트리아(Austria)의 옛 단위. 1요흐는 1.422 에이커(acre), 또는 57.55 아르〔a〕에 해당되었다. 요크(yoke). ❷헝가리(Hungary)의 옛 단위. 1요흐는 1.07 에이커, 또는 43.16 아르에 해당되었다. 요크(yoke).

용(甬) [부피] '휘'·'섬〔石〕'의 뜻으로, 곡식의 양을 헤아리는 데 쓰는 말. 일반에서는 20 말〔斗〕을, 관부(官府)에서는 15 말을 1곡(斛)이라 하였다. 곡(斛)·담(擔·甔)·석(石·碩)·소(召)·점(苫)·표(俵). 《玉篇, 馬部》甬, 斛也. 《呂氏春秋, 仲秋紀》日夜分, 則一度量, 平權衡, 正鈞石, 齊斗甬. 《禮記, 月令》角斗甬. (鄭玄注) 甬, 今斛也. 《集古錄》谷口銅甬, 客十斗, 重四十斤. 《字類註釋, 物類, 名數》甬, 휘용. 量名, 斛也. 又甬道, 複道築墻. 又鍾鼻. 又甬草木華也.

용(箳) [수효] 전동(箭筒)에 화살을 담아 그 수를 세는 데 쓰는 말. 《朝鮮太宗實錄 12, 6年7月丙午》如大平舘, 請使臣至解慍亭置酒, 贈四人馬各一匹. 又贈黃儼苧麻布一百三十五匹, 石燈盞三十事, 席子十五張, 松子三石……角弓一張, 箭一箳及凡所需人蔘·厚紙·山海食物, 無所不具.

우(宇) [수효] ❶'채'의 뜻으로, 집이나 건물의 수를 세는 데 쓰는 말. 가(架·家). 구(區). 당(幢). 동(棟). 소(所). 실(室). 원(院). 장(爿). 전(廛). 좌(坐·座). 진(進). 《陶山書院典敎堂重修日記, 丙申 7月 19日》朝後, 都監與工人弁出……庶有修補之效, 第其童蒙齊一宇, 以財力之匱乏, 未克修葺, 雖

嫔後日, 豈不爲九仞一簣之虧耶.《羣書類從 1》寶殿二字. 倉四字. ❷ 일본(日本)의 단위. '장'의 뜻으로, 장막(帳幕)의 수를 세는 데 쓰는 말. 부(浮·部). 장(帳). 조(條). 첩(帖).

우(羽) [수효] '마리'의 뜻으로, 날짐승이나 닭과 같이 날개와 깃털이 있는 동물의 수를 세는 데 쓰는 말. 개(箇). 거(居). 과(窠). 매(枚). 수(首). 시(翅). 익(翼). 척(隻). 핵(翮).《陶山書院傳掌記 29, 已卯 8月17日》鷄一羽.

우(盂) [부피] '사발'의 뜻으로, 사발에 음식이나 곡식 따위를 담아 그 양을 헤아리는 데 쓰는 말. 사발(沙鉢). 완(椀·碗).《農家集成, 衿陽雜錄, 農談 2》凡爲人傭耕者, 食於人, 必具五器然後始肯, 不然, 稱病不堪執役. 其五器者, 曰飯三盂, 羹一盂, 蔬瓜一盂, 人各當五具, 俄頃而盡, 其饞者先訖, 傍人不能者, 益之以私, 最饞者食飯幾五盂. 由是, 冬初所收告罄, 餒如秋蠅.《史記, 滑稽傳》見道旁有禳田者, 操一豚蹄, 酒一盂.《荊楚歲時記》千飯一盤, 醴酪二盂.《徐霞遊記, 遊黃山日記》久之, 返茅庵, 淩虛出粥相餉, 啜一盂.

우(耦) [수효] '짝'·'조(組)'의 뜻으로, 승부를 겨룰 때 나눈 편짝의 수를 세는 데 쓰는 말.《朝鮮正祖實錄 38, 17年10月己丑》御春塘臺, 命文武諸臣耦射, 文臣爲一耦, 武臣爲一耦, 較劃賭錢, 選日宴遊於壯男營.

우(稯：yōu) [수효] 중국(中國)의 단위. '줌'·'뭇'·'단'의 뜻으로, 짚·땔나무·푸성귀 같은 것의 묶음을 세는 데 쓰는 말. 1 우는 10 거(筥), 또는 40 뭇에 해당된다.《小爾雅, 廣物》把謂之秉, 秉四曰筥, 筥十曰稯.(宋翔鳳訓纂) 舊注, 秉, 握也. 筥·稯, 乃多少之差.

우기야(ouguiya) [통화] 모리타니(Mauritania)의 현재 통화 단위. 1 우기야는 콤(khoum)의 5 배(倍)에 해당된다.

우르나(urna) [부피] 고대 로마(Roma)의 단위. 1 우르나는 암포라(amphora)의 2 분의 1 이며, 3.37 미(美) 갤런(gallon), 또는 12.74l 에 해당된다.

우리 [수효] '누리'의 잘못.

우오기에트(wogiet) [질량] 에티오피아(Ethiopia)의 고유 단위. 1 우오기에트는 카슴(kasm)의 8 배(倍)이며, 알라다(alada)의 2 배, 또는 31.20 g 에 해당된다.

우오이베(woibe) [부피] 고대 아라비아(Arabia)의 단위. 1 우오이베는 카피즈(cafiz)의 2 분의 1, 또는 약 16.5l 에 해당된다.

우잔(uzan) [질량] 기니(Guinea)의 고유(固有) 단위. 1 우잔은 벤다(benda)의 8 분의 1 이며, 123.7 그레인(grain) 또는 8.016 g 에 해당된다.

우카(uqqa) [질량] ❶이집트의 단위. 시대와 지역에 따라 다소 차이가 있는데, 현재의 1 우카는 1.248 kg 에 해당된다. ❷시리아(Syria)의 단위. 시대와 지역에 따라 다소 차이가 있는데, 현재 1 우카는 1.282 kg 에 해당된다.

우키야(ūqīya) [질량] 아랍권의 단

위. '위키야(wiqīya)'와 같다.

우트(łut) [질량] 폴란드(Poland)의 단위. 1 우트는 푼트(funt)의 32분의 1 이며, 195.6 그레인(grain), 또는 12.67 g 에 해당된다.

운(囩) [넓이] 논밭의 넓이를 헤아리는 데 쓰는 말. 1 운은 밭 12 경(頃)에 해당된다. 《集韻》囩, 田十有二頃, 謂之囩. 《古音叢目》田十二頃曰囩.

운(耘) [수효] 논밭의 김을 매는 횟수를 세는 데 쓰는 말. 《增補文獻備考, 147, 田賦考, 務農》英祖四十六年……此耕織圖, 出於燕京, 而耕類卄三, 織類卄三, 耕則曰浸種, 曰耕……曰揷秧, 曰一耘, 曰二耘, 曰三耘.

운(運) [1] [시간] 햇수를 헤아리는 데 쓰는 말. 1 운은 360 년에 해당된다. 《事類博解, 天時》十二世爲一運, 凡三百六十年. 《夢溪筆談, 象數 1》安知十年・百年・一紀・一會・一元之間, 又豈無大四時邪. 《朱子語類 24》 十二萬九千六百年爲一元, 一元有十二會, 一萬八百年爲一會, 一會有三十運. [2] [수효] ❶ '번'・'회(回)'의 뜻으로, 물건이나 짐승을 옮기는 횟수를 세는 데 쓰는 말. 개(個). 계(季). 과(過). 기(起). 도(度・道). 반(返・班). 배(輩). 번(番). 삽(霎). 성(成). 장(場). 쟁(趟). 조(遭). 주(注). 하자(下子). 헐(歇). 호(號). 화(伙). 회(回・廻・會). 《朝鮮太宗實錄 7, 4年5月乙巳》遣知司譯院事張洪壽, 押二運牛一千隻, 赴遼東. 《朝鮮太宗實錄 27, 14年正月辛巳》命濟州都按撫使尹臨, 刷馬出送, 從臨之報, 刷馬雌雄千八百匹, 分作十五運, 出送將放珍島也. 《朝鮮宣祖實錄 41, 26年8月甲午》一度運行後, 第二度運行者, 一年復戶, 每一運, 各加一年. 《續大典 2, 戶典, 漕轉》船隻一齊作綜(漕船每運以三十隻作一綜, 到泊・回發毋得先後), 現點於元山及安興. ❷'무리'의 뜻으로, 어떤 관계로 여럿이 모여 이룬 동아리의 수를 세는 데 쓰는 말. 과(夥). 군(群). 기(起). 반(班). 배(輩). 비(批). 진(陣). 퇴(堆). 패(牌). 화(伙). 《朝鮮世祖實錄 13, 4年8月甲申》分入直內禁衛・兼司僕, 爲十一運, 巡行都城內外, 摘姦. 《朝鮮中宗實錄 58, 22年正月己丑》豐年則十二運, 凶年則九運, 而一運人數不過七八人矣. 《壬辰狀草, 萬曆20年7月15日》賊倭不知其數, 分四運, 矣身并以携率, 自京下來. 《萬機要覽, 軍政編 1, 備邊司, 所掌事目, 西北兩道襦紙衣》每年秋, 有司堂上詣本司, 看品捧上, 分四運刷馬, 次次替運, 令禁軍領送後草記. 《純元王后國葬都監儀軌 2, 稟目》大轝擔陪軍二十二運 (以十二運輪回交替, 每運一百九十名式)二千二百八十名. ❸어느 둘레나 스스로 돈 횟수를 세는 데 쓰는 말. 《楚辭, 劉向, 九嘆, 逢紛》思南郢之舊俗兮, 腸一夕而九運. (王逸注) 言已思念郢都邑里故俗, 腸中愁悴, 一夕九轉, 欲還歸也.

운(韻) [수효] 율시(律詩)나 절구(絕句)의 두 구(句)를 하나치로 세는 데 쓰는 말. 《王勃, 滕王閣序》一言均賦, 四韻俱成.

운글레(unglee) [길이] 인도(印度)

의 캘커타(Calcutta) 지방의 단위. 1 운글레는 구즈(guz)의 48 분의 1 이며, 0.75 인치(inch), 또는 1.91 cm 에 해당된다.

운세(unse) [질량] 덴마크(Denmark)·노르웨이(Norway)의 고유 단위. 1 운세는 푼(pund)의 16 분의 1 이며, 1.1023 온스(ounce), 또는 31.25 g 에 해당된다. 노르웨이의 옛 단위로는 1.098 온스, 또는 31.13 g 에 해당되었다.

운스(uns) [질량] 스웨덴(Sweden)의 고유 단위. 보통 스웨덴 온스(Sweden ounce)라 불린다. 1 운스는 스칼푼드(skalpund)의 16 분의 1 이며, 0.937 온스(ounce), 또는 26.57 g 에 해당된다.

운차(uncja) [질량] 폴란드의 고유 단위. 1 운샤는 푼트(funt)의 16 분의 1 이며, 0.894 온스(ounce), 또는 25.34 g 에 해당된다.

운체(Unze) [질량] 오스트리아·독일(獨逸) 바이에른(Bayern) 지방의 단위. 1 운체는 푼트(Pfunt)의 16 분의 1 이며, 1.13 온스, 또는 35 g 에 해당된다.

움큼 [부피] 손으로 한 줌 쥘 만한 분량. 또는 그 수를 세는 데 쓰는 말. 겹(掐). 봉(捧). 일(溢).

웅이아(ouggia) [질량] 근대 그리스(Greece)의 단위. 1 웅이아는 리트라(litra)의 12 분의 1 이며, 드라크메(drachme)의 8 배(倍), 또는 28.34 g 에 해당된다. 약용으로는 30 g 이다. 웅키아(ougkia).

웅키아(ougkia) [질량] 근대 그리스(Greece)의 단위. '웅이아(ouggia)'와 같다.

웅키아(uncia) [1] [길이] 고대 로마(Roma)의 단위. 1 웅키아는 페스(pes)의 12 분의 1 이며, 0.97 인치(inch), 또는 2.46 cm 에 해당된다. [2] [질량] 근대 로마의 단위. 1 웅키아는 리브라(libra)의 12 분의 1 이며, 419.0 그레인(grain), 또는 27.15 g 에 해당되거나, 421.1 그레인, 또는 27.29 g 에 해당되는 2 가지가 있다. [3] [넓이] 고대 로마의 단위. 1 웅키아는 유게룸(jugerum)의 12 분의 1 이며, 251 제곱 야드〔yd^2〕, 또는 210 m^2 에 해당된다.

원 [통화] 우리 나라의 화폐 단위. 1962년 6월 10일부터 혁명 정부(革命政府)가 제 2 차 화폐 개혁을 단행할 때 종래의 환(圜)과 구별하기 위하여 10 분의 1 로 절하(切下)하여 지금까지 사용하고 있는 화폐 단위. 이 단위는 1953년 2월까지 쓰였던 원(圓)과는 다르다. 1 원은 전(錢)의 100 배(倍)에 해당된다.

원(円) [통화] 일본(日本)의 통화 단위. 1871년(明治 4년) 10월에 일본 정부가 당시의 통화 부족을 보완하기 위하여 임시로 10 원, 5 원, 1 원의 대장성 태환 증권(大藏省兌換証券)을 발행하였다. 그 전에는 양(兩), 분(分), 주(朱)의 단위가 행하여지다가, 그 해 5월에 제정된 신화조령(新貨条令)에 따라 전(錢), 이(厘)와 함께 처음으로 등장되었다. 기호 : ¥《陶山書院西光明室瓶建日記, 己卯8月16日》李蓍鎬入來, 勘給畫工工價一百三十五円, 加給木手二十一円, 前後用合一千一百六十餘円, 米三十餘斗也.

원(元) ① [통화] ❶조선 말기와 대한 제국 시대(大韓帝國時代)에 사용하던 화폐의 단위. 《朝鮮高宗實錄 41, 光武5年12月6日》議政府議政尹容善奏, 今伏奉十二月四日勅諭, 其軫念飢民之意, 至誠懇惻, 旣於京師·各郡, 設總惠民社·分惠民社, 以盡救恤之策. 而又伏奉朕特下一萬元, 東宮別下五千元, 令度支劃送, 淳妃內下二千元, 英親王亦下三千元, 竝付于總惠民社者, 臣竊以爲陛下此擧, 雖堯舜三王, 亦無以加焉. 《梅泉野錄 5, 光武10年丙午》定娼妓賣淫稅, 每年妓一人三十六元, 娼一人二十四元, 月派醫師, 檢治楊梅瘡, 從倭俗也. 《增補文獻備考 238, 職官考, 附俸給》光武二年. 扈衛隊摠管月俸一百元, 參領七十五元, 正尉三十四元, 副尉二十八元, 餉官二十八元, 參尉二十四元, 正軍官十元, 副軍官八元, 參軍官七元. ❷(yuán) 중국(中國)의 현재 화폐 단위. 1 원은 10 각(角), 또는 100 푼〔分〕에 해당된다. 인민폐(人民幣) 또는 인민원(人民元)이라고도 하는데, 1949년 12월 23일에 시행되어 4,300 원(元)을 소련의 1 루블(rouble)과 같게 정하였다. 그러나 대만에서는 미국 달러에 준한 대만원(臺灣元)을 사용하고 있는데, 1 달러는 대만원으로 100 전(錢)이다. 《小年小說 3》二叔開始收網, 收到一半的地方, 魚網裂開了一個大洞, 大得連一條牛都穿得過, 網上還掛了好多有一元硬弊大的魚鱗片. ❸일본(日本)의 화폐 단위. 메이지(明治) 초기부터 5~6 년간 일시적으로 사용되었다. 1 원은 1 원(圓)에 해당된다. ② [수효] '원(圓)'의 ①❶과 같다. 《南陽府邑誌, 事例》四升曲子一元, 斗曲子一元. 《度支準折, 唐餠果茶膏》橘餠一斤, 五元價錢五戔. 砂糖一斤(一元, 重四兩二戔, 二十元作一軒). ③ [시간] 햇수를 세는 데 쓰는 말. ❶1 원은 4,617 년, 또는 4,500 년이라고도 한다. 《論衡, 調時》四千六百一十七歲爲一元. 《後漢書, 董卓傳》前書音義曰, 四千五百歲爲一元. ❷1 원은 12 회(會), 또는 129,600 년에 해당된다. 《事類博解, 天時》十二會爲一元, 凡十二萬九千六百年.

원(員) [수효] ❶'인(人)'·'명(名)'의 뜻으로, 벼슬아치의 수를 세는 데 쓰는 말. 개(介·個). 구(口). 두(頭). 명(名). 분(分). 영(領). 위(位). 인(人). 정(丁). 한(漢). 《高麗史 29, 忠烈王世家》選揀信實錢糧官二員. 《三國史記 4, 新羅眞平王本紀》三月, 置調府令一員, 掌貢賦, 乘府令一員, 掌車乘. 《純元王后國葬都監儀軌 2, 稟目》本房郎廳二員, 監造官二員, 坐起處所, 每日點火木半丹, 爐炭五合. 《朝鮮高宗實錄 31, 31年6月28日》一, 軍務衙門, 統轄全國陸·海軍, 監督軍人·軍屬及董率管內諸部. 一, 大臣一員, 協辦一員, 參議八員, 主事三十六員, 分設各局如左. ❷'원(圓)'의 ①❶과 같다. 《瑣尾錄 3, 宣祖27年10月19日》因使留話, 饋余夕飮, 又贈白蝦醢三升, 麴二員, 醢水一鉢. 來時, 入見洪注書遵而返, 洪也來寓郡內而居憂耳.

원(院) [수효] 일본(日本)의 단위. '채'의 뜻으로, 집이나 건물의 수를 세는 데 쓰는 말. 가(架·家). 구(區). 당(幢). 동(棟). 소(所). 실(室). 우(宇). 장(爿). 전(廛). 좌(坐·座). 진(進).《羣書類從 1》御倉一院. 弊殿一院.

원(圓) 1 [수효] ❶누룩〔麴·曲子〕·사탕(砂糖)·떡 따위와 같이 둥근 물건의 수를 세는 데 쓰는 말. 원(元). 원(員).《朝鮮成宗實錄 100, 10年正月丁丑》禮曹啓, 今通信使之行, 應行諸事……前例酒米二十碩, 麴三百圓, 黃豆十碩, 百米五碩, 粘米三碩.《瑣尾錄 2, 癸巳閏11月12日》麴二圓, 沈蟹十甲.《陶山書院傳掌記, 天啓8年正月20日》麴生六十圓.《度支準折, 熟造作末》曲子一圓.《進宴儀軌(高宗壬寅) 2, 饌品》大砂糖橘餅一器(高一尺五寸, 大砂糖一百二十圓, 橘餅二百圓). ❷사리어 놓은 화승(火繩)의 수를 세는 데 쓰는 말. 사리(沙里·莎里).《京畿誌, 漣川府邑誌》火繩一百六十一圓.《宣川府邑誌》火繩一千五百四十八圓. ❸'환(丸)'·'알'의 뜻으로, 알약의 수를 세는 데 쓰는 말. 과(顆). 정(錠). 환(丸). 태블릿(tablet).《分門瘟疫易解方, 不相傳染門》又方凡入瘟疫家, 先令開啓門戶, 以大鍋盛水二斗, 於堂中心, 用蘇合元二十圓煎, 其香能散疫氣, 凡病者各飮一甌後, 醫者却入診視, 不致相染(또 모딘 병 혼 지븨 드러 가디, 몬져 문과 지게룰 열오 큰 소틔 믈 두 말 다마 집 가온디셔 소합원 스므 환을 달히면, 그 향이 룽히 모딘 긔운을 엽게 ᄒᆞᄂᆞ니라. 병 혼 사ᄅᆞ미 각각 혼 보ᅀᆞ곰 머근 후에 의원이 드러 가 믹 자바보아도 서ᄅᆞ 뎐염티 아니ᄒᆞᄂᆞ니라).《救急簡易方諺解 1, 中風》蘇合香三圓(소합원 세 환을). ❹곱게 다듬은 돌의 수를 세는 데 쓰는 말.《陶山書院廟宇修理時日記, 乙未》四月二十日, 鍊石十四圓運來. 西小垣蓋瓦. 2 [통화] ❶대한 민국(大韓民國)의 화폐 단위. 1914년 9월부터 1953년 2월까지 통용되었던 화폐의 기본 단위. 이는 조선 은행권(朝鮮銀行券)의 통화의 기본 단위로서, 당초 원의 금가치(金價値)는 순금 양목(純金量目) 750 mg, 곧 2 푼〔分〕에 해당되었으나 23년이 지난 1937년 8월 이후에는 대폭 절하(切下)되어 1 원의 가치가 순금 290 mg 으로 되어 왜정말(倭政末)까지 통용되었다. 이 원화(圓貨)는 제일 먼저 100 원권(圓券)이 발행되고, 다음 해에 1 원권·5 원권·10 원권 등의 소액권(少額券)이 발행되었으며, 원의 보조 화폐 단위는 전(錢)이고, 100 전(錢)은 1 원에 해당되었다. 1947년 9월~1948년 8월 15일까지 모두 10 종의 원화(圓貨)가 발행되었으나 액면상(額面上)으로는 100 원권·10 원권·5 원권·1 원권의 4 종이었다. 1950년 8월 17일에는 피난지인 대구(大邱)에서 최초의 한국 은행권(韓國銀行券)으로서의 원화(圓貨)가 발행되었다. 이 때 발행된 한국 은행권은 1,000 원권과 100 원권의 2 종뿐이었다. 이렇게 되자 한때 원화는 조선 은행권의 4 종과 한국 은행권의 2 종을 합하여 6 종이 통용되었다. 그 후 6.25 사변으로 인플레이션이 급진되자 1953년

2월 15일 대통령 긴급 명령 제 13 호와 같은 달 27일의 긴급 금융 조치법(緊急金融措置法)에 의하여 원화의 유통이 금지되었으며, 모든 원화는 100 대 1 의 비율로 절하되고, 화폐의 호칭 단위는 새로운 환(圜)으로 되었다. 이후부터 조선 은행권은 자취를 감추고 한국 은행권이 유일한 법화(法貨)로 통용하게 되었다. 《朝鮮高宗實錄 46, 光武 9年 8月20日》 韓日約定書……第三候, 日本國船舶은 准單을 受ᄒᆞᄂᆞᆫ 其時에 左開金額을 韓國海關에 納入ᄒᆞᆯ 事. 百噸以下西洋式船舶十五圓, 日本式船舶十五圓, 百噸以上五百噸以下西洋式船舶五十圓, 五百噸以上千噸以下西洋式船舶一百圓, 千噸以上西洋式船舶一百五十圓. 《陶山書院西光明室瓶建日記, 已卯3月25日》 議定出債事, 本所二百圓, 別庫二百圓, 修理所百圓. 《四介松都治簿法, 16章》 第九日은 眞絲百斤을 每所에 二圓八十錢式打算하야 安丁玉은 機張藿三十隻과 換色하고. 《四介松都治簿法, 16章, 日記의 例題》 同物의 運來費三圓을 現金으로 給下하다. ❷(yuán) 중국(中國)의 본위 화폐 단위. 1 원은 10 각(角), 또는 100 푼〔分〕에 해당된다.

원(畹) [넓이] 논밭의 넓이를 헤아리는 데 쓰는 말. 1 원은 30 묘(畝)에 해당된다. 또는 12 묘라고도 한다. 《事類博解, 上, 人道, 耕農》 三十畝爲畹. 《說文》 畹, 田三十畮曰畹. 《文選, 左思, 魏都賦》 蔬圃曲池, 下畹高堂(劉曰, 畹, 三十畝也). 《楚辭, 離騷》 余旣滋蘭之九畹兮(十二畝爲畹).

원후(遠帿) [등급] 과녁의 멀고 가까운 정도에 따라 나눈 단위. 무과 시험(武科試驗)이나 교습(敎習)을 하기 위하여 240 보(步) 거리에 세운 것을 원후, 180 보 거리에 세운 것을 중후(中帿), 80 보 거리에 세운 것을 근후(近帿)라 하는데, 원후와 중후는 바탕이 청색(靑色)이고 근후는 백색이다. 《朝鮮世祖實錄 3, 2年2月庚申》 遠帿距壇二百四十步, 以靑色布爲質, 崇廣丈八尺三分, 其廣鵠居, 一鵠方六尺……中帿距壇一百八十步, 亦以靑色布爲質, 崇廣丈四尺, 鵠方四尺六寸, 有奇. 近帿距壇八十步, 以白柒布爲質, 崇廣四尺六寸, 皆畫以豕首, 取中者.

월(月) ① [시간] '달'의 뜻으로, 일 년을 열둘로 나눈 것의 하나. 또는 그 수를 세는 데 쓰는 말. 양력으로는 한 달이 30 일 또는 31 이고, 음력으로는 29 일 또는 30 일이 된다. 개월(個月). 삭(朔). 《朝鮮宣祖實錄 31, 25年10月乙巳》 天兵十萬一日兩時, 則一月之粮四萬石, 三時則六萬石. 《李忠武公全書, 試武科別試狀》 今四月初六日開場, 鐵箭五矢二巡二中以上, 片箭五矢一巡一中以上, 並依軍官射例, 給分試取, 入格人一百名, 一二三等, 居鄕職·姓名·父名·年歲, 並爲別狀開錄上送. 《朝鮮高宗實錄 32, 31年8月14日》 軍國機務處進議案……一, 前鑛務監理李容翊, 監理還差下, 董督咸鏡鑛務所說金, 每三箇月一次呈寄工務, 轉付度支事. 《增補文獻備考 160, 財用考, 金銀銅》 高宗三十一年, 命咸鏡道鑛務所稅金,

每三月納于工務衙門. ② [수효] ❶ '켤레'의 뜻으로, 신의 수를 세는 데 쓰는 말. 《正宗大王殯殿魂殿都監儀軌, 儀註》 白皮鞋二十七月. 白皮靴二十五月. ❷'닢'의 뜻으로, 삿갓·띠 따위의 수를 세는 데 쓰는 말. 개(蓋). 구(口). 닙(立·笠). 매(枚). 부(部). 사(事). 정(頂). 조(條). 《正宗大王殯殿魂殿都監儀軌, 儀註》 白笠·白帶二十五月.

월(戉 : wû) [길이] 중국(中國)의 단위. 논밭의 넓이를 재는 데 쓰는 말. 1월은 처음에 1 장(丈) 2 자〔尺〕 5 치〔寸〕, 곧 12 자 5 치였으나, 뒤에 30 자로 되었다. 《癸巳類稿, 記田名數》 臺灣田, 初以一丈二尺五寸爲戉, 周百戉爲甲. 後改六尺弓, 二百四十弓爲畝.

월내(月乃) [수효] '타래'의 차자 표기로, 가늘고 긴 물건을 감아서 틀어 놓거나, 태를 지어 놓은 물건을 세는 데 쓰는 말. 구(口). 대내(臺乃). ❶'타래'의 뜻으로, 물감의 원료인 삼보(三甫)나 연마재(硏磨材)로 쓰는 속새〔木賊〕의 묶음을 세는 데 쓰이었다. 《尙方定例 2, 別例上》 取色次三甫半月乃. 《仁祖國葬都監儀軌, 下, 3房》 三甫一月乃. 《度支準折, 入染物種》 三甫一月乃(一束, 重十斤, 六束作一同), 貿米二斗五升, 各樣粧飾入染所用. 《度支準折, 草物》 木賊一斤(一月乃, 重八兩, 元米四斗, 貿錢四戔三分), 一兩折價二分七里. ❷'타래'의 뜻으로, 고비나물〔高飛菜〕이나 버섯의 묶음을 세는 데 쓰이었다. 《度支準折, 菜蔬》 高飛菜一月乃, 價錢三分. 應辦. 《度支準折, 昆藿茸蕈屬》 眞耳一斤(一升, 重二兩一戔. 一月乃, 重十五兩. 貿錢一兩, 一兩折價六分二里半. ❸'묶음'·'꿰미'의 뜻으로, 낙지〔落蹄·絡蹄〕의 묶음을 세는 데 쓰이었다. 《萬機要覽, 財用編 1, 供上, 大殿》 生落蹄二十月乃 (每月乃價一兩二錢). 《進饌儀軌(純祖己丑) 2, 饌品》 絡蹄二月乃. ❹'묶음'의 뜻으로, 나무 껍질의 묶음을 세는 데 쓰이었다. 《度支準折, 木物》 槐皮一月乃, 價錢二分.

웨버(weber) [자속(磁束)] 엠 케이 에스 단위계(M.K.S.A. 單位系)의 한 단위. 자기 감응(磁氣感應)이 1인 곳에서 1 m^2 의 넓이를 통과하고 있는 자속(磁束)의 수(數). 곧, 한 번 감은 회로(回路)와 쇄교(鎖交)하여 균일하게 감소되어 1 초간에 0이 되는 1 볼트〔V〕의 기전력(起電力)을 생기게 하는 자속을 말한다. 이 명칭은 독일의 물리학자 웨버(Weber, Wilhelm E. ; 1804~891)의 이름에서 딴 것이다. 위백(韋伯). 기호 : Wb, V·s

1 Wb=1 V·s

시 지 에스 단위계(C.G.S. 單位系)와의 사이에는 다음과 같은 관계가 성립된다.

1 Wb=10^4 가우스(gauss)
=10^8 맥스웰(maxwell)

위(位) ① [수효] ❶'위(位)'·'좌(座)'의 뜻으로, 죽은 이의 신주(神主), 또는 위패(位牌)에 모신 신(神)의 수를 세는 데 쓰는 말. 《三國遺事 3, 塔像, 伯嚴寺石塔舍利》 條第一, 當寺護法敬僧嚴欣·伯欣兩明神及近岳等三位前, 位寶供養條, 金堂藥師前, 木鉢月朔遆米條

等, 已下不錄.《朝鮮宣祖實錄 38, 26年5月壬戌》 宣靖陵改葬都監啓, 宣陵兩位, 靖陵一位, 每位, 襲九稱小斂, 十九稱大斂, 九十稱衣襨, 今當措備者, 凡三百四十餘稱.《度支準折, 祭享式》木覓一位, 三角一位, 漢江一位, 正月元社, 雩社六位, 風·雲·雷·雨·山·川·城隍七位, 北郊厲祭一位. ❷직급(職級)이나 관위(官位)의 등급을 헤아리는 데 쓰는 말.《朝鮮太祖實錄 7, 4年2月癸未》 令監巡節制使, 報府推考論罪, 輕者還職, 重者啓聞, 罷職充軍, 軍事以嚴爲重, 階級之間, 不相凌犯, 可以上能出命, 下能服役, 事功以成, 當以各衞上將軍一位, 大將軍一位, 三軍將軍一位, 各領將軍一位, 中郎將一位, 郎將一位, 別將一位, 散員一位, 隊長一位, 隊副一位爲定, 彼我衞勿論自上而下一位, 嚴於一位, 不相凌犯, 不敢並立, 路間相逢, 卑者先下馬, 隔一位高者, 下馬不下馬任意, 遠者推考論罪. 上從之.《朝鮮高宗實錄 21, 21年11月18日》漢城條約. 大朝鮮國開國四百九十三年十一月二十四日, 特派全權大臣左議政金弘集, 大日本國明治十八年一月九日, 特派全權大使從三位勳一等伯爵井上馨. ❸'분'의 뜻으로, 사람의 수를 세는 데 쓰는 말. 개(介·個). 구(口). 두(頭). 명(名). 분(分). 영(領). 원(員). 인(人). 정(丁). 한(漢).《桃花扇, 先聲》列位不知, 從來塡詞名家, 不著姓氏.《左傳, 襄公14年》鍼曰, 此役也, 報櫟之敗也. 役又無功, 晋之恥也. 吾有二位于戎路, 敢不耻乎.《兒女英雄傳, 1回》孺人佟氏, 也是漢軍世家的一位閨秀. ❹'문(門)'의 뜻으로, 대포(大砲)의 수를 세는 데 쓰는 말. 위(位). 정(挺).《朝鮮顯宗實錄 10, 6年5月癸巳》令統制使鄭傳賢, 造佛狼機四五號五十位, 正鐵子砲二百門, 箴鐵一百箇, 足鐵每位一箇, 輸送于江華.《萬機要覽, 軍政編 3, 御營廳, 軍器》木母砲二位. 四號鍮佛狼機十位. 虎蹲砲一位. 鐵母砲二位. 五號鍮佛狼機五十位.《添造天門, 鳥戟兩種礮位施放得力片》 玆驗得臣標四營共添造天門礮十六位, 鳥戟礮十六位, 每位重五十六斤及三十二三斤不等. [2] [정보량] (wèi) 중국(中國)의 단위. '비트(bit)'의 역어(譯語).

위(韋) [길이] '위(圍)'의 [1]❶과 같다.《漢書, 成帝紀》大風拔甘泉時中大木十韋以上.

위(圍) [1] [길이] ❶'아름'의 뜻으로, 두 팔을 벌려 껴안은 횟수. 또는 그 길이를 헤아리는 데 쓰는 말. 공(拱). 누(摟). 위(韋).《新增東國輿地勝覽 35, 全羅道, 靈巖》動石, 月出山九井峯下有三石, 特立層岩之上, 高可丈餘, 周可十圍, 西付山巓, 東臨絕壁. 其重雖用千百人似不能動搖, 而一人搖之則欲墜而不墜, 故亦稱靈石, 郡之得名以此.《玆山魚譜 1, 鱗類, 蟒魚》蟒魚(仍俗名). 大者八九尺, 體圓三四圍, 頭小目小(圍, 拱也), 鱗極細, 背黑似蟒, 有黑紋(似碧紋魚而大), 頗勇健, 能跳數丈, 味酸而厚, 但劣濁.《徐霞客遊記, 滇遊日記 3》路北江迴堰曲, 中涵大塘一圍, 四面豐禾環子.《紅樓夢, 5回》只見頭一頁上畫着是兩株枯木, 木上懸着一圍玉帶. ❷두

손의 엄지손가락과 가운뎃손가락을 맞대어 만든 길이. 또는 그 길이를 헤아리는 데 쓰는 말. 1위는 5치〔寸〕나 3치에 해당된다.《三國遺事 5, 感通, 郁面婢念佛西昇》屋脊穴成十許圍, 雖暴兩密雪不霑濕.《高麗史 2, 太祖世家》二十年夏五月癸丑, 金傅獻鐫金安玉排方腰帶, 長十圍, 六十二銙, 新羅寶藏, 殆四百年, 世傳聖帝帶.《古今韻會擧要, 微韻》圍, 一圍五寸. 又一圍三寸, 一抱謂之圍.《默觚, 下, 治篇 2》一圍之木持千鈞之廈, 五寸之鍵而制闔開者, 所居要也. 2 [수효] ❶ '개'·'좌(坐)'의 뜻으로, 화로〔爐〕와 같이 전이 둥글게 생긴 물건의 수를 세는 데 쓰는 말. 부(部). 사(事). 좌(坐).《通文館志 6, 問慰行, 回答書契》赤銅茗爐二圍.《增正交隣志 1, 公貿易》赤銅茗爐一圍.《海行摠載, 海槎日記, 各處書契, 各處回書及公禮單》青金火爐二圍, 赤銅累五盒盤一部. ❷'겹'의 뜻으로, 에워싼 수를 세는 데 쓰는 말.《元帝, 祀五相廟詩》楚關開六塞, 吳兵入九圍.《李商隱, 北齊詩》晉陽已陷休回顧, 更請君王獵一圍.

위(緯) [수효] 동서(東西)로 통하는 길의 수를 세는 데 쓰는 말. 남북(南北)으로 통하는 길은 경(經)이라 한다.《周禮, 考工記, 匠人》匠人營國方九里, 旁三門, 國中九經·九緯, 經涂九軌. (鄭玄注) 經緯, 謂涂也, 經緯之涂, 皆容方九軌, 軌謂轍廣. 乘車六尺六寸, 旁如七寸, 凡八尺, 是謂轍廣九軌, 積七十二尺, 則此涂十一步也. (賈公彥疏) 言九經·九緯者, 南北之道爲經, 東西之道爲緯, 王成面有三門, 門有三涂, 男子由右, 女子由左, 車從中央.

위(衛) 1 [군사] 고려·조선 시대, 군대 조직의 하나. 고려의 6위 제도를 조선 태조(太祖) 원년(1392)에 10위로 고친 것을 문종(文宗) 원년(1451)에 와서 다시 5위로 고쳐 군무(軍務)를 통괄해 오다가, 임진왜란(壬辰倭亂) 후 5위제를 혁파하였다. 문종 원년에 고친 5위제는 위 밑에 부(部), 부 밑에 통(統)을 두고, 각 위·부·통에는 장(將)을 두어 통솔하였다. 2군은 응양군(鷹揚軍)·용호군(龍虎軍)이고, 6위는 좌우위(左右衛)·신호위(神虎衛)·흥위위(興威衛)·금오위(金吾衛)·천우위(千牛衛)·감문위(監門衛)이다. 위(衛)에는 최고 지휘관으로 상장군(上將軍) 1원(員), 대장군 2원(員)이 있었고, 각각 군인 1,000명으로 구성되는 몇 개의 영(領)이 예속되어 있었다.《朝鮮文宗實錄 8, 元年6月丙戌》大將有五衛, 每衛各有五部, 每部各有四統. 每衛各有遊軍五領.《萬機要覽, 軍政編 1, 五衛, 衛制》衛兵之制, 自高麗行之, 二軍·六衛, 是也. 二軍曰鷹揚軍·龍虎軍也. 六衛曰左右衛·神虎衛·興威衛·金吾衛·千牛衛·監門衛也. 府兵領於八衛, 八衛統於軍簿, 四十二都府之兵十有二萬, 而隊有正, 伍有尉, 以至上將, 以相統率. 我太祖元年, 因麗制, 置義興親軍十衛, 曰左衛·右衛·鷹揚衛·金吾衛·左右衛·神虎衛·興威衛·備巡衛·千牛衛·監門衛. 有上將軍各一員, 大將軍各二員, 都護八衛將軍各二員, 都府外左領·右領·中郎將各一員,

郎將各二員, 別將各三員, 散員各四員, 尉各二十員, 正各四十員, 每衛各置五領, 每領有將軍各一員, 中郎將各三員, 郎將各六員, 別將各六員, 散員各八員, 尉各二十員, 正各四十員. 癸酉, 始置府兵, 名曰義興三軍府. 文宗元年, 改置五衛, 掌治軍務. 衛各有五部, 部各有四統, 衛有衛將. 部有部將, 統有統將. 又有旅帥・隊正・伍長, 大以統小, 小以承大. 義興衛五部, 龍驤衛五部, 虎賁衛五部, 忠佐衛五部, 忠武衛五部, 以京都及八道鎭管, 並屬各衛. [2] [행정] 중국(中國) 명(明)나라 때의 5 개의 천호소(千戶所)로 이루어진 위소제(衛所制)의 하나. 도지휘사사(都指揮使司)에 속하였으며, 한 위(衛)의 인원은 500～600 명으로, 전국에 300여 개가 있었다.

위바(whiba) [부피] 튀니지의 단위. 1 위바는 카피스(cafiz)의 16 분의 1, 또는 31～40*l* 에 해당된다.

위백(韋伯 : wéibó) [자속(磁束)] 중국(中國)의 단위. '웨버(weber)'의 역어(譯語).

위색(胃索 : wèisuǒ) [길이] 중국의 단위. '베르쇼크(vershok)'의 음역(音譯).

위키야(wiqīya) [질량] 아랍권(圈)의 고유 단위. 지역에 따라 다소 차이가 있는데, 이집트(Egypt)에서의 1 위키야는 라틀(ratl)의 12 분의 1, 또는 37.4 g 에 해당되며, 시리아(Syria)에서는 320 g, 레바논에서는 213.39 g, 리비아(Libya)에서는 32.05 g, 튀니지(Tunisie)에서는 31.49 g 에 각각 해당된다. 우키야(ūqīya).

위히체(wichtje) [질량] 네덜란드(Netherlands)의 고유 단위. 1 위히체는 15.43 그레인(grain), 또는 0.99985 g 에 해당된다.

윈체스터 부셸(winchester bushel) [부피] 영국(英國) 초기 및 미국(美國)의 단위. 1 윈체스터 부셸은 2,150.42 세제곱 인치〔in^3〕, 또는 32,238 cm^3 에 해당된다.

유(幼) [수효] '잠'의 뜻으로, 누에가 허물을 벗기 위하여 잠시 활동을 정지하는 상태. 또는 그 횟수를 세는 데 쓰는 말.《陸遊, 幽居初夏詩》婦喜蠶三幼, 兒誇雨一犁. (原注) 鄕中謂蠶眠爲幼.《物名考 3, 有情類, 昆蟲》蠶……三幼, 三次眠也.

유(乳) [수효] '배'의 뜻으로, 사람이 아이를 낳거나 짐승이 알을 까고 새끼를 낳는 횟수를 세는 데 쓰는 말. 복(服). 산(產). 태(胎).《朝鮮太宗實錄 33, 17年2月辛酉》豐海道船軍李哲家, 牛一乳三犢.《朝鮮太宗實錄 33, 17年5月辛未》開城縣女崔藏, 一乳三女, 命賜米三石.《通鑑續編》天后阿蘭寡居, 一乳三子, 長曰孛完合答吉, 次曰孛合撒赤, 季曰孛敦察兒.

유(流) [1] [수효] ❶'가지'·'종류'의 뜻으로, 일이나 물건 따위를 종류별로 따로따로 구별하여 세는 데 쓰는 말. 물(物). 사(事). 색(色). 열(列). 장(樁). 종(種). 종류(種類).《朝鮮成宗實錄 119, 11年7月庚子》遣禮曹判書李承召・都承旨金季昌・右副承旨成俔于大平館, 封進獻物件, 兩使親自計點其物件, 萬歲牌十座, 鳳的五座, 孔雀的五座,

象牙雕刻龍等各様十流, 壽山等各様十流, 龍船等各様十流, 八吉祥二十流, 八寶二十流, 飛魚等各様十流, 草獸等各様十流, 獅子等各様十流, 鴛鴦等各様十流, 龍·鸚鵡等各様十流, 甜瓜等各様十流, 鴨兒等十流, 紫綿紬三十匹.《抱朴子, 窮達》或問一流之才而或窮或達, 其故何也.《世說新語, 容止》劉尹道桓公鬢如反蝟皮, 眉如紫石棱, 自是孫仲謀. 司馬宣王一流人. ❷물줄기의 수를 세는 데 쓰는 말.《嵇含, 伉儷詩》饑食並根粒, 渴飮一流泉. [2] [질량] (liú) 중국(中國) 한(漢)나라(B.C. 202 ~ A.D. 220) 때의 단위. 1 유는 은(銀) 8 냥(兩)에 해당된다.《漢書, 食貨志 下》朱提銀重八兩爲一流, 直一千五百八十. 它銀一流, 直千. [3] [광속(光束)] (liú) 중국(中國)의 단위. '루멘(lumen)'의 역어(譯語).

유(庾) [부피] 1 유는 16 말〔斗〕에 해당된다.《左傳, 昭公26年》粟五千庾. (杜預注) 庾, 十六斗.

유(鈕 : niǔ) [수효] 중국(中國)의 단위. 도장의 수를 세는 데 쓰는 말.《南齊書, 祥瑞志》獲玉璽一鈕.《後周書》得玉璽三鈕.《金陀粹編, 宋高宗紹興 10年》得其雪護闌馬及金印七鈕以獻.

유(斞) [부피] 곡식 16 말〔斗〕, 또는 2 부반(釜半)을 하나치로 헤아리는 데 쓰는 말. 1 부는 6.4 말이다.《四山碑銘, 大崇福寺碑銘》酧稻穀合二千苫 (東俗以五畝減百弓爲結, 斞除一斗爲苫也. 司馬法, 六尺爲步, 步百爲畝. 秦孝公制, 二百四十步爲一畝. 程頤曰, 古者百畝止當, 今田十畝也. 斞音與, 量名, 十六斗).《才物譜, 秋, 數》斞, 音與庾仝, 十六斗曰斞.《廣才物譜 1, 庶流部, 數》斞, 十六斗.《字類註釋, 物類, 名數》斞, 셤 유. 量名, 二釜半, 十六斗. 庾通.

유(旒) [수효] ❶면류관(冕旒冠)의 앞뒤에 늘어뜨린 수류(垂旒)의 수를 세는 데 쓰는 말. 국왕의 것은 9 치〔寸〕 길이의 9 류가 있어 각 유마다 주(朱)·백(白)·창(蒼)·황(黃)·흑(黑)의 순으로 5 채옥 9 과를 늘어뜨렸고, 왕세자는 8 류로서 주·백·창의 순서로 3 채옥 8 과를, 왕세손은 7 류로서 주·백·창의 순으로 3 채옥 7 과를 늘어뜨렸다. 대한 제국 황제의 것에는 황·적·청·백·흑·홍·녹의 7 채옥을 꿴 12 류가 있었다.《朝鮮太宗實錄 6, 3年10月辛未》禮部咨曰, 欽依給賜朝鮮國王, 幷王父段匹·書籍等件及中宮殿下賞賜王妃冠服禮物……國王冠服一副, 香皁皺紗九旒平天冠一頂.《宋史, 輿服志》鷩冕八旒, 毳冕六旒, 絺冕四旒, 元冕三旒, 其次二旒, 又其次無旒. ❷'폭'의 뜻으로, 깃발의 수를 세는 데 쓰는 말. 건(件). 면(面). 병(柄). 부(副). 수(首). 조(條).

유(溜 : liū) [수효] 중국(中國)의 단위. ❶'줄'·'열'의 뜻으로, 사람이나 물건이 죽 벌여 선 줄의 수를 세는 데 쓰는 말. 배(排). 열(列).《西遊記, 18回》初來時, 是一條黑胖漢, 後來就變做一個長嘴大耳朵的獃子, 腦後又有一溜鬃毛, 身體粗糙怕人, 頭臉就像個猪的模樣.《紅樓夢, 3回》地下兩溜十六張楠木圈椅.

❷'번'·'회'·'차례'의 뜻으로, 힐끗 쳐다본 횟수를 세는 데 쓰는 말.《曾瑞, 留鞋記, 2折》我做和尙年幼, 生來不斷酒肉, 施主請我看經, 單把女娘一溜.《紅樓夢, 26回》那賈芸一面走, 一面拿眼把紅玉一溜.

유(綹 : liŭ) [수효] 중국(中國)의 단위. ❶실 10 가닥을 하나치로 세는 데 쓰는 말. 일설에는 20 가닥을 이르기도 한다.《說文, 糸部》綹, 緯十縷爲綹.《玉篇》綹, 十絲曰綹.《集韻, 有韻》綹, 一曰, 絲十爲綸, 綸倍爲綹. ❷'타래'의 뜻으로, 삼실〔麻絲〕의 묶음을 세는 데 쓰는 말.《說文句讀》綹, 今諺, 絲麻一束爲一綹, 緯一枚曰一穗.《王渙, 惆悵詩 8》靑絲一綹墮雲鬟, 金剪刀鳴不忍看.《秦簡夫, 趙禮讓肥, 1折》腰纏着一綹兒麻. ❸'가닥'의 뜻으로, 머리카락이나 수염 따위의 수를 세는 데 쓰는 말.《儒林外史, 2回》周進看那人時, 頭戴方巾……三綹髭鬚.《儒林外史, 34回》一時人急智生, 把自己頭髮找下一找, 登時把弓弦續好.《海鷗》有一綹黑髮垂下來, 沿着黑鏡溜向耳旁. ❹'줄기'의 뜻으로, 한 줄로 길게 벋어 나간 사물의 수를 세는 데 쓰는 말.《黃景仁, 將遊西山道中寫望詩》除却天邊塵一綹, 江南風景亦依稀.

유(類) [수효] ❶'가지'·'종류'의 뜻으로, 사물의 종류를 헤아리는 데 쓰는 말. 유(流).《書的光華》這一類作品中, 保持新聞報導的客觀寫實原則, 歷史的嚴肅性, 同時又採取小說的描寫方法. ❷학파(學派)의 수를 세는 데 쓰는 말. 열 네 학파는 당(唐)나라 때에 분류한 것으로, 유가(儒家)·농가(農家)·법가(法家)·명가(名家)·묵가(墨家)·종횡가(縱橫家)·잡가(雜家)·도가(道家)·소설가(小說家)·병법가(兵法家)·천문가(天文家)·역수가(曆數家)·오행가(五行家)·의방가(醫方家)를 이른다.《與猶堂全書, 小學珠串》十四流者, 道術方技之別也, 儒家·農家(野老·祭癸等), 法家(商君·申·韓等), 名家(公孫龍·鄧析等), 墨家(尹佚·我子等), 縱橫家(蘇·張·龐煖等), 雜家(呂覽·淮南等), 道家(老·莊·長盧等), 小說家(伊尹·鬻子等), 兵法家(孫·吳·尉繚等), 天文家(秦壹·常從等), 曆數家(耿昌·傅周等), 五行家(風鼓·羨門等), 醫方家(扁鵲·白氏等). 此之謂十四類也, 十四類之名, 出唐六典.

유(鍮) [부피] 용량(容量)의 단위. 1 유는 6 섬〔石〕 4 말〔斗〕에 해당된다.《集韻》鍾, 量名. 六斛四斗曰鍾, 或作鍮, 通作鍾.

유게룸(jugerum) [넓이] 고대 로마의 단위. 1 유게룸은 28,800 제곱 페데(pede)이며, 0.622 에이커, 또는 25.2 아르〔a〕에 해당된다.

유고다(yugoda) [넓이] 스페인의 단위. 1 유고다는 460,800 제곱 바라(vara)이며, 79.56 에이커, 또는 32.198 헥타르〔ha〕에 해당된다.

유도 단위(誘導單位) [해설] 기본 단위에서 유도한 단위. 조립 단위(組立單位)라고도 한다. 엠 케이 에스 단위계(M.K.S. 單位系)에서는 길이의 기본 단위인 미터〔m〕에서 유도되는 넓이의 제곱 미터〔m^2〕, 부피의 세제곱 미터〔m^3〕가 있고,

길이의 기본 단위인 미터와 시간의 기본 단위 초〔s〕에서 유도되는 속도의 미터 매 초〔m/s〕, 가속도의 미터 매초 매초〔m/s^2〕가 있다. 그리고 힘의 크기를 나타내는 뉴턴〔N〕은 길이의 기본 단위인 미터〔m〕, 질량의 기본 단위인 킬로그램〔kg〕, 시간의 기본 단위인 초(秒)를 조합하여 $m \cdot kg/s^2$ 로 나타낸다. 그리고 힘의 단위에 대해서는 뉴턴 이외에 중량 킬로그램〔kgw〕을 유도 단위로 하고 있으나, 중량 킬로그램은 1 kg 의 질량의 물체에 작용하여 9.80665 m/s^2 의 가속도(加速度)를 주는 힘의 크기를 말한다. 질량이나 가속도의 단위는 모두 M.K.S.A. 단위계의 단위이지만, 가속도의 크기는 장소에 따라 다른 특정의 크기이나, 장소를 이용해서 정의하고 있기 때문에 중량 킬로그램이라는 단위는 M.K.S. 단위계의 유도 단위가 아니라고 말할 수 있다.

유량(流量) [유량] 단위 시간(單位時間)에 흐르는 유체(流體)의 양(量). 이것에는 부피로 나타내느 부피 유량(流量) 〔m^3/s〕·〔m^3/h〕, 질량으로 나타내는 질량 유량 〔kg/s〕, 〔t/h〕이 있다. 유량을 몰수(mol數)로 나타내어 〔mol/s〕·〔kmol/h〕 등의 단위를 사용하기도 한다.

유량의 단위(流量—單位) [유량] 유량(流量)이란 단위 시간(單位時間)에 흐르는 유체의 양으로, 부피 유량·질량 유량이 있다. 유량의 단위에는 세제곱 미터 매초〔m^3/s〕, 세제곱 미터 매분〔m^3/min〕, 세제곱 미터 매시〔m^3/h〕, 킬로그램 매초〔kg/s〕, 톤 매시〔t/h〕가 있고, 액체(液體)·기체(氣體)·입상물(粒狀物)·분상물(粉狀物)의 유량의 계량에 사용하는 것으로서 리터 매초〔l/s〕, 리터 매분〔l/min〕, 리터 매시〔l/h〕가 있다.

유명(流明 : liúmíng) [광속(光束)] 중국(中國)의 단위. '루멘(lumen)'의 음역(音譯).

유순(由旬) [길이] 고대 인도(印度)에서 이수(里數)를 헤아리는 데 쓰는 말. 1 유순은 40 리(혹 30 리)에 해당된다. 유순은 성왕(聖王)의 하루 동안의 행정(行程)으로, 대유순(大由旬)·중유순(中由旬)·소유순(小由旬)의 세 가지가 있는데, 대유순은 80 리, 중유순은 60 리, 소유순은 40 리이다.《三國遺事 3, 塔像, 魚山佛影》法現西城傳, 至那竭國界, 那竭城南半由旬有石室, 博山西南面, 佛留影此中, 去十餘步觀之, 如佛眞形, 光明炳著, 轉遠轉微.《法華經》菩提樹下, 敷師子座, 高一由旬.

유카와(yukawa) [길이] 원자핵 물리학(原子核物理學)에서 사용하는 길이의 단위. 1 유카와는 10^{-13}cm에 해당된다. 이 말은 일본의 소립자론(素粒子論)의 개척자인 유카와 히데키(湯川秀樹 ; 1907~1981)의 이름에서 유래되었다. 물리학자 중에는 유카와를 사용하지 않고 같은 크기의 단위인 페르미(fermi)를 사용하는 사람이 있다. 기호 : Y

유헤르트(Juchert) [넓이] 독일(獨逸)의 단위. 1 유헤르트는 0.89 에이커(acre), 또는 36 아르〔a〕에 해당된다. 타크베르크(tagwerk).

육덕(六德) [수] 찰나(刹那)와 허

(虛) 사이의 매우 작은 수(數). 1 육덕은 찰나의 1억(億)분의 1, 또는 10^{-26}에 해당된다.

육수전(六銖錢) [화폐] 남북조(南北朝)의 진(陳)나라 선제(宣帝)가 태건(太建) 연간에 주조한 화폐(貨幣)이다. 《陳書, 宣帝紀》(太建十一年) 秋七月辛卯, 初用大貨六銖錢.

윤(綸 : lún) [수효] 중국(中國)의 단위. 실오리의 수를 세는 데 쓰는 말. 1 윤은 10 오리에 해당된다. 《集韻, 有韻》絲十爲綸, 綸倍爲綹.

윤(輪) ① [수효] ❶수레나 차의 바퀴의 수를 세는 데 쓰는 말. 《萬機要覽, 軍政編 3, 御營廳, 軍器》戰車五十一輛, 五輪五輛, 兩輪二十輛, 獨輪二十六輛. ❷'량'의 뜻으로, 수레의 수를 세는 데 쓰는 말. 량(兩·輛). 부(部). 《南史, 侯景傳》車至二十輪. ❸수레바퀴처럼 둥근 모양으로 된 사물의 수를 세는 데 쓰는 말. 《中國童話》一輪明月昇起, 映照著江水閃閃發光. 《孟郊, 讀張碧集詩》高秋數奏琴, 澄潭一輪月. 《馬致遠, 陳摶高臥, 3折》臥一榻淸風, 看一輪明月, 蓋一片白雲, 枕一塊頑石. 《水滸傳, 86回》只見四面狂風, 掃退浮雲, 現出明朗朗一輪紅日. ❹'바퀴'의 뜻으로, 빙 도는 횟수를 세는 데 쓰는 말. 《福惠全書, 范任部, 定買辦》半月一輪, 上班之日, 本役具價領. ❺일본(日本)의 단위. '송이'의 뜻으로, 꽃송이의 수를 세는 데 쓰는 말. 소응이(所應伊). 송이(宋伊). ② [시간] 12 년을 하나치로 헤아리는 데 쓰는 말. 본래 12 지(支)가 한 바퀴 돈다는 뜻에서 온 말이다. 《兒女英雄傳, 17回》馬三爸比我小一輪, 屬牛的, 今年七十一. ③ [부피] 수레에 물건을 실어 그 양을 헤아리는 데 쓰는 말. 《朝鮮宣祖實錄 113, 32年5月辛酉》古來世主, 其囊括箕斂, 早會夜計, 絲累銖積, 爲後世子孫計者, 其子孫曾不得一輪半通之用, 皆爲奸雄盜賊之資藉而已.

윤비랍(倫比拉 : lúnbǐlā) [통화] 중국의 단위. '렘피라(lempira)'의 음역(音譯).

윤피랍(倫皮拉 : lúnpílā) [통화] 중국의 단위. '렘피라(lempira)'의 음역(音譯).

율(律) [수효] '번'·'회'·'차례'의 뜻으로, 빗으로 머리를 빗는 횟수를 세는 데 쓰는 말. 《筍子, 禮論》濡櫛三律. (楊倞注) 律, 理髮也.

윰프루(jumfru) [부피] 스웨덴의 단위. 1 윰프루는 칸나(kanna)의 32 분의 1 이며, 0.086 미(美) 액량(液量) 쿼트(quart), 0.072 영(英) 쿼트, 또는 0.082l에 해당된다.

은병(銀甁) [화폐] 고려 시대에 사용하였던 화폐의 한 가지. 숙종(肅宗) 6년(1101)에 처음으로 발행하여 은화(銀貨)와 함께 통용케 하였다. 은 1 근(斤)으로 우리 나라의 지형을 본떠서 병 모양으로 만들어 표인(標印)을 찍은 것으로, 이 은병의 입이 넓은 데서 활구(闊口)라고도 하였다. 은병의 교환 가치는 때에 따라서 일정하지 않으나 후기에는 쌀 10 섬〔石〕~50 섬에 거래되었으며, 포(布) 100 필(疋)에 해당되었다. 충혜왕(忠惠王) 원년(1330)에 새로이 소은병(小銀甁)을 만들어 쓰게 하고 종래의 것은 사용을 금하였으며, 그 교환 가치는 오종포(五綜布) 15필에 해당하였다. 《高麗史 79, 食貨志》肅宗六年, 亦用銀甁爲貨. 其制以銀一斤爲之, 像本國地形, 名曰闊口……忠惠王元年四月, 始用新小銀甁, 一當五綜布十五匹, 禁用舊甁. 《海東竹枝, 上, 銀甁貨》肅宗六年, 製銀甁爲貨, 像本國地形, 名曰闊口.

음(吟) [수효] ❶'번'·'차례'의 뜻으로, 소리를 내어 운 횟수를 세는 데 쓰는 말. 《杜甫, 灩預詩》江天漠漠鳥雙去, 風雨時時龍一吟. ❷'번'·'차례'의 뜻으로, 시 따위를 읊조리는 횟수를 세는 데 쓰는 말. 《白居易, 自詠》高聲發一吟, 似得詩中仙. 《周曇, 吟敍》古今成敗無多事, 月殿花臺幸一吟. 《吳融, 木塔偶題》西南古剎近芳林, 得偶高秋試一吟.

음속(音速) [속도] 음파(音波)가 매질(媒質) 속으로 전해지는 속도. 실용적으로 음속은 공기 중에서 33.1+0.6 t〔m/s〕(t : 공기의 온도 ℃), 순수한 물에서는 약 1,430 m/s(17℃), 바닷물(염분 3.5%) 중에서는 약 1,510 m/s(17℃)이다. 음속과 같은 속도를 마하(Mach) 1로 나타낸다. 마하 0.8~1.0을 아음속(亞音速 : subsonicspeed), 마하 0.8~1.4를 천음속(遷音速 : transonic speed), 마하 1.4~5.0을 초음속(超音速 : supersonic speed), 마하 5.0 이상을 초초음속(超超音速 : hypersonic speed)이라 한다. 마하 1 이상을 일괄하여 초음속이라 말할 때도 있다.

음압(音壓) (acoustic pressure, sound pressure) [음압] 음(音)에 의하여 매질(媒質) 중의 한 점에 생긴 압력(壓力)의 변화 부분을 말한다. 단위는 마이크로 바〔μbar=dyne/cm^2〕를 쓴다. 기준 음압은 정상적인 청력(聽力)을 가진 사람이 1킬로 헤르츠〔kHz〕의 평면파(平面波)인 음에 대하여 가지는 최소 가청치(最小可聽値 : $P_o=2\times10^{-5}$ N/m^2 = 2×10^{-4} dyne/cm^2 = 2×10^{-4} μbar)이다. 이 최소 가청치 P_o를 기준으로 하여 음압 P를 음압 레벨 20 $\log_{10}$〔P/P_o〕로 표시할 때도 있다. 이 경우 단위는 데시벨〔dB〕이다.

음의 세기(音—) (intensity of sound) [음압] 음(音)의 진행 방향에 직각인 단위 면적을 통해 단위 시간(單位時間)에 흐르는 음파(音波)의 에너지이며, 10^{-12} W/m^{2}을 기준 레벨(level)로 하여 데시벨〔dB〕로 나타낸다.

음의 크기(音—) (loudness of sound) [음] 음을 귀로 들어서 느끼는 감각량(感覺量)을 말한다. 이것을 정량적(定量的)으로 나타내려면 1,000 헤르츠〔Hz〕의 음과 비교하여 들어 보아 같은 크기로 들리는 것을 동일 레벨(level)로 한다. 그 때 1,000 Hz의 음압 레벨의 수치(數値)를 폰(phon)이라 한다.

읍(邑) [1] [행정] ❶ 1읍은 30가(家)로 구성되었다. 5가(家)를 궤(軌), 6궤를 읍(邑), 10읍을 솔(率), 10솔을 향(鄕), 3향을 속(屬)이라 하고, 5속에 대부 한 사람을 두었다. 《管子, 小匡》桓公曰, 五鄙奈何. 管子對曰, 制五家爲軌,

軌有長, 六軌爲邑, 邑有司, 十邑爲率, 率有長, 十率爲鄕, 鄕有良人, 三鄕爲屬, 屬有帥, 五屬一大夫, 武政聽屬, 文政聽鄕.《國語, 齊語》制鄙三十家爲邑, 邑有司, 十邑爲卒, 卒有卒帥, 十卒爲鄕, 鄕有鄕帥, 三鄕爲縣, 縣有縣帥, 十縣爲屬, 屬有大夫, 五屬. ❷1 읍은 2,000 가(家)로 구성되었다.《漢書, 鼂錯傳》臣又聞古之制邊縣以備敵也, 使五家爲伍, 伍有長, 十長一里, 里有假士, 四里一連, 連有假五百, 十連一邑, 邑有假候. [2] [넓이] 토지 넓이의 단위. 1 읍은 사방 1 리(里), 또는 4 정(井)의 넓이에 해당된다.《春秋, 成公元年》三月, 作丘甲. (杜預注) 周禮, 九夫爲井, 四井爲邑, 四邑爲丘, 丘十六井, 出戎馬一匹, 牛三頭. 四丘爲甸, 甸六十四井, 出長轂一乘, 戎馬四匹, 牛十二頭, 甲士三人, 步卒七十二人. 此甸所賦, 今魯使丘出之, 譏重斂. (顧炎武補正) 要之, 其實爲益兵, 向之四丘共出三甲者, 今使每丘出一甲爾.

의(矣) [넓이] 조세를 계산하기 위한 토지 면적의 단위. 1 의는 8 결(結)에 해당된다. 부(夫).《萬機要覽, 財用編 2, 田結》握者, 謂之把, 遞以上之至于結, 十把爲束, 十束爲負(或稱卜), 百負爲結(俗音 먹), 八結爲夫 (或稱矣).

이(耳) [수효] ❶사람의 수를 세는 데 쓰는 말. 2 이는 1 명, 6 이는 3 명을 이른다.《西遊記, 2回》悟空道, 此間更無六耳, 止弟子一人.《五燈會元, 馬祖一禪師法嗣, 泐潭法會禪師》洪州泐潭會禪師問馬祖. 如何是祖師西來意. 祖曰, 低聲. 近前來, 向汝道. 師便近前. 祖打一摑曰, 六耳不同謀, 且去, 來日來, 師至來日獨入法堂曰, 請和尙道. ❷일본(日本)의 단위. 토끼 두 마리를 하나치로 세는 데 쓰는 말.

이(里) [1] [행정] ❶지방 행정의 가장 작은 단위. 조선 성종(成宗) 때에는 이(里)를 대·중·소로 나누었는데, 소리(小里)는 25 가(家)에서 50 가, 중리(中里)는 55 가에서 100 가, 대리(大里)는 105 가에서 150 가로 구성되었다. 조선 숙종(肅宗) 때에는 5 호(戶)를 1 통(統)으로 하여 통주(統主)를 두고, 5 통을 1 리로 하였다. 현재의 이는 면(面)에 속하는데, 몇 개의 촌락이 모여서 이를 이룬다. 1949년 7월 4일 지방 자치법(地方自治法)의 제정으로 자연의 부락을 기준으로 정하였다.《高麗史 56, 地理志》王京……太祖十五年, 又定京城五部·坊·里(東部. 坊七, 里七十……南部. 坊五, 里七十一……西部. 坊五, 里八十一……北部. 坊十, 里四十七……中部. 坊八, 里七十五).《朝鮮肅宗實錄, 元年9月辛亥》每一里, 自五統以上至十統爲小里, 自十一統以上至二十統者爲中里, 自二十一統以上至三十統者爲大里, 里中又差里正, 里有司二人, 以掌一里之事.《磻溪隨錄 3, 田制後錄 上》鄕里, 凡五家爲統, 有統長, 十統爲里, 有里正. 每十里, 京則爲坊, 置坊正一人, 外則爲鄕(卽今之面), 置鄕正一人. ❷(lǐ) 중국(中國)의 단위. ㉮ 1 리는 25 가(家)로 구성되었다.《周禮, 地官, 遂人》五家爲鄰, 五

鄰爲里.《詩, 鄭風, 將仲子》無踰我里. (毛傳) 里, 居也, 二十五家爲里. (孔穎達疏) 里者民之所居, 故爲居也, 地官遂人云, 五家爲鄰, 五鄰爲里, 是二十五家爲里也.《禮記, 郊特牲》單出里(二十五家爲里). ㉯ 1 리는 50 가(家)로 구성되었다.《管子, 小匡》制五家爲軌, 軌有長, 十軌爲里, 里有司.《鶡冠子, 王鈇》五家爲伍, 伍爲之長, 十伍爲里, 里置有司.《風俗通》里者止也, 五十家共居止也.《戰國策, 齊策》蘇秦說齊宣王曰, 齊地方二千里, 帶甲數十萬, 齊軍之良, 五家之兵, 疾如錐矢. (注) 五家之兵, 管子之制也, 管子曰, 制五家爲軌, 軌有長.《史記, 齊太公世家》桓公旣得管仲, 與鮑叔, 隰朋, 高傒, 修齊國政, 連五家之兵. ㉰ 1 리는 72 가(家)로 구성되었다.《尙書大傳 4, 咎繇謨》八家爲鄰, 三鄰爲朋, 三朋爲里.《論語撰考讖》古者七十二家爲里. ㉱ 1 리는 80 가(家)로 구성되었다.《公羊傳, 宣公15年》什一行而頌聲作矣, 一里八十戶. ㉲ 1 리는 100 가(家)로 구성되었다.《禮記, 雜記下》則里尹主之(百戶爲里, 里一尹).《管子, 度地》百家爲里. ㉳ 1 리는 110 가(家)로 구성되었다.《淸史稿, 食貨志 2》凡里百有十戶, 推丁多者十人爲長.《淸國行政法汎論, 地方自治, 保甲, 備考》以百有十戶爲里, 推丁多者十人爲長. 餘百戶爲十甲, 城中曰坊, 近城曰廂, 在鄕曰里. [2] [길이] ❶재래식 거리(距離)의 한 단위. 지금의 1 리(里)는 약 4 km에 해당된다.《三國史記 34, 地理志》開國王都, 長三千七十五步, 廣三千一十八步, 三十五里.《朝鮮太宗實錄 25, 13年正月丙申》日本府受敎內, 流罪收贖, 在大明律流三千里, 贖銅錢三十六貫.《朝鮮定宗實錄 2, 元年8月癸卯》慶尙道海水, 自蔚州至東萊, 長三十里, 廣二十里, 赤如血, 水族盡死, 凡四日.《海行摠載, 申高靈海東諸國紀, 凡例》道路, 用日本里數, 其一里准我國十里.《萬機要覽, 軍政編 5, 白頭山定界, 洪世泰白頭山記》癸巳, 到山頂, 日已午矣, 是山首起西北, 直下大荒, 至此陡立, 其高極天, 不知其幾千萬仞, 頂有池, 如人顖穴, 周可二三十里. ❷지상의 거리 단위. 주척(周尺)으로 6 자를 1 보(步)로 하였을 때 300 보에 해당된다.《龍飛御天歌 1, 9章》造鹿臺爲瓊室玉門, 其大三里, 高千尺, 七年乃成.《穀梁傳, 宣公15年》古者三百步爲里.《孔子家語, 王言解》周制三百步爲里. ❸지상의 거리 단위. 주척으로 6 자를 1 보로 하였을 때 350 보에 해당된다.《增補文獻備考 91, 樂考, 度量衡》測量尺. 十釐爲分, 十分爲一周尺(六寸六分), 六尺爲一步, 十尺爲一間, 一百尺爲一鏈, 二千一百尺爲一里 (卽三百五十步), 三十里爲一息. 泰西米突, 則一米突, 準我五尺.《正字通, 里部》里, 路程, 以三百六十步爲一里.《日知錄, 考證, 里》穀梁傳, 古者三百步爲里, 今以三百六十步爲里. ❹지상 거리의 단위. 주척으로 6 자를 1 보로 하였을 때 360 보에 해당된다.《正字通, 里部》又路程以三百六十步爲一里. [3] [수효] '이음(里音)'의 준말로, 바느질에 사용하

는 토막친 실의 수를 세는 데 쓰는 말. 《度支準折, 衹㐲巾衣裳》籩樽冪一介, 九升白苧布一疋, 內紅外黑, 木紅一戔, 白磻四分, 唐朱紅一里, 苧糸一分. [4] [통화] '이(氂)'의 [4]와 같다. 《萬機要覽, 財用編 1, 供上, 大殿》眞瓜一百七十九箇(每箇價六分六里). 《度支準折, 木物》楸木一条, 一尺(該一千八十寸)価一兩一戔四分二里八戶, 方一寸折価一里五糸八忽一微. [5] [질량] '이(氂)'의 [3]과 같다. 《萬機要覽, 財用編 4, 錢貨, 鑄錢式》新錢一分, 黑骨所入, 生銅九分七里四戶六糸六忽六微.

이(哩) [길이] '마일(mile)'의 역어(譯語). 《新字典, 新字新義部》哩, 마일. mile. 又讀如英里. 《少年小說》第一天預賽, 十五哩的路程, 從樟山初中的大操場出發.

이(浬) [길이] '해리(海里)'의 역어(譯語). 《新字典, 新字新義部》浬, 너트. knot. 又讀如海里, 每一海里, 當子午一分, 爲六千零六十八英尺, 又十二分之一, 各國行海通用之.

이(理) [수효] '번'·'차례'·'회'의 뜻으로, 배운 것을 복습하는 횟수를 세는 데 쓰는 말. 《顔氏家訓, 勉學》吾七歲時, 誦靈光殿賦, 至於今日, 十年一理, 猶不遺忘.

이(喱) [질량] '그레인(grain)'의 역어(譯語). 《新字典, 新字新義部》喱, 그레인. 又讀如英厘, 英美衡名.

이(貳) [수] 이(二)의 갖은자. 《說文通訓定聲, 履部》今官書數目一二三四作壹貳參肆, 所以防奸易也.

이(氂) [길이] '(釐)의' [2]와 같다. 《字類註釋》十毫曰釐. 《一切經音義 3》十毫曰氂, 分皆作釐. 《集韻, 之韻》氂, 十毫曰氂. 《孫子算術》蠶吐絲爲忽, 十忽爲杪, 十杪爲豪, 十豪爲氂, 十氂爲分, 十分爲寸. 《晉書, 律曆志 上》二尺八寸四分四氂. 應黃種之律.

이(穲: lí) [부피] 중국(中國)의 단위. 1 리는 2 줌에 해당된다. 《玉篇, 禾部》穲, 長沙云, 禾把也. 《廣韻, 支韻》穲, 長沙人謂禾二把爲穲.

이(釐) [1] [수] 십진 급수(十進級數)의 한 단위. 푼〔分〕의 아래로, 1 리는 1 의 100 분의 1 에 해당된다. 《淮南子, 主術》是故審毫釐之計者, 必遺天下之大數. [2] [길이] 1 리는 푼〔分〕의 10 분의 1, 또는 호(毫)의 10 배(倍)에 해당된다. 시제(市制)로 1 리는 0.333 mm 이고, 구제(舊制)로는 0.320 mm 이다. 이(氂).

1 리 $=10^{-1}$ 푼〔分〕
$=10^{-2}$ 치〔寸〕
$=10^{-3}$ 자〔尺〕
$=1/3,300$ m 이다.

《經國大典 6, 工典, 營繕, 度量衡》度之制, 十釐爲分, 十分爲寸, 十寸爲尺, 十尺爲丈. 《萬機要覽, 財用編 4, 戶曹各掌事例, 版籍司, 度量衡》度用鍮尺(十釐爲分, 十分爲寸, 十寸爲尺, 十尺爲丈). 《增補文獻備考 91, 樂考, 度量衡》測量尺. 十釐爲分, 十分爲一周尺(六寸六分), 六尺爲一步, 十尺爲一間, 一百尺爲一鏈, 二千一百尺爲一里(卽三百五十步), 三十里爲一息. 泰西米突, 則一米突, 準我五尺. 《漢書, 東方朔傳》正其本, 萬事理, 失之毫釐,

差以千里.《算法統宗, 零數》寸·分·釐·毫·絲·忽·微·纖·沙·塵·埃. 3 [질량] 1 리는 푼〔分〕의 10 분의 1, 또는 호(毫)의 10 배(倍)에 해당된다. 시제(市制)로 1 리는 31.25 mg 이고, 구제(舊制)로는 37.301 mg 이다. 이(里·氂).

1 리$=10^{-1}$ 푼〔分〕
$=10^{-2}$ 돈〔錢〕
$=10^{-3}$ 냥〔兩〕
$=10^{-5}$ 관(貫)
$=10$ 모(毛)
$=0.0375$ g

《經國大典 6, 工典, 營繕, 度量衡》衡之制. 黃鍾之管, 其容水重八十八分, 十釐爲分, 十分爲錢, 十錢爲兩, 十六兩爲斤.《萬機要覽, 財用編 4, 戶曹各掌事例, 版籍司, 度量衡》衡有大·中·小三等, 中·小二等, 等各有二稱(十釐爲分, 十分爲錢, 十錢爲兩, 十六兩爲斤).《劉禹錫, 衡賦》黍絫無差, 毫釐必究.《愼子, 君人》懸於權衡, 則釐髮識矣.《宛署雜記, 繇賦》正賦中通共起存銀參千陸百陸拾捌兩柒錢五分貳釐陸毫五絲肆微捌纖陸沙陸塵陸埃壹渺貳漠五糢. 4 [통화] 1 리는 푼〔分〕의 10 분의 1 에 해당된다. 이(里). 5 [점수] 관리의 고과(考課) 점수를 헤아리는 데 쓰는 말. 1 리는 분(分)의 10 분의 1 에 해당된다.《增補文獻備考 201, 選擧考, 考科》本朝太祖元年, 定考科法, 善曰公廉勤謹. 最曰田野闢, 戶口增, 賦役均, 學校興, 詞訟簡. 惡曰貪暴怠劣, 殿曰田野荒, 戶口損, 賦役煩, 學校廢, 詞訟滯. 善分有四等, 公爲五分, 明爲五分, 廉爲四分, 勤爲四分. 最分有八等, 田野闢爲三分五釐, 戶口增爲三分五釐, 學校興爲三分五釐, 禮俗成爲三分五釐, 猛訟平爲二分, 盜賊息爲二分, 差役均爲一分, 賦斂節爲一分. 6 [넓이] 논밭의 넓이의 단위. 1 리는 묘(畝)의 100 분의 1 이며, 푼〔分〕의 10 분의 1, 또는 호(毫)의 10 배(倍)에 해당된다. 시제(市制)로는 1 리가 6,667 m^2 이고 구제(舊制)로는 6,144 m^2 이다.《太平天國, 天朝田畝制度》當中尙田一畝三分五釐.

이극(釐克 : líkè) [질량] 중국(中國)의 단위. 1 이극은 10 mg 에 해당된다.

이닝(inning) [수효] 야구 경기(野球競技)에서 두 팀(team)이 각각 한 번의 공격과 수비를 끝낸 횟수를 세는 데 쓰는 말.

이랍(里拉 : lǐlā) [통화] 중국(中國)의 단위. '리라(lira)'의 음역(音譯).

이랑 [수효] 논밭의 한 두둑과 한 고랑을 합한 수를 세는 데 쓰는 말.

이미(厘(釐)米 : límǐ) [길이] 중국(中國)의 단위. '센티미터(centimeter)'의 역어(譯語).

이미(Imi) [부피] 독일(獨逸)의 지방적 단위. 1 이미는 마스(Maass)의 10 배(倍)이며, 4.85 미(美) 갤런(gallon), 또는 18.37l 에 해당된다.

이미(Immi) [부피] 스위스의 지방적 단위. 1 이미는 1.36 미(美) 쿼트(quart), 또는 1.5l 에 해당된다.

이승(厘升 : líshēng) [부피] 중국(中國)의 단위. 1 이승은 1l 에 해당된다.

이아이(里亞爾 : lǐyàěr) [통화] 중국(中國)의 단위. '리알(rial)'의 음역(音譯).

이언(aeon) [시간] 방사 붕괴 생성물(放射崩壞生成物)의 측정에 따른 절대 연대(絶對年代)에 관한 단위. 1 이언은 10억 년, 또는 10^9 년에 해당된다. 미국의 화학자 유리(Urey, H.C. ; 1893~1981)가 제창하였다. 기호 : AE

이음(里音) [수효] '닙'의 차자 표기로, 바느질에 사용하는 토막친 실의 수를 세는 데 쓰는 말. 이(里). 《度支準折, 袱帒巾衣裳》 一幅袱, 長七寸(周糸一里音). 《度支準折, 索綯》 麻絲(一里音, 重一分) 一斤, 貿米四斗八升, 一兩折価八分.

이이(里爾 : lǐěr) [통화] 중국의 단위. '리알(rial)'의 음역(音譯).

이체(ícce) [부피] 헝가리의 단위. 1 이체는 어코(akő)의 64 분의 1 이며, 핀트(pint)의 2 분의 1, 0.897 액량(液量) 쿼트, 또는 0.848l 에 해당된다.

이탈이(利脫耳 : lìtuō'ěr) [길이] 중국의 단위. '리터(liter)'의 음역(音譯).

이트로(jitro) [넓이] ❶체코슬로바키아(Czechoslovakia)의 옛 단위. 지방에 따라 다소 차이가 있는데, 대략 1 이트로는 코레츠(korec)의 2 배(倍)이며, 28.37 아르〔a〕, 또는 20.41 아르가 보통이지만, 69.20 아르로도 알려져 있다. ❷오스트리아의 단위. 1 이트로는 1.422 에이커(acre), 또는 57.55 아르에 해당된다.

이트로 베르스케(jitro wherské) [넓이] 체코슬로바키아의 옛 단위. 1 이트로 베르스케는 1,200 제곱 사흐(sáh), 또는 43.16 아르〔a〕에 해당된다.

이트로 카타스트랄니(jitro katastrální) [넓이] 체코슬로바키아의 옛 단위. 1 이트로 카타스트랄니는 1,600 제곱 사흐(sáh)이며, 미라(míra)의 3 배, 코레츠(korec)의 2 배(倍), 또는 57.54 아르〔a〕에 해당된다.

익(嗌 : yì) [질량] 중국(中國)의 단위. 1 익은 24 냥〔兩〕에 해당된다. 일(溢·鎰). 《六書正譌 5》 嗌, 二十四兩爲嗌.

익(搦 : nuò) [부피] 중국(中國)의 단위. '줌'·'움큼'의 뜻으로, 한 주먹으로 쥘 만한 분량. 또는 그 수를 세는 데 쓰는 말. 《水龍吟, 淮河舟中夜聞宮人琴聲》 對漁燈一點, 羈愁一搦, 譜琴中語. 《西廂記, 4本, 1折》 繡鞋兒剛半折, 柳腰兒句一搦. 《牡丹亭, 詰病》 他一搦身形, 瘦的龐兒沒了四星.

익(翼) [1] [군사] 여말 선초에 각 지방의 농민들을 징발하여 편성해 두었던 군대. 또는 그 수를 세는 데 쓰는 말. 고려 공민왕(恭愍王) 때에 서경(西京)·안주(安州)·삭방(朔方)·의주(義州)·이성(泥城)·강계(江界) 등에 만호부(萬戶府)를 설치하고, 군사 1천 명을 1 익으로 하였으며, 우왕(禑王) 4년(1378)에 남도 지방에도 익군을 설치하였다가 6개월 만에 폐지하였다. 조선 초기에는 고려의 제도에 따라 남도 지방에는 영진군(營鎭軍)을, 북방 양계에는 익군을 두었다가, 세조(世

祖) 원년(1455)에 행정 구역인 각 도를 몇 개의 군익도(軍翼道)로 나누고, 요충이 되는 고을을 중심으로 거진(巨鎭)을 설치하여 주변의 여러 고을을 이에 분속시켜서 중익·좌익·우익으로 편성하였다가, 동왕 3년에 이를 폐지하고 진관 체제(鎭管體制)를 실시하여, 행정 구역인 각 도마다 주요한 지역을 몇 개의 거진으로 삼고, 그 주변 지역의 여러 진들을 이에 소속시켰다. 《高麗史 81, 兵志, 兵制, 五軍》恭愍王十八年十一月, 今西京萬戶府左翼·右翼·前軍·後軍·精銳·精毅·忠毅·忠誠·新僉·新成十軍……皆置上·副萬戶……禑王三年正月, 新置安州二翼軍, 號新勇·新猛. 安州本有八翼, 今更爲二翼, 總十翼, 與西京軍同. 《朝鮮太宗實錄 14, 7年9月壬子》 西北面都巡問使李龜鐵, 啓道內事宜, 從之. 啓曰, 煙戶軍丁元數, 戶首·奉足幷五萬四千八百十七名……翼軍十四翼, 戶首·奉足幷二萬三千十二名, 臣觀各牌各翼軍人立役形止, 侍衛軍, 奉足三四名式定給, 以四十牌, 每一朔二牌式, 至於二年一度上京, 一朔侍衛. 《朝鮮世宗實錄 24, 6年6月丙辰》吏曹啓, 平安道各翼屬郡縣, 多小不一, 軍數不均, 且江東·三和·安州·孟山·陽德·義州·定寧·朔州·江界等官, 專不分屬三翼, 不便. 今以軍丁多小, 地里遠近, 量宜更定, 其各翼軍丁之數, 具錄于後. ② [수효] '마리'의 뜻으로, 새와 같이 깃털이 있는 동물의 수를 세는 데 쓰는 말. 개(箇). 거(居). 과(窠). 매(枚). 수(首). 시(翅). 우(羽). 척(隻). 핵(翮). 《顔延之, 車駕幸京口三月三日侍遊曲阿後湖作詩》 萬軸胤行衛, 千翼泛飛浮.

익돌(翊突) [부피] '리터(liter)'의 음역(音譯). 척관법(尺貫法)으로는 5 홉〔合〕 5 작(勺) 4 초(抄) 5 규(圭)에 해당된다. 리터(liter). 《增補文獻備考 91, 樂考, 度量衡》一先知翊突, 準我五抄五撮四圭, 十先知翊突爲大始翊突, 準我五勺五抄四撮四圭, 十大始翊突爲翊突, 準我五合五勺四抄三撮五圭, 十翊突爲大可翊突, 準我五升五合四勺三抄五撮二圭, 十大可翊突爲赫得翊突, 準我五斗五升四合三勺五抄二撮四圭.

인(人) [수효] '명'·'인'의 뜻으로, 사람의 수를 세는 데 쓰는 말. 개(介·個). 구(口). 두(頭). 명(名). 분(分). 영(領). 원(員). 위(位). 정(丁). 한(漢). 《三國史記 8, 新羅神文王本紀》六月, 立國學, 置鄕一人, 又置工匠府監一人, 彩典監二人. 《三國遺事 4, 義解, 義湘傳敎》昔有主寺者, 給寺奴一人, 一夕饌栗二枚, 奴訟于官, 官吏恠之, 取栗檢, 一枚盈一鉢, 乃皈判給一枚. 《高麗史 21, 神宗世家》金遣封册使大理卿完顔愈……下節一百人, 車二十一兩, 馬一十四匹, 綱擔夫一百人. 《朝鮮成宗實錄 100, 10年正月丁丑》 禮曹啓, 今通信使之行……一, 通信使三人, 押物二人, 醫員一人, 領船二人, 使·副使伴倘各二人, 書狀官伴倘一人, 樂工三人.

인(刃) [수효] '자루'의 뜻으로, 칼의 수, 또는 칼을 사용한 횟수를 세는 데 쓰는 말. 《淮南子, 說林訓》

金勝木者, 非以一刃殘林也, 土勝水者, 非以一墣塞江也.《論衡, 澗時》使三軍持木杖, 匹夫持一刃, 伸力角氣, 匹夫必死.《晉書, 衛瓘傳》雖有兵仗, 不施一刃.

인(引 : yǐn) ① [길이] 중국(中國) 한(漢)나라(B.C. 202 ~ A.D. 220) 이후의 단위. 1인은 10장(丈), 곧 100자〔尺〕에 해당된다. 각 시대별로 인(引)의 길이를 환산해 보면, 전한(前漢 : B.C. 202~A.D. 8)에는 27.65 m, 신(新)에서 후한(後漢 : 8~220)에 걸쳐서는 23.04 m, 삼국시대(三國時代)에서 서진(西晉 : 222~317)에는 24.12 m, 동진(東晉 : 317~420) 시대에는 24.45 m, 당(唐)에서 오대(五代 : 618~959)에는 31.10 m, 송(宋)·원(元)(960~1367) 시대에는 30.72 m, 명대(明代 : 1368~1644)에는 31.10 m, 청대(淸代 : 1616 ~ 1912)에는 32 m로 쓰였다고 추정된다. 구제(舊制)와 시제(市制)가 있는데, 구제(舊制)로는 32 m, 시제(市制)로는 33.3 m에 해당된다.《漢書, 律曆志 上》度者, 分·寸·尺·丈·引也……十分爲寸, 十寸爲尺, 十尺爲丈, 十丈爲引, 而五度審矣.《廣才物譜, 庶類, 數》引, 十丈.《才物譜, 秋, 數》引, 十丈.《漢淸文鑑 11, 衣飾, 量度》引, 十丈曰引. ② [질량] 중국(中國)의 고유 단위. 1인은 200근(斤)에 해당된다. 1인이 200근(斤)이라고 해도 구제(舊制)로는 119.363 kg, 시제(市制)로는 100 kg에 해당된다. 본래 소금을 실어 나르는 무게의 단위였는데, 원(元)나라 때에는 400근이었는데, 명(明)나라 초기에는 원나라의 것을 그대로 쓰다가 뒤에 200근 1자루를 소인(小引), 600근 1포(包)를 대인(大引)이라 하였다. 각 시대의 인(引)의 수치를 환산해 보면, 후한(後漢)에서 동진(東晉 : 25~420) 및 수(隋)의 후반(後半 : 603~618)에는 44.544 kg, 당(唐)에서 청(淸 ; 618 ~ 1912)까지는 119.36 kg으로 쓰였다고 추정된다.《續文獻通考, 征榷考》元太宗二年, 始行鹽法, 每鹽一引, 重四百斤, 價銀十兩.

인(仞 : rèn) [길이] ❶중국(中國) 고대의 관용 단위(貫用單位). ㉮ 1인은 8자〔尺〕에 해당된다. 인(軔).《說文, 人部》仞, 伸臂一尋, 八尺.《正字通》仞, 古以周尺八尺爲仞, 中人之身長八尺, 兩臂尋之亦八尺, 兩足步之亦八尺, 度高深以仞, 度長端以尋, 度地以步.《字類註釋, 物類, 名數》仞, 팔척 인. 又度深曰仞. ㉯ 1인은 7자에 해당된다.《說文, 人部》(段玉裁注) 按, 此解疑非許之舊, 恐後人改竄爲之, 尺部下云, 周制, 寸·尺·咫·尋·常·仞, 諸度量, 皆以人之體爲法……程氏又曰, 小爾雅云, 四尺, 應劭云, 五尺六寸, 此其繆易見也.《儀禮, 鄕射禮記》杠長三仞(七尺曰仞). ㉰ 1인은 5자 6치에 해당된다.《漢書, 食貨志 上》有石城十仞. 應劭曰, 仞, 五尺六寸也. ㉱ 1인은 4자에 해당된다.《小爾雅, 廣度》四尺謂之仞. ❷'길'의 뜻으로, 사람의 키의 한 길이를 하나치로 하여 길이를 헤아릴 때 쓰는 말. 장(丈).《朝鮮太祖實錄 12, 6年10月辛卯》諫官

上言, 節用足食, 王政之先務……食者, 三軍之司命, 糧餉不足, 則勇士百萬, 不足爲用, 鐵城千仞, 不足爲恃. 今國家改正田制, 上自供上, 下至各品之科, 國用·軍資田有定式, 立法之意周矣.《萬機要覽, 軍政編 5, 白頭山定界, 洪世泰白頭山記》癸巳, 到山頂, 日已午矣. 是山首起西北, 直下大荒, 至此陡立, 其高極天, 不知其幾千萬仞. 頂有池, 如人顖血, 周可二三十里.

인(軔) [길이] '인(仞)'의 ❶㉮와 같다.《孟子, 盡心 上》掘井九軔而不及泉. (趙岐注) 軔, 八尺也. (集注) 軔與仞同, 八尺爲仞.

인(鄰) [행정] ❶ 1 인은 5 가(家)로 구성되었다.《周禮, 地官, 大司徒》令五家爲比, 使之相保, 五比爲閭, 使之相受, 五閭爲族, 使之相葬, 五族爲黨, 使之相救, 五黨爲州, 使之相賙, 五州爲鄕, 使之相賓. (鄭玄注) 族, 百家, 黨, 五百家.《漢書, 食貨志》五家爲鄰, 五鄰爲里, 四里爲族, 五族爲黨. ❷ 1 인은 8 가(家)로 구성되었다.《華嚴經 67, 音義下》尙書大傳曰, 八家爲鄰, 三鄰爲閭, 三閭爲里.

인(鱗) [수효] '마리'의 뜻으로, 물고기의 수를 세는 데 쓰는 말.《曹植, 答崔文始書》臨江直釣, 不獲一鱗, 非江魚之不食餌, 其所餌之者非也.《陳書, 王固傳》又宴於昆明池, 魏人以南人嗜魚, 大設罟網. 固以佛法咒之, 遂一鱗不獲.《龔自珍, 十月廿大風不寐起而書懷詩》 家書前夕至, 憶我人海之一鱗.

인공(人工) [수효] 직공(職工)의 일손을 세는 데 쓰는 말. 주로 공사(工事)·기획(企劃)·견적(見積)을 낼 때, 또는 조선업(造船業) 등에서 사용한다.

인딕트(indikt) [회계(會計)] 고대 로마(Roma)의 황제 콘스탄티누스 I 세(Constantinus I ; 재위 306~337)가 기원(紀元) 312년 9월 1일부터 시작한 회계기(會計期). 1 인딕트는 15년을 1 기(期)로 한다. 인딕트를 구하는 법은, 그 연수(年數)에 3 을 더한 합을 15 로 나누면 된다. 그 때 몫은 이제까지 지나간 인딕트의 콤플렉스의 수이며, 나머지가 인딕트 수이다.

인분(人分) [부피] '몫'의 뜻으로, 한 사람에게 주어지는 분량을 헤아리는 데 쓰는 말.《陶山書院廟階磚石改築時日記, 檀紀4289年11月》磚石及土瓦運賃七千二百圓, 京城旅費二人分貳萬貳千六百圓.

인제(因制 : yīnzhì) [길이] 중국(中國)의 단위. '인치(inch)'의 음역(音譯).

인조(人組) [수효] 어떤 목적을 이루기 위하여 같은 뜻을 가지고 조직된 단체가 몇 사람으로 이루어졌는가를 헤아릴 때 쓰는 말.

인치(inch) [1] [길이] 야드(yard)·파운드법(pound 法)에 의한 길이의 단위. 인치라는 말은 12 분의 1 을 의미하는 고대 영어의 융케(ynce)에서 유래되었다. 인제(因制). 영촌(英寸). 촌(吋). 기호 : in, ″

1 inch＝1/12 피트〔ft〕
＝1/36 야드〔yd〕
＝25.4 밀리미터〔mm〕

[2] [부피] 영국·미국에서 사용하

는 단위. 1 인치는 1 세제곱 인치의 부피이며, 세제곱 피트의 1,728 분의 1, 또는 16.387 cm³에 해당된다. 3 [넓이] 영국(英國)·미국(美國)에서 사용하는 단위. 1 인치는 1 제곱 인치의 넓이이며, 제곱 피트의 144 분의 1, 또는 6.452 cm² 에 해당된다.

일(日) 1 [시간] '일'의 뜻으로, 날짜나 날수를 세는 데 쓰는 말.《朝鮮定宗實錄 2, 元年8月癸卯》慶尙道海水, 自蔚州至東萊, 長三十里, 廣二十里, 赤如血, 水族盡死, 凡四日.《朝鮮正祖實錄 43, 19年8月辛丑》校理朴吉源上疏曰, 近日以來, 言路不張……言官之在職日久, 終無一言者. 刊改事, 宋有辱臺之罰, 以五十日爲率.《眉巖集, 序》今之存者十不一二, 手筆日記凡十一年, 經筵日記凡九十日, 詩凡二百八十一首, 文凡六十一首. 2 [넓이] '일경(日耕)'의 준말.《訓鍊都監重記, 兼料色, 屯畓秩》康翎南二里, 畓貳拾壹石拾貳斗壹升落只, 田捌拾柒日半朝前耕.

일(佾) [수효] '열'·'줄'의 뜻으로, 무악(舞樂)에서 무인(舞人)들의 줄 수를 세는 데 쓰는 말. 1 일은 8 명이다.《後漢書, 禮樂志》公卿官長, 以次行雩禮求雨, 立士人舞童二佾, 七月一變, 如故事.

일(壹) [수] '일(一)'의 갖은자.《田制詳定所遵守條畫》定爲每等量尺之長, 以備後日改量之用(尺有長短, 而皆以實積壹尺爲把, 拾尺爲束, 百尺爲負, 千尺爲拾負, 萬尺爲一結).《說文通訓定聲, 履部》今官書數目一二三四作壹貳參肆, 所以防奸易也.

일(溢) 1 [부피] '줌'·'움큼'의 뜻으로 한 손으로 쥘 만한 분량. 또는 그 수를 세는 데 쓰는 말.《小爾雅, 度量》一手之盛, 謂之溢. (葛其仁疏證) 考古量二斗七升, 當今五升四合. 溢爲米一升二十四分升之一, 不過當今二合稍贏, 一手所盛, 理或然也.《儀禮, 喪服》歠粥, 朝一溢米, 夕一溢米. (鄭玄注) 二十四兩曰溢, 爲米一升二十四分升之一.《南史, 梁本紀 中》服內, 日惟食麥二溢. 2 [질량] 무게의 단위. ❶ 1 일은 20 냥쭝에 해당된다. 익(益). 일(鎰).《韓非子, 說林 下》宋之富賈有監止子者, 與人爭買百金之璞玉, 因佯失而毁之, 負其百金, 而理其毁瑕, 得千溢焉.《戰國策, 秦策 1》革車百乘, 綿繡千純, 白璧百雙, 黃金萬溢. (高誘注) 萬溢, 萬金也. 二十兩爲一溢也.《史記, 平準書》及至秦, 中一國之幣爲二等, 黃金以溢名, 爲上幣, 銅錢識曰半兩, 重如其文, 爲下幣. (裴駰集解) 孟康曰, 二十兩曰溢. ❷ 1 일은 24 냥쭝에 해당된다. 익(益). 일(鎰).《說文通訓定聲》溢, 字亦作鎰.《資治通鑑, 周安王5年》仲子聞軹人聶政之勇, 以黃金百溢爲政母壽, 欲因以報仇. (胡三省注) 溢, 夷質翻. 二十四兩爲溢.《史記, 平準書》黃金以溢名, 爲上弊. 孟康曰, 二十四兩爲溢.《荀子, 儒效》屑然藏千溢之寶(溢, 古鎰字).

일(鎰) [질량] 무게의 단위. ❶'일(溢)'의 2❶과 같다.《孟子, 梁惠王 下》雖萬鎰, 必使玉人彫琢之. (趙岐注) 二十兩爲鎰.《國語, 晉語

2》黃金四十鎰. (韋昭注) 二十兩爲鎰. 《呂氏春秋, 異寶》祿萬檐, 金千鎰. (高誘注) 二十兩爲一鎰. ❷ '일(溢)'의 2❷와 같다. 《文選, 左思, 吳都賦》金鎰磊砢. 善曰, 金二十四兩爲鎰. 《孫子, 形篇》故勝兵若以鎰稱銖, 敗兵若以銖稱鎰(二十四銖爲兩, 二十四兩爲鎰). 《廣才物譜 1, 庶類, 數》鎰, 金數也. 國語, 二十四兩爲鎰. 孟康云, 二十兩. 鄭玄云, 三十兩. 秦以一鎰爲一金, 漢以一斤爲一金.

일(iel) [섬유] 1 일은 45 인치, 또는 1.143 m 에 해당된다.

일경(日耕) [넓이] '하루갈이'의 뜻으로, 소 한 마리가 하루 낮 동안 갈 수 있는 밭이 넓이. 또는 그 넓이를 헤아리는 데 쓰는 말. 지방에 따라 다르지만, 대체로 1 일경은 700 평(坪)에서부터 3,000 평까지이다. 일(日). 《朝鮮明宗實錄 2, 卽位年9月乙丑》臣與瑠異姓五寸, 而瑠母家婢秀今田一日耕也, 退計十餘年間買之. 《儒胥必知, 所志類, 權賣田畓不許還退所志》某字田幾日耕, 某字畓幾斗落. 《訓鍊都監重記, 兼料色, 屯畓秩》汗坪垌畓新築垈田貳日耕, 添付次民垈貳拾捌石拾貳斗落只, 添付次民畓拾壹石拾斗參升落只. 《萬機要覽, 財用編 2, 耤田》西耤田, 癸未査得田四日耕, 畓二十石十三斗九升落(幾落云者, 謂下種如此數之地也), 合收稅正租四百二十三石五斗一升七合五夕內, 除本寺各樣用下, 實餘三百十七石七斗一升二合三夕, 以會外穀自本寺需用矣. 《續大典 2, 戶典, 量田》火田二十五日耕爲一結.

일의 단위(一單位) [일] 일의 계량 단위는 줄(joule), 와트 초〔Ws〕 및 중량 킬로그램 미터〔kgwm, kgfm, kgm〕이다. 줄의 보조 계량 단위에는 마이크로줄〔μJ〕, 밀리줄〔mJ〕, 킬로줄〔kJ〕이 있으며, 와트 초의 보조 단위에는 마이크로와트 초〔μWs〕, 밀리와트초〔mWs〕, 킬로와트 초〔kWs〕, 와트시〔Wh〕, 킬로와트 시〔kWh〕, 메가와트 시〔MWs〕, 기가와트 시〔GMh〕가 있다.

일전비(一錢匕) [질량] 한대(漢代 : B.C. 202 ~ A.D. 220) 한의학(漢醫學)에서 당시의 화폐였던 오수전(五銖錢)으로 산말약(散末藥)을 떴을 때 넘쳐 흐르지 않을 만큼의 양(量)을 말한다. 일전비는 약 1 g 정도에 해당된다.

일정(日程) [거리] 노정(路程)의 날수를 헤아리는 데 쓰는 말. 《朝鮮世宗實錄 20, 5年4月壬戌》量率吉州·慶源·鏡城軍馬及留防軍, 進屯高郎歧, 相距一日程. 《通文館志 3, 事大, 中原進貢路程》自鴨綠江至鎭江城, 湯站(七十里)·柵門(二十里)·鳳凰城(二十里)……三河縣(七十里)·通州(七十里)·北京(四十里), 共二千四十九里爲二十八日程. 《萬機要覽, 軍政編 2, 兵曹, 一軍色, 收布摠數》駄價, 元數中計減(八十里爲一日程, 每同每日五尺. 京圻不爲除級, 十疋以下勿論).

일책수(一磔手) [길이] '뼘'의 뜻으로, 엄지손가락과 가운뎃손가락을 벌리어 잰 길이. 또는 그 길이를 헤아리는 데 쓰는 말. 불상(佛像)의 길이를 재는 척도(尺度)가 된다. 《翻譯名義集, 數量》通俗文曰, 張

申曰，磔．周尺，人一尺，佛二尺．唐於周一寸上增二分， 一尺上增二寸， 蓋周尺八寸也．《一切經音義 24》一磔手者，取大指中指所極爲量也．

임 [수효] 머리 위에 인 물건의 수를 세는 데 쓰는 말.

임(任 : rèn) [수효] 중국(中國)의 단위. ❶'바탕'·'번(番)'의 뜻으로, 무슨 일을 한 차례 끝내는 동안. 또는 맡은 직무의 차례나 횟수를 세는 데 쓰는 말.《宋史，仁宗紀 2》詔示廣南者毋過兩任， 以防貪黷.《儒林外史，14回》雖然他家太爺作了幾任官，而今也家道中落.《曹禺，北京人》做了幾次官都不十分得意，在最後一任裏，他拉下很大的虧空.《黃霧》旅客坐在貨物上面，毫無遮攔，一任風吹雨淋日曬. ❷'대'의 뜻으로, 가계(家系)나 지위를 이어 그 자리에 있는 동안의 수를 세는 데 쓰는 말. 대(代). 〈예〉過去凡～校長.

임(稔) [수효] ❶'살'·'세(歲)'의 뜻으로, 나이를 세는 데 쓰는 말. 본래는 곡식이 한 번 익는 기간이라는 뜻으로, 1년간을 이르는 말이다. 세(歲). 영(齡).《三國遺事 3，塔像，芬皇寺千手大悲，盲兒得眼》景德王代，漢岐里女希明之兒，生五稔而忽盲……讚曰， 竹馬葱笙戲陌塵，一朝雙碧失瞳人. 不因大士廻慈眼， 虛度楊花幾社春. ❷'해'·'년(年)'의 뜻으로, 햇수를 세는 데 쓰는 말.《左傳，襄公27年》所謂不及五稔者，夫子之謂矣. (杜預注) 稔，一年也. (陸德明釋文) 穀一熟，故爲一年.《蔡邕，獨斷》三代年歲之別名，唐虞日載. 載，歲也，言一歲莫不覆載，故曰載也. 夏曰歲，一曰稔. 商曰祀. 周曰年.《王禹偁，黃州新建竹樓記》竹之爲瓦， 僅十稔，若重覆之，得二十稔.

입 [부피] '입'·'모금'의 뜻으로, 음식물을 먹거나 입에 문 양. 또는 그 양을 헤아리는 데 쓰는 말. 구(口). 합(呷).

입(入) [수효] 피륙 따위에 물감을 들이는 횟수를 세는 데 쓰는 말.

입(叺) [부피] 일본(日本)의 단위. '가마니'의 뜻으로, 가마니에 곡식 따위를 담아 그 양을 헤아리는 데 쓰는 말.

입〔立〕 [수효] '닙〔立〕'과 같다.

입(粒) [수효] ❶'알'의 뜻으로, 씨앗·곡식·사리(舍利)·환약(丸藥) 따위의 둥글고 조그만 것의 수를 세는 데 쓰는 말.《三國遺事 3，塔像，前後所將舍利》 慈藏法師所將佛頭骨·佛牙·佛舍利百粒， 佛所著緋羅金點，袈裟一領.《朝鮮太宗實錄 15， 8年正月乙亥》日本原滿直， 遣使獻禮物，且獻不老圓百粒，國人所未達也.《士小節 1， 服食》故量腹適食，勿使有餘，而水澆飯，尤可勿遺一粒.《救急簡易方諺解 1，中風》用胡椒研酒服之， 亦宜湯服， 若冷氣，呑三七粒(고쵸ᄅᆞᆯ ᄀᆞ라 수레 머그라，더운 므레 머거도 됴ᄒᆞ니 그저 세 닐굽 나출 ᄉᆞᆷ껴도 됴ᄒᆞ니라). ❷'닢'의 뜻으로, 침엽수(針葉樹)의 바늘잎의 수를 세는 데 쓰는 말.《太平御覽 953，周景式，廬山記》石門巖卽松林也. 南臨石門澗，澗中仰視之，離離駢麈尾，號爲麈尾松，西嶺異然如馬鬣， 叉葉五粒者， 名五粒

松.《顧炎武, 送李生南歸寄戴笠錫闡二高士詩》華山五粒松, 寄向江東去.《倭名類聚抄, 果蓏部, 果蓏類, 五粒松子》楊子漢語抄云, 五粒松子, 五粒, 五葉也, 松子, 末都乃美.

입미(立米 : lìmǐ) [부피] 중국(中國)의 단위. 1입미는 세제곱 미터〔m^3〕에 해당된다.

입방 공리(立方公釐 : lìfānggōnglí) [부피] 중국의 단위. 1입방 공리는 1세제곱 밀리미터〔mm^3〕에 해당된다.

입방 공분(立方公分 : lìfānggōngfēn) [부피] 중국의 단위. 1입방 공분은 1세제곱 센티미터〔cm^3〕에 해당된다.

입방 공척(立方公尺 : lìfānggōngchǐ) [부피] 중국의 단위. 1입방 공척은 1세제곱 미터〔m^3〕에 해당된다.

입방 공촌(立方公寸 : lìfānggōngcǔn) [부피] 중국의 단위. 1입방 공촌은 1세제곱 데카미터〔dm^3〕에 해당된다.

입방미(立方米 : lìfēngmǐ) [부피] 중국의 단위. 1입방미는 세제곱 미터〔m^3〕에 해당된다.《現代中國語》我們同意以每立方米五百意大利里拉的價格成交.

입평(立坪) [부피] 척관법(尺貫法)의 한 단위. 1입평은 6자〔尺〕세제곱으로 쌓아올린 더미, 또는 216 세제곱 자〔尺〕에 해당된다. 주로 자갈·모래·흙 따위의 양을 헤아릴 때 쓴다.

잎 [수효] '잎'·'장(張)'의 뜻으로, 식물의 잎의 수를 세는 데 쓰는 말.

자(子) [수효] ❶'묶음'·'사리'·'타래'·'다발'의 뜻으로, 가늘고 긴 물건의 묶음을 세는 데 쓰는 말. 다리〔髢髮〕·향(香)의 수를 세는 데 썼다.《度支準折, 雜種貿易》髢髮一丹(十子十条, 並稱一丹), 価錢十兩五戔.《漢將王陵變文》卸下一子頭髮.《紅樓夢, 88回》又拿起一子兒藏香. ❷'명'의 뜻으로, 사람의 수를 세는 데 쓰는 말.《沈約, 相逢狹路間詩》三子俱入門, 赫弈多羽翼.《庾肩吾, 長安有狹邪行》三子俱來入, 高軒映彩旒.《蘇頲, 送光祿姚卿還都詩》九卿朝已入, 三子暮同來. ❸'명'의 뜻으로, 아들의 수를 세는 데 쓰는 말.《高麗史 74, 選擧志, 科目》肅宗二年九月, 引見新及第林元通等, 賜酒食衣服, 是年, 賜金富轍母米四十石. 舊制, 三子登科, 歲給母大倉米三十石, 以富轍兄第四人登科, 加賜十石, 遂以爲常.《朝鮮太祖實錄 4, 2年7月丁巳》命都評議使司, 三子登科者, 可依舊制廩其母.

자〔尺〕[길이] 척관법(尺貫法)의 한 단위. '척(尺)'과 같다.

자(字) ① [수효] ❶'자(字)'의 뜻으로, 글자의 수를 세는 데 쓰는 말. 언(言).《朝鮮世宗實錄 89, 22年5月丁卯》慶尙道觀察使啓……一, 每於兵船, 皆刻追倭船三字, 船軍亦常呼爲追倭船, 倭客往來, 率皆經過各浦, 必見聞之矣. 今當撫綏之時, 先

示以疑貳, 恐生釁隙 請改號……僉議啓曰……第七條, 追倭船, 乃以別快船改號.《朝鮮燕山君日記 58, 11年7月庚子》傳曰, 以鑞造牌, 牌面書追飛電三字. 且作小印, 篆書直速二字, 並鑄成. ❷'자(字)'의 뜻으로, 활자의 수를 세는 데 쓰는 말.《漢京識畧 1, 昌慶宮內各司, 奎瀛新府》世宗朝甲寅, 李之崇回自京師禮府, 咨送欽賜, 爲善陰騭書六百本, 以此爲本, 命金墩等, 範銅爲二十餘萬字, 稱衛夫人字.《鑄子所應行節目, 活字》衛夫人銅字, 大字十萬五千六百三十八字(丁酉自箕營鑄成), 小字四萬四千五百三十二字. ❸'자(字)'의 뜻으로, 글자가 들어갈 수 있는 칸의 수를 세는 데 쓰는 말. 〈예〉 200~ 원고지. 2 [질량] 1 자는 전(錢)의 4 분의 1, 또는 2 푼〔分〕 반(半)에 해당된다.《山林經濟 3, 救急》全蝎五介, 乾薑·朱砂·麝香各二戔半爲末, 酒調一字(卽二分半)服.《山林經濟 4, 修製法》一字爲二分半也.

자(刺) [수효] ❶죄상(罪狀)을 조사하는 방법을 세는 데 쓰는 말.《周禮, 秋官, 司刺》司刺掌三刺·三宥·三赦之法, 以贊司寇聽獄訟. 壹刺曰訊羣臣, 再刺曰訊羣吏, 三刺曰訊萬民. (孫詒讓正義) 三刺者, 問衆以當殺與否, 是刑與宥不可豫定.《文心雕龍, 書記》刺者, 達也. 詩人諷刺.《隋書, 刑法志》周王立三刺以不濫, 弘三宥以開物. ❷심문(訊問)하는 횟수를 세는 데 쓰는 말.《魏書, 刑罰志》以五聽求民情, 人議以申之, 三刺以審之. ❸침을 놓는 횟수를 세는 데 쓰는 말.《素問, 刺瘧論》一刺則衰, 二刺則知, 三刺則已.

자(秭) 1 [수] 십진급수(十進級數)의 한 단위. ❶양(穰)의 아래로, 1 자는 억(億)의 10 배(倍)에 해당된다.《爾雅, 釋詁 上》秭, 數也. (郭璞注) 今以十億爲秭. ❷양(穰)의 아래로, 1 자는 억의 1천 배에 해당된다.《廣韻, 旨韻》秭, 千億也. 風俗通云, 千生萬, 萬生億, 億生兆, 兆生京, 京生秭, 秭生垓, 垓生壤, 壤生溝, 溝生澗, 澗生正, 正生載. 載, 地不能載也. ❸양(穰)의 아래로, 1 자는 억의 1만 배에 해당된다.《說文, 禾部》秭, 一曰, 數億至萬曰秭. (桂馥義證) 數億至萬曰秭者, 謂萬億曰秭也. ❹양(穰)의 아래로, 1 자는 억의 1억 배에 해당된다.《詩, 周頌, 豐年》萬億及秭. (毛傳) 數萬至萬曰億, 數億至億曰秭.《禮記, 內則》萬億曰兆. (孔穎達疏) 億億曰秭. ❺양(穰)의 아래로, 1 자는 해(垓)의 1억 배에 해당된다.《算法統宗, 算義總, 大數》億(萬萬曰億), 十億, 百億, 千億, 萬億, 十萬億, 百萬億, 千萬億, 兆(萬萬億), 京(萬萬兆), 垓(萬萬京), 秭(萬萬垓).《孫子算經, 上》凡大數之法, 萬萬曰億, 萬萬億曰兆, 萬萬兆曰京, 萬萬京曰垓, 萬萬垓曰秭. 2 [부피] 척관법(尺貫法)의 한 단위. 1 자는 200 병(秉), 또는 3,200 곡(斛)에 해당된다. 1 병은 16 곡이다.《說文, 禾部》秭, 五稯爲秭. (段玉裁注) 禾二百秉也.

자(資) [등급] 예전에 관등(官等)의 위계(位階)를 헤아리는 데 쓰는 말.《朝鮮中宗實錄 48, 18年6月壬寅》

政院以己巳年李宗仁捕倭時論賞事書啓曰, 當初宗仁, 斬倭十七頭上送, 特加嘉善, 其後又獻十三頭, 更加一資.

자내(自乃) [수효] '자래'의 차자 표기. '아름'·'단(丹)'·'동(同)'의 뜻으로, 땔나무나 풀의 묶음을 세는 데 쓰는 말. 거(法). 《楊根邑誌, 事例》柴一千二百八十五自乃, 戶柴三百四十自乃. 草六百十二自乃二丹.

자라제(茲羅提 : zīluótí) [통화] 중국의 단위. '즐로티(zloty)'의 음역(音譯).

자락 [수효] '자락'의 뜻으로, 옷이나 피륙 같은 것의 아래로 드리운 넓은 조각의 수를 세는 데 쓰는 말.

자래 [수효] 쌍(雙)으로 된 생선의 알 주머니를 세는 데 쓰는 말. 절리(折里).

자루 1 [부피] 자루에 물건을 담아 그 양을 헤아리는 데 쓰는 말. 대(帒). 2 [수효] 연필이나 낫과 같이 길쭉하게 생긴 물건을 낱으로 세는 데 쓰는 말. 병(柄).

자르(zar) [길이] 이란(Iran)의 옛 단위. 1 자르는 지방에 따라 다소 차이가 있는데, 1 자르는 14～44 인치(inch), 또는 36～112 cm 에 해당된다. 구즈(guz).

자리 [수효] ❶구좌(口座)나 좌석(座席), 또는 자리의 수를 세거나, 어떤 일에 종사하여 활동하는 직위나 지위를 나타내는 데 쓰는 말. ❷십진법(十進法)으로 나타낸 수에서, 먼저 오는 것의 10 분의 1 이 되고, 다음 오는 것의 10 배가 되는 수의 위치를 나타내는 데 쓰는 말. 소수점(小數點)을 기준으로 정수(整數)는 왼쪽으로 가며 세고, 소수는 오른쪽으로 가며 센다. 〈예〉 100 ～, 1,000 ～, 소숫점 4 ～.

자리브(jarib) [넓이] 현재 이란(Iran)의 단위. 지방에 따라 다소 차이가 있는데, 1 자리브는 약 1 헥타르〔ha〕에 해당된다. 제리브(jerib).

자밤 [부피] 나물 또는 양념 같은 것을 손가락 끝으로 집을 만한 정도의 분량. 또는 그 집은 양을 헤아리는 데 쓰는 말.

자배기 [부피] 자배기에 물건을 담아 그 양을 헤아리는 데 쓰는 말.

자비아(jabia) [넓이] 리비아(Libya)의 단위. 1 자비아는 1,800 제곱 피크(pik)이며, 995.4 제곱 야드〔yd^2〕, 또는 832.3 m^2 에 해당된다.

자속 밀도의 단위(磁束密度―單位) [자속 밀도] 유도 단위(誘導單位)의 하나. 현재 테슬라〔T〕, 웨버 매 제곱 미터〔Wb/m^2〕, 감마〔γ〕, 가우스〔G〕가 자속 밀도의 단위로 쓰이고 있다.

자연대(自然臺 : zìrántái) [수효] 중국(中國)의 단위. '대'의 뜻으로, 트랙터(tracter)의 수를 세는 데 쓰는 말.

자오브(jaob) [길이] 인도(印度) 캘커타(Calcutta) 지방의 단위. 1 자오브는 구즈(guz)의 144 분의 1 이며, 0.25 인치(inch), 또는 0.63 cm 에 해당된다. 조우(jow).

자움(Saum) 1 [질량] 오스트리아(Austria)의 고유 단위. 1 자움은 푼데(pfunde)의 275 배(倍)이며, 339.9 파운드(pound), 또는 154.0 kg 에 해당된다. 2 [부피] 스위스

(Switzerland)의 단위. 1 자움은 39.63 미(美) 갤런(gallon), 또는 150*l* 에 해당된다.

자이델(Seidel) [부피] 오스트리아(Austria)의 옛 단위. 1 자이델은 0.75 미(美) 액량(液量) 파인트(pint), 또는 0.354*l* 에 해당된다.

자이르(zaire) [통화(通貨)] 콩고(Congo) 킨샤사(Kinshasa) 지방의 현재 통화 단위. 1 자이르는 마쿠타(makuta)의 100 배(倍)에 해당된다.

자크(zak) [부피] 네덜란드의 단위. 1 자크는 2.838 미(美) 부셸(bushel), 또는 1 헥토리터〔h*l*〕에 해당된다. 암스테르담 지방의 옛 단위로는 83.44*l* 에 해당되었다.

자크탄(jacktan) [길이] 기니의 단위. 1 자크탄은 144 인치(inch), 또는 3.658 m 에 해당된다.

작(勺) ① [부피] 척관법(尺貫法)의 한 단위. 1 작은 1 홉〔合〕의 10 분의 1 이며, 되〔升〕의 100 분의 1, 또는 133,100,000 분의 2,401 m³ 에 해당된다.《經國大典 6, 工典, 營繕, 度量衡》 量之制, 十勺爲合, 十合爲升, 十升爲斗, 十五斗爲小斛(平石), 二十斗爲大斛(全石).《萬機要覽, 財用編 4, 戶曹各掌事例》量用銅斛, 十勺爲合, 十合爲升, 十升爲斗.《增補文獻備考 91, 樂考, 度量衡》十大始埛突爲埛突, 準我五合五勺四抄三撮五圭. ② [넓이] 척관법(尺貫法)의 한 단위. 1 작은 홉〔合〕의 10 분의 1 이며, 평(坪)의 100 분의 1, 또는 0.0330579 m² 에 해당된다.《增補文獻備考 91, 樂考, 度量衡》 地積, 十勺爲合, 十合爲把(五周尺平方), 十把爲束, 十束爲負, 百負爲結. 泰西地積, 則先知戞, 當我一把, 百先知戞爲戞, 當我一負, 百戞爲赫得戞, 當我一結.

작(作 : zuò) [수효] 중국의 단위. '번'·'차'·'회'의 뜻으로, 일의 횟수를 세는 데 쓰는 말.《孟子, 公孫丑 上》由湯至於武丁, 賢聖之君六七作, 天下歸殷久矣.《聊齋志異, 俠女》爲之洗創敷葯, 日三四作.

작(酌) [부피] '잔'의 뜻으로, 잔에 술이나 음료를 담아 그 양을 헤아리는 데 쓰는 말. 배(杯·盃). 잔(盞). 종(種). 충(盅).《岐峯集, 上 2, 有懷》月沈人散倶空臺, 一酌梨花是別盃, 若非他日恩情薄, 千里須頻入夢來.

작(爵) ① [수효] ❶'마리'의 뜻으로, 참새의 수를 세는 데 쓰는 말.《楊愼, 華燭引》六螭稅駕眠虞淵, 三爵行栖珠樹烟. ❷'잔'의 뜻으로, 술잔에 술을 부어 마시는 횟수를 세는 데 쓰는 말.《左傳, 宣公2年》臣侍君宴, 過三爵, 非禮也.《李景伯, 回波樂詞》侍宴既過三爵, 諠譁竊恐非儀.《朱彝尊, 任孝廉以家釀苦酒見貽賦詩志謝》三爵矧多又, 醉枕南牕南.《曹植, 箜篌引》樂飮過三爵, 緩帶傾庶羞. ② [부피] 작(爵)에 술을 담아 그 양을 헤아리는 데 쓰는 말. 작은 본래 작은 술잔의 한 가지로 참새 모양을 본떠서 만들었는데, 손잡이 둘과 긴 발 세 개가 달려 있다. 1 되〔升〕의 술이 들어간다고 한다.《度支志, 外篇, 經費司, 祭物器數式》 淸酒三爵(四瓶半).《儀禮, 特牲饋食禮, 二爵二觚》舊說云, 爵一升.《禮記, 禮器》貴者

獻以爵(凡觴一升曰爵).《遼史, 禮志 1》皇帝·皇后各擧酒二爵, 肉二器, 再奠.

작은 되 [부피] 척관법(尺貫法)의 한 단위. 소승(小升)이라고도 하는데, 작은 되는 큰 되의 2 분의 1 이 된다. 큰 되는 섬〔石〕의 100 분의 1 이고, 작은 되는 가마니의 100 분의 1 에 해당된다.

작은 되=0.9l
=1/100 가마니
=1/200 섬
큰 되=1.8l
=1/50 가마니
=1/100 섬

잔(盞) ① [부피] '잔(盞)'의 뜻으로, 잔에 술·죽(粥)·기름·초〔酢〕 따위를 담아 그 양을 헤아리는 데 쓰는 말. 배(杯·盃). 작(酌). 잔(輚·醆). 종(種). 충(盅).《高麗史 68, 禮志, 老人賜設儀》三品員, 坐於左俠連廊, 各賜酒十盞, 果十四鍱, 味十三器.《朝鮮太宗實錄 3, 2年6月丁巳》國王宴使臣樂, 王與使臣坐定, 進茶唐樂奏賀聖朝, 令進初盞及進俎, 歌鹿鳴, 用中腔調, 獻花, 歌皇皇者華, 用轉花枝調. 進二盞及進初度湯, 歌四牡, 用金殿樂調. 進三盞, 五羊仙呈才, 進二度湯, 歌魚麗, 用夏雲峯調. 進四盞, 蓮花臺呈才, 進三度湯, 水龍吟. 進五盞, 抛毬樂呈才, 進四度湯, 金盞子. 進六盞, 牙伯呈才, 進五度湯, 憶吹簫. 進七盞, 舞鼓呈才, 進六度湯.《度支準折, 鹽醬酒醋》醴酒一瓶, 三盞作一句只, 三句只作一乫, 三乫作一瓶, 三瓶作一升.《朝鮮文宗實錄 5, 元年正月癸丑》平安道觀察使啓……病輕氣壯人七十九, 空心米飮呑下, 服藥前, 先進稷米粥一盞, 後服之良久, 量其病狀, 燒塩或一匙或二匙, 淡粥水和飮後, 熟冷水一二鉢連飮.《新編集成馬醫方, 治脾部》右爲細末, 好酒一大鍾, 眞油一中盞, 鷄子一箇.《新編集成馬醫方, 諸瘡問》右等分爲末, 每藥一大匕, 麵一匕, 酢一盞. ② [수효] 등롱(燈籠)이나 등(燈)의 수를 세는 데 쓰는 말. 건(件). 개(箇). 부(部). 척(隻). 태(駄). 통(筩).《萬機要覽, 軍政編 2, 龍虎營, 軍器》鐵絲籠十盞.《萬機要覽, 軍政編 2, 訓鍊都監, 軍器》黃燭一萬二千柄, 鐵籠九百盞.《萬機要覽, 軍政編 2, 禁衛營, 軍器》銅鐵紗籠四百九十一盞. 《趙師秀, 送翁卷入山詩》 寒燈一盞夜修書.《家 30》公館裏添了許多盞電燈.

잔(輚) [부피] '잔(盞)'의 ①과 같다. 잔(輚)은 '잔(琖)'과 동자(同字)이며, 잔(琖)은 옥(玉)으로 만든 조그만 술잔이다.《林園十六志, 鼎俎志 2, 餠餌》風消餠方. 用糯米二升, 搗極細爲粉, 作四分, 一分作�粹, 一分和水, 作餠煮熟, 和見在二分粉一小輚, 蜜半輚, 正發酒醅, 兩塊白餳同頓溶開, 與粉餠捍作春餠樣, 薄皮破不妨嫳, 盤上焨過, 勿令焦, 掛當風處, 遇用量多少入猪油中煠之.

잔(醆) ① [부피] '잔(盞)'의 ①과 같다.《羅隱, 秋日禪智寺見裵郎中題名寄韋瞻》百醆濃醪成別夢, 兩行垂露淬羈愁. ② [수효] '잔(盞)'의 ② 와 같다.《陸遊, 夜雨有感》斷虹不隔江郊雨, 一醆昏燈夜半時.

잘라트니크(zolotnik) [질량] 러시아(Russia)의 옛 단위. 1 잘라트니크는 푼트(funt)의 96 분의 1, 또는 로트(lot)의 3 분의 1 에 해당된다. 현재의 1 잘라트니크는 65.83 그레인(grain), 또는 4.266 g 에 해당된다.

잠 [시간] 누에가 허물을 벗기 전에 뽕잎을 먹지 않고 잠시 쉬는 상태. 또는 그 횟수를 세는 데 쓰는 말. 면(眠).

잠(箴) [수효] 깃의 수를 낱으로 세는 데 쓰는 말. 깃 10 개는 전(縳)이라 한다. 개(箇).《爾雅, 釋器》一羽謂之箴, 十羽謂之縳, 百羽謂之緷.

잡(卡 : kǎ) [열량·에너지] 중국(中國)의 단위. '잡로리(卡路里)'의 준말.

잡(匝) [수효] ❶'바퀴'·'번'의 뜻으로, 어떤 물체의 둘레를 돈 횟수를 세는 데 쓰는 말. 전(轉).《春官通考 8, 吉禮, 宗廟, 省器省牲》掌牲令少前曰, 請省牲, 退復位, 終獻官省牲. 掌牲令, 又前擧手曰腯, 復位, 諸大祝各巡牲一匝, 西向擧手曰充, 俱復位. 諸大祝與掌牲令, 以次牽牲詣廚, 授典祀官.《曹操, 短歌行》月明星稀, 烏鵲南飛. 繞樹三匝, 何枝可依.《蔣例, 夜飛鵲詩》何啻飛三匝, 猶言未得枝.《玉合記, 醳負》三匝堪棲, 到教你南枝孤另. ❷'벌'의 뜻으로, 여러 개가 한데 모여 갖추어진 것의 수를 세는 데 쓰는 말.《大東野乘 9, 海東野言》爐口, 鐵湯器也. 大·中·小三匝, 同藏匣者, 俗謂三合爐古. ❸'겹'의 뜻으로, 에워싼 수를 세는 데 쓰는 말.《史記, 項羽本紀》(楚軍) 圍漢王三帀.《晉書, 王忱傳》忱與賓客十許人, 連臂被髮裸身而入, 繞之三帀而出.《李白, 猛虎行》有時六博快壯心, 遶牀三匝呼一擲.

잡랄특(卡剌特 : kǎlàtè) [질량] 중국(中國)의 단위. '캐럿(carat)'의 음역(音譯).

잡로리(卡路里 : kǎlùlǐ) [열량·에너지] 중국(中國)의 단위. '칼로리(calorie, calory)'의 음역(音譯). 잡(卡).

장 [수효] 무덤의 수를 세는 데 쓰는 말.

장(丈) ① [길이] ❶척관법(尺貫法)의 한 단위. 중국(中國)의 주(周)나라(B.C. 1122~B.C. 256) 때에는 8 자〔尺〕를 1 장으로 하였으나, 우리 나라에서는 1 장을 10 자로 규정하였다.《朝鮮宣祖實錄 45, 26年閏11月庚子》將平壤·開城·碧蹄·王京肆厮殺地方, 各設壇場一區, 縱二十丈, 横十丈, 外築圍墻, 內築壇臺, 高四尺, 闊四丈.《經國大典 6, 工典, 營繕, 度量衡》度之制, 十釐爲分, 十分爲寸, 十寸爲尺, 十尺爲丈.《萬機要覽, 軍政編 1, 形名制度》禁軍別將認旗(應大司馬. 質·邊·帶俱黃, 有火焰, 旗方五尺, 桿高一丈八尺, 纓頭·珠絡·雉尾).《萬機要覽, 財用編 4, 戶曹各掌事例》度用鍮尺, 十釐爲分, 十分爲寸, 十寸爲尺, 十尺爲丈. ❷'길'의 뜻으로, 사람의 키의 한 길이. 또는 그 수를 세는 데 쓰는 말. 인(仞).《三國史記 2, 新羅沾解尼師今本紀》十年春三月, 國東海出大魚三, 長三丈, 高丈有二尺.《三國遺

事 2, 紀異, 水路夫人》聖德王代, 純貞公赴江陵大守(今溟州), 行次海行晝饍, 傍有石嶂, 如屛臨海, 高千丈, 上有躑躅花盛開.《朝鮮文宗實錄 4, 卽位年 11月壬戌》世宗曰, 壇高一丈以下, 尙難土築, 況其二三丈之高乎.《朝鮮宣祖實錄 157, 35年12月乙巳》三更, 白雲一度如氣, 自東至西, 長可十餘丈, 廣尺餘, 良久乃滅.《倭語類解, 下, 39》丈, 길장(丈). ② [수효] ❶'장(章)'의 ❷와 같다.《待百錄》昨日, 得見江陵板舊本, 則別集第四編第六丈第六行爲始, 至第八丈第十二行刊去. ❷'장(張)'의 ❶과 같다.《朝鮮世宗實錄 5, 元年9月戊午》上遣元肅, 贈黃儼……滿花席六張……石燈盞一事, 念珠一㣔, 厚紙六百丈, 茶三斗.《陶山書院傳掌記, 萬曆 24年丙申正月》先生筆迹四丈. 厚紙一卷十四丈. 白紙十丈.《楊根邑誌, 事例》白紙一百二十束(閏九束四丈半). ❸'장(張)'의 ⓫과 같다.《陶山書院廟宇修理時日記, 癸酉, 書頭》齋任成汲·李世源, 以運材烟丁調給事, 狀報官家, 自官許施. 又以官儲瓦一千丈助給.《孝宗寧陵山陵都監儀軌, 造成所》方甎三訥七百四十四丈. ❹'장(張)'의 ⓰과 같다.《朝鮮景宗實錄 13, 3年9月癸未》皇帝特減年貢中綿布八百疋, 獺皮一百張, 青黍皮三百丈, 白綿紙二千卷, 召見正使, 優禮之. ❺'장(張)'의 ❻과 같다.《朝鮮宣祖實錄 130, 33年10月己卯》左承旨姜燦啓曰, 戶曹空名告身一萬一百三十四丈, 塡名不用告身一百九丈, 帖文七十二丈, 訓鍊都監五百十九丈, 亦有塡名者問于各司郞廳, 則塡名後軍粮不納, 故還收上揄察使賫來二百九十一丈, 備邊司七百五十四丈, 兵曹五十二丈, 收聚燒火吏曹, 則傳敎前已爲燒之矣. 傳曰, 知道.《朝鮮英祖實錄 124, 51年2月辛未》臣聞金鎭圭爲留守時, 以修補軍器, 疏請空名帖二百餘丈. ❻'장(張)'의 ㉑과 같다.《陶山書院傳掌記, 癸未正月14日》海衣二丈. ❼'장(張)'의 ❾와 같다.《關西邑誌, 龍岡縣邑誌》皮金紙六折一丈. ❽'장(張)'의 ❹와 같다.《陶山書院傳掌記, 萬曆46年正月19日》二丈付油芚三丈. ❾'장(張)'의 ⑳과 같다.《陶山書院傳掌記, 萬曆30年9月》墨大小幷三十丈.《陶山書院傳掌記, 萬曆46年正月19日》油墨一丈. ❿'장(張)'의 ⓭과 같다.《陶山書院傳掌記, 萬曆26年4月》白文席三丈.《陶山書院傳掌記, 萬曆38年4月》祝文席一丈. ⓫'장(張)'의 ⓳와 같다.《玉樓夢, 52回》案頭橫置一丈琴, 白玉筆筒揷玉麈. ⓬일본(日本)의 단위. '장(杖)'의 ①과 같다. ③ [넓이] 일본(日本)의 단위. 겸창(鎌倉)·실정(室町) 시대에 사용하던 토지 면적의 단위. 1 장은 보(步)의 72 배(倍), 또는 1 단(段)의 5 분의 1 에 해당된다. 1 단은 99.7 m² 이다.

장(爿 : pán) [수효] 중국의 단위. ❶'뙈기'·'배미'의 뜻으로, 논이나 밭의 구획(區劃)을 세는 데 쓰는 말.《秋收》聽說踏滿一爿田就要一塊多錢. ❷'채'의 뜻으로, 집이나 건물의 수를 세는 데 쓰는 말. 가(架·家). 구(區). 당(幢). 동(棟). 소(所). 실(室). 우(宇). 원(院). 전

(廛). 좌(坐·座). 진(進). 《文明小史, 10回》 一路言來語法, 不知不覺, 已到了昨日所住那爿小客棧內. 《子夜, 16章》 我那爿火柴廠, 近來受了戰事影響, 周轉不來了. ❸'조각'·'덩이'의 뜻으로, 물건에서 떼어 내거나 갈라져서 따로 떨어진 것의 수를 세는 데 쓰는 말. 《說岳全傳, 35回》 走上前一斧, 買一頭魚來燒, 頭爿未熟尾焦, 盛來碗里發虎跳.

장(仗 : zhàng) [수효] 중국(中國)의 단위. '번'·'차례'의 뜻으로, 싸움이나 전쟁을 한 횟수를 세는 데 쓰는 말.

장(杖) ① [수효] '대'의 뜻으로, 곤장(棍杖)으로 볼기를 친 수를 세는 데 쓰는 말. 곤(棍). 권(拳). 도(度). 돈(頓). 매(枚). 타(打). 장(丈). 판(板). 《朝鮮宣祖實錄 48, 27年2月癸亥》 備邊司啓曰……近自十餘年來, 武臣之出外奉使者, 專以威暴爲主, 別爲大杖, 其大盈掬, 漬以鹽水, 朱漆其外, 名之曰軍令杖. 凡下人應對失誤, 支供不豐, 輒以此杖從事, 不過一二杖, 曳出其屍. 《亂中日記, 丁酉 11月初 2日》 早聞右水使戰船, 爲風所漂, 掛嶼折破云, 極爲痛憤, 兵船軍官唐彥良, 決八十杖. ② [길이] 일본(日本)의 옛 단위. 1 장은 약 7 자〔尺〕 5 치〔寸〕, 또는 약 2.273 m 에 해당되었다.

장(壯) [수효] '장'의 뜻으로, 한방(漢方)에서 뜸을 뜨는 수를 세는 데 쓰는 말. 《東醫寶鑑, 鍼灸篇, 手陽明大腸經》 巨骨二穴……可灸五壯. 《新編集成馬醫方, 諸黃門》 馬面骨下, 端割十字, 灸十壯. 《魏志, 華佗傳》 若當灸, 不過一兩處, 每處不過七八壯, 病亦應除.

장(狀 : zhuàng) [수효] 중국의 단위. '번'·'차례'의 뜻으로, 고소(告訴)한 횟수를 세는 데 쓰는 말. 〈예〉 告了一～.

장(長) [행정] 예전의 민호(民戶) 편제의 한 단위. 1 장은 250 가(家)로 조직되었다. 《管子, 乘馬》 十家而連, 五連而暴, 五暴而長. 《荀子, 樂論》 故樂在宗廟之中……鄕里族長之中, 長少同聽之, 則莫不和順. (章詩同注) 百家爲族, 二百五十家爲長.

장(帳) ① [조직] 조선 시대, 동학(東學) 교구(敎區)의 한 단위. 또는 그 수를 세는 데 쓰는 말. ② [수효] 장막(帳幕)의 수를 세는 데 쓰는 말. 부(浮·部). 우(宇). 조(條). 첩(帖). 《正字通》 帳, 會計事物之數也曰帳, 《左傳, 昭公13年》 帳幕九帳. 《羣書遺從 2》 壁代生絁帷貳帳.

장(張) [수효] 종이·유지(油紙)·자리·기와 따위와 같이 넓은 조각의 수를 세는 데 쓰는 말. ❶'장'의 뜻으로, 종이의 수를 세는 데 쓰는 말. 권(卷)·첩(貼)·축(軸)의 하위 단위이다. 매(枚). 번(番). 장(丈). 편(片). 폭(幅). 《高麗史 22, 高宗世家》 八年八月己未……乃許八人升殿, 傳蒙古皇太弟鈞旨, 索獺皮一萬領, 細紬三千匹, 細苧二千匹, 緜子一萬觔, 龍團墨一千丁, 筆二百管, 紙十萬張. 《吏文輯覽 2, 號樣一紙》 號樣, 謂偕號字樣也. 一紙一張也. 凡文書一張, 必稱一紙.

《古今釋林 16, 洛閩語錄, 釋文》界行. 爾雅翼, 鄭虔曰, 麝毛筆一管, 直行寫書四十張, 狸毛筆一管, 界行寫書八百張. 舍弟仲命曰, 界行, 猶今井間, 行音抗.《度支準折, 紙地》貼册紙一貼(紙品草注紙, 十張作一貼). 時政記紙一貼(紙品大好紙, 十張作一貼). 表紙一張(長一尺三寸, 廣三尺五寸). 咨文紙一長(長一尺九寸, 廣二尺七寸). ❷'장'의 뜻으로, 잠란지(蠶卵紙)의 수를 세는 데 쓰는 말.《朝鮮太宗實錄 31, 16年5月丁巳》蠶室採訪使李迹·別監李士欽命, 亦獻所養生繭九十石十斗, 繅絲二十二斤, 種連一百四十張. 士欽獻所養熟繭二十四石, 繅絲一十斤, 種連一百四十張. ❸'장'의 뜻으로, 연지(燕脂)의 수를 세는 데 쓰는 말.《純元王后國葬都監儀軌 1, 實入》片燕脂九張.《進宴儀軌(高宗壬寅) 2, 稟目》片燕脂五張. ❹'장'의 뜻으로, 유지(油紙)·유둔(油芚)의 수를 세는 데 쓰는 말. 건(件). 번(番). 부(浮·部). 장(丈).《正宗大王殯殿魂殿都監儀軌, 1房, 稟目》油紙十張.《三名日方物謄錄》曲水油紙十張, 仰遮六油芚十六番.《萬機要覽, 財用編 1, 供上, 大殿》油紙三卷十二張.《朝鮮世祖實錄 7, 3年5月戊子》大藏經一部, 石燈盞五事, 鞍子一面……油芚一十張, 牛黃一十部.《仁祖國葬都監儀軌, 3房, 雜物實入》破油芚二張.《昌慶宮營建都監儀軌, 實入》六油芚一百七十三番三張. ❺'벌'의 뜻으로, 지의(地衣)의 수를 세는 데 쓰는 말. 부(浮·部).《度支準折, 枕茵》地衣一張, 青木一尺三寸, 細繩三戔. 別紋地衣一張, 折價一兩七戔四分. 白紋地衣一張, 折價九戔四分. ❻'통'·'건'의 뜻으로, 문서(文書)의 수를 세는 데 쓰는 말. 각(角). 건(件). 도(度·道). 봉(封). 장(丈). 종(宗). 지(紙). 찰(札). 통(通). 폭(幅). 함(緘).《朝鮮宣祖實錄 79, 29年閏8月己丑》進香使金景錫·陳慰使李純亨, 一時同行入歸……行次文書一張, 明白可考.《朝鮮宣祖實錄 133, 34年正月丙辰》至今未已, 小臣徃年陳疏, 李恒福亦爲箚論, 而皆爲一張体紙矣. ❼'장'의 뜻으로, 활〔弓〕이나 쇠뇌〔弩〕의 수를 세는 데 쓰는 말.《高麗史 2, 惠宗世家》角弓四張.《朝鮮太宗實錄 12, 6年7月丙午》如太平舘, 請使臣至解慍亭置酒, 贈四人馬各一匹, 又贈黃儼, 苧麻布一百三十五匹, 石燈盞二十事, 席子十五張, 松子三石, 駿馬三匹, 貂鼠裘一領, 角弓一張, 箭一箇, 及所需人蔘·厚紙·山海食物, 無所不具.《朝鮮宣祖實錄 47, 27年正月乙未》以馬粧一部, 豹皮一張, 三枝鎗一雙, 腰刀一把, 弓子一張, 狼尾筆二十枝, 油烟墨十笏, 霜華紙五卷, 白貼扇二十把, 下于政院.《尙方定例 1, 本院元貢》黑角貳百肆拾片(弓子壹百貳拾張所入).《萬機要覽, 軍政編 2, 龍虎營, 軍器》黑角別長弓七百四十張, 黑角長弓一百四十張, 帿弓三十張, 六兩弓五張.《後漢書, 明帝八王傳》有強弩數千張. ❽'장'의 뜻으로, 첩금(貼金)·첩은(貼銀)의 수를 세는 데 쓰는 말. 1장은 1첩(貼)의 10분의 1, 또는 1속(束)의 100분의 1에 해당된다.《正宗

大王殯殿魂殿都監儀軌, 內下需用》貼金九束四貼七張. 《尙方定例 3, 別例 下, 國婚, 中宮殿》厚貼金貳束捌貼參張. 《度支準折, 金銀》貼金一束(方三寸作一張, 十張作一貼, 十貼作一束). 貼銀(方三寸作一張, 十張作一貼, 十貼作一束). ❾'장'의 뜻으로, 피금(皮金)·지금(紙金)·금전지(金錢紙)의 수를 세는 데 쓰는 말. 1 장은 1 첩(貼)의 10 분의 1 에 해당된다. 장(丈). 《仁祖國葬都監儀軌, 2房, 稟目》皮金十五張. 《度支準折, 金銀》皮金一張, 張七寸, 廣四寸半, 該三十一寸五分. 《純元王后國葬都監儀軌 3, 實入》紙金六貼五張. 《進饌儀軌(純祖己丑) 1, 移文》紙金一百八十張. 《尙方定例 3, 別例 下, 國婚, 中宮殿》金錢紙參張半. ❿'장'의 뜻으로, 금박(金箔)의 수를 세는 데 쓰는 말. 1 장은 1 첩(貼)의 10 분의 1, 또는 1 속(束)의 100 분의 1 에 해당된다. 《正宗大王殯殿魂殿都監儀軌, 下, 別工作》付金次金箔二貼五張. 《進饌儀軌(純祖己丑) 1, 移文》金箔二十九束九貼一張. ⓫'장'의 뜻으로, 암키와〔女瓦〕·수키와〔夫瓦〕·막새〔防草〕·지석(誌石)·벽돌〔甎·磚〕 따위의 수를 세는 데 쓰는 말. '눌(訥)'은 '누리'라고도 하는데, 1 눌은 기와 1천 장에 해당된다. 장(丈). 《朝鮮光海君日記 106, 8年8月戊午》今雖有若干未覆之處, 不過二十許訥, 此亦計除用餘之數, 大牙鍊幾至七十餘訥, 中牙鍊亦如云, 常瓦亦至六十餘訥, 合而計之, 不下二百餘訥, 方磚二十餘訥 , 半磚十五六訥, 防草四訥, 穴磚百餘張, 龍頭·土首·烟家·雜像等物, 亦有餘數, 此皆切用之物. 《孝宗寧陵山陵都監儀軌, 造成所, 雜物實入》常瓦二十九訥七百五張, 方甎四訥八百三十三張, 半甎一訥五百五十四張, 鷲頭三, 土首六介, 龍頭十四介, 雜像四十二介. 《華城城役儀軌 5, 財用 上》中女·夫瓦一百六十訥九百二十一張. 《純元王后國葬都監儀軌 3, 實入》誌石二十三張. 《昌慶宮營建都監儀軌, 實入》女·夫瓦八十九訥四百張, 中曲女·夫瓦一百五十張, 中女·夫防草三訥六百張, 常瓦一百四十二訥, 常女·夫防草十訥, 方甎十訥. 《度支準折, 瓦甎》常瓦一訥(一千張, 一駄四十張內, 夫瓦十六張, 女瓦二十四張). 防草一張(常瓦三張), 折價六分. 大方甎一張(常瓦六十張), 折價一兩二戔. 半方甎一張(常瓦一張), 折價二分. ⓬갑(匣)의 수를 세는 데 쓰는 말. 비(備). 《朝鮮世宗實錄 53, 13年8月乙卯》昌盛求佛事錢紙黃·白色各五百張, 鹿皮二條, 張童兒求改柒所賚羅吧及兜矛匣各二行, 器匣一張, 定安求銅碗等物, 命與之. ⓭'닢'·'장'의 뜻으로, 자리의 수를 세는 데 쓰는 말. 건(件). 매(枚). 부(浮). 석(席). 엽(葉). 영(領). 장(丈·張). 전(揃). 좌(坐). 진(陳). 《朝鮮太宗實錄 3, 2年6月戊午》賜日本國大相國土物, 授所遣人以送之, 銀樽一……人參五十斤, 虎豹皮各三張, 雜彩花席十二張, 滿花方席·滿花寢席各五張. 《朝鮮世祖實錄 21, 6年7月辛巳》贈序班十升黑麻布八匹, 油紙席二張, 又以油籠一百, 摺扇二百把. 《朝鮮宣祖實錄

127, 33年7月丁巳》 今次冬至使禮物, 只依上年之數, 而彩花席五張, 油芚十番加磨鍊, 以啓矣.《孝宗寧陵山陵都監儀軌, 座目》 彩花席十張, 黃花席一張, 別紋席一百六張, 有紋席三十三張, 白紋席四百六十八張, 草席三百張.《度支準折, 席子》 黃花席一張(十紋), 長六尺五寸, 廣二尺五寸. 別紋上席一張(八紋), 長三尺八寸, 廣一尺八寸. 黃別紋席一張(八紋), 長三尺八寸, 廣一尺八寸. 別紋席一張(八紋), 長三尺七寸, 廣二尺二寸. 白紋席一張, 張三尺七寸, 廣二尺二寸. ⓮나무 껍질의 수를 세는 데 쓰는 말.《訓鍊都監重記, 弓箭色, 時遺在秩》樺皮柒拾同拾貳張.《度支準折, 木物》黃梗皮一張, 價錢四分. 黃栢皮一張, 價錢二分, 版別. 三分, 應辦. 屈皮一張, 價錢五分. ⓯'장'의 뜻으로, 어교(魚膠)·아교(阿膠)의 수를 세는 데 쓰는 말.《純元王后國葬都監儀軌 4, 手本》魚膠二張.《關西邑誌, 龍灣誌 下, 進上》魚膠九張.《度支準折, 柒物》魚膠一斤(一張, 重一兩), 元米八斗. 一兩折價一戔三分三里. 阿膠一斤(一張, 重二戔), 貿米二斗, 一兩折價三分三里. ⓰'장'의 뜻으로, 가죽의 수를 세는 데 쓰는 말. 가죽을 세는 단위에는 영(令·領)과 장(張)의 두 가지가 있는데, 영은 털이 붙어 있는 가죽에, 장은 털이 없는 가죽에 쓰이는 것이 원칙이지만, 대개는 구별하지 않고 서로 통용(通用)하여 쓰였다. 매(枚). 본(本). 영(令). 영(領). 장(丈).《三國史記 8, 新羅聖德王本紀》 先時遣王姪志廉謝恩, 獻小馬兩匹, 狗三頭, 金五百兩, 銀二十兩, 布六十匹, 牛黃二十兩, 人蔘二百斤, 頭髮一百兩, 海豹皮一十六張, 及是授志廉鴻臚少卿員外置.《朝鮮世宗實錄 33, 8年9月乙未》 今丙午年以上三年, 各司納獐·鹿幷六十口, 鹿脯七十貼, 鹿角九對, 獐·鹿皮幷一百八張.《朝鮮世祖實錄 4, 2年7月壬午》命左承旨韓明澮, 問安于明使, 各贈蘇木百斤, 胡椒一斗, 狐皮四十張, 熊皮四張.《度支準折, 皮物》皮物(有毛曰令, 無毛曰張). 馬皮一張(長二尺二寸, 該四百八十寸), 白馬皮一張, 紅馬皮一張, 黑馬皮一張, 熊皮一張(長三尺四寸, 該八百十六寸), 狭皮一張(長一尺六寸, 該一百九十二寸), 大狼皮一張, 山猪皮一張(長一尺一寸, 廣一尺一寸, 該一百二十一寸), 升魚皮一張(長五寸, 廣四寸四分, 該二十二寸), 小鹿皮一張(長二尺, 廣一尺三寸, 該二百六十寸), 牛皮一張(長三尺, 廣二尺七寸, 該八百十寸), 白魚皮一張(長一尺四寸, 廣四寸五分, 該六十三寸), 沙魚皮一長(長一尺五寸, 廣五寸, 該七十五寸), 沙口中皮一張, 價錢二戔. ⓱'장'의 뜻으로, 대모(玳瑁)의 수를 세는 데 쓰는 말.《尙方定例 1, 大殿》玳瑁拾張.《度支準折, 牙角》唐玳瑁(一張, 價艮一兩). ⓲'장'의 뜻으로, 초(鈔)·저화(楮貨) 따위의 수를 세는 데 쓰는 말.《朝鮮太宗實錄 3, 2年6月壬戌》命戶曹, 以楮貨貿得民間五升布二萬四千六百匹, 初以楮貨一張, 准五升布四匹, 民皆不用. 上聞之, 命戶曹, 以五升布一匹, 准楮貨一張, 不日而

貿得二萬餘張, 乃以五升布三匹, 准楮貨一張, 三斷其布而與之, 民爭易之.《朝鮮太宗實錄 28, 14年12月癸酉》賜永均銀三丁, 馬五匹……鈔五十張, 羊三十口, 餘各有差.《朝鮮世宗實錄 20, 5年6月庚午》戶曹啓, 議政府受教內, 馬價楮貨, 大馬上等四百五十張, 中等四百張, 下等三百五十張, 中馬上等三百張, 九等之馬, 以五十張爲差定價. 然在前銅錢一貫, 曾准楮貨十張, 今則准三十張, 民間楮貨甚賤, 公私馬價, 因舊未便, 請曾直四百五十張馬, 今加一千三百五十張, 曾直四百張馬, 今加一千二百張, 以此例定價買賣.《朝鮮中宗實錄 22, 10年7月甲午》司贍寺時在楮貨三百十八萬五千九百五十二張, 而各道會計. ⓳거문고〔琴〕 따위 악기의 수를 세는 데 쓰는 말. 장(丈). 정(挺).《桂苑筆耕集 18, 書狀啓, 獻生日物狀》海東人形蔘一軀, 銀裝龕子盛, 海東實心琴一張, 紫綾帒盛.《高麗史 71, 樂志, 唐樂》金殿樂慢(踏歌唱)……淸夜無塵, 月色如銀. 酒斟時, 須滿十分. 浮名浮利, 休苦勞神. 嘆隙中駒, 石中火, 夢中身. 雖把文章, 開口誰親. 且逍遙, 樂取天眞. 幾時歸去, 作箇閑人. 對一張琴, 一壺酒, 一溪雲.《朴通事諺解, 下》我授琴一張, 酒一壺(내 琴一張 酒一壺ㄹ가지고). ⓴'자루'의 뜻으로, 먹〔墨〕의 수를 세는 데 쓰는 말. 매(枚). 병(餠). 장(丈). 정(丁·挺·錠). 쾌(快). 판(板). 편(片). 홀(笏).《仁祖國葬都監儀軌, 3房, 雜物實入》大節眞墨十五張.《孝宗寧陵山陵都監儀軌, 座目》眞墨十三張. ㉑'장'의 뜻으로, 김〔海衣〕의 수를 세는 데 쓰는 말. 1첩(貼)은 10장, 1톳〔土叱〕은 100장, 또는 50장이다. 매(枚). 장(丈). 편(片).《畿甸營事例, 華營事例, 從市直貿用秩》海衣(五十張一土叱).《度支準折, 昆藿茸蕈屬》海衣一貼(一張, 長一尺, 廣七寸, 十張作一貼). ㉒'장'의 뜻으로, 천에 얇게 편 고약(膏藥)의 수를 세는 데 쓰는 말.《度支準折, 唐餠果茶膏》貢緞黑膏藥(一貼, 價錢一兩五戔, 一張, 價錢三戔). 三升黑膏藥一張, 價艮二戔. ㉓병풍(屛風)의 수를 세는 데 쓰는 말. 가(架). 좌(坐). 첩(帖).《朝鮮成宗實錄 244, 21年9月丁卯》日本國大中大夫左京兆尹兼防長……別幅鎧一領, 諸綠具薄色淡墨屛風二張, 白練絹一十匹, 小紅綾五匹, 長刀二把, 搨扇一百柄, 紫石文硯一十枚. ㉔막(幕)·모기장〔蚊帳〕·발〔簾〕의 수를 세는 데 쓰는 말.《左傳, 昭公13年》子產以幄幕九張行. ㉕말다래〔馬帖〕의 수를 세는 데 쓰는 말.《朝鮮宣祖實錄 142, 34年10月壬辰》問國之富, 數馬以對, 馬政如此, 極爲寒心, 砲殺射手及禁軍宣傳官, 試才入格者, 例以馬帖賞給, 一月所用, 不下六七張. ㉖일본(日本)의 단위. ㉮북〔鼓〕의 수를 세는 데 쓰는 말. ㉯우산(雨傘)의 수를 세는 데 쓰는 말. 본(本). ㉰'짝'의 뜻으로, 돼지나 소의 갈비의 여러 대가 함께 붙어 있는 덩이의 수를 세는 데 쓰는 말. 척(隻).

장(章) [수효] ❶'그루'의 뜻으로, 나무의 수를 세는 데 쓰는 말. 간(竿·幹·榦). 과(科·棵·窠·顆).

근(根). 두(頭). 수(樹). 정(挺). 조(条·條). 주(株). 《增補文獻備考 9, 象緯考, 風異》高麗忠惠王後二年十二月丁卯, 大風拔松數千章. 《杜甫, 何將軍山林詩》百頃風潭上, 千章夏木淸. 《韓維, 送劉景元觀察守襄陽詩》千章翠木雲間寺, 百丈淸江雪後船. ❷문장(文章)·시가(詩歌)·곡(曲) 따위의 단락의 수를 세는 데 쓰는 말. 단락(段落). 장(丈). 《朝鮮太宗實錄 1, 元年3月庚戌》 禮曹啓文科考講法, 館試·鄕試, 講問五經四書, 每一書各三章, 會試, 講五經中一章, 四書中一章, 通義理者取之. 依允. 《朝鮮太宗實錄 23, 12年6月丙辰》領議政府事河崙製進歌曲, 念農夫之曲四章, 念蠶婦之曲四章, 進嘉言之曲八章. 《朝鮮世宗實錄 140~145, 樂譜, 鳳來儀》鳳來儀, 與民樂則全用, 致和平則只用下篇首章以下至十六章及卒章, 醉豐亨亦只用首章, 以下至八章及卒章. ❸세입(歲入)·세출(歲出)의 예산이나 결산 등을 분류하는 과목(科目)의 하나. 장 아래에는 관(款), 항(項), 목(目) 등으로 나눈다. ❹법률이나 규정 따위의 수를 세는 데 쓰는 말. 《漢書, 叙傳 下》革命創制, 三章是紀, 應天順民, 五星同晷. 《王象春, 書項王廟壁詩》三章旣沛秦川雨, 入關又縱阿房炬. 《蔣業晋, 徙兵行》重臣遙遙仗節鉞, 撫循備至逾三章. ❺무늬의 수를 세는 데 쓰는 말. 9장(章)은 천자(天子)의 옷에 놓는 아홉 가지 무늬로, 용(龍)·산(山)·화충(華蟲)·불〔火〕·종이(宗彝)·조(藻)·분미(粉米)·보(黼)·불(黻)을 이른다. 《周禮, 春官, 司服》享先王則袞冕. (鄭玄注) 冕服九章, 登龍於山, 登火於宗彝, 尊其神明也. 九章, 初一曰龍, 次二曰山, 次三曰華蟲, 次四曰火, 次五曰宗彝, 皆畫以爲繢, 次六曰藻, 次七曰粉米, 次八曰黼, 次九曰黻, 皆希以爲繡. 則袞之衣五章, 裳四章, 凡九也. 《南齊書, 陸澄傳》泰始六年, 詔皇太子朝賀, 服袞冕九章. 《剪燈新話, 鑑湖夜泛記》有一仙娥, 自內而出, 被冰綃之衣, 曳霜紈之帔, 戴翠鳳步搖之冠, 躡瓊紋九章之履.

장(莊 : zhuāng) [수효] 중국(中國)의 단위. ❶'가지'·건(件)'의 뜻으로, 일의 종류의 수를 세는 데 쓰는 말. 《王閏香夜月四春園, 2折》此一莊事不敢隱諱. 《金童玉女嬌紅記》後來爲有善甫孩兒, 所以㑏了這一莊事. ❷'매(枚)'의 뜻으로, 화폐 대신으로 사용하던 조개 껍질의 수를 세는 데 쓰는 말. 4매는 수(手), 4수는 묘(苗), 5묘는 삭(索)이라 하였다. 《天下郡國利病書, 滇志, 沿革論》交易用貝, 一枚曰莊, 四莊曰手, 四手曰苗, 五苗曰索.

장(場) [1] [과거(科擧)] 고려·조선 시대의 과거 시험에서 시험의 단계를 구분하는 데 쓰는 말. 향시(鄕試)나 회시(會試)에서, 제 1 장에서는 오경의 (五經義), 제 2 장에서는 예(禮)·악(樂)·논(論), 제 3 장에서는 경(經)·사(史)·시무책(時務策)을 각각 시험하였다. 시험을 보이는 시기는 각기 달랐는데, 향시는 8월 초 9일에 제 1 장, 12일에 제 2 장, 15일에 제 3 장을 시험하였고, 회시는 향시를 보인 다음해 2

월 초 9일에 제 1 장, 12일에 제 2 장, 15일에 제 3 장을 시험하였으며, 전시(殿試)는 3월 초 1일인데, 3 년에 한 번 시험을 보였다. 《高麗史 42, 恭愍王世家》一, 鄕試·會試, 文字程式, 第一場, 試五經義, 各試本經一道, 不拘舊格, 惟務經旨通暢, 限五百字以上, 易, 程氏·朱氏注·古注疏, 書, 蔡氏傳·古注疏, 詩, 朱氏傳·古注疏, 春秋, 左氏·公羊·穀梁·胡氏·張洽傳, 禮記, 古注疏, 四書疑一道, 限三百字以上. 第二場, 試禮樂論一道, 限三百字以上, 詔誥表箋內科一道. 第三場, 試經史時務策一道, 惟務直述, 不尙文藻, 限一千字以上. 試三場, 後十日, 面試……一, 開試日期, 鄕試, 八月初九日, 第一場, 十二日, 第二場, 十五日, 第三場. 會試, 次年二月初九日, 第一場, 十二日, 第二場, 十五日, 第三場. 殿試, 三月初一日, 三年一次開試. 《六典條例 5, 禮典, 禮曹, 科擧》文科初試, 分兩所, 試三場(初場, 疑義論中一篇, 中場, 賦表中一篇, 終場, 對第一篇), 每所各取五十五人, 初試前一日, 直赴會試, 給分人, 分等許赴. ② [수효] ❶'번(番)'·'차례'·'바탕'의 뜻으로, 일의 횟수를 세는 데 쓰는 말. 개(個). 계(季). 과(過). 기(起). 도(度·道). 반(返·班). 배(輩). 번(番). 삽(霎). 성(成). 운(運). 쟁(趟). 조(遭). 주(注). 하자(下子). 헐(歇). 호(號). 화(伙). 회(回·廻·會). 《朝鮮顯宗改修實錄 22, 11年2月乙酉》至於前冬殿最之時, 列邑中下之考, 多由於幣物之薄略, 公相指點, 貽笑一道, 澄之平生, 旣已一場見汚於鄭金, 而今乃不少懲戢, 縱猾自如, 其許多貪汚之狀, 殊極可駭, 請拿問定罪. 《朴通事諺解, 中》怎刮劃我這一場愁(엇디 내 이 一場愁를 혜와드료). ❷굿이나 연극 따위에서 장면(場面)의 수를 나타내는 데 쓰는 말. 《朝鮮巫俗考, 18章, 京城巫風及神祠》我俗凡人之歌舞鼓興者, 謂之有神, 蓋取比於巫者也. 有女將爲巫, 則其人先病數旬, 藥石不能治, 必欲跳舞然後快於心, 是知有巫神使然, 於是百家乞米, 以辦餠果, 請巫爲師, 名曰神母「신어미」(Sin Omi), 行大神祀, 謂之身解神祀 「몸굿」(Mom Kut), 其人跳舞一場, 則巫神接而病若失. ❸문장(文章)의 단락(段落) 수를 세는 데 쓰는 말. 단락(段落). 《宋史, 選擧志》雜出六題, 分爲三場, 每場體制, 一古一今.

장(椿 : zhūang) [수효] 중국(中國)의 단위. '가지'·'건(件)'의 뜻으로, 일이나 사건을 종류별로 따로따로 구별하여 세는 데 쓰는 말. 물(物). 사(事). 색(色). 열(列). 유(琉). 종(種). 종류(種類). 《元曲, 謝天香》他道敬重看待, 自有幾椿兒. 《賀新郞, 酬辛幼安再用韻見寄》斬新換出旗麾別, 把當時一椿大義, 折開收合. 《西廂記, 4本, 2折》這椿事, 都在紅娘身上. 《兒女英雄傳, 緣起首回》看這(一)椿兒女英雄公案, 霎時好要子也.

장(槳 : jiǎng) [수효] 중국(中國)의 단위. '번'의 뜻으로, 배를 타고 노를 젓는 횟수를 세는 데 쓰는 말.

장타(長打 : chángdāo) [수효] 중

국의 단위. '롱 다스(long dozen)'의 역어(譯語). 1 장타는 13 개를 하나치로 세는 데 쓰는 말.

재(才) 1 [수효] ❶'재(材)'와 같다. 《納蘭性德, 淥水亭雜識 3》輪人以轂·輻·牙爲三才, 弓人以膠·漆·絲爲三才, 然其所謂三才者亦眇矣. ❷재능이 있는 사람을 세는 데 쓰는 말. 《晉書, 劉輿傳》時稱越府有三才, 潘滔大才, 劉輿長才, 裴邈淸才. ❸기예(技藝)의 수를 세는 데 쓰는 말. 《典錄通考, 兵典, 內禁衛》壯勇謂, 三才入格者取, 規矩, 木箭一矢以上(捉虎甲士則否), 片箭·走一走·力一力. 2 [부피] 일본(日本)의 단위. ❶목재(木材)의 부피를 헤아리는 데 쓰는 말. 1 재는 1 치〔寸〕 각(角)의 12 자〔尺〕, 또는 6 자에 해당된다. ❷선적(船積)의 부피를 헤아리는 데 쓰는 말. 1 재는 1 세제곱 자〔尺〕, 또는 0.0278m³ 에 해당된다. ❸절석(切石)·각석(角石) 따위의 석재(石材)의 부피를 헤아리는 데 쓰는 말. 1 재는 1 세제곱 자〔尺〕, 또는 0.0278 m³ 에 해당된다. ❹곡식이나 액체 따위의 양을 헤아리는 데 쓰는 말. 1 재는 작(勺)의 10 분의 1 이며, 홉〔合〕의 100 분의 1, 또는 1.8039 ml 에 해당된다. 3 [넓이] 융단의 크기를 헤아리는 데 쓰는 말. 1 재는 1 제곱 자〔尺〕에 해당된다.

재(材) [수효] ❶물건을 만드는 재료의 가짓수를 세는 데 쓰는 말. 재(才). 《周禮, 考工記, 輪人》輪人爲輪, 斬三材必以其時. (鄭玄注) 三材, 所以爲轂·輻·牙也……今世轂用雜楡, 輻以檀, 牙以橿也. 《周禮, 考工記, 弓人》凡爲弓, 冬析幹而春液角, 夏治筋, 秋合三才. (鄭玄注) 三材, 膠·絲·漆者. ❷음식을 요리하는 데 기본이 되는 사물의 가짓수를 세는 데 쓰는 말. 《呂氏春秋, 本味》凡味之本, 水最爲始. 五味三材, 九沸九變, 火爲之紀. (高誘注) 三材, 水·木·火.

재(宰) [수효] '명'의 뜻으로, 벼슬아치의 수를 세는 데 쓰는 말. 《後漢書, 朱穆傳》鄙二宰之失度, 美韓稜之抗正.

재(裁) [수효] 일정한 길이로 짠 피륙의 수를 세는 데 쓰는 말. 단(端). 《新唐書, 歸崇敬傳》學生謁師, 贄用腶脩一束, 酒一壺, 衫布一裁, 色如師所服.

재(載) 1 [시간] '년(年)'·'해'의 뜻으로, 1 재는 1 년에 해당된다. 년(年). 백(白). 상(霜). 사(祀). 세(歲). 영(齡). 《三國遺事 5, 神呪, 廣德, 嚴莊》莊驚怪問曰, 德旣乃爾, 予又何妨. 婦曰, 夫子與我同居十餘載, 未嘗一夕同床而枕, 況觸汚乎, 但每夜端身正坐, 一聲念阿彌陁佛號. 《高麗史 93, 崔承老傳》於是, 値金雞自滅之期, 乘丙鹿再興之運, 不離鄕井, 便作闕庭, 定遼浿之驚波, 得秦韓之舊地, 十有九載. 統一寰瀛, 可謂功莫高矣, 德莫大焉. 《華城城役儀軌 1, 筵說, 丙辰9月初10日》上御迎春軒……敎曰, 經始三載, 工役告訖. 《歐邏鐵絲琴字譜, 第一捌來》其器有洋琴之屬, 流出我東, 則幾止六十載, 終無飜曲, 徒作文房奇器, 摩弄而已. 2 [수] 십진급수(十進級數)의 한 단위. 극(極)의 아래이며, 정(正)의 1만 배(倍),

또는 10^{44} 에 해당된다.《孫子算經, 上》凡大數之法, 萬萬曰億, 萬萬億曰兆, 萬萬兆曰京, 萬萬京曰垓, 萬萬垓曰秭, 萬萬秭曰壤, 萬萬壤曰溝, 萬萬溝曰澗, 萬萬澗曰正, 萬萬正曰載.《數術記遺》黃帝爲法, 數有十等……十等者, 億·兆·京·垓·秭·穰·澗·正·載. ③ [부피] '수레'의 뜻으로, 수레에 짐을 실어 그 양을 헤아리는 데 쓰는 말.《穆天子傳 2》食馬九百, 羊牛三千, 穄麥百載, 天子使祭父受之.《齊民要術, 種葵》一畝得葵三載, 合收米九十車.《農政全書, 樹藝, 蔬部》擬賣者純種九英, 一頃取葉三十載. ④ [질량] (zài) 중국(中國)의 소수 민족에서 사용하던 단위. 1 재는 40 냥〔兩〕에 해당된다.《朱孟震, 西南夷風土記》度用手, 量用籮, 以四十兩爲一載. 論兩不論斤.

쟁(趟 : tàng) [수효] 중국(中國)의 단위. ❶'번'·'차례'의 뜻으로, 일의 횟수를 세는 데 쓰는 말. 개(個). 계(季). 과(過). 기(起). 도(度·道). 반(返·班). 배(輩). 번(番). 삽(霎). 성(成). 운(運). 장(場). 조(遭). 주(注). 하자(下子). 헐(歇). 화(伙). 회(回·迴·會).《西遊記, 22回》沿地雲遊數十遭, 到處閑行百餘趟.《兒女英雄傳, 1回》管他呢中了好極了, 就算是不中, 再白辛苦這一趟.《老殘遊記, 7章》可以煩他去一趟.《紅樓夢, 39回》園子裏頭也有果子, 你明日也嘗嘗, 帶些家去, 也算是看親戚一趟. ❷'줄'의 뜻으로, 사람 또는 물건의 늘어선 열(列)의 수를 세는 데 쓰는 말.《李准, 在大風雪裏》鐵良看着犁了的兩趟地, 自已也覺得不好意思.《曲波, 林海雪原 10》地上的兩趟脚印, 頓時使劍波臉上浮出微笑.《英雄的十月, 其塔木戰鬪的英雄們》房高的碉堡, 只隔一趟街, 底下兩層槍眼, 颼颼的閃着彈光.

저화(楮貨) [화폐] 고려 말기 원(元)나라의 보초(寶鈔)를 본떠서 닥나무 껍질로 종이를 만들어 쓰던 지전(紙錢). 고려 시대에는 이 종이 한 장을 쌀 두 말〔斗〕에 비기게 하였으며, 조선 초기에는 쌀 한 되〔升〕로 쓰이었다. 이 저화의 표면에 단순히 화폐 가치만을 나타낸 것으로, 고려 공민왕(恭愍王) 3年(1931)에 처음으로 자섬 저화고(資贍楮貨庫)를 설치하고 저화를 만드는 일을 담당하게 하였고, 조선 태종(太宗) 원년(1401)에 사섬시(司贍寺)로 이름을 바꾸어 태종 이후에도 여러 차례 저화를 사용하다가, 조선 중기 이후부터는 사용하지 않았다. 저화에는 주지(注紙)와 상지(常紙)의 두 가지가 있었는데, 주지화(注紙貨)는 길이 1 자〔尺〕 6 치〔寸〕, 너비 1 자 4 치이고 상지화(常紙貨)는 길이 1 자 1 치, 너비 1 자였다.《高麗史 79, 食貨志》恭讓王三年七月, 都評議使司, 奏罷弘福都監爲資贍楮貨庫, 請造楮幣.《經國大典 1, 吏典, 司贍寺》掌造楮貨及外居奴婢貢布等事. 提調一員, 主薄以上一員.《經國大典 5, 刑典, 私賤, 注》年十六以上五十以下價, 楮貨四千張, 十五以下五十一以上, 三千張.《詞訟類聚, 聽訟式》楮常布一匹, 准楮貨二十張.

적(滴) [수효] '방울'의 뜻으로, 구

슬같이 동글동글하게 맺힌 액체의 수를 세는 데 쓰는 말. 광(眶). 점(點). 《韋應物, 詠露珠》秋荷一滴露, 淸夜墜玄天. 《高翥, 淸明日對酒》人生有酒須當醉, 一滴何曾到九泉. 《秋葉》從那天起, 宏明沒再喝一滴酒. 《楊沫, 靑春之歌, 2章》但是小道靜不哭, 不求饒, 沒有一滴眼泪從她倔強的眼睛裏流出來.

적(積) [수효] '무더기'·'더미'·'가리'의 뜻으로, 많은 물건을 한데에 수북이 쌓은 더미의 수를 세는 데 쓰는 말. 《太平廣記 394》仍十枚一積. 《新五代史, 張承業傳》和哥乏錢, 可與錢一積. 《金陀續編 11》兼, 越河裏見堆垜馬捍草四五十積.

적동전(赤銅錢) [화폐] 갑오경장(甲午更張) 때, 신식 화폐 장정(新式貨幣章程)에 의하여 은본위(銀本位)의 화폐 제도를 채택하고, 그 보조 화폐로 잠시 사용하던 동전(銅錢).

전 [부피] 갈퀴·낫 따위와 손으로 한 번에 껴안을 정도의 나무나 꼴 따위의 분량. 또는 그 수량을 헤아리는 데 쓰는 말. 풋나무는 보통 4 줌이 1 전이 된다.

전(甸) [넓이] 논밭의 넓이를 헤아리는 데 쓰는 말. 1 전은 사방 16 리(里), 또는 64 정(井)에 해당된다. 《春秋, 成公元年》三月, 作丘甲. (杜預注) 周禮, 九夫爲井, 四井爲邑, 四邑爲丘, 丘十六井, 出戎馬一匹, 牛三頭. 四丘爲甸, 甸六十四井, 出長轂一乘, 戎馬四匹, 牛十二頭, 甲士三人, 步卒七十二人. 此甸所賦, 今魯使丘出之, 譏重斂. (顧炎武補正) 要之, 其實爲益兵, 向之四丘共出三甲者, 今使每丘出一甲爾.

전(戔) [1] [질량] '전(錢)'의 [2]와 같다. 《正宗大王殯殿魂殿都監儀軌, 上, 內下需用》同黃六兩三戔. 雪綿子三斤十二兩四戔. 唐朱紅十二斤二兩四戔. 天銀七百八十八兩八戔. 泥金一兩八戔. 《山林經濟 3, 救急》全蝎五介, 乾薑·朱砂·麝香各二戔半爲末, 酒調一字(卽二分半)服. 《新編集成馬醫方, 六陰》熊膽一戔半, 大蒜一顆. [2] [통화] '전(錢)'의 [1]❶과 같다. 《度支準折, 木物》椵木一条, 一尺折價一兩一戔四分二里八戶, 方一寸, 折價一里五糸八忽一微. 楸木一条, 一尺折價一兩一戔四分二里八戶, 方一寸, 折價一里五糸八忽一微. 廣厚板一立, 貿錢三兩九戔. 繕工.

전(專) [수효] 수레 81 량(輛)을 하나치로 세는 데 쓰는 말. 《左傳, 昭公元年》服虔引司馬法云, 五十乘爲兩, 百二十乘爲位, 八十一乘爲專, 二十九乘爲參, 二十五乘爲偏.

전(揃) [수효] 일본(日本)의 단위. ❶'매'의 뜻으로, 젓가락이나 부젓가락의 1 쌍을 하나치로 세는 데 쓰는 말. 면(面). 매야(每也). 매이(每伊). 본(本). 지(支). ❷'벌'의 뜻으로, 양복의 수를 세는 데 쓰는 말. 구(具). 대(對). 부(副·福). 사(事). 습(襲). 신(身). 엽(葉). 영(領). 요(腰). 착(著). 칭(稱). 투(套). ❸'닢'의 뜻으로, 자리〔席〕의 수를 세는 데 쓰는 말. 건(件). 매(枚). 부(浮). 석(席). 엽(葉). 영(領). 장(丈·張). 좌(坐). 진(陳).

전(煎) [수효] '번'의 뜻으로, 탕약(湯藥)을 달이는 횟수를 세는 데 쓰는 말.

전(廛) 1 [수효] '채'의 뜻으로, 집이나 건물의 수를 세는 데 쓰는 말. 가(架·家). 구(區). 당(幢). 동(棟). 소(所). 실(室). 우(宇). 원(院). 장(爿). 좌(坐·座). 진(進).《三國遺事 5, 孝善, 貪女養母》郎聞之潛然, 送穀一百斛, 郎之二親亦送衣袴一襲, 郎之千徒, 斂租一千石遺之, 事達宸聽, 時眞聖王賜穀五百石, 并宅一廛, 遣卒徒衛其家. 2 [넓이] 논밭의 넓이를 헤아리는 데 쓰는 말. 1 전은 100 묘(畝)에 해당된다.《文選, 潘岳, 藉田賦》晉灼漢書曰, 廛, 一百畝也.

전(錢) 1 [통화] ❶조선 시대 초기부터 환(圜) 또는 원(圓)이 사용되기 전까지 통용되었던 화폐 단위. 1 전은 냥(兩)의 10 분의 1 에 해당되었다. 조선 태종(太宗) 15년(1415)에는 조선통보(朝鮮通寶)를 주조하여 저화(楮貨)와 병행하게 하였는데, 동(銅) 1 냥으로 10 전을 주조하고, 100 전이 저화 1 장에 준하게 하였다. 세종(世宗) 때에는 동(銅) 1 근을 바치는 사람에게 160 문(文)을 지급하였다. 고종(高宗) 28 년(1891)에는 신식 화폐 조례(新式貨幣條例)에 따라 냥(兩)을 기준으로, 1 냥의 10 분의 1 을 전으로 하였다. 광무(光武) 4년(1900)에는 금본위 제도(金本位制度)에 의하여 화폐의 종류가 1 전, 5 전, 20 전, 반환(半圜), 5 환(圜), 10 환(圜), 20 환(圜)으로 정하여 1 전은 환의 100 분의 1 에 해당하게 하였다.《與猶堂全書, 雅言覺非》吾東百錢一串, 謂之一兩, 乃以一兩借名一貫, 亦名緡.《梅泉野錄 1上, 甲午以前, 戊寅》甲戌以後兼取大小科, 人指應製小科者曰, 三錢進士, 以方言錢十文曰一錢, 而應製劵紙, 可三十文買得也.《增補文獻備考 158, 財用考, 魚鹽》今上三年六月, 定船稅規則……有帆與無帆船二十四石以下至過涉船五十錢, 二十五石以上至五十石一元.《增補文獻備考 159, 財用考, 錢貨》貨幣最低位爲分, 十分爲錢, 十錢爲兩……光武四年, 改定貨幣條例. 貨幣種類, 金貨幣二十圜, 五圜, 銀貨幣半圜, 二十錢, 白銅貨幣五錢, 赤銅貨幣一錢. 五十錢爲半圜, 百錢爲一圜, 金貨幣二十圜式.《四介松都治簿法 20》濟網五竹價, 金三十八圓七十五錢. ❷일본(日本)의 단위. 1 전은 엔(圓)의 10 분의 1 에 해당된다. 2 [질량] 척관법(尺貫法)의 한 단위. 1 전은 1 푼〔分〕의 10 배(倍), 또는 1 냥〔兩〕의 10 분의 1 에 해당된다.《朝鮮太宗實錄 35, 18年3月庚申》江原道淮陽等處, 採訪副使尹興義, 獻金一百三十七兩四錢.《經國大典 6, 工典, 營繕, 度量衡》衡之制, 黃鐘之管, 其容水重八十八分, 十釐爲分, 十分爲錢, 十錢爲兩, 十六兩爲斤, 大稱一百斤, 中稱三十斤, 或七斤, 小稱三斤, 或一斤.《正宗大王殯殿魂殿都監儀軌, 中, 實入》紫的眞絲五錢. 紅眞絲一兩五錢.《宛署雜記, 繇賦》正賦中通共起存銀參千陸百陸拾捌兩柒錢五分貳釐陸毫五絲肆微捌纖陸沙陸塵陸埃壹渺貳漠五模.

전(縳 : zhuàn) [수효] 중국(中國)

의 단위. ❶깃털의 수를 세는 데 쓰는 말. 1 전은 10 개에 해당된다. 《爾雅, 釋器》一羽謂之箴, 十羽謂之縳, 百羽謂之緷. ❷1 전은 1,000 개에 해당된다. 《周禮, 地官, 羽人》凡受羽, 十羽爲審, 百羽爲摶, 十摶爲縳.

전(戰) [수효] ❶바둑이나 장기의 대국, 또는 운동 경기에서 시합하는 횟수를 세는 데 쓰는 말. ❷싸움을 한 횟수를 세는 데 쓰는 말. 《左傳, 哀公11年》東郭書曰, 三戰必死. 《公羊傳, 成公2年》壹戰不勝請再, 再戰不勝請三, 三戰不勝, 則齊國盡子之有也. 《史記, 五帝紀》軒轅與炎帝, 戰于阪泉之野, 三戰, 然後得其志. 《史記, 平原君傳》毛遂謂楚王曰, 白起小豎子耳, 一戰而擧鄢郢, 再戰而燒夷陵, 三戰而辱王之先人, 而王不知.

전(轉 : zhuàn) [수효] 중국(中國)의 단위. ❶'바퀴'의 뜻으로, 어떤 둘레를 빙 도는 횟수를 세는 데 쓰는 말. 〈예〉每分鐘三十三~. 잡(匝). ❷'번'·'차(次)'·'회(回)'의 뜻으로, 도가(道家)에서 연단(煉丹)하는 횟수를 세는 데 쓰는 말. 《抱朴子, 內篇, 金丹》九轉之丹. 《賀新郞, 寄辛幼安和見懷韻》九轉丹砂牢拾取, 管精金, 只是尋常鐵. ❸'급(級)'의 뜻으로, 관위(官位)의 급수를 헤아리는 데 쓰는 말. 《古詩, 木蘭詩》策勳十二轉, 賞賜百千強. 《新唐書, 太宗紀》乙巳, 贈戰亡將士官三轉. 《宋史, 理宗紀》丙辰, 安豐軍統領陳友直以王家堈戰功, 與官兩轉.

전(纏) [수효] 일본(日本)의 단위. 수목(樹木)을 운반하는 사람의 수를 세는 데 쓰는 말.

전(𩰫) [수효] '올'·'가닥'의 뜻으로, 삼실의 수를 세는 데 쓰는 말. 1 전은 총(總)의 10 배, 또는 800 올에 해당된다. 《說文, 門部》𩰫, 一曰, 縷十紘也. (段玉裁注) 紘字有譌, 紘者冠卷, 非其義, 疑當作總. 漢書曰, 綺絲數謂之絩, 布謂之總. 總者, 謂布, 縷之數, 八十縷爲總.

전기용 단위의 기호(電氣用單位—記號) [전기] 여러 가지 전기용 단위는 다음과 같다.

양(量)	명 칭	단위 기호
전류(電流)	암페어	A
전압(電壓)	볼트	V
전기 저항(電氣抵抗)	옴	Ω
도전율(導電率)	모	℧
전기량(電氣量)	쿨롬	C
전력(電力)	암페어시(時) 와트	Ah W
피상 전력(皮相電力)	볼트 암페어	VA
무효 전력(無效電力)	바	var
전력량(電力量)	줄 와트 시(時)	J Wh
정전 용량(靜電容量)	패럿	F
전자 유도 계수 (電磁誘導係數)	헨리	H
자속(磁束)	웨버	Wb
자계(磁界)의 세기, 자화력(磁化力)	암페어 횟수 매 미터	AT/m
기자력(起磁力)	암페어 횟수	AT
주파수(周波數)	사이클	c/s
음(音)의 세기	폰	p
감쇠량 이득 (減衰量利得)	데시벨	dB
광속(光束)	루멘	lm
광도(光度)	칸델라	cd
조도(照度)	럭스	lx

전기 · 자기의 단위(電氣磁氣－單位) [전자기] 국제 단위계(國際單位系)와 엠 케이 에스 에이 단위계(M.K.S.A. 單位系)를 기초로 한 전기에 대한 기본 단위에는, 전류의 단위를 암페어〔A〕, 유도 단위(誘導單位)로 전력량(電力量)의 단위를 와트 초〔Ws〕 또는 줄〔J〕, 전력의 단위를 와트〔W〕, 전기량의 단위를 쿨롬〔C〕, 전압의 단위를 볼트〔V〕, 기전력(起電力)의 단위를 볼트〔V〕, 전기 저항의 단위를 옴〔Ω〕, 정전 용량(靜電容量)의 단위를 패럿〔F〕, 인덕턴스(inductance)의 단위를 헨리〔H〕, 무효 전력(無效電力)의 단위를 바(var), 피상 전력(皮相電力)의 단위를 볼트 암페어〔VA〕, 피상 전력량의 단위를 볼트 암페어 초〔VAs〕로 규정하고 있다. 또, 자기에 관한 계량 단위로는 자속의 단위를 웨버〔Wb〕, 자속 밀도(磁束密度)의 단위를 테슬라〔T〕 및 웨버 매 제곱 미터〔Wb/m^2〕, 기자력(起磁力)의 단위를 암페어〔A〕 또는 암페어 횟수〔AT〕, 자계(磁界)의 단위를 암페어 매 미터〔A/m〕 또는 암페어 횟수 매 미터〔AT/m〕로 규정하고 있다. 이 밖에 전기 · 자기의 단위에는 시 지 에스 전자 단위계(C.G.S. 電磁單位系), 시 지 에스 정전 단위계(C.G.S. 靜電單位系), 가우스 단위계(Gauss 單位系) 및 실용 단위계(實用單位系)도 쓰이고 있는데, M.K.S.A. 단위계와 실용 단위계는 m, kg, s, A 의 4 개의 기본 단위를 쓰고 있으며, 나머지 3 개의 단위계에서는 cm, g, s 의 3 개의 기본 단위를 쓰고 있다.

C.G.S. 전자 단위 · 실용 단위 · M.K.S.A. 단위의 상관 관계

전기 자기의 단위	CGS전자 단위의 명 칭	실용 단위의 명칭	MKSA 단위의 명 칭	CGS정전 단 위 / CGS전자 단 위	실 용 단 위 / CGS전자 단 위	MKSA 단 위 / CGS전자 단 위	MKSA 단 위 / 실 용 단 위
기전력(起電力)	—	볼 트	볼 트	C	10^8	10^8	1
전 류(電流)	—	암페어	암페어	1/C	10^{-1}	10^{-1}	1
저 항(抵抗)	—	옴	옴	C^2	10^9	10^9	1
전기량(電氣量)	—	쿨 롬	쿨 롬	1/C	10^{-1}	10^{-1}	1
유전속(誘電束)	—	—	—	1/C	10^{-1}	$4\pi/10$	4π
유전속밀도 (誘電束密度)	—	—	—	1/C	10^{-19}	$4\pi/10^5$	$4\pi/10^{14}$
정전 용량(靜電容量)	—	패 럿	패 럿	$1/C^2$	10^{-9}	10^{-9}	1
유전율(誘電率)	—	—	—	$1/C^2$	10^{-18}	$4\pi/10^{11}$	$4\pi/10^7$
기자력(起磁力)	길 버 트	—	암페어 횟수	1/C	10^{-1}	$4\pi/10$	4π
자계(磁界)의 강도	에르스텟	—	암페어 횟수 매 미터	1/C	10^{-10}	$4\pi/10^3$	$4\pi/10^7$
자기량(磁氣量)	—	—	—	C	10^8	$10^8/4\pi$	$1/4\pi$

자　속(磁束)	맥스웰	—	웨　버	C	10^8	10^8	1
자속 밀도(磁束密度)	가우스	—	웨　버 매제곱미터	C	10^{-10}	14^4	10^{14}
인덕턴스 (inductance)	—	헨　리	헨　리	C^2	10^9	10^9	1
투자율(透磁率)	—	—	헨리 매 미터	C^2	1	$10^7/4\pi$	$10^7/4\pi$
자화율(磁化率)	—	—	헨리 매 미터	C^2	1	$10^7/(4\pi)^2$	$10^7/(4\pi)^2$

※ C는 진공(眞空) 속에서의 빛의 속도이며, 그 속도는 2.997925×10^{10}cm/s 이다.

전석(全石) [부피] 곡식의 양을 헤아리는 데 쓰는 말. 1전석은 20말〔斗〕에 해당된다. 대곡(大斛). 《經國大典 6, 工典, 營繕, 度量衡》量之制, 十勺爲合, 十合爲升, 十升爲斗, 十五斗爲小斛(平石), 二十斗爲大斛(全石). 《磻溪隨錄 1, 田制 上》今國俗以十五斗爲斛, 稱平石, 官府用之, 又以二十斗爲大斛, 稱全石, 民間例以皮穀二十斗爲一石.

전압의 단위(電壓 — 單位) [전압] 기본 전압의 단위는 볼트〔V〕이다. 그 보조 단위(補助單位)로는 나노볼트〔nV〕, 마이크로볼트〔μV〕, 밀리볼트〔mV〕, 킬로볼트〔kV〕, 메가볼트〔MV〕가 있다.

전폐(箭幣) [화폐] 조선 세조(世祖) 10년(1464)에 만들어 썼던 엽전의 한 가지. 일명 팔방통보(八方通寶)라고도 한다. 유엽전(柳葉箭) 모양으로 되었는데, 평시에는 화폐로 사용하고 전시(戰時)에는 살촉으로 쓰도록 주조(鑄造)한 것이다. 이 한 닢의 가치는 저화(楮貨) 석 장과 맞먹었고, 촉의 길이는 1치〔寸〕8푼〔分〕, 둘레 1치 7푼이며, 촉꽂이 부분의 두 쪽에 '팔방통화(八方通貨)'라는 네 글자를 나누어 새겼다. 《朝鮮世祖實錄 34, 10年11月壬戌》命鑄箭幣, 歲十萬箇. 箭幣形如柳葉箭, 鏃長一寸八分, 莖一寸七分, 莖端兩面, 分鑄八方通貨四字, 以一箇准楮貨三張. 《朝鮮世祖實錄 44, 13年10月丁巳》出內藏箭鏃一箇, 付司贍寺曰, 依此樣, 做爲箭幣.

절(切) ① [넓이] 온 장의 종이를 정해진 규격에 따라 자를 때의 크기를 나타내는 데 쓰는 말. 전지(全紙)를 기준으로 그 2분이 1을 반절(半切), 4분의 1을 4절(切) 등으로 나타낸다. 그러나 종이의 종류, 용도, 사용자의 필요에 따라 임의로 크기를 정하여 사용할 수 있다. 일반적으로 사용하는 절수(切數)는 다음 표(表)와 같다.

절 수 (切數)	cm	자〔尺〕	1,000매 단위 전시 매수
2	78.8×54.5	26×18	500
4	54.5×39.4	18×13	250
8	39.4×27.3	13×9	125
16	27.3×19.7	9×6.5	63
18	26.0×18.2	8.6×6	56
32	19.7×13.6	6.5×4.5	32
36	18.2×13.0	6×4.3	31
48	7.0×13.0	2.3×4.3	21

② [수효] 일본(日本)의 단위. ❶ '대'의 뜻으로, 갈비의 수를 세는 데 쓰는 말. 죽(竹). ❷'절(折)'의 ① ❶과 같다. ❸'쪽'의 뜻으로, 물건

의 조각을 세는 데 쓰는 말. ③ [부피] 일본(日本)의 단위. 1 절은 1 세제곱 자〔尺〕, 또는 0.0278 m^3에 해당된다.

절(折) ① [수효] ❶'도막'의 뜻으로, 민어(民魚)·자반〔佐飯〕 따위의 생선의 도막을 세는 데 쓰는 말. 절(切·節·截).《楊根邑誌, 事例》民魚大八戔(四片爲一折, 四折爲一尾).《始興縣邑誌, 事例》佐飯(四折爲一條, 八條爲一尾). ❷온 장의 종이나 가죽을 같은 크기로 잘라 낸 조각의 수를 세는 데 쓰는 말.《關西邑誌, 龍岡誌, 折價式》鹿皮六折一令價八兩.《萬機要覽, 財用編 1, 供上, 大殿》封頭搗鍊紙十破一折價八分.《度支志, 外篇, 版籍司, 端午》封頭搗鍊紙十破一折. ❸'마디'의 뜻으로, 쇠사슬〔沙乼〕 따위 마디의 수를 세는 데 쓰는 말. 절(節).《昌慶宮營建都監儀軌, 實入》長沙乼兩排具二十五折二巨里. ❹피금(皮金)을 같은 크기로 잘라 낸 조각의 수를 세는 데 쓰는 말.《關西邑誌, 龍岡誌, 折價式》皮金紙六折一丈. ❺(zhé) 중국(中國)의 단위. ㉮'할(割)'의 뜻으로, 어떤 수량을 10 으로 나눈 한 부분의 수를 세는 데 쓰는 말. 정(停).《宋史, 食貨志》馬料給靑稞, 率皆八折. ㉯'막'·'장'의 뜻으로, 연극에서 단락의 차례나 수를 세는 데 쓰는 말. 〈예〉元朝的戲劇普通四～就是一本戲. ❻싸움에 패한 횟수를 세는 데 쓰는 말.《史記, 魏世家》寡人不佞, 兵三折於外, 太子虜, 上將死, 國以空虛, 以羞先君宗廟社稷, 寡人甚醜之.《張說, 登九里臺是樊姬墓詩》志闈三折後, 愁値三毛前.《龔自珍, 知歸子贊》於斯時也, 猝焉而與其向者靈異智慧之心遇, 遇而不逝, 乃決定其心, 蓋三累三折之勢, 知有佛矣. ❼휘어지거나 꼬부라진 것의 수를 세는 데 쓰는 말.《沈約, 白馬篇》赤坂途三折, 龍堆路九盤. ❽일본(日本)의 단위. '끗'의 뜻으로, 피륙의 접은 곱이를 세는 데 쓰는 말. ② [부피] '상자'의 뜻으로, 상자에 물건을 담아 그 양을 헤아리는 데 쓰는 말. 이 단위는 일본어 '오리(おり)'에서 온 것이다. 사(笥). 상(箱). 《朝鮮純宗實錄(附錄) 15, 1924年2月14日》皇太子殿下贈送物品于兩殿, 紅白縮緬各一疋, 御紋付銀製花瓶一對, 鮮鯛一折.《朝鮮純宗實錄(附錄) 15, 1924年4月21日》供御榊一對, 御菓子一折于昭憲皇太后十年祭.

절(絶) [수효] 여러 개의 대문이 모여 하나의 시가(詩歌)·문장·음곡(音曲)을 이루는 경우, 그 한 대문이나 단락(段落)의 수를 세는 데 쓰는 말. 절(節).《高麗史 18, 毅宗世家》幸摠持寺, 召住持懷正, 遊賞林亭留題祈福詩二絶, 宣視宰樞侍臣.《朝鮮太宗實錄 1, 元年6月辛未》上詣太平舘拜節, 使臣謂上曰, 聞殿下文藝之美幸賦一絶.《大東韻府群玉 6, 下平聲, 麻》霜葩, 牧隱偶題一絶云, 數枝籬畔媚霜葩, 潤色韓山牧隱家, 此老豈知書甲子, 門前碧柳帶烟斜(霜葩, 菊也, 詳詩意, 稽竊比於陶令, 可見曾事前朝, 猶戀其舊主, 隱然有言外之意).

절(截：jié) [수효] 중국(中國)의 단위. '조각'·'도막'·'마디'의 뜻으로, 떼어 내거나 잘라진 부분의 수를 세는 데 쓰는 말. 《天工開物, 五金》(金沙江)廻環五百餘里, 出金者有數截. 《林肯》幸虧林肯看到, 急忙用一截大木頭, 浮在水上去救活了他們.

절(節) [수효] ❶'절(絕)'과 같다. 《淮南子, 說林》見象牙乃知其大於牛, 見虎尾乃知其大於狸, 一節見而百節知也. ❷'마디'의 뜻으로, 대·갈대 따위와 같이 줄기에 사이를 두고 바퀴처럼 도드라지거나 잘록한 부분의 수를 세는 데 쓰는 말. 《萬機要覽, 財用編 1, 各貢, 工曹》筆柄竹(每節四升五合, 湖西). 《度支準折, 筆墨》黃毛筆(十柄), 連黃毛(二条), 黃蜜(一戔四分), 炭(一升), 竹(十三節), 一柄折価一戔七分. 《度支準折, 竹物》假斑竹一節, 価錢二分(長一寸三分, 一介価錢一分). 黃小竹一節, 価錢三分. 細細烏竹二節, 価錢一分. 黃中竹一節, 価錢三分. ❸'절(折)'의 1❶과 같다. ❹'마디'의 뜻으로, 쇠줄〔鐵乽〕의 수를 세는 데 쓰는 말. 《度支準折, 打鐵》迎恩門鐵乽一節(重十八斤, 折価七兩三戔一分五里二戶). ❺명절(名節)의 수를 세는 데 쓰는 말. 《通文館志 3, 事大, 赴京使行》自崇德以來, 無千秋使而有歲幣使, 至順治乙酉, 因勅諭(路道遙遠, 元朝·冬至·聖節三節表儀, 具准於元朝併貢云). 乃并三節乃歲幣爲一行, 必備使·副使·書狀官三員, 名之曰冬至使. ❻계절의 수를 세는 데 쓰는 말. 《畿甸邑誌, 華營事例, 各種折價式》大秀魚一尾(冬節八戔, 三節四戔), 中秀魚一尾(冬節六戔, 三節三戔), 小秀魚一尾(冬節四戔, 三節二戔), 大丁魚一束(冬節六戔, 三節三戔). ❼사신(使臣)의 수를 세는 데 쓰는 말. 《高麗史 10, 宣宗世家》七年九月辛未, 遼遣利州管內觀察使張師說等三十一人, 來賀生辰. 庚辰, 再宴遼使于乾德殿, 令三節人坐殿內左右, 有司奏再宴使者, 古無此例, 三節就坐殿內, 亦所未聞. ❽일의 차례를 따라 나아가는 과정의 수를 세는 데 쓰는 말. 《困學紀聞, 歷代漕運考》唐時漕運, 大率三節, 江淮是一節, 河南是一節, 陝西到長安是一節. ❾규정이나 규칙의 수를 세는 데 쓰는 말. 《王禹偁, 射宮選士賦》非取其十發而九中, 在合於二節而五正. ❿(jié) 중국(中國)의 단위. ㉮'교시(教時)'의 뜻으로, 수업 시간의 순서나 차례를 나타내는 데 쓰는 말. ㉯'칸'·'량'의 뜻으로, 기차와 같이 여러 칸으로 나누어진 것의 수를 세는 데 쓰는 말. 〈예〉兩~車廂.

절구 [부피] 절구에 쌀이나 곡식, 또는 떡 같은 음식을 넣어 찧은 양을 헤아리는 데 쓰는 말.

절리(折里) [수효] '자래'의 차자 표기로, 쌍으로 된 생선의 알주머니의 수를 세는 데 쓰는 말. 《度支準折, 鹽卵》蘇魚醢一桶(二十介作一升, 三斗作一桶). 白蝦醢一桶. 卵醢一桶(一介卽二折里, 十介作一升, 三斗作一桶).

점(店) [수효] 금점(金店)이나 은점(銀店)의 수를 세는 데 쓰는 말. 《萬機要覽, 財用編 4, 金銀銅鉛, 銀, 採銀》其後銀脉凋殘, 收稅不一, 存罷無常, 英宗乙未, 戶曹啓稟, 以其

餘存店, 付之本官, 定稅上納矣. 連因諸道頃報, 次次減罷, 今則只有數三店.

점(苫) 〔부피〕 '섬〔石〕'의 뜻으로, 주로 곡식이나 액체의 양을 헤아리는 데 쓰는 말. 1 점은 1 말〔斗〕의 10 배(倍)에 해당된다. 섬의 10 분의 1 을 대두(大斗) 1 말이라 하고, 가마니의 10 분의 1 을 소두(小斗) 1 말이라 한다. 따라서, 섬은 대두로 10 말이고, 소두로는 20 말이다. 곡(斛). 담(擔·甔). 석(石·碩). 소(召). 표(俵). 《四山碑銘, 大崇福寺碑銘》 酧稻穀合二千苫(東俗, 以五畝減百弓爲結, 斞除一斗爲苫也. 司馬法, 六尺爲步, 步百爲畝. 秦孝公制, 二百四十步爲一畝. 程頤曰, 古者百畝止當, 今田十畝也. 斞音與, 量名, 十六斗). 《經世遺表 6, 田制 6》新羅學士崔致遠, 撰初月山崇德寺碑云, 益丘壟餘二百結, 酧稻穀合二千苫. 自註云, 苫猶言石也. 東俗, 以五百畝減百弓爲結, 斞除一斗爲苫. 《經世遺表 9, 地官修制, 田制別考 2, 魚鱗圖說》我邦水利之田, 其美者, 當以種一收百者爲上上, 此俗所謂五出畓也, 五出謂種一斗而五苫也(俗以二十斗爲一苫). 《與猶堂全書, 雅言覺非》五東公穀十五斗一石, 私穀二十斗爲一石, 又以石爲苫, 蓋以東俗, 編草爲篢, 而納粟米斯之爲苫……方言島亦曰苫.

점(點) ① 〔시간〕 '시(時)'의 뜻으로, 시간을 나타내는 데 쓰는 말. 예전에는 일몰(日沒)로부터 일출(日出)까지를 5 경(更)으로 등분하고, 다시 경을 5 점(點)으로 나누어 시간을 헤아렸다. 《朝鮮太宗實錄 1, 元年5月戊申》嚴巡綽法, 三軍府請自今初更三點以後, 五更三點以前, 犯巡者皆囚之. 《朝鮮世宗實錄 19, 5年正月庚子》書雲觀啓, 前此人定鐘, 則一更三點末, 放鼓則五更三點末, 前後不均, 乞自今放鼓五更三點初. 從之. 《朝鮮明宗實錄 23, 12年 9月乙亥》夜一更三點, 彗星見於天市垣內淡雲中, 形體熹微, 其後蜜雲不見, 月暈. 《眉巖集 10, 日記》癸酉十月二十六日, 去夜三更一點, 起寢, 四更一點, 動駕. ② 〔수효〕 ❶성적(成績)이나 벼슬아치들의 고과(考課) 시험에서의 끗수를 나타내는 데 쓰는 말. 《朝鮮中宗實錄 102, 39年3月己未》館學儒生, 正月以後, 滿二十點者, 抄啓. 《朝鮮宣祖實錄 62, 28年4月丁卯》常時生員·進士館試, 則滿三百點, 鄉·漢城試, 則滿一百五十點, 然後許赴. 《朝鮮英祖實錄 32, 8年7月辛丑》式年圓點, 則滿三百點後赴, 館試取五十人, 增廣圓點, 則從科日遠近, 或四十點, 或二十點十五點, 条酌稟定, 此古規也. ❷'방울'의 뜻으로, 구슬같이 동글동글하게 맺힌 액체의 수를 세는 데 쓰는 말. 광(眶). 적(滴). 《新傳煮硝方, 二煉》初熬及再煉·三煉所倒剩水一點, 不棄以補後用可(처음 달히며 밋 ᄌᆡ련과 삼련의 돌온 잉슈ᄅᆞᆯ ᄒᆞᆫ 뎜도 ᄇᆞ리디 말아 ᄡᅥ 훗슌의 보태여 ᄡᅳᆷ이 가ᄒᆞ니). 《西江月, 夜行黃沙道中》七八箇星天外, 兩三點雨山前. ❸물건의 가짓수를 세는 데 쓰는 말. 〈예〉 옷 일곱 ～을 사 왔다. ❹살코기 등의 작은 조각의 수를 세는 데 쓰는 말. ❺바둑에서, 바둑판의 눈이나

바둑돌의 수를 세는 데 쓰는 말. ❻ '개'의 뜻으로, 사물의 낱개를 세는 데 쓰는 말. 《蘇軾, 洞仙歌》繡簾開, 一點明月窺人. ❼'가지'의 뜻으로, 일의 종류를 세는 데 쓰는 말. 《論十大關系》 一共講了十點. ③ [각도] 선박(船舶)이나 항공(航空)에서 각도를 헤아리는 데 쓰는 말. 1점은 11.25도(度)에 해당된다. ④ [정도] '약간'·'조금'의 뜻으로, 얼마 안 되는 정도나 분량을 헤아리는 데 쓰는 말. 《雍正十年杭州韜光庵中寄舍弟墨》 試看世間會打算的, 何曾打算得別人一點, 直是算盡自家耳.

점락(苫落) [넓이] '섬지기'의 차자 표기로, 논밭의 넓이를 헤아리는 데 쓰는 말. 1섬지기는 1섬의 모를 부어 낼 수 있는 논의 넓이, 또는 1섬의 씨앗을 뿌릴 수 있는 밭의 넓이이다. 각 지방마다 다른데, 대개 논은 1,500~3,000평(坪), 밭은 1,000평 내외이다. 10마지기가 1섬지기이다. 석(石). 석락(石落). 석락지(石落只). 점락지(苫落只). 짐지락(苫之落). 《牧民心書 4, 戶典, 稅法 上》俗以酷災, 謂之全災, 以輕災謂之內災, 然全災者, 本今一結之田, 一結都傷者也. 內災者, 本衿一苫之落, 其十斗落, 黃熟, 其十斗落, 無實者也. 與酷災輕災, 其情不同, 所謂乃災, 亦有酷災, 此宜有區別也.

점락지(苫落只) [넓이] '섬지기'의 차자 표기. '점락(苫落)'과 같다.

점지락(苫之落) [넓이] '섬지기'의 차자 표기. '점락(苫落)'과 같다. 《牧民心書 4, 戶典, 稅法 上》俗以酷災, 謂之全災, 以經災, 謂之內災, 然全災者, 本今一結之田, 一結都傷者也. 內災者, 本今一苫之落, 其十斗落黃熟, 其十斗落無實者也.

접(接) ① [수효] ❶과일이나 마늘·무·배추 등의 100개를 하나치로 세는 데 쓰는 말. 접. 첩(貼). 《陶山書院傳掌記, 甲申9月5日》 紅柿二接. 《陶山書院傳掌記, 庚辰8月1日》 蛤一接. ❷싸움을 한 횟수를 세는 데 쓰는 말. 《左思, 魏都賦》推鋒積紀, 鋌氣彌銳, 三接三捷, 旣晝亦月. 《符載, 保安鎭圖記》紅旗拉風, 長戟如倚, 晨暮三接, 朱殷谿瀆. ② [조직] 동학(東學)의 교리(敎理)를 전파하기 위한 조직. 또는 그 처소(處所)의 수를 세는 데 쓰는 말. 접의 우두머리를 접주(接主), 그 상위(上位) 조직은 포(包)라 하였으며, 그 우두머리는 포주(包主)라 하였다. 《朝鮮道敎史, 28章, 東學》 其夏, 東學黨大會于報恩郡之長安坪, 築壘結幕, 設包傳道(東學人傳道之所, 大者曰包, 小者曰接).

접(楪) ① [부피] '접시'의 뜻으로, 접시에 음식을 담아 그 양을 헤아리는 데 쓰는 말. 섭(鍱). 접(碟). 《春官志 1, 祭禮總論》陵寢節祀饌品, 則只有油蜜菓四坐, 白米餠三品, 泡湯三器, 實果四色, 麵食一器, 蔬菜兩楪而已. ② [수효] '첩'의 뜻으로, 반상기(飯床器)의 수를 세는 데 쓰는 말. 5첩〔楪〕·7첩·9첩이 있다. 《春官志 2, 朝京舊例, 三浦熟供》國王使早飯, 正官以上車食·七果床, 伴從人車食·五果床, 並三度湯. 朝夕飯, 上副官人七楪床, 飯羹二樣, 湯二樣, 炙. 五官伴

從人五楪床, 飯羹二樣, 湯二樣, 炙.《海行摠載, 申高靈海東諸國紀, 琉球國記, 朝聘應接記》晝点心, 上副官人正官, 五楪床飯羹, 一樣湯. 伴從人, 三楪床飯羹, 一樣湯.

접(碟) [부피] '접(楪)'의 ①과 같다.《愚人船》那對六歲大的雙胞胎, 並且還在吃著一碟芹菜.

접시 [부피] 접시에 물건을 담아 그 양을 헤아리는 데 쓰는 말. 섭(鍱). 접(楪·碟).

정(丁) ① [수효] ❶'필(疋·匹)'의 뜻으로, 일정한 길이로 짠 피륙을 하나치로 세는 데 쓰는 말. 겸(縑). 냥(兩). 단(段·端). 제(製). 필(匹·疋).《朝鮮中宗實錄 63, 23年 10月乙卯》常時老人亦給官木綿, 今亦賜官木綿二丁, 官正布二丁可也……傳于政院曰, 欲給告祀之伶人, 官木綿二十丁, 官正布二十丁, 納于龍仁宿所. 傳于政院曰, 路邊有女人, 獻西果者, 其受之, 賜官正木二匹. ❷'정(釘)'의 뜻으로, 못이나 거멀못〔巨勿丁〕의 수를 세는 데 쓰는 말. 본(本). 좌(坐). 척(隻). 타(朶).《度支準折, 祭享式》中巨勿丁四丁. ❸뿔〔角〕의 수를 세는 데 쓰는 말. 개(介). 근(根). 부(部). 조(条). 지(枝). 통(桶).《朝鮮世宗實錄 20, 5年6月庚午》平滿景, 使人進丹木一千觔……皿五百箇, 劍十五腰, 犀角二丁. ❹얼음장의 수를 세는 데 쓰는 말.《朝鮮世宗實錄 86, 21年7月壬申》宗親·大臣·功臣禮葬, 用冰盤, 自初喪至大斂, 每一日, 用冰二十丁.《朝鮮成宗實錄 285, 24年12月戊辰》西氷庫別提任元善·別檢梁潤, 藏氷時氷丁, 或半丁, 或寸數不准, 或虛疎, 或減數, 不用意積藏.《萬機要覽, 財用編 5, 總例》藏氷, 東氷庫藏氷一萬二百四十四丁. ❺'자루'의 뜻으로, 초〔燭〕의 수를 세는 데 쓰는 말. 대(對). 병(柄). 정(挺). 조(條). 지(枝). 척(隻).《高麗史 68, 禮志, 嘉禮, 老人賜設儀》命宰樞坐於左俠廳, 各賜酒十盞, 果十五鍱, 味十三品, 宴幣幞頭紗二枚……人參十兩, 花八枝, 紅臘燭三丁.《朝鮮太宗實錄 22, 11年7月癸亥》致賻驪山君無悔妻喪, 紙一百五十卷, 蠟燭十丁, 仍賜棺槨.《朝鮮成宗實錄 100, 10年正月丁丑》禮曹啓, 今通信使之行, 應行諸事, 考乙未年例……粘米三碩, 眞末三碩, 蕎麥米三碩, 燭十丁, 白注紙一百卷, 果實塩醬等食物.《芝峰類說 13, 文章部, 東詩》世傳鄭知常詩曰, 三丁燭盡天將曉……余按三丁, 猶言三條, 今奉常寺祭燭, 以一柄爲一丁, 以三柄爲三丁. ❻'자루'의 뜻으로, 먹〔墨〕의 수를 세는 데 쓰는 말. 동(同)의 하위 단위로, 1 동은 10 자루이다. 매(枚). 병(餠). 장(張). 정(挺·錠). 쾌(快). 판(板). 편(片). 홀(笏).《高麗史 22, 高宗世家》八年八月, 乃許八人升殿, 傳蒙古皇太弟鈞旨, 索獺皮一萬領, 細紬三千匹, 細苧二千匹, 緜子一萬觔, 龍團墨一千丁, 筆二百管, 紙十萬張.《朝鮮太宗實錄 15, 8年4月庚辰》召世子賜馬四匹……圓眼茘枝·橘·椰瓢·魚醢摠十六擔, 寶鈔一千貫, 墨五丁.《朝鮮世祖實錄 16, 5年4月庚申》遣都承旨尹子雲, 贈明使鞍具馬各一匹, 弓失一部, 油紙席二部, 厚

紙十卷, 油烟墨五丁, 黃毛筆七十枝, 唯鞍馬不受.《度支準折, 筆墨》中眞墨一同(十丁). 朱紅墨一丁. 青花墨一丁. 唐炭墨一丁. ❼'장'의 뜻으로, 활〔弓〕의 수를 세는 데 쓰는 말. 매(枚). 부(副). 지(枝).《朝鮮世宗實錄 8, 2年4月壬子》趙亮, 請黑斜皮二領, 婦人紫斜皮鞋三兩, 軟角弓二丁.《朝鮮成宗實錄 109, 10年10月己酉》上御後苑觀射, 兼司僕崔崇佛等十人, 內禁衛嚴貴孫等十人, 分左右, 崇佛等勝, 賜別造弓各一丁.《朝鮮中宗實錄 64, 23年11月乙丑》傳于政院曰, 命製詩賦, 居首藝文館檢閱崔演, 賜別造弓一丁. ❽'명(名)'의 뜻으로, 장정(壯丁)의 수를 세는 데 쓰는 말. 개(介·個). 구(口). 두(頭). 명(名). 분(分). 영(領). 원(員). 위(位). 인(人). 한(漢).《高麗史 78, 食貨志, 田制》公廨田柴, 成宗二年六月, 定州府郡縣舘驛田千丁以上, 州縣公須田三百結五百丁以上, 公須田一百五十結, 紙田十五結, 長田五結.《經國大典注解, 後集, 兵典》二丁爲保, 丁當也, 當強壯之時也, 保傭也, 可保信, 故謂之保. 又保者, 爲人傭力可保任使也. 國制民年十六爲丁. 始服國役, 六十爲老, 而免役.《華城城役儀軌 1, 啓辭, 丙辰2月初7日》京畿·湖西·海西之民, 每戶各出一丁, 二日赴役, 充合事宜云.《萬機要覽, 財用編 4, 江界蔘把》采蔘軍, 本府二十七面, 家出一丁, 分作數百統(每十二人爲一統, 而或加或減), 統首領率入山, 而其入山也, 分水上·水下, 一牌入牛項嶺, 一牌入茂城嶺. ❾일본(日本)의 단위. ㉮'모'의 뜻으로, 두부의 수를 세는 데 쓰는 말. 방(方). 편(片). ㉯북〔鼓〕의 수를 세는 데 쓰는 말. ㉰가래〔鍬〕·호미〔鋤〕·낫〔鎌〕 따위 농기구의 수를 세는 데 쓰는 말. 구(口). ㉱서적(書籍) 등에서 간지(間紙)의 수를 세는 데 쓰는 말. ②[부피] 일본(日本)의 단위. '그릇'의 뜻으로, 그릇에 음식을 담아 그 양을 헤아리는 데 쓴다. 기(器).

정(井 : jǐng) ①[수효] 중국(中國)의 단위. 샘〔泉〕의 수를 세는 데 쓰는 말.《吳船錄, 上》有溫泉二十餘井. ②[넓이] 중국(中國)의 단위. 논밭의 넓이를 헤아리는 데 쓰는 말. ❶1 정은 옥(屋)의 3 배(倍), 또는 900 묘(畝)에 해당된다.《通志, 食貨略, 田制》畝百爲夫, 夫三爲屋, 屋三爲井, 井十爲通, 通十爲成, 成十爲終, 終十爲同, 同方百里. ❷1 정은 6,300 묘에 해당된다.《左傳, 襄公25年》井衍沃. (孔穎達疏) 賈逵曰, 京陵之地, 九夫爲辨, 七辨而當一井也. ❸1 정은 사방 0.25리, 또는 9부(夫)에 해당된다.《春秋, 成公元年》三月, 作丘甲. (杜預注) 周禮, 九夫爲井, 四井爲邑, 四邑爲丘, 丘十六井, 出戎馬一匹, 牛三頭. 四丘爲甸, 甸六十四井, 出長轂一乘, 戎馬四匹, 牛十二頭, 甲士三人, 步卒七十二人. 此甸所賦, 今魯使丘出之, 譏重斂. (顧炎武補正) 要之, 其實爲益兵, 向之四丘共出三甲者, 今使每丘出一甲爾. ❹1 정은 사방 1 리(里)에 해당된다.《周禮, 地官, 小司徒》以任地事而令貢賦. (鄭玄注) 司馬法曰, 六尺爲步, 步百爲晦, 晦百爲夫, 夫

三爲屋, 屋三爲井, 井十爲通.

정(正) [1] [군사] 예전 군대의 편성 단위의 하나. 1 정은 3 령(領), 또는 30 인(人)으로 구성되었다.《萬機要覽, 軍政編 2, 龍虎營》十人爲一領, 三領爲一正, 增置十將. 別將統將, 將統正, 正統領, 領統軍, 挨次號令, 使本兵句管.《增補文獻備考 110, 兵考, 宿衞》孝宗三年, 增置禁軍爲一千, 置左右別將, 隸本兵之長, 先是禁旅爲一百九十, 至是上銳意軍政, 抄壯增額, 以十人爲一領, 三領爲一正, 定將十員, 又爲部隊旗標以別之. [2] [수] 십진급수(十進級數)의 하나. 1 정은 재(載)의 하위 단위로, 간(澗)의 1만 배, 또는 10^{40} 에 해당된다.《數術記遺》黃帝爲法, 數有十等……十等者, 億·兆·京·垓·秭·壤·澗·正·載.《孫子算經, 上》凡大數之法, 萬萬曰億, 萬萬億曰兆, 萬萬兆曰京, 萬萬京曰陔, 萬萬陔曰秭, 萬萬秭曰穰, 萬萬穰曰溝, 萬萬溝曰澗, 萬萬澗曰正, 萬萬正曰載.

정(廷) [질량] 쇠붙이의 무게를 헤아리는 데 쓰는 말. 1 정은 약 1 관(貫) 300 돈쭝〔匁〕, 또는 4.875 kg 에 해당된다.《菁州蓮池寺鐘記, 新羅興德王8年》太和七年三月 日, 菁州蓮池寺鐘成, 內節合入金七百十三廷, 古金四百九十八廷, 加入金百十廷.

정(町) [1] [길이] 척관법(尺貫法)의 한 단위. 1 정은 60 간(間)이며, 곡척(曲尺)으로 360 자〔尺〕, 또는 약 109.1 m 에 해당된다.《海行摠載, 申高靈海東諸國紀》計田用日本町段, 其法以中人平步兩足相距爲一步, 六十五步爲一段, 十段爲一町, 一町准我五十步.《海行摠載 1, 海槎錄 上》三步爲一間, 六十間爲一町, 三十六町爲一閭. [2] [넓이] 척관법(尺貫法)의 한 단위. 1 정은 3,000평(坪)이며, 100 묘(畝), 10 단(段), 또는 99.174 아르〔a〕에 해당된다.《海行摠載, 申高靈海東諸國紀》七年癸巳, 定町段, 中人平步相距爲步, 方六十五步爲一段, 十段爲一町.《星湖僿說, 經史門》始定町段, 方六十五步爲一段, 十段爲一町.

정(定) [수효] 엽전 10 쾌, 또는 100 냥(兩)을 하나치로 헤아리는 데 쓰는 말.《廣才物譜 1, 民業部, 珍寶》定, 十貫, 빅 냥.

정(亭) [행정] 진(秦)·한(漢)나라 때에 10 리마다 두었던 향(鄉) 이하의 행정 부서(部署). 또는 그 부서의 수를 세는 데 쓰는 말.《漢書, 百官志》大率十里一亭, 亭有長, 十亭一鄉, 鄉有三老, 有秩, 嗇夫, 遊徼.《晉書, 賀循傳》接漢制十里一亭, 亦以防禁切密故也.《一字長編》按亭長所居之官署亦曰亭, 故亭可以居人, 亦可以防盜賊.《後漢書, 大秦國傳》大秦人庶連屬, 十里一亭, 三十里一置.

정(埕) [부피] 정(埕)에 술을 담아 그 양을 헤아리는 데 쓰는 말. 정(埕)은 술을 담는 입이 조그마한 병의 한 가지이다.《朝鮮世宗實錄 26, 7年12月戊辰》今開禮物, 錫二千斤, 蘇木二千斤, 檀香一百斤, 丁香一百斤, 木香一百斤, 象牙四條, 犀角六箇, 天竺酒一埕, 胡椒二百斤.《中華大字典》埕, 俗字, 酒一罎謂一

埕.《形音義綜合大字典》埕, 酒罎曰埕.

정(停) ① [군사] ❶신라 시대에 중앙과 지방에 두었던 군영(軍營). 또는 그 군영의 수를 세는 데 쓰는 말.《三國史記 40, 職官志, 武官》諸軍官……漢山停(羅人謂營爲停)……六停……三曰漢山停, 本新州停, 眞興王二十九年, 罷新州停, 置南川停, 眞平王二十六年, 罷南川停, 置漢山停, 衿色黃靑. ❷조선 시대 각 군영에서 성곽을 나누어 맡아서 지키기 위한 군사 조직. 또는 그 수를 세는 데 쓰는 말. 전(前)·좌(左)·중(中)·우(右)·후(後)의 5정으로 나누어 순차대로 지키게 하였다.《萬機要覽, 軍政編 2, 訓鍊都監, 守城字內》三軍門, 今授城垜, 皆分作五停, 以前·左·中·右·後爲次, 立石刻前·後·左等字以標, 若以一營守之, 則五部今立五停, 以一部守之, 則五司分立五停, 以一司守之, 則五哨分立五停. ② [수효] (tíng) 중국(中國)의 단위. '할(割)'의 뜻으로, 어떤 수량을 10으로 나눈 한 부분의 수를 세는 데 쓰는 말. 절(折).《兩世姻緣, 2折》到如今, 玉肌骨減了九停, 粉香消沒了半星.《說岳全傳, 30回》那裏當得阮良這些好漢, 十停中倒殺掉了九停, 依舊跳上木排來助戰.《兒女英雄傳, 26回》少說, 這裏頭也有一停兒沒爹娘的女孩兒, 只好都當姑子去罷.《紅樓夢, 33回》這一城內, 十停人倒有八停人都說, 他近日和銜玉的那立令郎相與甚厚.

정(挺) [수효] ❶'자루'의 뜻으로, 먹〔墨〕의 수를 세는 데 쓰는 말. 매(枚). 병(餠). 장(張). 정(丁·錠). 쾌(快). 판(板). 편(片). 홀(笏).《高麗史 9, 文宗世家》三十四年秋七月癸亥, 柳洪等還自宋……畫龍帳二對, 大紙二千幅, 墨四百挺, 金鍍銀粧皮器仗二副, 細弓四張, 哮子箭二十四隻, 細箭八十隻.《北夢瑣言》某曾失墨兩挺, 蒙王黜責, 今果尋獲也. ❷'덩이'의 뜻으로, 작은 덩어리의 수를 세는 데 쓰는 말. 과(裹). 정(錠). 흘(疙).《朝鮮成宗實錄 162, 15年正月甲辰》一岐太守源義, 遣人來獻土宜……遣金四十五挺, 每挺四十二文目, 此內圓金二挺, 銅十二駄伏, 庶幾易綿布以賜之.《朝鮮成宗實錄 211, 19年正月甲辰》黃金六十二挺, 各四十二文目, 朱二百二十裹, 進上練二匹, 大刀二把. ❸'자루'의 뜻으로, 총(銃)의 수를 세는 데 쓰는 말.《朝鮮高宗實錄 13, 13年2月初4日》回旋砲一門, 彈藥二千發, 前車一輛, 六連短銃一挺. ❹'자루'의 뜻으로, 창〔鑓·槍〕의 수를 세는 데 쓰는 말. 근(根). 병(柄). 본(本). 조(條). 좌(坐). 지(枝). 총(叢).《朝鮮世宗實錄 90, 22年8月庚午》謹獻大刀二十振, 鑓一十挺……黃鍊綃二匹, 摺疊扇二百本, 香一十斤, 紅漆椀一十具. ❺'자루'의 뜻으로, 초〔燭〕의 수를 세는 데 쓰는 말. 대(對). 병(柄). 정(丁). 조(條). 지(枝). 척(隻).《朝鮮世宗實錄 20, 5年5月戊戌》日本國關西道九州府石城式部小輔源俊臣, 使人來獻土宜……砂饒一百斤, 良薑三十斤, 鉛鐵十五斤, 蠟燭二百挺, 胡椒一十斤, 茶盞四介.《南史, 沈攸之傳》賜

攸之燭十挺.《南史, 隱逸傳》蠟燭一挺, 以照七尺之尸. ❻'정(脡)'과 같다.《儀禮, 鄕飮酒禮》薦脯五挺, (校勘記) 釋文云, 挺, 本亦作脡同. ❼'그루'의 뜻으로, 초목(草木)의 수를 세는 데 쓰는 말. 간(竿·幹·榦). 과(科·棵·窠·顆). 근(根). 두(頭). 수(樹). 장(章). 조(条·條). 주(株).《救急方, 上, 58》皁莢(剉碎三挺) (皁莢 사ᄒᆞ라 ᄠᅳ드려 세 뎡과).《韓愈, 藍田縣丞廳壁記》鉅竹千挺, 儼立若相持.《借竹軒記》草戶之外, 有竹數挺. ❽일본(日本)의 단위. ㉮거문고·가야금 따위 악기의 수를 세는 데 쓰는 말. 장(丈·張). ㉯삽·톱 따위의 수를 세는 데 쓰는 말. ㉰숫돌의 수를 세는 데 쓰는 말. 괴(塊). 매(枚). 부(部). ㉱노(櫓)의 수를 세는 데 쓰는 말. ㉲'자루'의 뜻으로, 도끼〔斧〕의 수를 세는 데 쓰는 말. ㉳'채'의 뜻으로, 가마〔駕籠〕의 수를 세는 데 쓰는 말. 부(部). 승(乘). 좌(坐). ㉴'자루'의 뜻으로, 칼의 수를 세는 데 쓰는 말. 구(口). 병(柄). 본(本). 요(腰). 진(振). 척(隻). 파(把).

정(梃) [수효] '정(挺)'의 ❼과 같다.《魏書, 李孝伯傳》武陵王駿獻酒二器, 甘蔗百梃.

정(脡) [수효] '장'의 뜻으로, 포(脯)의 수를 세는 데 쓰는 말. 개(箇). 닙(立). 정(挺). 조(条·條). 편(片).《朝鮮世宗實錄 14, 3年11月乙丑》副司直崔濡, 賫脯十脡, 奔競于兵曹判書趙末生家, 憲府拿鞫.《國朝五禮儀 4, 嘉禮, 王世子入學儀》王子及宗親同, 唯相者引導司成, 受禮單帛一匹, 脩三脡.《公羊傳, 昭公25年》高子執簞食與四脡脯(屈曰朐, 伸曰脡).

정(飣) [부피] '접시'의 뜻으로, 접시에 음식을 담아 그 양을 헤아리는 데 쓰는 말.《徐積, 謝周裕之詩》或無一飣菜, 但費幾長紙.

정(頂) [수효] ❶관(冠)·전건(戰巾)·투구〔兜〕 따위 머리에 쓰는 물건의 수를 세는 데 쓰는 말. 개(蓋). 구(口). 닙(立·笠). 매(枚). 부(部). 사(事). 월(月). 조(條).《高麗史 17, 仁宗世家》二十年五月丙申……今遣使册命, 仍賜九旒冠一頂, 九章服一副, 玉珪一面, 金印一面, 王册一副.《朝鮮太宗實錄 6, 3年10月辛未》國王冠服一副, 香皀皺紗九旒平天冠一頂.《訓鍊都監重記, 弓箭色, 己丑別備秩》戰巾參拾頂.《萬機要覽, 軍政編 2, 訓鍊都監, 軍器》鐵兜, 每頂四石五斗. 兩湖. ❷(dǐng) 중국(中國)의 단위. ㉮'채'의 뜻으로, 가마〔轎〕의 수를 세는 데 쓰는 말.《西遊記》我兄弟三個, 擡一頂香藤轎兒.《儒林外史, 25回》一柄遮陽, 一頂大轎. ㉯'장'의 뜻으로, 휘장이나 장막의 수를 세는 데 쓰는 말.《廣陽雜記 1》每馬甲一名, 帳房一頂. ㉰모자의 수를 세는 데 쓰는 말.《准風月談, 後記》如有不遵, 更會在不知何時飛來一頂紅帽子.

정(幀) [수효] '장'·'폭'의 뜻으로, 그림·족자의 수를 세는 데 쓰는 말. 권(卷). 본(本). 축(軸). 포(鋪). 폭(幅).

정(程) [1] [거리] ❶노정(路程)을 헤아리는 데 쓰는 말. 1정은 대체로 30~40리의 거리에 해당된다.

《三國遺事 2, 紀異, 水路夫人》便行二日程, 又有臨海亭, 晝饍次, 海龍忽攬夫人入海, 公顚倒躄地, 計無所出.《月印釋譜 3, 73》廻歸本國離家四十餘里(믿나라해 도라와 제 지블 즘게 남ᄌᆞ기 두고).《朝鮮中宗實錄 25, 11年5月庚戌》柳順汀爲兵使時, 啓請云, 野人來近一程者, 論以盜賊, 其後野人, 不敢近邊.《老乞大諺解, 上》有幾程地(몃 즘게 길히 잇ᄂᆞ뇨). ❷(chéng) 중국(中國)의 단위. 하루 동안의 노정(路程)을 헤아리는 데 쓰는 말. 본래 두 역참(驛站)을 지나는 거리로, 말을 타고는 70 리(里), 걷거나 당나귀로는 50 리, 수레는 30 리이다.《字彙, 禾部》程, 驛程道里也.《杜牧, 泊湓浦感舊》搖搖遠堤柳, 暗暗十程煙.《資治通鑑, 晉海西公太和4年》琛兼程而進. (胡三省注) 程, 驛程也. 謂行者以二驛爲程, 若一程而行四驛是兼程也.《日知錄 10》凡陸行之程, 馬日七十里, 步及驢五十里, 車三十里. ② [길이] ❶척관법(尺貫法)의 한 단위. 1 정은 1 치〔寸〕의 10 분의 1 에 해당된다.《說文, 禾部》程, 程品也, 十髮爲程, 一程爲分, 十分爲寸. ❷척관법의 한 단위. 1 정은 1 치〔寸〕의 100 분의 1 에 해당된다.《說文通訓定聲》程, 十髮爲程, 十程爲分, 十分爲寸. ❸척관법의 한 단위. 1 정은 1 푼〔分〕의 12 분의 1 에 해당된다.《說文通訓定聲》程, 說文稱, 篆解云, 禾有秒, 律數十二秒而當一分, 十分爲寸. ③ [수효](chéng) 중국(中國)의 단위. ❶'곳'·'군데'의 뜻으로, 장소의 수를 세는 데 쓰는 말.《南柯記, 情盡》則那睡龍山高山處彩鸞飛, 這又是一程天也. ❷노선(路線)의 수를 세는 데 쓰는 말.《臺灣海外記 1》芝龍將新舊船隻分爲三程. 第一程芝虎·芝豹爲先鋒.

정(艇) [수효] '척'의 뜻으로, 배의 수를 세는 데 쓰는 말. 고(篙). 배(杯). 소(艘). 척(隻).《陶庵夢憶》好事者集小蓬船百什艇.

정(酲 : chéng) [부피] 중국(中國)의 단위. 술의 양을 헤아리는 데 쓰는 말.《新編五代史平話, 晉史》酒一百酲, 羊三百口, 牛二百頭.

정(錠) ① [질량] 금이나 은 따위의 작은 덩어리의 무게를 헤아리는 데 쓰는 말. ❶조선 중종(中宗) 때의 1 정은 약 10 냥〔兩〕1 돈〔錢〕7 푼〔分〕에 해당되었다. 과(裹). 정(挺). 흘(疙).《高麗史 31, 忠烈王世家》辛亥, 帝, 賜王金四錠, 金段二匹, 絹二匹. 賜從臣銀五十錠, 金段十八匹, 繡段十匹, 綾素段五百七十八匹, 絹四百八十六匹.《朝鮮太宗實錄 15, 8年4月庚辰》帝使禮部尙書趙玒, 賜世子金二錠, 銀十錠, 紵絲五十匹, 綿羅五十匹.《朝鮮中宗實錄 64, 23年閏10月戊子》下咸鏡道監司採銀書狀于政院曰, 今此咸鏡道採送銀六十三錠內, 三十錠則入內, 而三十三錠則下于尙衣院可也. 常時尙衣院無銀, 則必上于工曹而用之, 故今則下于尙衣院……年例採銀, 正銀六百三十兩六錢三分, 作六十二錠, 分入二樻. ❷1 정은 100 냥에 해당된다.《盛世危言, 鑄銀》紋銀大者爲元寶, 小者爲錠, 或重百兩, 或重五十兩, 以至二三兩. ❸1 정은 50 냥에 해당된다.

《輟耕錄 30》所得撤花銀子, 銷鑄作錠, 每重五十兩, 歸朝獻納. ❹ 1 정은 16 냥에 해당된다.《朝鮮太宗實錄 2, 元年10月庚辰》召前典書尹琠還, 琠爲安東採訪使, 採銀于春陽縣, 上以天寒未克事召之, 琠納銀十錠, 錠十六兩. ❺ 1 정은 15 냥에 해당된다.《金史, 食貨志》'舊例銀每鋌十五兩', 是稱銀曰鋌之始. 至元時乃改用錠字. ② [수효] ❶'자루'의 뜻으로, 먹〔墨〕의 수를 세는 데 쓰는 말. 매(枚). 병(餠). 장(張). 정(丁·挺). 쾌(快). 판(板). 편(片). 홀(笏).《朝鮮宣祖實錄 200, 39年6月庚戌》禮曹, 去癸卯年冬至使宋駿賫來流球國回咨禮物……黃毛筆五十枝, 油煤墨五十錠, 花硯二面, 連陸厚油紙五塊.《通文館志 3, 事大, 方物數目》皇太子前白細苧布二十疋, 滿花席十張, 雜彩花席十張, 白綿紙五百卷, 黃毛筆五十枝, 油煤墨五十錠.《春官通考 2, 迎勅禮單》墨三百六十二錠.《度支志, 外篇 16, 經費司》油煤墨十五錠. ❷ 초(鈔)·저폐(楮幣)의 수를 세는 데 쓰는 말. 1 정은 초(鈔) 1천 장, 또는 5 장에 해당된다.《高麗史 32, 忠烈王世家》二十九年二月丁亥, 元遣怯里馬赤·月兒忽都, 以官素一十五表裏, 紵經裏兒絹三百匹, 黃香十五斤, 鈔六百十一錠二十五兩, 來轉藏經.《高麗史 38, 恭愍王世家》長寧翁主女婿魯王遣使送宴, 綫楮幣一百五十錠.《朝鮮太宗實錄 5, 3年4月甲寅》帝見崙等喜曰, 使到翌日卽來矣, 賜六表裏, 鈔三百五錠, 厚慰而送.《朝鮮太宗實錄 6, 3年8月乙亥》至元二年, 會計楮幣, 凡五萬七千六百八十二錠.《吏文輯覽 3, 布花鈔錠》布, 綿布. 花, 緜花. 鈔郞楮貨. 鈔錠鈔之數, 一千張爲一錠. 一云五張爲錠.《宋濂, 汪文節公神道碑》時軍費不給, 加以嚴刑, 弗之集. 先生從容一言, 獲鈔一萬錠, 米三千斛. ❸'환(丸)'·'알'의 뜻으로, 알약의 수를 세는 데 쓰는 말. 과(顆). 원(圓). 환(丸). 태블릿(tablet).《浮生六記, 養生記道》我有靈丹一小錠, 能醫四海羣迷病. ❹'꿰미'의 뜻으로, 엽전 따위를 꿴 꿰미의 수를 세는 데 쓰는 말.《欽欽新書 3, 黃甲劫殺判詞》山東青州府, 有一客商張恩, 帶銀百餘兩, 往北京, 路遇馬夫, 名李立. 前來叫聲曰, 客官要僱馬否. 張恩遂僱馬前行, 未及二里, 見一童子, 手執一鵶, 悲哀可憐, 張恩遂買之, 旋卽放生. 李立見其包中有碎銀十餘片, 有鏪銀二三錠(鏪, 串也), 遂生心曰, 銀包裏有許多銀子. ❺(dìng) 중국(中國)의 단위. '추(錘)'·'방추(紡錘)'의 뜻으로, 가락의 수를 세는 데 쓰는 말.

정간(井間) [수효] 가로 세로 평행선을 그어 정(井)자 모양으로 된 각각의 간살을 세는 데 쓰는 말. 예전 악보(樂譜)에서는 1 정간 1 박(拍)이 원칙이나, 악곡(樂曲)에 따라 2 정간 1 박, 3 정간 1 박으로 기보(記譜)하기도 한다.

정보(町步) [넓이] 척관법(尺貫法)의 한 단위. 땅이 넓이가 정(町)으로 끝나고 단수(端數)가 없을 때에 사용한다.

1 정보＝10 단(段)
　　＝100 묘(畝)

=3,000 평(坪)
=99.174 아르〔a〕
=0.9917 에이커〔ac〕
=0.0099174 제곱 킬로미터

정수승 단위(整數乘單位) [해설] 계량 단위 및 보조 계량 단위에 10의 정수승(整數乘)을 곱하여 나타내는 보조 계량 단위. 표로 나타내면 다음과 같다.

명 칭	기호	크 기
테라(tera)	T	10^{12}
기가(giga)	G	10^{9}
메가(mega)	M	10^{6}
킬로(kilo)	k	10^{3}
헥토(hecto)	h	10^{2}
데카(deca)	da	10
데시(deci)	d	10^{-1}
센티(centi)	c	10^{-2}
밀리(milli)	m	10^{-3}
마이크로(micro)	μ	10^{-6}
나노(nano)	n	10^{-9}
피코(pico)	p	10^{-12}
펨토(femto)	f	10^{-15}
아토(atto)	a	10^{-18}

길이의 보조 단위인 미크론(μ=1/1,000 mm)과 접두어로 쓸 때의 마이크로와는 서로 다르다.

정전(丁錢) [조세] ❶조선 시대에 장정(壯丁)이 군역(軍役) 대신으로 바치던 돈. 보통 정포(正布) 30 필(疋)씩이었다. ❷조선 시대에 중이 도첩(度牒)을 받을 때에 군포(軍布) 대신으로 바치던 돈. 보통 정포(正布) 20 필씩이었다. 《朝鮮世宗實錄 10, 2年11月庚午》 禮曹啓……兩班子弟自願爲僧者, 父母族人告僧錄司, 報禮曹啓聞取旨, 後納丁錢, 給度牒. 《經國大典 3, 禮曹, 度僧》 爲僧者, 三朔內告禪宗或教宗, 試誦經, 報本曹啓聞, 收丁錢(正布二十匹). 給度牒.

정점(丁點 : dīngdiān) [부피] 중국(中國)의 단위. 매우 적은 양을 헤아리는 데 쓰는 말. 〈예〉 這介~的小島.

제(制) ① [길이] 물건의 길이를 헤아리는 데 쓰는 말. 1 제는 18 자〔尺〕에 해당된다. 《儀禮, 既夕禮》 贈用制幣(丈八尺曰制). ② [수효] '통'·'장'·'편'의 뜻으로, 칙명(勅命)의 수를 세는 데 쓰는 말. 《宋史, 鄭獬傳》 神宗初, 召解夕對內東門, 命草吳奎知青州及張方平, 趙抃參政事三制, 賜雙燭送歸舍人院, 外廷無知者.

제(第) [수효] ❶차례·순서·등급(等級) 따위의 몇 째인가를 나타내는 데 쓰는 말. 《三國遺事 2, 紀異, 景文大王》 國仙邀元郎·譽昕郎·桂元·叔宗郎等, 遊覽金蘭, 暗有爲君主理邦國之意, 乃作歌三首, 使心弼舍知, 授針卷, 送大矩和尙處, 令作三歌, 初名玄琴抱曲, 第二大道曲, 第三問群曲, 入奏於王, 王大喜稱賞, 歌未詳. 《朝鮮高宗實錄 33, 32年3月26日》 勅令第五十五號, 軍部官制裁可頒布. 軍部官制. 第一條, 軍部大臣은 軍政을 管理ᄒᆞ고, 軍人·軍屬을 統督ᄒᆞ며, 軍隊及所轄各官廳·要塞을 監督홈……第五條, 軍部에 左開五局을 置홈. 軍務局·砲工局·經理局·軍法局·醫務局……第十九條, 醫務局에서ᄂᆞᆫ 軍事衛生及醫事에 關ᄒᆞᆫ 一切 事務ᄅᆞᆯ 掌홈. ❷'채'의 뜻으로, 집의 수를

세는 데 쓰는 말. 《宋史, 高頔傳》 家貧, 無以存養, 願賜一第, 庶獲寸祿, 以及老父.

제(提) [수효] ❶약관(藥鑵)·냄비 따위의 자루가 달린 기구나 그릇의 수를 세는 데 쓰는 말. 《增正文隣志 5, 一行回受私禮單》 三使臣, 關白所送銀子一千五百枚, 雪綿子九百把……金皮目鏡六掛, 銅藥鑵三提……纖銅灸籠六枚. ❷(tí) 중국(中國)의 단위. '덩이'·'덩어리'의 뜻으로, 손에 쥘 수 있는 작은 덩어리의 수를 세는 데 쓰는 말. 《管子, 山權數》 君請起十乘之使, 百金之提. 《三國演義, 77回》 上馬一提金, 下馬一提銀. 《水滸全傳, 85回》 封宋江爲鎭國大將軍, 賜與金一提, 銀一秤, 權當信物.

제(製 : zhì) [수효] 중국(中國)의 단위. 일정한 길이로 짠 피륙을 하나치로 세는 데 쓰는 말. 겸(縑). 냥(兩). 단(段·端). 정(丁). 필(匹·疋). 《說苑, 復恩》 甯文子具紵絺三百製.

제(齊) [부피] '제(劑)'의 1❶과 같다. 《史記, 扁鵲倉公傳》 躁者有餘病, 卽飮以消石一齊, 出血, 血如豆比五六枚.

제(劑) 1 [부피] ❶한방(漢方)에서, 탕약(湯藥) 스무 첩(貼), 또는 그만한 분량으로 지은 고약(膏藥)이나 환약(丸藥)의 양을 하나치로 헤아리는 데 쓰는 말. 제(齊). 《北史, 徐謇傳》 卽處湯方, 服一劑, 便覺稍遠……數劑湯, 疾竟愈. 《儒林外史, 11回》 只消兩三劑, 使其腎氣常和, 虛火不致妄動, 這病就退了. 《紅樓夢, 88回》 大夫……寫了降伏心火的藥吃了一劑, 稍稍平復些. 《中國新文學大系》 看病沒按過脈, 只是伸舌頭伸舌頭, 吃了兩三劑藥, 發燒發熱更加厲害, 不是存心搗蛋是啥. ❷향(香)과 같이 가늘고 긴 물건의 양을 헤아리는 데 쓰는 말. 1 제는 1 봉(封)의 10 배(倍), 또는 100 개에 해당된다. 《度支準折, 雜種貿易》 芙蓉香(一劑, 価艮一百六十兩, 一封五雙, 価錢一兩). 2 [수효] '덩이'의 뜻으로, 작고 둥글게 만든 덩어리의 수를 세는 데 쓰는 말. 《林園十六志, 鼎俎志 2, 炊餾之類, 餠餌》 肉油餠方. 白麪一斤, 熟油一兩, 羊猪脂各一兩, 切如小豆大, 酒二盞, 與麪搜和, 分作十劑, 捍開裹精肉, 入爐內㶸熟.

제(蹄) [수효] '마리'의 뜻으로, 발굽의 수로서 가축이나 짐승의 수를 세는 데 쓰는 말. 1 마리는 4 제이다. 강(腔·羫). 골(骨). 구(口). 두(頭). 수(首). 척(隻). 투(套). 필(匹·疋). 《史記, 貨殖傳》 陸地牧馬二百蹄. 漢書音義曰, 五十匹. 《酉陽雜俎續集, 金剛經鳩異》 以馬數百蹄配之. 《痛史, 江上孤忠錄》 牛千蹄, 羊豕千隻. 《黃庭堅, 題蓮華寺詩》 狂卒猝起金坑西, 脅從數百馬蹄.

제(際) [수효] '번'·'회'·'차'의 뜻으로, 서로 만나는 횟수를 세는 데 쓰는 말. 《張養浩, 歸田詩》 向來慳一際, 今日幸四幷.

제(臍) [수효] '보'의 뜻으로, 사향(麝香)·저담(猪膽)·웅담(熊膽) 따위의 수를 세는 데 쓰는 말. 본래 사향이나 웅담 따위는 수컷의 배꼽과 불두덩을 싸고 있는 향낭(香囊)

을 말린 것이기 때문에 이 단위어가 쓰인 것이다. 《高麗史 9, 文宗世家》三十三年秋七月辛未, 別賜牛黃五十兩, 龍腦八十兩, 朱砂三百兩, 麝香五十臍. 《朝鮮世祖實錄 29, 8年12月甲戌》日本國使僧順惠等……雜彩花席一十張, 人參一百觔, 松子五百觔, 淸蜜二十斗, 麝香四臍, 白鵝二雙, 白鴨二雙.

제(穧) [부피] ❶척관법(尺貫法)의 한 단위. 1 제는 1 자밤, 또는 4 규(圭)에 해당된다. 《說文, 禾部》穧, 撮也. (段玉裁注) 撮者, 四圭也. 一曰兩指撮也. 然則穧之別義謂少也. 《說文通訓定聲, 履部》穧, 謂量名, 圭撮之撮. ❷'줌'의 뜻으로, 짚·땔나무·푸성귀 같은 것의 양(量)을 헤아리는 데 쓰는 말. 1 제는 4 줌에 해당된다. 곤(捆·綑). 단(丹). 속(束). 파(把). 《廣韻, 霽韻》穧, 刈禾把數. 《說文通訓定聲, 履部》穧, (鄭玄注) 四秉曰筥, 謂一穧也.

제곱 [수] 같은 수(數)를 그 수만큼 두 번 또는 그 이상 곱한 횟수(回數)를 나타내는 데 쓰는 말. 길이의 단위를 제곱하면 넓이가 되고, 길이의 단위를 세제곱하면 부피가 된다.

제곱 데시미터(square decimeter) [넓이] 미터법(法)에 의한 한 단위. 1 제곱 데시미터는 제곱 미터의 100 분의 1 에 해당된다. 기호 : dm^2

제곱 데카미터(square dekameter) [넓이] 미터법에 의한 한 단위. 1 제곱 데카미터는 제곱 미터의 100 배(倍)에 해당된다. 기호 : dam^2

1 dam^2 = 1 아르〔a〕
= 100 m^2

제곱 로드(square rod) [넓이] 야드(yard)·파운드법(pound 法)에 의한 한 단위. 1 제곱 로드는 39.204 제곱 인치〔in^2〕에 해당된다. 기호 : rd^2

1 rd^2 = 39.204 제곱 인치〔in^2〕
= 272.25 제곱 야드〔yd^2〕
= 0.00625 에이커〔ac〕
≒ 0.000009765 제곱 마일
≒ 25.292852 m^2

제곱 링크(square link) [넓이] 야드(yard)·파운드법(pound 法)에 의한 한 단위. 기호 : li^2

1 li^2 = 62.7264 제곱 인치〔in^2〕
= 0.4356 제곱 피트〔ft^2〕
= 0.0016 제곱 로드〔rd^2〕
= 0.001 제곱 체인〔ch^2〕
= 0.00001 에이커〔ac〕
= 0.000000015625 제곱 마일
≒ 0.040468564224 m^2

제곱 마일(square mile) [넓이] 야드(yard)·파운드법(pound 法)의 보조 계량 단위(補助計量單位).
기호 : mil^2, mi^2

1 제곱 마일〔mil^2〕
= 3,097,600 제곱 야드〔yd^2〕
= 640 에이커〔ac〕
= 10,240 제곱 로드〔rd^2〕
= 27,878,400 제곱 피트〔ft^2〕
≒ 2.589988 제곱 킬로미터〔km^2〕

제곱 미터(square meter) [넓이] 미터법에 의한 단위. 기호 : m^2

1 제곱 미터〔m^2〕
= 1,000,000 mm^2
= 10,000 제곱 센티미터〔cm^2〕
= 0.01 제곱 데카미터〔dam^2〕

=0.01 아르〔a〕
=0.0001 헥타르〔ha〕
=0.000001 km^2

제곱 밀리미터(square millimeter) [넓이] 제곱 미터〔m^2〕의 백만분의 1에 해당된다. 기호 : mm^2

1 제곱 밀리미터〔mm^2〕
=0.01 제곱 센티미터〔cm^2〕
=0.000001 제곱 미터〔m^2〕

제곱 센티미터(square centimeter) [넓이] 제곱 미터〔m^2〕의 10,000 분의 1에 해당된다. 기호 : cm^2

1 제곱 센티미터〔cm^2〕
=0.01 제곱 데시미터〔dm^2〕
=0.0001 제곱 미터〔m^2〕
=100 제곱 밀리미터〔mm^2〕

제곱 야드(square yard) [넓이] 야드(yard)·파운드법(pound 法)에 의한 단위. 기호 : yd^2

1 제곱 야드〔yd^2〕
=9 제곱 피트〔ft^2〕
≑0.836127 제곱 미터〔m^2〕

제곱 인치(square inch) [넓이] 야드(yard)·파운드법(pound 法)에 의한 제곱 야드〔yd^2〕의 보조 계량 단위. 제곱 야드의 1,296 분의 1에 해당된다. 기호 : in^2

1 제곱 인치〔in^2〕
=1/1296 제곱 야드〔yd^2〕
=6.4516 제곱 센티미터〔cm^2〕
=0.00064516 제곱 미터〔m^2〕

제곱 자〔尺〕 [넓이] 척관법(尺貫法)에 의한 단위.

1 제곱 자〔尺〕
=10,000 제곱 푼〔分〕
=100 제곱 치〔寸〕
≑918.274 제곱 센티미터〔cm^2〕
≑0.918274 제곱 미터〔m^2〕

제곱 체인(square chain) [넓이] 야드(yard)·파운드법(pound 法)에 의한 단위. 기호 : ch^2

1 제곱 체인〔ch^2〕
=627264 제곱 인치〔in^2〕
=4356 제곱 피트〔ft^2〕
=486 제곱 야드〔yd^2〕
=16 제곱 로드〔rd^2〕
=0.1 에이커〔ac〕
=0.00015625 제곱 마일〔mi^2〕
≑404.68564224 제곱 미터〔m^2〕

제곱 치 [넓이] 척관법(尺貫法)에 의한 제곱 자〔尺〕의 보조 계량 단위.

1 제곱 치〔寸〕
=0.01 제곱 자〔尺〕
≑9.18374 제곱 센티미터〔cm^2〕

제곱 킬로미터(square kilometer) [넓이] 미터법(法)에 의한 단위. 기호 : km^2

1 제곱 킬로미터〔km^2〕
=1,000,000 제곱 미터〔m^2〕

제곱 푼 [넓이] 척관법(尺貫法)에 의한 제곱 자〔尺〕의 보조 계량 단위.

1 제곱 푼〔分〕
=0.0001 제곱 자〔尺〕
≑0.00000918274 m^2
≑0.918274 cm^2
≑9.18274 mm^2

제곱 피트(square feet) [넓이] 야드(yard)·파운드법(pound 法)에 의한 제곱 야드〔yd^2〕의 보조 계량 단위. 기호 : ft^2

1 제곱 피트〔ft^2〕
=1/9 제곱 야드〔yd^2〕
≑0.0929030 제곱 미터〔m^2〕

제곱 헥토미터(square hectometer) [넓이] 미터법(法)에 의한 제곱 미터〔m²〕의 보조 계량 단위. 기호 : hm²

1 제곱 헥토미터〔hm²〕
=1 헥타르〔ha〕

제납이(第納爾 : dìnàěr) [통화] 중국(中國)의 단위. '디나르(dinar)'의 음역(音譯).

제리브(djerib) [넓이] 터키(Turkey)의 단위. 1 제리브는 2.471 에이커(acre), 또는 1 헥타르〔ha〕에 해당된다.

제리브(jerib) [넓이] 이란(Iran)의 옛 단위. 1 제리브는 0.267~0.285 에이커, 또는 10.82~11.53 아르〔a〕에 해당된다. 현재는 1 헥타르〔ha〕에 해당된다. 자리브(jarib).

제이들리크(žejdlik) [부피] 체코슬로바키아(Czechoslovakia)의 옛 단위. 1 제이들리크는 0.3543*l* 에 해당된다.

조(兆) ① [수] 십진급수(十進級數)의 한 단위. ❶ 1조는 억(億)의 10배(倍), 또는 10⁹에 해당된다.《集韻》十億曰兆.《書傳, 五子之歌》豫臨兆民. (傳) 十億曰兆. ❷ 1조는 억의 1만(萬) 배, 또는 10¹² 에 해당된다.《禮記, 內則》降德衆兆民(萬億曰兆). (疏) 兆, 在 億秭之閒.《左傳, 成公2年》太誓所謂商兆民雜(萬億曰兆).《太平御覽 750》風俗通曰, 十十謂之百, 十百謂之千, 十千謂之萬, 十萬謂之億, 十億謂之兆, 十兆謂之經, 十經謂之垓, 十垓謂之補, 十補謂之選, 十選謂之載, 十載謂之極. ② [수효] 점(占)을 치는 횟수를 세는 데 쓰는 말.《孔子家語, 好生》孺子容三年爲三兆.

조(弔 : diào) [수효] 중국(中國)의 단위. 예전에 엽전의 수를 세는 데 쓰는 말. 1조는 엽전 1,000 문(文), 또는 1,000 닢에 해당된다.《四友齋叢說 8》是日十三位道長, 每一箇馬上人要錢一弔. 一弔者千文錢也.《紅樓夢, 36回》就是晴雯, 麝月他們七個丫頭, 每月人各月錢一弔, 佳蕙他們八個小丫頭們, 每月人各月錢五百.

조(条) [수효] ❶뿔〔角〕의 수를 세는 데 쓰는 말. 개(介). 근(根). 부(部). 정(丁). 지(枝). 통(桶).《朝鮮宣祖實錄 71, 29年正月丁酉》腰繫銀入絲金帶, 佩帨巾·刀子·礪石·獐角一条物等. ❷'조(條)'의 ❻과 같다.《朝鮮光海君日記 121, 9年 11月戊寅》寧越郡所送衝椽三十條內, 大不等只擇二条, 其餘二十八条, 並皆不用云.《孝宗寧陵山陵都監儀軌, 座目》道里次眞木二条, 各長十六尺, 末圓經六寸. 栿次眞木二条, 各長十六尺, 末圓經八寸. 樑次眞木二条, 各長十八尺, 末圓經八寸.《度支準折, 木物》黃楊木一条, 長二尺, 末圓經一寸五分. 假木一条, 長七尺, 末圓經一尺二寸. 楸木一条, 長七尺, 末圓經一尺二寸. ❸나무오리의 수를 세는 데 쓰는 말.《關西邑誌, 龍岡誌, 折價式》椵板一条, 價二戔八分, 十条爲一立. 板子一条, 價二戔八分, 十条爲一立. ❹'조(條)'의 ㉓과 같다.《度支準折, 紙地》靑菱花, 以草注紙入染推水, 二十条爲一張, 貢價二十三兩二戔. ❺문어(文魚)나 전복〔秋卜〕의 수를 세는 데 쓰는 말. 전복의 1 조는 첩(貼)의 5 분의 1 에 해당된다.《陶

山書院傳掌記, 萬曆 46年正月 19日》白文魚三条.《度支準折, 魚物》秋卜一条, 五条作一貼, 価錢一戔. 內局. ❻'조(條)'의 ❾와 같다.《度支準折, 雜種貿易》細条帶一条, 価錢三戔, 以上版貿. 紅多繪絲(長二尺)一条, 価錢一戔五分, 祈雨祭龍所入, 黃色同. 版貿. ❼뱀〔蛇〕의 수를 세는 데 쓰는 말.《度支準折, 唐藥材》烏蛇一条(重四兩), 一兩, 価米六斗一升二合五夕, 代錢四兩八分三里. 白花蛇一条(重九兩二戔), 一兩, 価米八斗三升一合四夕, 代錢五兩五戔四分. ❽조(條)의 ⓱과 같다. 다시마〔多士麻〕50 줄기면 1 꾹지〔曲之〕가 되고, 미역은 6 줄기면 1 좨기〔走之〕가 된다.《關西邑誌, 龍岡誌, 折價式》多士麻一曲之, 價五戔, 五十条爲一曲之. 甘角一走之, 價四分, 六条爲一走之. ❾다리〔髢髲〕의 수를 세는 데 쓰는 말. 1조는 단(丹)의 10 분의 1 에 해당된다. 근(筋).《度支準折, 雜種貿易》髢髲一丹, 十子十条, 並稱一丹, 価錢十兩五戔. ❿'조(條)'의 ㉒와 같다.《度支準折, 筆墨》白筆十柄, 羔毛一兩, 槊連黃毛一条, 雜物同上, 一柄折價一戔二分八里. 黃毛筆(方物百柄), 連黃毛五十条, 黃蜜五兩一戔, 阿膠一兩三戔六分, 炭三斗, 竹一百五十節, 一柄折價四戔.《度支準折, 毛鬣》連黃毛一条, 兩米五斗, 貿錢八戔. 工曹.《三名日方物膽錄》黃毛七条. ⓫'조(條)'의 ㉑과 같다. 20 오리면 1 령(令·領)이 된다.《關西邑誌, 龍岡誌, 折價式》白油牛皮六条作一兩, 白油皮二十条作一令. ⓬'조(條)'의 ❽과 같다.《度支準折, 肉物》小脯一条, 長八寸, 廣一寸五分, 厚二分, 価米五斗. 中脯一条, 長九寸, 廣一寸九分, 厚二分五里, 重一斤, 十条作一貼. ⓭짐승의 꼬리의 수를 세는 데 쓰는 말.《度支準折, 毛鬣》豹尾一条, 価錢一兩三戔. 版貿. ⓮일본(日本)의 단위. ㉮'조(條)'의 ㉖㉯와 같다. ㉯화살이나 창(槍)의 수를 세는 데 쓰는 말. 개(箇). 근(筋). 매(枚). 본(本). 시(矢). 지(枝). 척(隻). 파(把). 편(編). ㉰밧줄·말고삐〔手綱〕의 수를 세는 데 쓰는 말.

조(皁) [수효] 말〔馬〕12 마리를 하나치로 세는 데 쓰는 말.《周禮, 夏官, 校人》三乘爲皁.

조(挑 : tiāo) [1] [수효] 중국(中國)의 단위. '짐'의 뜻으로, 짐짝의 수를 세는 데 쓰는 말. 담(擔). 부(負). 척(隻). 태(笞). 하(荷).《中國歌謠資料, 訴苦歌》高山高, 砍柴燒, 一天砍得三五把, 三天砍得八九挑.《中年時代》但別家行李皆有數挑, 而我因爲昨日受了日機轟炸只有一挑. [2] [넓이] 중국의 옛 단위. 1 조는 시묘(市畝 : 6,667 a)의 4 배(倍)에 해당된다. 지방에 따라서는 5 배라고도 한다.

조(條) [수효] ❶법률(法律)의 조항(條項)이나 규약(規約)의 세목(細目)을 나타내는 데 쓰는 말. 또는 그 수를 세는 데 쓰는 말.《朝鮮文宗實錄 2, 卽位年7月己未》況隨例叙用, 已有受敎, 不可輕易立法, 第十一條十二條, 皆祖宗成憲, 不宜輕改.《續大典 2, 戶典, 解由》凡越祿毋過七等, 諸司合計, 疊犯者從重施

行, 犯三條加一等, 犯四條又加一等, 毋過八等. 《朝鮮高宗實錄 40, 光武4年3月20日》詔曰, 光武三年六月二十二日, 頒下元帥府官制改正如左……第一款……第四條, 元帥府官員은 無論何等職任ᄒᆞ고 文事官員은 被選ᄒᆞᆷ을 得지 못ᄒᆞ고 左開ᄒᆞᆫ 定員으로 編成ᄒᆞᆷ이라. 將官四員, 領官四員, 尉官十五員. 第二款, 第一條, 元帥府에 軍務・檢査・記錄・會計 四局을 置ᄒᆞ고, 各局에 總長・副長・局員을 置ᄒᆞᆷ이라. ❷지팡이의 수를 세는 데 쓰는 말. 은두장(銀頭杖)은 손잡이 부분을 은색(銀色)으로 칠하여 꾸민 지팡이로, 문무(文舞)를 인도하는 색장(色長)이 집는다. 괴(拐). 《高麗史 70, 樂志, 雅樂, 軒架樂器》樂舞執擎法物, 引文舞色長執銀頭杖子共二條. ❸비석(碑石)의 수를 세는 데 쓰는 말. 《新增東國輿地勝覽 7, 京畿道, 驪州, 佛宇, 高達寺》二十年前似夢間, 少年交契半黃泉, 今來高達古精舍, 爲有圓通大福田, 四面山屛圍紺宇, 一條碑石倚靑天, 笑談竟夕忘歸路, 還似當時在妙蓮. ❹연기나 어떤 기운, 또는 무지개 따위가 피어 오르거나 서리어 있는 수를 세는 데 쓰는 말. 계(溪). 누(縷). 도(度・道). 타(朶). 《高麗史 54, 五行志》 七年五月庚申昏, 有白氣一條, 如匹練, 坤艮相衝, 良久乃滅. 《陶山書院古文書, 通文》時壬申四月二十七日也. 伊日忽有迅雷作聲, 黃霧蔽天, 白日昏黑, 俄而天晴, 一條白虹, 自獄左飮泉起, 橫亘西北數百里. ❺'줄기'・'갈래'・'가닥'의 뜻으로, 물줄기의 수를 세는 데 쓰는 말. 《三國遺事 3, 塔像, 天龍寺》討論三韓集云, 鷄林土內, 有客水二條, 逆水一條. 其逆水・客水二源, 不鎭天災, 則致天龍覆沒之災. ❻'그루'의 뜻으로, 초목의 수를 세는 데 쓰는 말. 간(竿・幹・榦). 과(科・棵・窠・顆). 근(根). 두(頭). 수(樹). 장(章). 정(挺). 조(条). 주(株). 《朝鮮世祖實錄 45, 14年正月壬申》黃澗縣監丁明應, 桑木一百八十條, 虛錄會計. 《朝鮮成宗實錄 28, 4年3月甲辰》全羅道觀察使金之慶曰, 今觀鄕啓, 道內諸邑, 培養甘草, 光陽六十三條內, 今有二十六條, 咸平一百七十條內, 今有八十條, 羅州三千七十五條內, 今有二千五百二十一條, 他邑生長亦不多. 《朝鮮光海君日記 176, 14年4月乙酉》又傳曰, 海西材木, 當初不爲斫伐則已矣. 九千餘條斫伐曳下, 接置江邊, 而至今不爲輸運, 過夏則腐朽不用矣. 急遣宣傳官, 詳細下諭, 斯速載運. 《磻溪隨錄 3, 田制後錄 上》自戶曹海運使, 以至倉官, 不得斂一升米, 一葉苫, 一條木. ❼가구(家具)나 악가(樂架)를 이루는 기둥이나 가로대 따위의 수를 세는 데 쓰는 말. 《高麗史 70, 樂志, 登歌樂器》塔腦一條, 頰柱二條, 中正聲串各二條, 脚桄二條, 脚趺二隻, 耀葉板五段, 五珠流蘇二件. ❽얇고 길쭉하게 말린 고기 조각이나 포(脯)의 수를 세는 데 쓰는 말. 개(箇). 닙(立). 정(挺・脡). 조(条). 편(片). 《朝鮮世祖實錄 7, 3年5月戊子》大藏經一部, 石燈盞五事, 鞍子一面……油芚一十張, 牛黃一十部, 乾虎臟五十二箇, 乾虎骨四十二箇,

乾虎肉四百七十條.《度支志 15, 都摠府》中脯五條.《萬機要覽, 財用編 1, 各貢, 宣惠廳》中脯, 每條十斗. 三南·江原.《關西邑誌, 鐵山府邑誌, 事例》鹿脯八十二條. ❾요대(腰帶)·혁대(革帶) 따위 띠의 수를 세는 데 쓰는 말. 본(本). 부(部). 요(腰). 조(条).《三國史記 6, 新羅文武王本紀》唐皇帝遣使來弔, 兼進贈紫衣一襲, 腰帶一條.《三國史記 11, 新羅景文王本紀》金釵頭五色綦帶幷班胷各一十條.《高麗史 70, 樂志, 軒架樂器》衣冠舞衣等樣各一副……白絹抹帶一條, 銅革帶一條, 烏皮履一緉. ❿약선(藥線)이나 박고지(朴古之) 따위 긴 물건의 수를 세는 데 쓰는 말.《萬機要覽, 軍政編 3, 禁衛營, 軍器》藥線二千八百十三條.《進饌儀軌(純祖己丑) 2, 饌品》朴古之一條. ⓫일의 가닥이나 종류의 수를 세는 데 쓰는 말.《朝鮮世宗實錄 20, 5年 4月戊寅》政府六曹會議, 又擇陳言可行三十七條以聞, 命下禮曹條錄可行事件以聞.《朝鮮世宗實錄 60, 15年6月壬辰》且附以針灸法一千四百七十六條.《通文館志 8, 故事》申文忠叔舟與成三門, 承命學華語于遼東……乃採勸善陰騭諸書中, 可爲勸戒者數十條, 與平昔所聞故事數十, 摠六十五條, 俱以譯語翻說, 名曰訓世評話. ⓬상아(象牙)의 수를 세는 데 쓰는 말. 매(枚). 본(本).《朝鮮世祖實錄 26, 7年12月戊辰》今開禮物, 錫二千斤, 蘇木二千斤, 檀香一百斤, 丁香一百斤, 木香一百斤, 象牙四條, 犀角六箇, 天竺酒一埕, 胡椒二百斤. ⓭'자루'의 뜻으로, 초〔燭〕의 수를 세는 데 쓰는 말.《芝峰類說 13, 文章部, 東詩》世傳鄭知常詩曰, 三丁燭盡天將曉……余按三丁, 猶言三條, 今奉常寺祭燭以一柄爲一丁, 以三柄爲三丁.《王定保, 唐摭言, 敕賜及第》及小歸公主文, 韜玉准敕放及第, 仍編入其年榜中. 韜玉置書謝新人, 呼同年, 略曰, 三條燭下, 雖阻文闈, 數仞墻邊, 幸同恩地.《苕溪漁隱叢話, 後集, 王禹王, 復齋漫錄》杜陽雜編言, 舒元輿舉進士, 旣試, 脂炬人皆自將. 以余考之, 唐制如此耳. 故廣記云, 唐制, 擧人試日, 旣暮, 許燒燭三條. ⓮'뿌리'의 뜻으로, 파〔葱〕의 수를 세는 데 쓰는 말.《新編集成馬醫方, 治腎部》右等分爲末, 每用藥一兩, 葱白二條, 細切. ⓯길〔路〕의 수를 세는 데 쓰는 말.《海行摠載 1, 申高靈海東諸國紀, 畿內五州》都中閭巷道路, 皆方通四達, 每一町有中路, 三町爲一條, 條有大路, 井井不紊, 凡九條, 二十萬六千條.《老乞大諺解, 下, 38》伱這小孩兒(네 이 아히들히), 若成人時(ᄒᆞ다가 사ᄅᆞᆷ되면), 三條路兒中間裏行着(세 오리 길헤 가온대로 ᄃᆞᆫ닐 거시라). ⓰보〔袱〕의 수를 세는 데 쓰는 말. 건(件). 부(浮).《朝鮮成宗實錄 76, 8年2月癸酉》靑暗花紵絲夾裙一件, 綿布表絹裏夾包袱一條, 熟絹單包袱二條.《朝鮮宣祖實錄 163, 36年6月甲辰》勅書一道, 誥命一軸……紅布包袱一條, 右咨朝鮮國王. ⓱미역〔藿·甘藿〕·다시마〔海帶〕 따위의 수를 세는 데 쓰는 말. 미역은 50 조면 1 속(束), 50 속은 1 동(同), 4 조면 1 꼭지〔曲

之〕가 된다. 조(条).《萬機要覽, 財用編 3, 海稅》藿田, 五十條爲一束, 五十束爲一同. 《進宴儀軌(高宗壬寅) 2, 饌品, 咸寧殿外進宴》各色截肉一器, 洪魚·沙魚各五十尾……乾大鰕五十級, 海帶二十條, 實栢子一升.《關西邑誌, 三和府邑誌, 事例》甘藿一曲之(四條作一曲之). ⓲ '자루'의 뜻으로, 창(槍)의 수를 세는 데 쓰는 말. 근(根). 병(柄). 본(本). 정(挺). 좌(坐). 지(枝). 총(叢).《朝鮮世宗實錄 102, 25年11月己巳》大刀十把, 長刀十柄, 槍十條, 塗金彩花屛風一雙, 諸色密絹二十段, 彩花扇一百把. ⓳구슬을 꿴 꿰미의 수를 세는 데 쓰는 말. 관(貫). 색(索). 천(串).《高麗史 9, 文宗世家》 三十二年六月丁卯……金鍍銀匣盛一條玉一十六稻. ⓴'마리'의 뜻으로, 웅어〔鱔魚〕·문어(文魚)·자반〔佐飯〕·고등어〔古道魚〕·방어(魴魚) 따위 물고기의 수, 또는 토막친 수를 세는 데 쓰는 말. 괴(塊). 매(枚). 미(尾). 지(枝). 필(匹).《救急簡易方諺解 1, 20》大鱔魚(큰 웅에)一條(큰 웅에 흔나ᄒᆞᆯ).《關西邑誌, 龍岡誌, 折價式》文魚一尾, 價一兩, 八條爲一尾.《始興縣邑誌, 事例》佐飯, 四折爲一條, 八條爲一尾.《度支志, 外篇 16, 通信使行》乾古道魚二條.《陶山書院傳掌記, 天啓8年正月20日》魴魚二十條. ㉑'가닥'·'줄기'·'오리'의 뜻으로, 가죽 오리의 수를 세는 데 쓰는 말. 조(条).《純元王后國葬都監儀軌 2, 稟目》䨒牛皮全長, 廣一寸五分, 七條. ㉒붓을 매기에 알맞게 모아 묶은 황모(黃毛)의 수를 세는 데 쓰는 말. 조(条).《高麗史 12, 肅宗世家》獻黃毛一萬條.《仁祖國葬都監儀軌, 2房, 雜物實入》黃毛捌條.《萬機要覽, 財用編 1, 供上, 大殿》黃毛五條, 每條價四兩.《度支準折, 毛鬣》黃毛一숲(百條), 價錢三十兩, 一條錢三戔. ㉓'가닥'·'줄기'·'오리'의 뜻으로, 종이 오리의 수를 세는 데 쓰는 말. 조(条).《漢淸文鑑 4, 文學什物》一條紙(ᄒᆞᆫ 오리 죠히). ㉔깔개의 수를 세는 데 쓰는 말. 사(事).《朴通事諺解, 中》花氈來底下鋪一條(花氈 가져다가 밋회 ᄒᆞᆫ 볼 ᄭᆞᆯ고). ㉕옷고름이나 줄·술, 또는 실의 수를 세는 데 쓰는 말. 도(道). 조(條).《吏文輯覽 2, 3》衣帶八條. 衣帶, 鄕言골ᄒᆞᆷ. 八條卽八箇也.《王仁裕, 席上詠胡琴妓詩》一抹朱弦四十條. ㉖일본(日本)의 단위. ㉮기(旗)의 수를 세는 데 쓰는 말. 건(件). 면(面). 병(柄). 부(副). 수(首). 유(旒).《羣書類從 69》珠幡十四條. ㉯장막(帳幕)·수건·보〔袱〕·모기장 따위의 수를 세는 데 쓰는 말. 부(浮·部). 우(宇). 장(帳). 조(条). 첩(帖).《羣書類從 1》絹垣帳一條.《羣書類從 6》生絁蛟屋二條. ㉰'채'의 뜻으로, 이불의 수를 세는 데 쓰는 말. 건(件). 권(卷). 중(重).《羣書類從 1》小文紫御被一條(長五尺, 弘二幅). ㉱건(巾)·모자 따위의 수를 세는 데 쓰는 말. 개(蓋). 구(口). 닙(立·笠). 매(枚). 부(部). 사(事). 월(月). 정(頂).《羣書類從 2》細布御巾二條.

조(粗) [과거(科擧)] '조통(粗通)'

과 같다. 《朝鮮世宗實錄 103, 26年 2月己丑》禮曹啓文科講經節目. 一, 句讀·訓釋皆不錯誤, 講論雖不該通, 不失一章大旨者, 爲粗通. 一, 句讀·訓釋皆熟, 講論詳明, 雖通大旨, 未至融貫者, 爲略通. 一, 旣能句讀明白, 訓釋·辨說無疑, 開析義理, 融貫旨趣者, 爲通. 一, 句讀·訓釋·義理·旨趣, 旣皆曉釋, 又能連上接下, 曲暢旁通, 融貫一書大旨, 深得言意之表者, 爲大通. 一, 聖賢書義理無窮, 故學者所傳或異, 試官等當講經時, 生徒句讀及釋義, 或異於己指, 爲不通者有之. 今後生徒所見雖異, 文義皆通, 則試官等勿拘己見, 以從衆議.《慵齋叢話 2》擧子讀大文釋之, 詩官講論註疏, 胥吏書通·略·粗·不四字, 以爲講籤, 各置於試官前.《經國大典 1, 吏典, 內侍府, 注》講所讀書, 通給別仕二, 略通一, 粗通半, 不通削仕三.

조(組) [수효] ❶'벌'의 뜻으로, 그릇이나 기계와 같이 두 개 이상을 갖추어 한 벌을 이룬 물건의 수를 세는 데 쓰는 말.《朝鮮純宗實錄 8, 大正6年9月22日》代議士古谷久綱, 謁見于兩宮, 仍進茶具各一組.《朝鮮純宗實錄 8, 大正 6年 12月 20日》特賜東京美術學校敎授福井江亭, 銀杯三組, 金二百圓, 以御前繪畫揮毫也. ❷'조'의 뜻으로, 어떤 일을 위하여 적은 인원으로 조직된 집단의 수를 세는 데 쓰는 말.《時事中國語》爲了節省氫氣及裝備, 決定由第一組隊員做首次的登峯嘗試, 但因雪折返.

조(曹) [수효] '무리'·'떼'의 뜻으로, 동아리의 수를 세는 데 쓰는 말.《墨子, 號令》令門外爲二曹, 夾門坐, 鋪食更無空. (孫詒讓閒詁) 鋪當爲餔…… 言餔食則遣其曹更代, 勿令空也.《孫思邈, 千金月令》臘日以後, 叟嫗各隨其儕爲藏, 彄分爲二曹, 以較勝負.

조(造 : zào) [수효] 중국(中國)의 단위. ❶'번'·'차례'의 뜻으로, 농작물의 씨앗을 뿌리거나 수확하는 횟수를 세는 데 쓰는 말. ❷만나거나 방문한 횟수를 세는 데 쓰는 말.《南史, 劉訏傳》陳留阮孝緖博學隱居, 不交當世, 恒居一鹿牀, 環値竹木, 寢處其中, 時人造之, 未嘗見也. 訏經一造, 卽顧以神交. ❸'조(遭)'의 ❶과 같다.《葉適, 陳叔向墓志銘》然仁必有方, 道必有等, 未有一造而盡獲也.《醒世恒言, 杜子春三入長安》這銀子難道不許你使用, 但不可一造的用盡了, 又來尋我.《醒世姻緣傳, 60回》扎掙着去取鞭子, 那兩只肐膊甚麽是擡得起來, 只得發恨了一造罷了.

조(條) [수효] '조(條)'의 ㉕와 같다.《經國大典 3, 禮典, 儀章, 鞍具》五六品, 白鹿角邊鞍一條垂兒.

조(槽 : cáo) [수효] 중국(中國)의 단위. '짝'의 뜻으로, 칸막이나 가리개, 또는 창문 따위의 수를 세는 데 쓰는 말. 〈예〉兩~隔扇. 一~窓戶. 一~屛門.

조(遭) [수효] ❶'번'·'차례'의 뜻으로, 일의 횟수를 세는 데 쓰는 말. 개(個). 계(季). 과(過). 기(起). 도(度·道). 반(返·班). 배(輩). 번(番). 삽(霎). 성(成). 운(運). 장(場). 쟁(趟). 조(造). 주(注). 하자(下子). 헐(歇). 호(號). 화

(伙). 회(回·廻·會). 《朝鮮宣祖實錄 104, 31年9月癸未》 驪州水路適均處設站, 使粮船運卸於此, 則一月可以四五遭往來, 氷凍之前, 可運三四萬石. 《老乞大諺解, 上》 這夏店我會走了一兩遭(이 夏店을 내 아래 훈 두 번 둔녀마는). 《吏文 2, 咨奏申呈照會》 可三年一遭來進貢. 《吏文輯覽 2, 一遭》 一遭, 猶一番也. 《五代史補, 王彥章八軍》 且共汝輩赤脚入棘鍼地走三五遭, 汝等能乎. 《三國演義, 12回》 我往復兩遭, 尋覓不見. 《醒世姻緣傳, 25回》 眞是一遭生, 兩遭熟, 越發成了相知. ❷'둘레'·'바퀴'의 뜻으로, 빙 돌아서 원래의 위치까지 이르는 한 번의 차례. 또는 그 수를 세는 데 쓰는 말. 《孟郊, 寒地百姓吟》 華膏隔仙羅, 虛遶千萬遭. ❸둥근 테 모양으로 된 것의 수를 세는 데 쓰는 말. 《物理小識, 鳥獸類 下》 蜻蛉綠色者雄, 腰間一遭碧色者雌. ❹'열(列)'·'줄'의 뜻으로, 사람이나 물건이 죽 벌여 선 것의 수를 세는 데 쓰는 말. 《魔合羅, 1折》 俺家裏有一遭新板闥, 住兩間高瓦屋.

조(操) [수효] '번'·'회'·'차례'의 뜻으로, 일의 횟수를 세는 데 쓰는 말. 《李文蔚, 燕靑博魚, 1折》 你和他打了這一操, 他如今不來尋你, 就是你的造化了.

조각 [수효] '조각(召角)'과 같다.

조각(召角) [수효] '조각'의 차자 표기로, 어떤 물건에서 조그마하게 떼어 내거나 떨어져 나온 부분의 수를 세는 데 쓰는 말. 판(瓣). 편(片). 《仁祖國葬都監儀軌, 3房, 稟目甘結秩》 雜物容入都數……骨灰四斗(細沙入量, 大沙入量), 檜木皮七召角. 《新字典》 召(죠), 棗也 대초. 召史, 조이. 良家妻, 又云寡婦, 見吏讀. 《東京雜記 3, 孝行》 寓召史, 僉知李容妾也, 事親至孝, 以父母死於亂離中, 不得厚葬, 平生衣不挾新絮.

조구(兆歐 : zhào'ōu) [저항] 중국(中國)의 단위. '메그옴(megohm)'의 역어(譯語).

조끼(jug) [부피] 조끼에 술 또는 액체를 담아 그 양을 헤아리는 데 쓰는 말. 조끼는 맥주를 담아 마시는 주둥이가 넓고 손잡이가 달린 컵이다.

조도의 단위(照度―單位) (units of illumination) [조도] 조도는 광속(光束)이 투사(投射)된 면(面)의 면적에 대한 밀도(密度)를 말한다. 조도의 단위에는 럭스〔lx〕, 포토〔ph〕, 밀리럭스〔mlx〕, 마이크로럭스〔μlx〕, 밀리포토〔mph〕 등이 있다.

조돈(兆噸 : zhàodùn) [군사] 중국(中國)의 단위. '메가톤(megaton)'의 역어(譯語).

조례기척(造禮器尺) [해설] 조선 시대에 사용하였던 자의 한 가지. 태종(太宗) 때에 예기(禮器)를 규격에 맞게 제조하기 위하여 이 자를 만들어 쓰기 시작하였는데, 조례기척 1 자〔尺〕는 황종척(黃鐘尺) 0.823 자〔尺〕, 주척(周尺) 1.38 자, 영조척(營造尺) 0.92 자, 종서척(縱黍尺) 1.7 자에 해당되었다. 《國朝五禮儀序例 1, 吉禮, 度圖說》 度之制, 十釐爲分, 十分爲寸, 十寸爲尺, 十尺爲丈. 以周尺准黃鐘尺, 則

周尺長六寸六釐，以營造尺准黃鐘尺，則長八寸九分九釐，以造禮器尺准黃鐘尺，則長八寸二分三釐，二布帛尺准黃鐘尺，則長一尺三寸四分八釐.

조르나타(giornata) [넓이] 이탈리아(Italia)의 옛 단위. 1 조르나타는 약 0.94 에이커〔ac〕, 또는 38 아르〔a〕에 해당된다.

조리(條里) [수효] ❶가늘고 긴 나무의 수를 세는 데 쓰는 말. 대체로 12 자〔尺〕 이내의 가는 나무를 세는 데 쓴다.《尙方定例 2, 別例 上》二年木壹條里. ❷'오리'·'가닥'의 뜻으로, 좁고 길게 자른 헝겊의 수를 세는 데 쓰는 말.《尙方定例 3, 別例 下, 國婚》首紗只壹次, 紫的羅肆條里, 各長貳尺肆寸, 廣壹寸.

조목(條目) [수효] ❶한개 한개씩 벌인 일의 가닥을 세는 데 쓰는 말. ❷법률(法律)이나 규정(規定) 등에 있어서, 하나하나의 항목(項目)이나 조항의 수를 세는 데 쓰는 말.

조분(條分 : tiáofēn) [섬도(纖度)] 중국의 단위. '데니어(denier)'의 역어(譯語).

조사선량의 단위(照射線量―單位) [조사선량] 일정한 시간 내에 단위 면적에 조사(照射)되는 방사선량을 나타내는 단위. 단위로는 뢴트겐 매초(每秒 : r/s), 뢴트겐 매분(每分 : r/min), 밀리뢴트겐 매분(每分 : mr/min), 밀리뢴트겐 매시(每時 : mr/h), 밀리뢴트겐 매주(每週 : mr/week) 등이 있다.

조선통보(朝鮮通寶) [화폐] 조선 세종(世宗)과 인조(仁祖) 때에 주조하여 유통시켰던 화폐. 태조(太祖) 3년(1394)에 동전을 주조하여 유통시키자는 의논이 있었으나, 태종(太宗) 원년(1401)에 저화(楮貨)를 동전보다 먼저 법화로 결정하여 보급시켰고, 동왕 15년에 동전을 주조하여 저화와 병용하기로 하였다가 실현되지 못하였다. 세종 5년(1423)에 조선통보를 주조하기 시작하여 4 년 만에 4만 냥을 주조하였고, 인조 11년(1633)에 다시 이를 주조하여 유통시켰다. 그 뒤 1670년대 말기부터 상평통보(常平通寶)가 법화로 유통되었다.《朝鮮太宗實錄 29, 15年6月辛巳》今國家旣用楮貨，以革前期布幣之用，民受其利，然其用使之際，有所未盡. 乞依唐開元五銖錢制，鑄朝鮮通寶，與楮貨兼行，以銅一兩鑄成十錢，以百錢當楮貨一張，流行境內，以便國用，以濟斯民. 私鑄者以私鑄銅錢律論，告者充賞，不用者亦依此律. 從之.《朝鮮世宗實錄 21, 5年9月甲午》議鑄銅錢. 初，造楮貨，一張直米一斗，三十張直木綿一匹，至是，楮貨甚賤，一張一升，百餘張一匹，乃會政府·六曹，議鑄錢與楮貨通行. 於是，戶曹啓，銅錢乃中國歷代所用，請以唐開元錢爲準，積十錢重一兩，文曰朝鮮通寶，民納銅一斤者，例給錢一百六十文，令司贍署掌之，私鑄者依律科罪. 從之.

조우(jow) [길이] '자오브(jaob)'를 보라.

조자(造子 : zào·zi) [수효] 중국(中國)의 단위. '회'·'번'·'바탕'의 뜻으로, 일의 횟수를 세는 데 쓰는 말.《醒世姻緣傳, 57回》他的兒有好的麽. 養活一造子，落出個好來哩.

조주(兆周 : zhàozhōu) [주파수] 중국의 단위. '메가사이클(megacycle)'의 역어(譯語).

조짐 [부피] 쪼갠 장작 더미의 수를 세는 데 쓰는 말. 목척(木尺)으로 사방 6 자 부피로 쌓은 것을 말한다.

조통(粗通) [과거(科擧)] 조선 시대 강경(講經) 시험의 넷째 등급. 선초(鮮初)에는 대통(大通)·통(通)·약통(略通)·조통(粗通)·불통(不通)의 다섯 등급이었으나, 그 이후에는 통(通)·약(略 : 혹은 略通)·조(粗 : 혹은 粗通)·불(不 : 혹은 不通)의 네 등급으로 나누었다.《朝鮮世宗實錄 103, 26年2月己丑》禮曹啓文科講經節目. 一, 句讀·訓釋皆不錯誤, 講論雖不該通, 不失一章大旨者, 爲粗通. 一, 句讀·訓釋皆熟, 講論詳明, 雖通大旨, 未至融貫者, 爲略通. 一, 既能句讀明白, 訓釋·辨說無疑, 開析義理, 融貫旨趣者, 爲通. 一, 句讀·訓釋·義理·旨趣, 既皆曉釋, 又能連上接下, 曲暢旁通, 融貫一書大旨, 深得言意之表者, 爲大通. 一, 聖賢書義理無窮, 故學者所傳或異, 試官等當講經時, 生徒句讀及釋義, 或異於己指, 爲不通者有之. 今後生徒所見雖異, 文義皆通, 則試官等勿拘已見, 以從衆議.《慵齋叢話 2》擧子讀大文釋之, 試官講論註疏, 胥吏書通·略·粗·不四字, 以爲講籤, 各置於試官前.《經國大典 1, 吏典, 內侍府, 注》講所讀書, 通給別仕二, 略通一, 粗通半, 不通削仕三.

족(足) [수효] ❶'켤레'의 뜻으로, 신이나 양말·버선·장갑 따위의 두 짝을 하나치로 세는 데 쓰는 말. 량(兩·量·緉). 부(桴). ❷짐승이나 곤충의 다리 수를 세는 데 쓰는 말.《度支志, 外篇 16, 通信使行》猪脚五足.

족(族) [1] [수효] ❶한 조상에서 갈라져 나온 같은 혈통의 무리를 세는 데 쓰는 말.《書, 堯典》克明俊德, 以親九族. (蔡沈集傳) 能明俊德土任用之, 以睦高祖玄孫之親.《詩, 王風, 葛藟序》(鄭玄箋) 九族者, 據己上至高祖, 下及玄孫之親. ❷'무리'의 뜻으로, 여럿이 모여 이룬 동아리의 수를 세는 데 쓰는 말.《磻溪隨錄 3, 田制後錄 上, 漕運》漕卒之苦, 皆由於官司徵斂無狀……(廢朝時, 諸宮家·諸宰家, 聞漕卒之至, 則或稱逃奴一族, 或稱逃奴接主, 而競爲囚禁漕卒). [2] [행정] 민호(民戶) 조직의 하나. 1 족은 100 가(家), 또는 4 여(閭)로 구성되었다.《事類博解, 上, 地理》百家爲族.《周禮, 地官, 大司徒》令五家爲比, 使之相保, 五比爲閭, 使之相受, 五閭爲族, 使之相葬, 五族爲黨, 使之相救, 五黨爲州, 使之相賙, 五州爲鄕, 使之相賓. (鄭玄注) 族, 百家, 黨, 五百家.《漢書, 食貨志》五家爲隣, 五隣爲里, 四里爲族, 五族爲黨.《荀子, 樂論》百家爲族, 二百五十家爲長.

족(蔟 : cù) [수효] 중국(中國)의 단위. '족(簇)'과 같다.《敦煌變文集, 維摩詰經講經文》一蔟家僮侍衛多.

족(簇 : cù) [수효] 중국(中國)의 단위. '무더기'의 뜻으로, 많은 수가 모여 이룬 무리나 떨기의 수를 세는 데 쓰는 말. 족(蔟). 총(叢).《水滸全傳, 5回》又趕了三二十里田地,

過了一條板橋, 遠遠地望見一簇紅霞, 樹木叢中, 閃着一所莊院.《杜甫, 江畔獨步尋花詩》桃花一簇開無主, 不受深紅愛淺紅.《韓偓, 夜船詩》誠知不覺天將曙, 幾簇青山雁一行.《蕉帕記曲, 幻形》喜著他幾簇繁英, 羞對我一雙白首.《紅樓夢, 5回》 當下秦氏引一簇人來至上房內間.

족정(足丁) [넓이] 고려 시대 토지의 수세 단위(收稅單位). 고려 시대에는 전답 17 결(結)을 1 족정으로 삼고, 이를 군역(軍役)에 편입된 20 세에서 60 세까지의 성인(成人) 남자에게 군역을 지는 대신 국가에서 이를 지급하였다.《高麗史 33, 忠宣王世家》豪勢之家, 始以賜給占籍土田, 因稱祖業者, 及其足丁剩於本數者, 令各道務農使盡行打量, 納租本司.《高麗史 81, 兵志, 兵制, 五軍》國家以田十七結爲一足丁, 給軍一丁, 古者曰賦之遺法也.

존(尊) [1] [수효] ❶불상(佛像)이나 벼루·조각상 따위의 수를 세는 데 쓰는 말. 구(軀). 두(頭). 좌(坐·座).《朝鮮正祖實錄 18, 8年11月辛未》世子宮長壽玉佛一尊, 玉如意一柄, 湖筆二匣, 貢墨二匣, 歙硯二尊, 絹箋十二束.《契丹國志, 歲時襍記, 佛誕日》京府及諸州縣各用木雕達太子一尊.《儒林外史, 53回》壁卓上拱着一尊玉觀音. ❷'문(門)'의 뜻으로, 총포(銃砲)의 수를 세는 데 쓰는 말. [2] [부피] 준(尊·樽)에 술을 담아 그 양을 헤아리는 데 쓰는 말. 준은 단지 비슷한 술을 담는 그릇이다.《儀禮, 少牢饋食禮》司宮取二勺于篚洗之, 兼執以升, 乃啓二尊之蓋冪, 奠於棜上, 加二勺于二尊, 覆之南柄.《杜甫, 春日憶李白》 何時一尊酒, 重與細論文.

졸(卒) [1] [군사] 군사 조직의 하나. 1 졸은 군졸(軍卒) 100 명, 또는 양(兩)의 4 배(倍)에 해당된다. 1 양은 25 명이다.《周禮, 地官, 小司徒》乃會萬民之卒伍而用之, 五人爲伍, 五伍爲兩, 四兩爲卒, 五卒爲旅, 五旅爲師, 五師爲軍.《事類博解, 上, 人道, 帥旅》四兩爲卒.《廣才物譜 2, 軍旅部, 兵》卒, 四兩. [2] [수효] 병졸(兵卒)의 수를 세는 데 쓰는 말.《戰國策, 趙策 3》不鬪一卒, 不頓一戟, 而解二國患者, 平原君之力.《淮南子, 修務訓》申包胥竭筋力以赴嚴敵, 伏尸流血, 不過一卒之才, 不如約身卑辭, 求救於諸侯. (高誘注) 在車曰士, 步曰卒, 如此者一人之功也. 《千慮策, 國勢中》不葺一壘, 不置一卒, 使寇之去來, 如入無人之境. [3] [행정] 춘추(春秋) 시대 제(齊)나라 제도로, 1 졸은 300 가(家)로 구성되었다.《國語, 齊語》制鄙三十家爲邑, 邑有司, 十邑爲卒, 卒有卒帥, 十卒爲鄕, 鄕有鄕帥, 三鄕爲縣, 縣有縣帥, 十縣爲屬, 屬有大夫, 五屬.

졸가리 [수효] 잎이 다 떨어진 나뭇가지의 수를 세는 데 쓰는 말.

종(宗) [수효] ❶'종(綜)'과 같다.《朝鮮世宗實錄 28, 7年6月辛酉》議政府六曹採擇各品陳言以啓……工曹判書李孟畇等八人, 濟用判事徐彌性等十一人陳言. 一, 凡京外私船, 工曹及所在各官, 依教旨, 將三四隻或六七隻爲一宗, 給文引, 然後

乃許下海.《三國演義, 68回》正慌間, 忽對江一宗船到.《吏文輯覽 2》船宗. 宗與綜通, 十船爲一綜. ❷ '통'·'건(件)'의 뜻으로, 문서의 수를 세는 데 쓰는 말. 각(角). 건(件). 도(度·道). 봉(封). 장(丈·張). 지(紙). 찰(札). 통(通). 폭(幅). 함(緘).《大明律 3, 吏律, 照刷文卷, 直解》凡照刷有司有印信衙門文卷, 遲一宗·二宗, 吏典笞一十(凡有印信爲在, 各司文卷乙, 刷卷爲乎矣, 一道·二道是乃, 遲晩爲在乙良).《典律通補 5, 刑典, 雜令》磨勘文券, 隱漏不報, 一宗笞四十, 每宗加一等, 止杖八十, 事關錢粮, 以虛出通關論.《增補文獻備考 136, 刑考, 諸律類記, 笞二十》照刷文卷時, 所屬吏典, 遲報三宗至五宗者. ❸선조(先祖)의 수를 세는 데 쓰는 말.《宋書, 禮志》殷世有二祖, 二宗, 若拘七室, 則當祭禰而已.《張九齡, 故滎陽君蘇氏挽歌辭》二宗榮盛日, 千古別離時. ❹ (zōng) 중국(中國)의 단위. 많은 양의 일·물건·문건 따위의 종류나 수량을 헤아리는 데 쓰는 말. 〈예〉 大~出口貨. 一~貨物. 一~心事.

종(從) [관계] 친척(親戚)의 촌수(寸數)를 나타내는 데 쓰는 말. 사촌이나 오촌의 겨레 관계에만 사용한다.

종(終) 1 [시간] ❶ 12 년을 하나치로 헤아리는 데 쓰는 말.《左傳, 襄公9年》十二年矣, 是謂一終, 一星終也. (杜預注) 歲星十二歲而一周天.《宋書, 律曆志 中》各以一終之日與一歲之日通分相約. ❷ 20 년을 하나치로 헤아리는 데 쓰는 말.《淮南子, 天文訓》太陰元始, 建于甲寅, 一終而建甲戌, 二終而建甲午, 三終而復得甲寅之元. ❸ 1 년을 이르는 말.《呂氏春秋, 季冬》凡在天下九州之民者, 無不咸獻其力, 以供皇天上帝社稷·寢廟·山林·名川之祀, 行之是令, 此謂一終. (高誘注) 終, 一歲十二月終也. 2 [수효] 노래를 부르거나 악기로 시 한 편을 연주하는 횟수를 세는 데 쓰는 말.《禮記, 鄕飮酒義》工入, 升歌三終. (疏) 歌鹿鳴四牡皇皇者華, 每一篇而一終.《儀禮, 大射禮》小樂正立于西階東. 乃歌鹿鳴三終.《呂溫, 河南府試贖帖賦得鄕飮酒詩》百拜賓義盡, 三終樂奏長. 3 [넓이] (zhōng) 중국(中國)의 단위. 1 종은 사방 100 리(里), 또는 90만 묘(畝)에 해당된다.《周禮, 地官, 小司徒》乃經土地而井牧其田野, 九夫爲井, 四井爲邑. 司馬法曰, 十成爲終, 終千井, 三千家, 革車十乘, 士百人, 徒二百人.《漢書, 刑法志》地方一里爲井, 井十爲通, 通十爲成, 成方十里, 成十爲終.《通志, 食貨略, 田制》畝百爲夫, 夫三爲屋, 屋三爲井, 井十爲通, 通十爲成, 成十爲終, 終十爲同, 同方百里.

종(種) [수효] '가지'·'부류'·'종류'의 뜻으로, 사물이나 일의 갈래, 또는 그 종류를 세는 데 쓰는 말. 물(物). 사(事). 색(色). 열(列). 유(流). 장(樁). 종류(種類).《樊巖集 50, 霽山金公墓碣銘》上又稱善, 賜臘藥四種曰, 此乃及於經幄之臣者也. 又除司僕主簿, 辭遞. 乙卯春, 除丹城縣監, 又辭遞.《經世遺

表 4, 均役事目追議 2》 關北, 船有三種, 一曰杉船, 其稅十兩(其大小相近, 不可差率), 二曰麻艍, 其稅八兩(本云麻尙船), 三曰耳船, 其稅五兩(皆行於海者), 其小者二兩. 《牧民心書 4, 戶典, 稅法 上, 奸吏猾吏》 除役有二種, 一曰國除, 二曰邑除……邑除者, 如契房村·店村之類是也, 若是者, 須取田案大帳, 得其原數, 乃於其中, 又除今年災減之數, 斯可以得其實數也. 《各廛記事 24, 道光23年7月》 捧稅與否, 初無擧論, 而蔑魚一種笼.

종(稯) [수효] ❶볏단의 수를 세는 데 쓰는 말. 1종은 병(秉)의 40배(倍)이며, 거(筥)의 10배, 또는 40뭇에 해당된다. 《說文, 稯》 (段玉裁注) 蓋必云, 禾四十秉爲稯. 《說文通訓定聲, 豊部》 稯, 稯者, 禾四十把也. 《儀禮, 聘禮記》 四秉曰筥, 十筥曰稯, 十稯曰秅. 《說文解字注, 禾部》 稯禾, 謂禾四十秉, 秉芻一把. ❷'종(綜)'의 ❶과 같다. 《說文, 禾部》 稯, 布之八十縷爲稯. 《史記, 孝景本紀》 令徒隸衣七稯布. 《漢書, 王莽傳》 一月之祿, 十稯布二匹. (孟康云) 稯, 八十縷也.

종(緵) [수효] '종(綜)'의 ❶과 같다. 《史記, 孝景本紀》 令徒隸衣七緵布. (司馬貞索隱) 七緵, 蓋今七升布, 言其粗, 故令衣之也. (張守節正義) 緵, 八十縷也, 與布相似. 七升布用五百六十縷. 《鄒長倩, 遺公孫弘書》 五絲爲䋝, 倍䋝爲升, 倍升爲䊈, 倍䊈爲紀, 倍紀爲緵, 倍緵爲襚.

종(綜) [수효] 선단(船團)의 수를 세는 데 쓰는 말. 1선단은 배 3척(隻), 또는 10척이나 30척 등으로 필요에 따라 그 수가 정하여진다. 종(宗). 종(綜). 《萬機要覽, 軍政編 1, 形名制度, 操點, 水操》 各船依序隨綜入巷安泊. 《吏文輯覽 2》 船宗, 宗與綜通, 十船爲一綜. 《六典條例 10, 工典, 舟橋司, 舟橋》 自舟橋中央, 南爲前部, 北爲後部, 每三船作一綜, 前後分五綜. 餘船屬之中央, 設協總一人, 統領前後, 前後部各置領將一人, 每綜各置綜長一人, 以爲團束檢飭.

종(綜) [수효] ❶'새'의 뜻으로, 피륙의 날을 세는 데 쓰는 말. 1종은 80올이다. 사(梭). 승(升). 종(稯·緵). 총(總). 《高麗史 82, 兵志, 站驛》 頭目之有功者, 賞之其所徙二百戶, 戶給銀一斤, 七綜布五十匹, 爲屋舍之費, 白苧布三匹, 七綜布十五匹, 爲農器之直, 白苧布二匹, 七綜布十五匹, 爲口粮. 《海行摠載 1, 申高靈海東諸國紀》 例賜, 國王使上·副官人, 各給九綜緇染木綿長衫一(單裌隨時), 九綜白綿布長衫一, 鴉青羅內藍綃僧冠一, 黑馬皮雲鞋一, 九綜白綿紬·白紵布·黑麻布各一匹. 《朝鮮中宗實錄 22, 10年 6月癸酉》 甲子以來, 民間不堪荼毒, 始單織三綜緜布, 以供其役. 《傅玄, 馬先生傳》 舊綾機五十綜者五十躡. ❷'종(綜)'과 같다. 《壬辰狀草, 萬曆 20年7月15日》 倭船或十餘隻, 或三十餘隻作綜出沒是如爲白沙餘良, 本道錦山之境, 賊勢鴟張爲白有臥乎所. 《大典會通 2, 戶典, 漕轉》 船隻一齊作綜(漕運每運, 以三十隻作一綜). 《續大典 2, 戶典, 漕轉》 船隻一齊作綜(漕船每運, 以

三十隻作一綜, 到泊・回發毋得先後), 現點於元山及安興.《增補文獻備考 136, 刑考, 諸律類記, 笞四十》漕船押領官, 每運以三十隻作一綜, 到泊・回發毋得先後而違者.

종(鍾) 1 [부피] ❶(zhōng) 중국(中國)의 단위. ㉮춘추(春秋) 제(齊)나라 때의 단위로, 1 종은 부(釜)의 10 배, 또는 6 곡(斛) 4 말〔斗〕에 해당된다.《廣雅, 釋器》釜十曰鍾, 鍾十曰䵺.《左傳, 昭公3年》齊舊四量, 豆・區・釜・鍾. 四升爲豆, 各自其四, 以登於釜. 釜十則鍾. (杜預注) 鍾, 六斛四斗.《莊子, 人間世》粟則受三鍾.《釋文》六斛四斗曰鍾.《廣韻》鍾, 又鍾(鍾六斛四斗). ㉯전국(戰國) 시대 위(魏)・진(秦)나라 때의 단위로, 1 종은 부(缶)의 2 배이며, 8 곡(斛), 또는 80 말〔斗〕에 해당된다.《芝峯類說 17, 雜事部, 數名》一手盛爲溢, 兩手爲掬, 掬四爲豆, 豆四爲區, 區四爲釜, 釜二有半爲藪, 藪二有半爲缶, 缶二爲鍾, 鍾二爲秉.《小爾雅, 廣量》缶二謂之鍾. (宋咸注) 八斛也.《左傳, 昭公3年》陳氏三量, 皆登一焉, 鍾內大矣. (杜預注) 登, 加也, 加一謂加舊量之一也. 以五升爲豆, 五豆爲區, 五區爲釜. 則區二斗, 釜八斗, 鍾八斛. ㉰ 1 종은 10 곡(斛)에 해당된다.《淮南子, 要略》一朝用三千鍾. (高誘注) 鍾十斛也. ❷'종지'의 준말로, 종지에 음식이나 액체를 담아 그 양을 헤아리는 데 쓰는 말. 종자(鍾子).《山林經濟 2, 牧養, 養馬》馬雖食草料, 腹不能充……無水酒一鍾, 眞油一盞, 雞卵一箇加, 早朝灌口.《新編集成馬醫方, 治脾部》溫水半椀, 童子小便一鍾, 同調灌之. ❸'잔(盞)'의 뜻으로, 잔에 음료를 담아 그 양을 헤아리는 데 쓰는 말. 배(杯・盃). 작(酌). 잔(盞). 충(盅).《孔叢子, 儒服》平原君與子高飮, 強子高酒曰, 昔有遺顔, 堯舜千鍾, 孔子百觚.《蘇軾, 薄薄酒賦》薄薄酒, 飮兩鍾. 2 [시간] (zhōng) 중국(中國)의 단위. '시(時)'・'시간(時間)'의 뜻으로, 시각을 나타내는 데 쓰는 말.

종구라기 [부피] 종구라기로 물이나 곡식을 담아 그 양을 헤아리는 데 쓰는 말. 종구라기는 조그마한 바가지이다.

종류(種類) [수효] '종(種)'과 같다.

종목(鍾目) [수효] 어떤 일이나 사물의 명목(名目)이나 항목(項目)의 수를 세는 데 쓰는 말.

종발(鍾鉢) [부피] 종발에 음식이나 액체를 담아 그 양을 헤아리는 데 쓰는 말. 종발은 중발(中鉢)보다는 작고 종지보다는 조금 나부죽한 그릇이다.

종자(鍾子) [부피] '종지'의 차자 표기로, 종지에 음식이나 액체를 담아 그 양을 헤아리는 데 쓰는 말. 종(鍾).《古今釋林 28, 東韓譯語, 釋器》鍾子. 本朝. 今稱小器盛醬者曰鍾子.《度支準折, 鹽醬酒醋》豆泡醬一鍾子, 價錢一分.《進宴儀軌(高宗壬寅) 2, 饌品》臙脂半鍾子.

종지 [부피] '종자(鍾子)'와 같다.

종지(鍾地) [수효] 토지의 종목(鍾目)을 나타내는 데 쓰는 말. 〈예〉 제 1 종지(第一鍾地)・잡종지(雜鍾地).

종화(稯禾) [수효] 볏단의 수를 세는 데 쓰는 말. 1종화는 640뭇〔束〕에 해당된다. 《經世遺表 6, 地官修制, 田制 4》聘禮曰, 十斗曰斛, 十六斗曰籔, 十籔曰秉, 四秉曰筥, 十筥曰稯, 十稯曰秅. 稯禾者, 連稾之禾六百四十束也.

좌(左 : zuǒ) [수효] 중국(中國)의 단위. '떼'·'무더기'·'덩이'의 뜻으로, 뭉쳐서 한 개로 이루어진 덩어리의 수를 세는 데 쓰는 말. 《醒世姻緣傳, 4回》我相那人不是個良才, 矬着個糯子, 兩個賊眼斬呀斬的, 那裏一個好人的眼底下, 一邊長着一左毛.

좌(坐) [수효] ❶'좌(座)'의 [2]❶과 같다. 《三國遺事 2, 紀異, 駕洛國記》王后爰處中宮, 勅賜媵臣夫妻私屬, 空閑二室分入, 餘外從者以賓舘一坐二十餘間, 酌定人數區別安置. 《朝鮮端宗實錄 8, 元年10月壬寅》在文宗時, 瑢與臣以奴婢五十口, 家舍一坐, 瑢旣被罪, 臣不可仍執. 《朝鮮宣祖實錄 191, 38年9月庚寅》咸鏡監司李時發馳啓, 本道鏡城以南風水之災……文川則男女四十餘名溺死, 人家七坐漂流, 德源則男女九十三名, 牛馬三十五首溺死. ❷창(槍)·포(砲)·관혁(貫革)·세뇌〔弩〕따위의 수를 세는 데 쓰는 말. 근(根). 병(柄). 본(本). 정(挺). 조(條). 지(枝). 총(叢). 《萬機要覽, 軍政編 2, 訓鍊都監, 軍器》拒馬槍三百四十八坐. 銅砲一百十九坐. 虎蹲砲十七坐. 循環砲十坐. 《萬機要覽, 軍政編 3, 御營廳, 軍器》柳葉箭貫革七坐. 鳥銃貫革十七坐. 騎芻貫革十坐. 威遠砲七十九坐. 《萬機要覽, 軍政編 3, 摠戎廳, 軍器》大砲六十七坐, 雙門砲一坐, 銅砲十坐, 鐵佛狼機母砲六十坐, 鍮佛狼機四百十五坐. 《萬機要覽, 軍政編 3, 禁衞營, 軍器》弓弩二百三十九坐. 勝子銅砲二坐. ❸저울이나 저울판〔稱板〕의 수를 세는 데 쓰는 말. 개(介). 반(槃). 부(部). 연(連). 파(把). 《仁祖國葬都監儀軌, 3房, 雜物實入》稱板一坐. 《進饌儀軌(純祖己丑) 2, 甘結》三十斤稱子一坐. 分稱一坐. ❹연(輦)·마목(馬木)·답장(踏掌) 따위의 수를 세는 데 쓰는 말. 부(部). 승(乘). 정(挺). 《進宴儀軌(高宗壬寅) 3, 儀仗》王輦一坐. 《純元王后國葬都監儀軌 2, 稟目》神帛輦一坐, 肩轝馬木四坐, 踏掌三坐. ❺주렴틀〔朱簾機〕이나 쟁틀〔淨機〕의 수를 세는 데 쓰는 말. 《純元王后國葬都監儀軌 2, 稟目》朱簾機二坐. 《進饌儀軌(純祖己丑) 2, 稟目》淨機五坐. ❻향로(香爐)·풍로(風爐) 따위의 수를 세는 데 쓰는 말. 《昌慶宮營建都監儀軌, 甘結》硯匣三坐, 盥洗大也一坐, 銅筧三坐, 高足床十坐, 書案三坐, 香盒一坐, 香爐一坐. 《進宴儀軌(高宗壬寅) 3, 儀仗》金爐二坐. 《度支準折, 雜種貿易》風爐一坐, 價錢一兩. ❼장(欌)·갑(匣)·함(函) 따위의 수를 세는 데 쓰는 말. 《正宗大王殯殿魂殿都監儀軌, 1房, 各處手本, 奠禮》三層欌一坐. 《昌慶宮營建都監儀軌, 甘結》硯匣三坐. 《鑄字所應行節目》燕貿唐字樻貳坐. 《進宴儀軌 2, 甘結》黃假函十五坐. 紅假函五坐. ❽되〔升〕·말〔斗〕의 수를 세는 데 쓰는 말. 《正宗大

王殯殿魂殿都監儀軌, 1房, 各處手本, 奉常寺》鍮升一坐. 鍮斗一坐. 《度支志 9, 內人房事例》鍮斗一坐. ❾매〔鷹〕의 수를 세는 데 쓰는 말. 《瀋陽狀啓, 壬午 11月初 10日》同鷹連十坐內四坐段, 中路病損. ❿사닥다리의 수를 세는 데 쓰는 말. 《昌慶宮營建都監儀軌, 實入》木梯三十一坐. ⓫'장(張)'의 뜻으로, 가판(椵板)·양판(樑板)·배판(褙板)·현판(懸板) 따위의 널빤지의 수를 세는 데 쓰는 말. 《鑄字所應行節目》裁折長椵板貳坐(見失), 刀鍊椵板參坐. 《仁祖國葬都監儀軌, 下, 3房》樑板十五坐. 《進饌儀軌(純祖己丑) 2, 修理》慈慶殿縣板一坐. 灰板九坐. 褙板二坐. ⓬대갈〔大加里〕·정(釘) 따위 못의 수를 세는 데 쓰는 말. 본(本). 정(丁). 척(隻). 타(朶). 《正宗大王殯殿魂殿都監儀軌, 1房, 稟目》鐵釘二坐. 《朝鮮光海君日記 153, 12年6月庚申》營建都監啓曰……大釜十坐, 大加里二十六坐. ⓭'좌(座)'의 ②❹와 같다. 《朝鮮定宗實錄 1, 元年 6月乙酉》 大相國母獻刻木地藏堂主丁佛圍繞一坐, 極精巧, 絹十匹, 胡椒十封, 初三島倭寇, 爲我國患幾五十年矣. ⓮광명두〔光明臺〕의 수를 세는 데 쓰는 말. 《正宗大王殯殿魂殿都監儀軌, 1房, 各處手本, 奉常寺》木光明臺五坐. 《進饌儀軌(純祖己丑) 2, 稟目》光明臺六十四坐. ⓯두멍〔豆毛〕의 수를 세는 데 쓰는 말. 《正宗大王殯殿魂殿都監儀軌, 1房, 各處手本, 奉常寺》豆毛一坐. 《孝宗寧陵山陵都監儀軌, 造成所》豆毛四坐. ⓰향합(香盒)·타구(唾口) 따위의 수를 세는 데 쓰는 말. 《昌慶宮營建都監儀軌, 甘結》香盒一坐. 《進饌儀軌(純祖己丑) 2, 甘結》唾口二坐. 《進宴儀軌(高宗壬寅) 3, 排設》 香盒二坐. ⓱병풍(屛風)의 수를 세는 데 쓰는 말. 가(架). 장(張). 첩(帖). 《朝鮮世宗實錄 59, 15年3月戊寅》仍進大殿農圃屛風一坐, 中宮蚕圖屛風一坐, 東宮孝子屛風一坐及各色食物. 《朝鮮端宗實錄 10, 元年2月乙未》殿下嘉之, 特賜白細苧布·白細綿紬各五匹, 雜彩花席五張, 鞍子一面, 馬一匹, 屛風一坐, 松子五十斤, 燒酒五十瓶. 《進宴儀軌(高宗壬寅) 3, 排設》十長生屛風一坐. ⓲용정(龍亭)·향정자(香亭子)·서안(書案)·향안(香案) 따위의 수를 세는 데 쓰는 말. 《萬機要覽, 財用編 5, 信使, 盤纏》大小食鼎各四坐, 中食鼎五坐……龍亭二坐, 國書箭一坐. 《純元王后國葬都監儀軌 2, 稟目》 香亭子二坐. 硯石匣具一面, 書案一坐, 每朔杻木半丹, 尾箒二柄. 《進宴儀軌(高宗壬寅) 2, 器用》香案二坐. ⓳안반〔案板〕·도마(刀ケ·刀磨) 따위의 수를 세는 데 쓰는 말. 《度支志 9, 內人各房事例》案板一坐. 《昌慶宮營建都監儀軌, 移文》 廣刀磨一坐. 《正宗大王殯殿魂殿都監儀軌, 1房, 稟目》 刀ケ一坐. ⓴북·장고(長鼓)·징 따위 악기의 수를 세는 데 쓰는 말. 《樂器造成廳儀軌》建鼓一坐. 《萬機要覽, 軍政編 2, 龍虎營, 軍器》畫用行皷十二坐. 畫龍大皷四坐. 長皷二坐. 鑼一坐. 鉦三坐. 《萬機要覽, 軍政編 2, 訓鍊都監, 軍器》刁斗三百七十坐. 鉦二十

九坐. ㉑요강(溺江)・인주기(印朱器) 따위의 수를 세는 데 쓰는 말. 《進饌儀軌(純祖己丑) 2, 甘結》 溺江二坐. 印朱器二坐. ㉒솥이나 노구솥 따위의 수를 세는 데 쓰는 말. 구(口). 좌(座). 《萬機要覽, 軍政編 3, 摠戎廳, 軍器》 銅釜二坐. 銅鍋一千一百六十二坐. 《純元王后國葬都監儀軌 2, 稟目》 爐口一坐. 《正宗大王殯殿魂殿都監儀軌, 1房, 各處手本, 奉常寺》 火鼎三坐. 《度支準折, 鐵物》 大釜一坐. 釜子一坐. 土鼎一坐. 大鼎蓋具一坐. 中鼎蓋具一坐. ㉓화로・번철(燔鐵) 따위의 수를 세는 데 쓰는 말. 부(部). 사(事). 위(圍). 《純元王后國葬都監儀軌 1, 祭器, 魂殿》 中火爐一坐. 《正宗大王殯殿魂殿都監儀軌, 1房, 稟目》 鐵爐一坐. 《進饌儀軌(純祖己丑) 2, 饌品》 燔鐵四坐. 《度支準折, 鐵物》 鐵鋒鑪一坐. 鐵火鑪一坐. ㉔자리나 방석(方席) ・ 등메〔登每〕 따위의 수를 세는 데 쓰는 말. 건(件). 매(枚). 부(浮). 석(席). 엽(葉). 영(領). 장(丈・張). 전(揃). 진(陳). 《朝鮮成宗實錄 5, 元年 5月丁酉》 請兩天使宴于仁政殿, 天使還舘, 命都承旨李克增問安, 贈兩天使各馬一匹, 豹皮坐子一坐, 弓矢鞬服具一部, 蜜章一事, 弓箭帽一部, 扇子三十把, 笠帽二十事. 兩使頭目各油席一事, 笠帽二事, 上使叩頭受之, 副使只受弓箭諸緣具・蜜章, 餘皆不受. 《仁祖國葬都監儀軌, 2房, 稟目》 遺衣稱架子一, 別紋單方席一坐半張. 《度支準折, 寢茵》 別紋登每一坐. 彩花案息一坐. 虎皮方席一坐. 山羊皮方席一坐. 滿花方席一坐. 白紋案息一坐. 紅木案息一坐. ㉕상(床)・탁자(卓子) 따위의 수를 세는 데 쓰는 말. 닙(立). 엽(葉). 좌(座). 척(隻). 편(片). 《正宗大王殯殿魂殿都監儀軌, 1房, 稟目》 高足床二坐. 《進宴儀軌(高宗壬寅) 2, 甘結》 高足床三十坐. 《進宴儀軌(高宗壬寅) 2, 器用》 紅漆高足雕刻大圓盤四坐, 紅心黑邊高足雕刻大圓盤三坐. 《進宴儀軌(高宗壬寅) 3, 排設》 進爵卓一坐. 進花卓一坐. 饌案十二坐. ㉖살평상〔箭平床〕・용평상(龍平床) 따위의 수를 세는 데 쓰는 말. 《純元王后國葬都監儀軌 2, 稟目》 箭平床一坐. 欄干平床一坐. 《進宴儀軌(高宗壬寅) 3, 排設》 龍平床一坐. ㉗병(甁)의 수를 세는 데 쓰는 말. 구(口). 척(隻). 파(把). 《純元王后國葬都監儀軌 1, 祭器, 魂殿》 鑄甁一坐. 《正宗大王殯殿魂殿都監儀軌, 1房, 稟目》 銀別兒甁鍍金一坐. 《進宴儀軌(高宗壬寅) 3, 儀仗》 金水甁二坐. ㉘잔대〔坫・盞臺〕・다완(茶椀)・준(樽)・다관(茶罐)・찻종〔茶鍾〕 따위의 수를 세는 데 쓰는 말. 《純元王后國葬都監儀軌 1, 祭器, 魂殿》 坫三坐. 《正宗大王殯殿魂殿都監儀軌, 1房, 稟目》 銀盞臺具鍍金一坐. 銀茶椀蓋具一坐. 《進宴儀軌(高宗壬寅) 2, 甘結》 砂盞臺具二十坐. 龍樽臺具六坐. 砂茶罐四坐. 砂茶鍾臺具四坐. ㉙주발〔鍮鉢〕・귀때복자〔耳鐥〕・대야〔匜・大也〕・바탱이〔所湯伊〕・새옹〔沙用〕・동이〔東海〕・세작(洗勺)・쟁반(錚盤)・주전자〔亇飛介〕・소래기〔所羅〕・방구리〔方文里〕 따위 그릇의 수를 세는 데 쓰

는 말.《朝鮮中宗實錄 78, 29年9月戊寅》豐德郡守許璘, 稱行幸時所用, 煙戶每十家, 收合鍮鉢一坐, 鍮匙筯各一.《度支志 9, 內人各房事例》鍮耳鐥二坐.《昌慶宮營建都監儀軌, 甘結》盥洗大也一坐.《正宗大王殯殿魂殿都監儀軌, 1房, 各處手本, 奉常寺》所湯伊一坐. 鍮大沙用一坐. 鍮東海三坐.《純元王后國葬都監儀軌 1, 盥洗位所用》凉東海一坐. 耳鐥一坐. 洗勺一坐.《純元王后國葬都監儀軌 1, 祭器, 魂殿》望燎錚盤一坐. 銅亇飛介三坐. 耳大也二坐. 御匜一坐.《進饌儀軌(純祖己丑) 2, 器用》陶所羅·陶東海·陶所湯·陶方文里各十坐. ㉚두지(斗之)·시루〔甑〕 따위의 수를 세는 데 쓰는 말.《訓鍊都監重記, 弓箭色, 時遺在秩》斗之伍坐.《正宗大王殯殿魂殿都監儀軌, 1房, 各處手本, 奉常寺》中甑一坐. ㉛촛대받침〔燭臺跗〕의 수를 세는 데 쓰는 말.《進宴儀軌(高宗壬寅) 2, 甘結》燭臺跗二坐. ㉜과녁의 수를 세는 데 쓰는 말.《萬機要覽, 軍政編 3, 御營廳, 軍器》柳葉箭貫革七坐, 鳥銃貫革十七坐, 騎芻貫革十坐.

좌(座) ① [넓이] 건물을 지을 터의 넓이를 헤아리는 데 쓰는 말. 1좌는 1간(間)이라고도 하는데, 가로 10보(步) 세로 6보의 넓이이다.《磻溪隨錄 1, 田制 上》凡公廨基, 每南北六步, 東西十步爲一座, 俗稱一間. ② [수효] ❶'채'의 뜻으로, 집이나 건물(建物)의 수를 세는 데 쓰는 말. 가(架·家). 구(區). 당(幢). 동(棟). 소(所). 실(室). 우(宇). 원(院). 전(廛). 좌(坐). 진(進).《朝鮮宣祖實錄 85, 30年2月甲申》釜山則倭衆僅七千餘名, 家數二百餘座, 船數大中小並七十餘隻.《朴通事諺解, 上》有聖旨裏蓋來的兩座瑠璃閣(聖旨로 지은 兩座 瑠璃閣이 이시니).《朝鮮英祖實錄 47, 14年2月丙申》貴州淫祠, 多至於七十二座, 至有楊貴妃安祿山祠.《平壤志 1, 公署》司獄局六間, 囚獄東西梗各二架三間, 中門一間, 大門一座, 四圍荊墻. ❷'좌(坐)'의 ㉒와 같다.《度支志, 外篇, 版籍司》釜五十五座(本府十八座, 慶興十座, 穩城九座). ❸젯상의 수를 세는 데 쓰는 말. 좌(坐).《正宗大王殯殿魂殿都監儀軌, 1房, 祭奠器數式》祭床十八座. ❹불상(佛像)의 수를 세는 데 쓰는 말. 구(軀). 두(頭). 존(尊). 좌(坐).《朝鮮太宗實錄 11, 6年4月己卯》耽羅求銅佛像數座. ❺돈대〔墩〕·다리·댐 따위의 수를 세는 데 쓰는 말.《城制考, 城制圖說》墩一座, 小房一間, 床板一副, 鍋竈各一口, 水缸一箇, 碗五箇, 碟五箇, 米十石. ❻길의 수를 세는 데 쓰는 말. 등도(蹬道)는 성 위에 오르내리도록 낸 길을 이른다.《城制考, 城制圖說》城內附墻, 多留蹬道, 半里一座, 以便急時往來. 今各處城內, 止有四門四路, 甚爲失計, 每蹬道, 須留一門, 以防賊入登城. ❼산(山)의 수를 세는 데 쓰는 말. 가(架).《水滸傳, 45回》此地東門外, 有一座翠屛山, 好生僻靜. ❽'좌(坐)'의 ❷와 같다. ❾'장'의 뜻으로, 묘(墓)의 수를 세는 데 쓰는 말.《汪循, 遊西梁山記》有尼菴一座, 竹木蒨蔚, 宮宇深邃.

주(主 : zhǔ) [수효] 중국의 단위. ❶'건(件)'·'가지'의 뜻으로, 사건이나 일의 수를 세는 데 쓰는 말. 《京本通俗小說, 錯斬崔寧》不上半年, 連起了幾主大財, 家間也豐富了. 《劉兌, 嬌紅記》我如今特地的來叫你問這主事. 《儒林外史, 13回》放着這樣一主大財不會發, 豈不是如入寶山空手回. ❷임금의 수, 또는 그 자리의 수를 세는 데 쓰는 말. 《春秋緯, 感精符》麟一角, 明海內共一主也. 《徐賁, 吳詩》一主參差六十年, 父兄猶慶授孫權. ❸신주(神主)의 수를 세는 데 쓰는 말. 《新唐書, 沈伯儀傳》經曰, 嚴父莫大於配天. 又曰, 宗祀文王於明堂, 以配上帝. 下言嚴武王以配天, 則武王雖在明堂, 未齊於配, 雖同祭, 而終爲一主也. ❹주인(主人)의 수를 세는 데 쓰는 말. 《白居易, 有惑詩》馬肥快行走, 妓長能歌舞, 三年五歲間, 已聞換一主. ❺'꿰미'의 뜻으로, 돈꿰미의 수를 세는 데 쓰는 말. 《二刻拍案驚奇 16》我交了這一主大銀子, 難道不要討一些把柄回去.

주(丟 : diū) [수효] 중국(中國)의 단위. '떼'·'무리'의 뜻으로, 동아리의 수를 세는 데 쓰는 말. 《圯橋進履, 3折》兀那塵土起處一丟人馬, 不知是那裏來的也. 《智勇定齊, 1折》俺統領一丟人馬, 收拾行裝等物, 跟公子打圍去.

주(州) [행정] 1 주는 2,500 가(家), 또는 5 당(黨)에 해당된다. 다섯 집을 인(隣), 5 인을 리(里), 4 리를 족(族), 5 족을 당(黨)이라고 하였다. 《周禮, 地官, 大司徒》令五家爲比, 使之相保, 五比爲閭, 使之相受, 五閭爲族, 使之相葬, 五族爲黨, 使之相救, 五黨爲州, 使之相賙, 五州爲鄕, 使之相賓. (鄭玄注) 族, 百家, 黨, 五百家.

주(肘) [길이] 길이를 헤아리는 데 쓰는 말. 1 주는 1 자〔尺〕 5 치〔寸〕, 1 자 8 치, 또는 2 자라고도 한다. 《崔文昌侯全集 3, 知證和尙碑銘》遂於乾符六年, 捨庄(田廬)十二區, 田百結(百卜爲一結. 方俗, 以周百弓爲一結, 四肘爲弓, 一尺八寸爲肘). 王荊公詩, 臥占寬閒五百弓. 《韻會》肘, 一肘二尺, 一曰一尺五寸爲肘, 四肘爲一弓, 三百弓爲一里. 《大唐西域記, 濫波國》分一弓爲四肘, 分一肘爲二十四指. 《羅大經, 鶴林玉露 9》佛家以四肘爲弓, 肘一尺八寸, 四肘蓋七尺二寸. 《度地論》二尺爲一肘, 四肘爲一弓, 三百六十弓爲一里, 二百四十方弓爲一畝.

주(走) ① [수효] 패주(敗走)한 횟수를 세는 데 쓰는 말. 《史記, 管晏傳》吾(管仲)三戰三走, 鮑叔不以我爲怯, 知我有老母也. 《李賀, 送沈亞之歌》吾聞壯夫重心骨, 古人三走無摧捽. 《孫枝蔚, 送三子重下第歸里詩》管仲何曾病三走, 卞和亦得傳千秋. ② [등급] 조선 시대, 무과(武科)의 달리기 시취(試取)에서 등급을 헤아리는 데 쓰는 말. 직경 2 푼〔分〕의 구멍으로 물이 빠지게 한 8 되〔升〕들이 동호(銅壺)에 물을 가득 채우고, 그 물이 모두 없어질 때까지 달려서 270 보(步) 이상이면 1 주(走), 260 보 이상이면 2 주, 250 보 이상이면 3 주라 하였다. 《經國大典 4, 兵典, 試取, 走》銅壺(深

八寸七分, 圓徑四寸七分, 容水八升. 自壺口至上水孔六寸七分, 出水舌上端圓徑二分, 自上水孔至下水孔一寸三分, 下水圓徑二分)水渴間, 走乃二百七十步爲一走, 二百六十步爲二走, 二百五十步爲三走.

주(周) ① [수효] ❶시간적으로 한 번 돌아서 제자리에 온 횟수를 세는 데 쓰는 말.《管子, 弟子職》受業之紀, 必由長始, 一周則然, 其餘則否.《齊民要術, 種槐柳楸梓梧柞, 陶周公術》種柳千樹則足柴. 十年之後, 髡一樹, 得一載, 歲髡二百樹, 五年一周.《容齋五筆, 人生五計》六十以往, 甲子一周. ❷수레바퀴 따위가 돈 횟수를 세는 데 쓰는 말.《儀禮, 士婚禮》御者代. (鄭玄注) 行車輪三周, 御者乃代壻.《禮記, 昏義》降出, 御婦車, 而壻授綏, 御輪三周. (孔穎達疏) 御輪三周者, 爲壻御婦車之輪三匝. ② [시간] '주년(周年)'의 뜻으로, 1년을 단위로 이르는 말.《宋書, 劉康祖傳》太祖欲大擧北伐, 康祖以歲月已晩, 請待明年, 上以河北義徒並起, 若頓兵一周, 沮向義之志, 不許.《潘岳, 爲賈謐作贈陸機詩》自我離羣, 二周於今.

주(注 : zhù) [수효] 중국(中國)의 단위. ❶'번'·'회(回)'의 뜻으로, 일의 횟수를 세는 데 쓰는 말. 개(個). 계(季). 과(過·夥). 기(起). 도(度·道). 반(返). 배(輩). 번(番). 운(運). 장(場). 쟁(趟). 조(遭). 하자(下子). 헐(歇). 호(號). 회(回·廻·會).《兒女英雄傳, 23回》假如一朝計成……再說, 看那姑娘的見識心胸, 大概也未必肯吃這(一)注. ❷'번'·'회'의 뜻으로, 도박(賭博)에서, 돈을 지르는 횟수를 세는 데 쓰는 말.《儒林外史, 13回》放著這樣一注大財不發豈不是, 如入寶山空手回.《殺狗勸夫, 2折》你懷揣着鴉青料鈔尋相識, 並沒半升粗米施饘粥, 單有一注閒錢補笊籬.《紅樓夢, 75回》你老人家不信, 回來大大的下一注, 贏了, 白瞧瞧我們兩個是什麽光景兒. ❸'뭉치'의 뜻으로, 돈뭉치의 수를 세는 데 쓰는 말. ❹'주(炷)'의 ❶과 같다. ❺화살을 시위에 메긴 횟수를 세는 데 쓰는 말.《晉書, 宣帝紀》爽帳下督嚴世上樓, 引弩將射帝. 孫謙止之曰, 事未可知. 三注三止, 皆引其肘不得發.

주(柱) [수효] ❶건물의 기둥이나 법수(法首) 따위의 수를 세는 데 쓰는 말.《萬機要覽, 財用編 5, 舟橋》欄干二百四十隻, 舟橋左右排設. 板九十二箇, 法首二百四十二柱, 曲釘六百九十二箇, 鸛鐵七十三箇, 排目一百四十六箇. ❷위패(位牌)의 수를 세는 데 쓰는 말. 개(介). 닙(立). 면(面).

주(炷) [수효] ❶'대'·'가치'의 뜻으로, 향(香)의 수를 세는 데 쓰는 말. 병(柄). 주(注). 지(枝).《朝鮮世宗實錄 20, 5年4月丙辰》禮府爲告訃等……告命一道, 祭文一道, 祭物壇, 生綃五百匹, 麻布五百匹, 檀香一炷, 箋香三斤.《度支志 16, 外篇, 通信使行》芙蓉香二十炷.《春官通考 46, 嘉禮, 迎勅禮單》香五十炷(三十五炷, 崇德癸未減十五炷, 順治戊子革).《紅樓夢, 89回》親自點了一炷香, 擺上些果品, 便叫人出

來, 關上門. ❷줌의 뜻으로, 쑥의 묶음을 세는 데 쓰는 말. 쑥 1 줌은 약 20 개 정도이다.《三國遺事 1, 紀異, 古朝鮮》時, 有一熊一虎同穴而居, 常祈于神雄, 願化爲人, 時神遺靈艾一炷, 蒜二十枚曰, 爾輩食之, 不見日光百日, 使得人形, 熊虎得食之, 忌三七日, 熊得女身, 虎不能忌而不得人身. ❸'자루'의 뜻으로, 초〔燭〕의 수를 세는 데 쓰는 말.《朝鮮世宗實錄 34, 8年11月丁巳》奉書謝賜物, 仍獻朱椀二百一箇, 漉漆一十桶, 蠟燭五十炷. ❹등(燈)의 수를 세는 데 쓰는 말. 사(事).《歸田錄》杜祁公不然官燭, 與客相對油燈一炷. ❺'가닥'의 뜻으로, 향이나 연기 따위가 피어 오르는 수를 세는 데 쓰는 말.《徐夤, 人事詩》人事飄如一炷煙, 且須求佛與求仙.《來鵠, 宛陵送李明府罷任歸江州詩》浪生湓浦千層雪, 雲起爐峯一炷煙.《蘇軾, 和黃魯直燒香詩》一炷煙消火冷, 半生身老心閑.《劉祖謙, 焚香詩》洗念六根塵外, 忘情一炷煙中. ❻등(燈) 심지의 수를 세는 데 쓰는 말.《黃溍, 湖心寺夜坐詩》一炷殘燈何熠熠, 半擔衰柳故崔嵬.

주(奏) [수효] ❶음악을 연주한 횟수를 세는 데 쓰는 말.《馬融, 琴賦》昔師曠三奏而神物下.《文選, 顔延之, 三月三日曲水詩序》三奏四上之調, 六莖九成之曲. (李善注) 韓子曰, 師曠奏淸徵, 一奏有玄鶴二八來集, 再奏而列, 三奏延頸而鳴, 擴翼而舞.《韓非子, 十過》師曠不得已, 援琴而鼓, 一奏之, 有玄鶴二八道南方來, 集於廊門之垝. ❷윗사람에게 아뢴 횟수를 세는 데 쓰는 말.《宋史, 孝宗紀》詔百官, 輪對, 毋過三奏.《宋史, 李邴傳》百官章奏, 三奏三答. ❸윗사람에게 주천(奏薦)한 횟수를 세는 데 쓰는 말.《宋史, 戚綸傳》樂於薦士, 每一奏十數人, 皆當時知名士.

주(株) [수효] ❶'그루'의 뜻으로, 나무나 풀의 수를 세는 데 쓰는 말. 간(竿·幹·榦). 과(科·窠·顆). 근(根). 두(頭). 수(樹). 장(章). 조(条·條). 찬(欑).《均如傳 9, 感應降魔分》至明日, 松岳北畔, 松樹无風自倒者, 不知其幾千有株. 上聞此怪, 命卜之, 云辱斥法王所由生也.《朝鮮世祖實錄 16, 5年6月戊寅》民間栽桑大戶二百株, 中戶二百株, 小戶一百株, 不能者, 家長及守令, 並科罪.《朝鮮成宗實錄 30, 4年 5月戊申》金繼宗爲多大浦萬戶時, 盜入官松二隻, 蛇梁萬戶時, 盜入官松一隻, 又伐管禁山松木五百七十株造家, 事覺而逃.《義禁府謄錄, 正祖己亥 3年 15日》陵·園·墓樹木禁斫節目. 陵官, 松·雜大木一株, 削仕十日, 二株削仕二十日, 可合保·道里三株, 削仕三十日.《三國志, 蜀志, 諸葛亮傳》成都有桑八百株, 薄田十五頃, 子弟衣食, 自有餘饒. ❷산호(珊瑚)의 수를 세는 데 쓰는 말. 지(枝).《高麗史 54, 五行志》顯宗十六年十一月甲申, 寶城郡, 獻珊瑚樹二株.《朝鮮睿宗實錄 9, 2年 3月辛卯》太監鄭同, 兄鄭擧, 進鈒白玉帶一腰, 珊瑚樹一株. ❸주식(株式)의 수를 세는 데 쓰는 말. 매(枚).《朝鮮純宗實錄 8, 大正(1917)1月 12日》本職以朝鮮銀行新株二百株, 京城電氣株式會社新株

三百五十株, 朝鮮商業銀行新株七百五十五株, 引受增資.

주(週) ① [시간] '주일(週日)'의 뜻으로, 월·화·수·목·금·토·일의 7요일을 하나치로 세는 데 쓰는 말. 주간(週間). ② [수효] '바퀴'의 뜻으로, 어떤 것의 둘레를 돈 횟수를 세는 데 쓰는 말.

주(籌 : chóu) ① [수효] ❶중국(中國)의 단위. '명(名)'의 뜻으로, 사람의 수를 세는 데 쓰는 말. 개(介·個). 구(口). 두(頭). 명(名). 분(分). 영(領). 원(員). 위(位). 정(丁). 한(漢). 《水滸全傳, 41回》張順·張橫·李俊·李立·穆弘·穆春·童威·童猛·薛永九籌好漢……前來接應. 《古今小說, 臨安里錢婆留發迹》分撥了器械, 兩隻船, 十三籌好漢, 一齊上前進發. ❷산가지의 수를 세는 데 쓰는 말. 《景德傳燈綠, 優波毱尊者》 每度一人, 以一籌置於石室. ❸계책(計策)의 수를 세는 데 쓰는 말. 《宋史, 蔡幼學傳》大臣當輿治而以生事自疑, 近臣當效忠而以忤旨擯棄, 其極至於九重深拱而群臣盡廢, 多士盈庭而一籌不吐. 《王彥泓, 再賦箇人詩》閑情定屬英雄事, 未許凡才畫一籌. ❹'번'·'회'·'차'의 뜻으로, 일의 횟수를 세는 데 쓰는 말. 《陸遊, 九月六日夜夢中作笑詩》 問君此笑是喜否, 道得老夫輸一籌. 《醒世恒言, 張淑兒巧智脫楊生》 我楊延和到底遜人一籌. 然雖如此, 我今番得中, 一則可以踐約, 二則得以伸冤矣. 《老殘遊記, 2回》這是他的獨到, 然比着前一段却未免遜一籌了. ② [시간] '경(更)'의 뜻으로, 시간을 헤아리는 데 쓰는 말. 하루를 5경으로 나누었다. 《晉書, 趙王倫傳》秀復告右衞佽飛督閭和, 和從之. 期四月三日丙夜一籌, 以鼓聲爲應.

주간(週間) [시간] 1주일, 또는 7일 동안을 하나치로 헤아리는 데 쓰는 말. 주(週).

주걱 [부피] 주걱으로 밥 따위를 떠서 푼 양을 헤아리는 데 쓰는 말.

주검(jugum) [넓이] 영국(英國)의 옛 단위. 1주검은 술렁(sulung)의 4분의 1이며, 40에이커〔ac〕, 또는 19.1874헥타르〔ha〕에 해당된다.

주기(周期) [수효] 일정한 시간을 거쳐 같거나 비슷한 현상이 거듭될 때, 그 횟수를 세는 데 쓰는 말.

주기(週忌) [시간] 사람이 죽은 지 몇 해째인가를 헤아리는 데 쓰는 말. 1주기는 평년(平年)인 경우 365일이고, 윤년(閏年)은 366일째 되는 날이다.

주년(周年) [시간] '돌'·'주년'의 뜻으로, 어떤 일이 비롯되어 몇 해째인가를 헤아리는 데 쓰는 말. 《續大典 1, 吏典, 外官職》觀察使, 二周年計限, 京畿, 一年. 《續大典 2, 戶典, 買賣限》奴婢買賣後逃亡者, 二周年定限, 過限則勿許還退.

주다(zudda) [부피] 아랍권(圈)의 단위. 1주다는 8누스피아(nusfiah)이며, 6.68미(美) 액량(液量) 쿼트(quart), 또는 6.32l에 해당된다. 또는 8.01미(美) 액량(液量) 쿼트, 또는 7.58l로도 쓰인다.

주름 [수효] 옷의 폭을 접어 줄이 지게 한 것의 수를 세는 데 쓰는 말.

주머니 [부피] 주머니에 물건을 담

아 그 양을 헤아리는 데 쓰는 말.

주먹 [부피] 다섯 손가락을 오그리어 물건을 쥐었을 때, 그 양을 헤아리는 데 쓰는 말.

주발 [부피] 주발에 음식 따위를 담아 그 양을 헤아리는 데 쓰는 말.

주비(注非) [넓이] 예전 논밭의 면적의 최고 단위. 1주비는 8결(結)에 해당되었다. 주비(注飛). 《萬機要覽, 財用編 2, 田結》旱田·水田通謂之田(水田謂之畓), 畓本無其字, 而連寫成一字, 以其近於沓, 故仍冒其音, 如勺之爲夕(音샤), 大豆之爲太, 又如結夫之夫, 加圈以標之於夫字之上, 遂以夫連圈爲矣, 稱注非矣.

주비(注飛) [넓이] '주비(注非)'와 같다. 《經世遺表 9, 地官修制, 田制別考 1, 方田始末》臣, 謹案大甲頭·小甲頭, 如東所云, 八結注飛, 戶首之類也. 方戶者, 一方之內, 諸田之主戶也. 各認步畝者, 令一方之內, 接塍連壟者, 各認自己之田, 爲幾畝幾步也. 同定者, 定五等之稅也.

주비전(注比廛) [수효] 조선 시대, 서울 종로에 있던 으뜸 가는 장거리의 가게. 또는 그 수를 세는 데 쓰는 말. 육주비전(六注比廛), 팔주비전(八注比廛) 등이 있었다. 육주비전은 처음에 선전(縇廛)·면포전(綿布廛)·면주전(綿紬廛)·지전(紙廛)·저포전(苧布廛)을 각각 한 주비(注比)로 하고, 내어물전(內魚物廛)과 청포전(青布廛)을 합하여 한 주비로 하였는데, 정조(正祖) 18년(1794)에는 내어물전과 청포전을 내보내고 포전(布廛)을 두어 여섯 주비로 하였다. 순조(純祖) 원년(1801)에는 다시 내어물전과 외어물전(外魚物廛)을 합하여 한 주비로, 포전을 저포전에 붙여서 한 주비로 하여 여섯이 되었으나, 실제에 있어서는 시전(市廛)의 수효가 여덟이었으므로 팔주비전(八注比廛)이라 불리게 되었는데, 갑오경장(甲午更張) 때에 폐지되었다. 《萬機要覽, 財用編 5, 各廛》都下各廛, 所以安坐賈也, 大者有六, 曰綿廛·綿布廛·綿紬廛·內外魚物廛·紙廛·苧布廛·布廛, 是爲六矣廛(俗稱六注比). 《萬機要覽, 財用編 5, 各廛, 無分各廛》廛案所無稀用之物, 自平市署, 分定貿納於六注比廛, 價本之落本者, 無本各廛, 分排柒價.

주세(周歲 : zhōusuì) [수효] 중국(中國)의 단위. '살'의 뜻으로, 나이를 세는 데 쓰는 말.

주야(晝夜) [시간] 밤낮을 아울러 하나치로 헤아리는 데 쓰는 말.

주잡(周匝 : zhōuzā) [수효] 중국(中國)의 단위. '주조(周遭)'와 같다.

주전자(酒煎子) [부피] 주전자에 물이나 술 따위를 담아 그 양을 헤아리는 데 쓰는 말.

주조(周遭 : zhōuzāo) [수효] 중국(中國)의 단위. '바퀴'의 뜻으로, 어떤 물체의 둘레를 돈 횟수를 세는 데 쓰는 말. 주잡(周匝). 《高文秀, 黑旋風, 3折》哦. 高牆兒, 矮門兒, 一週遭棘針屯着的便是. 《佚名氏, 誶范叔, 4折》捧玉液金杯, 一週遭繡履珠衣. 《水滸傳, 2回》轉入林子裏來看時, 却是一所大莊院, 一週遭

都是土牆.

주지(走之) [수효] '좨기'의 차자 표기. '주지(注之)'와 같다.《關西邑誌, 龍岡縣邑誌, 折價式》多士麻一曲之, 價五戔, 五十条爲一曲之. 甘藿一走之, 價四分, 六条爲一走之.

주지(注之) [수효] '좨기'의 차자 표기로, 박오가리〔朴右巨里〕· 미역〔藿〕· 다시마〔多士麻〕따위를 조그마하고 둥글넓적하게 만든 덩이의 수를 세는 데 쓰는 말. 주지(走之).《度支準折, 菜蔬》朴右巨里一注之, 価錢五分. 一把, 価錢三分. 一沙里, 価錢二分.《關西邑誌, 鐵山府邑誌, 事例》甘藿十五注之.《度支準折, 昆藿茸蕈屬》粉藿一斤, 十立作一注之, 重三斤. 早藿一斤, 十立作一注之, 重三斤. 甘藿一斤, 三十立作一丹, 一立重一兩六戔. 昆布一斤, 二十立作一注之, 重二斤. 多士麻一斤, 三十立作一注之, 重五斤. 甘苔一斤, 一注之重一兩六戔, 十注之作一貼.

죽(竹) [수효] 옷이나 그릇 따위의 10 벌이나 10 개를 하나치로 세는 데 쓰는 말. 1 죽은 닢〔立〕의 10 배이다. ❶탕기(湯器) · 보시기〔甫兒〕· 대접(大楪 · 大貼) · 접시(楪匙 · 楪是 · 貼是) · 사발(沙鉢) · 종지〔鍾子〕· 자완(磁碗) · 젓가락〔點音〕따위 10 개를 하나치로 세는 데 쓰는 말. 1 죽은 닢〔立 · 葉〕의 10 배(倍)에 해당된다. 파(把).《度支志 9, 內人各房事例》鍮湯器二竹. 鍮甫兒二竹. 《純元王后國葬都監儀軌 1, 移文》常大楪 · 甫兒 · 楪匙各二竹. 常大沙鉢三竹. 《陶山書院傳掌記, 萬曆 25年2月16日》 大貼一竹八葉. 貼是十四竹九葉.《平壤志 2, 學校》沙貼是十五竹, 沙點音五竹.《正宗大王殯殿魂殿都監儀軌, 中, 稟目》常沙鉢 · 大楪 · 甫兒 · 鍾子 · 楪匙各三竹.《進宴儀軌(高宗壬寅) 2, 甘結》砂楪匙五竹.《度支準折, 盤沙器》常大沙鉢一竹. 白大沙鉢一竹. 白大貼一竹. 白甫兒一竹. 白貼匙一竹. 白鍾子一竹. 常磁碗一竹. 大貼匙一竹, 貿錢二戔五分. ❷상(床 · 盤)이나 모판〔隅板〕10 개를 하나치로 세는 데 쓰는 말. 1 죽은 닢〔立 · 葉〕의 10 배(倍)에 해당된다.《陶山書院傳掌記, 乙丑正月24日》高足床三竹. 高足小床二竹五立.《陶山書院傳掌記, 天啓8年正月20日》黑柒大盤一竹八葉. 黑柒中盤二竹六葉.《正宗大王殯殿魂殿都監儀軌, 中, 各處手本》黑柒大盤一竹. 黑柒小盤一竹八立. 常盤一竹.《昌慶宮營建都監儀軌, 實入》大圓盤十四竹三立.《進宴儀軌(高宗壬寅) 2, 器用, 典膳司內外熟設所所用》 紅漆高足雕刻大圓盤四坐, 紅心黑邊高足雕刻大圓盤三坐, 唐朱紅漆大圓盤二竹.《進饌儀軌(純祖己丑) 2, 器用》隅板五竹. ❸살의 수를 세는 데 쓰는 말. 살은 부채나 초립(草笠) 따위의 뼈대가 되는 대오리를 이르는 말이다.《經國大典 3, 禮典, 雜令》士族草笠五十竹. 又馬尾笠 · 付竹笠, 庶人草笠三十竹. 又竹織笠 · 繩結笠.《五洲衍文長箋散稿 45, 笠制辨證說》別監常服朱黃草笠, 士族草笠五十竹, 馬尾笠 · 付竹笠, 庶人草笠三十竹.《朝鮮中宗實錄 68, 25年5月丁未》貞曰, 成宗朝雖儒生, 亦着三十竹笠子. 上下之人, 皆從法令

故也. 《萬機要覽, 財用編 1, 供上, 王大妃殿, 物膳, 衣襨》五十竹白斑貼扇一柄. 四十竹白斑貼扇一柄, 四十竹白貼扇一百柄. ❹방석(方席) 10 개를 하나치로 세는 데 쓰는 말. 1 죽은 닢〔立·葉〕의 10 배(倍)에 해당된다. 《陶山書院傳掌記, 萬曆46年正月19日》 白文席青木縇方席一竹. 草大圓方席一竹. 草小圓方席一竹. 《陶山書院傳掌記, 天啓8年正月20日》草方席一竹. ❺화로(火爐) 10 개를 하나치로 세는 데 쓰는 말. 1 죽은 개(箇)의 10 배(倍)에 해당된다. 《正宗大王殯殿魂殿都監儀軌, 下, 稟目》土火爐五竹八箇. 土火爐二竹四箇. ❻등잔(燈盞) 10 개를 하나치로 세는 데 쓰는 말. 1 죽은 개(箇)의 10 배에 해당된다. 《正宗大王殯殿魂殿都監儀軌, 1 房, 各處手本, 奉常寺》常燈盞一竹. ❼갓 10 닢을 하나치로 세는 데 쓰는 말. 1 죽은 닢〔立〕의 10 배에 해당된다. 《四介松都治簿法, 20章》洪癸化放, 丙辰正月十七日 統營笠二十竹, 價金三十八圓七十五錢. ❽'대'의 차자 표기로, 갈비〔加里·乫伊〕의 수를 낱으로 세는 데 쓰는 말. 12 대이면 1 짝이 된다. 절(切). 《關西邑誌, 龍岡縣邑誌, 折價式》加里一隻, 肉六斤, 一竹肉八兩, 一片二兩六戔六分, 十二竹爲一隻, 三片爲一竹. 《畿甸邑誌, 竹山府邑誌, 事例》乫伊二竹.

죽통(竹筒) [부피] 죽통에 술·간장·기름 따위를 담아 그 양을 헤아리는 데 쓰는 말.

준(尊) [수효] 대포(大砲)의 수를 세는 데 쓰는 말. 《朝鮮正祖實錄 45, 20年12月乙未》黨男婦大小七百四十九名口, 奪獲及搜出大砲二尊, 怡鎗八桿, 鳥鎗三百七十八桿, 長矛一千五百二十一桿, 腰刀七十二口.

준(樽) [부피] 준에 술·간장·된장 따위를 담아 그 양을 헤아리는 데 쓰는 말. 준은 단지 모양으로 생긴 그릇의 한 가지이다.

준순(逡巡) [수] 아주 작은 수의 하나. ❶ 1 준순은 모호(模糊)의 10 분의 1 이며, 수유(須臾)의 10 배(倍), 또는 10^{-14} 에 해당된다. ❷ 1 준순은 모호의 1억(億)분의 1 이며, 수유의 1억 배, 또는 10^{-56} 에 해당된다.

줄 [수효] ❶사람이나 물건의 늘어선 열(列)의 수를 세는 데 쓰는 말. 행(行). ❷채소·계란·잎담배 따위를 모숨모숨 엮어 묶은 두름의 수를 세는 데 쓰는 말.

줄(joule) [일·에너지] 에너지 또는 엠 케이 에스 단위(M.K.S. 單位). 1 줄은 1 뉴턴(newton)의 힘이 물체를 힘의 방향으로 1 m 움직였을 때의 힘으로, 1 줄은 10^7 에르그(erg)에 해당된다. 열량의 1 줄은 0.23868 칼로리에 해당된다. 초(焦). 초이(焦耳). 기호 : J, joul, N·m

줄기 [수효] ❶나무나 풀의 줏대를 이루는 부분의 수를 세는 데 쓰는 말. ❷길게 뻗어 잇대어 나간 물줄기나 산(山)의 갈래를 세는 데 쓰는 말. ❸불·연기·광선 따위가 길게 뻗어 나간 수를 세는 데 쓰는 말.

줌 [1] [부피] 주먹으로 쥘 만한 분량. 또는 그 양을 헤아리는 데 쓰는 말. 결(紣). 악(握). 촬(撮). 파

(把). [2] [넓이] 조세(租稅)를 계산하기 위한 토지 면적의 단위. 1 줌의 넓이는 시대에 따라 조금씩 달랐는데, 광무(光武) 9년(1905)에는 5 평방 주척(平方周尺)으로 하였다. 10 줌〔把〕을 1 뭇〔束〕, 10 뭇을 1 짐〔負〕, 10 짐을 1 총(總), 10 총을 1 목(目)으로 하였다.

줌바(jumba) [길이] 말레이 반도(半島)의 말라카(Malacca) 지방의 단위. 1 줌바는 아스타(asta)의 8 배(倍)이며, 144 인치, 또는 3.66 m에 해당된다.

중(中) [1] [등급] 조선 시대, 관리 성적의 고과(考課)를 세 등급으로 나눌 때의 둘째 등급.《朝鮮世宗實錄 35, 9年正月丙申》 吏曹啓請, 京·外官考績五考內, 有二中·二上·一戔, 則以三上論陞資, 三中·一上·一戔, 則以四中論罷黜. 從之. [2] [섬도(纖度)] 일본(日本)의 단위. 생사(生絲)의 굵기를 나타내는 데 쓰는 말. 생사를 21 데니어(denier)의 굵기로 하였을 때, 굵기에 다소 차이가 있더라도 21 중이라 한다. 이와 같이 생사를 거래하는 경우 굵기를 나타내는 데는 반드시 중(中)이라는 호칭을 붙이고 데니어라는 말은 생략하는 것이 관습으로 되어 있다. [3] [수효] 활이나 총포를 쏘아 맞힌 수를 세는 데 쓰는 말.《後漢書, 陳敬王劉羨傳》 寵善弩射, 十發十中, 中皆同處.《南史, 齊宜都王鏗傳》彌善射, 常以堋的太闊, 曰, 終日射侯, 何難之有. 乃取甘蔗揷地, 百步射之, 十發十中.《北史, 豆盧寧傳》嘗與梁仙定, 遇于平涼川, 相與肄射, 乃相去百步, 縣莎草以射之, 七發五中, 仙定服其能.

중(重) [1] [수효] ❶'층(層)'·'겹'의 뜻으로, 쌓여 있는 것이나, 겹친 것의 켜의 수를 세는 데 쓰는 말. 급(級). 단(段). 등(蹬).《莊子, 天下》天子棺槨七重, 諸侯五重, 大夫三重, 士再重.《史記, 項羽本紀》項王軍壁垓下, 兵少食盡, 漢軍及諸侯兵圍之數重.《宋玉, 九辯》豈不鬱陶而思君兮, 君之門以九重.《李商隱, 無題詩》劉郎已恨蓬山遠, 更隔蓬山一萬重.《陳鐸, 玉抱肚曲》音書誰送, 知隔著關山幾重. ❷'가지'·'종류'·'건(件)'의 뜻으로, 사물이나 일의 갈래를 세는 데 쓰는 말.《書傳, 顧命》越王五重.《釋齊己, 東林寄別修睦上人》囊中自久詩千首, 身外誰知事幾重. ❸관위(官位)의 급수(級數)를 헤아리는 데 쓰는 말.《續資治通鑑, 宋高宗紹興 25 年》甲寅, 金紹, 內外大小官覃遷一重. ❹일본(日本)의 단위. ㉮달걀 30 개를 하나치로 세는 데 쓰는 말. ㉯'채'의 뜻으로, 이불이나 요의 수를 세는 데 쓰는 말. 건(件). 권(卷). 조(條). ㉰'켜'의 뜻으로, 겹겹으로 쌓여 있는 떡의 켜를 세는 데 쓰는 말. [2] [시간] (chóng) 중국(中國)의 단위. 햇수를 헤아리는 데 쓰는 말. 1 중은 60 년에 해당된다.《司馬光, 乞令校定資治通鑑所寫稽古錄箚子》 臣光於英宗皇帝時嘗采獵經史, 上自周威烈王二十三年, 下盡周世宗顯德六年, 略擧每年大事, 編次爲圖, 年爲一行, 六十行爲一重 五重爲一卷, 凡一千三百六十二年, 共成五卷, 謂之歷年圖.

중대(中隊) [군사] 현재 육군 및 해병대의 부대 편제 단위. 보병은 3개 소총 소대와 1개 화기 소대로 대대(大隊)의 하급 부대이다. 조선 고종(高宗) 32년(1895) 신식 군제에 의하여 실시되기 시작하였다. 5개 중대가 모여 대대가 되는데, 중대에는 중대장 1인과 소대장 4인, 정교(正校)·부교(副校)·참교(參校)가 있었다.《朝鮮高宗實錄 33, 32年閏5月25日》副令洪啓薰, 補訓鍊隊聯隊長, 副領玄興澤, 補侍衛隊聯隊長.《朝鮮高宗實錄 40, 光武 4年8月20日》詔曰, 地方各軍隊之或稱鎭衛, 或稱地方者, 非軍容齊一之規也. 竝稱鎭衛隊, 令元帥府聯隊編制以入.《朝鮮高宗實錄 44, 光武8年3月12日》勅令第六號, 軍樂隊設置(侍衛第一聯隊付屬, 軍樂一中隊二小隊編成. 一等軍樂長一人, 中隊長, 二三等軍樂長二人, 小隊長).《增補文獻備考 238, 職官志, 更張官制》砲兵隊. 今上光武二年, 以親衛步兵一中隊, 爲砲兵隊……野砲一中隊, 中隊長一員(正尉), 小隊長三員(副尉或叅尉), 正校一員, 副校四員, 參校六員.《增補文獻備考 283, 職官考, 更張官制》侍衛隊, 今上三十一年, 廢諸軍門, 設訓鍊隊. 三十二年, 改設侍衛隊, 以二大隊編成聯隊. 長一員, 大隊長二員, 副官二員, 餉官二員, 中隊長四員, 小隊長十四員. 光武二年, 改置聯隊長一員, 副官一員, 武器主管一員, 旗官, 附下士三員. 親衛隊. 今上三十三年, 設親衛隊, 置聯隊長一員, 副官一員, 武器主管一員, 旗官一員. 光武二年, 以一二三大隊, 編成一聯隊. 各大隊, 大隊長一員, 餉官二員, 副官一員, 正校一員, 副校三員. 五中隊爲一大隊, 各中隊, 中隊長一員, 小隊長四員, 正校·副校·參校各一員.

중사(中絲) [섬도] 일본(日本)의 단위. 무명실의 굵기를 나타내는 데 쓰는 말. 1933년 이전에는 22~42번수(番手)로 하였고, 그 후에는 23~44번수로 하였다가, 현재는 23~46번수로 하였다.

중통(中統) [행정] 조선 중기, 국민 조직 편제(編制)의 한 단위. 1중통은 25가(家)로 조직되었다.《朝鮮明宗實錄 24, 13年8月辛卯》五家爲一小統, 五小統爲一中通, 二中統爲一大統.

중후(中侯) [길이] 과녁의 멀고 가까운 정도에 따라 나눈 단위. 무과시험(武科試驗)이나 교습(敎習)을 하기 위하여 240보(步) 거리에 세운 것을 원후(遠侯), 180보 거리에 세운 것을 중후, 80보 거리에 세운 것을 근후(近侯)라 하는데, 원후와 중후는 바탕이 청색(靑色)이고 근후는 백색이다.《朝鮮世祖實錄 3, 2年2月庚申》遠侯距壇二百四十步, 以靑色布爲質, 崇廣丈八尺三分, 其廣鵠居, 一鵠方六尺……中侯距壇一百八十步, 亦以靑色布爲質, 崇廣丈四尺, 鵠方四尺六寸, 有奇. 近侯距壇八十步, 以白漆布爲質, 崇廣四尺六寸, 皆畫以豕首, 取中者.

즐로티(zloty) [통화] 폴란드의 현재 통화 단위. 1즐로티는 그로시(groszy)의 100배(倍)에 해당된다. 자라제(玆羅提).

증(增) [시간] 구사론(俱舍論)에 따

르면, 사람의 수(壽)가 10 살로부터 100 년에 1 살씩 불어나서 8만 살에 이르는 사이를 이르는 말. 불조통기(佛祖統紀)에서는 8만 4천 살에 이르는 사이라 한다.《佛祖統紀 30》如是一減一增, 爲一小劫.《三國遺事 3, 塔像, 迦葉佛宴坐石》又增至人壽八萬歲, 時爲一增.

지(支) 1 [수효] ❶인삼의 수를 낱으로 세는 데 쓰는 말. 구(軀). 근(筋). 본(本). 편(片).《朝鮮日報, 朝鮮月曜經濟, 1990年8月27日》홍삼은 품질이 좋은 것으로부터 天蔘·地蔘·良蔘·切蔘·尾蔘 등 5 등급으로 나뉘며, 제품 속에 포함된 뿌리 수를 '支'로 표시한다. 같은 무게에 뿌리 수가 적으면 그만큼 인삼의 크기가 큰 셈이어서 가격도 비싸진다. ❷'자루'의 뜻으로, 가늘고 긴 물건의 수를 세는 데 쓰는 말.《六甲之冬》他拄着一支竹杖, 屈着膝走到公路上.《羣書類從 7》千木四支. 堅魚木九支. ❸(zhī) 중국(中國)의 단위. ㉮부대(部隊)나 대오(隊伍)의 수를 세는 데 쓰는 말.《中國童話 7》更率領一支騎兵, 到中國殺人·防火, 搶糧食一步步佔領了中國的土地. ㉯노래나 악곡(樂曲)의 수를 세는 데 쓰는 말.《小婦人》我會嘗試唱一支童歌. 2 [조도] (zhī) 중국의 단위. '촉(燭)'의 뜻으로, 촉광(燭光)을 나타내는 데 쓰는 말. 〈예〉 一个六十～光的灯泡. 3 [섬도(纖度)] (zhī) 중국의 단위. '번수(番手)'의 뜻으로, 실의 굵기를 나타내는 데 쓰는 말. 〈예〉 六十～紗.

지(旨) [수효] 그물의 수를 세는 데 쓰는 말. 닙(立). 첩(帖).《陶山書院傳掌記, 萬曆46年正月19日》銀魚遮網二旨, 小川魚網二旨, 茵短席八立內(四旨存而已故, 一旨破, 三旨無有).

지(至) [수효] 맥(脈)이 뛰는 수를 세는 데 쓰는 말.《周密, 癸辛雜識》閉息法, 以脈候之, 五至爲一息.

지(地) [수효] '곳'의 뜻으로, 지역의 수를 세는 데 쓰는 말.《詩, 邶風, 泉水》出宿于泲. (毛傳) 泲, 地名. (孔穎達疏) 下傳或兼云干, 言所適國郊者, 一郊不得二地, 宿餞不得同處, 言衍字耳.《左傳, 僖公23年》帥師伐陳, 注, 今譙郡城父縣二地, 皆陳邑.《元史, 河源附綠》地名, 闊卽及闊提, 二地相屬.

지(枝) [수효] ❶'자루'의 뜻으로, 붓의 수를 세는 데 쓰는 말. 경(莖). 관(管). 매(枚). 병(柄).《朝鮮世祖實錄 16, 5年4月庚申》遣都承旨尹子雲, 贈明使鞍具馬各一匹, 弓矢一部, 油紙席二部, 厚紙十卷, 油烟墨五丁, 黃毛筆七十枝, 唯鞍馬不受.《朝鮮成宗實錄 109, 11年7月庚子》 遣禮曹判書李承台·都承旨金季昌·右副承旨成俔于大平舘, 封進獻物……小樣硯石五匣具, 大樣黃毛筆二百枝, 兎毛筆二百枝, 中樣黃毛筆二百枝, 龍香圓墨一百笏, 強弓十張.《朝鮮宣祖實錄 47, 27年正月乙未》以馬粧一部, 豹皮一張, 三枝鎗一雙, 腰刀一把, 弓子一張, 狼毛筆二十枝, 油烟墨十笏, 霜華紙五卷, 白貼扇二十把, 下于政院.《芝峰類說 17, 雜事部, 數名》凡數, 人以口, 禽獸以首, 魚以尾, 筆爲枚爲枝, 墨爲丸爲笏, 紙爲幅爲番, 硯爲

面, 帶爲腰, 衣爲領. ❷'가지'의 뜻으로, 꽃가지나 나뭇가지의 수를 세는 데 쓰는 말.《三國遺事 2, 紀異, 眞聖女大王, 居陁知》老人以其女, 變作一枝花, 納之懷中, 仍命二龍, 捧居陁趁及使舡, 仍護其舡, 入於唐境.《高麗史 68, 禮志, 嘉禮, 老人賜設儀》紅鞓皮一腰, 人蔘十兩, 花八枝, 紅蠟燭三丁.《高麗史 89, 齊國大長公主傳》是年五月還國. 時, 壽寧宮芍藥盛開, 公主命折一枝.《漢淸文鑑 13, 雜果, 花》一枝, ᄒᆞᆫ가지.《進宴儀軌(高宗壬寅) 3, 樂器風物》首拱花四枝.《蘇軾, 惠崇春江晩景二首》竹外桃花三兩枝, 春江水暖鴨先知. ❸호적(號笛)·대각(大角)·나팔(喇叭)·나(鑼)와 같이 긴 모양으로 된 악기의 수를 세는 데 쓰는 말.《萬機要覽, 軍政編 2, 龍虎營, 軍器》號笛十七枝. 銅大角七枝. 喇叭十七枝.《萬機要覽, 軍政編 2, 訓鍊都監, 軍器》銅鑼三十二枝. 木大角四枝.《京畿邑誌, 仁川府邑誌》號笛二枝. 喇叭二枝. 木大角二枝. ❹'대'·'자루'의 뜻으로, 화살이나 화살대의 수를 세는 데 쓰는 말. 개(箇). 근(筋). 본(本). 시(矢). 조(条). 지(枝). 척(隻). 파(把). 편(編).《朝鮮文宗實錄 3, 卽位年8月辛卯》尹鳳, 請箭竹一千枝, 命給之.《春官通考 46, 嘉禮, 迎勅禮單》筆二百六十二枝. 竹桿箭九十枝. 蠟燭三十枝.《萬機要覽, 軍政編 3, 禁衛營, 軍器》火箭一千八百七十二枝.《兒女英雄傳, 11回》等到望見過往的客商到了, 一枝響箭便算個號令, 大家纔不約而同的下山. ❺향(香)의 수를 세는 데 쓰는 말. 병(柄). 주(炷).《度支志, 外篇 16, 經費司》芙蓉香二十枝.《萬機要覽, 財用編 5, 方物》芙蓉香二十枝. ❻총포(銃砲)의 수를 세는 데 쓰는 말.《朝鮮宣祖實錄 87, 30年4月乙酉》秀吉大喜, 贈良馬二疋, 銀鞍五枝, 米千石, 錦衣五十件, 苧單衣五十件, 環甲五十柄, 槍十五柄, 長釖三柄, 鳥銃七枝, 奴三百六十口, 軍官三十四名爲賞.《戎垣必備, 木筒》木筒裝藥法. 木筒卽火筒也. 巢藥五兩, 菱鐵五十箇, 枝火小撥火付結, 共八十一枝, 以艾葉塡其空處, 使不搖動, 以蓋塞口而絞之, 以紙塗其全體四五襲, 發去之時, 恐火滅, 故兩處穿穴.《萬機要覽, 軍政編 3, 御營廳, 軍器》小發火一百三十枝. ❼동이〔盆〕의 수를 세는 데 쓰는 말. 매(枚).《朝鮮成宗實錄 244, 21年9月丁卯》日本國大中大夫左京兆尹兼防長, 豐筑四州太守多多良政弘, 遣人來獻土宜……朱漆小盆五十枝, 墨漆鞘柄大刀一十振. ❽뿔〔角〕의 수를 세는 데 쓰는 말. 개(介). 근(根). 부(部). 정(丁). 조(条). 통(桶).《純元王后國葬都監儀軌 2, 實入》鹿角半半枝. ❾부대(部隊)나 병졸(兵卒)의 무리의 수를 세는 데 쓰는 말.《朝鮮宣祖實錄 35, 26年2月己丑》運成川·德川之穀, 以爲軍需, 請分天兵一二枝, 以爲聲勢, 則賊可殲.《朝鮮英祖實錄 16, 4年3月癸酉》始知賊自鎭川分兵, 一枝向竹山, 一枝向安城.《明史, 戚繼光傳》再募西北壯士, 足馬軍五枝, 步軍十枝, 專聽臣訓鍊. ❿'마리'의 뜻으로, 물고기의 수를 세는 데 쓰는 말. 괴(塊).

매(枚). 미(尾). 조(條). 필(匹). 《陶山書院傳掌記 29, 已卯8月17日》 淸魚一枝. ⓫산호(珊瑚)의 수를 세는 데 쓰는 말. 주(株). 《朝鮮世宗實錄 127, 32年閏正月己酉》 倪謙進玉帶一腰, 珊瑚一枝, 紗十四匹. ⓬ '자루'의 뜻으로, 초〔燭〕의 수를 세는 데 쓰는 말. 대(對). 병(柄). 정(丁·挺). 조(條). 척(隻). 《春官通考 46, 嘉禮, 迎勅禮單》 筆二百六十二枝. 竹桿箭九十枝. 蠟燭三十枝. ⓭안장〔鞍〕의 수를 세는 데 쓰는 말. 구(口·具). 면(面). 배(背). 《朝鮮宣祖實錄 87, 30年4月乙酉》 秀吉大喜, 贈良馬一疋, 銀鞍五枝, 米千石, 錦衣五十件, 苧單衣五十件, 環甲五十柄, 槍十五柄, 長釖三柄, 鳥銃七枝, 奴三百六十口, 軍官三十四名爲賞. ⓮비녀〔簪〕의 수를 세는 데 쓰는 말. 근(根). 《朝鮮太宗實錄 6, 3年10月辛未》 朝廷使臣黃儼·朴信……靑白膽珠四顆, 金事件一副, 共八十箇件內, 金簪一枝, 金葵花大小六箇. ⓯'자루'의 뜻으로, 창(槍)의 수를 세는 데 쓰는 말. 근(根). 병(柄). 본(本). 정(挺). 조(條). 좌(坐). 총(叢). 《萬機要覽, 軍政編 3, 禁衛營, 軍器》 車槍二百八十八枝. 《魯迅, 且介亭雜文, 憶劉半農君》 但那門却開着的, 裏面有幾枝槍, 幾把刀, 一目了然, 用不着提防. ⓰수저를 낱으로 세는 데 쓰는 말. 매야(每也). 매이(每伊). 면(面). 본(本). 전(揃). 《陶山書院傳掌記, 乙丑正月24日》 著二丹四雙一枝. 正果匙十九枝. ⓱애화(艾花)의 수를 세는 데 쓰는 말. 애화는 여자의 머리에 액막이로 꽂는, 비녀처럼 생긴 물건이다. 《洌陽歲時記, 5月, 端午》 堂兄直學宅, 有先朝時, 端午所賜艾花一枝. 削木爲體, 長可七八寸, 博三分許. 自半以下漸殺, 至本而銳之, 令可簪……放翁重五詩云, 衰甚猶簪艾一枝, 卽此物也. ⓲홀〔圭〕의 수를 세는 데 쓰는 말. 면(面). 부(部). 《朝鮮太宗實錄 6, 3年10月辛未》 朝廷使臣黃儼·朴信……薰色粧花佩帶一副, 紅白大帶一條, 玉圭一枝, 大紅苧絲舃一雙. ⓳종파(宗派)의 수를 세는 데 쓰는 말. 《景德傳燈錄 元安禪師》 石頭一枝, 看看師滅矣. 《秦觀, 次韻邢敦夫秋懷 2》 暮有二客至, 俱以能禪聞. 一枝惠林出, 一派智海分. 《鄭燮, 范縣署中寄舍弟墨》 剎院寺祖墳, 是東門一枝大家公共的, 我因葬父母無地, 遂葬其傍. ⓴'가닥'·'줄기'의 뜻으로, 긴 물건이나 도로 따위의 수를 세는 데 쓰는 말. 《陸遊, 塞二曲詩》 三尺鐵如意, 一枝玉馬鞭. 《堪輿雜著, 覆驗》 平地頓起大山數十里, 右一枝去結黃衢, 左一枝入鞋谿去結圖山. ㉑장소나 거처(居處)하는 곳의 수를 세는 데 쓰는 말. 《孫定, 寄孫儲詩》 一枝猶挂東堂夢, 千里空馳北巷心. 《溫庭筠, 投翰林蕭舍人詩》 每過朱門愛庭樹, 一枝何日許相容. 《蘇軾, 陳夜病中贈段屯田詩》 三徑麤成賢, 一枝有餘暖. ㉒씨족(氏族)의 수를 세는 데 쓰는 말. 《孫鎭, 許氏雙柱圖詩》 許家二柱聯翩秀, 孫氏三枝次第春. ㉓일본(日本)의 단위. ㉮'장'의 뜻으로, 활의 수를 세는 데 쓰는 말. 매(枚). 부(副). 정(丁). 《羣書類從 1》 弓三枝. ㉯실패의 수

를 세는 데 쓰는 말.《羣書類從 1》金柨一枝.

지(肢) [수효] 사람 몸의 부위의 수를 세는 데 쓰는 말.《淮南子, 天文訓》天有四時, 以制十二月, 人亦有四肢, 以使十二節, 天有十二月, 以制三百六十日, 人亦有十二肢, 以使三百六十節.

지(咫) [길이] 척관법(尺貫法)의 한 단위. 지(咫)는 중국(中國) 주(周)나라 때부터 사용되었으며, 1 지는 8 치〔寸〕에 해당되었다. 주나라 때의 1 자〔尺〕를 19.91 cm 라고 추정할 때 약 15.93 cm 가 된다.《左傳, 僖公 9年》天威不違顏咫尺(八寸曰咫). (孔潁達疏)魯語云, 肅愼氏貢楛矢, 長尺有咫, 賈逵亦云, 八寸曰咫. 說文云, 周制寸尺咫尋, 皆以人之體爲法, 中婦人手長八寸, 謂之咫, 周尺也.《戰國策, 秦策 5, 鮑彪校注》八寸曰咫.《史記, 留侯世家》徒欲日夜望咫尺之地.《廣才物譜 1, 庶類部, 數》咫, 八寸. 卽周尺也.《字類註釋, 物類, 名數》咫, 여덟 치 지.

지(指) [길이] ❶가운뎃손가락〔中指〕의 가운데 마디〔中節〕로 길이를 헤아리는 데 쓰는 말. 고려 말기부터 중지(中指) 중절(中節)을 1 치〔寸〕로 쳐서 그 10 배(倍)를 1 자〔尺〕로 삼았는데, 이를 지척(指尺)이라 하였다. 이를 기준으로 옛 전제(田制)에서는 상전(上田)은 20 지, 중전(中田)은 25 지, 하전(下田)은 30 지를 1 지척으로 삼아 논밭의 넓이를 헤아렸다.《萬機要覽, 財用編 2, 田結, 田制》我國田制, 初甚疎略, 舊制田品, 只有上·中·下三等, 其所量之尺, 各者不同, 上田尺二十指, 中田尺二十五指, 下田尺三十指, 隨等打量, 而八道田品, 非三等所能盡也. ❷'뼘'의 뜻으로, 엄지손가락과 다른 손가락을 잔뜩 벌리어 잰 길이를 헤아리는 데 쓰는 말.《才物譜, 秋, 數》一指, ᄒᆞᆫ 뼴.《廣才物譜 1, 庶類部, 數》一指, ᄒᆞᆫ 뼴. ❸척관법(尺貫法)의 한 단위. 1 지는 1 치〔寸〕의 2 분의 1, 또는 5 푼〔分〕의 길이에 해당된다.《漢淸文鑑 11, 衣飾, 量度》一指, 五分曰一指.《朝鮮의 弓術, 圖說》弓을 造成한 後에도 지긔로 兩處 오금에 대이고 鐵鉉을 메인 後……三指쯤을(一寸五分) 壓札하고.

지(紙) [수효] '통'·'건'·'장'·'매(枚)'의 뜻으로, 문서나 서첩(書帖)·편지 따위의 수를 세는 데 쓰는 말. 각(角). 건(件). 도(度·道). 봉(封). 장(丈·張). 종(宗). 찰(札). 통(通). 폭(幅). 함(緘).《朝鮮成宗實錄 78, 8年3月丙申》赴召中官文仲善·金孝江, 偕到賓廳, 仲善賫諺文一紙.《朝鮮宣祖實錄 84, 30年正月乙卯》自稱兵部差官陸文韜, 賫到貴部書帖二紙, 及遼東副總兵官李書帖二紙, 禮物若干, 幷本人自有書帖二紙.《朝鮮英祖實錄 55, 18年4月甲申》命將令以下諸執事入侍, 以勿事黨習之意, 諄諄面飭, 以御筆書一紙, 援儒生.《吏文輯覽 2, 號樣一紙》號樣. 謂偕號字樣也. 一紙一張也. 凡文書一長, 必稱一紙.《杜牧, 冬至日寄小姪阿宣》一日讀十紙, 一月讀一箱.

지게 [부피] 지게로 운반한 물건의 양을 헤아리는 데 쓰는 말.

지광(支光 : zhīguāng) [광도·조도] 중국(中國)의 단위. '촉광(燭光)'의 음역(音譯).

지구(地區) [수효] 학군(學群)이나 선거(選擧) 등 특정의 목적을 위하여 특별히 지정된 지역의 수를 세는 데 쓰는 말.

지기〔落只〕 [넓이] 곡식의 씨를 뿌리는 양에 따라 논밭의 넓이를 나타내는 데 쓰는 말. 주로 되〔升〕·말〔斗〕·섬〔石〕 따위의 말에 붙어 되지기〔升落只〕·마지기〔斗落只〕·섬지기〔石落只〕라 부른다. 씨앗 한 되를 뿌릴 수 있는 논밭의 넓이를 되지기, 씨앗 한 말을 뿌릴 수 있는 논밭의 넓이를 마지기, 씨앗 한 섬을 뿌릴 수 있는 논밭의 넓이를 섬지기라고 한다.

지나(地那 : dìnà) [통화] 중국(中國)의 단위. '디나르(dinar)'의 음역(音譯).

지라(zira) [길이] 터키의 단위. 1 지라는 구제(舊制)로는 29.84 인치, 또는 75.79 cm 이고, 신제(新制)로는 1 아르신(aršin), 또는 1 m 에 해당된다. 지라이(zirai).

지라이(zirai) [길이] 터키(Turkey)의 단위. '지라(zira)'와 같다.

지망(志望) [수효] 어떤 일을 뜻하여 바라는 바가 있을 때, 그 바라는 순서를 나타내는 데 쓰는 말. 〈예〉 제 3 ~은 화학과이다.

직 [수효] 한의학에서, 학질(瘧疾) 따위의 병이 주기적(週期的)으로 발작(發作)하는 차례. 또는 그 횟수를 나타내는 데 쓰는 말.

직(樴 : zhí) [수효] 중국(中國)의 단위. '매(枚)'·'장'의 뜻으로, 포(脯)와 같이 넓적한 물건의 수를 세는 데 쓰는 말. 《說文解字注, 木部》 凡物一枚曰樴. 《鄉射禮記》 薦脯五樴(樴猶梃也).

직(稷) [부피] 1 직은 6,400 말〔斗〕, 또는 10 거(筥)에 해당된다. 《儀禮, 聘禮》 十斗曰斛, 十六斗曰籔, 十籔曰秉, 四秉曰筥, 十筥曰稷, 四百秉爲一秅.

직(職) [수효] ❶직업의 수를 세는 데 쓰는 말. 《周禮, 天官, 大宰》 (周)以九職任萬民, 一曰三農, 生九穀, 二曰園圃, 毓草木, 三曰虞衡, 作山澤之材, 四曰籔牧, 養蕃鳥獸, 五曰百工, 飭化八材, 六曰商賈, 阜通貨賄, 七曰嬪婦, 化治絲枲, 八曰臣妾, 聚斂疏材, 九曰閒民, 無常職, 轉移執事. 《通典, 食貨 3》 周知其萬民衆寡之數, 乃分九職焉. 九職既分, 則劬勞者可見, 勤惰者可聞也. ❷관직의 수를 세는 데 쓰는 말. 《說苑, 君道》 當堯之時, 舜爲司徒, 契爲司馬, 禹爲司空, 后稷爲田疇, 夔爲樂正, 倕爲工師, 伯夷爲秩宗, 皋陶爲大理, 益掌敺禽……堯知九職之事, 使九子者各受其事.

진(振) [수효] '자루'의 뜻으로, 칼의 수를 세는 데 쓰는 말. 구(口). 병(柄). 본(本). 요(腰). 정(挺). 척(隻). 파(把). 《朝鮮世宗實錄 90, 22年8月庚午》 謹獻大刀二十振, 鑓一十挺……黃錬綃二匹, 摺疊扇二百本, 香一十斤, 紅漆椀一十具. 《朝鮮文宗實錄 4, 即位年10月丁丑》 且獻不腆方物, 大刀二振, 獼猴二匹, 赤織錦一段, 青磁酒具同臺香二十斤. 《朝鮮成宗實錄 13, 2年 12月己卯》 扇子五十柄, 染着鉢十枚, 白

鎡錛十枚, 紫檀五十斤, 大刀二振, 香二十斤, 枕子二雙.

진(陣) [1] [군사] 진영(陣營)의 수를 세는 데 쓰는 말. [2] [수효] ❶ '번'·'바탕'·'차례'의 뜻으로, 비나 바람 따위가 짧은 시간 동안 지속되는 횟수를 세는 데 쓰는 말.《古今釋林 4, 歷代方言, 釋天》一破. 俗呼錄, 雨一陣爲一破, 又以一番一起爲一潑.《太平廣記 31》神仙傳, 正旦食後失火. 須臾, 有大雨三陣, 從東北來, 火乃止.《蘇軾, 南鄕子, 春情》一陣東風來捲地, 吹廻, 落照江天一半開.《小王子》我覺得需要保護他, 好像他自己就是可能被一陣微風吹熄的火焰似的. ❷'무리'·'집단'의 뜻으로, 어떤 관계로 여럿이 모여 이룬 동아리의 수를 세는 데 쓰는 말. 과(夥). 군(群). 기(起). 반(班). 배(輩). 비(批). 운(運). 퇴(堆). 패(牌). 화(伙).《指南錄, 定變難詩序》是夜逃者十二人, 二人坐舟, 猶有十人作一陣走.《新編五代史平話, 梁史》是夜月光皎潔, 撞着一陣軍馬, 約三百餘人, 將朱溫四人喝住. ❸진(陣)을 치거나 대적(對敵)한 횟수를 세는 데 쓰는 말.《吳子, 料敵》夫齊性剛, 其國富, 君臣驕奢而簡於細民, 其政寬而祿不均, 一陣兩心, 前重後輕, 故重而不堅.《宋史, 盧斌傳》今若還師, 必須結陣而法, 以一陣之役, 比於固守, 其利百矣.

진(陳) [수효] 일본(日本)의 단위. '채'의 뜻으로, 자리〔席〕나 모전(毛氈)의 수를 세는 데 쓰는 말. 건(件). 매(枚). 부(浮). 석(席). 엽(葉). 영(領). 장(丈·張). 전(揃). 좌(坐).

진(進 : jìn) [수효] 중국(中國)의 단위. '채'·'동(棟)'의 뜻으로, 집이나 건물이 줄지어 늘어선 것. 또는 그 늘어선 집 사이에 있는 정원의 수를 세는 데 쓰는 말. 〈예〉第三~房子是會議室. 兩~院子. 가(架·家). 구(區). 당(幢). 동(棟). 소(所). 실(室). 우(宇). 원(院). 장(爿). 전(廛). 좌(坐·座).

진(塵) [1] [수] 십진급수(十進級數)의 하나. 1 진은 사(沙)의 1만분의 1 이며, 애(埃)의 10 배(倍), 또는 10^{-9} 에 해당된다. [2] [질량] 1 진은 사(沙)의 10 분의 1, 또는 냥(兩)의 10억분의 1 에 해당된다.《宛署雜記, 繇賦》正賦中通共起存銀參千陸百陸拾捌兩柒錢五分貳厘陸毫五絲肆微捌纖陸沙陸塵陸埃壹渺貳漠五糢.《天下郡國利病書, 江南 6, 吳縣》實編均徭銀九千二百四十五兩三錢七分六釐五毫二絲六忽六微六纖六沙七塵. [3] [길이] 1 진은 사(沙)의 10 분의 1, 또는 치〔寸〕의 10억분의 1 에 해당된다.《算法統宗, 零數》寸·分·釐·毫·絲·忽·微·纖·沙·塵·埃.

질(帙) [수효] 여러 권으로 된 책의 한 벌을 하나치로 세는 데 쓰는 말. 건(件). 반(件). 본(本). 부(部). 사(事). 질(秩·袠). 투(套).《朝鮮成宗實錄 56, 6年6月壬午》歐陽·文忠公集各一帙……蘇合油二器, 墨二封.《牧民心書 3, 奉公, 宣化》凡撰節目, 宜用堅厚白硾紙, 作烏絲欄, 楷字謹書, 嚴肅森整, 諸庫節目, 合之爲一帙, 翦之以一刀, 置

之案上，守之如國典.《慵齋叢話 8》金居士集幾十卷， 員外郞金克己所著，古板在校書舘，半剜，銀臺集只有一帙， 雙明齋一帙， 破閑集上下帙， 皆李仁老所著.《續資治通鑑，元仁宗延祐5年》大司農邁珠進司農丞苗好謙所撰栽桑圖說， 帝命刊印千帙，散之民間.

질(秩) ① [수효] ❶'질(帙)'과 같다.《朝鮮世宗實錄 43，11年2月壬午》賜政府六曹堂上，農書各一秩.《度支志，外篇 16，經費司》東醫寶鑑三秩.《進宴儀軌(高宗壬寅) 2，節目》粭板一立，全韻玉篇一秩，寫字官所用，黃筆十三同，眞墨二同. ② [등급] ❶벼슬아치의 품계를 헤아리는 데 쓰는 말.《隋書，百官志中》祿率一分以帛，一分以粟，一分以錢. 事繁者優一秩，平者守本秩，閑者降一秩. 長兼試守者， 亦降一秩.《宋史，理宗紀》寶慶二年二月辛卯，監察御史梁成大言，眞德秀有大惡五，僅褫職罷祠，罰輕，詔削二秩. ❷일이나 사람의 등급을 헤아리는 데 쓰는 말.《朝鮮孝宗實錄 8，3年2月戊申》又有三秩之役. 所謂三秩，乃營屬·鎭撫·使令等牌也. 稱以從馬. 每於水軍入番之時，逐名徵布，其數亦多.《增補文獻備考 112，兵考，法令》英祖四年， 備局啓曰，忠淸兵使趙儉狀內，今番本營之變，實由於無備，一依吏奴作隊例，營底所居營屬三秩營奴·鎭屬等， 抄出丁壯三百餘人， 分爲三哨， 擇定哨官，敎習勤勉，逐朔試閱，則可以得力緩急云. ③ [시간] (zhì) 중국(中國)의 단위. 1 질은 10 년에 해당된다. 질(袠).《容齋隨筆 1》白公詩云，行開第八秩， 可謂盡天年(時俗謂七十以上爲開第八秩. 蓋以十年爲一秩云).《蘇軾，無題》六秩行當啓，區中緣更踈.《柳亞子，歐陽予倩母劉太夫人八十壽詩》 慈母八旬兒六秩， 承歡眞見老萊衣.

질(袠 : zhì) ① [수효] 중국(中國)의 단위. '질(帙)'과 같다.《南齊書，虞愿傳》褚淵常詣愿，不在，見其眠牀上積塵埃，書數袠. 淵歎曰，愿君之淸，一至如此.《南史，何儉傳》何承天禮論三百卷， 儉抄爲八袠. ② [시간] '질(秩)'의 ③과 같다.《野客叢書 12》以十年爲一袠. 白居易詩云，年開第七袠，屈指幾多人，是時六十三元日詩也. 俗謂七十以上開爲第八袠， 蓋以十年爲一袠爾.《郭應祥，滿江紅，壽韓思機》七袠年華，這強健人誰得似.《聊齋志異，牛成章》年已六袠，貧寡無歸，遂與居處.

질(gill) [부피] 야드(yard)·파운드법(pound 法)의 한 단위. ❶영국의 단위. 1 질은 파인트(pint)의 4분의 1, 또는 142 ml 에 해당된다. ❷미국의 단위. 1 질은 파인트의 4분의 1, 또는 118 ml 에 해당된다. 급이(及耳).

짐 ① [넓이] 예전에 조세(租稅)를 계산하기 위한 토지 면적의 한 단위. 1 짐〔負〕은 열 뭇〔束〕, 곧 백 줌〔把〕에 해당된다. 복(卜). 부(負). ② [수효·부피] 들거나 지거나 운송하도록 만든 짐짝의 수, 또는 그 양을 헤아리는 데 쓰는 말. 담(擔). 도(挑). 부(負). 척(隻). 태(笞). 하(荷).

짐리(Simri) [부피] 독일(獨逸)의

지방적 단위. 1짐리는 0.629 미(美) 부셸(bushel), 또는 22.15l 에 해당된다.

집 [수효] ❶집〔家〕의 수를 세는 데 쓰는 말. 가(架·家). 구(區). 당(幢). 동(棟). 소(所). 실(室). 우(宇). 원(院). 장(爿). 전(廛). 좌(坐·座). 진(進). ❷바둑의 대국에서, 바둑의 집〔戶〕을 세는 데 쓰는 말.

집(什) [수효] 일본(日本)의 단위. 시가(詩歌)의 수를 세는 데 쓰는 말. 칙(則). 편(篇·編).

집(執) [수효] 술잔의 수를 세는 데 쓰는 말. 대(抬). 《通文館志 4, 事大, 弔祭儀》祭幣, 檀香一束, 祭帛一疋, 銀壺一把, 銀爵三執, 白綾六疋, 白方紬六疋, 藍方紬二疋.

집(輯) [수효] 시가(詩歌)·문장 따위를 엮어 낸 차례의 책. 또는 그 수나 차례를 헤아리는 데 쓰는 말.

징(徵) [수효] 벼슬을 시키기 위하여 임금이 부른 횟수를 세는 데 쓰는 말. 《後漢書, 儒林傳 上, 楊倫》前後三徵, 皆以直諫不合. 《晉書, 儒林傳, 劉兆》武帝時, 五辟公府, 三徵博士, 皆不就. 《李頎, 送劉四赴夏縣詩》明年九府議功時, 五辟三徵當在茲.

짝 [수효] ❶소나 말에 지운 한 바리의 짐 중 한편쪽의 짐. 또는 그 수를 세는 데 쓰는 말. 보통 한 가마를 이른다. ❷돼지나 소의 갈비의 여러 대가 합쳐서 한 덩이가 된 것을 세는 데 쓰는 말. 장(張). 척(隻). ❸북어나 명태의 600 마리를 하나치로 세는 데 쓰는 말. ❹'마리'의 뜻으로, 소나 말의 수를 세는 데 쓰는 말. ❺소바리나 마바리의 수를 세는 데 쓰는 말. ❻'켤레'의 뜻으로, 신·버선·장갑·방망이 같은 것의 한 쌍을 하나치로 세는 데 쓰는 말.

쪽 [수효] 물건의 쪼개진 부분의 수를 세는 데 쓰는 말. 편(片).

쪽박 [부피] 쪽박에 물이나 액체를 담아 그 양을 헤아리는 데 쓰는 말. 쪽박은 작은 바가지이다.

차 [질량] 인삼(人蔘)의 무게를 헤아리는 데 쓰는 말. 주로 수삼(水蔘)에 사용한다. 1차는 750 g 이고, 수삼 1근(斤)이 300 g 이므로, 1차는 2.5근에 해당된다.

차(叉) [수효] '거리'의 뜻으로, 갈라진 길의 수를 세는 데 쓰는 말. 《蘇軾, 縱筆詩》溪邊古路三叉口, 獨立斜陽數過人. 《馬致遠, 薦福碑, 2折》這裏是個三叉路, 不知那條路往黃州去.

차(次) [수효] ❶'채'의 뜻으로, 방석이나 이불 따위의 수를 세는 데 쓰는 말. 《度支準折, 席子》萬花方席一次(長二尺三寸, 廣二尺). 《度支準折, 雜錄》白牙口方席一次, 每次, 価錢一兩四戔. ❷'번'·'차'·'차례'의 뜻으로, 순서 있게 벌여 나가는 일의 횟수를 나타내는 데 쓰는 말. 차례(次例). 《高麗史 7, 文宗世家》每歲自六月至立秋, 頒冰于諸致仕輔臣, 三日一次, 僕射·尙書·卿·監·大將軍以上, 七日一

次, 以爲永制.《朝鮮太宗實錄 3, 2年2月辛巳》遣代言柳沂, 賜宮醞于校書館紅桃宴……名其宴, 藝文曰薔薇, 成均曰碧松, 校書曰紅桃, 三年一次, 輪辦會飮.《朝鮮仁祖實錄 2, 元年4月乙卯》牛峯囚平山居私婢內隱, 今自丁酉囚繫, 刑訊至一百二十四次, 至爲可矜, 作文取來, 詳察論決事, 言于該司.《漢淸文鑑 8, 人, 散語》一次, 흔 번.《秋官志 2, 詳覆部, 啓覆, 京司檢驗新定事目》一, 秋曹日次, 卽是一月六次, 如或一月內無故未滿三次者, 依外方闕推例, 自政院察推.《大典通編 3, 禮典, 諸科》陞補. 每年大司成課試四學儒生共十次(今爲十二次). 歲抄計晝, 赴式年生·進覆試. ❸'채'의 차자 표기로, 약재(藥材)를 알맞은 양으로 모아 놓은 덩이를 세는 데 쓰는 말.《度支準折, 草物》王古草一次, 価錢二分. 小笞一次, 価戔一分. ❹'감'·'거리'의 뜻으로, 무엇을 만드는 데 재료나 바탕이 되는 사물의 양. 또는 그 수를 세는 데 쓰는 말.《尙方定例 2, 別例 上》銀圓環貳箇次十品銀.《度支志 9, 御供》加文剌一次白苧布一疋.《度支準折, 衹侍巾衣裳》結介一次白紬(長一尺三寸, 廣一寸七分)一片.《度支準折, 假家》龍舍音次穀草五束, 司僕進排.《嘉禮都監儀軌(顯宗明聖后), 1房, 稟目秩》赤古里五次草綠紬各二十尺. ❺'채'·'거리'·'악장(樂章)'의 뜻으로, 농악(農樂)의 기본이 되는 악장으로서 현재 12채〔次〕가 전하여지며, 이 12채는 1채에 3곡의 가락이 따르므로 모두 36가락이 된다. 내용은 군사가 출전하여 진터를 닦고, 사기를 높여 전투에 임하고, 승전 개선하여 휴가를 즐기는 차례로 되어 있다.

차(岔) [수효] '거리'의 뜻으로, 길이 몇으로 나뉜 수를 세는 데 쓰는 말.《吏文輯覽 3, 50》三岔兒. 地名, 岔音 차. 凡稱三岐路曰三岔.

차라크(chārak) [길이] 근대 이란(Iran)의 단위. 1차라크는 구즈(guz)의 4분의 1이며, 10.24인치(inch), 또는 26.01 cm에 해당된다.

차례(次例) [수효] 순서 있게 벌여 나가는 관계. 또는 그 횟수를 세는 데 쓰는 말. 차(次).

차르카(čárka) [길이] 체코슬로바키아(Czechoslovakia)의 옛 단위. 1차르카는 팔레츠(palec)의 12분의 1, 또는 2.195 mm에 해당된다.

차르카(charka) [부피] 러시아의 고유 단위. 1차르카는 0.26미(美) 파인트(pint), 또는 0.123*l*에 해당된다.

차리크(tcharik) [질량] 중앙 아시아(Asia)의 우즈베키스탄(Uzbekistan)의 부하라(Bukhara) 지방의 고유 단위. 1차리크는 4.51파운드(pound), 또는 2.05 kg에 해당된다.

차선(車線) [수효] 도로에서 한 대의 차량이 지나가는 데 필요한 넓이. 또는 그 순서를 헤아리는 데 쓰는 말.

차스트(tchast) [부피] 러시아의 고유 단위. 1차스트는 6.67세제곱 인치(in^3), 또는 0.109*l*에 해당된다.

차이 뮤(chai meu) [부피] 태국(泰國)의 고유 단위. 1차이 뮤는 타난(tanan)의 32 분의 1 이며, 0.066 미(美) 액량(液量) 쿼트(quart), 또는 36 ml 에 해당된다.

차이 바이(chai vai) [길이] 베트남(Vietnam)의 고유 단위. 1 차이 바이는 16 야드(yard), 또는 14.63 m 에 해당된다.

차자(哆子 : duō·zi) [수효] 중국(中國)의 단위. '방울'의 뜻으로, 진한 액체 따위의 방울의 수를 세는 데 쓰는 말. 〈예〉 一～泥.

차타크(chattak) [넓이] 인도(印度) 벵골(Bengal) 지방의 단위. 1 차타크는 코타(cotta, cottah)의 16 분의 1 이며, 5 제곱 야드〔yd^2〕, 또는 4.18 m^2 에 해당된다.

차파르(chapár) [질량] 북(北)보르네오(Borneo)의 고유 단위. 1 차파르는 1.8 파운드, 또는 816.5 g 에 해당된다.

차하르(chahar) [넓이] 인도(印度) 봄베이(Bombay) 지방의 단위. 지역에 따라 다소 차이가 있는데, 대략 1 차하르는 39.1 헥타르〔ha〕에 해당된다.

착(捉) [수효] 배를 움직이는 데 쓰는, 노(櫓)의 수를 세는 데 쓰는 말. 《增補文獻備考 120, 兵考, 舟師》 英祖十六年……各浦戰船, 櫓左右並二十捉, 一捉各四名, 沙工·舞上各一名, 合八十二名.

착(著) [수효] '벌'의 뜻으로, 옷의 수를 세는 데 쓰는 말. 구(具). 대(對). 부(副·福). 사(事). 습(襲). 신(身). 엽(葉). 영(領). 요(腰). 전(揃). 칭(稱). 투(套).

착(着) [수효] 도착(到着)하는 순서를 헤아리는 데 쓰는 말.

착(錯) [점수] 조선 시대, 무관(武官)의 고강(考講)에서 받은 실점(失點)의 끗수를 헤아리는 데 쓰는 말. 《朝鮮世祖實錄 27, 8年正月壬戌》 每番都鎭撫·衛將·宣傳官同試. 部將·鎭撫, 一次講一書, 用小形名習陣, 錄其能否, 報兵曹. 箇滿十錯以下, 依受教加資, 顯官敍用. 四十錯以上, 罷黜, 收告身, 限二年不敍. 十一錯以上三十九錯以下, 仍任, 更待箇滿, 衣上項施行.

착(齣) [수효] ❶(chū) 중국(中國)의 단위. 연극·소설·희곡 따위의 장면이나 단락의 수를 세는 데 쓰는 말. 《字彙補, 齒部》 齣, 傳奇中一迴爲一齣, 俗讀作尺. 《通俗編, 俳優, 齣》 青藤山人路史, 高則誠琵琶, 有第一齣第二齣, 孜諸韻書, 並無此字, 必䶩之誤也, 牛食呑而復吐曰䶩, 似優人入復出也. 按, 䶩音笞, 又音師, 無讀作折音者, 豈其字形旣誤, 而音讀亦因之誤耶. 《大姐小姐》 我們入座, 第一齣戲已入尾聲. ❷일본(日本)의 단위. 영화 필름의 화면(畫面)의 수를 세는 데 쓰는 말. 35 mm 필름 1 피트에는 무성(無聲)이 16 착, 유성(有聲)이 24 착, 텔레비전에서는 30 착이다.

찬(串) [수효] 꼬치의 수를 세는 데 쓰는 말. 천(串). 《十誦律 6》 我何不以一串肉與是比丘尼令噉, 是賊中更有少知法者, 言此比丘尼, 是時食人, 不非時食.

찬(餐 : cān) [수효] 중국(中國)의 단위. '끼'의 뜻으로, 아침·점심·저녁과 같이 일정한 시간에 먹는 끼니의 수를 세는 데 쓰는 말. 돈(頓). 시(時). 《後漢書, 朱浮傳》 正夫膢

母尙能致命一餐.《中國童話》飽飽吃了一餐驢肉, 老虎擾拍肚子.《魯迅, 彷徨, 祝福》這樣悶悶的吃完了一餐飯.

찬(饌 : zhuàn) [질량] 중국(中國)의 단위. 금(金)이나 은(銀) 6 냥을 하나치로 헤아리는 데 쓰는 말.《尙書大典》夏后氏不殺不型, 死罪二千饌.

찬(攢) [수효] ❶'그루'·'포기'의 뜻으로, 풀이나 나무의 수를 세는 데 쓰는 말. 간(竿·幹·榦). 과(科·窠·顆). 근(根). 두(頭). 수(樹). 장(章). 조(条·條). 주(株).《漢淸文鑑 13, 雜果, 樹木》一攢, ᄒᆞᆫ 퍼기. ❷'찬(鑽)'과 같다.《高麗史 70, 樂志, 軒架樂器》巢笙中正聲各二十一攢, 竽笙中正聲各一十五攢. ❸'떨기'의 뜻으로, 한 곳에 더부룩하게 모여 있는 초목의 떼를 세는 데 쓰는 말.《林逋, 耿濟口舟行》老霜蒲葦交千刃, 怕雨鳧鷗著一攢.《徐渭, 梅賦》蕊一攢而集霞, 葩五出而爭雪.

찬(鑽) [수효] ❶생황〔笙〕의 수를 세는 데 쓰는 말. 찬(攢).《高麗史 70, 樂志, 登歌樂器》巢笙中正聲二鑽……和笙中正聲各二鑽. ❷점(占)을 치는 횟수를 세는 데 쓰는 말.《莊子, 外物》殺龜以占卜, 乃刳龜, 七十二鑽而無遺筴. (王先謙集解) 每占必鑽龜, 凡七十二次皆驗.《汪道昆, 五湖遊》都來大夢, 休誇異材, 夢非幻化, 才是禍胎, 試問七十二鑽成灰燼, 何如二尺五寸在污萊.

찬합 [부피] 찬합에 음식을 담아 그 양을 헤아리는 데 쓰는 말. 찬합은 사기나 널조각으로 둥글거나, 네모나게 여러 층으로 만들어 반찬이나 술안주 따위를 담는 그릇이다.

찰(札) [1] [길이] '뼘'의 뜻으로, 엄지손가락과 다른 손가락을 잔뜩 벌리어 잰 길이를 헤아리는 데 쓰는 말.《與猶堂全書, 雅言覺非》一庹者, 兩腕之引長也. 一拏者, 兩指之引長也……食指一拏, 謂之一虎口. 長指一拏, 謂之一札. 乃東語一庹, 謂之一把(발).《漢淸文鑑 11, 器皿, 量度》一札, 長指 ᄒᆞᆫ 뼘.《譯語類解, 補, 筭數》一札, ᄒᆞᆫ 뽐. [2] [수효] ❶'건(件)'·'통'의 뜻으로, 편지나 서류의 수를 세는 데 쓰는 말. 각(角). 건(件). 도(度·道). 봉(封). 장(張). 종(宗). 지(紙). 통(通). 폭(幅). 함(緘).《論衡, 自紀》百載之後, 與物俱歿, 名不流於一嗣, 文不遺於一札.《後漢書, 循吏傳論》其以手迹賜方國者, 皆一札十行, 細書成文.《陸倕, 以詩代書別後寄贈》八行思自勉, 一札望來儀.《蕭銑, 飮馬長城窟行》幷有一札書, 行止風雲起. ❷갑옷의 미늘의 수를 세는 데 쓰는 말.《淮南子, 說山訓》今彼甲者, 以備矢之至, 若使人必知所集, 則懸一札而已矣.《劉向, 列女傳》晉平公使工人爲弓, 三年乃成, 射不穿一札.《抱朴子, 微旨》方之用胄, 不可以一札待鋒刃也.

찰(拃 : zhǎ) [길이] 중국(中國)의 단위. '뼘'의 뜻으로, 엄지손가락과 다른 손가락의 잔뜩 벌린 길이. 또는 그 길이를 헤아리는 데 쓰는 말.《阮章競, 漳河水, 盼喜報》那天給你剪鞋帮, 多大多小我不用想, 一拃

拃長來再加三指，不肥不瘦合脚樣.《郭澄淸，大刀記 2，6章》他將大拇指頂在百自己的頭皮上，又伸直中指頂在大爺的手心裏，然後說，还差一拃呀.

찰(紮 : zā) [수효] 중국(中國)의 단위. '묶음'·'단'의 뜻으로, 향(香)이나 꽃다발·채소·국수 따위의 묶음을 세는 데 쓰는 말. 책(㩎). 〈예〉 一~兒麵. 一~韭菜.

찰(cal) [길이] 폴란드(Poland)의 고유 단위. 1 찰은 스토파(stopa)의 2 분의 1 이며, 0.94 인치(inch), 또는 24 mm 에 해당된다.

찰나(刹那) [1] [수] 매우 작은 수의 하나. ❶ 1 찰나는 탄지(彈指)의 10 분의 1, 또는 10^{-18} 에 해당된다. ❷ 1 찰나는 탄지의 1억분의 1, 또는 10^{-88} 에 해당된다. [2] [시간] 매우 짧은 시간의 하나. 손가락을 한 번 튕기는 시간으로, 한 찰나 사이에 구백 생멸(九百生滅)이 있다고 한다.《仁王般若波羅蜜經，上》九十刹那爲一念，一念中一刹那經九百生滅.《徐渭，題王盾爛柯圖詩》閒看數着爛樵柯，澗草山花一刹那.《張之果，奉題湘烟小錄後詩》返魂香少命如何，小劫情天一刹那.

찰더(chalder) [부피] 스코틀랜드(Scotland)의 옛 단위. 고제(古制)로 1 찰더는 16 볼(boll), 또는 11.277~33.830 hl 에 해당되고, 현재의 1 찰더는 64 에든버러 펄롯(edinburgh firlot)이며, 63.9 영(英) 부셸(bushel), 또는 23.323 hl 에 해당된다.

참(站) [수효] ❶예전에 역로(驛路)에서 거쳐 가다 쉬던 곳. 또는 그 곳의 수를 세는 데 쓰는 말.《經國大典 6，工典，橋路》西路，置騎撥(自京至義州四十五站). 南北路，置步撥(自京至東萊三十五站，自京至鏡城五十九站).《朝鮮顯宗實錄 17，8年4月丙戌》上，馳馬疾驅不踰時，輒過一站，隨駕百官不能及，衛卒亦有路死道路者.《新補受敎輯錄，兵典，雜令》身布，每二同作一駄，每一站駄價錢七錢，每同人情錢三兩，色吏等牌粮資錢二兩.《萬機要覽，軍政編 1，驛遞，撥站》宣祖三十年，設擺撥以傳邊書. 騎撥，每二十五里置一站，步撥，每三十里置一站. ❷ 일을 시작해서 쉴 때까지의 일정한 시간. 또는 그 쉬는 횟수를 세는 데 쓰는 말.

참(參) [수효] 조참(朝參)하는 횟수를 세는 데 쓰는 말.《春明退朝錄，中》文官隔假三日以上，並以橫行參假，其武班每月先配九參六參.

찻숟가락(茶—) [부피] 찻숟가락에 차나 설탕, 또는 조미료 따위를 떠 담은 양을 헤아리는 데 쓰는 말.

창(倉 : cāng) [부피] 중국(中國)의 단위. '뒤주'의 뜻으로, 뒤주에 곡식을 담아 그 양을 헤아리는 데 쓰는 말.

창(唱) [시간] 경(更)의 뜻으로, 시간을 헤아리는 데 쓰는 말. 하루를 5 경으로 나누었다.《漢武帝，內傳》內外寂謐，以俟雲駕，至二唱之後，忽天西南如白雲起，鬱然直來，逕趨宮庭間. (原注) 卽二更也.

창(淌) [시간] '잠시'·'한차례'의 뜻으로, 짧은 시간을 이르는 말.《紅樓夢，20回》不過偶然去也那裡一淌就說這話.

창(創) [수효] ❶결점(缺點)의 수를 세는 데 쓰는 말.《公羊傳序》恨先師觀聽不決, 多隨二創. ❷상처의 수를 세는 데 쓰는 말.《元史, 按只傳》按只身被二創, 戰愈力.

창(槍 : qiāng) [수효] 중국의 단위. '방(放)'·'칼'의 뜻으로, 총포(銃砲)를 쏘거나 창이나 칼로 찌르거나 베는 수를 세는 데 쓰는 말.

창(蹡) [수효] 사람이나 수레가 오고 가는 횟수를 세는 데 쓰는 말.《二十年目覩之怪現狀, 28回》你收拾收拾, 一兩天裏頭走一蹡去罷.《二十年目覩之怪現狀, 29回》我到了此地, 有事躭閣住了, 還不曾去得. 你且到我房裏去一蹡.

창(chang) [길이] '장(丈)'을 보라.

창 아운 (chang awn) [부피] 태국(泰國)의 고유 단위. 1창 아운은 타난(tanan)의 2분의 1이며, 0.528 미(美) 액량(液量) 쿼트(quart), 또는 0.500l에 해당된다.

채 [수효] ❶집이나 건물의 수를 세는 데 쓰는 말. 가(架·家). 구(區). 당(幢). 동(棟). 소(所). 실(室). 우(宇). 원(院). 장(爿). 선(廛). 좌(坐·座). 진(進). ❷가마나 수레와 같이 큰 물건의 수를 세는 데 쓰는 말. ❸이불이나 요의 수를 세는 데 쓰는 말. 차(次).

채(采) [수효] 빛깔의 수를 세는 데 쓰는 말. 채(彩·綵).《三國史記 33, 色服志》新唐書云, 高句麗王服五采, 以白羅製冠.《書, 益稷》以五采彰施于五色. (孔安國傳) 以五采明施于五色. (孔穎達疏) 以五種之彩, 明施於五色.《周禮, 考工記》五采備謂之繡.《爾雅, 釋鳥》伊洛而南, 素質五采皆備成章曰翬, 江淮而南, 青質五采皆備成章曰鷂.《筍子, 正論》衣被則服五采, 雜閒色. (楊倞注) 服五采, 言備五色也.《論衡, 定賢》水無當於五采, 五采非水不章.

채(彩) [수효] '채(采)'와 같다.《山海經, 中山經》祈酒大牢祠, 嬰用圭璧十五, 五彩惠之.《孫臏兵法, 十陣》三聲既全, 五彩必具.《李大釗, 乙卯殘腊在太平洋舟中作詩》黯黯五彩旗, 自玆少顏色.

채(寨) [수효] 성채(城寨)의 수를 세는 데 쓰는 말.《曾鞏, 祕書少監陳公碑》公至, 諸蠻畏悅, 皆還就溪洞, 而歸故所掠地與人, 公因築武陵·澧州二寨, 以備蠻.

채(綵) [수효] '채(采)'와 같다.《史記, 田單傳》田單及收城中得千餘牛, 爲絳繒衣, 畫以五綵龍文, 束兵刃其角, 而灌脂束葦於尾, 燒其端.《後漢書, 安帝紀》元初五年, 詔曰, 朝廷躬自菲薄, 去絕奢飾, 食不兼味, 衣無二綵.

책(册) [수효] ❶책(册)의 수를 세는 데 쓰는 말.《高麗史 34, 忠宣王世家》賜王書籍四千三百七十一册, 共計一萬七千卷.《朝鮮世宗實錄 42, 10年11月甲子》前將軍徐淑, 顚狂人也, 自斷左手, 以雜畫一軸, 書簇三軸, 雜書二册, 授其子學習, 送于判府事卞季良.《朝鮮中宗實錄 91, 34年6月辛亥》世宗朝實錄一百六十册, 成宗朝實錄九十餘册, 此最多, 八代實錄合計, 而不及於三分之一. ❷'책(策)'의 ❷와 같다.《漢書, 趙充國傳》耿中丞請糴百萬斛, 迺得四十萬斛耳, 義渠再使, 且費其半,

失此二册, 羌人故敢爲逆.

책(栅) [수효] 책(栅)의 수를 세는 데 쓰는 말. 책은 물결이 둑을 침해하는 것을 막기 위하여 둑 앞에 말뚝을 박고 대쪽이나 나뭇가지 따위로 얽어 놓은 장치. 또는 쇠나 나무 말뚝으로 둘러막은 우리를 말한다. 〈예〉 울짱 6 ~.

책(策) [수효] ❶모책(謀策)이나 방략(方略) 따위의 수를 세는 데 쓰는 말. 책(册). 《松南雜識(林氏本), 李, 方諺類》走與稻飯, 言稻飯, 飯之美者, 走之爲利, 與此同. 似檀公三十六策, 走爲上計.《史記, 蘇秦傳》此三策者, 不可不孰計也.《白居易, 代書詩》萬言經濟略, 三策太平基.《揚雄, 解嘲》畫一奇, 出一策.《漢書, 王莽傳》苟有一策, 卽必爵之. ❷책문(策文)의 수를 세는 데 쓰는 말.《范成大, 乙未元日書懷詩》縱有百年今過半, 別無三策但當歸.《汪廷訥, 種玉記, 贈玉》空埋沒天人三策, 枉思量談笑封侯.

책(搩) [길이] '뼘'의 뜻으로, 엄지손가락과 가운뎃손가락을 잔뜩 벌린 길이. 또는 그 수를 세는 데 쓰는 말. 대체로 1책은 8치〔寸 : 24.242 cm〕에 해당된다. 《集韻》筡, 搩或省.《集韻》搩, 手度物, 或作筡.《字典釋要》桀, 칙. 手度物. 뼘 책. (陌) 搩仝.

처(處) [1] [수효] '곳'의 뜻으로, 공간(空間)의 어느 지점이나 부분, 또는 사물의 개체(個體)나 집단이 위치하고 있는 장소의 수를 세는 데 쓰는 말. 개소(個所). 고(庫). 곳(廌). 군데. 소(所). 《朝鮮世宗實錄 27, 7年正月丙戌》置京城內防護所十三處, 東面乳牛所北岾一處, 金輪寺東北岾一處, 北面興德寺洞源二處, 廣孝殿北岾一處, 嘉會坊洞岾一處, 景福宮北岾二處, 西面本宮南北二處, 南面南部學堂洞源岾一處, 水口門洞源一處, 開川柳坊築一處.《朝鮮宣祖實錄 85, 30年2月癸酉》元藏實錄外謄寫二本, 一藏于金剛山, 一藏于妙香山, 以爲水火盜賊之備, 古者有藏之名山, 在我先王朝, 如外三處史庫(星州·忠州·全州)設立之意, 卽慮此也.《朝鮮正祖實錄 49, 22年10月己酉》正門及水門·角樓·暗門·敵臺·砲樓·舖樓等十處, 加派本府長安五十二名, 統長十六名, 垛長三十六名.《萬機要覽, 軍政編 1, 巡邏, 總例》墻外軍鋪二十處(訓局字內六處. 禁營字內八處. 御廳字內六處. 每鋪軍士二名).《大典後續錄 3, 禮典, 奬勸》漢語御前通事所讀書, 書從置簿, 三處抽出考講. 又取經·史文字, 作爲言語問答. [2] [행정] 고려·조선 시대에 있었던 특수 부락의 하나. 또는 그 부락의 수를 세는 데 쓰는 말. 주로 경기도·충청도 지역에 집중 분포되어 왕실이나 사원(寺院)에 각종의 생산물을 바치는 책임을 지고 있었다. 조선 시대에 이르러 대부분이 군현(郡縣)에 흡수되었다. 《新增東國輿地勝覽 7, 京畿道, 驪州, 古跡》登神莊, 在州西十五里……又有稱處者, 又有稱莊者, 分隷于各宮殿·寺院及內莊宅, 以輸其稅, 右諸所, 皆有土姓吏民焉.

척(尺) [1] [길이] 척관법(尺貫法)에서 길이의 기본 단위. 1자〔尺〕는 1미터〔m〕의 33분의 10에 해당된다. 본래 1 자의 길이는 황종적(黃鐘笛)을 원기(原器)로 하여 이 원기 길이의 90 분의 1 을 1 푼〔分〕으로 정하고, 그 100 배의 길이를 1 자로 정하였다. 이 길이를 1 자로 정하게 된 것은 검정 수수알 90 개의 너비와 황종적의 길이가 일치되었기 때문에 그 수수알 1 개의 너비를 1 푼으로 정하게 된 것이다. 따라서 그 당시 1 자의 길이는 수수알 100 개의 너비와 같게 된다. 1 자의 길이도 시대의 변천과 더불어 8 치〔寸〕, 9 치, 10 치 등 그 길이가 각각 달라졌는데, 그러한 까닭에 황종척(黃鐘尺)·영조척(營造尺)·조례기척(造禮器尺)·종서척(縱黍尺) 등 여러 가지 자〔尺〕가 생기게 되었다. 경국대전(經國大典)에 의한 각 자의 단위는 다음과 같다.

황종척(黃鍾尺)
1 자=주척 0.66 자
=영조척 0.899 자
=조례기척 0.832 자
=포백척 1.348 자

이것은 1750년에 다시 정리(整理)되어 다음과 같이 환산되었다.

영조척(營造尺)
1 자=황종척 0.899 자
=주척 1.499 자
=조례기척 1.09 자
=종서척 1.15 자
=횡서척 1.18 자

조례기척(造禮器尺)
1 자=주척 1.38 자
=영조척 0.92 자
=종서척 1.7 자

종서척(縱黍尺)
1 자=황종척 0.76 자
=영조척 0.85 자
=조례기척 0.93 자
=주척 1.28 자

황종척(黃鍾尺)
1 자=주척 1.5 자
=영조척 1.001 자
=조례기척 1.1 자
=종서척 1.15 자
=횡서척 1.189 자

《三國遺事 2, 紀異, 文虎王法敏》泗沘南海中, 有死女尸, 身長七十二尺, 足長六尺, 陰長三尺, 或云身長十八尺.《高麗史 78, 食貨志, 田制, 經理》文宗二十三年, 定量田步數, 田二結, 方三十三步(六寸爲分, 十分爲一尺, 六尺爲一步).《朝鮮世宗實錄 103, 20年11月乙丑》今量田, 以方五尺, 積二十五尺爲一步, 二百四十步爲一畝, 百畝爲一頃, 五頃爲一字.《華城城役儀軌, 首, 圖說, 華城全圖》城身自成圭形, 而循址培土, 約闊四五丈, 通計周圍爲二萬七千六百尺, 作四千六百步(用周尺六尺爲一步, 營造尺則三尺八寸爲一步, 下皆倣此).《增補文獻備考 91, 樂考, 度量衡》測量尺. 十釐爲分, 十分爲一周尺(六寸六分), 六尺爲一步, 十尺爲一間, 一百尺爲一鏈. 二千一百尺爲一里(卽三百五十步), 三十里爲一息. 泰西米突, 則一米突, 準我五尺.《蔡邕, 獨斷 上》三代建正之別名, 夏以十三月爲正, 十寸爲尺……殷以十二月爲正, 九寸爲尺……周以十一月爲正, 八寸爲尺. ② [수효] '폭(幅)'의 뜻으로, 그림·종이·피륙·족자(簇子) 따위의 수를 세는 데 쓰는 말.《增正交隣志 1, 差倭〉貼金小屛風二雙,

水晶笠緖二結, 革裹大簿匣一備, 赤銅木粧火爐二圍, 彩畫一尺.《薩都剌, 題梅石道士卷》玉堂道士字一尺, 綠淸老人詩四聯.

척(呎 : chǐ) [길이] 중국의 단위. '피트(feet)'의 역어(譯語).

척(陟) [수효] 승진(昇進)한 횟수를 세는 데 쓰는 말.《魏書, 常景傳》柳下三黜, 不慍其色, 子文三陟, 不喜其情.

척(隻) [수효] ❶배〔船〕의 수를 세는 데 쓰는 말. 고(篙). 배(杯). 소(艘). 정(艇).《三國遺事 1, 紀異, 太宗春秋公》鄕記云, 軍十二萬二千七百十一人, 舡一千九百隻, 而唐史不詳言之.《高麗史 27, 元宗世家》十五年春二月甲子……今年正月初二日, 陪臣門下侍中金方慶, 賫到省旨云, 大船三百隻, 令全羅·耽羅兩處打告.《朝鮮太宗實錄 5, 3年5月辛巳》慶尙道漕軍船三十四隻, 沒于海中, 人死者甚衆.《壬辰狀草, 萬曆 20年 7月 15日》倭船或十餘隻, 或三十餘隻作綜出沒是如爲白沙餘良, 本道錦山之境, 賊勢鴟張爲白有臥乎所.《萬機要覽, 財用編 2, 漕轉, 漕倉》漕舡十四隻, 載八邑田稅·大同, 羣山僉使領納矣. ❷'마리'의 뜻으로, 소〔牛〕나 양(羊)·닭·개 따위 가축의 수를 세는 데 쓰는 말. 강(羫). 골(骨). 구(口). 두(頭). 수(首). 제(蹄). 필(匹·疋).《朝鮮太宗實錄 7, 4年5月戊戌》遣大護軍梅原渚, 押初運牛一千隻, 赴遼東.《朝鮮世宗實錄 51, 13年3月丁亥》帝准遼東所奏, 今就本國, 買牛一萬隻, 每牛絹一匹, 布四匹.《朝鮮世宗實錄 27, 7年2月己未》使內官李貴, 賫鷹子四連, 狗二隻, 分贈兩使臣.《瀋陽狀啓, 壬午 3月初 3日》農牛十六隻, 亦爲買得, 而價則或給十五六兩, 或給十七八兩爲白有去乎, 總數段, 畢買得後, 追乎啓聞計料爲白齊.《朝鮮明宗實錄 17, 9年7月乙丑》監考色吏一人, 所得牛隻·馬匹·布端·田結·不知其數.《華城城役儀軌 1, 啓辭, 乙卯閏2月初 1日》進饌及犒饋時, 牛隻切勿濫用事, 旣有面飭於留守, 而更思農作將始, 尤不可泛忽. 限十隻貿用, 此外雖一隻濫屠, 則守臣重勘, 校吏當用濫屠之律, 措辭各別嚴飭.《唐書, 竇靜傳》賜馬百匹, 羊千隻.《救急簡易方諺解 1, 溺死》烏雞一隻, 合毛杵一千二百, 下好苦酒(됴호 초)一升, 相和得所, 以新布搨患處(오계 호나홀 짓조쳐 일쳔 이빅 번을 디코, 됴호 초 호 되와 섯거 고르게 호고, 새 뵈로 알폰 싸해 펴 노코). ❸'자루'의 뜻으로, 초〔燭〕의 수를 세는 데 쓰는 말. 대(對). 병(柄). 정(丁·挺). 조(條). 지(枝).《訓鍊都監重記, 內策應所, 時遺在秩》六兩燭伍雙壹隻. ❹족자(簇子)의 수를 세는 데 쓰는 말. 축(軸).《朝鮮世宗實錄 41, 10年8月庚辰》大護軍尹重富, 進畫龍簇一隻, 唐太宗昭陵圖簇一雙. ❺신짝의 수를 세는 데 쓰는 말.《三國遺事 3, 塔像, 洛山二大聖》時野中松上有一靑鳥, 呼曰休醍□和尙, 忽隱不現, 其松下有一隻脫鞋. 師旣到寺, 觀音座下, 又有前所見脫鞋一隻, 方知前所遇聖女, 乃眞身也.《後漢書, 方術傳, 王喬》候鳧至, 擧羅張之, 但得一隻舃焉. ❻'자

루'의 뜻으로, 칼의 수를 세는 데 쓰는 말. 구(口). 병(柄). 본(本). 요(腰). 정(挺). 진(振). 파(把). 《高麗史 9, 文宗世家》二十六年六月甲戌, 金悌還自宋……銀裝長刀二十隻. ❼'장'의 뜻으로, 장곽(長藿)의 수를 세는 데 쓰는 말. 《四介松都治簿法, 16章》安丁玉은 機張藿三十隻과 換色하고. ❽촛농의〔燭籠衣〕의 수를 세는 데 쓰는 말. 《度支準折, 袱帒巾衣裳》禮葬時紅燭籠衣一隻(紅細苧布三幅, 各一尺七寸, 矜鴉青細苧布半骨二尺八寸). ❾'짝'의 뜻으로, 바자문〔把子門〕·사립문(斜立門)·영창(影窓) 등 문짝이나 창문의 수를 세는 데 쓰는 말. 《孝宗寧陵山陵都監儀軌, 造成所》把子門十隻. 《純元王后國葬都監儀軌 4, 造作》斜立門一隻. 《昌慶宮營建都監儀軌, 實入》影窓六十二隻. 窓隻一千一百七十八隻. 甲窓六十隻. 斜窓二十二隻. ❿난간(欄干)의 수를 세는 데 쓰는 말. 《萬機要覽, 財用編 5, 舟橋》左右衛護船十二隻, 欄干二百四十隻(舟橋左右排設). ⓫모자의 수를 세는 데 쓰는 말. 《萬機要覽, 財用編 5, 公用》每年帽隻, 多不過四五百隻, 少或爲三四百隻, 千隻充數, 已無可言, 而又自辛丑因青布廛捄弊. 帽子一百隻, 特許免稅貿來. ⓬'짝'의 뜻으로, 장지〔障子〕의 수를 세는 데 쓰는 말. 면(面). 《昌慶宮營建都監儀軌, 實入》完子推障子十八隻. 《進饌儀軌(純祖己丑) 2, 修理》桃花障子四十二隻. 《進宴儀軌(高宗壬寅) 3, 修理》交窓障子四十二隻. ⓭'짝'의 뜻으로, 차양(遮陽)이나 반자(斑子)의 수를 세는 데 쓰는 말. 《昌慶宮營建都監儀軌, 實入》班子隻三百六十八隻. 斑子一百隻. 《進宴儀軌(高宗壬寅) 3, 修理》遮陽一百八十三隻. ⓮순(錞)·나각(螺角) 따위의 악기의 수를 세는 데 쓰는 말. 《高麗史 70, 樂志》金錞二隻. 《萬機要覽, 軍政編 2, 訓鍊都監, 軍器》螺角五隻. ⓯'마리'의 뜻으로, 날짐승의 수를 세는 데 쓰는 말. 개(箇). 거(居). 과(窠). 매(枚). 수(首). 시(翅). 우(羽). 익(翼). 척(隻). 핵(翮). 《三國史記 8, 新羅聖德王本紀》初帝賜王白鸚鵡雄雌各一隻及紫羅繡袍·金銀鈿器物. 《朝鮮世宗實錄 102, 25年12月甲午》特賜鞍具馬一匹……茶一十觔, 桂二角, 茶食二角, 鯉魚五十尾, 大鵝五隻. ⓰흉배(胷背)의 수를 세는 데 쓰는 말. 부(部). 《尙方定例 3, 別例 下, 國魂, 中宮殿法服》胷背肆隻, 赤舃壹部(除眞珠. 以上參種造製物種, 見別例上). ⓱주발〔椀〕의 수를 세는 데 쓰는 말. 《高麗史 1, 太祖世家》貞明四年三月, 唐商客王昌瑾, 忽於市中見一人, 狀貌瓌偉, 鬚髮皓白, 頭戴古冠, 被居士服, 左手持三隻梡(椀), 右手擎一面古鏡, 方一尺許. ⓲마패(馬牌)나 밀부(密符)의 수를 세는 데 쓰는 말. 《朝鮮成宗實錄 215, 19年 4月戊申》所持印信一顆, 馬牌一隻……刀一把, 弓一張, 別無鎗箭等物. 《朝鮮宣祖實錄 24, 23年2月甲申》命新造密符三隻, 一隻則付大臣, 二隻則藏內, 非時宣召時, 合符爲驗, 並給兵曹判書及八道監兵水使. ⓳'대'·'자루'의 뜻으로, 화살의 수를 세는 데 쓰는 말.

개(箇). 근(筋). 매(枚). 본(本). 시(矢). 조(条). 지(枝). 파(把). 편(編).《高麗史 2, 惠宗世家》竹簳箭二百隻, 一百隻貼金, 一百隻貼銀. 木簳箭二百隻.《高麗史 81, 兵志, 兵制》衛尉寺奏請, 依定制, 送手弩箭六萬隻, 車弩箭三萬隻于西北路兵馬所. 從之.《李白, 奔亡道中五首 3》仍留一隻箭, 未射魯連書. ⓴병(甁)의 수를 세는 데 쓰는 말. 구(口). 좌(坐). 파(把).《高麗史 9, 文宗世家》三十三年秋七月辛未……用閒金鍍銀鈒花甁十一隻. ㉑'짝'의 뜻으로, 돼지나 소의 갈비〔乫飛·加里·乫伊〕여러 대가 함께 붙어 있는 덩이의 수를 세는 데 쓰는 말. 3 쪽이면 1 대가 되고, 6 대 또는 12 대면 1 짝이 된다. 장(張).《進饌儀軌(純祖己丑) 2, 饌品》猪乫飛一隻.《關西邑誌, 龍岡誌, 折價式》加里一隻, 肉六斤, 一竹, 肉八兩, 一片二兩六戔六分, 十二竹爲一隻, 三片爲一竹.《京畿邑誌, 驪州邑誌》乫伊一隻.《度支準折, 肉物》牛乫非一代(一隻六代). ㉒'짐'의 뜻으로, 들거나 지거나 운송하도록 만든 짐짝의 수, 또는 그 양을 헤아리는 데 쓰는 말. 담(擔). 도(挑). 부(負). 태(笞). 하(荷).《新補受敎輯錄, 刑典, 贓盜》使行方物白綿紙一隻偸取, 私賣於淸人者, 勿論首從, 並只梟示境上. ㉓소·돼지의 각을 뜬 고기나 다리 따위의 수를 세는 데 쓰는 말.《進饌儀軌(純祖己丑) 2, 饌品》猪半半隻. 牛足五隻.《度支準折, 肉物》牛乷只一隻. 牛內腎一隻. 牛內心肉一隻. 猪背肉一隻. 牛後脚一隻. 牛足一隻. ㉔궤(櫃)·함(函)의 수를 세는 데 쓰는 말.《朝鮮中宗實錄 41, 16年4月辛卯》天使金義陳浩, 本月初八日越江, 所率頭目七十五人, 櫃子五百十二隻.《進宴儀軌(高宗壬寅) 2, 甘結》黃紅假函各十隻. ㉕농(籠)의 수를 세는 데 쓰는 말. 개(箇). 건(件). 부(部). 잔(盞). 태(駄). 통(筩).《萬機要覽, 財用編 5, 信使, 盤纏》各道卜定(……禿匙二丹, 塗籠十五隻).《度支準折, 雜種貿易》皮衣籠一隻, 価錢三兩. 紙籠一隻, 価錢一兩五戔. ㉖상(床)의 수를 세는 데 쓰는 말. 닙(立). 엽(葉). 좌(坐·座). 편(片).《高麗史 70, 樂志》墨漆交床一隻. ㉗'쪽'·'편'의 뜻으로, 소송하는 당사자 중의 어느 한쪽을 가리키는 데 쓰는 말.《朝鮮中宗實錄 77, 29年閏2月丙寅》申孫與我, 田地隻也.《續大典 5, 刑典, 聽理》三度得伸云者, 接訟三度之內, 一隻再伸之謂也. ㉘'쌈'의 뜻으로, 바늘 24 개를 하나치로 세는 데 쓰는 말. 첩(帖). 포(包).《譯語類解, 上, 算數》一包, 흔 쌈. 一云一隻. ㉙(zhī) 중국(中國)의 단위. ㉮'쌍'·'짝'·'벌'의 뜻으로, 둘씩 짝을 이룬 물건이나, 암수 한 쌍을 하나치로 세는 데 쓰는 말.《穆天子傳 2》於是載玉萬隻. (郭璞注) 雙玉爲瑴. (陳逢衡補注) 萬隻之隻, 卽古省雙字. 玉必以雙獻.《史記, 龜策傳》玉櫝隻雞, 出於昆山. 徐廣曰, 隻一作雙. ㉯사곡(詞曲)의 수를 세는 데 쓰는 말.《水滸全傳, 46回》後來書會們備知了這件事, 拿起筆來, 又做了這隻臨江仙詞. ㉚일본(日本)의 단위. ㉮못

〔釘〕의 수를 세는 데 쓰는 말. 본(本). 정(丁). 좌(坐). 타(朶).《羣書類從 1》蟹目釘一十隻. 塗銀釘九十六隻(御床三具料). ㉯자〔尺〕의 수를 세는 데 쓰는 말.《羣書類從 4》銅尺一隻.

척평(尺坪) [넓이] 일본(日本)의 단위. 주로 토목·건축에 사용한다. 1 척평은 1 제곱 자〔尺〕, 또는 33 분의 10 m² 에 해당된다.

천(千) [수] 십진급수(十進級數)의 한 단위. 1 천은 100 의 10 배이다.《田制詳定所遵守條畫》定爲每等量尺之長, 以備後日改量之用(尺有長短, 而皆以實積壹尺爲把, 拾尺爲束, 百尺爲負, 千尺爲拾負, 萬尺爲一結).《太平御覽 750》風俗通曰, 十十謂之百, 十百謂之千, 十千謂之萬, 十萬謂之億, 十億謂之兆, 十兆謂之經, 十經謂之垓, 十垓謂之補, 十補謂之選, 十選謂之載, 十載謂之極.

천(天 : tiān) ① [시간] 중국(中國)의 단위. '일(日)'의 뜻으로, 날짜를 세는 데 쓰는 말. ② [수효] 중국(中國)의 단위. 여자가 개가(改嫁)하는 수를 세는 데 쓰는 말.《警世通言, 鈍秀才一朝交泰》(黃勝)朝夕逼勒妹子六瑛改聘. 六瑛以死自誓, 決不二天.《聊齋志異, 白于玉》遠近無不知兒身許吳郎矣, 今改之是二天也. 也指第二個丈夫.《蜃中樓, 抗姻》念奴家生長閨房……見了那二天的面覺羞.

천(串) [수효] ❶'꿰미'의 뜻으로, 구슬 따위를 꿰어 하나로 이어지게 묶은 수를 세는 데 쓰는 말. 관(貫). 색(索). 조(條).《朝鮮太宗實錄 17, 9年 4月乙丑》永物獻馬一匹……沙糖五缸, 金剛子·龍丹短珠各二串, 象牙短珠一串. ❷'쾌'의 뜻으로, 예전에 엽전 열 꾸러미, 곧 10 냥(兩)을 꿰어 하나로 이어지게 묶은 돈꿰미의 수를 세는 데 쓰는 말. 관(貫). 민(緡).《與猶堂全書, 雅言覺非》吾東百錢一串, 謂之十兩, 乃以十兩借名一貫, 亦名緡.《吏文輯覽 3, 新鈔五百貫》新鈔, 新造楮貨也, 十串爲一貫, 錢則以百箇爲一貫.《漢淸文鑑 10, 產業, 貨材》一串錢, 一千錢.《廣才物譜 1, 民業部, 珍寶》貫, 十兩, 호 쾌. 緡.《水滸傳, 45回》便叫迎兒去樓上取一串銅錢來布施他. ❸'꼬치'의 뜻으로, 꼬챙이에 꿴 곶감〔柹〕10 개를 하나치로 세는 데 쓰는 말. 접〔貼〕의 10 분의 1 에 해당된다.《陶山書院傳掌記, 已卯8月17日》乾柹一串.《正宗大王殯殿魂殿都監儀軌, 禮關秩》乾柹子四百七十三貼四串.《度支準折, 果物》乾柹一貼(十介作一串, 十串作一貼), 元米一石, 貿米六斗半. ❹'꼬치'의 뜻으로, 꼬챙이에 꿴 산적(散炙)·화양누르미〔花陽炙〕따위의 수를 세는 데 쓰는 말.《進饌儀軌(純祖己丑) 2, 饌品》散炙一串. 五色花陽炙四百五十串. ❺'꼬치'의 뜻으로, 꼬챙이에 꿴 해삼(海蔘)·전복(全卜) 따위의 수를 세는 데 쓰는 말. 1 꿰미는 해삼은 20 개, 전복은 10 개에 해당된다.《關西邑誌, 龍岡誌, 折價式》海蔘一介, 價一分五里, 二十介爲一串.《度支準折, 魚物》大切全卜一貼(十介作一串, 十串作一貼), 価下地木六疋. 小全卜一貼, 価下地木一疋半. 應

辦.

천(泉, 匁) [질량] 무게의 단위. 1천은 1돈쭝〔錢〕, 또는 2.4수(銖)에 해당된다. 몸메〔匁〕는 돈쭝의 일본말로서 3.75621 g에 해당된다. 1891년 도량형법(度量衡法)에서 관(貫)을 기본 단위로 하고 킬로그램〔kg〕의 4분의 15로 정하였으며, 그 1,000분의 1을 몸메로 하였다. 우리 나라에서도 과거에는 사용되었으나, 1964년 1월 이후 사용이 금지되었다.

1몸메 $=10^{-3}$ 관(貫)
=10 푼〔分〕
=57.871 그레인(grain)
=3.75621 g

천구(千歐 : qiān'ōu) [전기] 중국(中國)의 단위. '킬로옴〔kΩ〕'의 역어(譯語).

천미(千米 : qiānmǐ) [길이] 중국(中國)의 단위. '킬로미터〔km〕'의 역어(譯語).

천복(千伏 : qiānfú) [전기] 중국(中國)의 단위. '킬로볼트〔kV〕'의 역어(譯語). 천복특(千伏特).

천복안(千伏安 : qiānfú'ān) [전기] 중국(中國)의 단위. '킬로볼트 암페어〔kVA〕'의 역어(譯語).

천복특(千伏特 : qiānfútè) [전기] 중국(中國)의 단위. '천복(千伏)'과 같다.

천복특안배(千伏特安培 : qiānfútè'-ānpéi) [전기] 중국(中國)의 단위. '천복안(千伏安)'과 같다.

천승(千升 : qiānshēng) [부피] 중국의 단위. '킬로리터〔kl〕'의 역어(譯語).

천안(千安 : qiān'ān) [전기] 중국(中國)의 단위. '킬로암페어〔kA〕'의 역어(譯語).

천와특(千瓦特 : qiānwǎtè) [공률·전기] 중국(中國)의 단위. '킬로와트〔kW〕'의 역어(譯語).

천잡로리(千卡路里 : qiānkǎlùlǐ) [열량] 중국(中國)의 단위. '킬로칼로리〔kcal〕'의 역어(譯語).

천주(千周 : qiānzhōu) [전자파] 중국의 단위. '킬로사이클〔kc〕'의 역어(譯語).

천지(天地 : tiāndì) [넓이] 중국(中國)의 단위. '갈이'의 뜻으로, 하루에 갈 수 있는 땅의 넓이. 또는 그 넓이를 헤아리는 데 쓰는 말. 동북(東北) 지방에서는 6~12묘(畝), 섬서(陝西) 지방에서는 3~5묘를 1경(頃)으로 한다. 경(坰).

철(哲) [수효] '명'·'분'의 뜻으로, 훌륭한 사람을 세는 데 쓰는 말.《應瑒, 慜驥賦》哀二哲之殊世兮, 時不遘乎良造.《山海經圖贊, 崍山》王陽逡巡, 王尊逞節. 殷有三仁, 漢稱二哲.

첨(襜) [수효] '겹'의 뜻으로, 포개어진 켜의 수를 세는 데 쓰는 말.《高麗史 72, 輿服志, 冠服》文宗……三十二年六月, 宋神宗賜衣二對, 各金銀葉裝漆匣盛一對, 紫花羅夾公服一領, 淺色花羅汗衫一領, 紅花羅繡夾三襜一條, 紅花羅繡夾包肚一條.

첨아(簽兒 : qiānr) [수효] 중국(中國)의 단위. '꼬치'의 뜻으로, 꼬챙이에 꿴 것을 세는 데 쓰는 말.《無名氏, 貨郎擔, 4折》大人, 一簽兒燒肉, 請大人食用.《無名氏, 石榴園, 3折》楊修, 將那一簽兒下飯, 割

與玄德公食用者.

첩(帖) ① [수효] ❶문서(文書)·장부(帳簿)·악보(樂譜)·홀기(笏記) 따위나 그림을 그린 두루마리의 수를 세는 데 쓰는 말.《朝鮮成宗實錄 4, 元年 4月乙卯》前知中樞院事鄭陟, 進世宗朝所定雅樂一帖, 樂譜一帖, 宴享歌詞三帖, 命饋酒, 賜高麗全史.《朝鮮宣祖實錄 76, 29年6月己酉》浙兵三千矣, 此兵若不足, 則當繼調十萬矣, 又出孫軍門手帖一紙, 又記兵粮大略一帖.《芝峰類說 13, 文章部, 東詩》崔致遠所書詩一帖十六首, 今逸其半.《陶山書院傳掌記 29, 己卯8月17日》笏記一帖.《聽竹畫史》斗緒矜持太深, 絕不應人, 而惟李師寬·李夏坤·閔龍見, 有求輒副, 各藏三四帖. ❷'첩(貼)'의 ❼과 같다.《陶山書院傳掌記 29, 己卯 8月17日》海衣一帖. ❸'첩(貼)'의 ❷와 같다.《陶山書院傳掌記, 天啓 8年正月20日》乾柿一帖.《陶山書院傳掌記 29, 己卯 8月17日》柿一帖. ❹'첩(貼)'의 ❶과 같다.《朝鮮成宗實錄 295, 25年10月壬申》義禁府啓, 良人張莇叱同等, 違禁入海浪島, 取水牛脯二千七十帖, 皮一百一張, 穀八十碩輸來.《陶山書院傳掌記, 乙酉正月初5日》烏賊魚脯二帖.《字典釋要》貼, 公文鈐印成貼, 성졉할 졉. 魚果百, 脯十, 졉 졉. ❺일정(一定)한 길이로 짠 피륙을 하나치로 세는 데 쓰는 말. 1 첩은 필(疋)보다 길이가 짧다.《渤海考, 臣考, 楊承慶·楊泰師·馮方禮》欲自渤海迎其入唐大使朝臣河清, 獻絹三十疋, 美濃絁三十疋, 絲二百鉤, 綿三百屯, 錦四疋, 兩面二疋, 纈羅四疋, 白羅十疋, 綵帛三十疋, 白錦一百帖. ❻'첩(貼)'의 ❹와 같다.《新字典, 朝鮮俗字部》帖, 藥一封曰一帖. 見醫方.《白居易, 聞微之江陵臥病以大通中散碧腴垂雲膏寄之因題四韻》已題一帖紅消散, 又封一合碧雲英.《王仲文, 救孝子, 4折》只到我家廂兒裏取一帖藥來, 煎與我吃.《醒世姻緣傳, 2回》這病比昨日減動六七分了, 今日再一帖下去, 情管都好了.《四朝聞見錄》寧王每命尚醫, 止進一藥, 戒以不分作三四帖. ❼'쌈'의 뜻으로, 바늘 24 개를 하나치로 세는 데 쓰는 말. 척(隻). 포(包).《老乞大諺解, 下》繡針一百帖(슈 쓰는 바늘 일빅 쌈). ❽일본(日本)의 단위. ㉮종이·김〔海苔〕 따위의 일정한 매수를 하나치로 세는 데 쓰는 말. 반지(半紙)는 20 장(張), 미농지(美濃紙)는 48 장, 김은 10 장이 1 첩이 된다.《羣書類從 9》用紙三十帖. ㉯병풍(屛風)의 수를 세는 데 쓰는 말. 가(架). 장(張). 좌(坐). ㉰그물〔網〕의 수를 세는 데 쓰는 말. 닙(立). 지(旨). ㉱막(幕)의 수를 세는 데 쓰는 말. 부(浮·部). 우(宇). 장(帳). 조(條). 첩(帖). ㉲가사(袈裟)·자리〔席〕의 수를 세는 데 쓰는 말. ② [부피] '잔'의 뜻으로, 잔에 술이나 차를 부어 그 양을 헤아리는 데 쓰는 말.《景德傳燈錄, 法眞禪師》師云, 侍者取一帖茶與遮僧.

첩(捷) ① [수효] 승리한 횟수를 세는 데 쓰는 말.《後漢書, 荀彧傳》臣衆怯沮以喪氣, 有必敗之形, 無一

捷之勢.《晉書, 桓靈賓傳》先臣以身報國, 勤王之師, 功非一捷.《江淹, 尙書符》邀我百戰之軍, 乘彼一捷之幸. ② [질량] 무게의 한 단위. 1 첩은 24 수(銖), 또는 1.5 냥(兩)에 해당된다.《事類博解, 上, 人道, 財寶》捷, 兩有半爲捷.《才物譜, 秋, 數》捷, 兩有半曰捷, 卽一兩五錢.《小爾雅, 廣衡》二十四銖曰兩, 兩有半曰捷, 倍捷曰擧.

첩(堞) [길이] 성가퀴의 수, 또는 그 길이를 헤아리는 데 쓰는 말. 1 첩은 영조척(營造尺)으로 20 자〔尺〕에 해당된다. 타(垜).《朝鮮肅宗實錄 5, 2年5月丁丑》自三月五日始役, 五十日而訖功, 凡一千五百三十一堞, 周迴四千三百三十七把.《華城城役儀軌, 首, 圖說》摠計元城女墻一千一百五十堞, 甬道女墻六十八堞, 各門及甕城內女墻一百二十二堞二把(營造尺, 五尺爲一把, 四把爲一堞).

첩(貼) [수효] ❶'접'의 뜻으로, 포(脯) 10 개를 하나치로 세는 데 쓰는 말. 첩(帖).《朝鮮世宗實錄 33, 8年 9月乙未》今丙午年以上三年, 各司納獐·鹿幷六十一口, 鹿脯七十貼, 鹿角九對, 獐·鹿皮幷一百八張.《朝鮮燕山君日記 32, 5年3月丙戌》奉常寺祭脯一年之納, 摠六百五十貼, 司饔院一年之進全羅道片脯一千八百箇, 長脯八十四貼, 慶尙道片脯一千八十箇, 長脯七十八貼, 忠淸道夫脯一千四百九十六斤, 黃海道長脯一百貼, 江原道夫脯二千一百二十七斤, 咸鏡道二千八百五十一斤, 皆非獐鹿不可爲.《太常志 5, 造脯》戶曹定式, 中脯張八寸, 廣一寸五分, 厚二分……一大牛所出多不滿三貼.《關西邑誌, 龍岡誌, 折價式》大脯一貼, 肉五斤, 一条八兩.《度支準折, 肉物》中脯一条(張九寸, 廣一寸九分, 厚二分五里, 重一斤), 十条作一貼.《字典釋要》貼, 公文鈐印成貼, 성접할 접. 魚果百, 脯十, 접 접. ❷'접'의 뜻으로, 곶감이나 과실 100 개를 하나치로 세는 데 쓰는 말. 첩(帖).《朝鮮世宗實錄 53, 13年 9月己巳》尹鳳求柑橘柧各一百箇, 乾柿三十貼, 早稻三十斗, 皆許之.《萬機要覽, 財用編 5, 方物》乾柿二百四十貼.《六典條例 10, 工典, 掌苑署, 進上》各殿乾·生果各五升, 逐日供上, 代封則箇果十五箇, 乾柿二貼, 葡萄五顆, 各進五升.《度支準折, 果物》乾柿一貼(十介作一串, 十串作一貼).《字典釋要》貼, 公文鈐印成貼, 성접할 접. 魚果百, 脯十, 접 접. ❸'접'의 뜻으로, 전복(全鰒·全卜) 100 개를 하나치로 세는 데 쓰는 말.《朝鮮仁祖實錄 29, 12年正月乙未》付國書于春信使, 其書曰……乾柿五十貼, 全鰒十貼.《萬機要覽, 財用編 5, 方物》全鰒二十貼.《度支準折, 魚物》大切全卜一貼(十介作一串, 十串作一貼), 価下地木六疋. 秋卜一条(五条作一貼), 価錢一戔. 內局. ❹'첩'의 뜻으로, 약복지(藥袱紙)에 싼 약의 뭉치를 세는 데 쓰는 말. 매(枚). 복(服). 첩(帖).《朝鮮宣祖實錄 167, 36年10月己丑》自頭痛之後, 服藥已二十餘貼, 到今不思利病之道.《朝鮮正祖實錄 40, 18年8月戊午》進御加味消遙散一貼.《華城城役儀軌 1, 傳令, 丙辰 6

月24日》 日熱如此……香薷散一百貼, 益元散二百貼, 亦爲下送.《辟瘟新方》右作一貼, 水一升半……服日二三服(ᄒᆞᆫ 복을 ᄆᆡᆼ그라 믈 ᄒᆞᆫ 되 ᄃᆞᆺ솝 브어……머그되 ᄒᆞᄅᆞ 두 세 복을). ❺'접'의 뜻으로, 오징어〔烏賊魚〕 100 마리를 하나치로 세는 데 쓰는 말.《進宴儀軌(高宗壬寅) 2, 饌品》各色截肉一器, 洪魚·沙魚各五十尾, 白大口魚七十尾, 廣魚三十尾, 文魚五尾……烏賊魚各五貼, 江瑤珠一同.《字典釋要》貼, 公文鈐成貼, 성접할 접. 魚果百, 脯十, 접접. ❻'접'의 뜻으로, 술잔 따위의 그릇 100 개를 하나치로 세는 데 쓰는 말.《春官通考 25, 吉禮》鍮爵一貼一坐. ❼'톳'의 뜻으로, 김〔海衣·甘苔〕 100 장(張)을 하나치로 세는 데 쓰는 말. 첩(帖).《萬機要覽, 財用編 1, 供上, 王大妃殿》海衣十四貼一張.《正宗大王殯殿魂殿都監儀軌, 禮關秩》 海衣七百二十貼.《關西邑誌, 龍岡誌, 折價式》海衣一貼, 價一戔五分, 十束爲一貼, 十片爲一束.《度支準折, 昆藿茸藁屬》海衣一貼. ❽조선 종이 10 장(張)을 하나치로 세는 데 쓰는 말.《度支準折, 紙地》貼册紙一貼(紙品草注紙, 十張作一貼), 一張折價一戔七分三里. 時政記紙一貼(紙品大好紙, 十張作一貼), 一張折價一戔六分.《陶山書院傳掌記, 萬曆30年2月》册紙二十五貼. ❾배접(褙接)한 횟수를 세는 데 쓰는 말.《正宗大王殯殿魂殿都監儀軌, 1房, 稟目》五峯屛三貼封裹所入. ❿책력(册曆)의 수를 세는 데 쓰는 말.《六典條例 6, 禮典, 觀象監, 曆書》曆貼, 丙戌元定數外, 毋得加印, 進上及官用曆書四百六十五貼六件, 各司求請及官用曆書一千八百四貼十五件, 私曆一萬五千一百八十九貼. ⓫계란 10 꾸러미를 하나치로 세는 데 쓰는 말.《進宴儀軌(高宗壬寅) 2, 饌品》鷄卵二貼. ⓬금박(金箔)·지금(紙金) 10 장(張)을 하나치로 세는 데 쓰는 말. 1 속(束)은 100 장이다.《正宗大王殯殿魂殿都監儀軌, 下, 別工作》付金次金箔二貼五張.《進饌儀軌(純祖己丑) 1, 移文》金箔二十九束九貼一張.《純元王后國葬都監儀軌 3, 實入》紙金六貼五張. ⓭첩금(貼金)·첩은(貼銀) 10 장(張)을 하나치로 세는 데 쓰는 말. 1 속(束)은 100 장이다.《尙方定例 3, 別例 下, 國婚, 中宮殿》厚貼金貳束捌貼參張.《正宗大王殯殿魂殿都監儀軌, 內下需用》貼金九束四貼七張.《純元王后國葬都監儀軌 2, 稟目》付金次貼金一束一貼.《度支準折, 金銀》貼銀(方三寸作一張, 十張作一貼, 十貼作一束). 貼金一束(方三寸作一張, 十張作一貼, 十貼作一束). ⓮'장'·'매(枚)'의 뜻으로, 고약(膏藥)의 장 수를 세는 데 쓰는 말. ⓯'쪽'·'폭'의 뜻으로, 병풍·족자 따위의 틀의 수를 세는 데 쓰는 말. 첩(疊).《嘉禮都監儀軌(顯宗明聖后), 都廳, 辛亥年嘉禮時謄錄付措備物目單子》鋪陳秩. 同牢廳十貼大屛風二, 改服廳十貼中屛風一……敎命桶一, 敎命案一……分之袂苔席二, 蓮花方席六坐.

첩(牒) [수효] '통'·'건'의 뜻으로, 문서의 수를 세는 데 쓰는 말.《論

衡, 別通》通人胸中懷百家之言, 不通者空腹, 無一牒之誦.

첩(疊) ① [수효] ❶'겹'의 뜻으로, 포개지거나 겹쳐진 것의 수를 세는 데 쓰는 말.《三國遺事 4, 義解, 歸竺諸師》讚曰, 天竺天遙萬疊山, 可憐遊士力登攀, 幾回月送孤帆去, 未見雲隨一杖還.《許渾, 歲暮自廣江至新興往復中題峽山寺四首 2》水曲巖千疊, 雲重樹百層.《徐霞客遊記, 滇遊日記 4》上有天城門遺址, 古石兩疊, 如雕刻亭簷狀. ❷'쪽'·'폭'의 뜻으로, 병풍·족자 따위의 틀의 수를 세는 데 쓰는 말. 첩(貼).《朝鮮中宗實錄 18, 32年5月己卯》傳于政院曰, 上天使, 以大字書朱文公武夷九典圖詩, 凡二十張以送焉, 卽造十疊屛風二座. ❸(dié) 중국(中國)의 단위. ㉮악곡을 부르거나 음악을 연주하는 횟수를 세는 데 쓰는 말.《聽歌六絕句, 何滿子》一曲四詞歌八疊, 從頭便是斷腸聲.《蘇軾, 論三疊歌法》然今世歌者, 每句再疊而已……每句皆再, 而第一句不疊, 乃知古本三疊蓋如此.《紅樓夢, 87回》又歇了一歇, 妙玉道, 剛才, 侵字韻是第一疊, 如今物字韻第二疊了. ㉯'번'·'회'의 뜻으로, 각(角)을 부는 횟수를 세는 데 쓰는 말. 1 첩은 12 번을 하나치로 이르는 말이다.《衛公兵法, 部伍營陳》日出日沒時, 撾鼓一千槌, 三百三十槌爲一通, 鼓音止, 角音動, 吹十二聲爲一疊.《陳繼儒, 群碎錄》角十二聲爲一疊.《丹鉛總錄, 瑣語》鼓三百三十搥爲一通, 鼓止角動, 吹十二聲爲疊. ㉰묶음의 수를 세는 데 쓰는 말.《孤星淚》但抽出來的並不是湯乃第等着的一疊鈔票, 而是一張小小字條. ❹일본(日本)의 단위. 다다미의 수를 세는 데 쓰는 말. ② [시간] ❶불가(佛家)에서, 연대(年代)를 헤아리는 데 쓰는 말. 1 첩은 12 세(世)까지, 2 첩은 12 세부터 120 세까지, 3 첩은 120 세부터 1,200 세까지이다.《釋譜詳節 19》ᄒᆞᆫ 氣韻으로서 十二世 ᄃᆡ외요미 一疊이오, 十二世로셔 一百二十世 ᄃᆡ외요미 二疊이오, 一百二十世로셔 一千二百世 ᄃᆡ외요미 三疊이라. ❷(dié) 중국(中國)의 단위. '세(世)'·'대(代)'의 뜻으로, 가계(家系)나 지위를 이어 그 자리에 있는 동안. 또는 그 수를 세는 데 쓰는 말.《文選, 左思, 吳都賦》雖累葉百疊, 而富彊相繼. 劉逵曰, 葉, 猶世也.

청(淸) [등급] 예전에 군현(郡縣)의 등급을 헤아리는 데 쓰는 말.《魏書, 辛雄傳》雄上疏曰, 治天下者, 惟在守令, 最宜建置以康國道, 請, 上等郡縣爲第一淸, 中等爲第二淸, 下等爲第三淸.

청(聽 : tīng) [부피] 중국(中國)의 단위. '통'·'초롱'의 뜻으로, 통이나 깡통에 물건을 담아 그 양을 헤아리는 데 쓰는 말. 〈예〉一～香烟. 兩～奶粉.

청정(淸淨) [수] 작은 수의 하나. 1 청정은 10^{-21}에 해당된다.

체(屜 : tì) [부피] 중국(中國)의 단위. '시루'의 뜻으로, 시루에 떡이나 밥 따위를 찐 양을 헤아리는 데 쓰는 말.

체(替) [수효] ❶쇠퇴하여진 수를 세는 데 쓰는 말.《晉書, 摯虞傳》陽降陰升, 一替一興, 流而爲川, 滯

而爲陵. ❷서로 교체하는 수를 세는 데 쓰는 말.《宋史, 兵志 5》上番半月一替, 歲於農閑月幷下番人, 並令所轄巡檢縣尉, 擇寬廣處聚教五日. ❸'무리'·'떼'의 뜻으로, 동아리의 수를 세는 데 쓰는 말.《朱子語流 101》遂分民兵作三替, 逐替燕犒酒食, 授以兵器, 先一替出城, 與賊接戰. ❹'번'·'차례'의 뜻으로, 일의 횟수를 세는 데 쓰는 말.《金瓶梅詞話, 17回》一替兩替請着他不來.《醒世姻緣傳, 91回》一替一替的打得梆子亂響.

체(締) [수효] 일본(日本)의 단위. ❶종이 2,000 장(張)을 하나치로 세는 데 쓰는 말. ❷'동'의 뜻으로, 붓·먹 10 자루를 하나치로 세는 데 쓰는 말. 동(同). ❸'동'의 뜻으로, 무명·명주·베 따위 50 필(疋)을 하나치로 세는 데 쓰는 말. 동(同). ❹'접'의 뜻으로, 생강 100 개를 하나치로 세는 데 쓰는 말. ❺'죽'의 뜻으로, 수건 10 장, 장갑 10 켤레를 하나치로 세는 데 쓰는 말. ❻'두름'의 뜻으로, 생선 20 마리를 하나치도 세는 데 쓰는 말. 급(級). 동음(冬音). 동을음(冬乙音). 모(茅). 파(把). ❼'죽'의 뜻으로, 그릇 10 개를 하나치로 세는 데 쓰는 말.

체(體) [수효] ❶악곡(樂曲)의 수를 세는 데 쓰는 말. 건(件). 해(解).《朝鮮世宗實錄 126, 31年10月庚戌》議政府據禮曹啓申, 宗廟朝會公宴之樂, 掇拾前朝雜聲, 深爲未便, 今新定諸樂及舊樂之內, 可用諸聲, 更加刪定, 發祥呈才十一聲, 定大業呈才十一聲……與民樂漫一聲, 致和平中二聲, 眞勺四體四聲, 凡七十五聲, 常令肄習. 從之. ❷서체(書體)의 수를 세는 데 쓰는 말.《東觀餘論》觀唐元度十體書, 因思張懷瓘云, 飛白全用隸法, 蓋八分之經者.《小學紺珠, 藝文類, 十體書》古文, 大篆, 籒文, 小篆, 八分, 隸書, 章草, 行書, 飛白, 草書, 唐玄度十體. ❸문체(文體)의 수를 세는 데 쓰는 말.《陸機, 文賦》分文體爲詩, 賦, 碑, 誄, 銘, 箴, 頌, 論, 奏, 說十種.《陸龜蒙, 再酬襲美先輩見和讀襄陽耆舊傳之作詩》吾祖仗才, 革車蒙虎皮, 手持一白旄, 直向文場麾……十體免負贅, 百家咸起痿.《楊愼, 文賦列十體》分文之十體, 各以四字盡之, 可謂妙矣. ❹시체(詩體)의 수를 세는 데 쓰는 말.《元稹, 與白樂天書》河東李明府景儉, 癖好僕詩章, 僕因撰成卷軸, 爲古諷, 爲樂諷, 爲古體, 爲新題樂府, 爲律詩, 以七言, 五言爲兩體, 爲律諷, 爲悼亡, 爲豔詩, 共成十體. ❺작문(作文)의 체(體)의 수를 세는 데 쓰는 말.《南齊書, 丘靈鞠結傳論》今之文章, 作者雖衆, 總而爲論, 略有三體, 一則啓心閑繹……次則輯事比類……次則發唱驚挺, 操調險急, 雕藻淫豔, 傾炫心魂, 亦猶五色之有紅紫, 八音之有鄭衞, 斯鮑照之遺烈也. ❻일본(日本)의 단위. '구(具)'의 뜻으로, 시체(屍體)의 수를 세는 데 쓰는 말. 구(具).

체(chee) [질량] 말레이시아 반도의 고유 단위. 1 체는 58.33 그레인(grain), 또는 3.78 g 에 해당된다.

체급(體級) [수효] 권투·레슬링·역도 같은 경기에서, 경기자의 몸

무게에 의해서 매긴 급수를 헤아리는 데 쓰는 말.

체니카(chenica) [부피] 이란의 고유 단위. 1 체니카는 1.19 미(美) 건량(乾量) 쿼트(quart)이며, 1.16 영(英) 쿼트, 또는 1.32*l* 에 해당된다.

체벨(chebel) [길이] 고대 이란의 단위. 1 체벨은 약 60 피트(feet), 또는 약 18.288 m 에 해당된다.

체이레크(tcheirek) [질량] 근대 이란(Iran)의 고유 단위. 1 체이레크는 1.62 파운드(pound), 또는 736 g 에 해당된다. 고제(古制)로는 미스칼(misqāl)의 160 배(倍)에 해당되었다.

체인(chain) 1 [길이] 야드·파운드법에 의한 한 단위. 1 체인은 22 야드, 또는 20.1168 m 에 해당된다. 또는 엔지니어즈 체인(engineer's chain)이라고도 하는데, 100 피트, 또는 30.4801 m에 해당되기도 한다. 기호 : ch

1 체인=100 링크(link)
=1/10 펄롱(furlong)
=1/80 마일(mile)
=22 야드(yard)
=66 피트(feet)
=20.1168 미터〔meter〕
=792 인치(inch)

2 [넓이] 야드·파운드법에 의한 한 단위. 1 체인은 에이커(acre)의 10 분의 1, 또는 4.047 아르〔a〕에 해당된다. 기호 : ch

체트비에리크(chietvierik) 1 [넓이] 러시아(Russia)의 옛 단위. 1 체트비에리크는 디에샤티나(diesyatina)의 4 분의 1 이며, 0.675 에이커(acre), 또는 3.016 아르〔a〕에 해당된다. 2 [부피] 러시아의 고유 단위. 1 체트비에리크는 체트비에르티(chietviert')의 8 분의 1 이며, 2.98 미(美) 펙(peck), 또는 26.2*l* 에 해당된다.

체트비에르티(chietviert') 1 [부피] 러시아(Russia)의 옛 곡물 단위. 1 체트비에르티는 체트비에리크(chietvierik)의 8 배이며, 5.96 미(美) 부셸(bushel), 또는 209.9*l* 에 해당된다. 2 [길이] 러시아의 옛 단위. 1 체트비에르티는 아르신(arshin)의 4 분의 1 이며, 7.0 인치(inch), 또는 17.78 cm 에 해당된다. 3 [넓이] 러시아의 고유 단위. 1 체트비에르티는 1.35 에이커, 또는 54.65 아르〔a〕에 해당된다. 또는 체티(chiet')와 같고, 1,200 제곱 사젠(sazhen')에 해당되기도 한다. 체티(chiet').

체티(chiet') [넓이] 러시아의 옛 단위. '체트비에르티(chietviert')'의 3과 같다.

첸칼(tjenkal) [길이] 인도네시아(Indonesia)의 고유 단위. 1 첸칼은 4 야드(yard), 또는 3.66 m 에 해당된다.

첸테시미(centesimi) [통화] 이탈리아·산마리노(San Marino)·바티칸시(Vatican市)의 보조 통화 단위. 1 첸테시미는 리라(lira)의 100 분의 1 에 해당된다.

첸트너(Zentner) [질량] 독일(獨逸)·오스트리아(Austria)·스위스(Switzerland)의 단위. 1 첸트너는 50 kg 에 해당된다.

초(抄) 1 [수효] 승보시(陞補試)를

시험 보이는 횟수를 세는 데 쓰는 말. 승보시는 조선 시대 성균관 대사성(成均館大司成)이 사학(四學)의 유생에게 시부(詩賦)를 시험 보이던 초시(初試)를 말한다.《增補文獻備考 188, 選擧考, 科制》英祖三十四年, 陞補試復設十二抄, 舊例陞補試, 每朔各設一抄, 通計一年爲十二抄, 中間減爲十抄. ② [부피] ❶척관법(尺貫法)에 의한 한 단위. 1초는 작(勺)의 10분의 1, 또는 되〔升〕의 1,000분의 1에 해당된다.《增補文獻備考 91, 樂考, 度量衡》十大始翊突爲翊突, 準我五合五勺四抄三撮五圭.《孫子算經, 上》六粟爲一圭, 十圭爲一撮, 十撮爲一抄, 十抄爲一勺, 十勺爲一合. ❷(chāo) 중국(中國)의 단위. '줌'의 뜻으로, 한 주먹으로 쥘 만한 분량. 또는 그 수효를 세는 데 쓰는 말.《譯語類解, 上, 筭數》一抄, 흔 줌.《太平廣記 474》朝野僉載, 近有雞食烏百足蟲忽死, 開腹, 中有蚰蜒一抄, 諸蟲並盡, 此物不化.《李逵負荊, 1折》與你一抄, 碎金子, 與你做洒錢.

초(秒) ① [길이] 1초는 1치〔寸〕의 1만분의 1에 해당된다.《隋書, 律曆志 上》蠶所生吐絲爲忽, 十忽爲秒, 十秒爲毫, 十毫爲釐, 十釐爲分. ② [부피] 1초는 홉〔合〕의 1천분의 1에 해당된다.《隋書, 律曆志上》六粟爲圭, 十圭爲秒, 十秒爲撮, 十撮爲勺, 十勺爲合. ③ [시간] 시간의 기본 단위. 초는 처음에 1평균 태양일(平均太陽日)의 86,400분의 1이라고 정의되었으나, 지구의 자전 속도(自轉速度)가 일정치 않자, 1960년 10월 제 11회 국제 도량형 총회에서 초(秒)는 1900년 1월 0일 12시(일반적으로는 1899년 12월 31일 정오를 말함)에 있어서의 지구의 공전(公轉)의 평균 각속도(平均角速度)를 기초로 하여 산출한 1태양년(太陽年)의 31,556,925.9747분의 1로 정하였고, 우리나라에서도 이 결정에 따랐다. 1초는 1분(分)의 60분의 1에 해당된다.《漢淸文鑑 1, 時令》秒, 六十微爲一秒.《愚味人生》只一秒鏡吧, 他看到阿拜納的眠睛, 從拿着的書沿上注視着他. ④ [각도] 각(角)의 도수(度數). 곧, 한 점에서 갈리어 나간 두 직선의 벌어진 크기를 헤아리는 데 쓰는 말. 1초는 1도(度)의 60분의 1에 해당된다.《朝鮮世宗實錄 156, 七政算內編 上, 天行諸率》周天度, 三百六十五度二十五分七十五秒. 半周天, 一百八十二度六十二分八十七秒半, 周天象限, 九十一度三十一分四十三秒太.《夢溪筆談, 象數》每夜昏·曉·夜半, 月及五星所在度秒, 置簿錄之.

초(哨) [군사] 조선 시대, 군대 편제의 한 단위. 1초는 약 100명으로 편성되었는데, 필요에 따라 가감이 있었다.《萬機要覽, 軍政編 3, 禁衛營, 六道軍保》六道軍保. 京畿, 正軍十四哨一千七百八十七名……公忠道, 正軍二十五哨三千一百八十五名……全羅道, 正軍二十五哨三千一百八十五名……慶尙道, 正軍三十哨三千八百二十二名……黃海道, 正軍二十哨二千五百四十八名……江原道, 正軍十一哨一千三百九十八名.《受教輯錄 4, 兵典,

摠戎廳》上番壯抄十三哨, 牙兵十三哨, 束伍馬軍十哨, 步軍七十哨. 《六典條例 8, 兵典, 摠戎廳》各色軍保, 守堞軍官三十七人, 壯抄十哨, 屯壯抄三哨, 牙兵十哨, 屯牙兵三哨, 每哨一百二十二名, 各屯軍需保九百五十一名, 軍需保一千二百十九名, 吹鐵牙兵八十名, 已上散在各邑.

초(焦 : jiāo) [일・에너지] 중국(中國)의 단위. '줄(joule)'의 역어(譯語).

초도(焦度 : jiāodù) [굴절도] 중국의 단위. '디옵트리(Dioptrie)'의 역어(譯語).

초로너(corona) [통화] 헝가리의 현재 통화 단위. 펭괴(pengö). 포린트(forint).

초롱 [부피] 초롱에 물이나 기름 따위를 담아 그 양을 헤아리는 데 쓰는 말.

초이(焦耳 : jiāoěr) [일・에너지] 중국(中國)의 단위. '줄(joule)'의 음역(音譯).

초핀(chopin) [부피] 스코틀랜드(Scotland)의 고유 단위. 1 초핀은 스코틀랜드 파인트(pint)의 2 분의 1 이며, 1.5 영(英) 파인트(pint), 또는 1.08l 에 해당된다.

촉(燭) [광도] 영국(英國)의 캔들(candle)을 채택하여 칸델라(candela)가 도입될 때까지 사용되던 단위. 1 촉은 1.0067 칸델라에 해당된다.

촉광(燭光) ① [광도] 빛의 세기를 나타내는 데 쓰는 말. 지름 8 분의 1 인치(inch), 무게 6 분의 1 파운드(pound) 되는 고래 기름의 초가 한 시간에 8.772 그램〔g〕씩 탈 때의 광도를 말한다. 지(支). 지광(支光). ② [조도] 빛을 받는 단위 면적이 단위 시간에 받는 빛의 양을 헤아리는 데 쓰는 말. 1 미터〔m〕 촉광은 1 촉광의 빛이 1 m 떨어진 물체를 비추는 조도(照度)를 말한다. 지(支). 지광(支光).

촌(寸) ① [길이] 척관법(尺貫法)에서 자〔尺〕의 보조 단위. 우리 나라에서는 '치'라고 한다. 1 치는 푼〔分〕의 10 배(倍)이며, 자의 10 분의 1, 또는 3.33 cm 에 해당된다. 《經國大典 6, 工典, 營繕, 度量衡》度支制, 十釐爲分, 十分爲寸, 十寸爲尺, 十尺爲丈. 《純元王后國葬都監儀軌 2, 稟目》花板次藍紬方六寸一片. 《增補文獻備考 91, 樂考, 度量衡》十大始米突爲米突, 準我三尺三寸. 《進宴儀軌(高宗壬寅) 2, 稟目》題目次白禾紬, 長五寸, 廣一寸. 《度支準折, 珠玉寶石》琉璃(方三寸一片, 価艮九戔, 方一寸五分一片, 価艮四戔五分, 方一寸一片, 価艮三戔). 《算法統宗, 零數》寸・分・釐・毫・絲・忽・微・纖・沙・塵・埃. ② [수효] 친족 관계의 촌수를 나타내는 데 쓰는 말. 《朝鮮明宗實錄 2, 卽位年9月乙丑》臣與瑠異姓五寸, 而瑠母家婢秀今田一日耕地, 退計十餘年間買之. 瑠以爲母婢已物, 無緣據奪去. 《與猶堂全書, 雅言覺非》東語, 伯父・叔父曰三寸, 伯父・叔父之子曰四寸, 從祖祖父曰四寸大父, 其子曰五寸叔父. 《大典會通 3, 禮典, 五服, 本宗》再從兄弟(六寸兄弟), 小功. 《大典會通 5, 刑典, 私賤》無子女嫡母奴婢,

妾子女分數外, 餘還本族, 而勿論生沒均給(原典, 無同生則三寸, 無三寸則四寸親之法). 《行用吏文》寸, 計新(親)屬爲寸, 自三寸止於十寸是也.

촌(吋 : cùn) [길이] 중국(中國)의 단위. '인치(inch)'의 역어(譯語). 《新字典, 新字新義部》吋, 인츠. Inch. 英國度名, 讀如英寸.

촌목(寸目) [호칭] 일본(日本)의 단위. 편물(編物)에서 코와 코의 틈의 크기를 말한다.

촐(Zoll) [길이] ❶독일(獨逸)의 단위. 1촐은 푸스(Fuss)의 12분의 1이며, 1.03인치(inch), 또는 2.61 cm에 해당된다. ❷스위스의 단위. 1촐은 1.181인치(inch), 또는 3 cm에 해당된다.

촐드론(chaldron) ① [부피] 야드(yard)·파운드법(pound 法)의 한 단위. 주로 석탄의 부피를 헤아리는 데 쓴다. 1촐드론은 36부셸(bushel), 또는 1,268.614l에 해당된다. ② [질량] 야드·파운드법의 한 단위. 주로 미국(美國)에서 석탄의 무게를 헤아리는 데 쓴다. 1촐드론은 약 2,500파운드, 또는 1,134 kg에 해당된다.

총(惣) [수효] 일본(日本)의 단위. 공〔球〕의 수를 세는 데 쓰는 말.

총(總) ① [넓이] 조선 시대, 조세(租稅)를 계산하기 위한 토지 면적의 단위. 1총은 10짐〔負〕에 해당된다. 10총이 한 뭇이다. 《磻溪隨錄 3, 田制後錄 上, 別賦條》國恤, 每一總, 出米一斗(逐年以實收米, 十斛爲一總). ② [수효] ❶'새'의 뜻으로, 피륙의 날 80올을 하나치로 세는 데 쓰는 말. 사(稜). 승(升). 종(綜·稯). 《說文, 門部》閷, 一曰, 縷十紘也. (段玉裁注) 紘字有譌, 紘字冠卷, 非其義, 疑當作總. 漢律曰, '綺絲數謂之絩, 布謂之總. 總者, 謂布, 縷之數, 八十縷爲一總. 《晏子春秋, 內篇雜 下》夫十總之布, 一豆之食, 足于中免矣. (張純一校注) 孫星衍云, 總卽稯假音字. 說文, 布之八十縷爲稯. ❷(zǒng) 중국(中國)의 단위. '단'·'뭇'의 뜻으로, 볏단이나 물건의 묶음을 세는 데 쓰는 말. 1총은 볏단 40뭇에 해당된다. 《小爾雅, 廣物》把謂之秉, 秉四曰筥. 聘禮曰, 四秉曰筥, 十筥曰總, 十總曰秅. 每車三秅, 則三十總也, 總猶束也.

총(叢) [수효] ❶조두(刁斗)의 수를 세는 데 쓰는 말. 조두는 군중(軍中)에서 야경(夜警)을 하느라고 치는 동라(銅鑼)이다. 《萬機要覽, 軍政編 3, 御營廳, 軍器》刁斗四百六十四叢. ❷'자루'의 뜻으로, 창(槍)·간지쇠〔幹只金〕따위와 같이 긴 물건의 수를 세는 데 쓰는 말. 근(根). 병(柄). 본(本). 정(挺). 조(條). 좌(坐). 지(枝). 《萬機要覽, 軍政編 3, 御營廳, 軍器》拒馬槍五百七十六叢. 《宣川府邑誌 上》幹只金四十叢. 拒馬槍一百五十叢. 《訓鍊都監重記, 弓箭色, 己丑別備秩》拒馬槍參拾叢. ❸'떨기'의 뜻으로, 초목 등이 더부룩하게 되어 있는 것의 수를 세는 데 쓰는 말. 족(簇). 《小婦人》小山的一部分, 給一叢松樹掩着, 從這碧綠地方的中心, 發出陣陣淸晰的聲音來. 《白雲少年》 每一叢紅心番薯的小葉下都

長出根的髭鬚, 在石地板久了有點萎縮而乾枯了. ❹'무리'의 뜻으로, 여럿이 모인 사람의 동아리를 세는 데 쓰는 말.

촬(撮) [부피] ❶척관법(尺貫法)의 한 단위. ㉮ 1 촬은 규(圭)의 10 분의 1, 또는 되〔斗〕의 10,000 분의 1에 해당된다.

1 촬(撮) =10 규(圭)
=1/10 초(抄)
=1/100 작(勺)
=1/1,000 홉〔合〕
=1/10,000 되〔升〕
=1/100,000 말〔斗〕
=1/1,000,000 섬〔石〕

《增補文獻備考 91, 樂考, 度量衡》十先知翊突爲大始翊突, 準我五勺五抄四撮四圭.《孫子算經, 上》六粟爲一圭, 十圭爲一撮, 十撮爲一抄, 十抄爲一勺, 十勺爲一合. ㉯ 1 촬은 10 초(秒), 또는 홉〔合〕의 100 분의 1에 해당된다.《隋書, 律曆志上》孫子算術, 六粟爲圭, 十圭爲秒, 十秒爲撮, 十撮爲勺.《本草綱目, 序例》丸散云, 刀圭者, 十分方寸匕之一, 準如梧桐子大也. 一撮者四刀圭也. 十撮爲勺, 十勺爲一合. ㉰ 1 촬은 4 규(圭)에 해당된다.《廣才物譜 1, 庶流部, 數》撮, 合也, 四圭.《才物譜, 秋, 數》撮, 合也, 四圭.《漢書, 律曆志 上》度長短者不失豪氂, 量多少者不失圭撮. 應劭曰, 四圭曰撮. ❷'줌'의 뜻으로, 주먹으로 쥘 만한 분량. 또는 그 양을 헤아리는 데 쓰는 말. 결(紒). 악(握). 파(把).《海行摠載, 姜弘重東槎錄, 聞見總錄》男子則盡削鬚髮, 只存腦後毛, 而多不過一撮, 長不過五寸, 回匝固結, 以紙繩括之, 以染色布帛畏之. 日雖甚寒, 其俗本不着皮物, 日暖則露頂以行, 如簞笠·繩笠之屬, 皆是避陽避雨雪之具, 而其制如我國靑笠之狀.《牛馬羊猪染疫病治療方, 牛馬醫方》乃用皀莢末一撮, 吹入鼻中(다시 주엽ㄱ론 한 쟈보몰 고해 부러 드리고).《譯語類解, 上, 算數》一撮, ᄒᆞᆫ 쟈봄.《禮記, 中庸》今夫地, 一撮土之多, 及其廣厚, 載華嶽而不重, 振河海而不洩, 萬物載焉.

추(秋) [시간] ❶'년(年)'·'해'의 뜻으로, 365 일을 하나치로 헤아리는 데 쓰는 말.《李陵, 與蘇武詩》嘉會難再遇, 三載爲千秋.《王安石, 望夫石詩》還似九嶷山上女, 千秋長望舜裳衣.《陳汝元, 金蓮記, 偕計》堪嗟擊缶千秋壯, 莫道揮毫兩鬢星.《李白, 金陵歌送別范宣》四十餘帝三百秋, 功名事跡隨東流. ❷ 3 개월을 하나치로 헤아리는 데 쓰는 말. 가을은 석 달로 치기 때문에 이르는 말이다.《詩, 王風, 采葛》一日不見, 如三秋兮. (孔穎達疏) 年有四時, 時皆三月, 三秋謂九月也.《陸機, 挽歌 1》三秋猶足收, 萬世安可思.《李彌遜, 水調歌頭, 次向伯恭薌林見寄詞》不見隱君子, 一月比三秋.《燕山外史 2》室邇人遐, 每切三秋之感.

추(槌) [수효] 북을 치는 횟수를 세는 데 쓰는 말. 330 번을 1 통(通)이라 한다.《衛公兵法, 部伍營陳》日出日沒時, 撾鼓一千槌, 三百三十槌爲一通, 鼓音止, 角音動, 吹十二聲爲一疊.

추(簉 : zǎo) [질량] 중국(中國)의

단위. 1 추는 100 근(斤), 또는 100 덩이에 해당된다. 주로 금덩이나 은덩이의 무게를 헤아리는 데 쓴다. 《南史, 梁武帝諸子傳, 蕭紀》 黃金一斤爲餅, 百餠爲簉.

추(醜) [수효] '종류'·'가지'의 뜻으로, 일이나 사물의 부문(部門)을 나눈 갈래의 수를 세는 데 쓰는 말. 《國語, 楚語 下》 官有十醜爲億醜. (韋昭注) 醜, 類也.

추(錘) ① [수효] 방추(紡錘)의 수를 세는 데 쓰는 말. 방추는 방적(紡績)에 붙어 있는 쇠로 만든 회전축으로, 이것에 목관(木管)을 끼우고 그 위에 실을 감는 물건이다. 《中央日報, 1995년 7월 25일》 김정재(金貞才·54) 한일그룹 부회장은 ……정부의 허가를 얻는 대로 우선 국내 공장의 방적기 1만~3만 추 정도를 북한으로 옮기고, 점진적으로 국내 방적 설비 일체를 북한으로 옮겨 생산 제품 전량을 해외로 수출할 방침이다. ② [질량] 척관법(尺貫法)의 한 단위. ❶ 1 추는 8 수(銖)에 해당된다. 《字類註釋, 物類, 名數》 錘, 져울츄 츄. 權謂之錘. 垂也. 或作鎚. 又八銖. 又十二兩. 又爐錘, 鍛器. 《說文, 金部》 錘, 八銖也. 《淮南子, 說山訓》 有千金之璧, 而無錙錘之礛諸. (高誘注) 六錘曰錙, 八銖曰錘. ❷ 1 추는 6 수(銖)에 해당된다. 《一切經音義 100》 錙錘, 風俗通曰, 銖六則錘. ❸ 1 추는 12 냥(兩)에 해당된다. 《淮南子, 詮言訓》 雖割國之錙錘以事人. (高誘注) 六兩曰錙, 倍錙曰錘.

추크티얼라스트(Zugt(h)ierlast) [질량] 스위스의 고유 단위. 1 추크티얼라스트는 1,653.5 파운드, 또는 750 g 에 해당된다.

추파(chupa) [부피] 필리핀의 고유 단위. 1 추파는 간타(ganta)의 8 분의 1 이며, 0.79 미(美) 액량(液量) 파인트(pint), 또는 3.75 ml 에 해당된다.

추파크(chupak) [부피] 말레이시아의 단위. 1 추파크는 1.0 영(英) 쿼트(quart), 또는 1,136l 에 해당된다.

축(軸) [수효] ❶'축(軸)'의 ❶과 같다. 《訓鍊都監重記, 軍色, 時遺在秩》 監試落幅紙拾玖軸伍事半事. 《昌慶宮營建都監儀軌, 實入》 監落二百二十一軸八張. 庭落七十軸. 《度支準折, 紙地》 監試落幅紙一軸 (二張作一度, 十度作一軸). ❷'축(軸)'의 ❷와 같다. 《廣才物譜 1, 文學, 紙》 軸, 十卷. ❸'축(軸)'의 ❸과 같다. 《朝鮮中宗實錄 91, 34年 8月 己卯》 華天使所奉送, 小畫一軸. 薛天師所奉送, 墨刻一快, 蜀扇二握, 書簡三封. ❹한지 100 장을 하나치로 세는 데 쓰는 말. 《度支準折, 紙地》 倭菱化(一白張作一軸), 一軸艮八戔, 一卷銀一戔六分. ❺'축(軸)'의 ❹와 같다. 《純元王后國葬都監儀軌, 狀啓》 輓章一百軸. ❻둥글게 만든 사탕(砂糖) 20 개를 하나치로 세는 데 쓰는 말. 《度支準折, 唐餠果茶膏》 砂糖一斤(一元, 重四兩二戔, 二十元作一軸), 価米六斗三升, 下地木一疋. 一元, 価錢五戔. ❼'톳'의 뜻으로, 김〔海衣〕 100 장을 하나치로 세는 데 쓰는 말. 《陶山書院傳掌記 29, 己卯8月17日》 海衣一軸.

축(軸) [수효] ❶과거(科擧)의 글장인 낙복지(落幅紙) 10 장을 묶은 것을 하나치로 세는 데 쓰는 말. 일반적으로 종이 한 장에 쓰는데, 한 장이 모자랄 때에는 종이를 이어서 쓰기도 한다. 축(軸).《眉巖集 12, 日記》甲戌十一月二十日, 凡試官七員, 監試官二員, 合九員, 共校考試卷, 至初更五點而罷, 乃十六軸, 卽二百六十道也.《昌慶宮營建都監儀軌, 實入》監試落幅紙二百二十一軸八張.《萬機要覽, 財用編 5, 燕使, 盤纏》落幅紙, 正使十軸, 副使八軸, 書狀官五軸. ❷조선 종이 10 권(卷)을 하나치로 세는 데 쓰는 말. 1 권은 20 장(張)이다. 축(軸).《朝鮮正祖實錄 15, 7年2月戊子》仍賜臣等紋緞一匹, 絹紙一軸, 猫金牋一軸, 貢筆一匣, 貢墨一匣. ❸두루마리로 된 그림이나 지도 따위를 낱으로 세는 데 쓰는 말. 권(卷). 본(本). 정(幀). 축(軸). 포(鋪). 폭(幅).《朝鮮世宗實錄 36, 9年4月壬午》昌盛進段子二匹, 羅一匹……紫鷺翎一封, 畫佛三軸.《朝鮮世宗實錄 42, 10年11月甲子》前將軍徐淑, 顚狂人也, 自斷左手, 以雜畫一軸, 書簇三軸, 雜書二冊, 授其子學智, 送于判府事卞季良.《朝鮮中宗實錄 42, 16年7月辛酉》今日早朝, 上使亦遣人贈臣以聖人圖一軸, 許氏說文一件, 此皆上國人所贈, 故敢啓.《朝鮮宣祖實錄 5, 4年10月戊申》觀象監, 天文圖一百二十軸進上. ❹만장(輓章)을 낱으로 세는 데 쓰는 말. 축(軸).《純元王后國葬都監儀軌 3, 稟目》輓章一百軸. ❺두루마리로 된 글장이나 족자(簇子) 따위를 낱으로 세는 데 쓰는 말. 척(隻).《朝鮮世宗實錄 42, 10年11月甲子》前將軍徐淑, 顚狂人也, 自斷左手, 以雜畫一軸, 書簇三軸, 雜書二冊, 授其子學智, 送于判府事卞季良.《朝鮮成宗實錄 99, 9年12月己酉》命藏皇帝御詩十二軸于弘文館. ❻고명(誥命)이나 교명(敎命)의 수를 세는 데 쓰는 말.《朝鮮宣祖實錄 163, 36年6月甲辰》勅書一道, 誥命一軸……紅布包袱一條, 右咨朝鮮國王.《嘉禮都監儀軌(顯宗明聖后), 1房, 稟目秩, 辛卯12月22日》敎命第一軸……第十, 繪粧如初, 面白玉軸, 兩端如簇子軸形, 自紅質始書四行. ❼일정한 길이로 짠 피륙을 하나치로 세는 데 쓰는 말.《朝鮮英祖實錄 84, 31年4月甲辰》上以淸國所送紋緞二十一軸, 下戶曹, 以豹皮四百令, 下尙方. ❽'권(卷)'의 뜻으로, 두루말이로 된 책의 수를 낱으로 세는 데 쓰는 말. 도(道). 편(編).《杜牧, 獻詩啓》今謹錄一百五十篇, 編爲一軸, 封留獻上.《韓愈, 送諸葛覺往隨州讀書詩》鄴侯家多書, 插架三萬軸.《少室山房筆叢, 經籍會通 1》凡書, 唐以前皆爲卷軸, 蓋今所謂一卷, 卽古之一軸.《儒林外史, 28回》中間懸着一軸百子圖. ❾마른 오징어 20 마리를 하나치로 세는 데 쓰는 말. ❿책력(冊曆) 20 권(卷)을 하나치로 세는 데 쓰는 말.《謝曆日面脂口脂表》兼賜臣墨·詔及貞元十七年新曆一軸. ⓫둥글게 말아 놓은 물건을 세는 데 쓰는 말.《警世通言, 玉堂春落難逢夫》天明早起, 趕下一軸麵. ⓬'토리'의 뜻으로, 실뭉치의 수를 세는

데 쓰는 말. ⓭'가닥'·'줄기'의 뜻으로, 연기나 향 따위가 피어 오르는 수를 세는 데 쓰는 말.《李咸用, 送人詩》一軸煙花滿口香, 諸侯相見肯相忘.

축(築 : zhū) [수효·질량] 중국(中國)의 단위. 초목(草木)의 잎을 세는 데 쓰는 말. 1축은 1,200장(張), 또는 120관(貫)에 해당된다.《周禮, 春官, 鬱人》鄭司農曰, 鬱, 草名. 十葉爲貫, 百二十貫爲築. 以煮之鐎中, 停於祭前.

춘(春) [시간] ❶'년(年)'·'해'의 뜻으로, 365일을 하나치로 헤아리는 데 쓰는 말.《酈道元, 水經注, 湍水》石至千春, 不若速朽, 苞墓萬古, 祇彰誚辱.《杜甫, 往在詩》千春薦靈寢, 永永垂無窮.《聞二多, 你指着太陽起誓詩》永久早許給了別人, 粃糠是我的份, 別人得的才是你的菁華, 不壞的千春. ❷3개월을 하나치로 헤아리는 데 쓰는 말. 봄은 석 달로 치기 때문에 이르는 말이다.《班固, 終南山賦》三春之季, 孟夏之初, 天氣肅清, 周覽八隅.《李白, 別氈帳火爐詩》離恨屬三春, 佳期在十月.《宋方壺, 斗鵪鶉, 踏青》嬌滴滴三春佳景, 翠巍巍一帶青山.

출(出 : chū) [수효] 중국(中國)의 단위. ❶'막'의 뜻으로, 극·오페라·연극 따위에 출연하는 횟수를 세는 데 쓰는 말.《世說新語, 文學》有人道上見者, 問云, 公何處來. 答曰, 今日與謝孝劇談一出來. ❷'방(放)'의 뜻으로, 총포를 발사하는 횟수를 세는 데 쓰는 말.《清史稿, 兵志, 製造》此種快炮六生的者, 每分鐘可放三十出, 九生的者, 每分鐘可放二十餘出. ❸'번'·'차례'의 뜻으로, 일의 횟수를 세는 데 쓰는 말.

춤 [부피] 여러 오리로 길게 생긴 물건의 한 손으로 쥘 만한 분량. 또는 그 수를 세는 데 쓰는 말.

충(盅 : zhōng) [부피] '잔(盞)'의 뜻으로, 잔에 술이나 차를 담아 그 양을 헤아리는 데 쓰는 말. 충은 손잡이가 없는 작은 잔이다. 배(杯·盃). 작(酌). 잔(盞). 종(種).《微神集》 幾盅酒的工夫把二位的心事全看得和寫出來那麽清楚.《兒女英雄傳, 5回》施主, 僧人這裏是個苦地方, 沒甚麽好吃的, 就是一盅素酒, 倒是咱們廟裏自己淋的.

취(聚 : jù) [1] [부피] 중국(中國)의 단위. '자밤'의 뜻으로, 손가락 끝으로 집을 만한 분량. 또는 그 양을 헤아리는 데 쓰는 말.《五苦詩, 生苦》終成一聚土, 強覓千年名. [2] [수효] 중국(中國)의 단위. ❶'구(具)'의 뜻으로, 시체의 수를 세는 데 쓰는 말.《類說 3》神仙傳, 使甲張口問地, 符出, 丹書文字如新, 甲立成一聚枯骨. ❷예선에 전쟁에서 쓰던 수레의 수를 세는 데 쓰는 말. 1취는 10량(輛)에 해당된다.《歷代車戰敍略》險戰之法, 車必循道. 十車爲聚, 二十車爲屯. ❸촌락(村落)의 수를 세는 데 쓰는 말.《王充, 論衡, 禍虛》千人以上, 萬人以下, 計一聚之中, 生者百一, 死者十九, 可謂無道至痛甚矣. ❹'무더기'의 뜻으로, 많은 물건을 한데다 수북이 쌓은 더미의 수를 세는 데 쓰는 말.《胡曾, 鉅橋詩》武王兵起無人敵, 遂作商郊一聚灰.《黃庭堅,

過故人東平侯趙景珍墓詩》 嬋娟去作誰家妾, 意氣都成一聚塵.

츠비에르츠(cwierc) [부피] 폴란드(Poland)의 옛 단위. 1 츠비에르츠는 크바르타(kwarta)의 32 배(倍)이며, 33.8 미(美) 액량(液量) 쿼트(quart), 또는 32*l* 에 해당된다.

층(層) [수효] ❶'층'의 뜻으로, 물건이나 건물에 있어서의 층수를 세는 데 쓰는 말. 급(級). 단(段). 등(蹬). 중(重). 《三國遺事 3, 塔像, 皇龍寺九層塔》九韓侵勞, 若龍宮南皇龍寺建九層塔, 則隣國之災可鎭, 第一層日本, 第二層中華……第九層穢貊. 《高麗史 2, 太祖世家》王問曰, 聞新羅有三大寶, 丈六金像·九層塔, 幷聖帝帶也. 《漢京識略 2, 市廛》 漆木器廛, 賣各樣漆木器及櫃櫝, 亦稱櫃廛, 櫃者中國所謂豎櫝也. 櫃必有三四層, 以紋木製, 或以色紙塗. 《朝鮮女俗考, 6章, 東床記, 三煞》飛陋筒(洗面鹼也)과 養齒木(楊枝)과 黑漆灑金婚書函과 金剪紙毛緞袱와 粉紅綿紬褓와 內外褓溢紋褓와 紫芝褓와 黃漆龍槐床倭朱紅三層鏡臺와 倭畫龍器鏡臺所入과 鄂斯羅金匣鏡과 鍮大鈍鍮飯床이니 新房所入도 亦自不少로다. ❷'겹'의 뜻으로, 거듭 포개진 켜의 수를 세는 데 쓰는 말. 《韓愈, 送侯參謀赴河中幕詩》 三月崧少步, 躑躅紅千層. 《張蠙, 題紫閣院詩》上方人海外海外, 苔徑上千層. 《呂巖, 酹江月詞》霄漢此夜中秋, 銀蟾離海, 浪卷千層雪. 《王建, 宮詞》玉蟬金雀三層插, 翠髻高叢綠鬢虛.

치 [호칭] 일의 분량을 헤아리는 데 쓰는 말. 〈예〉 하루 ～. 사흘 ～.

치〔寸〕 [길이] '촌(寸)'과 같다.

치(垁) [넓이] 성(城)이나 담장의 넓이를 헤아리는 데 쓰는 말. 1 치는 도(堵)의 3 배(倍)에 해당된다. 1 도(堵)는 1 장(丈) 사방의 넓이이다. 일설에는 5 도(堵)의 넓이라고도 한다. 《集韻》垁, 城三堵也, 或作垁. 《大玄經, 閑》閑黃垁, 席金策(五堵爲垁).

치(茬 : chá) [수효] 중국(中國)의 단위. ❶광산에서 폭약을 발파한 횟수를 세는 데 쓰는 말. 〈예〉 放了五～炮. ❷'그루'의 뜻으로, 같은 땅에서 농사를 짓는 횟수를 세는 데 쓰는 말. 〈예〉 這塊菜地一年能種四～.

치(甁 : chī) [수효] 중국(中國)의 단위. '번'의 뜻으로, 책을 빌려 보는 횟수를 세는 데 쓰는 말. 예전에 빌린 책을 돌려 줄 때에는 한 병의 술로 보답한 데서 나온 말이다.

치(雉) ① [수효] 성가퀴의 수를 세는 데 쓰는 말. 1 치는 50 타(垜)에 해당된다. 타(垜). 《萬機要覽, 軍政編 4, 關防, 關防摠論》以上壕岸, 亦必築以磚石. 凡城. 自下二丈斜倚以築, 二丈以上斜直漸上, 其雉及甕城·牛馬墻, 幷依紀効新書法(五十垜一雉, 要當量其地形而爲之, 大約雉出城外四五丈則橫長六七丈). ② [길이] 척관법(尺貫法)의 한 단위. 1 치는 3 장(丈), 또는 30 자〔尺〕에 해당된다. 《漢淸文鑑 11, 衣飾, 量度》雉, 三丈曰雉. 《周禮, 考工記, 匠人》王宮門阿之制五雉, 宮隅之制七雉, 城隅之制九雉. (賈公彦疏) 云城隅之制九雉者, 亦謂高九丈. 《張衡, 東京賦》經途九軌, 城隅九

雉.

치(幟 : zhì) [수효] 중국(中國)의 단위. '질'·'벌'의 뜻으로, 여러 권으로 된 책을 하나치로 세는 데 쓰는 말.

치(齒) [수효] 계단(階段)의 층수를 세는 데 쓰는 말. 《張衡, 西京賦》右平左墄. (注) 綜曰, 天子殿高九尺, 階九齒, 名爲九級.

치(錙 : zī) [질량] 중국(中國)의 단위. ❶ 1 치는 6 수(銖), 또는 약 1 냥(兩)의 4 분의 1 에 해당된다.《說文, 金部》錙, 六銖也.《淮南子, 說山訓》有千金之璧, 而無錙錘之礛諸. (高誘注) 六銖曰錙. ❷ 1 치는 8 수(銖), 또는 약 1 냥의 3 분의 1 에 해당된다.《韻會》錙, 八銖爲錙.《丹鉛續錄, 易重一斤》十黍爲絫, 十絫爲銖, 八銖爲錙, 二十四銖爲兩, 十六兩爲一斤, 一斤凡三百八十四銖. ❸ 1 치는 12 수(銖)에 해당된다.《一切經音義 100》風俗通義云, 銖六則錘, 二錘則錙. ❹ 1 치는 6 냥에 해당된다.《淮南子, 詮言訓》雖割國之錙錘以事人, 而無自恃之道, 不足以爲全. (高誘注) 六兩曰錙, 倍錙曰錘. ❺ 1 치는 8 냥에 해당된다.《集韻》錙, 一曰, 八兩曰錙.《玉篇, 金部》錙, 八兩爲錙.《荀子, 富國》割國之錙銖以賂之. (楊倞注) 八兩爲錙.《禮記, 儒行》雖分國, 如錙銖. (鄭玄注) 八兩曰錙.

치(觶) [부피] 치(觶)에 술을 담아 그 양을 헤아리는 데 쓰는 말. 치는 석 되〔升〕들이 술잔이다.《廣才物譜 2, 飮食部, 罇》觶, 三升.

치난타(chinanta) [질량] 필리핀(Philippines)의 고유 단위. 1 치난타는 카티(catty)의 10 배(倍)이며, 13.33 파운드(pound), 또는 6.048 kg 에 해당된다.

치남(chinnam) [질량] 인도(印度)의 마드라스(Madras) 지방의 고유 단위. 1 치남은 6 그레인(grain), 또는 388.8 g 에 해당된다.

치니크(chinik) [부피] 터키(Turkey)의 고유 단위. 1 치니크는 대략 8.75～10.75 l 에 해당된다.

치아트(kyat) 1 [질량] 미얀마(Myanmar)의 고유 단위. 1 치아트는 비스(vis)의 100 분의 1 이며, 0.036 파운드(pound), 또는 16 g 에 해당된다. 면원(緬元). 2 [통화] 미얀마의 통화 단위. 이전에는 루피(rupee)를 기본 단위로 하였으나, 1952년부터 치아트와 그의 100 분의 1 인 피아(pya)를 사용하였다.

치엔트니에르(tsientnier) [질량] 러시아(Russia)의 단위. 주로 농산물(農産物)과 어류(魚類)에 쓰였다. 1 치엔트니에르는 100 g 에 해당된다.

치칼리크(chkalik) [부피] 러시아(Russia)의 고유 단위. 1 치칼리크는 차르카(charka)의 2 분의 1, 또는 0.061 l 에 해당된다.

치타크(chittak) [질량] 인도(印度)의 고유 단위. 1 치타크는 세르(ser)의 16 분의 1 이며, 900 그레인(grain), 또는 58.32 g 에 해당된다.

칙(則) 1 [수효] '조항'·'편'·'토막'의 뜻으로, 조목으로 이루어진 것이나, 시문(詩文)에서 단락의 수를 세는 데 쓰는 말. 집(什). 편

(篇·編).《王應麟, 容齋隨筆》卷第一, 二十九則, 卷第二, 二十四則.《竹庵文集》佛書以一條爲一則.《鈍吟雜錄》錄其純無疵者六則. [2] [등급] 등급을 헤아리는 데 쓰는 말.《楚辭, 天問》地方九則, 何以墳之. (王逸注) 謂九州之地, 凡有九品.《漢書, 叙傳 下》坤作墬勢, 高下九則. (顔師古注) 九則, 九州土田上中下九等也. [3] [넓이] 식읍(食邑)의 총수(總數)를 헤아리는 데 쓰는 말. 왕망(王莽) 때 정한 토지 제도로, 2,500 가(家)와 사방 50리(里)의 토지를 자(子)·남(男)에게 지급하였다.《漢書, 王莽傳》諸公一同, 有衆萬戶, 土方百里. 侯伯一國, 衆戶五千, 土方七十里. 子男一則, 衆戶二千有五百, 土方五十里. 附城大者, 食邑九成, 衆戶九百, 土方三十里. 自九以下, 降殺以兩, 至於一成. 五差備具, 合當一則.

침(枕) [수효] 잠을 잔 횟수를 세는 데 쓰는 말.《丁仙芝, 和薦福寺英公新搆禪堂詩》一枕西山外, 虛舟常浩然.《陸遊, 感秋詩》一枕凄凉眠不得, 呼燈起作感秋詩.《夜行船, 秋思》蛩吟罷一枕纔寧貼, 雞鳴後萬事無休歇, 算名利何年是徹.《臺城路, 蟬詞》午餘一枕遊仙夢, 幾番被伊驚醒.

침(針) [수효] ❶주사를 놓는 횟수를 세는 데 쓰는 말. ❷바느질의 땀 수를 세는 데 쓰는 말. ❸뜨개질을 할 때 코의 수를 세는 데 쓰는 말. ❹침엽수(針葉樹)의 바늘잎의 수를 세는 데 쓰는 말.《本草綱目, 松》松樹磥砢, 修聳多節, 其皮粗厚, 有鱗形, 其葉後凋, 秋老則子長鱗裂, 然葉有二針·三針·五針之別.

칭(秤) [질량] '칭(稱)'의 [1]❶과 같다.《小爾雅, 廣衡》斤十謂之衡, 衡有半謂之秤, 秤二謂之鈞. (宋翔鳳訓纂) 舊注, 秤, 十五斤, 鈞, 三十斤.《蘇軾, 上韓丞相論災傷手實書》密州之鹽……一百九十餘萬秤, 此特一郡之數耳.《水滸全傳, 85回》贈金一提, 銀一秤, 彩緞一百八匹, 名馬一百八騎.

칭(稱) [1] [질량] 척관법(尺貫法)의 한 단위. ❶1 칭은 15 근(斤)에 해당된다. 칭(秤).《事類博解, 上, 人事, 財寶》稱, 十五斤爲稱.《小爾雅, 廣衡》斤十謂之衡, 衡有半謂之稱, 稱二謂之鈞. 鈞四謂之石, 石四爲之鼓.《趙德麟, 侯鯖錄 4》作院有炭數萬稱, 酒務有餘柴數十萬稱, 依原價賣之. ❷1 칭은 100 근에 해당된다.《三國史記 6, 新羅文武王本紀》兼送粳米二千石, 甲具馬一匹, 綾五匹, 絹細布各十匹, 綿十五稱.《秋官志 3, 考律部, 錢貨, 鑄錢》倭銅二千餘稱……鄕銅一千餘稱.《度支準折, 銅鑞》鍮鐵一稱(百斤), 価錢一百兩. 豆錫一稱(百斤), 価艮二十二兩. 常鑞一稱(百斤), 価艮三十兩. 熟銅一稱(百斤), 価艮二十六兩七戔七分. 尺銅一稱(百斤), 価艮十八兩半. [2] [수효] ❶'벌'의 뜻으로, 옷의 수를 세는 데 쓰는 말. 구(具). 대(對). 부(副·福). 사(事). 습(襲). 신(身). 엽(葉). 영(領). 요(腰). 전(揃). 착(著). 투(套).《朝鮮太宗實錄 7, 4年3月己未》賜童猛哥帖木兒段衣一稱, 鈒花銀帶一腰及笠靴.《朝鮮世宗實錄 22, 5年10

月壬辰》詳定所啓, 古制襲衣, 天子十二稱, 上公九稱, 諸侯七稱, 大夫五稱, 士三稱. 小斂衣, 自天子至於士, 皆十九稱. 《朝鮮宣祖實錄 38, 26年5月乙卯》改葬都監啓曰, 五禮儀, 襲時用衣九稱云, 稱或以爲一衣爲稱, 或以爲單・複具曰稱, 未知可說爲是. 請問於大臣及二品以上以定. 禮曹啓曰, 襲時衣九稱之稱字, 問于二品以上, 則所見亦不一, 或以一衣爲稱, 或以爲單・複具爲稱, 莫知適從. 但五禮儀, 襲時, 袞龍袍一, 紵絲褡褸一, 帖裡一, 羅圓領一, 褡褸一, 帖裡一, 紅紵絲團領褡褸一, 帖裹一, 白紗裹肚一, 白紗汗衫一, 白紗袴二, 白紗襪一, 凡九稱. 帖裡以上乃正衣, 而裹肚以下, 乃便短之衣. 以此觀之, 所謂稱, 似指一衣也. 《左傳, 閔公2年》歸公乘馬, 祭服五稱. (杜預注) 衣單(禪)複具曰稱. 《禮記, 喪服大記》袍必有表下裡, 衣必有裳, 謂之一稱. ❷ 웨치는 횟수를 세는 데 쓰는 말. 《無名氏, 冊上公太常奏雅樂詩》聖壽三稱內, 天歡九奏中. 《宋史, 禮志》百官再拜舞蹈, 三稱萬歲.

카나다(canada) [부피] ❶포르투갈(Portugal) 리스본(Lisbon) 지방의 단위. 1 카나다는 알무드(almud)의 12 분의 1 이며, 1.47 미(美) 액량(液量) 쿼트(quart), 또는 약 1.40l 에 해당된다. ❷브라질(Brazil)의 리우데자네이루(Rio de janeiro) 지방의 단위. 1 카나다는 2.77l 에 해당된다.

카난(kanahn) [부피] 태국(泰國)의 단위. 1 카난은 0.84 미(美) 건량(乾量) 쿼트(quart), 또는 0.92l 에 해당된다. 신제(新制)로는 1l 에 해당된다. 타난(tanan).

카네(cane) [길이] 아시리아(Assyria)・칼데아(Chaldaea)・페르시아(Persia) 등 고대 오리엔트 지방의 단위. 1 카네는 12.6 피트(feet), 또는 3.84 m 에 해당된다.

카네(Kanne) [부피] ❶독일(獨逸)의 옛 단위. 지방에 따라 다소 차이가 있는데, 대략 1 카네는 약 1.06 미(美) 액량(液量) 쿼트이며, 0.61 미(美) 건량(乾量) 쿼트, 또는 1.00l 에 해당된다. ❷라트비아(Latvia)의 단위. 1 카네는 스토프(stoop)의 2 배이며, 2.60 미(美) 액량 쿼트, 또는 4.46l 에 해당된다.

카네(qaneh) [길이] 고대 헤브라이(Hebrai)의 단위. 1 카네는 10.25 피트(feet), 또는 3.13 m 에 해당된다. 리드(reed).

카도스(kados) [부피] 고대 그리스(Greece)의 단위. 1 카도스는 암포라(amphora)의 1.5 배(倍)이며, 10.05 미(美) 갤런(gallon), 또는 38.25l 에 해당된다.

카락테르(caracter) [질량] 스페인(Spain)의 고유 단위. 1 카락테르는 리브라(libra)의 128 분의 1 이며, 55.47 그레인(grain), 또는 3.59 g 에 해당된다.

카로우바(kharouba) ① [부피] 이집트(Egypt)의 옛 단위. 1 카로우

바는 케다(kedah)의 16 분의 1 이며, 0.136 미(美) 액량(液量) 쿼트, 또는 0.129 l 에 해당된다. ② [질량] 리비아(Libya)의 고유 단위. 1 카로우바는 로틀(rotl)의 2,560 분의 1 이며, 3.09 그레인(grain), 또는 0.200 g 에 해당된다.

카루케이트(carucate) [넓이] 고대 영국(英國)의 단위. 1 카루케이트는 보베이트(bovate)의 8 배이며, 약 56~256 에이커(acre), 또는 약 2.27~10.36 헥타르〔ha〕에 해당된다.

카르가(carga) ① [질량] ❶콜롬비아(Colombia)의 단위. 1 카르가는 리브라(libra)의 250 배(倍)이며, 275.6 파운드(pound), 또는 125 kg 에 해당된다. ❷멕시코(Mexico)의 단위. 1 카르가는 304 파운드, 또는 138 kg 에 해당된다. ② [부피] ❶스페인(Spain) 카스티야(Castilla) 지방의 단위. 스페인에서 유래되었으며, 주로 곡물의 양을 헤아리는 데 쓴다. 1 카르가는 6.3 미(美) 부셀(bushel), 또는 2.22 헥토리터〔hl〕에 해당된다. ❷멕시코의 단위. 스페인에서 유래되었으며, 곡물의 양을 헤아리는 데 쓴다. 1 카르가는 5.15 미(美) 부셀 또는 1.816 헥토리터에 해당된다.

카르고(cargo) [질량] 스페인령(領)의 발레아레스 제도(諸島)의 고유 단위. 1 카르고는 280.6 파운드(pound), 또는 127.3 kg 에 해당된다.

카르샤(karsha) [질량] 고대 인도(印度)의 단위. 1 카르샤는 레티(retti)의 96 배(倍)이며, 0.49 온스(ounce), 또는 14.0 g 에 해당된다.

카르토(quartaut) [부피] 프랑스(France)의 옛 단위. 주로 액체(液體)의 양을 헤아리는 데 썼다. 1 카르토는 푀예트(feuillette)의 2 분의 1 이며, 뮈(muid)의 4 분의 1, 또는 67.058 l 에 해당된다.

카르토스(kartos) [부피] 키프로스(Kypros)의 단위. 1 카르토스는 오카(oka)의 4 배(倍)이며, 5.40 미(美) 액량(液量) 쿼트(quart), 또는 5.11 l 에 해당된다.

카르트(quarte) [부피] 프랑스의 고유 단위(固有單位). 1 카르트는 부아소(boisseau)의 4 분의 1 이며, 2.95 미(美) 건량(乾量) 쿼트, 또는 3.25 l 에 해당된다.

카르트롱(quarteron) [넓이] 프랑스(France)의 단위. 1 카르트롱은 1,287 제곱 야드〔yd^2〕, 또는 1,078 m^2 에 해당된다.

카르히(Karch) [질량] 오스트리아(Austria)의 고유 단위. 1 카르히는 푼트(Pfund)의 400 배이며, 494 파운드(pound), 또는 224 kg 에 해당된다.

카미엔(kamień) [질량] 폴란드(Poland)의 고유 단위. 원래 밀랍의 무게를 다는 단위로, 1 카미엔은 푼트(funt)의 72 배(倍)였다. 현재는 푼트의 25 배(倍)이며, 22.35 파운드(pound), 또는 10.14 kg 에 해당된다.

카바(caba) [부피] 소말릴란드의 고유 단위. 1 카바는 0.479 미(美) 액량(液量) 쿼트, 또는 0.453 l 에 해당된다.

카바호(cabaho) [부피] 에리트레아(Eritrea)의 고유 단위. 1 카바호는 메세(messé)의 4 배(倍)이며, 6.34 미(美) 건량(乾量) 쿼트, 또는 6*l* 에 해당된다.

카반(cavan) [부피] 필리핀의 고유 단위. 1 카반은 간타(ganta)의 25 배(倍)이며, 2.13 미(美) 부셸, 또는 75*l* 에 해당된다.

카발레리아(caballeria) [넓이] 중남미 제국(中南美諸國)의 단위. 기원은 스페인(Spain)이다. ❶스페인의 단위. 1 카발레리아는 파네가다(fanegada)의 60 배(倍), 또는 38.64 헥타르〔ha〕에 해당된다. ❷코스타리카(Costa Rica)의 단위. 1 카발레리아는 만사나(manzana)의 64 ½, 또는 45.25 헥타르에 해당된다. ❸과테말라(Guatemala)의 단위. 1 카발레리아는 만사나의 64 ½, 또는 45.13 헥타르에 해당된다. ❹온두라스(Honduras)의 단위. 1 카발레리아는 만사나의 64 ½, 또는 44.97 헥타르에 해당된다. ❺니카라과(Nicaragua)의 단위. 1 카발레리아는 만사나의 64 ½, 또는 45.50 헥타르에 해당된다. ❻멕시코(Mexico)의 단위. 1 카발레리아는 파네가다(fanegada)의 12 배(倍), 또는 42.80 헥타르에 해당된다. ❼쿠바(Cuba)의 단위. 1 카발레리아는 13.42 헥타르에 해당된다. ❽푸에르토리코(Puerto Rico)의 단위. 1 카발레리아는 78.58 헥타르에 해당된다.

카브(cab) [부피] 구약 성서(舊約聖書) 시대의 헤브라이(Hebrai)의 건량(乾量) 단위. 1 카브는 로그(log)의 4 배(倍)이며, 1.86 미(美) 쿼트(quart), 또는 2.05*l* 에 해당된다.

카브다(cabda) [길이] 고대 아라비아(Arabia)의 단위. 1 카브다는 3.15 인치(inch), 또는 80.01 mm 에 해당된다.

카비에트(kabiet) [길이] 태국(泰國)의 고유 단위. 1 카비에트는 와(wah)의 384 분의 1 이며, 0.206 인치(inch), 또는 5.22 mm 에 해당된다.

카사바(kassabah) [길이] 이집트(Egypt)의 단위. 지역에 따라 다소 차이가 있는데, 1 카사바는 약 3.8824 야드(yard), 또는 3.55 m 에 해당된다.

카사바(qasaba) [넓이] 고대 아라비아(Arabia)의 단위. 1 카사바는 페단(feddān)의 400 분의 1 이며, 18 제곱 야드〔yd^2〕, 또는 0.15 아르〔a〕에 해당된다.

카사브(qasab) [길이] 고대 아라비아(Arabia)·아시리아(Assyria)·칼데아(Chaldaea)·페르시아(Persia)의 단위. 1 카사브는 12.6 피트〔ft〕, 또는 3.84 m 에 해당된다.

카셀(carcel) [광도] 빛의 세기의 단위. 카셀 램프(carcel lamp)가 높이 40 mm 의 불길을 내며 탈 때의 빛의 세기를 말한다. 1 카셀은 9.5～9.6 촉광(燭光)에 해당된다.

카슈(cash) ① [질량] 인도(印度) 마드라스(Madras) 지방의 단위. 1 카슈는 0.019 그레인(grain), 또는 1.23 mg 에 해당된다. ② [부피] 모리셔스 제도(Mauritius 諸島)·세이셸 제도(Seychelles 諸島)의 고

유 단위. 1 카슈는 60 미(美) 갤런, 또는 227.11l 에 해당된다.

카스(cass) [부피] 키프로스의 단위. 1 카스는 5 미(美) 액량(液量) 쿼트(quart), 또는 4.73l 에 해당된다.

카스텔라노(castellano) [질량] 스페인과 스페인계(系)의 단위. 1 카스텔라노는 마르코(marco)의 50분의 1 이며, 71 그레인(grain), 또는 4.60 g 에 해당된다.

카슴(kasm) [질량] 에티오피아(Ethiopia)의 고유 단위. 1 카슴은 60.19 그레인(grain), 또는 3.90 g 에 해당된다.

카이스(cahiz) [부피] 스페인에서 기원된 건량(乾量) 단위. 카피스(cafiz). ❶스페인의 단위. 1 카이스는 파네가(fanega)의 12 배(倍), 또는 666l에 해당된다. ❷니카라과(Nicaragua)의 단위. 1 카이스는 파네가의 12 배(倍), 또는 607.6l 에 해당된다.

카턴(carton) [수효] 두꺼운 판지(板紙) 등으로 만든 상자의 수를 세는 데 쓰는 말. 기호 : ctn, c/t, c/tn

카트(khat) [길이] 터키(Turkey)의 단위. 1 카트는 1 cm에 해당된다.

카티(catty) [질량] ❶중국(中國)의 단위. 1858년경부터 대외 단위(對外單位)로 사용되었다. 1 카티는 1⅓ 파운드, 또는 604.79 g 에 해당된다. ❷태국(泰國)·필리핀의 단위. 1 카티는 0.60 kg에 해당된다.

카티(kati) [질량] ❶인도네시아(Indonesia)의 단위. 1 카티는 타힐(tahil)의 16 배(倍), 또는 0.6176 kg 에 해당된다. ❷말레이시아의 단위. 1 카티는 타힐의 16 배, 또는 0.6048 kg 에 해당된다.

카팡(kapang) [통화] 사라와크(Sarawak)의 통화 단위. 1841년 임시로 통용되었다.

카페(kappe) [부피] 스웨덴의 고유 단위. 1 카페는 칸나(kanna)의 1¾ 이며, 1.21 미(美) 갤런(gallon), 또는 4.58l 에 해당된다.

카플란드(kappland) [넓이] 스웨덴(Sweden)의 고유 단위. 1 카플란드는 1,750 제곱 푀테르(fötter) 이며, 184.5 제곱 야드〔yd^2〕, 또는 1.54 아르〔a〕에 해당된다.

카피소(caffiso) [부피] ❶몰타 섬의 단위. 1 카피소는 5.4 미(美) 갤런(gallon), 또는 20.4l 에 해당된다. ❷시칠리아(Siclia) 섬의 단위. 주로 유류(油類)의 양을 헤아리는 데 쓴다. 1 카피소는 약 5.6 미 (美) 갤런, 또는 21.2l 에 해당된다.

카피스(cafiz) [부피] 스페인·니카라과(Nicaragua)의 단위. '카이스(cahiz)'와 같다.

카피즈(cafiz) [넓이] 이란(Iran)의 현재 통용 단위. 1 카피즈는 1 아르〔a〕에 해당된다.

카피즈(qafiz) [부피] ❶고대 아라비아(Arabia)의 단위. 1 카피즈는 8.72 미(美) 갤런(gallon), 또는 33.01l 에 해당된다. ❷현대 터키(Turkey)·튀니지(Tunisie)의 고유 단위. 1 카피즈는 위바(whiba)의 16 배(倍)에 해당된다. 지역에 따라 다소 차이는 있는데, 대략 496~640l 에 해당된다.

카피차(capicha) [부피] 이란의 옛

단위. 1 카피차는 체니카(chenica)의 2 배(倍)이며, 2.39 미(美) 건량(乾量) 쿼트(quart), 또는 2.64*l* 에 해당된다.

카피테(caphite) [부피] 고대 아라비아(Arabia)의 단위. 1 카피테는 카피즈(qafiz)의 24 분의 1 이며, 1.45 미(美) 액량(液量) 쿼트, 또는 1.25 미(美) 건량(乾量) 쿼트, 또는 1.38*l* 에 해당된다. 키스트(kist).

카하(caja) [질량(質量)] 코스타리카(Costa Rica) · 과테말라 · 온두라스(Honduras) · 엘살바드로(El Salvador)와 중앙(中央) 아프리카(Africa)의 여러 나라에서 사용하는 단위. 1 카하는 35.27 파운드(pound), 또는 15.998 kg 에 해당된다.

카혼(khahoon) [부피] 인도(印度) 캘커타(Calcutta) 지방의 단위. 1 카혼은 팔리(pally)의 320 배(倍)이며, 50 미(美) 부셸, 또는 17.6 헥토리터〔h*l*〕에 해당된다.

카후엘라(cajuela) [부피] 스페인·코스타리카(Costa Rica) · 과테말라(Guatemala)·니카라과(Nicaragua) · 온두라스(Honduras) · 엘살바도르(El Salvador) 등의 단위. 기원은 스페인이다. 1 카후엘라는 15.07 미(美) 건량(乾量) 쿼트, 또는 16.60*l* 에 해당된다.

칸(can) [질량] 베트남(Vietnam)의 안남(Annam) 지방의 고유 단위. 1 칸은 동(dong)의 160 배(倍)이며, 1.37 파운드(pound), 또는 623.69 g 에 해당된다.

칸(kahn) [핵물리량] 핵물질의 양의 단위. 미국(美國)의 수학자 프리만 다이슨이 생각해 낸 것으로, 유효(有效)한 방공 시설(防空施設)을 갖추지 않은 상태에서 그 나라를 전멸시킬 수 있는 양을 말한다. 이것은 1만(萬) 메가톤(megaton)이라 규정되어 있다. 미국에서의 1 칸은 200 메가데스(megadeath), 소련(蘇聯)은 230 메가데스에 해당된다. 메가데스는 100만(萬) 명을 죽일 수 있는 핵물질의 양이다.

칸(kan) [부피] 네덜란드(Netherlands)의 액량(液量) 단위. 1 칸은 1.06 미(美) 액량(液量) 쿼트, 또는 1.003*l* 에 해당된다.

칸나(canna) [길이] 이탈리아의 고유 단위. 1 칸나는 여러 종류로서 대개 1~3 m 로 쓰이지만, 보통 2.92 m 로 널리 쓰인다. 몰타(Malta)에서는 2.09 m 로 쓰인다.

칸나(kanna) [부피] 스웨덴의 옛 단위. 1 칸나는 0.69 미(美) 갤런(gallon), 또는 2.62*l* 에 해당된다.

칸누(kannu) [부피] 핀란드(Finland)의 고유 단위. 1 칸누는 툰나(tunna)의 63 분의 1 이며, 2.76 미(美) 액량(液量) 쿼트(quart), 또는 2.62*l* 에 해당된다.

칸데(kande) [부피] 덴마크(Denmark) · 노르웨이(Norway)의 옛 단위. 1 칸데는 0.51 미(美) 갤런, 또는 1.933*l* 에 해당된다.

칸델라(candela) [광도] 광도(光度)의 단위. 1.0067 cd 가 1 촉임. 기호 : cd

칸타라(cantara) [부피] 스페인(Spain) 및 스페인의 옛 식민지에서 사용하는 단위. 1 칸타라는 4.26

미(美) 갤런, 또는 약 16.14l 에 해당된다.

칸타로(cantaro) [부피] 중남미(中南美)의 스페인계(Spain 系) 여러 나라의 단위. 나라에 따라 다소 차이가 있는데, 대략 1 칸타로는 약 4.26 미(美) 갤런(gallon), 또는 약 16.14l 에 해당된다.

칸타르(kantar) [질량] ❶터키의 옛 단위. 1 칸타르는 오카(okka)의 44 배(倍)이며, 124.45 파운드, 또는 56.45 kg에 해당된다. 감탑이(坎塔爾). ❷몰타(Malta) 섬의 단위. 1 칸타르는 175 파운드, 또는 79.38 kg에 해당된다. ❸이집트의 단위. 1 칸타르는 99.05 파운드, 또는 44.93 kg에 해당된다. 감탑이(坎塔爾). ❹튀니지의 단위. 1 칸타르는 111.1 파운드, 또는 53.9 kg에 해당된다. 감탑이(坎塔爾).

칸타리(kantarī) [질량] ❶근대 그리스(Greece)의 단위. 스타테르(stater)라고도 한다. 1 칸타리는 오카(oka)의 44 배이며, 124.16 파운드, 또는 56.32 kg 에 해당된다. ❷키프로스(Kypros)의 고유 단위. 1 칸타리는 오카(oka)의 44 배이며, 123.2 파운드, 또는 55.88 kg 에 해당된다.

칼로리(calorie, calory) [열량, 에너지] 열량의 단위. 일반적으로, 1 기압 아래에서 순수한 물 1 g의 온도를 14.5℃에서 15.5℃까지 1℃ 높이는 데 필요한 열량을 말한다. 평균(平均) 칼로리란, 0℃ 의 순수한 물 1 g을 1 기압 아래에서 100℃까지 높이는 데 필요한 열량의 100 분의 1 을 1 칼로리, 또는 평균 칼로리라 하는데, 영양학(營養學)에서 말하는 칼로리는 이 평균 칼로리의 1,000 배(倍)로서 킬로칼로리(kilocalorie)라 부르기도 한다. 기호 : cal, calt

칼파(kalpa) [시간] 고대 인도(印度)의 단위. 일종의 계산할 수 없는 공상적(空想的)인 시간의 단위로, 겁(劫)의 역어(譯語)이라고도 한다. 힌두교에서는 43억 2,000만 년을 1 칼파라 한다.

캄메우(cammeu) [부피] 태국(泰國)의 고유 단위. 1 캄메우는 타난(tanan)의 8 분의 1 이며, 0.132 미(美) 액량(液量) 쿼트(quart), 또는 0.125l 에 해당된다.

캉카라(kaṅkara, kankala) [수] 고대 인도(印度)의 단위. 1 캉카라는 나유타(nayuta)의 100 배(倍)이며, 코티(koṭi)의 10,000 배, 10^{13}, 또는 10^{14} 에 해당된다.

캐럿(carat, karat) [1] [질량] 보석의 무게를 헤아리는 데 쓰는 말. 1 캐럿은 영(英) 캐럿으로 0.205 g 이며, 미터법에서는 0.200 g 이다. 1877년 0.205 g로 정하였다가 1907년 국제 도량형 총회에서 미터법에 의해서 200 mg 으로 정하여 현재까지 사용되고 있다. 잡랄특(卡剌特). 기호 : K, car, ct [2] [순도] 합금 중에 함유된 금(金)의 양을 나타내는 데 쓰는 말. 순금을 24 캐럿으로 하기 때문에 1 캐럿은 24 분의 1 이다. 개륵(開勒). 기호 : K, kt

금위(金位)의 천분율표(千分率表)

순금 (純金)	순금량 (純金量)	할금량 (割金量)
24 K	1000	0

22 K	917	83
20 K	833	167
18 K	750	250
15 K	625	375
14 K	583	417
12 K	500	500
10 K	416	584
9 K	375	625

보통 사용되는 금(金)의 합금 종류(合金種類)와 성분(成分)은 대개 다음과 같다.

황색 금(yellow gold)

22 K	금 22	은 1.75	동 0.25
18 K	금 18	은 4	동 2
14 K	금 14	은 6	동 4

적색 금(red gold)

22 K	금 22		동 2
18 K	금 18		동 6
18 K	금 18	은 2	동 4

녹색 금(green gold)

18 K	금 18	은 6	
17 K	금 17	은 7	
14 K	금 14	은 8.25	동 1.75

캐벗(cabot) [부피] 채널 제도(Channel 諸島)의 고유 단위. 1 캐벗은 17.38 영(英) 쿼트(quart), 또는 19.75 l 에 해당된다. 보리의 무게를 헤아릴 때의 1 캐벗은 23.75 영(英) 쿼트, 또는 26.99 l 에 해당된다.

캔들(candle) [광도(光度)] 칸델라(candela)가 채용될 때까지 영국과 일본에서 사용된 단위. 1877년 영국의 하코트(Harcourt)에 의하여 고안된 펜탄등(pentan 燈)을 일정한 조건 아래에서 연소시켰을 때의 수평 광도(水平光度)의 10 분의 1 을 1 캔들이라 한다. 기호 : c

1 c=1.018 칸델라〔cd〕
=1 인터내셔널 캔들〔int. c〕
=10/9 헤프네르 촉〔h.c〕

캔디(candy) [질량] ❶인도(印度) 봄베이(Bombay) 지방의 단위. 1 캔디는 254.020 kg 에 해당된다. ❷미얀마(Myanmar)의 단위. 1 캔디는 244.800 kg 에 해당된다. ❸스리랑카(Sri Lanka)·인도(印度) 마드라스(Madras) 지방의 단위. 1 캔디는 226.800 kg 에 해당된다.

커버(cover) [넓이] 영국(英國) 웨일스(Wales) 지방의 단위. 1 커버는 에이커(acre)의 3 분의 2, 또는 26.98 아르〔a〕에 해당된다.

컵(cup) [부피] 컵에 술이나 차를 담아 그 양을 헤아리는 데 쓰는 말. 기호 : c

컷(cut) [1] [길이] 섬유 중 리니에르(linière)에 대하여 쓰는 관습적 단위. 1 컷은 스핀들(spindle)의 48 분의 1 이며, 300 야드(yard), 또는 274.3 m 에 해당된다. [2] [수효] ❶필름의 편집(編輯)이나 검열에서 불필요한 부분을 잘라 낸 부분의 수를 세는 데 쓰는 말. ❷삽화(插畫)의 수를 세는 데 쓰는 말. ❸미국(美國)에서, 크게 베어 낸 고깃덩이의 수를 세는 데 쓰는 말.

케닝(kenning) [길이] 바다에서 관습적으로 사용하는 단위. 1 케닝은 20~21 마일, 또는 32.2~33.8 km 에 해당된다.

케다(kedah) [부피] 이집트의 단위. 1 케다는 1.87 미(美) 건량(乾量) 쿼트(quart), 또는 206 l 에 해

당된다.

케데트(kedet) [질량] 고대 이집트(Egypt)의 단위. 1 케데트는 146 그레인(grain), 또는 9.46 g 에 해당된다.

케라트(kerat) [질량] 터키의 고유 단위. 1 케라트는 디르헴(dirhem)의 16 분의 1 이며, 3.09 그레인(grain), 또는 200.23 mg 에 해당된다.

케라트카멜(keratkamel) [넓이] 이집트(Egypt)의 고유 단위. 1 케라트카멜은 페단(feddān)의 24 분의 1 이며, 209.3 제곱 야드〔yd^2〕, 또는 1.75 아르〔a〕에 해당된다.

케우프(keup) [길이] 태국(泰國)의 옛 단위. 1 케우프는 니우(nìu)의 12 배(倍)이며, 10 인치(inch), 또는 25.4 cm 에 해당된다. 신제(新制)로는 25 cm 이다.

케이드(cade) [부피] 영국(英國)·미국(美國)의 단위. 주로 청어(靑魚)의 부피를 헤아리는 데 쓴다. 1 케이드는 500 마리 내지 1,000 마리 정도로 일정한 부피가 정해진 것은 아니다.

케이블(cable) [길이] 바다에서 관습적으로 사용하는 단위. 1 케이블은 200～240 야드, 또는 183～219 m 에 해당된다. 보통 100 길〔100 fathom〕, 또는 해리(海里)의 10 분의 1 로도 쓰인다.

케이프 피트(cape feet) [길이] 남(南)아프리카(Africa)의 단위. 1 케이프 피트는 1.033 피트(feet), 또는 0.315 m 에 해당된다.

케테(Kette) [길이] 독일(獨逸)의 단위. 1 케테는 10 m 에 해당된다.

케트(khet) [길이] 고대 이집트의 단위. 1 케트는 큐빗(cubit)의 40 배(倍)이며, 23 야드(yard), 또는 21.93 m 에 해당된다.

케팅(ketting) [길이] 가이아나(Guyana)의 단위. 1 케팅은 22.66 야드(yard), 또는 20.72 m 에 해당된다.

켄(ken) [길이] 태국(泰國)의 단위. 1 켄은 구제(舊制)로는 40 인치(inch), 또는 1.016 m 이고, 신제(新制)로는 1 m 에 해당된다.

켄투리아(centuria) [넓이] 고대 로마(Roma)의 단위. 1 켄투리아는 5,760,000 제곱 피에데(piède), 또는 50.4 헥타르〔ha〕에 해당된다.

켈레(kele) [질량] 리비아(Libya)의 고유 단위. 지역에 따라 다소 차이가 있는데, 대략 1 켈레는 54～79 파운드(pound), 또는 24～36 kg 에 해당된다.

켈레(keleh) [부피] 이집트(Egypt)의 단위. 1 켈레는 케다(kedah)의 8 배(倍)이며, 0.468 미(美) 부셸, 또는 16.5 l 에 해당된다.

켈빈(kelvin) ① [온도] 온도의 계량 단위. 1 켈빈은 물의 삼중점(三重點 : 물·얼음·수증기가 평형(平衡)으로 있는 점)의 열역학 온도(熱力學溫度)의 273.16 분의 1 에 해당된다. 삼중점은 표준 기압 101,325 파스칼(pascal)에서 국제 실용 켈빈 온도 373.15°k 로 절대 온도 눈금의 정점(定點)이 되고 있다. 기호 : k, °k ② [에너지] 킬로와트 시(kilowatt 時)를 나타내는 데 이외에는 거의 사용하지 않는다. 1 켈빈은 1,000 볼트 암페어 시(volt-ampere 時)에 해당된다. 이 이름은 1879년에 영국의 물리학자이며 수학자인 켈빈(Kelvin ; 1824～1907)이 제안한 것이다.

켓살(quetzal) [통화(通貨)] 과테말라(Guatemala)의 현재 통화 단위. 1 켓살은 센타보(centavo)의 100 배(倍)에 해당된다. 기호 : Q

켜 [수효] 포개지거나 겹쳐진 수를 세는 데 쓰는 말. 층(層).

켤레 [수효] 신·버선 따위의 한 쌍을 하나치로 세는 데 쓰는 말. 량(兩·量·緉). 부(桴). 족(足).

코 [수효] 그물이나 뜨개옷 같은 것의 몸을 이룬 고의 수를 세는 데 쓰는 말.

코나(kona) [질량] 고대 인도(印度)의 단위. 1 코나는 레티(retti)의 48 배이며, 0.25 온스, 또는 7.01 g 에 해당된다.

코너(corner) [수효] 구석·모퉁이의 뜻으로, 그 수나 차례를 나타내는 데 쓰는 말.

코니(cawney) [넓이] 인도(印度) 마드라스(Madras) 지방의 단위. 1 코니는 53.49 아르〔a〕, 또는 1.322 에이커〔ac〕에 해당된다.

코도(codo) [길이] 스페인(Spain)의 고유 단위. 1 코도는 바라(vara)의 2 분의 1, 또는 0.418 m 에 해당된다.

코드(cord) [재적(材積)] 미국·캐나다(Canada)의 단위. 주로 장작의 부피를 헤아리는 데 쓴다. 1 코드는 128 세제곱 피트〔ft^3〕, 또는 3.625 m^3 에 해당된다. 기호 : cd

코레츠(korec) 1 [넓이] 체코슬로바키아 체코(Czecho) 지방의 단위. 1 코레츠는 이트로(jitro)의 2 분의 1 이며, 0.71 에이커(acre), 또는 28.78 아르〔a〕에 해당된다. 스트리흐(strych). 2 [부피] 체코슬로바키아 체코 지방의 단위. 주로 곡물의 양을 헤아리는 데 쓰인다. 1 코레츠는 93.36l 에 해당된다.

코레크(korek) [부피] 러시아의 단위. 1 코레크는 3.50 미(美) 부셸(bushel), 또는 123.33l 에 해당된다.

코렐(korrel) [질량] 네덜란드의 고유 단위. 1 코렐은 1.543 그레인, 또는 0.1 g 에 해당된다.

코루나(kőruna) [통화] 체코슬로바키아(Czechoslovakia)의 현재 통화 단위. 1 코루나는 100 할레슈(halẽř)와 같다. 1953년 6월 1일 1.8 코루나를 소련(蘇聯)의 1 루블(rouble)과 같은 화폐 가치로 정하였다. 극랑(克郞). 기호 : Kc

코르(kor) [부피] 헤브라이의 단위. 1 코르는 건량(乾量)으로는 에파(ephah)의 10 배(倍)이며, 10.48 미(美) 부셸(bushel), 369.2l, 또는 11.49 미(美) 부셸, 405.0l이며, 액량(液量)으로는 바트(bath)의 10 배이며, 107.0 미(美) 갤런, 405.0l, 또는 97.5 미(美) 갤런, 369.2l 에 해당된다.

코르델(cordel) 1 [길이] 스페인(Spain)에서 기원(起源)되어 쓰였던 단위. ❶스페인의 옛 단위. 1 코르델은 6.96 m 에 해당된다. ❷쿠바(Cuba)의 단위. 1 코르델은 20.35 m 에 해당된다. ❸파라과이(Paraguay)의 단위. 1 코르델은

69.88 m 에 해당된다. ② [넓이] 쿠바의 단위. 1 코르델은 4.14 아르〔a〕에 해당된다.

코르도바(cordoba) [통화] 니카라과(Nicaragua)의 현재 통화 단위. 1 코르도바는 센타보(centavo)의 100배(倍)에 해당된다. 기호 : C$

코르드(corde) [부피] 이집트·그리스·로마·프랑스의 단위. 주로 목재(木材)의 양을 헤아리는 데 쓴다. 1 코르드는 부아(voie)의 2 배(倍), 또는 112 세제곱 피에(pied)에 해당된다. 프랑스에서는 4 m^3 에 해당되었다.

코르제츠(korzec) [부피] 폴란드(Poland)의 단위. 1 코르제츠는 크바르타(kwarta)의 128 배(倍)이며, 3.63 미(美) 부셸, 또는 128l 에 해당된다.

코르타(corta) [질량] 발레아레스 제도(Baleares 諸島)의 고유 단위. 1 코르타는 아르탈(artal)의 9 배이며, 810 파운드(pound), 또는 3.67 kg 에 해당된다.

코른스케파(kornskeppa) [부피] 아이슬란드(Iceland)의 단위. 1 코른스케파는 포투르(pottur)의 18 배(倍)이며, 18.38 미(美) 액량(液量) 쿼트(quart), 또는 17.39l 에 해당된다.

코른퇴네(korntϕnde) [부피] ❶덴마크(Denmark)의 단위. 1 코른퇴네는 3.95 미(美) 부셸(bushel), 또는 139.12l 에 해당된다. ❷노르웨이(Norway)의 단위. 1 코른퇴네는 3.94 미(美) 부셸, 또는 138.97l 에 해당된다.

코른튠나(korntunna) [부피] 아이슬란드(Iceland)의 단위. 1 코른튠나는 포투르(pottur)의 144 배(倍)이며, 36.75 미(美) 갤런(gallon), 또는 139.12l 에 해당된다.

코리오스(choryos) [길이] 고대 이집트(Egypt)의 단위. 1 코리오스는 약 75 m 에 해당된다.

코바도(covado) [길이] ❶브라질(Brazil)의 단위. 1 코바도는 68.49 m 에 해당된다. ❷포르투갈(Portugal)의 단위. 1 코바도는 66 cm 에 해당된다.

코비드(covid) [길이] ❶스리랑카(Sri Lanka)의 단위. 1 코비드는 0.464 m 에 해당된다. ❷인도(印度)의 단위. 1 코비드는 0.4572 m 에 해당된다. 마드라스(Madras) 지방의 1 코비드는 0.472 m 에 해당된다.

코스(course) ① [수효] 육상·수영 경기에서 경기하는 사람들이 나아가는 길을 구별하는 데 쓰는 말. ② [각도] 항해(航海)에서 나침반의 포인트(point)를 헤아리는 데 쓰는 말. 1 포인트는 11¼ 도(度)이다.

코스(kos, koss) [길이] 인도(印度) 고유의 단위. 1 코스는 1.5~3.0 마일(mile), 또는 2.41~4.83 km 에 해당된다.

코얀(coyan) [질량] 태국(泰國)의 고유 단위. 1 코얀은 2,645.5 파운드(pound), 또는 1,200 kg 에 해당된다.

코얀(koyan) [질량] ❶싱가포르의 단위. 1 코얀은 피쿨(picul)의 40 배(倍)이며, 5,333 파운드(pound), 또는 2,419 kg 에 해당된다. ❷말레이시아 반도(Malaysia 半島)의 단

위. 1 코얀은 피쿨(picul)의 40 배이며, 5,704 파운드, 또는 2,588 kg에 해당된다.

코양(coyang) [부피] 인도네시아(Indonesia)의 단위. 1 코양은 101 미(美) 부셸(bushel), 또는 3,361 *l* 에 해당된다.

코우스(chous) [부피] 고대 그리스(Greece)의 단위. 1 코우스는 3.4 미(美) 액량(液量) 쿼트(quart)이며, 2.9 미(美) 건량(乾量) 쿼트, 2.8 영(英) 쿼트, 또는 3.2 *l* 에 해당된다.

코이닉스(choinix) [부피] 고대 그리스(Greece)의 단위. 1 코이닉스는 메딤노스(medimnos)의 48 분의 1, 또는 코틸레(kotylē)의 4 배(倍)와 같으며, 0.98 미(美) 건량(乾量) 쿼트(quart), 또는 1.08 *l* 에 해당된다. 1 코이닉스는 원래 노예에게 주던 하루의 곡물 급여량이었다.

코일(coil) ① [길이] 그물의 길이를 헤아리는 데 쓰는 말. 1 코일은 120 패덤(fathom), 또는 220 m에 해당된다. 전쟁 때에는 200 m로 규정하기도 하였다. ② [수효] 우표 수집에서, 500 매(枚)가 붙은 한 마름이나, 그 우표 한 장을 세는 데 쓰는 말.

코일론(koilon) [부피] 근대 그리스(Greece)의 단위. 1 코일론은 구제(舊制)로는 오카(oka)의 24 배(倍)이며, 8.7 미(美) 갤런, 0.94 미(美) 부셸(bushel), 또는 33.166 *l* 에 해당된다. 현재 미터법으로는 100 *l* 에 해당된다.

코장(kojang) [질량] 인도네시아(Indonesia)의 고유 단위. 지방에 따라 다소 차이가 있는데, 대략 1 코장은 3,676~4,357 파운드, 또는 1,668~1,976 kg에 해당된다.

코코스(kokkos) [질량] 근대 그리스(Greece)의 단위. 1 코코스는 그라마(gramma)의 20 분의 1, 또는 10 mg에 해당된다. 구제(舊制)의 약용(藥用)으로는 0.0625 g에 해당되었다.

코타(cotta, cottah) [넓이] 인도(印度) 벵골(Bengal) 지방의 단위. 1 코타는 80 제곱 야드〔yd^2〕, 또는 66.89 m^2에 해당된다.

코퇼레(kotule) [부피] 근대 그리스(Greece)의 단위. 1 코퇼레는 0.1 *l* 에 해당된다.

코트(court) [수효] 경기장의 차례나 수를 세는 데 쓰는 말.

코티(koṭi) [수] 고대 인도(印度)의 단위. 1 코티는 천만(千萬), 억(億), 경(京)이라고도 한다.

코틸레(kotylē) [부피] 고대 그리스(Greece)의 액량(液量) 단위. 시대에 따라 다소 차이가 있는데, 1 코틸레는 키아토스(cyathos)의 6 배(倍), 크세스테스(xestes)의 2 분의 1 이며, 0.28 미(美) 건량(乾量) 쿼트(quart), 또는 0.27 *l* 에 해당된다.

코파(copa) [부피] 스페인(Spain)의 단위. 주로 술의 양을 헤아리는 데 쓴다. 1 코파는 아로바(arroba)의 128 분의 1 이며, 0.133 미(美) 액량(液量) 쿼트, 또는 0.126 *l* 에 해당된다.

코페이카(kopeika) [통화] 러시아의 현재 보조 통화 단위. 1 코페이카는 루블(rouble)의 100 분의 1 에 해당된다. 코페크(kopeck).

코페크(kopeck) [통화] 러시아의 화폐 단위. 코페이카(kopeika)와 같다.

코프(cop) [부피] 스코틀랜드의 고유 단위. 리피(lippy)라고도 한다. 1코프는 0.249 영(英) 펙(peck), 또는 2.27*l* 에 해당된다.

코프(kop) [부피] 네덜란드의 고유 단위. 1코프는 0.91 미(美) 건량(乾量) 쿼트(quart), 또는 1.00*l* 에 해당된다.

콘기우스(congius) [부피] 고대 로마(Roma)의 단위. 1콘기우스는 암포라(amphora)의 8분의 1, 또는 3.18*l* 에 해당된다.

콘딜로스(kondylos) [길이] 고대 그리스(Greece)의 단위. 1콘딜로스는 푸스(pous)의 8분의 1, 또는 38.8 mm 에 해당된다.

콜레스트(kolläst) [부피] 스웨덴(Sweden)의 단위. 1콜레스트는 칸나(kanna)의 756배이며, 56.1 미(美) 부셸(bushel), 또는 19.79 헥토리터〔h*l*〕에 해당된다.

콜로툰(collothun, colluthun) [부피] 이란(Iran)의 단위. 1콜로툰은 아르타바(artaba)의 8분의 1이며, 0.233 미(美) 부셸(bushel), 또는 8.22*l* 에 해당된다.

콜론(colon) [통화] ❶코스타리카(Costa Rica)의 현재 통화 단위. 1콜론은 센티모(centimo)의 100배(倍)에 해당된다. 콜론 대신에 페소(peso), 센티모 대신 센타보(centavo)로도 사용된다. 기호 : ¢ ❷엘살바도르(El Salvador)의 현재 통화 단위. 1콜론은 센타보의 100배에 해당된다. 기호 : ¢

콜툰나(koltunna) [부피] 스웨덴(Sweden)의 단위. 1콜툰나는 칸나(kanna)의 63배(倍)이며, 4.68 미(美) 부셸(bushel), 또는 164.9*l* 에 해당된다.

콤(comb) [부피] 영국(英國)의 관습적 단위. 1콤은 4영(英) 부셸(bushel), 또는 145.47*l* 에 해당된다.

콤(khoum) [통화(通貨)] 모리타니(Mauritania)의 현재 보조 통화 단위. 1콤은 우기야(ouguiya)의 5분의 1에 해당된다.

콩(chong) [질량] 캄보디아(Cambodia)의 단위. 1콩은 30~34 kg 에 해당된다.

콩토(conto) [통화] 포르투갈·브라질(Brazil)의 계산상의 명목 통화(名目通貨) 단위. 1콩토는 100만 레이스(reis)에 해당된다. 레이스는 1942년 이전에 브라질에서 사용되던 통화 단위였다.

콰드라토(quadrato) [넓이] 이탈리아의 단위. 1콰드라토는 1.25 에이커(acre), 또는 50.5 아르〔a〕에 해당된다.

콰르타(quarta) [부피] 스페인령(領)의 발레아레스 제도(Baleares 諸島)의 고유 단위. 1콰르타는 1.10 미(美) 액량(液量) 쿼트, 또는 1.04*l* 에 해당된다.

콰르타노(quartano) [질량] 스페인령(Spain 領)의 발레아레스 제도(Baleares 諸島)의 고유 단위. 1콰르타노는 8.10 파운드, 또는 3.67 kg 에 해당된다.

콰르테(quarte) [부피] 스페인령

(領)의 발레아레스 제도(Baleares 諸島)의 단위. 1 콰르테는 4.41 미(美) 액량(液量) 쿼트(quart), 또는 4.18l 에 해당된다.

콰르테라(quartera) [부피] 스페인령(Spain 領)의 발레아레스 제도(Baleares 諸島)의 고유 단위. 1 콰르테라는 2.04 미(美) 부셸, 또는 71.97l 에 해당된다.

콰르토(quarto) [부피] ❶포르투갈(Portugal)의 단위. 1 콰르토는 팡가(fanga)의 16 분의 1 이며, 3.14 미(美) 건량(乾量) 쿼트, 또는 3.46 l 에 해당된다. ❷브라질의 단위. 1 콰르토는 팡가(fanga)의 16 분의 1 이며, 8.23 미(美) 건량(乾量) 쿼트, 또는 9.07l 에 해당된다.

콰르티요(quartillo) [부피] ❶포르투갈(Portugal) 리스본(Lisbon) 지방의 단위. 1 콰르티요는 카나다(canada)의 4 분의 1 이며, 0.74 미(美) 액량(液量) 파인트(pint), 또는 349 ml 에 해당된다. ❷브라질(Brazil) 리우데자네이루(Rio de Janeiro) 지방의 단위. 1 콰르티요는 카나나(canada)의 4 분의 1 이며, 1.46 미(美) 액량 파인트, 또는 0.69l 에 해당된다.

콰르틴(quartin) [부피] 스페인령(領) 발레아레스 제도(Baleares 諸島)의 단위. 1 콰르틴은 7.17 미(美) 갤런(gallon), 또는 27.14l 에 해당된다.

콰이어(quire) [수효] 종이의 묶음을 세는 데 쓰는 말. 1 콰이어는 1 첩이며, 1 림(ream)의 20 분의 1, 또는 24 장(張), 또는 25 장에 해당된다. 기호 : qr

콰차(kwacha) [통화(通貨)] 잠비아(Zambia)의 현재 통화 단위. 1 콰차는 100 그웨(ngwee)에 해당된다. 극와사(克瓦查). 기호 : k

쾌 [수효] ❶북어 스무 마리를 하나치로 세는 데 쓰는 말. 부(桴). 연(連). ❷엽전 열 꾸러미, 곧 열 냥을 하나치로 세는 데 쓰는 말. 관(貫).

쾌(快) [수효] ❶'자루'의 뜻으로, 먹〔墨〕의 수를 세는 데 쓰는 말. 매(枚). 병(餠). 장(張). 정(丁·挺·錠). 판(板). 편(片). 홀(笏). 《朝鮮中宗實錄 91, 34年8月戊寅》 薛天使所奉送墨刻一快, 蜀扇二握, 書簡二封. 蘇世讓處天使所送天青綃一匹, 扇二封, 玳瑁梳一封, 書簡一封, 詩册一卷, 手帕二件. ❷'각'·'도막'의 뜻으로, 가축이나 짐승을 잡아 그 고기를 나눌 때, 등분한 부분의 수를 세는 데 쓰는 말. 《增正交隣志 1, 年例送使》 歲遣第一船送使……乾柿二串, 海蔘五合, 活雞半首半快, 雞卵三介, 生栗一升, 眞油七合……乾雉十二首三快, 活雞六首二快.

쿠다바(cudava) [부피] 고대 인도(印度)의 단위. 1 쿠다바는 드로나(drona)의 64 분의 1 이며, 0.45 영(英) 쿼트(quart), 또는 0.258l 에 해당된다.

쿠디(cuddy) [부피] 아랍권(Arab 圈)의 단위. 1 쿠디는 누스피아(nusfiah)의 4 배(倍)이며, 약 1.0 미(美) 갤런(gallon), 또는 3.78l 에 해당된다.

쿠루슈(qurush) [통화] 사우디아라비아(Saudi Arabia)의 현재 보조 통화 단위. 1 쿠루슈는 리얄(riyal)의 20 분의 1, 또는 할랄라(halalah)의 5 배(倍)에 해당된다.

쿠루스(kurus) [통화] 터키(Turkey)의 보조 화폐 단위. 1 쿠루스는 리라(lira)의 1,000 분의 1 에 해당된다. 고로(庫魯).

쿠르(coure) [수효] 프랑스의 단위. 코스(course)의 뜻으로, 어떤 프로그램(program)이 매주 1 회씩 3 개월분(13 회)으로 끝나는 경우를 말한다.

쿠바(kuba) [부피] 에티오피아·라이베리아(Liberia)의 단위. 1 쿠바는 1.07 미(美) 액량(液量) 쿼트, 또는 1.02*l* 에 해당된다.

쿠바투라(kubatura) [부피] 러시아(Russia)의 옛 단위. 주택의 공간을 헤아리는 데 쓴다. 1 쿠바투라는 1 세제곱 사젠(sazhen')이며, 343 세제곱 피트, 또는 9.713 m^3 에 해당된다.

쿠비(cubi) [길이] 에리트레아(Eritrea)의 고유 단위. 1 쿠비는 12.6 인치(inch), 또는 32 cm 에 해당된다.

쿠비토(cubito) [길이] 소말리아(Somalia)의 고유 단위. 1 쿠비토는 토프(top)의 7 분의 1 이며, 22 인치(inch), 또는 56 cm 에 해당된다.

쿠비투스(cubitus) [길이] 고대 로마(Roma)의 단위. 1 쿠비투스는 피에(pied)의 1.5 배이며, 17.5 인치(inch), 또는 44.36 cm 에 해당된다.

쿠아드라(cuadra) [1] [길이] ❶아르헨티나의 단위. 1 쿠아드라는 바라(vara)의 150 배이며, 142.1 야드(yard), 또는 129.9 m 에 해당된다. ❷칠레(Chile)의 단위. 1 쿠아드라는 바라의 150 배이며, 137.13 야드, 또는 125.39 m 에 해당된다. ❸에콰도르(Ecuador)의 단위. 1 쿠아드라는 바라의 100 배이며, 91.42 야드, 또는 83.59 m 에 해당된다. ❹파라과이(Paraguay)의 단위. 1 쿠아드라는 바라의 100 배(倍)이며, 94.71 야드, 또는 86.60 m 에 해당된다. ❺우루과이(Uruguay)의 단위. 1 쿠아드라는 바라의 100 배이며, 93.42 야드, 또는 85.9 m 에 해당된다. [2] [넓이] ❶아르헨티나의 단위. 1 쿠아드라는 150 제곱 바라이며, 4.17 에이커(acre), 또는 168.7 아르〔a〕에 해당된다. ❷칠레의 단위. 1 쿠아드라는 150 제곱 바라이며, 3.38 에이커, 또는 157.2 아르에 해당된다. ❸파라과이의 단위. 1 쿠아드라는 1.85 에이커, 또는 75 아르에 해당된다. ❹우루과이의 단위. 1 쿠아드라는 1.82 에이커, 또는 74 아르에 해당된다.

쿠아르타(cuarta) [1] [길이] 스페인(Spain)·과테말라(Guatemala)의 단위. 1 쿠아르타는 바라(vara)의 4 분의 1 이며, 8.23 인치, 또는 0.209 m 에 해당된다. [2] [넓이] 브라질(Brazil)의 단위. 1 쿠아르타는 0.9 에이커(acre), 또는 37.1 아르〔a〕에 해당된다. [3] [부피] ❶브라질의 단위. 1 쿠아르타는 1.03 미(美) 펙(peck), 또는 9.07*l* 에 해당된다. ❷파라과이(Paraguay)의 단위. 1 쿠아르타는 0.20 미(美) 갤런(gallon), 또는 757 m*l* 에 해당된

다.

쿠아르타리우스(quartarius) [부피] 고대 로마(Roma)의 단위. 1 쿠아르타리우스는 0.14 미(美) 액량(液量) 쿼트(quart), 0.12 미(美) 건량(乾量) 쿼트, 또는 0.13*l* 에 해당된다.

쿠아르테론(cuarteron) [부피] ❶ 스페인(Spain)의 단위. 주로 유류(油類)의 양을 헤아리는 데 쓴다. 1 쿠아르테론은 0.133 미(美) 액량(液量) 쿼트(quart), 또는 126 m*l* 에 해당된다. ❷멕시코(Mexico)의 단위. 1 쿠아르테론은 헥토리터의 4 분의 1, 또는 25*l* 에 해당된다.

쿠아르티야(cuartilla) [부피] 스페인(Spain)의 단위. 1 쿠아르티야는 액량(液量)으로는 아로바(arroba)의 4 분의 1 이며, 107 미(美) 갤런, 또는 4.03*l* 이고, 건량(乾量)으로는 파네가(fanega)의 4 분의 1 이며, 1.57 미(美) 펙(peck), 또는 13.88*l* 에 해당된다.

쿠아르티요(cuartillo) [부피] ❶스페인의 단위. 1 쿠아르티요는 건량(乾量)으로는 셀레민(celemin)의 4 분의 1 이며, 1.05 미(美) 건량 쿼트(quart), 또는 1.156*l* 이고, 액량으로는 아숨브레(azumbre)의 4 분의 1 이며, 1.07 미(美) 액량 쿼트, 또는 504 m*l* 에 해당된다. ❷멕시코(Mexico)의 단위. 1 쿠아르티요는 건량으로는 1.72 미(美) 건량 쿼트, 또는 1.892*l* 이고, 액량으로는 0.482 미(美) 액량(液量) 쿼트, 또는 456.3 m*l* 이며, 유용(油用)으로는 0.535 미(美) 건량 쿼트, 또는 506.2 m*l* 에 해당된다.

쿠에르다(cuerda) [넓이] 푸에르토리코(Puerto Rico)의 단위. 1 쿠에르다는 0.97 에이커(acre), 또는 39.30 아르〔a〕에 해당된다.

쿠오(quo) [넓이] 베트남의 단위. 1 쿠오는 1,800 제곱 구(ngu)이며, 2.64 에이커(acre), 또는 1.070 헥타르에 해당된다.

쿠자(kouza) [부피] 키프로스의 고유 단위. 1 쿠자는 2.70 미(美) 갤런(gallon), 또는 10.*l* 에 해당된다.

쿨라(kula) [부피] 모로코 탕헤르(Tánger) 지방의 단위. 주로 유류(油類)의 양을 헤아리는 데 쓴다. 지역에 따라 다소 차이가 있는데, 대략 1 쿨라는 약 4.00 미(美) 갤런(gallon), 또는 15.16*l* 에 해당된다.

쿨라크(kulack) [질량] 인도네시아(Indonesia)의 고유 단위. 1 쿨라크는 9.83 파운드(pound), 또는 4.48 kg 에 해당된다.

쿨레우스(culeus) [부피] 고대 로마의 단위. 1 쿨레우스는 134.7 미(美) 갤런(gallon), 또는 510*l* 에 해당된다.

쿨롬(coulomb) [전기] 엠 케이 에스 에이 단위계(M.K.S.A. 單位系)에서 사용하는 전기량의 단위. 1 암페어〔A〕의 불변(不變)의 전류에 의하여 1 초간에 운반되는 전기의 양을 말한다. 고륜(庫侖). 기호 : C

1 C=1/10 CGS 전자 쿨롬
=2.997930×10^{9} CGS 정전 쿨롬

쿨리(kul') [질량] 러시아(Russia)

의 고유 단위. 지역에 따라 다소 차이가 있는데, 대략 1쿨리는 푸드(pud)의 5~9배(倍)이며, 180.57~325.02 파운드, 또는 81.90~147.42 kg에 해당된다.

쿰(coomb, coom) [부피] 영국(英國)의 단위. 1쿰은 4영(英) 부셸(bushel), 또는 145.47*l*에 해당된다.

쿰바(cumbha) [부피] 고대 인도(印度)의 단위. 1쿰바는 드로나(drona)의 20배(倍)이며, 348 미(美) 액량(液量) 쿼트(quart), 300 미(美) 건량(乾量) 쿼트, 또는 약 330*l*에 해당된다.

쿵크(kunk) [부피] 인도(印度) 캘커타(Calcutta) 지방의 단위. 1쿵크는 팔리(pally)의 16분의 1이며, 0.31 미(美) 건량(乾量) 쿼트(quart), 또는 0.34*l*에 해당된다.

쿼터(quarter) 1 [호칭] 미국(美國)·캐나다(Canada)에서 시행하는 4학기제(學期制)에서 1학기를 나타낼 때 쓰는 말. 2 [수] 전체의 4분의 1, 곧 반(半)의 반을 이르는 말. 3 [부피] 야드(yard)·파운드법(pound 法)의 한 단위. 1쿼터는 영국(英國)에서는 8부셸(bushel), 미국에서는 8.26부셸, 또는 290.95*l*에 해당된다. 4 [통화] 미국·캐나다의 통화 단위. 1쿼터는 달러(dolla)의 4분의 1, 또는 25센트(cent)의 은화(銀貨)에 해당된다. 5 [질량] ❶영국 파운드계(系)의 상용(常用) 단위. 헌드렛웨이트(hundredweight)의 4분의 1에 해당된다.

1쿼터=1/4 헌드렛웨이트
=2 스톤(stone)
=28 파운드(pound)
=12.7005880 kg

❷미국의 단위. 1쿼터는 톤(ton)의 4분의 1이며, 쇼트 톤(short ton)으로는 500 파운드, 또는 226.8 kg이고, 롱 톤(long ton)으로는 560 파운드, 또는 254.0 kg에 해당된다. 6 [시간] ❶1년을 넷으로 등분한 가운데 하나. 곧, 3개월을 이르는 말. ❷1시간을 넷으로 등분한 하나. 곧, 15분을 이르는 말. ❸농구 경기에서 전체 시간의 4분의 1을 이르는 말.

쿼턴(quartern) 1 [질량] 영국의 야드(yard)·파운드계(pound 系)의 단위. 곡류 등 식품에 관한 단위로, 주로 빵의 무게를 헤아리는 기본 단위이다. 1쿼턴은 스톤(stone)의 4분의 1이며, 3.50 파운드, 또는 1.588 kg에 해당된다. 2 [부피] 영국의 단위. 1쿼턴은 펙(peck)의 4분의 1이며, 2 액량(液量) 쿼트(quart), 또는 2.27*l*에 해당된다. 질(gill).

쿼토(quarto) [넓이] 전지(全紙)를 두 번 접은 크기, 곧 4절지(截紙)를 말한다. 1쿼토는 9½×12½ 인치(inch)이며, 약(略)해서 4 to, 또는 4°라고도 쓴다.

쿼트(quart) [부피] 야드(yard)·파운드계(pound 系)의 액량(液量) 단위. ❶영국(英國)에서의 1쿼트는 갤런(gallon)의 4분의 1이며, 69.35 세제곱 인치, 또는 1.11365*l*에 해당된다. ❷미국에서의 1쿼트는 갤런의 4분의 1이며, 57.75 세제곱 인치, 또는 0.9464*l*이고, 건량(乾量)으로는 펙(peck)의 8분의 1이며, 67.20 세제곱 인치, 또는 1.1012l에 해당된다.

퀜첸(Quentchen) [질량] ❶오스트리아(Austria)의 단위. 1퀜첸은 푼트(Pfund)의 128분의 1이며, 67.52그레인(grain), 또는 4.375g에 해당된다. ❷독일(獨逸)의 단위. 지방에 따라 다소 차이가 있는데, 1퀜첸은 25.72그레인, 또는 1.667g에 해당되거나, 56.39그레인, 또는 3.654g에 해당되기도 한다. 바이에른(Bayern) 지방에서는 67.52그레인, 또는 4.375g에 해당된다.

퀴리(curie) [방사선(放射線)] 방사성 물질의 방사성 핵종(放射性核種)이 1초간의 괴변수(壞變數)가 3.7×10^{10}(370억)일 때의 방사성 물질의 양을 말한다. 퀴리는 프랑스의 물리학자 퀴리(Curie, Pierre et Marie)에서 유래되었다. 기호 : Ci

1 Ci=0.001 킬로퀴리〔kCi〕
=1,000 밀리퀴리〔mCi〕
=10^6 마이크로퀴리〔μCi〕
=10^{12} 마이크로마이크로퀴리〔$\mu\mu$Ci〕

퀴리 매 그램(— 每 —)(curie per gram(me)) [방사선] 물질 1g에 대하여 1퀴리의 방사성 물질이 존재할 때의 방사성 물질 농도를 말한다. 기호 : Ci/g

1 Ci/g=10^{12} 마이크로마이크로퀴리 매 그램〔$\mu\mu$Ci/g〕
=10^6 마이크로퀴리 매 그램〔μCi/g〕
=10^3 밀리퀴리 매 그램〔mCi/g〕

퀴리 매 리터(— 每 —)(curie per liter) [방사선] 물질 1리터〔l〕에 대하여 1퀴리의 방사성 물질이 존재할 때의 방사성 물질 농도를 말한다. 기호 : Ci/l

1Ci/l=10^{12} 마이크로마이크로퀴리 매 리터〔$\mu\mu$Ci/l〕
=10^6 마이크로퀴리 매 리터〔μCi/l〕
=10^3 밀리퀴리 매 리터〔mCi/l〕

퀴리 매 세제곱 미터(— 每 —)(curie per cubic meter) [방사선] 물질 1m^3에 대하여 1퀴리의 방사성 물질이 존재할 때의 방사성 물질 농도(濃度)를 말한다. 기호 : Ci/m^3

1 Ci/m^3=10^{-6}Ci/cm^3
1 Ci/cm^3=마이크로마이크로퀴리 매 세제곱 센티미터〔$\mu\mu$Ci/cm^3〕
=10^6 마이크로퀴리 매 세제곱 센티미터〔μCi/cm^3〕
=10^3 밀리퀴리 매 세제곱 센티미터〔mCi/cm^3〕

퀴리 매 세제곱 센티미터(—每—)(curie per cubic centimeter) [방사선] 퀴리 매 세제곱 미터〔Ci/m^3〕의 10^6에 해당된다. 기호 : Ci/cm^3

퀴리 매 제곱 미터(—每—)(curie per square meter) [방사선] 물체의 표면 1m^2에 대하여 1퀴리의 방사성 물질이 존재할 때의 방사성 물질 표면 밀도를 말한다. 기호 : Ci/m^2

1 Ci/m^2=10^{-4} Ci/cm^2

1 Ci/cm^2=10^{10} 마이크로마이크로 퀴리 매 제곱 센티미터〔$\mu\mu$Ci/cm^2〕
=10^6 마이크로퀴리 매 제곱 센티미터〔μCi/cm^2〕
=10^3 밀리퀴리 매 제곱 센티미터〔mCi/cm^2〕

퀴리 매 킬로그램(— 每 —) (curie per kilogram) [방사선] 물질 1 kg에 대하여 1 퀴리의 방사성 물질이 존재할 때의 방사성 물질 농도를 말한다. 기호 : Ci/kg

1 Ci/kg=10^{12} 마이크로마이크로 퀴리 매 킬로그램〔$\mu\mu$Ci/kg〕
=10^6 마이크로퀴리 매 킬로그램〔μCi/kg〕
=10^3 밀리퀴리 매 킬로그램〔mCi/kg〕

퀴보스(kuvos) [부피] 근대 그리스의 단위. 1 퀴보스는 0.001*l*, 또는 1 cm^{3}에 해당된다.

퀸탈(Quintal) [질량] 스위스의 단위. 1 퀸탈은 110.2 파운드, 또는 50 kg에 해당된다.

퀸틀(quintal) [질량] 영국(英國)·미국(美國)의 미터법의 한 단위. 1 퀸틀은 처음에는 100 파운드, 또는 45.36 kg이었으나, 현재는 112 파운드, 또는 50.80 kg에 해당된다.

퀼리메트(külimet) [부피] ❶에스토니아(Estonia)의 단위. 1 퀼리메트는 12.13 미(美) 액량(液量) 쿼트(quart), 또는 11.48*l*에 해당된다. ❷라트비아(Latvia)의 단위. 1 퀼리메트는 10.93*l*에 해당된다.

큐빅(cubic) [해설] 세제곱을 이르는 말. 예를 들면, 부피의 단위인 세제곱 미터〔m^3〕를 큐빅 미터, 유량(流量)의 단위인 세제곱 미터 매시(每時)〔m^3/h〕를 큐빅 미터 퍼 아워라고 한다.

큐빗(cubit) [길이] 고대 이집트(Egypt)·바빌로니아(Babylonia)의 단위. 팔꿈치에서 가운뎃손가락 끝까지의 길이로, 구약 성서(舊約聖書)의 노아의 방주의 크기는 이것으로 나타내었다. 1 큐빗은 약 18 인치(inch), 또는 45.72 cm에 해당된다.

크랜(cran, cranne) [부피] 영국 스코틀랜드(Scotland) 지방의 단위. 청어(青魚) 750 마리의 부피를 나타내는 데 쓴다. 1 크랜은 37.5 영(英) 갤런(gallon), 또는 170.343*l*에 해당된다.

크랜베리 배럴(cranberry barrel) [부피] 미국(美國)에서 크랜베리(귤의 한 가지)를 사고 팔 때 쓰는 단위. 1 크랜베리 배럴은 5,826 세제곱 인치〔in^3〕, 또는 95.465*l*에 해당된다.

크레이트(crate) [수효] 나무 상자 속에 든 물건의 수를 세는 데 쓰는 말.

크로나(krona) [통화] 스웨덴의 현재 통화 단위. 1 크로나는 외레(öre)의 100 배(倍)에 해당된다. 기호 : S. Kr.

크로나(krōna) [통화] 아이슬란드(Iceland)의 현재 통화 단위. 1 크로나는 아우라르(aurar)의 100 배에 해당된다. 극랑(克郞). 기호 : I. Kr.

크로네(krone) [통화] ❶덴마크

(Denmark)의 현재 통화 단위. 1 크로네는 외레(øre)의 100 배(倍)에 해당된다. 기호 : D.Kr. ❷노르웨이(Norway)의 현재 통화 단위. 1 크로네는 외레(öre)의 100 배에 해당된다. 극랑(克郞). 기호 : N. Kr. ❸독일(獨逸)의 옛 통화 단위. 1 크로네는 마르크(Mark)의 100 배에 해당된다. 기호 : Kr.

크로샤(krośa) [길이] 고대 인도(印度)의 단위. 소가 우는 소리를 들을 수 있는 거리로, 대략 1 크로샤는 하스타(hasta)의 8,000 배(倍)에 해당된다. 지방에 따라 다소 차이가 있는데, 보통 1 크로샤는 3.19 마일(mile), 또는 5.13 km 라고도 하고, 1.8 km 라는 설도 있다.

크론(cron) [시간] 진화(進化)를 나타내기 위한 시간의 단위. 영국의 생물학자 헉슬리(J. S. Huxley)가 처음 제창하였다. 1 크론은 1백만 년에 해당된다. 밀리크론은 1,000 년, 킬로크론(kilocron)은 10^9 년이다.

크룬(kroon) [통화] 옛 에스토니아(Estonia)의 통화 단위.

크루제이로(cruzeiro) [통화] 브라질의 현재 통화 단위. 1 크루제이로는 센타보(centavo)의 100 배에 해당된다. 1942년 이전에는 레이스(reis) 및 그 1,000 분의 1 인 밀리레이스(millireis)가 사용되었다. 극로색라(克魯塞羅). 기호 : Cr.$

크루지카(kruzhka) [부피] 러시아(Russia)·라트비아(Latvia)의 단위. 1 크루지카는 비에드로(viedro)의 10 분의 1 이며, 0.32 미(美) 갤런(gallon), 또는 1.23l 에 해당된다.

크리나(krina) [부피] 불가리아(Bulgaria)의 단위. 주로 곡식의 양을 헤아리는 데 쓴다. 1 크리나는 18.16 미(美) 건량(乾量) 쿼트, 또는 20l 에 해당된다.

크리슈날라(krīshnala) [질량] 인도(印度)의 옛 단위. 1 크리슈날라는 라자사르샤파(rējasarshapa)의 54 배(倍)에 해당되었다. 현재에는 보석상이나 금세공(金細工)에서 사용되는데, 이 때의 1 크리슈날라는 1.875 그레인(grain), 또는 122 mg 에 해당된다.

크바르타(kwarta) [부피] 폴란드(Poland)의 고유 단위. 1 크바르타는 1.06 미(美) 액량(液量) 쿼트, 또는 1.00l 에 해당된다.

크바르테르카(kwarterka) [부피] 폴란드(Poland)의 단위. 1 크바르테르카는 크바르타(kwarta)의 4 분의 1 이며, 0.264 미(美) 액량(液量) 쿼트(quart), 또는 0.25l 에 해당된다.

크바트(khvat) [길이] 유고슬라비아(Yugoslavia)의 단위. 1 크바트는 74.65 인치(inch), 또는 1.896 m 에 해당된다.

크빈트(kvint) [질량] 덴마크의 고유 단위. '크빈틴(kvintin)'과 같다.

크빈틴(kvintin) [질량] 덴마크의 고유 단위. 1 크빈틴은 푼(pund)의 100 분의 1 이며, 77.16 그레인(grain), 또는 5.00 g 에 해당된다. 크빈트(kvint).

크세스테스(xestes) [부피] 고대 그리스(Greece)의 단위. 1 크세스테스는 코틸레(kotylē)의 2배(倍)이며, 키아토스(cyathos)의 12배, 또는 약 0.54*l*에 해당된다.

크위엔(kwien) [부피] 태국(泰國)의 옛 단위. 1크위엔은 777.7 미(美) 갤런(gallon)이며, 83.6 미(美) 부셸(bushel), 또는 29.44 헥토리터〔h*l*〕에 해당된다. 현재는 20 헥토리터에 해당된다.

클라프터(Klafter) [길이] ❶오스트리아(Austria)의 단위. 1클라프터는 2.07야드(yard), 또는 1.90 m에 해당된다. ❷독일(獨逸)의 단위. 1클라프터는 1.90야드, 또는 1.74 m에 해당된다. ❸스위스(Switzerland)의 단위. 1클라프터는 1.97야드, 또는 1.80 m에 해당된다.

클람(klam) [질량] 태국(泰國)의 고유 단위. 1클람은 창(chang)의 5,120분의 1이며, 3.62그레인(grain), 또는 0.234 g에 해당된다.

클래스(class) [호칭] ❶배나 기차의 등급을 나타내는 데 쓰는 말. ❷학급(學級)이나 반(班)을 나타내는 데 쓰는 말. ❸미국(美國)에서 연도(年度)에 따른 병사의 등급을 나타내는 데 쓰는 말. ❹초기(初期) 감리 교회(監理敎會)에서 분회(分會)를 나타내는 데 쓰는 말.

클럽(club) [수효] 공통된 목적으로 결합된 사람들의 단체. 또는 그 수를 세는 데 쓰는 말.

클로브(clove) [질량] 영국(英國)·미국(美國)의 단위. 털이나 털실의 무게를 헤아리는 데 쓴다. 1클로브는 7~10파운드(pound), 또는 3.2~4.5 kg에 해당된다.

클롬(klom) [질량] 태국(泰國)의 고유 단위. 1클롬은 창(chang)의 10,240분의 1이며, 1.81그레인(grain), 또는 0.117 g에 해당된다.

클리마(clima) [넓이] 고대 로마(Roma)의 단위. 1클리마는 0.078에이커(acre), 또는 3.15아르〔a〕에 해당된다.

키 ① [길이] 사람의 선 몸의 길이로 물건의 높이나 물의 깊이 따위를 헤아리는 데 쓰는 말. 길. 인(仞). 장(丈). ② [부피] 키〔箕〕로 곡식 따위를 까불러 낸 양을 헤아리는 데 쓰는 말.

키(key) [질량] 미국(美國)에서 관습적으로 사용하는 단위. 주로 못〔釘〕의 무게를 헤아리는 데 쓴다. 1키는 100파운드(pound), 또는 45.4 kg에 해당된다.

키뇬(quiñón) [넓이] 필리핀의 고유 단위. 1키뇬은 발리타(balita)의 10배(倍)이며, 6.91에이커, 또는 2.795 헥타르〔ha〕에 해당된다.

키라트(qīrāt) ① [질량] 이집트의 고유 단위. 1키라트는 디르함(dirham)의 16분의 1이며, 3.01그레인(grain), 또는 195 mg에 해당된다. ② [넓이] 이집트의 고유 단위. 1키라트는 페단(feddān)의 21분의 1이며, 239.23제곱 야드(yard), 또는 2.0004아르〔a〕에 해당된다. ③ [부피] 이집트의 고유 단위. 1키라트는 카다프의 32분의 1, 또는 64 m*l*에 해당된다.

키센(kishen) [부피] 영국(英國)의 단위. '키숀(kishon)'과 같다.

키숀(kishon) [부피] 영국(英國) 만도(Man 島)의 고유 단위. 1 키숀은 1.0 영(英) 펙(peck), 또는 9.09 l 에 해당된다. 키셴(kishen).

키슈(kish) [넓이] 중국의 단위. 1 키슈는 묘(畝)의 4분의 1이며, 183.7 제곱 야드〔yd^2〕, 또는 1.54 아르〔a〕에 해당된다.

키스트(kist) [부피] 고대 아라비아의 단위. 1 키스트는 약 1.38 l 에 해당된다. 카피테(caphite).

키아토스(cyathos) [부피] 고대 그리스(Greece)의 단위. 1 키아토스는 0.095 미(美) 액량(液量) 파인트(pint), 0.082 미(美) 건량(乾量) 파인트, 또는 45 ml 에 해당된다.

키아투스(cyathus) [부피] 고대 로마(Roma)의 단위. 1 키아투스는 0.099 미(美) 액량(液量) 파인트(pint), 0.082 미(美) 건량(乾量) 파인트, 또는 47 ml 에 해당된다.

키카르(kikkar) ① [질량] 고대 오리엔트(Orient) 지역의 단위. 1 키카르는 므나(mna)의 50배(倍)이며, 은(銀)의 중량으로는 약 660 그레인(grain), 또는 42.77 g 에 해당된다. 고대 그리스어(Greece 語)로는 탈렌트(talent)이다. ② [통화(通貨)] 고대 오리엔트 지방의 통화 단위. 1 키카르는 6,000 데나리우스(denarius)와 같다.

키트(kit) [부피] 인도네시아의 단위. 1 키트는 16.02 미(美) 액량(液量) 쿼트(quart), 또는 15.16 l 에 해당된다.

키프(kip) ① [질량] ❶말레이 반도(Malay 半島) 말라카(Malacca) 지방의 고유 단위. 1 키프는 40.68 파운드(pound), 또는 18.45 kg 에 해당된다. ❷영국·미국의 야드(yard)·파운드계(pound 系)의 관습적 단위. 1 키프는 1,000 파운드, 또는 453.59 kg 에 해당된다. ② [통화] 라오스(Laos)의 현재 통화 단위. 1 키프는 100 아트(at)와 같다. 기보(基普). 기호 : K, Kp.

킨도르카(qindorka) [통화] 알바니아(Albania)의 옛 보조 통화 단위. 1 킨도르카는 레크(lek)의 100분의 1에 해당된다.

킨타르(kintar) [질량] 요르단의 단위. 1 킨타르는 290.0 kg 에 해당된다.

킨타르(qintār) [질량] 아랍권(圈)의 고유 단위. ❶이집트의 단위. 1 킨타르는 라틀(ratl)의 100배, 또는 44.9 kg 에 해당된다. ❷키프로스(Kypros)의 단위. 1 킨타르는 라틀의 100배, 또는 55.88 kg 에 해당된다. ❸튀니지(Tunisie)의 단위. 1 킨타르는 라틀의 100배, 또는 53.9 kg 에 해당된다. ❹시리아(Syria)의 단위. 1 킨타르는 라틀의 100배, 또는 256.4 kg 에 해당된다. ❺터키(Turkey)의 단위. 1 킨타르는 라틀의 100배, 또는 56.54 kg 에 해당된다. ❻모로코의 단위. 1 킨타르는 라틀의 100배, 또는 50.75 kg 에 해당된다.

킨탈(quintal) [질량] 중남미(中南美) 지역의 단위. 1 킨탈은 리브라(libra)의 100배(倍)에 해당된다. ❶스페인(Spain)·칠레(Chile)·페루(Peru)의 단위. 1 킨탈은 101.43 파운드(pound), 또는 46.01 kg 에

해당된다. ❷포르투갈(Portugal)의 단위. 1 킨탈은 129.53 파운드, 또는 58.752 kg에 해당된다. ❸아르헨티나(Argentina)·파라과이(Paraguay)·우루과이(Uruguay)의 단위. 1 킨탈은 101.3 파운드, 또는 45.94 kg에 해당된다. ❹브라질(Brazil)의 단위. 1 킨탈은 129.54 파운드, 또는 58.76 kg에 해당된다. ❺콜롬비아(Colombia)의 단위. 1 킨탈은 110.23 파운드, 또는 50.00 kg에 해당된다. ❻멕시코(Mexico)의 단위. 1 킨탈은 101.47 파운드, 또는 46.025 kg에 해당된다.

킨토(quinto) [질량(質量)] 기니(Guinea)의 고유 단위. 1 킨토는 벤다(benda)의 22 분의 3 이며, 92.9 그레인(grain), 또는 6.02 g에 해당된다.

킬(keel) [질량] 영국(英國)의 고유 단위. 주로 석탄의 무게를 헤아리는 데 쓴다. 1 킬은 21.2 롱 톤(long ton), 또는 21.54 톤(ton)에 해당된다.

킬더킨(kilderkin) [부피] 영국의 옛 단위. 1 킬더킨은 퍼킨(firkin)의 2 배(倍)이며, 18 영(英) 갤런(gallon), 또는 81.83*l* 에 해당된다.

킬라(kilah) [부피] 이집트(Egypt)의 단위. 1 킬라는 케다(kedah)의 8 배(倍)이며, 0.468 미(美) 부셸(bushel), 또는 16.5*l* 에 해당된다.

킬라자(kiladja) [부피] 고대 아라비아의 단위. 1 킬라자는 1.45 미(美) 액량(液量) 쿼트, 1.25 미(美) 건량(乾量) 쿼트, 또는 약 1.38*l* 에 해당된다.

킬라테(quilate) [질량] 스페인계(Spain 系)의 단위. ❶스페인의 단위. 1 킬라테는 3.08 그레인, 또는 199.7 mg에 해당된다. ❷필리핀(Philippines)의 단위. 1 킬라테는 3.16 그레인, 또는 205 mg에 해당된다. ❸콜롬비아(Colombia)의 단위. 1 킬라테는 3.9 그레인, 또는 200 mg에 해당된다. ❹브라질의 단위. 1 킬라테는 3.01 그레인, 또는 195 mg에 해당된다.

킬란(kilan) [길이] 인도네시아의 단위. 1 킬란은 데파(depa)의 8 분의 1 이며, 8.37 인치(inch), 또는 21.25 cm에 해당된다.

킬레(kile, kileh) [1] [질량] 터키(Turkey)의 고유 단위. 1 킬레는 곡식 1 말〔斗〕 정도의 무게로, 약 25.7 kg에 해당된다. [2] [부피] 터키의 곡물 단위. 1 킬레는 0.99~1.22 미(美) 부셸, 또는 35~43*l* 에 해당된다.

킬로(kilo-) [접두어] 1,000 배를 나타내는 미터법(法) 제단위계(諸單位系)의 접두사. 킬로미터〔km〕, 킬로그램〔kg〕, 킬로와트〔kW〕, 킬로미터 매시〔km/h〕 등이 있다. 기호 : k

킬로그램(kilogram) [질량] 미터법(法)에 의한 질량의 기준(基準)이 되는 단위. 1 g의 1,000 배(倍)에 해당된다. 기호 : kg

킬로그램 매마력 매시(— 每馬力 每時)(kilogram per horsepower per hour) [공률(工率)] 항공기용 원동기(原動機) 등에 사용하는 단위. 매시(每時) 1 마력(馬力)당 소

비되는 연료의 질량을 킬로그램 단위로 나타낸 것이다. 기호 : kg/HP/h

킬로그램 매분(一 每分) (kilogram per minute) [유량(流量)] 1 분 동안에 흐르는 유체(流體)의 질량을 킬로그램으로 나타낸 것이다. 기호 : kg/min

킬로그램 매 세제곱 미터(一每一) (kilogram per cubic meter) [밀도(密度)] M.K.S. 단위계의 단위. 1 m^3 당의 중량 또는 밀도를 나타낸다. 기호 : kg/m^3

킬로그램 매시(一 每時) (kilogram per hour) [유량(流量)] M.K.S. 단위계의 단위. 1 시간에 흐르는 유체의 질량을 킬로미터로 나타낸 것이다. 기호 : kg/h

1 kg/h=1/60 kg/min
=1/3,600 kg/s

킬로그램 매초(一 每秒) (kilogram per second) [유량(流量)] M.K.S. 단위계의 단위. 1 초 동안에 흐르는 유체의 질량을 킬로그램으로 나타낸 것이다. 기호 : kg/s

킬로그램 미터(kilogram meter) ① [일] 크기가 1 중량 킬로그램〔kgw〕인 힘이, 그 힘의 방향으로 물체를 1 m 움직였을 때의 하는 일을 말한다. 기호 : kg·m

1 kg·m=9.80665 줄〔J〕

② [열량(熱量)] 1 킬로그램 미터〔kg·m〕의 일에 해당되는 열량을 나타낸다. 기호 : kg·m

킬로그램 미터 매초(一每秒) (kilogram meter per second) [공률(工率)] 1 초(秒)에 1 kg·m 의 공률을 말한다. 기호 : kg·m/s

1 kg·m=0.01333 마력(馬力)

킬로그램 중(一 重) (kilogram weight) [역량(力量)] 중력 단위계(重力單位系)에 있어서의 단위. 9.80665 m/s^2 의 중력 가속도(重力加速度) 밑에서 질량 1 kg 의 물질에 작용하는 중력과 같은 힘을 말한다. 기호 : kgwt, kgw, kg 중

1 kgw=9.80665 뉴턴〔N〕
=980,665 다인〔dyn〕

킬로그램 칼로리(kilogram calorie) [열량(熱量)] 1 칼로리〔cal〕의 1,000 배(倍)에 해당한다.

킬로래드(kilorad) [방사선(放射線)] 래드(rad)의 10^3 배(倍)에 해당된다. 기호 : krad

킬로래드 매시(一 每時) [방사선] 래드 매시〔rad/h〕의 10^3 배(倍)에 해당된다. 기호 : krad/h

킬로래드 매초(一每秒) [방사선] 래드 매초〔rad/s〕의 10^3 배(倍)에 해당된다. 기호 : krad/s

킬로뢴트겐 매분(一 每分) [방사선(放射線)] 뢴트겐 매분〔R/min〕의 10^3 배(倍)에 해당된다. 기호 : kR/min

킬로뢴트겐 매시(一 每時) [방사선(放射線)] 뢴트겐 매시〔R/h〕의 10^3 배(倍)에 해당된다. 기호 : kR/h

킬로뢴트겐 매초(一 每秒) [방사선(放射線)] 뢴트겐 매초〔R/s〕의 10^3 에 해당된다. 기호 : kR/s

킬로리터(kiloliter) [부피] 액체·기체·입상물(粒狀物)·분상물(粉狀物)의 부피를 헤아리는 데 쓰는 말. 천승(千升). 기호 : kl

1 kl=1,000l

=1,000.028 dm^3

킬로메가사이클 (kilomegacycle) [전파(電波)] 매초(每秒)에 10억(億) 사이클(cycle)의 주파수의 단위이다.

킬로미터 (kilometer) [길이] 미터법에 의한 길이의 보조 계량 단위. 천미(千米). 기호 : km

1 km=1,000 m

킬로미터 매시 (— 每時) (kilometer per hour) [속도] 미터 매초〔m/s〕의 보조 계량 단위(補助計量單位). 1 시간에 1 km 의 속도를 말한다. 기호 : km/h

1 km/h≒16.66697 m/min
≒0.277778 m/s
≒27.7778 cm/s

킬로볼트 (kilovolt) [전기(電氣)] 1 볼트〔V〕의 1,000 배에 해당된다. 천복(千伏). 천복특(千伏特). 기호 : kV

킬로볼트 암페어 (kilovolt ampere) [전기(電氣)] ❶피상 전력(皮相電力)의 단위. 볼트 암페어〔VA〕의 10^3 배(倍)에 해당된다. 천복안(千伏安). 천복특안배(千伏特安培). 기호 : kVA ❷발전기(發電機)·변압기 따위의 용량 단위. 천복안(千伏安). 천복특안배(千伏特安培). 기호 : kVA

킬로사이클 (kilocycle) [전자파] '킬로사이클 매초'를 보라.

킬로사이클 매초 (— 每秒) (kilocycle per second) [전자파] 1,000 사이클 매초〔c/s〕의 10^3 배(倍)에 해당된다. 기호 : kc, kc/s

킬로스테르 (kilostère) [부피] 미터법의 한 단위. 1 킬로스테르는 10^3 m^3 에 해당된다. 현재는 별로 사용하지 않는다.

킬로암페어 (kiloampere) [전기(電氣)] 1 암페어〔A〕의 10^3 배(倍)에 해당된다. 천안(千安). 기호 : kA

킬로암페어 시 (—時) (kiloampere hour) [전기(電氣)] 1 킬로암페어의 전류가 1 시간 동안 흘렀을 때의 전기량이다. 기호 : kAh

킬로에르그 매 제곱 센티미터 (— 每 —) [에너지] 에르그 매 제곱 미터〔erg/m^2〕의 10^7 배(倍)에 해당된다. 기호 : $kerg/cm^2$

킬로에르그 매 제곱 센티미터 매초 (— 每 — 每秒) [에너지] 에르그 매 제곱 미터 매초〔$erg/m^2\cdot s$〕의 10^7 배(倍)에 해당된다. 기호 : $kerg/cm^2\cdot s$

킬로 연 (— 連) [인쇄] 양지(洋紙) 500 매(枚)를 1 연(連)으로 하였으나, 미터법 시행 후 1,000 매를 1 연으로 하는 나라에서 이 두 가지를 구별하기 위하여 미터법에 의한 연을 킬로 연이라 한다.

킬로와트 (kilowatt) [공률(工率)·전기] 와트〔W〕의 보조 계량 단위. 와트의 10^3 배(倍)에 해당된다. 천와특(千瓦特). 기호 : kW

1 kW=1,000 W
=1 kJ/s

킬로와트 시 (—時) (kilowatt hour) ① [열량(熱量)] 1 킬로와트〔kW〕의 공률(工率)로 1 시간에 할 수 있는 일의 양, 또는 그에 해당되는 열량을 말한다. 기호 : kWh

1 kWh=3.6×10^3 kJ
=3.6×10^6 J

② [전기(電氣)] 전력의 단위. 기

호 : kWh

1 kWh=10^3 Wh

킬로워드(kiloword) [컴퓨터] 전자계산기의 기억 용량 단위(記憶容量單位). 일반적으로 1,000 어(語)를 단위로 하지만 이진법(二進法)에서는 1,024 어를 1 킬로워드라고도 한다. 기호 : K

킬로줄(kilojoule) [일] 줄〔J〕의 10^3 배(倍)에 해당된다. 기호 : kJ

킬로줄 매 제곱 센티미터(―每―) [에너지] 줄 매 제곱 미터〔J/m^2〕의 10^7 배(倍)에 해당된다. 기호 : kJ/cm^2

킬로줄 매 제곱 센티미터 매초(― 每 ― 每秒) [에너지] 줄 매 제곱 미터 매초〔$J/m^2 \cdot s$〕의 10^7 배(倍)에 해당된다. 기호 : $kJ/cm^2 \cdot s$

킬로칼로리(kilocalorie) [열량(熱量)] 칼로리의 1,000 배에 해당된다. 온도를 지정하지 않을 때에는 압력 1.013250 바(bar)에서 1 kg 의 물의 온도를 지정 온도(指定溫度)보다 0.5 도 낮은 온도에서 그 지정 온도보다 0.5 도 높은 온도까지 높이는 열량을 말한다. 천잡로리(千卡路里).

킬로퀴리(kilocurie) [방사선(放射線)] 퀴리〔Ci〕의 10^3 배(倍), 또는 10^3 전자 볼트에 해당된다. 기호 : kCi

킬로톤(kiloton) [군사(軍事)] 원폭(原爆)이나 수폭(水爆)의 폭발력을 나타내는 단위. 1 킬로톤은 티 엔 티(TNT) 1,000 톤(ton)의 폭발력에 해당된다.

킬로파운드 매 제곱 센티미터(―每―) (kilopound per square centimeter) [압력(壓力)] 최근 유럽에서 사용되는데, 0.980665 바(bar)에 해당된다. 기호 : KP/cm^2

킬로폰드(kilopond) [역량(力量)] 1 중량 킬로그램〔kgw〕의 힘의 크기를 나타내는 단위이며, 9.8 뉴턴〔N〕에 해당된다. 기호 : KP

킬로헤르츠(kilohertz) [전파(電波)] 주파수의 단위. 1 킬로헤르츠는 헤르츠의 10^3 배(倍)에 해당된다. 기호 : kHz

킬론(koilon) [부피] 근대 그리스(Greece)의 단위. '코일론(koilon)'을 보라.

킴방(kimbang) [질량] 인도네시아(Indonesia)의 고유 단위. 1 킴방은 피쿨(picul)의 5 배이며, 680.8 파운드(pound), 또는 308.8 kg 에 해당된다.

타(打) [수효] ❶'다스(dozen)'의 음역(音譯). 물품 12 개를 하나치로 세는 데 쓰는 말. 《朝鮮純宗實錄 10, 大正8年5月16日》賜赤葡萄酒一打, 果物一籠于爵趙重應, 以其病篤也. 《新字典, 新字新義部》打, 쎠쓰. Dozen. 英語謂物十二枚曰打. ❷'권'의 뜻으로, 조선 종이 20 장(張)을 하나치로 세는 데 쓰는 말. 권(卷). 《古今釋林 33, 三學譯語, 釋文》一打紙, 조희 훈 권. ❸'대'의 뜻으로, 매를 치는 수를 세는 데 쓰는 말. 곤(棍). 권(拳). 도(度). 매(枚). 장(杖). 판(板). 《南史, 任

忠傳》忠曰, 兵法客貴速戰, 主貴持重. 今國家足食足兵, 宜固守臺城, 緣淮立柵. 北軍雖來, 勿與交戰. 後主不能從. 明日欻然曰, 腹煩殺人, 喚蕭郎作一打. 《新編五代史平話, 晉史 上》與那哥哥互爭勝負, 他哥哥不伏, 被敬瑭揮起手內鐵鞭一打, 將當門兩齒一齊打落了.

타(朶) [수효] ❶꽃송이나 꽃가지의 수를 세는 데 쓰는 말. 윤(輪). 편(片). 《朝鮮燕山君日記 52, 10年4月甲寅》下牧丹一朶曰, 承旨等, 製律詩以進. 《朝鮮高宗實錄 37, 光武2年7月18日》東學原文, 第一編布德文. 第二編東學論, 第三編修德文, 第四編不然其然文, 弓弓乙乙之符, 煽惑人民, 締結徒黨. 且慕尙伏誅人崔濟愚之萬年枝上花千朶, 四海雲中月一鑑之詩句. 《度支志 9, 御供》首花一朶. 艾花二十朶. 《杜甫, 江畔獨步尋花詩》黃四孃家花滿溪, 千朶萬朶壓枝低. ❷꽃 모양으로 된 물건의 수를 세는 데 쓰는 말. 국화동자못〔菊花童〕은 못대가리를 국화꽃 모양으로 만든 못이다. 본(本). 정(丁). 좌(坐). 척(隻). 《昌慶宮營建都監儀軌, 實入》菊花童二十八朶. 《純元王后國葬都監儀軌 2, 稟目》欄干菊花童二十二朶. ❸학(鶴)이나 봉(鳳) 모양으로 만든 노리개나 조형물(造形物) 따위를 세는 데 쓰는 말. 《度支志, 外篇 17, 嘉禮》白鶴三十朶. 大鳳十六朶. ❹'가닥'·'줄기'의 뜻으로, 구름이나 안개 따위가 피어 오르거나 서리어 있는 수를 세는 데 쓰는 말. 계(溪). 누(縷). 도(度·道). 조(條). 《朝鮮成宗實錄 283, 24年10月辛巳》早朝仁政殿, 口號近體一章, 謹奉呈上闕下, 聊賀盛事云耳. 嵩號萬歲祝堯年, 一朶紅雲擁日邊……羣仙歌吹奏鈞天. 《文秉, 烈皇小識 2》自虜衝突而西, 從城上望之, 如黑雲萬朶, 挾迅風而馳, 須臾已過.

타(咤) [수효] 신(神)에게 술잔을 올리는 수를 세는 데 쓰는 말. 《書, 顧命》王三宿, 三祭, 三咤. (孔穎達疏) 三宿, 謂三進爵, 從立處而三進至神所也, 三祭酒, 三酹酒於神坐也, 每一酹酒, 則一奠爵, 三奠爵於地也. 《陳書, 儒林傳, 沈文阿》三宿三咤, 上宗曰饗, 斯蓋祭儐受福, 寧謂賀酒邪.

타(坨 : toǘ) [수효] 중국(中國)의 단위. '덩이'·'덩어리'의 뜻으로, 뭉치어 이루어진 덩이나 무더기의 수를 세는 데 쓰는 말.

타(秅) [수효] 묶음의 수를 세는 데 쓰는 말. 1타는 벼 400 단〔束〕에 해당된다. 《說文, 禾部》秅, 二秭爲秅. (段玉裁注) 禾四百秉也. 《周禮, 秋官, 掌客》車三秅. (鄭玄注) 每車三秅, 則三十稯也, 稯猶束也. 《儀禮, 聘禮》四秉曰筥, 十筥曰稯, 十稯曰秅, 四百秉爲秅. (鄭玄注) 一車之禾三秅, 爲千二百秉, 三百筥, 三十稯也.

타(拖 : tuō) [수효] 중국(中國)의 단위. '척'의 뜻으로, 배의 수를 세는 데 쓰는 말. 《三朝北盟會編 231》俊·政等遣西城百姓取船, 得六十餘拖.

타(陀 : tuō) [수효] 중국(中國)의 단위. '번'·'차'·'회'의 뜻으로, 김을 맨 횟수를 세는 데 쓰는 말. 《曾端, 端正好, 自序》黃菊東籬栽數

科, 野菜西山鋤幾陀.

타(垜) 1 [수효] ❶성가퀴의 수를 세는 데 쓰는 말. 첩(堞). 치(雉). 《度支志, 外篇, 版籍司, 城垜分援》 訓鍊都監城廓, 自敦義門至彰義門十四庫(西道次知), 自彰義門至肅靖門十三庫(北道次知). 分援城垜, 合一千五百十四垜. 《軍門謄錄, 乙未11月26日》每五垜爲一伍, 五十垜爲二隊. ❷'무더기'의 뜻으로, 물건을 한데다 수북이 쌓은 더미의 수를 세는 데 쓰는 말. 《西廂記, 2本, 3折》他那裏眼倦開軟癱做一垜, 我這裏手難擡稱不起肩窩. 2 [질량] 금(金) 6 냥(兩)을 하나치로 이르는 말. 《酉陽雜俎, 物異》金最上六兩爲一垜.

타(紽) 1 [수효] 갖옷에 다는 실단추의 수를 세는 데 쓰는 말. 《詩, 召南, 羔羊》羔羊之皮, 索絲五紽. (高亨注) 周代人的衣, 一邊縫上五個(或三個) 絲繩的紐子, 古語叫做紽. 今語叫做紐. 《何景明, 七述》燦三英以外飾, 誠五紽之可羞. 2 [섬유(纖維)] 피륙을 짜는 실의 길이의 단위. 털실은 80 스레드(thread)이고, 무명실·명주실은 120 야드(yard), 또는 109.32 m 에 해당된다.

타(ta) [질량] 베트남의 고유 단위. 1 타는 동(dong)의 16,000 배(倍)이며, 137.5 파운드(pound), 또는 62.4 kg 에 해당된다.

타난(tanan) [부피] 태국의 단위. 1 타난은 구제(舊製)로는 0.92l 이고, 현재는 1l 에 해당된다.

타니카(tanica) [부피] 에리트레아(Eritrea)의 단위. 1 타니카는 메세(messé)의 12 배(倍), 또는 18l 에 해당된다.

타란(打蘭 : dǎlán) [질량] 중국(中國)의 단위. '드램(dram)'의 음역(音譯).

타래 [수효] 실·노끈·고삐 같은 것을 감아서 틀어 놓은 덩이의 수를 세는 데 쓰는 말. 구(扣). 대내(臺乃). 월내(月乃).

타레아(tarea) [넓이] ❶쿠바의 단위. 1 타레아는 69.03 m^2 에 해당된다. ❷도미니카의 단위. 1 타레아는 6.29 아르〔a〕에 해당된다.

타레파(tarefa) [넓이] 브라질의 단위. 1 타레파는 30~40 아르〔a〕에 해당된다.

타리(tarri) [부피] 알제리(Algérie)의 단위. 1 타리는 0.56 미(美) 부셸(bushel), 또는 19.84l 에 해당된다.

타메(thame) [넓이] 이집트의 단위. 1 타메는 페단(feddān)의 576 분의 1 이며, 8.72 제곱 야드〔yd^2〕, 또는 7.29 m^2 에 해당된다.

타볼라(tavola) [넓이] 이탈리아의 단위. 지방에 따라 나소 차이가 있는데, 대략 1 타볼라는 조르나타(giornata)의 100 분의 1 이며, 45 제곱 야드〔yd^2〕, 또는 38 m^2 에 해당된다.

타블라(tabla) [부피] 소말리아의 단위. 1 타블라는 셀라(chela)의 15 배(倍)이며, 0.58 미(美) 부셸(bushel), 또는 20.4l 에 해당된다.

타수(打數) [수효] 야구 경기에서 타자(打者)가 타석(打席)에서 배트(bat)로 공을 친 횟수를 나타낼 때

쓰는 말.

타아(坨兒 : tuór) [수효] 중국(中國)의 단위. '곳'의 뜻으로, 장소의 수를 세는 데 쓰는 말. 타아(陀兒). 《爭報恩, 4折》山寨崔嵬哎, 煞強如那一坨慘田地. 《無名氏, 玩江亭, 2折》呆漢, 嗏, 尋一坨兒穩便處閑坐的.

타아(陀兒 : tuór) [수효] 중국(中國)의 단위. '타아(坨兒)'와 같다. 《一枝花, 杭州景, 套曲》松軒竹經, 藥圃花蹊, 茶園稻陌, 竹塢梅溪, 一陀兒一句詩題. 《范康, 竹葉舟, 1折》量那些一陀兒寰土, 經了些前朝後代戰爭餘.

타아(垜兒 : tǒr) [수효] 중국(中國)의 단위. '무더기'의 뜻으로, 물건을 한데다 수북이 쌓은 더미의 수를 세는 데 쓰는 말. 《註解語錄總覽, 水滸志語錄》一垜兒, 한 덩이. 《警世通言, 萬秀娘仇報山亭兒》萬員外把楔子站起脚工去, 果然是一垜兒安着四五十錢.

타오(tao) [부피] 베트남의 고유 단위. 1 타오는 14.93 미(美) 갤런, 또는 56.52l 에 해당된다. 시타(shita).

타운(taun) [길이] 미얀마(Myanmar) 양곤(Yangon) 지방의 단위. 1 타운은 1.50 피트(feet), 또는 45.7 cm 에 해당된다.

타운십(township) [넓이] 미국(美國)의 단위. 1 타운십은 36 제곱 마일(mile), 또는 9,324.0 헥타르〔h〕에 해당된다.

타워 파운드(tower pound) [질량] 영국(英國)의 단위. 1527년 이전에 사용하였다. 1 타워 파운드는 5,400 그레인(grain), 또는 349.91 g 에 해당된다.

타율(打率) [수] 야구 경기에서 안타수(安打數)와 타격수(打擊數)와의 비에 100 을 곱한 비율.

타자(打子 : dǎ·zi) [수효] 중국(中國)의 단위. '권(卷)'의 뜻으로, 종이 20 장을 하나치로 세는 데 쓰는 말. 권(卷). 《註解語錄總覽, 朱子語錄》一打子, 한 권.

타점(打點) [점수] 야구 경기에서 타자(打者)가 득점을 할 경우에 쓰는 말.

타카르(takar) [부피] 인도네시아(Indonesia)의 고유 단위. 1 타카르는 6.81 미(美) 갤런(gallon), 또는 25.77l 에 해당된다.

타크베르크(Tagwerk) [넓이] 독일의 단위. 지방에 따라 다소 차이가 있는데, 대략 1 타크베르크는 576 제곱 루테(Rute)이며, 약 1.168 에이커(acre), 또는 47.28 아르〔a〕에 해당된다. 바이에른(Bayern) 지방에서는 0.842 에이커(acre), 또는 34.07 아르에 해당된다. 유헤르트(Juchert).

타트(tat) [길이] ❶에티오피아(Ethiopia)의 고유 단위. 1 타트는 0.98 인치(inch), 또는 2.5 cm 에 해당된다. ❷베트남의 단위. 지방에 따라 다소 차이가 있는데, 대략 1 타트는 투오크(thuoc)의 10 분의 1 이며, 1.92 인치, 또는 4.88 cm 에 해당된다.

타트(that) [길이] 베트남(Vietnam)의 고유 단위. 1 타트는 투오크(thuoc)의 30 배(倍)이며, 48.0 피트(feet), 또는 14.63 m 에 해당

된다.

타파 파넬라(tapa panela) [질량] 코스타리카(Costa Rica)의 단위. 1 타파 파넬라는 1,035 kg에 해당된다.

타힐(tahil) [질량] 말레이 반도의 단위. 1 타힐은 카티(kati)의 16 분의 1이며, 1⅓온스(ounce), 또는 37.80 g에 해당된다.

탁(乇: tuō) [압력] 중국(中國)의 단위. '토르(tor, torr)'의 음역(音譯).

탁(托) [1] [길이] '탁(庹)'과 같다. 《訓蒙字會, 下》托, 바름 탁. 伸臂量物, 又手承物也.《譯語類解, 上, 算數》三托, 세 발.《朴通事諺解, 上》五六十托麤麻線也(五六十발 굵근 삼실).《文昌雜錄 3》舟人驚號, 已泊沙上, 水才深八托. [2] [압력] (tuō) 중국(中國)의 단위. '토르(tor, torr)'의 음역(音譯).

탁(卓) [부피 · 수효] '상'의 뜻으로, 상에 가득 차려 놓은 음식의 양, 또는 그 상의 수를 세는 데 쓰는 말. 탁자(卓子).《通文館志 4, 事大, 弔祭儀》祭幣, 檀香一束, 祭帛一疋, 銀壺一把, 銀爵三執, 白綾六疋, 白方紬六疋……猪二口, 祭筵二十卓, 酒二瓶.

탁(坼: chè) [길이] 중국(中國)의 단위. '뼘'의 뜻으로, 엄지손가락과 다른 손가락을 잔뜩 벌리어 그 길이를 헤아리는 데 쓰는 말.《譯語類解, 上, 算數》一坼, 혼 뼘. 一云一虎口.

탁(庹) [길이 · 수효] '발'의 뜻으로, 두 팔을 잔뜩 벌린 길이, 또는 그 수를 세는 데 쓰는 말. 1 탁은 약 5 자〔尺〕에 해당된다. 비(臂). 탁(托). 파(把).《與猶堂全書, 雅言覺非》一庹者, 兩腕之引長也(庹音託, 方言曰발)……乃東語一庹謂之一把(발), 其一拏則無文.《形音義綜合大字典》庹, 兩腕向左右所引之長曰庹.

탁자(卓子) [부피 · 수효] '탁(卓)'과 같다.《濟公傳》一下子, 就擺滿了一卓子的酒菜.

탄(畽) [넓이] 논밭의 넓이를 헤아리는 데 쓰는 말. 1 탄은 10 묘(畝)에 해당된다.《海行摠載 2, 申製述海遊錄 下, 附聞見雜錄》田制, 則三十步爲一畝, 十畝爲畽.

탄(彈) [수효] '방(放)' · '발(發)'의 뜻으로, 총포(銃砲)를 쏠 때 탄알이나 포탄의 수를 세는 데 쓰는 말.

탄(攤: tān) [수효] 중국(中國)의 단위. ❶'무더기'의 뜻으로, 쏟아진 액체나 진흙덩이 따위가 모여 있는 수를 세는 데 쓰는 말. 탄(灘).《蛻變》忽然發現自已辦公卓上一攤雨水. ❷'무더기'의 뜻으로, 한데 수북이 쌓인 물건의 수를 세는 데 쓰는 말. ❸'무리'의 뜻으로, 어떤 관계로 여럿이 모여서 이룬 동아리의 수를 세는 데 쓰는 말.《銅墻鐵壁, 12章》粮站左近等候的群衆一攤一攤, 比沙家店這小街遇集的日子还要人稠.

탄(灘: tān) [수효] 중국(中國)의 단위. '탄(攤)'의 ❶과 같다.

탄지(彈指) [수] 매우 작은 수의 하나. 1 탄지는 순식(瞬息)의 10 분의 1이며, 수유(須臾)의 100 분의 1, 또는 1^{-17}에 해당된다.《法苑珠林 3, 僧祇律》二十念爲一瞬, 二十瞬

名一彈指, 二十彈指名一羅預, 二十羅預名一須臾, 一日一夜有三十須臾. 《白居易, 禽蟲詩 8》何異浮生臨老日, 一彈指頃報恩讎. 《蘇軾, 過永樂文長老已卒詩》 三過門閒老病死, 一彈指頃去來今. 《宋濂, 孤峰德公塔銘》盡付闍維三昧火, 一彈指頃等虛空.

탄크(tank) [질량] 인도(印度) 봄베이(Bombay) 지방의 단위. 1 탄크는 68.06 그레인(grain), 또는 4.410 g 에 해당된다.

탈라(tala) [통화] 서(西)사모아(Western Samoa)의 현재 통화 단위. 1 탈라는 세네(sene)의 100 배(倍)에 해당된다. 탑랍(塔拉). 기호 : WS $

탈라리(talari) [통화] 에티오피아(Ethiopia)의 옛 통화 단위. 1 탈라리는 센트(cent)의 100 배에 해당된다. 1945년 이후에는 달러(dollar)를 기본 단위로 정하고 있다.

탈란톤(talanton) ① [질량] 고대 및 근대 그리스(Greece)의 단위. 고대 그리스의 1 탈란톤은 므나(mna)의 60 배(倍)이며, 약 57 파운드(pound), 또는 25.855 kg 이고, 근대 그리스에서의 1 탈란톤은 므나의 100 배이며, 330.69 파운드, 또는 150 kg 에 해당된다. 탈렌트(talent). ② [통화] 고대 그리스의 통화 단위. 1 탈란톤은 무게 26.196 kg 의 은(銀)의 값에 해당되었다. 탈란톤의 60 분의 1이 1 므나, 6,000분의 1이 1드라크메(drachmē), 36,000 분의 1 이 1 오볼로스(obolos)이기 때문에 그 무게는 각각 436.6 g, 4.37 g, 0.7 g 의 은(銀)의 값에 해당되었다. 탈렌트(talent).

탈레로(tallero) [통화] 옛 에리트레아(Eritrea)의 통화 단위. 1 탈레로는 리라(lira)의 5 배(倍)에 해당되었다.

탈렌트(talent) ① [질량] ❶고대 그리스(Greece)의 단위. '탈란톤(talanton)'의 ①과 같다. ❷고대 바빌로니아(Babylonia)의 단위. 대소(大小) 두 가지가 있는데, 보통은 시클루(šiqlu)의 3,600 배(倍)이고, 귀금속용은 시클루의 3,000 배에 해당되었다. 대(大)탈렌트는 128.57∼172.80 파운드(pound), 또는 58.319∼78.381 kg 에 해당되었고, 소(小)탈렌트는 귀금속용으로서 59.26∼88.89 트로이 파운드(troy pound), 또는 21.772∼32.659 kg 에 해당되었다. ② [통화] 고대(古代) 그리스의 화폐 단위. '탈란톤(talanton)'의 ②와 같다.

탈리(tali) [질량] 인도네시아(Indonesia)의 고유 단위. 1 탈리는 테일(tael)의 16 분의 1 이며, 52.17 그레인(grain), 또는 3.38 g 에 해당된다.

탐룽(tamlung) [질량] 태국(泰國)의 고유 단위. 1 탐룽은 창(chang)의 20 분의 1 이며, 2.116 온스, 또는 60 g 에 해당된다.

탐발라(tambala) [통화] 말라위(Malawi)의 현행 보조 통화 단위. 콰차(kwacha)의 100 분의 1 이다.

탐팡(tampang) [질량] 말레이 반도(半島)의 말라카(Malacca) 지방의 옛 단위. 1 탐팡은 1.35 파운드, 또는 610 g 에 해당된다.

탑(塔 : tǎ) [길이] 중국(中國)의 단위. 1탑은 인치(inch)의 32분의 1에 해당된다.

탑(搭 : dā) [수효] 중국(中國)의 단위. ❶'덩이'·'뭉치'의 뜻으로, 덩어리의 수를 세는 데 쓰는 말.《盧仝, 月蝕詩》催環破璧眼看盡, 當天一搭如煤炲.《紅樓夢, 2回》早有小丫頭遞過一搭子細紙.《官場現形記, 46回》老頭子並不細看票子的數目, 一搭五十張, 望上去有七八搭的光景. ❷'곳'의 뜻으로, 장소의 수를 세는 데 쓰는 말. 탑아(塌兒).《漁樵記, 1折》我如今空學成這般瞻天才, 也不索着我無一搭兒安身處. ❸'타래'의 뜻으로, 실 같은 것을 틀어 놓은 수를 세는 데 쓰는 말.《儒林外史, 5回》嚴監生慌忙叫奶媽抱起哥子來, 拿一搭蘸替披着.

탑랍(塔拉 : tǎlā) [통화] 중국(中國)의 단위. '탈라(tala)'의 음역.

탑아(塌兒 : tār) [수효] 중국(中國)의 단위. '곳'의 뜻으로, 장소의 수를 세는 데 쓰는 말. 탑(搭).《無名氏, 看錢奴, 3折》你老兩口兒就在這一塌兒乾淨處安歇.

탕 [수효] 운수업계(運輸業界)에서 관용으로 어떤 목적지를 왕복한 횟수를 세는 데 쓰는 말.

탕(盪 : dàng) [수효] 중국의 단위. '번'·'차례'의 뜻으로, 어느 곳에 간 횟수를 세는 데 쓰는 말.《兒女英雄傳, 3回》就是我走一盪也使得.

탕(tang) [부피] 태국(泰國)의 단위. 1탕은 타난(tanan)의 20∼40배, 또는 18.4∼36.8*l*에 해당된다.

탕기(湯器) [부피] 탕기에 국이나 찌개 등의 음식을 담아 그 양을 헤아리는 데 쓰는 말.

탕카(tangka) [통화(通貨)] 티베트(Tibet)의 옛 통화 단위. 1탕카는 카르의 15배(倍)에 해당된다.

태(太) [수효] '테'의 차자 표기로, 짚이나 삼·실 같은 것의 여러 꾸지를 모아 묶은 모숨을 세는 데 쓰는 말. 태(苔).《關西邑誌, 龍岡縣邑誌》 白紬糸一太(八曲之爲一太, 十太爲一釜).

태(苔) [수효] '태(太)'와 같다.《正宗大王殯殿魂殿都監儀軌, 甘結》紅氈縫造所用, 紅眞絲三苔, 當刻內進排事(戶曹眞絲契).

태(胎) [수효] '배'의 뜻으로, 사람이 아이를 낳거나 짐승의 새끼를 낳고 알을 까는 횟수를 세는 데 쓰는 말. 복(服). 산(產). 유(乳).《朝鮮中宗實錄 26, 20年閏5月庚午》全羅道南原縣, 校婢牧丹, 一胎產三子, 其母仍死.《度支準折, 雜錄》周急. 一胎生三男, 則自戶曹米三石. 五月初二日, 賑恤廳啓曰, 以漢城府南部居私婢, 一胎生二男一女, 單子料米, 依例題給事分付……丙午, 京居良人大東允妻, 一胎生三男, 時因本廳草記, 依外方例以會付, 米三石上下之例, 自戶曹題給米三石, 仍爲定式矣.

태(笞 : chī) [수효] 중국(中國)의 단위. '짐'의 뜻으로, 들거나, 지거나, 또는 운송하도록 만든 짐짝의 수, 또는 그 양을 헤아리는 데 쓰는 말. 담(擔). 도(挑). 부(負). 척(隻). 하(荷).

태(馱) [1] [수효] ❶'바리'의 뜻으로, 짐바리의 수를 세는 데 쓰는 말.《朝鮮太宗實錄 2, 元年9月辛丑》朝

廷國子監生宋鎬相……藥材用車一百五十兩, 牛馬三百駄入京. 《朝鮮世祖實錄 47, 14年7月辛酉》姜玉行裝九十一櫃, 四十一駄, 韃狗十九. 金輔行裝五十櫃, 二十六駄, 韃狗二十. 《度支準折, 草物》草把子一浮(廣一把), 二十浮作一同, 三同作一駄. 草薍(十束爲一舍音, 五舍音爲一同, 三同爲一駄). 《度支準折, 瓦甎》常瓦一訥(一千張, 一駄四十張內, 夫瓦十六張, 女瓦二十四張). ❷농(籠)의 수를 세는 데 쓰는 말. 개(箇). 건(件). 부(部). 잔(盞). 척(隻). 통(筩). 《正宗大王殯殿魂殿都監儀軌, 1房, 稟目》因山時祭物入盛杻籠十駄所入. 《關西邑誌, 龍岡縣邑誌》 籠一駄, 衣籠一駄. 《度支志 9, 內人各房事例》 杻籠五駄. 《進饌儀軌(純祖己丑) 1, 來關》杻籠二駄. ② [질량] 1 태는 140 근(斤)에 해당된다. 이 무게는 말〔馬〕한 필이 한 번에 나를 수 있는 짐의 무게이다. 《宋史, 食貨志》以一百四十斤爲一駄.

태내(台乃) [수효] '타래'의 차자 표기로, 실・줄 같은 것을 감아서 틀어 놓은 묶음의 수를 세는 데 쓰는 말. 《京畿邑誌, 仁川府邑誌》火繩一百九十台乃.

태블릿(tablet) [수효] 알약의 수를 세는 데 쓰는 말. 과(顆). 원(圓). 정(錠). 환(丸). 기호 : tab

탱(樘 : tāng) [수효] 중국(中國)의 단위. '짝'의 뜻으로, 문짝이나 창틀 따위의 수를 세는 데 쓰는 말. 〈예〉 一～玻璃門.

터브(tub) [부피] 미국(美國)의 단위. 1 터브는 0.5～3.0 미(美) 부셸(bushel), 또는 17.62～105.72l 에 해당된다.

터션(tertian) [부피] 영국(英國)의 옛 단위. 주로 주류(酒類)의 양을 헤아리는 데 썼다. 1 터션은 턴(tun)의 3 분의 1 이며, 84 와인 갤런(wine gallon), 또는 317.97l 에 해당된다.

턴(tun) [부피] ❶영국의 옛 단위. 큰 술통의 뜻으로, 주류(酒類)의 양을 헤아리는 데 쓴다. 1 턴은 파이프(pipe)의 2 배이며, 252 와인 갤런(wine gallon), 또는 953.90l 에 해당된다. ❷싱가포르(Singapore)의 지방 단위. 1 턴은 302.6 와인 갤런, 또는 1.145 kl 에 해당된다.

테 [수효] 짚이나 삼・실 같은 것의 여러 꼭지를 모아 묶은 모숨을 세는 데 쓰는 말. 태(太). 태(苔).

테라(tera-) [접두어] 10^{12} 배(倍)를 나타내는 미터법 제단위(諸單位)의 접두어(接頭語). 기호 : T

테라래드(terarad) [방사선(放射線)] 래드(rad)의 10^{12} 배에 해당된다. 기호 : Trad

테라래드 매분(— 每分) [방사선(放射線)] 래드 매분〔rad/min〕의 10^{12} 배(倍)에 해당된다. 기호 : Trad/min

테라래드 매시(— 每時) [방사선(放射線)] 래드 매시〔rad/h〕의 10^{12} 배(倍)에 해당된다. 기호 : Trad/h

테라사이클(teracycle) [주파수] 과거에 쓰던 주파수의 단위. '테라헤르츠〔THz〕'와 같다. 기호 : Tc

테라에르그 매 제곱 센티미터 매초(— 每 — 每秒) [에너지] 에르그 매 제곱 미터 매초〔erg/m²・s〕

의 10^{12} 배(倍)에 해당된다. 기호 : Terg/cm²·s

테라헤르츠(terahertz) [전파] 헤르츠〔Hz〕의 10^{12} 배(倍)에 해당된다. 테라사이클(teracycle). 기호 : THz

$$1\ \text{THz} = 10^{12}\ \text{Hz} = 10^{6}\ \text{MHz} = 10^{3}\ \text{GHz}$$

테르미(thermie) [열량(熱量)] 엠 티 에스 단위계(M.T.S. 單位系)의 열량 단위. 1 톤(ton)의 물의 온도를 1℃ 높이는 데 필요한 열량을 말한다. 1 테르미는 4.185×10^{6} 줄〔J〕, 또는 3,967 영열량(英熱量 : BTU)에 해당된다. 기호 : th

테르미노(termino) [질량] 리비아(Libya)의 고유 단위. 1 테르미노는 로틀(rotl)의 128 분의 1 이며, 61.83 그레인(grain), 또는 4.01 g 에 해당된다.

테르민(termin) [길이] 알제리의 단위. 1 테르민은 피크(pik)의 8 분의 1 에 해당된다. 피크는 18~30 인치 등 여러 종류가 있기 때문에 1 테르민은 2.25~3.75 인치, 또는 5.72~9.53 cm 에 해당된다.

테르시아(tercia) [길이] ❶과테말라·엘살바도르(El Salvador)의 단위. 1 테르시아는 바라(vara)의 3 분의 1 이며, 10.97 인치(inch), 또는 27.86 cm 에 해당된다. ❷온두라스(Honduras)의 단위. 1 테르시아는 바라의 3 분의 1 이며, 10.96 인치, 또는 27.83 cm 에 해당된다. ❸니카라과(Nicaragua)의 단위. 1 테르시아는 바라의 3 분의 1 이며, 11.02 인치, 또는 27.99 cm 에 해당된다.

테르시오(tercio) [질량(質量)] ❶멕시코의 단위. 1 테르시오는 리브라(libra)의 160 배이며, 162.35 파운드(pound), 또는 73.64 kg 에 해당된다. ❷쿠바(Cuba)의 단위. 주로 담배의 무게를 헤아리는 데 쓴다. 1 테르시오는 110~121 파운드, 또는 50~55 kg 에 해당된다.

테만(teman) [부피] ❶아라비아(Arabia)의 단위. 1 테만은 2.41 미(美) 부셸(bushel), 또는 85 *l* 에 해당된다. ❷리비아(Libya)의 단위. 1 테만은 3.04 미(美) 펙(peck), 또는 26.82 *l* 에 해당된다.

테브(theb) [길이] 고대 이집트(Egypt)의 단위. 1 테브는 0.74 인치(inch), 또는 1.88 cm 에 해당된다.

테일(tael) 1 [질량] ❶중국(中國)의 단위. 냥(兩)을 대외적(對外的)으로 부르는 명칭. 동남 아시아 일부에서 관습적으로 사용되고 있다. ❷베트남 일부 지방의 단위. 1 테일은 590.75 그레인(grain), 또는 38.24 g 에 해당된다. ❸인도네시아 일부 지방의 단위. 1 테일은 595.68 그레인, 또는 38.60 g 에 해당된다. 귀금속에는 834.72 그레인, 또는 54.09 g 에 해당된다. 2 [통화] 중국의 통화 단위인 냥(兩)을 외국인이 부르던 이름. 1 테일은 은(銀) 2 분의 1 온스(ounce)에 해당된다.

테트라(tetra-) [접두어] 4 를 나타내는 접두어(接頭語).

테트라드라크메(tetradrachmē) [질량] 고대 그리스의 단위. 1 테트라드라크메는 므나(mna)의 0.04

배(倍)이며, 265 그레인(grain), 또는 17.20 g에 해당된다.

텍스(tex) [섬유] 실 1,000 m의 중량을 그램 수〔g 數〕로 나타내는 데 쓰는 말.

텐스미터(tenthmeter) [길이] 길이의 국제 단위(國際單位). 옹스트롬(angstrom)의 다른 이름이다.

텔레그래프 해리(telegraph 海里)(telegraph neutical mile) [길이] 바다에서의 거리 단위. 1 텔레그래프 해리는 6,087 피트(feet), 또는 1,855.3176 m에 해당된다.

텡(teng) [부피] 미얀마(Myanmar)의 단위. 1 텡은 대략 1 미(美) 부셸(bushel), 또는 36.4 *l*에 해당된다.

토(吐) [수효] ❶'톳'의 차자 표기로, 김의 묶음을 세는 데 쓰는 말. 예전의 1 톳은 50 장, 또는 40 장이고, 현재의 1 톳은 100 장이다. 토질(土叱). 《竹山府邑誌, 事例》 海衣一吐. ❷향(香)의 묶음을 세는 데 쓰는 말. 《陶山書院傳掌記 29, 己卯8月17日》 香一吐. ❸재목(材木)의 묶음을 세는 데 쓰는 말. 《陶山書院傳掌記 29, 己卯8月17日》 實材木一吐.

토(討 : tǎo) [길이] 중국(中國)의 단위. '발'의 뜻으로, 두 팔을 크게 벌려 길이를 헤아리는 데 쓰는 말.

토넬(tonel) [부피] 브라질(Brazil)의 단위. 1 토넬은 피파(pipa)의 2 배(倍)이며, 253.2 미(美) 갤런, 또는 958.3 *l*에 해당된다.

토넬라다(tonelada) ① [질량] ❶스페인(Spain)·니카라과(Nicaragua)의 옛 단위. 1 토넬라다는 퀸탈(Quintal)의 20 배이며, 2,028.7 파운드(pound), 또는 920.19 kg에 해당된다. 스페인의 신제(新制)로는 2,204.6 파운드, 또는 1,000 kg에 해당된다. ❷아르헨티나(Argentina)의 단위. 1 토넬라다는 퀸탈의 20 배이며, 2,025.6 파운드, 또는 918.8 kg에 해당된다. ❸브라질(Brazil)의 단위. 1 토넬라다는 퀸탈의 13.5 배이며, 1,748.79 파운드, 또는 793.24 kg에 해당된다. ② [부피] ❶아르헨티나의 단위. 1 토넬라다는 29.20 미(美) 부셸, 또는 1,028.69 *l*에 해당된다. ❷포르투갈(Portugal)의 단위. 1 토넬라다는 229.98 미(美) 부셸, 또는 870.5 *l*에 해당된다.

토노(tonneau) [질량] 프랑스의 단위. 원래는 통(桶)의 뜻으로 쓰였으나, 톤(ton)과 같이 쓰이기도 한다. 1 토노는 1,000 kg에 해당된다.

토노 드 메르(tonneau de mer) [부피] 프랑스(France)의 고유 단위. 1 토노 드 메르는 1.88 세제곱야드〔yd^3〕, 또는 1.44 m^3에 해당된다.

토노 디 조지(tonneau de jauge) [부피] 영국(英國)·미국(美國)의 단위. 1 토노 디 조지는 100 세제곱피트〔ft^3〕, 또는 2.8317 m^3에 해당된다.

토드(tod) [질량] 영국(英國)의 옛 단위. 주로 양모(羊毛)의 무게를 헤아리는 데 썼다. 1 토드는 28 파운드(pound), 또는 12.70 kg에 해당된다.

토르(tor, torr) [압력] '토리첼리(torricelli)'와 같다. 탁(乇·托).

토리 [수효] '토리(吐里)'와 같다.

토리(土里) [수효] '토리(吐里)'와 같다. 《華城城役儀軌 6, 財用 下》 苦椒六升, 朴古之四百一土里, 古非四十三級.

토리(吐里) [수효] '토리'의 차자 표기로, 실·박고지(朴古之)·노끈 따위 긴 물건을 둥글게 감은 뭉치의 수를 세는 데 쓰는 말. 토리(土里). 《進饌儀軌(純祖己丑) 2, 饌品》 饅燕湯一器……朴古之半吐里.

토리첼리(torricelli) [압력(壓力)] 진공에서 사용되는데, 1 수은주 밀리미터〔mmHg〕의 압력과 거의 같다. 토리첼리라는 명칭은 1643년 수은주(水銀柱)를 사용하여 처음으로 대기의 압력을 측정한 이탈리아의 물리학자 토리첼리(Torricelli, Evangelista ; 1608~1647)의 이름에서 유래된 것이다. 기호 : Tor, Torr

$$1\ \mathrm{Torr} = 1\ \mathrm{mmHg} = 1{,}000\ \mu\mathrm{mHg} = 1.333224\times10^{-3}\ \mathrm{bar} = 1.359510\ \mathrm{g/cm^2}$$

토막 [수효] 덩이리진 도막의 수를 세는 데 쓰는 말.

토만(tōmān) [통화] 이란의 현재 통화 단위. 1 토만은 리알(rial)의 10 배(倍)에 해당된다.

토몰로(tomolo) [부피] 이탈리아(Italia)의 옛 단위. 지방에 따라 다소 차이가 있는데, 나폴리(Napoli) 지방의 1 토몰로는 1.58 미(美) 부셸(bushel), 또는 55.5 l 에 해당된다.

토미니(tomini) [길이] 모로코의 고유 단위. 1 토미니는 2.81 인치, 또는 7.14 cm 에 해당된다.

토민(tomin) [질량] 스페인(Spain)의 옛 단위. 주로 은(銀)의 무게를 헤아리는 데 쓰였다. 1 토민은 아다르메(adarme)의 3 분의 1 이며, 9.25 그레인(grain), 또는 0.599 g 에 해당된다.

토바르(tovar) [질량] ❶불가리아(Bulgaria)의 단위. 1 토바르는 오카(oka)의 100 배(倍)이며, 282.6 파운드(pound), 또는 128.2 kg 에 해당된다. ❷유고슬라비아(Yugoslavia)의 단위. 1 토바르는 오카(oka)의 100 배(倍)이며, 282.2 파운드, 또는 128.0 kg 에 해당된다.

토움나(toumnah) [부피] 이집트(Egypt)의 단위. 1 토움나는 케다(kedah)의 8 분의 1 이며, 2.179 질(gill), 또는 0.2578 l 에 해당된다.

토질(土叱) [수효] '톳'의 차자 표기로, 김의 묶음을 세는 데 쓰는 말. 예전의 1 톳은 50 장 또는 40 장이고, 현재의 1 톳은 100 장이다. 토(吐). 《京畿邑誌, 華營事例, 從市直貿易秩》 海衣(五十張一土叱).

토치카(tochka) [길이] 러시아의 옛 단위. 1 토치카는 0.01 인치, 또는 0.254 mm 에 해당된다.

토포(topo) [넓이] 페루(Peru)의 고유 단위. 1 토포는 0.669 에이커(acre), 또는 27.06 아르〔a〕에 해당된다.

토프(toop) [부피] 에스토니아의 단위. 1 토프는 1.32 미(美) 액량(液量) 쿼트(quart), 또는 1.23 l 에 해당된다.

토프(top) [길이] 소말리아의 단위. 1 토프는 4.29 야드, 또는 3.92 m

에 해당된다.

토호이(tokhoj) [길이] 몽골(Mongol)의 단위. 1 토호이는 1 자〔尺 : 32 cm〕에 해당된다. 토호이는 팔꿈치와 손목 사이의 부분을 의미한다.

톤(ton, tonne) ① [질량] 톤에는 미터법에 의한 것과 야드(yard)·파운드법(pound 法)에 의한 것이 있는데, 야드·파운드법에 의한 것도 영국제(英國制)와 미국제(美國制)의 두 가지가 있다. 기호 : t ❶미터법에 의한 것은 미터 톤(metric ton), 혹은 프랑스 톤(佛 ton)이라 하는데, 킬로그램〔kg〕의 1,000 배(倍)에 해당된다.

1 t=1,000 kg
=2,204.62234 파운드
≒266 관(貫)

❷야드·파운드법에 의한 것 중, ㉮ 영국제는 영톤(英 ton) 또는 롱 톤(long ton), 대톤(大 ton)이라고 하며, 미국(美國)에서는 그로스 톤(gross ton)이라 하는데, 상용 파운드〔lb av.〕의 2,240 배(倍)에 해당된다.

1 t=2,240 lb av.
=20 롱 헌드렛웨이트
=1,016.04704 kg
≒271 관(貫)

㉯미국제는 미톤(美 ton) 또는 쇼트 톤(short ton), 소톤(小 ton), 또는 네트 톤(net ton ; netton)이라 부른다.

1 t=2,000 lb av.
=20 네트 헌드렛웨이트
=907.18486 kg
≒242 관(貫)

〈톤 일람표〉

명칭(名稱)	환산치(換算置)
메트릭 톤〔m/t〕 킬로톤 (kilo-ton) 불(佛) 톤 메트릭 톤 (metric-ton) 킬로톤 (kilo-ton)	1,000 kg 2,204.62 lb 1.10231 미(美) 톤 0.98421 영(英) 톤 266.666 관(貫) 1,666.66 일본 근(日本斤) 1.0 공둔(公屯)(중국) 2.0 시담(市擔)(중국) 2,000 시근(市斤)(중국)
롱톤(long-ton) 영(英) 톤 그로스 톤 (gross-ton) 〔l/t〕 돈(噸)	2.240 lb 20.0 long-cwt 1.01604704 불(佛) 톤 1.120 미(美) 톤 270.946 관(貫) 1,693.41 일본 근(日本斤) 20.32 시담(市擔)(중국)
쇼트 톤 (short-ton) 미(美) 톤 네트 톤 (net ton) 〔s/t〕 net-ton 스페니시 톤 (spanish-ton)	0.9071848 불(佛) 톤 0.892857 영(英) 톤 20 short·cwt 2,000 상용(常用)파운드 241.916 관(貫) 1,511.97 일본 근(日本斤) 18.143 시담(市擔)(중국) long-ton 1,030.4 kg

	short-ton 920.0 kg
용적(容積) 톤 (cubic-ton)	영국식(英國式) 40.0 ft^3 1.13264 m^3 미국식(美國式) 42.0 ft^3 1.18932 m^3 일본식(日本式) 40.0 세제곱 자〔尺〕 40.0 사이〔才〕 1,112836 m^3 1,000/253 m^3〔T〕 선박(船舶)의 용적(容積) 톤
중량(重量) 톤 (dead weight-ton) 〔D.W.〕;〔D.W. t〕	(1) 압력의 단위 (2) 선박(船舶) (3) 질량으로 표시한 톤. 영(英) 톤, 미(美) 톤, 불(佛) 톤, 스패니시 톤
배수(排水) 톤	해수(海水; 비중 1.026) 35 ft^3의 무게

2 [부피] ❶선박의 크기와 적재 능력(積載能力)을 나타내는 데 쓰는 말. 1톤은 100 세제곱 피트(2.83286 m^3)에 해당된다. ❷적재량을 나타내는 데 쓰는 말. 1톤은 40 세제곱 피트(1.13267 m^3)에 해당된다.

톤나(tonna) [질량(質量)] 러시아의 옛 단위. 1톤나는 비에르코비에스크(vierkoviesk)의 12배, 또는 1,965 kg에 해당된다.

톤란드(tonnland) [넓이] 에스토니아(Estonia)의 단위. 두 가지가 있다. ❶1톤란드는 1.283 에이커(acre), 또는 51.94 아르〔a〕에 해당된다. ❷1톤란드는 1.350 에이커, 또는 54.627 아르에 해당된다.

톤스텔레(tonnstelle) [넓이] 라트비아(Latvia)의 단위. 1톤스텔레는 1.286 에이커(acre), 또는 52.02 아르〔a〕에 해당된다.

톤킬로미터(ton-kilometer) [운수(運輸)] 화물(貨物)의 수송량을 나타내는 단위. 톤킬로미터는 화물의 톤수(數)와 수송한 거리를 곱한 것을 합하여 나타낸다. 돈공리(噸公里). 연돈공리(延噸公里). 기호 : t·km

톨 [수효] 곡식이나 작은 나무 열매 따위를 낱으로 세는 데 쓰는 말.

톨(toll) [길이] 에스토니아(Estonia)의 단위. 1톨은 1인치(inch), 또는 2.54 cm에 해당된다.

톨라(tola) [질량] 인도(印度)의 옛 단위. 1톨라는 치타크(chittak)의 5분의 1이며, 180 그레인(grain), 또는 11.664 g에 해당된다.

톰메(tomme) [길이] 덴마크(Denmark)의 고유 단위. 1톰메는 포드(fod)의 12분의 1이며, 1.03 인치, 또는 26.15 mm에 해당된다.

톳 [수효] 김의 묶음을 세는 데 쓰는 말. 예전의 1톳은 50장 또는 40장이고, 현재의 1톳은 100장이다. 토(吐). 토질(土叱).

통 [수효] ❶속이 차게 자란 배추·수박·박·호박 따위의 수를 세는 데 쓰는 말. 통(筩). ❷광목·옥양목·당목 따위의 일정한 길이로 짠 피륙을 하나치로 세는 데 쓰는 말. 필(疋)과 같은 뜻으로 쓰인다. 통

(桶).

통(桶) ① [부피] '통'·'초롱'의 뜻으로, 통에 물건을 담아 그 양을 헤아리는 데 쓰는 말. 통은 나무나 쇠 따위로 둥글고 크게 만든 그릇이다. 통(筒·箭). 《朝鮮世宗實錄 34, 8年11月丁巳》奉書謝賜物, 仍獻朱椀二百一箇……漉漆一十桶, 蠟燭五十炷. 《朝鮮端宗實錄 4, 卽位年10月辛丑》龍眼一盒, 荔枝一盒, 白沙糖一桶, 回回條兒一條. 《增補文獻備考 151, 田賦考, 貢制》戶曹啓, 元貢不足物種中, 眞魚五十八束, 青魚八十九束, 冬音石魚一千五百九束, 白蝦醢二十五桶二升, 當爲加定, 故臣與惠廳堂上相議, 請依此數加定. 允之. 《度支準折, 魚物》蘇魚醢一桶(二十介作一升, 三斗作一桶). 白蝦醢一桶(一斗, 重六斤四兩, 三斗作一桶). 卵醢一桶(一介卽二折里, 十介作一升, 三斗作一桶). ② [수효] ❶뿔〔角〕의 수를 낱으로 세는 데 쓰는 말. 개(介). 근(根). 부(部). 정(丁). 조(条). 지(枝). 《朝鮮顯宗實錄 9, 5年8月己丑》上命給戶曹常平見錢百二十貫……又令戶曹, 前給黑角四十桶外加給三十桶 以爲修造弓子之用. 《度支志, 內篇, 事例》黑角(四百二桶). 《度支準折, 牙角》黃角一桶, 価艮四兩. 小黃角一桶, 価艮三兩. 大黃角一桶, 価艮八兩四戔. 中黑角一桶, 価艮六兩. 病缺角一桶, 価艮一兩五戔. ❷광목·옥양목·당목 따위의 일정한 길이로 짠 피륙을 하나치로 세는 데 쓰는 말. 《尙方定例 1, 大殿》大布伍桶. 醬色三升拾肆桶. 土花色三升拾桶. 藍三升拾捌桶. ❸일정한 길이로 짠 피륙 10 필〔疋〕을 하나치로 세는 데 쓰는 말. 《度支志, 內篇, 事例》黑三升(三桶二疋). 《度支準折, 紬紵木布綿》大布一桶(一疋十二尺, 十疋作一桶), 銀十四兩. ❹일본(日本)의 단위. 활시위 20 오리를 하나치로 세는 데 쓰는 말.

통(通) ① [수효] ❶'통'·'건'의 뜻으로, 문서·증서·편지 따위의 수를 세는 데 쓰는 말. 각(角). 건(件). 도(度). 도(道). 봉(封). 장(丈·張). 종(宗). 지(紙). 찰(札). 폭(幅). 함(緘). 《高麗史 134, 辛禑傳》典獄署令金德生, 僞造檢校告身十五通, 事覺杖之. 《朝鮮世祖實錄 19, 6年2月甲子》賀正使咸成禹·副使權攀, 回自大明, 賚禮部咨文一通. 《朝鮮宣祖實錄 71, 29年正月庚午》臣崔遠議, 臣伏覩沈遊擊牒文一通, 反覆思惟, 則此誠出於事勢之不得已者也. 《朝鮮正祖實錄 16, 7年9月乙未》仍命綸音一通, 令諸道方伯·守令, 眞諺翻謄. ❷북이나 각(角)·소라〔螺〕 따위 악기를 치거나 부는 횟수를 세는 데 쓰는 말. 《高麗史 137, 辛禑傳》吹螺赤宋安, 登墻, 吹螺一通, 諸軍一時毁垣, 闌入于庭. 《朝鮮世宗實錄 112, 28年4月庚子》中軍·右軍於慕華舘東西, 左軍於訓鍊觀, 各樹其軍之旗, 擊鼓三通, 老牌及臺諫·政曹郎廳, 職帶知製敎兼春秋者則代身, 其餘當身, 並令着甲冑帶弓釰騎馬, 各就本軍旗下. 《朝鮮世宗實錄 133, 五禮, 軍禮儀式, 吹角令》上當出令時, 命內吹角人, 吹角一通……上召當爲將帥者三人, 授三軍纖文旗, 受

旗而出就其軍立之, 聽兵曹號令.《增補文獻備考 113, 兵考, 教閱, 陣說敎閱儀》各軍動靜, 專聽中軍, 指揮中軍, 角一通, 鼓一通, 各軍應之. ❸북을 333 번 치는 것을 하나치로 이르는 말.《丹鉛總錄, 瑣語》鼓三百三十三搥爲一通, 鼓止角動, 吹十二聲爲一疊, 故唐詩有疊鼓鳴笳之句. ❹(tōng) 중국의 단위. ㉮'벌'의 뜻으로, 옷의 수를 세는 데 쓰는 말.《南齊書, 武帝紀》唯裝複裌衣各一通,《南齊書, 張融傳》今送一通故衣, 意謂雖故, 乃勝新也.《二刻拍案驚奇 2》今若立一通石碑在亭中, 別請當今名筆寫此三字在內, 可垂永久. ㉯'번'·'차'·'회'의 뜻으로, 일의 횟수를 세는 데 쓰는 말.《說苑, 正諫》賓客諫之百通, 則不聽也.《眞誥, 協昌期》夜臥覺, 常更叩齒九通, 咽液九過. [2] [과거] 조선 시대 강경(講經) 시험의 하나. 선초(鮮初)에는 대통(大通)·통(通)·약통(略通)·조통(粗通)·불통(不通)의 다섯 등급이 있었으나, 그 이후에는 통(通)·약(略: 혹은 略通)·조(粗: 혹은 粗通)·불(不: 혹은 不通)의 네 등급으로 나누었다.《朝鮮世宗實錄 103, 26年2月己丑》禮曹啓文科講經節目. 一, 句讀·訓釋皆不錯誤, 講論雖不該通, 不失一章大旨者, 爲粗通. 一, 句讀·訓釋皆熟, 講論詳明, 雖通大旨, 未至融貫者, 爲略通. 一, 旣能句讀明白, 訓釋·辨說無疑, 開析義理, 融貫旨趣者, 爲通. 一, 句讀·訓釋·義理·旨趣, 旣皆曉釋, 又能連上接下, 曲暢旁通, 融貫一書大旨, 深得言意之表者, 爲大通. 一, 聖賢書義理無窮, 故學者所傳或異, 試官等當講經時, 生徒句讀及釋義, 或異於己指, 爲不通者有之. 今後生徒所見雖異, 文義皆通, 則試官等勿抱己見, 以從衆議.《慵齋叢話 2》擧子讀大文釋之, 試官講論註疏, 胥吏書通·略·粗·不四字, 以爲講籤, 各置於試官前.《經國大典 1, 吏典, 內侍府, 注》講所讀書, 通給別仕二, 略通一, 粗通半, 不通削仕三. [3] [점수] 벼슬아치의 근무 일수에 대한 고과 평점을 헤아리는 데 쓰는 말.《朝鮮世祖實錄 20, 6年6月辛酉》一, 曆算所十八人內, 唯二遞兒. 病三日則削一通, 無故一日削一通. 通未滿五十則不敍. [4] [인쇄] 인쇄(印刷)에서, 판(版)을 짜서 인쇄 기계에 걸어 인쇄할 때, 인쇄하는 매수(枚數)를 세는 데 쓰는 말. [5] [넓이] 1통은 정(井)의 10배(倍), 또는 9,000 묘(畝)에 해당된다.《漢書, 刑法志》地方一里爲井, 井十爲通, 通十爲成, 成方十里, 成十爲終.《通志, 食貨略, 田制》畝百爲夫, 夫三爲屋, 屋三爲井, 井十爲通, 通十爲成, 成十爲終, 終十爲同, 同方百里.

통(筒) [수효] ❶냄비〔銚〕나 제자(提子)의 수를 세는 데 쓰는 말. 병(柄). 본(本).《朝鮮文宗實錄 1, 卽位年3月己未》塗金屛風一雙, 銅銚幷提子各一十筒, 甘青一觔. ❷짐승 꼬리의 수를 세는 데 쓰는 말.《朝鮮世宗實錄 118, 29年11月壬辰》濟用監納毛獐皮一百二十三領, 減其半, 豹尾六筒, 毛鹿皮十八領. 工曹納牛皮三十領, 馬皮五領, 山猪皮二十領. ❸'통(桶)'의 [1]과 같다.

통(筩) [수효] ❶'통'의 차자 표기로, 속이 차게 자란 배추〔白菜〕·수박·박·호박 따위의 수를 세는 데 쓰는 말. 《進宴儀軌(高宗壬寅) 2, 饌品》七技湯一器. 陳鷄二首, 牛內心肉三斤, 海蔘十箇……艮醬一合, 白菜一筩, 生葱三本, 實栢子二夕, 胡椒末二錢, 猪背心肉二部. ❷농(籠)의 수를 세는 데 쓰는 말. 개(箇). 건(件). 부(部). 잔(盞). 척(隻). 태(駄). 《亂中日記, 丙申9月30日》朝反閱衣籠二筩, 送于古音川, 一筩共于營中.

통(統) ① [군사] ❶조선 시대, 군대 편제(編制)의 한 단위. 부(部)의 아래로서, 통장(統將)이 통솔하며, 정해진 수는 없었다. 《萬機要覽, 軍政編 1, 五衛, 衛制, 總例》大將有五衛, 每衛各有五部, 每部各有四統(衛·部·統, 實無定數). ❷민병(民兵) 조직의 한 단위. ㉮고려 시대, 열 집을 한 통으로 삼아 1인의 민병을 내게 하였다. 《高麗史 82, 兵志, 鎭戍》恭愍王二十二年五月, 以倭寇近島, 閱城中諸戶, 以十戶爲一統, 出一人赴防, 五日一代. ㉯조선 시대, 열 사람을 1통으로 삼았다. 《朝鮮世宗實錄 91, 22年11月乙丑》請令各道各官, 沿海居民, 每十人爲一統, 十家爲一隊, 槍劍·弓矢, 聽其自占, 各備兵器, 記籍於官. ② [행정] ❶조선 시대, 민호(民戶) 편제의 한 단위. 다섯 집을 한 통으로 삼고, 통주(統主)를 두어 다스리게 하였다. 《朝鮮端宗實錄 13, 3年正月乙丑》自今流品及有蔭子弟外, 以平民五戶爲一統, 其統內有容匿盜賊者, 勿論強·竊盜, 幷統戶全家徙邊. 《大典會通 2, 戶典, 戶籍》京·外以五戶爲一統, 有統主. 外則每五統有里正, 每一面有勸農官. ❷채삼(採蔘)을 위한 조직 단위. 채삼군(採蔘軍) 12인을 1통으로 짜되, 인원수에 가감이 있었다. 《萬機要覽, 財用編 4, 江界蔘把》採蔘軍, 本府二十七面, 家出一丁, 分作數百統, 統首領率入山, 而其入山也, 分水上·水下(每十二人爲一統, 而或加或減). ❸우리 나라 행정 조직의 한 단위. 시(市)·광역시(廣域市)·특별시(特別市)의 동(洞) 아래에 두고, 몇 개의 반(班)으로 구성된다. ③ [시간] ❶342년을 하나치로 헤아리는 데 쓰는 말. 《漢書, 律曆志》應曆一統(十九歲爲一章, 一統凡十八章). ❷1,539년을 하나치로 헤아리는 데 쓰는 말. 《漢書, 律曆志》終天之數, 得八十一, 以天地五位之合終於十者乘之, 爲八百一十分, 應曆一統千五百三十九歲之章數. 《論衡, 調時》積日爲月, 積月爲時, 積時爲歲, 千五百三十九歲爲統. ④ [수효] (tǒng) 중국(中國)의 단위. ❶'기(基)'의 뜻으로, 비석(碑石)의 수를 세는 데 쓰는 말. 《馬致遠, 薦福碑, 3折》打一統法帖碑, 去向京師賣. 《李壽卿, 伍員吹簫, 1折》我久已後索與他蓋一所設像的祠, 建一統紀節的碑. 《湯顯祖, 牡丹亭, 鬧殤》和俺小墳邊立斷腸碑一統. ❷나무나 목재, 또는 통 모양으로 된 긴 물건을 세는 데 쓰는 말. 《帝京景物略, 石經山》六月水漲, 爲浮大木千統.

통화(通話) [수효] 전화를 건 횟수,

또는 일정한 시간 내의 통화를 단위로 이르는 말.

퇴(堆) [수효] ❶'무더기'의 뜻으로, 물건을 한데 모아 수북이 쌓아 놓은 더미의 수를 세는 데 쓰는 말. 《漢淸文鑑 10, 產業, 捆堆》一堆, ᄒᆞᆫ 무덕이. 《韓愈, 廣宣上頻見過詩》兩堆十一, 一堆白骨, 數堆亂石, 又紅葉窗前有幾堆. 《中國童話》窮得家裏只剩一堆破書, 緊皺的眉頭從沒見他開殿過. ❷(duī) 중국(中國)의 단위. '무리'·'패'·'패거리'의 뜻으로, 어떤 관계로 여럿이 모여 이룬 동아리의 수를 세는 데 쓰는 말. 과(夥). 군(群). 기(起). 반(班). 배(輩). 비(批). 패(牌). 화(伙). 《喩世明言》一堆兒坐在艙裏, 只白着看.

퇴네(tϕnde) [부피] 덴마크(Denmark)의 단위. 1 퇴네는 건량(乾量)으로는 3.95 미(美) 부셀, 또는 139.1l 이고, 액량(液量)으로는 34.7 미(美) 갤런(gallon), 또는 131.4l 에 해당된다.

퇴네 란(tϕnde land) [넓이] 덴마크(Denmark)의 단위. 1 퇴네 란은 14,000 제곱 알렌(alen)이며, 1.363 에이커(acre), 또는 55.16 아르〔a〕에 해당된다.

퇴네 하르트 코른(tϕnde hart korn) [넓이] 덴마크(Denmark)의 단위. 1퇴네 하르트 코른은 7.10에이커(acre), 또는 283.69 아르〔a〕에 해당된다.

투(投) [수효] '번'·'회'의 뜻으로, 술을 빚은 횟수를 세는 데 쓰는 말. 《初學記 26》空桑穢飮, 醞以稷麥, 以成醇醪, 酒之始也, 烏梅女賨, 甜醹九投, 澄淸百品, 酒之終也.

투(套) [수효] ❶'벌'의 뜻으로, 은사(恩賜)나 헌상(獻上)하는 옷의 겉감과 안찝을 하나치로 세는 데 쓰는 말. 구(具). 대(對). 부(副·福). 사(事). 습(襲). 신(身). 엽(葉). 영(領). 요(腰). 전(揃). 착(著). 칭(稱). 《朝鮮定宗實錄 1, 元年正月己卯》上率宗親……不受賀禮, 上進表裏一套, 還殿冕服, 賀登極. 《朝鮮世宗實錄 46, 11年11月辛未》朝鮮事大至誠, 且遠人之情, 不可不聽, 朕已勑許蠲免, 毋庸固執, 帝待恭寧君裀, 甚厚. 賜以衣四襲, 表裏十套, 笠子·金犀帶各一腰. 《朝鮮睿宗實錄 5, 元年5月辛丑》仍賜伴人六人, 奴婢八口, 兵史三名, 田八十結, 銀二十五兩, 表裏一套. ❷'벌'·'조(組)'의 뜻으로, 한 벌로 된 옷·도구·가구 따위의 수를 세는 데 쓰는 말. 《李之藻, 同文算指》問, 用金八十一兩造杯, 一套五箇. 《簡愛》一個有玻離門的櫃, 裏面裝着幾本書, 和一套古磁器. ❸'질(帙)'의 뜻으로, 여러 권으로 된 책의 한 벌을 하나치로 세는 데 쓰는 말. 건(件). 반(伴). 본(本). 부(部). 사(事). 질(帙·秩·袠). ❹(tào) 중국(中國)의 단위. ㉮마차를 끄는 말〔馬〕의 수를 세는 데 쓰는 말. 강(羫). 골(骨). 구(口). 두(頭). 수(首). 제(蹄). 척(隻). 투(套). 필(匹·疋). 〈예〉三~膠皮輪大車. ㉯몫을 헤아리는 데 쓰는 말. 《水滸傳, 14回》如今我有一套富貴來與他說知, 固此而來. 《平妖傳, 35回》這一套富貴, 都是永兒作成的, 怎好負他. ㉰껍질의 수를 세

는 데 쓰는 말.《譯語類解, 補, 瑣說》一套, 흔 겹질.

투그리크(tugrik) [통화(通貨)] 몽골(Mongol)의 현재 통화 단위. 1 투그리크는 몽고(mongo)의 100 배(倍)에 해당된다.

투아즈(toise) [길이] 프랑스의 미터법 이전의 단위. 1 투아즈는 피에(pied)의 6 배(倍), 또는 1.949 m 에 해당된다.

투오크(thuoc) [길이] 베트남의 고유 단위. 시대에 따라 다소 차이가 있는데, 대략 1 투오크는 약 19.2 인치(inch), 또는 48.8 cm 에 해당된다.

투크리크(tukhrik) [통화(通貨)] 몽골(Mongol)의 옛 통화 단위. 1 투크리크는 뭉구(mungu)의 100 배(倍)에 해당된다. 러시아의 루블(rouble)과 같은 가치(價値)로 정하였다.

툰(tun) [넓이] 에스토니아(Estonia)의 단위. 1 툰은 2.7 에이커, 또는 1.093 헥타르〔ha〕에 해당된다.

툰나(tunna) [부피] ❶핀란드(Finland)의 단위. 1 툰나는 액량(液量)으로는 33.19 미(美) 갤런(gallon), 또는 125.63*l* 이고, 건량(乾量)으로는 4.679 미(美) 부셸(bushel), 또는 164.88*l* 에 해당된다. ❷스웨덴(Sweden)의 단위. 1 툰나는 칸나(kanna)의 56 배이며, 4.16 미(美) 부셸, 또는 144.30*l* 에 해당된다.

툰란드(tunland, tunnland) [넓이] 스웨덴·핀란드의 단위. 1 툰란드는 1.220 에이커(acre), 또는 49.36 아르〔a〕에 해당된다.

툼(tum) [길이] 스웨덴(Sweden)의 단위. 1 툼은 포트(pot)의 10 분의 1 이며, 1.17 인치, 또는 2.97 cm 에 해당된다.

툼바크(toembak) [부피] 인도네시아의 단위. 1 툼바크는 8.742 세제곱 야드〔yd^3〕, 또는 6.684 m^3 에 해당된다.

튠나 스미에르스(tunna smjörs) [질량] 아이슬란드〔Iceland〕의 고유 단위. 1 튠나 스미에르스는 푼드(pund)의 224 배(倍)이며, 246.9 파운드(pound), 또는 112 kg 에 해당된다.

튠다그슬라타(tundagslatta) [넓이] 아이슬란드(Iceland)의 단위. 1 튠다그슬라타는 페르파트무르(ferfathmur)의 900 배(倍)이며, 0.79 에이커(acre), 또는 31.9 아르〔a〕에 해당된다.

튬룽구르(thumlungur) [길이] 아이슬란드(Iceland)의 고유 단위. 1 튬룽구르는 페트(fet)의 12 분의 1 이며, 1.03 인치(inch), 또는 2.66 cm 에 해당된다.

트라사레누(trasarenu) [질량] 고대 인도(印度)의 단위. 아주 작은 것을 헤아리는 단위로, 격자(格子)를 통하여 들어오는 햇빛 속에 떠다니는 먼지를 뜻한다. 지금은 귀금속상에서 사용되는데, 1 트라사레누는 크리슈날라(krīshnala)의 1,296 분의 1 에 해당된다. 1 크리슈날라는 122 mg 이다.

트러그(trug) [부피] 영국(英國)의 옛 단위. 주로 보리의 양을 헤아리는 데 썼다. 1 트러그는 0.67 미(美) 부셸(bushel), 또는 23.62*l*에 해당된다.

트러스(truss) [질량] 영국(英國)의 단위. 건초(乾草)나 짚단의 무게를 헤아리는 데 쓴다. 예전의 건초 1단은 56 파운드(24.40 kg), 지금은 60 파운드(27.22 kg)이고, 짚 1단은 36 파운드(16.33 kg)이다.

트로이 온스(troy ounce) [질량] 야드(yard)·파운드법(pound法)의 한 단위. 주로 귀금속·보석의 무게를 헤아리는 데 쓴다. 1 트로이 온스는 트로이 파운드(troy pound)의 12분의 1이며, 480 그레인(grain), 또는 31.103481 g에 해당된다. 기호 : oz t

트로이 파운드(troy pound) [질량] 야드(yard)·파운드법(pound法)의 한 단위. 주로 귀금속과 보석의 무게를 헤아리는 데 쓴다. 1 트로이 파운드는 그레인(grain)의 5,760 배(倍), 또는 373.24177 g에 해당된다.

트론 웨이트(trone weight) [질량] 스코틀랜드(Scotland)의 옛 단위. 1 트론 웨이트는 21~28 온스(ounce), 또는 595.3~793.7 g에 해당된다.

트루옹(truong) [길이] 베트남의 고유 단위. 1 트루옹은 투오크(thuoc)의 10 배(倍)이며, 16.0 피트(feet), 또는 4.88 m에 해당된다.

트릴리온(trillion) [수(數)] ❶영국(英國)의 단위. 1 트릴리온은 100만 세제곱, 또는 10^{18}에 해당된다. ❷미국(美國)의 단위. 1 트릴리온은 1조(兆), 또는 10^{8}에 해당된다.

특랍모(特拉姆 : tèlāmǔ) [질량] 중국(中國)의 단위. '드램(dram)'의 음역(音譯).

특서미특(特西米特 : tèxīmǐtè) [길이] 중국(中國)의 단위. 데시미터(decimeter)의 음역(音譯). 1 특서미특은 1 미터의 10 분의 1, 또는 10 cm에 해당된다. 《形音義綜合大字典》特西米特, 法國長度名, 卽米突十分之一, 在我國標準制之爲公寸, 其略記爲粎.

특태(特太) [섬유] 일본(日本)의 단위. 굵기가 21 중(中) 이상의 생사(生絲)를 말한다.

티어스(tierce) [부피] 영국의 옛 단위. 1 티어스는 파이프(pipe)의 2분의 1이며, 42 와인 갤런(wine gallon), 또는 159 l에 해당된다.

티엠방(tiembang) [질량] 인도네시아(Indonesia)의 고유 단위. 1 티엠방은 0.01 테일(tael)이며, 5.96 그레인(grain), 또는 0.386 g에 해당된다.

티칼(tical) [질량] ❶태국(泰國)의 단위. 1 티칼은 231.5 그레인, 또는 15 g에 해당된다. ❷미얀마(Myanmar)의 단위. 1 티칼은 0.36 파운드(pound), 또는 16 g에 해당된다.

티프리(tipree) [부피] 인도(印度) 봄베이(Bombay) 지방의 단위. 1 티프리는 파라(parah)의 128 분의 1이며, 1.78 미(美) 건량(乾量) 쿼트(quart), 또는 0.86 l에 해당된다.

팀(team) [수효] 같은 일에 종사하는 일단(一團)의 사람이나 운동 경기에서 두 패로 나누어서 행하는 경기의 한편짝. 또는 그 수를 세는 데

쓰는 말.

팁(typp) [섬도(纖度)] 직물(織物)에서 쓰는 단위. 1 팁은 방사(紡絲) 1 파운드(453.592 g)에 대하여 1,000 야드(914.4 m)인 것을 말한다. 'thousand yard per pound'의 첫 글자를 딴 것이다.

파(巴 : bā) [1] [압력·기상] 중국(中國)의 단위. '바(bar)'의 음역(音譯). [2] [무효 전력(無效電力)] 중국의 단위. '바(var)'의 음역.

파(把) [1] [수효] ❶'자루'의 뜻으로, 칼이나 창(槍)의 수를 세는 데 쓰는 말. 구(口). 병(柄). 본(本). 요(腰). 정(挺). 진(振). 척(隻). 《高麗史 29, 忠烈王世家》六年二月己卯, 遣校尉鄭之演, 如元獻環刀三百七十八把.《朝鮮世祖實錄 4, 2年6月甲子》金興遣頭目, 進蛇毒劍一把, 驄白馬一匹, 紅纓三枚, 枕頭二部.《朝鮮成宗實錄 204, 18年6月甲申》金屛風一雙, 畫鶴松黑漆鞘柄大刀一十把, 螺帖柄鐩子一十把.《朝鮮宣祖實錄 41, 26年 8月戊子》今宜更揭帖, 專人送禮, 內下環刀一把, 粧弓一丁, 帷箭二十介, 並送之.《譯語類解, 補, 筭數》十把, 열 ᄌᆞ로. ❷가위의 수를 세는 데 쓰는 말. 매(枚). 협(挾).《萬機要覽, 財用編 1, 供上, 中宮殿》剪子三把(每把價一兩六錢).《三名日方物謄錄》剪子五把.《老乞大諺解, 下》剪子一百把(ᄀᆞ애 일 ᄇᆡᆨ ᄌᆞᄅᆞ). ❸'꼭지'·'줌'의 뜻으로, 박오가리〔朴右亘里〕따위 모숨을 지어 잡아맨 물건의 수를 세는 데 쓰는 말.《度支準折, 菜蔬》朴右亘里(一注之, 価錢五分. 一把, 価錢三分. 一沙里, 価錢二分).《韓詩外傳 6》夫鴻鵠一擧千里, 所恃者六翮爾, 背上之毛, 腹下之毳, 益一把, 飛不爲加高, 損一把, 飛不爲加下.《抱朴子, 僊樂》執吳唐草一把以入山, 山神喜, 必得之者.《晉書, 陶侃傳》嘗出遊, 見人持一把未熟稻. ❹병〔壺〕의 수를 세는 데 쓰는 말. 구(口). 좌(坐). 척(隻).《通文館志 4, 事大, 弔祭儀》祭幣檀香一束, 祭帛一疋, 銀壺一把, 銀爵三執, 白綾六疋. ❺부채의 수를 세는 데 쓰는 말. 매(枚). 병(柄). 본(本). 봉(封).《朝鮮世宗實錄 21, 5年7月己丑》源平義俊·平滿景等, 使人來獻……金欄一段, 華段子一段……墨一百挺……扇子二十把, 大刀二柄, 蠟燭二百挺.《朝鮮世祖實錄 21, 6年7月辛巳》贈序班十升黑麻布八匹, 油紙席二張, 又以油籠一百, 摺扇二百把.《朝鮮成宗實錄 182, 16年8月戊申》別幅長刀一對, 鎧一領, 諸綠具朱漆鐩子一對, 屛風一雙, 疊畫扇二十把. ❻떡 10 개를 하나치로 세는 데 쓰는 말. 조종(篠粽)은 일본 사람이 만들어 먹는 떡의 한 가지로, 우리 나라의 골무떡과 비슷한데 댓잎으로 싸서 찌며, 모양이 죽순과 같다.《海行摠載, 申靑泉海遊錄》有曰篠粽者, 如我國拇餠, 而裹竹葉以蒸, 狀如竹笋, 以十顆爲一把. ❼주주(酒注)의 수를 세는 데 쓰는 말. 주주는 술을 담아 잔에 따르는 그

릇이다.《朝鮮文宗實錄 3, 卽位年 8月 丁丑》尹鳳進錦犀瑪瑠帶一腰……紫楪二十七事, 花茶鍾六事, 青苗金酒注一把, 青畫白堤碗十事. ❽저울의 수를 세는 데 쓰는 말. 개(介). 반(槃). 부(部). 연(連). 좌(坐).《老乞大朴通事諺解, 單字解》連, 及也, 幷也. 又稱一把曰一連. 又膺一箇曰一連. 字又作聯. ❾군사들이 인삼밭의 파수를 보는 곳. 또는 그 수를 세는 데 쓰는 말.《萬機要覽, 財用編 4, 江界蔘把》苗節, 以每把一將三卒, 分把八處, 丹・黃兩節, 以每把一將十卒, 分把三十處, 而使之交替防守, 又令防軍一邊防戍, 一邊採蔘. ❿일본(日本)의 단위. ㉮'두름'의 뜻으로, 나물을 짚으로 두 줄로 엮은 것의 수를 세는 데 쓰는 말. 급(級). 동음(冬音). 동을음(冬乙音). 모(茅). 체(締). ㉯'줌'의 뜻으로, 푸성귀・땔나무・짚 따위의 묶음의 수를 세는 데 쓰는 말. 곤(捆・綑). 단(丹). 속(束). 제(穧).《羣書類從 2》粮稻九十八束三把二分. ㉰'꼭지'의 뜻으로, 미역 따위 모숨을 지어 잡아맨 수를 세는 데 쓰는 말. ㉱'꾸러미'의 뜻으로, 달걀 10 개를 하나치로 세는 데 쓰는 말. 포(包). ㉲'죽'의 뜻으로, 그릇 10 벌을 하나치로 세는 데 쓰는 말. 죽(竹). ㉳화살의 수를 세는 데 쓰는 말. 개(箇). 근(筋). 매(枚). 본(本). 시(矢). 조(条). 지(枝). 척(隻). 편(編). ② [길이] ❶배의 크기를 나타내는 데 쓰는 말. 10 자〔尺〕를 1 파, 5 자를 반파(半把)라 하였는데, 이 파의 수로서 배의 크기를 정하고, 그 크기에 따라 조세를 징수하였다.《萬機要覽, 財用編 3, 海稅》新造者呈本官, 尺量定等數錄案, 刻字烙印, 量舡尺準營造尺之半, 十尺爲把.《增補文獻備考 158, 財用考, 魚鹽, 均役廳海稅》各道船隻大小, 皆以把數量定, 一把分爲十尺, 十尺爲一把, 五尺爲半把, 三尺以上, 雖未滿五尺, 而亦稱半把, 兩尺九寸以下勿計, 八尺以上, 雖未滿十尺, 而亦稱一把, 七尺九寸以下勿計. ❷'발'의 뜻으로, 두 팔을 잔뜩 벌린 길이. 또는 그 수를 세는 데 쓰는 말. 비(臂). 탁(托・庹).《朝鮮中宗實錄 78, 29年11月丙戌》傍有彩船無數……所掛大帆長可二十餘把, 廣可八把許, 俺等所乘, 乃中船也.《朝鮮肅宗實錄 13上, 8年2月己卯》安州北洞, 有巖石, 已未正月, 自東移西, 至二十七把許, 今又向西, 移至三十二把.《與猶堂全書, 雅言覺非》一庹者, 兩腕之引長也(庹音託, 方言曰발)……乃東語, 一庹謂之一把(발).《關西邑誌, 三和府邑誌, 事例》細繩十把(生麻一斤, 作細繩一百六十把). 《孝宗寧陵山陵都監儀軌, 座目》藁索十四同, 每同五十沙里, 每沙里三十把. 藁草編飛乃二百七十同, 每同六舍音式, 各長十五把.《度支準折 草物》杻繩一沙里, 長五十把, 細繩一斤, 每把重二戔, 每把長三尺. ❸'뼘'의 뜻으로, 엄지손가락과 다른 손가락을 잔뜩 벌리어 잰 길이. 또는 그 수를 세는 데 쓰는 말. 위(圍). 지(指). 찰(札). 책(搩). 파(把).《朴通事諺解, 上》此着只一把長短鉸了(그저 ᄒᆞᆫ 뼘 기릐롤 견초와 ᄆᆞᆫ처). ❹'아름'의 뜻

으로, 두 팔을 벌려 껴안은 둘레의 길이. 또는 그 수를 세는 데 쓰는 말.《萬機要覽, 財用編 3, 海稅, 收稅式, 湖南舡》鹽盆(長廣周回七把爲大釜 四把爲中釜, 二把半爲小釜).《增補文獻備考 158, 財用考, 均役廳海稅》全羅道煑鹽, 有鐵盆·土盆又有大·中·小, 其長廣周回七把者爲大釜, 而土厚柴賤, 漁場市便近者爲一等, 其次爲二等, 又其次爲三等. ③ [넓이] '줌'의 뜻으로, 조세(租稅)를 계산하기 위한 토지 면적의 단위. 조선 시대에는 양전척(量田尺)으로 한 자 평방의 넓이인데, 10 줌이 1 뭇〔束〕, 10 뭇이 1 짐〔負〕, 1백 짐이 1 목〔結〕이 된다. 악(握).《萬機要覽, 財用編 2, 田結, 田制》一握者, 謂之把, 遞以上之至于結, 十把爲束, 十束爲負(或稱卜. 今每一負出租一斗), 百負爲結(俗音 먹), 八結爲夫(或稱矣. 佃夫中擇定戶首, 收納八結應納之役).《經國大典 2, 戶田, 量田》實積一尺爲把, 十把爲束, 十束爲負, 百負爲結. 一等田一結准三十八畝, 二等田四十四畝七分, 三等田五十四畝二分, 四等田六十九畝, 五等田九十五畝, 六等田一百五十畝. ④ [질량] 무게의 단위. 1 파는 10 냥(兩)에 해당된다.《通文館志 6, 交隣, 受回答書》臺子諸具五飾, 八丈紬二百端, 越前綿五百把(一把重十兩), 年月日以下同. ⑤ [부피] ❶ '줌'의 뜻으로, 주먹으로 쥘 만한 분량. 또는 그 양을 헤아리는 데 쓰는 말. 결(紓). 악(握). 파자(把子). 촬(撮).《高麗史 118, 趙浚傳》造成都監, 初因宮厰之作而置, 後以繕工之職歸之, 使管一國材鐵之用, 遣官吏而煩驛騎, 竭民財而盡其力, 一木之曳, 至斃十牛, 一爐之冶, 至廢十農, 一束之麻, 一把之葛, 至費十布, 取之於民也, 剝膚椎髓用之於私也, 如泥如沙.《救急簡易方諺解 2, 48 b》霍亂洞下不止, 艾(뿍)一把, 水三升, 煮取一升, 頓服之艮(도와리ᄒᆞ야 ᄀᆞ장 즈츼요미 긋디 아니커든 뿍 한 줌을 믈 서 되예……).《六典條例 6, 禮典, 捧用》海艾, 南陽三十級, 水原二十把, 仁川十級, 豊德二十級, 永宗十編, 白翎百編, 富平二十級.《老乞大朴通事諺解, 單字解》把(ᄒᆞᆫ 줌. 又 ᄒᆞᆫ ᄌᆞᄅᆞ). ❷ '다발'의 뜻으로, 꽃이나 푸성귀·땔감·토막〔吐木〕 따위의 수량을 헤아리는 데 쓰는 말.《朝鮮文宗實錄 3, 卽位年9月己酉》請定其所收之價, 炭一石, 豐年則米十斗, 儉年則七斗, 大不等木一條……吐木一把.

파(派 : pài) [수효] 중국(中國)의 단위. ❶앞에 일(一)자를 붙여 사용한다. ㉮소리에 대하여 쓴다.《上雜京詠 1》一派蕭韶起半空, 水晶行殿玉屛風.《水滸傳, 1回》只見上淸宮許多道衆, 鳴鐘擊鼓, 番花燈燭, 幢幡寶蓋, 一派仙樂, 都下山求迎接丹詔.《醒世恒言, 蔡瑞虹忍辱報仇》那兩個漢子道, 小人並沒此事, 都是一派胡言.《西廂記諸宮調 6》順風聽得喊聲一派, 不知爲箇甚. ㉯경치에 대하여 쓴다.《鏡花綠, 60回》正是桃杏初開, 柳芽吐翠, 一派春光, 甚覺可愛. ㉰말〔言〕에 대하여 쓴다.《王昭君, 3幕》毛延壽, 向毛淑姬……像屈原那一派瘋話便是詩文

上的邪道, 幸好我們現刻是把它擺脫乾淨了. ❷파별(派別)·유파(流派) 따위의 수를 세는 데 쓰는 말. 《馬永卿, 嬾眞子》杜氏凡五房, 一京兆, 二杜陵, 三襄陽, 四洹水, 五濮陽, 而杜甫一派, 不在五派之中, 豈仕宦不達乎, 何家譜見遺也. 《耶律楚材, 代水陸疏文詩》五派分流道愈深, 塵中誰識本來心. 《朱子語類 94》程子承周子一派, 都是太極中發明. ❸물줄기의 수를 세는 데 쓰는 말. 《說苑, 君道》禹鑿江以通於九派, 灑五湖而定東海. 《郭璞, 江賦》源二分於崌崍, 流九派乎潯陽. 《孟浩然, 自潯陽泛舟經明海作詩》大江分九派, 淼漫成水鄕. 《徐禎卿, 彭蠡詩》地湧三辰動, 江連九派深.

파(破) [수효] ❶'폭(幅)'·'도막'·'조각'의 뜻으로, 종이·피륙·널빤지 같은 것의 조각의 수를 세는 데 쓰는 말. 《萬機要覽, 財用編 1, 供上, 大殿, 誕日》封頭搗鍊紙十破一折. 大口魚一百一尾及三破一(每尾價七錢二分). 《度支志, 外篇, 版籍司, 端午》 封頭搗鍊紙十破一折. 《新唐書, 車服志》凡襇色衣不過十二破, 渾色衣不過六破. 《事物紀原, 衣裘帶服部》實錄曰, 隋煬帝作長裙十二破, 名仙裙. ❷'바탕'·'차례'의 뜻으로, 어떤 일이 한 번 끝나는 동안. 또는 그 수를 세는 데 쓰는 말. 진(陣). 《古今釋林 4, 曆代方言, 釋天》俗呼錄, 雨一陣爲一破. 又以一番一起爲一潑.

파고다(pagoda) [질량] 인도(印度) 마드라스(Madras) 지방의 단위. 지역에 따라 다소 차이가 있는데, 대략 1 파고다는 세르(ser)의 80 분의 1 이며, 54.7 그레인, 또는 3.54 kg 에 해당된다.

파곳(fagot) [질량] 영국(英國)의 단위. 주로 철강(鐵鋼)의 무게를 헤아리는 데 쓴다. 1 파곳은 120 파운드(pound), 또는 54.43 kg 에 해당된다.

파글(pagl) [부피] 덴마크의 단위. 1 파글은 포트(pot)의 4 분의 1 이며, 0.51 액량(液量) 파인트(pint), 또는 0.242l 에 해당된다. 파글렐(paglel).

파글렐(paglel) [부피] 덴마크의 단위. '파글(pagl)'과 같다.

파남(fanam) ① [질량] 인도(印度) 마드라스(Madras) 지방의 단위. 1 파남은 80 카슈(cash)와 같다. 지역에 따라 다소 차이가 있는데, 1 파남은 약 1.519 그레인(grain), 또는 98.44 mg 에 해당된다. ② [통화] 인도(印度)의 토후국(土侯國)인 트라방코르의 통화 단위. 1 파남은 루피(rupee)의 8 분의 1 에 해당된다.

파네가(fanega) ① [넓이] 멕시코(Mexico)의 단위. 1 파네가는 8.81 에이커(acre), 또는 3.57 헥타르〔ha〕에 해당된다. ② [부피] 스페인(Spain)이나 중남미(中南美) 각국 및 모로코(Morocco) 등지의 단위. 1 파네가는 나라에 따라 다소 차이가 있는데, 이를 표(表)로 보이면 다음과 같다.

국 명	미(美) 부셸	영(英) 부셸	리 터
스 페 인	1.58	1.53	55.50
아르헨티나	3.89	3.77	137

칠 레	2.75	2.67	96.99
코스타리카	11.35	11.00	400
쿠 바	3.0	2.9	105.7
도미니카	1.57	1.53	55.5
에콰도르	1.57	1.53	55.5
엘살바도르	1.57	1.53	55.5
과테말라	1.58	1.53	55.6
멕 시 코	2.577	2.497	90.8
파라과이	8.17	7.92	288
베네수엘라	3.33	3.23	117.5
지브롤터	1.60	1.55	56.35
모 로 코	1.59	1.54	56

파네가다 (fanegada) [넓이] 스페인(Spain)에서 유래된 관용(慣用) 단위. ❶스페인의 단위. 1 파네가다는 1.59 에이커(acre), 또는 64.4 아르〔a〕에 해당된다. ❷페루의 단위. 1 파네가다는 1.59 에이커, 또는 64.5 아르에 해당된다. ❸베네수엘라(Venezuela)의 단위. 1 파네가다는 1.73 에이커, 또는 69.9 아르에 해당된다. ❹카나리아 제도(Canarias 諸島)의 단위. 1 파네가다는 1.30 에이커, 또는 52.5 아르에 해당된다.

파니 (巴尼 : bāni) [통화] 중국(中國)의 단위. '바니(bani)'의 음역(音譯).

파단마스리 (faddānmasri) [넓이] 이집트(Egypt)의 단위. 1 파단마스리는 333⅓ 제곱 카사바(qasaba)이며, 1.038 에이커, 또는 42.01 아르〔a〕에 해당된다. 페단(feddān).

파덴 (faden) ① [길이] 에스토니아(Estonia)의 단위. 1 파덴은 아르신(arshin)의 3 배(倍)이며, 2.33 야드(yard), 또는 2.13 m 에 해당된다. ② [부피] 라트비아(Latvia)의 단위. 1 파덴은 5.33 세제곱 야드〔yd^3〕이며, 4.077 스테르(stère), 또는 4.077 m^3에 해당된다.

파트무르 (fathmur) [길이] 아이슬란드(Iceland)의 단위. 1 파트무르는 페트(fet)의 6 배(倍)이며, 2.06 야드(yard), 또는 1.88 m 에 해당된다.

파딩 (farthing) [통화] 영국(英國)의 동화(銅貨). 1 파딩은 펜스(pence)의 4 분의 1 에 해당된다.

파라 (para) ① [질량] 북(北)보르네오(Borneo)의 단위. 1 파라는 90 파운드, 또는 40.8 kg 에 해당된다. ② [통화] ❶터키의 단위. 1 파라는 리라(lira)의 4,000 분의 1, 또는 피아스트르(piastre)의 40 분의 1 에 해당된다. ❷유고슬라비아(Yugoslavia)의 단위. 1 파라는 디나르(dinar)의 100 분의 1 에 해당된다. 파랍(帕拉). ❸이집트(Egypt)의 단위. 1 파라는 구에르세(guerche)의 40 분의 1 에 해당된다.

파라 (parah, para, parrah) [부피] ❶인도(印度) 봄베이(Bombay) 지방의 단위. 1 파라는 100 미(美) 건량(乾量) 쿼트(quart)이며, 96.9 영(英) 쿼트, 또는 110 l 에 해당된다. ❷인도 마드라스(Madras) 지방의 단위. 1 파라는 55.68 미(美) 건량 쿼트이며, 53.96 영(英) 쿼트, 또는 61.32 l에 해당된다. ❸스리랑카(Sri Lanka)의 단위. 1 파라는 23.1 미(美) 건량 쿼트이며, 22.4 영(英) 쿼트, 또는 25.4 l 에 해당된다. ❹말라카(Malacca) 지방의 단위. 1 파라는 41.28 미(美) 건량(乾量) 쿼트이며, 40 영(英) 쿼트, 또

는 45.46l 에 해당된다.

파라상(parassang) [길이] 고대 이란(Iran)의 단위. 예전의 1 파라상은 4.0 마일(mile), 또는 6.4 km 이고, 현재의 1 파라상은 파르사크(farsakh)와 같으며, 3.88 마일, 또는 6.24 km 에 해당된다. 파르사크(farsakh).

파랍(帕拉 : pàlā) [통화] 중국(中國)의 단위. '파라(para)'의 음역(音譯).

파르데(farde) [부피] 이집트의 단위. 대(大)파르데는 3.28 미(美) 부셸(bushel)이며, 3.18 영(英) 부셸, 또는 115.51l 이고, 소(小)파르데는 1.64 미(美) 부셸이며, 1.59 영(英) 부셸, 또는 57.75l 에 해당된다.

파르도(fardo) [질량] 필리핀의 단위. 주로 담배의 무게를 헤아리는 데 쓴다. 1 파르도는 33.5 파운드, 또는 15.2 kg 에 해당된다.

파르마크(parmak, parmack) [길이] 터키(Turkey)의 고유 단위. 1 파르마크는 아르신(aršin)의 24 분의 1 이며, 1.083~1.250 인치, 또는 2.752~3.175 cm 이고, 미터계로는 4.167 cm 에 해당된다.

파르사크(farsakh) [길이] ❶아라비아(Arabia)의 단위. 1 파르사크는 3.001 마일(mile), 또는 4.83 km 에 해당된다. ❷이란(Iran)의 단위. 1 파르사크는 3.88 마일, 또는 6.24 km 에 해당된다. 최근의 미터법(法)으로는 10 km 이다. 파라상(parassang). ❸에티오피아(Ethiopia)의 단위. 1 파르사크는 3.15 마일, 또는 5.75 km 에 해당된다.

파르토(parto) [질량(質量)] 몰타섬(Malta 島)의 고유 단위. 1 파르토는 로틀(rotl)의 480 분의 1 이며, 25.5 그레인(grain), 또는 1.65 g 에 해당된다.

파믄(famn) [길이] 스웨덴의 고유 단위. 1 파믄은 푀테르(fötter)의 6 배(倍)이며, 5.84 피트(feet), 또는 1.78 m 에 해당된다.

파븐(favn) [길이] 덴마크의 단위. 1 파븐은 푀데르(fødder)의 6 배(倍)이며, 2.06 야드(yard), 또는 1.88 m 에 해당된다.

파사(派沙 : pàishā) [통화] 중국(中國)의 단위. '파이사(paisa)'의 음역(音譯).

파사잡(帕斯卡 : pàsīkǎ) [압력] 중국(中國)의 단위. '파스칼(pascal)'의 음역(音譯).

파섹(parsec) [천문] 천문학상(天文學上)의 거리 단위. 어떤 천체에서 본 지구와 태양과의 사이의 최대 각도가 1 초(秒)일 때, 그 천체와 태양과의 거리를 말한다. 1 파섹은 3.084×10^{13} km, 또는 3.259 광년(光年)에 해당된다. 묘차거(秒差距). 기호 : pc

파소(paso) [길이] 스페인(Spain)의 단위. 1 파소는 바라(vara)의 1⅔ 배(倍)이며, 1.52 야드(yard), 또는 1.39 m 에 해당된다.

파소(passo) [길이] 브라질의 단위. 1 파소는 페(pé)의 5 배이며, 1.80 야드(yard), 또는 1.65 m 에 해당된다.

파수스(passus) [길이] 고대 로마(Roma)의 단위 1 파수스는 페스

(pes)의 5배(倍)이며, 4.854 피트(feet), 또는 1.479 m에 해당된다.

파스(Fass) [부피] ❶오스트리아(Austria)의 단위. 1파스는 마스(Mass)의 400배(倍)이며, 150 미(美) 갤런(gallon), 125 영(英) 갤런, 또는 5.69 헥토리터〔hl〕에 해당된다. ❷독일 바이에른 지방의 단위. 1파스는 마스(Mass)의 1,600배이며, 452 미(美) 갤런, 376 영(英) 갤런, 또는 17.1 헥토리터에 해당된다. ❸러시아(Russia)의 단위. 1파스는 130 미(美) 갤런이며, 108.2 영(英) 갤런, 또는 491.96 l에 해당된다. 보치카(bochka).

파스칼(pascal) [압력] 압력의 엠케이 에스 단위(M.K.S. 單位). 1파스칼은 1 N/m²=10 dyn/cm² 와 같다. 1969년에 SI 단위계로 되었다. 파사잡(帕斯卡). 기호 : Pa

파알(paal) [길이] 인도네시아의 단위. ❶자바(Java) 지방의 단위. 1파알은 1,648 야드(yard), 또는 1,507 m에 해당된다. ❷수마트라(Sumatra) 지방의 단위. 1파알은 1,151 마일, 또는 1,852 m에 해당된다.

파앙가(paanga) [통화] 오세아니아(Oceania)의 통가 왕국(Tonga 王國)의 현재 통화 단위. 1파앙가는 100 세니티(seniti)에 해당된다.

파운달(poundal) [힘] 힘의 피트(feet)·파운드법(pound 法)의 한 단위. 1피트 매 제곱 초(ft/s²)의 가속도를 주는 힘을 말한다. 기호 : pdl

$$1 \text{ 파운달} = 1.3825 \times 10^4 \text{ 다인} = 0.13825 \text{ 뉴턴}$$

파운드(pound) [1] [질량] 야드·파운드법(法)의 기본 단위. 1파운드는 16 온스(ounce)이며, 7,000 그레인(grain), 또는 0.45359237 kg에 해당된다. 1 kg은 2.20462260 파운드이다. 영담(英擔). 기호 : lb.
[2] [통화] ❶영국(英國 : £Stg)·아일랜드(Ireland : £Ir)·자메이카(Jamaica)·말레이시아·나이지리아(Nigeria)의 단위. 1파운드는 20 실링(shilling)에 해당된다. 영방(英鎊). 기호 : £ ❷키프로스(Kypros)의 단위. 1파운드는 1,000밀(mil)에 해당된다. 기호 : £C ❸이스라엘(Israel)의 단위. 1파운드는 100 아고로트(agorot)에 해당된다. 기호 : I£ ❹레바논(Lebanon : h£)·리비아(Libya)·수단(Sudan : £Sd)·시리아(Syria : £S)의 단위. 1파운드는 100 피아스트르(piastre)에 해당된다.

파운드 시실리안(pound sicilian) [질량] 이탈리아(Italia)의 단위. 1파운드 시실리안은 0.3176 kg에 해당된다.

파운드 이니안(pound inian) [질량] 그리스(Greece)의 단위. 1파운드 이니안은 0.4536 kg에 해당된다.

파운드 지아르 베네티안(pound Gr venetian) [질량] 그리스의 단위. 1파운드 지아르 베네티안은 0.48 kg에 해당된다.

파이(pai) [질량] 미얀마(Myanmar) 양곤(Yangon) 지방의 단위. 1파이는 비스(vis)의 1,600분의 1이며, 구제(舊制)로는 15.97 그레

인, 또는 1.034 g 이고, 근대에는 15.75 그레인, 또는 1.021 g 에 해당된다.

파이마네(paimaneh) [부피] 이란(Iran)의 고유 단위. 1 파이마네는 1.06 미(美) 액량(液量) 쿼트, 또는 1.00 l 에 해당된다.

파이사(paisa) [통화] ❶파키스탄(Pakistan)의 현재 보조 통화 단위. 1961년 1월에 안나(anna ; 루피의 16 분의 1)를 폐지하고 이를 채택하였다. 1 파이사는 루피(rupee)의 100 분의 1 에 해당된다. 파사(派沙). ❷아프가니스탄의 옛 통화 단위. 1 파이사는 디나르(dinar)의 100 배(倍)에 해당된다. ❸네팔(Nepal)의 보조 통화 단위. 1 파이사는 모하르(mohar)의 32 분의 1 에 해당되었다. 파사(派沙).

파이세(paise) [통화] 인도(印度)의 현재 보조 통화 단위. 1957년 5월에 안나(anna ; 루피의 16 분의 1)를 폐지하고 이를 채택하였다. 1 파이세는 루피(rupee)의 100 분의 1 에 해당된다.

파이프(pipe) [부피] 영국·미국의 단위. 주로 액체의 양을 헤아리는 데 쓴다. 1 파이프는 혹스헤드(hogshead)의 2 배이며, 105 영(英) 갤런(gallon), 또는 477.0 l 에 해당된다.

파인트(pint) [부피] 야드(yard)·파운드법(pound 法)의 한 단위. ❶영국(英國)과 미국(美國)의 단위. 액량(液量)과 건량(乾量)의 두 가지가 있는데, 액량 중 영국(英國)에서는 쿼트(quart)의 2 분의 1 이며, 34.68 세제곱 인치〔in^3〕, 4 질(gill), 또는 0.568 l 에 해당되고, 미국(美國)에서는 쿼트의 2 분의 1 이며, 28.875 세제곱 인치, 4 질, 또는 0.4732 l 에 해당된다. 건량은 쿼트의 2 분의 1 이며, 33.60 세제곱 인치, 또는 0.5506 l 에 해당된다. 품(品). 품탈(品脫). 기호 : pt ❷스코틀랜드의 단위. 1 파인트는 3.0 영(英) 파인트, 또는 1.71 l 에 해당된다. 품(品). 품탈(品脫). 기호 : pt

파자(把子 : bǎ·zi) ① [수효] 중국(中國)의 단위. '무리'·'패'의 뜻으로, 동아리의 수를 세는 데 쓰는 말. 《北齊書, 高阿那肱傳》 一把子賊, 馬上刺取, 擲着汾河中. 《紅樓夢, 7回》 二十年頭裏的焦大太爺眼裏有誰, 別說你們這一把子的雜種們. ② [부피] 중국(中國)의 단위. '파(把)'의 ⑤❶과 같다. 《兒女英雄傳, 1回》就便用個部屬, 作呢還作得來, 但是這個年紀還靴桶兒裏掖着一把子稿, 滿道四處去找堂官, 也就露着無趣.

파자크(pajak) [부피] 러시아(Russia)의 단위. 1 파자크는 체트비에리크(chietvierik)의 2 배(倍)이며, 1.49 미(美) 부셸(bushel), 또는 52.48 l 에 해당된다.

파장(巴掌 : bāzhǎng) [수효] 중국(中國)의 단위. '번'의 뜻으로, 손바닥으로 뺨을 때리거나 물체를 치는 횟수를 세는 데 쓰는 말. 《幸福》 我又走到方卓前面, 在方卓上拍了一巴掌, 大聲對着妻的臉說.

파카(paka) [질량(質量)] 도미니카의 단위. 1 파카는 50.0 kg 에 해당된다.

파타카(pataca) [통화] 마카오의 현재 통화 단위. 1 파타카는 100 아보(avo)와 같다. 기호 : P

파톰(fathom) [부피] 노르웨이·스웨덴(Swedeny)의 단위. 1 파톰은 216 세제곱 피트〔ft^3〕, 또는 612 m^3에 해당된다.

파티케이트(particate) [넓이] 스코틀랜드(Scotland)의 단위. 1 파티케이트는 에이커(acre)의 4 분의 1, 또는 1,271.8 m^2에 해당된다.

파파아(巴波亞 : bābōyà) [통화(通貨)] 중국(中國)의 단위. '발보아(balboa)'의 음역(音譯).

판 [수효] 바둑이나 장기에서 승부를 가리기 위하여 둔 대국(對局)의 수를 세는 데 쓰는 말. 보(步).

판(板) [1] [수효] ❶목판(木版)의 수를 세는 데 쓰는 말. 목판은 나무에 글·그림 등을 새긴 인쇄용의 판이다. 건(件). 엽(葉). 《高麗史 8, 文宗世家》九月己巳, 忠州牧進新雕黃帝八十一難經……張仲卿五臟論九十九板, 詔置秘閣. 《高麗史 8, 文宗世家》十二年四月……李靖恭進新雕三禮圖五十四板, 孫卿子書九十一板, 詔置秘閣, 仍賜衣襨. 《北漢誌, 寺刹, 太古寺》刻四書三經具諺解, 小微通鑑·十九史略·唐詩品彙·古文百選·喪禮備要·剪燈新話·三韻通考·千字文·朱子筆, 共五千七百板. ❷'자루'의 뜻으로, 먹〔墨〕의 수를 세는 데 쓰는 말. 매(枚). 병(餅). 장(張). 정(丁·挺·錠). 쾌(快). 편(片). 홀(笏). 《羣都目》墨曰一板. ❸'대'의 뜻으로, 곤장을 치는 수를 세는 데 쓰는 말. 곤(棍). 권(拳). 도(度). 돈(頓). 매(枚). 장(杖). 타(打). 《欽欽新書 2, 馬瑞圖假命申詳》斷將舍那身屍, 備祭埋墓, 以贖其愆, 仍枷責四十板……板者, 竹簡也, 四十板, 竹簡四十下也. ❹달걀 30 개를 오목오목하게 반(半) 달걀꼴로 파인, 종이 또는 플라스틱 판에 세워 담은 것을 하나치로 세는 데 쓰는 말. ❺음악의 절주(節奏)에서 작은 단락의 수를 세는 데 쓰는 말. 《兒女英雄傳, 19回》他活了這樣大年紀, 從不曾照今日這等按着三眼一板的說過話. 《品花寶鑑, 41回》你眞不會唱, 何以其中的深微奧妙都知道, 且人偶然唱錯了一板, 你總聽得出來的. [2] [길이] ❶1 판은 2 자〔尺〕에 해당된다. 판(版). 《戰國策, 趙策 1》智伯從韓·魏以攻趙, 圍晉陽而水之, 城下不沉者三板. 《蘇軾, 徐州謝獎諭表》百堵皆作, 蓋僚吏之劬勞, 三板不沉, 本朝廷之威德. 《吳偉業, 淸江閘詩》石高三板浸, 鼓急萬夫爭. 《禮記, 檀弓 上》今一日而三斬板(板, 蓋廣二尺, 長六尺). ❷1 판은 8 자에 해당된다. 판(版). 《公羊傳, 定公12年》五板而堵(八尺曰板). ❸1 판은 1 장(丈)에 해당된다. 《詩, 小雅, 鴻鴈, 百堵皆作, 傳》一丈爲板. 《左傳, 隱公元年》都城過百雉. (孔穎達疏) 一丈爲板, 板廣二尺. ❹성(城)이나 담장의 높이를 헤아리는 데 쓰는 말. 1 판은 6 자〔尺〕에 해당된다. 《朴通事諺解, 上》我教與你(내 너를 ᄀᆞᄅᆞ치마), 多少一板(언머에 ᄒᆞᆫ 판고. 六尺爲板, 五板爲堵). 《形音義綜合大字典》板, 城牆高, 牆壁高之量詞.

판(版 : bǎn) [1] [길이] 중국(中國)의 단위. '판(板)'의 [2]❷와 같다. 《史記, 趙世家》城不浸者三版(八尺曰版). 《錢起, 江行無題詩》一灣斜照水, 三版順風船. 《陸遊, 舟中作詩》蘧蒢作帆三版船, 漁燈夜泊闔門邊. [2] [수효] ❶중국(中國)의 단위. '쪽'·'면(面)'의 뜻으로, 책이나 신문 따위의 쪽수를 세는 데 쓰는 말. ❷'판'의 뜻으로, 인쇄물을 출판한 횟수를 세는 데 쓰는 말.

판(瓣 : bǎn) [수효] 중국(中國)의 단위. '쪽'·'조각'의 뜻으로, 물건의 자르거나 쪼개진 작은 부분의 수를 세는 데 쓰는 말. 조각(召角). 편(片). 《譯語類解, 補, 筭數》五瓣, 다섯 쪽. 《字彙》瓣, 片也. 《狀元娘子》這個不算, 待我一瓣心香, 虔誠默禱. 《格物粗談, 樹木》種柳, 先于土抗中置蒜一瓣, 甘草一寸, 永不生蟲.

판(phan) [길이] 베트남(Vietnam)의 단위. 1 판은 투오크(thuoc)의 100 분의 1 이며, 0.19 인치(inch), 또는 4.9 mm 에 해당된다.

판크(pank) [질량] 인도(印度) 캘커타(Calcutta) 지방의 단위. 1 판크는 단(dhan)의 4 분의 1 이며, 0.12 그레인(grain), 또는 7.6 mg 에 해당된다.

팔(捌) [수] 팔(八)의 갖은자. 《正字通, 手部》捌, 官府文書紀數借爲七八字. 或曰秦法凡數目字文單者, 取茂密字易之, 一作壹, 二作貳是也.

팔(pal) [질량] 태국(泰國)의 고유 단위. 1 팔은 창(chang)의 2,500 분의 1 이며, 7.23 그레인(grain), 또는 469 mg 에 해당된다.

팔가트(palgat) [길이] 미얀마(Myanmar) 양곤(Yangon) 지방의 단위. 1 팔가트는 1 인치(inch), 또는 2.54 cm 에 해당된다.

팔라(pala) [질량] 고대 인도(印度)의 단위. 1 팔라는 0.104 파운드, 또는 47 g 에 해당된다.

팔라미(palame) [길이] 근대 그리스의 단위. 1 팔라미는 0.1 m 에 해당된다.

팔라이스티(palaiste) [길이] 고대 그리스(Greece)의 단위. 1 팔라이스티는 3.04 인치, 또는 77.15 mm 에 해당된다.

팔라즈(palaz) [길이] 유고슬라비아의 단위. 1 팔라즈는 1.43 인치, 또는 36.34 mm 에 해당된다.

팔레비(pahlevi) [통화] 이란의 보조 통화 단위. 1937년 이전에는 1 팔레비가 20 리알(rial)이었으나, 현재는 100 리알로 바뀌었다.

팔레츠(palec) [길이] 체코슬로바키아(Czechoslovakia)의 옛 단위. 1 팔레츠는 스토파(stopa)의 12 분의 1, 또는 26.3401 mm 에 해당된다. 기호 : 1″

팔레츠(palets) [길이] 러시아의 단위. 1 팔레츠는 토치카(tochka)의 50 배(倍)이며, 0.50 인치(inch), 또는 12.7 mm 에 해당된다.

팔름(palm) [길이] 네덜란드의 단위. 1 팔름은 엘(el)의 10 분의 1, 또는 0.1 m 에 해당된다.

팔리(pally) [1] [질량] 인도(印度) 캘커타(Calcutta) 지방의 단위. 1 팔리는 세르(ser)의 5 배(倍)이며, 10.29 파운드(pound), 또는 4.67 kg 에 해당된다. [2] [부피] 인도 캘

커타 지방의 단위. 1 팔리는 4.99 미(美) 건량(乾量) 쿼트(quart)이며, 4.84 영(英) 쿼트, 또는 5.5*l* 에 해당된다.

팔모(palmo) [길이] ❶발레아레스 제도(Baleares 諸島)의 단위. 1 팔모는 7.70 인치(inch), 또는 19.55 cm에 해당된다. ❷이탈리아의 단위. 1 팔모는 3.94 인치이며, 1 데시미터〔dm〕, 또는 10 cm 에 해당된다. ❸포르투갈(Portugal)·브라질(Brazil)의 단위. 1 팔모는 8.66 인치, 또는 22 cm 에 해당된다. ❹스페인(Spain)의 단위. 1 팔모는 8.23 인치, 또는 20.9 cm 에 해당된다.

팔무스(palmus) [길이] 고대 로마(Roma)의 단위. 1 팔무스는 디기투스(digitus)의 12 배이며, 8.73 인치(inch), 또는 22.18 cm 에 해당되기도 하며, 디기투스의 4 배이며, 2.91 인치, 또는 7.39 cm 에 해당되기도 한다.

팔미페스(palmipes) [길이] 고대 로마(Roma)의 단위. 1 팔미페스는 14.6 인치(inch), 또는 39.96 cm 에 해당된다.

팔체(faltche) [넓이] 소련 몰다비아(Moldavia) 지방의 단위. 1 팔체는 3.54 에이커(acre), 또는 143.2 아르〔a〕에 해당된다.

팜(palm) [길이] 영국(英國)·미국(美國)의 관용적 단위. 1 팜은 3~4 인치(inch), 또는 7.62~10.16 cm 에 해당된다.

팡(fuang) [질량] 태국(泰國)의 고유 단위. 1 팡은 창(chang)의 640 분의 1 이며, 28.94 그레인(grain), 또는 1.785 g 에 해당된다.

팡(pang) [부피] 에스토니아의 고유 단위. 1 팡은 13.00 미(美) 액량(液量) 쿼트(quart)이며, 10.82 영(英) 쿼트, 또는 12.30*l* 에 해당된다.

팡가(fanga) [부피] ❶포르투갈의 단위. 1 팡가는 1.57 미(美) 부셸(bushel)이며, 1.52 영(英) 부셸, 또는 55.4*l* 에 해당된다. ❷브라질(Brazil)의 단위. 1 팡가는 4.12 미(美) 부셸이며, 3.99 영(英) 부셸, 또는 145.1*l* 에 해당된다.

팡곳(fangot) [질량] 영국의 단위. 주로 섬유류에 쓴다. 지방에 따라 다소 차이가 있는데, 1 팡곳은 약 1~3 그로스 헌드렛웨이트(gross hundredweight), 또는 50.81 ~ 152.44 kg 에 해당된다.

패(牌) ① [군사] '패'·'조'의 뜻으로, 입번(入番)하는 군사들의 무리의 수를 세는 데 쓰는 말. 1 패는 대략 30~50 명으로 조직된다. 《朝鮮世宗實錄 49, 12年7月庚子》 兵曹啓, 當番鷹師九十人, 分爲三牌, 每一牌三十人, 給遞兒職, 副司直二, 司正三, 副司正四, 受職者凡九, 人多職小, 請每一牌, 請加給隊長·隊副六遞兒, 以九十人分二番, 第其勞相遞授職. 從之. 《朝鮮世祖實錄 28, 8年5月癸卯》 鄕校生徒·醫律學·日守書員·鄕吏·公私奴等, 不問役之有無, 定雜色軍, 每五十人爲一牌, 置總牌一人, 每十人置小牌一人. 《秋官志 3, 考律部, 續條, 音樂, 賜樂破傷》 今上八年兵曹草記, 放榜時, 內吹一牌, 賜給於前宣傳官金養和處. 出去之除, 徐良弼等數十

人，突出毆打，樂器破傷云.《萬機要覽，軍政編 1，巡邏》京城內外則三軍門・兩捕廳，各定校卒，作八牌，分字內行巡，而三軍門則分日輪回. 訓局，初日(寅・申・巳・亥)，牌將八人，軍士八十名. 禁衛營，中日(子・卯・午・酉)，牌將八人，軍士七十八名. 御營廳，終日(丑・辰・未・戌)，牌將八人，軍士六十四名. 左捕廳，軍官八人，軍士二十二名. 右捕廳，軍官八人，軍士十六名. ② [수효] '패'・'무리'의 뜻으로, 어떤 관계로 여럿이 모여 이룬 동아리의 수를 세는 데 쓰는 말.《六典條例 3，戶典，戶曹，前例房》科場……文科及監試時應辦官，自禮曹視大・中・小應辦，輪定於八主掌各司(……別添助各貢定爲四牌，鷹師契・漁夫契・千步銃契・糯衣契，合五千六百三十二石，爲一牌. 山郡海邑契・鉛丸契・關東方物契・黃楊木契・油芚契，合五千五百九十四石，爲一牌. 狗皮契・火藥契・水鐵契，合五千五百八十二石，爲一牌. 紙契・銃藥契・新穀契，合五千六百五十九石，爲一牌. 大應辦則每四石錢五分，中應辦則每六石錢五分，小應辦則每十石錢五分，輪回收送于濟用監・司䆃寺・司宰監・長興庫・兩倉・司僕寺・戶曹七主掌)及養賢庫.《朝鮮解語花史，35章，妓生》前韓時代에 妓稱一牌하니.

패덤(fathom) ① [길이] 영국(英國)・미국(美國)의 단위. 주로 물의 깊이를 헤아리는 데 쓴다. 1 패덤은 6 피트(feet), 또는 1.8288 m에 해당된다. 영심(英尋). 오르귀아(orguia). ② [재적(材積)] 영국의 단위. 주로 목재(木材)의 양을 헤아리는 데 쓴다. 1 패덤은 단면(斷面) 6 제곱 피트(ft^2 : 0.557 m^2)의 목재의 양에 해당된다. 광산에서는 36 세제곱 피트이다.

패럿(farad) [전기] 엠 케이 에스 에이 단위계(M.K.S.A. 單位系)의 한 단위. 1 쿨롬(coulomb)의 전기량으로 양극 사이에 1 볼트(volt)의 전위차를 생기게 하는 전기 용량을 말한다. 법랍(法拉). 기호 : F

팽트(pinte) [부피] 프랑스의 단위. 주로 액체의 양을 헤아리는 데 쓴다. 파리에서의 1 팽트는 0.984 미(美) 액량(液量) 쿼트이며, 0.819 영(英) 쿼트, 또는 약 0.9314 l 에 해당된다.

퍼릿(perit) [질량] 영국・미국에서 사용되었던 화폐용 중량 단위. 1 퍼릿은 그레인(grain)의 9,600 분의 1, 또는 0.007 밀리그램〔mg〕에 해당된다.

퍼치(perch) ① [길이] 야드・파운드법(法)의 한 단위. 에드워드 I 세(Edward I ; 1239 ~ 1307) 이전에 영국(英國)에서 쓰던 길이의 단위. 그 수치는 시대에 따라 다르다. 현재 영국(英國)・미국(美國)・캐나다(Canada)에서의 1 퍼치는 5½ 야드(yard), 또는 5.029 m 에 해당된다. 척관법으로는 2 간〔間〕 4 자〔尺〕 6 치〔寸〕에 해당된다. ② [넓이] 야드・파운드법(法)의 한 단위. 영국・미국・캐나다에서의 1 퍼치는 에이커(acre)의 160 분의 1 이며, 30.25 제곱 야드(yd^2), 또는 25.293 m^2 에 해당된다. 척관법(尺貫法)으로는 약 7 평(坪) 6 홉〔合〕

7 작(勺)에 해당된다. ③ [부피] 야드·파운드법의 한 단위. 영국·미국·캐나다에서의 1 퍼치는 24.75 세제곱 피트〔ft³〕, 또는 0.7003 m³에 해당된다. ④ [석재] 야드·파운드법(法)의 한 단위. 주로 석재(石材)의 부피를 헤아리는 데 쓴다. 1 퍼치는 16½ 피트×1½ 피트×1 피트에 해당된다.

퍼킨(firkin) [질량] 영국(英國)의 단위. 주로 버터(butter)의 무게를 헤아리는 데 쓴다. 1 퍼킨은 56 파운드(pound), 또는 25.40 kg에 해당된다.

펀천(puncheon) [부피] 영국(英國)의 옛 단위. 1 펀천은 70 영(英) 갤런(gallon), 또는 318*l* 에 해당된다.

펄롯(firlot) [부피] 스코틀랜드의 옛 단위. 1 펄롯은 볼(boll)의 4 분의 1 이며, 1/2~1½ 영(英) 부셸(bushel), 또는 18~54*l* 에 해당된다. 에든버러(Edinburgh) 지방에서는 0.998 영(英) 부셸, 또는 36.296*l* 에 해당된다.

펄롱(furlong) ① [길이] 야드·파운드법(法)의 한 단위. 어원은 '밭이랑'을 뜻하는 퍼로우(furrow)에서 유래되었다. 1 펄롱은 마일(mile)의 8 분의 1 이며, 220 야드, 또는 201.168 m에 해당된다. ② [넓이] 영국(英國)의 단위. 1 펄롱은 10 에이커(acre), 또는 404.7 아르〔a〕에 해당된다. 기호 : fur.

페(pé) [길이] 포르투갈·브라질의 단위. 1 페는 1.08 피트(feet), 또는 33.0 cm에 해당된다.

페니(penni) [통화] 핀란드(Finland)의 현재 통화 단위. 1 페니는 마르카(markka)의 100 분의 1 에 해당된다.

페니(penny) [통화] 영국(英國)의 화폐 단위. 종래는 파운드(pound)의 240 분의 1 이었으나, 1971년 100 분의 1 파운드로 개정하였다. 기호 : p

페니 웨이트(penny weight) [질량] 야드(yard)·파운드법(pound 法)의 한 단위. 주로 귀금속이나 보석의 무게를 헤아리는 데 쓴다. 1 페니 웨이트는 24 그레인(grain)이며, 20 분의 1 트로이 온스(troy ounce), 또는 약 1.55517405 g에 해당된다. 기호 : dwt

페니쿨마(penikulma) [길이] ❶핀란드(Finland)의 단위. 1 페니쿨마는 10 km에 해당된다. ❷스웨덴(Sweden)의 단위. 1 페니쿨마는 1 밀(mil)에 해당된다.

페니크(fenig) [통화] 폴란드의 옛 보조 통화 단위. 1 페니크는 마르카(markka)의 100 분의 1 에 해당된다. 분니(芬尼).

페니히(Pfennig) ① [질량] 오스트리아(Austria)의 옛 단위. 1 페니히는 16.92 그레인(grain), 또는 1.096 g에 해당된다. ② [통화] 독일(獨逸)의 현재 보조 통화 단위. 1 페니히는 마르크(Mark)의 100 분의 1 에 해당된다.

페단(feddān) [넓이] ❶고대 아라비아의 단위. 1 페단은 1.47 에이커(acre), 또는 59.3 아르〔a〕에 해당된다. ❷이집트의 단위. 1 페단은 333⅓ 제곱 카사바(qasaba)이며, 1.038 에이커, 또는 42.01 아르〔a〕

에 해당된다. 파단마스리(faddān-masri).

페라도(ferrado) [넓이] 포르투갈의 단위. 1페라도는 605제곱 바라(vara)이며, 0.179에이커(acre), 또는 7.25아르〔a〕에 해당된다.

페랄린(feralin) [넓이] 아이슬란드(Iceland)의 단위. 1페랄린은 페르파트무르(ferfathmur)의 9분의 1이며, 4.24제곱 피트〔ft^2〕, 또는 0.394 m^2에 해당된다.

페르미(fermi) [길이] 원자핵 물리학의 단위. 10^{-13}cm와 같음. 기호 : fermi

페르밀라(fermilla) [넓이] 아이슬란드의 단위. 1페르밀라는 21.91제곱 마일〔ml^2〕, 또는 56.738 km^2에 해당된다.

페르슈(perche) [길이] ❶벨기에(België)의 단위. 1페르슈는 7.11야드(yard), 또는 6.50 m에 해당된다. ❷프랑스 파리(Paris)·캐나다(Canada) 퀘벡(Quebec) 지방의 단위. 1페르슈는 6.39야드, 또는 5.85 m에 해당된다. ❸스위스의 단위. 1페르슈는 3 m에 해당된다.

페르크(ferk) [부피] 고대 아라비아(Arabia)의 단위. 1페르크는 카피즈(qafiz)의 4분의 1이며, 2.18미(美) 갤런(gallon), 또는 8.2 *l*에 해당된다.

페르툼룽구르(ferthumlungur) [넓이] 아이슬란드의 단위. 1페르툼룽구르는 페르파트무르(ferfathmur)의 5,154분의 1이며, 1.06제곱인치〔in^2〕, 또는 6.84 cm^2에 해당된다.

페르파트무르(ferfathmur) [넓이] 아이슬란드의 단위. 1페르파트무르는 4.24제곱 야드〔yd^2〕, 또는 3.456 m^2에 해당된다.

페르페르(perper) [통화(通貨)] 옛 몬테네그로(Montenegro) 왕국(현재 유고슬라비아의 일부)의 통화 단위. 1페르페르는 파라(para)의 100배(倍)에 해당된다.

페르페트(ferfet) [넓이] 아이슬란드(Iceland)의 단위. 1페르페트는 페르파트무르(ferfathmur)의 36분의 1이며, 1.06제곱 피트〔ft^2〕, 또는 0.985 m^2에 해당된다.

페사(Pesa) [통화] 옛 독일(獨逸)의 식민지였던 동(東)아프리카의 보조 통화 단위. 1페사는 루피(rupee)의 64분의 1에 해당된다.

페세와(pesewa) [통화(通貨)] 가나(Ghana)의 현재 보조 통화 단위. 1페세와는 세디(cedi)의 100분의 1에 해당된다.

페세타(peseta) [통화] 스페인의 현재 통화 단위. 1페세타는 센티모(centimo)의 100배(倍)에 해당된다. 비색탑(比塞塔). 기호 : Pta

페소(peso) [통화] ❶아르헨티나·콜롬비아(Colombia)·쿠바·도미니카(Dominica)·멕시코(Mexico)·필리핀의 단위. 1페소는 센타보(centavo)의 100배(倍)에 해당된다. 비색(比索). ❷우루과이의 단위. 1페소는 센테시모(centesimo)의 100배에 해당된다.

페스(pece) [길이] 미국(美國)·영국(英國)의 단위. 주로 토지를 측량하는 데 쓴다. 1페스는 5피트(feet), 또는 1.5240 m에 해당된다. 육군(陸軍)의 관습적 단위로는 30인치, 또는 76.2 cm에 해당된다.

페스(pes) [길이] 고대 로마의 단위. 1 페스는 피트(feet)와 같으며, 11.64 인치(inch), 또는 29.57 cm에 해당된다.

페스트미터(festmeter) [재적(材積)] 주로 목재의 부피를 헤아리는 데 쓴다. 1 페스트미터는 1 m^3에 해당된다. 기호 : fm

페어(pair) [수효] ❶'짝'·'벌'의 뜻으로, 2 개가 1 짝이 되는 물건의 수를 세는 데 쓰는 말. ❷많은 회선(回線)으로 되어 있는 통신 케이블에 있어서 1 회로를 형성하는 절연전선(絶緣電線)의 짝을 세는 데 쓰는 말.

페이지(page) [수효] 책이나 신문·장부 따위의 면(面)의 수를 세는 데 쓰는 말. 면(面).

페이크타(peiktha) [질량] 미얀마(Myanmar)의 고유 단위. 1 페이크타는 3.6 파운드(pound), 또는 1.6 kg에 해당된다. 비스(vis, viss).

페키스(pechys) [길이] 고대 그리스의 단위. 1 페키스는 18.3 인치(inch), 또는 46.3 cm에 해당된다.

페트(fet) [길이] 아이슬란드의 단위. 1 페트는 12.36 인치(inch), 또는 31.39 cm에 해당된다.

펙(peck) [부피] 야드(yard)·파운드법(pound 法)의 한 단위. ❶영국의 단위. 1 펙은 부셸(bushel)의 4 분의 1 이며, 554.84 세제곱 인치〔in^3〕, 또는 9.0919 l에 해당된다. 기호 : pk ❷미국의 단위. 1 펙은 부셸의 4 분의 1 이며, 537.61 세제곱 인치, 또는 8.8096 l에 해당된다. 기호 : pk ❸스코틀랜드의 옛 단위. 1 펙은 펄롯 오브 위트(firlot of wheat)의 4 분의 1 이며, 553.6 세제곱 인치 또는 9.071 l에 해당되었다. 기호 : pk ❹곡류(穀類)의 양을 헤아리는 데 쓴다. 1 펙은 807.6 세제곱 인치, 또는 13.23 l에 해당된다. 기호 : pk

펜(pen) [재적(材積)] 미국의 단위. 펄프 재(材)의 양을 헤아리는 데 쓴다. 1 펜은 코드(cord)의 5 분의 1 이며, 25.6 세제곱 피트〔ft^3〕, 또는 0.725 m^3에 해당된다.

펜스(pence) [통화] 미국·아일랜드(Ireland)·자메이카(Jamaica)·말라위(Malawi)·나이지리아의 현재 보조 통화 단위. 1 펜스는 실링(shilling)의 12 분의 1, 또는 파운드(pound)의 100 분의 1에 해당된다. 신편사(新便士).

펜태드(pentad) ① [시간] 5 년간을 하나치로 헤아리는 데 쓰는 말. ② [수효] 다섯 개가 한 벌이 되는 것을 하나치로 세는 데 쓰는 말.

펨토(femto-) [접두어] 15를 의미하는 덴마크어(Denmark 語) 펨텐(femten)에서 유래된 말. 1 펨토는 10^{-15} 배(倍), 또는 1,000 조(兆)분의 1에 해당된다. 기호 : f

펭괴(pengö) [통화] 헝가리(Hungary)의 단위. 1927~1946년까지 통용(通用)되었다. 1 펭괴는 현재의 포린트(forint)와 같고, 100 필레르(fillér)에 해당된다. 초로너(corona). 포린트(forint).

편(片) [수효] ❶'장(張)'의 뜻으로, 김〔海衣〕의 수를 낱으로 세는 데 쓰는 말. 1 편은 속(束)의 10 분의 1,

또는 첩(貼)의 100분의 1에 해당된다.《關西邑誌, 龍岡誌, 折價式》海衣一貼, 價一戔五分, 十束爲一貼, 十片爲一束. ❷소반(小盤)의 수를 세는 데 쓰는 말. 닙(立). 엽(葉). 좌(坐·座). 척(隻).《朝鮮世宗實錄 20, 5年6月庚午》源俊信使人進銅鐵六百觔, 丹木一百觔, 盤五十片, 大刀一十把, 素麪一百觔, 葛粉三十觔, 銅鍋一十口, 乾梅一千枚, 回賜正布一百七十匹. ❸포(脯)의 수를 낱으로 세는 데 쓰는 말. 개(箇). 닙(立). 정(挺·脡). 조(条·條).《度支準折, 肉物》中脯一条, 十条作一貼, 宣醞作八片, 行用作三十五片. 小脯一条, 宣醞作八片, 行用作十五片. ❹'송이'의 뜻으로, 꽃송이의 수를 세는 데 쓰는 말. 윤(輪). 타(朶).《三國遺事 5, 感通, 月明師兜率歌》龍樓此日散花歌, 挑送青雲一片花, 殷重直心之所使, 遠邀兜率僊家.《韓愈, 感春詩》蜂喧鳥咽留不得, 紅萼萬片從風吹. ❺'덩이'·'덩어리'의 뜻으로, 돌덩이의 수를 세는 데 쓰는 말.《仁祖國葬都監儀軌, 下, 2房》忠州石二片.《樂器造成廳儀軌》小木匠所用, 陶罐二, 延日礪石二片, 魚膠一斤, 小素二巨里.《度支準折, 珠玉寶石》指南石一片, 価錢一分. ❻'자루'의 뜻으로, '먹〔墨〕'의 수를 세는 데 쓰는 말. 매(枚). 병(餅). 장(張). 정(丁·挺·錠). 쾌(快). 판(板). 홀(笏).《尙方定例 2, 別例 上》墨壹片. ❼나무 도막이나 조그만 널빤지 따위 넓적한 물건의 수를 세는 데 쓰는 말.《朝鮮太宗實錄 6, 3年10月辛未》朝鮮國王, 并王父段匹書籍等件……平天冠板一片, 王桁一根.《正宗大王殯殿魂殿都監儀軌, 下, 別工作》童子柱次小條里木一尺五寸, 六片. 椞次中條里木, 長三尺, 四片. 廣于里次大條里木, 長三尺, 二片. 雲足次厚板半骨二尺, 八片. ❽뿔〔角〕을 쓰기에 알맞게 자른 조각의 수를 세는 데 쓰는 말.《尙方定例 1, 本院元貢》黑角貳百肆拾片(弓子壹百貳拾張所入).《純元王后國葬都監儀軌 2, 實入》黑角一寸五分, 一片. ❾'모'의 뜻으로, 두부모의 수를 세는 데 쓰는 말. 방(方). 정(丁).《關西邑誌, 龍岡縣邑誌》太泡一片.《度支準折, 穀物》豆泡一篩(十片爲一篩), 価錢八分. ❿사슬〔沙乭〕을 이룬 고리의 수를 세는 데 쓰는 말.《純元王后國葬都監儀軌 3, 實入》玉沙乭一百八十八片. ⓫띠돈의 수를 세는 데 쓰는 말.《度支準折, 牙角》烏犀帶錢一片, 価艮二兩五戔, 版貿. ⓬편연지(片燕脂)의 수를 세는 데 쓰는 말.《正宗大王殯殿魂殿都監儀軌, 1房, 實入》片燕脂半半片.《昌慶宮營建都監儀軌, 實入》片燕脂二白六十八片.《孝宗寧陵山陵都監儀軌, 座目》片燕脂九片.《度支準折, 彩色》片燕脂一片, 重一戔五分, 貿錢一戔. 版廛. ⓭'쪽'·'조각'의 뜻으로, 물건의 자르거나 쪼개진 작은 부분의 수를 세는 데 쓰는 말. 조각(召角). 판(瓣).《三國史記 48, 都彌傳》然後卜日成禮, 未晩也, 乃取鏡分半, 各執一片云, 此所以爲信, 後日當合之.《三國遺事 3, 塔像, 臺山五萬眞身》明旦忽有一僧, 將緋羅金點袈裟一領, 佛鉢一具, 佛頭骨一片, 到

于師邊, 問何以無聊.《牧隱文藁 3, 香山安心寺舍利石鍾記》 釋覺持來曰, 吾與覺悟, 作石鍾, 以厝指空舍利九枚, 普濟頭骨一片, 舍利五枚于安心寺.《救急簡易方諺解 1, 中風》木香(一錢), 㕮咀分二服, 每服, 用生薑七片(목향 ᄒᆞᆫ 돈과ᄅᆞᆯ 사ᄒᆞ라 두 복애 ᄂᆞᆫ화 ᄒᆞᆫ 복에 ᄉᆡᆼ앙 닐굽 편곰 녀허).《關西邑誌, 龍岡誌, 折價式》采練二十四片爲一令. 青黍皮二四片爲一令, 價八戔三分. 大民魚一尾, 價五戔, 二十片爲一尾, 一片爲二分五里. 沈眞魚一尾, 價八分, 十片爲一尾, 一片八里. ⓮'장(張)'의 뜻으로, 종이의 수를 세는 데 쓰는 말. 매(枚). 번(番). 장(丈·張). 폭(幅).《增正交隣志 5, 一行回受禮單》一人所送彩畫屛風一雙, 金皮目鏡六掛, 銅藥鑵三提, 雨傘六柄, 紋紙五百片, 金別紋紙三百片, 陳皮六斤. ⓯마음·풍경·분위기 따위 마음에 느끼는 감정을 나타내는 데 쓰는 말.《破閑集, 上》元宵黼座前……明王時, 僕入侍玉堂, 卽製進云, 風細不教金燼落, 更長漸見玉虫生, 須知一片丹心在, 欲助重瞳日月明.《潘希白, 大有, 九日詞》一片宋玉情懷, 十分衛郞淸瘦.《馬致遠, 岳陽樓, 1折》則你那浮生空自忙. 他一片黑心腸, 在這功名之上.《西遊記, 85回》但要一片志誠, 雷音只在眼下.《舍北行飯書觸目 2》意行舍北三叉路, 閑着橋西一片秋. ⓰비·달〔月〕·날씨·구름 따위에 쓰는 말.《儒林外史, 6回》取出一方雲片糕來, 約有十多片.《庾信, 遊山詩》 澗底百重花, 山根一片雨.《李白, 子夜吳歌 3》長安一片月, 萬戶擣衣聲.《方岳, 山居詩》我愛山居好, 林梢一片晴. ⓱피륙과 같이 얇고 넓적한 것의 수를 세는 데 쓰는 말.《羅隱, 詠繡詩》一片綠羅如錦貂, 洞房西室女工勞. ⓲인삼을 낱으로 세는 데 쓰는 말. 구(軀). 근(筋). 본(本). 지(支). ⓳넓게 차지한 면적이나 범위를 나타내는 데 쓰는 말.《王安石, 出郊詩》川原一片綠交加, 深樹冥冥不見花.《蕩寇志, 86回》只見永淸的後面一層人霍地分開, 前面乃是一片白地.《郁達夫小說欣賞》前面一片汪洋的大海, 橫在午後的太陽光裏, 在那裏微笑.《庾信, 鏡詩》光如一片水, 影照兩邊人. ⓴글자나 말〔言〕 따위를 세는 데 쓰는 말.《傳習錄, 下》然亦多是推衍文義, 自做一片文字.《兒女英雄傳, 19回》十三妹聽了鄧九公要拉那先生幫着勸解, 又不知惹出他那一片什麼談吐來. ㉑조각처럼 되었거나 서로 이어진 조각과 같이 보이는 것을 세는 데 쓰는 말. ㉒일본(日本)의 단위. 가게의 수를 세는 데 쓰는 말.

편(便) [수효] '편짝'의 뜻으로, 상대하는 두 편 중 어느 한 편을 가리키는 말. 또는 그렇게 나뉜 편의 수를 세는 데 쓰는 말.

편(偏 : piān) [조직] 중국(中國)의 단위. ❶ 1 편은 25 명으로 조직된다.《左傳, 桓公5年》先偏後伍(車戰二十五人爲偏). ❷ 1 편은 50 명으로 조직된다.《左傳, 宣公14年》卒偏之兩(五十人曰偏). ❸ 1 편은 수레 25 승(乘)으로 편성된다.《左傳, 昭公元年》偏爲前拒(二十五乘爲偏).《左傳, 桓公5年》先偏後伍,

伍承彌縫. (杜預注) 司馬法, 車戰二十五乘爲偏, 以車居前, 以伍次之. ❹1 편은 수레 9 승(乘), 또는 15 승으로 편성된다. 9 승은 소편(小偏), 15 승은 대편(大偏)이라 한다. 《左傳, 成公7年》 偏兩之一焉(車九乘爲小偏, 十五乘爲大偏).

편(遍) [수효] ❶'번'·'차례'의 뜻으로, 일의 횟수를 세는 데 쓰는 말. 《山林經濟 3, 救荒》 劉景先服黑豆法. 黑豆五升, 淘洗蒸三遍, 晒乾去皮爲末, 大麻子三升, 湯浸一宿, 漉出晒乾, 蒸三遍, 令口開去皮爲末, 用糯米粥, 合和搗勻, 成團女拳大, 再入甑蒸之. 《間易辟瘟方, 神明散辟疫癘》 心念四海神名三七遍(ᄆᆞᅀᆞ매 四海神의 일후믈 세 닐굽 번을 念ᄒᆞ면). 《農政新篇 2, 糞苴法》 臘土製法. 山田赤土或紫黑土五十荷, 冬至後二三日或五七日, 以生糞十荷均澆和, 置於受風處無壁小屋中, 五七日寒風吹射, 凍作翻花, 反耕而候乾. 又澆生糞十荷, 如是三遍. ❷'순(巡)·순배(巡杯)'의 뜻으로, 술자리에서 술잔을 차례로 돌리어 한 바퀴 도는 횟수를 세는 데 쓰는 말. 순(巡). 《朝鮮成宗實錄 83, 8年8月丁酉》 御射壇設會, 如正至會, 儀酒三遍, 行大射禮. 《春官志 1, 大射禮》 成宗九年戊戌八月, 上詣成均館, 新行釋奠, 命試儒生赴者千四百人, 上御射壇, 設會如正至會, 儀酒三遍, 行大射禮. ❸(biàn) 중국(中國)의 단위. '홰'의 뜻으로, 닭이 우는 횟수를 세는 데 쓰는 말.

편(篇) [수효] ❶'편'의 뜻으로, 책 속의 대목인 편(篇)의 수, 또는 일정한 형식을 갖춘 문장의 수를 세는 데 쓰는 말. 집(什). 칙(則). 편(編). 《朝鮮太宗實錄 13, 7年2月戊子》 乙酉秋, 世子讀孟子, 日誦五十餘篇. 稠乃止曰, 如知其義, 雖讀一篇, 亦可也, 何用如此其動乎. 《墨子, 貴義》 昔者周公旦, 朝讀書百篇, 夕見漆(七)十士. ❷'편'의 뜻으로, 악곡(樂曲)의 수를 세는 데 쓰는 말. 《高麗史 71, 樂志》 俗樂, 高麗俗樂, 考諸樂譜載之, 其動動及西京以下二十四篇, 皆用俚語. 西京, 古朝鮮, 卽箕子所封之也, 其民習於禮讓, 知尊君親上之義, 作此歌. 言仁恩充暢, 以及草木, 雖折敗之柳, 亦有生意也. 《增補文獻備考 246, 藝文考, 歌曲類》 西京曲一篇(今不傳. 此下係短篇). 大同江曲一篇(今不傳. 以上箕子朝鮮歌曲). ❸'편'의 뜻으로, 시문(詩文)의 수를 세는 데 쓰는 말. 《朝鮮景宗實錄 11, 3年正月甲辰》 副勅求見東國詩賦策文體, 令藝文館抄選策一道, 賦二篇, 詩三首示之, 栗谷李珥天道策, 閔齊仁白馬江賦, 河西金麟厚七夕賦, 故領相李恒福泣送去詩在腹兒詩, 金昌翕臥念少游言詩, 李世禎答嘲落帽詩也. 落帽, 卽世禎倩手於科場者, 而世不傳其名. 《經國大典 3, 禮典, 諸科》 製述. 初場, 五經四書疑·義或論中二篇. 中場, 賦·頌·銘·箴·記中一篇, 表·箋中一篇. 終場, 對策一篇. 《續大典 3, 禮典, 諸科》 製述. 初場, 四書疑·義一篇, 論一篇. 中場, 賦一篇, 表·箋中一篇. 終場, 對策一篇.

편(編) [수효] ❶'편(篇)'의 ❶과 같다. 《朝鮮高宗實錄 37, 光武2年7月18日》 東學原文, 第一編布德文,

第二編東學論, 第三編修德文, 第四編不然其然文, 弓弓乙乙之符, 煽惑人民, 締結從黨. ❷불을 피울 때 쓰기 위하여 홰와 같이 만든 물건의 수를 세는 데 쓰는 말. 급(級).《六典條例 6, 禮典, 惠民署, 進上藥材》宗廟大祭時, 各蕭艾三十斤. 大殿燒木三斤, 陳艾一編. 水剌間燒木三斤, 陳艾六編. ❸'권(卷)'의 뜻으로, 책의 수를 세는 데 쓰는 말. 권(卷). 축(軸).《新刊救荒撮要, 序》世宗大王所輯救荒撮要一編, 附以補遺而剞劂之, 將以廣布於民間. 蓋其軌外旁生之法, 詳且切矣.《史記, 留侯世家》出一編書, 曰讀此, 則爲王者師矣.《張溥, 陶淵明集序》眞西山云, 淵明之作, 宜自爲一編, 附三百編楚辭之後, 爲詩根本準則, 是最得之. ❹'대'·'자루'의 뜻으로, 화살대의 수를 세는 데 쓰는 말. 개(箇). 근(筋). 매(枚). 본(本). 시(矢). 조(条). 지(枝). 척(隻). 파(把).《朝鮮肅宗實錄 5, 2年12月甲申》三月甲申, 下敎曰……內弓房箭竹, 幾至累萬, 除出箭竹一百編, 雉羽百千箇, 送于江都, 以爲條補之也. ❺'편(篇)'의 ❷와 같다.

편거리 [수효] 인삼을 작근(作斤)하는 데 그 갯수를 세는 데 쓰는 말.

편대(編隊) [군사] 2 개 분대(分隊)로 구성되는 공군(空軍) 부대 편성의 단위.

편이(片耳) [수효] 일본(日本)의 단위. '마리'의 뜻으로, 토끼의 수를 세는 데 쓰는 말. 우(羽).

편자(鞭子 : biānzi) [수효] 중국(中國)의 단위. '번'의 뜻으로, 채찍으로 치는 횟수를 세는 데 쓰는 말.

평(坪) 1 [넓이] ❶금박의 넓이를 헤아리는 데 쓰는 말. 1 평은 1 치〔寸=3.03 cm〕 사방(四方)에 해당되며, 촌평(寸坪)이라고도 한다. ❷타일·헝겊·유리·가죽 따위의 넓이를 헤아리는 데 쓰는 말. 1 평은 1 자〔尺〕 사방에 해당되며, 척평〔尺坪〕이라고도 한다. ❸조각(彫刻) 또는 인쇄(印刷)의 제판(製版)에서 넓이를 헤아리는 데 쓰는 말. 1 평은 1 치〔寸〕 사방으로, 미터법으로는 1 cm 사방에 해당된다. ❹땅의 넓이를 헤아리는 데 쓰는 말. 1 평은 6 자〔尺〕 사방의 넓이에 해당된다. 단, 묘지(墓地)는 4 자 사방, 곧 1.469 m^2 에 해당된다.《軍門謄錄, 乙未10月29日》道內沃饒閑廣之地, 如安州三千坪, 定州·博川之境, 蘆田及他可耕之處, 非一二. ❺일본(日本)의 단위. 1 평은 3.305 m^2 에 해당된다. 2 [부피] 토목(土木)에서의 관습적으로 쓰는 말. 흙이나 모래의 부피로서, 1 평은 6 자 세제곱, 또는 6.013 m^3 에 해당된다.

평방공리(平方公里 : píngfānggōnglǐ) [넓이] 중국(中國)의 단위. 제곱 킬로미터〔km^2〕와 같다.《實用新聞選讀》但人口密度已高達每平方公里五百三十五人以上, 人口壓力仍然沈重.

평방미(平方米 : píngfāngmǐ) [넓이] 중국(中國)의 단위. '제곱 미터〔m^2〕'와 같다.

평석(平石) [부피] 곡식 15 말〔斗〕을 하나치로 이르는 말. 소곡(小斛)이라고도 한다.《經國大典 6, 工典, 營繕, 度量衡》量之制, 十勺爲合,

十合爲升，十升爲斗，十五斗爲小斛(平石)，二十斗爲大斛(全石).《磻溪隨錄 1，田制 上，分田定稅節目》今國俗，以十五斗爲斛，稱平石，官府用之. 又以二十斗爲大斛，稱全石，民間例以皮穀二十斗爲一石.

폐(陛) [수효] '층'의 뜻으로, 층계의 수를 세는 데 쓰는 말. 천자가 천지(天地)의 신에게 제사를 지내는 단(壇)은 여덟 층계로 되었다 한다.《後漢書，祭祀志 上》(建武) 二年正月，初制郊兆於雒陽城南七里，依鄗. 采元始中故事. 爲圓壇八陛，中又爲中壇，天地位其上，皆南鄕，西上.《隋書，音樂志》七星是仰，八陛有憑.《宋史，樂志 7》帝臨中壇，神從八陛.

포 ① [부피] '부대'의 뜻으로, 부대에 물건을 담아 그 양을 헤아리는 데 쓰는 말. 대(帒·袋). ② [시간] 해·달·날 따위의 다음에 쓰이어 시간으로 얼마 동안인지를 헤아리는 데 쓰는 말. 〈예〉 달~ 뒤에 만나자. ③ [인쇄] 포인트(point)의 준말로, 인쇄 활자의 크기를 나타내는 데 쓰는 말. 포인트(point).

포(包) ① [수효] ❶'꾸러미'의 뜻으로, 달걀 10 개를 하나치로 세는 데 쓰는 말. 파(把).《松南雜識(奎章閣本) 5，方言類》鷄卵有骨. 諺傳，黃厖村，雖位尊宰相，然食數不足長頷顣，故御批一日南門所入物貨盡賜矣，適大雨無所入，及暮有鷄卵一包，來烹將食之，皆有骨，骨方言壞也. ❷'쌈'의 뜻으로, 바늘 24 개를 하나치로 세는 데 쓰는 말. 척(隻). 첩(帖).《譯語類解，上，筭數》一包，ᄒᆞᆫ 빰，或云一隻.《老乞大諺解，下》一包，ᄒᆞᆫ 쏨. 或云，一隻. ② [조직] 동학(東學)의 교리(敎理)를 전파하기 위한 조직. 또는 그 처소(處所)의 한 단위. 포(包)의 우두머리를 포주(包主)라 하고, 이 하위 조직은 접(接)이라 하였으며, 그 우두머리를 접주(接主)라 하였다.《朝鮮道敎史，28章，自謂儒佛仙合宗之敎，東學》其夏，東學黨大會于報恩郡之長安坪，築壘結幕，設包傳道(東學人傳道之所，大者曰包，小者曰接). ③ [부피] '부대'·'포대'의 뜻으로, 포대(包袋)에 물건을 담아 그 양을 헤아리는 데 쓰는 말.《朝鮮世宗實錄 64，16年4月癸亥》建州衛都指揮李滿住，移牒江界府，其一，搬取原賞米二十包也.《朝鮮肅宗實錄補闕正誤 62，閏8月辛亥》安龜瑞所逢授租二千石，米三百包，此非近千米穀乎.《陰晴史，上，高宗19年壬午3月22日》晴風. 漆罐二個，紅泥罐二個，靑鉛粉一包，巴麻油一甁.《陶山書院尙德祠改築日記，癸卯4月初10日丙午》晴. 李源愨·李冀鎬·李培鎬入來，午後去. 宜仁出役夫三名，以溪南下車洋灰十四包，黑鉛二包搬入.《萬機要覽，財用編 5，歲幣》米一萬包(崇德六年，減九千包，順治四年，減九百包，雍正二年，減六十包，時存四十包). ④ [질량] 인삼 스무 냥(兩)을 하나치로 이르는 말. 조선 세종(世宗) 때부터 명(明)나라 또는 청(淸)나라로 보내는 사신(使臣)에게 무역(貿易)과 노자(路資) 자금으로 휴대를 허용한 인삼으로, 20 냥은 1 포, 10 근(斤)은 8 포라 하였다. 그 후에는 점차 그 양이 늘어 10 근을

1 포라 하였다.《大典通編 5, 刑典, 禁制》人蔘二十兩爲一包, 十斤爲八包, 今則蔘入禁條, 以銀代蔘, 每蔘一斤, 代銀二百兩, 並稱八包.《萬機要覽, 財用編 5, 燕行八包》國初, 赴京人員帶銀貨, 以爲盤費貿易之資. 至宣德年間, 以金銀非國產, 奏請免貢. 自是赴京買賣, 禁賫銀貨, 代以人蔘, 人各十斤, 後漸濫觴, 其數浸多. 至崇禎初, 每人許賫八十斤, 此所謂八包也. 其後又許帶銀子, 蔘每斤折銀二十五兩, 八十斤共銀二千兩, 爲一人八包.

포(抱) [길이] ❶'뼘'의 뜻으로, 엄지손가락과 다른 손가락을 잔뜩 벌리어 잰 길이. 또는 그 길이를 헤아리는 데 쓰는 말.《玆山魚譜 1, 鱗類, 石首魚》大鮸(俗名艾羽叱), 大者長丈餘, 腰大數抱, 狀類鮸, 色黃黑, 味亦以鮸而益醲厚. ❷'아름'의 뜻으로, 두 팔을 벌려 껴안은 둘레의 길이. 또는 그 길이를 헤아리는 데 쓰는 말.《史記, 司馬相如傳》長千仞, 大連抱, 夸條直暢, 實葉葰茂.《西京雜記 3》五柞宮有五柞樹, 皆連三抱, 上枝蔭覆數十畝.

포(泡 : pāo) ① [수효] 중국(中國)의 단위. ❶똥·오줌·진흙 따위 덩이의 수를 세는 데 쓰는 말.《西遊記, 7回》又不莊尊, 却在第一根柱了根下撒了一泡猴尿. ❷'번'·'회'·'차'의 뜻으로, 일의 횟수를 세는 데 쓰는 말.《文明小史, 22回》(萬師)看過各廠之後, 順便去會制臺, 着實恭維一泡.《海上花列傳, 16回》難末害仔幾花人四處八方去瞎尋一泡, 陸里尋得着嗄.《海上花列傳, 37回》俚個親生爺要搭俚借洋錢, 噪仔一泡. ② [통화] 예전에 은전(銀錢) 72 원을 하나치로 헤아리는 데 쓰는 말.

포(鋪) [수효] ❶'장'의 뜻으로, 그림의 수를 세는 데 쓰는 말. 권(卷). 본(本). 정(幀). 축(軸·軸). 폭(幅).《高麗史 3, 成宗世家》甲子, 博士任老成, 至自宋, 獻大廟堂圖一鋪, 幷記一卷, 社稷堂圖一鋪, 幷記一卷, 文宣王廟圖一鋪, 祭器圖一卷, 七十二賢贊記一卷.《羣書類從 69》兼將畫五頂像一鋪. 寶像一鋪. 繡千手像一鋪. ❷'장'의 뜻으로, 자리나 깔개 따위의 수를 세는 데 쓰는 말.《宋史, 儀衛志 3》其青城坐甲布列三百三十六鋪. 殿前指揮使二十四鋪, 四百七十七人.《兒女英雄傳, 5回》子便在父親屋裏小牀上另打一鋪睡下.《殘春 3》側室是三鋪席子的長條房間. ❸벼를 벤 횟수를 세는 데 쓰는 말.《札樸, 鄕里舊聞, 鋪》刈禾計數以鋪. ❹온돌〔炕〕의 수를 세는 데 쓰는 말. 〈예〉 一～炕. ❺역참(驛站)의 수를 세는 데 쓰는 말.《日知錄, 驛傳》今時十里一鋪, 設卒以遞公文.

포기 [수효] 풀이나 나무의 수를 세는 데 쓰는 말. 간(竿·幹·榦). 과(科·窠·顆). 근(根). 두(頭). 수(樹). 장(章). 정(挺). 조(条·條). 주(株).

포니(pony) [부피] 칵테일을 만들 때의 액량(液量)의 단위. 1 포니는 리커(liquor) 글라스 1 잔이며, 약 1 온스(ounce), 또는 29.573 ml 에 해당된다.

포더(fother) [질량] 영국(英國)의 옛 단위. 지방에 따라 다소 차이가 있는데, 대략 1 포더는 2,184 파운드(pound), 또는 991 kg 에 해당된다.

포데르(foder) [부피] 스웨덴의 단위. 1 포데르는 26.74 미(美) 부셸(bushel), 25.91 영(英) 부셸, 또는 942*l* 에 해당된다.

포드(fod) [길이] 덴마크의 단위. 1 포드는 알렌(alen)의 2 분의 1 이며, 톰메(tomme)의 12 배, 1.030 피트(feet), 또는 31.39 cm 에 해당된다.

포디(podi) [길이] 근대 그리스의 단위. '푸스(pous)'와 같다.

포르투게세 킨탈(portuguese quintal) [질량(質量)] 브라질(Brazil)·포르투갈(Portugal)의 단위. 1 포르투게세 킨탈은 58.76 kg 에 해당된다.

포르틴(fortin) [부피] 터키의 단위. 1 포르틴은 킬레(kile)의 4 배이며, 4.00 미(美) 부셸(bushel), 또는 141*l* 에 해당된다.

포린트(forint) [통화] 헝가리의 현재 통화 단위. 1 포린트는 100 필레르(fillér)에 해당된다. 초로너(corona). 펭괴(pengö). 복림(福林). 기호 : Ft.

포식이(蒲式耳 : pǔshì'ěr) [질량·부피] 중국(中國)의 단위. '부셸(bushel)'의 음역(音譯).

포우(pau) [부피] 말레이 반도(半島) 말라카(Malacca) 지방의 단위. 1 포우는 2.40 미(美) 질(gill)이며, 2.00 영(英) 질, 또는 0.284*l* 에 해당된다.

포우아(pouah) [질량] 인도(印度) 캘커타(Calcutta) 지방의 단위. 1 포우아는 세르(ser)의 4 분의 1 이며, 8.23 온스(ounce), 또는 233.3 g 에 해당된다.

포웨(powe) [질량] 인도(印度) 마드라스(Madras) 지방의 고유 단위. 1 포웨는 세르(ser)의 4 분의 1 이며, 2.47 온스, 또는 70.0 g 에 해당된다.

포인트(point) ① [수효] '점(點)'의 뜻으로, 옷이나 식량 따위의 수량을 세는 데 쓰는 말. ② [점수] ❶운동 경기에서, 득점을 나타내는 데 쓰는 말. ❷학과 제도(學科制度)에 있어서, 매주 1 시간씩 1 학기 동안에 수업을 받고 받은 학점을 나타내는 데 쓰는 말. ❸군제도(軍制度)에 있어서, 급여 제도·근무 평점·종군 점수(從軍點數) 등을 나타내는 단위. ③ [길이] ❶영국·미국·캐나다(Canada)의 관용 단위. 1 포인트는 라인(line)의 6 분의 1 이며, 0.0139 인치(inch), 또는 0.353 mm 에 해당된다. ❷인쇄 관계의 단위. 1 포인트는 0.0138 인치, 또는 0.351 mm 에 해당된다. ❸프랑스(France)의 관용 단위. 1 포인트는 리뉴(ligne)의 12 분의 1 이며, 0.0074 인치, 또는 0.19 mm 에 해당된다. ④ [질량] 1 캐럿 이하의 다이아몬드의 무게를 나타내는 데 쓰는 말. 1 포인트는 100 분의 1 캐럿에 해당된다. 국제적으로 사용될 때의 48 포인트는 0.48 캐럿이다. ⑤ [인쇄] 활자(活字) 크기의 단위. 호(號)·포인트·신문 활자의 세 종류가 있는데, 호는 수가 작을수록 큰 활자이고, 포인트는 수가 클수록 큰 활자이다. 신문 활자는 신문에 따라 다르다. 포인트에는 디도우식(式)과 미국식(式)이 있는데, 디도우식의 1 포인트는 0.376 mm 이고, 미국식은 0.35146 mm 이다. 포인트 활자는 포인트 수가 2 배(倍)가 되면 활자의 한 변(邊)이 2 배, 넓이는 4 배가 되기 때문에 활자의 크기에 대한 관계가 뚜렷하고 계산이 단순하며 합리적이다. ⑥ [경제] 주식(株式)·채권(債券)·어음 따위의 시세의 등급. 시세가 올랐거나 내렸거나 그 단위의 배수(倍數)로 부른다.

포자(泡子 : pāo·zi) [수효] 중국(中國)의 단위. '바탕'의 뜻으로, 무슨 일을 한 차례 끝내는 동안. 또는 그 수를 세는 데 쓰는 말. 《海上花列傳, 5回》 耐末一泡子吵去, 看光景阿有點淸頭嗄. 《二十年目睹之怪現狀, 53回》 立刻傳了官醫, 薑湯開水, 一泡子亂救, 纔把他救醒過來.

포켓(pocket) [질량] 영국(英國)의 단위. 모류(毛類)의 1 포켓은 182 파운드(pound), 또는 82.6 kg 이고, 홉(hop)류에서는 168 파운드, 또는 76.2 kg 에 해당된다.

포터(porter) [섬유] 직기(織機)의 바디의 밀도를 나타내는 단위. 실의 굵기에 따라 다르지만, 바디의 폭을 날줄로 나누어 헤아린다.

포토(photo) [조도] 1 루멘〔lm〕의 광속(光速)이 1 cm² 의 면(面)을 비칠 경우의 조도를 말한다. 복투(輻透). 기호 : ph

$$1\ \text{ph} = 1\ \text{lm/cm}^2 = 10^4\ \text{lm/m}^2 = 10^4\ \text{럭스} = 9.29 \times 10^2\ \text{피트 캔들}$$

포투르(pottur) [부피] 아이슬란드(Iceland)의 고유 단위. 1 포투르는 1 세제곱 페트(fet)의 32 분의 1 이며, 1.02 미(美) 액량(液量) 쿼트(quart), 0.85 영(英) 액량 쿼트, 또는 0.97*l* 에 해당된다.

포트(fot) [길이] ❶노르웨이의 단위. 1 포트는 12.35 인치(inch), 또는 31.37 cm 에 해당된다. ❷스웨덴(Sweden)의 단위. 1 포트는 스탕(stang)의 10 분의 1 이며, 11.69 인치, 또는 29.69 cm 에 해당된다.

포트(pot) [부피] ❶덴마크의 단위. 1 포트는 2.04 미(美) 액량(液量) 파인트(pint), 1.70 영(英) 액량 파인트, 또는 0.97*l* 에 해당된다. ❷프랑스의 단위. 1 포트는 1.97 미(美) 액량 쿼트(quart), 1.64 영(英) 액량 쿼트, 또는 1.86*l* 에 해당된다. ❸노르웨이(Norway)의 단위. 1 포트는 1.02 미(美) 액량 쿼트, 0.85 영(英) 액량 쿼트, 또는 0.97*l* 에 해당된다. 미터계(系)로는 1*l* 에 해당된다. ❹스위스의 단위. 1 포트는 1.59 미(美) 액량 쿼트, 1.32 영(英) 액량 쿼트, 또는 1.50*l* 에 해당된다.

포트말(fotmal) [질량] 영국(英國)의 옛 단위. 주로 납〔鉛〕의 무게를 헤아리는 데 쓴다. 1 포트말은 70 파운드(pound), 또는 31.8 kg 에 해당된다.

포틀(pottle) [부피] 영국(英國)의 단위. 주로 주류(酒類)의 양을 헤아리는 데 쓴다. 1 포틀은 영(英) 갤런의 2 분의 1, 또는 2.273*l* 에 해당된다.

폭(幅) [수효] ❶'장(張)'의 뜻으로, 종이의 수를 세는 데 쓰는 말. 매(枚). 번(番). 장(丈·張). 편(片). 《高麗史 125, 宋邦英傳》遂問均曰, 汝用紙十二幅, 欲爲何等事. 《朝鮮世祖實錄 8, 3年6月丁酉》鑑等還太平舘, 命以黃鼠毛筆一百四十枚, 龍煤十笏, 銅鑪具紫石硯二事, 白麻骨紙二千幅, 紫燒酒二壜, 青橘二櫃, 分贈之. 《芝峰類說 17, 雜事部, 數名》凡數, 人以口, 禽獸以首, 魚以尾, 筆爲枚爲枝, 墨爲丸爲笏, 紙爲幅爲番, 硯爲面, 帶爲腰, 衣爲領. 《廣才物譜 1, 文字部, 紙》一張, 흔장. 幅. ❷'통'·'건'의 뜻으로, 조서(詔書)나 문서, 또는 서류 따위의 수를 세는 데 쓰는 말. 각(角). 건(件). 도(度·道). 봉(封). 장(張·丈). 종(宗). 지(紙). 찰(札). 통(通). 함(緘). 《高麗史 14, 睿宗世家》十三年八月戊午……王親製表文手書, 其辭曰, 九重帝所, 頒異渥以荐來, 一幅天書, 諭至懷而特厚, 拜承之際, 感涕無從. ❸그림이나 족자의 수를 세는 데 쓰는 말. 권(卷). 본(本). 정(幀). 축(軸·軸). 《朝鮮宣祖實錄 101, 10年2月戊子》出內藏雪景圖一幅. 《兒女英雄傳, 29回》看西牆掛的那幅當軸, 見畫的是仿元人三多圖. 《三色堇》我的生活像一幅油畫, 已經失去昔日清麗雅淡. ❹'벌'의 뜻으로, 가사(袈裟)의 수를 세는 데 쓰는 말. 《三國遺事 3, 塔像, 臺山月精寺五類聖衆》士知觀音所教, 因過省烏坪入, 慈藏初結茅處而住, 俄有五比丘到云, 汝之持來袈裟一幅, 今何在. ❺'폭'의 뜻으로, 피륙의 폭 수를 세는 데 쓰는 말. 《朝鮮成宗實錄 13, 2年12月壬申》傳旨戶曹·禮曹曰……自今進上表裏及衣襨, 毋過十升十一升, 帖裏毋過十四幅, 裏裳毋過十二幅, 外裳毋過十四幅, 以勵儉素之風. 《松南雜識(林氏本), 橘, 衣食類, 婦裙五幅》唐輿服志曰, 婦人裙不過五幅, 曳地不過三寸, 今幅或九或七, 以我國布帛狹小也, 羊木則三幅爲裙云. 《紹修書院謄錄, 嘉靖 26年 2月 18日》襦把持造次拾貳幅六升布. 《漢書, 食貨志 下》布帛廣, 二尺二寸爲幅.

폭(暴) [1] [행정] 민호(民戶) 조직의 한 단위. 1 폭은 50 가(家)에 해당된다. 《管子, 乘馬》十家而連, 五連而暴, 五暴而長. [2] [넓이] 1 폭은 사방(四方) 6 리(里)의 넓이에 해당된다. 《管子, 乘馬》方六里, 命之曰暴.

폭탈(幅脫 : fútuō) [길이] 중국(中國)의 단위. '피트(feet)'의 음역(音譯).

폰두스(pondus) [질량] 고대 로마(Roma)의 단위. 1 폰두스는 0.722 파운드, 또는 327.49 g 에 해당된다. 리브라(libra). 아스(as).

폰드(pond) [1] [질량] 네덜란드·자바(Java)의 단위. 1 폰드는 1.09 파운드(pound), 또는 0.494 kg 에 해당된다. 네덜란드에서는 이 밖에 1.1023 파운드, 또는 0.5 kg 으로도 쓴다. [2] [물리(物理)] 하중(荷重)을 나타내는 중력 단위(重力單位). 주로 독일에서 사용한다. 1 폰드는 1 킬로그램 중〔kgw〕과 같다. 기호 : p

폰토스(pontos) [길이] 근대 그리

스의 단위. 1 폰토스는 1 cm 에 해당된다. 닥퇼로스(daktulos).

폰트(font) [질량] 헝가리의 옛 단위. 1 폰트는 러트(lat)의 32 배(倍)이며, 1.102 폰드(pond), 또는 499.86 g 에 해당된다.

폴(fall) 1 [넓이] 스코틀랜드의 옛 단위. 1 폴은 36 제곱 엘(ell)이며, 38.1 제곱 야드〔yd^2〕, 또는 31.9 m^2 에 해당된다. 2 [수효] 레슬링에서, 두 경기자의 한 사람이 상대편의 양어깨를 매트에 닿게 하여 승리하였을 때의 한 회전을 나타내는 데 쓰는 말.

폴(pole) 1 [길이] 야드(yard)·파운드법(pound 法)의 한 단위. 1 폴은 5.5 야드이며, 16.5 피트, 또는 5.0292 m 에 해당된다. 기호 : po 2 [넓이] 미국(美國)·영국(英國)의 단위. 1 폴은 30.25 제곱 야드〔yd^2〕, 또는 25.29 m^2 에 해당된다. 로드(rod).

폴람(pollam) [질량] 인도(印度) 마드라스(Madras) 지방의 단위. 1 폴람은 톨라(tola)의 3 배(倍)이며, 1.234 온스, 또는 34.99 g 에 해당된다.

폴레가다(pollegada) [길이] 포르투갈(Portugal)·브라질(Brazil)의 단위. 1 폴레가다는 1.08 인치, 또는 2.75 cm 에 해당된다.

폴로니크(polonick) [부피] 트리에스테(Trieste)의 단위. 1 폴로니크는 0.86 미(美) 부셸(bushel)이며, 0.84 영(英) 부셸, 또는 30.37*l* 에 해당된다.

폴루가르니에츠(polugarniets) [부피] 러시아(Russia)의 단위. 1 폴루가르니에츠는 차스트(tchast)의 15 배(倍)이며, 1.49 미(美) 건량(乾量) 쿼트(quart), 1.44 영(英) 쿼트, 또는 1.64*l* 에 해당된다.

폴루오스미나(poluosmina) [부피] 러시아(Russia)의 단위. 1 폴루오스미나는 가르니에츠(garniets)의 16 배(倍)이며, 1.49 미(美) 부셸(bushel), 1.44 영(英) 부셸, 또는 52.48*l* 에 해당된다.

푀데르(fødder) [길이] 덴마크의 단위. 1 푀데르는 파븐(favn)의 6 분의 1, 또는 32.3 cm 에 해당된다.

푀예트(feuillette) [부피] 프랑스(France)의 단위. 주로 액체의 양을 헤아리는 데 쓴다. 1 푀예트는 뮈(muid)의 2 분의 1 이며, 파리(Paris)에서는 268.232*l* 에 해당한다. 그 밖에 액체에 쓰이는 단위에는 다음과 같은 것들이 있다.

1 카르토(quartaut)＝1/2 푀예트
1 스티에(setier)＝1/9 카르토
1 벨트(velte)＝1/9 카르토
1 팽트(pinte)＝1/8 스티에
1 쇼핀(chopine)＝1/2 팽트
1 드미스티에(demi-setier)
＝1/2 쇼핀
1 푸아송(poisson)
＝1/2 드미스티에
1 드미푸아송(demi-poisson)
＝1/2 푸아송
1 로키유(roquille)
＝1/2 드미푸아송

푀테르(fötter) [길이] 스웨덴의 단위. 1 푀테르는 파믄(famn)의 6 분의 1 이며, 0.97 피트, 또는 29.6 cm 에 해당된다.

표(表) [수효] ❶표지(標識)의 수를

세는 데 쓰는 말. 《墨子, 備城門》 城上千步一表. 《淮南子, 天文訓》 正朝夕, 先樹一表東方, 操一表, 却去前表十步以參望. ❷'통(通)'의 뜻으로, 주소(奏疏)의 수를 세는 데 쓰는 말. 《葉適, 蔡知閣墓志銘》 觀卿一表, 前程未可量也. 《宋史, 向敏中傳》 一表不聽, 則再請, 雖累百表, 不得, 請勿止也.

표(俵) [부피] 일본(日本)의 단위. '섬'의 뜻으로, 섬에 곡식이나 물건을 담아 그 양을 헤아리는 데 쓰는 말. 처음에는 5 말〔斗 ; 90.195*l*〕들이였으나, 뒤에 4 말(72.156*l*)들이가 되었다. 현재 쌀이나 보리의 1 표는 60 kg 이다. 곡(斛). 담(擔·甔). 석(石·碩). 소(召). 점(苫). 《陶山書院廟階磚石改築時日記, 檀紀4289年11月》 七月十九日, 文教部各二名行資貳萬圓. 七月二十四日, 石粉十五俵貳萬貳千五百元.

표(票 : biāo) [수효] 중국(中國)의 단위. ❶'번'·'차례'의 뜻으로, 소비자와 거래를 하는 횟수를 세는 데 쓰는 말. 《儒林外史, 7回》 荀家把這幾十弔錢贖了幾票當, 買了幾石米. ❷'표'의 뜻으로, 투표에 의한 선거에서, 득표수(得票數)를 헤아리는 데 쓰는 말. 《少年小說》 要不是你投給他一票, 他才不會當選哩. ❸'점(點)'의 뜻으로, 전당포에 잡힌 물품의 수를 세는 데 쓰는 말. ❹'통(通)'의 뜻으로, 문서(文書)나 증서(證書)의 수를 세는 데 쓰는 말. 《福惠全書, 莅任部, 馭衙役》 三班頭役, 與各房科有執掌者, 皆其黨羽, 門子在內宅出入伺候者, 皆其耳目, 一票出, 非其使令不敢差, 一詞興, 非其主持不敢告.

표(彪 : biāo) [수효] 중국(中國)의 단위. '무리'·'떼'의 뜻으로, 사람이나 말〔馬〕 따위 동아리의 수를 세는 데 쓰는 말. 표(鏢). 《三國演義, 92 回》 一彪軍從外吶喊殺入. 《水滸全傳, 83回》 西北上有一彪軍馬. 《茅盾, 子夜 14》 一彪人擁進了草棚.

표(鏢 : biāo) [수효] 중국(中國)의 단위. '표(彪)'와 같다. 《癸辛雜識別集, 下》 虜中謂一聚馬謂鏢, 或三百疋, 五百疋. 《陳以仁, 鴈門關存孝打虎, 2折》 不許當不許攔, 一鏢軍沒揣的撞入長安. 《睢景臣, 哨遍, 高祖還鄉》 見一鏢人馬到莊門, 匹頭裏幾面旗舒.

표(橇) [질량] 무게의 단위. 1 표는 40 근(斤)에 해당된다. 생선은 30 근, 은(銀)은 10 냥(兩), 고치〔繭〕는 10 근에 해당된다. 《正字通》 橇, 俗謂魚以三十斤爲一橇…… 集韻, 橇, 四十斤也, 與今秤數不同. 《通俗編, 數目, 一橇》 按, 今則以銀十兩爲一橇, 又繭十斤爲一橇.

표(幖 : biāo) [수효] 중국(中國)의 단위. '권'의 뜻으로, 책의 수를 세는 데 쓰는 말. 《陸龜蒙, 送豆盧處士謁丞相序》 有文三十編, 有書數千幖.

표(藨 : biā) [질량] 중국(中國)의 단위. 1 표는 속(粟)의 12 분의 1 에 해당된다. 《淮南子, 天文》 律之數十二, 故十二藨而當一粟, 十二粟而當一分, 十二分而當一銖, 十二銖而當半兩, 二十四銖爲一兩, 十六兩爲一斤, 三十斤爲一鈞, 四鈞爲石, 此則權之名.

표(瓢) [부피] '바가지'의 뜻으로, 바가지에 물이나 음식을 담아 그 양을 헤아리는 데 쓰는 말. 《十一月的故事》接著他又, 起一個水瓢, 一瓢一瓢的舀著水往下灑.

푸더(fuder) [부피] ❶룩셈부르크(Luxemburg)의 단위. 1 푸더는 264.18 미(美) 갤런(gallon)이며, 200.0 영(英) 갤런, 또는 1 kl에 해당된다. ❷프러시아(Prussia)의 단위. 1 푸더는 217.79 미(美) 갤런이며, 181.35 영(英) 갤런, 또는 824.42l에 해당된다. 지방에 따라서는 465.90 미(美) 갤런이며, 387.94 영 갤런, 또는 1,763.57l에 해당되기도 한다.

푸데(pudee) [부피] 인도(印度) 마드라스(Madras) 지방의 단위. 1 푸데는 93.55 세제곱 인치〔in^3〕, 또는 1.533l에 해당된다.

푸드(pud) [질량] 러시아·벨로루시아(Belorussia)·우크라이나의 옛 단위. 1 푸드는 40 푼트(funt)이며, 36.113 파운드, 또는 16.38 kg에 해당된다. 미터법(法)의 시행으로 폐지되었다. 보특(普特).

푸르베테(pourvete) [넓이] 라트비아(Latvia)의 고유 단위. 1 푸르베테는 0.92 에이커, 또는 37.2 아르〔a〕에 해당된다.

푸스(Fuss) [길이] ❶오스트리아의 단위. 1 푸스는 1.037 피트〔ft〕, 또는 31.61 cm에 해당된다. ❷독일 바이에른(Bayern) 지방의 단위. 1 푸스는 11.5 인치, 또는 29.19 cm에 해당된다. ❸옛 프러시아(Prussia)의 단위. 1 푸스는 10.30 인치, 또는 31.38 cm에 해당된다. ❹스위스의 단위. 1 푸스는 11.81 인치, 또는 30 cm에 해당된다.

푸스(pouce) [길이] ❶프랑스의 옛 단위. 1 푸스는 1.066 인치(inch), 또는 27.02 mm에 해당된다. ❷스위스(Switzerland)의 단위. 미터계(系)로 3 cm에 해당된다.

푸스(pous) [길이] 고대 그리스의 단위. 1푸스는 1.012피트〔ft〕, 또는 0.3086m에 해당된다. 포디(podi).

푸아송(poisson) [부피] 프랑스의 단위. 주로 액체의 양을 헤아리는 데 쓴다. 1 푸아송은 팽트(pinte)의 8 분의 1에 해당된다. 지방에 따라 다소 차이가 있는데, 파리(Paris)에서의 1 푸아송은 0.45 미(美) 액량 파인트, 0.204 영(英) 액량 파인트, 또는 0.1164l에 해당된다.

푸아즈(poise) [점도(粘度)] 유체 내에 1 cm 당 매초 1 cm의 속도 구배(勾配)가 있을 때, 그 구배의 방향과 수직면에 있어서 속도의 방향에 1 cm^2 당 1 다인의 응력(應力)이 생길 때의 점성률(粘性率). 기호 : P

푸앵(point) [길이] 프랑스의 관용적 단위. 1 푸앵은 리뉴(ligne)의 12 분의 1이며, 0.0074 인치(inch), 또는 0.19 mm에 해당된다.

푸트(fut) [길이] 러시아의 단위. 1 푸트는 사젠(sazhen')의 7 분의 1이며, 1 피트〔ft〕, 또는 30.48 cm에 해당된다.

푸트(voet) [길이] 네덜란드 암스테르담 지방의 단위. 1 푸트는 11.14 인치, 또는 0.283 m에 해당된다.

푼〔分〕 ⅰ [질량] '분(分)'과 같다. ⅱ [길이] '분(分)'과 같다. ⅲ [통화] '분(分)'과 같다.

푼(pund) [질량] ❶덴마크의 단위. 1 푼은 1.1023 파운드(pound), 또는 500 g 에 해당된다. ❷노르웨이의 고유단위. 구제(舊制)로는 1.098 파운드, 또는 481.1 g 이고, 신제(新制)로는 500 g 에 해당된다.

푼드(pund) [질량] ❶스웨덴의 옛 단위. 1 푼드는 오르트(ort)의 100 배이며, 0.937 파운드(pound), 또는 425.1 g 에 해당된다. ❷아이슬란드의 단위. 아이슬란드 파운드(Icelandic pound)라고도 한다. 1 푼드는 1.1023 파운드, 또는 500 g 에 해당된다.

푼사 [수효] 돈을 몇 돈이라고 셀 때에 남는 몇 푼. 또는 그 수를 세는 데 쓰는 말.

푼토(punto) ① [길이] 이탈리아의 단위. 1 푼토는 0.14 인치, 또는 3.57 mm 에 해당된다. ② [질량] 필리핀의 고유 단위. 1 푼토는 카티(catty)의 3 분의 1 이며, 0.465 파운드, 또는 210.8 g 에 해당된다.

푼트(funt) [질량] ❶러시아(Russia)의 옛 단위. 1 푼트는 로트(lot)의 32 배(倍)이며, 푸드(pud)의 40 분의 1, 잘라트니크(zolotnik)의 96 배, 0.90282 파운드, 또는 409.53 g 에 해당된다. ❷네덜란드의 단위. 1 푼트는 0.894 파운드, 또는 405.5 g 에 해당된다.

푼트(Pfund) [질량] 독일(獨逸)의 현재 상용(常用) 단위. 구제(舊制)로는 운체(Unze)의 16 배(倍)이며, 1.029～1.23 파운드(pound), 또는 467.7～560 g 이고, 신제(新制)로는 500 g 에 해당된다.

풀(pool) [넓이] 영국의 단위. 주로 지붕의 넓이를 헤아리는 데 쓴다. 1 풀은 168 제곱 피트〔ft^2〕, 또는 15.61 m^2 에 해당된다.

풀(pul) [통화] 아프가니스탄의 현재 보조 통화 단위. 1 풀은 아프가니(afghani)의 100 분의 1 에 해당된다. 보이(普爾).

풀가다(pulgada) [길이] ❶스페인(Spain)의 단위. 1 풀가다는 피에(pie)의 12 분의 1 이며, 0.914 인치(inch), 또는 2.32 cm 에 해당된다. ❷멕시코의 단위. 1 풀가다는 피에의 12 분의 1 이며, 0.916 인치, 또는 2.33 cm 에 해당된다.

품(品) ① [제도] '품'의 뜻으로, 관직의 등급이나 품계(品階)를 나타내는 데 쓰는 말.《三國史記 24, 百濟古爾王本紀》二月, 下令六品已上服紫, 以銀花飾冠.《高麗史 3, 成宗世家》西京入流, 年八十以上者, 優賞各有差, 三品以上, 公服一襲.《朝鮮太宗實錄 7, 4年3月庚午》命禮曹, 詳定各品及庶人墳墓禁限步數, 一品墓地方九十步, 四面各四十五步, 二品方八十步, 三品方七十步, 四品方六十步, 五品方五十步, 六品方四十步, 七品至九品方三十步, 庶人方五步已上, 步數並用周尺.《朝鮮世宗實錄 45, 11年 7月己巳》吏曹啓, 前此司譯院・書雲觀・典醫監等雜科生徒, 口傳白身陞九品, 九品則八品, 八品則七品, 七品則六品, 皆陞品口傳. 請自今並對品口傳. 從之.《經國大典 1, 吏典, 考課》蔭・武守令居下者, 經二年後, 更除本品. 以下外職, 經一考, 始許陞品. ② [수효] ❶'가지'・'종류'의 뜻으로, 음식이나 물건의 종류를 헤

아리는 데 쓰는 말.《春官志 1, 祭禮總論》陵寢節祀饌品, 則只有油蜜菓四坐, 白米餅三品, 泡湯三器, 實果四色, 麵食一器, 蔬菜兩楪而已.《秋官志 5, 掌隷, 公隷, 斜付》是雖行也, 減大卓, 減樽花, 饌案味數, 無過五品, 果品, 無過三器, 高不過五寸, 諸臣果盤, 無過五器, 高不過三寸.《書, 禹貢》厥貢惟金三品. (疏)三品者, 三色也. ❷불경(佛經)의 편(篇)이나 장(章)의 수를 세는 데 쓰는 말. 이 말은 범어(梵語)의 발거(跋渠)에서 유래되었다.《法華經科注》今經家據中標品.《毛奇齡, 中州和尙黃山賦序》誌其所著儒佛書一百餘品, 合爲卷二百三十有四. ❸'채'·'동(棟)'의 뜻으로, 절에 있는 건물의 수를 세는 데 쓰는 말.《黃朝英, 靖康緗素雜記 4》某年某月毁招提藍若四萬餘品. ❹(pǐn) 중국(中國)의 단위. ㉮약재(藥材)의 종류를 세는 데 쓰는 말.《金史, 禮志 11》貯湯藥二十六品. ㉯음식의 가짓수를 세는 데 쓰는 말.《石點頭, 王孺人離合團魚夢》門子供上一品肴饌, 不是別味, 却是一品好團魚. ③ [등급] 등급을 헤아리는 데 쓰는 말.《說苑, 政理》政有三品, 王者之政化之, 霸者之政威之, 彊者之政脅之.《後漢書, 循吏傳, 秦彭》每於農月, 親度頃畝, 分別肥墝, 差爲三品. ④ [순도] 합금(合金) 중에 포함된 금은(金銀)의 순도(純度)를 나타내는 데 쓰는 말. 순도에 따라 10품에서 6품까지 나누어지는데, 10품은 금은과 납의 비율이 10 대 0이고, 9품은 9대 1, 8품은 8 대 2, 7품은 7 대 3, 6품은 6 대 4의 비율로 섞인 것이다. 개(開). 금(金). 분(分). 성(成·星).《朝鮮中宗實錄 54, 20年 7月己卯》世子飯鉢一, 十品銀造入.《萬機要覽, 財用編 4, 金銀銅鉛》凡銀貨視其成數(成之云者, 猶言品也), 定爲高下, 最上謂之十成(無鉛純銀, 雖屢鍊更無劣縮. 或稱十品銀, 或稱天銀, 或稱手巾銀. 手巾銀卽吹鍊時鎔注於手巾, 故曰手巾銀), 其次謂之九成(銀爲九分, 鉛爲一分), 又其次謂之八成. ⑤ [부피] (pǐn) 중국(中國)의 단위. '파인트(pint)'의 역어(譯語).

품탈(品脫 : pǐntuō) [부피] 중국(中國)의 단위. '파인트(pint)'의 음역(音譯).

풋 파운드(foot pound) [일] 일의 양을 나타내는 단위. 1파운드의 힘이 작용하여 물체를 1푸트만큼 움직였을 때의 일의 양을 말한다. 1풋 파운드는 1.35582줄(joule)에 해당된다. 기호 : ft·lb

풍크트(Punkt) [길이] 오스트리아(Austria)의 단위. 1풍크트는 푸스(Fuss)의 728분의 1이며, 0.720인치(inch), 또는 0.183 mm에 해당된다.

퓌터마셀(Füttermassel) [부피] 오스트리아(Austria)의 단위. 1퓌터마셀은 메체(Metze)의 64분의 1이며, 0.87 미(美) 건량(乾量) 쿼트, 0.85 영(英) 쿼트, 또는 0.96l에 해당된다.

프라스코(frasco) [부피] 아르헨티나(Argentina)의 고유 단위. 1프라스코는 2.51 미(美) 쿼트, 2.09 영(英) 쿼트, 또는 2.375l에 해당

된다.

프라스타(prastha) ①[질량(質量)] 고대 인도(印度)의 단위. 정확(正確)한 수치(數値)는 알 수 없으나, 대략 1프라스타는 75g 정도라고 한다. ②[부피] 고대(古代) 인도의 단위. 1프라스타는 드로나(drona)의 16분(分)의 1이며, 1.09미(美) 건량(乾量) 쿼트(quart)이며, 0.91영(英) 쿼트, 또는 1.03l에 해당된다.

프라실라(frasila) [질량] 탄자니아(Tanzania)의 단위. 1프라실라는 16.329kg에 해당된다.

프라일(frail) [질량] 스페인의 고유 단위. 1프라일은 50파운드, 또는 22.7kg에 해당된다.

프라임(prime) [길이] '인치(inch)'의 옛 이름.

프라줄라(frazula) [질량] 에티오피아(Ethiopia)의 단위. 1프라줄라는 17kg에 해당된다.

프랑(franc) [통화] 프랑스·벨기에(België)·스위스·룩셈부르크(Luxemburg)·모나코(Monaco)·부룬디(Burundi)·카메룬(Camcroon)·중앙(中央)아프리카 공화국·차드(Chad)·콩고(Congo)·가봉(Gabon)·마다가스카르(Madagascar)·말리(Mali)·르완다(Rwanda)·모리타니(Mauritanie)·니제르(Niger)·세네갈(Senegal)·토고(Togo) 등의 현재 통화 단위. 프랑스의 1프랑은 데심(decime)의 10배(倍), 또는 상팀(centime)의 100배에 해당된다. 프랑스 이외 국가의 1프랑도 어느 것이나 상팀의 100배에 해당된다. 법랑(法郞). 기호 : Fr

프레임(frame) [수효] ❶야구 경기에서 경기 횟수를 나타내는 데 쓰는 말. ❷볼링(bowling) 경기에서, 한 경기를 열로 나눈 하나. 각자가 두 번씩 공을 던질 때의 차례나 횟수를 나타내는 데 쓰는 말. ❸풀 당구(pool billiad)에서 맞힐 공을 모두 주머니에 집어 넣을 때까지의 차례나 횟수(回數)를 나타내는 데 쓰는 말.

프레트(pret) [길이] 폴란드의 단위. 1프레트는 스토파(stopa)의 15배(倍)이며, 4.72야드(yard), 또는 4.32m에 해당된다.

프루타(pruta) [통화(通貨)] 이스라엘(Israel)의 보조 통화 단위(補助通貨單位). 1프루타는 이스라엘 파운드(Israel pound)의 1,000분의 1, 또는 아고로트(agorot)의 10분의 1에 해당된다.

프루프(proof) [농도] 미국(美國)·영국(英國)의 단위. 주로 증류주(蒸溜酒)의 알코올(alcohol) 함유량(含有量)을 나타내는 데 쓴다. 아메리칸 프루프(American proof)와 브리티시 프루프(British proof)의 두 종류가 있는데, 이 두 가지를 서로 비교하면 다음과 같다. 기호 : pf

아메리칸 프루프	브리티시 프루프	주정도 (酒精度)
1° pf	99.1°U.P.	0.5도(度)
20° pf	82.5°U.P.	10도(度)
85.6°pf	25° U.P.	42.8도(度)
100° pf	12.4°U.P.	50도(度)
114.2°pf	프루프	57.1도(度)
120° pf	5° O.P.	60도(度)

프사이(psi) [압력] 야드(yard)·파운드법(pound 法)의 한 단위. 1 프사이는 1 제곱 인치〔in^2〕당 1 파운드의 힘이 가해졌을 때를 말한다. 곧, 파운드 매 제곱 인치〔lb/in^2〕를 의미하며, pound per square inch의 첫글자를 따서 프사이(psi)라 하였다. 기호 : ϕ, psi

$$1\ psi = 1\ lb/in^2 = 6.8947 \times 10^4\ dyn/cm^2 = 0.070307\ kg/cm^2 = 703.07\ kg/m^2$$

플라스크(flask) [질량] 미국(美國)의 단위. 주로 수은(水銀)의 무게를 헤아리는 데 쓴다. 1 플라스크는 75 파운드(pound), 또는 34.02 kg에 해당된다.

플라이(ply) [수효] 밧줄이나 새끼를 꼰 가닥의 수를 세는 데 쓰는 말.

플레트론(plethron) ① [길이] 고대 그리스(Greece)의 단위. 1 플레트론은 포디(podi)의 100 배(倍)이며, 101.2 피트(feet), 또는 30.86 m에 해당된다. ② [넓이] 고대 그리스의 단위. 1 플레트론은 10,000 제곱 포디(podi)이며, 0.235 에이커(acre), 또는 9.25 아르〔a〕에 해당된다.

플로린(florin) [통화] ❶네덜란드(Netherlands)의 현재 통화 단위. 굴덴(gulden)의 딴 이름. 기호 : F ❷영국(英國)의 단위. 에드워드 Ⅲ세(世)(Edward Ⅲ ; 재위 1327~1377) 때 금화(金貨)로 사용되었는데, 뒤에 2 실링(shilling)의 은화(銀貨)가 이 이름으로 불렸다.

피(披) [수효] '쪽'의 뜻으로, 물건이 갈라지거나 쪼개진 조각의 수를 세는 데 쓰는 말. 살깃은 원래 세 쪽이 합하여 한 벌을 이루는데, 1 피(披)는 세 쪽의 살깃 중 어느 하나를 이른다. 《漢淸文鑑 5, 武功, 製造軍器》一披箭翎, 살깃 ᄒᆞᆫ 쪽.

피(被) [수효] '벌'의 뜻으로, 갑옷·방패 따위의 몸을 보호하는 물건의 수를 세는 데 쓰는 말. 《史記, 絳侯周勃世家》 爲父買工官尙方甲楯五百被, 可以葬者. (裴駰集解) 長晏曰, 被, 具也. 五百具甲楯.

피곤(pygon) [길이] 고대 그리스(Greece)의 단위. 1 피곤은 1.27 피트(feet), 또는 38.60 cm에 해당된다.

피나르(pinar) [질량(質量)] 근대 이란(Iran)의 고유 단위. 1 피나르는 미스칼(misqāl)의 20 배(倍)이며, 3.25 온스(ounce), 또는 92.0 g에 해당된다.

피소(piso) [질량] 기니(Guinea)의 고유 단위(固有單位). 1 피소는 124 그레인(grain), 또는 8.0 g에 해당된다.

피스(pice) ① [통화] 네팔(Nepal)의 현재 보조 통화 단위. 1 피스는 루피(rupee)의 100 분의 1에 해당된다. ② [질량] 인도(印度) 봄베이(Bombay) 지방의 단위. 1 피스는 163.3 그레인, 또는 10.58 g에 해당된다.

피아(pya) [통화] 미얀마(Myanmar)의 현재 보조 통화 단위. 1 피아는 치아트(kyat)의 100 분의 1에 해당된다.

피아사특(皮阿斯特 : píasītē) [통화] 중국(中國)의 단위. '피아스트

르(piastre)'의 음역(音譯).

피아스터(piaster) [통화] ❶터키(Turkey)의 은화(銀貨) 단위. ❷스페인(Spain)·멕시코(Mexico)의 단위. 1 피아스터는 페소(peso)와 같다. 페소(peso).

피아스트르(piastre) [통화] ❶남(南)베트남의 옛 통화 단위. 1 피아스트르는 100 센트(cent)에 해당된다. 피아사특(皮阿斯特). 기호 : VN $ ❷레바논(Lebanon)·시리아(Syria)의 보조 통화 단위. 1 피아스트르는 파운드(pound)의 100 분의 1에 해당된다. 피아사특(皮阿斯特). ❸리비아(Libya)·수단(Sudan)·아랍(Arab) 연합의 보조 통화 단위. 1 피아스트르는 파운드의 100 분의 1, 또는 10 밀리엠(milliem)에 해당된다. 피아사특(皮阿斯特). ❹터키(Turkey)의 보조 통화 단위. 1 피아스트르는 리라(lira)의 100 분의 1, 또는 40 파라(para)에 해당된다. 피아사특(皮阿斯特).

피아트(pyat) [통화] 미얀마의 현재 보조 통화 단위. 1 피아트는 치아트(kyat)의 10 분의 1에 해당된다.

피어텔라인(Viertelein) [부피] 독일(獨逸)의 지방 단위. 1 피어텔라인은 짐리(Simri)의 128 분의 1이며, 0.31 미(美) 건량(乾量) 파인트(pint), 0.30 영(英) 파인트, 또는 173 ml에 해당된다.

피얼링(Vierling) 1 [질량] 독일(獨逸)·오스트리아(Austria)의 단위. 1 피얼링은 푼트(Pfund)의 4 분의 1이며, 0.309 파운드, 또는 140 g에 해당된다. 2 [부피] 독일의 지방적 단위. 1 피얼링은 짐리(Simri)의 4 분의 1이며, 5.03 미(美) 건량(乾量) 쿼트, 4.87 영(英) 쿼트, 또는 5.54l에 해당된다.

피에(pie) [길이] ❶스페인(Spain)의 단위. 1 피에는 바라(vara)의 3 분의 1이며, 10.97 인치(inch), 또는 27.86 cm에 해당된다. ❷파라과이(Paraguay)의 단위. 1 피에는 11.36 인치, 또는 28.85 cm에 해당된다. ❸이탈리아(Italia)의 옛 단위. 피에데(piède)의 딴 이름이다.

피에(pied) [길이] 고대(古代)의 단위. 사람이 걸을 때 한 발자국의 폭을 뜻하는 피트(feet)와 같고, 그 길이는 나라에 따라 다르다. ❶이집트의 옛 단위. 1 피에는 0.262 m에 해당된다. ❷그리스(Greece)의 옛 단위. 1 피에는 0.3083 m에 해당된다. ❸로마(Roma)의 옛 단위. 1 피에는 0.2957 m에 해당된다. ❹프랑스의 옛 단위. 1 피에는 0.3248 m에 해당된다. ❺벨기에(België)의 단위. 1 피에는 12.79 인치, 또는 32.49 cm에 해당된다. ❻캐나다(Canada)의 단위. 1 피에는 1 피트(feet), 또는 30.48 cm에 해당된다. ❼스위스의 단위. 1 피에는 30 cm에 해당된다.

피에데(piède) [길이] 이탈리아의 옛 단위. 피에(pie)라고도 한다. 1 피에데는 디토(dito)의 16 배이며, 11～23 인치, 또는 28～58 cm에 해당된다. 피에(pie).

피에르딩(fjerding) 1 [질량] 노르웨이(Norway)의 단위. 주로 버터의 무게를 헤아리는 데 쓴다. 1 피에르딩은 파운드(pound)의 4 분의 1, 또는 113.40 g 에 해당된다. [2] [넓이] 덴마크(Denmark)의 단위. 1 피에르딩은 0.219 에이커(acre), 또는 8.87 아르〔a〕에 해당된다.

피에르텔(Viertel) [부피] ❶오스트리아(Austria)의 단위. 1 피에르텔은 메체(Metze)의 4 분의 1 이며, 0.44 미(美) 부셸(bushel)이며, 0.42 영(英) 부셸, 또는 15.4l 에 해당된다. ❷덴마크(Denmark)의 단위. 1 피에르텔은 2.04 미(美) 갤런(gallon)이며, 1.70 영(英) 갤런, 또는 7.73l 에 해당된다. ❸스위스(Switzerland)의 단위. 1 피에르텔은 0.426 미(美) 부셸, 또는 15l 에 해당된다.

피에즈(piĕze) [압력] 엠 티 에스계(M.T.S. 系)의 한 단위. 프랑스에 있어서 압력의 법정 계량 단위. 1 피에즈는 1,000 뉴턴〔N〕 매 제곱 미터의 압력이다. 기호 : pz

$$1\ \mathrm{pz}=1{,}000\ \mathrm{N/m^2}=0.01\ \mathrm{bar}$$

피치(pitch) [1] [길이] 톱니바퀴의 톱니와 톱니 사이의 길이, 또는 나사를 한 바퀴 돌릴 때 수직으로 움직인 거리를 나타내는 데 쓰는 말. [2] [속도] 프로펠러의 1 회전에 의하여 전진하는 거리를 나타내는 데 쓰는 말.

피커윤(picayune) [통화] 미국(美國) 플로리다 · 루이지애나의 옛 단위. 1 피커윤은 스페인(Spain)의 화폐인 레알(real)의 2 분의 1, 또는 5 센트(cent)에 해당된다.

피코(pico-) [접두어] 1 조(兆)분의 1, 또는 10^{-22} 에 해당된다. 기호 : p

피코래드(picorad) [방사선(放射線)] 래드(rad)의 10^{-12} 배(倍)에 해당된다. 기호 : prad

피코세컨드(picosecond) [시간] 시간의 단위. 10^{-12} 초(秒)에 해당된다. 기호 : ps

피코에르그 매 제곱 센티미터(— 每 —) [에너지] 에르그 매 제곱 미터〔erg/m²〕의 10^{-8} 배(倍)에 해당된다. 기호 : perg/cm²

피코줄 매 제곱 센티미터(—每—) [에너지] 줄 매 제곱 미터〔J/m²〕의 10^{-8} 배(倍)에 해당된다. 기호 : pJ/cm²

피코줄 매 제곱 센티미터 매초(— 每 — 每秒) [에너지] 줄 매 제곱 미터 매초〔J/m²·s〕의 10^{-8} 배(倍)에 해당된다. 기호 : pJ/cm²·s

피코퀴리 매 그램(— 每 —) [방사능] 괴변 매초 매초 매 킬로그램의 보조 계량 단위인 퀴리 매 그램의 정수승 단위(整數乘單位)의 하나. 기호 : pCi/g

피코퀴리 매 리터(— 每 —) [방사능] 퀴리 매 리터〔Ci/l〕의 10^{-12} 배(倍)에 해당된다. 기호 : pCi/l

피코퀴리 매 미터(— 每 —) [방사능] 방사능 농도의 계량 단위인 괴변 매초 매 세제곱 미터〔dps/m³〕의 보조 계량 단위. 기호 : pCi/m

피코퀴리 매 세제곱 미터(— 每 —) [방사능] 방사능 농도의 계량 단위인 괴변 매초 매 세제곱 미터〔dps/m³〕의 보조 계량 단위. 기호 : pCi/m³

피코퀴리 매 제곱 미터(— 每 —) [방사능] 퀴리 매 제곱 미터〔Ci/m²〕의 10^{-12} 배(倍)에 해당된

다. 기호 : pCi/m²

피코퀴리 매 킬로그램(— 每 —) [방사능] 퀴리 매 킬로그램〔Ci/kg〕의 10^{-12} 배(倍)에 해당된다. 기호 : pCi/kg

피코탱(picotin) [부피] 프랑스의 옛 단위. 지방에 따라 다소 차이가 있는데, 파리(Paris)에서의 1 피코탱은 약 2.5*l* 에 해당된다.

피쿨(picul) [질량] '단(担)'이라고 하는데, 보통 한 사람의 힘으로 멜 수 있는 짐의 무게로, 보통 60 kg 에 해당된다. ❶중국(中國)·말레이 반도(Malay 半島)의 단위. 1 피쿨은 133⅓ 파운드, 또는 60.48 kg 에 해당된다. ❷인도네시아의 단위. 1 피쿨은 136.16 파운드, 또는 61.76 kg 에 해당된다. ❸필리핀의 단위. 1 피쿨은 139.44 파운드, 또는 63.25 kg 에 해당된다.

피퀴스(pechus) [길이] 근대 그리스(Greece)의 단위. 손목에서 팔꿈치까지의 길이라는 뜻에서 유래되었다. 피키(peche). ❶상업용(商業用)의 1 피퀴스는 루피(roupi)의 8 배(倍)이며, 25.51 인치, 또는 64.8 cm 에 해당된다. ❷건축용(建築用)의 1 피퀴스는 29.25 인치, 또는 75 cm 에 해당된다. ❸현재 미터계(系)로는 1 m 에 해당된다.

피크(pic) [길이] 이집트의 단위. 1 피크는 0.58 m 에 해당된다.

피크 할레비(pik halebi) [길이] 터키의 고유 단위. ❶피륙에서의 1 피크 할레비는 26.97 인치, 또는 68.5 cm 에 해당된다. ❷토지의 측량에서의 1 피크 할레비는 27.9 인치, 또는 70.87 cm에 해당된다.

피키(peche) [길이] 근대 그리스의 단위. '피퀴스(pechus)'와 같다.

피트(feet) [1] [길이] 야드(yard)·파운드법(pound 法)의 한 단위. 사람이 걸을 때의 한 발자국의 폭(幅)의 길이에서 유래되었다. 1 피트는 야드의 3 분의 1, 또는 30.480 cm 에 해당된다. [2] [넓이] 영국·미국의 단위. 1 피트는 1 제곱 피트〔ft²〕이며, 144 제곱 인치(in²), 또는 929.0 cm² 에 해당된다. 영척(英尺). 척(呎). 폭탈(幅脫). 기호 : ft

피트캔들(feet-candle) [조도] 야드·파운드법에 의한 단위. 1 루멘(lumen)의 광속(光速)으로 1 평방 피트의 면을 비칠 때의 조도(照度).

피파(pipa) [부피] ❶포르투갈의 단위. 1 피파는 알무드(almud)의 26 배(倍)이며, 115.0 미(美) 갤런(gallon), 95.75 영(英) 갤런, 또는 435.3*l* 에 해당된다. ❷브라질의 단위. 1 피파는 126.6 미(美) 갤런이며, 105.4 영(英) 갤런, 또는 479.16*l* 에 해당된다.

피페(pipe) [부피] 말레이 반도(半島)의 말라카(Malacca) 지방의 단위. 1 피페는 151.3 미(美) 갤런(gallon)이며, 126 영(英) 갤런, 또는 572.8*l* 에 해당된다.

피프(Pfiff) [부피] 오스트리아의 단위. 1 피프는 마스(Mass)의 8 분의 1 이며, 0.19 미(美) 액량(液量) 쿼트(quart), 0.16 영(英) 쿼트, 또는 0.18*l* 에 해당된다.

픽(pick) [수효] ❶방직 기계에서 북(shuttle)이 왕래하는 횟수를 세는 데 쓰는 말. ❷피륙의 날실을 세는 데 쓰는 말.

핀(pin) [부피] 영국(英國)의 단위. 1핀은 배럴(barrel)의 8분의 1이며, 4.5영(英) 갤런(gallon), 또는 20.46l에 해당된다.

핀트(pint) [부피] 헝가리의 고유 단위. 1핀트는 이체(ícce)의 2배(倍)이며, 1.794 미(美) 액량(液量) 쿼트(quart), 또는 1.696l에 해당된다.

필(匹) 1 [수효] ❶말〔馬〕의 수를 세는 데 쓰는 말. 말의 길이가 보통 1필(匹) 정도이고, 말의 시력(視力)이 밤에 4장(丈) 앞을 볼 수 있다 하여 붙여진 말이다. 강(羫). 골(骨). 구(口). 두(頭). 수(首). 제(蹄). 척(隻). 투(套). 필(疋). 《三國史記 8, 新羅聖德王本紀》先時遣王姪志廉謝恩, 獻小馬兩匹, 狗三頭, 金五百兩, 銀二十兩, 布六十匹, 牛黃二十兩, 人蔘二百斤, 頭髮一百兩, 海豹皮一十六張, 及是授志廉鴻臚少卿員外置. 《高麗史 2, 定宗世家》三年秋九月, 東女眞大匡蘇無盖等, 來獻馬七百匹. 《朝鮮太宗實錄 33, 17年 6月戊子》兵曹上馬政事宜啓曰……牧子每一名, 雌馬五匹, 雄馬一匹, 爲一屯, 然考察無門, 無識牧子, 不能看養, 馬不蕃息, 有名無實, 請令府使兼牧場. 從之. 《朝鮮明宗實錄 17, 9年 7月乙丑》監考色吏一人所得牛隻·馬匹·布端·田結, 不知其數. 《吏文輯覽 3, 匹隻》匹以馬言, 隻以牛言. 《史記, 貨殖傳》(司馬貞索隱) 云, 馬夜行, 目照前四丈, 故云一匹. 或說, 度馬縱橫, 適得一匹. ❷실꾸러미의 수를 세는 데 쓰는 말. 1필의 피륙을 짤 수 있는 양이다. 《朝鮮太宗實錄 15, 8年4月庚辰》帝使禮部尚書趙羾, 賜世子金二錠, 銀十錠, 紵絲五十匹, 線羅五十匹. ❸솜〔綿〕을 묶은 덩이의 수를 세는 데 쓰는 말. 1필의 피륙을 짤 수 있는 양이다. 《高麗史 26, 元宗世家》安慶公淐, 還自蒙古, 賜王西綿一匹, 曆日一道. ❹강아지〔狗子〕·다람쥐〔栗鼠〕 따위의 수를 세는 데 쓰는 말. 척(隻). 《朝鮮文宗實錄 4, 卽位年10月丁丑》獲貴國殿下印, 他日聘問之時, 必須憑印, 以爲審識, 更望狗子二匹, 栗鼠二匹, 鵝兒一雙, 白鴨一雙. ❺필(疋)의 1❶과 같다. 《三國史記 6, 新羅文武王本紀》絹布舊十尋爲一匹, 改以長七步, 廣二尺爲一匹. 《三國史記 7, 新羅文武王本紀》兼進貢銀三萬三千五百分, 銅三萬三千分, 針四百枚, 牛黃百二十分, 金二十分, 四十升布六匹, 三十升布六十匹. 《高麗史 79, 食貨志》米四斗, 直布一匹, 金銀價錢, 或有金一錠, 米當五六石, 中外皆然. 《朝鮮中宗實錄 37, 14年11月辛酉》命納緜紬二同于內(俗云, 五十匹爲一同). 《眉巖集 7, 日記》己巳八月二十四日……希春所受, 白綿布一匹, 五十尺, 紫的紬一匹, 五十尺, 磻紅擣練紬一匹, 五十尺, 白擣練紬一匹, 五十尺, 諸臣各有差等. 《春官志, 下, 荒唐舡》多說機詐米十五斗爲一斛, 馬島以七斗爲斛. 布三十七尺爲一匹, 馬島以二十尺爲匹. 紙二十番爲一束, 且甚長馬島機爲三束. ❻일본(日本)의 단위. ㉮'마리'의 뜻으로, 북어나 조기 따위의 물고기를 낱으로 세는 데 쓰는 말. 괴(塊). 매(枚). 미(尾).

조(條). 지(枝). ㉯사슴·개 따위의 짐승을 낱으로 세는 데 쓰는 말. 척(隻). ② [길이] (pǐ) 고대 중국(中國)의 단위. 1 필은 4 장(丈), 또는 40 자〔尺〕에 해당된다. 주(周)나라(1122～B.C. 256) 이후에는 쓰지 않았다.《說文, 匸部》匹, 四丈也.《漢書, 食貨志 下》布帛廣二尺二寸爲幅, 長四丈爲匹.

필(疋) ① [수효] ❶일정한 길이로 짠 피륙을 하나치로 세는 데 쓰는 말. 1 필의 길이는 쓰임에 따라 각각 다르지만, 일반적으로 1 필은 35 자〔尺〕에 해당된다. 겸(縑). 냥(兩). 단(段·端). 정(丁). 제(製). 필(匹).《三國遺事 1, 紀異, 太宗春秋公》城中時價, 布一疋, 租三十碩, 或五十碩, 民謂之聖代.《朝鮮光海君日記 24, 2年正月己亥》大祥時, 陵殿上下人賞格所用, 白木綿二十疋, 白苧布二十疋, 綿紬二同, 木綿五同, 布子五同, 來二十六日廂庫進排.《大東野乘 3, 諛聞瑣錄》綿布三十五尺一疋, 五十疋爲一同.《磻溪隨錄 3, 田制後錄 上》本國之制, 布帛以三十五尺爲一疋, 按古者以周尺四十尺爲一疋, 故曰, 四丈爲疋, 今雖以三十尺爲疋, 以布帛尺計之也, 比古則長.《度支準折, 紬紵木布綿》大布一桶(一疋十二尺, 十疋作一桶). 品藍十兩紬一尺(每疋長十九尺). 紅潞方紬一尺(一疋長二十二尺). 草綠別紋庫英綃一尺(每疋長三十尺). 黑麻布一疋(長三十五尺, 廣七寸). 經用綿紬一疋(長四十尺, 廣七寸). 表裡白綿布一疋(長五十尺, 廣七寸). ❷'필(匹)'의 ①❶과 같다.《朝鮮宣祖實錄 36, 26年3月甲子》上以栗色騸馬一疋, 黑色雄馬一疋, 黑色騸馬一疋, 遣承旨沈友勝, 領進于提督前.《朝鮮宣祖實錄 195, 39年正月辛巳》奇蘭趙翼男, 各兒馬一疋賜給.《大明律 16, 兵律, 廐牧, 官馬不調習, 直解》凡養馬官員等乙用良, 官馬乙, 乘騎調習令是乎矣, 右馬亦走步調習不得令是在乙良, 一疋是去等, 笞二十. ② [길이] (pǐ) 중국(中國)의 옛 단위. 1 필은 80 자〔尺〕, 또는 장(丈)의 8 배(倍)에 해당된다.《小爾雅, 廣度》五尺謂之墨, 倍黑謂之丈, 倍丈謂之端, 倍端謂之兩, 倍兩謂之疋.

필(筆) [수효] ❶논·밭·임야(林野) 같은 것의 구획(區畫)된 전부를 하나치로 세는 데 쓰는 말. 필지(筆地). ❷(bǐ) 중국(中國)의 단위. '몫'의 뜻으로, 금전 관계에서 각각의 몫을 헤아리는 데 쓰는 말.《林則徐》有些人還以爲林欽差會借此機會發一筆橫財.《綠色的年代》他手頭永遠有一筆積蓄. ❸'획'의 뜻으로, 글씨나 그림에서 한 번 그은 선이나 점의 수를 세는 데 쓰는 말. ❹'마디'의 뜻으로, 말의 동강을 세는 데 쓰는 말.

필(fil) [통화] 이라크(Iraq)·요르단(Jordan)·쿠웨이트(Kuwait)의 보조 통화 단위. 1 필은 디나르(dinar)의 1,000 분의 1 에 해당된다. 비이(費爾).

필레르(fillér) [통화] 헝가리의 보조 통화 단위. 1946년 이후에 사용하고 있다. 1 필레르는 포린트(forint)의 100 분의 1 에 해당된다. 비륵(菲勒).

필지(筆地) [수효] '필(筆)'의 ❶과 같다.

핍(乏 : fá) 1 [압력·기상] 중국(中國)의 단위. '바(bar)'의 음역(音譯). 2 [무효 전력(無效電力)] 중국의 단위. '바(var)'의 음역.

하(下) 1 [수효] ❶'번'의 뜻으로, 일이나 동작의 횟수를 세는 데 쓰는 말. 개(個). 계(季). 과(過). 기(起). 도(度·道). 반(返·班). 배(輩). 번(番). 삽(霎). 성(成). 운(運). 장(場). 쟁(趟). 조(遭). 주(注). 하자(下子). 헐(歇). 호(號). 화(伙). 회(回·迴·會). 《宮中呈才舞圖笏記, 船遊樂》執事妓入跪, 鳴金三下. 《北齊書, 陸法和傳》又有人以牛試刀, 一下而頭斷. 《朱子語類 94》這物事, 這機關, 一下撥轉後, 卒乍攔他不住. 《最新大學中國語》她想到這裏, 心裏很高興, 就把頭搖了一下. 《敦煌變文集, 孔子項託相問書》夫子共項託對答, 下下不如項託. ❷'대'의 뜻으로, 치거나 때리는 횟수를 세는 데 쓰는 말. 《老乞大諺解, 上》寫着免打三下(세 번 마즈믈 면ᄒᆞ라 ᄒᆞ여 쓰고). 《淸平山堂話本, 合同文字記》包相公文將老劉打三十下. 《紅樓夢, 47回》只使了三分氣力, 向他臉上打了幾下. ❸일본(日本)의 단위. 바지의 수를 세는 데 쓰는 말. 2 [시간] (xià) 중국(中國)의 단위. '점(點)'의 뜻으로, 시간을 나타내는 데 쓰는 말. 《老殘遊記, 16回》人瑞腰裏摸出錶來一看, 說, 四下鐘, 再等一刻, 天亮了, 我叫縣裏專個人去. 《二十年目睹之怪現狀, 50回》小雲在身邊取出錶來一看, 吐出舌頭道, 三下一刻了.

하(夏) [시간] 중이 된 뒤부터 나이를 세는 데 쓰는 말. 하(夏)라는 뜻은 본래 여름 90 일 동안을 이르는데, 인도의 장마철에는 비가 많이 와서 비구니들이 시주를 하기가 어려워 한 곳에 머물러 있으면서 수행을 하게 된다. 이를 하안거(夏安居)·우안거(雨安居)·하좌(夏坐)·하행(夏行)·하롱(夏籠)이라 하는데, 이 수행의 횟수는 바로 햇수와 연결되기 때문에 이로써 나이를 헤아리게 되었다. 《墨經, 新故》凡新墨不過三夏, 殆不堪用.

하(荷) [부피·수효] '짐'의 뜻으로, 지게에 져 나르거나 통에 담아 나른 분량. 또는 그 횟수를 세는 데 쓰는 말. 담(擔). 도(挑). 부(負). 척(隻). 태(笞). 《農政新篇 2, 糞苴法》臘土製法. 山田赤土或紫黑土五十荷, 冬至後二三日或五七日, 以生糞十荷均爲澆和, 置於受風處無壁小屋中, 五七日寒風吹射, 凍作翻花, 反耕而候乾. 又澆生糞十荷, 如是三遍. 《農政新篇 2, 糞苴法, 人糞》下肥製法, 熟糞三荷, 雨水四荷, 詗和用之, 性與水肥同, 而其功減半, 宜斟酌用之.

하라(jarra) [부피] 멕시코(Mexico)의 고유 단위. 1 하라는 쿠아르티요(cuartillo)의 18 배(倍)이며, 2.17 미(美) 갤런(gallon), 1.81 영(英) 갤런, 또는 8.21l에 해당된

다.

하르바르(kharvār) [질량] 근대 이란(Iran)의 단위. 1 하르바르는 바트만(batman)의 100 배(倍)이며, 655 파운드(pound), 또는 297 kg에 해당된다.

하브(hab) [질량] 라오스(Laos)의 단위. 1 하브는 60.0 kg에 해당된다.

하순(荷盾 : hédùn) [통화] 중국(中國)의 단위. '길더(guilder)'의 역어(譯語).

하스타(hasta) [길이] ❶고대 인도(印度)의 단위. 팔꿈치에서 중지(中指)까지의 길이로, 1 하스타는 비타스티(vitasti)의 2 배(倍)이며, 25.26 인치(inch), 또는 64.16 cm에 해당된다. ❷싱가포르의 단위. 1 하스타는 18 인치, 또는 45.72 cm에 해당된다.

하오(hao) [통화] 베트남의 현재 보조 통화 단위. 1 하오는 동(dong)의 10 분의 1에 해당된다.

하자(下子 : xiàzǐ) [수효] 중국(中國)의 단위. '번'·'회'·'바탕'의 뜻으로, 일의 횟수를 세는 데 쓰는 말. 개(個). 계(季). 과(過). 기(起). 도(度·道). 반(返·班). 배(輩). 번(番). 삽(霎). 성(成). 운(運). 장(場). 쟁(趟). 조(遭). 주(注). 하(下). 헐(歇). 호(號). 화(伙). 회(回·迴·會). 《兒女英雄傳, 1回》 這一下子又把這老爺打在候補候選的裏頭挑上了.《紅樓夢, 38回》 誰知那日一下子失了脚掉下去, 幾乎沒淹死, 好容易救上來了, 到底叫那木釘把頭磞破了.《少年小說》降完旗後, 又有幾位年輕的男老師加入訓鍊工作的行列, 一下子整個操場變得熱鬧起來.

하트(hath) [길이] 인도(印度)의 단위. 1 하트는 18 인치, 또는 45.72 cm에 해당된다. 큐빗(cubit).

하트(hatt) [길이] 터키(Turkey)의 단위. 1 하트는 아르신(aršin)의 288 분의 1, 또는 3.472 mm에 해당된다.

하틀리(hartley) [정보량] 정보량(情報量)의 단위. 1 하틀리는 약 3.219 비트(bit)와 같다.

하프(hap) [질량] ❶캄보디아의 단위. 1 하프는 60～68 kg에 해당된다. ❷태국(泰國)의 고유 단위. 1 하프는 창(chang)의 50 배(倍)이며, 132.28 파운드, 또는 60 kg에 해당된다. 하프(haph).

하프(haph) [질량] 태국(泰國)의 단위. '하프(hap)'의 ❷와 같다.

하프페니(halfpenny) [통화] '헤이퍼니(halfpenny)'와 같다.

학군(學群) [교육·수효] 교육 행정상의 필요에 의하여 중학교나 고등학교를 지정하여 갈라 놓은 구역. 또는 그 구역의 수를 세는 데 쓰는 말.

학급(學級) [교육·수효] 학교 교육이 실제로 행하여지는 학생의 집단으로, 교과 지도와 생활 지도 등 교육 활동이 집중적으로 실시되는 학교 교육 행정상의 한 단위. 또는 그 수를 세는 데 쓰는 말.

학기(學期) [교육·수효] 한 학년 동안을 학업 능률상의 필요에 의하여 구분한 기간. 또는 그 기간을 세는 데 쓰는 말.

학년(學年) [교육·수효] 교육법에

서 규정한 1 년간의 학습 과정의 단위. 또는 그 수나 차례를 나타내는 데 쓰는 말.

학점(學點) [교육·수효] 대학과 대학원 학생이 학과 이수(履修)를 계산하는 단위. 원칙적으로 매주 1 시간, 또는 그 이상의 시간을 1 학기 동안 강의를 받고 소정 시험에 합격함으로써 학점을 따게 된다.

한(限) [수효] 기한(期限)을 몇 차례로 나누어 정하였을 때, 그 기한의 수를 세는 데 쓰는 말. 《朝鮮太宗實錄 30, 15年12月辛未》刑曹上決獄三限之法. 啓曰, 謹按文獻通考刑考內……上慮天下有滯獄, 復建三限之制, 大事四十日, 中事二十日, 小事十日, 有不須追捕而易決者, 不至三日. 《朝鮮宣祖實錄 103, 31年8月庚申》今當定爲三限, 以九月二十日爲頭限, 以十月初十日爲中限, 以十月三十日爲末限, 使之預先曉諭於三限之內, 捧上知數, 啓聞爲當, 而應牧之人, 成冊上送.

한(漢) [수효] '놈'·'명'의 뜻으로, 사람의 수를 세는 데 쓰는 말. 주로 신분이 낮은 사람의 수를 셀 때 쓴다. 개(介·個). 구(口). 두(頭). 명(名). 분(分). 영(領). 원(員). 위(位). 인(人). 정(丁). 《推案及鞫案, 罪人李家煥等推案, 純祖元年2月初9日》外浦忠州牧使, 及赴忠州, 所謂邪學無異私讎, 調捕邪學者一漢, 施以周牢之刑. 《朝鮮高宗實錄 37, 光武 2年4月9日》被告金在豐在任時, 四個賊盜捉得訊問, 二漢卽閣監廳軍士時役者也, 二漢是閣監廳退役者, 而前後所偸, 皆是御庫什物, 聞甚警惶.

한(澣) [시간] ❶열흘〔旬〕을 하나치로 세는 데 쓰는 말. 3 한은 상순(上旬)·중순(中旬)·하순(下旬)을 이르는 말이다. 한·당(漢唐)나라의 제도로, 벼슬아치에게 열흘에 하루씩 목욕을 위한 휴가를 준 데에서 나온 말이다. 《楊愼, 丹鉛總錄, 時序, 三澣》俗以上澣·中澣·下澣爲上旬·中旬·下旬, 蓋本唐制十日一休沐. 故韋應物詩曰, 九日馳驅一日閑, 白樂天詩曰, 公假月三旬. 《古今詩話》俗以上澣·中澣·下澣, 代上旬·中旬·下旬, 蓋本唐制十日一休沐, 故白居易詩, 公暇月三旬, 韋應物詩, 九日馳驅一日閒. 《故事成語考, 歲時》月有三澣, 初旬十日爲上澣, 中旬十日爲中澣, 下旬十日爲下澣. ❷옷을 빠는 횟수를 세는 데 쓰는 말. 당(唐)나라 문종(文宗)이 검약(儉約)을 숭상한 고사에서 나온 말이다. 《新唐書, 柳公權傳》(文宗)常與六學士對便殿. 帝稱漢文帝恭儉, 因擧袂曰, 此三澣矣. 學士皆賀, 獨公權無言. 帝問之, 對曰, 人主當進賢退不肖, 納諫諍, 明賞罰, 服澣濯之衣, 此小節耳.

할(割) [수학] 어떤 수(數)나 양(量)을 10 등분하여 그 중의 몇인가를 나타내는 데 쓰는 말.

할랄라(halalah) [통화] 사우디아라비아(Saudi Arabia)의 현재 보조 통화 단위. 1 할랄라는 리얄(riyal)의 100 분의 1, 또는 쿠루슈(qurush)의 5 분의 1 에 해당된다. 합랍랍(哈拉拉).

할레슈(halêř) [통화] 체코슬로바키아의 보조 통화 단위. 1할레슈는 코루나(kóruna)의 100분의 1에 해당된다.

할리비우(halibiu) [길이] 루마니아(Rumania)의 고유 단위. 1할리비우는 27.6인치(inch), 또는 0.701 m에 해당된다.

할베(Halbe) [부피] 오스트리아의 옛 단위. 1할베는 마스(Mass)의 2분의 1이며, 0.75 미(美) 액량(液量) 쿼트(quart), 0.62 영(英) 쿼트, 또는 0.707*l*에 해당된다.

함(函) 1 [수효] '함(緘)'과 같다. 《晉書, 陶侃傳》諸將皆請乘勝擊溫邵, 侃笑曰, 吾威名已著, 何事遣兵, 但一函紙自足耳. 《陸龜蒙, 送友人之湖上詩》欲寄一函聊問訊, 洪喬寧作置書郵. 2 [부피] 함(函)에 물건을 담아 그 양을 헤아리는 데 쓰는 말. 《高麗史 11, 肅宗世家》五年五月壬午……已命所司, 擇日, 備禮册命次, 今差秘書少監張臣言, 往彼報諭, 及別賜卿衣著·匹段·銀·絹等物, 具如別錄, 又賜釋經二函. 《范成大, 峨嵋山行記》寺所藏涅槃經一函, 四十二卷, 業於每卷後記西域行程.

함(緘) [수효] '통(通)'의 뜻으로, 편지의 수를 세는 데 쓰는 말. 각(角). 건(件). 도(度·道). 봉(封). 장(張). 종(宗). 지(紙). 찰(札). 통(通). 폭(幅). 함(函). 《西廂記, 寺警》要下這濟困扶危書一緘, 我便有勇無慙. 《皮日休, 傷史拱山人》一緘幽信自襄陽, 上報先生去歲亡. 《三國演義, 26回》震出書一緘, 遞與關公. 《宋史, 鄒浩傳》瓘曰, 禍其在此乎. 異時姦人妄出, 一緘則不可辨矣.

함지 [부피] 함지에 물건을 담아 그 양을 헤아리는 데 쓰는 말. 함지는 운두가 깊으며 밑은 좁고 위가 넓은, 나무로 네모지게 짜서 만든 그릇이다.

함지박 [부피] 함지박에 물건을 담아 그 양을 헤아리는 데 쓰는 말. 함지박은 통나무의 속을 파서 전이 없이 큰 바가지같이 만든 그릇이다.

합(合) 1 [부피] '홉(合)'의 뜻으로, 1홉은 작(勺)의 10배이며, 되(升)의 10분의 1, 또는 말(斗)의 100분의 1에 해당된다. 합아(合兒). 《經國大典 6, 工典, 營繕, 度量衡》量之制, 十勺爲合, 十合爲升, 十升爲斗, 十五斗爲小斛(平石), 二十斗爲大斛(全石). 《萬機要覽, 財用編 4, 戶曹各掌事例》量用銅斛, 十勺爲合, 十合爲升, 十升爲斗. ❶작은 물고기(白魚; 뱅어)·물고기젓(甘同之; 감동젓)·물고기알·조개 따위의 양을 헤아리는 데 쓰는 말. 《度支準折, 魚物》白魚一合, 價錢一戔. 《度支準折, 鹽卵》甘同之一合, 價錢一分. 蝦卵一合, 價錢一戔. 《仁祖國葬都監儀軌, 下, 2房》皮蛤一升一合. ❷곡식의 양을 헤아리는 데 쓰는 말. 《海行摠載, 姜弘重東槎錄》一行相議, 無論使臣與下官, 皆以一日三升計受之, 餘米還給句管倭人, 盖欲省馬島之弊也. 所謂手斗, 卽升也, 容入我國二升七合云. 《陶山書院傳掌記, 萬曆28年10月 7日》雜米幷二百七十六石一斗三刀三合. 《萬機要覽, 財用編 1, 供上, 大殿》稷米二石一斗八升六合. ❸기름의 양을 헤아리는 데 쓰는 말. 《朝鮮成宗實錄 285, 24年12月

甲申》司憲府啓, 在逃崔潘, 前任金堤郡守時……介子二斗, 麵五十圓, 油七斗八升二合. 《孝宗寧陵山陵都監儀軌, 都監》法油一石十斗一升八合. 《昌慶宮營建都監儀軌, 實入》明油一石九斗七升五合. ❹숯〔炭〕의 양을 헤아리는 데 쓰는 말. 《純元王后國葬都監儀軌 2, 稟目》本房郎廳二員, 監造官二員, 坐起處所, 每日點火木半丹, 爐炭五合. ❺옥사(玉沙)나 옥주(玉珠)의 양을 헤아리는 데 쓰는 말. 《度支準折, 珠玉寶石》碇玉沙一合, 価錢一分. 唐碇玉沙一合, 価錢六分. 細玉珠一合, 価錢四戔. ❻소금의 양을 헤아리는 데 쓰는 말. 《進饌儀軌(純祖己丑) 2, 饌品》鹽一升五合. ❼옻〔漆〕의 양을 헤아리는 데 쓰는 말. 《尙方定例 2, 別例 上》全漆壹合, 每漆參夕. ❽개암·호두·잣·오미자 따위의 양을 헤아리는 데 쓰는 말. 《正宗大王殯殿魂殿都監儀軌, 禮關秩》榛子十五石十二斗六升七合. 胡桃十五石十一斗六升七合. 栢子十五石十一斗六升七合. 《進宴儀軌(高宗壬寅) 2, 饌品》五味子五合. ❾'합(盒)'의 뜻으로, 합에 물건을 담아 그 양을 헤아리는 데 쓰는 말. 합(盒)은 뚜껑이 있는 둥글넓적한 작은 그릇이다. 합(盒). 《三國遺事 2, 紀異, 孝昭王代竹旨郎》今以公事進去, 須歸享矣, 乃以千餠一合. 酒一缸, 卒左人(鄕云, 皆叱知, 言奴僕也)而行. 《廣韻》合, 亦器名.

2 [수효] ❶여러 가닥의 실을 합쳐서 드린 실이나 줄의 오리를 세는 데 쓰는 말. 《朝鮮의 弓術, 弓矢의 種類》弦의 圓(시위 몸피)은 五分으로 六分이 되니, 三甲絲(삼겹실)로 強弓은 二百四十合, 中弓은 二百十合, 軟弓은 一百八十合이며. ❷전쟁에서 교전(交戰)한 횟수를 세는 데 쓰는 말. 《三國史記 28, 百濟義慈王本紀》又聞唐·羅兵已過白江·炭峴, 遣將軍堦伯, 帥死士五千出黃山, 與羅兵戰, 四合皆勝之. 《史記, 孔子世家》楚挑戰三合. 《武王伐紂平話, 下》不到十合, 又被南宮列一刀挫折費顏項骨. 《水滸傳, 57回》兩個鬥到四十餘合, 不分勝敗. ❸'번'·'회'·'차'의 뜻으로, 일의 횟수를 세는 데 쓰는 말. 《史記, 項羽本紀》楚挑戰三合, 樓煩輒射殺之. 《南史, 官戴僧靜傳》孫曇瓘驍勇善戰, 每盪一合, 輒大殺傷, 官軍死者百餘人. ❹'벌'의 뜻으로, 여러 개가 한데 모여 갖추어진 것의 수를 세는 데 쓰는 말. 《朝鮮成宗實錄 105, 10年6月癸卯》賜堂上, 六張付油芚及三合爐口, 各一部. 《朝鮮中宗實錄 17, 8年正月甲申》莽哈當初上來時, 威名甚大, 故卽授資憲加, 前此辛未年上來時, 給三合爐口·鞍具馬以賞之. ❺음양(陰陽)이 교접(交接)하는 횟수를 세는 데 쓰는 말. 《神異經, 中荒經》西方深山有獸焉, 面目手足毛色如猴, 體大如驢, 善緣高木, 皆雌無雄, 名綢, 順人三合而有子. 《胡矮仙, 至寶經》露而不隱, 應一合以乘胎, 潛而弗彰, 實二交而受息. ❻일본(日本)의 단위. 궤(櫃)·거(筥)·사(笥)·상(箱) 따위의 수를 세는 데 쓰는 말. 가(架). 궤(櫃). 수(秀). 《羣書類從 1》麻笥二合. 中折櫃七百五十合. 御櫛筥一合. 桶二合. 大笥七

合(各納小筒二合, 三殿各二合, 一殿一合). 《羣書類從 4》納朱漆箱一合. ③ [넓이] 논밭의 넓이를 헤아리는 데 쓰는 말. 1홉은 작(勺)의 10배이며, 파(把)의 10분의 1에 해당된다. 《增補文獻備考 91, 樂考, 度量衡》地積, 十勺爲合, 十合爲把(五周尺平方), 十把爲一束, 十束爲負, 百負爲結.

합(呷) [부피] '모금'의 뜻으로, 액체가 입 안에 차는 분량. 또는 그 양을 헤아리는 데 쓰는 말. 구(口). 《救急簡易方顏解 1, 中風》用生薑自然一呷(싱앙즛 디허 뽄즙 흔 머곰만 하야).

합(盒) [부피] 합(盒)에 물건을 담아 그 양을 헤아리는 데 쓰는 말. 합(合). 《朝鮮端宗實錄 4, 卽位年10月辛丑》龍眼一盒, 荔枝一合, 白沙糖一桶. 《還遊見聞》買電影票時, 也會給你一盒洋火, 上面印着下一張影片的名稱的廣告.

합(榼) [부피] '통(桶)'의 뜻으로, 조그마한 통에 술이나 액체를 담아 그 양을 헤아리는 데 쓰는 말. 《朝鮮仁宗實錄 1, 元年2月丁酉》平胃煎已盡服二榼, 三榼, 亦服之幾半, 而舌上生刺, 恐熱所致, 故近則停之, 醫則明間入診, 可也. 《孔叢子, 儒服》子路嗑嗑, 當飮十榼. 《陸遊, 晩興詩》快飮方誇百榼空.

합(闔 : hé) [수효] 중국(中國)의 단위. '층(層)'·'겹'의 뜻으로, 주로 꽃송이에서 꽃잎이 포개어진 수를 세는 데 쓴다. 《齊民要術, 芭蕉》南方異物志, (甘蕉)實隨華長, 每華一闔, 各有六子.

합락(合落) [넓이] '홉지기〔合落只〕'의 준말. '합락지(合落只)'와 같다. 《華城城役儀軌 4, 稟目》南陽鷗浦田三十二斗二升五合落, 禾利麰一百九十三斗五升, 代錢二十九兩三分. 畓一斗七升四合落, 禾利租十五斗七升, 代錢三兩一錢四分.

합락지(合落只) [넓이] '홉지기'의 차자 표기. 논밭의 넓이를 헤아리는 데 쓰는 말. 1홉지기는 볍씨 한 홉〔合〕으로 모를 부어 낼 수 있는 논의 넓이. 또는 씨 한 홉을 뿌릴 수 있는 밭의 넓이이다. 열 홉지기가 한 되지기〔升落只〕이다. 합락(合落).

합랍랍(哈拉拉 : hālālā) [통화] 중국의 단위. '할랄라(halalah)'의 음역(音譯).

합목(合目) [길이] 일본(日本)의 단위. 산(山) 밑에서 산마루까지의 등정(登程)을 실제의 거리와는 관계없이 난이도(難易度)에 따라 10으로 나눈 하나를 말한다. 산 밑에서는 수치가 커지고 산마루로 올라갈수록 그 수치가 작아진다.

합아(合兒 : hér) [부피] 중국(中國)의 단위. 합(合)의 ①❷와 같다. 《無名氏, 焚兒救母, 1折》忍凍餓誰憐兒命蹇, 守孤貧爭敢母親忘, 常則是半抄兒活計, 一合兒餱糧.

합판(合判) ① [인쇄·사진] 일본의 단위. ❶판화(版畫)의 크기를 나타내는 데 쓰는 말. 1합판은 세로 1자〔尺〕 1치〔寸〕, 가로 7치 5푼〔分〕에 해당된다. ❷사진 건판(乾版)에서 소판(小版)과 중판(中版) 사이의 크기. 1합판은 세로 12.7 cm, 가로 10 cm에 해당된다. ② [넓이] 공책에 쓰는 종이 치수에 쓰는 말. 1 합판은 세로 7 치, 가로 5 치에 해당된다.

항(缸) [부피] '항아리'의 뜻으로, 항아리에 음식이나 물건을 담아 그 양을 헤아리는 데 쓰는 말. 개(箇). 관(罐). 옹(瓮). 《朝鮮世宗實錄 32, 8年6月戊寅》 送古道魚二樻, 童子瓜·交沈紫蝦醢二缸, 于迎接都監白彥, 欲進獻也. 《朝鮮世祖實錄 46, 14年6月辛丑》 遣承旨賫宣醞十甁, 大口魚十五尾, 脯十束, 獐一口, 醢一缸. 《朝鮮成宗實錄 100, 10年正月丁丑》 對馬州太守宗貞國……燒酒五十甁, 桂五角, 茶食五角, 淸蜜五缸. 《瀋陽狀啓, 仁祖 19年 9月28日, 別單》 眞油一所用, 甘醬一缸, 艮醬一缸.

항(桁 : héng) [수효] 중국(中國)의 단위. ❶'줄'·'줄기'·'열(列)'의 뜻으로, 사람 또는 사물의 늘어선 열의 수를 세는 데 쓰는 말. 행(行). 《韋莊, 灞陵道中詩》 春橋南望水溶溶, 一桁晴山到峯. 《詞話叢編, 睹棋山莊集, 詞話 2》 趙北口族舍壁上有謁金門一闋云……一桁水田漁宅, 擧似瀟湘渾未別, 少青山幾疊. ❷'장'의 뜻으로, 주렴이나 발 따위의 수를 세는 데 쓰는 말. 《杜牧, 十九兄郡樓有宴病不赴詩》 空堂病怯階前月, 燕子嗔垂一桁簾. 《李煜, 浪淘沙, 傳自池州夏氏詞》 秋風庭院蘚侵階, 一桁珠簾閒不捲, 終日誰來.

항(項) ① [호칭] '항'·'조목'·'조항'·'가지'의 뜻으로, 법률이나 문장 등에서 각 개의 구분을 나타내는 데 쓰는 말. 《張瑞義, 貴耳集 下》 聲名自是一項, 事業自是一項. 《且介亭雜文, 病後雜談》 單是這兩項, 每月就是一百十四兩. ② [수학] 수학에서, 다항식(多項式)에 있어서의 각 개의 단항식(單項式)을 일컫는 말.

항아리 [부피] 항아리에 물건을 담아 그 양을 헤아리는 데 쓰는 말. 개(箇). 관(罐). 옹(瓮). 항(缸).

항하사(恒河沙) [수] 매우 큰 수의 하나. 인도(印度) 갠지스강(江)의 모래라는 뜻으로, 극(極)의 1만 배(倍), 또는 10^{52} 에 해당된다.

해 [시간] 지구가 태양의 둘레를 한 바퀴 도는 동안, 곧 1 년을 말한다. 백(白). 상(霜). 영(齡). 재(裁).

해(垓) ① [수효] '층'의 뜻으로, 층계의 수를 세는 데 쓰는 말. 해(陔). 《史記, 孝武帝本紀》 令祠官寬舒等, 具泰一祠壇, 壇放薄忌泰一壇, 壇三垓. (裴駰集解) 徐廣曰, 垓, 次也. 李奇曰, 垓, 重也. 三重壇. 《史記, 封禪書》 祠壇放薄忌太一壇, 壇三垓. (司馬貞索隱) 鄒氏云, 垓, 一作陔, 言壇階三重. 《北齊書, 祭祀志, 大禘歌》 三垓上列, 四陛旁升. ② [수] 십진급수(十進級數)의 한 단위. ❶ 1 해는 1천억(億)에 해당된다. 《芝峰類說 17, 雜事部, 數名》 十百曰千, 十千曰萬, 十萬曰億, 十億曰兆, 十兆曰京, 十京曰秭, 十秭曰垓, 十垓曰補. 《太平御覽, 工藝, 數》 風俗通曰, 十億謂之兆, 十兆謂之經, 十經謂之垓. ❷ 1 해는 경(京)의 1억 배(倍)에 해당된다. 《數法統宗, 大數》 千萬億·兆(萬萬億)·京(萬萬兆)·垓(萬萬京).

해(陔) [수효] '해(垓)'의 ①과 같다. 《漢書, 郊祀志 上》 祠壇放亳忌

泰一壇, 三陔. (顏師古注) 陔, 重也, 三陔, 三重壇也, 音該.《漢書, 郊祀志, 上》作三陔.《隋書, 音樂志 中》三垓上列, 四陛旁陛.

해(解 : jiě) [수효] 중국(中國)의 단위. ❶악곡(樂曲)의 수를 세는 데 쓰는 말. 건(件). 체(體).《李蕭遠, 水龍吟詞》狂歌兩解, 淸尊一擧, 超然千里. ❷'번'·'회'·'차'의 뜻으로, 일의 횟수를 세는 데 쓰는 말.《馬致遠, 集賢賓, 思情》聽夜雨無情, 噴紗窗緊慢有三千解.《高文秀, 黑旋風》楔子, 我恰纔囑付了三回五解, 則去兀那泰安州尋一個家頭房子去來.

해리(海里) (nautical mile) [길이] 해면(海面)이나 공중(空中)에서의 긴 거리를 나타내는 데 쓰는 말. 짧은 거리는 미터를 사용한다. 경도(經度) 1분(分) 거리의 평균치로서 불해리(佛海里)는 1,852 m, 영국(英國) 해리는 1,853.1824 m, 미국(美國) 해리는 1,853.1887 m로 나라에 따라 다소 다르다. 배의 속도 표시에는 시속 1해리를 1노트(knot)로 한다. 해리의 기호로서 「′」를 사용할 경우에는 다른 기호와 혼동할 염려가 없을 경우에 한한다. 이(浬). 기호 : M, n mile, nm, …′

해심(海尋 : hǎixún) [길이] 중국(中國)의 단위. 1해심은 해리(海里)의 1,000분의 1에 해당된다.

핵(翮) [수효] '마리'의 뜻으로, 날짐승의 수를 세는 데 쓰는 말. 개(箇). 거(居). 과(窠). 매(枚). 수(首). 시(翅). 우(羽). 익(翼). 척(隻).《高麗史 30, 忠烈王世家》十八年閏六月乙卯, 徐興祚, 獻鸚鵡·孔雀二翮.《高適, 別董大詩 2》六翮飄飖私自憐, 一離京洛十餘年.《陸遊, 臨別成都帳飮萬里橋贈譚德稱詩》今年一戰馘餘子, 風送六翮凌靑霄.《初刻拍案警奇 25》六翮飛身, 爭投棲於樹杪, 五花畫舫, 盡返棹於湖邊.

핸드(hand) [길이] 영국(英國)·미국(美國)의 관습적 단위. 1핸드는 4인치(inch), 또는 10.16 cm에 해당된다. 형덕(亨德).

핸드브레드스(handbreadth) [길이] 영국·미국의 관습적 단위. 1핸드브레드스는 2.5~4인치, 또는 6.35~10.16 cm에 해당된다.

행(行) ① [수효] ❶글의 가로 또는 세로의 줄 수를 세는 데 쓰는 말.《於于野譚 3, 學藝, 文藝》吳謙爲光州牧使……奇又取綱目中, 李所論難者, 能學本紀本傳所從來, 旁通諸家大小說, 觸處成誦, 或全篇, 或數十行.《通文館志 3, 事大, 表箋狀奏咨, 年貢奏本》順差陪臣職姓名, 職姓名等, 齎領進獻外(第三行), 今將禮物開坐, 謹具奏聞(第二行), 某物(平行數目並列書).《待百錄》昨日, 得見江陵板舊本, 則別集第四編第六丈第六行爲始, 至第八丈第十二行刊去.《北齊書, 河南康舒王孝瑜傳》讀書敏速, 十行俱下. ❷'개'·'벌'의 뜻으로, 갑(匣) 따위의 물건을 낱으로 세는 데 쓰는 말.《朝鮮世宗實錄 53, 13年8月乙卯》昌盛求佛事錢紙黃白色各五百張, 鹿皮二條張, 童兒求改柒所賫羅吧及兜矛匣各二行, 器匣一張, 定安求銅碗等物, 命與之. ❸'순배(巡杯)'의 뜻으로, 주석(酒席)에서 술잔을

차례로 돌린 횟수를 세는 데 쓰는 말. 《晏子春秋, 外篇, 重而異者十二》景公築長庲之臺, 晏子侍坐. 觴三行, 晏子起舞. 《法言, 修身》賓主百拜, 而酒三行. 《司馬光, 訓儉示康》先公爲郡牧判官, 客至未嘗不置酒, 或三行五行, 多不過七行. ❹ 1천 명을 하나치로 세는 데 쓰는 말. 《國語, 吳語》十行一嬖大夫, 建旌提鼓, 挾經秉枹. (韋昭注) 十行, 千人. ❺'줄'·'열'의 뜻으로, 사람 또는 사물의 늘어선 열(列)을 세는 데 쓰는 말. 항(桁). 《朝鮮世宗實錄 84, 21年2月辛亥》議政府據刑曹呈啓, 凡中外之獄, 築高臺, 作涼獄三楹於其上……又作溫獄. 其男女輕重獄楹數, 與涼獄同. 皆築土壁, 其外四面植棖木五行, 待其茂盛, 作門開閉. 未茂盛之前, 姑設鹿角. 《朝鮮世宗實錄 118, 29年11月辛卯》面俠卓第一行, 併四器, 第二行, 雜粅湯五器, 第三行, 盞三. 從之. 《陸遊, 秋晚登城北門》一點烽傳散關信, 兩行雁帶杜陵秋. ❻'켜'의 뜻으로, 포개어진 층의 수를 세는 데 쓰는 말. 《齊民要術, 作魚鮓》布魚于甕子中, 一行魚, 一行糝, 以滿爲限, 腹腴居上. ❼'쪽'·'방면'의 뜻으로, 두 가지 이상의 상태가 동시에 발생할 때의 각각의 수를 세는 데 쓰는 말. 《王守仁, 傳習錄 1》古人說知·行做兩個, 亦是要人見個分曉, 一行做知的功夫, 一行做行的功夫. 《古今小說, 張古老種瓜娶文女》大伯一行說話, 一行咳嗽, 一似害癆病相思, 氣絲絲地. 《紅樓夢, 29回》又見黛玉臉紅頭脹, 一行啼哭, 一行氣湊, 一行是淚, 一行是汗, 不勝怯弱. [2] [군사] 예전 군대 편대의 수를 세는 데 쓰는 말. 《左傳, 僖公28年》晉侯作三行以禦狄. 荀林父將中行, 屠擊將右行, 先蔑將左行. (杜預注) 晉置上·中·下三軍, 今復增置三行, 以辟天子六軍之名. [3] [시간] 여섯 달, 또는 두 계절을 하나치로 헤아리는 데 쓰는 말. 《事物異名錄, 歲時》三月爲一時, 兩時爲一行, 兩行爲一年.

행(幸) [수효] ❶임금이 교접(交接)하는 횟수를 세는 데 쓰는 말. 《史記, 外戚世家》漢王心慘然憐薄姬, 是日召而幸之, 薄姬曰, 昨暮夜, 妾夢蒼龍據吾腹. 高帝曰, 此貴徵也, 吾爲女成之. 一幸生男, 是爲代王. ❷행차(行次)하는 횟수를 세는 데 쓰는 말. 《漢書, 郊祀志》間歲正月, 一幸甘泉郊泰畤. 《韓偓, 煬帝迷樓記》詔選後宮良家女數十, 以居樓中, 每一幸, 有經月而不出.

행크(hank) [길이] 영국 등에서의 무명용(用)의 단위. 7 리(lea), 840 야드, 768.1 m.

향(鄕) [행정] ❶신라·고려 시대, 특수 신분의 천민 계급이 모여 살던 하급 행정 단위의 하나. 《三國史記 34, 雜志, 地理》九州所管郡·縣, 無慮四百五十(方言所謂鄕·部曲等雜所, 不復具錄). 《高麗史 73, 選擧志, 科目》靖宗十一年四月, 判, 五逆·五賤·不忠不孝, 鄕·部曲樂工·雜類子孫, 勿許赴擧. ❷조선 시대, 10 리(里)를 1 행정 구역으로 이르던 지방 행정 조직. 서울은 방(坊)이라 하였다. 《磻溪隨錄 3, 田制後錄》鄕里, 凡五家爲統, 有統長. 十統爲里, 里有里正. 每十

里, 京則爲坊. 置坊正一人, 外則爲鄕, 置鄕正一人. ❸(xiāng) 중국(中國)의 단위. ㉮한(漢)나라 때에 두었던 행정 구역. 100 리(里) 사방의 구역이다. 《說文通訓定聲》鄕, 是漢制, 凡六千六百二十二鄕, 置三老遊徼嗇夫治之, 其小者但置嗇夫也. 《漢書, 百官公卿表》大率十里一亭, 亭有長, 十亭一鄕, 鄕有三老, 有秩·嗇夫·遊徼, 三老掌敎化嗇夫職聽訟, 收賦稅, 遊徼, 循禁賊盜, 凡鄕六千六百二十二. ㉯주(周)나라 때에 두었던 행정 구역. 1만 2천 500 가(家)가 있던 구역이다. 《周禮, 地官, 大司徒》令五家爲比, 使之相保, 五比爲閭, 使之相受, 五閭爲族, 使之相葬, 五族爲黨, 使之相救, 五黨爲州, 使之相賙, 五州爲鄕, 使之相賓(鄕, 萬二千五百家). 《論語, 雍也》以與爾鄰里鄕黨乎. (集解)萬二千五百家爲鄕. ㉰춘추시대(春秋時代) 제(齊)나라 때에 두었던 행정 구역. 2,000 가(家)가 있던 구역이다. 《國語, 齊語》管子於是制國, 五家爲軌, 軌爲之長, 十軌爲里, 里有司, 四里爲連, 連爲之長, 十連爲鄕, 鄕有良人焉. ㉱3,000 가(家)가 있던 구역이다. 《管子, 小匡》管子對曰, 制五家爲軌, 軌有長, 六軌爲邑, 邑有司, 十邑爲率, 率有長, 十率爲鄕, 鄕有良人. 《國語, 齊語》制鄙三十家爲邑, 邑有司, 十邑爲卒, 卒有卒帥, 十卒爲鄕, 鄕有鄕帥, 三鄕爲縣, 縣有縣帥, 十縣爲屬, 屬有大夫, 五屬.

향(餉) [시간] '식경(食頃)'의 뜻으로, 한 번 식사하는 데 걸리는 정도의 매우 짧은 시간을 이르는 말. 《白居易, 對酒詩》無如飮此鎖愁物, 一餉愁消直萬金. 《敦煌變文集, 王昭君變文》若道一時一餉, 猶可安排, 歲久月深, 如何可度. (蔣禮鴻通釋) 一餉, 就是吃一餐飯的時間. 《柳永, 鶴冲天詞》青春都一餉. 忍把浮名, 換了淺斟低唱. 《蘇軾, 次韻劉貢父叔姪扈從》公託屬車塵土後, 釣天一餉夢中榮. 《曹寅, 納涼過杏園食筍詩》一餉竹風吹盹醒, 不知深處睡流鶯.

향(響 : xiǎng) [수효] 중국(中國)의 단위. ❶'방'·'발'의 뜻으로, 총포(銃砲)를 발사하거나 폭죽이 터지는 횟수를 세는 데 쓰는 말. 거(擧). 도(度). 발(發). 방(放). 〈예〉兩～的爆竹. 二十～的駁殼槍. ❷소리를 낸 횟수를 세는 데 쓰는 말. 《陳亮, 又甲辰秋答朱元晦秘書書》見人說不切事情, 便喊一響, 一似曾干與耳.

허(許) [1] [수효] ❶'쯤'의 뜻으로, 사람의 수를 대략으로 세는 데 쓰는 말. 《漢書, 皇甫嵩傳》赴河死者五萬許人. ❷'쯤'의 뜻으로, 물건의 수를 대략으로 세는 데 쓰는 말. 《後漢書, 列女傳》文姬曰, 昔亡父賜書四千許卷, 流離塗炭罔有存者. [2] [넓이] '쯤'의 뜻으로, 땅의 넓이를 대략으로 헤아리는 데 쓰는 말. 《後漢書, 王景傳》濟渠所漂, 數十許縣. [3] [시간] '쯤'의 뜻으로, 시간을 대략으로 헤아리는 데 쓰는 말. 《任昉, 奏彈劉整文》出適劉氏, 二十許年.

허(虛) [수] 매우 작은 수의 하나. 1 허는 찰나(刹那)의 100 분의 1, 또는 10^{-27}에 해당된다.

허리 [수효] 씨름 경기에서, 사람을 이겨 낸 수를 세는 데 쓰는 말.

허치(hutch) [부피] 영국(英國)의 단위. 주로 석탄의 부피를 헤아리는 데 쓴다. 1 허치는 지방에 따라 다소 차이가 있는데, 약 2 윈체스터 부셸(winchester bushel), 또는 70.5*l* 에 해당된다.

헌드렛웨이트(hundredweight) [질량] 야드·파운드법의 상용 단위. 1 헌드렛웨이트는 미국에서는 100 파운드로 45.36 kg, 영국에서는 112 파운드로 50.8 kg 이다. 기호 : cwt

헐(歇 : xiē) [1] [수효] 중국(中國)의 단위. '번'의 뜻으로, 일의 횟수를 세는 데 쓰는 말. 개(個). 계(季). 과(過). 기(起). 도(度·道). 반(返·班). 배(輩). 번(番). 삽(霎). 성(成). 운(運). 장(場). 쟁(趟). 조(遭). 주(注). 하자(下子). 호(號). 화(伙). 회(回·迴·會). 《董解元, 西廂記諸宮調 5》送下階來欲待別, 又囑咐兩三歇. [2] [시간] 중국(中國)의 단위. '잠시'·'잠깐'의 뜻으로, 오래지 아니한 동안. 또는 그 시간을 헤아리는 데 쓰는 말. 《海床花列傳, 1回》再坐歇嘤.

헤레디움(heredium) [넓이] 고대 로마(Roma)의 단위. 1 헤레디움은 57,600 제곱 페데(pede)이며, 1.24 에이커, 또는 0.50 헥타르〔ha〕에 해당된다.

헤르츠(Hertz) [전파] 진동수를 헤아리는 데 쓰는 말. 1 초간 n회의 진동을 n 헤르츠라고 한다. 주로 음파(音波)와 전자파에서 사용한다. 독일의 물리학자인 헤르츠(Hertz, Heinrich Rudolph ; 1857～1894)의 이름에서 따 온 말이다. 혁(赫). 혁자(赫兹). 혁지(赫芝). 기호 : Hz, 1/s

헤미나(hemina) [부피] ❶고대 그리스의 단위. 1 헤미나는 코틸레(kotylē)와 같으며, 0.28 미(美) 건량(乾量) 쿼트(quart), 0.24 영(英) 쿼트, 또는 0.27*l* 에 해당된다. ❷로마(Roma)의 단위. 1 헤미나는 섹스타리우스(sextarius)의 2 분의 1 이며, 0.56 미(美) 액량(液量) 파인트(pint), 0.48 미(美) 건량(乾量) 파인트, 0.47 영(英) 파인트, 또는 0.27*l* 에 해당된다.

헤미에크테온(hemiekteon) [부피] 고대 그리스의 단위. 1 헤미에크테온은 헥테우스(hekteys)의 2분의 1 이며, 0.49 미 펙(peck), 0.48 영 펙, 또는 4.32*l* 에 해당된다.

헤이퍼니(halfpenny) [통화] 미국(美國)·아일랜드(Ireland)·자메이카(Jamaica)·말라위(Malawi)·나이지리아(Nigeria)의 현재 보조 통화 단위. 1 헤이퍼니는 펜스(pence)의 2 분의 1 에 해당된다.

헥타르(hectare) [넓이] 미터법의 한 단위. 제곱 미터의 보조 계량 단위로, 1 헥타르는 10,000 m² 에 해당된다. 기호 : ha

1 ha=100 a
=10 km²
=10,000 m²
=2.471044 에이커(acre)
≒1 정(町) 25 보(步)

헥테우스(hekteys) [부피] 고대 그리스(Greece)의 단위. 1 헥테우스는 헤미에크테온(hemiekteon)의 2

배이며, 0.98 미(美) 펙(peck), 0.95 영(英) 펙, 또는 약 8.63l에 해당된다.

헥토(hecto-) [접두어] 100배(倍)를 뜻하는 미터법 단위계(單位系)의 접두어(接頭語). 기호 : h

헥토그램(hectogram) [질량] 미터법(法)에 의한 한 단위. 그램의 100배(倍)에 해당된다. 백극(百克). 혁득구람(赫得久覽). 기호 : hg

1 hg＝100 g
＝10^{-1} kg
≒3.527396 온스
≒3.236 그레인
＝26.6667 몸메(匁)

헥토리터(hectoliter) [부피] 미터법의 한 단위. 1헥토리터는 리터의 100배(倍)에 해당된다. 백승(百升). 혁득익돌(赫得翊突). 기호 : hl

헥토미터(hectometer) [길이] 미터법의 한 단위. 1헥토미터는 미터의 100배(倍)에 해당된다. 백미(百米). 혁득미돌(赫得米突). 기호 : hm

헥토아르(hectoare) [넓이] 미터법의 한 단위. 1헥토아르는 아르〔a〕의 100배(倍)에 해당된다. 혁득알(赫得戞). 기호 : ha

헨(hen) [부피] 고대 이집트의 단위. 1헨은 1.01 액량(液量) 파인트(pint)이며, 0.84 영(英) 액량 파인트, 또는 0.48l에 해당된다.

헬러(Heller) [통화] ❶독일(獨逸)의 옛 동화(銅貨)의 하나. 1헬러는 페니히(Pfennig)의 2분의 1에 해당된다. 혁륵(赫勒). 기호 : Pf ❷오스트리아(Austria)에서 1925년까지 통용되던 청동화(靑銅貨). 1헬러는 크로네(krone)의 100분의 1에 해당된다. ❸체코슬로바키아의 화폐 단위. 1헬러는 코루나(kőruna)의 100분의 1에 해당된다.

혁(赫 : hè) [전파] 중국(中國)의 단위. '헤르츠(Hertz)'의 역어(譯語).

혁득구람(赫得久覽) [질량] '헥토그램(hectogram)'의 음역(音譯). 1혁득구람은 그램(gram)의 100배(倍)에 해당된다. 척관법(尺貫法)으로는 2냥〔兩〕 6돈〔錢〕 6푼〔分〕 6리(釐) 6호(毫) 6사(絲) 7홀(忽)에 해당된다. 《增補文獻備考 91, 樂考, 度量衡》一美利久覽, 當我二絲七忽, 十美利久覽爲先知久覽, 當我二毫六絲七忽……十大可久覽爲赫得久覽, 當我二兩六錢六分六釐六毫六絲七忽, 十赫得久覽爲岐路久覽, 當我二十六兩六錢六分六釐六毫六絲七忽.

혁득미돌(赫得米突) [길이] '헥토미터(hectometer)'의 음역(音譯). 1혁득미돌은 미터의 100배(倍)에 해당된다. 척관법(尺貫法)으로는 3,300자〔尺〕에 해당된다. 《增補文獻備考 91, 樂考, 度量衡》一美利米突, 準我三釐三毫, 十美利米突爲先知米突, 準我三分三釐……十大可米突爲赫得米突, 準我三百三十尺, 十赫得米突爲岐路米突, 準我三千三百尺.

혁득알(赫得戞) [넓이] '헥토아르(hectoare)'의 음역(音譯). 1혁득알은 아르(are)의 100배(倍)에 해당된다. 척관법(尺貫法)으로는 1

결(結)에 해당된다.《增補文獻備考 91, 樂考, 度量衡》地積, 十勺爲合, 十合爲把, 十把爲束, 十束爲負, 百負爲結, 泰西地積, 則先知戞, 當我一把, 百先知戞爲戞, 當我一負, 百戞爲赫得戞, 當我一結.

혁득익돌(赫得翊突) [부피] '헥토리터(hectoliter)'의 음역(音譯). 1 혁득익돌은 리터(liter)의 100 배(倍)에 해당된다. 척관법(尺貫法)으로는 5 말〔斗〕 5 되〔升〕 4 홉〔合〕 3 작(勺) 5 초(抄) 2 촬(撮) 4 규(圭)에 해당된다. 《增補文獻備考 91, 樂考, 度量衡》一先知翊突, 準我五抄五撮四圭, 十先知翊突爲大始翊突, 準我五勺五抄四撮四圭 ……十大可翊突爲赫得翊突, 準我五斗五升四合三勺五抄二撮四圭.

혁륵(赫勒 : hèlè) [통화] 중국(中國)의 단위. '헬러(Heller)'의 음역(音譯).

혁자(赫玆 : hèzī) [전파] 중국(中國)의 단위. '헤르츠(Hertz)'의 음역(音譯).

혁지(赫芝 : hèzhī) [전파] 중국(中國)의 단위. '헤르츠(Hertz)'의 음역(音譯).

현(弦) [수효] '줄'·'현'의 뜻으로, 현악기에 맨 줄의 수를 세는 데 쓰는 말.

현(縣) [행정] ❶예전 지방 행정 구역의 하나. 신라 시대에는 현의 등급이 없이 모두 현령을 두었고, 고려 시대에는 초기에 현령을 두었던 현과 지방관이 배치되지 않던 속현(屬縣)의 두 가지가 있었다. 고려 시대에 두었던 현의 수는 335 였다. 조선 시대에는 고려 시대의 제도에 따라 대현(大縣)에는 현령을, 소현에는 현감(縣監)을 두었는데, 현의 총수는 164 였다. 1895년(고종 32) 관제 개혁 때 폐지되었다.《三國史記 22, 高句麗寶藏王本紀》二十七年十二月……分五部·百七十六城·六十九萬餘戶, 爲九都督府·四十二州·百縣, 置安東都護府於平壤以統之, 擢我將帥有功者爲都督·刺史·縣令, 與華人參理.《高麗史 77, 百官志, 外職》諸縣, 文宗定令一人, 七品以上, 尉一人, 八品. 睿宗三年, 諸小縣置監務. 高宗四十三年, 罷諸縣尉. 恭愍王二年, 縣令·監務, 以京官七品以下充之. 後改諸道縣令·監務, 爲安集別監, 以五六品爲之. 辛昌時, 復改爲縣令·監務, 秩仍五六品.《朝鮮太宗實錄 6, 3年閏11月壬戌》司諫院上疏, 請定府·州·郡·縣之號. 疏略曰……今當例改爲縣, 稱縣事, 以新其號. ❷(xiàn) 중국(中國)의 단위. 1 현은 9천 가(家), 또는 3 향(鄉)에 해당된다.《國語, 齊語》制鄙三十家爲邑, 邑有司, 十邑爲卒, 卒有卒帥, 十卒爲鄉, 鄉有鄉帥, 三鄉爲縣, 縣有縣帥, 十縣爲屬, 屬有大夫, 五屬. ❸일본(日本)의 행정 구역의 하나. 우리 나라의 도(道)에 해당된다.

현(懸 : xuán) [수효] 중국(中國)의 단위. 촛대의 수를 세는 데 쓰는 말.《池北偶談, 荷蘭貢物》大自鳴鐘一座, 大琉璃燈一圓, 聚耀燭臺一懸.

혈(穴) [수효] ❶동굴이나 구멍의 수를 세는 데 쓰는 말.《華城城役儀軌, 首, 圖說》墻面左右, 穿遠銃眼各一, 方一寸, 當中而倣天井之

制, 設近眼一穴, 通穿眉石外端, 方亦一尺, 可以直看城根.《陳玉成, 致沃王張洛行書》怎奈盧郡現下有妖在于上派河一帶紥窟十餘穴, 以致道路不便. ❷한방(漢方)에서 침을 놓거나 뜸을 뜨는 경혈(經穴)의 수를 세는 데 쓰는 말.《素問, 刺禁論注》(馬蒔注) 凡一切刺脊間, 而中其髓, 則精氣泄, 皆成傴僂, 不止脊中一穴而已. ❸'장'의 뜻으로, 무덤의 수를 세는 데 쓰는 말.《程氏遺書, 伊川先生語, 8上》某用昭穆法, 葬一穴.《高啓, 闔閭墓詩》水銀爲海接黃泉, 一穴曾勞萬卒穿. ❹(xué) 중국(中國)의 단위. '그루'의 뜻으로, 농작물의 포기 수를 세는 데 쓰는 말.

혈(頁 : yè) [수효] 중국(中國)의 단위. '면(面)'·'쪽'의 뜻으로, 책이나 장부(帳簿)의 쪽수를 세는 데 쓰는 말.《早晨的夢境》每一頁筆記都有好幾十個字映成一團, 好像滾在爛泥裏的小猪.

협(夾 : jiā) [수효] 중국(中國)의 단위. '연(連)'의 뜻으로, 서양 종이 500 매(枚)를 하나치로 세는 데 쓰는 말.

협(挾) [수효] 가위의 수를 세는 데 쓰는 말. 매(枚). 파(把).《海行摠載, 各處書契, 各處私禮回禮單》奉行藤如鄕彩畫料紙箱三備, 彩畫八寸鏡三面, 金紋紙三百片, 唐鋏六挾, 金皮目鏡三箇, 赤銅野風呂三箇, 陳皮十五升.

형(衡 : héng) [질량] 중국(中國)의 주(周)나라(B.C. 1122 ~ B.C. 56) 때의 단위. 1 형은 10 근(斤), 또는 2.389 kg 에 해당된다. 주나라 이후에는 쓰지 않았다.《才物譜, 秋, 數》衡, 起於黃鐘之重, 一龠之黍, 重十一銖, 二十四銖爲一兩, 三百八十四銖爲一斤.《事類博解, 上, 人道, 財寶》十斤爲衡.《小爾雅, 廣衡》斤十謂之衡, 衡有半謂之秤.

형덕(亨德 : hēngdē) [길이] 중국(中國)의 단위. '핸드(hand)'의 음역(音譯).

형사(亨司 : hēngsī) [수효] 중국의 단위. '타래'의 뜻으로, 실이나 노끈을 사리어 묶은 덩이의 수를 세는 데 쓰는 말.

호(戶) 1 [수효] '호'·'가(家)'·'채'의 뜻으로, 집의 수를 세는 데 쓰는 말.《三國遺事 1, 紀異, 辰韓》新羅全盛之時, 京中十七萬八千九百三十六戶, 一千三百六十坊, 五十五里, 三十五金入宅(言富潤大宅也).《高麗史 82, 兵志, 鎭戍》恭愍王二十二年五月, 以倭寇近島, 閱城中諸戶, 以十戶爲一統, 出一人赴防, 五日一代.《朝鮮世宗實錄 116, 29年4月壬寅》義政府據兵曹呈啓, 正統七年四月初十月受敎, 海青探捕軍, 咸吉道四百戶, 平安道二百戶, 江原·黃海道各五十戶爲定.《朝鮮仁祖實錄 48, 25年4月丙子》刑曹判書趙絅上疏曰, 臣在鄕時, 目見數縣田野, 太半汚萊, 其所耕種者, 非宮家免稅, 豪勢家奴, 則他邑流徙之人也. 舊日累千戶閭井, 今之存者僅五六家, 而亦且朝夕逃徙者也. 2 [군사] 번(番)을 드는 조직의 단위. 1 호는 기병(騎兵)은 4 명, 보병(步兵)은 3 명으로 편성되었다.《萬機要覽, 軍政編 2, 兵曹, 二軍色》二軍色. 掌騎·步兵, 其制, 騎兵四名

爲一戶，步兵三名爲一戶.

호(壺) [부피] 병에 액체를 담아 그 양을 헤아리는 데 쓰는 말. 병(瓶). 《高麗史 71, 樂志, 唐樂》金殿樂慢(踏歌唱)……淸夜無塵，月色如銀. 酒斟時，須滿十分. 淨名浮利，休苦勞神. 嘆隙中駒，石中火，夢中身. 雖把文章，開口誰親. 且逍遙，樂取天眞. 幾時歸去，作箇閑人. 對一張琴，一壺酒，一溪雲. 《朝鮮世宗實錄 14，3年12月壬子》束脩儀，其目王世子服學生服，至學問外束帛(二匹)，酒二壺(二斗)，脩一案(五脡). 《朝鮮宣祖實錄 203，39年9月乙未》禮曹啓曰……阿多介一匣，白米二百石，海套子六石，淸蜜十一壺，人蔘一百斤，靑斜皮十張.

호(毫) 1 [길이] 척관법(尺貫法)의 한 단위. 1 호는 1 자〔尺〕의 1만(萬) 분의 1에 해당된다. 당(唐)나라 때에는 0.0311 mm, 송(宋)나라 때부터 원(元)나라 때에는 0.03072 mm, 명(明)나라 때에는 0.0311 mm, 청(淸)나라 때에는 0.032 mm에 해당된다. 《增補文獻備考 91，樂考，度量衡》一美利米突，準我三釐三毫. 《字類註釋，物類，名數》毫，터럭 호. 長銳毛，至秋極纖秋毫，十絲曰毫. 《晉書，虞預傳》毫釐之失. 《孫子算經，上》度之所起，起于忽. 欲知其忽，蠶吐絲爲忽. 十忽爲一絲，十絲曰毫，十毫曰釐，十釐爲一分，十分爲一寸. 《算法統宗，零數》寸·分·釐·毫·絲·忽·微·纖·沙·塵·埃. 2 [질량] 1 호는 1 돈〔錢〕의 1,000 분의 1에 해당된다. 《文獻通考，衡權》毫則百(一百毫爲一分)，以千毫定爲一錢之則. 毫者，毛也. 自忽絲毫三者，皆斷驥尾爲之者也. 《宛署雜記·繇賦》正賦中通共起存銀參千陸百陸拾捌兩柒錢五分貳厘陸毫五絲肆微捌纖陸沙陸塵陸埃壹渺貳漠五糢. 3 [넓이] 1 호는 사(絲)의 10 배(倍)，또는 이(釐)의 10 분의 1에 해당된다. 《宛署雜記 6》嘉靖末年，(宛平)官民田地共參仟肆佰貳拾柒頃捌拾肆畝捌分玖毫參絲. 4 [통화(通貨)] (háo) 중국(中國)의 보조 통화 단위. 1 호는 1 원(元)의 10 분의 1 이며，1 각(角)，또는 10 전(錢)에 해당된다. 《梁啓超，格里森貨幣原則說略》私鑄贋幣，所鑄者全爲二角之一鍾，卽粵所稱雙毫是也……其單毫(卽一角)雖間有存，而以雙易單. 《葉聖陶，倪煥之》他們攤開手掌，接受一枚雙銀毫的當兒，用感動的眼光瞪着那亮亮的小東西.

호(號) 1 [광산·토목] 뇌관(雷管)의 등급을 나타내는 데 쓰는 말. 1 호부터 10 호까지 있었으나, 현재는 3 호, 6 호, 8 호의 3 종이 사용되고 있다. 일반적으로, 광산이나 토목 현장에는 6 호 뇌관이 사용된다. 2 [인쇄] 활자(活字)의 크기에는 호(號)，포인트(point)，신문 활자(新聞活字)의 세 종류가 있는데, 현재 우리 나라에서는 호의 활자 외에 포인트에 의한 활자가 많이 쓰이고 있다. 이들 활자 상호간의 관계는 다음과 같다.

활자의 종 류	포인트수로 환산	호수(號數)의 상호 관계(相互關係)
초호 활자	42 포인트	2 호의 2 배, 5 호의 4 배, 7 호의 8 배

1 호 활자	27 〃	4 호의 2 배, 초호(初號)의 ½
2 호 활자	21 〃	5호의 2배, 7호의 4배
3 호 활자	16 〃	6호의 2배, 8호의 4배
4 호 활자	13.5〃	1호의 ½, 초호의 ¼
5 호 활자	10.5〃	2 호의 ½, 7 호의 2 배
6 호 활자	8 〃	3 호의 ½, 8 호의 2 배
7 호 활자	5.25〃	초호의 ⅛, 2 호의 ¼, 5 호의 ½
8 호 활자	4 〃	3 호의 ¼, 6 호의 ½

③ [넓이 · 순서] 서양화(西洋畫)의 크기, 뜨게 바늘이나 레이스 바늘의 크기, 잡지와 신문 등 정기 간행물의 발행하는 번호, 방(房)의 번호 등에 사용한다. 그림의 크기는 캔버스를 펴는 나무틀의 칫수〔寸數〕로 정하여지는데, 나무틀에는 F, P, M의 세 종류가 있다. F는 인물형(人物型), P는 풍경형(風景型), M은 해경형(海景型)을 가리킨다. 나무틀의 칫수는 다음과 같다.

	號數	F(人物型)	P(風景型)	M(海景型)
프랑스	0	18×14		
	1	22×16	22×14	22×12
	2	24×19	24×16	24×14
	3	27×22	27×19	27×16
	4	33×24	33×22	33×19
	5	35×27	35×24	35×22
	6	41×33	41×27	41×24
	8	46×38	46×33	46×27
	10	55×46	55×38	55×33
	12	61×50	61×46	61×38
	15	65×54	65×50	65×46
	20	73×60	73×54	73×50
	25	81×65	81×60	81×54
	30	92×73	92×65	92×60
	40	100×81	100×73	100×65
	50	116×89	116×81	116×73
	60	130×97	130×89	130×81
	80	146×114	146×97	146×89
	100	162×130	162×114	162×97
	120	195×130	195×114	195×97
한국	0	17.9×13.9	17.9×11.8	17.9×10
	1	22.1×16.6	22.1×13.9	22.1×11.8
	2	25.8×17.9		
	3	27.3×22	27.3×19	27.3×16
	4	33.4×24.2	33.4×21.2	33.4×19
	5	34.8×27.3	34.8×24.2	34.8×21.2
	6	40.9×31.8	40.9×27.3	40.9×24.2
	8	45.5×37.9	45.5×33.4	45.5×27.3
	10	53×45.5	53×40.9	53×33.4
	12	60.6×50	60.6×45.5	60.6×40.9
	15	65.1×53	65.1×50	65.1×45.5
	20	72.7×60.6	72.7×53	72.7×50
	25	80.3×65.1	80.3×60.6	80.3×53
	30	90.9×72.7	90.9×65.1	90.9×60.6
	40	100×80.3	100×72.7	100×65.1
	50	116.7×91	116.7×80.3	116.7×72.7
	60	130.3×97	130.3×89.4	130.3×80.3
	80	145.5×112.1	145.5×97	145.5×89.7
	100	162.1×130.3	162.1×112.1	162.1×97
	120	193.9×130.3	193.9×112.1	193.9×97

④ [수효] ❶'번'의 뜻으로, 일의 횟수를 세는 데 쓰는 말. 개(個). 계(季). 과(過). 기(起). 도(度·道). 반(返·道). 배(輩). 번(番). 운(運). 장(場). 쟁(趟). 조(遭). 주(注). 하자(下子). 헐(歇). 화(伙). 회(回·迴·會). 《朝鮮宣祖實錄 34, 26年正月丙寅》提督領親兵百餘騎, 進薄城下指揮將士, 俄而發大砲一號, 各陣繼而齊發. 《儒林外史, 3回》周進……一號哭過, 又哭到二號, 三號. ❷'호(號)'의 뜻으로, 명령(命令)·법문(法文)·규약(規約) 등을 반포(頒布)하는 순서나 차례 따위를 나타내는 데 쓰

는 말.《朝鮮高宗實錄 48, 光武11年6月23日》 布達第一百四十五號, 宮內府鑛務所職制頒布.《舊韓國官報, 第3804號, 光武11年6月28日》布達第一百五十四號, 宮內府鑛務所職制. 第一條, 帝室所屬礦山의 業務를 管理ᄒᆞ기 爲ᄒᆞ야 須要ᄒᆞᆫ 地에 宮內府 礦務所를 寘ᄒᆞ야 制度局臨時整理部에 屬케 ᄒᆞᆷ이라.《舊韓國官報, 第3518號, 光武10年7月30日》勅令第三十六號, 農商工部官制改正件. 第一條, 農商工部大臣은 農務·商務·工務·礦務·鐵道·通商·航海·船舶·營業調査等에 關ᄒᆞᆫ 一切 事務를 管理ᄒᆞᆷ이라. ❸ (hào) 중국(中國)의 단위. ㉮'문'의 뜻으로, 신발의 크기를 나타내는 데 쓰는 말. ㉯'일'의 뜻으로, 날짜를 세는 데 쓰는 말. ㉰'명'의 뜻으로 사람의 수를 세는 데 쓰는 말.《杜峰, 李國瑞》咱們連一百多號人, 有一个看得起咱李國瑞的沒有. ㉱'번'의 뜻으로, 물건을 파는 횟수를 세는 데 쓰는 말.

호구(虎口 : hǔkǒu) [길이] 중국(中國)의 단위. '뼘'의 뜻으로, 엄지손가락과 다른 손가락을 잔뜩 벌리어 길이를 헤아리는 데 쓰는 말.《無名氏, 阿納忽曲》雙鳳頭金釵, 一虎口羅鞋.《醒世姻緣傳, 90回》交過四月, 打到人腰的麥苗, 一虎口長的麥穗.

호극(毫克 : háokè) [질량] 중국의 단위. '밀리그램(milligram)'의 역어(譯語).

호메르(homer) [부피] 헤브라이의 단위. 1호메르는 에파(ephah)의 10배(倍)이며, 1코르(kor)에 해당된다. 액량(液量)으로는 10.48미(美) 부셸(bushel), 10.15영(英) 부셸, 또는 369.2l이고, 건량(乾量)으로는 11.49미(美) 부셸, 11.13영(英) 부셸, 또는 405.0l에 해당된다.

호미(毫米 : háomǐ) [길이] 중국의 단위. '밀리미터(millimeter)'의 역어(譯語). 1호미는 1cm의 10분의 1에 해당된다.《韓中貿易會話》織維長度在二毫米左右的誤差幅度之內.

호미미(毫微米 : háowēimǐ) [길이] 중국의 단위. '밀리미크론(millimicron)'의 역어(譯語).

호복특(毫伏特 : háofútè) [전압] 중국의 단위. '밀리볼트(millivolt)'의 역어(譯語).

호승(毫升 : háoshēng) [부피] 중국의 단위. '밀리리터(milliter)'의 역어(譯語).

호와(毫瓦 : háowǎ) [공률(工率)] 중국(中國)의 단위. '밀리와트(milliwatt)'의 역어(譯語).

호전(戶前) [수효] 일본(日本)의 단위. 곳집의 수를 세는 데 쓰는 말. 균(囷). 문(門).

호파(毫巴 : háobā) [압력] 중국(中國)의 단위. '밀리바(millibar)'의 역어(譯語).

혼(緷 : gǔn) [수효] 중국(中國)의 단위. '뭉치'·'다발'의 뜻으로, 새의 깃 100개를 하나치로 세는 데 쓰는 말.《爾雅, 釋器》一羽謂之箴, 十羽謂之縳, 百羽謂之緷.

혼합대(混合臺 : hùnhétái) [수효] 중국(中國)의 단위. '대'의 뜻으로, 트랙터(tractor)의 수를 세는 데 쓰는 말.

홀(忽) [1] [수] 십진급수(十進級數)의 하나. 1 홀은 사(絲)의 10 분의 1, 또는 1 의 10만분의 1 에 해당된다. 《芝峰類說 17, 雜事部, 數名》 胡氏曰, 芒・忽・毫・釐, 至不可槩註, 芒一作茫, 十茫爲眇, 十眇爲塵, 十塵爲微, 十微爲忽, 十忽爲絲, 十絲爲毫, 十毫爲釐. 如所謂毫・忽・微・塵・眇・茫云者, 盖以此也. 或曰, 十纖爲微, 十沙爲纖云云. [2] [질량] 십진급수(十進級數)의 하나. 1 홀은 사(絲)의 10 분의 1, 또는 냥〔兩〕의 10만분의 1 에 해당된다. 《增補文獻備考 91, 樂考, 度量衡》 一美利久覽, 當我二絲七忽, 十美利久覽爲先知久覽, 當我二毫六絲七忽……十赫得久覽爲岐路久覽, 當我二十六兩六錢六分六釐六毫六絲七忽. [3] [길이] 십진급수의 하나. 1 홀은 미(微)의 10 배(倍), 또는 치〔寸〕의 10만분의 1 에 해당된다. 《算法統宗, 零數》 寸・分・釐・毫・絲・忽・微・纖・沙・塵・埃.

홀(笏) [수효] ❶'자루'의 뜻으로, 먹〔黑〕의 수를 세는 데 쓰는 말. 매(枚). 병(餠). 장(張). 정(丁・挺・錠). 쾌(快). 판(板). 편(片). 《朝鮮世祖實錄 43, 13年8月庚戌》 贈琉球國王紅細苧布十一匹……黃毛筆二百枝, 匣具紫石硯十面, 油烟墨一百笏, 栢子六百觔. 《朝鮮成宗實錄 208, 18年10月癸酉》 以油煙墨十笏, 分賜承旨・注書及入直史官. 傳曰, 以此書吾得失. 《朝鮮宣祖實錄 47, 27年正月乙未》 以馬粧一部, 豹皮一張, 三枝鎗一雙, 腰刀一把, 弓子一張, 狼尾筆二十枝, 油烟墨十笏, 霜華紙五卷, 百貼扇二十把, 下于政院. ❷'덩이'・'덩어리'의 뜻으로, 홀(笏) 모양으로 만들어진 금덩이나 은덩이의 수를 세는 데 쓰는 말. 《劉崇遠, 金華子雜編, 下》 衆情危懼, 共請主人, 願以白金十笏贖之. 《蘇軾, 與范子豐書》 納銀一笏, 託用買圓熟珠子二千枚. 《姚燮, 雙鴆篇》 夢郎三城歸, 黃金百笏青騧驪.

홀(hole) [수효] 골프(golf)에서, 공을 쳐 넣는 구멍의 수를 세는 데 쓰는 말.

홀드(hold) [넓이] 헝가리의 단위. 1 홀드는 1.07 에이커(acre), 또는 43.16 아르〔a〕이며, 등기용(登記用)으로는 1.42 에이커, 또는 57.55 아르에 해당된다.

홀미(忽米 : hūhī) [길이] 중국(中國)의 단위. '센티밀리미터(centimillimeter)'의 역어(譯語).

홀츠칼라프터(Holzkalafter) [부피] 스위스(Switzerland)의 옛 단위. 1 홀츠칼라프터는 103.0 세제곱피트〔ft^3〕, 또는 2.916 ㎥ 에 해당된다.

홉〔合〕 [넓이・부피] '합(合)'과 같다.

홍(洪) [수효] '뭇'・'단'의 뜻으로, 풀이나 나뭇단의 수를 세는 데 쓰는 말. 1 홍은 200 뭇, 또는 50 두(頭)에 해당된다. 1 두는 4 뭇이다. 《齊民要術》 種紫草, 九月中子熟, 刈之……整理一扼, 隨以茅結之, 四扼爲一頭, 五十頭作一洪.

홍(泓 : hóng) [수효] 중국(中國)의 단위. ❶우물의 수를 세는 데 쓰는 말. 구(口).《譯語類解, 上, 地理》一泓泉, 一口泉.《輟耕錄 22》河源在土蕃朶甘思西鄙, 有泉百餘泓. ❷'줄기'의 뜻으로, 물줄기의 수를 세는 데 쓰는 말.《李賀, 夢天》遙望齊州九點烟, 一泓海水杯中瀉.《花月痕, 6回》西邊池水一泓, 縱橫數畝, 源通外河, 便是芙蓉洲.

화(火 : hoǔ) [1] [수효] 중국(中國)의 단위. '무리'·'떼'의 뜻으로, 동아리의 수를 세는 데 쓰는 말.《舊唐書, 僖宗紀》若諸軍全捕得一火草賊, 數至三百人已上者, 超授將軍.《東京夢華錄, 12月》自入此月, 卽有貧者三數人爲一火, 裝婦人神鬼, 敲鑼擊鼓, 巡門乞錢.《關漢卿, 單刀會, 2折》他瞅一瞅漫天塵土橋先斷, 喝一聲拍岸驚濤水逆流, 那一火怎肯干休. [2] [군사] 중국(中國)의 단위. 군대 편오(編伍)의 하나. 1 화는 군사 10 명으로 조직된다.《吏文輯覽 3, 46》軍火. 軍中火炮也. 一云, 軍中十人爲火.《唐書, 兵志》士以三百人爲團……十人爲火, 火有長.《通志, 兵》五人爲烈, 烈有頭目, 二烈爲火, 立火子, 五火爲團.《東京夢華錄, 駕詣青城齋宮》諸軍有紫巾緋衣素隊, 約千餘人, 羅布郊野, 每隊軍樂一火.

화(伙 : huǒ) [수효] 중국(中國)의 단위. ❶'번(番)'·'차례'의 뜻으로, 일의 횟수를 세는 데 쓰는 말. 개(個). 계(季). 과(過). 기(起). 도(度·道). 반(返·班). 배(輩). 번(番). 삽(霎). 성(成). 운(運). 장(場). 쟁(趟). 조(遭). 주(注). 하자(下子). 헐(歇). 호(號). 화(和). 회(回·迴·會). ❷'무리'·'패(牌)'의 뜻으로, 어떤 관계로 여럿이 모여 이룬 동아리나 무리의 수를 세는 데 쓰는 말. 과(夥). 군(群). 기(起). 반(班). 배(輩). 비(批). 운(運). 진(陣). 퇴(堆). 패(牌).

화(和 : huǒ) [수효] 중국(中國)의 단위. ❶'화(伙)'의 ❶과 같다.《古今小說, 張古老種瓜娶文女》韋義方去懷裏摸索一和, 把出蔗帽兒來. ❷'번'의 뜻으로, 옷을 빤 횟수를 세는 데 쓰는 말. 〈예〉衣裳已洗三~. ❸'번'·'차'의 뜻으로, 약을 달인 횟수를 세는 데 쓰는 말.《紅樓夢, 20回》一時雜使的老婆子端了二和藥來. ❹가축에게 먹이를 준 횟수를 세는 데 쓰는 말. 원·명(元明) 나라의 속어(俗語)이다.《朱有燉, 香囊怨, 2折》便驢騾也與他槽頭細草添三和. ❺현(弦)을 조율하여 연주하는 횟수를 세는 데 쓰는 말.《庾信, 周祀圜丘歌 3》六變鼓鐘, 三和琴瑟.

화(花 : huā) [통화] 중국(中國)의 단위. 1 화는 5 문(文)에 해당된다.《俗乎小說》數錢以五文爲一花.

화근(華斤 : huájīn) [질량] 중국(中國)의 단위. 1 화근은 500 g 에 해당된다.

화리(華里 : huálǐ) [길이] 중국(中國)의 단위. 1 화리는 0.5 km 에 해당된다.

화승(華升 : huáshēng) [부피] 중국(中國)의 단위. 1 화승은 1 l 에 해당된다.

화아(火兒 : huǒr) [수효] 중국(中國)의 단위. '떼'·'무리'의 뜻으로, 동아리의 수를 세는 데 쓰는 말.《朴

通事諺解, 上》其中那一火兒強的. 그 듕에 아모 흔 무리 나은 이.

환(丸) [수효] ❶환약(丸藥)의 수를 세는 데 쓰는 말. 과(顆). 원(圓). 정(錠). 태블릿(tablet). 《朝鮮文宗實錄 5, 元年正月癸丑》平安道觀察使啓……狄麥實末三合, 水和作丸, 如小豆大, 病重氣弱人, 服五十丸, 病輕氣壯人七十丸, 空心米飮呑下. 《萬機要覽, 財用編 5, 燕使, 賫咨官》盤纏, 大匣草十匣, 長烟竹二十介, 淸心元二十丸, 小索五巨里, 樺皮所十巨里, 米三石. 《度支志, 外篇 16, 經費司》 淸心丸五十丸. 《曹植, 善哉行》仙人王喬, 奉藥一丸. ❷(wán) 중국(中國)의 단위. ㉮'장'의 뜻으로, 먹〔墨〕의 수를 세는 데 쓰는 말. 《宋書, 百官志》月賜赤管大筆一雙, 隃麋墨一丸. 《新唐書, 藝文志 1》季給上谷墨三百三十六丸. 《干寶, 搜神記》益州之西有詞, 自稱黃石公, 初禱者持一百紙, 一雙筆, 一丸墨, 聞石室中有聲, 便言吉凶. 《吳昌齡, 風花雪月》楔子, 我與一丸紅丸兒, 一丸墨丸兒. ㉯'방'·'알'의 뜻으로, 탄알의 수를 세는 데 쓰는 말. 《北史, 李元忠傳》性甚工彈, 嘗從文襄入, 謁魏帝, 有梟鳴殿上, 文襄命元忠彈之, 問, 得幾丸而落. 對曰, 一丸奉至尊威靈, 一丸承大將軍意氣, 兩丸足矣. 如其言而落之. 《白居易, 和大觜烏詩》 數粒未入口, 一丸已中胸. ❸일본(日本)의 단위. 달걀이나 누룩과 같이 둥근 물건을 세는 데 쓴다.

환(換 : huàn) [비율] 중국(中國)의 단위. 금과 화폐의 교환 비율을 헤아리는 데 쓰는 말. 금 1 냥이 70 원(元)일 때에는 70 환(換)이라 한다.

환(圜) [통화] 우리 나라에서 사용되었던 화폐의 하나. 우리 나라의 근대적 화폐 제도는 1894년 8월에 반포한 신식 화폐 장정(新式貨幣章程)인데, 이 때는 은본위 제도(銀本位制度)를 채택하였고, 그 후 1901년 2월에는 금본위 제도를 채택하게 되었는데, 이 때 순금 2 푼〔分〕을 가지고 가격의 단위로 정하고 이를 환(圜)이라 하였으며, 50 전을 반 환이라 하였다. 강화 조약(江華條約) 이후 일본의 화폐 단위인 원(圓)이 유통되다가 1911년에는 본래의 화폐 단위가 없어지고 원(圓)이 유일한 화폐 단위가 되어 통용되었다. 해방 이후에도 그대로 통용되다가 1953년 2월 15일 6.25 사변으로 인한 악성 인플레이션을 수습하기 위하여 제 1 차 통화 개혁의 단행으로 원(圓)을 환(圜)으로 개칭하였다. 이 때 원과 환의 교환 비율은 100 : 1 이었다. 그 후 1962년 6월 10일의 제 2 차 통화 개혁 때 환이 원이라는 새로운 화폐 단위로 바뀌고 이 때 환과 원의 교환 비율은 10 : 1 이었다. 《朝鮮高宗實錄 45, 9年 1月18日》貨幣條例實施件. 第三條, 舊貨銀十兩(銀二元도 亦同), 新貨金一圜에 相當흔 比額으로 政府便宜롤 依흐야 漸次로 交換 或還收흘 事. 《舊韓國官報, 3409號, 光武 10年 3月 24日》 勅令第十三號, 農工銀行條例. 第一條, 農工銀行은 農業·工業의 改良發達을 爲흐야 資本을 貸付흠으로 爲其目的흘 株式會社로 其資本金을 十萬圜以上으로 ᄒᆞ고 各株式의 金額은 二十圜으로 ᄒᆞᆷ이라. 第二條, 度支部大臣은 土地의 情況에 應ᄒᆞ야 農工銀行의 營業區域을 定ᄒᆞᆷ을 得ᄒᆞᆷ이라. 《陶山書院廟宇重修時日記, 己亥 11月 初 8日》李中秀·李源定, 朝行展謁禮, 李中求, 又出去安東教育區廳, 覓補助金五十萬圜而來.

환(環) 1 [질량] '환(鍰)'과 같다. 《說文通訓定聲》環, 叚借爲鍰. 《周禮, 考工記, 冶氏》重三鋝(鋝, 鍰也), 今東萊稱, 或以大半兩爲鈞, 十鈞爲環, 環重六兩, 大半兩. 2 [점수] (huán) 중국(中國)의 단위. '점'·'점수'의 뜻으로, 사격에서 과녁에 맞힌 점수를 헤아리는 데 쓰는 말. 3 [수효] 중국(中國)의 단위. '개'의 뜻으로, 가락지 모양으로 둥글게 생긴 물체를 세는 데 쓰는 말. 《左傳, 昭公16年》吾子何愛於一環. 《桓譚, 新論, 明權》量有輕重, 則形之於衡, 今加一環於衡左, 則右蹶.

환(鍰) [질량] 무게의 단위. 1 환은 6 냥(兩)에 해당된다. 완(垸). 환(環). 《小爾雅, 廣衡》二十四銖曰兩, 兩有半曰捷, 倍捷曰擧, 倍擧曰鋝, 鋝謂之鍰. 《集韻》鍰, 一曰, 金六兩曰鍰. 《書, 呂刑, 其罰百鍰, 傳》六兩曰鍰. 《字類註釋, 物類, 名數》鍰, 염량 환, 六兩. 又구리 환, 黃鐵.

활탈(滑脫 : huátuō) [공률(工率)] 중국(中國)의 단위. '와트(watt)'의 음역(音譯).

홰 [수효] 새벽에 닭이 홰를 치면서 우는 차례. 또는 그 수를 세는 데 쓰는 말.

회(回) [수효] ❶'회'·'번(番)'·'차례'의 뜻으로, 일·동작 따위의 횟수를 세는 데 쓰는 말. 개(個). 계(季). 과(過). 기(起). 도(度·道). 반(返·班). 배(輩). 번(番). 삽(霎). 성(成). 운(運). 장(場). 쟁(趟). 조(遭). 주(注). 하자(下子). 헐(歇). 호(號). 화(伙). 회(迴·會). 《朝鮮太祖實錄 1, 總書》擊毬之法, 先趨馬於場, 以杖之匕內挑毬曰, 排之. 以杖之匕背運毬曰, 持皮. 三回勢畢, 乃馳馬擊行毬, 行毬之初, 不縱擊, 謂之比耳. 《杜甫, 贈花卿詩》此曲只應天上, 有人間能幾回聞. 《幸福》過了一回, 我才聽見他喃喃說. 《水調歌頭, 盟鷗》先生杖屨無事, 一日走千回. ❷장회소설(章回小說)에서, 이야기의 단락을 나타내는 데 쓰는 말. 《集外集拾遺, 懷舊》讀小說者, 見作驚人之筆後, 繼以欲知後事如何且聽下回分解, 則偏欲急看下回, 非盡全卷不止. ❸운동 경기·음악회·전람회 따위와 같이 거듭 되풀이하여 행하여지는 횟수를 세는 데 쓰는 말. ❹(huí) 중국(中國)의 단위. '바탕'의 뜻으로, 무슨 일을 한 차례 끝내는 동안. 또는 그 횟수를 세는 데 쓰는 말. 《水滸傳, 1回》端王道好你便下場來踢一回要. 《古今小說, 新橋市韓五賣春情》八老到門前站了一回, 蹔到間壁糶米張大郎門前, 閒坐了一回. 《花月痕, 2回》荷生想了一回, 說道, 坐轎甚好. ❺약을 먹는 횟수를 세는 데 쓰는 말. ❻구부러지거나 굽이치거나 뒤척이는 횟수를 세는 데 쓰는 말. 회(迴). 《樂府詩集, 橫吹曲辭 5, 隴頭流水

歌辭》西上隴阪，羊腸九回.《楊巨源，同薛侍御登黎陽縣樓眺黃河詩》九回紆白浪，一半在青天.《歐陽修，黃溪夜泊詩》楚人自古登臨恨，暫到愁腸已九回.

회(迴) [수효] ❶'회(回)'의 ❶과 같다.《朴通事諺解，下》三迴連打上了(세 번을 년ᄒᆞ야 텨 올려라).《孟郊，怨別》一別一迴老，志士白髮早，在富易爲容，居貧難自好.《大唐三藏取經詩話，行程遇猴行者處》和尙生前兩迴去取經，中路遭難，此迴若去，千死萬死.《徐渭，四山樓詩》卻言月夜宜淸嘯，秋半應知上幾迴. ❷'회(回)'의 ❻과 같다.《何景明，自武陵至沅陵雜詩 5》脩阪接飛翼，百步仍九廻.《司馬遷，報任少卿書》是以腸一日而九廻，居則忽忽若有所亡，出則不知其所往.《沈約，齊故安陸昭王碑文》如仁夕惕之志，中夜九廻.

회(會) ① [시간] 1만 800년을 하나치로 헤아리는 데 쓰는 말《夢溪筆談，象數 1》安知十年·百年·一紀·一會·一元之間，又豈無大四時邪.《朱子語類 24》十二萬九千六百年爲一元，一元有十二會，一萬八百年爲一會，一會有三十運.《皇極經世書》三十年爲一世，二十世爲一運，三十運爲一會，十二會爲一元.《事類博解，天時》三十運爲會，凡一萬八百年. ② [수효] ❶'회(回)'의 ❶과 같다.《朴通事諺解，下》一打一會(또 ᄒᆞᆫ 디위 티더니). ❷모임의 횟수를 세는 데 쓰는 말.《詩，齊風，南山序》(孔穎達疏) 春秋經，莊二年，夫人姜氏會齊侯於禚，四年，夫人姜氏享齊侯於祝丘，五年，夫人姜氏如齊師，是夫人復會齊侯，如齊師也，以言齊侯淫於其妹，終說其淫之事，若然，按，經莊七年春，夫人姜氏會齊侯於防，冬夫人姜氏會齊侯於穀，亦是淫事，此不言者，略擧其先三會，以包其後二會也.《雲笈七籤 16》飛元之氣，三會成音.

회갑(回甲) [시간] 나이 예순 한 살. 또는 60 년을 이르는 말.《增補文獻備考 188，選擧考，科制》英祖三十年，上曰，詩云，邦畿千里，惟民所止. 噫，畿甸，邦國之本也. 關西·關北·松都·江華·湖西·水原，皆有道科·府科. 況畿甸三十七官中，有奉陵寢之州郡者乎. 且今年我聖祖都漢陽之年，而今逢六回甲，予亦逢回甲，是豈偶然. 宜特示此懷，京畿道科，當親行慕華館(改以親臨春塘臺).

회선(回線) [수효] 전신·전화 따위의 통신 시설에서 통신 선로(通信線路)의 수를 세는 데 쓰는 말.

회전(回戰) [수효] 권투 시합에서 두 선수가 겨루는 3 분 동안의 시간. 또는 그 횟수를 세는 데 쓰는 말.

회전(回轉) [수효] 어떤 물체가 다른 물체의 둘레를 일정한 궤도를 그리며 움직이거나 회전축을 중심으로 도는 횟수를 세는 데 쓰는 말.

획(劃) [수효] 글씨나 그림에서 한 번에 그은 선이나 점의 수를 세는 데 쓰는 말.

효(肴) [수효] 음식의 가짓수를 세는 데 쓰는 말. 도(道). 두(豆). 미(味).《西京雜記》公孫宏內廚五鼎，外膳一肴.

후(候) [시간] 5 일을 하나치로 헤아

리는 데 쓰는 말. 3 후는 1 기(紀 ; 15일), 2 기(紀)면 한 달이 된다. 《事類博解, 天時》五日爲候, 三候爲紀, 二紀爲三十日爲一月. 《素門, 六節藏象論》 五日爲之候. 《魏書, 律曆志》五日一候. 《玉海, 律歷, 時令》五日爲候, 三候爲氣.

후바(hubba) [질량] 인도(印度) 캘커타(Calcutta) 지방의 단위. 1 후바는 라티(ratti)의 6 분의 1 이며, 0.225 그레인(grain), 또는 14.5 mg 에 해당된다.

훈(Hoen) [질량] 인도네시아(Indonesia)의 고유 단위. 1 훈은 테일(tael)의 100 분의 1 이며, 5.96 그레인(grain), 또는 386 g 에 해당된다.

훈(hoon) [질량] 말레이 반도(半島)의 단위. 1 훈은 0.0133 온스, 또는 378.0 mg 에 해당된다.

휘〔斛〕[부피] '섬(石)'·'곡(斛)'의 뜻으로, 곡식의 양을 헤아리는 데 쓰는 말. 일반에서는 20 말〔斗〕을 1 휘로 하고, 관부(官府)에서는 15 말을 1 휘로 하였는데, 20 말을 전석(全石), 15 말을 평석(平石)이라 하였다. 섬의 10 분의 1 을 대두(大斗) 1 말이라 하고, 가마니의 10 분의 1 을 소두(小斗) 1 말이라 한다. 따라서, 섬은 대두로 10 말이고, 소두로는 20 말이다. 담(擔·甔). 석(石·碩). 소(召). 용(甬). 점(苫). 표(俵). 휘(彙). 《三國史記 19, 高句麗安藏王本紀》五月, 王至自卒本, 所經州邑貧乏者, 賜穀人一斛. 《三國遺事 5, 孝善, 貧女養母》母曰, 昔日之糠粃, 心和且平, 近日之香杭, 膈肝若刺, 而心未安, 何哉. 女言其實, 母痛哭, 女嘆己之但能口復之養, 而失於色難也, 故相持而泣, 見此而遲留爾. 郞聞之潸然, 送穀一百斛, 郞之二親亦送衣袴一襲, 郞之千徒, 斂租一千石遺之. 《簡易辟瘟方, 虎頭殺鬼元辟瘟》穿地深三尺, 闊亦如之, 取淨沙三斛實之, 以醇酒三升, 沃其上(ᄯᅡ흘 ᄑᆞ듸 석 자히오, 너븨도 ᄀᆞ티 ᄒᆞ고, 조ᄒᆞᆫ 몰애 석 셤을 메오고, 됴ᄒᆞᆫ 수을 서 되를 그우희 븟고). 《磻溪隨錄 1, 田制後錄上》今國, 俗以十五斗爲斛, 稱平石, 官府用之, 又二十斗爲大斛, 稱全石, 民間例以皮穀二十爲一石.

휘(彙) [부피] '곡(斛)'과 같다. 《朴通事諺解, 上》着斛起(휘로 되게 ᄒᆞ라). 《新字典, 朝鮮俗字部》彙, 휘. 入十五斗, 斛也, 휘. 見俗書.

휴(休 : xiū) [수효] 중국(中國)의 단위. 끼니의 수를 세는 데 쓰는 말. 《董解元, 西廂記諸宮調 5》紅娘覷了吃地笑, 俺骨子不曾移動脚, 這急性的郞君三休飯飽.

휴(畦) [1] [수효] '뙈기'의 뜻으로, 논밭의 한 구획(區劃). 또는 그 수를 세는 데 쓰는 말. 《儲光羲, 同王十三維偶然作詩》野老本貧賤, 冒暑鋤瓜田, 一畦未及終, 樹下高枕眠. 《字彙》畦, 又區也. [2] [넓이] ❶ 1 휴는 논밭 50 묘(畝)에 해당된다. 《說文》畦, 田五十畮曰畦. 《楚辭, 離騷》畦留夷與揭車兮(五十畝爲畦). 《事類博解, 上, 人道, 耕農》五十畝爲畦. ❷ 1 휴는 논밭 25 묘(畝)에 해당된다. 《說文, 畦, 義證》(劉熙注) 孟子, 今俗以五十畝爲大畦, 以二十五畝爲小畦. ❸ 1 휴는 논밭 25 묘(畝)의 1,000 분의 1 에

해당된다. 《史記, 貨殖傳》 千畦薑韭. (集解曰) 徐廣曰, 千畦二十五畝.

흘(疙 : gē) [수효] 중국(中國)의 단위. '덩이'의 뜻으로, 작은 덩어리의 수를 세는 데 쓰는 말. 과(裹). 정(挺 · 錠).

흡수선량률(吸收線量率) [방사선(放射線)] 방사선이 물질에 조사(照射)된 때에 그 물질에 방사선이 흡수되는 양(量)으로, 단위 시간당의 흡수선량을 흡수선량률이라 한다. 흡수선량의 계량 단위는 래드(rad)이고, 흡수선량률의 계량 단위는 래드 매초〔rad/s〕, 래드 매분〔rad/min〕, 래드 매시〔rad/h〕이다.

히드(hīd) [넓이] 고대 영국의 단위. 1066년대까지 사용되었다. 노예를 포함한 1 가족을 부양하기 위한 넓이로서, 1 히드는 약 120 에이커(acre), 또는 48.562 헥타르〔ha〕에 해당된다.

히어(heer) [길이] 영국(英國) · 미국(美國)의 단위. 주로 리니에르(linière)나 모직물의 길이를 헤아리는 데 쓴다. 1 히어는 스핀들(spindle)의 24 분의 1 이며, 600 야드(yard), 또는 548.64 m에 해당된다.

힌(hin) [부피] 헤브라이(Hebrai)의 단위. 1 힌은 로그(log)의 12 배(倍)이며, 1.62~1.78 미(美) 갤런(gallon), 10.15~11.13 영(英) 갤런, 또는 6.15 ~ 6.75*l*에 해당된다.

힘의 단위(一單位) [힘] 엠 케이 에스 에이 단위계(M.K.S.A. 單位系)에 의한 힘의 계량 단위에는 뉴턴〔N〕 및 중량 킬로그램〔kgw, kgf〕을 규정하고 있다. 1 뉴턴은 1 킬로그램의 물체에 작용하여 1 미터 매초 매초〔m/s^2〕의 가속도를 미치게 하는 역량(力量)을 말한다. 1 중량 킬로그램〔kgw〕은 1 킬로그램의 물체에 작용하여 9.8066 m/s^2 의 가속도를 생기게 하는 역량이다.

부 록

차 례

1. 계량 및 측정에 관한 법률 시행령(1993. 7. 13. 대통령령 제13929호 전문 개정)

개정 1993.12.6. 대통령령 제14015호(행정권한의 위임 및 위탁에 관한 규정)

제 1 조 (목적) 이 영은 계량 및 측정에 관한 법률(이하 "법"이라 한다)에서 위임된 사항과 그 시행에 관하여 필요한 사항을 규정함을 목적으로 한다.

제 2 조 (계량기 등) ①법 제 2 조 제 3 호의 규정에 의한 계량기(이하 "계량기"라 한다)는 별표 1 과 같다.
②법 제 2 조 제 4 호의 규정에 의한 측정기(이하 "측정기"라 한다)에는 계량기 및 측정기의 시험·검사에 사용되는 기준기가 포함되며, 그 기준기의 범위는 상공자원부령으로 정한다.

제 3 조 (계량 측정 심의회의 구성) ①법 제 3 조의 규정에 의한 계량 측정 심의회(이하 "심의회"라 한다)는 위원장 1 인을 포함한 20 인 이내의 위원으로 구성한다.
②위원장은 공업진흥청 차장이 되고, 위원은 계량 및 측정에 관한 학식 및 경험이 풍부한 자 중에서 공업진흥청장이 위촉한다.

제 4 조 (심의회의 기능) 심의회는 다음 각 호의 사항을 심의한다.
1. 계량 및 측정의 정책에 관한 중요한 사항
2. 계량 및 측정의 기술 기준에 관한 중요한 사항
3. 측정 단위에 관한 사항
4. 법 제 11 조의 규정에 의한 국가 계량 및 측정 표준에 관한 사항
5. 법 제 17 조의 규정에 의한 표준 물질의 인증에 관한 사항
6. 법 제 20 조의 규정에 의한 시험·검사 기관의 공인에 관한 사항
7. 법 제 33 조 제 2 항의 규정에 의한 검정 기관의 지정에 관한 사항
8. 기타 공업진흥청장이 계량 및 측정에 관하여 중요하다고 인정하여 부의하는 사항

제 5 조 (위원장의 직무) ①위원장은 심의회를 대표하며 회무를 통할한다.
②위원장이 사고가 있는 때에는 위원장이 지명한 위원이 그 직무를 대행한다.

제 6 조 (회의) ①위원장은 심의회의 회의를 소집하고 그 의장이 된다.
②심의회의 회의는 재적 위원 과반수의 출석과 출석 위원 과반수의 찬성으로 의결한다.

제 7 조 (간사) ①심의회에 간사 1 인을 두되, 간사는 공업진흥청 소속 공무원 중에서 공업진흥청장이 임명한다.
②간사는 위원장의 명을 받아 심의회의 서무를 처리한다.

제 8 조 (실무 위원회) ①심의회의 심의 사항을 미리 검토하기 위하여 심의회에 분야별로 계량 및 측정 실무 위원회(이하 "실무 위원회"라 한다)를 둘 수 있다.
②실무 위원회의 설치·구성·운영 기타 필요한 사항은 심의회의 의결을 거쳐 위원장이 정한다.

제 9 조 (운영 세칙) 이 영에서 규정한 것 외에 심의회의 운영에 관하여 필요한 세부 사항은 심의회의 의결을 거쳐 위원장이 정한다.

제 10 조 (수당) 심의회 및 실무 위원회의 회의에 출석한 위원에 대하여는 예산의 범위 안에서 수당과 여비를 지급할 수 있다. 다만, 공무원인 위원이 소관 업무와 직접 관련하여 심의회 및 실무 위원회에 출석하는 경우에는 그러하지 아니하다.

제 11 조 (기본 단위의 정의 및 현시 방법) ①법 제 6 조의 규정에 의한 기본 단위의 정의는 다음 각 호와 같다.

1. 미터는 빛이 진공 상태에서 299,792,458 분의 1 초 동안 진행한 경로의 길이이다.
2. 킬로그램은 국제 킬로그램 원기의 질량과 같다.
3. 초는 세슘—133 원자(^{133}Cs)의 기저 상태에 있는 2 개의 초미세 준위 간의 전이에 대응하는 복사선의 9,192,631,770 주기의 지속 시간이다.
4. 켈빈은 물과 얼음과 수증기가 공존하는 물의 삼중점의 열역학적 온도의 273.16 분의 1 이다.
5. 칸델라는 진동수 540×10^{12} 헤르츠인 단색광을 방출하는 광원의 복사도가 어떤 주어진 방향에 대하여 매 스테라디안마다 683 분의 1 와트일 때에 이 방향에 대한 광도이다.
6. 암페어는 무한히 길고 무시할 수 있을 정도로 작은 원형 단면적을 갖는 2 개의 평행한 직선 도체가 진공 중에서 1 미터의 간격으로 유지될 때에 2 도체 사이에 매 미터마다 1천만분의 2 뉴턴의 힘을 생기게 하는 일정한 전류이다.
7. ①몰은 0.012 킬로그램의 탄소 12 에 있는 원자수와 같은 수의 구성 요소를 포함한 어떤 계의 물질량이다. 몰을 사용할 때에는 구성 요소를 반드시 명시하여야 하며, 이 구성 요소는 원자·분자·이온·전자·기타 입자, 또는 이 입자들의 특정한 집합체가 될 수 있다.

②킬로그램은 국제 도량형국에서 제작하여 국제 킬로그램 원기에 교정한 국가 킬로그램 원기로 현시하고, 기타 기본 단위의 현시 방법은 국제 도량형 총회에서 정하는 바에 따른다.

제 12 조 (보충 단위의 정의 및 현시 방법) ①법 제 7 조의 규정에 의한 보충 단위의 정의는 다음 각 호와 같다.

1. 라디안은 한 원의 둘레에서 그 원의 반지름과 같은 길이의 호를 자르는 두 반지름 사이의 평면각이다.
2. 스테라디안은 한 공의 표면에서 그 공의 반지름의 제곱과 같은 넓이의 표면을 자르고 그 공의 중심을 꼭지점으로 하는 입체각이다.

②보충 단위의 현시 방법은 국제 도량형 총회에서 정하는 바에 따른다.

제 13 조 (유도 단위) 법 제 8 조의 규정에 의한 유도 단위 및 그 정의

는 별표 2와 같다.

제 14 조 (보조 단위) 법 제 9 조의 규정에 의한 보조 단위 및 그 정의는 별표 3과 같다.

제 15 조 (특수 단위) 법 제 10 조의 규정에 의한 특수 단위 및 그 정의는 별표 4와 같다.

제 16 조 (국제 단위계 및 법정 단위) ①국제 도량형 총회에서 이 영에 의한 측정 단위 및 그 정의를 변경하는 경우에는 공업진흥청장이 이를 공고하는 때에 변경된 측정 단위 및 그 정의를 이 영에 의한 측정 단위 및 그 정의로 본다.

②계량 및 그 측정의 필요에 의하여 제 11 조 내지 제 15 조의 규정에 의한 단위(이하 "법정 단위"라 한다)를 조합하여 이루어진 단위도 법정 단위로 본다.

제 17 조 (국가 계량 및 측정 표준의 관리) ①공업진흥청장은 법 제 4 조의 규정에 의한 한국표준과학연구원이 연구·개발한 표준이 국가 계량 및 측정 표준에 해당된다고 인정하는 경우에는 분야별로 그 주요 내용을 공고하여야 한다.

②공업진흥청장은 제 1 항의 규정에 의하여 공고한 국가 계량 및 측정 표준의 유지·보급을 위하여 한국표준과학연구원과 긴밀히 협조하여야 한다.

제 18 조 (비법정 단위의 사용) 법 13 조 제 1 항의 규정에 의하여 법정 단위 외의 단위(이하 "비법정 단위"라 한다)를 사용할 수 있는 경우는 다음 각 호와 같다.

1. 수출 물품 또는 수출을 위하여 수입하는 물품에 관한 계량 및 측정
2. 선박에 관한 계량 및 측정
3. 항공기에 관한 계량 및 측정
4. 무기 및 군용 장비에 관한 계량 및 측정
5. 연구·개발과 관련된 측정
6. 기타 공업진흥청장이 특히 필요하다고 인정하는 사항에 관한 계량 및 측정

제 19 조 (비법정 단위로 표시된 계량기의 제작 및 수입) ①비법정 단위로 표시된 계량기 및 측정기 중 법 제 13 조 제 2 항의 규정에 의하여 제작 또는 수입할 수 있는 것은 다음 각 호와 같다.

1. 제 18 조 각 호의 규정에 의한 계량 및 측정에 사용하기 위한 것
2. 수출을 목적으로 하는 것
3. 기타 공업진흥청장이 필요하다고 인정하는 것

②비법정 단위로 표시된 상품 중 법 제 13 조 제 2 항의 규정에 의하여 제작 또는 수입할 수 있는 것은 다음 각 호와 같다.

1. 수출을 목적으로 제조하는 것
2. 수출품을 제조하기 위하여 수입하는 것
3. 기타 공업진흥청장이 필요하다고 인정하는 것

③제 1 항의 규정에 의한 비법정 단위로 표시된 계량기 또는 측정기를 제작 또는 수입하고자 할 때에는 상공자원부령이 정하는 바에 따라 공업진흥청장에게 신고하여야 한다.

제 20 조 (교정 검사의 신청) ①공업진흥청장은 측정기의 보유자 또는

사용자의 신청에 의하여 법 제 14 조 제 1 항의 규정에 의한 교정 검사를 할 수 있다.

②제 1 항의 규정에 의한 교정 검사의 신청 등 필요한 사항은 상공자원부령으로 정한다.

제 21 조 (협회의 사업) ①법 제 16 조 제 1 항의 규정에 의한 한국 측정기기 교정 협회(이하 "협회"라 한다)는 계량기 및 측정기의 정밀도 및 정확도를 국가 계량 및 측정 표준에 소급시키기 위하여 다음 각 호의 사업을 행한다.

1. 계량 및 측정의 정밀 정확도 향상을 위한 교육·지도·진단·조사·연구·자료 발간 및 홍보에 관한 사업
2. 외국의 관련 기관 및 단체와의 협력 증진에 관한 사업
3. 기타 정밀·정확도의 향상을 위하여 필요한 사업

②협회는 정관이 정하는 바에 따라 교정 검사 신청자에게 국가 계량 및 측정 표준에 대한 정밀도 및 정확도를 소급시키기 위한 사업에 소요되는 비용을 부담하게 할 수 있다.

제 22 조 (지도·감독) ①공업진흥청장은 법 제 16 조 제 3 항의 규정에 의하여 협회에 대하여 협회의 업무·회계 및 재산 등에 관한 사항을 보고하게 하거나, 소속 공무원으로 하여금 협회의 장부·서류 기타 물건을 검사하게 할 수 있다.

②제 1 항의 규정에 의하여 검사를 하는 공무원은 그 권한을 나타내는 증표를 지니고 이를 관계인에게 내보여야 한다.

제 23 조 (표준 물질 개발 지원) 공업진흥청장은 법 제 17 조의 규정에 의한 표준 물질의 연구·개발 및 보급을 촉진하기 위하여 필요한 지원을 할 수 있다.

제 24 조 (공인 시험·검사 기관의 지정 분야) ①공업진흥청장은 제 20 조의 규정에 의한 공인 시험·검사 기관(이하 "공인 시험·검사 기관"이라 한다)을 다음 각 호의 분야별로 지정한다.

1. 역학 시험
2. 화학 시험
3. 전기 시험
4. 열 및 온도 시험
5. 비파괴 시험
6. 음향 및 진동 시험
7. 광학 및 광도 시험
8. 의학 시험
9. 생물학적 시험

②제 1 항 각 호의 분야에 대한 세부 분류는 공업진흥청장이 정한다.

제 25 조 (시험·검사의 분쟁 조정) 공업진흥청장은 공인 시험·검사 기관의 시험·검사와 관련한 분쟁이 있는 때에는 제 8 조의 규정에 의한 분야별 실무 위원회의 심의를 거쳐 이를 조정할 수 있다.

제 26 조 (상호 인정) 공업진흥청장과 외국의 시험·검사 기관을 인정하는 기구간에 시험·검사 결과에 대한 상호 인정에 관한 협정이 체결된 경우에는 각각의 인정 시험·검사 기관 간에는 그 시험·검사 결과에 대하여 상호 인정을 할 수 있다.

제 27 조 (외국 시험·검사 기관의 공

인) 공업진흥청장은 법 제 20 조 제 1 항의 규정에 의하여 국외에 소재하는 시험, 검사 능력이 있는 시험, 검사 기관을 공인 시험, 검사 기관으로 지정할 수 있다.

제 28 조 (비교 시험) 공업진흥청장은 법 제 21 조 제 2 항의 규정에 의하여 시험·검사 기관의 시험·검사 능력의 향상을 위하여 국내외 시험·검사 기관 간에 비교 시험·검사를 실시할 수 있다.

제 29 조 (양도 등의 제한의 예외) 법 제 28 조 제 1 항에서 "대통령령이 정하는 경우"라 함은 동항 제 5 호의 규정에 의한 검정 증인 또는 정기 검사 증인의 표시를 하지 아니한 계량기 중 다음 각 호의 1 에 해당하는 계량기의 경우를 말한다.

1. 석제 또는 유리제의 분동
2. 질량이 50 밀리그램 이하의 분동

제 30 조 (사용 제한의 예외) 법 제 29 조에서 "대통령령이 정하는 경우"라 함은 다음 각 호의 1 에 해당하는 계량기의 경우를 말한다.

1. 제 29 조의 규정에 의한 양도 등의 제한을 받지 아니하는 계량기
2. 법 제 29 조 제 2 호의 규정에 의한 검정을 받지 아니하거나 검정에 합격하지 아니한 계량기라 하더라도 제 34 조 제 1 호에 해당하는 계량기

제 31 조 (사용 공차) 법 제 29 조 제 4 호에서 "대통령령이 정하는 사용 공차"는 별표 5 와 같다.

제 32 조 (실량 표시 상품 등) ①법 제 32 조 제 1 항의 규정에 의한 실량 또는 함량으로 표시된 상품(이하 "실량 표시 상품"이라 한다)은 별표 6 과 같다.

②법 제 30 조의 규정에 의한 상품의 오차 및 법 제 32 조 제 2 항의 규정에 의한 실량 표시 상품의 오차는 각각의 표시량의 100 분의 8 을 초과하거나 100 분의 2 에 미달하여서는 아니 된다.

③제 1 항의 규정에 의한 실량 표시 상품의 허용 오차 등에 관하여 다른 법령에서 따로 정하는 경우에는 그에 의한다.

제 33 조 (거래 단위의 개선 등) 공업진흥청장은 법 제 32 조 제 4 항의 규정에 의하여 상품의 거래 또는 포장 단위를 정하거나 거래 단위의 개선을 명하고자 할 때에는 심의회의 심의를 거쳐 90 일 이상의 기간을 정하여 공고하여야 한다.

제 34 조 (검정을 받아야 할 계량기) 법 제 33 조 제 1 항의 규정에 의하여 검정을 받아야 하는 계량기는 별표 7 에서 정하는 계량기 중 다음 각 호의 1 에 해당하는 계량기를 제외한 계량기를 말한다.

1. 상공자원부령이 정하는 간이 수리를 한 계량기
2. 전기 사업법 제 4 조 제 1 항의 규정에 의한 전기 설비의 시설 계획 및 전기 공급 계획에 따라 전기 사업자가 전력량을 관리하기 위하여 발전소 및 변전소에 설치하여 사용중인 전력량계

제 35 조 (개선 명령) 공업진흥청장은 법 제 37 조의 규정에 의한 검사 결과 다음 각 호의 1 에 해당하

는 경우에는 법 제 42 조 제 2 항의 규정에 의하여 3월 이내의 기간을 정하여 당해 계량기 또는 표시의 개선을 명할 수 있다.

1. 제작업자가 제작한 계량기가 상공자원부령이 정하는 등록 요건 중 자체 검사에 관한 규정에 적합하지 아니한 경우
2. 계량기의 제작업자·수리업자 또는 수입한 자가 당해 계량기에 법 제 26 조의 규정에 의한 표시를 적정하게 하지 아니한 경우
3. 계량기의 제작업자 또는 수입하는 자가 형식 승인을 얻어 제작 또는 수입하는 계량기가 법 제 25 조의 규정에 의한 형식 승인 기준에 적합하지 아니한 경우

제 36 조 (파기) ①계량 검사 공무원은 법 제 42 조의 규정에 의하여 계량기를 파기하고자 할 때에는 당해 계량기의 소유자 또는 점유자를 입회하게 하여야 하되, 계량기의 소재 장소 외의 장소에서 파기하고지 할 때에는 파기일 10 일 선에 그 일시, 장소, 계량기의 종류 및 수량과 입회인의 출석 등을 그 계량기의 소유자 또는 점유자에게 서면으로 통지하여야 한다. 다만, 당해 계량기의 소유자 또는 점유자가 입회하지 아니할 경우에는 관계 공무원 2 인 이상을 참여시킨 뒤 파기하여야 한다.

②계량 검사 공무원은 법 제 42 조 제 2 항의 규정에 의하여 정밀도 또는 실량의 표시를 개정할 수 없는 경우에는 상공자원부령이 정하는 바에 따라 당해 상품에 정밀도 부정확 또는 실량 부정확의 표시를 할 수 있다.

제 37 조 (계량의 자치 관리) ①법 제 45 조의 규정에 의하여 계량의 자치 관리를 하고자 하는 자는 공업진흥청장의 인정을 받아야 한다.

②제 1 항의 규정에 의한 인정을 받고자 하는 자는 상공자원부령이 정하는 바에 따라 다음 각 호의 요건을 갖추어 공업진흥청장에게 신청하여야 한다.

1. 자격을 구비한 관리인을 둘 것
2. 검사에 필요한 설비를 갖출 것

③공업진흥청장은 신청인이 제 2 항의 규정에 의한 요건에 적합하다고 인정되는 때에는 신청인에게 인정증을 교부하여야 한다.

④계량의 자치 관리를 인정받은 자(이하 "자치 관리 기관"이라 한다)는 제 2 항의 규정에 의한 관리인 및 설비에 변경이 있는 때에는 지체없이 이를 공업진흥청장에게 신고하여야 한다.

⑤공업진흥청장은 자치 관리 기관이 제 2 항의 규정에 의한 인정 요건에 미달되는 때에는 개선을 명하거나 그 인정을 취소할 수 있다.

⑥자치 관리 기관은 그 인정을 받은 범위 안에서 상공자원부령이 정하는 바에 따라 계량기의 간이 수리를 할 수 있다.

제 38 조 (계량 기사 등) ①계량 기사 또는 계량 기능사(이하 "계량 기사 등"이라 한다)는 법 제 46 조 제 2 항의 규정에 의한 직무를 성실히 수행하여야 하며, 자격증을 대여하여서는 아니 된다.

②계량기의 제작업자·수리업자 또는 계량의 자치 관리 기관은 그가 고용한 계량 기사 등을 교체한 때에는 20일 이내에 이를 공업진흥청장에게 신고하여야 한다.

제 39 조 (청문의 절차) ①공업진흥청장은 법 제 47 조의 규정에 의한 청문을 행하고자 할 때에는 청문 예정일 10일 전에 처분의 상대방 또는 그 대리인에게 서면으로 청문의 사유·일시 및 장소 등을 통지하여야 한다.

②제 1 항의 규정에 의한 통지를 받은 처분의 상대방 또는 그 대리인은 지정된 일시 및 장소에 출석하여 의견을 진술하거나 서면으로 의견을 제출할 수 있다.

③제 2 항의 규정에 의하여 처분의 상대방 또는 그 대리인이 출석하여 의견을 진술한 경우에는 관계 공무원은 그 요지를 서면으로 작성하여 진술한 자로 하여금 이를 확인하게 한 후 서명·날인하도록 한다.

④제 1 항의 규정에 의한 통지에는 정당한 사유 없이 이에 응하지 아니하는 경우에는 의견을 진술할 기회를 포기한 것으로 본다는 뜻을 명시하여야 한다.

제 40 조 (권한의 위임·위탁) ①공업진흥청장은 법 제 50 조의 규정에 의하여 다음 각 호의 권한을 시·도지사에게 위임한다. 다만, 공업진흥청장은 시·도지사를 지원하기 위하여 제 5 호의 사항에 관한 권한을 국립공업기술원장 및 지방공업기술원장으로 하여금 수행하게 할 수 있고, 제 6 호의 사항에 관한 권한 중 수시 검사를 직접 수행할 수 있다.

1. 법 제 13 조 제 2 항의 규정에 의한 비법정 단위로 표시된 계량기, 또는 측정기를 제작 또는 수입하는 자의 신고의 수리
2. 법 제 24 조의 규정에 의한 계량기의 제작업 등의 등록
3. 법 제 27 조의 규정에 의한 계량기의 처분 신고의 수리
4. 법 제 32 조의 규정에 의한 실량 표시 상품의 검사
5. 법 제 33 조의 규정에 의한 검정 중 수리 검정 및 유효 기간 만료 검정
6. 법 제 37 조의 규정에 의한 정기 검사 및 수시 검사
7. 법 제 43 조의 규정에 의한 등록의 취소 또는 사업의 정지
8. 법 제 45 조의 규정에 의한 계량의 자치 관리 인정 및 지도 감독
9. 제 38 조 제 2 항의 규정에 의한 계량 기사 등의 변경 신고의 수리

②공업진흥청장은 다음 각 호의 권한 중 제 1 호의 권한은 국립공업기술원장에게, 제 2 호의 권한은 국립공업기술원장 또는 지방공업기술원장에게 위임한다.〈개정 93.12.6〉

1. 법 제 25 조의 규정에 의한 형식 승인에 관한 권한
2. 법 제 33 조의 규정에 의한 검정 중 계량기의 제작·수입에 따른 검정에 관한 권한

제 41 조 (지도·감독) ①공업진흥청장은 이 영의 규정에 의한 등록 또

는 지정을 받은 자에 대하여 그 사업에 관한 지시·처분 또는 명령을 할 수 있다.
②공업진흥청장은 이 영의 규정에 의하여 위임 또는 위탁받은 자와 지정·등록 또는 인정을 받은 자의 업무, 회계 및 재산에 관하여 필요한 사항을 상공자원부령이 정하는 바에 따라 보고하게 하거나, 소속 공무원 또는 관계 전문가로 하여금 필요한 장부·서류 기타 물건을 조사하게 할 수 있다.
③제 2 항의 규정에 의한 조사를 하는 공무원에 대하여는 법 제 39 조 제 2 항의 규정을 준용한다.

제 42 조 (교육) ①공업진흥청장은 산업체, 연구 기관, 시험·검사 기관 등의 정밀 측정 기술의 향상 및 시험·검사의 신뢰성 확보를 위하여 협회, 교정 검사 기관 또는 관련 기관을 교육 기관으로 지정하여 필요한 교육을 실시하게 할 수 있다.
②공업진흥청장은 적정한 계량을 실시하기 위하여 필요하다고 인정하는 때에는 계량기의 제작업자·수리업자·계량 증명업자와 법정 계량 단위에 의하여 거래 또는 증명을 하는 자에게 필요한 교육을 받게 할 수 있다.
③공업진흥청장은 제 1 항 및 제 2 항의 규정에 의한 교육을 받은 자에게 수료증을 발급할 수 있다.
④제 1 항의 규정에 의하여 교육 기관으로 지정받고자 하는 자는 교육 계획서를 작성하여 공업진흥청장에게 신청하여야 하며, 지정된 교육 기관은 매년 교육 계획과 그 결과를 공업진흥청장에게 보고하여야 한다.

제 43 조 (과태료의 부과 및 징수 절차) ①법 제 58 조 제 3 항의 규정에 의하여 과태료를 부과하고자 할 때에는 당해 위반 행위를 조사·확인한 후 위반 사실과 과태료의 금액 등을 서면으로 명시하여 이를 납부할 것을 과태료 처분 대상자에게 통지하여야 한다.
②공업진흥청장 또는 시·도지사는 제 1 항의 규정에 의하여 과태료를 부과하고자 할 때에는 10 일 이상의 기간을 정하여 과태료 처분 대상자에게 구술 또는 서면에 의한 의견 진술의 기회를 주어야 한다. 이 경우 지정된 기일까지 의견 진술이 없는 때에는 의견이 없는 것으로 본다.
③위반 행위의 종별에 따른 과태료의 부과 기준은 별표 8 과 같다. 다만, 공업진흥청장 또는 시·도지사는 당해 위반 행위의 동기와 그 결과 등을 참작하여 그 해당 금액의 2 분의 1 의 범위 안에서 이를 가중 또는 경감할 수 있다. 이 경우 가중하는 때에도 법 제 58 조 제 1 항 각 호의 1 에 해당하는 위반 행위에 대한 과태료의 총액은 300만 원을, 법 제 58 조 제 2 항 각 호의 1 에 해당하는 위반 행위에 대한 과태료의 총액은 100만 원을 각각 초과할 수 없다.
④과태료의 징수 절차는 상공자원부령으로 정한다.

부 칙

제 1 조 (시행일) 이 영은 공포한 날부터 시행한다.

제 2 조 (심의회 및 실무 위원회에 관한 경과 조치) 종전의 규정에 의한 계량 심의회와 실무 위원회는 각각 이 영에 의한 심의회와 실무 위원회로 본다.

제 3 조 (국가 계량 및 측정 표준의 공고에 관한 경과 조치) 공업진흥청장은 이 영 시행 이전에 연구·개발된 국가 계량 및 측정 표준에 대하여는 이 영 시행일부터 60 일 이내에 공고하여야 한다.

제 4 조 (한국 측정기기 교정 협회에 관한 경과 조치) 법률 제 4529 호 부칙 제 3 조 제 1 항의 규정에 의하여 제출하는 신청서에는 다음 각 호의 사항이 포함되어야 한다.

1. 정관
2. 이사의 성명 및 주소
3. 자산의 총액
4. 기타 공업진흥청장이 필요하다고 인정하는 사항

제 5 조 (자치 관리 인정에 관한 경과 조치) 이 영 시행 당시 종전의 규정에 의하여 계량의 자치 관리의 인정을 받은 자는 이 영의 규정에 의한 계량의 자치 관리의 인정을 받은 자로 본다.

제 6 조 (다른 법령의 개정) 행정 권한의 위임 및 위탁에 관한 규정 중 다음과 같이 개정한다.

제 39 조 제 5 항 제 1 호 및 제 53 조는 각각 이를 삭제한다.

제 7 조 (다른 법령과의 관계) 이 영 시행 당시 다른 법령에서 종전의 계량법 시행령 또는 그 규정을 인용한 경우에 이 영에 그에 해당하는 규정이 있는 때에는 이 영 또는 이 영의 해당 조항을 인용한 것으로 본다.

부 칙 〈93.12.6〉

제 1 조 (시행일) 이 영은 공포한 날부터 시행한다.

제 2 조 및 **제 3 조** 생략

〔별표 1〕 **계량기의 종류**(제 2 조 관련)

분 야	계량기의 종류	종류별 세부 품목
1. 길이계	가. 금속제 자류	(1) 곧은자 (2) 굽은자 (3) 접음자 (4) 각도자 (5) 신축눈자 (6) 가지자(게이지류 제외)
	나. 비금속제 자류	(1) 곧은자 (2) 굽은자 (3) 접음자 (4) 각도자 (5) 신축눈자 (6) 가지자(게이지류 제외)

	다. 금속제 줄자	(1) 금속제 줄자
	라. 비금속제 줄자	(1) 비금속제 줄자
	마. 기계식택시미터	(1) 기계식택시미터
	바. 전기식택시미터	(1) 전기식택시미터
	사. 전선회전자	(1) 전선회전자
	아. 게이지류	(1) 다이얼게이지
		(2) 마이크로미터
		(3) 버니어캘리퍼스
		(4) 게이지블록
2. 질량계	가. 수동저울	(1) 수동맞저울
		(2) 반지시맞저울
		(3) 등비접시수동저울
		(4) 부등비접시수동저울
		(5) 판수동저울
		(6) 매달림수동저울
	나. 지시저울	(1) 접시지시저울
		(2) 판지시저울
		(3) 매달림지시저울
	다. 전기식지시저울	(1) 전기식지시저울
	라. 자동저울	(1) 콘베어저울
		(2) 호퍼저울
		(3) 자동계량포장저울
	마. 분동 및 추	(1) 분동
		(2) 추
3. 시간계	가. 기계식시간계	(1) 기계식스톱워치
		(2) 기계식분시계
	나. 전자식시간계	(1) 전자식스톱워치
		(2) 전자식분시계
4. 온도계	가. 유리제온도계	(1) 수은온도계
		(2) 유기액체온도계
		(3) 유리제체온계
	나. 전기식온도계	(1) 저항온도계
		(2) 열전식온도계
		(3) 전자식체온계
	다. 광학식온도계	(1) 광고온계
		(2) 색고온계
		(3) 복사고온계
	라. 압력식온도계	(1) 액체충만식온도계
		(2) 증기압식온도계

	마. 바이메탈온도계	(1) 바이메탈온도계
5. 광도계	가. 광도계	(1) 광도계
6. 전기계기	가. 일량전기계기	(1) 전력량계 (2) 최대수요전력계 (3) 무효전력량계
	나. 힘량전기계기	(1) 전류계 (2) 전압계 (3) 전력계 (4) 무효전력계 (5) 무효율계 (6) 위상계
	다. 절연저항계	(1) 절연저항계
	라. 계기용변성기	(1) 계기용변류기 (2) 계기용변압기 (3) 계기용변압변류기
7. 넓이계	가. 넓이계	(1) 가죽넓이계
8. 부피계	가. 양기	(1) 양기(오일 및 용액에 한한다)
	나. 화학용부피계	(1) 메스플라스크 (2) 피펫 (3) 뷰렛 (4) 메스실린더 (5) 유지계
	다. 기체용적산부피계	(1) 가스미터 (2) 스팀미터
	라. 액체용적산부피계	(1) 수도미터
	마. 가솔린미터	(1) 적산식가솔린미터 (2) 액화석유가스미터
	바. 오일미터	(1) 오일미터
	사. 폐활량계	(1) 폐활량계
	아. 눈새김탱크류	(1) 눈새김탱크 (2) 눈새김탱커 (3) 탱크로리
	자. 자동부피계	(1) 자동부피계량기
	차. 부피관	(1) 부피관
9. 압력계	가. 지시압력계	(1) 아네로이드형압력계 (2) 자기압력계 (3) 전자식압력계
	나. 분동식압력계	(1) 분동식압력계

	다. 액주형압력계 라. 혈압계	(1) 액주형압력계 (1) 아네로이드형혈압계 (2) 전자식혈압계 (3) 액주형혈압계
10. 속도계	가. 기계식속도계 나. 전기식속도계	(1) 기계식속도계 (1) 전기식속도계
11. 비중계・밀도계・농도계	가. 비중계 나. 밀도계 다. 농도계	(1) 비중부액계 (1) 밀도부액계 (1) 농도부액계
12. 역량계	가. 역량계	(1) 역량계
13. 일·공률계	가. 일계 및 공률계	(1) 일계(전력량계를 제외한다) (2) 공률계
14. 열량계	가. 열량계	(1) 적산열량계 (2) 분석열량계
15. 유량계	가. 유량계	(1) 유량계
16. 점도, 동점도계	가. 점도계 및 동점도계	(1) 점도계 (2) 동점도계
17. 광속계	가. 광속계	(1) 광속계
18. 조도계	가. 조도계	(1) 조도계
19. 주파수계	가. 주파수계	(1) 주파수계 (2) 음고계 (3) 회전계
20. 소음계	가. 소음계	(1) 소음계
21. 조사선량, 조사선량률계	가. 조사선량, 조사선량률계	(1) 조사선량계 (2) 조사선량률계
22. 습도계	가. 습도계	(1) 습도계
23. 시험기	가. 경도시험기 나. 충격시험기 다. 강도시험기	(1) 경도시험기 (1) 충격시험기 (1) 인장강도시험기 (2) 압축강도시험기 (3) 만능재료시험기
24. 각도계	가. 각도계	(1) 각도정규 (2) 기계적분도기 (3) 기타 각도계

25. 섬도계	가. 섬도계	(1) 섬도분동
26. 입도계	가. 입도계	(1) 표준판체 (2) 표준망체
27. 굴절도계	가. 굴절계	(1) 굴절도계 (2) 검안기 (3) 렌즈테스타
28. 내화도계	가. 내화도계	(1) 내화도계
29. 입자속밀도계	가. 입자속밀도계	(1) 입자속밀도계
30. 방사능 농도, 방사능 밀도계	가. 방사능 측정계	(1) 기체검출기 (2) 섬광검출기 (3) 반도체검출기

〔별표 2〕 유도 단위 및 그 정의(제 13 조 관련)

1. 넓이의 측정 단위는 제곱 미터로 한다.
   ○ 제곱 미터는 한 변의 길이가 1 미터인 정사각형의 넓이와 같다.
2. 부피의 측정 단위는 세제곱 미터로 한다.
   ○ 세제곱 미터는 한 변의 길이가 1 미터인 정육면체의 부피와 같다.
3. 속도의 측정 단위는 미터 매 초로 한다.
   ○ 미터 매 초는 1 초에 1 미터를 이동하는 속도와 같다.
4. 각속도의 측정 단위는 라디안 매 초로 한다.
   ○ 라디안 매 초는 1 초마다 1 라디안의 각도가 변하는 각속도와 같다.
5. 역량(힘)의 측정 단위는 뉴턴으로 한다.
   ○ 뉴턴은 질량이 1 킬로그램인 물체에 작용하여 1 미터 매초 제곱의 가속도를 주는 역량(힘)의 크기이다.
6. 압력의 측정 단위는 파스칼로 한다.
   ○ 파스칼은 1 제곱 미터의 면적에 1 뉴턴의 힘이 수직으로 작용할 때의 압력이다.
7. 일의 측정 단위는 줄 및 와트 초로 한다.
   ○ 줄은 1 뉴턴의 힘이 그 작용하는 방향으로 물체를 1 미터 이동시켰을 때에 한 일과 같다.
   ○ 와트 초는 1 와트의 공률로서 1 초간에 한 일과 같다.
8. 공률의 측정 단위는 와트로 한다.
   ○ 와트는 1 초마다 1 줄의 일을 하는 공률이다.
9. 열량의 측정 단위는 줄 및 와트 초로 한다.
   ○ 열량의 단위인 줄은 1 줄의 일에 상당하는 열량과 같다.

○ 와트 초는 1 줄의 열량과 같다.

10. 가속도의 측정 단위는 미터 매초 제곱으로 한다.

○ 미터 매초 제곱은 1 초마다 속도의 변화가 1 미터 매초인 가속도이다.

11. 각가속도의 측정 단위는 라디안 매초 제곱으로 한다.

○ 라디안 매초 제곱은 1 초마다 각속도의 변화가 1 라디안 매초인 각가속도이다.

12. 유량의 측정 단위는 세제곱 미터 매초로 한다.

○ 세제곱 미터 매초는 1 초마다 1 세제곱 미터의 유량이다.

13. 질량 유량의 측정 단위는 킬로그램 매초로 한다.

○ 킬로그램 매초는 1 초마다 1 킬로그램의 질량 유량이다.

14. 점도의 측정 단위는 파스칼 초로 한다.

○ 파스칼 초는 유체 내에 1 미터마다 1 미터 매초의 속도구배가 있을 때에 그 속도구배의 방향으로 수직한 면에 속도의 방향으로 1 제곱 미터마다 1 뉴턴의 응력이 생기는 점도이다.

15. 동점도의 측정 단위는 제곱 미터 매초로 한다.

○ 제곱 미터 매초는 밀도가 1 킬로그램 매 세제곱 미터이고 점도가 1 파스칼 초인 유체의 동점도이다.

16. 밀도의 측정 단위는 킬로그램 매 세제곱 미터로 한다.

○ 킬로그램 매 세제곱 미터는 1 세제곱 미터마다 1 킬로그램인 물질의 밀도이다.

17. 농도의 측정 단위는 질량 백분율, 부피 백분율, 몰 매 세제곱 미터, 몰 농도 및 킬로그램 세제곱 미터로 한다.

○ 질량 백분율은 물질 함유 성분의 질량과 그 물질의 질량과의 비의 100 배이다.

○ 몰 매 세제곱 미터는 1 세제곱 미터마다의 물질이 몰 수이다.

○ 부피 백분율은 같은 압력 아래에서 물질 함유 성분의 부피와 그 물질의 부피와의 비의 100 배이다.

○ 몰 농도는 용액 1 세제곱 미터 중에 용질, 1,000 그램의 분자를 함유한 용액의 농도이다.

○ 킬로그램 매 세제곱 미터는 1 세제곱 미터에 1 킬로그램을 포함한 물질의 농도이다.

18. 파수의 측정 단위는 매 미터로 한다.

○ 매 미터는 주기적 현상이 1 미터에 1 회 반복되는 파수이다.

19. 주파수의 측정 단위는 헤르츠로 한다.

○ 헤르츠는 주기적 현상이 1 초간에 1 회 반복되는 주파수이다.

20. 전력량의 측정 단위는 줄 또는 와트 초로 한다.

○ 전력량의 단위인 줄은 1 줄의 일에 상당하는 전력량이다.

○ 와트 초는 1 와트의 공률로서 1 초 동안 한 일에 상당하는 전력량이다.

21. 전력의 측정 단위는 와트로 한다.

○ 전력의 단위인 와트는 1 와트의 공률에 상당하는 전력이다.

22. 전기량(전하량)의 측정 단위는 쿨롬으로 한다.
   ○ 쿨롬은 1 암페어의 일정한 전류에 의하여 1 초간에 운반되는 전기량(전하량)이다.
23. 전압의 측정 단위는 볼트로 한다.
   ○ 볼트는 1 암페어의 일정한 전류가 흐르는 도체의 2 점 간에서 소비되는 전력이 1 와트일 때에 그 2 점 간의 전압이다. 교류에 있어서는 순간치의 제곱의 1 주기 평균의 제곱근이 위의 볼트로 표시하는 전압과 대등한 전압이다.
24. 기전력의 측정 단위는 볼트로 한다.
   ○ 기전력의 단위인 볼트는 전압의 볼트에 상당하는 기전력이다.
25. 전계(전기장의 세기)의 측정 단위는 볼트 매 미터로 한다.
   ○ 볼트 매 미터는 진공 중에서 1 쿨롬의 전기량을 가진 무한히 작은 대전체에 작용하는 힘의 크기가 1 뉴턴인 전계(전기장의 세기)이다.
26. 전기 저항의 측정 단위는 옴으로 한다.
   ○ 옴은 1 암페어의 전류가 흐르는 도체의 2 점 간의 전압이 1 볼트일 때에 그 2 점 간의 전기 저항이다.
27. 전기 컨덕턴스의 측정 단위는 지멘스로 한다.
   ○ 지멘스는 1 암페어의 전류가 흐르는 도체의 2 점 간의 전압이 1 볼트일 때에 그 2 점 간의 전기 컨덕턴스이다.
28. 정전 용량(전기 용량)의 측정 단위는 패럿으로 한다.
   ○ 패럿은 1 쿨롬의 전기량을 충전할 때에 1 볼트의 전압이 발생하는 2 도체 간의 정전 용량(전기 용량)이다.
29. 인덕턴스의 측정 단위는 헨리로 한다.
   ○ 헨리는 1 초에 1 암페어의 율로 균일하게 변하는 전류가 흐를 때에 1 볼트의 기전력을 발생시키는 폐회로의 인덕턴스이다.
30. 자속의 측정 단위는 웨버로 한다.
   ○ 웨버는 1 회 감은 폐회로 속을 통과하는 자속이 일정하게 감소하여 1 초 후에 소멸될 때에 그 폐회로에 1 볼트의 기전력을 발생하게 하는 자속이다.
31. 자속 밀도의 측정 단위는 테슬라 및 웨버 매 제곱 미터로 한다.
   ○ 테슬라 또는 웨버 매 제곱 미터는 자속과 수직한 면의 1 제곱 미터마다 1 웨버의 자속 밀도이다.
32. 기자력의 측정 단위는 암페어로 한다.
   ○ 기자력의 단위인 암페어는 1 회 감은 폐회로에 1 암페어의 일정한 전류가 흐를 때에 발생하는 기자력이다.
33. 자계(자기장의 세기)의 측정 단위는 암페어 매 미터로 한다.
   ○ 암페어 매 미터는 일정한 자계에 있어서 자계의 방향으로 1 미터 떨어진 2 점 간의 기자력이 1 암페어인 자계(자기장의 세기)

이다.

34. 무효 전력의 측정 단위는 바로 한다.
   ○ 바는 회로에 1 볼트의 정현파 교류 전압을 가할 때에 그 정현파 교류 전류와 위상이 90 도 다른 1 암페어의 정현파 교류 전류가 흐를 때의 무효 전력이다.

35. 무효 전력량의 측정 단위는 바 초로 한다.
   ○ 바 초는 1 바의 무효 전력이 1 초간 계속될 때의 무효 전력량이다.

36. 피상전력의 측정 단위는 볼트 암페어로 한다.
   ○ 볼트 암페어는 회로에 1 볼트의 정현파 교류 전압을 가하여 1 암페어의 정현파 교류 전류가 흐를 때의 피상전력이다.

37. 피상전력량의 측정 단위는 볼트 암페어 초로 한다.
   ○ 볼트 암페어 초는 1 볼트 암페어의 피상전력이 1 초간 계속될 때의 피상전력량이다.

38. 비열의 측정 단위는 줄 매 킬로그램 켈빈 또는 줄 매 킬로그램 섭씨도로 한다.
   ○ 줄 매 킬로그램 켈빈은 질량이 1 킬로그램인 물질의 온도를 1 켈빈 상승시키는 데에 필요한 열량이 1 줄일 때의 비열이다.
   ○ 줄 매 킬로그램 섭씨도는 질량이 1 킬로그램인 물질의 온도를 1 섭씨도 상승시키는 데에 필요한 열량이 1 줄일 때의 비열이다.

39. 열전도율의 측정 단위는 와트 매 미터 켈빈으로 한다.
   ○ 와트 매 미터 켈빈은 길이가 1 미터인 도선의 단면에 수직 방향으로 1 초 동안 1 줄의 열량이 전달될 때의 열전도율이다.

40. 엔트로피의 측정 단위는 줄 매 켈빈으로 한다.
   ○ 줄 매 켈빈은 온도 1 켈빈의 계에 1 줄의 열량을 가역적으로 주었을 때에 그 계의 엔트로피의 증가분에 해당하는 엔트로피이다.

41. 방사강도(복사도)의 측정 단위는 와트 매 스테라디안으로 한다.
   ○ 와트 매 스테라디안은 점광원에서 1 스테라디안마다 1 와트의 빛이 방출될 때의 방사강도(복사도)이다.

42. 광속(광선속)의 측정 단위는 루멘으로 한다.
   ○ 루멘은 모든 방향으로 균일하게 복사되는 빛의 광도가 1 칸델라인 점광원에서 1 스테라디안의 입체각 내에 복사되는 광속(광선속)이다.

43. 휘도(광휘도)의 측정 단위는 칸델라 매 제곱 미터로 한다.
   ○ 칸델라 매 제곱 미터는 1 제곱 미터의 면적에 수직한 방향에서 1 스테라디안의 입체각으로 복사되는 빛의 광속(광선속)이 1 루멘일 때에 그 방향의 휘도(광휘도)이다.

44. 조도(조명도)의 측정 단위는 럭스로 한다.
   ○ 럭스는 1 루멘의 광속으로서 1 제곱 미터의 면을 균일하게 비칠 때의 조도(조명도)이다.

45. 방사능의 측정 단위는 베크렐로

한다.

○ 베크렐은 방사능 핵종의 붕괴수가 1초마다 1일 때의 방사능이다.

46. 중성자(입자) 방출률의 측정 단위는 중성자(입자) 매초로 한다.

○ 중성자(입자) 매초는 중성자(입자)가 1초마다 1개의 비율로 방출되는 중성자(입자) 방출률이다.

47. 조사선량의 측정 단위는 쿨롬 매 킬로그램으로 한다.

○ 쿨롬 매 킬로그램은 엑스선 및 감마선의 조사에 의하여 공기가 1킬로그램마다 1쿨롬의 전기량을 가진 양이온군 및 음이온군을 발생하게 하는 조사선량이다.

48. 소음의 측정 단위는 데시벨로 한다.

○ 데시벨은 실효 음압을 10만 분의 2파스칼인 기준 음압으로 나눈 값에 상용대수를 취한 후 이에 20을 곱한 값이다.

49. 충격치의 측정 단위는 줄로 한다.

○ 충격치의 단위인 줄은 1줄의 일의 양에 상당하는 충격치이다.

50. 인장 강도의 측정 단위는 파스칼로 한다.

○ 인장 강도의 단위인 파스칼은 1파스칼의 압력에 상당하는 인장 강도이다.

51. 압축 강도의 측정 단위는 파스칼로 한다.

○ 압축 강도의 단위인 파스칼은 1파스칼의 압력에 상당하는 압축 강도이다.

52. 비중의 측정 단위는 물질의 질량과 압력 101,325파스칼 아래에서의 그 물질과 같은 부피의 순수한 물의 질량과의 비로 표시하는 무명수로 한다. 순수한 물의 온도는 온도를 지정한 때에는 그 지정 온도로, 온도를 지정하지 아니한 때에는 섭씨 4도로 한다.

53. 흡수선량의 측정 단위는 그레이로 한다.

○ 그레이는 방사선이 조사될 경우 전리성 입자에 의하여 물질 1킬로그램이 1줄의 에너지를 흡수할 때의 흡수선량이다.

54. 에너지 플루언스의 측정 단위는 줄 매 제곱 미터로 한다.

○ 줄 매 제곱 미터는 1제곱 미터의 대원 절단 면적을 가진 구에 입사된 모든 방사선의 에너지의 합이 1줄일 때의 에너지 플루언스이다.

55. 조사선량률의 측정 단위는 쿨롬 매 킬로그램 초로 한다.

○ 쿨롬 매 킬로그램 초는 1초마다 1쿨롬 매 킬로그램의 조사선량률이다.

56. 흡수선량률의 측정 단위는 그레이 매초로 한다.

○ 그레이 매초는 1초마다 1그레이의 흡수선량률이다.

57. 에너지 속밀도의 측정 단위는 줄 매 제곱 미터 초로 한다.

○ 줄 매 제곱 미터 초는 1초마다 1줄 매 제곱 미터의 에너지 속밀도이다.

58. 입자 플루언스의 측정 단위는 입자 매 제곱 미터로 한다.

○ 입자 매 제곱 미터는 입자가 1 제곱 미터의 대원 절단 면적을 가진 구에 1 개의 비율로 입사할 때의 입자 플루언스이다.

59. 방사능 표면 밀도의 측정 단위는 베크렐 매 제곱 미터로 한다.

○ 베크렐 매 제곱 미터는 물체의 표면 1 제곱 미터마다 방사능이 1 베크렐일 때의 방사능 표면 밀도이다.

60. 입자속밀도의 측정 단위는 입자 매 제곱 미터 초로 한다.

○ 입자 매 제곱 미터 초는 입자가 1 제곱 미터의 대원 절단 면적을 가진 구에 1 초에 1 개의 비율로 입사할 때의 입자속밀도이다.

61. 방사능 농도의 측정 단위는 베크렐 매 킬로그램 및 베크렐 매 세제곱 미터로 한다.

○ 베크렐 매 킬로그램은 물질 1 킬로그램마다 방사능이 1 베크렐일 때의 방사능 농도이다.

○ 베크렐 매 세제곱 미터는 물질 1 세제곱 미터마다 방사능이 1 베크렐일 때의 방사능 농노이다.

62. 진동 레벨의 측정 단위는 데시벨로 한다.

○ 진동 레벨에서 데시벨은 가속도의 실효치를 1백만분의 1 미터 매초 제곱인 기준값으로 나눈 값에 상용대수를 취한 후 이에 20을 곱한 값이다.

63. 비부피의 측정 단위는 세제곱 미터 매 킬로그램으로 한다.

○ 세제곱 미터 매 킬로그램은 1 킬로그램마다 1 세제곱 미터의 비부피이다.

64. 힘의 모멘트의 측정 단위는 뉴턴 미터로 한다.

○ 뉴턴 미터는 1 뉴턴의 힘이 작용할 때에 회전축으로부터 힘의 작용선까지의 수직 거리가 1 미터일 때의 힘의 모멘트이다.

65. 표면장력의 측정 단위는 뉴턴 매 미터로 한다.

○ 뉴턴 매 미터는 1 미터마다 1 뉴턴의 힘이 작용하는 표면장력이다.

66. 열 속밀도 · 복사 조도 또는 전자파 전력 밀도의 측정 단위는 와트 매 제곱 미터로 한다.

○ 와트 매 제곱 미터는 1 제곱 미터마다 1 와트의 열 속밀도 · 복사 조도 또는 전자파 전력 밀도이다.

67. 비에너지의 측정 단위는 줄 매 킬로그램으로 한다.

○ 줄 매 킬로그램은 1 킬로그램마다 1 줄의 에너지를 갖는 비에너지이다.

68. 에너지 밀도의 측정 단위는 줄 매 세제곱 미터로 한다.

○ 줄 매 세제곱 미터는 1 세제곱 미터마다 1 줄의 에너지를 갖는 에너지 밀도이다.

69. 전류 밀도의 측정 단위는 암페어 매 제곱 미터로 한다.

○ 암페어 매 제곱 미터는 1 제곱 미터마다 1 암페어의 전류가 흐르는 전류 밀도이다.

70. 전하 밀도의 측정 단위는 쿨롬 매 세제곱 미터로 한다.

○ 쿨롬 매 세제곱 미터는 1 세제곱 미터마다 1 쿨롬의 전하를 갖

는 전하 밀도이다.

71. 전기선속밀도의 측정 단위는 쿨롬 매 제곱 미터로 한다.
   ○ 쿨롬 매 제곱 미터는 1 제곱 미터마다 1 쿨롬의 전하를 갖는 전기선속밀도이다.

72. 유전율의 측정 단위는 패럿 매 미터로 한다.
   ○ 패럿 매 미터는 1 미터마다 1 패럿의 전기 용량을 갖는 유전체의 유전율이다.

73. 투자율의 측정 단위는 헨리 매 미터로 한다.
   ○ 헨리 매 미터는 1 미터마다 1 헨리의 인덕턴스를 갖는 자성체의 투자율이다.

74. 복사 휘도의 측정 단위는 와트 매 제곱 미터 스테라디안으로 한다.
   ○ 와트 매 제곱 미터 스테라디안은 1 제곱 미터의 면적에 수직한 방향으로 1 스테라디안의 입체각으로 복사되는 빛의 복사속이 1 와트일 때의 복사 휘도이다.

75. 선량당량의 측정 단위는 시버트로 한다.
   ○ 시버트는 흡수선량 값에 관련 가중 인자를 곱한 값이 1 줄 매 킬로그램일 때의 선량당량이다.

76. 섭씨 온도의 측정 단위는 섭씨도로 한다.
   ○ 섭씨도는 켈빈으로 표시된 온도에서 273.15 켈빈을 뺀 온도이다.

77. 몰 에너지의 측정 단위는 줄 매 몰로 한다.
   ○ 줄 매 몰은 1 몰마다 1 줄의 에너지를 갖는 몰 에너지이다.

78. 몰 엔트로피 및 몰 열용량의 측정 단위는 줄 매 몰 켈빈으로 한다.
   ○ 줄 매 몰 켈빈은 1 몰마다 1 줄 매 켈빈의 엔트로피, 또는 열용량을 갖는 몰 엔트로피, 또는 몰 열용량이다.

79. 선량당량률의 측정 단위는 시버트 매초로 한다.
   ○ 시버트 매초는 1 초마다 1 시버트의 선량당량을 갖는 선량당량률이다.

80. 회전 속도의 측정 단위는 회 매분 또는 회 매시로 한다.
   ○ 회 매분은 1 분마다 1 회전하는 회전수이다.
   ○ 회 매시는 1 시간마다 1 회전하는 회전수이다.

81. 커마의 측정 단위는 그레이로 한다.
   ○ 커마의 단위인 그레이는 방사선이 조사될 경우 전리성 입자에 의하여 물질 1 킬로그램에 1 줄의 에너지를 전달할 때의 커마이다.

82. 커마율의 측정 단위는 그레이 매초로 한다.
   ○ 커마율의 단위인 그레이 매초는 1 초마다 커마가 1 그레이일 때의 커마율이다.

〔별표 3〕

1. 보조 단위(접두어)(제 14 조 관련)

배 수 및 분 수	접 두 어	기호
1,000,000,000,000,000,000,000,000=10^{24}	yotta (요타)	Y
1,000,000,000,000,000,000,000=10^{21}	zetta (제타)	Z
1,000,000,000,000,000,000=10^{18}	exa (엑사)	E
1,000,000,000,000,000=10^{15}	peta (페타)	P
1,000,000,000,000=10^{12}	tera (테라)	T
1,000,000,000=10^{9}	giga (기가)	G
1,000,000=10^{6}	mega (메가)	M
1,000=10^{3}	kilo (킬로)	k
100=10^{2}	hecto (헥토)	h
10=10^{1}	deca (데카)	da
1=10^{0}		
0.1=10^{-1}	deci (데시)	d
0.01=10^{-2}	centi (센티)	c
0.001=10^{-3}	milli (밀리)	m
0.000.001=10^{-6}	micro (마이크로)	μ
0.000.000.001=10^{-9}	nano (나노)	n
0.000.000.000.001=10^{-12}	pico (피코)	p
0.000.000.000.000.001=10^{-15}	femto (펨토)	f
0.000.000.000.000.000.001=10^{-18}	atto (아토)	a
0.000.000.000.000.000.000.001=10^{-21}	zepto (젭토)	z
0.000.000.000.000.000.000.000.001=10^{-24}	yocto (욕토)	y

2. 보조 단위 및 그 정의(제 14 조 관련)

가. 질량의 보조 단위는 그램과 톤으로 한다.

○ 그램은 1천분의 1 킬로그램과 같다.

○ 톤은 1,000 킬로그램과 같다.

나. 시간의 보조 단위는 분·시 및 일로 한다.

○ 분은 60 초와 같다.

○ 시는 3,600 초와 같다.

○ 일은 86,400 초와 같다.

다. 각도의 보조 단위는 도·분 및 초로 한다.

○ 도는 180 분의 파이(π) 라디안과 같다.

○ 분은 60 분의 1 도와 같다.

○ 초는 60 분의 1 분과 같다.

라. 부피의 보조 단위는 리터로 한다.

○ 리터는 1천분의 1 세제곱 미터와 같다.

마. 유량의 보조 단위는 리터 매초로 한다.

○ 리터 매초는 1천분의 1 세제

곱 미터 매초의 유량과 같다.

바. 질량 유량의 보조 단위는 톤 매초로 한다.

○ 톤 매초는 1,000 킬로그램 매초의 질량 유량과 같다.

사. 점도의 보조 단위는 뉴턴 초 매 제곱 미터로 한다.

○ 뉴턴 초 매 제곱 미터는 1 파스칼 초의 점도와 같다.

아. 밀도의 보조 단위는 킬로그램 매 리터로 한다.

○ 킬로그램 매 리터는 1천분의 1 킬로그램 매 세제곱 미터와 같다.

자. 농도의 보조 단위는 몰 매 리터로 한다.

○ 몰 매 리터는 1천분의 1 몰 매 세제곱 미터의 농도와 같다.

차. 에너지 플루언스의 보조 단위는 와트 초 매 제곱 미터로 한다.

○ 와트 초 매 제곱 미터는 1 줄 매 제곱 미터와 같다.

카. 에너지 속밀도의 보조 단위는 와트 매 제곱 미터로 한다.

○ 와트 매 제곱 미터는 1 줄 매 제곱 미터 초와 같다.

3. **보조 단위**(잠정 보조 단위) (제 14 조 관련)

가. 넓이의 잠정 보조 단위는 아르 및 헥타르로 한다.

○ 아르는 100 제곱 미터와 같다.

○ 헥타르는 1만 제곱 미터와 같다.

나. 가속도의 잠정 보조 단위는 갈로 한다.

갈은 0.01 미터 매초 제곱과 같다.

다. 역량(힘)의 잠정 보조 단위는 킬로그램 힘과 다인으로 한다.

○ 킬로그램 힘은 9.80665 뉴턴과 같다.

○ 다인은 10만분의 1 뉴턴과 같다.

라. 압력의 잠정 보조 단위는 기압, 킬로그램 힘 매 제곱 미터, 수은주 미터, 수주 미터 및 바로 한다.

○ 기압은 101,325 파스칼과 같다.

○ 킬로그램 힘 매 제곱 미터는 9.80665 파스칼과 같다.

○ 수은주 미터는 133,322 파스칼과 같다.

○ 수주 미터는 9,806.38 파스칼과 같다.

○ 바는 10만 파스칼과 같다.

마. 일의 잠정 보조 단위는 킬로그램 힘 미터 및 에르그로 한다.

○ 킬로그램 힘 미터는 9.80665 줄과 같다.

○ 에르그는 1천만분의 1 줄과 같다.

바. 공률의 잠정 보조 단위는 킬로그램 힘 미터 매초로 한다.

○ 킬로그램 힘 미터 매초는 9.80665 와트와 같다.

사. 열량의 잠정 보조 단위는 킬로그램 힘 미터, 에르그 및 칼로리로 한다.

○ 킬로그램 힘 미터는 9.80665 줄과 같다.

○ 에르그는 1천만분의 1 줄과 같다.

○ 칼로리는 15°C 에서 4.1855

줄과 같다.

아. 점도의 잠정 보조 단위는 푸아즈로 한다.

○ 푸아즈는 0.1 파스칼 초와 같다.

자. 동점도의 잠정 보조 단위는 스토크스로 한다.

○ 스토크스는 1 만분의 1 제곱미터 매초와 같다.

차. 농도의 잠정 보조 단위는 노말로 한다.

○ 노말은 용액 1 세제곱 미터 중에 용질 1,000 그램 당량을 함유한 농도를 말한다.

카. 전계(자기장의 세기)의 잠정 보조 단위는 에르스텟으로 한다.

○ 에르스텟은 4 파이(π)분의 1,000 암페어 매 미터와 같다.

타. 자속의 잠정 보조 단위는 맥스웰로 한다.

○ 맥스웰은 1억분의 1 웨버와 같다.

파. 자속 밀도의 잠정 보조 단위는 가우스로 한다.

○ 가우스는 1만분의 1 테슬라와 같다.

하. 휘도(광휘도)의 잠정 보조 단위는 스틸브로 한다.

○ 스틸브는 1만 칸델라 매 제곱 미터와 같다.

거. 조도의 잠정 보조 단위는 포트로 한다.

○ 포트는 1만 럭스와 같다.

너. 방사능의 잠정 보조 단위는 퀴리로 한다.

○ 퀴리는 370억 베크렐과 같다.

더. 조사선량의 잠정 보조 단위는 뢴트겐으로 한다.

○ 뢴트겐은 1만분의 2.58 쿨롬 매 킬로그램과 같다.

러. 충격치의 잠정 보조 단위는 킬로그램 힘 미터로 한다.

○ 킬로그램 힘 미터는 9.80665 줄과 같다.

머. 인장 강도의 잠정 보조 단위는 킬로그램 힘 매 제곱 미터로 한다.

○ 킬로그램 힘 매 제곱 미터는 9.80665 파스칼과 같다.

버. 압축 강도의 잠정 보조 단위는 킬로그램 힘 매 제곱 미터로 한다.

○ 킬로그램 힘 매 제곱 미터는 9.80665 파스칼과 같다.

서. 흡수선량의 잠정 보조 단위는 래드로 한다.

○ 래드는 0.01 그레이와 같다.

어. 에너지 플루언스의 잠정 보조 단위는 에르그 매 제곱 미터로 한다.

○ 에르그 매 제곱 미터는 1천만분의 1 줄 매 제곱 미터와 같다.

저. 조사선량률의 잠정 보조 단위는 뢴트겐 매초로 한다.

○ 뢴트겐 매초는 1만분의 2.58 쿨롬 매 킬로그램 초와 같다.

처. 흡수선량률의 잠정 보조 단위는 래드 매초로 한다.

○ 래드 매초는 0.01 그레이 매초와 같다.

커. 에너지 속밀도의 잠정 보조 단위는 에르그 매 제곱 미터 초로 한다.

○ 에르그 매 제곱 미터 초는 1천만분의 1 줄 매 제곱 미터 초와 같다.

터. 방사능 표면 밀도의 잠정 보조 단위는 퀴리 매 제곱 미터로 한다.

○ 퀴리 매 제곱 미터는 370억 베크렐 매 제곱 미터와 같다.

퍼. 방사능 농도의 잠정 보조 단위는 퀴리 매 세제곱 미터, 퀴리 매 리터로 한다.

○ 퀴리 매 세제곱 미터는 370억 베크렐 매 세제곱 미터와 같다.

○ 퀴리 매 리터는 37조 베크렐 매 세제곱 미터와 같다.

허. 선량당량의 잠정 보조 단위는 렘으로 한다.

○ 렘은 0.01 시버트와 같다.

〔별표 4〕 특수 단위 및 그 정의(제 15 조 관련)

1. 옹스트롬은 광학 또는 결정학에 사용하는 길이의 특수 단위이다.
   ○ 옹스트롬은 0.1 나노미터이다.
2. 해리는 해면 및 공중에서 사용하는 길이의 특수 단위이다.
   ○ 해리는 1,852 미터이다.
3. 캐럿은 보석의 질량 측정에 사용하는 특수 단위이다.
   ○ 캐럿은 200 밀리그램이다.
4. 점은 항해 및 항공에 관한 각도 측정에 사용하는 특수 단위이다.
   ○ 점은 11.25 도이다.
5. 반은 핵물리학 등에서 유효 단면적을 나타내는 특수 단위이다.
   ○ 반은 10^{-28} 제곱 미터와 같다.
6. 용적톤은 선박의 부피 측정에 사용하는 특수 단위이다.
   ○ 용적톤은 1.132674 세제곱 미터와 같다.
7. 토르는 진공 측정에 사용하는 압력의 특수 단위이다.
   ○ 토르는 133.322 파스칼과 같다.
8. 피 에이치는 용액의 수소 이온 농도를 측정하는 농도의 특수 단위이다.
   ○ 피 에이치는 용액 1천분의 1 세제곱 미터 중에 포함된 수소 이온 몰 농도의 역수에 상용대수를 취한 값이다.
9. 데니어는 섬유의 섬도 측정에 사용하는 특수 단위이다.
   ○ 데니어는 길이가 450 미터인 섬유의 질량이 50 밀리그램일 때의 섬도이다.
10. 로크웰, 브린넬, 비커스 및 쇼아는 재질의 경도를 측정하는 특수 단위이다.
11. 입자의 입도를 측정하는 특수 단위는 밀리미터로 한다.
    ○ 입도는 입체 또는 분체가 통과할 수 있는 최소의 표준체의 정사각형 체눈 또는 원형 체눈의 1 변의 길이, 또는 지름을 밀리미터로 표시한 수치이다.
12. 디옵터는 렌즈의 굴절도를 측정하는 특수 단위이다.
    ○ 디옵터는 렌즈의 촛점 거리를 미터로 표시한 수치의 역수이다.
13. 내화도를 측정하는 특수 단위는 표준 제겔콘의 내화도로 한다.

14. 역률은 유효 전력을 피상 전력으로 나눈 값으로 무명수를 사용한다.
15. 습도 백분율은 습도를 측정하는 특수 단위이다.
  ○ 습도 백분율은 공기 중의 수증기 분압과 그 공기 온도와 같은 온도에서의 포화 수증기압과의 비를 백분율로 표시한 것이다.
16. 노트는 항해 및 항공에 관한 속도를 측정하는 특수 단위이다.
  ○ 노트는 1 시간마다 1 해리를 이동하는 속도이다.
17. 중보우메도, 경보우메도, 청주도, 아메리칸페트롤륨인덱스(이하 "에이·피·아이"라 한다) 드왓들도 및 우유도는 비중을 측정하는 특수 단위로 한다.
  ○ 중보우메도는 1 에서 비중을 표시하는 수치의 역수를 뺀 수치를 144.3 배 한 수치로 표시되는 값이다.
  ○ 경보우메도는 비중을 표시하는 수치의 역수에서 1 을 뺀 수치를 144.3 배 한 수치에 10 을 더한 수치로 표시되는 값이다.
  ○ 청주도는 비중을 표시하는 수치의 역수에서 1 을 뺀 수치를 144.3 배 한 수치로 표시되는 값이다.
  ○ 에이·피·아이도는 물의 온도를 9 분의 140 도로 지정한 때의 비중을 표시하는 수치의 역수에서 1 을 뺀 수치를 141.5 배 한 수치에 10 을 더한 수치로 표시되는 값이다.
  ○ 드왓들도는 비중을 표시하는 수치에서 1 을 뺀 수치를 200 배 한 수치로 표시되는 값이다.
  ○ 우유도는 우유의 비중을 표시하는 수치에서 1 을 뺀 수치를 1 천 배 한 수치로 표시되는 값이다.
18. 전자 볼트는 전자의 일(에너지)을 측정하는 특수 단위이다.
  ○ 전자 볼트는 하나의 전자가 진공 중에서 1 볼트의 전위차를 지날 때에 얻는 운동 에너지이다.
19. 통일 원자 질량은 원자의 질량을 측정하는 특수 단위이다.
  ○ 통일 원자 질량은 탄소 12 핵종 원자의 질량의 12 분의 1 과 같다.

〔별표 5〕 **계량기의 사용 공차**(제 31 조 관련)

1. 다음의 계량기에는 법 제 34 조에서 규정하는 당해 계량기의 각 검정 공차의 값과 같은 값으로 한다.
  가. 혈압계
  나. 체온계
2. 다음의 계량기는 법 제 34 조에서 규정하는 당해 계량기의 각 검정 공차의 2 분의 3 의 값으로 한다.
  가. 길이계
    (1) 택시미터
  나. 질량계
    (1) 부등비접시수동저울
    (2) 판수동저울
    (3) 접시지시저울
    (4) 전기식지시저울
    (5) 분동
    (6) 추
  다. 전기계기

(1) 전력량계
라. 부피계
(1) 가스미터
(2) 수도미터
(3) 적산식가솔린미터
(4) 액화석유가스미터
(5) 오일미터
(6) 눈새김탱크
(7) 눈새김탱크로리
마. 열량계
(1) 적산열량계

〔별표 6〕 **실량 표시 상품**(제 32 조 제 1 항 관련)

1. 곡물류 및 그 가공품
2. 과실류 및 그 가공품
3. 감자류 및 그 가공품
4. 소채류 및 그 가공품
5. 버섯류 및 그 가공품
6. 어류 및 그 가공품
7. 해조류 및 그 가공품
8. 식육류 및 그 가공품
9. 당류
10. 과자류
11. 석유류
12. 주류
13. 조미료
14. 청량음료
15. 차류
16. 유류
17. 공업용품
18. 화학제품
19. 원면
20. 직물
21. 실류
22. 화학약품
23. 의약품 및 농약
24. 연유 및 분유
25. 압축가스

〔별표 7〕 **검정 계량기의 종류**(제 34 조 관련)

1. 길이계
가. 택시미터
2. 질량계
가. 부등비접시수동저울(최소 눈금 값이 1 g 이상의 것)
나. 판수동저울
다. 접시지시저울(스프링식의 것. 다만, 끝달림이 2 kg 이하로서 가정용으로 표기가 되어 있는 것은 제외한다)
라. 전기식지시저울(최소 눈금 값이 1 mg 이상의 것. 다만, 체중계로서 가정용으로 표기가 되어 있는 것을 제외한다)
마. 분동
바. 추
3. 온도계
가. 체온계
4. 전기계기
가. 전력량계
5. 부피계
가. 가스 미터(사용 압력 9,806.55 Pa 이하이고, 최대 유량이 200 m^3/h 이하인 것)
나. 수도 미터(사용 최고 압력이 0.74MPakgf/cm^2(7.5kgf/cm^2) 이하이고 구경이 350 mm 이하인 것. 이 경우 온수 미터를 포

함한다)

다. 적산식 가솔린 미터

라. 액화 석유 가스 미터(구경이 40 mm 이하인 것)

마. 오일 미터(실측식의 것으로서 구경이 100 mm 이하인 것)

바. 눈새김탱크

사. 눈새김탱크로리(분뇨 수거용을 제외한다)

6. 압력계

가. 혈압계

7. 열량계

가. 적산열량계(구경이 350 mm 이하인 것)

〔별표 8〕 **위반 행위의 종별과 과태료의 금액**(제 43 조 관련)

위 반 행 위	해당 법조문	과태료의 금액
1. 교정 검사 명령을 위반하여 교정 검사를 받지 아니한 때	법 제 14 조 제 1 항	150만원
2. 비법정 단위로 표시된 계량기를 양도 또는 대여한 때	법 제 28 조 제 1 항 제 1 호	150만원
3. 실량 표시 상품의 용기 또는 포장에 실량 또는 함량의 표기와 상호 및 성명의 표기를 하지 아니한 때	법 제 32 조 제 1 항	100만원
4. 거래 단위의 개선 명령에 위반하여 포장 단위 또는 거래 단위를 사용한 때	법 제 32 조 제 4 항	100만원
5. 검사 공무원의 수시 검사를 거부·방해 또는 기피한 때	법 제 39 조 제 1 항	100만원
6. 비법정 단위를 거래상·증명상의 계량 또는 광고나 측정에 사용한 때	법 제 13 조	50만원
7. 계량기 제작 및 수리업자가 등록 변경 사항을 신고하지 아니한 때	법 제 24 조	50만원
8. 계량기의 제작업·수리업 및 증명업 등록자가 사업을 폐지한 경우, 신고하지 아니하고 소유하고 있던 계량기를 처분한 때	법 제 27 조	50만원
9. 계량기가 아닌 것과 사용 및 소지가 금지된 계량기를 법정 단위에 의한 거래상 또는 증명상의 계량에 사용하거나 사용할 목적으로 소지한 때	법 제 29 조	50만원
10. 법정 단위에 의하여 거래 또는 증명하는 자가 허용 오차를 초과하여 계량한 때	법 제 30 조 제 1 항	50만원
11. 검정 유효 기간이 만료된 후 계량기의 검정을 받지 아니한 때	법 제 33 조 제 3 항	
가. 택시미터		10만원
나. 적산식 가솔린 미터		30만원

다. 액화석유 가스 미터		30만원
라. 기타 계량기		20만원
12. 계량기의 정기 검사를 받지 아니한 때	법 제 37 조 제 2 항	
가. 저울류 중 끝달림 1 톤 미만(분동 및 추를 포함한다)		5만원
나. 저울류 중 끝달림 1 톤 이상 10 톤 미만		10만원
다. 저울류 중 끝달림 10 톤 이상		30만원
라. 눈새김 탱크		10만원
마. 눈새김 탱크로리		30만원
13. 계량기의 검사 결과 계량기 등의 제출 지시에 불응한 때	법 제 41 조	30만원

측정 단위(법정 단위)의 기호(제 3 조 관련)

물상 상태의 양	법 정 단 위	기 호
길 이	미 터 옹스트롬 해 리	m Å M
질 량	킬로그램 그 램 톤 캐 럿 통일원자질량단위	kg g t ct u
시 간	초 분 시 일	s min h d
온 도	켈 빈 섭씨도	K ℃
광 도	칸델라	cd
전 류	암페어	A
물질량	몰	mol
각 도	라디안 도 분 초	rad ° ′ ″

	점	pt
입체각	스테라디안	sr
넓 이	제곱미터 아 르 헥타르 반	m^2 a ha b
부 피	세제곱미터 리 터 용적톤	m^3 L 또는 l(혼돈되지 않는 경우에 한함) T
속 도	미터매초 노 트	m/s kn
가속도	미터매초제곱 갈	m/s^2 Gal
각속도	라디안매초	rad/s
각가속도	라디안매초제곱	rad/s^2
역량(힘)	뉴 턴 다 인 킬로그램힘	N dyn kgf
압 력	파스칼 킬로그램힘매제곱미터 기 압 수은주미터 수주미터 바 토르	Pa kgf/m^2 atm mHg mH_2O bar torr
일(에너지)	줄 에르그 와트초 킬로그램힘미터 전자볼트	J erg W·s kgf·m eV
공 률	와 트 킬로그램힘미터매초	W kgf·m/s
열 량	줄 와트초 킬로그램힘미터	J W·s kgf·m

	에르그 칼로리	erg cal
유 량	세제곱미터매초 리터매초	m^3/s L/s 또는 l/s
질량유량	킬로그램매초 톤매초	kg/s t/s
점 도	파스칼초 뉴턴초매제곱미터 푸아즈	Pa·s $N \cdot s/m^2$ P
동점도	제곱미터매초 스토크스	m^2/s St
밀 도	킬로그램매세제곱미터 킬로그램매리터	kg/m^3 kg/L 또는 kg/l
농 도	질량백분율 부피백분율 몰매세제곱미터 킬로그램매세제곱미터 몰농도 몰매리터 노말 피에이치	질량%, Wt% 또는 mass% 부피%, 또는 vol% mol/m^3 kg/m^3 mol 농도 mol/L Nor 또는 N(혼돈되지 않는 경우에 한함) pH
파 수	매미터	m^{-1} 또는 /m
주파수	헤르츠	Hz
전력량	줄 와트초	J W·s
전 력	와 트	W
전기량	쿨 롬	C
전 압	볼 트	V
기전력	볼 트	V
전 계	볼트매미터	V/m
전기저항	옴	Ω
전기컨덕턴스	지멘스	S
정전용량	패 럿	F

인덕턴스	헨 리	H
자 속	웨 버 맥스웰	Wb Mx
자속밀도	테슬라 웨버매제곱미터 가우스	T Wb/m^2 G
기자력	암페어	A
자 계	암페어매미터 에르스텟	A/m Oe
무효전력	바	var
무효전력량	바초	var·s
피상전력	볼트암페어	V·A
피상전력량	볼트암페어초	V·A·s
비 열	줄매킬로그램켈빈 줄매킬로그램섭씨도	J/(kg·K) J/(kg·°C)
열전도율	와트매미터켈빈	W/(m·K)
엔트로피	줄매켈빈	J/K
방사강도	와트매스테라디안	W/sr
광 속	루 멘	lm
휘 도	칸델라매제곱미터 스틸브	cd/m^2 sb
조 도	럭 스 포 트	lx ph
방사능	베크렐 퀴 리	Bq Ci
중성자 (입자) 방출률	중성자(입자)매초	n/s, α/s, β/s, γ/s, s^{-1}
조사선량	쿨롬매킬로그램 뢴트겐	C/kg R
소 음	데시벨	dB
섬 도	데니어	D
충격치	줄 킬로그램힘미터	J kgf·m

인장강도	파스칼 킬로그램힘매제곱미터	Pa kgf/m²
압축강도	파스칼 킬로그램힘매제곱미터	Pa kgf/m²
입 도	밀리미터	mm
굴절도	디옵터	Dptr 또는 D(혼동되지 않는 경우에 한함)
습 도	습도백분율	%
비 중	중보우메도 경보우메도 에이피아이도	Bh, Béh 또는 Bé(중보우메도를 표시함이 명백할 때에 한함) Bl, Bél 또는 Bé(경보우메도를 표시함이 명백할 때에 한함) API 또는 A·P·I
흡수선량	그레이 래드	Gy rad 또는 rd
에너지플루언스	줄매제곱미터 와트초매제곱미터 에르그매제곱미터	J/m² W·s/m² erg/m²
조사선량률	쿨롬매킬로그램초 뢴트겐매초	C/(kg·s) R/s
흡수선량률	그레이매초 래드매초	Gy/s rad/s
에너지속밀도	줄매제곱미터초 와트매제곱미터 에르그매제곱미터초	J/(m²·s) W/m² erg/(m²·s)
입자플루언스	매제곱미터	m^{-2} 또는 /m²
방사능표면밀도	베크렐매제곱미터 퀴리매제곱미터	Bq/m² Ci/m²
입자속밀도	매제곱미터초	$m^{-2}\cdot s^{-1}$, /(m²·s)
방사능농도	베크렐매킬로그램 베크렐매세제곱미터 퀴리매세제곱미터 퀴리매리터	Bq/kg Bq/m³ Ci/m³ Ci/L

진동레벨	데시벨	dB
비부피	세제곱미터매킬로그램	m^3/kg
힘의 모멘트	뉴턴미터	N·m
표면장력	뉴턴매미터	N/m
열속밀도·복사조도	와트매제곱미터	W/m^2
비에너지	줄매킬로그램	J/kg
에너지밀도	줄매세제곱미터	J/m^3
전류밀도	암페어매제곱미터	A/m^2
전하밀도	쿨롬매세제곱미터	C/m^3
전기선속밀도	쿨롬매제곱미터	C/m^2
유전율	패럿매미터	F/m
투자율	헨리매미터	H/m
복사휘도	와트매제곱미터스테라디안	W/(m^2·sr)
선량당량	시버트 렘	Sv rem
몰에너지	줄매몰	J/mol
몰엔트로피·몰열용량	줄매몰켈빈	J/(mol·K)
선량당량률	시버트매초	Sv/s
회전속도	회매분 회매시	rpm rph
커 마	그레이	Gy
커마율	그레이매초	Gy/s

2. 단위어와 물건과의 부속(附屬) 관계

〈출전(出典)과 그에 따른 약호(略號)〉

《嘉禮》 嘉禮都監儀軌(顯宗明聖后)
《感應篇》 太上感應篇
《去來牒》 掌禮院去來牒
《經國》 經國大典
《經世》 經世遺表
《景宗》 朝鮮景宗實綠
《高麗史》 高麗史
《高宗》 朝鮮高宗實綠
《廣物譜》 廣才物譜
《光海君》 朝鮮光海君日記
《交隣》 增正交隣志
《救急》 救急簡易方諺解
《救急方》 救急方
《救荒》 救荒補遺方
《國葬》 仁祖國葬都監儀軌
《羣都目》 羣都目
《軍門》 軍門謄錄
《群玉》 大東韻府群玉
《禁啓》 禁啓謄錄
《畿甸》 畿甸營事例
《亂中》 亂中日記
《南陽誌》 南陽府邑誌
《老乞大》 老乞大諺解
《農政》 農政新篇
《農圃集》 農圃集
《端宗》 朝鮮端宗實綠
《大明律》 大明律直解
《待百錄》 待百錄
《道敎史》 朝鮮道敎史
《陶傳》 陶山書院傳掌記
《東醫》 東醫寶鑑
《馬方》 新編集成馬醫方
《萬機》 萬機要覽
《梅泉》 梅泉野錄
《明宗》 朝鮮明宗實綠
《牧民》 牧民心書
《牧隱藁》 牧隱文藁
《武譜》 武藝圖譜通志
《文鑑》 漢淸文鑑
《文宗》 朝鮮文宗實綠
《文獻》 增補文獻備考
《朴通事》 朴通事諺解
《磻溪》 磻溪隨錄
《渤海考》 渤海考
《方物》 三名日方物謄錄
《辟瘟》 辟瘟新方
《辟瘟方》 簡易辟瘟方
《分瘟方》 分門瘟疫易解方
《殯魂殿》 正宗大王殯殿魂殿都監儀軌
《四介》 四介松都治簿法
《史記》 三國史記
《事博》 事類博解
《僿說》 星湖僿說
《史總》 朝鮮史料總覽
《山林》 山林經濟
《三和誌》 三和府邑誌
《尙方》 尙方定例
《釋林》 古今釋林
《宣祖》 朝鮮宣祖實錄
《宣川誌》 宣川府邑誌
《城制考》 城制考
《成宗》 朝鮮成宗實錄
《世祖》 朝鮮世祖實錄
《世宗》 朝鮮世宗實錄
《紹修》 紹修書院謄錄
《續大典》 續大典
《松南》 松南雜識
《瑣尾錄》 瑣尾錄
《受敎》 受敎輯錄

《肅宗》朝鮮肅宗實錄
《純國》純元王后國葬都監儀軌
《純祖》朝鮮純祖實錄
《純宗》朝鮮純宗實錄
《市民》市民謄錄
《始興誌》始興郡邑誌
《新字典》新字典
《瀋狀》瀋陽狀啓
《雅言》雅言覺非
《楊根誌》楊根邑誌
《語錄》註解語錄總覽
《女俗考》朝鮮女俗考
《呂氏解》朱子增損呂氏鄕約諺解
《與猶堂》與猶堂全書
《驪州誌》驪州邑誌
《輿地勝覽》新增東國輿地勝覽
《譯解》譯語類解
《燕山君》朝鮮燕山君日記
《漣川誌》漣川郡邑誌
《染疫方》牛馬羊猪染疫治療方
《營建》昌慶宮營建都監儀軌
《英祖》朝鮮英祖實錄
《睿宗》朝鮮睿宗實錄
《五禮儀》國朝五禮儀
《龍歌》龍飛御天歌
《龍岡誌》龍岡縣邑誌
《龍灣誌》龍灣縣邑誌
《迂書》迂書
《雲林》雲林別錄
《遺事》三國遺事
《儒胥》儒胥必知
《六典》六典條例
《陰晴史》陰晴史
《義禁》義禁府謄錄
《吏文》吏文
《吏文續》吏文續輯覽
《吏輯》吏文輯覽
《仁祖》朝鮮仁祖實錄
《仁川誌》仁川府邑誌
《林園》林園十六志
《壬狀》壬辰狀草
《字類》字類註釋
《字釋》字典釋要
《煮硝方》新傳煮硝方
《字會》訓蒙字會
《雜同》雜同散異
《長湍誌》長湍郡邑誌
《才譜》才物譜
《田詳》田制詳定所遵守條劃
《典通》典錄通考
《正祖》朝鮮正祖實錄
《定宗》朝鮮定宗實錄
《祭器》祭器都監儀軌
《左捕廳》左捕盜廳謄錄
《鑄所》鑄字所應行節目
《竹山誌》竹山府邑誌
《中宗》朝鮮中宗實錄
《芝峯》芝峯類說
《進宴》進宴儀軌(高宗壬寅)
《進饌》進饌儀軌(純祖己丑)
《鐵山誌》鐵山府邑誌
《推鞫》推案及鞫案
《秋志》秋官志
《春志》春官志
《春通》春官通考
《忠武》李忠武公全書
《度支》度支準折
《度志》度支志
《太常志》太常志
《太祖》朝鮮太祖實錄
《太宗》朝鮮太宗實錄
《通典》通典
《通志》通文館志
《平壤誌》平壤誌
《抱川誌》抱川郡邑誌
《漢京》漢京識畧

《海行》 海行摠載
《行用》 行用吏文
《顯宗》 朝鮮顯宗實錄
《形音義》 形音義綜合大字典
《華城》 華城城役儀軌
《會通》 大典會通
《孝陵》 孝宗寧陵山陵都監儀軌
《孝宗》 朝鮮孝宗實錄
《訓局》 訓局謄錄
《訓重》 訓鍊都監重記
《欽欽》 欽欽新書

1) 단위어에 딸린 물건

단위어는 하나의 물건에만 쓰이는 것이 아니고, 여러 가지 물건에 각각 쓰이고 있다. 본 난에서는 하나의 단위어에 쓰인 물건을 모두 모아 다음과 같이 정리하였다. ①하나의 단위어를 표제어로 내세우고, 이를 한글 음순으로 배열하였다. ②하나의 단위어에 딸린 물명은 모두 현재 표기로 바꾸어 한글 음순으로 배열하였다. ③한자어로 된 표제어에서, 우리말 음순이 같을 때에는 획수가 적은 것을, 획수도 같을 때에는 부수가 앞선 것을 앞에 실었다. ④각각의 물건에는 그 물건을 지칭하는 한자나 외래어를 괄호 안에 넣었다. ⑤출전은 약호로 된 서명만 간단히 밝혔다. ⑥물건 중 차자 표기나 한자어, 또는 외래어는 현재 사용하는 표기로 바꾸었다.

가(架) 궤(櫃), 매〔鷹子：宣祖〕, 병풍(屛風), 비행기, 산(山), 악가(樂架：高麗史·世宗), 액자(額子), 오르간(organ：苦努), 옥(獄：平壤志), 옷걸이〔衣桁〕, 재봉틀, 촬영기(撮影機：小婦), 피아노(piano：苦努), 필가(筆架).

각(角) 공문(公文：明律), 다식(茶食：高麗史), 떡〔餠子：端宗〕, 삼(蔘：會通), 생강(生薑：度支), 자문(咨文：瀋狀), 중배끼〔桂：高麗史〕, 차(茶：高麗史).

각(脚) 문어(文魚：陶傳), 사방침(四方枕·脇息), 살담배〔折草：世宗〕, 생치(生雉：進饌), 서가(書架：通志), 영계〔軟鷄：進饌〕, 저육(猪肉：進宴), 횃대〔衣桁：通志〕.

간(竿) 나무〔木〕, 창(槍：羣書).

간(桿) 창(槍·矛：正祖·陰晴史).

간(幹) 나무〔木：明宗〕.

간(榦) 나무〔木：陶潛詩〕.

간(簡) 시책(謚册：世宗), 애책(哀册：世宗), 죽책(竹册：高麗史).

간의(艮衣) 끈〔条索：國葬, 小索：殯魂殿〕, 달피바〔㺚皮所：營建〕, 멜줄〔擔乼：殯魂殿〕, 면사(綿絲：進宴), 뭇줄〔束乼：度支〕, 세겹바〔三甲所：殯魂殿〕, 줄바〔條所：萬機, 条所：度支〕.

갑(甲) 게〔蟹：瑣尾錄〕.

갑(匣) 고약〔倭蜜膏：度支〕, 과자(菓子：進宴), 금전병(金箋餠：進宴), 날고기〔豕腥·牛腥·羊腥：度支〕, 담배〔小匣草·大匣草：度支〕, 먹〔墨：正祖〕, 면분(面紛：老乞大), 분(粉：世宗), 붓〔筆：正祖〕, 살담배〔只三伊：龍灣誌〕. 아다개(阿多介：宣祖) 차〔龍井茶：度支〕, 희생〔牲：度支〕.

강(杠) 궤〔櫃子：世宗〕, 돼지〔猪：世宗〕, 양(䍩：世宗).

강(椌) 양(羊).

강(羫) 양(羊).

개(介) 가랫장부〔加乃杖夫：度支〕, 가막쇠〔加莫金：殯魂殿〕, 가자미〔加佐味：度支〕, 가지〔茄子：度支〕, 감람나무〔橄欖：度支〕, 감잡이〔甘左非：殯魂殿〕, 강요주(江瑤珠：度支), 거멀못〔巨勿丁：度支〕, 게〔蟹：度支〕, 계란(鷄卵：度支), 고리(古里：度支), 고무래〔古未乃：孝陵〕, 고추〔苦椒：度支〕, 곡괭이〔串鍥伊：孝陵〕, 곡삽(曲鍤：孝陵), 곶감〔乾柿：度支〕, 구슬〔紅珠·眞珠·青玉·白玉：度支〕, 국화동(菊花童：度支), 금잉어〔綿鱗魚：度支〕, 금전지(金錢紙：度支), 까귀〔加耳：度支〕, 꿩깃〔雉羽：萬機〕, 낙지〔落蹄：度支〕, 남날개〔南羅介：宣川誌〕, 넙괭이〔廣鍥伊：孝陵〕, 녹각(鹿角：度支), 누치〔訥魚：度支〕, 다갈마치〔多葛亇赤：度支〕, 담뱃대〔烟竹：度支〕, 대갈못〔廣頭丁：殯魂殿〕, 대나무〔片竹·竹喪杖：度支〕, 대부등(大不等：度支), 대접〔大貼：國葬〕, 도마(刀馬：孝陵), 도미(道味：度支), 동아〔冬苽：度支〕, 동이〔東海：度支〕, 땔나무〔燒木：度支〕, 마늘〔蒜：度支〕, 마치〔亇赤·亇子：國葬〕, 막새〔防草：度支〕, 말뚝〔末禿：度支〕, 망새〔鷲頭：營建〕, 면령(綿鈴：度支), 명태(明太·凍明太·乾明太：度支), 모과〔木瓜：度支〕, 몽둥이〔夢同伊：度支〕, 무〔菁根·菖蘿根：度支〕, 문둔테〔屯太木：度支〕, 문살〔門箭：殯魂殿〕, 민어(民魚：度支), 바곳〔朴串：度支〕, 박철(朴鐵：度支), 방구리〔方文里：孝陵〕, 방망이〔方亇赤：國葬〕, 배〔生梨：度支〕, 밴댕이〔蘇魚：度支〕, 뱅어〔白魚：度支〕, 병〔白沙瓶：度支〕, 보시기〔甫兒：國葬〕, 복어〔蔚卜：度支〕, 봉로(烽爐：殯魂殿), 부젓가락〔火箸：度支〕, 북수(北首：度支), 빗〔木梳·雄梳：度支〕, 빗치개〔梳次介：度支〕, 빗함〔梳函：度支〕, 뿔〔常角：度支〕, 사발(沙鉢：國葬), 삼태기〔三太：孝陵〕, 삽(鍤·平鍤：度支), 생강〔生干：龍岡誌〕, 서까래〔椽木：度支〕, 석류(石榴：度支), 석쇠〔鑂金：度支〕, 소쿠리〔所昆里：度支〕, 솔〔猪毛省：度支〕, 송이버섯〔生松耳：度支〕, 쇠꼬리〔牛尾：度支〕, 쇠손〔金手：度支〕, 쇠스랑〔小時郞：孝陵〕, 수박〔西果：度支〕, 순무〔蔓菁根：度支〕, 숭어〔秀魚：度支〕, 숭어알〔秀魚卵：度支〕, 시룻밑〔甑本：度支〕, 시룻방석〔甑蓋：度支〕, 아리쇠(삼발이)〔阿里金：度支〕, 양판(樑板：國葬), 여주〔茘芰：度支〕, 연가(煙家：度支), 오징어〔烏賊魚：度支〕, 외〔苽子：度支〕, 욋가지〔椳木：度支〕, 용두(龍頭：營建), 용상(龍像：營建), 용수(容水：度支), 운각(雲角：度支), 유자(柚子：度支), 은어(銀魚：度支), 인두〔引刀：度支〕, 인두판〔剪板：國葬〕, 잡상(雜像：度支), 잡장목(雜長木：度支), 장도리(長道里：度支), 쟁반〔盤：度支〕, 적쇠〔炙金：度支〕, 전복〔切全卜·半乾全卜：度支〕, 전어(錢魚：度支), 접시〔貼匙：營建〕, 조리〔助乃：殯魂殿〕, 조리목(條里木：殯魂殿), 종지〔鐘子：營建〕, 준시(蹲柿：度支), 준치〔眞魚：度支〕, 쥐눈이못

〔鼠目丁：殯魂殿〕, 지남석(指南石：度支), 집게〔執介：度支〕, 참나무〔眞長木：孝陵〕, 참빗〔眞梳：度支〕, 참외〔眞苽：度支〕, 창칼〔眞刀子：度支〕, 청어(青魚：度支), 초꽂이〔燭串之：度支〕, 칼〔刀子：度支〕, 키〔箕：國葬〕, 토수(吐首：營建), 파〔生葱：度支〕, 포대〔甫大：孝陵〕, 항아리〔白沙缸：度支〕, 호박(胡朴：度支), 홍두깨〔橫道介：殯魂殿〕, 홍시(紅柿：度支), 홍합(紅蛤：度支), 화로(火爐：國葬), 활비비〔弓非排：度支〕, 홰〔杻中炬：度支〕.

개(芥) 호박(琥珀：雜同).

개(個) 감〔柿〕, 곶감, 과자, 관(罐：陰晴史), 그릇〔玉斗：元曲〕, 달걀, 도시락, 돌, 무〔大根〕, 밤〔栗〕, 생강, 양파, 연탄, 엿, 종(鐘：潘狀), 지금(地金).

개(箇) 가랫장부〔加乃杖夫：孝陵〕, 가위〔剪刀：純國〕, 가지〔茄子：萬機〕, 갈퀴〔乫只：營建〕, 감잡이〔甘佐非：營建〕, 거멀못〔巨勿釘：純國〕, 거울〔銅人勝：萬機〕, 게〔生蟹：萬機〕, 계란(鷄卵：進宴), 광주리〔筐：純國〕, 괭이〔光伊：殯魂殿〕, 구슬〔五色珠：尙方〕, 궁삭목(弓槊木：萬機), 귀얄〔歸也：進饌〕, 꽂는 못〔串釘：萬機〕, 꽃가지〔紅花三枝花：進饌〕, 꿩깃〔雉羽：萬機〕, 나무가래〔木加乃：孝陵〕, 날가래〔刄加乃：孝陵〕, 남날개〔南飛介：萬機〕, 노루발장도리〔獐足(長道里)：殯魂殿〕, 놋되〔鍮升：度支〕, 농〔紙油籠：萬機〕, 다리미〔熨刀：純國〕, 단여〔短椽：營建〕, 대나무〔小竹：萬機〕, 대부등(大不等：營建), 대빗〔竹梳：方物〕, 대접(大楪：進宴), 대접쇠〔大貼金：營建〕, 도끼〔斧子：殯魂殿〕, 도래송곳〔道乃松串：純國〕, 도피(桃皮：萬機), 동개〔筒兒：萬機〕, 동아〔冬瓜：萬機〕, 동이〔東海：營建〕, 둥근 고리〔銀圓環：尙方〕, 땔나무〔燒木：純國〕, 땜마치〔汗亇赤：純國〕, 떡메〔餠亇赤：殯魂殿〕, 마늘〔生蒜：進饌〕, 마름쇠〔菱鐵：萬機〕, 마치〔亇赤：殯魂殿〕, 막(幕：純國), 막자(莫子：殯魂殿), 머름산〔遠山：純國〕, 모과〔木果：萬機〕, 모루받침〔毛老臺：純國〕, 목단(木丹：進饌), 못〔釘：純國〕, 몽둥이〔蒙同：孝陵〕, 무〔菁根：進饌〕, 물푸레나무〔水青木：純國〕, 밀지레〔排地乃：孝陵〕, 바곳〔朴串：純國〕, 밤〔生栗：進宴〕, 방구리〔方文里：營建〕, 방망이(方亇赤：純國), 배〔生梨：進饌〕, 배목(排目：純國), 병〔砂甁：進宴〕, 부젓가락〔火箸：純國〕, 비녀〔銀蛙簪：進宴〕, 비녀못〔釵釘：純國〕, 사발(沙鉢：殯魂殿), 산륜(散輪：殯魂殿), 삼태기〔三太：殯魂殿〕, 서까래〔椽木：萬機〕, 서돌〔西道里：純國〕, 석쇠〔乶金：殯魂殿〕, 석자〔乶煮：殯魂殿〕, 소래기〔所羅：營建〕, 솔〔省：萬機〕, 송곳〔錐兒：老乞大〕, 수박〔西果：度支〕, 수파련(水波蓮：進饌), 숟가락〔銀匙：尙方〕, 시루밑〔甑本：殯魂殿〕, 싸리나무〔杻木：萬機〕, 아리쇠(삼발이)〔阿耳鐵·阿里鐵：萬機〕, 연적(硯滴：營建), 연죽(烟竹：萬機), 연환(鉛丸：萬機), 오징어〔烏賊魚：進饌〕, 용작(龍勺：純國), 용지(龍

脂：殯魂殿), 운각(雲角：營建), 은구어(銀口魚：萬機), 인두〔引刀：純國〕, 인방(引防：營建), 자라등딱지〔鼈甲：萬機〕, 자배기〔者朴只：純國〕, 잡상(雜像：營建), 장도리〔掌乭里：純國： 長道里：營建〕, 장여〔長舌：營建〕, 장여대패〔長舌大波：營建〕, 장전(長箭：萬機), 쟁기〔犂：度支〕, 적쇠〔炙金：純國〕, 전대띠〔戰帶：萬機〕, 전립(氈笠：萬機), 전반〔剪板：殯魂殿〕, 전복(全鰒：進饌), 접시(楪匙：進宴), 조개〔生蛤：萬機〕, 조기〔石首魚：度支〕, 조리〔助乃：純國〕, 조리목(條里木：進饌), 종지〔鍾子：殯魂殿〕, 주걱(周旵：純國), 주발〔沙磁碗：營建〕, 주장(朱杖：萬機), 주전자〔銅亇飛介：度支〕, 지레〔支乃：殯魂殿〕, 질화로〔土火爐：殯魂殿〕, 집개(執介：殯魂殿), 징채〔錚槌：萬機〕, 참외〔眞苽：度支〕, 청어(青魚：萬機), 청참외〔青苽：進饌〕, 총(銃：萬機), 침(針：殯魂殿), 침목(枕木：殯魂殿), 칼〔刀子：殯魂殿〕, 키〔箕：萬機〕, 탕기(湯器：純國), 포대(布袋：萬機), 표주박〔瓢子：萬機〕, 풀솔〔草省：殯魂殿〕, 해삼(海蔘：進饌), 홍시(紅柿：萬機), 화살대〔箭竹：萬機〕, 횡강목〔橫杠：純國〕.

개(蓋) 갓〔笠：羣書〕.

거(炬) 횃불〔炬〕.

거(居) 매〔鷹〕.

거(法) 곡초(穀草：鐵山誌), 땔나무〔柴：鐵山誌〕.

거(据) 목욕통〔風呂桶〕.

거(筥) 책상이나 등상〔橙：海行〕.

거내(法乃) 달풀〔草藮：六典〕, 땔나무〔燒木：六典〕, 토막〔吐木：萬機〕.

거리(巨里) 가는 끈〔小索：樂造〕, 달피끈〔㐦皮索：華城〕, 갸자줄〔架子㐦：殯魂殿〕, 멜줄〔擔㐦：度支〕, 뭇줄〔束㐦：度支〕, 사린 끈〔捲索：尙方〕, 사슬〔沙乬：度支, 鐵絲乬：萬機〕, 서까래〔椽次眞長木：純國〕, 서살(발비)〔西乬次雜長木：純國〕, 세겹바〔三甲所：尙方〕, 실끈〔鄕絲索：孝陵〕, 싸리 바자〔杻把子：度支〕, 아리쇠(삼발이)〔阿里金：萬機〕, 오색주(五色珠：度支), 용마름〔龍舍音：度支〕, 유소(流蘇：純國), 잡장목(雜長木：純國), 줄바〔熟麻条所：孝陵, 條所：進饌〕.

건(件) 가죽신〔烏皮履：度支〕, 강사포(絳紗袍：尙方), 관대〔紅紬冠帶：度支〕, 관의(棺衣：殯魂殿), 광다회〔紅廣多繪帶：進宴〕, 구영자(寇纓子：度支), 군복〔木軍服：萬機〕, 그림〔朝鮮諸圖·八道各圖·州府郡縣各圖：端宗〕, 금대〔也字金帶：度支〕, 기우비(旗雨備：萬機), 깔개〔坐子：殯魂殿〕, 단령(團領：度支), 단석(單席：進宴), 달력〔粧曆·白曆·中曆·常曆：度志〕, 답장〔涼踏掌：尙方〕, 댕기〔唐只：進宴〕, 덮개〔蓋覆黃氈：進宴〕, 도롱이〔簑衣：度支〕, 동개수건〔筒箇手巾：進宴〕, 동달이〔藍鼎紬東道里：殯魂殿〕, 동정(同正：度支), 두건(頭巾：孝陵), 등메〔登每：殯魂殿〕, 똬리쇠갑〔坐鐵匣：度支〕, 명정(銘旌：殯魂殿), 목판〔文集板·別集板·目錄板：陶傳〕, 무명〔紅木：純國〕, 방석(方席：殯魂

殿), 백포의(白布衣 : 殯魂殿), 버선〔赤襪 : 尙方〕, 보〔袱 : 殯魂殿〕, 복건(覆巾 : 殯魂殿), 복두(幞頭 : 度支), 상보〔床巾 : 殯魂殿〕, 솜이불〔襦衾 : 尙方〕, 수건〔綿紬苧布手巾 : 進宴〕, 안석〔案息 : 殯魂殿〕, 앙장(仰帳 : 殯魂殿), 앙차(仰遮 : 殯魂殿), 역서(曆書 : 進饌), 오정대(烏鞓帶 : 度支), 요〔褥 : 尙方〕, 우비(雨備 : 殯魂殿), 유둔(油芚 : 殯魂殿), 의자(倚子 : 尙方), 의주〔皇太子妃宮諺書儀註 : 進宴〕, 입식(笠飾 : 度支), 자루〔帒 : 殯魂殿〕, 장갑(掌匣 : 營建), 젓가락〔鍮箸 : 度支〕, 족건(足巾 : 殯魂殿), 지등롱〔紙籠 : 萬機〕, 지유삼(紙油衫 : 萬機), 지의(地衣 : 殯魂殿), 철릭〔天翼 : 進宴〕, 첩지〔接只 : 進宴〕, 청삼(靑衫 : 度支), 핫보〔襦袱 : 尙方〕, 행전(行纏 : 純國), 행주치마〔行子赤亇 : 國葬〕, 혁대(革帶 : 度支), 호수(虎鬚 : 進宴), 홀기(笏記 : 進宴), 홑보〔單袱 : 尙方〕, 화관(花冠 : 進宴), 휘건(揮巾 : 殯魂殿).

결(結) 갓끈〔水晶笠緖 : 通志〕, 토지〔二十五日耕 · 一萬尺 · 百負 : 續大典〕.

경(梗) 빙고(氷庫 : 文獻).

경(莖) 대나무〔竹 : 樂遊園歌〕, 등심(燈心 : 馬方), 머리카락〔頭髮 : 題僧院詩〕, 붓〔筆〕, 파〔葱白 : 馬方〕.

고리(古里) 술〔淸酒 · 燒酒 : 度支〕, 초(醋 : 度支).

고팽이 줄, 끈, 새끼.

곡지(曲之) 다시마〔多士麻 : 龍岡誌〕, 미역〔甘藿 : 三和誌〕, 실〔白紬系 : 龍岡誌〕, 포도송이(葡萄松伊 : 龍岡誌).

곤(綑) 종이〔進獻紙 : 通志〕.

골(骨) 널빤지〔薄松板 : 進饌, 厚板 : 殯魂殿〕, 소〔牛 : 度志〕, 피륙〔草綠輕光紬 : 純國, 綿草緣大段 : 嘉禮, 大紅蘇州段 : 國葬, 草綠水紬 : 進宴, 紅雲紋緞 : 殯魂殿〕.

과(棵) 초목(草木 : 紅樓夢).

과(窠) 구슬〔珠 : 唐書〕, 떠돈〔窠 : 遺事〕, 매〔鷹〕, 초목(草木 : 續西雜).

과(裹) 황금(黃金 : 成宗).

과(顆) 가슴걸이〔馬纓 : 老乞大〕, 구슬〔靑白膽珠 : 太宗, 如意寶珠 : 遺事〕, 도장〔印 : 高麗史 · 太祖 · 世祖〕, 떡〔餠 : 海行〕, 마늘〔大蒜 : 馬方 · 救急方〕, 매방울〔鷹鈴 : 遺事 · 高麗史〕, 머리〔頭顱 : 宣祖〕, 배〔梨 : 太祖·林園·六典〕, 별〔星 : 小年小說〕, 시보(謚寶 : 國葬), 인신(印信 : 左捕廳), 종〔編鍾正聲 · 中聲 : 高麗史 · 世宗〕, 테〔箍 : 戎備〕. 포도(葡萄 : 度志), 표주박〔瓢 : 太宗〕, 화인(火印 : 始興誌).

관(貫) 구슬〔珠 : 遺事 · 高麗史 · 太宗 · 世宗〕, 문어(文魚 : 陶傳), 엽전〔錢 : 太宗 · 顯宗 · 會通 · 欽書〕, 화폐〔楮貨 · 鈔 : 太宗 · 吏輯〕.

관(管) 붓〔筆 : 高麗史 · 釋林〕, 피리〔篪 · 邃 : 高麗史〕.

관(罐) 향(香 : 世宗 · 世祖).

괘(掛) 등갓〔燈蓋 : 成宗〕, 북〔鼓〕, 안경〔目鏡 : 交隣〕.

괴(拐) 지팡이〔杖 : 少說〕.

괴(塊) 고기〔肉 : 芝峯〕, 고막이돌〔高莫只石 : 度支〕, 기름덩이〔肉膏 : 殯魂殿〕, 널빤지〔木板 : 宣

祖〕, 대구〔大口魚：陶傳〕, 동철〔銅鐵：陶傳〕, 돼지머리〔猪首把：度支〕, 숫돌〔礪石：尙方〕, 옥〔成川玉：殯魂殿〕, 이맛돌〔火口頂石：營建〕, 장대석(墻臺石：營建), 종이〔壯紙：萬機, 紙：瀋狀·宣祖·萬機·四介〕, 주춧돌〔柱礎石：營建〕, 차〔雨前茶·寶月茶：度支〕, 향〔紫丹香：營建·殯魂殿·芝峯·度支〕.

구(口) 구사(丘史：度志), 너구리〔臘狸：萬機〕, 노구솥〔銅鍋：世宗·城制考·萬機〕, 노루〔生獐：萬機〕, 노비(奴婢：高麗史·度支), 늙은이〔老男·老女：度支〕, 돼지고기〔生猪：萬機〕, 말린 돼지고기〔乾猪：度志〕, 말린 사슴고기〔乾鹿：度志〕, 물통〔灌：遺事〕, 병(瓶：高麗史), 아궁이〔鍋竈：城制〕, 양(羊：太宗·度支), 어린이〔兒男：度支〕, 염소〔羔：度志〕, 장남·장녀(壯男·壯女：度支), 종(鐘：遺事), 칼〔劍：高麗史·宣祖·正祖〕, 토끼〔生兎：萬機〕, 호랑이〔虎：成宗〕, 환도(環刀：朴通事).

구(具) 가사(袈裟), 갑옷〔鎧〕, 견여(肩輿：高麗史), 궤(机：羣書), 깔개〔席：史記〕, 당(幢：羣書), 바리때〔鉢：遺事〕, 부젓가락〔火箸〕, 사진기, 시체(屍體), 안장〔鞍：羣書〕, 옷〔衣：羣書〕, 인롱(印籠), 젓가락〔箸〕, 주발〔椀：世宗〕, 책갑(册匣：高麗史), 침통(針筒：史記).

구(區) 단(壇：宣祖), 성(城：宣祖), 옥(玉：爾雅), 집〔屋：史記·遺事·端宗〕.

구(鉤) 실〔絲：渤海考〕.

구(軀) 불상〔大悲之像：遺事·高麗史·世宗〕, 인삼〔蔘：桂苑〕.

구지(句只) 술〔醴酒：度支〕.

군(群) 말〔雌馬一百匹, 雄馬五十匹爲一群：磻溪〕.

권(卷) 그림〔圖：史記·高麗史〕, 새끼, 전선(電線), 종이〔藁精紙·宮箋紙·搗錬楮注紙·搗錬紙·毛邊紙·白菱花·白綿紙·白油紙·白紙·白休紙·粉唐紙·扇子紙·雪花紙·藥紙·油紙·壯紙·楮注紙·竹淸紙·靑菱花·草注紙·好紙·紅唐紙·厚白紙·厚油紙·厚紙：度支〕, 책〔儀軌草本：史記·遺事·世宗·進饌〕.

근(斤) 구슬〔細玉珠：度志〕, 기름〔猪油·冬栢油：度支〕, 김〔甘苔：殯魂殿〕, 꿀〔白淸：度支〕, 나무토막〔吐木：萬機〕, 내장〔牛廣腸：度支〕, 다시마〔海帶：萬機, 多士麻·昆布：殯魂殿〕, 도라지〔苦萰：萬機, 吉更：度支〕, 땔나무〔燒木：殯魂殿〕, 면화〔去核綿花：萬機〕, 몽둥이〔水夢同伊：度支〕, 물고기〔小川魚：度支〕, 미역〔粉藿·早藿·絲藿：殯魂殿〕, 민강(閩薑：度支), 밀가루〔上末：萬機〕, 배추〔白菜：度支〕, 백반(白礬：萬機), 버섯〔眞耳：度支〕, 부레풀〔魚膠：度支〕, 사탕(砂糖：度支), 산삼(山蔘：度支), 산채(山菜：度支), 삼〔生麻·熟麻：孝陵〕, 상아(象牙：度支), 생강(生薑：萬機), 석이버섯〔石茸：萬機〕, 설탕〔黑糖：度支. 白糖：進宴〕, 세승(細繩：度支), 속새〔木賊：營建〕, 솜〔綿子：萬機〕, 송연(松烟：營建), 송진〔松古：度支, 松脂：萬機〕, 쇠고기〔黃肉：度支〕, 쇠붙이〔熟銅：進饌, 豆

錫·正鐵：殯魂殿〕, 수은(水銀：尙方), 실〔紅絲：尙方, 眞絲·麻絲：萬機〕, 실애(實艾：度支), 아교(阿膠：殯魂殿), 약초〔紅花：萬機, 芝草：尙方, 甘草·白芥子：度支〕, 양제근(羊蹄根：馬方), 염료〔三甫：度支, 三碌·倭朱紅·唐朱紅：殯魂殿, 三靑：營建〕, 우뭇가사리〔加士里：殯魂殿〕, 육장〔兔醢：度支〕, 정분(丁粉：孝陵), 주토(朱土：萬機), 차(白毫茶：度支), 척수(脊髓：度支), 털(猪毛：孝陵, 羊毛：尙方, 牛毛：萬機), 표고버섯〔藁古：殯魂殿〕, 풀솜〔雪綿子：尙方〕, 해삼(海蔘：萬機), 향〔檀香·丁香·木香：世祖〕, 홍합(紅蛤：萬機), 화약(火藥：萬機), 활시위〔弓紘絲：萬機〕, 황각(黃角：殯魂殿), 황밀(黃蜜：萬機), 휴지(休紙：殯魂殿).

근(根) 나무〔木：高麗史〕, 담뱃대〔烟竹·烟筒：通志·春通·瀋狀〕, 바늘〔刺·高麗史〕, 비녀〔簪：成宗〕, 뿔〔角：世宗〕, 숟가락〔銀匙：通志〕. 옥항(玉桁：太宗), 창〔金銀裹槍：高麗史〕, 화살〔箭：世宗·成宗〕.

근(觔) 차〔海帶茶：方物〕, 해삼(海蔘：方物), 홍합(紅蛤：方物).

근(筋) 다리(딴머리), 띠〔帶〕, 수건, 인삼〔蔘：中宗〕, 창, 화살, 활시위.

급(級) 고비(古非：華城), 고사리나물〔古沙里菜：度支〕, 낙지〔洛蹄：度支〕, 대하(大蝦：龍岡誌, 乾大蝦·生蝦：進宴), 버섯〔眞茸：進饌〕, 웅어〔葦魚：華城〕, 진애(陳艾：萬機), 참수(斬首：壬狀), 청어(淸魚：陶傳).

기(機) 가마채〔雙轎鞭·獨轎鞭：龍岡誌〕, 말다래〔月乃：龍岡誌〕.

냥〔兩〕 가는 줄〔細繩：殯魂殿〕, 건포도(乾葡萄：度支), 계핏가루〔桂皮末：進寅〕, 고기〔羊肉：度支〕, 구리줄〔銅絲：孝陵〕, 다시마〔昆布：殯魂殿〕, 돈〔代錢：華城〕, 동아〔冬苽：度支〕, 동황(同黃：殯魂錢), 등유(燈油：通志), 명주실〔紅眞絲：殯魂殿〕, 미역〔粉藿：萬機〕, 미역귀〔藿耳：萬機〕, 백동(白銅：度支), 분〔唐粉：殯魂殿〕, 삼〔生蔘：萬機, 丹蔘：度支〕, 생강(生薑：殯魂殿), 석린(石隣：度支), 속새〔木賊：萬機〕, 솜〔中綿子：尙方〕, 실〔鄕絲：尙方〕, 약(藥：馬方), 염료〔二靑·三靑·石碌：殯魂殿〕, 우뭇가사리〔加士里：度支〕, 이금〔泥金：殯魂殿〕, 줄기주석〔注乙豆錫：國葬〕, 천은(天銀：殯魂殿), 초장〔酸醬：萬機〕, 털〔山猪毛：純國, 羊毛：度支〕, 토금(土金：度支), 풀솜〔雪綿子：進宴〕, 향〔沈束香：萬機〕, 화피(樺皮：度支), 황금(黃金：殯魂殿), 후춧가루〔胡椒末：進宴〕.

눌(訥) 막새기와〔防草：營建〕, 바닥기와〔常瓦：孝陵〕, 벽돌〔磚：孝陵〕, 수막새〔夫方草：孝陵〕, 수키와〔夫瓦：華城〕, 암키와〔女瓦：度支〕, 연와(鍊瓦：孝陵).

-닙(立) 감투〔甘土：萬機〕, 그물〔網子：陶傳〕, 깔개〔茵長席：陶傳, 茵席：抱川誌〕, 널빤지〔柚子板：尙方, 長松板：純國, 扇子蓋板·散子板：營建, 樞子板·松板·廣厚板·楸板·栢子板·自作板·七

星板·舩板：度支, 椵板：孝陵〕, 다시마〔多士麻：進饌, 昆布：度支〕, 다식〔茶食果：進宴〕, 대자리〔竹簟：度支〕, 대접〔沙大貼：殯魂殿〕, 동이〔白沙盆：殯魂殿〕, 뜸〔草苫：孝陵〕, 만두〔饅頭果：進饌〕, 망와(網瓦：度支), 멍석〔網席·網石：孝陵〕, 모자〔白帽子：度支〕, 미역〔甘藿·粉藿·常藿：度支〕, 박공(朴工：營建), 박철(朴鐵：度支), 배판(褙板：進宴), 벽돌〔磚石：營建, 方磚：萬機〕, 보시기〔甫兒：殯魂殿〕, 빈섬〔空石：交隣〕, 사발〔常沙鉢：殯魂殿〕, 상〔高足床：陶傳, 小盤：殯魂殿, 大圓盤：祭器, 黑漆盤：純國〕, 서판(書板：進宴), 습지판(濕紙板：鑄所), 시접〔是貼：陶傳〕, 식기(食器：殯魂殿), 안반〔案板：殯魂殿〕, 안석〔案息：純國〕, 약과(藥果：進饌), 양태〔涼臺：度支〕, 연잎〔荷葉：度支〕, 익공(翼工：營建), 자리〔蘆簟：進饌, 拜席：陶傳, 方席：殯魂殿, 別紋席·白紋席·細草席·草席：度支〕, 저울판〔稱板：國葬〕, 전립(氈笠：萬機), 접시〔砂楪匙：進饌〕, 종지〔砂鍾子：進饌〕, 주립(朱笠：進宴), 탁상(卓床：殯魂殿), 탕기〔砂湯器：進饌〕, 패〔工匠牌：純國〕, 편포(片脯：進饌), 평량자(平涼子：度支), 풀바자〔草把子：純國〕, 풍석(風席：竹山誌).

단(丹) 고추〔苦椒：度支〕, 나무〔木：度支〕, 다리〔髢髲：尙方〕, 달래나물〔月乃菜：度支〕, 더덕〔沙蔘：度支〕, 도라지〔桔梗：進宴〕, 땔나무〔燒木：道支〕, 무〔菁根：進宴〕, 무나물〔蘿葍菜：度支〕, 미나리〔水芹：度支〕, 배추〔菘菜：度支〕, 상추〔萵苣菜：度支〕, 순무〔蔓菁根菜：度支〕, 숟가락〔鍮匙：殯魂殿〕, 싸리나무〔杻木：殯魂殿〕, 쑥〔蓬菜：進宴〕, 염교〔薤菜：度支〕, 욋가지〔椳木：度支〕, 자총이〔紫葱：度支〕, 젓가락〔鍮筯：殯魂殿〕, 파〔生葱：進宴〕, 황회목(黃灰木：營建).

단(段) 솜〔綿：高麗史·世宗〕, 토지〔方六十五步爲一段：世祖·僿說〕, 피륙〔諸色密絹：史記·太祖·世宗〕.

단(端) 피륙〔絹·帛：太祖·明宗·國葬, 白弊·染萃綾·綵紬·弊帛：遺事·度支, 玄木：純國〕.

대(代) 쇠갈비〔牛乫非：度支〕.

대(台) 라디오, 인쇄물, 자동차, 재봉틀, 전화기, 피아노, 비행기.

대(坮) 술잔〔盞：陶傳〕.

대(帒) 뼈〔骨：高麗史〕, 솜〔綿：成宗〕. 쌀〔米：濬狀〕, 염주(念珠：世宗).

대(帶) 밧줄·줄〔生葛注乙·九甲注乙·大三甲注乙：殯魂殿〕.

대(袋) 담배〔南草〕.

대(對) 거울〔鏡：正祖〕, 귓바퀴〔耳朶：朴通事〕, 녹용(鹿茸：萬機), 무소뿔〔水牛角：萬機〕, 비녀〔簪：太宗〕, 비둘기〔鵓鴿：太宗〕, 쇠뿔〔牛角：萬機〕, 영양뿔〔羚羊角：度支〕, 옷〔御衣：高麗史〕, 종(鐘：正祖), 창(槍：正祖), 초〔燭：高麗史·端宗〕, 합(盒：正祖).

대내(臺乃) 화승(火繩：萬機).

도(度) 낙복지(落幅紙：度支), 문안(文案：左捕廳), 밀봉(密封：中宗), 습의(習儀：進宴), 자문(咨

文：太宗), 장계(狀啓：瀋狀).

도(陶) 귀때복자〔耳鐥：國葬〕, 동이〔東海：國葬〕, 소래기〔所羅：國葬〕, 항아리〔瓮：國葬〕.

도(棹) 궤(櫃), 사(笥), 양갱(洋羹).

도(道) 구름〔雲：仁祖〕, 문권(文卷：明律), 문기(文記：續大典), 자문(咨文：太宗), 줄〔絃：高麗史〕, 책(冊：高麗史).

도(稻) 옥(玉：高麗史).

동(同) 곡초(穀草：萬機), 깃〔雉羽·尾羽：六典〕, 나무〔楓木·椵木·黃灰木·莘木·水青木：度支〕, 누룩〔麴子：殯魂殿〕, 먹〔眞墨·翰林風月墨 : 度支〕, 미역〔藿 : 文獻〕, 바자〔草把子·杻把子：度支〕, 붓〔抄筆：進饌, 黃筆：殯魂殿〕, 새끼〔藁索：孝陵〕, 생갈(生葛：孝陵), 생초(生草：萬機), 쑥〔陳艾：萬機〕, 안다미조개〔江瑤珠 : 進宴〕, 염료〔三甫：尙方〕, 자귀밥〔斫耳食：營建〕, 전복〔搥鰒：進宴〕, 조기〔石首魚：度支〕, 짚〔藁草：孝陵〕, 짚이엉〔蒿草飛乃·藁草編飛乃：孝陵〕, 청어(青魚：度支), 초완(草薍：度支), 피륙〔鼎紬：尙方, 布：萬機, 木綿：中宗, 吐紬：尙方, 綿紬：中宗, 地木：萬機, 水紬：萬機〕, 화피(樺皮：萬機), 홰〔杻中炬：度地〕.

동(棟) 집채〔屋：陶傳〕.

동을음(冬乙音) 물고기〔章魚：瑣尾錄〕.

동음(冬音) 고사리(蕨菜：度支), 대하(大蝦：度支), 밴댕이〔生蘇魚：祭器〕, 뱅어〔白魚：萬機〕, 삼보(三甫：尙方), 소라〔生小螺：萬機〕, 웅어〔生葦魚：萬機〕, 청어(青魚：度支).

동해(東海) 청주(淸酒：度支), 팥죽〔灑豆湯：度支〕.

두(斗) 가지〔茄子：度支〕, 간장〔甘醬·艮醬：萬機〕, 개암〔榛子：殯魂殿〕, 겨자〔芥子：萬機〕, 골회(骨灰：國葬), 굴〔生石花：萬機〕, 기장〔稷米：萬機〕, 꿀〔淸蜜：殯魂殿〕, 노루털〔獐毛：殯魂殿〕, 녹두(菉豆：進宴), 녹두나물〔菉豆菜：進宴〕, 뇌록(磊碌：營建), 능금〔林檎：度支〕, 다래〔獼猴萄：萬機〕, 다맥(茶麥：萬機), 대추〔大棗：進宴〕, 대합〔生竹蛤：萬機〕, 도라지〔桔梗：進宴〕, 두부콩〔泡太：萬機〕, 들기름〔法油：殯魂殿〕, 매실(梅實：度支), 메주〔全鼓：萬機〕, 멥쌀〔粳米：萬機〕, 명유(明油：營建), 밀가루〔眞末：萬機〕, 밤〔生栗·黃栗：殯魂殿〕, 방어〔鹽魴魚：陶傳〕, 배〔積梨：度支〕, 백미(白米：萬機), 밴댕이젓〔蘇魚醢：度支〕, 보리쌀〔大麥米：萬機〕, 보릿가루〔大麥末：萬機〕, 부초(浮椒：方物), 붉은팥〔赤豆：萬機〕, 비누팥〔飛陋小豆：萬機〕, 사과(沙果：度支), 새우젓〔白蝦醢：萬機〕, 소금〔鹽：萬機〕, 씨앗〔鄕藍種·紅唐菁·白唐菁·白菜：度支〕, 아교〔膠末：殯魂殿〕, 앵두〔櫻桃：度支〕, 입쌀〔新稻米：萬機〕, 오미자(五味子：萬機), 오이〔苽子：度支〕, 옥사〔常碇玉沙：殯魂殿〕, 율무〔栗米：萬機〕, 자두〔紫桃：度支〕, 작설차〔雀舌：殯魂殿〕, 잣〔栢子：殯魂殿〕, 정분(丁粉：營建), 참기름〔眞油：殯魂殿〕, 참깨〔眞荏子：萬

機〕, 참쌀〔粘米：進宴〕, 초(醋：度支), 콩〔大豆：萬機〕, 탄(炭·爐炭：殯魂殿), 포도〔乾葡萄·山葡萄：度支〕, 해양(海䍧：萬機), 호두〔胡桃：殯魂殿〕, 흑임자(黑荏子：進宴).

두(㪷) 쌀〔米：救急〕.

두(頭) 개〔狗：史記〕, 나무〔橘：贈段山人詩〕, 마늘〔蒜：通志〕, 밥상〔饌：五雜俎〕, 불상(佛像), 소〔親耕青牛：度支〕, 양(羊：陶傳), 적수(敵首：中宗).

두(둘)개(豆介·乭介) 누룩〔麯：六典, 方曲：度支〕.

두락(지)(斗落·斗落只) 논〔畓：朝史〕, 밭〔田：山林·訓重·華城〕.

둔(屯) 마필(馬匹：太宗).

둘개(乭介) 누룩〔曲·麯：度支〕.

등(等) 벼슬의 등급〔功臣一等：史記·高麗史·世宗·忠武〕. 저울〔衡：萬機〕.

-락(落) 토지(土地：新字典).

-량(兩) 수레〔車：高麗史·太宗·宣祖·書傳·後漢書〕, 신〔雲鞋：世宗·世祖〕.

-량(量) 신〔屐：晉書〕.

-량(緉) 신〔烏皮履：高麗史〕.

-량(輛) 수레(車：明宗·訓重·高宗).

마름 이엉·바자.

마리 물고기·벌레·짐승.

매 맷고기·살담배·젓가락.

매(枚) 가위〔剪刀：高麗史〕, 가죽〔皮：文宗·成宗·宣祖〕, 감〔柿：通志〕, 갓끈〔纓：世祖〕, 경쇠〔磬：高麗史〕, 그림〔畫〕, 기와〔瓦〕, 김〔海苔〕, 나뭇잎, 낫〔鎌：高麗史〕, 널빤지, 다다미, 대추〔棗：救急方〕, 도마뱀〔蜥蜴：東醫〕, 동이〔盆：成宗〕, 마늘〔蒜：遺事·救急方〕, 매실〔梅：世宗〕, 먹〔墨：世宗〕, 물고기, 바늘〔針：史記〕, 발〔簾〕, 밤〔栗：遺事〕, 방패〔楯：羣書〕, 배〔梨：通志〕, 벼루〔硯：世祖·成宗〕, 보자기〔袱〕, 복두(幞頭：高麗史), 부채〔扇〕, 빗〔櫛〕, 사리(舍利：遺事·太宗·牧隱藁), 상아(象牙：太宗), 새〔鳥：字類〕, 솔〔梳省：方物〕, 솜〔綿〕, 수건, 숫돌, 약(藥：漢書), 어교(御橋), 여의주(如意珠：遺事·世宗), 연적(硯滴：世祖), 엽서(葉書), 엽전〔錢：文獻〕, 옷〔衣：純宗〕, 우박〔雹：高麗史〕, 유리, 이불, 자리〔席：世宗·成宗〕, 자물쇠, 잣송이〔房栢子：春志〕, 쟁반〔柈：世宗〕, 젓가락〔鉗子：高麗史〕, 종이〔紙：成宗〕, 주발〔鎡鉢：成宗〕, 진주(眞珠：世宗·燕山君), 천리경(千里鏡：正祖), 천오두(川烏頭：救急方), 체지〔帖子：遺事〕, 해골〔髑髏：遺事〕, 호미〔鎛：羣書〕, 화살〔箭：世宗·成宗〕, 활〔弓：羣書〕, 황금(黃金：史記).

매야(每也) 젓가락〔銀筯：祭器〕.

매이(每伊) 젓가락〔鍮長筯：國葬〕.

면(面) 거울〔鏡：高麗史·萬機·度支〕, 금(琴：高麗史), 기(旗：宣祖·萬機), 동이〔盆：高麗史〕, 바둑판, 벼루〔硯：中宗·宣祖·尙方〕, 북〔鼓 ： 純祖〕, 서화(書畫), 소(簫：高麗史), 신문, 악가(樂架), 안장〔鞍：高麗史·世祖〕, 인(印：高麗史), 장기판, 장지〔障：世宗〕, 젓가락〔筯 ： 尙方〕, 징〔鉦：高麗史〕, 책안(册案：高麗史), 천리경

(千里鏡), 패(牌：高麗史·通志), 홀〔珪：高麗史〕.

명(名) 고직이〔庫直：度志〕, 문서직이〔文書直：純國〕, 사령(使令：進宴), 사환(使喚：進宴), 싸리나무 묶음〔杻木：萬機〕, 포졸(捕卒：進饌), 하인(下人：純國).

모 두부·묵.

모(茅) 청어(靑魚：陶傳).

문(文) 엽전〔錢：太宗·迂書·吏輯〕, 신〔鞋〕.

문(刎) 투구.

문(門) 곳집〔庫：萬機〕, 총포〔一窩峰銃：萬機〕.

문(紋) 자리〔踏掌別紋席：國葬, 別紋席：殯魂殿, 鳳紋席·龍紋席·彩花席：度支, 黃花席：殯魂殿〕.

미(尾) 건고도리(乾古道里：度支), 건어물(乾魚物：平壤志), 고등어〔古冬魚：度支〕, 광어(廣魚：度支), 금잉어〔金鱗魚：萬機〕, 누치〔訥魚：度支〕, 대구〔黃大口·白大口·乾大口·通大口：度支〕, 도미(道味：進宴), 문어(文魚：進宴), 민어(民魚：楊根誌, 乾民魚：度支), 복어(腹魚：陶傳), 북어(北魚：度支), 붕어〔鮒魚：進宴〕, 상어〔沙魚：度支〕, 생선(生鮮：萬機), 석어〔生石魚·鹽石魚：度支〕, 숭어〔秀魚：進宴, 乾秀魚：度支〕, 오징어〔烏赤魚：陶傳, 烏賊魚：萬機〕, 은구어(銀口魚：萬機), 잉어〔鯉魚：進宴〕, 자반〔佐飯：始興誌〕, 전어(箭魚：祭器), 조기〔石首魚：萬機〕, 준치〔眞魚：度支〕, 포(脯：陶傳), 홍어(洪魚：進宴).

미(味) 약재(藥材：太宗), 음식의 가짓수(味：遺事·太宗·進宴).

반(件) 책(冊：中宗).

반(槃) 저울〔等子：高麗史〕.

반(盤) 불씨〔種火：城制考〕.

반다지(般多只) 실꾸리〔綿紬絲：左捕廳〕.

발(鉢) 어유(魚油：陶傳), 화수(花水：馬方).

발(發) 경점(更點：老乞大), 화살(百發百中：龍歌).

방(方) 두부(豆腐·造泡：陶傳).

방(放) 총포〔鳥銃：磻溪, 銃：萬機〕.

방(房) 밤송이, 포도송이.

번(番) 뜸〔草苫：孝陵〕, 망올(網兀：孝陵), 앙차(仰遮：進饌), 우비(雨備：進饌), 유둔(油芚：營建), 유석(油席：方物), 이엉〔藁草浮飛乃：孝陵〕, 진(陣)〔一番在前·二番在中, 三番在後：萬機〕.

병(柄) 가래〔加乃：營建, 加羅：陶傳〕, 가랫장부〔加羅丈夫：孝陵〕, 곡괭이〔串光伊：營建〕, 곤봉(棍棒：萬機), 괭이〔果屎：陶傳〕, 기〔白虎旗：進宴〕, 넙괭이〔廣光伊：營建〕, 당파(鏜鈀：萬機), 도끼〔斧子：萬機〕, 모편(毛鞭：方物), 부채〔白貼扇·油別扇：方物, 織扇：進宴, 巫女扇·魚頭扇：度支, 扇子·四十竹白斑貼扇·食扇：萬機〕, 붓〔畫筆：進饌, 黃筆：殯魂殿, 抄筆：進饌〕, 비〔尾箒：殯魂殿, 雉尾箒：孝陵〕, 삽(鍤：營建), 솔발(摔鈸：萬機), 쇠스랑〔小時郞：陶傳〕, 양산(陽傘：進宴), 용지(龍脂：殯魂殿), 우산(雨傘：度支), 의장(儀仗：進宴), 인두〔引導：方物〕, 일산(日傘·黃蓋：進宴), 주장(朱杖：萬機), 창〔三枝槍·要鉤

槍：方物, 竹節長槍：萬機〕, 초〔殿坐燭·行路燭：度支, 心紅燭：進宴〕, 총포〔大發火·中發火·大砲·銅三穴砲·鐵三穴砲·銅砲·噴火筒·佛狼機·三穴銃·循環砲·梨花筒·鳥銃·千步銃·馬上銃：萬機〕, 칼〔大刀子：度志, 常長劍·倭長劍：度支, 儀刀：進宴, 環刀：萬機〕, 편곤〔着筋鞭棍·仁老里鞭棍·稜刀槍鞭棍 : 萬機〕, 편담(扁擔 : 萬機), 향〔芙蓉香：孝陵〕, 화촉〔除夜明火燭：萬機〕, 홰〔炬子：殯魂殿, 杻炬：萬機〕.

병(甁) 간수(艮水：度支), 기름〔薄荷油：度支〕, 술〔燒酒·藥草酒·淸酒·香醞酒：度支〕, 젓국〔醢水：度支〕, 차〔雨前茶：度支〕.

병(餠) 먹〔墨：春渚記聞〕·차〔茶：畫墁錄〕.

보(保) 소주(燒酒：雲林), 초(醋：雲林).

복(卜) 면화(棉花：度支), 삼실〔麻絲：度支〕, 솜〔常綿子：度支〕, 토지〔卜：度支〕.

복(服) 첩약〔日二三服：辟瘟〕.

복자(卜子) 연지수(臙脂水：度支).

본(本) 가죽〔皮：龍灣誌〕, 경판(經板：世宗), 굴〔石花：進宴〕, 그림〔圖·畫：世宗·正祖·六典〕, 꽃〔絲圈花：進饌〕, 도장〔印：高麗史〕, 마늘〔生蒜：進宴〕, 생강〔生干：鐵山誌〕, 서책(夜進宴儀註·笏記：進宴), 송이버섯〔生松耳：萬機〕, 외톨마늘〔獨頭蒜：度支〕, 조화(造花：進饌), 접부채〔疊扇：世宗〕, 지초(芝草：竹山誌), 창〔鎗：成宗〕, 파〔生葱：進宴〕.

봉(封) 건포도(乾葡萄：進宴), 담배〔封草：萬機, 常枝：度志, 長壽烟：陶傳〕, 먹〔墨：宣祖〕, 문기(文記：陶傳), 민강(閩薑：度支), 부채〔扇：中宗〕, 빗〔梳：中宗〕, 사탕〔榛子糖·五花糖·八寶糖·玉春糖·推耳糖·蜜棗靑梅糖·人蔘糖：進宴〕, 설탕(雪糖：進宴), 약(藥：太宗), 차(茶：世宗·成宗·中宗), 침(針：純國), 편지〔內書：潘狀, 書簡：中宗〕, 향〔萬壽香·芙蓉香·衣香：度支〕.

봉지(封只·封紙) 의향(衣香：度志).

부(負) 잡석(雜石：度支), 황토(黃土：度支).

부(浮) 털너널〔毛浮：鐵山誌〕.

부(浮) 뜸〔草苫：度支, 茅苫：磻溪〕, 모전〔牛毛氈：尙方〕, 바자〔草把子：度支, 杻把子：孝陵〕, 발〔朱簾·葦簾：孝陵〕, 벽의(壁衣：尙方), 산자(散子：營建), 양탄자(洋彈子：進宴), 유둔(油芚：萬機), 유지(油紙：方物), 이엉〔浮飛乃：孝陵〕, 자리〔面單席：殯魂殿, 彩花席：國葬, 竹簟·蘆簟：度支, 油席：方物, 蘆簟：孝陵〕, 장막〔軍幕：漣川誌, 甲帳：進宴, 房帳·遮帳·布帳：萬機, 行幃：純國, 揮帳：營建〕, 전삼(氈衫：尙方), 죽망(竹網：純國), 지의(地衣：營建), 차일(遮日：營建), 촛롱〔燭籠：純國〕, 핫보〔襦袱：國葬〕, 화살〔弓弩箭·長箭·片箭：萬機, 長箭 : 漣川誌〕, 화살대(箭竹 : 六典).

부(釜) 황모(黃毛：度支).

부(副) 갑옷〔甲：高麗史·肅宗〕, 관복(冠服：太宗), 기(旗：高麗史),

바둑〔象棊：老乞大〕, 상판(床板：城制考), 수레〔車兒：老乞大〕, 안장〔金鞍：度志〕, 옥책(玉册：高麗史), 옷〔衣：史記·高麗史·太宗·端宗〕, 정자(頂子：老乞大), 죽책(竹册：高麗史), 칼〔大小刀子：世宗·老乞大〕, 활〔弓：仁祖〕.

부(桴) 북어(北魚：陶傳), 화살〔片箭·長箭：宣川誌〕.

부(部) 가마〔轎子：尙方〕, 가슴걸이〔駕轎馬脅巨里：度支〕, 각대〔烏角帶·犀角帶·呠角帶·縛金帶：度支〕, 간(肝：進宴), 갑옷〔甲：中宗〕, 갑주〔大緞甲冑·三升甲冑·木綿甲冑：萬機〕, 갓끈〔冠纓子·木纓子：度支〕, 강판〔鍮薑板：度支〕, 갸자〔架子：營建〕, 거마창(拒馬槍：萬機), 건란(乾卵：龍岡誌), 고리〔圓環：度支〕, 곤자소니〔昆者巽：進宴〕, 관골〔靑玉梁：尙方〕, 광다회〔五色多繪：尙方〕, 광판〔中廣板：度支〕, 교명(敎命：尙方), 구유〔木槽：寧山陵, 木把槽：萬機〕, 국화동(菊花童：度支), 군막(軍幕：仁川誌), 궁시(弓矢：進宴), 궤〔樻子：國葬〕, 궤석(樻石：寧山陵), 귀약통〔耳藥筒：萬機〕, 귀이개〔銀耳只：尙方〕, 깔창〔黑麂子皮靴白羊毛精·黑黍皮靴白唐皮凉精：萬機〕, 꽃틀〔床花機：殯魂殿〕, 끈〔靑組：尙方〕, 당파〔鏜鈀代筒箇：萬機〕, 대갈〔多葛：度支〕, 도가니〔都艮伊：進宴〕, 돌적이(乭迪耳：營建), 동개〔筒箇：萬機〕, 동고리〔柳同古里：度支〕, 돼지머리〔猪頭：度支〕, 돼지다리〔猪脚：進宴〕, 두골(頭骨：進宴), 두부통〔泡槽：祭器〕, 두지(豆之：祭器, 斗之：度支), 등골〔牛脊骨：度支〕, 말다래〔月乃：度支, 達乃：萬機〕, 말안장〔馬鞍：萬機〕, 말편자〔馬鐵：抱川誌〕, 망건〔馬尾網巾：尙方〕, 매듭〔每緝：尙方〕, 맷돌〔石磑：祭器〕, 멜통〔擔桶：進饌〕, 명란(明卵：度支), 모자〔弓帽：方物, 金冠·幞頭·紗帽：度支, 頭冕·馬尾網巾：萬機, 烏巾·遠遊冠·毛羅翼善冠：尙方, 箭帽：方物, 祭冠：度支, 竹帽子：尙方, 靑箱笠：尙方, 草笠：度支, 驄帽子·平天冠：尙方〕, 모전(毛氈：殯魂殿), 목통(木桶：殯魂殿), 목판〔隅板：祭器〕, 무소뿔〔犀角：度支〕, 밀부(密符：度支), 바리때〔銀鉢里：尙方〕, 방망이틀〔杵機：度支〕, 방장〔御房帳：萬機〕, 버들고리〔柳箕：國葬〕, 벼루〔硯面：寧山陵〕, 벼룻집〔硯匣：度支〕, 병부(兵符：度支), 부아(허파)〔浮化：驪州誌, 腑化：進宴〕, 비녀못〔釵釘：寧山陵〕, 빗접〔梳貼：萬機〕, 빗함〔梳函：萬機〕, 사간(射干：萬機), 사립(斜笠：度支), 사향(麝香：萬機), 삼배목(三排目：寧山陵), 삼지창(三枝槍：萬機), 삼태기〔三太：殯魂殿〕, 상〔奠鴈床：尙方〕, 서안〔龍書案：尙方〕, 서판(書板：營建), 쇄약(鎖鑰：殯魂殿), 쇠가슴살〔牛胷：驪州誌〕, 쇠머리〔牛頭：驪州誌〕, 쇠머리골〔牛頭骨：度支〕, 쇠볼기살(牛臀：進宴), 쇠불알〔牛囊：進宴〕, 쇠스랑〔小時郞：寧山陵〕, 쇠태〔牛胎：進宴〕, 쇠혀〔牛舌：度支〕, 수레〔車子：國葬〕, 수통(水桶：殯魂殿), 숫돌〔磨石：度支〕, 시접〔匙貼：尙方〕, 신

〔麻鞋：度支，木鞋：抱川誌，靸鞋：尙方，水靴子：進宴，繩鞋：度支，草鞋：尙方，靴子：萬機，分土·紙鞋：度支〕，안경(眼鏡：度支)，안롱(鞍籠：方物)，안상(案床：尙方)，안심〔心肉：度支，內心肉：進宴〕，양〔牛胖：度支，胖領：進宴〕，양지머리〔陽支頭：進宴〕，어란(魚卵：龍岡誌)，언치〔鞍支：度支，偃赤：萬機，鞍赤：方物〕，업진〔業脂潤：進宴〕，염통〔牛心：驪州誌，牛靈通：度支〕，옥대(玉帶：尙方)，요골(腰骨：進饌)，요구창(要鉤槍：萬機)，우비(雨備：殯魂殿)，우황(牛黃：度支)，웅담(熊膽：度支)，유둔(油芚：萬機)，유지(油紙：通志)，유지대(油紙帒：度支)，의롱(衣籠·皮衣籠：度支)，이엄(耳掩：尙方)，인두판〔剪板：進宴〕，일산(日傘：尙方)，저울〔稱子·分稱：殯魂殿〕，적쇠〔炙金：度志〕，점자(點子：萬機)，조두(刁斗：萬機)，주발(周鉢：尙方)，지의(地衣：萬機)，징〔錚：寧山陵〕，차장(遮帳：萬機)，처녑〔牛千葉：度支〕，체〔馬尾篩·綃篩：殯魂殿，竹篩：萬機〕，촛상〔燭床：祭器〕，축롱(杻籠：進饌)，축판(祝板：純國)，취각(吹角：寧山陵)，콩팥〔豆太：龍岡誌〕，키〔柳箕：寧山陵〕，탁자(卓子：寧山陵)，통부〔捕盜軍官通符：度支〕，패옥(佩玉：尙方)，포대(布帒：殯魂殿)，포장(布帳 ： 萬機)，학정대(鶴頂帶：尙方)，함〔龍袍函：尙方〕，함지〔食函之：寧山陵〕，행담(行擔：營建)，행전(行纏：寧山陵)，호갑(護匣：國葬)，호골(虎骨：萬機)，호두(虎頭：萬機)，홀〔靑玉圭·象牙笏：尙方〕，화로〔木火爐：寧山陵〕，화살〔狄磨箭：方物，長箭：尙方，體箭：萬機，片箭：方物〕，회시(灰匙：祭器)，흉배(胸背：尙方)．

분(分) 사람〔堂上三分：國葬，王子兩分：農圃〕．

비(備) 갑〔革裹大簿匣：交隣，彩畫箋匣：度志〕，괘연〔彩畫掛硯：度支〕．

사(夕) 기름〔燈油：殯魂殿〕，옻〔漆：尙方〕，콩〔黃大豆：度支〕．

사(事) 갈모〔笠帽：方物〕，다리미〔熨刀：世祖〕，밀피〔蜜韋：成宗〕，복자〔金鐥·銀鐥：高麗史〕，부마(夫馬：瀋狀)，빗함〔梳函：萬機〕，시지〔首堂上監試初試試紙·色郎官監試初試試紙：度支〕，종〔金鍾：高麗史·太宗〕，주사(舟師：瀋狀)，책(冊：太宗·世祖)，탁자〔卓：端宗〕，향합〔銀香盒：萬機〕，화로〔爐：高麗史〕．

사(梭) 베〔三梭布：迂書〕．

사(笥) 냉이〔薺菜：萬機〕，녹두기름(녹두나물)〔菉豆長音 ： 萬機〕，무청〔菁芽：萬機〕，서간〔寒岡書簡：陶傳〕，파〔生葱：萬機〕，황아(黃芽：萬機)．

사(篩) 감사과(甘絲果：進宴)，강정(強精：進宴)，두부〔豆泡：度支，太泡：進宴〕，묵〔靑泡：度支〕．

사리(沙里) 갈줄〔生葛：孝陵〕，국수〔木麵：進宴〕，박오가리〔朴右巨里：度支〕，새끼〔藁索：孝陵〕，실국수〔木麥細麵：度支〕，줄〔細繩·杻繩：度支〕，화승(火繩·藥線：萬機)．

사리(莎里) 새끼〔藁索 : 孝陵〕.

사발(沙鉢) 송이버섯〔松茸 : 宣祖〕, 우뭇가사리〔牛毛加土里 : 純國〕, 육고(肉膏 : 度支).

사음(舍音) 이엉〔藁草飛乃・藁草編飛乃 : 孝陵, 草飛乃 : 營建〕, 초완(草薍 : 度支).

삼(參) 수레〔車 : 左傳〕.

상(箱) 개암〔生榛子 : 萬機〕, 고사리〔蕨菜 : 萬機〕, 능금〔林禽 : 萬機〕, 두릅나물〔木頭菜 : 萬機〕, 마〔薯蕷 : 萬機〕, 밤〔生栗・軟栗 : 萬機〕, 배〔積梨 : 萬機〕, 살구〔黃杏 : 萬機〕, 승검초〔辛甘菜 : 萬機〕, 앵두〔櫻桃 : 萬機〕, 오얏〔綠李 : 萬機〕, 은행(銀杏 : 萬機), 해홍나물〔海紅菜 : 萬機〕, 호두〔楸子 : 萬機〕.

선(扇) 골패(骨牌 : 廣物譜), 문짝〔門 : 文鑑〕, 병풍〔屛 : 形音義〕, 책(册 : 宣祖・朴通事・吏輯), 키〔舵 : 吏輯〕.

선(鐥) 술〔醞酒 : 度支, 淸酒 : 度志〕.

선(鏇) 우유(牛乳 : 通志).

소(艘) 배〔戰船 : 史記・遺事・高麗史・太宗・通志・忠武〕.

소용(所用) 참기름〔眞油 : 瀋狀〕.

소응이(所應伊) 연밥〔蓮實 : 萬機〕, 잣〔栢子 : 萬機〕.

속(束) 금박(金箔 : 營建), 살담배〔折草 : 成宗〕, 먹〔墨 : 海行〕, 무〔菁根 : 度支〕, 물고기〔乾石魚 : 鐵山誌, 石首魚 : 度支, 眞魚 : 文獻, 靑魚 : 度支〕, 미역〔藿 : 文獻〕, 삼보(三甫 : 度支), 상추〔萵苣之 : 度支〕, 싸리나무〔杻木 : 國帶・芝峯・萬機〕, 왕골〔管草 : 度支〕, 종이〔壯紙・厚紙・白紙 : 抱川誌, 紙 : 陶傳〕, 주석〔錫金 : 度支〕, 짚〔龍舍音穀草 : 純國〕, 첩금(貼金 : 尙方), 첩은(貼銀 : 度支), 파〔生葱 : 度支〕, 포(脯 : 世祖・呂覽), 피륙〔帛 : 正祖・儀禮・左傳〕, 화살〔矢 : 詩・周禮・國語〕.

송이(宋伊) 잣〔栢子 : 陶傳〕.

송이(松伊) 포도(葡萄 : 龍岡誌).

수(手) 미나리〔水芹 : 進宴〕.

수(秀) 궤짝〔果樻 : 瀋狀〕.

수(首) 개〔狗 : 龍岡誌〕, 거위〔鵝 : 度志〕, 기〔幡 : 高麗史〕, 기러기〔唐鴈 : 度支〕, 꿩〔乾雉 : 度支, 半乾雉・生雉・兒雉 : 萬機〕, 닭〔陳鷄 : 進宴・度支, 軟鷄 : 進宴, 雄鷄・眞鷄 : 度支, 活鷄 : 度支〕, 매〔鷹 : 燕山君〕, 메추라기〔鶉鳥 : 度支〕, 물고기〔魚 : 世宗・成宗〕, 베개〔枕 : 成宗〕, 소〔牛 : 度志, 黃牛・黑牛 : 度支〕, 시〔崔致遠所書詩 : 芝峯〕, 오리〔鴨子 : 度支〕, 참수(斬首 : 農圃), 포〔雉脯 : 進宴〕.

수(遂) 가옥〔家 : 事博〕.

수(樹) 나무(樹 : 自題古松圖詩).

수두(手斗) 쌀〔米 : 通志〕.

습(襲) 옷〔衣袴 : 遺事, 公服 : 高麗史〕.

승(升) 가루〔辛甘草末 : 進宴〕, 간장(艮醬 : 進宴), 겨자〔芥子 : 度支〕, 고사리〔乾蕨 : 度支〕, 과일〔大棗 : 度支, 生栗 : 萬機, 實栢子 : 進宴, 胡桃 : 萬機〕, 굴〔石花 : 度支〕, 꿀〔淸 : 進宴〕, 나물〔菉豆菜 : 度支, 長音菉豆 : 萬機, 太菜・黃太菜 : 度支〕, 물고기〔小川魚 : 度支〕, 버섯〔石耳・蕈古 : 進宴, 眞菌 : 度支〕, 새〔藍三升・五升廣布・

七升白苧布・八升白苧布・九升白木・十升白苧布・十一升白苧布・十二升白苧布：度支〕, 새우〔細蝦：度支〕, 소금〔鹽：進饌〕, 쌀〔米：殯魂殿〕, 조개〔皮蛤：國葬, 生竹蛤：萬機〕, 죽순(竹筍・黃筍：度支), 참깨〔實荏子：進宴〕, 참기름〔眞油：進宴〕, 청각(靑角：度支), 탄〔爐炭：殯魂殿〕, 토란(土卵：度支), 해삼(海蔘：度支).

승(乘) 가마〔駕轎：濬狀〕, 화차(火車：萬機).

시(矢) 부채살〔扇矢：方物〕.

시(翅) 새〔鳥〕.

식(息) 거리〔三十里爲一息：度支〕.

식(飾) 대자(臺子・辛卯臺子：度支).

신(身) 옷〔衣服：王文興的黑衣〕.

실(室) 방(房：遺事 ・ 春通), 집〔戶：正祖〕.

쌍(雙) 걸쇠〔擧乙金：祭器〕, 곤봉(棍棒：萬機), 관자〔金圈子・銀圈子：度支〕, 국화동(菊花童：殯魂殿), 농〔紗籠：萬機〕, 동라(銅鑼：萬機), 등〔紅燈：進宴〕, 병풍(屛風：通志), 부젓가락〔火箸：殯魂殿〕, 부채〔繖扇：進宴〕, 악기〔喇叭・號笛・螺角・銅大角・啫哼囉・點子・鑼・捧鈸・長鼓：萬機〕, 장지〔障子：營建〕, 적쇠〔炙金：孝陵〕, 적족철(籍足鐵：萬機), 젓가락〔柒木箸・鍮筯：度支〕, 초〔畫龍燭：萬機〕, 촛대〔燭臺：度志, 燭坮：陶傳〕, 촛롱〔燭籠：純國〕, 칼〔雙劒：萬機〕, 패〔肅靜牌：萬機〕, 향〔淸速香・芙蓉香：度支〕, 향꽂이〔香串之：進宴〕, 향좌아(香座兒：進宴).

악(握) 고사리〔生蕨：度支〕, 담뱃대〔朱竿烟器：通志〕, 도라지〔皮吉更 ： 度支〕, 무나물〔蘿葍菜 ： 度支〕, 미나리〔水芹：進饌〕, 박고지(朴古之：進饌), 부채〔蜀扇：中宗〕, 순무나물〔蔓菁根菜：度支〕, 승검초나물〔辛甘菜：度支〕, 토란줄기〔土卵莖：度支〕, 파〔生葱：度支〕.

안(眼) 우물〔井：朴通事〕.

연(連) 가다랭이〔鰹節：交隣〕, 다시마, 매〔鷹：太宗, 鷹子：宣祖, 海靑：端宗〕, 발〔簾〕, 염주, 옥(玉：羣書), 저울〔等子：老乞大, 一十六斤稱：高麗史, 連：老乞大〕, 종이〔紙〕.

연(聯) 매〔鷹：通志〕.

연(臠) 살코기〔肉：淮南子・晉書〕.

엽(葉) 그릇〔白沙鉢・常沙鉢・大貼・貼是・朱鉢：陶傳〕, 목판〔自省錄板：光海君・陶傳〕, 빈섬〔空石：萬機〕, 상〔黑柒大盤・黑柒小盤：陶傳〕, 송판(松板：光海君), 옷〔衣：高麗史〕, 자리〔茵長席・短席：高麗史・光海君・陶傳〕, 초둔(草芚：磻溪).

영(令) 개가죽〔毛狗皮：純國〕, 고양이가죽〔猫皮：度支〕, 노루가죽〔毛獐皮：度支〕, 녹비(鹿皮：度志), 담비가죽〔貂皮：度支〕, 당나귀가죽〔采練：龍岡誌〕, 돈피(獤皮 ： 尙方), 말가죽〔白馬皮 ： 度支〕, 산양피(山羊皮：度支), 상어가죽〔沙魚皮：孝陵〕, 서피〔靑黍皮・黑黍皮・紫黍皮：龍岡誌〕, 쇠가죽〔牛皮：國葬〕, 수달피(水獺皮：度支), 여우가죽〔赤狐皮：度支〕, 쥐가죽〔鼠皮：尙方〕, 표피(豹

皮：尙方), 해달피(海獺皮：度支), 호피(虎皮：萬機).

영(領) 가죽〔皮：高麗史·太宗·世宗〕, 갑옷〔鎧：世宗〕, 갑주(甲胄：萬機), 군복(軍服：萬機), 더그레〔號衣：萬機〕, 도롱이〔蓑衣：方物〕, 언치〔鞍赤·懸赤：方物〕, 요〔褥：高麗史〕, 유삼〔木油衫·紙油衫·木綿油衫：萬機〕, 지의(紙衣：萬機), 철갑〔鐵甲衣：宣川誌, 鐵甲：方物〕, 쾌자〔掛子：萬機〕, 핫옷〔襦衣：進饌〕.

영(楹) 방(房：世宗·甫里先生傳), 집〔屋：芝峯·江湖山人傳〕.

오리(五里) 가죽〔獐皮：孝陵, 鹿皮：國葬〕.

완(椀) 밥〔飯：老乞大〕, 연지(臙脂：進饌).

요(要) 띠〔紅鞓皮：高麗史, 銀帶：太宗〕, 바지〔袴：高麗史〕, 칼〔劍：世宗〕.

우(宇) 건물(陶傳·羣書), 장막(帳幕).

우(羽) 닭〔鷄：陶傳〕.

원(元) 누룩〔曲子(麯子)：南陽誌〕, 돈〔金額：去來牒〕, 떡〔橘餅：度支〕, 사탕(砂糖：度支).

원(員) 누룩〔麴：瑣尾錄〕, 사람(監造：國葬, 計士：度志, 敎授：度支, 堂上：國葬, 別提：度支, 郎廳：國葬, 五衛將·從事官：純國).

원(圓) 누룩〔曲子·麯子：度支, 麴·麴生：陶傳〕, 돈〔價金三十八圓：四介〕, 떡〔橘餅：進宴〕, 사탕(砂糖：進宴), 소합원(蘇合元：救急), 화승(火繩：宣川誌).

월(月) 갓〔笠：殯魂殿〕, 띠〔白帶：殯魂殿〕, 신〔白皮靴·白皮鞋：殯魂殿〕.

월내(月乃) 고비나물〔高飛菜：度支〕, 괴피(槐皮：度支), 낙지〔絡蹄：進饌〕, 버섯〔眞茸：度支〕, 속새〔木賊：度支〕, 염료〔三甫：尙方〕.

위(位) 대포〔大母砲·四號鍮佛狼機·五號鍮佛狼機·鐵母砲·虎蹲砲：度支·萬機〕, 신위〔木覔·三角·漢江·功臣：遺事·宣祖·皮支〕.

위(圍) 둘레〔周：羣玉〕, 화로(火爐·赤銅茗爐：通志).

윤(輪) 수레〔車：萬機·南史〕.

인(人) 사람(錄事·書吏·書寫：純國).

이음(里音) 실〔細糸：度支〕.

입(粒) 사리(舍利：遺事), 약〔不老圓：太宗·救急方〕, 천삼(天三：救急).

자(字) 활자(活字：漢京).

자내(自乃) 땔감〔草·柴·戶柴：楊根誌〕.

작(爵) 술〔淸酒：度支〕.

잔(盞) 등롱(燈籠：萬機), 술〔淸酒·燒酒：進饌〕, 참기름〔眞油：馬方〕, 초(酢：馬方).

장(丈) 고신(告身：宣祖), 길이〔高千丈：遺事, 二丈深：老乞大〕, 김〔海衣：陶傳〕, 먹〔油墨：陶傳〕, 서책〔別集：待百錄〕, 수제(受題：市民), 약(藥：救急), 유둔〔二丈付油芚：陶傳〕, 자리〔白文席·祝文席：陶傳〕, 종이〔白紙·厚紙：陶傳, 坐面紙：鐵山誌, 草注紙：嘉禮〕, 첩금(貼金：嘉禮), 피금지(皮金紙：龍岡誌), 필적(筆迹：陶傳).

장(張) 거문고〔琴：朴通事〕, 고약〔三升黑膏藥：度支〕, 금박(金箔：

殯魂殿), 금박지(金箔紙 : 尙方), 금전지(金錢紙 : 尙方), 기와〔常瓦·夫瓦·女瓦·防草·龍頭 : 度支〕, 김〔海衣 : 度支〕, 나무껍질〔屈皮·黃梗皮·黃栢皮 : 度支〕, 대모(玳瑁 : 尙方), 먹〔眞墨 : 孝陵〕, 벽돌〔甎 : 營建〕, 병풍(屛風 : 成宗), 부레풀〔魚膠 : 純國〕, 시지〔監試落幅紙 : 度支, 庭試正草 : 度支〕, 연지〔片燕脂 : 進宴〕, 유둔(油芚 : 營建), 유지(油紙 : 殯魂殿), 자리〔滿花方席 : 方物, 上排小龍紋席 : 尙方, 白廣席 : 營建, 白紋席 : 殯魂殿, 別紋席 : 進宴, 鳳紋席 : 度支, 蓮花席 : 尙方, 龍紋簾席 : 方物, 茵席 : 殯魂殿, 雜彩花席 : 方物, 草席·有紋席 : 孝陵, 祝文席 : 陶傳, 寢席 : 尙方, 風席 : 進宴, 黃花席 : 方物〕, 종이〔單子紙 : 國葬, 時政記紙 : 度支, 搗鍊紙 : 殯魂殿, 扇子紙 : 進宴, 貼册紙 : 度支, 倭菱花 : 度支, 曲水油紙·咨文紙 : 進饌, 壯紙 : 進宴, 楮注紙 : 尙方, 竹靑紙 : 純國, 靑菱花·表紙 : 度支, 休紙 : 國葬〕, 지금(紙金 : 純國), 지석(誌石 : 純國), 지의(地衣 : 度支), 첩은(貼銀 : 度支), 털가죽〔毛狗皮 : 純國, 鹿皮·大鹿皮·小鹿皮·熟鹿皮·紫的鹿皮·草綠綠皮·黑綠皮 : 萬機, 獺皮 : 方物, 沙魚皮·沙魚口中皮·黍皮 : 度支, 水獺皮 : 方物, 白獐皮 : 殯魂殿, 牛皮 : 萬機, 猪皮 : 萬機, 靑黍皮·豹皮·虎皮 : 方物〕, 피금(皮金 : 度支), 활〔角弓 : 方物, 弓子 : 尙方, 交子弓 : 漣川誌, 六兩弓 : 萬機, 帿弓 : 度支, 鄕角弓 : 萬機, 黑角別長弓·黑角長弓 : 萬機〕.

장(章) 나무〔松樹 : 文獻〕.

전(揃) 부젓가락, 옷, 자리, 젓가락.

전(廛) 집〔宅 : 遺事〕.

전(縳) 깃〔羽 : 爾雅〕.

전(繝) 실오리.

절(折) 민어(民魚 四片爲一折 四折爲一尾 : 楊根誌), 사슬〔長沙乞兩排具 : 營建〕, 자반〔佐飯 四折爲一條 八條爲一尾 : 始興誌〕, 종이〔搗鍊紙 : 度支〕, 피금지(皮金紙 : 龍岡誌).

절(節) 대나무〔頭匣竹·筆柄竹 : 萬機, 假斑竹·細細烏竹·黃小竹 : 度支〕.

절리(折里) 알〔卵醢, 一介卽二折里 : 度支〕.

접(接) 조개〔蛤 : 陶傳〕, 홍시(紅柿 : 陶傳).

접(楪) 반상기〔三楪床 : 春志〕.

정(丁) 먹〔墨 : 高麗史·太宗·世祖, 着墨 : 萬機, 公山烏玉墨·大唐墨·大節常墨 : 度支〕, 뿔〔角 : 世宗〕, 얼음〔氷 : 世宗〕, 장정(海西之民, 每戶各出一丁 : 高麗史·華城), 초〔燭 : 高麗史·太宗·成宗·芝峯·殯魂殿〕, 피륙〔木綿·正布 : 中宗〕, 활〔別造弓 : 中宗〕.

정(埕) 술〔酒 : 世祖〕.

정(挺) 가마〔駕籠〕, 가야금, 거문고, 노(櫓), 도끼, 먹〔墨 : 高麗史〕, 삽(鍤), 숫돌, 창(槍 : 世宗), 초〔燭 : 世宗〕, 총(銃 : 高宗), 칼〔刀〕, 톱〔鋸〕, 포(脯 : 儀禮).

정(脡) 포(脯 : 世宗·五禮儀·公羊傳).

정(頂) 모자〔冠 : 高麗史·太宗·訓重·萬機, 戰巾·鐵兜·劊巾 : 萬

機, 雨帽：春通, 青口：宣川誌, 平天冠：太宗, 鐵坪頭具：方物〕.

정(幀) 그림.

정(艇) 배〔船：陶庵夢憶〕.

정(錠) 금은(金銀：太宗·中宗), 먹〔墨：宣祖·通志·春通〕, 초·저폐(鈔·楮幣：高麗史·太宗·吏輯), 환약(丸藥：浮生六記).

제(劑) 약(藥：紅樓夢·中國新文學大系), 향〔芙蓉香：度支〕.

제(蹄) 짐승〔馬：史記·題蓮華寺詩〕.

제(臍) 사향(麝香：高麗史·世祖).

조(条) 꼬리〔豹尾·牛尾：度支〕, 끈〔索：殯魂殿〕, 다리〔髢髮：度支〕, 다시마〔海帶：進宴, 多士麻：龍岡誌〕, 띠〔細条帶·紅多繪絲：度支〕, 문어(文魚：陶傳), 뱀〔烏蛇·白花蛇：度支〕, 우피(牛皮：龍岡誌), 재목〔板子·椵板：龍岡, 材木·椽木·機械木·小不等·樓柱·地乃木·砧木·輪桶木：孝陵, 長橫杠：尙方, 黃楊木·楸木：度支〕, 전복〔秋卜：度支〕, 종이〔青菱花：度支〕, 포〔大脯：龍岡誌, 小脯·中脯：度支〕, 황모(黃毛：方物).

조(條) 나무〔木：世祖·成宗·光海君〕, 다시마〔海帶：進宴〕, 도로〔路兒：老乞大〕, 띠〔紫條兒：老乞大〕, 물고기〔古道魚：度支, 文魚·魴魚：陶傳, 佐飯：始興誌〕, 미역〔甘藿：三和誌, 藿：文獻〕, 박고지(朴古之：進饌), 비석〔碑：輿地勝覽〕, 상아(象牙：世祖), 약선(藥線：萬機), 재목〔椵木·大朴達·楸木：萬機, 桑木：國葬〕, 줄우피(𦆽牛皮：純國), 지팡이〔銀頭杖：高麗史〕, 창(槍：世宗), 초〔燭：芝峯〕, 파〔葱：馬方〕, 포〔鹿脯：鐵山誌, 中脯：度支〕, 황모(黃毛：孝陵).

조각(召角) 나무껍질〔檜木皮：國葬〕.

조리(條里) 나무〔二年木：尙方, 柄次楸木：國葬), 헝겊〔羅：尙方〕.

족(足) 돼지다리〔猪脚：度支〕, 버선, 신, 양말.

존(尊) 불상(佛像：正祖).

종(宗) 문서〔文：明律·文獻〕, 선단(船團：世宗·吏輯).

종(稯) 볏단(禾：說文·儀禮).

종(綜) 선단(朱：船團：萬機·吏輯·六典).

종(綜) 선단(船團：壬狀·會通·文獻), 실오리의 수효〔七綜布：高麗史·海行·中宗〕.

종자(鍾子) 두부장〔豆泡醬：度支〕, 연지(臙脂：進宴).

종화(稯禾) 볏단〔藁：經世〕.

좌(坐) 갑(匣：鑄所), 과녁〔騎蒭貫革·柳葉箭貫革·鳥銃貫革：萬機〕, 광명대(光明臺：殯魂殿), 귀때복자〔耳鐥：殯魂殿〕, 널빤지〔椵板：鑄所〕, 노구솥〔中爐口：度支, 銅爐：萬機〕, 다관(茶罐：進宴), 답장(踏掌：進宴), 대야〔盥洗大也：營建〕, 대접〔白沙大貼：殯魂殿〕, 도마(刀ケ：殯魂殿), 동이〔鐵東海：殯魂殿〕, 되〔鍮升：殯魂殿〕, 두멍〔豆毛：殯魂殿〕, 등메〔登每：進宴〕, 등상(登床：殯魂殿), 마목(馬木：純國), 말〔鍮斗：殯魂殿〕, 목판〔隅板：殯魂殿〕, 방석〔滿花方席：進宴, 別紋段方席：度支, 豹皮方席：進宴〕, 바탱이〔所湯伊：殯魂殿〕, 번철(燔鐵：進饌), 벼룻집

〔硯匣：殯魂殿〕, 병〔水瓶：進宴〕, 병풍〔牧丹屛：營建, 書屛・十長生屛風：進宴, 十貼書屛風：尙方, 十疊屛風：中宗〕, 사다리〔木梯：營建〕, 사발(沙鉢：春通), 상〔高足床：進宴, 蓮平床：度支, 龍平床：進宴〕, 새옹〔鍮大沙用：殯魂殿〕, 서안(書案：進宴), 소래기〔陶所羅：殯魂殿〕, 솥〔大鼎・大釜：度支〕, 쇠뇌〔弓弩：萬機〕, 쇠뇌틀〔弓弩機：萬機〕, 시루〔甑：殯魂殿〕, 악기〔建鼓：樂造, 鼓・鑼・鉦・長鼓・畫龍大鼓・畫龍行鼓：萬機〕, 안반〔案板：殯魂殿〕, 안석〔案息：度支〕, 양푼〔凉盆：純國〕, 옥련(玉輦：進宴), 요〔紫綾褥：孝陵〕, 요강(溺江：進饌), 운교(雲橋：進宴), 원반(圓盤：進宴), 잔대(盞臺：進宴), 장롱〔三層欌：殯魂殿〕, 재양틀〔淨機：進饌〕, 쟁반(錚盤：殯魂殿), 저울〔分稱・稱子：進饌〕, 저울판〔稱板：國葬〕, 정(釘：殯魂殿), 젯상(祭床：殯魂殿), 조두(刁斗：萬機), 주렴틀〔朱簾機：純國〕, 주전자〔銅亇飛介：純國〕, 찬안〔高足饌案：進宴〕, 찻종〔砂茶鍾：進宴〕, 창〔拒馬槍：萬機〕, 촛대 받침〔燭臺跗：進宴〕, 총포〔大砲・威遠砲・雙門砲・銅砲・木母砲・單家砲・坐循環砲・紅夷砲・佛狼機・勝子銅砲：萬機〕, 타구(唾口：進饌), 탁자〔進爵卓：進宴〕, 풍로(風爐：度支), 함〔黃假函・紅假函：進宴〕, 항아리〔水瓮：殯魂殿〕, 향로(香爐：營建), 향정자(香亭子：純國), 향합(香盒：營建), 화로〔鐵爐：殯魂殿〕, 회판(灰板：進饌).

좌(座) 거리(東西五十步：磻溪), 돈대〔墩：城制考〕, 불상(佛像：太宗), 산(山：水滸傳), 솥〔釜：度志〕, 집〔家：宣祖・朴通事・英祖・平壤志〕.

주(炷) 초〔燭：世宗〕, 향(香：世宗・春通, 芙蓉香：度志).

주(柱) 법수(法首：萬機), 위패(位牌).

주(株) 나무〔小松・兒松・稚松：萬機, 二年木：尙方〕, 산호(珊瑚：高麗史・睿宗), 재목〔大不等・中不等・小不等・松輪桶・松駕木・造𢒰松板・椝木・墨古木・地乃木・挾木・箭次吐木・長杠眞木：孝陵, 法首：萬機, 樓柱：尙方, 山柚子・軆木・大朴達木・宮材：度支〕, 주식(株式：純宗).

주지(走之) 미역〔甘角：龍岡誌〕.

주지(注之) 김〔甘苔：度支〕, 다시마〔多士麻：度支〕, 미역〔粉藿：度支, 甘藿：鐵山誌〕.

죽(竹) 갈비〔加里：龍岡誌, 乫伊：竹山誌〕, 그릇〔甫兒：度志, 白沙鉢・大貼・貼是：陶傳, 楪匙：進宴, 是貼：陶傳, 匙貼：祭器, 食器：殯魂殿, 鍾子：營建, 磁碗：殯魂殿, 湯器：營建〕, 등잔(燈盞：殯魂殿), 목판〔隅板：進饌〕, 방석(方席・白文席靑木縇方席・草大圓方席・草小圓方席：陶傳), 상(床：陶傳・殯魂殿・營建・進宴・進饌, 高足床：陶傳, 大圓盤：祭器, 白骨盤：殯魂殿), 화로(火爐：殯魂殿).

지(支) 인삼〔蔘〕.

지(旨) 그물〔網：陶傳〕.

지(枝) 꽃가지〔牧丹花・紅桃・首拱

花：進宴, 花：高麗史〕, 녹각(鹿角：純國), 동이〔朱漆小盆：成宗〕, 물고기〔淸魚：陶傳〕, 붓〔筆：萬機, 黃毛筆：通志〕, 비녀〔金簪：太宗〕, 수저〔正果匙·箸：陶傳〕, 악기〔銅大角·銅鑼：萬機, 木大角·喇叭·號笛：仁川誌〕, 창〔車槍：萬機〕, 초〔蠟燭：春通〕, 총포〔小發火：萬機〕, 향〔芙蓉香：度支〕, 홀〔圭：太宗〕, 화살〔竹桿箭：春通, 火箭：萬機〕, 활〔弓：羣書〕.

지(紙) 서첩(書帖：宣祖), 편지〔諺文：成宗〕.

진(振) 칼〔黑漆鞘柄大刀：世宗·文宗·成宗〕.

진(陳) 모전(毛氈), 자리〔席〕.

진(進) 집〔家〕, 건물.

질(帙) 책(冊：成宗·牧民·慵齋叢話).

질(秩) 책(冊：世宗·度支·進宴).

질(袠) 책(冊：南齊書·南史).

집(執) 술잔〔爵：通志〕.

짝 갈비, 마소, 명태, 버선, 북어, 신, 장갑, 짐짝.

차(次) 방석(方席：度志), 약재〔小笞：度志〕, 재료·감(次：尙方·度志·度支·嘉禮).

차(車) 수레〔車：羣書〕, 우마차(牛馬車).

찬(攢) 나무〔木：文鑑〕, 생황〔笙：高麗史〕.

찬(鑽) 생황〔笙：高麗史〕.

찰(紮) 꽃다발, 향(香).

채 가마, 수레, 요, 이불, 집.

책(冊) 서책(書冊：高麗史·世宗·中宗).

척(尺) 실·철사〔草綠多繪絲·正鐵細絲：度支, 銅絲：進饌, 紅木䌖：殯魂殿〕, 자리〔黃花席：國葬〕, 피륙〔白鼎紬·上紬·白方絲紬：度支, 生布：孝陵, 靑木：營建〕.

척(隻) 갈비〔猪乫飛：進饌, 乫伊：驪州誌〕, 개〔狗：世宗〕, 고기〔猪：進饌, 牛內臀·牛內心肉·牛吏只·猪背肉：度支〕, 난간(欄干：萬機), 농〔衣籠·紙籠：度支〕, 농의(籠衣：度支), 모자(冒子：萬機), 문〔斜立門：純國, 把子門：孝陵〕, 반자(斑子：營建), 배〔船：度志〕, 소〔牛：龍灣誌〕, 장지〔交窓障子：進宴, 桃花障子：進饌, 烟窓障子·完子推障子：營建〕, 족〔牛足：進饌, 牛後脚：度支〕, 차양(遮陽：進宴), 창〔甲窓·斜窓·影窓：營建〕, 초〔燭：義禁·訓重〕, 칼〔刀：高麗史〕, 콩팥〔豆太：龍岡誌〕, 함〔黃紅假函：進宴〕, 화살〔箭：高麗史〕, 흉배(胸背：尙方).

천(串) 곶감〔乾柿：殯魂殿·度支·陶傳〕, 구슬〔珠：太宗〕, 동전〔百錢：文鑑·雅言·吏輯〕, 산적(散炙：進饌), 전복〔大切全卜：度支〕, 해삼(海蔘：龍岡誌).

첩(帖) 가사(袈裟), 가사(歌詞：成宗), 곶감(乾柿：陶傳), 그림〔畫：聽竹畫史〕, 그물〔網〕, 김〔海苔〕, 막〔幕〕, 바늘〔針：老乞大〕, 병풍, 문서(文書：宣祖), 시(詩：芝峯), 포(脯：成宗·陶傳·字釋), 피륙〔帛：渤海考〕.

첩(貼) 곶감〔乾柿：世宗·萬機·字釋·六典〕, 금박(金箔：殯魂殿·進饌·純國), 김〔海苔：萬機·殯魂殿·度支〕, 달걀〔雞卵：進宴〕, 술잔〔爵：春通〕, 약(藥：宣祖·正祖·辟瘟新方), 오징어〔烏賊魚：

進宴·字釋〕, 전복(全鰒：仁祖·萬機·度支), 종이〔紙：度支·陶傳〕, 책(册：六典), 포(脯：世宗·燕山君·太常志).

첩(疊) 병풍(屛風：中宗).

체(締) 그릇(10 개), 먹(10 자루), 붓(10 자루), 생강(100 개), 생선(20 마리), 수건(10 장), 장갑(10 켤레), 피륙(50 필).

체(體) 시체(屍體).

총(叢) 간지쇠〔幹只金：宣川誌〕, 조두(刁斗：萬機), 창(槍：訓重·萬機·宣川誌).

축(軸) 그림〔小畫：中宗〕, 김〔海衣：陶傳〕, 낙복지〔監落·庭落：營建·訓重·度支〕, 만장(輓章：純國), 사탕(砂糖：度支), 종이〔倭菱花：廣物譜·度支〕.

축(軸) 고명(誥命：宣祖), 교명(敎命：嘉禮), 낙복지(監試落幅紙：營建·眉巖集·萬機), 만장(輓章：純國), 족자〔簇：世宗·成宗〕, 종이〔紙：正祖〕, 책(册：高麗史), 천문도(天文圖：世宗·中宗·宣祖·陶傳), 피륙〔緞：英祖〕.

층(層) 경대(鏡臺：女俗考), 꽃〔床花：孝陵·進饌·進宴〕, 장(欌：漢京), 탑(塔：遺事·高麗史).

치(坎) 성(城：集韻·太玄經).

칭(稱) 무게〔鍮鐵(百斤)：史記·秋志·度支〕, 옷〔衣：太宗·世宗·宣祖〕.

쾌(快) 먹〔墨：中宗〕, 짐승의 각을 뜬 수(活雞半首半快：交隣).

타(朶) 국화동(菊花童 : 營建·純國), 꽃송이·꽃가지〔御賜花：度支, 艾花·首花：萬機, 樽花：度志〕, 조형물〔大鳳·白鶴：度志〕.

타(垜) 성가퀴〔垜：軍門·度支〕.

탁(卓) 자리〔筵：通志〕.

태(太) 실〔白紬系：龍岡誌〕.

태(苔) 실〔紅眞絲：殯魂殿〕.

태(駄) 기와〔夫瓦·女瓦·中瓦：度支〕, 나무껍질〔楡皮：營建〕, 농(籠·衣籠：龍岡誌, 杻籠：純國, 因山時祭物入盛杻籠：殯魂殿), 모래〔細沙：營建〕, 욋가지〔椳木：營建〕, 이엉〔草飛乃：進饌〕, 자리〔簟蘆：孝陵〕, 짐바리〔駄：太宗·世宗·度支〕, 흙〔浦土·風爐白土：純國〕.

태내(台乃) 화승(火繩：仁川誌).

토(吐) 김〔海衣：竹山誌〕, 재목〔寶材木：陶傳〕, 향(香：陶傳).

토리(土里) 박고지(朴古之：華城).

토리(吐里) 박고지(朴古之：進饌).

토질(土叱) 김〔海衣：華城〕.

통(桶) 뿔〔象牙：尙方, 觺角·黃角：度支, 黑角：度志〕, 술〔白酒：海行〕, 젓갈〔蘇魚醢·白蝦醢·卵醢：度支〕, 피륙〔上品藍三升·黑三升·紅三升：度志, 洋彈子：進宴, 大布：度支〕.

통(通) 고신(告身：高麗史), 윤음(綸音：正祖), 자문(咨文：世祖), 첩문(牒文：宣祖).

통(筒) 냄비〔銚：文宗〕, 제자(提子：文宗), 짐승의 꼬리〔豹尾：世宗〕.

통(筩) 농(籠：亂中), 배추〔白菜：進宴〕, 화살〔箭：太宗〕.

투(套) 말〔馬〕, 옷〔衣：定宗·世宗〕, 책(册).

파(把) 가위〔剪子：方物·萬機〕, 그물〔眞絲網：陶傳〕, 박오가리〔朴右巨里：度支〕, 병〔金壺：通志〕, 부

채〔白貼扇：方物, 油扇：祭器〕, 새끼〔蒿索：孝陵〕, 실끈〔多紅眞絲小繩：殯魂殿〕, 줄〔細繩：孝陵, 青兀繩：營建, 杻繩·索·条所·三甲繩：度支〕, 칼〔大刀：世宗, 剃頭刀子·雙鞘刀子·割紙細刀子·裙刀子：老乞大, 順刀：萬機〕.

판(板) 먹〔墨：揅都目〕, 목판(木版：高麗史·北漢誌), 서책〔奎章全韻：鑄所〕.

편(片) 가죽〔紅魚皮：度支, 采練·牛皮·昌牛皮·白牛皮·油皮·青黍皮·馬皮：龍岡誌, 沙魚口中皮：純國, 鹿皮：進宴〕, 갈비〔加里：龍岡誌〕, 걸레〔結介：度支〕, 돌〔忠州石：國葬, 礪石：樂造〕, 두부〔太泡：龍岡誌, 豆泡：度支〕, 띠돈〔烏犀帶錢：度支〕, 먹〔墨：尙方〕, 물고기알〔魚卵：龍岡誌〕, 뿔〔黑角：尙方〕, 사슬〔玉沙乼：純國〕, 소반〔盤：世宗〕, 연지(燕脂：孝陵, 片燕脂 ： 殯魂殿), 유리(琉璃 ： 度支), 재목〔條里木：殯魂殿〕, 종이〔青扇子紙：度支〕, 지남석(指南石：度支), 포(脯：度支), 피륙〔花板次藍紬：純國, 題目次白禾紬：進宴〕.

포(包) 달걀〔雞卵：松南〕, 바늘〔針：譯解·老乞大〕, 쌀〔米：世宗·肅宗·陰晴史·陶傳·度支〕, 차(茶：萬機).

폭(幅) 가사(袈裟：遺事), 조서(詔書：高麗史), 족자(簇子：宣祖), 종이〔紙：高麗史·世祖·芝峯〕, 피륙〔黃紬·笏記封裹黃鼎紬：成宗·松南·進宴〕.

필(匹) 개〔狗：文宗〕, 말〔騎馬：遺事·高麗史·太宗·明宗·殯魂殿, 雜色馬：度志, 廐馬：高麗史〕, 소〔耕牛：度志〕, 솜〔綿：高麗史〕, 죽산마(竹散馬：純國), 죽안마(竹鞍馬：純國), 피륙〔黃細苧布：方物, 眞紫羅：高麗史, 雲紋紗：尙方〕.

필(疋) 말〔馬：宣祖〕, 피륙〔白吐紬：尙方, 鴉青雲紋紗：萬機, 白細布·白細木：度支〕.

한(漢) 사람〔人：推鞫·高宗〕.

함(緘) 편지(西廂記).

항(缸) 가련(假蓮：進宴), 감장(甘醬：瀋狀), 물고기〔鹽銀魚·川魚·全腹：陶傳〕, 순채(蓴菜：萬機), 젓갈〔青蝌醢：萬機〕, 정과〔山葡萄正果：萬機〕.

협(挾) 가위(鋏：海行).

홀(笏) 먹(油煙墨：世祖·成宗·宣祖).

홍(泓) 우물〔井：譯解〕.

환(丸) 먹〔墨：宋書·唐書〕, 청심환(淸心丸：文宗·萬機·度志).

2) 물건에 딸린 단위어

하나의 물건에는 상위 단위(上位單位)나 하위 단위(下位單位)를 비롯하여 여러 단위어가 함께 쓰이고 있다. 본 난에서는 하나의 물건에 쓰인 단위어를 모두 모아 다음과 같이 정리하였다. ①물명을 쓰임에 따라 여러 종류로 크게 나누고, 다시 세분하여 각각의 물명을 한글 음순으로 배열하였다. ②물건에 딸린 단위어는 한글 음순에 따라 배열하였다. ③출전은 약호로 된 서명과 권수·소제목·연월일 따위를 차례로 밝히고, 제시된 단위어의 순서대로 배열하였다. ④예문은 이해에 불편하지 않은 범위에서 축약하여 실었다. ⑤

각각의 물건에는 그 물건을 지칭하는 한자나 외래어를 괄호 안에 넣었다. ⑥물건 중 차자 표기나 한자어, 또는 외래어는 현재 사용하는 표기로 바꾸었다.

Ⅰ. 집 안에서 쓰는 것

1. 부엌에서 주로 쓰는 것

1-1. 강판(薑板) →〔部〕

《度支, 雜種貿易》鍮薑板一部.

1-2. 구기〔勺〕→〔箇·坐〕

《純國 3, 稟目》龍勺一箇.

《純國 1, 盥洗位所用》洗勺一坐.

1-3. 그릇 및 기구 →〔箇(介)·具·立·丹·對·陶·枚·柄·部·事·雙·葉·坐·竹〕

1-3-1. 그릇 →〔對, 事〕

《成宗 81, 8年6月庚子》種樹器青磁一對.

《史記 11, 新羅景文王本紀》銀器二事.

1-3-2. 대접(大貼 · 大楪) →〔箇(介)·立·葉·坐·竹〕

《進宴 2, 稟目》砂大楪·楪匙各五箇.

《國葬, 下, 3房, 雜物, 實入》沙大貼之介.

《殯魂殿, 1房, 稟目》白大貼二立.

《殯魂殿, 1房, 稟目》白沙大貼二坐.

《陶傳, 萬曆 25年 2月 16日》大貼一竹八葉.

《純國 1, 移文》常大楪·甫兒·楪匙各二竹.

1-3-3. 동이〔東海·盆〕·단지〔樽〕·자배기〔者朴只〕→〔箇·陶·枚·面·坐·枝·片〕

《成宗 182, 16年 8月戊申》大碗盆兩箇.

《純國 2, 實入》者朴只六箇.

《國葬, 都廳, 乙丑 5月 13 日》陶所羅·陶東海·陶耳鐥各一陶.

《世宗 102, 25年12月辛卯》大盆二枚, 小盆二枚.

《高麗史 9, 文宗世家》盆一十面.

《進饌 2, 器用》陶所羅·陶東海·陶所湯·陶方文里各一坐.

《純國 1, 盥洗位所用》凉東海一坐.

《成宗 244, 21年 9月丁卯》朱柒小盆五十枝.

《世宗 35, 9年正月壬寅》菓子盆十片, 大盆一片.

《進宴 2, 甘結》龍樽臺具六坐.

1-3-4. 바라기〔伐兒〕→〔坐〕

《純國 2, 稟目》鍮伐兒一坐.

1-3-5. 바리·바릿대〔鉢里·鉢〕→〔具·部·事·雙·坐〕

《遺事 3, 塔像, 臺山五萬眞身》袈裟一領, 佛鉢一具.

《世宗 83, 21年 12月己未》判中樞院事李順蒙, 贈米五十石, 鍮鉢十事.

《世宗 8, 2年 4月丁巳》贈使臣鍍金小象佛二軀, 鍮鉢二雙, 鍮筋四十二雙, 鍮匙二.

《中宗 78, 29年 9月戊寅》豐德郡守許璘, 稱行幸時所用, 煙戶每十家收合鍮鉢一坐, 鍮匙筋各一.

《春通 1》鍮實果于里, 銀大鉢一坐.

1-3-6. 바탱이〔所湯伊〕→〔坐〕

《殯魂殿, 1房, 各處手本》所湯伊一坐.

1-3-7. 방구리〔方文里〕→〔箇·坐〕

《純國 1, 移文》陶東海·所羅·方文里各一箇.

《進饌 2, 器用》陶所羅·陶東海·陶所湯·陶方文里各一坐.

1-3-8. 보시기〔甫兒〕→〔介·立·竹〕

《殯魂殿, 1房, 各處手本》甫兒一竹五立.
《國葬, 3房, 雜物, 實入》沙甫兒五介.
《度志 15, 都摠府》 沙甫兒臺具四竹.
1-3-9. 복자〔鐥〕→〔陶・事・坐〕
《國葬, 都廳, 乙丑 5 月 13 日, 甘結秩》陶瓮・陶所羅・陶東海・陶耳鐥各一陶.
《高麗史 25, 元宗世家》 金鐥二事, 銀鐥八事.
《度志 9, 內人各房事例》 鍮耳鐥二坐.
《純國 1, 盥洗位所用》耳鐥一坐.
1-3-10. 사 발〔沙 鉢・盂〕→〔箇(介)・立・事・葉・竹〕
《殯魂殿, 1 房, 稟目》唐沙鉢二箇.
《國葬, 下, 2 房》沙鉢五介.
《太宗 11, 6年正月丁未》 銀鍾銀盂一事.
《陶傳, 萬曆25年2月16日》 白沙鉢三竹七葉, 常沙鉢二竹二葉.
《營建, 實入》 沙鉢十一竹.
《殯魂殿, 1 房, 各處手本》常沙鉢一竹五立.
1-3-11. 새옹〔沙用〕→〔坐〕
《進饌 2, 器用》鍮大沙用七坐.
《度志 9, 內人各房事例》 鍮大沙用蓋具二坐.
1-3-12. 소래기〔所羅〕→〔箇・陶・坐〕
《營建, 實入》所羅五十箇.
《國葬, 都廳, 乙丑 5月 13日》陶所羅・陶耳鐥各一陶.
《萬機, 軍政編 3, 御營廳, 軍器》銅所羅十八坐.
1-3-13. 시접〔匙貼〕→〔立・部・竹〕
《陶傳, 天啓 8年正月20日》 匙貼二竹八立.
《祭器, 都監單子》匙貼一竹.
《尙方 3, 別例 下, 大殿進排》銀匙貼蓋具壹部.
1-3-14. 식기(食器)→〔立・竹〕
《殯魂殿, 1房, 稟目》鍮食器十立.
《殯魂殿, 1房, 各處手本》鍮食器一竹.
1-3-15. 양푼〔凉盆〕・노구솥〔鍋〕→〔口・坐〕
《世宗 20, 5年 6月庚午》 銅鍋一十口.
《純國 1, 湯色所用》大凉盆一坐.
《萬機, 軍政編 3, 禁衛營, 軍器》銅鍋一千一百六十二坐.
1-3-16. 쟁반(錚盤)→〔坐〕
《殯魂殿, 1房, 稟目》錚盤一坐.
《純國 1, 魂殿》錚盤一坐.
1-3-17. 접시〔葉匙・楪匙・貼匙・貼是〕→〔箇(介)・丹・立・葉・竹〕
《進宴 2, 稟目》楪匙五箇.
《營建, 實入》沙貼匙五介.
《進饌 2, 器用》鍮葉匙二丹.
《進饌 2, 器用》砂楪匙二竹四立.
《陶傳, 萬曆 25年 2月 16日》貼是十四竹九葉.
《營建, 實入》貼匙五竹.
《祭器, 都監單子》貼是四竹.
1-3-18. 종지〔鍾子〕→〔箇(介)・立・竹〕
《殯魂殿, 1房, 稟目》唐沙鍾子二箇.
《營建, 實入》沙鍾子三介.
《殯魂殿, 1 房, 稟目》沙鍾子五立.
《孝陵, 都監》沙鍾子二竹.
1-3-19. 주발〔椀・周鉢・朱鉢〕→〔箇・具・立・部・葉・竹〕

《世宗 34, 8年11月丁巳》朱椀二百一箇.
《遺事 3, 塔象, 臺山五萬眞身》紅漆椀一十具.
《成宗 204, 18年6月甲申》朱漆椀子一十具.
《尙方 3, 別例 下》銀周鉢蓋具壹部.
《陶傳, 萬曆28年10月7日》朱鉢大小幷五竹九葉.
《殯魂殿, 1房, 各處手本》沙磁碗一竹五立.
1-3-20. 찻종(茶鍾)·차관(茶罐) → 〔坐〕
《進宴 2, 甘結》砂茶鍾臺具四坐.
《殯魂殿, 1房, 稟目》銀茶椀蓋具一坐.
《進宴 2, 甘結》砂茶罐四坐.
1-3-21. 탕기(湯器) → 〔箇·立·竹〕
《純國 2, 實入》湯器五箇.
《進饌 2, 器用》砂鉢·砂湯器·砂鍾子各十一竹六立.
《度志 9, 內人各房事例》鍮湯器二竹.
1-4. 대야〔大也·匜〕→〔坐〕
《純國 1, 祭器》耳大也二坐.
《純國 1, 祭器, 魂殿》御匜一坐.
1-5. 도마〔刀磨 · 刀亇 · 刀馬〕→〔介·坐〕
《孝陵, 別工作》大中刀馬八介.
《殯魂殿, 1房, 稟目》刀亇一坐.
《營建, 移文》廣刀磨一坐.
1-6. 물을 담거나 뜨는 물건.
1-6-1. 관(罐·鑵) →〔個·提·坐〕
《陰晴史, 上, 高宗 19年壬午 3月》二十二日, 晴風……鉛罐二個, 漆罐二個, 紅泥罐二個, 晴鉛粉一包, 巴麻油一瓶.
《交隣 5, 一行回受禮單》銅藥鑵三提.
《純國 1, 祭器》銅鑵子一坐.
1-6-2. 두멍〔豆毛〕→〔坐〕
《孝陵, 都監》豆毛四坐.
《度支, 鐵物》豆毛一坐, 価錢九兩.
1-6-3. 병〔瓶·壺〕→〔箇·經·口·坐·隻·把〕
《進宴 2, 甘結》砂瓶十箇.
《廣物譜 2, 飮食部》經, 酒瓶也. 一瓶曰一經.
《高麗史 18, 毅宗世家》命造銀瓶十口, 重三十斤, 各盛五香五藥, 納于寺.
《純國 1, 祭器, 魂殿》鑄瓶一坐.
《高麗史 9, 文宗世家》金鍍銀鈒花瓶十一隻.
《通志 4, 事大, 弔祭儀》銀壺一把.
1-6-4. 통〔榼·桶〕→〔口·部〕
《史記 10, 新羅元聖王本紀》今賜卿羅錦綾綵等三十匹, 衣一副, 銀榼一口.
《祭器, 都監單子》水桶二十四部.
1-6-5. 표주박〔瓢〕→〔箇·顆·雙〕
《萬機, 軍政編 2, 龍虎營, 軍器》銅瓢子五百九十二箇, 皮瓢子一千箇.
《太宗 10, 6年 4月庚辰》椰瓢八顆及諸菓實.
《度支, 木柳器》小小瓢一雙, 価錢一戔四分.
1-6-6. 항아리〔缸·瓮〕→〔介·陶·坐〕
《度支, 盤沙器》白沙缸一介, 価錢一戔.
《國葬, 都廳, 乙丑5月13日, 甘結秩》陶瓮·陶所羅·陶東海·陶耳鐥各一陶.
《度支, 盤沙器》大瓮一坐, 価米七

升.

1-7. 떡메〔餠亇赤〕→〔箇〕

《殯魂殿, 1房, 各處手本, 奉常寺》餠亇赤一箇.

1-8. 막자(莫子) →〔箇〕

《進宴 2, 稟目》沙莫子二箇.

《殯魂殿, 1房, 稟目》唐沙莫子一箇.

1-9. 번철(燔鐵) →〔坐〕

《進饌 2, 饌品》燔鐵四坐.

1-10. 삼발이(아리쇠)〔阿里金·阿里鐵·阿耳鐵〕→〔箇(介), 巨里〕

《度支, 鐵物》阿里金一介.

《萬機, 軍政編 3, 御營廳, 軍器》阿耳鐵一千四百二十箇.

《萬機, 軍政編 3, 摠戎廳, 軍器》阿里鐵九十五巨里.

1-11. 석쇠〔炙金〕→〔箇(介)·部·雙〕

《純國 1, 魂殿祭器》長炙金一箇.

《度支, 鐵物》炙金一介.

《度支 9, 內人各房事例》大炙金一部.

《孝陵, 啓辭》中炙金一雙.

1-12. 석자〔乷煮〕→〔箇〕

《殯魂殿, 1房, 各處手本》乷煮十箇.

1-13. 소반〔盤〕→〔箇·葉·竹〕

《高麗史 70, 樂志》盤子七箇.

《陶傳, 天啓 8年正月 20日》黑柒大盤一竹八葉.

《進宴 2, 器用, 尙方措備》大圓盤二竹.

1-14. 솥〔省〕→〔箇〕

《純國 1, 移文》草省·助乃·周巪·鼎蓋各二箇.

1-15. 솥뚜껑 →〔箇〕

《純國 1, 移文》草省·助乃·周巪·鼎蓋各二箇.

1-16. 수저〔匙箸〕

1-16-1. 숟가락〔匙〕→〔箇·根·丹·枝〕

《尙方 3, 別例 下, 親迎》銀匙二箇.

《通志 4, 事大, 禮單》銀匙二根.

《殯魂殿, 1房, 稟目》鍮匙一丹.

《陶傳, 乙丑正月24日》正果匙十九枝.

1-16-2. 젓가락〔箸·筯·鉗子〕→〔件·丹·枚·每也·每伊·面·雙·枝〕

《度支, 雜種貿易》鍮箸一件.

《陶傳, 乙丑正月 24日》箸二丹四雙一枝.

《高麗史 2, 惠宗世家》金銀細鏤鉗子二十枚.

《尙方 3, 別例 下, 國婚》銀筯貳面.

《祭器, 甘結》銀筯一每也.

《國葬, 3房, 雜物, 實入》鍮長筯一每伊.

《度支, 雜種貿易》木箸一雙.

1-17. 시루〔甑〕→〔坐〕

《殯魂殿, 1房, 各處手本》中甑一坐.

1-17-1. 시룻밑〔甑本〕→〔箇(介)〕

《殯魂殿, 1房, 各處手本》甑本二箇.

《度支, 雜種貿易》甑本一介.

1-17-2. 시룻방석〔甑蓋〕→〔介〕

《度支, 雜種貿易》甑蓋一介.

1-18. 안반〔案板〕→〔立〕

《殯魂殿, 1房, 各處手本》大案板四立.

1-19. 약탕관〔藥鑵〕→〔提〕

《交隣 5, 一行回受禮單》銅藥鑵三提.

1-20. 용수(容水) →〔介〕

《度支, 雜種貿易》容水一介.

1-21. 잔〔盞·爵〕→〔坮·臺·雙·坐·執·貼〕

《陶傳, 己卯 8月 17日》鍮盞三坮.

《陶傳, 己卯 8月 17日》爵四坮.

《高麗史 30, 忠烈王世家》白銀滿鏤鍍金臺盞一雙.

《殯魂殿, 1房, 稟目》銀盞臺具鍍金一坐.

《春通 25, 吉禮》鍮爵一貼一坐.

《通志 4, 事大, 弔祭儀》銀爵三執.

1-22. 쟁반〔枰〕→〔枚〕

《世宗 22, 5年 10月壬戌》紅漆茶枰五十枚.

1-23. 조리〔助乃〕→〔箇(介)〕

《純國 1, 移文》草省·助乃·周乬·鼎蓋各二箇.

《殯魂殿, 1房, 實入》助乃二介.

1-24. 주걱(周乬) →〔箇〕

《純國 1, 祭器, 魂殿》周乬一箇.

1-25. 주자〔注子·酒注·酒器〕→〔事·把〕

《高麗史 2, 定宗世家》銀注子一事.

《文宗 3, 卽位年 8月丁丑》青苗金酒注一把.

《高麗史 23, 文宗世家》金酒器一事.

1-26. 주전자〔丫飛介〕→〔箇·坐〕

《度志 9, 內人各房事例》銅丫飛介一箇.

《進饌 2, 甘結》銅丫飛介一坐.

1-27. 채반〔杻盤〕·소쿠리〔所昆里〕·광주리〔筐〕→〔介·立·備·竹〕.

《度支, 木柳器》杻盤一介.

《度支, 木柳器》杻所昆里一介.

《度支, 雜種貿易》大杻盤一立.

《度志 16, 通信使行》彩畫宴筐一備.

《殯魂殿, 稟目》白骨盤一竹九立.

1-28. 함지(函之) →〔部〕

《殯魂殿, 1房, 各處手本, 奠禮》食函之一部.

2. 불을 피우거나 끓이는 것

2-1. 노구솥〔爐口〕→〔部·坐〕

《成宗 73, 7年11月甲寅》三合爐口一部.

《萬機, 軍政編 2, 龍虎營, 軍器》銅爐口二百十八坐.

2-2. 봉로(烽爐·熢爐) →〔介·坐〕

《殯魂殿, 各處手本》土烽爐十介.

《度支, 瓦甎》熢爐一坐.

2-3. 부젓가락〔火著·鋏〕→〔箇(介)·雙·挾〕

《純國 1, 祭器, 魂殿》長火著一箇.

《度支, 鐵物》火著一介.

《殯魂殿, 1房, 稟目》火著一雙.

《海行, 各處書契》唐鋏六挾.

2-4. 솥〔釜·鼎〕→〔坐〕

《萬機, 軍政編 3, 摠戎廳, 軍器》銅釜二坐.

《陶傳, 萬曆 46年正月19日》大鼎二坐.

2-5. 풍로(風爐) →〔坐〕

《度支, 雜種貿易》風爐一坐.

2-6. 향로(香爐) →〔坐〕

《營建, 甘結》香爐一坐.

2-7. 화로〔火爐·火盆·茗爐〕→〔箇(介)·部·事·圍·坐·竹〕

《殯魂殿, 稟目》土火爐五竹八箇.

《國葬, 3房》土火爐一介.

《孝陵, 別工作》木火爐四部.

《世宗 47, 12年2月己丑》火盆一事.

《通志 5, 交隣, 差倭》赤銅茗爐一圍.

《進宴 3, 儀仗》金爐二坐.

3. 물건을 올려놓는 것

3-1. 가자〔架子〕→〔部〕

《純國 3, 造作》架子十一部.

3-2. 목판〔隅板〕→〔立·部·竹〕

《祭器, 都監單子》隅板三十二部.

《進饌 2, 器用》隅板六立.

《進饌 2, 器用》隅板五竹.

3-3. 상(床) →〔笛·立·部·事·葉·張·坐·座·竹·隻〕

3-3-1. 고족상(高足床) →〔立·坐·竹〕

《陶傳, 乙丑正月24日》高足床二竹五立.

《營建, 甘結》高足床十坐.

3-3-2. 교상(交床) →〔隻〕

《高麗史 70, 樂志》黑漆交床一隻.

3-3-3. 담상(檐床) →〔張〕

《高麗史 2, 惠宗世家》檐床一張.

3-3-4. 등상(登床·橙) →〔笛·坐〕

《海行, 姜弘重東槎錄, 乙丑2月9日》白酒一桶, 橙一笛.

《殯魂殿, 1房, 稟目》大中小登床各一坐.

3-3-5. 세위상(洗位床) →〔部〕

《祭器, 都監單子》洗位床三部.

3-3-6. 소반〔盤〕→〔立·葉·坐·竹〕

《殯魂殿, 1房, 實入》黑柒大盤一竹八立.

《尙方 3, 別例 下, 大內進排》倭朱紅漆大圓盤參立.

《陶傳, 天啓 8年正月20日》黑漆大盤一竹八葉.

《進宴 2, 器用》唐朱紅漆大圓盤二竹, 紅心黑邊高足雕刻大圓盤三坐.

3-3-7. 안상(案床) →〔部〕

《尙方 3, 別例 下, 納采》唐朱紅漆案床壹部.

3-3-8. 제상(祭床) →〔座〕

《殯魂殿, 1房, 祭奠器數式》祭床一十八座.

3-3-9. 전안상(奠雁床) →〔部〕

《尙方 3, 別例 下, 親迎》倭朱紅奠雁床壹部.

3-3-10. 촛상〔燭床〕→〔部〕

《祭器, 都監單子》燭床十二部.

3-3-11. 탁자(卓子) →〔立·部·事·坐〕

《殯魂殿, 1房, 各處手本, 奉常寺》卓床五立.

《孝陵, 別工作》卓子七部.

《端宗 2, 卽位年8月甲子》果卓大小共四事.

《進宴 3, 排設》進爵卓一坐, 進花卓一坐.

3-3-12. 평상(平床) →〔坐〕

《純國 2, 稟目》箭平床一坐.

《進宴 3, 排設》龍平床一坐.

3-3-13. 두부판〔泡床〕→〔部〕

《祭器, 都監單子》泡床十六部.

3-4. 서가(書架) →〔脚〕

《通志 5, 文隣, 差倭》彩花書架一脚.

3-5. 서안〔書案·册案〕→〔面·坐〕

《高麗史 2, 惠宗世家》册案一面.

《營建, 甘結》書案三坐.

3-6. 세대(洗臺) →〔坐〕

《純國 1, 盥洗位所用》洗臺一坐.

3-7. 안반〔案板〕→〔坐〕

《度志 9, 內人各房事例》案板一坐.

3-8. 잔대(盞臺) →〔坐〕

《進饌 2, 器用》銀盞壹一坐.

《純國 1, 祭器》坫三坐.

3-9. 찬안(饌案) →〔坐〕

《進宴 3, 排設》饌案十二坐.

3-10. 촛대받침〔燭臺跗〕→〔坐〕

《進宴 2, 甘結》燭臺跗二坐.
3-11. 향안〔香案·香座兒·香床〕→〔雙·坐〕
《進宴 3, 排設》香座兒一雙.
《營建, 甘結》香床一坐.
《進宴 2, 器用》香案二坐.
4. 물건을 담거나 넣어 두는 것
4-1. 체〔篩〕→〔部〕
《進饌 1, 來關秩》細馬尾篩二部.
4-2. 갑(匣) →〔部·備·條·座〕
《國葬, 3房, 實入》護匣一部.
《交隣 1, 差倭》革裹大簿匣一備.
《度志, 外篇 16, 通信使行》彩畫箋匣一備.
《高麗史 9, 文宗世家》金鍍銀匣盛一條.
《太宗 6, 3年10月辛未》硃紅柒法服匣一座.
4-3. 고리〔箕〕→〔部〕
《萬機, 財用編 1, 供上, 大王大妃》柳箕二部.
4-4. 궤(樻·櫃) →〔秀·隻〕
《濬狀, 辛巳 8月19日》果樻一秀.
《中宗 41, 16年4月辛卯》櫃子五百十二隻.
4-5. 농(籠) →〔部·隻·駄·箱〕
《方物》鞍籠二部.
《度支, 雜種貿易》紙籠一隻.
《龍岡誌, 折價式》籠一駄.
《亂中, 丙申9月30日》衣籠二箱.
4-5-1. 등롱(燈籠) →〔箇·件·浮·雙·摺·盞〕
《萬機, 軍政編 2, 龍虎營, 軍器》銅鐵絲籠一百箇.
《萬機, 軍政編 2, 訓鍊都監, 軍器》銅鐵絲籠七百三十五件.
《純國 2, 實入》三色燭籠十二浮.
《進宴 3, 儀仗》紅籠三雙.
《世祖 21, 6年7月辛巳》油籠一百摺.
《萬機, 軍政編 3, 禁衛營, 軍器》銅鐵紗籠四百九十一盞.
4-6. 두지(豆之·斗之) →〔部·坐〕
《祭器, 都監單子》豆之十七部.
《訓重, 弓箭色, 時遺在秩》斗之伍坐.
4-7. 고리〔古里〕→〔介〕
《度支, 木柳器》杻古里一介.
4-8. 동고리(同古里) →〔部〕
《度支, 木柳器》柳同古里一部.
4-9. 빗접〔梳貼〕→〔部〕
《萬機, 財用編 1, 供上, 大殿》畫梳貼一部.
4-10. 상자〔笥〕→〔部〕
《孝陵, 都監》柳笥二部.
4-11. 장(欌) →〔坐〕
《殯魂殿, 1房, 各處手本, 奠禮》三層欌一坐.
4-12. 함〔函·廚子〕→〔部·事·坐〕
《尙方 3, 別例 下》龍袍函壹部.
《度志, 外篇 16, 經費司》螺鈿梳函一事.
《進宴 2, 甘結》紅假函五坐.
《肅宗 51, 38年3月壬辰》廚子一坐.
5. 병풍(屛風) →〔雙·張·坐·座〕
《成宗 204, 18年6月甲申》屛風一雙.
《成宗 244, 21年9月丁卯》屛風二張.
《光海君 91, 7年6月乙酉》屛風五坐.
《中宗 18, 32年5月己卯》造十疊屛風二座.
6. 바느질하는 데 쓰는 것
6-1. 가위〔剪刀·加耳·剪子〕→〔箇(介)·枚·把〕

《純國 2, 稟目》 剪刀 · 引刀 · 熨刀 各二箇.
《度支, 鐵物》 加耳一介.
《高麗史 2, 惠宗世家》 剪刀一十枚.
《老乞大, 下》 剪子一百把(ᄀᆞ애 일 빅 ᄌᆞᄅᆞ).
6-2. 다리미〔熨刀〕→〔箇 · 事〕
《殯魂殿, 1房, 實入》 熨刀一個.
《世祖 44, 13年10月壬寅》 熨刀三事.
6-3. 바늘 · 침(針) →〔箇 · 根 · 枚 · 封 · 帖〕
《世宗 25, 6年8月丁巳》 針一百箇.
《高麗史 2, 惠宗世家》 金銀裝所刺六根.
《史記 7, 新羅文武王本紀》 針四百枚.
《純國 2, 稟目》 大中小針各二封.
《老乞大, 下》 繡針一百帖(슈 ᄡᅳᄂᆞᆫ 바ᄂᆞᆯ 일 빅 뽐).
6-4. 실〔絲〕→〔艮衣·曲之·斤·兩·錢·般多只·釜·分·里音·尺·稱·太·苔〕
《進宴 3, 修理》 黃絲二十艮衣.
《龍岡誌, 折價式》 唐糸一太, 白紬糸一太, 價四分, 八曲之爲一太, 十太一釜.
《度支, 各色絲繭》 上品白絲一斤.
《殯魂殿, 實入》 紅眞絲一兩五錢.
《尙方 1, 大殿》 縫作各色絲玖錢參分.
《度支, 索綯》 一幅袱(細絲一里音).
《左捕廳 1, 乙未10月30日》 綿紬絲二般多只.
《度支, 雜種貿易》 草綠多繪絲一尺.
《度支, 各色絲繭》 平白絲一稱(百斤).
6-5. 인두〔引刀·引導〕→〔箇(介) · 柄)〕
《純國 2, 稟目》 剪刀 · 引刀 · 熨刀 各二箇.
《度支, 鐵物》 引刀一介.
《方物》 引導五柄.
6-6. 전반〔剪板〕→〔箇(介) · 部〕
《殯魂殿, 1房, 稟目》 剪板四箇.
《國葬, 下, 3房》 剪板二介.
《進宴 2, 稟目》 大小剪板各二部.
6-7. 홍두깨〔橫道介〕→〔介〕
《殯魂殿, 1房, 稟目》 橫道介一介.
7. 줄 · 끈〔三甲所 · 繩 · 組 · 絃〕→〔艮衣 · 斤 · 道 · 部 · 條 · 把〕
《度支, 各色絲繭》 三甲所一艮衣.
《度支, 索綯》 細繩一斤.
《高麗史 70, 樂志》 紅絃一十道.
《尙方 3, 別例 下》 青組壹部.
《世宗 25, 6年8月丁巳》 弓絃一條.
《殯魂殿, 中, 稟目》 紅鄕絲三甲所十把.
8. 불을 밝히는 데 쓰는 것
8-1. 등경걸이〔燈臺 · 光明臺〕→〔掛 · 對 · 坐〕
《春通 46, 嘉禮, 迎勑禮單》 玲瓏燈臺二對.
《進饌 2, 稟目》 光明臺六十四坐.
8-2. 등잔(燈盞) →〔事 · 竹〕
《太宗 12, 6年7月丙午》 石燈盞三十事.
《殯魂殿, 1房, 各處手本》 常燈盞一竹.
8-3. 용지(龍脂) →〔箇 · 柄〕
《殯魂殿, 1房, 稟目》 龍脂五箇.
《度志 15, 都摠府》 龍脂二十柄.
8-4. 초〔燭〕→〔對 · 柄 · 雙 · 丁 · 挺 · 炷 · 枝 · 隻〕
《高麗史 9, 文宗世家》 龍鳳燭二十對, 龍一十對, 鳳一十對.

《中宗 26, 11年11月丙申》因賜白蠟燭二十柄.
《訓重, 內策應所, 時遺在秩》六兩燭伍雙壹隻.
《太宗 22, 11年 7 月癸亥》 蠟燭十丁.
《世宗 21, 5年 7月己丑》 蠟燭三百挺.
《春通 46, 嘉禮, 迎勑禮單》蠟燭三十枝.
《世宗 34, 8年11月丁巳》蠟燭五十炷.
8-5. 촛꽂이〔燭串之〕→〔介〕
《度支, 鐵物》燭串之一介.
8-6. 촛대〔燭臺坮〕→〔雙〕
《陶傳, 已卯8月17日》燭坮二雙.
8-7. 향(香) →〔封·雙·劑·炷〕
《度支, 鄕藥材》芙蓉香一劑, 價艮一百六十兩, 一封五雙, 價錢一兩.
《春通 46, 嘉禮, 迎勑禮單》香五十炷.
8-8. 향꽂이〔香串之〕→〔雙〕
《進宴 3, 排設》香串之一雙.
8-9. 홰〔炬〕→〔介·同·柄〕
《度支, 木柳器》杻中炬(十介)一同.
《殯魂殿, 1房, 稟目》炬子五柄.
8-10. 불씨〔種火〕→〔盤〕
《城制考, 城制圖說》種火一盤.
9. 목조(木槽) →〔部〕
《純國 2, 稟目》木槽二部.
10. 요강(溺江) →〔坐〕
《進饌 2, 甘結》溺江二坐.
11. 용정자〔龍亭〕→〔坐〕
《萬機, 財用編 5, 信使, 盤纏》龍亭二坐.
12. 인주그릇〔印朱器〕→〔坐〕
《進饌 2, 甘結》印朱器二坐.
13. 재양틀〔淨機〕→〔坐〕
《進饌 2, 稟目》淨機五坐.
14. 주렴틀〔朱簾機〕→〔坐〕
《純國 2, 稟目》朱簾機二坐.
15. 타구(唾口) →〔坐〕
《進饌 2, 甘結》唾口二坐.
16. 향합(香盒) →〔事·坐〕
《通志 3, 方物數目》銀香盒一事.
《營建, 甘結》香盒一坐.
17. 깔거나 몸을 기대는 것
17-1. 깔개〔席座子·網席·茵席〕→〔件·立·枚·浮·葉·張〕
《孝陵, 座目》網席七十立.
《陶傳, 萬曆 46年正月19日》茵短席八立.
《尙方 1, 大殿》席座子參件.
《世宗 19, 5年正月癸未》折數二十枚.
《純國 2, 稟目》竹網半浮.
《陶傳, 萬曆 35年 2月16日》茵短席八葉.
《殯魂殿, 1房, 稟目》茵席四張半.
17-2. 답장(踏掌) →〔件·坐〕
《尙方 1, 大殿》涼踏掌參件.
《進宴 3, 修理》踏掌二坐.
17-3. 등메〔登每〕→〔件·坐〕
《殯魂殿, 1房, 稟目》白紋登每三件.
《度支, 寢茵》別紋登每一坐.
17-4. 방석(方席) →〔件·立·坐·竹〕
《純國 1, 來關秩》滿花方席一件.
《陶傳, 萬曆 46年正月19日》花文方席四立.
《國葬, 下, 3房》別紋方席一坐半張.
《陶傳, 萬曆 46年正月19日》草大圓方席一竹.
17-5. 안석〔案息·倚背〕→〔件·立·

面・坐〕
《殯魂殿, 稟目》白紋案息三件.
《純國 1, 移文》登每方席・案息各二立.
《高麗史 2, 惠宗世家》倚背二面.
《度支, 寢茵》紅紬案息一坐.
17-6. 양탄자(洋彈子) →〔碼・浮・桶〕
《進宴 3, 排設, 咸寧殿內外排設》洋彈子十一桶六百二十碼.
《進宴 3, 修理》洋彈子四浮.
17-7. 요〔褥〕→〔件・副・面・領・坐〕
《殯魂殿, 1房, 稟目》紅水紬褥一件.
《高麗史 2, 惠宗世家》紫綾席褥一副.
《高麗史 2, 惠宗世家》紅地金銀五色線織成龍床褥二面.
《高麗史 2, 惠宗世家》紫綾案褥一領.
《孝陵, 造成所, 欑宮排設》紫綾褥二坐.
17-8. 털요〔阿多介・氈〕→〔匣・浮・部・條・坐〕
《宣祖 203, 39年9月乙未》阿多介一匣.
《殯魂殿, 1房, 實入》紅氈十二部.
《英祖 77, 28年6月辛丑》紅氈二十浮.
《尙方 2, 別例 上》毛氈肆浮.
《朴通事, 中》花氈來底下鋪一條(花氈 가져다가 밋희 ᄒᆞᆫ 블 ᄭᆞᆯ고).
《成宗 73, 7年11月甲寅》阿多介一坐.
17-9. 욧속〔褥槊〕→〔桴〕
《龍岡誌, 折價式》褥槊一桴, 作眞末三升, 皮紙十八丈.
17-10. 자리〔席・簟〕→〔件・立・文・紋・番・浮・部・葉・丈・張・坐〕
《進宴 3, 排設》上排彩花單席一件.
《度支, 席子》草席一立.
《竹山誌, 事例》風席一立.
《度支, 草物》竹簟一立(長十四尺, 廣八尺).
《國葬, 2房, 雜物實入》別紋席參拾參張柒文.
《國葬, 2房, 稟目》交倚三踏掌別紋席三紋.
《方物》馬上油席一番.
《度支, 草物》小蘆簟一浮.
《殯魂殿, 1房, 稟目》彩花單席一浮.
《世祖 16, 5年4月庚申》油紙席二部.
《太宗 19, 10年4月甲寅》席子十葉.
《陶傳, 萬曆 26年4月》白文席三丈.
《文宗 4, 卽位年10月丁丑》花席十張.
《殯魂殿, 下, 實入》黃花席三十三張四紋.
《國葬, 2房, 稟目》別紋單方席一坐半張.
18. 베개〔枕子〕→〔首〕
《成宗 204, 18年6月甲申》金紋枕子五十首.
19. 거울〔銅人勝・鏡〕・망원경〔千里鏡〕→〔箇(介)・對・枚・面〕
《萬機, 財用編 1, 大殿》大銅人勝二箇.
《度支, 成器物種》小銅人勝一介.
《正祖 42, 19年2月甲辰》千里鏡二枚……大玻璃鏡一對, 花玻璃壁鏡一對.
《高麗史 1, 太祖世家》右手擎一面古鏡, 方一尺許.

《度支, 雜種貿易》倭鏡一面.
20. 아궁이〔竈〕→〔口〕
《城制考, 城制圖設》鍋竈各一口.
21. 맷돌〔碾〕→〔部〕
《祭器, 都監單子》石碾十部.
22. 관의(棺衣)→〔件〕
《殯魂殿, 內下需用》草綠貢緞初棺衣一件.
23. 보〔袱〕→〔件·浮·條〕
《尙方 1, 準折式》肆幅單袱, 每件磻紅鼎紬拾壹尺貳寸.
《國葬, 3房, 雜物實入》白木綿襦袱二浮.
《宣祖 163, 36年6月甲辰》紅布包袱一條.
24. 상건(床巾)→〔件〕
《進饌 2, 饌品》床巾十件.

Ⅱ. 토목·건축에 관한 것
1. 석재〔新石·礪·磚石·柱礎·誌石〕→〔塊·立·負·部·張·片〕
《世宗 49, 12年8月辛未》礪石三十塊.
《營建, 實入》大柱礎十九塊, 八尺墻臺石二塊
《營建, 實入》大磚石 千九百七十五立.
《度支, 灰石土》新石一負.
《孝陵, 三物所》樂器櫝石一部.
《純國 4, 實入》誌石二十三張.
《國葬, 下, 2房, 實入》忠州石二片.
2. 흙·모래→〔斛·負·馱〕
《辟瘟方, 虎頭殺鬼元辟瘟》淨沙三斛(조흔 몰애 셕 셤).
《度支, 灰石土》黃土一負.
《國葬, 3房, 雜物實入》白土二馱.
《營建, 實入》細沙九百五十馱.
3. 물건에 박거나 붙이는 것
3-1. 가막쇠〔加莫金〕→〔介〕
《殯魂殿, 內下需用》中加莫金兩排具八介.
3-2. 간지쇠〔幹只金〕→〔叢〕
《宣川誌, 上》幹只金四十叢.
3-3. 감잡이〔甘佐非〕→〔箇(介)〕
《營建, 實入》長甘佐非丁具六十三箇.
《殯魂殿, 內下需用》大甘佐非丁具八介.
3-4. 거멀못〔巨勿釘·巨勿丁〕→〔箇(介)·丁〕
《營建, 實入》大巨勿釘二百二十箇.
《度支, 鐵物》小巨勿丁八介.
《度支, 鐵物》中巨勿丁四丁.
3-5. 걸쇠〔乬金〕→〔雙〕
《祭器, 都監單子》乬金九雙.
3-6. 국화동(菊花童)→〔介·部·雙·朶〕
《度支, 鐵物》菊花童大一介.
《度支, 鐵物》菊花童大一部.
《殯魂殿, 中, 稟目》菊花童二雙.
《營建, 實入》菊花童二十八朶, 中菊花童釘具二十朶.
3-7. 대접쇠〔大帖金〕→〔箇〕
《營建, 實入》大帖金六十九箇.
3-8. 돌적이(乭迪耳)→〔部·隻〕
《營建, 實入》大乭迪耳二千八百三十九部一隻.
3-9. 똬리쇠〔坐鐵〕→〔件〕
《度支, 鐵物》坐鐵匣一件.
3-10. 막뚝〔末禿〕→〔介〕
《度支, 鐵物》有環末禿一介.
3-11. 못〔釘·丁〕→〔箇(介)〕
《純國 2, 稟目》三寸釘十六箇.
《度支, 鐵物》頭丁一介.
3-12. 박철(朴鐵)→〔立〕
《度支, 銅鑞》城門朴鐵一立.

3-13. 배목(排目) → 〔箇(介)·部〕
《純國 4, 造作》排目一箇.
《度支, 鐵物》三排目大一介.
《孝陵, 造成所》三排目釵釘具四部.
3-14. 사슬〔沙乼〕→〔巨里·折〕
《營建, 實入》長沙乼兩排具二十五折二巨里.
《度支, 鐵物》長沙乼半巨里.

4. 연장에 관한 것

4-1. 대패〔大波〕→〔箇〕
《營建, 實入》長舌大波三箇.
4-2. 도끼〔斧子〕→〔箇·柄〕
《殯魂殿, 1房, 還下》斧子三箇.
《萬機, 軍政編 2, 龍虎營, 軍器》斧子十七柄.
4-3. 마치〔亇赤〕→〔箇(介)〕
《純國 4, 造作》汗亇赤三箇.
《國葬, 3房, 雜物, 實入》沙亇赤一介.
4-4. 모루받침〔毛老臺〕→〔箇〕
《純國 4, 造作》毛老臺一箇.
4-5. 몽둥이〔蒙同〕→〔箇〕
《孝陵, 座目》大蒙同·中蒙同·小蒙同各一箇.
4-6. 바곳〔朴串〕→〔箇(介)〕
《純國 4, 造作》朴串二箇.
《度支, 鐵物》朴串一介.
4-7. 방망이〔方亇赤〕→〔介〕
《國葬, 2房》朴達方亇赤二十介.
4-8. 송곳〔松串·錐兒〕→〔箇〕
《純國 4, 造作》道乃松串一箇.
《老乞大》錐兒一百箇.
4-9. 쇠손〔金手〕→〔介〕
《度支, 鐵物》金手一介.
4-10. 장도리〔長道里·掌乭里·掌道里·獐足〕→〔箇〕
《營建, 實入》大長道里三十二箇.
《純國 4, 造作》掌乭里一箇.
《殯魂殿, 1房, 用後還下秩》掌道里五箇.
《殯魂殿, 1房, 實入》獐足三箇.
4-11. 정〔釘〕→〔坐〕
《殯魂殿, 1房, 稟目》鐵釘二坐.
4-12. 줄〔鐦·乼〕→〔介〕
《度支, 鐵物》大鐦一介.
《度支, 鐵物》方乼一介.
4-13. 집개(執介) →〔箇〕
《純國 4, 造作》大中執介各二箇.
4-14. 톱〔鉅〕→〔介〕
《度支, 鐵物》無齒鉅一介.
4-15. 통(桶·筒) →〔部·雙〕
《營建, 實入》大擔桶五部.
《史記 11, 新羅景文王本紀》金鏤鷹尾筒五十雙.
4-16. 편담(扁擔) →〔柄〕
《萬機, 軍政編 2, 訓鍊都監, 軍器》扁擔五十柄.

5. 건조물(建造物)이나 축조물(築造物)에 대한 것

5-1. 간살 →〔間〕
《遺事 2, 紀異, 孝恭王》奉聖寺外門, 東西二十一間.
《太祖 8, 4年9月庚申》太廟及新宮造成, 太廟大室七間, 同堂異室, 內作石室五間.
5-2. 근총안〔近眼〕→〔穴〕
《華城, 首, 圖說》近眼一穴.
5-3. 단(壇) →〔區〕
《宣祖 45, 26年閏11月庚子》各設壇場一區, 縱二十丈, 橫十丈, 外築圍墻.
5-4. 담·벽 →〔堵·板〕
《朴通事, 上》多少一板(六尺爲板, 五板爲堵).
《救急, 68 a》先打壁土一堵(ᄇᆞᄅᆞᇝ 흙 ᄒᆞᆫ 곪을).

5-5. 대문(大門) → 〔座〕
《平壤志 1, 公署》大門一座.
5-6. 돈대〔墩〕→〔座〕
《城制考, 城制圖說》墩一座.
5-7. 성가퀴 →〔隊·俉·垜〕
《肅宗 5, 2年 5月丁丑》自三月五日始役, 五十日而訖功, 凡一千五百三十一垜, 周迴四千三百三十七把.
《度志, 外篇, 版籍司, 城垜分授》分授城垜, 合一千五百十四垜.
《軍謄, 乙未 11月 26日》每五垜爲一俉, 五十垜爲二隊.
5-8. 성곽 →〔區〕
《宣祖 46, 26年12月丙辰》方屯據邊城十餘區.
5-9. 집 →〔區·門·遂·廛·坐·座·戶〕
《遺事 5, 孝善, 孫順埋兒》乃賜屋一區.
《仁祖 6, 2年8月辛卯》民家漂沒二百四十九區.
《萬機, 財用 6, 諸倉》庫八十四門(金此幾門之門字, 卽一門各爲一庫之謂也).
《事博, 上, 地理》萬二千五百家爲遂.
《遺事 5, 孝善, 貧女養母》賜穀五百石, 幷宅一廛.
《遺事 2, 紀異, 駕洛國記》賓館一坐二十餘間.
《明宗 2, 卽位年9月乙亥》沈連源·愼居寬各加一資, 家舍一坐.
《宣祖 8, 5年 2月甲申》釜山則倭衆僅七千餘名, 家數二百餘座, 船數大中小並七十餘隻.
《英祖 47, 14年 2月丙申》貴州淫祠, 多至於七十二座.
《華城 1, 啓辭, 丙辰 2月初 7日》每戶出一丁, 二日赴役.
《中宗 50, 19年 3月戊子》江原道三陟府, 火燒八十七戶.
5-10. 연가(烟家·煙家) →〔介〕
《營建, 稟目》烟家二十介.
《度支, 瓦甎》煙家一介(常瓦百張).
6. 지붕에 관한 것
6-1. 암키와〔女瓦〕·수키와〔夫瓦〕→〔訥, 立, 張, 駄〕
《華城 5, 財用 上, 瓦子》常女·夫瓦三百五十二訥一百五十八張.
《度支, 奉審式》瓦子六十立.
《度支, 雜錄》大瓦十六張作一駄, 中瓦二十二張作一駄.
6-2. 막새〔防草〕기와 →〔訥·張〕
《光海君 106, 8 年 8 月戊午》方磚二十餘訥, 半磚十五六訥, 防草四訥.
《度支, 瓦甎》防草一張.
6-3. 망새〔鷲頭〕→〔介〕
《營建, 稟目》鷲頭十介.
6-4. 북수(北首) →〔介〕
《度支, 瓦甎》北首一介(常瓦一張), 折價二分.
6-5. 용두(龍頭) →〔介〕
《度支, 瓦甎》龍頭一介.
6-6. 용상(龍像) →〔介〕
《營建, 稟目》龍像一百六十八介.
6-7. 운각(雲角) →〔介〕
《孝陵, 造成所, 雜物實入》雲角三介.
6-8. 잡상(雜像) →〔箇〕
《營建, 實入》雜像二百三箇.
6-9. 토수(吐首) →〔介〕
《營建, 實入》吐首二十四介.
6-10. 이엉〔飛乃〕→〔同·番·浮·舍音·駄〕
《營建, 實入》草飛乃七十六駄一同

二舍音.
《度支, 草物》草飛乃一同(十束作一舍音, 五舍音作一同, 長四間, 三同作一駄).
《孝陵, 雜物秩》藁草浮飛乃六十三番.
《孝陵, 造成所》藁草浮飛乃二浮.
6-11. 용마름〔龍舍音〕→〔巨里〕
《度支, 草物〕龍舍音一間巨里(穀草三束).
7. 벽돌〔磚〕→〔訥·丈·張〕
《孝陵, 造成所》半磚一訥五百五十四張……方磚三訥七百四十四丈.
8. 아교〔魚膠·阿膠〕→〔斤·兩·斗·升·張〕
《殯魂殿, 內下需用》阿膠一斤九兩.
《殯魂殿, 稟目》膠末一斗六升.
《龍灣誌, 下, 進上》魚膠九張.
9. 건축 자재에 관한 것
9-1. 귀들〔耳機〕→〔塊〕
《營建, 實入》耳機一塊.
9-2. 단여〔短椽〕→〔箇〕
《營建, 實入》短椽二千二百五十五箇.
9-3. 머름산〔遠山〕→〔箇〕
《純國 4, 造作》遠山一箇.
9-4. 목방(木枋〕→〔塊〕
《宣祖 102, 31年7月丙午》 木枋一塊, 木板一百塊.
9-5. 박공(朴工)→〔立〕
《營建, 實入》朴工四立.
9-6. 법수(法首)→〔柱〕
《萬機, 財用編 1, 舟橋》法首二百四十二柱.
9-7. 벽련(劈鍊)→〔株〕
《度支, 木物》劈鍊一株.
9-8. 산륜(散輪)→〔箇〕
《殯魂殿, 1房, 稟目》散輪十五箇.
9-9. 산자(散子)→〔浮〕
《營建, 實入》散子六浮.
9-10. 서까래〔椽木〕→〔巨里·条〕
《光海君 106, 8年8月癸卯》椽木一千四百五十巨里.
《孝陵, 都監》椽木四百条.
9-11. 서돌〔西道里〕→〔箇〕
《純國 4, 造作》西道里一箇.
9-12. 익공(翼工)→〔立〕
《營建, 實入》翼工九十二立.
9-13. 인방(引防)→〔箇〕
《營建, 實入》畫引防八箇.
9-14. 자귀밥〔斫耳食〕→〔同〕
《營建, 實入》斫耳食三千同.
9-15. 장여〔長舌〕→〔箇〕
《營建, 實入》長舌五十六箇.
9-16. 재목(材木)→〔巨里·立·葉·条·條·株·駄·吐·片〕
《光海君 106, 8年8月癸卯》椽木一千四百五十巨里.
《度支, 木物》破回木一立.
《光海君 133, 10年10月壬戌》材木元數二萬五千七百餘条.
《光海君 106, 8年8月癸卯》板子六百十葉, 林木 二十四條.
《度支, 木物》樓柱一株.
《度支, 木物》大不等一株.
《營建, 實入》椳木一百七十八駄.
《陶傳, 己卯8月17日》賓林才一吐.
《殯魂殿, 別工作》條里木長一尺五寸六片.
9-17. 침목(枕木)→〔箇〕
《殯魂殿, 1房, 稟目》支乃枕木四箇.
9-18. 토막〔吐木〕→〔法乃·斤〕
《萬機, 軍政編 2, 訓鍊都監, 諸屯》吐木一百五十法乃.
《光海君 153, 12年6月庚申》燔瓦吐木十二萬斤.

9-19. 판자(板子) →〔介・骨・塊・立・部・副・葉・条・坐〕

《國葬, 下, 3房》樑板十介.

《殯魂殿, 下, 別工作》雲足次厚板半骨二尺八片.

《成宗 33, 4年8月甲申》木板一百塊.

《尙方 1, 本院元貢》厚椵板貳拾立.

《度支, 木物》中廣板一部.

《城制考, 城制圖說》床板一副.

《陶傳, 46年正月19日》松板一葉.

《龍岡誌》板子一条, 椵板一条.

《進饌 2, 稟目》梢板二坐.

《國葬, 下, 3房》樑板十五坐.

10. 문(門)・반자(班子)・장지〔障子〕・차양(遮陽)・창(窓) →〔隻〕

《純國 4, 造作》斜立門一隻

《營建, 實入》班子隻三百六十八隻.

《進饌 2, 修理》桃花障子四十二隻.

《進宴 3, 修理》遮陽一百八十三隻.

《營建, 實入》影窓六十二隻.

11. 귀얄〔歸也〕→〔箇〕

《營建, 實入》歸也二十九箇次家猪毛六斤.

12. 자루〔帒〕・포대〔甫人・布帒〕→〔箇(介)・件・部〕

《萬機, 軍政編 2, 龍虎營, 軍器》甲布帒一千箇.

《孝陵, 雜物秩》甫大一百介.

《萬機, 軍政編 3, 禁衛營, 軍器》木帒五百件.

《訓重, 軍色, 時遺在秩》木綿甲帒肆部.

Ⅲ. 농산물이나 농기구에 관한 것

1. 곡식 →〔斛・刀・斗・枚・石・碩・手斗・總・包・合〕

《春志, 下, 荒唐舡》米十五斗爲一斛, 馬島以七斗爲斛.

《史記 3, 新羅奈勿王本紀》二年春, 發使憮向鰥寡孤獨, 各賜穀三斛.

《分瘟疫, 鎭禳門》男呑大豆七枚, 女呑小豆二七枚.

《仁祖 32, 14年6月甲午》自壬辰亂後, 減其石數, 又以十五斗爲一石.

《遺事 1, 紀異, 太宗春秋公》城中市價, 布一疋, 租三十碩, 或五十碩, 民謂之聖代.

《陶傳, 萬曆28年10月7日》雜米幷二百七十六石一斗三刀三合.

《世宗 31, 8年正月甲寅》楮貨一張, 准米一斗, 每米一斗, 准銅錢四十文.

《中宗 67, 25年2月庚寅》眞末十石.

《海行, 姜弘重東槎錄》所謂手斗, 卽升也.

《交隣 5, 彼地宴享》米(對馬島使臣五手斗, 上上官三手斗, 上官二手斗, 中官一手斗半, 下官一手斗).

《皤溪 3, 田制後錄 上》國恤每一總(逐年以實收米十斛爲一總).

《肅宗(補闕正誤) 62, 8月辛亥》米三百包.

《度志, 外篇 16, 經費司》米一萬包(以十斗二升五合, 分盛三甲帒爲一包).

2. 마〔薯蕷〕→〔箱〕

《萬機, 財用編 1, 供上, 大殿》薯蕷六箱.

3. 과일 →〔箇(介)・顆・斤・觔・器・枚・封・箱・石・所應伊・束・松伊・瓮・接・串・帖・貼・盒・缸〕

《萬機, 財用編 1, 供上, 大殿》眞瓜一百七十九箇.

《度支, 果物》西果一介.

《太祖 1, 總書》有梨樹立百步外, 樹頭有實數十顆.
《六典 10, 工典, 掌苑署, 進上》葡萄五顆.
《高麗史 9, 文宗世家》松子二千二百斤.
《世宗 31, 8年2月丙子》人蔘二十觔松子五百觔.
《進宴 2, 饌品》生栗一器.
《遺事 4, 義解, 義湘傳敎》給寺奴一人, 一夕饌栗二枚.
《春志 2, 通信使, 庚熙壬戌禮單》松笠(房栢子)五百枚.
《進宴 2, 饌品》乾葡萄一封.
《萬機, 財用編 1, 供上, 大殿》林檎三箱.
《太宗 19, 10年4月甲寅》栢子一石.
《殯魂殿, 禮關秩》大棗七石一斗五升.
《萬機, 財用編 1, 供上, 大殿》蓮實三十所應伊.
《端宗 10, 元年2月乙未》乾柿子五十束.
《龍岡誌》 葡萄一曲之(十松伊爲一曲之).
《陶傳, 萬曆 46年正月14日》栢子八十八宋伊.
《世宗 53, 13年9月己巳》乾柿三十貼.
《陶傳, 天啓8年正月20日》 乾柿一帖.
《陶傳, 甲申9月5日》紅柿二接.
《度支, 果物》 乾柿一貼(十介作一串, 十串作一貼).
《陶傳, 己卯 8月17日》乾柿一串.
《端宗 4, 卽位年 10月辛丑》荔枝一盒.
《世宗 31, 8年3月丁未》梨三缸.
《萬機, 財用編 1, 供上, 大殿》山葡萄正果十一缸.

4. 땅의 넓이 →〔結·頃·斗·斗(落只)·斗落(只)·畝·步·卜·夫·負·勺·先知乭·石(落只)·石落(只)·束·升落只·息耕·握·乭·畹·日耕·町·把·畽·合·赫得乭·畦〕

《高麗史 32, 食貨志》 靖宗二十三年, 定量田步數, 田一結, 方三十三步(六寸爲分, 十分爲一尺, 六尺爲一步).
《世宗 103, 20年11月乙丑》今量田以方五尺, 積二十五尺爲一步, 二百四十步爲一畝, 百畝爲一頃, 五頃爲一字.
《文獻 91, 樂考, 度量衡》地積, 十勺爲合, 十合爲把, 十把爲束, 十束爲負, 百負爲結. 泰西地積, 則先知乭, 當我一把, 百先知乭爲乭, 當我一負, 百乭爲赫得乭, 當我一結.
《萬機, 財用編 2, 田結》一握者謂之把, 遞以上之至于結, 十把爲束, 十束爲負(或稱卜, 今每一負, 出租一斗), 百負爲結(俗音 먹), 八結爲夫.
《田詳》肆拾肆尺壹寸爲束, 拾束爲負, 百負爲結.
《遺事 2, 紀異, 駕洛國記》後人奉使來. 審撿厥田十一結十二負九束也, 不足者三結八十九負一束也.
《史記 50, 甄萱傳》其義不可忘, 仍許職左丞, 賜田一千頃.
《文宗 9, 元年9月癸亥》穿川峴行幸時, 所畓損兩麥田, 每一斗落種處, 各賜穀十斗.
《遺事 5, 感通, 善律還生》陰取金剛寺水田一畝.

《太宗 32, 16年8月乙丑》改詳定十升紵布每一匹, 旱田則二結五十卜.

《華城, 附編, 節目》垌監考二名, 給私耕田各一石落.

《訓重, 兼料色, 屯畓秩》康翎南二里, 畓貳拾壹石拾貳斗壹升荅只.

《訓重, 兼料色, 屯畓秩》水稅所玖拾貳日柒息耕.

《事博, 上, 人道, 耕農》三十畝爲畹.

《續大典 2, 戶典, 量田》火田二十五日耕爲一結.

《儒胥, 所志式》某字田幾日耕.

《海行 1, 申製述海遊錄 上》六十間爲町.

《海行 2, 申製述海遊錄 下, 附聞見雜錄》田制則三十步爲一畝, 十畝爲一畽.

《廣物譜 1, 人道》畦, 五十畝.

《事博, 上, 人道, 耕農》五十畝爲畦.

5. 누룩〔麯·曲子·麯子·麴〕→〔同, 豆介·乭介·元·員·圓〕

《孝陵, 補土所》麯子三同九圓.

《六典 5, 禮典, 奉常寺, 所管貢物》麯(每六升五合作一豆介, 重三斤).

《度支, 鹽醬酒醋》方曲一乭介(小麥六升五合, 重三斤).

《南陽誌, 事例》四升曲子一元, 斗曲子一元.

《瑣尾錄 4, 乙未 4月初 9日》木米五升, 眞末三升, 麴二員.

《成宗 285, 24年 12月甲申》麯五十圓.

6. 농기구에 관한 것

6-1. 가래〔加乃〕→〔箇·柄〕

《光海君 153, 12年6月庚申》刄加乃一百三十六箇.

《營建, 實入》加乃七十五柄.

6-1-1. 가랫장부〔加乃杖夫·加羅丈夫〕→〔箇·柄〕

《孝陵, 座目》刄加乃杖夫一百箇.

《孝陵, 三物所》加羅丈夫二十柄.

6-2. 갈퀴〔乫只〕→〔箇〕

《營建, 實入》乫只二百二十箇.

6-3. 고무래〔古未乃〕→〔介〕

《孝陵, 雜物秩》古未乃二十一介.

6-4. 곡괭이〔串鍱伊, 串光伊〕→〔介·柄〕

《孝陵, 雜物秩》串鍱伊十五介.

《營建, 實入》串光伊二十四柄.

6-5. 광주리〔筐〕→〔箇〕

《純國 1, 魂殿祭器》巾筐三箇.

6-6. 괭이〔鍱伊·果㞒·光伊〕→〔箇(介)·柄〕

《光海君 153, 12年6月庚申》廣鍱伊一百二十五箇.

《孝陵, 雜物秩》廣鍱伊十五介.

《陶傳, 萬曆 46年正月19日》果㞒三柄.

《營建, 實入》廣光伊四十五柄.

6-7. 말〔斗〕→〔坐〕

《度志 9, 內人各房事例》鍮斗一坐.

6-8. 멍석〔網石·網席·細網〕→〔立·浮〕

《純國 1, 甘結》網石四立.

《孝陵, 爐冶所》網席一立.

《孝陵, 雜物秩》藁草細網一浮.

6-9. 삼태기〔三太〕→〔箇(介)·部〕

《純國 4, 造作》杻三太十箇.

《度支, 雜種貿易》竹三太一介.

《殯魂殿, 1房, 稟目》三太二部.

6-10. 삽〔鍤〕→〔介·柄〕

《度支, 鐵物》鍤一介.
《營建, 實入》鍤三十柄.
6-11. 섬〔石〕→〔立·葉〕
《山林, 治膳》空石二三立.
《萬機, 財用編 1, 戶曹各掌事例》空石一百五十葉.
6-12. 쇠스랑〔小時郞〕→〔介·部〕
《孝陵, 雜物秩》小時郞二十介.
《孝陵, 雜物秩》小時郞二部.
6-13. 용수(容水) →〔介〕
《度支, 雜種貿易》容水一介.
6-14. 쟁기〔犂〕→〔箇〕
《度志 2, 版籍司》犂二千六百箇.
《龍灣誌, 下, 進上》犂口一百九十四箇內, 五十箇本府卜定.
6-15. 지레〔地乃〕→〔箇〕
《孝陵, 座目》大排地乃十六箇, 中排地乃十五箇, 小排地乃十一箇.
6-16. 키〔箕〕→〔箇(介)·部〕
《殯魂殿, 1房, 稟目》柳箕一箇.《國葬, 下, 3房》柳箕一介.
《度支, 木柳器》柳箕一部.
7. 솜〔綿·綿子·綿花〕→〔斤·觔·兩·帒·屯·卜·戔·稱〕
《殯魂殿, 內下需用》雪綿子三斤十二兩四戔.
《高麗史 22, 高宗世家》 綿子一萬觔.
《通典, 食貨典, 賦稅 下》綿則百五十萬餘屯, 每丁三兩, 六兩爲屯, 則兩丁合成一屯.
《成宗 212, 19年正月甲戌》緜花一帒.
《渤海考, 臣考, 楊承慶·楊泰師·馮方禮》綿三百屯.
《度支, 袱帒巾衣裳》綿鈴一介所入, 綿花三卜, 痲糸二卜, 常綿子二卜.
《史記 6, 新羅文武王本紀》 綿十五稱.
8. 씨앗 →〔斗·枚·勺·升·合〕
《度支, 菜蔬》唐藍種十斗, 紅唐菁種二斗, 白菜種八斗.
《萬機, 財用編 1, 供上, 大殿》芥子一斗三升三合五勺.
《太祖 14, 7年6月丁巳》赴元朝, 將還見路傍木緜樹, 取其實十許枚.
9. 채소(菜蔬)에 관한 것
9-1. 가지〔茄子〕→〔箇(介)·斗〕
《萬機, 財用編 1, 供上, 大殿》茄子三十箇.
《度支, 菜蔬》茄子一介(四十介作一斗).
9-2. 고추〔苦椒〕→〔介·丹〕
《度支, 菜蔬》苦椒一丹(十介).
9-3. 도라지〔桔梗〕→〔斤·丹·斗·握〕
《進宴 2, 饌品》桔梗一丹.
《進宴 2, 饌品》桔梗八斗.
《度支, 菜蔬》皮桔梗一斤(十握作一丹, 重七十兩).
9-4. 마늘〔蒜〕→〔箇(介)·顆·頭·枚·本〕
《進饌 2, 饌品》生蒜四箇.
《度支, 菜蔬》生蒜五介.
《救急 2, 2 a》 蒜(마ᄂᆞᆯ)一顆(마ᄂᆞᆯ ᄒᆞ나ᄎᆞᆯ).
《通志 3, 事大, 入京下程》蒜十頭.
《遺事 1, 紀異, 古朝鮮》靈艾一炷, 蒜二十枚.
《度支, 菜蔬》獨頭蒜二本.
9-5. 무〔菁根·蘿葍根〕→〔箇(介)·丹·束·握〕
《進饌 2, 饌品》菁根五箇.
《度支, 菜蔬》蘿葍根十介(卽一丹).
《度支, 菜蔬》菁根(十介作一丹, 又作一束).

《度支, 菜蔬》 蔓菁根菜一丹(卽十握).

9-6. 미나리〔水芹〕→〔丹・手・握〕

《進宴 2, 饌品》水芹五手.

《度支, 菜蔬》水芹一握, 價米三合, 一丹, 價錢一戔.

9-7. 배추〔白菜・菘菜〕→〔介・丹・箇〕

《度支, 菜蔬》白菜一斤, 價米二斗, 一丹, 價錢一分.

《度支, 菜蔬》松菜一丹.

《進宴 2, 饌品》白菜一箇.

9-8. 상추〔萵苣之〕→〔束〕

《度支, 菜蔬》萵苣之一束.

9-9. 생강〔生薑・生干〕→〔角・斤・兩・本・升・片〕

《度支, 菜蔬》 生薑一斤(十角作一升).

《南陽誌, 事例》生干一角.

《萬機, 財用編 1, 供上, 大殿》生薑一百三十二斤十二兩.

《竹山誌, 事例》生干一本.

《救急 1, 中風》生薑七片.

9-10. 오이〔苽子〕→〔介・斗〕

《度支, 菜蔬》苽子十介(三十介作一斗).

9-11. 파〔葱〕→〔介・丹・本・笥・束・握・條〕

《進宴 2, 饌品》生葱五丹.

《進宴 2, 饌品》生葱五本.

《萬機, 財用編 1, 供上, 大殿》生葱三笥.

《度支, 菜蔬》生葱(十介作一束, 又作一握).

《馬方, 腎部》葱白二條.

9-12. 토란(土卵) →〔升〕

《度支, 菜蔬》土卵一升.

9-13. 호박(胡朴) →〔介〕

《度支, 菜蔬》胡朴一介.

Ⅳ. 동식물에 관한 것

1. 물고기・조개 →〔脚・甲・箇(介)・貫・塊・櫃・斤・觔・級・器・立・同・冬乙音・冬音・茅・尾・本・部・桴・石(斗・升・合)・束・首・連・月乃・接・条・條・枝・串・帖・貼・片〕

《陶傳, 癸未 2月25日》文魚二脚.

《瑣尾錄 3, 甲午 8月26日》生蟹三十甲.

《進饌 2, 饌品》海蔘五箇.

《萬機, 財用編 1, 供上, 大殿》炙仇非石首魚五十箇.

《龍岡誌, 折價式》海蔘一介, 二十介爲一串.

《陶支, 魚物》乾紅蛤(二十五介作一升).

《陶傳, 甲申 12月25日》文魚一貫.

《陶傳, 癸未正月14日》大文魚一塊.

《世宗 32, 8年6月戊寅》 古道魚一櫃.

《方物 1》海蔘二百觔.

《萬機, 財用編 5, 方物, 年例方物》紅蛤二百斤.

《度支, 魚物》小川魚一斤.

《景宗 10, 2年12月乙丑》乾鰈魚十五級.

《龍岡誌, 折價式》大蝦一級, 十介爲一級.

《度志, 宗廟》大口魚一器.

《度支, 魚物》靑魚一冬音(二十介作一冬音, 百冬音作一同).

《進宴 2, 饌品》江瑤珠十同.

《度支, 魚物》石首魚一束(十介作一束, 百束作一同).

《瑣尾錄 3, 甲午日錄》生葦魚一冬

乙音.
《萬機, 財用編 1, 供上, 大殿》冬白魚二百十七冬音半.
《交隣 5, 一行回受禮單》鰹節三連.
《進饌 2, 饌品》搥鰒五立.
《龍岡誌, 折價式》石首魚一千束, 每朔八十三立式.
《陶傳, 節目, 壬申正月初 5日》青魚一茅.
《度支, 魚物》民魚一尾(四十片作一尾).
《楊根誌, 事例》民魚大八戔(四片爲一折, 四折爲一尾).
《進宴 2, 饌品》石花五十本.
《陶傳, 庚辰 2月27日》北魚三部十尾.
《陶傳, 庚辰 8月1日》北魚五桴.
《進宴 2, 饌品》生蛤十石.
《仁祖 43, 20年11月辛酉》全鰒二十貼, 紅蛤·海蔘十斗.
《萬機, 財用編 1, 供上, 大殿》生竹蛤五升.
《國葬, 下, 2房》皮蛤一升一合.
《顯宗 10, 6年5月戊寅》石魚一束.
《世宗 31, 8年2月丙子》乾大口魚二百首, 乾青魚五百首.
《成宗 100, 10年正月丁丑》沙魚二百首.
《進饌 2, 饌品》絡蹄二月乃.
《萬機, 財用編 1, 供上, 大殿》生落蹄二十月乃(每月乃價一兩二錢).
《陶傳, 乙酉正月5日》烏賊魚二帖.
《陶傳, 庚辰 8月1日》蛤一接.
《度支, 魚物》大切全卜一貼(十介作一串, 十串作一貼).
《進饌 2, 饌品》烏賊魚五貼.《度支, 魚物》秋卜一条(五条作一貼).
《陶傳 己卯8月17日》文魚一条.
《龍岡誌, 折價式》文魚一尾(八條爲一尾).
《救急 1, 20 a》大鱔魚(큰 웅에)一條(큰 웅에 ᄒᆞᆫ나ᄒᆞᆯ).
《始興誌, 事例》佐飯(四折爲一條, 八條爲一尾).
《陶傳, 己卯8月17日》青魚一枝.
《度支, 魚物》白魚一合.

2. 털가죽·껍질·깃에 관한 것

2-1. 털가죽 →〔枚·本·令·領·吾里·要·丈·張·条·條·坐·片〕

《文宗 4, 卽位年10月丁丑》豹皮五枚.
《宣祖 146, 35年2月庚午》獸皮二枚.
《龍岡誌, 折價式》獐皮邊青黍皮六本.
《世宗 36, 9年6月庚辰》土豹皮一令.
《尙方 1, 大殿》衣襨次唐獺皮壹百拾參令.
《高麗史 30, 忠烈王世家》虎皮九領, 水獺皮二十七領.
《太宗 2, 元年10月丙辰》虎豹皮二領.
《孝陵, 座目》獐皮二十一吾里.
《高麗史 68, 禮志》紅鞓皮一腰.
《景宗 13, 3年9月癸未》青黍皮三百丈.
《史記 8, 新羅聖德王本紀》海豹皮一十六張.
《世宗 47, 12年2月己丑》虎·豹皮各五張.
《龍岡誌, 折價式》白油牛皮六条作一兩, 白油皮二十条作一令.
《純國 2, 稟目》㪔牛皮全長廣一寸五分七條.
《進饌 2, 甘結》笏子二坐.

《行用》莇子，녁ㅈ，印方席也.
《營建，實入》影窓纓子次紫的鹿皮長七寸，廣六分三百九十八片.
《龍岡誌，折價式》采練二十四片爲令.
2-2. 물고기 껍질 →〔箇·枚·張·片〕
《萬機，財用編 1，各貢，宣惠廳》鱉甲(每箇二斗).
《成宗 81，8年6月庚子》鮐皮二百枚.
《度支，皮物》沙魚皮一張.
《度支，皮物》沙魚口中皮一張.
《純國，稟目》沙魚口中皮，方一寸一片.
2-3. 털〔毛〕→〔斤·斗·封·釜·条·條〕
《英祖 113，45年10月庚戌》馬尾七百斤.
《殯魂殿，中，稟目》獐毛五十斗.
《世宗 36，9年4月乙卯》旄牛尾一封.
《度支，皮物》黃毛一釜(百條).
《方物 1》黃毛七条.
《高麗史 13，肅宗世家》黃毛一萬條.
2-4. 꼬리〔尾〕→〔介·条·筒〕
《度支，肉物》牛尾一介.
《度支，毛鬣》豹尾一条.
《世宗 118，29年11月壬辰》豹尾六筒.
2-5. 깃〔羽〕→〔箇(介)·同·雙〕
《六典 8，兵典，軍器寺》雉羽六百九十同十五箇，尾羽九十七同七十三箇.
《肅宗 5，2年12年甲申》雉羽五千箇.
《度支，毛鬣》雉尾羽十介.
《度支，毛鬣》伐月只羽一雙.

3. 짐승에 관한 것

3-1. 개〔狗〕→〔頭·首·隻〕
《史記 8，新羅聖德王本紀》狗一頭.
《龍岡誌》狗一首.
《世宗 49，12年8月辛未》騸狗六十隻.
3-2. 낙타〔駞〕→〔頭〕
《宣祖 71，29年正月丁酉》駞六頭.
3-3. 너구리〔狸〕→〔口〕
《萬機，財用編 1，各貢，宣惠廳》臘狸(每口一石).
3-4. 노루〔獐〕→〔口·頭〕
《太宗 4，2年4月己丑》一朔一殿供上獐三十口.
《中宗 62，23年7月己亥》獲獐二十頭乾之.
3-5. 당나귀〔驢〕→〔頭〕
《成宗 126，12年2月乙卯》賜宦官金孝江·安仲敬·李孝智，驢子各一頭.
3-6. 돼지〔猪〕→〔杠·口〕
《世宗 19，3年3月戊戌》猪二杠，羊二杠.
《世宗 53，13年9月丁丑》猪二十口.
3-7. 말〔馬〕→〔群·頭·屯·事·首·疋·匹〕
《磻溪 22，兵制後錄，牧馬》每雌馬一百匹，雄馬十五匹爲一群.
《中宗 62，23年8月癸亥》馬二頭.
《太宗 33，17年6月戊子》牧子每一名，雌馬五匹，雄馬一匹爲一屯.
《成宗 75，8年正月辛丑》牧馬一事.
《顯宗 8，5年2月丙辰》明川府牛馬疫斃者，亦一百五十餘首.
《大明律 16，兵律，廐牧，官馬不調習，直解》右馬亦走步調習不得令是在乙良，一疋是去等，笞二十.

《宣祖 71, 29年正月丁酉》單馬七十疋.
《史記 3, 新羅訥祗王本紀》百濟王送馬二匹.
《世祖 44, 13年10月癸丑》獲馬一十七匹, 牛一十頭, 殺牛馬二百二十九頭匹.
3-8. 사슴〔鹿〕→〔口〕
《世宗 33, 8年9月乙未》各司納獐·鹿幷六十一口.
3-9. 소〔牛〕→〔骨·頭·首·隻·匹〕
《度志, 外篇, 版籍司》牛價(一等每骨……五等每骨大鹿皮三領).
《史記 21, 高句麗寶藏王本紀》牛五萬頭.
《成宗 254, 22年6月 甲子》馬三匹, 牛一頭.
《高麗史 27, 元宗世家》加以四千農牛料一首.
《世宗 5, 元年10月癸巳》牛一首.
《太宗 7, 4年5月戊子》耕牛一萬隻.
《訓重, 鳥銃色, 軍器及雜物秩》龍津鎭所在牛拾肆隻內(雄牛拾貳隻, 雌牛貳隻).
《度志 2, 版籍司》耕牛一万匹.
3-10. 양(羊) →〔杠·羫·口·頭〕
《世宗 19, 3年3月戊戌》羊二杠.
《太宗 16, 8年9月癸酉》羊一百羫.
《世宗 31, 8年3月丁未》羊七口.
《高麗史 18, 毅宗世家》來賜羊二千頭.
3-11. 염소〔羔〕→〔口·雙〕
《萬機, 財用編 1, 各貢, 宣惠廳》羔(每口 湖西七石).
《太宗 16, 8年8月丙子》雌雄羔二雙.
3-12. 토끼〔兔〕→〔口〕
《度支, 畜物》生兔一口(去骨重一斤).
3-13. 스라소니〔小豹〕→〔頭〕
《高宗 20, 20年正月初2日》今日酉時, 量仁旺山下, 小豹一頭捉得.
3-14. 호랑이〔虎〕→〔口〕
《成宗 226, 20年3月癸酉》守令一年捕虎十口.
4. 날짐승 →〔架·脚·對·頭·枚·首·雙·連·聯·羽·坐·隻·翮〕
4-1. 거위〔鵝〕→〔首·隻〕
《世宗 102, 25年12月甲午》大鵝五隻.
《度志 13, 宗廟》大鵝(每一首).
4-2. 고니〔鵠〕→〔首〕
《高麗史 31, 忠烈王世家》鵠十首.
4-3. 공작(孔雀) →〔翮〕
《高麗史 30, 忠烈王世家》孔雀二翮.
4-4. 꿩〔雉〕→〔首·隻〕
《遺事 1, 紀異, 太宗春秋公》雉十首.
《世宗 90, 22年7月丁巳》生雉一十餘首.
4-5. 닭〔鷄〕→〔脚·首·羽〕
《進饌 2, 饌品》陳鷄二脚.
《進宴 2, 饌品》陳鷄二首.
《陶傳 29, 己卯8月17日》鷄一羽.
4-6. 매〔鷹〕→〔架·頭·首·連·聯·坐〕
《宣祖 86, 30年3月庚申》鷹子十餘架.
《宣祖 146, 35年2月庚午》納采用鷹一頭.
《度支, 畜物》唐鷹一首.
《世宗 41, 10年10月戊午》巢鷹五十連, 或一百連.
《高麗史 28, 忠烈王世家》海東青一連.

《通志 9, 紀年, 孝宗大王10年己亥》進鷹十四聯.
《瀋狀, 壬午11月初10日》同鷹連一坐內四坐段, 中路病損.
4-7. 메추라기〔鶉〕→〔首〕
《度支, 畜物》鶉鳥一首.
4-8. 비둘기〔鵓鴿〕→〔對〕
《太宗 16, 8年8月丙子》鵓鴿五對.
4-9. 새〔鳥〕→〔枚〕
《字類, 物類, 名數》鳥一枚.
4-10. 앵무(鸚鵡)→〔雙·隻〕
《遺史 2, 紀異, 興德王》鸚鵡一雙.
《高麗史 30, 忠烈王世家》鸚鵡一雙.
《史記 8, 新羅聖德王本紀》鸚鵡雄雌一隻.
4-11. 오리〔鴨〕→〔首·雙〕
《度支, 畜物》鴨子一首.
《世祖 29, 8年12月甲戌》白鴨二雙.
4-12. 학(鶴)→〔首〕
《宣祖 84, 30年正月甲寅》野鶴一首.
5. 나무〔木·竹〕에 관한 것 →〔幹·箇(介)·法·迲乃·巨里·斤·根·丹·同·名·本·浮·束·握·自乃·章·節·条·條·条里·條里·株·枝·攢·片〕
《明宗 9, 4年8月丁酉》宗廟垣內之木, 爲風所拔者一百八十七幹.
《宣祖 82, 29年11月丁巳》京畿監司分給箭竹二萬箇.
《純國, 實入》燒木二百七十九丹半六箇.
《度支, 木物》栗木一介.
《鐵山誌, 事例》柴二十迲.
《煑硝方 熬水》一迲吐木.
《六典 10, 工典, 尙衣院, 總例》燒木三十迲乃.
《純國 3, 稟目》松明·吐木各十二迲乃.
《光海君 106, 8年8月癸卯》椽木一千四百五十巨里.
《純國 4, 造作》西乞次眞長木八千巨里.
《高麗史 79, 食貨志》令諸道州縣, 每年桑苗, 丁戶二十根, 白丁十五根.
《度支, 木物》燒木一斤(三介作一丹).
《度支, 木物》水靑木一丹.
《光海君 21, 元年10月庚午》斫伐用木六七同.
《度支, 入染物種》黃灰木一同(六丹作一同).
《萬機, 財用編 1, 各貢, 宣惠廳》杻木(六千束爲一名).
《成宗 290, 25年5月戊戌》椰子苗二本.
《六典 8, 兵典, 軍器寺, 弓箭色》箭竹五百七十浮三十四箇.
《交隣 5, 一行回受禮單》螺全竹六握.
《楊根誌, 事例》柴一千二百八十五自乃, 戶柴二百四丨自乃.
《文獻 9, 象緯考, 風異》大風拔松樹數千章.
《度支, 木物》細細烏竹二節, 黃中竹一節.
《光海君 121, 9年11月戊寅》寧越郡所送衝椽三十条內, 大不等只擇二条, 其餘二十八条, 並皆不用云.
《國葬, 2房, 稟目》桶次中不等一条半.
《中宗 87, 33年6月甲子》造山枯松木二十條, 生松木八條.
《受敎, 刑典, 禁制》禁山松木斫伐

十條.
《國葬, 2房, 稟目》柄次楸木二条里.
《尙方 2, 別例 上》二年木壹條里.
《尙方 1, 本院元貢》樓柱陸拾株.
《文宗 3, 卽位年8月辛卯》尹鳳, 請箭竹一千枝, 合給之.
《文鑑 13, 雜果, 樹木》一攢, ᄒᆞᆫ 퍼기.
《殯魂殿, 下, 別工作》槊次中條里木, 長三尺四片.

6. 풀〔草〕→〔科·莖·法·法乃·斤·級·立·丹·同·枚·本·沙里·束·握·月乃·自乃·稷禾·炷·次·把〕
《朴通事, 上》當路一科麻.
《馬方, 腎部》燈心十莖.
《世祖30, 9年7月乙巳》進粟一莖兩穗者二本.
《鐵山誌, 事例》穀草二十法半束.
《六典 10, 兵典, 繕工監, 鴨島色》正草藁三十九萬束(兩手圍爲法乃, 卽一束).
《孝陵, 座目》熟麻一百斤.
《萬機, 財用 5, 信使》陳艾五級.
《成宗 4, 元年4月乙卯》生草一同七束半.
《孝陵, 三物所》生葛十八同二十五沙里, 每沙里三十枚, 每同五十沙里.
《度支, 雜種貿易》荷葉一立.
《純國 4, 造作》龍舍音穀草十束.
《老乞大》每一箇五升科一束草.
《救急 2, 49 b》蘆葉(ᄀᆞᆯ닙)一握(ᄀᆞᆯ닙 ᄒᆞᆫ 줌을).
《度支, 草物》木賊一斤(一月乃, 重八兩). 《度準, 草物》草六百十二自乃二丹.
《經世 6, 地官修制, 田制 4》稷禾者, 連稟之禾六百四十束也.
《遺事 1, 紀異, 古朝鮮》靈艾一炷, 蒜二十枚.
《度支, 草物》王古草一次, 價錢二分, 小笞一次, 價錢一分.
《高麗史 118, 趙浚傳》一束之麻, 一把之葛. 《救急 2, 48 b》艾(뿍) 一把(뿍 ᄒᆞᆫ 줌).

7. 껍질〔皮〕→〔箇·兩·同·月乃·張·召角·駄〕
《萬機, 財用編 1, 供上, 大殿》桃皮(每箇一升).
《度支, 雜種貿易》樺皮一兩.
《萬機, 軍政編 2, 訓鍊都監, 器用》樺皮二十同.
《度支, 木物》槐皮一月乃.
《尙方 1, 大殿》玳瑁拾張.
《度支, 木物》屈皮一張.
《國葬, 3房》檜木皮七召角.
《營建, 實入》楡皮一駄半.

8. 뱀〔蛇〕→〔条·條〕
《太宗 8, 4年11月己亥》白花蛇三十條.
《度支, 唐藥材》白花蛇一条.

9. 지네〔蜈蚣〕→〔條〕
《山林, 救急》蜈蚣一條.

10. 뿔〔角〕→〔介·斤·根·對·枚·本·部·丁·条·枝·桶·片〕
《度支, 牙角》常角一介.
《度支, 牙角》象牙一斤.
《世宗 53, 13年8月戊午》羚羊角一根.
《世宗 36, 9年4月辛酉》典醫監所納鹿茸十對, 濟生院三十對……上命典醫監三十對內十對, 惠民局五對, 濟生院三十一對內五對, 仍舊其餘盡減之.
《太宗 18, 9年9月庚寅》象牙二枚.

《世宗 14, 3年11月乙丑》象牙二本.
《度支, 牙角》犀角一部.
《世宗 20, 5年6月庚午》犀角二丁.
《宣祖 71, 29年正月丁酉》獐角一条.
《純國 2, 實入》鹿角半半枝.
《顯宗 9, 5年8月己巳》令戶曹, 前給黑角四十桶外, 加給三十桶, 以爲修造弓子之用.
《尙方 1, 本院元貢》黑角貳百肆拾片(弓子壹百貳拾張所入).

11. 해초(海草) →〔曲之·斤·觔·立·丹·同·束·升·丈·張·条·條·株·走之·注之·枝·貼·帖·輒·吐·土叱〕
《三和誌, 事例》甘藿一曲之(四條作一曲之).
《度支, 昆藿茸藁屬》粉藿一斤(十立作一注之).
《方物》海帶菜二百觔.
《度支, 昆藿茸藁屬》甘藿一斤(三十立作一丹).
《萬機, 財用編 3, 海稅》藿田(五十條爲一束, 五十束爲一同), 藿一同七兩五錢.
《秋志, 定制, 遺棄兒收養事目》藿二立.
《世宗 15, 4年正月癸未》海藿四十束.
《度支, 昆藿茸藁屬》青角一升.
《陶傳, 癸未正月14日》海衣一丈.
《畿甸, 華營事例, 從市直貿用秩》海衣(五十張一土叱).
《龍岡誌, 事例》多士麻一曲之(五十条爲一曲之).
《進宴 2, 饌品》海帶二十條.《睿宗 9, 2年3月辛卯》珊瑚樹一株.
《龍岡誌, 事例》甘角一走之(六条爲一走之).
《世宗 127, 32年閏正月己酉》珊瑚一枝.
《度支, 昆藿茸藁屬》昆布一斤(二十立作一注之).
《陶傳 29, 己卯 8月17日》海衣一帖.
《世祖 47, 14年7月乙丑》海衣四百貼.
《龍岡誌, 事例》海衣一貼(十束爲一貼 十片爲一束).
《度支, 昆藿茸藁屬》海衣一貼(十張作一貼).
《陶傳 29, 己卯8月17日》海衣一輒.
《竹山誌, 事例》海衣一吐.

12. 알〔卵〕→〔箇(介)·部·貼·包·合〕
《進宴 2, 饌品》雞卵四十箇.
《度支, 鹽卵》秀魚卵一介
《龍岡誌, 折價式》乾卵一部(十片爲一部).
《進宴 2, 饌品》鷄卵二貼.
《松南 5, 方言類》鷄卵一包.
《度支, 鹽卵》蝦卵一合.

13. 포(脯) →〔立·尾·束·首·連·脡·条·條·帖·貼〕
《進饌 2, 饌品》片脯十五立.
《陶傳, 壬午12月6日》脯一尾.
《文宗 7, 元年4月甲午》脯二十束.
《進宴 2, 饌品》雉脯五首.
《交隣 5, 一行回受禮單》鰹節三連.
《世宗 14, 3年11月乙丑》副司直崔濡, 賚脯一脡.
《度志, 都摠府》中脯五條.
《度支, 肉物》中脯一条(十条作一貼).
《成宗 295, 25年10月壬申》水牛脯二千七十帖.
《進饌 2, 饌品》黃脯六貼.

《長湍誌》 脯一貼.

14. 그물〔網〕→〔立・竹・旨・把〕

《陶傳, 乙丑正月24日》 小川魚網子二立, 銀魚網子二立.

《四介 20》 濟網五竹.

《陶傳, 萬曆46年正月19日》 銀魚遮網二旨, 小川魚網二旨.

《陶傳, 崇禎 6年正月17日》 眞絲網子五十把.

Ⅴ. 몸에 지니거나 치장하는 것

1. 금(金)・은(銀)・보석(寶石) → 〔箇(介)・个・芥・巨里・顆・貫・塊・兩・刀・稻・斗・枚・目・文目・柄・部・分・星・成・束・丈・張・折・丁・錠・挺・串・貼・軸・片・品・合〕

《尙方 2, 別例 上》 五色珠各貳拾箇.

《雜同 1, 珍寶品》 琥珀(一名江珠), 琥珀拾芥.

《遺事 2, 紀異, 元聖大王》 朕有如意珠四枚, 前年失一个, 今見此珠, 乃吾所失也.

《度支, 珠玉寶石》 紅珠一介.

《度支, 珠玉寶石》 五色珠(四百介作一尺, 卽一巨里).

《高麗史 70, 樂志 1》 流珠三十顆.

《太宗 6, 3年10月辛未》 青白膽珠四顆.

《太宗 17, 9年4月乙丑》 金剛子・龍丹短珠各二串, 象牙短珠一串.

《遺事 3, 義解, 義湘傳敎》 出水精念珠一貫.

《世宗 3, 元年2月丁丑》 念珠一百貫.

《成宗 33, 4年8月甲申》 碼磂一塊.

《高麗史 68, 嘉禮, 老人賜設儀》 腰帶銀一斤, 金一目五刀.

《高麗史 9, 文宗世家》 玉一十六稻.

《殯魂殿, 稟目》 常碇玉沙一斗.

《遺事 2, 紀異, 文虎王法敏》 國人以金一千兩贈之.

《太宗 35, 18年3月庚申》 獻金一百三十七兩四錢.

《史記 8, 新羅神文王本紀》 新村人美肹, 得黃金一枚, 重百分, 獻之.

《燕山君 49, 9年3月癸酉》 眞珠體大品好者十二枚.

《成宗 162, 15年正月甲辰》 金四十五挺, 每挺四十二文目, 此內圓金二挺, 銅十二馱伏.

《成宗 211, 19年正月甲辰》 黃金六十二挺, 各四十二文目, 朱百二十裹.

《成宗 263, 23年3月辛巳》 以是今時贈以黃金三十九斤, 六十文目, 數大小二百三十一挺.

《正祖 18, 8年11月辛未》 玉如意一柄.

《尙方 1, 大殿》 珮玉貳部.

《史記 7, 新羅文武王本紀》 進貢銀三萬三千五百分, 銅三萬三千分, 針四百枚, 牛黃百二十分, 金二十分.

《秋志 3, 考律部, 續條, 金銀, 造銀》 我國所用銀, 不過礦銀, 而所謂七星, 八星卽倭銀.

《萬機, 財用編 4, 金銀銅鉛》 凡銀貨視其成, 定爲高下, 最上謂之十成, 其次謂之九成, 又其次謂之八成, 又其次謂之七成, 最下謂之六成, 丁銀是七成, 卽倭銀.

《會通 2, 戶典, 國幣》 七成爲丁銀, 十成爲天銀.

《尙方 3, 別例 下, 國婚, 中宮殿》 厚貼金貳束捌貼參張.

《度支, 金銀》貼金一束(方三寸作一張, 十張作一貼, 十貼作一束).
《龍岡誌》皮金紙六折一丈.
《太宗 28, 14年12月癸酉》賜永协銀三丁.
《高麗史 19, 毅宗世家》得金一錠, 長二寸許.
《太宗 2, 元年10月庚辰》銀十錠, 錠十六兩.
《中宗 64, 23年閏10月戊子》今此咸鏡道採送銀六十三錠內, 三十錠則入內, 而三十三錠則下于尙衣院可也.
《正祖 15, 7年2月戊子》猫全牋一軸.
《度支, 珠王寶石》琉璃(方三寸一片, 価艮九戔).
《中宗 54, 20年7月己卯》世子飯鉢一, 十品銀造入.
《萬機, 財用編 4, 金銀銅鉛》或稱十品銀, 或稱天銀.
《度支, 珠玉寶石》細玉珠一合, 価錢四戔.

2. 귀이개〔耳只〕→〔部〕
《尙方 3, 別例 下》銀耳只貳部.

3. 비녀〔簪·釵〕→〔箇·對·條·枝〕
《進宴 3, 樂器風物》銀蛙簪二箇.
《太宗 6, 3年10月辛未》金簪一對.
《史記 11, 新羅景文王本紀》金釵頭五色綦帶幷班胷各一十條.
《太宗 6, 3年10月辛未》金簪一枝.

4. 빗치개〔梳次介〕→〔介〕
《度支, 雜種貿易》梳次介一介.

5. 첩지〔接只〕→〔件〕
《進宴 3, 樂器風物》接只二件.

6. 피륙 →〔件·骨·段·端·對·同·枚·浮·梭·束·升·領·丁·綜·尺·帖·軸·桶·板·幅·表裏·匹·疋〕
《純國 2, 稟目》紅木四百五十一件.
《嘉禮, 稟目》綿草綠大段全骨十一尺七寸, 黃段半骨六寸, 藍段半骨六寸.
《高麗史 44, 恭愍王世家》今後, 將來的方物, 只土產布子不過三五對.
《太祖 14, 7年6月戊辰》賜大銀一箇, 段一對, 鈔二十錠.
《史記 8, 新羅聖德王本紀》五色羅綵, 共三百餘段.
《高麗史 26, 元宗世家》今賜卿西綿一段.
《吏文續, 端布》丈二爲端, 一云, 端與段通.
《遺事 4, 義解, 眞表傳簡》絹五百端.
《國葬, 實入》帛十端.
《成宗 204, 18年6月甲申》紅白練絹一十端.
《尙方 1, 本院元貢》白正布貳同.
《中宗 89, 34年正月己亥》一時俱擧, 一紙甲之價, 至於一同(綿布五十匹).
《遺事 4, 義解, 慈藏定律》賜絹一領, 雜綵五百端, 東宮亦賜二百端.
《高麗史 9, 文宗世家》幞頭紗四十枚, 帽子紗二十枚.
《尙方 1, 大王大妃殿》伍幅氈衫貳浮.
《迂書, 總論四民》且三梭布言之, 堅紉過於棉衣, 訪問其法.
《太宗 14, 7年7月壬戌》世子納徵之禮, 馬二匹, 帛十束.
《正祖 18, 8年11月辛未》絹箋十二束.
《史記 32, 雜志, 色服》履用皮麻布用十五升已下.
《世宗 27, 7年2月丙辰》金銀・皮物及十三升以上苧麻布外, 餘物勿禁.
《中宗 63, 23年10月乙卯》木綿二十丁, 官正布二十丁, 納于龍仁宿所.
《中宗 22, 6年6月癸酉》織三綜緜布.
《高麗史 82, 兵志, 站驛》七綜布五十匹.
《度支, 袱帒巾衣裳》床花巾一件, 擧乃生布二尺.
《渤海考, 臣考, 楊承慶・楊泰師・馮方禮》白錦一百帖.
《英祖 84, 31年4月甲辰》紋緞二十一軸.
《度支, 匹緞綾綃絹》大布一桶(一疋十二尺, 十疋作一桶).
《正祖 42, 19年2月甲辰》各色羽緞十板, 各色大呢十板.
《紹書, 嘉靖 26年2月18日》 襦把持造次拾貳幅六升布.
《端宗 9, 元年11月庚申》鄭麟趾以下十一人, 各內廐馬鞍子具一匹, 白銀五十兩, 綵段二表裏.
《史記 6, 新羅文武王本紀》 絹布舊以十尋爲一匹, 改以長七步, 廣二尺爲一匹.
《太宗 4, 2年9月癸卯》本國以五升布十五匹, 准銅錢一貫, 計五升布五百四十匹.
《龍岡誌, 折價式》黃三升, 十二尺爲一疋, 白紬四十尺爲一疋, 白木三十八尺爲一疋.
《度支, 匹緞綾綃絹》表裏白吐紬一疋(長五十尺, 廣七寸), 上紬一疋(長三十五尺, 廣七寸), 七升白苧布一疋(長三十五尺, 廣七寸).
《遺事 1, 紀異, 太宗春秋公》布一疋, 租三十碩.

7. 띠〔帶〕→〔箇・件・帶・副・部・事・腰・月・条・絛〕
《萬機, 軍政編 2, 訓鍊都監, 軍器》戰帶二十箇.
《進宴 3, 樂器風物》紅廣多繪帶二件.
《吏文 3, 50》一帶, ᄒᆞᆫ 줄.
《尙方 1, 大殿》鶴頂帶貳部.
《世宗 102, 25年12月戊戌》大紅熟絲線絛一副.
《中宗 78, 29年11月丙戌》衣帶一事.
《睿宗 9, 2年3月辛卯》鈒白玉帶一腰.
《殯魂殿, 儀註》白笠・白帶二十五月.
《史記 6, 新羅文武王本紀》腰帶一絛.
《端宗 4, 卽位年10月辛丑》回回絛兒一絛.
《度支, 雜種貿易》細条帶一条.

8. 띠돈〔帶錢〕→〔窠・片〕
《遺事 2, 紀異, 萬波息笛》太子曰, 摘一窠沈水示之, 及摘左邊第二窠沈溪, 卽成龍上天.
《度支, 牙角》烏犀帶錢一片

9. 흉배(胸背)→〔部・隻〕
《尙方 3, 別例 下》大紅襦胷背左右肩龍具壹部.
《尙方 3, 別例 下》胷背肆隻.

10. 다리〔髢髮〕→〔丹・子・条〕
《度支, 雜種貿易》髢髮一丹(十子十条, 並稱一丹).
《尙方 3, 別例 下》首飾次髢髮貳拾丹.

11. 입는 것 →〔件・段・對・副・事・

襲・樣・葉・領・稱・套・幅〕
11-1. 가사(袈裟) →〔領・幅〕
《遺事 3, 塔像, 臺山五萬眞身》緋羅金點袈裟一領.
《遺事 3, 塔像, 臺山月精寺五類聖衆》汝之持來袈裟一幅.
11-2. 갖옷〔裘〕→〔領〕
《太宗 12, 6年7月丙午》豹鼠裘一領.
11-3. 곤룡포〔袞服〕→〔套〕
《太宗 6, 3年11月辛未》九章綃地紗袞服一套.
11-4. 단령(團領) →〔件〕
《進饌 2, 稟目》黑苧團領二件.
11-5. 더그레〔號衣〕→〔領〕
《萬機, 軍政編 2, 龍虎營, 軍器》黃號衣五十八領.
11-6. 도포〔袍〕→〔件・襲〕
《高麗史 5, 顯宗世家》袍一襲.
《尙方 3, 別例 下》絳紗袍臺件.
11-7. 동달이〔東道里〕→〔件〕
《殯魂殿, 1房, 稟目》藍鼎紬東道里一件.
11-8. 면복(冕服) →〔副〕
《端宗 3, 卽位年9月丙子》九章冕服一副.
11-9. 바지〔袴〕→〔襲・腰〕
《遺事 5, 孝善, 貧女養母》衣袴一襲.
《高麗史 9, 文宗世家》帛綿綾夾袴一腰.
11-10. 습의(襲衣) →〔稱〕
《世宗 43, 11年2月乙酉》恭靖大王喪, 襲衣七稱, 小斂衣十五稱, 大斂衣三十八稱.
11-11. 옷〔衣〕→〔件・段・對・副・事・襲・樣・葉・領〕
《太宗 16, 8年10月庚子》厚緜衣三件內, 綿大襖一件, 裙一件, 袴一件.
《太祖 15, 7年10月癸卯》表裏一段.
《高麗史 9, 文宗世家》國王衣二對.
《世宗 101, 25年7月癸亥》賜衣一領, 及賜伴人衣一領.
《史記 10, 新羅元聖王本紀》衣一副.
《高麗史 17, 仁宗世家》九章服一副.
《太宗 34, 17年7月乙丑》衣服三事.
《史記 6, 新羅文武王本紀》紫衣一襲.
《太祖 6, 3年12月己卯》衣一襲.
《文鑑 8, 人, 完全》樣數, 벌 수.
《高麗史 31, 忠烈王世家》木衣四十葉.
11-12. 지의(紙衣) →〔領・張〕
《萬機, 財用編 1, 各貢, 備邊司》紙衣(每領, 木一疋二十一尺).
《度支, 寢茵》紙衣一張.
11-13. 철릭〔天翼〕→〔件〕
《進宴 3, 樂器風物》天翼二件.
11-14. 치마〔裳〕→〔件〕
《孝陵, 都監》白布裳七件.
11-15. 쾌자〔掛子〕→〔領〕
《萬機, 軍政編 2, 訓鍊都監, 軍器》紅三升甲掛子各一百二十領.
11-16. 핫옷〔襦衣〕→〔襲・領〕
《萬機, 財用編 1, 各貢, 宣惠廳, 襦紙衣契》襦衣(每領, 米, 兩南一石五斗, 江原錢十兩).
《成宗 178, 16年閏4月丙戌》襦衣一襲.
11-17. 행주치마〔行子赤亇〕→〔件〕
《國葬, 下, 3房》行子赤亇四件.
《純國 4, 實入》布行子赤亇二件.
12. 갑옷〔甲〕→〔副・部・領〕

《史記 21, 高句麗寶藏王本紀》光明鎧萬領.
《世宗 102, 25年12月辛卯》謹獻鎧一領.
《宣祖 35, 26年2月甲辰》甲二百餘部.
《高麗史 2, 惠宗世家》金星皮甲二副.

13. 머리에 쓰거나 꾸미는 것

13-1. 감투〔甘吐·甘土〕→〔立·事〕
《萬機, 財用編 3, 禁衛營, 軍器》甘土四十立.
《中宗 78, 29年11月丙戌》刑曹官, 將甘吐一事, 單衣一件, 裙一件, 布帶一事.

13-2. 갓양태〔涼臺〕→〔立〕
《英祖 113, 45年10月庚戌》貿馬尾七百斤, 涼臺一千五百立.

13-3. 갓끈〔纓子·笠緖〕→〔件·結·枚·部〕
《純國 3, 造作》紫的綃纓子二件.
《交隣 1, 差倭》水晶笠緖三結.
《世祖 4, 2年6月甲子》紅纓三枚.
《度支, 雜種貿易》木纓子一部.

13-4. 건(巾) →〔件·部·頂·竹〕
《度支, 入染物種, 改染》紅木頭巾一件.
《尙方 3, 別例 下, 親迎》小烏巾壹部.
《訓重, 弓箭色, 己丑別備秩》單巾參拾頂.
《四介, 20章》濟網五竹.

13-5. 관(冠) →〔件·部·笠·頂·片〕
《進宴 3, 樂器風物》花冠二件.
《尙方 1, 大殿》毛羅翼善冠壹部.
《度支, 毛鬣》方冠一笠.
《高麗史 17, 仁宗世家》仍賜九旒冠一頂.
《太宗 6, 3年10月辛未》九旒平天冠一頂.
《太宗 6, 3年10月辛未》平天冠一片, 玉桁一根.

13-6. 관골〔梁〕→〔部〕
《尙方 1, 大殿》青玉梁一部.

13-7. 관자〔圈子〕→〔雙〕
《度支, 雜種貿易》玉圈子一雙, 金圈子一雙.

13-8. 댕기〔唐只〕→〔件〕
《進宴 3, 樂器風物》唐只四件.

13-9. 모자〔帽〕→〔箇·立·部·事·頂·隻〕
《太宗 16, 8年10月庚子》暖帽一箇, 暖靴一雙.
《度支, 毛鬣》白帽子一立.
《尙方 1, 本院元貢》竹帽子捌部.
《度志, 外篇 16, 通信使行》笠帽二事.
《春通 2, 迎勑禮單》雨帽十八頂.
《萬機, 財用編 1, 各貢, 宣惠廳》每年帽隻, 多不過四五百隻, 小或爲三四百隻.

13-10. 복두(幞頭) →〔件·枚·部〕
《度支, 樂工服色》冒羅幞頭一件.
《高麗史 3, 成宗世家》幞頭二枚.
《度支, 冠帶》幞頭一部.

13-11. 옥형(玉桁) →〔根〕
《太宗 6, 3年10月辛未》平天冠一片, 玉桁一根.

13-12. 입(笠) →〔箇·立·部·事·月·竹〕
《萬機, 軍政編 3, 禁衛營, 軍器》紅氈笠七十七箇.
《萬機, 軍政編 2, 兵曹, 龍虎營, 軍器》紅氈笠七十五立.
《度支, 雜種貿易》黃草笠一部.

《太宗 34, 17年7月乙丑》靴笠一事.
《定宗 2, 元年10月甲辰》網笠一事.
《殯魂殿, 儀註》白笠・白帶二十五月.
《中宗 68, 25年5月丁未》成宗朝, 雖儒生, 亦着三十竹笠子, 上下之人, 皆從法令故也.
《四介, 20 章》笠二十竹.
13-13. 투구〔胄〕→〔部・頂〕
《世宗 75, 18年11月戊午》鐵胄一百部, 帛胄五百部.
《端宗 6, 元年 6月辛卯》甲四部, 胄四頂.
13-14. 호수(虎鬚) →〔件〕
《進宴 3, 樂器風物》虎鬚二件.
14. 도장〔印〕→〔顆・面・本〕
《高麗史 29, 忠烈王世家》銅印一顆.
《左捕廳, 乙未 6月14日》印信僞造一顆.
《高麗史 17, 仁宗世家》金印一面.
《高麗史 7, 文宗世家》命有司, 各印一本, 送之.
14-1. 인주갑〔印池〕→〔顆〕
《太宗 5, 3年4月甲寅》給賜朝鮮國王誥命一道, 金印一顆, 金印池一顆.
15. 버선〔襪〕→〔件〕
《尙方 3, 別例 下, 國婚》赤襪壹件.
16. 털너덜〔毛襪〕→〔浮〕
《鐵山誌, 事例》毛浮三浮, 毛襪三浮.
17. 수건(手巾)·족건(足巾) →〔件〕
《營建, 甘結》布手巾一件.
《殯魂殿, 1房, 稟目》足巾三件.
18. 장갑(掌匣) →〔件〕
《營建, 實入》掌匣二十件.
19. 솔〔省・梳〕→〔箇(介)・枚〕
《度支, 雜種貿易》猪毛省一介.
《度支, 成器物種》流頭進上木梳五介.
《萬機, 財用編 1, 供上, 大殿》省六箇.
《方物 3》梳省十五枚.
20. 신〔靴・鞋〕→〔件・兩・對・部・雙・緉・月・隻〕
《度支, 樂工服色》烏皮履一件.
《世宗 8, 2年4月壬子》婦人紫斜皮鞋三兩.
《世祖 43, 13年8月丁未》黑斜皮雲鞋一兩.
《太宗 19, 10年3月丁卯》衣一襲, 靴一對, 米豆十石.
《世宗 8, 2年4月丁巳》黑斜皮靴一對.
《顯宗 1, 卽位年6月辛卯》濫造內官所着白靴, 至於一百八十六部之多.
《孝陵, 雜物秩》繩鞋一百部.
《抱川誌》木鞋四十八部.
《世祖 11, 4年2月庚寅》靴一雙.
《高麗史 9, 文宗世家》靴一緉.
《高麗史 70, 禮志》烏皮履一緉.
《殯魂殿, 儀註》白皮鞋二十七月, 白皮靴二十五月.
《遺事 3, 塔像, 洛山二大聖》松下有一隻脫鞋.
21. 안창〔昌・精・涼精〕→〔部〕
《交隣 5, 京外路需》黑黍皮靴子白馬皮涼精具一部.
《萬機, 財用編 1, 供上, 大殿》黑麂子皮靴白羊毛精具三部.
《度支, 靴鞋》靸鞋一部(昌一部).
22. 부신(符信) →〔部・隻〕
《度支, 成器物種》兵符一部, 通符一部.

《宣祖 24, 23年2月甲申》命新造密符三隻, 一隻則付大臣, 二隻則藏內.

23. 패(牌) →〔介・立・面・雙・隻〕

《度支, 成器物種》粉牌一介.

《純國 1, 甘結》工匠牌二立.

《高麗史 70, 樂志, 登歌樂器》牌一面.

《萬機, 軍政編 3, 摠戎廳, 軍器》肅靜牌一雙.

《成宗 215, 19年4月戊申》馬牌一隻.

24. 홀〔珪・圭・笏〕→〔面・部〕

《高麗史 17, 仁宗世家》玉珪一面.

《尙方 1, 大殿》青玉圭壹部.

《尙方 3, 別例 下, 親迎》象牙笏壹部.

25. 분(粉) →〔匣・器・兩・斗・封〕

《老乞大》面粉一百匣.

《成宗 13, 2年12月己卯》白粉一器.

《殯魂殿, 1房, 稟目》唐粉四兩.

《營建, 移文》丁粉三百斗.

《世祖 43, 13年9月壬辰》粉一封.

26. 연지(燕脂) →〔箇・椀・張・鍾子・片〕

《世宗 46, 11年11月丙午》綿燕脂五百箇.

《進饌 2, 饌品》燕脂四十椀.

《純國 1, 實入》片燕脂九張.

《進宴 2, 饌品》燕脂半鍾子.

《營建, 實入》片燕脂三百六十八片.

27. 부채〔扇〕→〔柄・本・矢・雙・握・竹・把〕

《成宗 69, 7年7月丁卯》扇子一柄.

《方物 3》油別扇二十矢五十柄.

《萬機, 財用編 1, 供上, 大殿》五十竹白斑貼扇一柄.

《世宗 22, 5年10月壬戌》銀地扇子二十本.

《進宴 3, 儀仗》繖扇一雙.

《中宗 91, 34年8月戊寅》蜀扇一握.

《交隣 5, 一行回受禮單》貼雲小扇一握.

《世宗 19, 5年正月甲午》扇子二十把.

《方物》白貼扇六十六把, 加三把.

28. 담뱃대〔烟竹・烟筒・烟器〕→〔介・根・握〕

《度支, 雜種貿易》螺鈿烟竹一介.

《瀋狀, 癸未 5月14日》烟筒二十根.

《通志 5, 交隣, 差倭》朱竿烟器三十握.

29. 안경〔目鏡・眼鏡〕→〔掛・部〕

《交隣 5, 一行回受禮單》金皮目鏡六掛.

《度支, 雜種貿易》眼鏡一部.

30. 망원경〔千里鏡〕→〔面〕

《萬機, 軍政編 3, 禁衛營, 軍器》千里鏡一面.

31. 행담(行擔) →〔部〕

《營建, 甘結》行擔一部.

《度支, 木柳器》行擔一部.

32. 우산(雨傘) →〔柄〕

《度志 9, 御供》大雨傘二柄.

33. 일산(日傘)・양산(陽傘・陽繖) →〔柄〕

《進宴 3, 儀仗》日傘一柄.

《高麗史 18, 毅宗世家》陽傘三柄.

《進宴 2, 稟目》陽繖一柄.

《進宴 2, 甘結》九龍黃蓋二柄.

34. 노리개 →〔流〕

《成宗 83, 8年8月辛亥》獐牙兒十流, 葫蘆兒二十流, 虎牙兒五流, 青瓜兒二十流.

Ⅵ. 여러 가지 물건에 관한 것

1. 저울〔稱 · 稱子 · 等子〕→〔箇(介)·槃·部·連·坐〕
《訓重, 軍色, 時遺在秩》百斤稱子壹箇.
《高麗史 28, 忠烈王世家》十六斤稱一連, 十斤半等子一槃, 三斤二兩等子一介.
《老乞大, 下》稱三十連, 等子十連.
《殯魂殿, 1房, 稟目》三十斤稱子一部.
《進饌 2, 甘結》三十斤稱子一坐, 分稱一坐.
2. 꽃〔花〕→〔箇·本·盆·枝·朶·片〕
《進饌 2, 稟目》二枝首拱花四千二百箇.
《進饌 2, 稟目》絲圈花二本.
《成宗 13, 2年11月己未》暎山紅一盆.
《遺事 2, 紀異, 眞聖大王, 居陁知》變作一枝花.
《高麗史 89, 齊國大長公主傳》時, 壽寧宮芍藥成開, 公主命折一枝.
《燕山君 52, 10年4月甲寅》牧丹一朶.
《遺事 5, 感通, 月明師兜率歌》桃送青雲一片花.
3. 무기(武器)
3-1. 곤봉(棍棒)→〔柄·雙〕
《萬機, 軍政編 2, 龍虎營, 軍器》棍棒四柄.
《萬機, 軍政編 3, 御營廳, 軍器》棍棒五雙.
3-2. 과녁〔貫革〕→〔坐〕
《萬機, 軍政編 3, 御營廳, 諸屯》柳葉箭貫革七坐, 鳥銃貫革十七坐, 騎蒭貫革十坐.
3-3. 귀약통〔耳藥筒〕→〔部〕
《萬機, 軍政編 3, 御營廳, 軍器》耳藥筒二千九百三十九部.
3-4. 칼〔刀子·劍·刀〕→〔介·口·段·對·柄·副·部·腰·爪·條·振·隻·把〕
《度支, 鐵物》硯刀大刀子一介.
《高麗史 2, 惠宗世家》玉劒一十口……長刀一十口……匕首一十口.
《宣祖 26, 25年4月壬寅》寶劍一口.
《史記 13, 高句麗瑠璃王本紀》得斷劒一段.
《成宗 182, 16年8月戊申》長刀一對.
《高麗史 2, 惠宗世家》銀重口大樣刀子四十柄.
《成宗 69, 7年7月丁卯》環刀二柄.
《世宗 38, 9年11月丙戌》三刀子各一副.
《老乞大》大小刀子一百副.
《文宗 7, 元年 4月甲午》刀子十部.
《世祖 43, 13年8月丁未》三幷刀子四部.
《世宗 20, 5年6月庚午》劒十五腰.
《春通 2, 方物數目》腰刀二十六把五爪.
《肅宗 51, 38年3月壬辰》長刀二十條.
《世宗 102, 25年12月辛卯》大刀二十振.
《成宗 13, 2年12月己卯》大刀二振.
《高麗史 9, 文宗世家》銀裝長刀二十隻.
《高麗史 29, 忠烈王世家》環刀三百七十八把.
《肅宗 51, 38年3月壬辰》大刀二十把.
3-5. 남날개〔南飛介·南羅介〕→〔箇(介)〕

《萬機, 軍政編 2, 龍虎營, 軍器》南飛介一箇
《宣川誌, 上》木南羅介六百介.

3-6. 동개〔筒箇〕→〔部〕
《萬機, 軍政編 2, 龍虎營, 軍器》筒箇一百十八部.

3-7. 마름쇠〔菱鐵·蒺藜〕→〔箇·兩〕
《萬機, 軍政編 2, 訓鍊都監, 軍器》菱鐵三千一百三十一箇.
《度支, 雜種貿易》沙苑蒺藜一兩.

3-8. 쇠뇌〔弓弩〕→〔坐〕
《萬機, 軍政編 3, 禁衛營, 軍器》弓弩二百三十九坐.

3-9. 쇠뇌틀〔弓弩機〕→〔坐〕
《萬機, 軍政編 3, 御營廳, 軍器》弓弩機一百十九坐.

3-10. 주장(朱杖)→〔箇·柄〕
《萬機, 軍政編 2, 龍虎營, 軍器》朱杖二十九箇.
《萬機, 軍政編 2, 訓鍊都監, 軍器》朱杖六十柄.

3-11. 창〔槍·鎗·鏜〕→〔桿·根·對·柄·本·部·挺·條·坐·枝·叢·把〕
《正祖 45, 20年12月乙未》怡鎗八桿, 鳥鎗三百七十八桿.
《高麗史 2, 惠宗世家》金銀裹槍一十根.
《宣祖 94, 30年 11月丙申》筤筅五百餘根.
《正祖 42, 19年2月甲辰》風鎗一對.
《宣祖 94, 30年11月己酉》槍一柄.
《成宗 244, 21年9月丁卯》朱柒鏜一十本.
《萬機, 軍政編 3, 摠戎廳, 軍器》拒馬槍八百十二部.
《世宗 90, 22年8月庚午》鏜一十挺.
《世宗 102, 25年11月己巳》槍十條.
《萬機, 軍政編 2, 訓鍊都監, 軍器》拒馬槍三百四十八坐.
《萬機, 軍政編 3, 禁衛營, 軍器》車槍二百八十八枝.
《訓重, 弓箭色, 己丑別備秩》拒馬槍參拾叢.
《萬機, 軍政編 3, 御營廳, 軍器》拒馬槍五百七十六叢.
《成宗 204, 18年6月甲申》鏜子一十把.

3-12. 총(銃)·총통(銃筒)→〔箇·門·柄·枝〕
《萬機, 軍政編 3, 御營廳, 軍器》體鐵銃二百二十箇.
《宣祖 101, 31年6月丙辰》鳥銃十六門.
《萬機, 軍政編 2, 龍虎營, 軍器》三穴銃十二柄.
《中宗 77, 29年8月甲寅》銃筒各二十柄.
《宣祖 87, 30年4月乙酉》鳥銃七枝.
《萬機, 軍政編 3, 御營廳, 軍器》小發火一百三十枝.

3-13. 탄환(彈丸)→〔箇·發〕
《純祖 10, 7年5月辛卯》鉛丸四十萬九千六十六箇.
《高宗 13, 13年2月初 4 日》彈藥二千發.

3-14. 편곤(鞭棍)→〔柄〕
《萬機, 軍政編 2, 龍虎營, 軍器》着筋鞭棍六百六十九柄.

3-15. 포(砲)→〔柄·位·坐〕
《世宗 62, 15年 11月庚寅》大火砲二十柄, 小火砲三十柄.
《萬機, 軍政編 3, 禁衛營, 軍器》銅砲十柄.
《萬機, 軍政編 3, 御營廳, 軍器》五號鍮佛狼機五十位.

《仁川誌》佛狼機十三坐.
《萬機, 軍政編 2, 訓鍊都監, 軍器》銅砲一百十九坐, 虎蹲砲十七坐, 循環砲十坐.
3-16. 화살〔箭〕→〔箇(介)·根·枚·浮·桴·部·枝·隻·箭〕
《宣祖 41, 26年8月戊子》箭二十介.
《世宗 123, 31年2月丁卯》箭四十一根.
《世宗 75, 18年11月戊午》箭四萬九千枚, 片箭二萬枚.
《萬機, 軍政編 3, 摠戎廳, 軍器》片箭四百二十五浮二十五箇.
《漣川誌》片箭六十九浮.
《宣川誌, 上》片箭二百七十七桴五十介.
《萬機, 軍政編 3, 御營廳, 軍器》長箭六千七百七十五部二十七箇.
《春通 2, 迎勅禮單》竹桿箭九十枝.
《萬機, 軍政編 3, 摠戎廳, 軍器》火箭二千四百九十四枝.
《高麗史 9, 文宗世家》細鏃箭八十隻.
《太宗 12, 6年7月丙午》箭一箭.
3-17. 화살대〔箭竹〕→〔箇·浮·編〕
《宣祖 82, 29年11月丁巳》箭竹一萬箇.
《六典 8, 兵典, 軍器寺, 弓典色》箭竹五百七十浮三十四箇.
《肅宗 5, 2年12月甲申》箭竹一百編.
3-18. 화살촉〔箭鏃〕→〔根〕
《成宗 69, 7年7月丁卯》箭鏃一百根.
3-19. 화승(火繩) →〔巨里·臺乃·沙里·圓·條·台乃〕
《訓重, 鳥銃色, 庚午雲峴宮別備秩》走火索肆巨里貳佰壹把.
《萬機, 軍政編 3, 摠戎廳, 軍器》火繩九千三百七十六臺乃.
《純祖 10, 7年5月辛卯》火繩一萬二千三百五圓.
《宣川誌, 上》火繩一千五百四十八圓.
《萬機, 軍政編 2, 訓鍊都監, 軍器》火繩四千四十二沙里.
《萬機, 軍政編 3, 禁衛營, 軍器》藥線二千八百十三條.
《仁川誌》火繩一百九十台乃.
3-20. 화약(火藥) →〔斤〕
《萬機, 軍政編 2, 訓鍊都監, 軍器》火藥十八萬一千三百八十斤.
3-21. 활〔弓〕→〔副·張·丁〕
《仁祖 34, 15年正月戊辰》水牛角弓面二百副.
《高麗史 9, 文宗世家》細弓四張.
《世宗 53, 13年8月乙卯》角弓三張.
《世宗 64, 16年4月甲寅》角弓一千丁.
《中宗 64, 23年11月乙丑》別造弓一丁.
4. 향(香) →〔罐·礶·塊·斤·柄·本·封·封只·封紙·部·雙·劑·炷·枝·串·吐〕
《世祖 47, 14年7月乙丑》黑硏香一罐.
《世宗 46, 11年11月丙午》薰香一礶.
《營建, 甘結》紫丹香一塊.
《世祖 26, 7年12月戊辰》檀香一百斤, 丁香一百斤, 木香一百斤.
《孝陵, 啓辭》芙蓉香十六柄
《成宗 290, 25年5月戊戌》香一本十四斤.
《度支, 雜種貿易》萬壽香一封, 芙蓉香(一劑, 価艮一百六十兩, 一封五雙, 価錢一兩).

《度志, 外篇 16, 經費司》衣香二封只.
《度志, 外篇 16, 經費司》衣香(各二封紙).
《度支, 鄕藥材》牛黃一部, 鄕麝香一部.
《度支, 雜種貿易》淸遠香一雙.
《世宗 20, 5年4月丙辰》檀香一炷.
《春通 2, 迎勅禮單》香五十炷.
《度志, 外篇 16, 通信使行》芙蓉香二十炷.
《度志, 外篇 16, 經費司》芙蓉香二十枝.
《世祖 47, 14年7月乙丑》紫丹香一串.
《陶傳 29, 已卯8月17日》香一吐.

5. 약(藥)·약재(藥材) →〔角·匣·甌·斤·筋·觔·級·斗·枚·味·本·封·部·分·盆·匕·圓·粒·字·張·挺·臍·鍾·炷·次·帖·貼·丸〕
《會通 2, 戶典, 雜稅》一角蔘.
《度支, 菜蔬》生薑一斤(十角作一升).
《度支, 唐餠果茶膏》茶膏一匣.
《分瘟疫, 不相傳染門》凡病者, 各飮一甌後(병 ᄒᆞᆫ 사ᄅᆞ미 각각 ᄒᆞᆫ 보ᅀᆞ곰 머근 후에).
《高麗史 9, 文宗世家》人蔘一千斤.
《中宗 90, 34年4月己酉》一路不無茶也, 而况三十筋, 豈茶蔘耶.
《高麗史 22, 高宗世家》紫草五觔, 紅花·藍筍·朱紅各五十觔,
《世宗 19, 5年正月甲午》甘草二十觔.
《萬機, 財用編 5, 信使》陳艾五級.
《方物》浮椒一十五斗.
《救急 2, 1 b》川烏頭(一枚炮裂, 去皮, 臍擣令碎).
《太宗 5, 3年6月甲子》藥材一十八味.
《高麗史 53, 五行志》瑞芝一本.
《竹山誌, 事例》芝草一本.
《中宗 90, 34年5月乙未》香茶一封, 上淸元(藥名, 主治暑氣)一封.
《世祖 7, 3年 5月戊子》牛黃一十部.
《史記 7, 新羅文武王本紀》牛黃百二十分.
《馬方, 諸黃門》羊蹄根·艾葉·右水一盆.
《馬方, 諸瘡門》藥一大匕.
《分瘟疫, 不相傳染門》蘇合元二十圓.
《太宗 15, 8年正月乙亥》不老圓百粒.
《山林, 救急》生麝香少許爲末, 每取半字(二分二里半).
《度支, 唐餠果茶膏》三升黑膏藥一張.
《救急, 上》皁莢(剉碎三挺).
《高麗史 9, 文宗世家》麝香五十臍.
《馬方, 治脾部》童子小便一鍾.
《遺事 1, 紀異, 古朝鮮》靈艾一炷, 蒜二十枚.
《度支, 草物》王古草一次, 小笞一次.
《新字典, 朝鮮俗字部》藥一封曰一帖. 見醫方.
《正祖 40, 18年8月戊午》加味逍遙散一貼.
《文宗 5, 元年正月癸丑》病重氣弱人, 服五十丸, 病輕氣壯人七十丸, 空心米飮呑下.

6. 송연(松烟) →〔斤〕
《營建, 移文》松烟二百斤.

7. 탄(炭) →〔斗·石·升〕

《文宗 3, 卽位年9月己酉》炭一石.
《殯魂殿, 稟目》爐炭一石六斗四升.

8. 회(灰) →〔掬·封·石〕
《宣祖 39, 26年6月辛亥》靖陵灰燼, 大小三封內, 小一封則燒骨僅半半掬.
《度支, 灰石土》水灰一石, 油灰一石.

9. 줄·끈·밧줄 →〔艮衣·巨里·斤·帶·同·部·沙里·莎里·錢·條·絛·條里·托·把〕
《華城 5, 財用 1》樺皮索一千一百四十七巨里.
《度支, 索綯》細繩一斤(每把二戔, 每把長三尺).
《孝陵, 左右輪石所》大九甲注乙十二帶, 大三甲注乙六十帶.
《度支, 各色絲繭》駕轎馬胷巨里, 每部白木十二尺.
《度支, 索綯》藁索十四同, 每同五十沙里, 每沙里三十把.
《孝陵, 座目》藁索十五同, 每同一百莎里, 各長五十把.
《殯魂殿, 稟目》細繩六錢.
《殯魂錢, 儀註》索一條.
《經國 3, 禮典, 儀章, 鞍具》白鹿角邊鞍一絛垂兒.
《尙方 3, 別例 下, 國婚》紫的羅肆條里.
《朴通事, 上》五六托麤麻線也(五六 발 굴근 삼실).
《譯解, 上, 算數》三托, 세 발.
《六典 2, 戶典, 戶曹》樺皮所二百四十三艮衣二把.

10. 사슬〔沙乽〕→〔巨里〕
《營建, 實入》鷲頭沙乽六巨里.

11. 철사(鐵絲) →〔尺〕
《度支, 鐵絲》大銅絲十一尺(五尺重一兩), 細銅絲三十三尺(五十尺重一兩).

12. 화폐〔楮貨·鈔·銅錢〕→〔貫·塊·金·兩·文·緡·分·葉·元·圓·里·張·錢·定·錠·串·圜〕
《太宗 11, 6年3月丁酉》銅錢一千文爲一貫, 准寶鈔一貫.
《世宗 69, 17年7月丙子》鈔一塊.
《英祖 72, 26年10月戊子》駙馬第宅之價, 皆不下二三千金.
《世宗 23, 6年正月壬午》犯藏二十二貫五百文.
《進宴 2, 照會》錢十二万二百七十五元七錢七里.
《梅泉, 上, 甲午以前, 戊寅》方言錢十文曰一錢.
《英祖 30, 7年9月庚辰》錢一萬緡.
《經國 6, 工典, 營繕, 度量衡》十分爲錢, 十錢爲兩.
《廣物譜 1, 民業部, 珍寶》葉, 錢一子, 卽 ᄒᆞᆫ 푼.
《推鞫, 邪學罪人演承等鞫案, 高宗 5年6月20日》修答給錢二十葉.
《高宗 45, 9年1月 18日》舊貨銀十兩(銀二元도 亦同) 新貨金一圜에 相當ᄒᆞᆫ 比額으로 政府便宜ᄅᆞᆯ 依ᄒᆞ야 漸次로 交換 或還收ᄒᆞᆯ 事.
《高宗 46, 9年8月20日》百噸以下西洋式船舶十五圓.
《中宗 22, 10年7月甲午》楮貨三百十八萬五千九百五十二張.
《太宗 15, 8年4月庚辰》寶鈔五十張.
《廣物譜 1, 民業部, 珍寶》定, 十貫. ᄇᆡ 냥.
《高麗史 29, 忠烈王世家》楮繈三千錠.
《高麗史 30, 忠烈王世家》元賜鈔一

千錠.
《吏輯 3, 錠鈔》一千張爲一錠, 一云五張爲錠.
《高麗史 32, 忠烈王世家》鈔六百一十錠二十五兩.
《太宗 6, 3年8月乙亥》會計楮幣, 凡五萬七千六百八十二錠.
《雅言》 吾東百錢一串, 謂之一兩, 乃以一兩借名一貫, 亦名緡.

13. 쇠붙이 →〔塊·斤·兩·微·分·糸·里·稱·戶·忽〕
《陶傳, 萬曆24年丙申正月》銅鐵二塊.
《度支, 金銀》水銀一斤.
《進饌 1, 移文》熟銅三十四斤二兩.
《萬機, 財用編 4, 錢貨, 鑄錢式》生銅九分七里四戶六糸六忽六微.
《度支, 鐵絲》豆錫一稱(百斤).

14. 자물쇠〔鏁鑰〕· 열쇠〔開金〕→〔副·部〕
《高麗史 2, 惠宗世家》鏁鑰二副.
《營建, 實入》龍鏁鑰開金具三部.

15. 기호품(嗜好品)

15-1. 담배 →〔脚·匣·帒·袋·封·束·把〕
《世宗 35, 9年正月壬寅》折草一脚.
《龍灣誌, 下, 進上》只三伊三十匣.
《通志 4, 事大, 禮單》鄕封草二十帒.
《瀋狀, 癸未 5月14日》細折南草二十袋.
《陶傳 29, 己卯 8月17日》長壽烟十四封.
《成宗 33, 4年8月甲申》折草一束.
《海行, 各處書契》烟草三十把.

15-2. 술〔酒〕→〔古里·句只·東海·磅·杯·盃·缾·瓶·保·盆·鐥·椀·酌·爵·盞·埕·鍾·桶·缸·壺〕
《度支, 鹽醬酒醋》內贍寺燒酒依淸酒式, 每石作二十五瓶(每石十古里式, 每古里煮取燒木十五斤).
《度支, 鹽醬酒醋》醴酒一瓶(三盞作一句只, 三句只作一鐥, 三鐥作一瓶, 三瓶作一升).
《度支, 鹽醬酒醋》淸酒一瓶半(十二瓶作一東海).
《陰晴史, 上, 高宗 19年3月》火酒二磅.
《成宗 129, 12年5月丙申》請殿下陞座, 敬進一杯, 我亦喫人盃辭去.
《成宗 129, 12年 5月丙申》只是三四杯酒量耳.
《殯魂殿, 1房, 稟目》香溫酒一缾.
《雲林, 戊申 2月23日》燒酒一保.
《世宗 26, 6年10月壬寅》濁酒一百盆.
《雅言》酒五盞, 謂之一鐥.
《顯宗(改修) 14, 7年3月丁亥》酒三千一百鐥.
《救急 1, 溺死》 酒一椀(술 ᄒᆞᆫ 사발).
《芝峯, 上, 有懷》一酌梨花是別盃.
《度志, 外篇, 經費司, 祭物器數式》淸酒三爵(四瓶半).
《世祖 26, 7年12月戊辰》 天竺酒一埕.
《馬方, 治脾部》好酒一大鍾.
《海行, 姜弘重東槎錄, 乙丑 2月 9日》白酒一桶.
《遺事 2, 紀異, 孝昭王代, 竹旨郞》酒一缸.
《世宗 14, 3年12月壬子》酒一壺(二斗).

15-3. 차(茶) →〔角·匣·塊·甌·斤·斗·瓶·封·襲·包〕

《高麗史 7, 文宗世家》腦原茶三十角.
《世宗 102, 25年12月甲午》茶一十角, 桂二角.
《度支, 唐餠果茶膏》桂花茶一匣.
《度支, 唐餠果茶膏》寶月茶一塊.
《遺事 2, 紀異, 景德王, 忠談師, 表訓大德》一甌茶.
《高麗史 3, 成宗世家》茶一斤.
《殯魂殿, 禮關秩》雀舌十斗.
《度支, 唐餠果茶膏》雨前茶一瓶.
《世宗 5, 元年 9月丙辰》茶一封.
《遺事 5, 感通, 月明師, 兜率歌》品茶一襲.
《萬機, 財用編 2, 歲幣》茶一千包.

16. 불상(佛像) →〔軀・尊・坐〕
《遺事 3, 塔像, 栢栗寺》大悲之像一軀.
《高麗史 41, 恭愍王世家》黃金佛一軀.
《正祖 18, 8年11月辛未》世子宮長壽玉佛一尊.
《定宗 1, 元年6月乙酉》大相國母獻刻木地藏堂主千佛圍繞一坐.

17. 염주(念珠) →〔帒〕
《世宗 5, 元年10月丙辰》念珠一帒.

18. 덮거나 가리는 것
18-1. 도롱이〔蓑衣〕→〔件・領〕
《度支, 雜種貿易》蓑衣一件.
《方物》蓑衣二領.
18-2. 멱(羃)・막(幕) →〔箇・浮・部〕
《純國 1, 魂殿祭器》羃二十五箇.
《純祖 10, 7年5月辛卯》軍幕八十三浮.
《萬機, 軍政編 2, 龍虎營, 軍器》軍幕十一部.
18-3. 바자〔把子〕→〔巨里・立・同・浮・駄〕
《度支, 草物》杻把子(一間巨里).
《純國 4, 造作》草把子五立.
《純國 4, 造作》草把子七百六十三同.
《度支, 草物》草把子一浮(廣一把, 二十浮作一同, 三同作一駄).
18-4. 발〔簾〕→〔浮〕
《孝陵, 座目》大藺簾二十二浮, 各長十一尺, 廣十尺.
18-5. 벽의(壁衣) →〔浮〕
《尙方 1, 大王大妃殿》柒幅壁衣參浮.
18-6. 우비(雨備) →〔件・部〕
《萬機, 軍政編 2, 訓鍊都監, 軍器》令旗靑雨具四十件.
《殯魂殿, 1房, 各處手本》架子雨備二部.
18-7. 유둔(油芚) →〔件・番・浮・部・葉・丈・張〕
《殯魂殿, 1房, 稟目》油芚上下各一件.
《成宗 100, 10年正月丁丑》油芚十番.
《度支, 紙地》四油芚一番(長四尺二寸, 廣三尺).
《中宗 87, 33年 6月壬戌》天使時所用三十六張油芚十四浮.
《世祖 3, 2年正月壬辰》油芚四部.
《磻溪 3, 田制後錄》一升米, 一葉芚, 一條木.
《陶傳, 萬曆46年正月19日》二張付油芚三丈.
《世祖 7, 3年5月戊子》油芚一十張.
《營建, 實入》六油芚一百七十二番三張.
18-8. 유삼(油衫) →〔件・領〕
《度支, 雜種貿易》紙油衫件.

《萬機, 軍政編 2, 訓鍊都監, 軍器》木油衫一百二十領.

18-9. 유석(油席) →〔浮〕

《方物》二張付油席十浮.

18-10. 유지(油紙) →〔浮·部·張〕

《陶傳, 萬曆30年2月》油厚紙二張付五浮.

《通志 3, 方物數目》厚油紙十部.

《殯魂殿, 實入》厚油紙一張.

18-11. 장(帳) →〔件·對·浮·部〕

《進饌 2, 修理》慈慶門青木甲帳一件.

《高麗史 9, 文宗世家》畫龍帳二對.

《度支, 殿內排設》御榻前面十二幅付紅木甲帳二浮.

《萬機, 軍政編 2, 龍虎營, 軍器》甲布帳九十七部.

18-12. 차일(遮日) →〔件·浮〕

《孝陵, 別工作》白木仰遮三件.

《度支, 紙地》油遮日二十張付一浮.

18-13. 초둔(草芚) →〔件·立·番·浮〕

《世宗 5, 元年9月戊子》草芚一件.

《孝陵, 雜物秩》厚草芚九十二立.

《睿宗 10, 2年4月戊申》草芚十番.

《磻溪 3, 田制後錄 上》茅芚二浮.

《度支, 草物》草芚一浮.

19. 물〔水〕·물줄기 →〔盆·升·椀·點·條〕

《馬方, 諸黃門》右水一盆.

《辟瘟》右作一貼, 水一升半.

《馬方, 治肝部》冷水半椀.

《煮硝方, 三煉》剩水一點.

《遺事 3, 塔像, 天龍寺》雞林土內有容水二條, 逆水一條, 其逆水·容水二源.

20. 얼음〔氷〕→〔丁〕

《世宗 11, 3年4月戊午》賜氷于讓寧大君禔, 每日一丁, 自五月至七月止.

21. 우박〔雹〕→〔枚〕

《高麗史 32, 忠烈王世家》雹一枚, 數人不能擧.

22. 염료(染料) →〔斤·觔·兩·同·冬音·卜子·封·分·束·月乃·里·桶·包〕

《營建, 實入》三青一斤十四兩.

《文宗 1, 卽位年3月己未》甘青一觔.

《尙方 1, 本院元貢》三甫三冬音.

《度支, 入染物種》臙脂水一卜子.

《世宗 25, 6年8月丁巳》朱紅一封.

《度支, 入染物種》三甫一月乃(一束, 重十斤, 六束作一同).

《尙方 1, 本院元貢》三甫拾同.

《純國 2, 稟目》二青·三青·石碌各二分五里.

《世家 34, 8年11月丁巳》漉漆一十桶.

《成宗 204, 18年6月壬午》銀朱五十包.

23. 기(旗) →〔件·面·柄·首〕

《世宗 25, 6年9月壬午》宿旗二件, 十二神旗二件.

《宣祖 94, 30年11月己酉》倭旗紅·白·黑大小旗三面.

《進饌 2, 儀衛》青龍旗一柄.

《高麗史 70, 樂志》上有麾幡二首.

24. 오락기구(娛樂器具) →〔副·扇〕

《老乞大》象棊十副.

《廣物譜 2, 技戲部》骨牌一片曰扇, 흔 딱.

25. 짐짝 →〔杠〕

《世宗 19, 5年3月戊戌》使臣, 三月十五日, 到義順館, 櫃子四十杠, 猪二杠.

26. 횃대〔衣桁·衣槓〕→〔脚·擡〕
《通志 5, 交隣, 差倭》彩花衣桁一脚.
《通志 4, 事大, 牌文》衣槓一擡.

Ⅶ. 문학(文學)과 예술(藝術)에 관한 것

1. 문방구(文房具)

1-1. 먹〔墨〕→〔匣·櫃·同·枚·封·丈·張·丁·挺·錠·快·板·片·笏〕
《正祖 15, 7年2月戊子》貢墨一匣.
《端宗 7, 元年7月丁卯》墨一櫃.
《度支, 筆墨》中眞墨一同(十丁).
《成宗 64, 7年2月辛丑》墨三枚.
《成宗 56, 6年6月壬午》墨二封.
《陶傳, 萬曆46年正月19日》油墨一丈.
《國葬, 3房, 雜物實入》大節眞墨十五張.
《高麗史 22, 高宗世家》龍團墨一千丁.
《世祖 16, 5年4月庚申》油烟墨五丁.
《高麗史 9, 文宗世家》墨四百挺.
《世宗 21, 5年7月己丑》墨一百挺.
《宣祖 200, 39年6月庚戌》墨五十錠.
《中宗 91, 34年8月己卯》墨一快.
《羣都目》墨曰一板.
《尙方 2, 別例 上》墨壹壹片.
《成宗 129, 12年5月辛卯》油烟墨十笏, 赤玉墨二笏.

1-2. 벼루〔硯〕→〔枚·面·部·備·尊·坐〕
《成宗 244, 21年9月丁卯》紫石文硯一十枚.
《成宗 202, 18年4月乙亥》倭紫硯一面.
《孝陵, 移文》硯面七部.
《度志, 外篇 16, 通信使行》彩畫掛硯一備.
《正祖 18, 8年11月辛未》歙硯二尊.
《度支, 祭享式》鍮硯一坐.

1-3. 븟〔筆〕→〔管·同·柄·枝〕
《高麗史 11, 肅宗世家》細筆一千二百管.
《進饌 1, 移文》畫筆八同八柄.
《度支, 筆墨》黃毛筆(十柄), 黃毛二条.
《世祖 43, 13年8月丁未》黃毛筆二百枝.

1-4. 연적(硯滴)→〔箇·枚〕
《營建, 甘結》硯滴三箇.
《世祖 46, 14年6月庚戌》硯滴一枚.

1-5. 종이〔紙〕→〔綑·塊·卷·斤·度·事·束·丈·張·折·条·隻·貼·丮·軸·打·破·片·幅〕
《通志 9, 紀年, 顯宗大王8年丁未》進獻紙每綑.
《萬機, 財用編 5, 燕行八包》壯紙定以節行一百四十塊(百卷爲一塊), 歷行七十塊, 後市四十塊, 其外潛入者嚴禁.
《世宗 25, 6年8月丙午》進獻表紙八十八卷, 擣鍊紙七十二卷.
《純國 1, 實入》白休紙二十斤.
《純國 1, 甘結》儀軌假衣次落幅紙一度.
《訓重, 軍色, 時遺在秩》監試落幅紙拾玖丮五事半事.
《度志, 內篇, 事例》首堂上監試初試紙六事, 色郎官監試初試紙四事.
《宣祖 93, 30年10月丁亥》白紙三束.

《楊根誌, 事例》白紙一百二十束(閏九束四丈半).
《世宗 5, 元年9月戊午》厚紙六百丈.
《嘉禮, 1房, 稟目》草注紙十丈, 貼金二丈.
《高麗史 22, 高宗世家》紙一萬張.
《度支, 紙地》白菱花(以草注紙推水全紙, 十張爲一卷).
《度支, 紙地》青菱花(二十条爲一張).
《受教 5, 刑典, 贓盜》使行方物白綿紙一隻.
《度支, 紙地》時政記紙一貼(十張作一貼).
《萬機, 財用篇 5, 燕使, 盤纏》落幅紙, 正使一軸, 副使八軸, 書狀官五軸.
《度支, 紙地》倭菱花(一百張作一軸).
《度支, 紙地》監試落幅紙一軸(二張作一度, 十度作一軸).
《文鑑 4, 文學, 文學什物》一軸, ᄒᆞᆫ축.
《釋林 34, 三學譯語, 文學》一打紙, 조희 ᄒᆞᆫ 권.
《度志 9, 御供》搗鍊紙十破一折.
《萬機, 財用編 1, 供上, 誕日》搗鍊紙十破一折.
《交隣 5, 一行回受禮單》紋紙五百片, 金別紋紙三百片.
《度支, 紙地》青扇子紙一片.
《高麗史 9, 文宗世家》大紙二千幅.
《高麗史 125, 宋邦英傳》紙十二幅.

2. 악기(樂器)

2-1. 각(角) →〔部·雙·枝·隻·通〕
《孝陵, 雜物秩》吹角四部.
《萬機, 軍政編 3, 御營廳, 軍器》螺角五雙.
《萬機, 軍政編 2, 龍虎營, 軍器》銅大角七枝.
《萬機, 軍政編 2, 訓鍊都監, 軍器》螺角五隻.
《文獻 113, 兵考, 教閱, 陳設教閱》角一通, 鼓一通.

2-2. 금(琴)·슬(瑟) →〔面·張〕
《高麗史 70, 樂志》琴一絃……九絃, 各二面, 瑟二面.
《朴通事, 下》琴一張, 酒一壺.

2-3. 나발〔喇叭〕→〔雙·枝〕
《萬機, 軍政編 3, 御營廳, 軍器》喇叭二十雙.
《萬機, 軍政編 2, 龍虎營, 軍器》喇叭十七枝.

2-4. 동라(銅鑼) →〔雙·枝〕
《萬機, 軍政編 3, 御營廳, 軍器》銅鑼一雙.
《萬機, 軍政編 2, 訓鍊都監, 軍器》銅鑼三十二枝.

2-5. 방울〔鈴〕→〔顆·柄〕
《史記 11, 新羅景文王本紀》金花鷹鐯鈴子二百顆, 金花鷂子鈴子二百顆.
《高麗史 2, 惠宗世家》銀尾銅全鍍金鷂子鈴二十顆, 鍍金鷹鈴二十顆.
《高麗史 70, 樂志》鐃鈴二柄.

2-6. 북〔鼓〕→〔面·坐·通〕
《純祖 10, 7年5月辛卯》大小鼓一百四十六面.
《萬機, 軍政編 2, 龍虎營, 軍器》長鼓二坐.
《文獻 113, 兵考, 教閱, 陳設教閱》角一通, 鼓一通.

2-7. 생황〔笙〕→〔攢·鑽〕
《高麗史 70, 樂志, 宋新賜樂器》匏笙一十攅.

《高麗史 70, 樂志, 登歌樂器》巢笙中・正聲各二鑽……和笙中・正聲各二鑽.

2-8. 소라〔螺〕→〔通〕

《高麗史 137, 辛禑傳》登墻吹螺一通.

《太祖 1, 總書》吹大螺一通.

2-9. 순(錞)→〔隻〕

《高麗史 70, 樂志, 軒架樂器》金錞二隻.

2-10. 아박(牙拍)→〔串〕

《高麗史 9, 文宗世家》鏤金紅黃碌牙拍板一十串.

2-11. 자바라(啫哱囉)→〔雙〕

《萬機, 軍政編 2, 龍虎營, 軍器》啫哱囉四雙.

2-12. 점자(點子)→〔部・雙〕

《萬機, 軍政編 2, 訓鍊都監, 軍器》點子六部.

《萬機, 軍政編 3, 御營廳, 軍器》細點子二雙.

2-13. 조두(刁斗)→〔部・坐・叢〕

《萬機, 軍政編 3, 禁衛營, 軍器》刁斗八百七十六部.

《萬機, 軍政編 2, 訓鍊都監, 軍器》刁斗三百七十坐.

《萬機, 軍政編 3, 御營廳, 軍器》刁斗四百六十四叢.

2-14. 종(鐘)→〔顆・口・事〕

《世宗 47, 12年2月庚寅》軒架三面, 編鐘之位九, 而九架之內, 各懸十二律, 鐘總一百單八顆……每顆各添四顆, 凡一百四十四顆, 乃其足數, 並祭則位之, 爲二百八十八顆也, 我朝編鐘元數, 只二百八十六顆.

《遺事 3, 塔像, 奉德寺鐘》鑄巨鐘一口.

《高麗史 25, 元宗世家》金鐘三事.

《世宗 44, 11年6月乙酉》白磁青花大鐘一事.

2-15. 징〔錚・鐲・鉦〕→〔箇・對・面・部・坐〕

《萬機, 財用編 1, 各貢, 軍器寺, 間二年條》中錚(每箇一石), 小錚(每箇一石).

《成宗 16, 3年3月辛丑》銀連珠手鐲一對.

《高麗史 70, 樂志》金鉦二面.

《孝陵, 雜物秩》大錚一部.

《萬機, 軍政編 2, 訓鍊都監, 軍器》鉦二十九坐.

2-16. 채〔槌〕→〔箇・對・柄〕

《萬機, 財用編 1, 各貢, 軍器寺, 間二年條》錚槌(每箇一斗, 兩湖).

《高麗史 70, 樂志, 登歌樂器》角槌一對.

《高麗史 70, 樂志, 登歌樂器》槌一柄.

2-17. 퉁소〔簫〕→〔面〕

《高麗史 70, 樂志, 宋新賜樂器》簫一十面.

2-18. 편경(編磬)→〔枚〕

《高麗史 70, 樂志, 登歌樂器》編磬正聲一十六枚, 中聲一十二枚.

2-19. 편종(編鐘)→〔架〕

《高麗史 70, 樂志, 軒架樂器》編鐘九架.

2-20. 피리〔笛・篥〕→〔管〕

《高麗史 9, 文宗世家》紅黃牙笛一十管, 紅黃觱篥一十管.

2-21. 호적(號笛)→〔枝〕

《萬機, 軍政編 2, 龍虎營, 軍器》號笛十七枝.

2-22. 훈(壎)→〔枚〕

《高麗史 70, 樂志, 登歌樂器》壎中正聲各二枚.

3. 글·그림·문서(文書)·서적(書籍)

3-1. 그림〔圖·畫〕→〔件·卷·本·軒·軸·鋪·幅〕

《端宗 8, 元年10月庚子》朝鮮諸圖一件, 八道各圖一件, 州府郡縣各圖一件.

《史記 10, 新羅元聖王本紀》花鈴圖二卷.

《高麗史 3, 成宗世家》祭器圖一卷.

《英祖 67, 24年2月乙卯》奉安影幀一本於璿源殿, 乂奉影幀一本, 安宇神輦.

《中宗 91, 34年 8月己卯》小畫一軒.

《宣祖 5, 4年10月戊申》觀象監, 天文圖一百二十軸進上.

《中宗 42, 16年7月辛酉》聖人圖一軸.

《高麗史 3, 成宗世家》大廟堂圖一鋪, 幷記一卷, 社稷堂圖一鋪, 幷記一卷, 文宣王廟圖一鋪.

《成宗 101, 10年2月戊子》雪景圖一幅.

3-2. 만장(輓章·挽章)→〔軒·軸〕

《純國, 狀啓》輓章一百軒.

《國葬, 3房》挽章九十六軸.

3-3. 명정(銘旌)→〔件〕

《殯魂殿, 1房, 稟目》行路銘旌一件.

3-4. 문서(文書)→〔角·件·度·道·枚·封·部·扇·丈·張·宗·紙·秩·軸·通·幅〕

《中宗 42, 16年7月辛酉》禮部公文一角, 本司公文一角.

《瀋狀 己卯 2月初 8日》兵曹咨文一角.

《中宗 42, 16年5月癸酉》敕文一件, 懿旨一件.

《宣祖 49, 27年3月戊子》呈文一件.

《瀋狀, 辛巳9月29日》成貼狀啓一度.

《左捕廳 1, 乙未 6月14日》文案一度.

《遺事 4, 義解, 寶壤梨木》公文一道.

《高麗史 44, 恭愍王世家》咨文二道.

《太宗 28, 14年10月辛未》所送誤決事, 共一千一百八十三道內, 已決絕二千六百五道, 不受理四千二百六十八道, 限內不規身一千三百九道, 親着不及一千二百九十道.

《遺事 4, 義解, 眞表傳簡》帖子二枚.

《宣祖 127, 33年7月辛酉》書啓一封.

《陶傳, 萬曆38年4月》文記二封.

《尙方 3, 別例 下, 國婚, 册妃》敎命壹部.

《吏續輯》另置二扇. 文簿之數, 例以扇言. 二扇, 猶言二件也.

《宣祖 130, 33年10月己卯》戶曹空名告身一萬一百三十四丈, 塡名不用告身一百九丈, 帖文七十二丈, 訓鍊都監五百十九丈.

《英祖 124, 51年2月辛未》空名帖二百餘丈.

《宣祖 79, 28年閏8月己丑》行次文書一張.

《大明律 3, 吏律, 公式, 照刷文卷》凡照刷有司有印信衙門文卷, 遲一宗二宗吏典笞一十.

《成宗 78, 8年3月丙申》賫諺文一紙.

《吏輯 2, 4》一紙一張也, 凡文書一張, 必稱一紙.

《世宗 73, 18年6月癸未》制寇之策, 抄寫二秩.

《宣祖 163, 36年6月甲辰》勅書一道, 誥命一軸.

《高麗史 6, 靖宗世家》官告一通, 勑牒一道.

《世祖 19, 6年2月甲子》禮部咨文一通.

《高麗史 14, 睿宗世家》一幅天書.

3-5. 문장(文章) →〔机·丈·章·篇·行〕

《高麗史 73, 選擧志, 科目》明經則試五經各一机.

《待百錄》 別集第四編第六丈第六行.

《太宗 1, 元年3月庚戌》禮曹啓文科考講法, 館試·鄕試, 講問五經四書, 每一書各三章, 會試, 講五經中一章, 四書中一章, 通義理者取之.

《太宗 13, 7年2月戊子》秋, 世子讀孟子, 日誦五十餘篇.

3-6. 서적(書籍)·책(册) →〔簡·件·卷·道·本·副·部·事·襲·紙·秩·册·編〕

《高麗史 2, 惠宗世家》竹册·法物等, 竹册一副, 八十簡.

《世宗 17, 4年9月庚申》玉册·謚册四十八簡, 哀册八十四簡.

《宣祖 165, 36年8月丙戌》兵將說一件, 易學啓蒙二件, 初學字會一件, 陣法一件, 高麗史節要一件, 曆代兵要三件, 東國通鑑一件, 東文選一件入內.

《度志, 內篇, 事例》首堂上靑粧曆二件, 白曆二十件, 中曆五十件, 常曆一百件.

《史記 20, 高句麗嬰陽王本紀》詔大學博士李文眞, 約古史爲新集五卷, 國初始用文字時, 有人記事一百卷, 曰留記, 至是刪修.

《高麗史 5, 顯宗世家》獻書册, 凡五百九十七卷.

《世宗 42, 10年11月丁丑》六典五卷, 謄錄一卷.

《高麗史 26, 元宗世家》曆日一道.

《太宗 13, 7年3月戊寅》經義一道, 四書疑一道.

《高麗史 6, 靖宗世家》禮記正義七十本, 毛詩正義四十本, 命藏一本於御書閣.

《宣祖 85, 30年2月癸酉》元藏實錄外謄寫二本.

《高麗史 17, 仁宗世家》玉册一副.

《史記 9, 新羅景德王本紀》賜御注孝經一部.

《世宗 34, 8年11月癸丑》五經四書及性理大全一部, 計一百十册, 通鑑綱目一部, 計十四册.

《老乞大, 下》更些文書一部(ᄯᅩ 칙 ᄒᆞᆫ ᄇᆞᆯ을 사되).

《光海君 39, 3年 3月甲子》先王實錄一事.

《高麗史 14, 睿宗世家》臣敢不祗服訓辭, 對揚休命, 緘藏十襲.

《宣祖 84, 30年正月乙卯》遼東副總兵官李書帖二紙, 禮物若干, 幷本人自有書帖二紙.

《宣祖 76, 26年6月己酉》出孫軍門手帖一紙.

《世宗 43, 11年2月壬午》農書各一秩.

《高麗史 34, 忠宣王世家》賜王書籍四千三百七十一册.

《通志 2, 入屬》倭學八册……淸學

八册.

《中宗 91, 34年6月辛亥》世宗朝實錄一百六十册, 成宗朝實錄九十餘册.

《中宗 34, 13年8月甲戌》小册一篇.

3-7. 시(詩)·부(賦) →〔首·絶·帖·軸·篇〕

《史記 9, 新羅景德王本紀》賜詩一首.

《高麗史 20, 明宗世家》絶句一首.

《定宗 5, 2年8月丙申》抄杜詩三百首.

《高麗史 18, 毅宗世家》祈福詩二絶.

《世宗 117, 29年8月丁丑》八駿詩一絶.

《英祖 54, 17年7月戊寅》書賜御製詩一絶.

《芝峯 13, 文章部 6, 東詩》崔致遠所書詩一帖十六首.

《成宗 99, 9年12月己酉》命藏皇帝御詩十二軸于弘文館.

《高麗史 29, 忠烈王世家》題四韻詩一篇.

《太祖 11, 6年3月戊午》命題賦詩二十四篇.

3-8. 악(樂)·곡(曲) →〔件·首·帖〕

《世宗 64, 16年5月庚子》分下名稱歌曲一百三十五件.

《世宗 32, 8年4月戊子》樂章三十八首及十二律聲通, 例以鑄字印爲十本, 藏之本寺, 號曰朝鮮國樂章.

《成宗 4, 元年4月乙卯》雅樂一帖, 樂譜一帖, 宴亨歌詞三帖.

3-9. 의주(儀註) →〔件·本〕

《進宴 2, 稟目》皇太子妃宮諺書儀註一件.

《進宴 2, 節目》夜進宴儀註一本.

3-10. 족자(簇子) →〔對·雙·軸〕

《世祖 43, 13年8月丁未》簇子二對.

《世宗 41, 10年8月庚辰》唐太宗昭陵圖簇一雙.

《世宗 42, 10年11月甲子》雜畫一軸, 書簇三軸, 雜書二册.

3-11. 판(板)

3-11-1. 도판(圖板) →〔板〕

《高麗史 8, 文宗世家》三禮圖十四板.

3-11-2. 서판(書板) →〔立·部〕

《進宴 2, 稟目》書板二十立.

《營建, 甘結》書板三部.

3-11-3. 책판(册板) →〔件·本·葉·板〕

《陶傳, 萬曆 30年2月》文集板一件, 目錄板幷, 別集板一件, 目錄板幷.

《世宗 23, 6年正月戊寅》大莊經板只一本也.

《陶傳, 天啓8年正月 20日》自省錄板三十九葉.

《高麗史 8, 文宗世家》五藏論九十九板.

《鑄所》奎章全韻六板.

3-11-4. 축판(祝板) →〔部〕

《純國 1, 祭器, 魂殿》大祝板一部.

3-11-5. 현판(懸板) →〔坐〕

《進饌 2, 修理》慈慶殿懸板一坐.

3-12. 편지〔書·簡〕→〔度·道·封·筒〕

《明宗 13, 7年正月丁亥》封書一度.

《成宗 224, 20年正月丙寅》消息一道.

《中宗 91, 34年8月戊寅》書簡三封.

《燕山君 5, 元年5月丁未》其一封則書信也, 一封則雅青匹段四五尺也.

《瀋狀, 壬午8月初10日》狀啓三道及

內書二封.

《陶傳, 天啓 8年正月20日》 寒岡書簡一笥.

3-13. 필서(筆書) →〔丈·紙〕

《陶傳, 萬曆24年正月》先生筆迹四丈.

《英祖 55, 18年4月甲申》御筆書一紙.

3-14. 홀기(笏記) →〔件·帖〕

《進宴 2, 稟目》御覽笏記二件.

《陶傳 29, 已卯8月17日》笏記一帖.

Ⅷ. 타거나 물건을 실어 나르는 것

1. 가마〔轎·輦·輿〕→〔具·部·乘·坐〕

《高麗史 18, 毅宗世家》肩輿一具.

《尙方 3, 別例 下, 親迎》轎子壹部.

《瀋狀, 辛巳8月19日》輿子一部.

《瀋狀, 癸未5月14日》駕轎一乘.

《純國 2, 稟目》神帛輦一坐.

《進宴 3, 儀仗》玉輦一坐.

1-1. 가마채〔長杠·橫杠〕→〔箇〕

《純國 2, 稟目》外梓宮轝長杠, 長四十二尺, 橫杠十七箇, 各長十尺.

1-2. 마목(馬木) →〔坐〕

《純國 2, 稟目》肩轝馬木四坐.

1-3. 유소(流蘇) →〔巨里·件〕

《純國 2, 稟目》流蘇四巨里, 每巨里紅鄕絲四兩.

《高麗史 70, 樂志》五色流蘇二件.

2. 배〔船〕→〔扇·艘·宗·綜·艅·隻〕

《吏文 2, 咨奏申呈照會》將舵一扇罷壞.

《吏輯 2》一扇, 猶一隻也.

《史記 8, 新羅聖德王本紀》日本國兵船三百艘, 越海襲我東邊, 王命將出兵, 大破之.

《高麗史 7, 文宗世家》戰艦二十三艘.

《太宗 3, 2年5月丙戌》造漕運船, 慶尙道一百一十艘, 全羅道八十艘, 忠淸道六十艘.

《世宗 28, 7年6月辛酉》將三四隻, 或六七隻爲一宗.

《會通 2, 戶典, 漕轉》漕船每運, 以三十隻作一綜, 到泊·回發毋得先後.

《會通 2, 戶典, 漕轉》船隻一齊作綜.

《六典 6, 工典, 舟橋司, 舟橋》每三船作一艅, 前後分五艅.

《萬機, 軍政編 1, 操點, 水操》各船依序隨艅入港安泊.

《吏輯 2》十船爲一艅.

《遺事 1, 紀異, 太宗春秋公》鄕記云, 軍十二萬二千七百十一人, 舡一千九百隻, 而唐史不詳言之.

《高麗史 27, 元宗世家》小舠一隻.

《壬狀, 萬曆20年7月15日》倭船或十餘隻, 或三十餘隻作綜出沒.

3. 수레〔車〕→〔兩·部·乘·輛〕

《高麗史 9, 文宗世家》螺鈿裝車一兩.

《太宗 2, 元年9月辛丑》藥材用車一百五十兩, 牛馬二百駄.

《宣祖 84, 30年正月戊午》車三十兩.

《國葬, 3房, 雜物實入》山陵時車子二部.

《萬機, 軍政編 2, 訓鍊都監, 軍器》火車一百二十一乘.

《宣祖 33, 25年12月癸卯》防牌車·火車各三十餘輛.

《萬機, 軍政編 3, 御營廳, 軍器》戰車五十一輛.

4. 마구(馬具)

4-1. 가슴걸이〔馬纓·馬胸巨里〕→〔顆·部〕

《老乞大》馬纓一百顆.

《度支, 索綯》駕轎馬胷巨里, 每部白木十二尺.

4-2. 구유→〔部〕

《度支, 木柳器》木把槽一部.

4-3. 답장(踏掌)→〔件〕

《尙方 1, 大殿》凉踏掌參件.

4-4. 대갈〔多葛〕→〔部〕

《度支, 鐵物》多葛一部(重六兩).

4-5. 등자(鐙子)→〔雙〕

《度支, 鐵物》鐙子(銀入絲)一雙.

4-6. 말다래〔達乃·月乃〕→〔巨里·機·部〕

《訓重, 內策應所, 雜物秩》熊皮月乃參巨里.

《龍岡誌, 折價式》月乃一機.

《萬機, 軍政編 2, 訓鍊都監, 軍器》達乃四十部.

4-7. 안롱(鞍籠)→〔浮·部·事〕

《方物》馬上油席二張付九浮.

《方物》鞍籠一部.

《端宗 13, 3年正月癸丑》油鞍籠一事.

4-8. 안장〔鞍子〕→〔面·副·部·枝〕

《高麗史 133, 辛禑傳》鞍子一面.

《端宗 10, 元年2月乙未》鞍子一面, 馬一匹.

《高麗史 9, 文宗世家》鞍二副.

《度志, 外篇 16, 通信使行》鍍金鞍具二十副.

《萬機, 軍政編 2, 訓鍊都監, 軍器》馬鞍十部.

《度支, 雜種貿易》馬鞍一部.

《宣祖 87, 30年4月乙酉》銀鞍五枝, 米千石, 錦衣五十件.

4-9. 말편자〔馬鐵〕→〔部〕

《萬機, 軍政篇 3, 禁衛營, 軍器》馬鐵一千五百部.

《抱川誌》馬鐵十二部.

4-10. 언치〔偃赤·鞍支·鞍赤·懸赤〕→〔部·領〕

《萬機, 軍政編 2, 訓鍊都監, 軍器》偃赤四十部.

《度支, 雜種貿易》鞍支一部.

《方物》鞍赤一部.

《方物》懸赤二領.

Ⅸ. 사람이나 신분에 관한 것

1. 사람→〔箇(介)·口·名·分·員·人·丁·漢〕

《高麗史 20, 明宗世家》若義旼者, 特一匹夫耳, 遣一介使, 數其殺君之罪, 誅而族之可也.

《高麗史 23, 高宗世家》國王·諸王·公主·郡主·大官人, 童男五百箇, 童女五百箇, 須管送來事.

《史記 6, 新羅文武王本紀》戶七百六十三, 口三千五百四十三來投.

《高麗史 2, 太祖世家》奴婢十口.

《宣祖 38, 26年5月乙亥》城中還集人民, 西部男三千一百七十二名口, 女七千七百八十五名口, 東部男一千九百十名口, 女二千五百三名口, 南部男四千十三名口, 女九千四十二名口.

《正祖 45, 20年12月乙未》男婦大小七百四十九名口.

《高麗史 33, 忠宣王世家》東西積倉, 用船軍·其人各一百名.

《世宗 17, 4年8月壬寅》京畿四十一邑, 飢民一萬八百六十名, 黃海道二十四邑, 飢民三千五百七十五名.

《國葬, 都廳, 甘結秩, 己丑 5月13日》摠護使一分, 堂上三分, 都廳二員.

《農圃集 3, 萬曆20年10月14日》王子兩分及夫人.

《史記 7, 新羅文武王本紀》船府令一員.

《高麗史 3, 成宗世家》經學博士一員, 醫學博士一員.

《太祖 7, 4年2月癸未》入直中樞一員.

《史記 8, 新羅神文王本紀》六月, 立國學, 置卿一人, 又置工匠府監一人, 彩典監二人.

《世宗 117, 29年9月丙戌》成三問等十九人.

《大典 4, 兵典》年十六爲丁, 始服國役.

《華城 1, 啓辭, 丙辰2月初 7日》每戶各出一丁.

2. 벼슬자리 →〔窠〕

《會通 1, 吏典, 京官職, 觀象監》三學輪回之兼教受, 専屬命課學, 作出六窠.

《萬機, 財用編 2, 科祿》內醫院十二窠, 典醫監十一窠, 惠民署九窠, 觀象監十五窠.

《英祖 123, 50年7月壬戌》文武交遞者三十餘窠, 以文差出者三十餘窠, 以武差出者八十餘窠, 其餘一百九十餘窠, 皆以蔭官差出者也.

3. 참수(斬首)·사살(射殺)·포로(捕虜)

3-1. 참수(斬首) →〔顆·級·頭·首〕

《宣祖 99, 31年4月丁巳》斬獲首級七十二顆.

《光海君 209, 8年 11月辛卯》得首級十二顆.

《史記 3, 新羅炤知王本紀》斬首千餘級.

《高麗史 7, 文宗世家》戰艦二十三艘, 追至椒子而奮擊, 大敗之, 斬九級.

《世祖 44, 13年10月壬寅》斬二十一級.

《中宗 48, 18年6月壬寅》斬倭十七頭上送, 特加嘉善, 其後又獻十三頭.

《農圃集 3, 狀啓, 萬曆 20年10月14日》朴林等段, 斬首合七首乙, 品官·色吏等亦準授, 并只函送爲遣.

3-2. 사살(射殺) →〔級·朶〕

《史記 2, 新羅奈解王本紀》殺獲一千餘級.

《太祖 1, 總書》太祖斬王元師以下百餘級, 擒一人以獻.

《世宗 21, 5年9月癸未》射殺十二級, 斷頭一級.

《世祖 44, 13年10月丙辰》殺擄不知其數, 截左耳二百八十六級.

《宣祖 39, 26年6月己丑》斬獲首級三十級, 左耳一百三十三朶.

3-3. 포로(捕虜) →〔級〕

《高麗史 39, 恭愍王世家》擒二千餘級.

《高麗史 41, 恭愍王世家》獻俘二級.

《龍歌 5, 33章》生獲一人爲一級.

4. 신체(身體)의 부분(部分)

4-1. 귀〔耳〕→〔對〕

《朴通事, 下》簸箕來大一對耳朶(키 만치 크게 ᄒᆞᆫ ᄒᆞᆫ 빵 귓바회와).

4-2. 두개골(頭蓋骨) →〔枚·片〕

《遺事 4, 義解, 勝詮髑髏》髑髏八十餘枚.

《遺事 3, 塔像, 臺山五萬眞身》佛頭骨一片.

4-3. 몸의 부위 →〔事〕

《大明律 20, 刑律, 鬪毆, 直解》兩肢乙, 折斷爲弥, 他人矣, 二事以上乙, 復損爲弥.

4-4. 사리(舍利) →〔枚・粒〕

《太宗 13, 7年5月丁卯》分遣朝臣, 求舍利于各道寺杜……有紋得四十五枚, 之混得百六十四枚, 爲民得百五十五枚, 堂得九十枚以來.

《遺事 3, 塔像, 前後所將舍利》佛舍利百粒.

4-5. 무리〔衆〕→〔枝〕

《宣祖 35, 26年2月己丑》運成川・德川之穀, 以爲軍需, 請分天兵一二枝, 以爲聲勢, 則賊可殲.

《英祖 16, 4年3月癸酉》始知賊自鎭川分兵, 一枝向竹山, 一枝向安城.

4-6. 기병(騎兵) →〔騎〕

《世祖 42, 13年5月癸巳》徵鏡城以北, 每鎭能射者一百, 總一千五十騎, 聚于吉州.

X. 식품(食品)에 관한 것

1. 떡〔餠〕→〔角・匣・箱・合〕

《成宗 100, 10年正月丁丑》燒餠十角.

《端宗 10, 元年2月乙未》蜜餠子八角.

《進宴 2, 饌品》金箋餠十匣.

《世祖 44, 13年10月壬寅》胡麻海松子餠一箱.

《遺事 2, 紀異, 孝昭王代竹旨郞》舌餠一合, 酒一缸.

2. 사탕(沙糖) →〔斤・封・元・圓・軠・桶・缸〕

《度支, 唐餠果茶膏》砂糖一斤(一元, 重四兩二戔, 二十元作一軠).

《進宴 2, 饌品》八寶糖・玉春糖・推耳糖各十二封.

《進饌 2, 饌品》砂糖一圓.

《端宗 4, 卽位年10月辛丑》白沙糖一桶.

《太宗 17, 9年4月乙丑》沙糖五缸.

3. 꿀〔蜜・淸〕→〔斤・斗・石・升・壺〕

《萬機, 財用編 1, 供上, 大殿》黃蜜二百八十八斤.

《中宗 67, 25年2月庚寅》淸蜜十石.

《進宴 2, 饌品》淸一斗六升.

《宣祖 203, 39年9月乙未》淸蜜十一壺.

4. 나물〔菜〕→〔斤・級・丹・冬音・笴・箱・握・月乃・缸〕

4-1. 고비(古非・古飛・高飛菜) →〔級・月乃〕

《華城 6, 財用 下》古非四十三級.

《度志, 外篇 16, 經費司》古飛十一級半.

《度支, 菜蔬》高飛菜一月乃.

4-2. 고사리〔古沙里・蕨菜〕→〔級・冬音・箱・握〕

《度支, 菜蔬》古沙里菜一級.

《度支, 菜蔬》蕨菜一冬音.

《萬機, 財用編 1, 供上, 大殿》蕨菜八箱.

《度支, 菜蔬》生蕨一握.

4-3. 냉이〔薺菜〕→〔笴〕

《萬機, 財用編 1, 供上, 大殿》薺菜二笴.

4-4. 녹두나물〔菉豆長音〕→〔笴〕

《萬機, 財用編 1, 供上, 王大妃殿》菉豆長音二笴.

4-5. 달래나물〔月乃菜〕→〔丹〕

《度支, 菜蔬》月乃菜一丹.

4-6. 두릅나물〔木頭菜〕→〔箱〕

《萬機, 財用編 1, 供上, 大殿》木頭菜三箱.

4-7. 무나물〔蕪菁菜〕→〔丹・握〕

《度支, 菜蔬》蘿菖菜一丹(卽十握).

4-8. 쑥나물〔蓬菜〕→〔丹〕

《進宴 2, 饌品》蓬菜十丹.

4-9. 상추나물〔萵苣菜〕→〔丹〕

《度支, 菜蔬》萵苣菜一丹.

4-10. 산채(山菜) →〔斤〕

《度支, 菜蔬》山菜 → 斤.

4-11. 순채(蓴菜) →〔缸〕

《萬機, 財用編 1, 供上, 大殿》蓴菜二缸.

4-12. 승검초〔辛甘菜〕→〔箱・握〕

《萬機, 財用編 1, 供上, 大殿》辛甘菜六箱.

《度支, 菜蔬》辛甘菜一握(重七兩).

4-13. 염교〔薤菜〕→〔丹〕

《度支, 菜蔬》薤菜一丹.

5. 해초(海草) →〔曲之・斤・立・同・沙鉢・束・条・條・注之・貼〕

5-1. 미역〔藿〕→〔同・束・條〕

《萬機, 財用編 3, 海稅, 收稅式》藿(五十條爲一束, 五十束爲一同).

5-2. 다시마〔昆布・多士麻〕→〔曲之・斤・立・条・注之〕

《度支, 昆藿茸蕈屬》昆布一斤(二十五立作一注之).

《度支, 昆藿茸蕈屬》多士麻一斤(三十立作一注之).

《龍岡誌》 多士麻一曲之, 價五錢, 五十条爲一曲之.

5-3. 김〔甘苔〕→〔斤・注之・貼〕

《度支, 昆藿茸蕈屬》甘苔一斤(十注之作一貼).

5-4. 우뭇가사리〔牛毛加士里〕→〔沙鉢〕

《純國 2, 稟目》牛毛加士里四沙鉢.

5-5. 해홍나물〔海紅菜〕→〔箱〕

《萬機, 財用編 1, 供上, 大殿》海紅菜五箱.

6. 더덕〔沙蔘〕→〔丹〕

《度支, 菜蔬》沙蔘一丹.

7. 박고지(朴古之) →〔握・條・土里〕

《進饌 1, 移文》朴古之五握.

《進饌 2, 饌品》朴古之一條.

《華城 6, 財用 下》朴古之一土里.

8. 박오가리〔朴右巨里〕→〔沙里・注之・把〕

《度支, 菜蔬》朴右巨里(一注之價錢五分, 一沙里價錢二分, 一把價錢三分).

9. 버섯〔耳・茸〕→〔介・斤・級・兩・本・月乃・合〕

《度支, 昆藿茸蕈屬》生松耳一介.

《殯魂殿, 禮關秩》蕈古七百三十六斤十兩.

《進饌 2, 饌品》眞茸一級.

《萬機, 財用編 1, 供上, 大殿》生松耳一百五十本(每本價二戔).

《度支, 昆藿茸蕈屬》眞耳一斤(一月乃重十五兩).

《進饌 2, 饌品》蕈古四合.

10. 생강(生薑) →〔角・升〕

《度支, 菜蔬》 生薑一斤(十角作一升).

11. 죽순(竹笋) →〔升〕

《度支, 菜蔬》竹笋一升.

12. 토란줄기〔土卵莖〕→〔握〕

《度支, 菜蔬》土卵莖一握.

13. 파〔葱〕・자총이〔紫葱〕→〔介・丹・束・握〕

《度支, 菜蔬》生葱(十介作一束, 又作一握).

《度支, 菜蔬》紫葱一丹.

14. 고기〔肉〕

14-1. 간(肝) →〔部〕
《度支, 肉物》牛肝一部, 猪肝一部.
14-2. 갈비〔乫非·乫伊·加里·乫飛〕→〔代·竹·隻·片〕
《度支, 肉物》牛乫非一代(一隻六代).
《竹山誌, 事例》乫伊二竹.
《驪州誌》乫伊一隻.
《龍岡誌, 折價式》加里一隻, 肉六斤, 一竹肉八兩, 一片二兩六戔六分, 十二竹爲一隻, 三片爲一竹.
《進饌 2, 饌品》猪乫飛一隻.
14-3. 고기 →〔脚·部·分·隻〕
《進宴 2, 饌品》猪肉十分一脚.
《進宴 2, 饌品》牛內心肉半半部.
《度支, 肉物》牛內心肉一隻.
《進饌 2, 饌品》猪半半隻.
《度支, 肉物》牛叓只一隻.
14-4. 골〔腦髓〕→〔部〕
《度支, 肉物》牛頭骨一部.
《度支, 肉物》牛脊骨一部.
14-5. 곤자소니〔昆者巽·昆者手〕→〔部〕
《進宴 2, 饌品》昆者巽五部.
《度支, 肉物》昆者手一部.
14-6. 내장(內臟) →〔斤〕
《度支, 肉物》牛廣腸半斤.
14-7. 다리〔脚〕→〔部·足·隻〕
《度支, 肉物》猪後脚一部.
《度志, 外篇 16, 通信使行》猪脚五足.
《進宴 2, 饌品》牛足一隻.
14-8. 도가니〔都艮伊〕→〔部〕
《進宴 2, 饌品》都艮伊半部.
14-9. 머리〔頭〕→〔塊·部〕
《度支, 肉物》猪首把一塊.
《度支, 肉物》猪頭一部, 牛頭一部.
14-10. 음낭〔囊〕→〔部〕
《進宴 2, 饌品》牛囊二十部.
14-11. 양(胖) →〔部〕
《度支, 肉物》牛胖一部.
14-12. 양지머리〔陽支頭·兩支頭〕→〔部〕
《進宴 2, 饌品》陽支頭二部.
《度支, 肉物》兩支頭一部.
14-13. 업진〔業脂潤〕→〔部〕
《進饌 2, 饌品》陽支頭·業脂潤各二部.
14-14. 염통〔心·靈通〕→〔部〕
《驪州誌》牛心一部.
《度支, 肉物》牛靈通一部.
14-15. 처녑〔千葉〕→〔部〕
《進宴 2, 饌品》千葉十部.
14-16. 척수(脊髓) →〔斤〕
《度支, 肉物》牛脊髓半斤.
14-17. 태(胎) →〔部〕
《進宴 2, 饌品》牛胎三部.
14-18. 콩팥〔豆太·腎〕→〔部·隻〕
《龍岡誌, 折價式》豆太一部, 肉一斤, 二隻爲一部.
《度支, 肉物》牛內腎一隻.
14-19. 허파〔肺化·浮化〕→〔部〕
《進宴 2, 饌品》肺化·胖領各半半部.
《驪州誌》浮化一部.
14-20. 혀〔舌〕→〔部〕
《進宴 2, 饌品》牛舌十五部.
14-21. 희생(犧牲) →〔匣〕
《度志 13, 宗廟》豕腥三匣, 牛腥一匣, 羊腥一匣.
15. 기름〔油〕→〔塊·觔·兩·鉢·瓶·沙鉢·石·碩·所用·盞〕
《殯魂殿, 1房, 實入》肉膏十塊.
《世宗 19, 5年正月癸未》蘇香油二觔.
《通志 3, 事大, 入京下程》燈油二

兩.
《陶傳, 萬曆46年正月19日》魚油十鉢.
《陶傳 29, 已卯8月17日》石油三瓶.
《度支, 油淸蜜》肉膏一沙鉢.
《遺事 3, 搭像, 臺山五萬眞身》淨油一石.
《成宗 109, 10年10月己巳》油一碩.
《營建, 實入》明油一石九斗七升五合.
《瀋狀, 辛巳8月18日》眞油一所用.
《馬方, 治脾部》眞油一中盞.

16. 간수(艮水) →〔瓶·升〕
《純國 3, 造作》艮水二瓶.
《度支, 鹽醬酒醋》艮水一升(四斗作一瓶).

17. 소금〔鹽〕→〔斗·石·升〕
《中宗 62, 33年8月癸亥》稻米四石, 塩四石.
《萬機, 財用編 1, 供上, 大殿》鹽七石一斗二升.

18. 국수〔麵〕→〔沙里〕
《進宴 2, 饌品》木麵三十沙里.
《度支, 熟造作末》木麥細麵一沙里.

19. 조미료(調味料)

19-1. 겨자〔芥子〕→〔升〕
《度支, 菜蔬》芥子一升.

19-2. 계핏가루〔桂皮末〕→〔兩〕
《度支, 熟造作末》桂皮末一兩.

19-3. 승검초가루〔辛甘草末〕→〔升〕
《進宴 2, 饌品》辛甘草末四升.

19-4. 장(醬) →〔升·甕·種子〕
《瑣尾錄 3, 甲午日錄》末醬二斗.
《太宗 9, 5年3月癸亥》醬一甕.
《度支, 鹽醬酒醋》豆泡醬一種子.

19-5. 초(醋) →〔古里·斗·保〕
《度支, 鹽醬酒醋》醋一斗(古里次小麥一升四合)
《萬機, 財用編 1, 供上, 大殿》醋五十三斗一升.
《雲林, 戊申2月23日》好醋一保.

19-6. 후추〔胡椒〕→〔斤·帒·㪷·封·粒〕
《成宗 69, 7年7月丁卯》胡椒一斤.
《成宗 253, 22年7月丙戌》胡椒一帒.
《世祖 4, 2年7月壬午》胡椒一㪷.
《定宗 1, 元年6月乙酉》胡椒十封.
《救急 1, 中風》胡椒, 呑三七粒.

20. 두부(豆腐)나 묵〔造泡〕

20-1. 두부〔豆腐·太泡·豆泡〕→〔方·篩·片〕
《陶傳, 甲申正月初5日》豆腐十二方.
《進宴 2, 饌品》太泡二十篩.
《度支, 穀物》豆泡一篩(十片爲一篩).

20-2. 묵〔淸泡·造泡〕→〔方·篩〕
《陶傳, 已卯8月17日》造泡二方, 豆腐二十方.
《度支, 穀物》靑泡一篩.

21. 조과(造果) →〔角·匣·斤·器·立·封·篩·葉·元·圓·缸〕
《世宗 102, 25年12月甲午》茶一十角, 桂二角, 茶食二角.
《端宗 10, 元年2月乙未》蜜餠子四角.
《進宴 2, 饌品》御菓子二匣.
《進宴 2, 饌品》四色茶食一器(一千箇).
《進宴 2, 饌品》方藥果一器(二百立).
《進饌 2, 饌品》饅頭果一百三十立.
《度支, 唐餠果茶膏》閩薑一斤(一封).

《進宴 2, 饌品》強精十三篩.

《瑣尾錄 4, 乙未10月11日》中朴桂二十葉.

《度支, 唐餠果茶膏》橘餠一斤五元.

《龍灣誌, 進上》橘餠二百圓, 沙糖六十圓.

《萬機, 財用編 1, 供上》山葡萄正果四缸.

22. 음식이나 음식의 가짓수

22-1. 밥〔飯〕→〔椀〕

《老乞大》這飯裏盛出一椀.

22-2. 콩죽〔豆湯〕→〔東海〕

《度志 9, 御供》灑豆湯二東海.

22-3. 음식의 가짓수 →〔道・豆・味〕

《端宗 2, 卽位年8月甲子》各色湯物一十二道, 粧花蠟大燭一對, 賻物白苧布一十匹.

《與猶堂, 小學紺珠》 二十六豆者, 天子之盛饌也.

《遺事 2, 紀異, 文虎王法敏》與安吉共宴, 具饌至五十味.

《進宴 2, 饌品》大殿進御味數(每味數各七器).

《萬機, 財用編 4, 戶曹各掌事例, 別例房, 進宴》禮賓主諸臣床味數・花子.

23. 반상기(飯床器) →〔楪〕

《春志 3, 朝京舊例》三楪床飯羹.

《海行, 申高靈海東諸國紀, 琉球國記, 朝聘應接記》晝点心, 上副官人正官, 五楪床飯羹.

24. 음식을 올리는 횟수 →〔味〕

《太宗 3, 2年6月丁巳》一品以下大夫・士・公私宴樂, 初盞及進俎, 歌鹿鳴, 用金剛城調, 初味及二盞, 五冠山, 二味及三盞, 歌關雎, 用紫霞洞調, 三味及四盞, 侑食, 三絃四味及五盞, 方等山, 五味及六盞.

25. 염장류(鹽藏類)・젓갈 →〔介・斤・壜・斗・盆・里・折・桶・合・缸〕

《度支, 鹽卵》鹿醢一斤.

《世宗 45, 11年7月癸亥》土花鮓九壜, 石花鮓三壜, 生蛤鮓四鮓, 蘇魚鮓三壜.

《成宗 108, 10年9月辛未》石首魚卵鮓一壜, 銀口魚鮓一壜.

《陶傳, 萬曆46年正月19日》塩魴魚一斗.

《度支 鹽卵》卵醢一桶(一介卽二折里, 十介作一升, 三斗作一桶).

《度支, 鹽卵》蘇魚醢一桶(二十介作一升, 三斗作一桶).

《度支, 鹽卵》甘同之一合.

《世宗 32, 8年6月戊寅》醢二缸.

《陶傳, 萬曆46年 正月19日》塩銀魚一缸.

26. 적(炙) →〔串〕

《進宴 2, 饌品》 各色花陽炙四百五十串.

27. 탕(湯) →〔器〕

《進宴 2, 饌品》完子湯一器.

XI. 기 타

1. 짐・짐짝〔卜・馱〕→〔杠・馱・荷〕

《世宗 27, 7年正月丙申》樻子五杠.

《中宗 89, 33年11月壬申》掠取穀物・柴草, 民甚苦之網子之多, 幾至二百餘馱.

《農政 2, 糞苴法, 人糞》熟糞三荷, 雨水四荷.

2. 진(陣) →〔番・陣〕

《萬機, 軍政編 1, 守禦廳, 騎士蜂屯陣》一番在前, 二番在中, 三番在後.
《形音義》一陣曰一番.
《光海君 1, 卽位年2月丙子》擊破大同江倭賊七陣千餘名.

3. 길이나 거리(距離) →〔巨里·拱·岐路米突·摟·大可米突·大始米突·度·馬場·墨·米突·美利米突·步·分·臂·舍·常·先知米突·息·息程·尋·鏈·圍·里·釐·引·仭·日程·丈·程·咫·指·扎·尺·堞·寸·雉·庹·把·赫得米突·毫〕
《行用》巨里(十把謂之巨里).
《廣物譜, 庶類, 數》圍, 五寸, 又一拱.
《文獻 91, 樂考, 度量衡》十赫得米突爲岐路米突, 準我三千三百尺.
《廣物譜, 庶類, 數》一摟, ᄒᆞᆫ 아름.
《譯解, 補, 筭數》四摟, 네 아름.
《文獻 91, 樂考, 度量衡》十米突爲大可米突, 準我三十三尺.
《文獻 91, 樂考, 度量衡》十大始米突爲米突, 準我三尺三寸.
《感應篇, 大文》短尺狹度, 져른 자와 좁은 도(십쳑이 일 도라).
《文獻 91, 樂考, 度量衡》一百尺爲一鏈.
《史記 34, 地理志》開國王都, 長三千七十五步, 廣三千十八步三十里.
《太宗 26, 13年12月庚子》杖一百流三千里.
《海行, 申高靈海東諸國紀, 凡例》道路, 用日本里數, 其一里准我國十里.
《明宗 25, 14年6月甲寅》咸鏡道吉州·長白山內面, 二處崩頹, 一處長一馬場半, 廣一里, 一處長一馬場, 廣二里.
《廣物譜 1, 庶數, 數》墨者, 工師之五尺也, 今木工用五尺以成宮室.
《才物譜, 秋, 數》五尺曰墨, 墨者, 工師之五尺也, 今木工各用五尺以宮室.
《文獻 91, 樂考, 度量衡》一美利米突, 準我三釐三毫.
《文獻 91, 樂考, 度量衡》十美利米突爲先知米突, 準我三分三釐.
《史記 2, 新羅訖解王本紀》碧骨池, 岸長一千八百步.
《華城, 首, 圖說》周尺六尺爲一步, 營造尺則三尺八寸爲一步.
《禁唘, 5月初4日》五十步百步之間.
《太宗 7, 4年3月庚午》一品墓地方九十步……庶人方五步已上.
《廣物譜, 庶類, 數》一臂, ᄒᆞᆫ 발.
《才物譜, 秋, 數》一臂, ᄒᆞᆫ 발.
《東國輿地 47, 鐵原》孤石亭, 在府西四十六里……其水西走一舍許.
《文獻 91, 樂考, 度量衡》十先知米突爲大始米突, 準我三寸三分.
《度支, 雜錄》各道馱價式(三十里爲一息, 三息爲一日程), 陽川一息一里.
《成宗 176, 16年3月丙午》東至突山浦, 水路一息二十五里.
《中宗 25, 11年5月庚戌》柳順汀爲兵使時, 使不得結幕於一息程, 而時火其幕.
《史記 6, 新羅文武王本紀》絹布舊以十尋爲一匹, 改以長七步, 廣二尺爲一匹.
《才物譜, 秋, 數》常, 倍尋曰常.
《字類, 物類, 名數》尋, 八尺曰尋.
《高麗史 2, 太祖世家》獻鐫金安玉排方腰帶, 長十圍, 六十二銙.
《羣玉 20, 陌, 動石》周可十圍.

《廣物譜 1, 庶類, 數》引, 十丈.
《才物譜, 秋, 數》引, 十丈爲引.
《文鑑 11, 衣飾, 量度》引, 十丈曰引.
《萬機, 軍政編 5, 白頭山定界, 洪世泰白頭山記》不知其幾千萬仞, 頂有池.
《字類, 物類, 名數》仞, 팔척 인. 八尺, 又度深曰仞.
《世宗 20, 5年4月壬戌》量率吉州·慶源·鏡城軍馬及留防軍, 進屯高郎歧, 相距一日程.
《通志 3, 事大》二千四十九里爲二十八日程.
《史記 11, 新羅景文王本紀》皇龍寺塔成, 九層高二十二丈.
《文宗 4, 卽位年11月壬戌》壇高一丈以下, 尙難土築, 況其二三丈之高乎.
《經國 6, 工典, 營繕, 度量衡》十釐爲分, 十分爲寸, 十寸爲尺, 十尺爲丈.
《中宗 25, 11年5月庚戌》野人來近一程者.
《廣物譜 1, 庶類, 數》·《才物譜, 秋, 數》一指, 흔 썜.
《文鑑 11, 衣飾, 量度》一指, 五分曰一指.
《萬機, 財用編 2, 田結》上田尺二十指, 中田尺二十五指, 下田尺三十指, 隨等打量.
《廣物譜 1, 庶類, 數》咫, 八寸, 周尺也.
《字類, 物類, 名數》咫, 여덟치 지.
《高麗史 78, 食貨志, 田制, 經理》六寸爲分, 十分爲一尺, 六尺爲一步.
《遺事 2, 紀異, 文虎王法敏》泗沘南海中有死女尸, 身長七十三尺, 足長六尺, 陰長三尺.
《文獻 91, 樂考, 度量衡》十釐爲分, 十分爲一周尺(六寸六分), 六尺爲一步, 十尺爲一間, 一百尺爲一鏈, 二千一百尺爲一里(卽三百五十步), 三十里爲一息. 泰西米突, 則一米突準我五尺.
《文鑑 11, 器皿, 量度》一扎, 長指, 흔 썜.
《譯解, 補, 筭數》一扎, 흔 뽐.
《華城, 首, 圖說》摠計元城女墻一千一百五十堞, 甬道女墻六十八堞, 各門及甕城內女墻一百二十二堞二把(營造尺, 五尺爲一把, 四把爲一堞).
《肅宗 5, 2年5月丁丑》自三月五日始役, 五十日而訖功, 凡一千五百三十一堞, 周廻四千三百三十七把.
《文鑑 11, 衣飾, 量度》三丈曰雉.
《雅言》一庹者, 兩腕之引長也(庹音託, 方言曰발)……乃東語一庹爲之一把(발), 其挐則無文.
《肅宗 13上, 8年2月己卯》安州北洞, 有巖石, 己未正月, 自東移西, 至二十七把許, 今又向西, 移至三十二把.
《萬機, 財用編 3, 海稅》十尺爲把.
《朴通事, 上》此着只一把長短鉸了(그저 흔 뽐 기릐롤 견초와 ᄀᆞᆫ처).
《文獻 91, 樂考, 度量衡》十大可米突爲赫得米突, 準我三百三十尺.

4. 땅의 넓이 →〔間·畊·結·頃·畯·段·斗·斗落·斗落只·畝·步·卜·夫·負·畉·分·石·石落只·先知蔓·束·升·升落·升落只·握·蔓·閪·矣·日耕·勺·町·坐·畽·

把・坪・合・合落・赫得乫〕

《磻溪 1, 田制 上》東西十步爲一坐, 俗稱一間.

《遺事 2, 紀異, 駕洛國記》後人奉使來審檢厥田十一結十二負九束也, 不足者三結八十七負一束矣.

《會通 2, 戶典, 量田》一尺爲把, 十把爲束, 十束爲負, 百負爲結.

《萬機, 財用編 1, 田結》握者謂之把, 遞以上之至于結, 十把爲束, 十束爲負(或稱卜), 百負爲結(俗音먹), 八結爲夫(或稱夫).

《世宗 8, 3年8月甲午》在前逐段定稅, 故一野之內, 犇馳賂事者免稅, 不能賂事者不免.

《僿說, 經史 7》方六十五步爲一段, 十段爲一町.

《華城 4, 稟目》廣州旺倫六十九斗落, 禾利麰三百四十五斗, 代錢五十一兩七錢五分.

《史總 3, 同生中和會成文》在橋下畓八斗落只.

《陶傳, 萬曆46年正月19日》田一石五斗落只, 畓一石一斗落只.

《遺事 2, 紀異, 文虎王法敏》田三十畝, 下種三石.

《世宗 103, 26年正月庚午》方五尺爲一步, 二十四步爲一分, 十分爲一畝, 百畝爲一頃, 五頃爲一字丁.

《訓重, 兼料色, 屯畓秩》康翎南二里, 畓貳拾壹石拾貳斗壹升落只, 田捌拾柒日半朝前耕.

《推鞫 52》百兩價乙, 厥妾母良中, 指嗾衿川畓五石落只.

《文獻 91, 樂考, 度量衡》十勺爲合, 十合爲把(五周尺平方), 十把爲束, 十束爲負, 百負爲結. 泰西地積, 則先知乫, 當我一把, 百先知乫爲乫, 當我一負, 百乫爲赫得乫, 當我一結.

《萬機, 財用編 2, 耤田》癸未查得田四日耕, 畓二十石十三斗九升落(幾落云, 謂下種如此數之地也).

《經世 7, 地官修制, 田制 9, 井田議》方六尺爲步, 十步爲一畯, 十畯爲畝, 十畝爲一畎, 十畎爲一畉.

《海行, 海遊錄 上》三步爲一間, 六十間爲一町, 三十六町爲一里.

《海行, 海遊錄 下》三十步爲一畝, 十畝爲一畽.

《軍謄, 乙未 10月 29日》安州三千坪.

《華城 4, 稟目》南陽鷗浦田三十二斗二升五合落.

5. 우물〔井・泉〕→〔口・眼・泓〕

《朴通事, 中》井一眼(우믈 ᄒᆞ나).

《譯解, 上, 地理》一泓泉, 一口泉.

6. 뜸〔灸〕→〔壯〕

《東醫, 鍼灸篇, 手陽明大腸經》可灸五壯.

《馬醫方, 諸黃門》馬面骨下, 端割十字, 灸十壯.

7. 길〔路〕→〔條〕

《老乞大, 下》三條路兒(세 오리 길헤).

8. 횟수(回數) →〔家・過・起・當・刀・度・道・頓・磨・發・潑・放・番・霎・巡・葉・運・場・遭・陣・執・次・抄・通・破・遍・迴〕

《文鑑 9, 技藝, 賭戲》頭家, 첫재. 二家, 둘재. 三家 말재.

《救急 1, 九竅出血》使人含其背上三過(다ᄅᆞᆫ 사ᄅᆞ미 머구미 그 등의 세 번을 쁨고).

《呂氏解, 患難相恤》一過(一過謂一遍).

《度支, 雜錄》方物三起, 節行三起, 別使一起, 方物所入, 折錢九千四百八十三兩.
《萬機, 軍政編 1, 捕盜廳, 總例》左右捕盜廳……軍士各六十四名(軍士雇價一年六當, 每當八百九十六兩, 木二同二十八疋).
《吏文 3, 咨奏呈題奏》砍訖一刀.
《史記 7, 新羅文武王本紀》新羅兵馬, 不可獨入, 先遣細作三度.
《高麗史 104, 金方慶傳》本國自國初, 至今三百六十餘年, 率以三年一度, 當孟春設會.
《世宗 1, 卽位年9月丁卯》境內所產之物, 每一月一度式供進.
《高麗史 42, 恭愍王世家》第一場, 試五經義, 各試本經一道.
《高麗史 44, 恭愍王世家》姓朴的宰相, 不容說, 打了一頓, 更與了毒藥藥死.
《武譜 1, 旗槍》仍作秦王磨旗勢, 左手左脚自外內一磨, 又作一磨.
《高麗史 42, 恭愍王世家》片箭射之, 凡七十餘發, 皆正中其面.
《龍歌, 45章》太祖百發百中.
《萬機, 軍政編 2, 訓鍊都鑑, 試藝》戶曹進排, 銃亦九放.
《朴通事, 下》一霎兒人鬧起來(ᄒᆞᆫ 디위 사ᄅᆞᆷ이 짓궤더니).
《孝宗 21, 10年2月丁丑》本學官及兼教授, 每四時各一巡, 聚學生, 取講誦者十人.
《受教 4, 兵典, 試取》文臣朔試射, 日長之時則以十五巡, 日短之時則以十巡, 定式.
《史記 35, 地理志, 漢州》第十一葉文宗代, 創置興王寺於其地.
《中宗 58, 22年正月己丑》豊年則十二運, 凶年則九運, 而一運人數, 不過七八人矣.
《朴通事, 中》怎刮劃我這一場愁(엇디 내 이 一場愁ᄅᆞᆯ 헤와ᄃᆞ료).
《老乞大, 上》走了一兩遭(ᄒᆞᆫ 두 번 ᄃᆞᆫ녀마ᄂᆞᆫ).
《吏文 2, 咨奏申呈照會 10》可三年一遭來進貢.
《吏輯 2, 10》一遭, 猶一番也.
《釋林 4, 曆代方言, 釋天》俗呼錄, 雨一陣爲一破, 又以一番一起爲一潑.
《通志 4, 事大, 弔祭儀》銀爵三執.
《高麗史 7, 文宗世家》頒氷于諸致仕輔臣, 三日一次, 僕射·尙書·卿·監·大將軍以上, 七日一次, 以爲氷制.
《太宗 3, 2年2月辛巳》三年一次, 輪辨會飮.
《忠武公, 紀實, 懲毖錄》考問一次.
《文獻 118, 選擧考, 科制》陞補試復設十二抄……通計一年十二抄.
《高麗史 137, 辛禑傳》登墻吹螺一通.
《世宗 12, 3年7月丁卯》中衛角一通, 鼓一通, 各衛應之整兵.
《春志 1, 大射禮》正至會儀酒三遍.
《辟瘟方, 神明散辟疫癘》心念四海神名三七遍(ᄆᆞᅀᆞ매 四海神의 일후믈 세 닐굽 번을 念ᄒᆞ면).
《朴通事, 下》三迴連打上了(세 번을 년ᄒᆞ야 텨 올려라).

9. 신위(神位) →〔介·位〕
《遺事 2, 紀異, 駕洛國記》幾臨事畢, 而甚勞倦, 忽一夕夢見七八介鬼神, 執縲紲, 握刀劍而至.
《度支, 祭享式》木覔一位, 三角一位, 漢江一位, 風雲·雷雨·山川・城隍七位, 先農二位.

10. 부피 →〔紌・掐・經・鼓・斛・口・區・掬・圭・擔・甔・帒・大可翊突・大斛・大始翊突・斗・豆・鈄・秉・捧・缶・釜・散・夕・石・碩・先知翊突・召・筲・小斛・勺・束・籔・手斗・升・勝・龠・甬・桶・㪷・翊突・勺・苫・點・緫・撮・觶・把・合・榼・赫得翊突〕

《文鑑 10, 產業, 絨棉》一紌痲, 호 줌 삼.

《文鑑 7, 人, 拿放》一掐, 두 손가락 마촌 에움.

《廣物譜 2, 飮食》一餅曰一經.

《廣物譜 1, 庶流, 數》鼓, 斛也, 휘.

《煮硝方, 兩煉》一二口冷水.

《才物譜, 秋, 數》區, 四豆爲區.

《字會, 下》掬, 우흴 국.

《宣祖 39, 26年6月辛亥》小一封則燒骨僅半半掬.

《廣物譜 1, 庶類, 數》・《才物譜, 秋, 數》圭, 六十四黍.

《史記 7, 新羅文武王本紀》前後所送, 數萬餘斛.

《磻溪 1, 田制 上》今國俗以十五斗爲斛, 稱平石, 官府用之, 又以二十斗爲大斛, 稱全石, 民間例以皮穀二十斗爲一石.

《高麗史 46, 恭愍王世家》得新埋骨一帒.

《才物譜, 秋, 數》豆, 二升爲豆.

《事博, 上, 人道》十石十斗爲秉(十六斛).

《朴通事, 上》一捧兒米便是(호 우흠 발을 줌이 곳 올타).

《文鑑 7, 人, 拿放》一捧, 호 우흠.

《才物譜, 秋, 數》缶, 四斛爲缶.

《才物譜, 秋, 數》釜, 四區爲釜.

《萬機, 財用編 4, 戶曹各掌事例》十勺爲合, 十合爲升, 十升爲斗.

《經國 6, 工典, 營繕, 度量衡》十勺爲合, 十合爲升, 十升爲斗, 十五斗爲小斛(平石), 二十斗爲大斛(全石).

《仁祖 32, 14年6月甲午》自壬亂後, 減其石數, 又以十五斗爲一石, 或遇荒歲則減之又減.

《行用》李睟光曰, 十龠曰合, 十合曰升, 或云, 十夕爲合, 今俗似無理, 蓋勺字之誤.

《廣物譜 2, 飮食》散, 五升.

《經世 9, 地官修制, 田制別考 2, 魚鱗圖說》我邦水利之田, 其美者, 當以種一收百者爲上土, 此俗謂五出畓也, 五出畓, 種一斗而五苫也(俗以二十斗爲苫).

《雅言》吾東, 公穀十五斗爲一石, 私穀二十斗爲一石, 又以石爲苫. 謂任力所勝, 而負擔也, 字俗作召, 音단.

《形音義》然今俗皆稱一石爲擔.

《瀋狀, 壬午3月19日》所謂一擔, 卽我國斗平二石三斗也.

《譯解, 上, 筭數》十甔, 열 셤.

《事博, 上, 人道》一斗二升筲.

《高麗史 118, 趙浚傳》一束之痲, 一把之葛.

《事博, 上, 人道》十六斗爲籔.

《海行, 姜弘重東槎錄》所謂手斗, 卽升也, 容入我國二升七合云.

《通志 6, 下程》米(對馬島使臣五手斗, 上上官三手斗, 上官二手斗, 中官一手斗半).

《史記 2, 新羅聖德王本紀》救民給租一口一日 三升爲式, 終事而計三十萬五百碩也.

《牧民 13, 賑荒, 規模》案勝㪷者升斗也, 中國吏文, 升斗石改之爲勝㪷碩, 如一二三改之爲壹貳參, 所以防奸也.

《字類, 物類, 名數》甬, 휘 용. 量名, 斛也.

《字類, 物類, 名數》桶, 휘 용. 甬也, 方斛.

《字類, 物類 名數》斞, 셤 유. 量名, 二釜半, 十六斗.

《煑硝方, 三煉》剩水一點.

《磻溪 3, 田制後錄 上》國恤, 每一總(十斛爲一總).

《染疫方, 牛馬醫方》乃用皀莢末一撮, 吹入鼻中(다시 주엽 ᄆᆞ론 ᄀᆞᄅᆞᆯ 한 자보ᄆᆞᆯ 고해 부러 드리고).

《廣物譜 2, 飮食》觶, 三升.

《仁祖 1, 元年 2 月丁酉》平胃煎, 已盡服二榼·三榼, 亦服之幾半.

《文獻 91, 樂考, 度量衡》一先知翊突, 準我五抄五撮四圭, 十先知翊突爲大始翊突, 準我五勺五抄四撮四圭, 十大始翊突爲翊突, 準我五合五勺四抄三撮五圭, 十翊突爲大可翊突, 準我五升五合四勺三抄五撮二圭, 十大可翊突爲赫得翊突, 準我五斗五升四合三勺五抄二撮四圭.

11. 일반 조직(一般組織)이나 군대의 편제(編制) →〔梗·旗·隊·大統·部·司·小統·小牌·旅·領·伍·運·衛·里·翼·接·正·停·族·卒·中統·哨·統·把·牌·包·戶〕

《高麗史 37, 兵志, 州縣軍, 東界》安邊府, 都領一, 郎將二, 別將二, 校尉十二, 隊正十二, 抄軍左·右軍各八隊, 寧塞軍三隊五人, 計百五十, 工匠一梗, 計三十三人.

《世宗 97, 24年8月辛卯》每十人爲一統, 每十家爲一隊.

《文宗 8, 元年6月丙戌》二十五人爲隊.

《受敎 4, 兵典, 禁衛營》丙戌釐正廳改軍制時, 十一哨減數, 以一營五部之制, 每部五司, 每司五哨, 每哨一百二十七名.

《文宗 8, 元年6月丙戌》大將有五衛, 每衛各有五部, 每部各有四統, 每衛各有遊軍五領, 大將令衛將, 衛將令部將, 部將令統將, 統將令旅帥, 旅帥令隊正, 隊正令伍將, 伍將令卒.

《會通 4, 兵典, 番上》忠淸道主鎭三旅, 庇仁·藍浦·泰安等鎭各二旅.

《高麗史 25, 元宗世家》於是, 發軍三十領, 創宮闕於舊京.

《世祖 13, 4年8月甲申》內禁衛兼司僕爲十一運, 巡行都城內外摘姦.

《純國 2, 稟目》大轝擔陪軍二十二運(以十二運輪回交替, 每運一百九十名式)二千二百八十名.

《高麗史 81, 兵志, 兵制, 五軍》安州, 本有八翼, 今更爲二翼, 總十翼.

《太祖 2, 元年9月己亥》西北面國之蕃屛, 故於平壤置十翼, 安州置十翼, 義州置四翼, 爲之擇人, 每翼置千戶一人, 使之鍊士卒備器械.

《文獻 111, 兵考, 宿衛》上銳意軍政, 抄壯增額, 以十人爲一領, 三領爲一正, 定將十員.

《萬機, 軍政編 2, 訓鍊都鑑, 守城字內》五部分立五停.

《事博, 上, 地理》百家爲族.

《事博, 上, 人道, 師旅》四兩爲卒.

《廣物譜 2, 軍旅》卒, 四兩.

《明宗 24, 13年8月辛卯》五家爲一小統, 五小統爲一中統, 二中統爲一大統.

《磻溪 21, 兵制, 右道》旗摠以下自依定例, 蓋五人爲伍, 二伍爲隊, 并隊長爲十二人, 三隊爲旗.

《萬機, 財用編 4, 江界蔘把》採蔘軍, 本府二十七面, 家出一丁, 分作數百統(每十二人爲一統……一牌入牛項嶺, 一牌入茂城嶺.

《經國 2, 戶典, 戶籍》京外五戶爲一統, 有統主, 外則每五統有里正, 每一面有權農官.

《端宗 13, 3年正月乙丑》平民五戶爲一統.

《秋志 3, 考律部, 續條, 賜樂破傷》放榜時, 內吹一牌, 賜給於前宣傳官金養和處.

《世祖 28, 8年5月癸卯》雜色軍, 每五十人爲一牌, 置總牌一人, 每十人置小牌.

《國葬, 1房, 已丑7月初4日, 稟目》大轝, 今方造作故……依甑錄捕盜一牌, 別爲定送, 晝夜守直, 各別禁盜何如.

《道敎史, 28章》東學傳道之所, 大者曰包, 小者曰接.

《萬機, 軍政編 2, 兵曹, 二軍色》騎兵四名爲一戶, 步兵三名爲一戶.

12. 과전(科田) →〔科〕

《龍歌 8, 73章》第一科, 自在內大君至門下侍中, 一百五十結.

13. 등급(等級)

13-1. 품계(品階)·등급 →〔階·科·級·等·位·品〕

《高麗史 3, 成宗世家》御威鳳樓大赦, 陞文武官一階.

《遺事 5, 感通, 金現感虎》申令曰, 戡虎者爵二級.

《高麗史 3, 成宗世家》大赦, 賜文武爵一級, 執事者二級.

《太宗 19, 10年5月己卯》一階一級, 皆人君之命也, 人臣之職.

《史記 38, 職官 上》南解王七年, 以脫解爲之, 儒理王九年, 置十七等.

《忠武公, 敎書, 策宣武元勳》功臣一等, 超三階爵.

《太祖 7, 4年2月癸未》階級之間, 不相凌犯……上將軍一位, 大將軍一位, 三軍將軍一位……隊副一位爲定.

《高宗 21, 21年11月18日》特派全權大使從三位勳一等.

《史記 24, 百濟古爾王本紀》二月, 下令六品已上服紫.

《高麗史 3, 成宗世家》西京入流, 年八十以上者, 優賞各有差, 三品以上, 公服一襲.

13-2. 성적(成績)의 고사(考査) →〔考〕

《太祖 1, 元年8月辛亥》定守令殿最法, 凡大小牧民, 俱以三十箇月爲一考.

《會通 1, 吏典, 京官職》六品以上, 則五考三上, 七品以下, 則三考二上者許加.

13-3. 분기(分期) →〔等〕

《萬機, 財用編 1, 各貢》奉常寺, 米一萬一千五百二十二石九斗八升五合四夕……嶺南八等, 湖南七等, 湖西七等, 京畿二等, 江原二等.

13-4. 토지의 등급 →〔等〕

《度支, 雜錄》一等一結(一萬尺爲一結, 一百尺爲一負), 二等八五(一萬一千七百六十四尺爲一結, 一百十七尺六寸四分爲一負)……六等二五(四萬尺爲一結, 四百尺爲一負).

13-5. 층(層) →〔級·蹬·層〕

《遺事 3, 塔像, 前後所將舍利》壇有二級, 上級之中, 安石蓋如覆鑊.

《太祖 8, 4年10月庚申》東西北階, 廣各十五尺, 上層階高四尺, 石橋五級.

《文鑑 7, 人, 行走》一蹬一蹬的上(층층이 올으다).

《遺事 3, 塔像, 皇龍寺九層塔》九韓侵勞, 若龍宮南皇龍寺建九層塔, 則隣國之災可鎭, 第一層日本, 第二層中華……第九層穢貊.

13-6. 점수(點數) →〔點·錯〕

《英祖 32, 8年7月辛丑》式年圓點則滿三百點後赴, 館試取五十人, 增廣圓點則從科日遠近, 或四十點或二十點十五點, 叅酌稟定, 此古規也.

《世祖 27, 8年正月壬戌》一次講一書, 用小形名習陣, 錄其能否, 報兵曹……四十錯以上, 罷黜, 收告身限, 二年不叙, 十一錯以上三十九錯以下, 仍任, 更待箇滿, 依上項旅行.

13-7. 주력(走力) →〔走〕

《經國 4, 兵典, 試取, 破敵衛, 壯勇衛, 捉虎甲士》水渴間, 走及二百七十步爲一走, 二百六十步爲二走, 二百五十步爲三走.

14. 무게 →〔久覽·鈞·斤·岐路久覽·兩·大可久覽·大始久覽·刀·噸·目·微·美利久覽·磅·分·絲(糸)·先知久覽·銖·釐(里)·字·錢(戔)·赫得久覽·毫(戶)·忽〕

《宣祖 116, 32年8月丙戌》其一線之脉, 一髮引千鈞.

《高麗史 78, 食貨志, 辛禑14年3月》生麻十一兩八刀, 白麻五兩二目四刀.

《高宗 46, 9年8月20日》百噸以上百噸以下西洋式船舶五十圓, 五百噸以上千噸以下西洋式船舶一百圓.

《高麗史 68, 禮志, 老人賜設儀》金一目五刀.

《陰晴史, 上, 高宗19年壬午3月》鹽強水一磅, 火酒二磅.

《遺事 3, 塔像, 皇龍寺丈六》鑄成丈六尊像, 一鼓而就, 重三萬五千七斤, 入黃金一萬一百九十八分, 二菩薩入鐵一萬二千斤, 黃金一萬一百三十六分.

《史記 7, 新羅文武王本紀》兼進貢銀三萬三千五百分, 銅三萬三千分, 針四百枚, 牛黃二十分, 金百二十分, 四十升布六匹.

《成宗 35, 4年10月庚申》文帝時, 行四銖錢, 自是以後, 或輕而爲三銖, 或重而爲半兩.

《山林, 救急》乾薑·朱砂·麝香各二戔半爲末, 酒調一字(卽二分半)服.

《經國 6, 工典, 營繕, 度量衡》十釐爲分, 十分爲錢, 十錢爲兩, 十六兩爲斤.

《萬機, 財用編 4, 錢貨, 鑄錢式》生銅九分七里四戶六糸六忽六微.

《文獻 91, 樂考, 度量衡》衡之制, 十毫爲釐, 十釐爲分, 十分爲錢, 十錢爲兩, 十六兩爲斤. 泰西衡法, 則一美利久覽, 當我二絲七忽, 十美利久覽爲先知久覽, 當我二毫六絲七忽, 十先知久覽爲大始久覽, 當我二釐六毫六絲七忽, 十大始久覽爲久覽, 當我二分六釐六毫六絲七忽, 十久覽爲大可久覽, 當我二錢六分六釐六毫六絲七忽, 十大可久覽爲赫得久覽, 當我二兩六錢六分六釐六毫六絲七忽, 十赫得久覽爲岐路久覽, 當我二十六兩六錢六分六釐六毫六絲七忽.

15. 세월(歲月) →〔紀·大周元·白·運·元·月·載·會·候〕

《高麗史 19, 明宗世家》 鄕襲封二紀, 作屛一邦.

《感應篇, 大文》 有三台北斗神君, 在人頭上, 錄人罪惡, 奪其紀算(죄악을 긔록ᄒᆞ여 그 긔(열 두 ᄒᆡ가 일 긔라)와 산을 ᄲᅦ앗고).

《高麗史 112, 白文寶傳》 積三千六百年爲一大周元.

《釋林 19, 釋氏語錄, 釋天》 一白. 字典曰, 梵言一年爲一白.

《事博, 天時》 十二世爲一運, 凡三百六十年.

《事博, 天時》 十二會爲一元, 凡十二萬九千六百年.

《遺事 1, 紀異, 古朝鮮》 魏書云, 乃往二千載有壇君王儉, 立都阿斯達.

《高麗史 6, 靖宗世家》 朕承先君之末命, 嗣累聖之丕圖, 十有二載.

《事博, 天時》 十二運爲會, 凡一萬八百年.

《事博, 天時》 五日爲候, 三候爲紀, 二紀爲三十日爲一月.

16. 도수(度數) →〔度·微·半·分·少·秒·太〕

《世宗 156, 七政算內篇 上, 天行諸律》 周天度三百六十五度二十五分七十五秒, 半周天一百八十二度六十二分八十七秒半, 周天象限九十一度三十一分四十三秒太.

《世宗 159, 七政算外篇 上》 九分, 卽爲白羊戌宮一日加陪相離度, 以三十四度二十三分五十三秒二十二微.

17. 매·곤장(棍杖) →〔度·杖·板〕

《中宗 43, 16年10月癸巳》 詩山正正叔, 訊杖二十二度, 盡服其情.

《亂中, 丁酉11月初2日》 決八十杖.

《欽欽 2, 馬瑞圖假命申詳》 枷責四十板……板者, 竹簡也, 四十板, 竹簡四十下也.

18. 곳·장소(場所) →〔庫·庛·所·處〕

《度志, 外篇, 版籍司, 城堞分授》 自敦義門至彰義門十四庫.

《度支, 雜錄》 杜塗合三十二庛.

《訓重, 兼料色, 屯畓秩》 蘆田陸庛.

《遺事 3, 塔像, 南月山》 敬造甘山寺一所, 石彌勒一軀.

《世祖 4, 2年5月壬申》 京城內外, 置警守一百六所, 以防盜賊.

《太宗 34, 17年7月丙辰》 平安道大風雨, 成川郡山崩三百六十五所, 壓死者數人, 永寧縣山崩二十八所.

《訓重, 兼料色, 屯畓秩》 陳廢還起庛壹處, 蘆田陸處.

19. 나이〔歲〕→〔歲·齡·禾〕

《宣祖 88, 30年5月乙卯》 爾已六十餘歲, 壽命幾何, 子未十齡, 孤弱何恃.

《遺事 1, 紀異, 高句麗》 國號高句麗, 因以高爲氏, 時年十二歲.

《太祖 1, 元年9月壬寅》 民丁自十六歲至六十歲當役.

《新字典, 朝鮮俗字部》 禾, 㐱. 馬齒數, 말 니 슈효. 見郵驛馬籍.

《行用》禾, 수. 俗稱馬齒曰禾, 一禾二禾是也.

20. 촌수(寸數) →〔寸〕

《光海君 51, 4年3月己亥》右相曰, 李惕乃丁家之四寸, 故云云矣.

《會通 5, 刑典, 私賤》無子女嫡母奴婢, 妾子女分數外, 餘還本族, 而勿論生沒均給(原典, 無同生則三寸, 無三寸則四寸親之法).

21. 시각(時刻) →〔刻·更·微·分·點·秒〕

《高麗史 59, 禮志, 吉禮大祀, 圜丘》未明一刻, 王服袞冕.

《成宗 77, 8年閏2月乙丑》從採桑外命婦, 亦先詣前一刻.

《世宗 19, 5年正月庚子》前此人定鐘, 則一更三點, 放鼓則五更三點末. 乞自今放鼓五更三點初. 從之.

《文鑑 1, 時令》分, 六十秒爲分.

《文鑑 1, 時令》秒, 六十微爲一秒.

22. 부마(夫馬)·주사(舟師) →〔事〕

《瀋狀, 庚辰8月9日》唯只運粮夫馬一事.

《瀋狀, 庚辰9月16日》舟師一事.

23. 결실(結實)의 정도 →〔分〕

《萬機, 財用編 2, 收稅》每歲九月望前, 道臣守令審定年分等第, 啓聞施行, 年分有九等, 實十分爲上上年, 每一結收二十斗, 九分爲上中年……二分爲下下年, 收四斗, 一分則免稅.

24. 끼니 →〔頓·時〕

《朴通事, 上》一日三頓(ᄒᆞᄅᆞ 세 쎄).

《語錄, 西遊記語錄》要吃也不句一頓吃(먹고ᄌᆞ 할진뎐 ᄒᆞᆫ 번의 먹엇슬 터이오).

《救荒, 辟穀絶食方》第一頓, 七日不食, 第二頓, 七七日不食, 第三頓, 一百日不食, 第四頓, 不飢(ᄒᆞᆫ 번 머그면 닐웨를 밥을 아니 먹고……네 번 곳 머그면 영영 비고프디 아니 ᄒᆞᄂᆞ니라).

《太宗 31, 16年6月辛酉》各道都觀察使·都節制使飯米, 每一日三升, 隨陪伴儻, 一時中米一升.

《宣祖 31, 25年10月乙巳》天兵十萬, 一日兩時, 則一月之粮四萬石, 三時則六萬石.

25. 구름·물줄기·기운 →〔度·道·條·朶〕

《世祖 157, 35年12月乙巳》三更, 白雲一度如氣, 自東至西, 長可十餘丈, 廣尺餘, 良久乃滅.

《明宗 20, 11年5月己卯》白雲一道如氣, 自坤方指南方橫布, 日微暈, 日入後有黑雲一道, 如氣布天.

《遺事 3, 塔像, 天龍寺》雞林土內有容水二條, 逆水一條.

《高麗史 54, 五行志》有白氣一條, 如匹練, 坤良相衝, 良久乃滅.

《成宗 283, 24年10月辛巳》一朶紅雲擁日邊.

26. 노래 →〔曲〕

《史記 32, 樂志》太唐武后時尙二十五曲, 今唯能習一曲.

27. 세대(世代) →〔代·葉〕

《太宗 10, 5年11月癸丑》佛法到東方, 始於三國, 高句麗十七代小獸林王時, 胡僧順道, 至自符秦.

《史記 35, 地理志》第十一葉文宗代, 創置興王寺於其地.

28. 벼슬자리 →〔窠〕

《英祖 117, 47年12月丙子》請依所請, 講經三窠中一窠, 移付製述詩賦各取二人, 俾爲均排.

29. 출산(出產) →〔腹・乳・胎〕

《宣祖 25, 24年4月乙亥》慶山沙器匠石乙伊妻良女豆之, 一腹二女一男生産, 並爲生存.

《太宗 33, 17年5月辛未》開城縣女崔藏, 一乳三女, 命賜米三石.

《太宗 33, 17年2月辛酉》豊海道船軍李哲家, 牛一乳三犢.

《肅宗 26, 20年閏5月庚午》全羅道南原縣, 校婢牧丹, 一胎產三子, 其母仍死.

30. 일의 가닥이나 법조항(法條項) →〔件・枚・條〕

《太宗 6, 3年10月辛未》共八十箇件內.

《朴通事, 上》這兩件東西做時(이 두 가지 거슬 믿들려 ᄒ면).

《明宗 7, 3年4月乙丑》左議政李芑, 恃功驕恣專擅威福之狀, 固不可一二枚擧, 而進言於上, 上有不從之事.

《文宗 2, 卽位年7月己未》況隨例叙用, 已有受敎, 不可輕易立法, 第十一條, 十二條, 皆祖宗成憲, 不宜輕改.

《世宗 60, 15年6月壬辰》且附以針灸法一千四百七十六條.

31. 근무일수(勤務日數) →〔到・仕〕

《世祖 33, 10年4月己亥》軍士仕日, 或稱到, 或稱仕, 仕則每一日一, 到則每一日, 或三或二, 甚爲不均.

《文宗 6, 元年3月己未》御廳賢亭, 觀忠順衛步射, 給仕有差.

32. 힘〔力〕→〔力〕

《經國 4, 兵典, 試取》兩手各持五十斤, 能行一百六十步爲一力, 一百三十步爲二力, 一百步爲三力.

3) 간추려 모은 물건에 따른 단위어

Ⅰ. 집 안에서 쓰는 것

1. 부엌에서 주로 쓰는 것

1-1. 강판(薑板) →〔部〕

1-2. 구기〔勺〕→〔箇・坐〕

1-3. 그릇 및 기구 →〔箇(介)・具・立・丹・對・陶・枚・柄・部・事・雙・葉・坐・竹〕

1-3-1. 그릇 →〔對・事〕

1-3-2. 대접(大貼・大楪) →〔箇(介)・立・葉・坐・竹〕

1-3-3. 동이〔東海・盆〕・단지〔樽〕・자배기〔者朴只〕→〔箇・陶・枚・面・坐・枝・片〕

1-3-4. 바라기〔伐兒〕→〔坐〕

1-3-5. 바리・바릿대〔鉢里・鉢〕→〔具・部・事・雙・坐〕

1-3-6. 바탱이〔所湯伊〕→〔坐〕

1-3-7. 방구리〔方文里〕→〔箇・坐〕

1-3-8. 보시기〔甫兒〕→〔介・立・竹〕

1-3-9. 복자〔鐥〕→〔陶・事・坐〕

1-3-10. 사발〔沙鉢・盂〕→〔箇(介)・立・事・葉・竹〕

1-3-11. 새옹〔沙用〕→〔坐〕

1-3-12. 소래기〔所羅〕→〔箇・陶・坐〕

1-3-13. 시접〔匙貼〕→〔立・部・竹〕

1-3-14. 식기(食器) →〔立・竹〕

1-3-15. 양푼〔凉盆〕→〔坐〕

1-3-16. 쟁반(錚盤) →〔坐〕

1-3-17. 접시〔楪匙・貼匙・葉匙・貼是〕→〔箇(介)・立・丹・葉・竹〕

1-3-18. 종지〔鍾子〕→〔箇(介)・立・竹〕

1-3-19. 주발〔椀・周鉢・朱鉢〕→〔箇・具・立・部・葉・竹〕

1-3-20. 찻종(茶鍾)・다관(茶罐) →

〔坐〕
1-3-21. 탕기(湯器) →〔箇·立·竹〕
1-4. 대야〔大也·匜〕→〔坐〕
1-5. 도마(刀磨·刀亇·刀馬) →〔介·坐〕
1-6. 물을 담거나 뜨는 것
1-6-1. 두레박〔罐〕→〔個·坐〕
1-6-2. 두멍〔豆毛〕→〔坐〕
1-6-3. 병〔甁·壺〕→〔箇·經·口·坐·隻·把〕
1-6-4. 통〔榼·桶〕→〔口·部〕
1-6-5. 표주박〔瓢〕→〔箇·顆·雙〕
1-6-6. 항아리〔缸·瓮〕→〔介·陶·坐〕
1-7. 떡메〔餠亇赤〕→〔箇〕
1-8. 막자(莫子) →〔箇〕
1-9. 번철(燔鐵) →〔坐〕
1-10. 삼발이(아리쇠)〔阿里金 · 阿里鐵·阿耳鐵〕→〔箇(介)·巨里〕
1-11. 석쇠〔炙金〕→〔箇(介)·部·雙〕
1-12. 석자〔𨫼煮〕→〔箇〕
1-13. 소반〔盤〕→〔箇·葉·竹〕
1-14. 솥〔省〕→〔箇〕
1-15. 솥뚜껑〔鼎蓋〕→〔箇〕
1-16. 수저〔匙箸〕
1-16-1. 숟가락〔匙〕→〔箇·根·丹·枝〕
1-16-2. 젓가락〔箸·筯·鉗子〕→〔件·丹·枚·每也·每伊·面·雙·枝〕
1-17. 시루〔甑〕→〔坐〕
1-17-1. 시룻밑〔甑本〕→〔箇(介)〕
1-17-2. 시룻방석〔甑蓋〕→〔介〕
1-18. 안반〔案板〕→〔立〕
1-19. 약탕관〔藥鑵〕→〔提〕
1-20. 용수(容水) →〔介〕
1-21. 잔〔盞·爵〕→〔坮·雙·坐·執·貼〕
1-22. 쟁반〔枠〕→〔枚〕
1-23. 조리〔助乃〕→〔箇(介)〕
1-24. 주걱(周巪) →〔箇〕
1-25. 주자〔注子·酒注·酒器〕→〔事·把〕
1-26. 주전자〔亇飛介〕→〔箇·坐〕
1-27. 채반〔柤盤〕·소쿠리〔所昆里〕·광주리〔筐〕→〔介·立·備〕
1-28. 함지(函之) →〔部〕
2. 불을 피우거나 끓이는 것
2-1. 노구솥〔爐口〕→〔部·坐〕
2-2. 봉로(烽爐·熢爐) →〔介·坐〕
2-3. 부젓가락〔火著 · 鋏〕→〔箇(介)·雙·挾〕
2-4. 솥〔釜·鼎〕→〔坐〕
2-5. 풍로(風爐) →〔坐〕
2-6. 향로(香爐) →〔坐〕
2-7. 화로〔火爐·火盆·茗爐〕→〔箇(介)·部·事·圍·坐·竹〕
3. 물건을 올려놓는 것
3-1. 갸자〔架子〕→〔部〕
3-2. 목판〔隅板〕→〔立·部·竹〕
3-3. 상(床) → 〔筥·立·部·事·葉·張·坐·座·竹·隻〕
3-3-1. 고족상(高足床) →〔立·坐·竹〕
3-3-2. 교상(交床) →〔隻〕
3-3-3. 담상(檐床) →〔張〕
3-3-4. 등상〔登床·橙〕→〔筥·坐〕
3-3-5. 세위상(洗位床) →〔部〕
3-3-6. 소반〔盤〕→〔立·葉·坐·竹〕
3-3-7. 안상(案床) →〔部〕
3-3-8. 전안상(奠雁床) →〔部〕
3-3-9. 제상(祭床) →〔座〕
3-3-10. 촛상〔燭床〕→〔部〕
3-3-11. 탁자(卓子) →〔立·部·事·

坐〕

3-3-12. 평상(平床) → 〔坐〕

3-3-13. 두부판〔泡床〕 → 〔部〕

3-4. 서가(書架) → 〔脚〕

3-5. 서안〔書案・册案〕 → 〔面・坐〕

3-6. 세대(洗臺) → 〔坐〕

3-7. 안반〔案板〕 → 〔坐〕

3-8. 잔대(盞臺) → 〔坐〕

3-9. 찬안(饌案) → 〔坐〕

3-10. 촛대받침〔燭臺跗〕 → 〔坐〕

3-11. 향안〔香案・香座兒・香床〕 → 〔雙・坐〕

4. 물건을 담거나 넣어 두는 것

4-1. 체〔篩〕 → 〔部〕

4-2. 갑(匣) → 〔部・備・條・座〕

4-3. 고리〔箕〕 → 〔部〕

4-4. 궤(樻・櫃) → 〔秀・隻〕

4-5. 농(籠) → 〔部・隻・駄・箒〕

4-5-1. 등롱(燈籠) → 〔箇・件・浮・摺・盞〕

4-6. 두지(豆之・斗之) → 〔部・坐〕

4-7. 고리(古里) → 〔介〕

4-8. 동고리(同古里) → 〔部〕

4-9. 빗접〔梳貼〕 → 〔部〕

4-10. 상자〔笥〕 → 〔部〕

4-11. 장(欌) → 〔坐〕

4-12. 함〔函・廚子〕 → 〔部・事・坐・隻〕

5. 병풍(屛風) → 〔雙・張・坐・座〕

6. 바느질하는 데 쓰는 것

6-1. 가위〔剪刀・加耳・剪子〕 → 〔箇(介)・枚・把〕

6-2. 다리미〔熨刀〕 → 〔箇・事〕

6-3. 바늘・침(針) → 〔箇・根・枚・封・帖〕

6-4. 실〔絲〕 → 〔艮衣・曲之・斤・兩・般多只・승・分・里音・錢・尺・稱・太・苔〕

6-5. 인두〔引刀・引導〕 → 〔箇(介)・柄〕

6-6. 전반〔剪板〕 → 〔箇(介)・部〕

6-7. 홍두깨〔横道介〕 → 〔介〕

7. 줄・끈〔三甲所・繩・組・紘〕 → 〔艮衣・斤・道・部・條・把〕

8. 불을 밝히는 데 쓰는 것

8-1. 등경걸이〔燈蓋・燈臺・光明臺〕 → 〔掛・對・坐〕

8-2. 등잔(燈盞) → 〔事・竹〕

8-3. 용지(龍脂) → 〔箇・柄〕

8-4. 초〔燭〕 → 〔對・柄・雙・丁・挺・枝・炷・隻〕

8-5. 촛꽂이〔燭串之〕 → 〔介〕

8-6. 촛대〔燭臺〕 → 〔雙〕

8-7. 향(香) → 〔封・雙・劑・隻〕

8-8. 향꽂이〔香串之〕 → 〔雙〕

8-9. 홰〔炬〕 → 〔介・同・柄〕

8-10. 불씨〔種火〕 → 〔盤〕

9. 목조(木槽) → 〔部〕

10. 요강(溺江) → 〔坐〕

11. 용정자〔龍亭〕 → 〔坐〕

12. 인주그릇〔印朱器〕 → 〔坐〕

13. 재양틀〔淨機〕 → 〔坐〕

14. 주렴틀〔朱簾機〕 → 〔坐〕

15. 타구(唾口) → 〔坐〕

16. 향합(香盒) → 〔事・坐〕

17. 자리에 깔거나 기대는 것

17-1. 깔개〔席座子・網席・茵席〕 → 〔件・立・枚・浮・葉・張〕

17-2. 답장(踏掌) → 〔件・坐〕

17-3. 등메〔登每〕 → 〔件・坐〕

17-4. 방석(方席) → 〔件・立・坐・竹〕

17-5. 안석〔安息・倚背〕 → 〔件・立・面・坐〕

17-6. 양탄자(洋彈子) → 〔碼・桶〕

17-7. 요〔褥〕 → 〔件・面・副・領・

坐〕
17-8. 털요〔阿多介·氈〕→〔匣·浮·部·條·坐〕
17-9. 욧속〔褥槊〕→〔桴〕
17-10. 자리〔席·簟〕→〔件·立·文·紋·番·浮·部·葉·丈·張·坐·駄〕
18. 베개〔枕子〕→〔首〕
19. 거울〔銅人勝·鏡〕·망원경〔千里鏡〕→〔箇(介)·對·枚·面〕
20. 아궁이〔竈〕→〔口〕
21. 맷돌〔磑〕→〔部〕
22. 관의(棺衣) →〔件〕
23. 보〔袱〕→〔件·浮·條〕
24. 상건(床巾) →〔件〕

Ⅱ. 토목·건축에 관한 것

1. 석재〔礪·柱礎·磚石·雜石·誌石〕→〔塊·立·負·部·張·片〕
2. 흙·모래 →〔斛·負·駄〕
3. 물건에 박거나 붙이는 것
3-1. 가막쇠〔加莫金〕→〔介〕
3-2. 간지쇠〔幹只金〕→〔叢〕
3-3. 감잡이〔甘佐非〕→〔箇(介)〕
3-4. 거멀못〔巨勿釘·巨勿丁〕→〔箇(介)·丁〕
3-5. 걸쇠〔乬金〕→〔雙〕
3-6. 국화동(菊花童) →〔介·部·雙·朶〕
3-7. 대접쇠〔大貼金〕→〔箇〕
3-8. 돌적이(乭迪耳) →〔部·雙〕
3-9. 똬리쇠〔坐鐵〕→〔件〕
3-10. 말뚝〔末禿〕→〔箇(介)〕
3-11. 못〔釘·丁〕→〔箇(介)〕
3-12. 박철(朴鐵) →〔立〕
3-13. 배목(排目) →〔箇(介)·部〕
3-14. 사슬〔沙乞〕→〔巨里·折〕
4. 연장에 관한 것
4-1. 대패〔大波〕→〔箇〕
4-2. 도끼〔斧子〕→〔箇·柄〕
4-3. 마치〔亇赤〕→〔箇(介)〕
4-4. 모루받침〔毛老臺〕→〔箇〕
4-5. 몽둥이〔蒙同〕→〔箇〕
4-6. 바곳〔朴串〕→〔箇(介)〕
4-7. 방망이〔方亇赤〕→〔箇(介)〕
4-8. 송곳〔松串·錐兒〕→〔箇〕
4-9. 쇠손〔金手〕→〔箇(介)〕
4-10. 장도리〔長道里·掌乭里·掌道里·獐足〕→〔箇〕
4-11. 정〔釘〕→〔坐〕
4-12. 줄〔錭·乼〕→〔箇(介)〕
4-13. 집개(執介) →〔箇〕
4-14. 톱〔鉅〕→〔箇(介)〕
4-15. 통(桶·筒) →〔部·雙〕
4-16. 편담(扁擔) →〔柄〕
5. 건조물(建造物)이나 축조물(築造物)에 관한 것
5-1. 간살 →〔間〕
5-2. 근총안〔近眼〕→〔穴〕
5-3. 단(壇) →〔區〕
5-4. 담·벽 →〔堵·板〕
5-5. 대문(大門) →〔座〕
5-6. 돈대〔墩〕→〔座〕
5-7. 성가퀴 →〔隊·俉·堞·垜〕
5-8. 성곽 →〔區〕
5-9. 연가(烟家·煙家) →〔箇(介)〕
5-10. 집 →〔區·門·遂·廛·坐·座·戶〕
6. 지붕에 관한 것
6-1. 암키와〔女瓦〕·수키와〔夫瓦〕→〔訥·立·張·駄〕
6-2. 막새〔防草〕→〔訥·張〕
6-3. 망새〔鷲頭〕→〔介〕
6-4. 북수(北首) →〔介〕
6-5. 용두(龍頭) →〔介〕
6-6. 용상(龍像) →〔介〕

6-7. 운각(雲角) → 〔介〕
6-8. 잡상(雜像) → 〔箇〕
6-9. 토수(吐首) → 〔介〕
6-10. 이엉〔飛乃〕 → 〔同·舍音·番·浮·駄〕
6-11. 용마름〔龍舍音〕 → 〔巨里〕
7. 벽돌〔磚〕 → 〔訥·丈·張〕
8. 아교〔魚膠·阿膠〕 → 〔斤·兩·斗·升·張〕
9. 건축 자재에 관한 것
9-1. 귀틀〔耳機〕 → 〔塊〕
9-2. 단연(短椽) → 〔箇〕
9-3. 머름산〔遠山〕 → 〔箇〕
9-4. 목방(木枋) → 〔塊〕
9-5. 박공(朴工) → 〔立〕
9-6. 법수(法首) → 〔柱〕
9-7. 벽련(劈鍊) → 〔株〕
9-8. 산륜(散輪) → 〔箇〕
9-9. 산자(散子) → 〔浮〕
9-10. 서까래〔椽木〕 → 〔巨里·条〕
9-11. 서돌〔西道里〕 → 〔箇〕
9-12. 익공(翼工) → 〔立〕
9-13. 인방(引防) → 〔箇〕
9-14. 작위밥〔斫耳食〕 → 〔同〕
9-15. 장여〔長舌〕 → 〔箇〕
9-16. 재목(材木) → 〔箇·巨里·立·葉·条·條·株·駄·吐·片〕
9-17. 침목(枕木) → 〔箇〕
9-18. 토막(吐木) → 〔法乃·斤〕
9-19. 판자(板子) → 〔介·骨·塊·立·副·部·葉·条·坐〕
10. 문(門)·반자(班子)·장지〔障子〕·차양(遮陽)·창(窓) → 〔隻〕
11. 귀얄〔歸也〕 → 〔箇〕
12. 자루〔帒〕·포대〔甫大·布帒〕 → 〔箇(介)·件·部〕

Ⅲ. 농산물(農產物)이나 농기구에 관한 것

1. 곡식(穀食) → 〔斛·刀·斗·枚·石·碩·手斗·緫·包·合〕
2. 마〔薯蕷〕 → 〔箱〕
3. 과일 → 〔箇(介)·顆·斤·舫·器·枚·封·箱·石·所應伊·束·松伊·瓮·接·串·帖·貼·盒·缸〕
4. 누룩〔麯·曲子·麯子·麴〕 → 〔同·豆介·乭介·元·員·圓〕
5. 농기구에 관한 것
5-1. 가래〔加乃〕 → 〔箇·柄〕
5-1-1. 가랫장부〔加乃杖夫·加羅丈夫〕 → 〔箇·柄〕
5-2. 갈퀴〔乫只〕 → 〔箇〕
5-3. 고무래〔古末乃〕 → 〔介〕
5-4. 곡괭이〔串鍥伊·串光伊〕 → 〔介·柄〕
5-5. 광주리〔筐〕 → 〔箇〕
5-6. 괭이〔鍥伊·果戾·光伊〕 → 〔箇(介)·柄〕
5-7. 말〔斗〕 → 〔坐〕
5-8. 멍석〔網石·網兀·細網〕 → 〔立·番·浮〕
5-9. 삼태기〔三太〕 → 〔箇(介)·部〕
5-10. 삽〔鍤〕 → 〔介·柄〕
5-11. 섬〔石〕 → 〔立·葉〕
5-12. 쇠스랑〔小時郎〕 → 〔介·部〕
5-13. 용수(容水) → 〔介〕
5-14. 쟁기〔犂〕 → 〔介·同〕
5-15. 지레〔地乃〕 → 〔箇〕
5-16. 키〔箕〕 → 〔箇(介)·部〕
6. 솜〔綿·綿子·緜花·綿花〕 → 〔斤·舫·兩·帒·屯·卜·戔·稱〕
7. 씨앗 → 〔斗·枚·夕·升·合〕
8. 채소에 관한 것
8-1. 가지〔茄子〕 → 〔箇(介)·斗〕
8-2. 고추〔苦椒〕 → 〔介·丹〕

8-3. 도라지〔桔梗・黄・更〕→〔斤・丹・斗・握〕
8-4. 마늘〔蒜〕→〔箇(介)・顆・頭・枚・本〕
8-5. 무〔菁根・蘿菖根〕→〔箇(介)・丹・束・握〕
8-6. 미나리〔水芹〕→〔丹・手・握〕
8-7. 배추〔白菜・菘菜〕→〔介・丹・篅〕
8-8. 상추〔萵苣之〕→〔束〕
8-9. 생강〔生薑・生干〕→〔角・斤・兩・本・升・片〕
8-10. 오이〔苽子〕→〔介・斗〕
8-11. 파〔葱〕→〔介・丹・本・笥・束・握・條〕
8-12. 토란(土卵)→〔升〕
8-13. 호박(胡朴)→〔介〕

Ⅳ. 동식물에 관한 것

1. 물고기 →〔脚・甲・箇(介)・貫・塊・櫃・斤・舠・級・器・立・同・冬乙音・冬音・茅・尾・本・部・桴・石(斗・升・合)・束・首・連・月乃・接・条・條・枝・串・帖・貼・片〕
2. 털가죽・껍질・깃에 관한 것
2-1. 털가죽 →〔枚・本・令・領・吾里・要・丈・張・条・條・坐・片〕
2-2. 물고기 껍질 →〔枚・張・片〕
2-3. 털〔毛〕→〔斤・斗・封・釜・条・條〕
2-4. 꼬리〔尾〕→〔介・条・筒〕
2-5. 깃〔羽〕→〔箇(介)・同・雙〕
3. 짐승에 관한 것
3-1. 개〔狗〕→〔頭・首・隻〕
3-2. 낙타〔駞〕→〔頭〕
3-3. 너구리〔狸〕→〔口〕
3-4. 노루〔獐〕→〔口・頭〕
3-5. 당나귀〔驢〕→〔頭〕
3-6. 돼지〔猪〕→〔杠・口〕
3-7. 말〔馬〕→〔群・頭・屯・匹・疋〕
3-8. 사슴〔鹿〕→〔口〕
3-9. 소〔牛〕→〔頭・首・隻・匹・疋〕
3-10. 양(羊)→〔杠・羫・口・頭〕
3-11. 염소〔羔〕→〔口・雙〕
3-12. 토끼〔兔〕→〔口〕
3-13. 표범〔豹〕→〔頭〕
3-14. 호랑이〔虎〕→〔口〕
4. 날짐승에 관한 것→〔架・脚・對・頭・枚・首・雙・連・聯・羽・坐・隻・翮〕
4-1. 거위〔鵝〕→〔首・隻〕
4-2. 고니〔鵠〕→〔首〕
4-3. 공작〔孔雀〕→〔翮〕
4-4. 꿩〔雉〕→〔首・隻〕
4-5. 닭〔雞〕→〔脚・首・羽〕
4-6. 매〔鷹〕→〔架・頭・首・連・聯・坐〕
4-7. 메추라기〔鶉〕→〔首〕
4-8. 비둘기〔鵓鴿〕→〔對〕
4-9. 새〔鳥〕→〔枚〕
4-10. 앵무(鸚鵡)→〔雙・隻〕
4-11. 오리〔鴨〕→〔首・雙〕
4-12. 학(鶴)→〔首〕
5. 나무에 관한 것→〔幹・箇(介)・法・法乃・巨里・斤・根・丹・同・名・本・浮・束・握・自乃・章・節・条・條・条里・條里・株・枝・攢・片〕
6. 풀〔草〕→〔科・莖・法・法乃・斤・級・立・丹・同・枚・本・沙里・束・握・月乃・自乃・稷禾・炷・次・把〕

7. 껍질〔皮〕→〔箇·兩·同·月乃·張·召角·駄〕
8. 뱀〔蛇〕→〔条·條〕
9. 지네〔蜈蚣〕→〔條〕
10. 뿔〔角〕→〔介·斤·根·對·枚·本·部·丁·条·枝·桶·片〕
11. 해초(海草)→〔曲之·斤·舠·立·丹·同·束·升·丈·張·条·條·株·走之·注之·枝·帖·貼·軸·吐·土叱〕
12. 알〔卵〕→〔箇(介)·部·貼·包·合〕
13. 포(脯)→〔立·尾·束·首·連·脡·条·條·帖·貼〕
14. 그물〔網〕→〔立·竹·旨·把〕

Ⅴ. 몸에 지니거나 치장하는 것

1. 금(金)·은(銀)·보석(寶石)→〔箇(介·个)·芥·巨里·顆·貫·塊·兩·刀·稻·同·斗·枚·目·文目·柄·部·分·星·成·丈·張·丁·挺·錠·串·貼·軸·片·品·合〕
2. 귀이개〔耳只〕→〔部〕
3. 비녀〔簪·釵〕→〔箇·對·條·枝〕
4. 빗치개〔梳次介〕→〔介〕
5. 첩지〔接只〕→〔件〕
6. 피륙→〔件·骨·段·端·對·同·枚·浮·梭·束·升·領·丁·綜·尺·帖·軸·桶·板·幅·表裏·匹·疋〕
7. 띠〔帶〕→〔箇·件·帶·副·部·事·腰·月·条·條〕
8. 띠돈〔帶錢〕→〔窠·片〕
9. 흉배〔胸背〕→〔部·隻〕
10. 다리〔髢髮〕→〔丹·子·条〕
11. 입는 것→〔件·段·對·副·事·襲·様·葉·領·稱·套·幅〕
11-1. 가사(袈裟)→〔領·幅〕
11-2. 갖옷〔裘〕→〔領〕
11-3. 곤룡포〔袞服〕→〔套〕
11-4. 단령(團領)→〔件〕
11-5. 더그레〔號衣〕→〔領〕
11-6. 도포〔袍〕→〔件·襲〕
11-7. 동달이〔東道里〕→〔件〕
11-8. 면복(冕服)→〔副〕
11-9. 바지〔袴〕→〔襲·腰〕
11-10. 습의(襲衣)→〔稱〕
11-11. 옷〔衣〕→〔件·段·對·副·事·襲·様·葉·領〕
11-12. 지의(紙衣)→〔領·張〕
11-13. 철릭〔天翼〕→〔件〕
11-14. 치마〔裳〕→〔件〕
11-15. 쾌자〔掛子〕→〔領〕
11-16. 핫옷〔襦衣〕→〔襲·領〕
11-17. 행주치마〔行子赤亇〕→〔件〕
12. 갑옷〔甲〕→〔副·部·領〕
13. 머리에 쓰거나 꾸미는 것
13-1. 감투〔甘吐·甘土〕→〔立·事〕
13-2. 갓양태〔涼臺〕→〔立〕
13-3. 갓끈〔纓子·笠緖〕→〔件·結·枚·部〕
13-4. 건(巾)→〔件·部·頂·竹〕
13-5. 관(冠)→〔件·部·笠·頂·片〕
13-6. 관골〔梁〕→〔部〕
13-7. 관자〔圈子〕→〔雙〕
13-8. 댕기〔唐只〕→〔件〕
13-9. 모자〔帽〕→〔箇·立·部·事·頂·隻〕
13-10. 복두(幞頭)→〔件·枚·部〕
13-11. 옥형(玉桁)→〔根〕
13-12. 입(笠)→〔箇·立·部·事·月·竹〕
13-13. 투구〔胄〕→〔部·頂〕
13-14. 호수(虎鬚)→〔件〕

14. 도장〔印〕→〔顆·面·本〕
14-1. 인주갑〔印池〕→〔顆〕
15. 버선〔襪〕→〔件〕
16. 털너널〔毛襪〕→〔捊〕
17. 수건(手巾)·족건(足巾)→〔件〕
18. 장갑(掌匣)→〔件〕
19. 솔〔省·梳〕→〔箇(介)·枚〕
20. 신〔靴·鞋〕→〔件·兩·對·部·雙·緉·月·隻〕
21. 안창〔昌·精·涼精〕→〔部〕
22. 부신(符信)→〔部〕
23. 패(牌)→〔介·立·面·雙·隻〕
24. 홀〔珪·圭·笏〕→〔面·部〕
25. 분(粉)→〔匣·器·斗·兩·封〕
26. 연지(燕脂)→〔箇·椀·張·鍾子·片〕
27. 부채〔扇〕→〔柄·本·矢·雙·握·竹·把〕
28. 담뱃대〔烟竹·烟筒·烟器〕→〔介·根·握〕
29. 안경〔目鏡·眼鏡〕→〔掛·部〕
30. 망원경〔千里鏡〕→〔面〕
31. 행담(行擔)→〔部〕
32. 우산(雨傘)→〔柄〕
33. 일산(日傘)·양산(陽傘·陽繖)→〔柄〕
34. 노리개→〔流〕

Ⅵ. 여러 가지 물건에 관한 것

1. 저울〔稱·稱子·等子〕→〔箇(介)·槃·部·連·坐〕
2. 꽃〔花〕→〔箇·本·盆·枝·朶·片〕
3. 무기(武器)
3-1. 곤봉(棍棒)→〔柄·雙〕
3-2. 과녁〔貫革〕→〔坐〕
3-3. 귀약통〔耳藥筒〕→〔部〕
3-4. 칼〔刀子·劍·刀〕→〔介·口·段·對·柄·副·部·腰·爪·條·振·隻·把〕
3-5. 남날개〔南飛介·南羅介〕→〔箇(介)〕
3-6. 동개〔筒箇〕→〔部〕
3-7. 마름쇠〔菱鐵·蒺藜〕→〔箇·兩〕
3-8. 쇠뇌〔弓弩〕→〔坐〕
3-9. 쇠뇌틀〔弓弩機〕→〔坐〕
3-10. 주장(朱杖)→〔箇·柄〕
3-11. 창〔槍·鎗·鑓〕→〔桿·根·對·柄·本·部·挺·條·坐·枝·叢·把〕
3-12. 총(銃)·총통(銃筒)→〔箇·門·柄·枝〕
3-13. 탄환(彈丸)→〔箇·發〕
3-14. 편곤(鞭棍)→〔柄〕
3-15. 포(砲)→〔柄·位·坐〕
3-16. 화살〔箭〕→〔箇(介)·根·枚·浮·桴·部·枝·隻·箇〕
3-17. 화살대〔箭竹〕→〔箇·浮·編〕
3-18. 화살촉〔箭鏃〕→〔根〕
3-19. 화승(火繩)→〔巨里·臺乃·沙里·圓·條·台乃〕
3-20. 화약(火藥)→〔斤〕
3-21. 활〔弓〕→〔副·張·丁〕
4. 향(香)→〔罐·確·塊·斤·柄·本·封·封只·封紙·部·雙·劑·炷·枝·串·吐〕
5. 약(藥)이나 약재(藥材)→〔角·匣·甌·斤·筋·觔·級·斗·枚·味·本·封·部·分·盆·匕·圓·粒·字·張·挺·臍·鍾·炷·次·帖·貼·丸〕
6. 송연(松烟)→〔斤〕
7. 탄(炭)→〔斗·石·升〕
8. 회(灰)→〔掬·封·石〕
9. 줄·끈·밧줄→〔艮衣·巨里·斤·

帶·同·部·沙里·莎里·錢·條·條·條里·托·把〕

10. 사슬〔沙乞〕→〔巨里〕

11. 철사(鐵絲) →〔尺〕

12. 화폐〔楮貨·鈔·銅錢〕→〔貫·塊·金·兩·文·緡·分·葉·元·圓·里·張·錢·定·錠·串·圜〕

13. 쇠붙이 →〔塊·斤·兩·微·分·糸·里·稱·戶·忽〕

14. 자물쇠〔鏁鑰〕·열쇠〔開金〕→〔副·部〕

15. 기호품(嗜好品)

15-1. 담배 →〔脚·匣·帒·袋·封·束·把〕

15-2. 술〔酒〕→〔古里·句只·東海·磅·杯·盃·瓶·缾·保·瓫·鐥·椀·酌·爵·盞·埕·鍾·桶·缸·壺〕

15-3. 차(茶) →〔角·匣·塊·甌·斤·斗·瓶·封·襲·包〕

16. 불상(佛像) →〔軀·尊·坐〕

17. 염주(念珠) →〔帒〕

18. 덮거나 가리는 것

18-1. 도롱이〔蓑衣〕→〔件·領〕

18-2. 멱(冪)·막(幕) →〔箇·浮·部〕

18-3. 바자〔把子〕→〔巨里·立·同·浮·駄〕

18-4. 발〔簾〕→〔浮〕

18-5. 벽의(壁衣) →〔浮〕

18-6. 우비(雨備) →〔件·部〕

18-7. 유둔(油芚) →〔件·番·浮·部·葉·丈·張〕

18-8. 유삼(油衫) →〔件·領〕

18-9. 유석(油席) →〔浮〕

18-10. 유지(油紙) →〔浮·部·張〕

18-11. 장(帳) →〔件·對·浮·部〕

18-12. 차일(遮日) →〔件·浮〕

18-13. 초둔(草芚) →〔件·立·番·浮〕

19. 물〔水〕·물줄기 →〔瓫·升·椀·點·條〕

20. 얼음〔氷〕→〔丁〕

21. 우박〔雹〕→〔枚〕

22. 염료(染料) →〔斤·觔·兩·同·冬音·卜子·封·分·束·月乃·里·桶·包〕

23. 기(旗) →〔件·面·柄·首〕

24. 오락기구(娛樂器具) →〔副·扇〕

25. 짐짝 →〔杠〕

26. 횃대〔衣桁·衣楨〕→〔脚·橕〕

Ⅶ. 문학(文學)과 예술(藝術)에 관한 것

1. 문방구(文房具)

1-1. 먹〔墨〕→〔匣·櫃·同·枚·封·丈·張·丁·挺·錠·快·板·片·笏〕

1-2. 벼루〔硯〕→〔枚·面·部·備·尊·坐〕

1-3. 붓〔筆〕→〔管·同·柄·枝〕

1-4. 연적(硯滴) →〔箇·枚〕

1-5. 종이〔紙〕→〔綑·塊·卷·斤·度·事·束·丈·張·折·条·隻·貼·軸·軸·打·破·片·幅〕

2. 악기(樂器)

2-1. 각(角) →〔部·雙·枝·隻·通〕

2-2. 금(琴)·슬(瑟) →〔面·張〕

2-3. 나발(喇叭) →〔雙·枝〕

2-4. 동라(銅鑼) →〔雙·枝〕

2-5. 방울〔鈴〕→〔顆·柄〕

2-6. 북〔鼓〕→〔面·坐·通〕

2-7. 생황〔笙〕→〔攢·鑽〕

2-8. 소라〔螺〕→〔通〕

2-9. 순(錞) →〔隻〕

2-10. 아박(牙拍) → 〔串〕
2-11. 자바라(啫哱囉) → 〔雙〕
2-12. 점자(點子) → 〔部・雙〕
2-13. 조두(刁斗) → 〔部・坐・叢〕
2-14. 종(鐘) → 〔顆・口・事〕
2-15. 징〔錚・鐲・鉦〕→〔箇・對・面・部・坐〕
2-16. 채〔槌〕→〔箇・對・柄〕
2-17. 퉁소〔簫〕→〔面〕
2-18. 편경(編磬) → 〔枚〕
2-19. 편종(編鐘) → 〔架〕
2-20. 피리〔笛・篥〕→〔管〕
2-21. 호적(號笛) → 〔枝〕
2-22. 훈(壎) → 〔枝〕
3. 글・그림・문서(文書)・서적(書籍)
3-1. 그림(圖・畫) → 〔件・卷・本・軸・軸・鋪・幅〕
3-2. 만장(輓章・挽章) → 〔軸・軸〕
3-3. 명정(銘旌) → 〔件〕
3-4. 문서(文書) → 〔角・件・度・道・枚・封・部・扇・丈・張・宗・紙・秩・軸・通・幅〕
3-5. 문장(文章) → 〔机・丈・章・篇・行〕
3-6. 서적(書籍) → 〔簡・件・卷・道・本・副・部・事・襲・紙・秩・册・編〕
3-7. 시(試)・부(賦) → 〔首・絶・帖・軸・篇〕
3-8. 악(樂)・곡(曲) → 〔件・首・帖〕
3-9. 의주(儀註) → 〔件・本〕
3-10. 족자(簇子) → 〔對・雙・軸〕
3-11. 판(板)
3-11-1. 도판(圖板) → 〔板〕
3-11-2. 서판(書板) → 〔立・部〕
3-11-3. 책판(册板) → 〔件・本・葉・板〕
3-11-4. 축판(祝板) → 〔部〕
3-11-5. 현판(懸板) → 〔坐〕
3-12. 편지〔書・簡〕→〔度・道・封・筍〕
3-13. 필서(筆書) → 〔丈・紙〕
3-14. 홀기(笏記) → 〔件・帖〕

Ⅷ. 타거나 물건을 실어 나르는 것

1. 가마〔轎・輦・輿〕→〔具・部・乘・坐〕
1-1. 가마채〔長杠・橫杠〕→〔箇〕
1-2. 마목(馬木) → 〔坐〕
1-3. 유소(流蘇) → 〔巨里・件〕
2. 배〔船〕→〔扇・艘・宗・綜・艅・隻〕
3. 수레〔車〕→〔兩・部・乘・輛〕
4. 마구(馬具)
4-1. 가슴걸이〔馬纓・馬胸巨里〕→〔顆・部〕
4-2. 구유〔木把槽〕→〔部〕
4-3. 답장(踏掌) → 〔件〕
4-4. 대갈〔多葛〕→〔部〕
4-5. 등자(鐙子) → 〔雙〕
4-6. 말다래〔達乃・月乃〕→〔巨里・機・部〕
4-7. 안롱(鞍籠) → 〔浮・部・事〕
4-8. 안장〔鞍子〕→〔面・副・部・枝〕
4-9. 말편자〔馬鐵〕→〔部〕
4-10. 언치〔偃赤・鞍支・鞍赤・懸赤〕→〔部・領〕

Ⅸ. 사람 또는 신분(身分)에 관한 것

1. 사람 → 〔箇(介)・口・名・分・員・人・丁〕
2. 벼슬자리 → 〔窠〕
3. 참수(斬首)・사살(射殺)・포로(捕

虜)
3-1. 참수(斬首) → 〔顆·級·頭·首〕
3-2. 사살(射殺) → 〔級·朶〕
3-3. 포로(捕虜) → 〔級〕
4. 신체(身體)의 부분(部分)
4-1. 귀〔耳〕 → 〔對〕
4-2. 두개골(頭蓋骨) → 〔枚·片〕
4-3. 몸의 부위 → 〔事〕
4-4. 사리(舍利) → 〔枚·粒〕
5. 무리〔衆〕 → 〔枝〕
6. 기병(騎兵) → 〔騎〕

X. 식품(食品)에 관한 것
1. 떡〔餠〕 → 〔角·匣·箱·合〕
2. 사탕(沙糖) → 〔斤·封·元·圓·軸·桶·缸〕
3. 꿀〔蜜·淸〕 → 〔斤·斗·石·升·壺〕
4. 나물〔菜〕 → 〔斤·級·丹·冬音·笥·箱·握·月乃·缸〕
4-1. 고비(古非·古飛·古飛菜) → 〔級·月乃〕
4-2. 고사리〔古沙里·蕨菜〕 → 〔級·冬音·箱·握〕
4-3. 냉이〔薺菜〕 → 〔笥〕
4-4. 녹두나물〔彔豆長音〕 → 〔笥〕
4-5. 달래나물〔月乃菜〕 → 〔丹〕
4-6. 두릅나물〔木頭菜〕 → 〔箱〕
4-7. 무나물〔蘿葍菜〕 → 〔丹·握〕
4-8. 쑥나물〔蓬菜〕 → 〔丹〕
4-9. 상추나물〔萵苣菜〕 → 〔丹〕
4-10. 산채(山菜) → 〔斤〕
4-11. 순채(蓴菜) → 〔缸〕
4-12. 승검초〔辛甘菜〕 → 〔箱·握〕
4-13. 염교〔薤菜〕 → 〔丹〕
5. 해초(海草) → 〔曲之·斤·立·同·沙鉢·束·条·條·注之·貼〕
5-1. 미역〔藿〕 → 〔同·束·條〕
5-2. 다시마〔昆布·多士麻〕 → 〔曲之·斤·立·条·注之〕
5-3. 김〔甘苔〕 → 〔斤·注之·貼〕
5-4. 우뭇가사리〔牛毛加士里〕 → 〔沙鉢〕
5-5. 해홍나물〔海紅菜〕 → 〔箱〕
6. 더덕〔沙蔘〕 → 〔丹〕
7. 박고지(朴古之) → 〔握·條·土里〕
8. 박오가리〔朴右巨里〕 → 〔沙里·注之·把〕
9. 버섯〔耳·茸〕 → 〔介·斤·級·兩·本·月乃·合〕
10. 생강(生薑) → 〔角·升〕
11. 죽순(竹筍) → 〔升〕
12. 토란줄기〔土卵莖〕 → 〔握〕
13. 파〔葱〕·자총이〔紫葱〕 → 〔介·丹·束·握〕
14. 고기〔肉〕
14-1. 간(肝) → 〔部〕
14-2. 갈비〔乫非·乫伊·加里·乫飛〕 → 〔代·竹·隻·片〕
14-3. 고기 → 〔脚·部·分·隻〕
14-4. 골〔腦髓〕 → 〔部〕
14-5. 곤자소니〔昆者巽·昆者手〕 → 〔部〕
14-6. 내장(內臟) → 〔斤〕
14-7. 다리〔脚〕 → 〔部·足·隻〕
14-8. 도가니〔都艮伊〕 → 〔部〕
14-9. 머리〔頭〕 → 〔塊·部〕
14-10. 음낭〔囊〕 → 〔部〕
14-11. 양(䏙) → 〔部〕
14-12. 양지머리〔陽支頭·兩支頭〕 → 〔部〕
14-13. 업진〔業脂潤〕 → 〔部〕
14-14. 염통〔心·靈通〕 → 〔部〕
14-15. 처녑〔千葉〕 → 〔部〕
14-16. 척수(脊髓) → 〔斤〕
14-17. 태(胎) → 〔部〕

14-18. 콩팥〔豆太・腎〕→〔部・雙〕
14-19. 허파〔肺化・浮化〕→〔部〕
14-20. 혀〔舌〕→〔部〕
14-21. 희생(犧牲) →〔匣〕
15. 기름〔油〕→〔塊・舫・兩・鉢・瓶・沙鉢・石・碩・所用・盞〕
16. 간수(艮水) →〔瓶・升〕
17. 소금〔鹽〕→〔斗・石・升〕
18. 국수〔麵〕→〔沙里〕
19. 조미료(調味料)
19-1. 겨자〔芥子〕→〔升〕
19-2. 계핏가루〔桂皮末〕→〔兩〕
19-3. 승검초가루〔辛甘草末〕→〔升〕
19-4. 장(醬) →〔升・瓮・種子〕
19-5. 초(醋) →〔古里・斗・保〕
19-6. 후추〔胡椒〕→〔斤・帒・㪷・封・粒〕
20. 두부(豆腐)나 묵〔造泡〕
20-1. 두부〔豆腐・太泡・豆泡〕→〔方・篩・片〕
20-2. 묵〔淸泡・造泡〕→〔方・篩〕
21. 조과(造果) →〔角・匣・斤・器・立・封・篩・葉・元・圓・缸〕
22. 음식이나 음식의 가짓수
22-1. 밥〔飯〕→〔椀〕
22-2. 콩죽〔豆湯〕→〔東海〕
22-3. 음식의 가짓수 →〔道・豆・味〕
23. 반상기(飯床器) →〔楪〕
24. 음식을 올리는 횟수 →〔味〕
25. 염장류(鹽藏類) →〔介・斤・壜・斗・盆・折里・桶・合・缸〕
26. 적(炙) →〔串〕
27. 탕(湯) →〔器〕

Ⅺ. 기 타

1. 짐・짐짝〔卜・馱〕→〔杠・馱・荷〕
2. 진(陣) →〔番・陣〕
3. 길이나 거리(距離) →〔巨里・拱・岐路米突・摟・大可米突・大始米突・度・馬場・墨・米突・米利米突・步・分・臂・舍・常・先知米突・息・息程・尋・鏈・圍・里・釐・引・仞・日程・丈・程・咫・指・扎・尺・堞・寸・雉・庹・把・赫得米突・毫〕
4. 땅의 넓이 →〔間・畊・結・頃・�・段・斗・斗落・斗落只・畝・步・卜・夫・負・畉・分・石・石落只・先知戞・束・升・升落・升落只・握・戞・闆・矣・日耕・勺・町・坐・畽・把・合・合落・赫得戞〕
5. 우물〔井・泉〕→〔口・眼・泓〕
6. 뜸〔灸〕→〔壯〕
7. 길〔路〕→〔巨里・歧里・條〕
8. 횟수(回数) →〔家・過・起・當・刀・度・道・頓・磨・發・潑・放・番・霎・巡・葉・運・場・遭・陣・執・次・抄・通・破・遍・迴〕
9. 신위(神位) →〔介・位〕
10. 부피 →〔紆・掐・經・鼓・斛・口・區・掬・圭・擔・甔・帒・大可翊突・大斛・大始翊突・斗・豆・㪷・秉・捧・缶・釜・散・夕・石・碩・先知翊突・召・筲・小斛・束・籔・手斗・升・勝・龠・甬・桶・斞・翊突・苫・點・總・撮・觶・把・合・榼・赫得翊突〕
11. 일반 조직(一般組織)이나 군대의 편제(編制) →〔梗・旗・隊・大統・部・司・小統・小牌・旅・領・運・伍・衞・里・翼・接・正・停・族・卒・中統・哨・統・把・牌・包・戶〕

12. 과전(科田) → 〔科〕
13. 등급(等級)
13-1. 품계(品階) → 〔階·科·級·等·位·品〕
13-2. 성적(成績)의 고사(考査) → 〔考〕
13-3. 분기(分期) → 〔等〕
13-4. 토지의 등급 → 〔等〕
13-5. 층(層) → 〔級·蹬·層〕
13-6. 점수(點數) → 〔點·錯〕
13-7. 주력(走力) → 〔走〕
14. 무게 → 〔久覽·鈞·斤·歧路久覽·兩·大可久覽·大始久覽·刀·𠰍·目·微·美利久覽·磅·分·絲(糸)·先知久覽·銖·釐(里)·字·錢(戔)·赫得久覽·毫(戶)·忽〕
15. 세월(歲月) → 〔紀·大周元·白·運·元·月·載·會·候〕
16. 도수(度數) → 〔度·微·半·分·少·秒·太〕
17. 매·곤장(棍杖) → 〔度·杖·板〕
18. 곳·장소(場所) → 〔庫·㡪·所·處〕
19. 나이〔歲〕→ 〔歲·齡·禾〕
20. 촌수(寸數) → 〔寸〕
21. 시각(時刻) → 〔刻·更·微·分·點·秒〕
22. 부마(夫馬)·주사(舟師) → 〔事〕
23. 결실(結實)의 정도 → 〔分〕
24. 끼니 → 〔頓·時〕
25. 구름·물줄기·기운 → 〔度·道·條·朶〕
26. 노래 → 〔曲〕
27. 세대(世代) → 〔代·葉〕
28. 벼슬자리 → 〔窠〕
29. 출산(出產) → 〔腹·乳·胎〕
30. 일의 가닥이나 법조항(法條項) → 〔件·枚·條〕
31. 근무 일수(勤務日數) → 〔到·仕〕
32. 힘〔力〕→ 〔力〕

3. 신라·고려·조선 시대 양전법(量田法) 비교표

신라·고려의 양전법(量田法) 비교표

항	신라·고려 초기	문종 23년 이후		공양왕 원년	태종 5년	세종 10년
		기 록	실 제			
標準量田尺	指尺 (19.423cm)	量田尺	指尺 (19.423cm)	指尺 (19.423cm) (또는 量田尺)	量田尺	量田尺
量田尺 상	—	30 指	3 척 =58.270cm	30 指 =58.27cm	30 指 =58.27cm	30 指 =58.27cm
量田尺 중	—	25 指	2 尺 5 寸 =48.558cm	25 指 =48.49cm	25 指 =48.49cm	25 指 =48.49cm
量田尺 하	—	20 指	2 尺 =38.846cm	20 指 =38.71cm	20 指 =38.71cm	20 指 =38.71cm

1보(步)	6尺4寸=124.31 cm	6尺	6尺1寸 (量田尺)	6尺	6尺	6尺
1부(負)	方64尺 =4096尺^2 =154.5 m^2 =46.7坪	—	方21尺 (3.5步) =441尺^2	方3步3尺 =441尺^2	方3步1尺 8寸 =392尺^2	方3步3尺 =441尺^2
1결(結)	方100步= 15452.2 m^2 =4674.3坪	方33步 =1089步^2 =39204尺^2	方35步 =44100尺^2	方33步 =39204尺^2 (實際 44100尺^2)	方33步 =39204尺^2	方35步 =44100尺^2
상전 (上田) 1결	—	5915.9 m^2 =1789.5坪	6608.2 m^2 =1998.9坪	6608.2 m^2 =1998.9坪	5915.9 m^2 =1789.5	6608.2 m^2 =1998.9坪 =152568 (周尺)^2
중전 (中田) 1결	—	9243.8 m^2 =2796.2坪	10369.1 m^2 =3136.5坪	10369.1 m^2 =3136.5坪	9243.8 m^2 =2796.2坪	10369.1 m^2 =3136.5坪 =239414 (周尺)^2
하전 (下田) 1결	—	13311.3 m^2 =4026.4坪	14973.7 m^2 =4529.2坪 (또는 15452.2 m^2 =4674.3 坪)	14973.7 m^2 =4529.2坪 (또는 15452.2 m^2 =4674.3 坪)	13311.3 m^2 =4026.4坪	14973.7 m^2 =4529.2坪 =345744 (周尺)^2
1結租 水田	쌀 30斗	쌀(26斗2升5合	쌀 30斗	쌀 30斗	쌀 30斗	쌀 30斗
1結租 旱田	잡곡 30斗	쌀(13두1升2合2勺)	쌀15斗(또는 잡곡30斗)	콩 30斗	콩 30斗	콩 30斗

세종 이후의 양전법(量田法) 일람표

세종 19년		세종 26년		인조 12년 이후	
항	수 치	항	수 치	항	수 치
標準尺	周 尺(20.81cm)	標準尺	周尺(20.81cm) 布帛尺(46.73 cm)	標準尺	布帛尺(46.73cm) 甲戌量田 周尺 (21.79 cm)
1步長	5尺=104.05cm				
1步積	25尺^2=1.0826m^2 =0.3275坪	1等尺長	周 尺=4.775 尺		

			布帛尺＝2.126 尺 99.36 cm		
1 畝	240步＝6000尺^2 ＝259.8336m^2 ＝78.6 坪	2 等尺長	周尺 5.179 尺 ＝107.77 cm	1 等尺長	甲戌量田 周尺 4.775尺 布帛尺 2.226 尺 104.02 cm
1 頃	100 畝 ＝600000 尺^2 ＝25983 m^2 ＝7860 坪	3 等尺長	周尺 5.703 尺 ＝118.68 cm		
上田尺	1.86尺＝38.71 cm	4 等尺長	周尺 6.434 尺 ＝133.89 cm	1 負	100 尺^2
中田尺	2.33尺＝48.49 cm	5 等尺長	周尺 7.550 尺 ＝157.12 cm		
下田尺	2.80尺＝58.27 cm	6 等尺長	周尺 9.550 尺 ＝198.74 cm	1 結	10000尺^2＝100負
上田 1 結	25 畝 4 分 5 步 ＝6608 m^2 ＝1998.9 坪	1 負	100 尺^2	1 等田 1 結	10820m^2＝3273坪 ＝41.64 畝 (世宗19年 畝基準)
中田 1 結	39 畝 9 分 ＝10369 m^2 ＝3136.5 坪	1 結	10000 尺^2		
下田 1 結	57 畝 6 分 5 步 ＝14974 m^2 ＝4529.2 坪	1 等田 1 結	38 畝 ＝9873.7 m^2 ＝2986.6 坪		
		6 等田 1 結	152 畝 ＝39494.7 m^2 ＝11946.4 坪	6 等田 1 結	43303.3 m^2 ＝13098.7 坪 ＝1頃 66.6畝
		1 結租 水田	쌀 20 斗	1 結租 水田	쌀 20 斗
		1 結租 旱田	콩 20 斗	1 結租 旱田	콩 20 斗

4. 조선 시대 척도(尺度) 및 양기(量器) 용적표(容積表)

조선 시대의 척도표

자 종 류	세종 때 척도		경국대전 척도		영조 16년 척도 (cm)	순조 20년 척도 (cm)
	황종척 단위(寸)	미터단위 (cm)	황종척 단위(寸)	미터단위 (cm)		
황종척	10.0000	34.72	10.00	34.72	—	34.74
주척	5.9929	20.81	6.06	21.04	20.83	20.81
영조척	8.9969	31.24	8.99	31.21	31.25	—
조례기척	8.2496	28.64	8.23	28.57	28.41	—
포백척	13.460	46.73	13.48	46.80	46.73	46.73
횡서척	7.6046	26.40	—	—	26.28	—
종서척	7.7064	26.76	—	—	27.17	—
일등양전척	28.6161	99.36	28.9365	100.47	—	—
갑술양전척	29.9619	104.03	—	—	—	104.03
갑술양전주척	6.2748	21.79	—	—	—	21.79
황종률관장	9.0000	31.25	—	—	31.25	—

세종 때 양기(量器)의 용적표 〈營造尺 基準〉

양기	양기 형태(단위 : 寸)			용 적 표	
	길 이	넓 이	깊 이	영조척 (단위 : 寸)	cm^3
合	2.00	0.70	1.40	1.96	59.76
升	4.90	2.00	2.00	19.60	597.57
斗	7.00	7.00	4.00	196.00	5975.70
平石	20.00	10.00	14.70	2940	89,635.57
全石	20.00	11.20	17.50	3920	119,514.10

5. 척관법(尺貫法)의 계량 단위(計量單位)

양(量)	명칭(名稱)	기호(記號)	정의(定義) 및 기타(其他)	보조 계량 단위(補助計量單位)	크 기
	척(尺)				10/33 m
				모(毛)	10^{-4} 척(尺)
				리(釐)	10^{-3} 척(尺)
				푼〔分〕	10^{-2} 척(尺)

길이				치〔寸〕	10^{-1} 척(尺)
				장(丈)	10 척(尺)
				간(間)	6 척(尺)
				정(町)	360 척(尺)
				리(里)	12960 척(尺)
	경척(鯨尺)			경척푼〔鯨尺分〕	10^{-2} 경척척
				경척치〔鯨尺寸〕	10^{-1} 경척칙(鯨尺尺)
				경척장(鯨尺丈)	10 경척척(鯨尺尺)
질량(質量)	관(貫)				3.75 kg
				모(毛)	10^{-6}(貫)
				리(釐)	10^{-5}(貫)
				푼〔分〕	10^{-4}(貫)
				돈쭝(匁)	10^{-3}(貫)
				근(斤)	0.16(貫)
넓이	제곱 척(尺)				$(10/33)^2 m^2$
				제곱 푼〔分〕	10^{-4} 제곱 자〔尺〕
				제곱 치〔寸〕	10^{-2} 제곱 자〔尺〕
	보(步)				400/121 m^2
				작(勺)	10^{-2} 보(步)
				홉〔合〕	10^{-1} 보(步)
				묘(畝)	30 보(步)
				반(反)	300 보(步)
				정(町)	3000 보(步)
	평(坪)				400/121 m^2
				작(勺)	10^{-2} 평(坪)
				홉〔合〕	10^{-1} 평(坪)
부피	세제곱 척				$(10/33)^2 m^2$
				세제곱 푼〔分〕	10^{-6} 세제곱 척
				세제곱 치〔寸〕	10^{-2} 세제곱 척
				입평(立坪)	216 세제곱 척
	승(升)				2401/1331000 m^3
				작(勺)	10^{-2} 승(升)
				홉〔合〕	10^{-1} 승(升)
				두(斗)	10 승(升)
				석(石)	100 승(升)

6. 절대 단위계와 중력 단위계의 원차(元次) 비교

양(量)	절대단위계	중력단위계	SI 단위	비 고
기본차원	질량(M)		kg	평면각과 입체각은 무차원이다.
		힘(F)	N	
	길이(L)	길이(L)	m	
	시간(T)	시간(T)	s	
	온도(θ)	온도(θ)	K	
	전류(C)	전류(C)	A	
	광도(I)	광도(I)	cd	
	물질의 양 (mol)	물질의 양 (mol)	mol	
길이	L	L	m	
시간	T	T	s	
질량	M	FT^2L^{-1}	kg	
열역학적 온도	θ	θ	K	
광도	I	I	cd	
평면각	무차원(無次元)	무차원	rad	
주파수	T^{-1}	T^{-1}	Hz	
힘, 역량	MLT^{-2}	F	N	
에너지, 일, 열량	ML^2T^{-2}	FL	J	엔탈피, 힘의 모멘트도 차원이 같다.
동력, 공률	ML^2T^{-3}	FLT^{-1}	W	열류(熱流), 전력의 차원도 같다.
각속도	T^{-1}	T^{-1}	rad/s	
넓이	L^2	L^2	m^2	
부피	L^3	L^3	m^3	
면적의 2차 모멘트	L^4	L^4	m^4	
속도, 속력	LT^{-1}	LT^{-1}	m/s	
가속도	LT^{-2}	LT^{-2}	m/s^2	
질량, 유량	MT^{-1}	FT^{-1}	kg/s	중력 단위에서는 중량유량
(체적)유량	L^3T^{-1}	L^3T^{-1}	m^3/s	
밀도	ML^{-3}	FT^2L^{-4}	kg/m^3	
비중량	$MT^{-2}L^{-2}$	FL^{-3}	N/m^3	
압력	$MT^{-2}L^{-1}$	FL^{-2}	Pa	
표면장력	MT^{-2}	FL^{-1}	N/m	

충격강도	MT^{-2}	FL^{-1}	J/m^2	
점도(粘度)	$ML^{-1}T^{-1}$	FTL^{-2}	Pa·s	
동점도(動粘度)	L^2T^{-1}	L^2T^{-1}	m^2/s	확산계수, 열확산계수
열용량	$ML^2T^{-2}\theta^{-1}$	$FL\theta^{-1}$	J/K	엔트로피
비열(比熱)	$L^2T^{-2}\theta^{-1}$	$L\theta^{-1}$	J/(kg·K)	비엔트로피, 기체상수, 중력단위계에서는 단위중량당의 비열
비(比)에너지, 비잠열(比潛熱), 비(比) 엔탈피	L^2T^{-2}	L	J/kg	중력단위계에서는 단위중량당의 에너지(水頭)
열류밀도	MT^{-3}	$FL^{-1}T^{-1}$	W/m^2	
열전도 계수	$MLT^{-3}\theta^{-1}$	$FT^{-1}\theta^{-1}$	W/(m·K)	
열전달계수	$MT^{-3}\theta^{-1}$	$FT^{-1}L^{-1}\theta^{-1}$	$W/(m^2 \cdot K)$	
물질의 양	mol	mol	mol	
몰질량	$Mmol^{-1}$	$Fmol^{-1}$	kg/mol	중력단위계에서는 몰중량
몰체적	L^3mol^{-1}	L^3mol^{-1}	m^3/mol	
몰에너지	$ML^2T^{-2}mol^{-1}$	$FLmol^{-1}$	J/mol	
몰비열, 몰엔트로피	$ML^2T^{-2}\theta^{-1}mol^{-1}$	$FL\theta^{-1}mol^{-1}$	J/(mol·K)	
복사강도(輻射強度)	ML^2T^{-3}	FLT^{-1}	W/sr	
에너지 플루언스	MT^{-2}	FL^{-1}	J/m^2	충격 강도, 표면 장력
운동량	MLT^{-1}	FT	N·s	
각운동량(角運動量)	ML^2T^{-1}	FLT	N·m·s	
관성모멘트	ML^2	FLT^2	$kg \cdot m^2$	

7. 계량 단위 일람표

양(量)	명 칭(名稱)	기 호(記號)	크 기
길이	**미 터** (기본 단위)	m	
	나노미터	nm	10^{-9}m
	마이크로미터	μm	10^{-6}m
	밀리미터	mm	
	센티미터	cm	
	데시미터	dm	
	킬로미터	km	
	미크론	μ	
	밀리미크론	mμ	
	옹스트롬	Å	
	해리(海里)	M, nm	1,852 m
질량(質量)	**킬로그램** (기본 단위)	kg	
	그램	g	10^{-3} kg
	마이크로그램	μg	
	밀리그램	mg	
	톤	t	10^{3} kg
	킬로톤	kt	10^{9} kg
	메가톤	Mt	
	캐럿	ct 또는 car	200 mg
시간(時間)	**초**(秒) (기본 단위)		
	나노초(秒)	ns	
	마이크로초(秒)	μs	
	밀리초(秒)	ms	
	분(分)	min	60 s
	시(時)	h	3,600 s
전류(電流)	**암페어** (기본 단위)	A	1국제암페어 =0.999865 abs. A
	피코암페어	pA	
	나노암페어	nA	
	마이크로 암페어	μA	

양(量)	명 칭(名稱)	기 호(記號)	크 기
	밀리암페어	mA	
	킬로암페어	kA	
온도(溫度)	**켈빈** (기본 단위)	°K, K	
	도(度)	℃, C 온도차는 deg	0℃ =273.15°K
광도(光度)	**칸델라** (기본 단위)	cd	
넓이	**제곱 미터**	m^2	
	제곱 밀리 미터	mm^2	
	제곱 센티 미터	cm^2	
	제곱 데시 미터	dm^2	
	제곱 킬로 미터	km^2	
	아르	a	10^2m^2
	헥타르	ha	
부피	**세제곱 미터**	m^3	
	세제곱 밀리 미터	mm^3	
	세제곱 센티 미터	cm^3	
	세제곱 데시 미터	dm^3	
	세제곱 킬로 미터	km^3	
	리터	l	1 l =1.000028 dm^3
	마이크로 리터	μl	

	밀리리터	m*l*	
	데시리터	d*l*	
	킬로리터	k*l*	
	톤	t	10^3kg
속도(速度)	**미터 매초**(每秒)	m/s	
	킬로미터 매초(每秒)	km/s	10^3m/s
	미터 매시(每時)	m/h	3,600 m/s
	킬로미터 매시(每時)	km/h	10^3m/h
	노트	kn 또는 kt	1 kt= 1 mm/h= 1,852 m/h= 1852/3,600 m/s
가속도(加速度)	**미터 매초 매초**(每秒每秒)	m/s^2	
	갈	Gal	10^{-2} m/s
	밀리갈	mGal	
	뉴턴	N	
	다인	dyn	10^{-5}N
힘	**메가다인**	Mdyn	
	중량(重量) 킬로그램	kgw 또는 kgf	9.80665 N
	중량 그램	gw 또는 gf	9.80665×10^{-3}N
	중량 밀리 그램	mgw 또는 mgt	
	중량 톤	tw 또는 tf	9.80665×10^{-3}N
	중량 킬로톤	ktw 또는 ktf	
	중량 메가톤	Mtw 또는 Mtf	
	뉴턴 매(每) **제곱 미터**	N/m^2	

압력	마이크로 뉴턴 매(每) 제곱 미터	μN/m^2	10^{-6}N/m^2
	밀리뉴턴 매(每) 제곱 미터	mN/m^2	10^{-3}N/m^2
	킬로뉴턴 매(每) 제곱 미터	kN/m^2	10^3N/m^2
	메가뉴턴 매(每) 제곱 미터	MN/m^2	10^6N/m^2
	기가뉴턴 매(每) 제곱 미터	GN/m^2	10^9N/m^2
	바	b 또는 bar	10^5N/m^2
	마이크로바	μb 또는 μbar	10^{-6}bar
	밀리바	mb 또는 mbar	10^{-3}bar
	킬로바	kb 또는 kbar	10^3bar
	메가바	Mb 또는 Mbar	10^6bar
	중량 킬로그램 매(每) 제곱 미터	kgw/m^2, kgf/m^2, 또는 kg/m^2	
	중량 킬로그램 매(每) 제곱 센티 미터	kgw/cm^2, kgf/cm^2, 또는 kg/cm^2	10^4kgw/m^2
	중량 그램 매(每) 제곱 미터	gw/m^2, gf/m^2 또는 g/m^2	
	중량 그램 매(每) 제	gw/cm^2, gf/cm^2	10^{-3}gw/cm^2

	곱 센티미터	또는 g/cm^2	
	수은주(水銀柱) 미터	mHg	101325/0.76 N/m^2
	수은주 밀리미터	mmHg	10^{-3}mHg
압	수은주 센티미터	cmHg	10^{-2}mHg
	수주(水柱) 미터	mH_2O 또는 mAq	
	수주 밀리미터	mmH_2O 또는 mmAq	$10^{-3}mH_2O$
	수주 센티미터	cmH_2O 또는 cmAq	$10^{-2}mH_2O$
력	기압(氣壓)	atm	
	토르	Torr	$10^3\mu$mHg $=1.333224\times10^{-3}$ bar $=1.359510$ g/cm^2
	마이크로 토르	μTorr	10^{-6}Torr
	밀리 토르	mTorr	10^{-3}Torr
	줄	J	1 J$=10^7$erg
	마이크로 줄	μJ	
	밀리 줄	mJ	
	킬로 줄	kJ	
	에르그	erg	10^{-7}J
	와트 초(秒)	Ws	1 J
	마이크로 와트 초	μWs	10^{-6}J
일	밀리와트 초	mWs	10^{-3}J
	킬로와트 초	kWs	
	와트 시(時)	Wh	3,600 J
	킬로와트 시	kWh	10^3 Wh
	메가와트 시	MWh	10^6 Wh
	기가와트 시	GWh	10^9 Wh

	중량(重量) 킬로그램 미터	kgwm, kgfm 또는 kgm	9.80665 J
	와트	W	1 J/s$=10^7$erg/s
공	마이크로 와트	μW	10^{-6}W
	밀리와트	mW	10^{-3}W
	킬로와트	kW	10^3 W
률(工率)	메가와트	MW	10^6 W
	기가와트	GW	10^9 W
	중량(重量) 킬로그램 미터 매초(每秒)	kgwm/s, kgfm/s 또는 kgm/s	9.80665 W
	줄	J	1 J$=10^7$erg
	마이크로 줄	μJ	10^{-6}J
	밀리 줄	mJ	10^{-3}J
	킬로 줄	kJ	10^3J
	에르그	erg	10^{-7}J
	와트 초	Ws	1 J
열	마이크로와트 초(秒)	μWs	10^{-6} Ws
	밀리와트 초	mWs	10^{-3} Ws
	킬로와트 초	kWs	10^3 Ws
	와트 시(時)	Wh	3,600 J
	킬로와트 시	kWh	10^3 Wh
	메가와트 시	MWh	10^6 Wh
	기가와트 시	GWh	10^9 Wh
량	중량(重量) 킬로그램 미터	kgwm, kgfm 또는 kgm	9.80665 J
	칼로리	온도를 t도(度)로 지정한 때에는 calt, 온도를 지	4.18605 J

양	단위	기호	비고
열량		정하지 않은 때에는 cal	
	킬로 칼로리	온도(溫度)를 t도(度)로 지정한 때에는 kcalt, 온도를 지정하지 않은 때에는 kcal	
	메가칼로리	온도를 t도(度)로 지정한 때에는 Mcalt, 온도를 지정하지 않은 때에는 Mcal	
	기가칼로리	온도(溫度)를 t도(度)로 지정한 때에는 Gcalt, 온도를 지정하지 않은 때에는 Gcal	
각도(角度)	**도**(度)	°	$\pi/180$
	분(分)	′	$(\pi/180)/60$
	초(秒)	″	$(\pi/180)/3,600$
	라디안	rad	$360°/2\pi$
	마이크로라디안	μrad	
	밀리라디안	mrad	
	점(點)	pt	$\pi/16$, 11.25°

양	단위	기호	비고
각속도(角速度)	**라디안 매초**(每秒)	rad/s	
각가속도(角加速度)	**라디안 매초 매초**(每秒每秒)	rad/s^2	
입체각(立體角)	**스테라디안**	sr	
유량	**세제곱 미터 매초**(每秒)	m^3/s	
	세제곱 밀리미터 매초(每秒)	mm^3/s	
	세제곱 센티미터 매초(每秒)	cm^3/s	
	세제곱 데시미터 매초(每秒)	dm^3/s	
	리터 매초(每秒)	l/s	10^{-3} m^3/s
	마이크로 리터 매초(每秒)	μl/s	10^{-9} m^3/s
	밀리리터 매초(每秒)	ml/s	10^{-6} m^3/s
	데시리터 매초(每秒)	dl/s	10^{-2} m^3/s
	킬로리터 매	kl/s	m^3/s

구분	명칭	기호	환산
유량	초(每秒)		
	리터 매분(每分)	l/min	$10^{-3}/60\ m^3/s$
	마이크로리터 매분(每分)	μl/min	$10^{-9}/60\ m^3/s$
	밀리리터 매분(每分)	ml/min	$10^{-6}/60\ m^3/s$
	데시리터 매분(每分)	dl/min	$10^{-2}/60\ m^3/s$
	킬로리터 매분(每分)	kl/min	$1/60\ m^3/s$
	리터 매시(每時)	l/h	$10^{-3}/3,600\ m^3/h$
	마이크로리터 매시(每時)	μl/h	
	데시리터 매시(每時)	dl/h	
	킬로리터 매시(每時)	kl/h	
	세제곱 미터 매분(每分)	m^3/min	$1/60\ m^3/s$
	세제곱 밀리미터 매분(每分)	mm^3/min	
	세제곱 센티미터 매분(每分)	cm^3/min	
	세제곱 데시미터 매분(每分)	dm^3/min	
	세제곱 미터 매시(每時)	m^3/h	$1/3,600\ m^3/s$
	세제곱 밀리미터 매시(每時)	mm^3/h	
	세제곱 센티	cm^3/h	

구분	명칭	기호	환산
	미터 매시(每時)		
	세제곱 데시미터 매시	dm^3/h	
질량유량(質量流量)	**킬로그램 매초**(每秒)	kg/s	
	그램 매초(每秒)	g/s	10^{-3} kg/s
	마이크로그램 매초(每秒)	μg/s	
	밀리그램 매초(每秒)	mg/s	
	킬로그램 매분(每分)	kg/min	1/60 kg/s
	그램 매분(每分)	g/min	$10^{-3}/60$ kg/s
	마이크로그램 매분(每分)	μg/min	
	밀리그램 매분(每分)	mg/min	
	킬로그램 매시(每時)	kg/h	1/3,600 kg/s
	그램 매시(每時)	g/h	$10^{-3}/3,600$ kg/s
	마이크로그램 매시(每時)	μg/h	
	밀리그램 매시(每時)	mg/h	
	톤 매초(每秒)	t/s	10^3 kg/s
	킬로톤 매초(每秒)	kt/s	
	톤 매분(每分)	t/min	$10^3/60$ kg/s
	킬로톤 매분(每分)	kt/min	
	톤 매시(每	t/h	$10^3/3600$

	時)		kg/s
	킬로톤 매시(每時)	kt/h	
점도(粘度)	**뉴턴 초(秒) 매(每) 제곱 미터**	Ns/m^2	
	포아스	P	$10^{-1}Ns/m^2$ $=1\ dyn/cm^2 \cdot s^{-1}$ $=1\ g/cm \cdot s$
	밀리포아스	mP	
	센티포아스	cP	
동점도(動粘度)	**제곱 미터 매초**	m^2/s	
	스토크스	St	$1\ cm^2/s=1\ p/g \cdot cm^3$
	밀리스토크스	mSt	
	센티스토크스	cSt	
밀도(密度)	**킬로그램 매(每) 세제곱 미터**	kg/m^3	
	그램 매(每) 세제곱 미터	g/m^3	$10^{-3}kg/m^3$
	마이크로그램 매(每) 세제곱 미터	$\mu g/m^3$	
	밀리그램 매(每) 세제곱 미터	mg/m^3	
	그램 매 세제곱 센티미터	g/cm^3	
	그램 매 세제곱 데시	g/dm^3	

	미터		
	그램 매(每) 리터	g/l	$1\ kg/m^3$
	킬로그램 매(每) 리터	kg/l	
농도(濃度)	**질량 백분율** (質量百分率)	질량 % 또는 wt%	
	부피 백분율 (體積百分率)	부피 % 또는 vol%	
	몰 농도(濃度)	mol	
	노멀	N	
주파수(周波數)	**사이클 매초(每秒) 또는 사이클**	c/s, c 또는 ∞, ~	
	킬로사이클 매초(每秒) 또는 킬로사이클	kc/s 또는 kc	
	메가사이클 매초(每秒), 또는 메가사이클	Mc/s 또는 Mc	
	기가사이클 매초(每秒), 또는 기가사이클	Gc/s 또는 Gc	
	헤르츠	Hz	
	킬로헤르츠	kHz	
	메가헤르츠	MHz	
	기가헤르츠	GHz	
	회매분(回每分)	rpm 또는 r.p.m(회전수를 표	1/60 c/s

		시하는 경우에 한한다)	
	회매시(回每時)	rph 또는 r.p.h(회전수를 표시하는 경우에 한한다)	1/3,600 c/s
전력량(電力量)	**와트 초**(秒)	Ws	1 J
	마이크로와트 초(秒)	μWs	
	밀리와트 초	mWs	
	킬로와트 초	kWs	
	줄	J	
	마이크로 줄	μJ	
	밀리 줄	mJ	
	킬로 줄	kJ	
	와트 시(時)	Wh	3,600 J
	킬로와트 시	kWh	
	메가와트 시	MWh	
	기가와트 시	GWh	
전력(電力)	**와트**	W	10^{-3}kW= 1 J/s= 10^{7} erg/s
	마이크로와트	μW	10^{-6} W
	밀리와트	mW	
	킬로와트	kW	
	메가와트	MW	
	기가와트	GW	
전기량(電氣量)	**쿨롬**	C	1 C= 2.997930 ×10^{9} 1 국제 쿨롬 =0.99985 abs.C
	볼트	V	1 국제 볼트 =1.000470

			abs. Ω
전압(電壓)	나노볼트	nV	
	마이크로볼트	μV	
	밀리볼트	mV	
	킬로볼트	kV	
	메가볼트	MV	
기전력(起電力)	**볼트**	V	
	나노볼트	nV	
	마이크로볼트	μV	
	밀리볼트	mV	
	킬로볼트	kV	
	메가볼트	MV	
전계(電界)의 세기	**볼트 매(每) 미터**	V/m	
	볼트 매(每) 센티미터	V/cm	10^{-2} V/m
	볼트 매(每) 밀리미터	V/mm	10^{-3} V/m
전기 저항(電氣抵抗)	**옴**	Ω 또는 V/A	1 국제 옴 =1.000470 abs. Ω
	마이크로옴	μΩ	10^{-6} Ω
	밀리옴	mΩ	10^{-3} Ω
	킬로옴	kΩ	10^{3} Ω
	메가옴	MΩ	10^{6} Ω
	기가옴	GΩ	10^{9} Ω
	테라옴	TΩ	10^{12} Ω
정전 용량(靜電容量)	**패럿**	F	
	아토패럿	aF	
	펨토패럿	fF	
	피코패럿	pF	
	나노패럿	nF	
	마이크로 패럿	μF	
	밀리패럿	mF	
	헨리	H	

인덕턴스	나노헨리	nH	10^{-9} H
	마이크로 헨리	μH	10^{-6} H
	밀리헨리	mH	10^{-2} H
자속(磁束)	**웨버**	Wb	
	맥스웰	Mx	10^{-8} Wb
자속밀도(磁束密度)	**테슬라**	T	
	웨버 매(每) 제곱 미터	wb/m²	1 J
	감마	γ	10^{-9}Wb/m²
	가우스	G	10^{-4}Wb/m²
기자력(起磁力)	**암페어**	A	
	암페어 횟수(回數)	AT	1 A
자계(磁界)의 세기	암페어 매(每) 미터	A/m	
	암페어 횟수(回數) 매(每) 미터	AT/m	1 A/m
	에르스테드	Oe	1 Oe=10^3/4πAT/m
무효 전력(無效電力)	**바**	var	
	킬로바	kvar	10^3 var
	메가바	Mvar	10^6 var
	기가바	Gvar	10^9 var
무효 전력	**바 초**(秒)	vars	
	바 시(時)	varh	3,600 var·s
	킬로바 시	kvarh	

량(無效電力量)	(時)		
	메가바 시(時)	Mvarh	
	기가바 시(時)	Gvarh	
피상 전력	**볼트암페어**	VA	
	킬로볼트암페어	kVA	10^3 VA
	메가볼트암페어	MVA	10^6 VA
	기가볼트암페어	GVA	10^9 VA
피상 전력량(皮相電力量)	**볼트 암페어 초**(秒)	VAs	
	킬로볼트암페어 시(時)	kVAh	10^3 VAh
	메가볼트암페어 시(時)	MVAh	10^6 VAh
	기가볼트암페어 시(時)	GVAh	10^9 VAh
광속(光束)	**루멘**	lm	
	마이크로루멘	μlm	10^{-6} lm
	밀리루멘	mlm	10^{-3} lm
휘도(輝度)	**칸델라 매**(每) **제곱 미터**	cd/m²	
조도(照度)	**럭스**	lx	
	마이크로럭스	μlx	10^{-6} lx
	밀리럭스	mlx	10^{-3} lx
	괴변 매초(壞變每秒)(붕괴	dps	

방사능(放射能)	매초라고 도함)		
	괴변 매분(壞變每分)	dpm	1/60 dps
	퀴리	Ci	3.7×10^{10} dps
	피코퀴리	pCi	
	나노퀴리	nCi	
	마이크로퀴리	μCi	
	밀리퀴리	mCi	
	킬로퀴리	kCi	
	메가퀴리	MCi	
중성자 방출량(中性子放出量)	**중성자 매초**(中性子每秒)	n/s	
	중성자 매분(中性子每分)	n/min	1/60 n/s
조사선량(照射線量)	**뢴트겐**	R	$1\ R = 10^3\ mR = 10^6 \mu R$
	나노뢴트겐	nR	10^{-9} R
	마이크로뢴트겐	μR	10^{-6} R
	밀리뢴트겐	mR	10^{-3} R
	킬로뢴트겐	kR	10^3 R
	메가뢴트겐	MR	10^6 R
소음(騷音)	**폰 또는 데시벨**	phon 또는 dB	
섬도(纖度)	**데니어**	D	
입도(粒度)	**밀리미터**	mm	
굴절도(屈折度)	**디옵터**	Dptr 또는 D(다른 약호 또는 약자와 혼동되지 않는 경우에 한한다.)	
습도(濕度)	**습도 백분율**(濕度百分率)	%	
비중(比重)	**무명수**(無名數)		
	중(重) 보메도(度)	Bh, Béh 또는 Bé (중보메도를 표시함이 명백할 때에 한한다.)	$\left(1-\frac{1}{d}\right) \times 144.3$ (d는 비중)
	경(輕) 보메도(度)	Bl, Bél 또는 Bé(경보메도를 표시함이 명백할 때 한한다.)	$\left(\frac{1}{d}-1\right) \times 144.3+10$ (d는 비중)
	주정도(酒精度)		$\left(1-\frac{1}{d}\right) \times 144.3$ (d는 비중)
	르왓델 도(度)		$(d-1) \times 200$ (d는 비중)
	에이·피·아이 도(度)	API 또는 A.P.I	$\frac{141.5(1-d')}{d'}+10$ (d'는 140/

	우유 도(牛乳度)		9℃의 물의 비중) $(d-1)\times1000$ (d는 비중)
역률(力率)	**무명수(無名數)**		
흡수선량(吸收線量)	**래드** 피코래드 나노래드 마이크로 래드 밀리래드 킬로래드 메가래드 기가래드 테라래드	rad prad nrad μrad mrad krad Mrad Grad Trad	
에너지 플루언스	**줄 매(每) 제곱 미터** 줄 매(每) 제곱 미터 피코줄 매 제곱 센티 미터 나노줄 매 제곱 센티 미터 마이크로 줄 매 제곱 센티미터 밀리 줄 매 제곱 센티 미터 줄 매 제곱 센티미터 킬로 줄 매 제곱 센티 미터	J/m^2 J/m^2 pJ/cm^2 nJ/cm^2 $\mu J/cm^2$ mJ/cm^2 J/cm^2 kJ/cm^2	

에너지 플루언스	에르그 매 제곱 미터 피코에르그 매 제곱 센티미터 나노에르그 매 제곱 센티미터 마이크로에르그 매 제곱 센티미터 밀리에르그 매 제곱 센티미터 에르그 매 제곱 센티미터 킬로에르그 매 제곱 센티미터 메가에르그 매 제곱 센티미터 와트 초(秒) 매 제곱 미터 와트 초(秒) 매 제곱 센티미터	erg/cm^2 $perg/cm^2$ $nerg/cm^2$ $\mu erg/cm^2$ $merg/cm^2$ erg/cm^2 $kerg/cm^2$ $Merg/cm^2$ Ws/m^2 Ws/cm^2	$10^{-7}J/m^2$
	뢴트겐 매초(每秒) 마이크로뢴트겐 매초(每秒) 밀리뢴트겐 매초(每秒) 킬로뢴트겐 매초(每	R/s μR/s mR/s kR/s	

조사선량률(照射線量率)	秒)		
	메가뢴트겐 매초(每秒)	MR/s	
	뢴트겐 매분(每分)	R/min	1/60 R/s
	마이크로뢴트겐 매분(每分)	μR/min	
	밀리뢴트겐 매분(每分)	mR/min	
	킬로뢴트겐 매분(每分)	kR/min	
	메가뢴트겐 매분(每分)	MR/min	
	뢴트겐 매시(每時)	R/h	1/3,600 R/s
	마이크로뢴트겐 매시(每時)	μR/h	
	밀리뢴트겐 매시(每時)	mR/h	
	킬로뢴트겐 매시(每時)	kR/h	
	메가뢴트겐 매시(每時)	MR/s	
	래드 매초(每秒)	rad/s	
	마이크로래드 매초	μrad/s	
	밀리래드 매초	mrad/s	
	킬로래드 매초	krad/s	

흡수선량률(吸收線量率)	메가래드 매초	Mrad/s	
	래드 매분(每分)	rad/min	1/60 rad/s
	마이크로래드 매분	μrad/min	
	밀리래드 매분	mrad/min	
	킬로래드 매분	krad/min	
	메가래드 매분	Mrad/min	
	기가래드 매분	Grad/min	
	테라래드 매분	Trad/min	
	래드 매시	rad/h	1/3600 rad/s
	마이크로래드 매시	μrad/h	
	밀리래드 매시	mrad/h	
	킬로래드 매시	krad/h	
	메가래드 매시	Mrad/h	
	기가래드 매시	Grad/h	
	테라래드 매시	Trad/h	
	줄 매(每) **제곱 미터 매초**(每秒)	J/m²·s	
	피코줄 매 제곱 센티미터 매초	pJ/cm²·s	
	나노줄 매 제곱 센티미터 매초	nJ/cm²·s	
	마이크로줄	μJ/cm²·s	

에너지속밀도(束密度)	매 제곱 센티미터 매초		
	밀리줄 매 제곱 센티미터 매초	$mJ/cm^2 \cdot s$	
	줄 매 제곱 센티미터 매초	$J/cm^2 \cdot s$	
	킬로줄 매 제곱 센티미터 매초	$kJ/cm^2 \cdot s$	
	에르그 매 제곱 미터 매초	$erg/m^2 \cdot s$	$10^{-7}J/m^2 \cdot s$
	마이크로에르그 매 제곱 센티미터 매초	$\mu erg/cm^2 \cdot s$	
	밀리에르그 매 제곱 센티미터 매초	$merg/cm^2 \cdot s$	
	에르그 매 제곱 센티미터 매초	$erg/cm^2 \cdot s$	
	킬로에르그 매 제곱 센티미터 매초	$kerg/cm^2 \cdot s$	
	메가에르그 매 제곱 센티미터 매초	$Merg/cm^2 \cdot s$	
	기가에르그 매 제곱 센티미터 매초	$Gerg/cm^2 \cdot s$	
	테라에르그 매 제곱	$Terg/cm^2 \cdot s$	

	센티미터 매초		
	와트 매 제곱 미터	W/m^2	$1\ J/m^2 \cdot s$
	와트 매 제곱 센티미터	W/cm^2	
입자속밀도(粒子束密度)	**알파 입자**(粒子) **매**(每) **제곱 미터 매초**(每秒)	$\alpha/m^2 \cdot s$	
	알파 입자 매 제곱 센티미터 매초	$\alpha/cm^2 \cdot s$	
	베타 입자 매 제곱 미터 매초	$\beta/m^2 \cdot s$	
	베타 입자 매 제곱 센티미터 매초	$\beta/cm^2 \cdot s$	
	중성자 매 제곱 미터 매초	$n/m^2 \cdot s$	
	중성자 매 제곱 센티미터 매초	$n/cm^2 \cdot s$	$1/60\alpha/m^2 \cdot s$
	알파 입자 매 제곱 미터 매분	$\alpha/m^2 \cdot min$	
	알파 입자 매 제곱 센티미터 매분	$\alpha/cm^2 \cdot min$	
	베타 입자 매 제곱 미터 매분	$\beta/m^2 \cdot min$	$1/60\beta/m^2 \cdot s$

	베타 입자 매 제곱 센티미터 매분	$\beta/\mathrm{cm}^2\cdot\mathrm{min}$	
	중성자 매 제곱 미터 매분	$\mathrm{n/m^2\cdot min}$	$1/60\ \mathrm{n/m^2\cdot s}$
	중성자 매 제곱 센티미터 매분	$\mathrm{n/cm^2\cdot min}$	
입자(粒子) 플루언스	**알파 입자(粒子) 매(每) 제곱 미터**	α/m^2	
	알파 입자 매 제곱 센티미터	α/cm^2	
	베타 입자 매 제곱 미터	β/m^2	
	베타 입자 매 제곱 센티미터	β/cm^2	
	중성자 매 제곱 미터	$\mathrm{n/m^2}$	
	중성자 매 제곱 센티미터	$\mathrm{n/cm^2}$	
방사능 면밀도(放射能面密度)	**괴변(壞變) 매초(每秒) 매(每) 제곱 미터**	$\mathrm{dps/m^2}$	
	괴변 매초 매 제곱 센티미터	$\mathrm{dps/cm^2}$	
	괴변 매분 매 제곱 미터	$\mathrm{dpm/m^2}$	$1/60\ \mathrm{dps/m^2}$
	괴변 매분 매 제곱 센티미터	$\mathrm{dpm/cm^2}$	
	퀴리 매 제곱 미터	$\mathrm{Ci/m^2}$	$3.7\times10^{10}\ \mathrm{dps/m^2}$
	피코퀴리 매 제곱 미터	$\mathrm{pCi/m^2}$	
	나노퀴리 매 제곱 미터	$\mathrm{nCi/m^2}$	
	마이크로퀴리 매 제곱 미터	$\mu\mathrm{Ci/m^2}$	
	밀리퀴리 매 제곱 미터	$\mathrm{mCi/m^2}$	
	피코퀴리 매 제곱 센티미터	$\mathrm{pCi/cm^2}$	
	나노퀴리 매 제곱 센티미터	$\mathrm{nCi/cm^2}$	
	마이크로퀴리 매 제곱 센티미터	$\mu\mathrm{Ci/cm^2}$	
	밀리퀴리 매 제곱 센티미터	$\mathrm{mCi/cm^2}$	
	퀴리 매 제곱 센티미터	$\mathrm{Ci/cm^2}$	
	괴변(壞變) 매초(每秒) 매 세제곱 미터	$\mathrm{dps/m^3}$	
	괴변 매초 매 세제곱 센티미터	$\mathrm{dps/cm^3}$	
	괴변 매분 매 세제곱	$\mathrm{dpm/m^3}$	$1/60\ \mathrm{dps/m^3}$

방사능농도(放射能濃度)	미터		
	괴변 매분 매 세제곱 센티미터	dpm/cm^3	
	괴변 매초 매 리터	dps/l	
	괴변 매분 매 리터	dpm/l	
	퀴리 매 세제곱 미터	Ci/m^3	3.7×10^{10} dps/m^3
	피코퀴리 매 세제곱 미터	pCi/m^3	
	나노퀴리 매 세제곱 미터	nCi/m^3	
	마이크로퀴리 매 세제곱 미터	μCi/m^3	
	밀리퀴리 매 세제곱 미터	mCi/m^3	
	피코퀴리 매 세제곱 센티미터	pCi/cm^3	
	나노퀴리 매 세제곱 센티미터	nCi/cm^3	
	마이크로퀴리 매 세제곱 센티미터	μCi/cm^3	
	밀리 퀴리 매 세제곱 센티미터	mCi/cm^3	
	퀴리 매 세제곱 센티미터	Ci/cm^3	
	퀴리 매 리터	Ci/l	3.7×10^{10} dps/m^3
	피코퀴리 매 리터	pCi/l	
	나노퀴리 매 리터	nCi/l	
	마이크로퀴리 매 리터	μCi/l	
	밀리퀴리 매 리터	mCi/l	
	괴변 매초	dps/kg 매 킬로그램	
	괴변 매초 매 그램	dps/g	10^3 dps/kg
	괴변 매분 매 킬로그램	dpm/kg	1/60 dps/kg
	괴변 매분 매 그램	dpm/g	
	퀴리 매 킬로그램	Ci/kg	3.7×10^{10} dps/kg
	피코퀴리 매 킬로그램	pCi/kg	
	나노퀴리 매 킬로그램	nCi/kg	
	마이크로퀴리 매 킬로그램	μCi/kg	
	밀리퀴리 매 킬로그램	mCi/kg	
	퀴리 매 그램	Ci/g	3.7×10^{13} dps/kg
	피코퀴리 매 그램	pCi/g	
	나노퀴리 매 그램	nCi/g	
	마이크로퀴리 매 그램	μCi/g	
	밀리퀴리 매 그램	mCi/g	

8. 에스 아이 단위(SI 單位) 및 10 의 멱수배(冪數倍)

분 야(分野)	양(量)	에스 아이 단위(SI 單位)		SI 단위의 10 의 멱수배(冪數倍)
		명칭(名稱)	기호(記號)	
공간(空間) 및 시간(時間)	가속도(加速度)	미터 매초(每秒)	m/s	
	각속도(角速度)	라디안 매초(每秒)	rad/s	
	길이	미터	m	km, dm, cm, mm, μm, nm
	넓이(面積)	제곱 미터	m^2	km^2, dm^2, cm^2, mm^2
	입체각(立體角)	스테라디안	sr	
	부피(體積)	세제곱 미터	m^3	dm^3, cm^3, mm^3
	속도(速度)	미터 매초(每秒)	m/s	
	시간(時間)	초(秒)	s	ks, ms, μs, ns
	평면각(平面角)	라디안	rad	mrad, μrad
주기 및 관련 현상 현상	주파수(周波數)	헤르츠	Hz	THz, GHz, MHz, kHz
	회전수(回轉數)	회 매초(回每秒)	s^{-1}	
역학(力學)	관성 모멘트	킬로그램 제곱 미터	kg·m^2	
	동점도(動粘度)	제곱 미터 매초	m^2/s	mm^2/s
	밀도(密度), 농도(濃度)	킬로그램 매(每) 세제곱 미터	kg/m^3	Mg/m^3 또는 kg/dm^3, g/cm^3
	선밀도(線密度)	킬로그램 매 미터	kg/m	mg/m
	압력(壓力)	파스칼	Pa	GPa, MPa, kPa, mPa, μPa
	에너지, 일, 열량, 전력량	줄	J	TJ, GJ, MJ, kJ, mJ
	운동량(運動量)	킬로그램 미터 매초	kg·m/s	
	운동량의 모멘트, 각운동량	킬로그램 제곱 미터 매초(每秒)	kg·m^2/s	
	응력(應力)	파스칼 또는 뉴턴 매(每) 제곱 미터	Pa 또는 N/m^2	GPa, PMa 또는 N/mm^2, kPa
	일률, 공률, 전력	와트	W	
	점도(粘度)	파스칼 초(秒)	Pa·s	mPa·s
	질량(質量)	킬로그램	kg	Mg, g, mg, μg
	표면장력	뉴턴 매(每) 미터	N/m	mN/m
	힘(力)	뉴턴	N	MN, kN, mN, μN

	힘의 모멘트	뉴턴미터	N·m	MN·m, kN·m, mN·m, μN·m
열(熱)	비열(比熱)	줄 매(每) 킬로그램 매(每) 켈빈	J/kg·K	kJ/kg·K
	선팽창 계수	매(每) 켈빈	K^{-1}	
	섭씨 온도	섭씨도(度)	℃	
	엔트로피	줄 매(每) 켈빈	J/K	kJ/K
	열량(熱量)	줄	J	TJ, GJ, MJ, kJ, mJ
	열류(熱流)	와트	W	kW
	열역학 온도	켈빈	K	
	열용량	줄 매(每) 켈빈	J/K	kJ/K
	열전달계수(熱傳達係數)	와트 매(每) 제곱 미터 매(每) 켈빈	$W/m^2·K$	
	열전도율	와트 매 미터 매 켈빈	W/m·K	
	온도 간격	켈빈	K	mK
	질량 에너지	줄 매 킬로그램	J/kg	MJ/kg, kJ/kg
	질량(質量) 엔트로피	줄 매(每) 킬로그램 매 켈빈	J/kg·K	kJ/kg·K
	질량잠열	줄 매 킬로그램	J/kg	MJ/kg, kJ/kg
	단면자기모멘트	암페어 제곱 미터	$A·m^2$	
	도전율(導電率)	지멘스 매(每) 미터	S/m	MS/m, kS/m
	부피 전하밀도, 전하밀도	쿨롬 매(每) 세제곱 미티	C/m^3	C/mm^3, MC/m^3 또는 C/cm^3, kC/m^3, mC/m^3, $\mu C/m^3$
	어드미턴스, 어드미턴스계수, 서셉턴스, 콘덕턴스	지멘스	S	kS, mS, μS
	유전율(誘電率)	패럿 매(每) 미터	F/m	μF/m, nF/m, pF/m
	유효전력(有效電力)	와트	W	TW, GW, MW, kW, mW, μW, nW
	인피던스, 인피던스계수, 리액턴스(전기)저항	옴	Ω	MΩ, kΩ, mΩ
	자계의 강도	암페어 매(每) 미터	A/m	kA/m 또는 A/mm, A/cm
	자기(磁氣)	암페어 매(每) 미터	A/m	kA/m또는A/mm

	자기벡터포텐셜	웨버 매(每) 미터	Wb/m	kWb/m 또는 Wb/mm
	자기분극	테슬라	T	mT
	자기쌍극자 모멘트	뉴턴 제곱 미터 매 암페어 또는 웨버 미터	$N \cdot m^2/A$ 또는 $Wb \cdot m$	
	자기 인덕턴스, 상호 인덕턴스	헨리	H	mH, μH, nH, pH
	자기저항	매(每) 헨리	H^{-1}	
	자속(磁束)	웨버	Wb	mWb
	자속밀도, 자기유도	테슬라	T	mT, μT, nT
	자위차(磁位差)	암페어	A	kA, mA
	(전기)저항	옴	Ω	GΩ, MΩ, kΩ
	저항률(抵抗率)	옴 미터	Ω·m	GΩ·m, MΩ·m, kΩ·m, Ω·cm, mΩ·m, μΩ·m, nΩ·m
	전계(電界)의 강도(強度)	볼트 매(每) 미터	V/m	MV/m, kV/m 또는 V/mm, V/cm, mV/m, μV/m
전기(電氣) 및 자기(磁氣)	전기변위	쿨롬 매 제곱 미터	C/m^2	C/cm^2, kC/m^2, mC/m^2, $\mu C/m^2$
	전기분극	쿨롬 매 제곱 미터	C/m^2	C/cm^2, kC/m^2, mC/m^2
	전기쌍극자 모멘트	쿨롬 미터	C·m	
	전류(電流)	암페어	A	kA, mA, μA, nA, pA
	전류밀도(電流密度)	암페어 매(每) 제곱 미터	A/m^2	MA/m^2 또는 A/mm^2, A/cm^2, kA/m^2
	전류의 선밀도.	암페어 매(每) 미터	A/m	kA/m 또는 A/mm, A/cm
	전속, 전기변위속	쿨롬	C	MC, kC, mC
	전위, 전위차(전압), 기전력	볼트	V	MV, kV, mV, μV
	전하, 전기량	쿨롬	C	kC, μC, nC, pC
	정전용량, 커패시턴스	패럿	F	mF, μF, nF, pF
	콘덕턴스	지멘스	S	kS, mS, μS

	투자율(透磁率)	헨리 매(每) 미터	H/m	μH/m, nH/m
	퍼미언스	헨리	H	
	표면 전하 밀도(表面電荷密度)	쿨롬 매(每) 제곱 미터	C/m^2	MC/m^2 또는 C/mm^2, C/cm^2, kC/m^2, mC/m^2, $\mu C/m^2$
빛과 전자방사(電子放射)	광도(光度)	칸델라	cd	
	광량(光量)	루멘 초(秒)	lm·s	
	광속(光束)	루멘	lm	
	광속발산도	루멘 매 제곱 미터	lm/m^2	
	노광량(露光量)	럭스 초(秒)	lx·s	
	발광효율	루멘 매(每) 와트	lm/W	
	방사강도	와트 매 스테라디안	W/sr	
	방사발산도	와트 매 제곱 미터	W/m^2	
	방사속(放射束)	와트	W	
	방사에너지	줄	J	
	방사조도	와트 매 제곱 미터	W/m^2	
	방사휘도(放射輝度)	와트 매(每) 스테라디안 매(每) 제곱 미터	$W/sr \cdot m^2$	
	조도(照度)	럭스	lx	
	파장(波長)	미터	m	μm, nm, pm
	휘도(輝度)	칸델라 매 제곱 미터	cd/m^2	
음(音)	기계 인피던스	뉴턴 초 매 미터	N·s/m	
	단위 넓이(單位面積) 인피던스	파스칼 초(秒) 매(每) 미터	Pa·s/m	
	밀도(密度)	킬로그램 매(每) 세제곱 미터	kg/m^3	
	부피 속도	세제곱 미터 매 초	m^3/s	
	음(音)의 강도	와트 매 제곱 미터	W/m^2	
	음(音)의 속도	미터 매초(每秒)	m/s	
	음향에너지속, 음향(音響)파워	와트	W	kW, mW, μW, pW
	음향 인피던스	파스칼 초(秒) 매(每) 세제곱 미터	$Pa \cdot s/m^3$	

	입자 속도	미터 매초(每秒)	m/s	mm/s
	잔향 시간	초(秒)	s	
	정압, 음압	파스칼	Pa	mPa, μPa
	주기(周期)	초(秒)	s	ms, μs
	주파수, 진동수	헤르츠	Hz	MHz, kHz
	파장(波長)	미터	m	mm
	흡음력(吸音力)	제곱 미터	m^2	
물리 화학 및 분자 물리학	몰 내부 에너지	줄 매(每) 몰	J/mol	kJ/mol
	몰 농도(mol 濃度)	몰 매(每) 세제곱 미터	mol/m^3	mol/dm^3 또는 $kmol/m^2$
	몰 부피	세제곱 미터 매 몰	m^3/mol	dm^3/mol, cm^3/mol
	몰 비열(比熱)	줄 매 몰 매 켈빈	J/mol·K	
	몰 엔트로피	줄 매 몰 매 켈빈	J/mol·K	
	몰 질량	킬로그램 매(每) 몰	kg/mol	g/mol
	물질량(物質量)	몰	mol	kmol, mmol, μmol
	열확산계수	제곱 미터 매초	m^2/s	
	질량 몰 농도	몰 매(每) 킬로그램	mol/kg	mmol/kg
	확산계수	제곱 미터 매초	m^2/s	
전리성 방사선	방사능(放射能)	베크렐	Bq	
	흡수선량	그레이	Gy	

9. 단위별 종합 환산표

길 이

구 분	푼〔分〕	척(尺)	간(間)	정(町)	리(里)	밀리미터	미 터
1 푼〔分〕		0.01	0.001666	0.000027	0.0000007	3.0303	0.00303
1 척(尺)	100		0.166666	0.0027777	0.000077	303.03	0.30303
1 간(間)	600	6		0.016666	0.000462	1,818.18	1.81818
1 정(町)	36,000	360	60		0.027777	109.090	109.09
1 리(里)	1,296,000	12,960	2,160	36		3,927,272	3,927.27
1 mm	0.33	0.0033	0.00055	0.000009	0.0000003		0.001
1 m	330	3.3	0.55	0.009166	0.000254	1,000	
1 km	330,000	3,300	550	9.16666	0.254629	1,000,000	1,000
1 in	8.38184	0.083818	0.013969	0.000232	0.000006	25.3995	0.025399
1 피트	100.582	1.00582	0.167637	0.002793	0.000077	304.794	0.304794
1 야드	301.746	3.01746	0.50291	0.008381	0.000232	9,143.83	0.9144
1 체인	6,638.42	66.3842	11.064	0.1811	0.005122	26,116.4	20.1164
1 마일	531,073	5,310.83	885.123	14.752	0.409779	160,931	1,609.34
1 해리	611,160	6,111.6	1,018.6	16.9766	0.471574	1,852,000	1,852

넓 이

구 분	제곱 자	평(坪)	묘(畝)	정(町)	제곱리(里)	제곱 미터	아 르
1 제곱 자		0.027777	0.000092	0.000009	—	0.091827	0.000918
1 평(坪)	36		0.003333	0.000333	0.0000002	3.30578	0.033058
1 묘(畝)	10,800	300		0.1	0.000006	991.736	9.91736
1 정(町)	108,000	3,000	10		0.000643	9,917.36	99.1736
1 제곱 리(里)	—	4,665,600	15,552	1,555.2		—	154,234
1 제곱 미터	10.89	0.3025	0.001008	0.0001	—		0.01
1 아르	1,089	30.25	0.100833	0.010083	0.0000064	100	
1 제곱 킬로미터	—	302,500	1,008.33	100.833	0.064836	1,000,000	10,000
1 제곱 인치	0.07025	0.000195	0.000006	—	—	0.000645	0.000006
1 제곱 피트	1.01171	0.028102	0.000093	0.000009	—	0.09290	0.000928
1 제곱 야드	9.10543	0.25293	0.000843	0.000084	—	0.836127	0.008361
1 제곱 체인	4,406.86	122.413	4.08043	0.040804	0.000026	404.671	4.04671
1 에이커	44,070	1,224.17	4.0806	0.40806	0.000262	4,046.86	40.4686
1 제곱 마일	—	783,443	2,611.47	261.147	0.167919	—	25,899.9

길 이

킬로미터	인 치	피 트	야 드	체 인	마 일	해리(海里)	구 분
0.000003	0.119305	0.009942	0.003314	0.00015	0.000001	0.000001	1 푼〔分〕
0.000303	11.9305	0.994211	0.331403	0.015063	0.000188	0.000153	1 척(尺)
0.001818	71.5832	5.96527	1.98842	0.090382	0.001129	0.000981	1 간(間)
0.10909	4,294.99	357.916	119.305	5.42297	0.067784	0.058904	1 정(町)
3.92727	154,619	12,884.9	4,294.99	195.227	2.44033	2.12056	1 리(里)
0.000001	0.03937	0.00328	0.001093	0.0000491	0.0000006	0.0000005	1 밀리미터
0.001	39.3701	3.28084	1.09361	0.04971	0.000621	0.000539	1 미터
	39,370.1	3,280.84	1,093.61	49.71	0.621371	0.539956	1 킬로미터
0.000025		0.083332	0.027777	0.001262	0.000015	0.000013	1 인치
0.0003	12		0.33333	0.015151	0.000189	0.000164	1 피트
0.000914	36	3		0.045454	0.000568	0.000494	1 야드
0.020116	792	66	22		0.0125	0.010862	1 체인
1.609344	63,360	5,280	1,760	80		0.868961	1 마일
1.852	72,914.6	6,076.21	2,025.41	92.0641	1.1508		1 해리

넓 이

제곱 킬로미터	제곱 인치	제곱 피트	제곱 야드	제곱 체인	에이커	제곱 마일	구 분
—	142.337	0.988457	0.109828	0.000226	0.000022	—	1 제곱 자
0.000003	5,124.15	35.5844	3.95372	0.008169	0.000816	0.000001	1 평(坪)
0.000991	153,724	10,675.3	1,186.14	0.245072	0.24507	0.000382	1 묘(畝)
0.009917	—	106,750	11,861.4	24.5072	2.45072	0.003829	1 정(町)
15.4234	—	—	—	38,113.6	3,811.36	5.95525	1 제곱 리(里)
0.000001	1,550.05	10.7639	1.19599	0.002471	0.000247	0.0000003	1 제곱 미터
0.0001	155,005	1,076.39	119.599	0.247114	0.02471	0.000038	1 아르
	—	—	1,195,990	2,471.14	247.11	0.3861	1 제곱 킬로미터
—		0.006944	0.000771	0.000001	—	—	1 제곱 인치
—	144		0.111111	0.000229	0.00002	—	1 제곱 피트
0.0000008	1,296	9		0.002066	0.000206	—	1 제곱 야드
0.000404	627,264	4,356	484		0.1	0.000156	1 제곱 체인
0.004047	—	43,560	4,840	10		0.001562	1 에이커
2.58999	—	—	—	6,400	640		1 제곱 마일

부 피

구 분	세제곱 자	작(勺)	홉〔合〕	승(升)	두(斗)	석(石)	세 제 곱 센티미터
1 세제곱 자	1	1.54256	0.154256	0.01542	0.001542	0.000154	27.8264
1 작(勺)	0.64827		0.1	0.01	0.001	0.0001	18.039
1 홉〔合〕	6.4827	10		0.1	0.01	0.001	180.39
1 승(升)	64.827	100	10		0.1	0.01	1,803.9
1 두(斗)	648.27	1,000	100	10		0.1	18,039
1 석(石)	6,482.7	10,000	1,000	100	10		180,390
1 세제곱 센티미터	0.035937	0.055435	0.005543	0.000554	0.000055	0.000005	
1 세제곱 미터	35,936.9	55,435.2	5,543.52	554.352	55.4352	5.54352	1,000,000
1 리터	35.937	55.4352	5.54352	0.55435	0.055435	0.005543	1,000
1 세제곱 인치	0.58887	0.908371	0.090837	0.009083	0.000908	0.000091	16.3871
1 세제곱 피트	1,017.56	1,569.66	156.966	15.6966	1.56966	0.156966	28,316.8
1 세제곱 야드	27,474.1	42,380.9	4,238.09	423.809	42.3809	4.23809	764,511
1 영(英) 갤런	163.367	252.006	25.2006	2.52006	0.252006	0.0252	4,546.09
1 미(美) 갤런	135,937	209.833	20.9846	2.09846	0.209846	0.02098	3,785.41

무 게

구 분	푼〔分〕	돈 쭝	관(貫)	근(斤)	캐럿	밀리그램	그 램
1 푼〔分〕		0.1	0.0001	0.000625	1.875	375	0.375
1 돈쭝	10		0.001	0.00625	18.75	3,750	3.75
1 관(貫)	10,000	1,000		6.25	18,750	3,750,000	3,750
1 근(斤)	1,600	160	0.16		3,000	600,000	600
1 캐럿	5.33333	0.53333	0.000053	0.000333		200	0.2
1 밀리그램	0.002666	0.000266	0.0000003	0.000001	0.005		0.001
1 그램	2.66666	0.266666	0.000266	1.001666	5	1,000	
1 킬로그램	2,666.66	266.666	0.266666	1.66666	5,000	1,000,000	1,000
1 톤	266.666	26,666.6	266.666	1,666.66	5,000,000	—	1,000,000
1 그레인	0.1728	0.01727	0.000017	0.000108	0.323994	64.7988	0.64798
1 온스	755.984	7.55984	0.007559	0.047249	141.747	28,349.5	28.3495
1 파운드	1,209.58	120.958	0.120958	0.755988	2,267.96	453,592	453.592
1 영(英) 톤	2,709,456	270,946	270.946	1,693.41	5,080,235	—	1,016,050
1 미(美) 톤	—	241,916	241.916	1,511.97	4,535,890	—	907,185

부 피

세제곱 미터	리 터	세제곱 인치	세제곱 피트	세제곱 야드	갤런(英)	갤런(美)	구 분
0.000027	0.027826	1.69816	0.000982	0.000036	0.006122	0.007351	1 세제곱 자
0.000018	0.018039	1.10087	0.000637	0.000023	0.003968	0.004765	1 작(勺)
0.00018	0.18039	11.0087	0.00637	0.000235	0.0397	0.047654	1 홉〔合〕
0.001803	1.8039	110.087	0.06370	0.002359	0.397	0.47654	1 승(升)
0.018039	18.039	1,100.87	0.63707	0.023595	3.9703	4.7654	1 두(斗)
0.18039	180.39	11,008.7	6.37077	0.23595	39.7034	47.654	1 석(石)
0.000001	0.001	0.061023	0.000035	0.000001	0.00022	0.00026	1 세제곱 센티미터
	1,000	61,023	35.3147	1.30802	219.969	264.172	1 세제곱 미터
0.001		61.0236	0.0353	0.001308	0.219969	0.264172	1 리터
0.000016	0.016387		0.000578	0.000021	0.0036	0.0043	1 세제곱 인치
0.0283168	28.3168	1,728		0.037037	6.2288	7.48	1 세제곱 피트
0.764511	764.511	46.656	27		168.183	201.974	1 세제곱 야드
0.004560	4.54609	277.42	0.16054	0.005946		1.20095	1 영(英) 갤런
0.003785	3.78540	231	0.134	0.00495	0.833		1 미(美) 갤런

무 게

킬로그램	톤	그레인	온스	파운드	영(英) 톤	미(美) 톤	구 분
0.000375	0.0000004	5.78712	0.013227	0.000826	0.0000003	0.0000004	1 푼
0.00375	0.000004	57.8712	0.132277	0.008267	0.000003	0.000004	1 돈쭝
3.75	0.00375	57,871.2	132.277	8.26732	0.00369	0.004133	1 관(貫)
0.6	0.0006	9,259.3	21.1641	1.32277	0.00059	0.000661	1 근(斤)
0.0002	0.0000002	3.0864	0.00705	0.00044	0.0000002	0.0000002	1 캐럿
0.000001	—	0.015432	0.000035	0.000002	—	—	1 밀리그램
0.001	0.000001	15.432	0.035274	0.0022046	0.0000009	0.000001	1 그램
	0.001	15,432	35.2740	2.20462	0.0009842	0.001102	1 킬로그램
10,000		—	35,273.9	2,204.62	0.984205	1.1023	1 톤
0.000064	—		0.002285	0.000142	—	—	1 그레인
0.028349	0.000028	437.5		0.0625	0.000027	0.000031	1 온스
0.45359237	0.000453	7,000	16		0.000446	0.0005	1 파운드
1,016.05	1.01604	—	35,840	2,240		1.12	1 영(英) 톤
907.185	0.907178	—	32,000	2,000	0.8928547		1 미(美) 톤

단위(單位) 길이에 대한 무게

구 분	1 kg/cm	1 kg/m	1 파운드/인치	1 파운드/피트	1 파운드/야드	구 분
1 kg/cm		0.01	0.17858	0.01488	0.00196	kg/cm
1 kg/m	100.0		17.858	1.4882	0.49606	kg/m
1 lb/in	6.5990	0.05600		0.08333	0.00278	파운드/인치
1 lb/ft	67.195	0.67195	12.0		0.33333	파운드/피트
1 lb/yd	201.59	2.0159	36.0	3.0		파운드/야드

단위(單位) 넓이에 대한 무게

구 분	1 kg/cm²	1 kg/m²	1 t/m²	1 파운드/제곱 인치	1 파운드/제곱 피트	1 영(英)톤/제곱 피트	구 분
1 kg/cm²		0.0001	0.1	0.07031	0.00488	1.09368	kg/cm²
1 kg/m²	10,000.0		1,000.0	703.07	4.8824	10,936.8	kg/m²
1 t/m²	10.0	0.001		0.70307	0.04882	10.938	톤/m²
1 lb/in²	14.2233	0.00142	1.42233		0.00695	15.556	파운드/제곱 인치
1 lb/ft²	2,048.2	0.20482	204.82	144.0		2,240.0	파운드/제곱 피트
1 영(英)t/ft²	0.91436	0.00009	0.09144	0.06429	0.00045		영(英)톤/제곱 피트

단위(單位) 부피에 대한 무게

구 분	1 kg/cm³	1 kg/m³	1 톤/m³	1 파운드/세제곱 인치	1 파운드/세제곱 피트	1 영(英)톤/세제곱 피트	구 분
1 kg/cm³		10^{-4}	0.001	0.02768	0.000016	0.03588	kg/cm³
1 kg/m³	10^4		1,000.0	27,680.4	16.0196	35,882.0	kg/m³
1 톤/m³	1,000.0	0.001		27.6804	0.01602	35.8820	1 톤/m³
1 lb/in³	36.1272	0.000036	0.03613		0.00058	1.29627	파운드/세제곱 인치
1 lb/ft³	62,423.0	0.062423	62.423	1,728.0		2,240.0	파운드/세제곱 피트
1 영(英)t/ft³	27.869	0.000028	0.007869	0.77148	0.00045		영(英)톤/제곱 피트

점도 단위(粘度單位)

구 분	푸아즈 또는 〔g/cm·s〕	센티푸아즈	〔kg/m·s〕	〔kg/m·hr〕	〔lb/ft·s〕
1 g/cm·s		100	0.1	360	0.0672
1 센티푸아즈	0.01		0.001	3.6	0.0_3672
1 kg/m·s	10	1,000		3,600	0.672
1 kg/m·hr	0.00278	0.278	0.0_3278		0.0_3187
1 lb/ft·s	14.88	1,488	1.488	5,356.8	

운동 점도 제단위(運動粘度諸單位)

구 분	스토크스 또는 〔cm^2·s〕	〔m^2/hr〕	〔m^2/s〕	〔ft^2/s〕	〔ft^2/hr〕
1 cm^2 · s		0.3600	0.0001	0.001076	3.875
1 m^2/hr	2.7778		0.0_32778	0.00299	10.7639
1 m^2/s	10,000	3,600		10.7639	38,750
1 ft^2/s	929.03	334.45	0.092903		3,600
1 ft^2/hr	0.25806	0.092903	0.025806	0.0_32778	

측광 단위〔測光單位 ; 휘도(輝度)와 광속 발산도(光束發散度)〕

구 분	스 틸 브	아포스틸브	람베르트	밀리 람베르트	피트 람베르트
1 스틸브		31,416	3.14	3,142	2,919
1 아포스틸브	0.0_4318		0.0_31	0.1	0.0929
1 람베르트	0.318	10,000		1,000	929
1 밀리 람베르트	0.0_3318	10	0.0_21		0.929
1 피트 람베르트	0.0_3343	10.764	0.0_210706	1.0764	

조도(照度)

구 분	럭스〔lx〕	포토〔ph〕	밀리포토〔mph〕	피트 칸델라 〔ft·cd〕
1 lx		0.0001	0.1	0.0929
1 ph	10,000		1,000	929
1 mph	10	0.001		0.929
1 ft·cd	107.64	0.001076	1.0764	

속도(速度)

구 분	센티미터 매초(每秒)	미터 매초 (每秒)	미터 매분 (每分)	킬로미터 매시(每時)	피트 매초 (每秒)	피트 매분 (每分)	마일 매시 (每時)	노 트
1 센티미터 매초 (每秒)		0.01	0.6	0.036	0.03281	1.9685	0.02237	0.01943
1 미터 매초(每秒)	100		60	3.6	3.281	196.85	2.237	1.943
1 미터 매분(每分)	1.667	0.01667		0.06	0.05168	3.281	0.03728	0.03238
1 킬로미터 매시 (每時)	27.78	0.2778	16.67		0.9113	54.68	0.6214	0.53959
1 피트 매초(每秒)	30.48	0.3048	18.29	1.097		60	0.6818	0.59209
1 피트 매분(每分)	0.5080	0.005080	0.3048	0.01829	0.01667		0.01136	0.00987
1 마일 매시(每時)	44.70	0.4470	26.82	1.609	1.467	88		0.86839
1 노트	51.479	0.51479	30.887	1.8532	1.68894	101.337	1.15155	

속도(速度) 및 각속도(角速度)

	센티미터 매초(每秒) ↓ 피트 매분 (每分)	피트 매분 (每分) ↓ 센티미터 매초(每秒)	센티미터 매초(每秒) ↓ 마일 매시 (每時)	마일 매시 (每時) ↓ 센티미터 매초(每秒)	피트 매초 (每秒) ↓ 마일 매시 (每時)	마일 매시 (每時) ↓ 피트 매초 (每秒)	라디안 매초(每秒) ↓ 회전수(回轉數) 매분 (每分)	회전수(回轉數) 매분 (每分) ↓ 라디안 매초(每秒)	
1	1.97	0.508	0.0224	44.70	0.682	1.47	9.55	0.1047	1
2	3.94	1.016	0.0447	89.41	1.364	2.93	19.10	0.2094	2
3	5.91	1.524	0.0671	134.1	2.045	4.40	28.65	0.3142	3
4	7.87	2.032	0.0895	178.8	2.727	5.87	38.20	0.4189	4
5	9.84	2.540	0.1118	223.5	3.409	7.33	47.75	0.5236	5
6	11.81	3.048	0.1342	268.2	4.091	8.80	57.30	0.6283	6
7	13.78	3.556	0.1566	312.9	4.773	10.27	66.84	0.7330	7
8	15.75	4.064	0.1790	357.6	5.455	11.73	76.39	0.8378	8
9	17.72	4.572	0.2013	402.3	6.136	13.20	85.94	0.9425	9

일, 에너지 및 열량(熱量)

구 분	줄	킬로그램 미터	피 트 파운드	킬로와트 시(時)	불마력시 (佛馬力時)	영마력시 (英馬力時)	킬 로 칼로리	BTU
1 J		0.10197	0.7376	$0.0_{6}2778$	$0.0_{6}3777$	$0.0_{6}3724$	$0.0_{3}2389$	$0.0_{3}9480$
1 kg·m	9.807		7.233	$0.0_{5}2724$	$0.0_{5}3704$	$0.0_{5}3652$	0.002343	0.009297

1 ft·lb	1.356	0.1383		$0.0_{6}3766$	$0.0_{6}5121$	$0.0_{6}5049$	$0.0_{3}3239$	0.001285
1 kW·h	3.6×10^{6}	3.671×10^{5}	2.655×10^{6}		1.3596	1.3405	860.0	3,413
1 PS·h	2.648×10^{6}	2.700×10^{5}	1.953×10^{6}	0.7355		0.9859	632.5	2,510
1 HP·h	2.686×10^{6}	2.739×10^{5}	1.981×10^{6}	0.746	1.0143		641.6	2,546
1 kcal	4,186	426.9	3,087	0.001163	0.001581	0.001559		3.968
1 BTU	1,055	107.6	778.0	$0.0_{3}2930$	$0.0_{3}3984$	$0.0_{3}3928$	0.2520	

동력(動力)

구 분	불마력 (佛馬力)	영마력 (英馬力)	킬로와트	킬로그램 미터 매초 (每秒)	피트 파운드 매초 (每秒)	킬로칼로리 매초 (每秒)	비티유 매초 (BTU每秒)
1 불마력(佛馬力)		0.9859	0.7355	75	542.5	0.1757	0.6973
1 영마력(英馬力)	1.0143		0.746	76.07	550.2	0.1782	0.7072
1 킬로와트	1.3596	1.3405		101.97	736.6	0.2389	0.9480
1 킬로그램 미터 매초(每秒)	0.01333	0.01315	0.009807		7.233	0.002343	0.009297
1 피트 파운드 매초(每秒)	0.001843	0.001817	0.001356	0.1383		$0.0_{3}3239$	0.001285
1 킬로칼로리 매초(每秒)	5.691	5.611	4.186	426.9	3,087		3.968
1 비티유 매초(BTU每秒)	1.434	1.414	1.055	107.6	778.0	0.2520	

압력(壓力)

구 분	바	킬로그램 매 제곱 센티미터	파운드 매 제곱 인치	영(英) 톤 매 제곱 피트	표준기압	수은주(水銀柱；0℃)		수주(水柱；15℃)	
						미 터	인 치	미 터	인 치
1 바		1.0204	14.51	0.9330	0.9869	0.75055	29.55	10.213	33.51
1 킬로그램 매 제곱 센티미터	0.98		14.22	0.9144	0.9672	0.7355	28.96	10.009	32.84
1 파운드 매 제곱 인치	0.06890	0.07031		0.06429	0.06800	0.05171	2.036	0.7037	2.309
1 영(英) 톤 매 제곱 피트	1.072	1.094	15.56		1.058	0.8044	31.67	10.95	35.91
1 표준 기압	1.0133	1.0340	14.706	0.9454		0.76052	29.94	10.35	33.95

1 수은주 미터	1.3324	1.3595	19.34	1.243	1.3149		39.37	13.61	44.64
1 수은주 인치	0.03384	0.03453	0.4912	0.03158	0.03340	0.02540		0.3456	1.134
1 수주 미터	0.09791	0.09991	1.421	0.09136	0.09663	0.07343	2.893		3.281
1 수주 인치	0.02984	0.03045	0.4331	0.02785	0.02945	0.02240	0.882	0.3048	

힘〔力〕

구 분	메가다인	중량킬로그램	중량파운드	중량 톤 (영국제)	파운달
1 메가다인		1.0197	2.248	$0.0_{2}1004$	72.33
1 중량 킬로그램	0.9807		2.205	$0.0_{3}9842$	70.93
1 중량 파운드	0.4448	0.4536		$0.0_{3}4464$	32.17
1 중량 톤	996.4	1,016	2,240		72,070
1 파운달	0.01383	0.01410	0.03108	$0.0_{4}1388$	

밀도(密度)

구 분	그램 매 세제곱 센티미터	파운드 매 세제곱 인치	파운드 매 세제곱 피트	영(英) 톤 매 세제곱 야드	파운드 매 영(英) 갤런	파운드 매 미(美) 갤런
1 g/cm³		0.03613	62.43	0.7525	10.02	8.345
1 lb/in³	27.68		1,728	20.83	277.4	231
1 lb/ft³	0.01602	$0.0_{3}5787$		0.01205	0.1605	0.1337
1 l.tn/yd³	1.329	0.04801	82.96		13.32	11.09
1 lb/영 gal	0.0998	0.003605	6.229	0.07508		1.201
1 lb/미 gal	0.1198	0.004329	17.481	0.09017	0.8327	

열(熱)에 관한 환산표(換算表)

	열전달률(熱傳達率)		열전도율(熱傳導率)	
	kcal/m²·h·℃ ↓ Btu/ft²·h·°F	Btu/ft²·h·°F ↓ kcal/m²·h·℃	kcal/m·h·℃ ↓ Btu.in/ft²·h·°F	Btu.in/ft²·h·°F ↓ kcal/m·h·℃
1	0.2048	4.883	8.063	0.1240
2	0.4096	9.765	16.13	0.2480
3	0.6144	14.65	24.19	0.3721
4	0.8192	19.53	32.25	0.4961
5	1.024	24.41	40.32	0.6201
6	1.229	29.30	48.38	0.7441
7	1.434	34.18	56.44	0.8681
8	1.638	39.06	64.51	0.9921
9	1.843	43.94	72.57	1.116

예(例) : 1 kcal/m²=0.3687 BTU/ft³. 열전도율(熱傳導率) 1 kcal/m·h·℃=0.002778 cal/cm·s·℃. 열량(熱量)/중량(重量) 1 kcal/kg=1.8 BTU/lb. 비열(比熱) 1 kcal/kg·℃=1 BTU/lb·°F

유량(流量)

구 분	갤런/분(分)	석(石)/분(分)	세제곱 피트/분(分)	승(升)/초(秒)	세제곱 인치/초(秒)	리터/초(秒)
1 갤런/분(分)		0.2520	0.1606	0.0420	0.0027	0.0758
1 석(石)/분(分)	39.6749		6.3705	1.6667	0.1062	3.0065
1 세제곱 피트/분(分)	6.2278	0.1570		0.2616	0.0167	0.4719
1 승(升)/초(秒)	23.8049	0.6	3.8223		0.0637	1.8039
1 세제곱 인치/초(秒)	373.67	9.4183	60	15.6973		28.3167
1 리터/초(秒)	13.1963	0.3326	2.1189	0.5544	0.0353	

10. 중국(中國)의 도량형 일람표

1. 미터법〔公制〕

길 이

微微米	埃	毫微米	微 米	忽 米	絲 米
마이크로미크론 $\mu\mu$	옹스트롬 Å	밀리미크론 mμ	미크론 μ	센티밀리미터 cmm	데시밀리미터 dmm
10^{-12} m	10^{-10} m	10^{-8} m	10^{-6} m	10^{-5} m	10^{-4} m
毫 米	釐 米	分 米	米	公 里	海里〔浬〕
밀리미터 mm	센티미터 cm	데시미터 dm	미터 m	킬로미터 km	해리 nm
10^{-3} m	10^{-2} m	10^{-1} m	1 m	1,000 m	1,852 m

넓 이

平方毫米	平方釐米	平方分米	平 方 米	平方十米〔公畝〕	平方百米〔公頃〕	平方公里
제곱 밀리미터	제곱 센티미터	제곱 데시미터	제곱 미터	아르	헥타르	제곱 킬로미터
10^{-6} m^2	10^{-4} cm^2	0.01 m^2	1 m^2	100 m^2	10^5 m^2	10^6 m^2

부 피

立方毫米	立方釐米	立方分米	立 方 米
세제곱 밀리미터	세제곱 센티미터	세제곱 데시미터	세제곱 미터

mm³		cm³		dm³		m³	
10^{-9} m³		10^{-6} m³		0.001 m³		1 m³	
微 升	毫 升	釐 升	分 升	升	十 升	百 升	千 升
마이크로리터 μl	밀리리터 ml	센티리터 cl	데시리터 dl	리터 l	데카리터 Dl	헥토리터 hl	킬로리터 kl
10^{-6}l	0.001 l	0.01 l	0.1 l	1 l	10 l	100 l	1,000 l

질 량

微 克	毫 克	釐 克	分 克	克	十 克	百 克	公斤〔千克〕	公 擔	噸
마이크로그램 μg	밀리그램 mg	센티그램 cg	데시그램 dg	그램 g	데카그램 Dg	헥토그램 hg	킬로그램 kg	퀸틀 q	톤 t
10^{-9} kg	10^{-6} kg	10^{-5} kg	10^{-4}kg	0.001 kg	0.01 kg	0.1 kg	1 kg	100 kg	1,000 kg

2. 시제(市制)

길 이

市 毫	市 釐	市 分	市 寸	市 尺	市 丈	市 引	市 里
	10 市毫	10 市釐	10 市分	10 市寸	10 市尺	10 市丈	150 市丈
0.003333 cm	0.03333 cm	0.33333 cm	3.3333 cm	0.3333 m	3.3333 m	33.333 m	0.500 km

넓 이

平方市寸	平方市尺	平方市丈	平方市里	市 分	市 畝	市 頃
	100 平方市寸	100 平方市尺	22,500 平方市丈	6 平方市丈	10 市分	100 市畝
11.11 cm²	0.1111 m²	11.1111 m²	0.2500 km²	66.6666 m²	6.6667 a	6.6667 ha

부 피

立方市寸	立方市尺	立方市丈
1,000 立方市分	1,000 立方市寸	1,000 立方市尺
37 cm³	0.0370 m³	37.0370 m³

市 撮	市 勺	市 合	市 升	市 斗	市 石
	10 市撮	10 市勺	10 市合	10 市升	10 市斗
0.001 *l*	0.01 *l*	0.1 *l*	1 *l*	10 *l*	100 *l*

질 량

市 絲	市 毫	市 釐	市 分	市 錢	市 兩	市 斤	市 擔
	10 市絲	10 市毫	10 市釐	10 市分	10 市錢	10 市兩	100 市斤
0.0005 g	0.005 g	0.05 g	0.5 g	5 g	50 g	0.5000 kg	50 kg

11. 중국(中國)의 시대별 도량형 변천표

길 이

시대	도제(度制)	환산(cm)
상(商)	1尺=10寸 1寸=10分	1尺=15.8 1寸=1.58 1分=0.158
전국(戰國)	1丈=10尺 1尺=10寸 1寸=10分	1丈=231 1尺=23.1 1寸=2.31 1分=0.231
진(秦)	1引=10丈 1丈=10尺 1尺=10寸 1寸=10分	1引=2,310 1丈=231 1尺=23.1 1寸=2.31 1分=0.231
서한(西漢)	1引=10丈 1丈=10尺 1尺=10寸 1寸=10分	1引=2,310 1丈=231 1尺=23.1 1寸=2.31 1分=0.231
신망(新莽)	1引=10丈 1丈=10尺 1尺=10寸 1寸=10分	1引=2,310 1丈=231 1尺=23.1 1寸=2.31 1分=0.231
동한(東漢)	1引=10丈 1丈=10尺 1尺=10寸 1寸=10分	1引=2,375 1丈=237.5 1尺=23.75 1寸=2.375 1分=0.2375
한말3국(漢末三國)	1丈=10尺 1尺=10寸 1寸=10分	1丈=242 1尺=24.2 1寸=2.42 1分=0.242
서진(西晉)	1丈=10尺 1尺=10寸 1寸=10分	1丈=242 1尺=24.2 1寸=2.42
		1分=0.242
동진과16국(東晉及十六國)	1丈=10尺 1尺=10寸 1寸=10分	1丈=245 1尺=24.5 1寸=2.45 1分=0.245
남북조(南北朝)	1丈=10尺 1尺=10寸 1寸=10分	1丈=245 1尺=24.5 1寸=2.45 1分=0.245
	1丈=10尺 1尺=10寸 1寸=10分	1丈=296 1尺=29.6 1寸=2.96 1分=0.296
수(隋)	1丈=10尺 1尺=10寸 1寸=10分	1丈=296 1尺=29.6 1寸=2.96 1分=0.296
당(唐)	1丈=10尺 1尺=10寸 1寸=10分	〈小尺〉 1丈=300 1尺=30 1寸=3 1分=0.3 〈大尺〉 1丈=360 1尺=36
송원(宋元)	1丈=10尺 1尺=10寸 1寸=10分	1丈=312 1尺=31.2 1寸=3.12 1分=0.312
	1丈=10尺 1尺=10寸 1寸=10分	〈裁衣尺〉 1丈=340 1尺=34 1寸=3.4

명(明)		1 分＝0.34 〈量地尺〉 1 丈＝327 1 尺＝32.7 1 寸＝3.27 1 分＝0.327 〈營造尺〉 1 丈＝320 1 尺＝32 1 寸＝3.2 1 分＝0.32
청(淸)	1 丈＝10 尺 1 尺＝10 寸 1 寸＝10 分	〈裁衣尺〉 1 丈＝355 1 尺＝35.5 1 寸＝3.55 1 分＝0.355 〈量地尺〉 1 丈＝345 1 尺＝34.5 1 寸＝3.45 1 分＝0.345 〈營造尺〉 1 丈＝320 1 尺＝32 1 寸＝3.2 1 分＝0.32
	〈甲〉 1 里＝18 引 1 引＝10 丈 1 丈＝2 步	1 丈＝333.3 1 尺＝33.33 1 寸＝3.33 1 分＝0.33

중화민국(中華民國)	1 步＝5 尺 1 尺＝10 寸 1 寸＝10 分 1 分＝10 釐 1 釐＝10 毫 1 米＝3 尺 〈乙〉 1公里＝10公引 1公引＝10公丈 1公丈＝10公尺 1公尺＝10公寸 1公寸＝10公分 1公分＝10公釐	1 公尺＝100 1 公寸＝10 1 公分＝1
중화인민공화국(中華人民共和國)	〈市制〉 1市里＝150市引 1市引＝10市丈 1市丈＝10市尺 1市尺＝10市寸 1市寸＝10市分 1市分＝10市釐 1市釐＝10市毫 〈公制〉 1公里＝1000米 1米＝10分米 1分米＝10釐米 1釐米＝10毫米 1毫米＝10絲米 1絲米＝10忽米 1忽米＝10微米 1米＝3市尺	1 市丈＝333.3 1 市尺＝33.33 1 市寸＝3.33 1 市分＝0.33 1 米＝100

장도(長度) 微米〔μm〕(1/1,000,000 米)
忽米〔cmm〕(1/100,000 米)
絲米〔dmm〕(1/10,000 米)
毫米〔mm〕(1/1,000 米) ……………＝3 市釐
釐米〔cm〕(1/100 米) ……………………＝3 市分＝0.3937 英寸
分米〔dm〕(1/10 米) ……………………＝3 市寸
米〔m〕主單位 ……………………………＝3 市尺＝{3.2808 英尺, 1.0936 碼}

公里(千米)〔km〕(1000 米) …………=2 市里=0.6214 英里
海里 mile marin(1852 米) …=3.7040 市里=1.1500 英里

부 피

시대	양제(量制)	환산(m*l*)
전국(戰國)	**제**(齊) 1 鍾=10 釜 1 釜=5 區 1 區=5 豆 1 豆=5 升	1 鍾=205,800 1 釜=20,580 1 區=4,116 1 豆=820 1 升=205.8
	진(秦) 1 桶(斛)=10 斗 1 斗=10 升	1 桶(斛) =20,000 1 斗=2,000 1 升=200
	초(楚) 1 筩=5 升	1 筩=1,110 1 升=225
	위(魏) 1 斛=10 斗 1 斗=10 益	1 斛=22,500 1 斗=2,250 1 益=225
	조(趙) 1 斛=10 斗 1 斗=10 升 1 升=10 益	1 斛=17,500 1 斗=1,750 1 益=175
	연(燕) 1 觳=10 鴹	1 觳=1,766 1 鴹=176.6
	중산(中山) 1 斗=10 升	1 斗=1,800 1 升=180
진(秦)	**동주**(東周) 1 斛=10 斗 1 斗=10 升	一斛=19,840 一斗=1,984 一升=198.4
	1 斛=10 斗 1 斗=10 升	1 斛=20,000 1 斗=2,000 1 升=200
	1 斛=10 斗 1 斗=10 升	1 斛=20,000 1 斗=2,000

시대	양제(量制)	환산(m*l*)
서한(西漢)	1 升=10 合 1 合=2 籥 1 籥=5 撮 1 撮=4 圭	1 升=200 1 合=20 1 籥=10 1 撮=2 1 圭=0.5
신망(新莽)	1 斛=10 斗 1 斗=10 升 1 升=10 合 1 合=2 籥 1 籥=5 撮 1 撮=4 圭	1 斛=20,000 1 斗=2,000 1 升=200 1 合=20 1 籥=10 1 撮=2 1 圭=0.5
동한(東漢)	1 斛=10 斗 1 斗=10 升 1 升=10 合 1 合=2 籥 1 籥=5 撮 1 撮=4 圭	1 斛=20,000 1 斗=2,000 1 升=200 1 合=20 1 籥=10 1 撮=2 1 圭=0.5
삼국양진(三國兩晉)	1 斛=10 斗 1 斗=10 升 1 升=10 合	1 斛=20,450 1 斗=2,045 1 升=204.5 1 合=20.5
남북조(南北朝)	1 斛=10 斗 1 斗=10 升 1 升=10 合	1 斛=30,000 1 斗=3,000 1 升=300 1 合=30
		1 斛=20,000 1 斗=2,000 1 升=200 1 合=20

		1斛=60,000 1斗=6,000 1升=600 1合=60
수(隋)	1斛=10斗 1斗=10升 1升=10合	〈大〉 1斛=60,000 1斗=6,000 1升=600 1合=60 〈小〉 1斛=20,000 1斗=2,000 1升=200 1合=20
당(唐)	1斛=10斗 1斗=10升 1升=10合	〈大〉 1斛=60,000 1斗=6,000 1升=600 1合=60 〈小〉 1斛=20,000 1斗=2,000 1升=200 1合=20
송(宋)	1石=2斛 1斛=5斗 1斗=10升 1升=10合	1石=67,000 1斛=33,500 1斗=6,700 1升=670 1合=67
원(元)	1石=2斛 1斛=5斗 1斗=10升 1升=10合	1石=95,000 1斛=47,500 1斗=9,500 1升=950 1合=95
	1石=2斛	1石=100,000
명(明)	1斛=5斗 1斗=10升 1升=10合	1斛=50,000 1斗=10,000 1升=1,000 1合=100
청(淸)	1石=2斛 1斛=5斗 1斗=10升 1升=10合	1石=100,000 1斛=50,000 1斗=10,000 1升=1,000 1合=100
중화민국(中華民國)	〈甲〉 1石=2斛 1斛=5斗 1斗=10升 1升=10合 1合=10勺 1公升=1升 〈乙〉 1公秉=10公石 1公石=10公斗 1公斗=10公升 1公升=10公合 1公合=10公勺 1公勺=10公撮	1斗=10,000 1升=1,000 1合=100 1公升=1,000
중화인민공화국(中華人民共和國)	〈市制〉 1市石=10市斗 1市斗=10市升 1市升=10市合 1市合=10市勺 1市勺=10市撮 〈公制〉 1升=10分升 1分升=10釐升 1釐升=10毫升 1升=1市升	1市斗=10,000 1市升=1,000 1升=1,000 1分升=100 1釐升=10

용량(容量) 毫升〔ml〕(1/1000 升)
釐升〔cl〕(1/100 升)
分升〔dl〕(1/10 升)=1 市合
升〔l〕主單位 ……=1 市升={1.7598 品脫(英)
0.2200 加侖(英)

질 량

시대	형제(衡制)	환산(g)
전국(戰國)	**초**(楚) 1 斤=16 兩 1 兩=24 銖	1 斤=250 1 兩=15.6 1 銖=0.65
	조(趙) 1 石=120 斤 1 斤=16 兩 1 兩=24 銖	1 石=30,000 1 斤=250 1 兩=15.6 1 銖=0.65
	위(魏) 1 鎰=10 釿 1 釿 20 兩	1 鎰=315 1 釿=31.5 1 斤=250 1 兩=15.6 1 銖=0.65
	한(韓) 1 鎰=10 釿 1 釿=20 兩	1 鎰=315 1 釿=31.5 1 斤=250 1 兩=15.6 1 銖=0.65
	중산(中山) 1 石=800 刀	1 石=9,600 1 刀=12
	진(秦) 1 石=4 鈞 1 鈞=30 斤 1 斤=16 兩 1 兩=24 銖	1 石=30,360 1 鈞=7,590 1 斤=253 1 兩=15.8 1 銖=0.69
	동주(東周) 1 守=100 冢	1 守=1,260 1 冢=12.6

시대	형제(衡制)	환산(g)
진(秦)	1 石=4 鈞 1 鈞=30 斤 1 斤=16 兩 1 兩=24 銖	1 石=30,360 1 鈞=7,590 1 斤=253 1 兩=15.8 1 銖=0.69
서한(西漢)	1 石=4 鈞 1 鈞=30 斤 1 斤=16 兩 1 兩=24 銖	1 石=29,760 1 鈞=7,440 1 斤=248 1 兩=15.5 1 銖=0.65
신망(新莽)	1 石=4 鈞 1 鈞=30 斤 1 斤=16 兩 1 兩=24 銖	1 石=28,560 1 鈞=7,140 1 斤=238 1 兩=14.9
동한(東漢)	1 石=4 鈞 1 鈞=30 斤 1 斤=16 兩 1 兩=24 銖	1 石=26,400 1 鈞=6,600 1 斤=220 1 兩=13.8 1 銖=0.57
삼국(三國)	1 石=4 鈞 1 鈞=30 斤 1 斤=16 兩 1 兩=24 銖	1 石=26,400 1 鈞=6,600 1 斤=220 1 兩=13.8 1 銖=0.57
서진(西晉)	1 石=4 鈞 1 鈞=30 斤 1 斤=16 兩 1 兩=24 銖	1 石=26,400 1 鈞=6,600 1 斤=220 1 兩=13.8 1 銖=0.57

남북조(南北朝)	1石=4鈞 1鈞=30斤 1斤=16兩 1兩=24銖	**양·진**(梁陳) 1斤=220 **남제**(南齊) 1斤=330 **북위**(北魏)·**북제**(北齊) 1斤=440 **북주**(北周) 1斤=660
수(隋)	1石=4鈞 1鈞=30斤 1斤=16兩 1兩=24銖	〈大〉 1石=79,320 1鈞=19,830 1斤=661 1兩=41.3 〈小〉 1石=26,400 1鈞=6,600 1斤=220 1兩=13.8 1銖=0.57
당(唐)	1石=120斤 1斤=16兩 1兩=10錢 1錢=10分	1石=79,320 1斤=661 1兩=41.3 1錢=4.13 1分=0.41
송(宋(遼·金·東夏))	1石=120斤 1斤=16兩 1兩=10錢 1錢=10分	1石=75,960 1斤=633 1兩=40 1錢=4 1分=0.4
원(元)	1石=120斤 1斤=16兩 1兩=10錢 1錢=10分	1石=75,960 1斤=633 1兩=40 1錢=4 1分=0.4
명(明)	1石=120斤 1斤=16兩 1兩=10錢 1錢=10分	1石=70,800 1斤=590 1兩=36.9 1錢=3.69 1分=0.37
청(清)	1石=120斤 1斤=16兩 1兩=10錢 1錢=10分	1石=71,616 1斤=596.8 1兩=37.3 1錢=3.7 1分=0.37
중화민국(中華民國)	〈甲〉 1斤=16兩 1兩=10錢 1錢=10分 1分=10釐 1釐=10毫 1公斤=2斤 〈乙〉 1公鐓=10公石 1公石=10公衡 1公衡=10公斤 1公斤=10公兩 1公兩=10公錢 1公錢=10公分 1公分=10公釐 1公釐=10公毫 1公毫=10公絲	1斤=500 1兩=31.25 1錢=3.13 1公斤=1000
중화인민공화국(中華人民共和國)	〈市制〉 1市擔=100市斤 1市斤=10市兩 (1959年 6月 前沿用舊制, 1市斤=16市兩. 1959年 7月 起改用今制) 1市兩=10市錢 1市錢=10市分	1市斤=500 1市兩=50 1市錢=5

	1市分＝10分釐 1市釐＝10市毫 1市毫＝10市絲 〈公制〉 1噸＝10公擔			1公擔＝100公斤 1公斤＝1,000克 1克＝10分克 1分克＝10釐克 1釐克＝10毫克 1公斤＝2 市斤	

중량(重量) 毫克〔mg〕(1/1,000,000 分斤)
釐克〔cg〕(1/100,000 公斤)
分克〔dg〕(1/10,000 公斤)＝2 市釐
克〔g〕(1/1,000 公斤)……＝2 市分＝15.4324 格令
公斤〔kg〕主單位…………＝2 市斤＝2.2046 磅(常衡)
公擔〔q〕(100 公斤)………＝2 市擔
噸〔t〕(1,000 公斤)…………………＝{0.9842 英噸, 1.1023 美噸}

12. 단위(單位) 기호 일람표

기호(記號)	단 위 명(單位名)	적 요(摘要)
A, amp	암페어(ampere)	전류(電流), 엠 케이 에스 단위계(M. K. S. 단위 : SI 의 基本單位(系))
Å, A	옹스트롬(angstrom)	길이, 1Å(A)=10^{-10} m
a	아르(are)	넓이, 1 a=100 m^2
A/m	암페어 매(每) 미터(ampere per meter)	자계(磁界)의 세기
API, A.P.I.	에이 피 아이 도(度) (API degree)	비중(比重)
A·a	쿨롬(coulomb)	전하(電荷)
A·s/V	패럿(farad)	전기 용량(電氣容量)
atm	아톰(atomspheric pressure)	기압(氣壓)
Bh, Béh, Bé	중(重)보메도(度) (heavy baumé degree)	비중(比重), $(1-1/d)\times144.3$
bar, b	바(bar)	압력(壓力)
Bl, Bel, Bé	경(輕)보메도(度) (light baumé degree)	비중(比重), $(1/d-1)\times144.3$
BTU, B.T.U.	영열량(英熱量) (british thermal unit)	열량(熱量)
℃, C	도(度) (degree centigrade)	온도(溫度), 0℃ (abs, temp.) =273.15°K
C, A·s	쿨롬(coulomb)	전하(電荷)
c, c/s, ∞, ~	사이클(매초)(cycle(per second))	주파수(周波數)
c	퀴리(curie)	방사성 물질량(放射性物質量)
cal	칼로리(calorie)	열량(熱量 : 온도를 지정하지 않은 때)
calt	칼로리(calorie)	열량(熱量 : 지정 온도가 t℃일 때)
car	캐럿(carat)	질량(質量), 1 car=200 mg
cc	세제곱 센티미터(cubic centimeter)	부피, 1 cm^3(cc)=10^{-6} m^3
c/cm^2	퀴리 매(每) 제곱 센티미터 (curie per square centimeter)	방사성 물질 표면 밀도 (放射性物質表面密度)
c/m^3	퀴리 매(每) 세제곱 센티미터 (curie per cubic centimeter)	방사성 물질 농도 (放射性物質濃度)
cd	칸델라(candela)	광도(光度)
cd/m^2	칸델라 매(每) 제곱 미터 (candela per square meter)	휘도(輝度)
cd·sr	루멘(lumen)	광속(光束)

c/g	퀴리 매(每) 그램(curie per gram)	방사성 물질 농도(放射性物質濃度)
chain	체인(chain)	길이, 1chain=22yd≒20.1168m
c/kg	퀴리 매(每) 킬로그램(curie per kilogram)	방사성 물질 농도(放射性物質濃度)
c/l	퀴리 매(每) 리터(curie per litre)	방사성 물질 농도(放射性物質濃度)
Ci	퀴리(curie)	방사선량(放射線量)의 단위 3.7×10^{10}dps
cm	센티미터(centimeter)	길이, 1 cm=0.01 m
cm^2	제곱 센티미터(square centimeter)	넓이, 1 cm^2=0.0001 m^2
cm^3	세제곱 센티미터(cubic centimeter)	부피, 1 cm^3=0.000001 m^3
c/m^2	퀴리 매(每) 제곱 미터(curie per square meter)	방사성 물질 표면 밀도(放射性物質表面密度)
c/m^3	퀴리 매(每) 세제곱 미터(curie per cubic meter)	방사성 물질 농도(放射性物質濃度)
cmAq, cmH_2O	수주(水柱) 센티미터(water columm centimeter)	압력(壓力) 1 cmAq(cmH_2O) =0.01 mAq(mH_2O)
cP	센티 푸아즈(centipoise)	점도(粘度) 1 cP=0.01 P
c/s, c, ∞	사이클 매초(每秒), 사이클(cycle per second, cycle)	주파수(周波數)
cst	센티 스토크스(centistokes)	동점도(動粘度)
ct	캐럿(carat)	질량(質量), 1 ct(car)=200 mg
D	데니어(denier)	섬도(纖度)
D, Dptr	디옵터(diopter)	굴절도(안경의)
deg	도(度)(degree)	온도차(溫度差)
dl	데시리터(deciliter)	부피, 1 dl=0.1 l
dm	데시미터(decimeter)	길이, 1 dm=0.1 m
dm^2	제곱 데시미터(square decimeter)	넓이, 1 dm^2=0.001 m^2
dm^3	세제곱 데시미터(cubic decimeter)	부피, 1 dm^3=0.001 m^3
dpm	괴변 매분(壞變每分)(disintegration per minute)	방사성 물질 붕괴율(放射性物質崩壞率)
dps	괴변 매초(壞變每秒)(disintegration per second)	방사성 물질 붕괴율(放射性物質崩壞率)
dyn	다인(dyne)	힘의 크기
erg	에르그(erg)	일, 열량(熱量), 1 erg=10^{-7}J
F, A·s/V	패럿(farad)	전기 용량(電氣容量)
°F, F	화씨도(華氏度)(degree fahrenheit)	온도(溫度), 0℃=32°F

ft	피트(feet)	길이, 1 ft=1/3 yd=0.3048 m
ft^2	제곱 피트(square feet)	넓이, 1 ft^2=1/9 yd^2=$(0.3048)^2$ m^2
ft^3	세제곱 피트(cubic feet)	부피, 1 ft^3=1/27yd^3=$(0.3048)^3$ m^3
ftAq, ftH_2O	수주(水柱) 피트(water column feet)	압력(壓力), 1 ftAq=0.3048 mAq
ft·lb	피트 파운드(feet pound)	일
g	그램(gram)	질량(質量), 1 g=0.001 kg
g	중량(重量) 그램(gram weight)	압력, 1 gw(g) =0.001 kgw
Gal	갈(gal)	가속도(加速度)의 크기
g/cm^2	그램 매(每) 제곱 센티미터 (gram per square centimeter)	압력(壓力), 1 gw/cm^2=0.001 kgw/cm^2
g/cm^3	그램 매 세제곱 센티미터 (gram per cubic centimeter)	밀도(密度), 1 g/cm^3=0.001 kg/m^3
g/l	그램 매 리터(gram per liter)	그램 농도(濃度)
gr	그레인(grain)	질량(質量), 1 gr=1/7,000 lb≒0.064 g
gw	중량(重量) 그램(gram wieght)	힘의 크기, 1 gw(g) =0.001 kgw(kg)
gw/cm^2	중량(重量) 그램 매(每) 센티미터(gram weight per square centimeter)	압력(壓力), 1 gw/cm^2=0.001 gw/cm^2
H, V·s/Ah	헨리(henry)	전기 유도(電氣誘導)
h	시(時) (hour)	시간(時間), 1 h=60 min(m)
ha	헥타르(hectare)	넓이, 1 ha=10,000 m^2
HP, HP	영 마력(英馬力) (british horse power)	공률(工率), 1 HP=746 W
Hz, 1 s	헤르츠(hertz)	주파수(周波數)
in, ″	인치(inch)	길이, 1 in(″) =0.0254 m
in^2	제곱 인치(square inch)	넓이, 1 in^2=1/1,296 yd^2
in^3	세제곱 인치(cubic inch)	부피, 1 in^3=1/46,656 yd^3
inAq inH_2O	수주(水柱) 인치(water column inch)	압력(壓力), 1 inAq(inH_2O) =0.0254 mAq(mH_2O)
J, N·m	줄(joule)	일, 에너지, 열량
J/s, W	와트(watt)	공률(工率), 1 W=1 J/s
°K, K	켈빈도(度) (degree kelvin)	온도, SI 단위계의 기본 단위
Kcal	킬로칼로리(kilocalorie)	열량(온도를 지정하지 않은 때)
Kcalt	킬로칼로리(kilocalorie)	열량(지정 온도가 t℃일 때)
kc	킬로퀴리(kilocurie)	방사성 물질량
kc/s, kc	킬로사이클(매초) (kilocycle per second)	주파수

kg	킬로그램(kilogram)	질량, MKS 단위계의 단위
kg	중량(重量) 킬로그램(kilogram weight)	힘의 크기, 1 kgw(kg)=1,000 gw(g)
kg/cm^2	중량(重量) 킬로그램 매(每) 제곱 센티미터 (kilogram weight per square centimeter)	압력, $1\ kgw/cm^2=1,000\ gw/cm^2 (g/cm^2)$
kg·m	킬로그램 미터 (kilogram meter)	일, 1 kgm=1 kg×1 m
kg·m/s	킬로그램 미터 매초(每秒) (kilogram meter per second)	공률(工率)
$kg·m/s^2$	뉴턴(newton)	힘의 크기, $1\ N=1\ kg·m/s^2$
kg/m^3	킬로그램 매(每) 세제곱 미터 (kilogram per cubic meter)	밀도, $1\ kg/m^3=1,000\ g/cm^3$
kg/s	킬로그램 매초(每秒) (kilogram per second)	유량(流量)
kgw	중량(重量) 킬로그램(kilogram weight)	힘의 크기, 1 kgw(kg)=1,000 gw(g)
kgw/cm^2	중량(重量) 킬로그램 매(每) 제곱 센티미터 (kilogram weight per square centimeter)	유량(질량 유량)
kHz	킬로헤르츠(kilohertz)	주파수, 1 kHz=1,000 Hz
kJ	킬로줄(kilojoule)	일, 열량, 1 kJ=1,000 J
k*l*	킬로리터(kiloliter)	부피, 1 k*l*=1,000*l*
km	킬로미터(kilometer)	길이, 1 km=1,000 m
km/h	킬로미터 매시(每時) (kilometer per hour)	속도, 1 km/h=10/36 m/s
km^2	제곱 킬로미터 (square kilometer)	넓이, $1\ km^2=10^6\ m^2$
kn, kt	노트(knot)	항해, 항공에 관한 속도
kW	킬로와트(kilowatt)	공률(工率), 1 kW=1,000 W
kWh	킬로와트 시(時) (kilowatt hour)	일, 1 kWh=1,000 Wh
l	리터(litre, liter)	부피, i) $1l=1.000028\ dm^3$ ii) $1(lm)=1\ dm^3$
lb	파운드(pound)	질량, 1lb=0.45359243kgw(kg)
lb	중량(重量) 파운드 (pound weight)	힘의 크기, 1 lbw(lb) =0.45359243 kgw(kg)
lb/ft^3	파운드 매(每) 세제곱 피트 (pound per cubic feet)	밀도, $1\ lb/ft^3≒16.0185\ kg/m^3$
lbw	중량(重量) 파운드 (pound weight)	힘의 크기, 1 lbw(lb) =0.45359243 kgw(kg)

lbw/in², Ib/in²	중량(重量) 파운드 매(每) 제곱 인치(pound weight per square inch)	압력(壓力), 1lbw/in²(lb/in²) =0.070307kgw/cm²(kg/cm²)
l/h	리터 매시(每時) (liter per hour)	유량(流量)
l/min	리터 매분(每分) (liter per minute)	유량, 1l/min=60l/h
l_n	신(新) 리터(nouveau litre)	부피, 1l_n=1 dm³
l/s	리터 매초(每秒) (liter per second)	유량(流量), 1l/s=60l/min= 3,600l/h
lm/m²	럭스(lux)	조도
lm, cd·sr	루멘(lumen)	광속
lx, lm/m²	럭스(lux)	조도
M	해리(海里)(nautical mile)	길이, 1 M(nm, ′)=1,852 m
m	미터(meter, metre)	길이, MKS 단위계의 기본 단위
m	분(分)(minute)	시간, 1 min(m)=60 s
m²	제곱 미터(square meter)	넓이, 1 m²=10⁴ cm²
m³	세제곱 미터(cubic meter)	부피, 1 m³=10⁶ cm³
mAq	수주(水柱) 미터(water column meter)	압력, 1 mAq(mH_2O) =100 cmAq(cmH_2O)
mbar	밀리바(millibar)	압력, 1 mbar=0.001 bar
Mc, Mc/s	메가사이클(megacycle)	주파수, 1 Mc(Mc/s) =10⁶ c/s(c, ∞)
mc	밀리퀴리(millicurie)	방사성 물질량
mc/cm²	밀리퀴리 매(每) 제곱 센티미터 (millicurie per square centimeter)	방사성 물질 표면 밀도
mc/cm³	밀리퀴리 매(每) 세제곱 센티미터(millicurie per cubic centimeter)	방사성 물질 농도
mc/g	밀리퀴리 매(每) 그램 (millicurie per gram)	방사성 물질 농도
mc/kg	밀리퀴리 매(每) 킬로그램 (millicurie per kilogram)	방사성 물질 농도
mc/l	밀리퀴리 매(每) 리터 (millicurie per liter)	방사성 물질 농도
Mdyn	메가다인(megadyne)	힘의 크기, 1 Mdyn=10 N
mg	밀리그램(milligram)	질량(質量), 1 mg=10⁻⁶ kg
mg	중량(重量) 밀리그램(milligram weight)	힘의 크기, 1 mgw(mg)=0.001 gw(g)
mGal	밀리갈(milligal)	가속도(加速度)의 크기, 1 mGal =0.001 Gal
m³/h	세제곱 미터 매시(每時) (cubic meter per hour)	유량, 1 m³/h=1/3,600 m³/s

mH_2O	수주(水柱) 미터(water column meter)	압력, 1 mH_2O(mAq) =100 cm H_2O(cmAq)
mHg	수은주(水銀柱) 미터(mercury column meter)	압력, 1 mHg=100 cmHg
MHz	메가헤르츠(megahertz)	주파수, 1 MHz=10^6 Hz
mile	마일(mile)	길이, 1 mile=1,760 yd≒1,609 km
$mile^2$	제곱 마일(square mile)	넓이, 1 mile=3,097,600 yd^2 ≒2.59 km^2
min	분(分) (minute)	시간, 1 min(′)=60 s(″)
ml	밀리리터(milliliter)	부피, 1 ml=0.001l
mm	밀리미터(millimeter)	길이, 1 mm=0.001 m
mm^2	제곱 밀리미터 (square millimeter)	넓이, 1 mm^2=10^{-6} m^2
mm^3	세제곱 밀리미터 (cubic millimeter)	부피, 1 mm^3=10^{-9} m^3
mmAq	수주(水柱) 밀리미터 (water column millimeter)	압력, 1 mmAq=0.001 mAq
mmHg	수은주(水銀柱) 밀리미터 (mercury column millimeter)	압력, 1 mmHg=0.001 mHg
m/s	미터 매초(每秒) (meter per second)	속도, 1 m/s=3.6 km/h
N	뉴턴(newton)	힘의 크기, 1 N=1 kg×1 m/s^2
N	노멀(normal)	농도
N·m	줄(joule)	일, 에너지, 열량
N/m^2	뉴턴 매(每) 제곱 미터(newton per square meter)	압력
$N·s/m^2$	뉴턴 초(秒) 매(每) 제곱 미터 (newton second per square meter)	점도
n/cm^2	중성자(中性子) 매(每) 제곱 센티미터(neutron per square centimeter)	입자속밀도(粒子束密度)의 시간 적분량(時間積分量)
$n/cm^2·s$	중성자(中性子) 매(每) 제곱 센티미터 매초(neutron per square centimeter per second)	입자속밀도(粒子束密度)
nm	해리(海里) (nautical mile)	길이, 1 M(nm)=1,852 m
n/min	중성자(中性子) 매분(每分) (neutron per minute)	입자속(粒子束)
$n/m^2·s$	중성자(中性子) 매(每) 제곱 미터 매초(每秒) (neutron per square meter per second)	입자속밀도(粒子束密度)
n/s	중성자 매초(中性子每秒) (neutron per second)	입자속(粒子束)
oz	온스(ounce)	질량, 1 oz=1/16 lb≒28.35 g
P	푸아즈(poise)	점도(粘度)

phon	폰(phon)	소음(騷音)
PS	불마력(佛馬力)(metric horse power)	공률(工率), 1 PS=735.5 W
pt	점(點)(point)	각도(角度), 1 pt=11.25°
r	뢴트겐(roentgen)	조사선량(照射線量)
rad	래드(rad)	흡수선량(吸收線量)
rad	라디안(radian)	각도(角度)
rad/min	래드 매분(rad per minute)	흡수선량률(吸收線量率)
rad/s	래드 매초(rad per second)	흡수선량률
rad/s	라디안 매초(每秒)(radian per second)	각속도(角速度)
rad/s^2	라디안 매초 매초(每秒每秒)(radian per second per second)	각가속도(角加速度)
rem	렘(rem)	생체실효선량(生體實效線量)
rem/s	렘 매초(rem per second)	생체실효선량률(生體實效線量率)
r/min	뢴트겐 매분(roentgen per minute)	조사선량률(照射線量率)
rpm, r.p.m.	회 매분(回每分)(revolution per minute)	회전수(回轉數)
r/s	뢴트겐 매초(每秒)(roentgen per second)	조사선량률(照射線量率)
s	초(秒)(second)	시간(時間), MKS 단위계의 기본 단위
1/s	헤르츠(hertz)	주파수(周波數)
sr	스테라디안(steradian)	입체각(立體角)
st	스토크스(stokes)	동점도(動粘度)
T	용적(容積) 톤(capacity ton)	선박(船舶)의 부피
T, Wb/m^2	테슬라(tesla)	자속밀도(磁束密度)
t	톤(ton)	질량(質量), 1 t=1,000 kg
t	중량(重量) 톤(ton weight)	힘의 크기, 1 tw(t)=1,000 kgw(kg)
t/h	톤 매시(每時)(ton per hour)	유량(질량 유량)
t/min	톤 매분(每分)(ton per minute)	유량(流量), 1 t/min=60 t/h
Tor, Torr	토르(torr icelli)	압력(壓力), 1 Torr=1/760 atm
t/s	톤 매초(每秒)(ton per second)	유량(流量)
tw	중량(重量) 톤(ton weight)	힘의 크기, 1 tw(t)=1,000 kgw(kg)
V, W/A	볼트(volt)	전압(電壓)
V·s	웨버(weber)	자속(磁束)
V·s/A	헨리(henry)	전기 유도(電氣誘導)
W	와트(watt)	공률(工率), 1 W=1 J/s
W/A	볼트(volt)	전압(電壓)
Wb	웨버(weber)	자속(磁束)
W/b/m^2	테슬라(tesla)	자속밀도(磁束密度)

Wh	와트 시(時) (watt hour)	일, 1 Wh=0.001 kWh
wt%, %	질량 백분율(質量百分率) ((mass) weight percentage)	농도
yd	야드(yard)	길이, 1 yd=0.9144 m
yd^2	제곱 야드(square yard)	넓이, $1\ yd^2=(0.9144)^2\ m^2$
yd^3	세제곱 야드(cubic yard)	부피, $1\ yd^3=(0.9144)^3\ m^3$
yd/s	야드 매초(每秒) (yard per second)	속도, 1 yd/s=0.9144 m/s
yd/s^2	야드 매초 매초(每秒每秒) (yard per second per second)	가속도의 크기, $1\ yd/s^2=0.9144\ m/s^2$
α/cm^2	알파 입자(粒子) 매 제곱 센티미터(α-particle per square centimeter)	입자속밀도(粒子束密度)의 시간적분량
$\alpha/cm^2\cdot s$	알파 입자(粒子) 매(每) 제곱 센티미터 매초(每秒) (α-particle per square centimeter per second)	입자속밀도(粒子束密度)
α/m^2	알파 입자 매(每) 제곱 미터 (α-particle per square meter)	입자속밀도(粒子束密度)의 시간적분량
α/min	알파 입자(粒子) 매분 (α-particle per minute)	입자속(粒子束)
$\alpha/m^2\cdot s$	알파 입자(粒子) 매(每) 제곱 미터 매초(每秒) (α-particle per square meter per second)	입자속밀도(粒子束密度)
α/s	알파 입자 매초(每秒) (α-particle per second)	입자속(粒子束)
β/cm^2	베타 입자(粒子) 매(每) 제곱 센티미터(β-particle per square centimeter)	입자속밀도(粒子束密度) 의 시간적분량
$\beta/cm^2\cdot s$	베타 입자(粒子) 매(每) 제곱 센티미터 매초(每秒) (β-particle per square centimeter per second)	입자속밀도(粒子束密度)
β/m^2	베타 입자(粒子) 매(每) 제곱 미터(β-particle per square meter)	입자속밀도(粒子束密度)의 시간적분량
β/min	베타 입자(粒子) 매분 (β-particle per minute)	입자속(粒子束)
$\beta/m^2\cdot s$	베타 입자(粒子) 매 제곱 미터 매초(β-particle per square meter per second)	입자속밀도(粒子束密度)
β/s	베타 입자 매초(粒子每秒) (β-particle per second)	입자속(粒子束)
μ	미크론(micron)	길이, $1\mu=10^{-6}$ m
μbar	마이크로바(microbar)	압력(壓力), 1μbar$=10^{-6}$ bar
μc	마이크로퀴리(microcurie)	방사성 물질량(放射性物質量)

$\mu c/cm^2$	마이크로퀴리 매(每) 제곱 센티미터(microcurie per square centimeter)	방사성 물질 표면 밀도
$\mu c/cm^3$	마이크로퀴리 매(每) 세제곱 센티미터(microcurie per cubic centimeter)	방사성 물질 농도
$\mu c/g$	마이크로퀴리 매(每) 그램 (microcurie per gram)	방사성 물질 농도
$\mu c/kg$	마이크로퀴리 매(每) 킬로그램 (microcurie per kilogram)	방사성 물질 농도
μr	마이크로뢴트겐 (microroentogen)	조사선량(照射線量)
μrad	마이크로래드(microrad)	흡수선량(吸收線量)
μrem	마이크로렘(microrem)	생체실효선량(生體實效線量)
$\mu\mu c$	마이크로마이크로퀴리 (micromicrocurie)	방사성 물질량
$\mu\mu c/cm^2$	마이크로마이크로퀴리 매 제곱 센티미터 (micromicrocurie per square centimeter)	방사성 물질 표면 밀도
$\mu\mu c/cm^3$	마이크로마이크로퀴리 매(每) 세제곱 센티미터 (micromicrocurie per cubic centimeter)	방사성 물질 농도
$\mu\mu c/g$	마이크로마이크로퀴리 매(每) 그램 (micromicrocurie per gram)	방사성 물질 농도
$\mu\mu c/kg$	마이크로마이크로퀴리 매(每) 킬로그램(micromicrocurie per kilogram)	방사성 물질 농도
Ω, V/A	옴(ohm)	전기 저항
′	피트(feet)	길이, 1 ft(′)=0.3048 m
′	분(分)(minute)	각도(角度), 1′=(1/60)°
″	인치(inch)	길이, 1 in(″)=0.0254 m
″	초(秒)(second)	각도(角度), 1″=(1/3, 600)°
f	관(貫)(kan)	질량, 1f=3.75 kg
°	도(度)(degree)	각도(角度)
∞	사이클(매초) (cycle per second)	주파수
%, vol%	부피 백분율 (volume percentage)	농도
%, wt%	중량 백분율 ((mass) weight percentage)	농도

13. 각국(各國)의 통화 단위 일람표

나 라	통화 단위	보조 통화 단위
Afghanistan (아프가니스탄)	아프가니〔Afghani(Af)〕	=100 풀(pul)
Albania(알바니아)	레크〔Lek(L)〕	=100 킨다르 (Qindar)
Algeria(알제리)	알제리 디나르 〔Algerian Dinar(DA)〕	=100 상팀 (Centime)
Angola(앙골라)	콴자〔Kwanza(Kz)〕	=100 그웨(Ngwee)
Antigua and Barbuda (앤티가 바부다)	동(東)카리브 달러 〔East Caribbean Dollar (EC $)〕	=100 센트(Cent)
Argentina(아르헨티나)	아르헨티나 페소〔Argentine Peso(₳)〕	=100 센타보 (Centavo)
Australia(오스트레일리아)	오스트레일리아 달러 〔Australian Dollar(A $) 또는 $ A〕	=100 센트(Cent)
Austria(오스트리아)	실링〔Schilling(S)〕	=100 그로셴 (Groschen)
Azores(아조레스)	에스쿠도〔Escudo〕	=100 센타보 (Centavo)
Bahama Is. (바하마 제도(諸島))	바하마 달러 〔Bahamian Dollar(B $)〕	=100 센트(Cent)
Bahrain Is. (바레인 제도(諸島))	바레인 디나르 〔Bahrain Dinar(BD)〕	=1,000 필(Fil)
Bangladesh(방글라데시)	방글라데시 타카 〔Bangladesh Taka (TK)〕	=100 파이사 (Paisa)
Barbados(바베이도스)	바베이도스 달러 〔Barbados Dollar (BDS $)〕	=100 센트(Cent)
Belgium(벨기에)	벨기에 프랑 〔Belgian Franc(B. Fr. 또는 BF)〕	=100 상팀 (Centime)
Belize(벨리즈)	벨리즈 달러〔Belize Dollar (BZ $)〕	=100 센트(Cent)
Bermuda(버뮤다)	버뮤다 달러 〔Bermuda Dollar(BD $)〕	=100 센트(Cent)

Bolivia(볼리비아)	볼리비아노 〔Boliviano($b)〕	=100 센타보 (Centavo)
Botswana(보츠와나)	보츠와나 풀라 〔Botswan Pula(P)〕	=100 테베(Thebe)
Brazil(브라질)	크루제이로 〔Cruzeiro(Cz $)〕	=100 센타보 (Centavo)
Brunei(브루나이)	브루나이 달러 〔Brunei Dollar(B$)〕	=100 센트(Cent)
Bulgaria(불가리아)	불가리아 레프 〔Bulgarian Lev(Lw)〕	=100 스토팅기 (Stőtinki)
Burundi(부룬디)	부룬디 프랑 〔Burundi Franc(FBu)〕	=100 상팀 (Centime)
Cameroon(카메룬)	프랑〔Franc(CFAF)〕	=100 상팀 (Centime)
Canada(캐나다)	캐나다 달러〔Canadian Dollar(Can $, C $)〕	=100 센트(Cent)
Central African Republic (중앙(中央)아프리카 공화국)	프랑〔Franc(CFAF)〕	=100 상팀 (Centime)
Chad(차드)	프랑〔Franc(CFAF)〕	=100 상팀 (Centime)
Chile(칠레)	칠레 페소 〔Chilean Peso(Ch $)〕	=100 센타보 (Centavo)
Colombia(콜롬비아)	콜롬비아 페소 〔Colombian Peso(Col $)〕	=100 센타보 (Centavo)
Comoros(코모로)	프랑〔Franc(CFAF)〕	=100 상팀 (Centime)
Congo(콩고)	프랑〔Franc(CFAF)〕	=100 상팀 (Centime)
Costa Rica(코스타리카)	코스타리카 콜론 〔Costa Rican Colon(¢)〕	=100 센티모 (Centimo)
Cuba(쿠바)	페소〔Peso(Po)〕	=100 센타보 (Centavo)
Czechoslovakia (체코슬로바키아)	코루나〔Kőruna(Kcs)〕	=할레슈(Halěř)
Denmark(덴마크)	덴마크 크로네 〔Danish Krone(DKr)〕	=100 외레(öre)

Djibouti Formerly Afars and Issas(지부티)	지부티 프랑 〔Djibouti Franc(DF)〕	=100 상팀 (Centime)
Dominican Republic (도미니카 공화국(共和國))	도미니카 페소 〔Dominican Peso(RD $)〕	=100 센타보 (Centavo)
Ecuador(에콰도르)	에콰도르 수크레 〔Ecuadoran Sucre(S/)〕	=100 센타보 (Centavo)
Egypt(이집트)	이집트 파운드 〔Egyptian Pound(LE)〕	=100 피아스트르 (Piastre)
El Salvador(엘살바도르)	엘살바도르 콜론〔El Salvadoran Colon(¢)〕	=100 센타보 (Centavo)
Equatorial Guinea (적도(赤道) 기니)	프랑〔Franc(CFAF)〕	=100 상팀 (Centime)
Ethiopia(에티오피아)	에티오피아 비르〔Ethiopian Birr(Br)〕	=100 센트(Cent)
Falkland Is. (포클랜드 제도(諸島))	포클랜드 파운드〔Falkland Is. Pound(£F)〕	=100 펜스(Pence)
Fiji Is.(피지 제도(諸島))	피지 달러 〔Fiji Dollar(F $)〕	=100 센트(Cent)
Finland(핀란드)	핀란드 마르카〔Finnish Markka(FmK 또는 mk)〕	=100 페니(Penni)
France(프랑스)	프랑〔Franc(F 또는 Fr.)〕	=100 상팀 (Centime)
French Polynesia (불령(佛領) 폴리네시아)	프랑〔Franc(CFPF)〕	=100 상팀 (Centime)
Futuna Is. (푸투나 제도(諸島))	프랑〔Franc(CFPF)〕	=100 상팀 (Centime)
Gabon(가봉)	프랑〔Franc(CFAF)〕	=100 상팀 (Centime)
Gambia(감비아)	감비아 달라시 〔Gambnian Dalasi(D)〕	=100 부투트 (Butut)
Germany(독일(獨逸))	마르크〔Deutsche Mark (DM)〕	=100 페니히 (Pfennig)
Ghana(가나)	가나 세디 〔Ghanaian Cedi(¢)〕	=100 뉴 페세와 (New Pesewa)
Gibraltar(지브롤터)	지브롤터 파운드〔Gibraltar Pound(£G)〕	=100 펜스(Pence)
Greece(그리스)	그리스 드라크마 〔Greek Drachma(Dr)〕	=100 레프타 (Lepta)

Grenada(그레나다)	동(東)카리브 달러〔East Caribbean Dollar(EC $)〕	=100 센트(Cent)
Guatemala(과테말라)	과테말라 켓살〔Guatemalan Quetzal(Q)〕	=100 센타보(Centavo)
Guinea(기니)	기니 프랑〔Guinea Fr anc(GDr)〕	=100 코리스(Cauris)
Guinea-Bissau(기니비사우)	기니비사우 페소〔Guinea-Bissau Peso(PG)〕	=100 센타보(Centavo)
Guyana(가이아나)	가이아나 달러〔Guyana Dollar(G $)〕	=100 센트(Cent)
Haiti(아이티)	구르드〔Gourde(G)〕	=100 상팀(Centime)
Honduras(온두라스)	온두라스 렘피라〔Honduran Lempira(L)〕	=100 센타보(Centavo)
Hong Kong(홍콩)	홍콩 달러〔Hong Kong Dollar(HK $)〕	=100 센트(Cent)
Hungary(헝가리)	포린트〔Forint(Ft)〕	=100 필레르(Fillér)
Iceland(아이슬란드)	아이슬란드 크로나〔Icelandic Krȍna, Indian Kronur(IKr)〕	=100 아우라르(Aurar)
India(인도)	인도 루피〔Indian Rupee(I. Re 또는 Rs)〕	=100 파이세(Paise)
Indonesia(인도네시아)	인도네시아 루피아〔Indonesian Rupiah(Rp)〕	=100 센(Sen)
Iran(이란)	이란 리알〔Iranian Rial(RIs)〕	=100 디나르(Dinar)
Iraq(이라크)	이라크 디나르〔Iragi Dinar(ID)〕	=1,000 필(Fil)
Ireland(아일랜드)	아일랜드 파운드〔Irish Pound(£Ir 또는 Ir£)〕	=100 펜스(Pence)
Israel(이스라엘)	세켈〔New Shekel(NS)〕	=100 아고로트(Agorot)
Italia(이탈리아)	이탈리아 리라〔Italian Lira, Lire(Lit)〕	=100 첸테시미(Centesimi)

Ivory Coast (아이보리 코스트)	프랑〔Franc(CFAF)〕	=100 상팀 (Centime)
Jamaica(자메이카)	자메이카 달러 〔Jamaican Dollar(J $)〕	=100 센트(Cent)
Japan(일본(日本))	엔〔Yen, 円(¥)〕	=100 센(Sen, 錢)
Jordan(요르단)	요르단 디나르 〔Jordan Dinar(JD)〕	=1,000 필(Fil)
Kenya(케냐)	케냐 실링〔Kenya Shilling (KSh)〕	=100 센트(Cent)
Korea(Republic of Korea) (대한 민국(大韓民國))	원〔Won(W)〕	=100 전(Chon, 錢)
Kuwait(쿠웨이트)	쿠웨이트 디나르 〔Kuweit Dinar(KD)〕	=1,000 필(Fil)
Kypros(키프로스)	키프로스 파운드 〔Kypros Pound(£C)〕	=100 센트(Cent)
Laos(라오스)	키프〔Kip(KN)〕	=100 아트(At)
Lebanon(레바논)	레바논 파운드 (Lebanese Pound(LL)〕	=100 피아스트르 (Piastre)
Leeward Is. (리워드 제도(諸島))	동(東)카리브 달러〔East Caribbean Dollar(EC $)〕	=100 센트(Cent)
Lesotho(레소토)	말로티〔Maloti(M)〕	=100 리센테 (Lisente)
Liberia(라이베리아)	라이베리아 달러 〔Liberian Dollar(L $)〕	=100 센트(Cent)
Libya(리비아)	리비아 디나르 〔Libyan Dinar(LD)〕	=1,000 디르함 (Dirham)
Luxembourg(룩셈부르크)	룩셈부르크 프랑〔Luxem-burg Franc(LuxF)〕	=100 상팀 (Centime)
Macao(마카오)	파타카〔Pataca(P)〕	=100 아보(Avo)
Madeira Is. (마데이라 제도(諸島))	에스쿠도〔Escudo〕	=100 센타보 (Centavo)
Malagasy Democratic Republic (말라가시 공화국(共和國))	말라가시 프랑〔Malagasy Franc(FMG)〕	=100 상팀 (Centime)
Malawi(말라위)	말라위 콰차 〔Malawi Kwacha(MK)〕	=100 탐발라 (Tambala)
Malaysia(말레이시아)	링기트〔Ringgit(M $)〕	=100 센(Sen)
Maldives(몰디브)	몰디브 루피아〔Maldivian Rufiyaa(Mal Rf)〕	=100 센(Sen)

Mali(말리)	프랑〔Franc(CFAF)〕	=100 상팀 (Centime)
Malta(몰타)	몰타 리라 〔Maltese Lira(LM)〕	=1,000 밀(Mil)
Mauritania(모리타니)	모리타니 우기야〔Mauritanian Ouguiya(UM)〕	=5 쿰(Khoum)
Mauritius(모리셔스)	모리셔스 루피〔Mauritian Rupee(Mau Rs)〕	=100 센트(Cent)
Mexico(멕시코)	멕시코 페소〔Mexican Peso (Mex $)〕	=100 센타보 (Centavo)
Monaco(모나코)	프랑〔Franc〕	=100 상팀 (Centime)
Mongolia(몽골)	투그리크〔Tugrik(Tug)〕	=100 몽고(Mongo)
Montserrat(몬트세라트)	동(東)카리브 달러〔East Caribbean Dollar(EC $)〕	=100 센트(Cent)
Morocco(모로코)	모로코 디르함 〔Moroccan Dirham (DH)〕	=100 모로코 프랑 (Moroccan Franc)
Mozambique(모잠비크)	모잠비크 메티칼 〔Mozambique Metical (MT)〕	=100 센타보 (Centavo)
Myanmar(미얀마)	미얀마 치아트(Kyat(K)〕	=100 피아(Pya)
Nepal(네팔)	네팔 루피〔Nepalese Rupee (NRs)〕	=100 피스(Pice)
Netherlands(네덜란드)	네덜란드 길너 또는 플로린 〔Netherlands Guilder or Florin(F 또는 D.GI.)〕	=100 센트(Cent)
Netherlands Antilles (앤틸리스 열도(列島))	앤틸리스 열도 길더 또는 플로린〔Netherlands Antilles Guilder or Florin NAf, Ant.f.〕	=100 센트(Cent)
New Caledonia (뉴 칼레도니아)	프랑〔Franc(CFPF)〕	=100 상팀 (Centime)
New Hebrides (뉴 헤브리디스)	뉴 헤브리디스 프랑〔New Hebrides Franc(N.H.Fr. 또는 FNH)〕	=100 상팀 (Centime)
New Zealand(뉴질랜드)	뉴질랜드 달러〔New Zealand Dollar($ NZ)〕	=100 센트(Cent)

Nicaragua(니카라과)	니카라과 코르도바 〔Nicaraguan Cordoba (C$)〕	=100 센타보 (Centavo)
Niger(니제르)	프랑〔Franc(CFAF)〕	=100 상팀 (Centime)
Nigeria(나이지리아)	나이지리아 나이라〔Nigerian Naira(₦)〕	=100 코보(Kobo)
Norway(노르웨이)	노르웨이 크로네〔Norwegian Krone(NKr)〕	=100 외레(Öre)
Oman Saltanate(오만)	리알 오마니 〔Rial Omani(RO)〕	=1,000 바이자 (Baiza)
Pakistan(파키스탄)	파키스탄 루피〔Pakistan Rupee(P.Re 또는 PRs)〕	=100 파이사 (Paisa)
Panama(파나마)	파나마 발보아〔Panamanian Balboa(B)〕	=100 센테시모 (Centesimo)
Papua New Guinea (파푸아뉴기니)	파푸아뉴기니 키나〔Papua New Guinea Kina(K)〕	=100 토아(Toea)
Paraguay(파라과이)	파라과이 과라니〔Paraguayan Guarani(₲)〕	=100 센티모 (Centimo)
People's Republic of Benin (베냉)	프랑〔Franc(CFAF)〕	=100 상팀 (Centime)
People's Republic of China (중화인민공화국(中華人民共和國))	원(元)〔Yuan(RENMINBI =RMB, Y)〕	=10 角(Jiao) =100 分(Fen)
Peru(페루)	페루 인티 〔Peruvian Inti(I/.)〕	=100 센타보 (Centavo)
Philippines(필리핀)	필리핀 페소 〔philippine Peso(P)〕	=100 센타보 (Centavo)
Poland(폴란드)	폴란드 즐로티 〔Polish Zloty(ZI)〕	=100 그로시 (Groszy)
Portugal(포르투갈)	포르투갈 에스쿠도〔Portuguese Escudo(Esc)〕	=100 센타보 (Centavo)
Qatar(카타르)	카타르 리얄 〔Qatar Riyal(QR)〕	=100 디르함 (Dirham)
Rumania(루마니아)	레우〔Leu, Lei L)〕	=100 바니(Bani)
Rwanda(르완다)	르완다 프랑 〔Rwanda Franc(RF)〕	=100 상팀 (Centime)

Saudi Arabia (사우디아라비아)	리얄〔Riyal(SRIs)〕	=100 할랄라 (Halalah) =20 쿠루슈 (Qurush)
Senegal(세네갈)	프랑〔Franc(CFAF)〕	=100 상팀 (Centime)
Seychelles(세이셸)	세이셸 루피 〔Seychelles Rupee(SR)〕	=100 센트(Cent)
Sierra Leone (시에라리온)	레오네〔Leone(Le)〕	=100 센트(Cent)
Singapore(싱가포르)	싱가포르 달러 〔Singapore Dollar(S $)	=100 센트(Cent)
Somalia(소말리아)	소말리아 실링 〔Somali Shilling(So. Sh.)	=100 센트(Cent)
South Africa (남(南)아프리카 공화국	남아프리카 란드〔South Africa Rand(R)〕	=100 센트(Cent)
Spain(스페인)	스페인 페세타(Spainish Peseta(Ptas)〕	=100 센티모 (Centimo)
Sri Lanka(스리랑카)	스리랑카 루피〔Sri Lanka Rupee〕	=100 센트(Cent)
St. Lucia(세인트루시아)	동(東)카리브 달러〔Eastern Caribbean Doller(EC $)〕	=100 센트(Cent)
Sudan(수단)	수단 파운드 〔Sudanese Pound(LSd)〕	=100 피아스트르 (Piastre)
Surinam(수리남)	수리남 길더 또는 플로린 〔Surinam Guilder or Florin(Sur. f. 또는 Sf)〕	=100 센느(Cent)
Swaziland(스와질란드)	릴랑게니, 에말랑게니 〔Lilangeni, Emalangeni (E)〕	=100 센트(Cent)
Sweden(스웨덴)	스웨덴 크로나〔Swedish Krona, Kroner(SKr)〕	=100 외레(öre)
Switzerland(스위스)	스위스 프랑〔Swiss Franc (SwF, S. Fr.)〕	=100 상팀 (Centime)
Syrian Arab Republic(시리아)	시리아 파운드 〔Syrian Pound(LS)〕	=100 피아스트르 (Piastre)
Tahiti(타히티)	프랑〔Franc(CFPF)〕	=100 상팀 (Centime)

Taiwan(대만(臺灣))	원(元), 뉴 타이완 달러 〔New Taiwan Dollar (NT $)〕	=100 센트(Cent) =10 角=100 分
Tangier(탕헤르)	디르함〔Dirham(DH)〕	=100 모로칸 (Moroccan)
Tanzania(탄자니아)	탄자니아 실링 〔Tanzania Shilling (TSh)〕	=100 센트(Cent)
Thailand(타일란드)	타일란드 바트 〔Thai Baht(B)〕	=100 사탕(Satang)
Togo(토고)	프랑〔Frane(CFAF)〕	=100 상팀 (Centime)
Tonga(통가)	파앙가〔Paanga(T $)〕	=100 세니티 (Seniti)
Trinidad and Tobago (트리니다드 토바고)	트리니다드 토바고 달러 〔Trinidad Tobago Dollar(TT $)〕	=100 센트(Cent)
Tunisia(튀니지)	튀니지 디나르 〔Tunisian Dinar(D)〕	=1,000 밀리엠 (Millieme)
Turkey(터키)	터키 리라 〔Turkish Lira(LT)〕	=100 쿠루스 (Kurus) =4,000 파라(Para)
Uganda(우간다)	우간다 실링〔Unganda Shilling(USh)〕	=100 센트(Cent)
United Arab Emirates (아랍에미리트)	디르함〔Dirham〕	=100 필(Fil)
United Kingdom (영국(英國))	파운드 스털링 〔Pound Sterling(£Stg)〕	=100 펜스(Pence)
United States of America (미(美) 합중국(合衆國))	US달러〔United States Dollar(US $)〕	=100 센트(Cent)
Uruguay(우루과이)	우루과이 뉴 페소 〔Uruguayan New Peso (NUr $)〕	=100 센테시모 (Centesimo)
U.S.S.R(소련)	루블〔Rouble(Rbl)〕	=100 코페이카 (Kopeika)
Venezuela(베네수엘라)	베네수엘라 볼리바르〔Venezuelan Bolívar(Bs)〕	=100 센티모 (Centimo)
Vietnam(베트남)	베트남 동 〔Vietnamese Dong(D)〕	=10 하오(Hao) =100 수(Xu)

Western Samoa (서(西)사모아)	서(西)사모아 탈라 〔Western Samoa Tala (WS $)〕	=100 세네(Sene)
West Indies (서인도 제도(西印度諸島))	동(東)카리브 달러 〔East Caribbean Dollar (ECS $)〕	=100 센트(Cent)
Yemen Arab Republic(예멘)	예멘 리알 〔Yemen Rial(YRIs)〕	=40 부그샤 (Bugshah)
Yugoslavia(유고슬라비아)	유고슬라비아 디나르 〔Yugoslav Dinar(Din)〕	=100 파라(Para)
Zaire(자이르)	자이르〔Zaire(Z)〕	=100 마쿠타 (Makuta)
Zambia(잠비아)	잠비아 콰차 〔Zambian Kwacha(K)〕	=100 그웨(Ngwee)
Zimbabwe(짐바브웨)	짐바브웨 달러 (Zimbabwe Dollar(Z $)〕	=100 센트(Cent)

14. 수(數)에 대한 접두어(化學名에 씀)

수	호 칭(呼稱)	
1	모노(유니)	mono-(uni-)
2	디(비)	di-(bi-), bis-
3	트리(테르)	tri-(ter-), tris-
4	테트라(쿼터)	tetra-(quater-)
5	펜타(퀸퀘)	penta- (quinque-)
6	헥사(섹시)	hexa-(sexi-)
7	헵타(셉티)	hepta-(septi-)
8	옥타(옥티)	octa-(octi-)
9	엔네아 (노나, 노비)	ennea- (nona-, novi-)
10	데카(데시)	deca-(deci-)
11	헨데카 (운데카)	hendeca- (undeca-)
12	도데카	dodeca-
13	트리데카	trideca-
14	테트라데카	tetradeca-
15	펜타데카	pentadeca-
16	헥사데카	hexadeca-
17	헵타데카	heptadeca-
18	옥타데카	octadeca-
19	노나데카	nonadeca-
20	에이코사	eicosa-
21	헨에이코사	heneicosa-
22	도코사	docosa-
23	트리코사	tricosa-
24	테트라코사	tetracosa-
25	펜타코사	pentacosa-
26	헥사코사	hexacosa-
27	헵타코사	heptacosa-

수	호 칭(呼稱)	
28	옥타코사	octacosa-
29	노나코사	nonacosa-
30	트리아콘타	triaconta-
31	헨트리아콘타	hentriaconta-
32	도트리아콘타	dotriaconta-
33	트리트리아콘타	tritriaconta-
34	테트라트리아콘타	tetratriaconta-
35	펜타트리아콘타	pentatriaconta-
36	헥사트리아콘타	hexatriaconta-
37	헵타트리아콘타	heptatriaconta-
38	옥타트리아콘타	octatriaconta-
39	노나트리아콘타	nonatriaconta-
40	테트라콘타	tetraconta-
41	헨테트라콘타	hentetraconta-
42	도테트라콘타	dotetraconta-
43	트리테트라콘타	tritetraconta-
44	테트라테트라콘타	tetratetraconta-
45	펜타테트라콘타	pentatetraconta-
46	헥사테트라콘타	hexatetraconta-
47	헵타테트라콘타	heptatetraconta-
48	옥타테트라콘타	octatetraconta-
49	노나테트라콘타	nonatetraconta-
50	펜타콘타	pentaconta-
60	헥사콘타	hexaconta-
100	헥타	hecta-
$\frac{1}{2}$	헤미(세미)	hemi-(semi-)
$\frac{3}{2}$	(세스퀴)	(sesqui-)

15. 섭씨(°C)와 화씨(°F) 비교표

°C		°F	°C		°F	°C		°F	°C		°F	°C		°F
−101	−150	−238	1.67	35	95.0	29.4	85	185.0	227	440	824	504	940	1724
−96	−140	−220	2.22	36	96.8	30.0	86	186.8	232	450	842	510	950	1742
−90	−130	−202	2.78	37	98.6	30.6	87	188.6	238	460	860	516	960	1760
−84	−120	−184	3.33	38	100.4	31.1	88	190.4	243	470	878	521	970	1778
−79	−110	−166	3.89	39	102.2	31.7	89	192.2	249	480	896	527	980	1796
−73	−100	−148	4.44	40	104.0	32.2	90	194.0	254	490	914	532	990	1814
−68	−90	−130	5.00	41	105.8	32.8	91	195.8	260	500	932	538	1000	1832
−62	−80	−112	5.56	42	107.6	33.3	92	197.6	266	510	950	543	1010	1850
−57	−70	−94	6.11	43	109.4	33.9	93	199.4	271	520	968	549	1020	1868
−51	−60	−76	6.67	44	111.2	34.4	94	201.2	277	530	986	554	1030	1886
−46	−50	−58	7.22	45	113.0	35.0	95	203.0	282	540	1004	560	1040	1904
−40	−40	−40	7.78	46	114.8	35.6	96	204.8	288	550	1022	566	1050	1922
−34	−30	−22	8.33	47	116.6	36.1	97	206.6	293	560	1040	571	1060	1940
−29	−20	−4	8.89	48	118.4	36.7	98	208.4	299	570	1058	577	1070	1958
−23	−10	14	9.44	49	120.2	37.2	99	210.2	304	580	1076	582	1080	1976
−17.8	0	32	10.0	50	122.0	37.8	100	212.0	310	590	1094	588	1090	1994
−17.2	1	33.8	10.6	51	123.8	43	110	230	316	600	1112	593	1100	2012
−16.7	2	35.6	11.1	52	125.6	49	120	248	321	610	1130	599	1110	2030
−16.1	3	37.4	11.7	53	127.4	54	130	266	327	620	1148	604	1120	2048
−15.6	4	39.2	12.2	54	129.2	60	140	284	332	630	1166	610	1130	2066
−15.0	5	41.0	12.8	55	131.0	66	150	302	338	640	1184			
−14.4	6	42.8	13.3	56	132.8	71	160	320	343	650	1202			
−13.9	7	44.6	13.9	57	134.6	77	170	338	349	660	1220			
−13.3	8	46.4	14.4	58	136.4	82	180	356	354	670	1238			
−12.8	9	48.2	15.0	59	138.2	88	190	374	360	680	1256			
−12.2	10	50.0	15.6	60	140.0	93	200	392	366	690	1274			
−11.7	11	51.8	16.1	61	141.8	99	210	410	371	700	1292			
−11.1	12	53.6	16.7	62	143.6	100	212	413	377	710	1310			
−10.6	13	55.4	17.2	63	145.4	104	220	428	382	720	1328			
−10.0	14	57.2	17.8	64	147.2	110	230	446	388	730	1346			
−9.44	15	59.0	18.3	65	149.0	116	240	464	393	740	1364			
−8.89	16	60.8	18.9	66	150.8	121	250	482	399	750	1382			
−8.33	17	62.6	19.4	67	152.6	127	260	500	404	760	1400			
−7.78	18	64.4	20.0	68	154.4	132	270	518	410	770	1418			
−7.22	19	66.2	20.6	69	156.2	138	280	536	416	780	1436			
−6.67	20	68.0	21.1	70	158.0	143	200	554	421	790	1454			
−6.11	21	69.8	21.7	71	159.8	149	300	572	427	800	1472			
−5.56	22	71.6	22.2	72	161.6	154	310	590	432	810	1490			
−5.00	23	73.4	22.8	73	163.4	150	320	603	438	820	1508			
−4.44	24	75.2	23.3	74	165.2	166	330	626	443	830	1526			
−3.89	25	77.0	23.9	75	167.0	171	340	644	449	840	1544			
−3.33	26	78.8	24.4	76	168.8	177	350	662	454	850	1562			
−2.78	27	80.6	25.0	77	170.6	182	360	680	460	860	1580			
−2.22	28	82.4	25.6	78	172.4	188	370	698	466	870	1598			
−1.67	29	84.2	26.1	79	174.2	193	380	716	471	880	1616			
−1.11	30	86.0	26.7	80	176.0	199	390	734	477	890	1634			
−0.56	31	87.8	27.2	81	177.8	204	400	752	482	900	1652			
0	32	89.6	27.8	82	179.6	210	410	770	488	910	1670			
0.56	33	91.4	28.3	83	181.4	216	420	788	493	920	1688			
1.11	34	93.2	28.9	84	183.2	221	430	806	499	930	1706			

比例部分

°C		°F
0.556	1	1.8
1.111	2	3.6
1.667	3	5.4
2.222	4	7.2
2.778	5	9.0
3.333	6	10.8
3.889	7	12.6
4.444	8	14.4
5.000	9	16.2

°C＝(°F－32) / 1.8, °F＝1.8°C＋32, °K＝°C＋273.16, °R＝°F＋459.7＝1.8°K

16. 케이 에스(KS) 단위 환산표(換算表)

1) 밀리미터〔mm〕→ 인치〔in〕로 환산

mm	0	1	2	3	4	5	6	7	8	9
	in									
–	–	0.3937	0.07874	0.11811	0.15748	0.19885	0.23622	0.27559	0.31496	0.35433
10	0.39370	0.43307	0.47244	0.51181	0.55118	0.59055	0.62992	0.66929	0.70866	0.74803
20	0.78740	0.82677	0.86614	0.90551	0.94488	0.98425	1.02362	1.06299	1.10236	1.14173
30	1.18110	1.22047	1.25984	1.29921	1.33858	1.37795	1.41732	1.45669	1.49606	1.53543
40	1.57480	1.61417	1.65354	1.69291	1.73228	1.77165	1.81102	1.85039	1.88976	1.92913
50	1.96850	2.00787	2.04724	2.08661	2.12598	2.16535	2.20472	2.24409	2.28346	2.32283
60	2.36220	2.40157	2.44094	2.48031	2.51969	2.55905	2.59843	2.63780	2.67717	2.71654
70	2.75591	2.79528	2.83465	2.87402	2.91339	2.95276	2.99213	3.03150	3.07087	3.11024
80	3.14961	3.18898	3.22835	3.26772	3.30709	3.34646	3.38583	3.42520	3.45457	3.50394
90	3.54331	3.58268	3.62205	3.66142	3.70079	3.74016	3.77953	3.81890	3.85827	3.89764
100	3.93701	3.97638	4.01575	4.05512	4.09449	4.13386	4.17323	4.21260	4.25197	4.29134
10	4.33071	4.37008	4.40945	4.44882	4.48819	4.52756	4.56693	4.60630	4.64567	4.68504
20	4.72441	4.76378	4.80315	4.84252	4.88189	4.92126	4.96063	5.00000	5.03937	5.07874
30	5.11811	5.15748	5.19685	5.23622	5.27559	5.31496	5.35433	5.39370	5.43307	5.47244
40	5.51181	5.55118	5.59055	5.62992	5.66929	5.70866	5.74803	5.78740	5.82677	5.86614
50	5.90551	5.94488	5.98425	6.02362	6.06299	6.10236	6.14173	6.18110	6.22047	6.25984
60	6.29921	6.33858	6.37795	6.41732	6.45669	6.49606	6.53543	6.57480	6.61417	6.65354
70	6.69291	6.73228	6.77165	6.81102	6.85039	6.88976	6.92913	6.96850	7.00787	7.04724
80	7.08661	7.12598	7.16535	7.20472	7.24409	7.28346	7.32283	7.36220	7.40157	7.44094
90	7.48031	7.51969	7.55906	7.59843	7.63780	7.67717	7.71654	7.75591	7.79528	7.83465
200	7.87402	7.91339	7.95276	7.99213	8.03150	8.07087	8.11024	8.14961	8.18898	8.22835
10	8.26772	8.30709	8.34646	8.38583	8.42520	8.46457	8.50394	8.54331	8.58268	8.62205
20	8.66142	8.70079	8.74016	8.77953	8.81890	8.85827	8.89764	8.93701	8.97638	9.01575
30	9.05512	9.09449	9.13386	9.17323	9.21260	9.25197	9.29134	9.33071	9.37008	9.40945
40	9.44882	9.48819	9.52756	9.56693	9.60630	9.64567	9.68504	9.72441	9.76378	9.80315
50	9.84252	9.88189	9.92126	9.96063	10.0000	10.0394	10.0787	10.1181	10.1575	10.1969
60	10.2362	10.2756	10.3150	10.3543	10.3937	10.4331	10.4724	10.5118	10.5512	10.5906
70	10.6299	10.6693	10.7087	10.7480	10.7874	10.8268	10.8661	10.9055	10.9449	11.9843
80	11.0236	11.0630	11.1024	11.1417	11.1811	11.2205	11.2598	11.2992	11.3386	11.3780
90	11.4173	11.4567	11.4961	11.5354	11.5748	11.6142	11.6535	11.6929	11.7323	11.7717
300	11.8110	11.8504	11.8898	11.9291	11.9685	12.0079	12.0472	12.0866	12.1260	12.1654
10	12.2047	12.2441	12.2835	12.3228	12.3622	12.4016	12.4409	12.4803	12.5197	12.5591
20	12.5984	12.6378	12.6772	12.7165	12.7559	12.7953	12.8346	12.8740	12.9134	12.9528
30	12.9921	13.0315	13.0709	13.1102	13.1496	13.1890	13.2283	13.2677	13.3071	13.3465
40	13.3858	13.4252	13.4646	13.5039	13.5433	13.5827	13.6220	13.6614	13.7008	13.7402
50	13.7795	13.8189	13.8583	13.8976	13.9370	13.9764	14.0157	14.0551	14.0945	14.1339
60	14.1732	14.2126	14.2520	14.2913	14.3307	14.3701	14.4094	14.4488	14.4882	14.5276
70	14.5669	14.6063	14.6457	14.6850	14.7244	14.7638	14.8031	14.8425	14.8819	14.9213
80	14.9606	15.0000	15.0394	15.0787	15.1181	15.1575	15.1969	15.2362	15.2756	15.3150
90	15.3543	15.3937	15.4331	15.4724	15.5118	15.5512	15.5905	15.6299	15.6693	15.7087
400	15.7480	15.7874	15.8268	15.8661	15.9055	15.9449	15.9843	16.0236	16.0630	16.1024
10	16.1417	16.1811	16.2205	16.2598	16.2992	16.3386	16.3780	16.4173	16.4567	16.4951
20	16.5354	16.5748	16.6142	16.6535	16.6929	16.7323	16.7717	16.8110	16.8504	16.8898
30	16.9291	16.9685	17.0079	17.0472	17.0866	17.1260	17.1654	17.2047	17.2441	17.2835
40	17.3228	17.3622	17.4016	17.4409	17.4803	17.5197	17.5591	17.5984	17.6378	17.6772
50	17.7165	17.7559	17.7953	17.8346	17.8740	17.9134	17.9528	17.9921	18.0315	18.0709
60	18.1102	18.1496	18.1890	18.2283	18.2677	18.3071	18.3465	18.3858	18.4252	18.4646
70	18.5039	18.5433	18.5827	18.6220	18.6614	18.7008	18.7402	18.7795	18.8189	18.8583
80	18.8976	18.9370	18.9764	19.0157	19.0551	19.0945	19.1339	19.1732	19.2126	19.2520
90	19.2913	19.3307	19.3701	19.4094	19.4488	19.4882	19.5278	19.5669	19.6063	19.6457

mm	0	1	2	3	4	5	6	7	8	9
	in									
500	19.6850	19.7244	19.7638	19.8031	19.8425	19.8819	19.9213	19.9606	20.0000	20.0394
10	20.0787	20.1181	20.1575	20.1969	20.2362	20.2756	20.3150	20.3543	20.3937	20.4331
20	20.4724	20.5118	20.5512	20.5906	20.6299	20.6693	20.7087	20.7430	20.7874	20.8268
30	20.8661	20.9055	20.9449	20.9843	21.0236	21.0630	21.1024	21.1417	21.1811	21.2205
40	21.2598	21.2992	21.3386	21.3780	21.4173	21.4567	21.4961	21.5354	21.5748	21.6142
50	21.6535	21.6929	21.7323	21.7717	21.8110	21.8504	21.8898	21.9291	21.9685	22.0079
60	22.0472	22.0866	22.1260	22.1654	22.2047	22.2441	22.2835	22.3228	22.3622	22.4016
70	22.4409	22.4803	22.5197	22.5591	22.5984	22.6378	22.6772	22.7165	22.7559	22.7953
80	22.8346	22.8740	22.9134	22.9528	22.9921	23.0315	23.0709	23.1102	23.1496	23.1800
90	23.2283	23.2677	23.3071	23.3465	23.3858	23.4252	23.4646	23.5039	23.5433	23.5827
600	23.6220	23.6614	23.7008	23.7402	23.7795	23.8189	23.8583	23.8976	23.9370	23.9764
10	24.0157	24.0551	24.0945	24.1339	24.1732	24.2126	24.2520	24.2913	24.3307	24.3701
20	24.4094	24.4488	24.4882	24.5276	24.5669	24.6063	24.6457	24.6850	24.7244	24.7638
30	24.8031	24.8425	24.8819	24.9213	24.9606	25.0000	25.0394	25.0787	25.1181	25.1575
40	25.1969	25.2362	25.2756	25.3150	25.3543	25.3937	25.4331	25.4724	25.5118	25.5512
50	25.5906	25.6299	25.6693	25.7087	25.7480	25.7874	25.8268	25.8661	25.9055	25.9449
60	25.9843	26.0236	26.0630	26.1024	26.1417	26.1811	26.2205	26.2598	26.2992	26.3386
70	26.3780	26.4173	26.4567	26.4961	26.5354	26.5748	26.6142	26.6535	26.6929	26.7323
80	26.7717	26.8110	26.8504	26.8898	26.9291	26.9685	27.0079	27.0472	27.0866	27.1260
90	27.1654	27.2047	27.2441	27.2835	27.3228	27.3622	27.4016	27.4409	27.4803	27.5197
700	27.5591	27.5984	27.6378	27.6772	27.7165	27.7559	27.7953	27.8346	27.8740	27.9134
10	27.9528	27.9921	28.0315	28.0709	28.1102	28.1496	28.1890	28.2283	28.2677	28.3071
20	28.3465	28.3858	28.4252	28.4646	28.5039	28.5433	28.5827	28.6220	28.6614	28.7008
30	28.7402	28.7795	28.8189	28.8583	28.8976	28.9370	28.9764	29.0157	29.0551	29.0945
40	29.1339	29.1732	29.2126	29.2520	29.2913	29.3307	29.3701	29.4094	29.4488	29.4882
50	29.5276	29.5669	29.6063	29.6457	29.6850	29.7244	29.7638	29.8031	29.8425	29.8819
60	29.9213	29.9606	30.0000	30.0394	30.0787	30.1181	30.1575	30.1969	30.2362	30.2756
70	30.3150	30.3543	30.3937	30.4331	30.4724	30.5118	30.5512	30.5906	30.6299	30.6693
80	30.7087	30.7480	30.7874	30.8268	30.8661	30.9055	30.9449	30.9843	31.0236	31.0630
90	31.1024	31.1417	31.1811	31.2205	31.2598	31.2992	31.3386	31.3780	31.4173	31.4567
800	31.4961	31.5354	31.5748	31.6142	31.6535	31.6929	31.7323	31.7717	31.8110	31.8504
10	31.8898	31.9291	31.9685	32.0079	32.0472	32.0866	32.1260	32.1654	32.2047	32.2441
20	32.2835	32.3228	32.3622	32.4016	32.4409	32.4803	32.5197	32.5591	32.5984	32.6378
30	32.6772	32.7165	32.7559	32.7953	32.8346	32.8740	32.9134	32.9528	32.9921	33.0315
40	33.0709	33.1102	33.1496	33.1830	33.2283	33.2677	33.3071	33.3465	33.3858	33.4252
50	33.4646	33.5039	33.5433	33.5827	33.6220	33.6614	33.7008	33.7402	33.7795	33.8189
60	33.8583	33.8976	33.9370	33.9764	34.0157	34.0551	34.0945	34.1339	34.1732	34.2126
70	34.2520	34.2913	34.3307	34.3701	34.4094	34.4488	34.4882	34.5276	34.5669	34.6063
80	34.6457	34.6850	34.7244	34.7638	34.8031	34.8425	34.8819	34.9213	34.9606	35.0000
90	35.0394	35.0787	35.1181	35.1575	35.1969	35.2362	35.2756	35.3150	35.3543	35.3937
900	35.4331	35.4724	35.5118	35.5512	35.5906	35.6299	35.6693	35.7087	35.7480	35.7874
10	35.8268	35.8661	35.9055	35.9449	35.9383	36.0236	36.0636	36.1024	36.1417	36.1811
20	36.2205	36.2598	36.2992	36.3386	36.3780	36.4173	36.4517	36.4961	36.5354	36.5748
30	36.6142	36.6535	36.6929	36.7323	36.7717	36.8110	36.8504	36.8898	36.9291	36.9685
40	37.0079	37.0472	37.0866	37.1260	37.1654	37.2047	37.2441	37.2835	37.3228	37.3622
50	37.4016	37.4409	37.4803	37.5197	37.5591	37.5984	37.6378	37.6772	37.7165	37.7559
60	37.7953	37.8346	37.8740	37.9134	37.9528	37.9921	38.0315	38.0709	38.1102	38.1496
70	38.1890	38.2283	38.2677	38.3071	38.3465	38.3858	38.4252	38.4646	38.5039	38.5433
80	38.5827	38.6220	38.6614	38.7008	38.7402	38.7795	38.8189	38.8583	38.8976	38.9370
90	38.9764	39.0157	39.0551	39.0945	39.1339	39.1732	39.2126	39.2520	39.2913	39.3307
1000	39.3701									

2) 밀〔mil〕→ 밀리미터〔mm〕로 환산

mil	0	1	2	3	4	5	6	7	8	9
	mm									
—	—	0.0254	0.0508	0.0762	0.1016	0.1270	0.1524	0.1778	0.2032	0.2286
10	0.2540	0.2794	0.3048	0.3302	0.3556	0.3810	0.4064	0.4318	0.4572	0.4826
20	0.5080	0.5334	0.5588	0.5842	0.6096	0.6350	0.6604	0.6858	0.7112	0.7366
30	0.7620	0.7874	0.8128	0.8382	0.8636	0.8890	0.9144	0.9398	0.9652	0.9906
40	1.0160	1.0414	1.0668	1.0922	1.1176	1.1430	1.1684	1.1938	1.2192	1.2446
50	1.2700	1.2954	1.3208	1.3462	1.3716	1.3970	1.4224	1.4478	1.4732	1.4986
60	1.5240	1.5494	1.5748	1.6002	1.6256	1.6510	1.6764	1.7018	1.7272	1.7526
70	1.7780	1.8034	1.8288	1.8542	1.8796	1.9050	1.9304	1.9558	1.9812	2.0066
80	2.0320	2.0574	2.0828	2.1082	2.1336	2.1590	2.1844	2.2093	2.2352	2.2606
90	2.2860	2.3114	2.3368	2.3622	2.3876	2.4130	2.4384	2.4638	2.4892	2.5146
100	2.5400	2.5654	2.5908	2.6162	2.6416	2.6670	2.6924	2.7178	2.7432	2.7686
10	2.7940	2.8194	2.8448	2.8702	2.8956	2.9210	2.9464	2.9718	2.9972	3.0226
20	3.0480	3.0734	3.0988	3.1242	3.1496	3.1750	3.2004	3.2258	3.2512	3.2766
30	3.3020	3.3274	3.3528	3.3782	3.4036	3.4290	3.4544	3.4798	3.5052	3.5306
40	3.5560	3.5814	3.6068	3.6322	3.6576	3.6830	3.7084	3.7338	3.7592	3.7846
50	3.8100	3.8354	3.8608	3.8862	3.9116	3.9370	3.9624	3.9878	4.0132	4.0386
60	4.0640	4.0894	4.1148	4.1402	4.1656	4.1910	4.2164	4.2418	4.2672	4.2926
70	4.3180	4.3434	4.3688	4.3942	4.4196	4.4450	4.4704	4.4958	4.5212	4.5466
80	4.5720	4.5974	4.6228	4.6482	4.6736	4.6990	4.7244	4.7498	4.7752	4.8006
90	4.8260	4.8514	4.8768	4.9022	4.9276	4.9530	4.9784	5.0038	5.0292	5.0546
200	5.0800	5.1054	5.1308	5.1562	5.1816	5.2070	5.2324	5.2578	5.2832	5.3086
10	5.3340	5.3594	5.3848	5.4102	5.4356	5.4610	5.4864	5.5118	5.5372	5.5626
20	5.5880	5.6134	5.6388	5.6642	5.6896	5.7150	5.7404	5.7658	5.7912	5.8166
30	5.8420	5.8674	5.8928	5.9182	5.9436	5.9690	5.9944	6.0198	6.0452	6.0706
40	6.0960	6.1214	6.1468	6.1722	6.1976	6.2230	6.2484	6.2738	6.2992	6.3246
50	6.3500	6.3754	6.4008	6.4262	6.4516	6.4770	6.5024	6.5278	6.5532	6.5786
60	6.6040	6.6294	6.6548	6.6802	6.7056	6.7310	6.7564	6.7818	6.8072	6.8326
70	6.8580	6.8834	6.9088	6.9342	6.9596	6.9850	7.0104	7.0358	7.0512	7.0866
80	7.1120	7.1374	7.1628	7.1882	7.2136	7.2390	7.2644	7.2898	7.3152	7.3406
90	7.3660	7.3914	7.4168	7.4422	7.4676	7.4930	7.5184	7.5438	7.5692	7.5946
300	7.6200	7.6454	7.6708	7.6962	7.7216	7.7470	7.7724	7.7978	7.8232	7.8486
10	7.8740	7.8994	7.9248	7.9502	7.9756	8.0010	8.0264	8.0518	8.0772	8.1026
20	8.1280	8.1534	8.1788	8.2042	8.2296	8.2550	8.2804	8.3058	8.3312	8.3566
30	8.3820	8.4074	8.4328	8.4582	8.4836	8.5090	8.5344	8.5598	8.5852	8.6106
40	8.6360	8.6614	8.6868	8.7122	8.7376	8.7620	8.7884	8.8138	8.8392	8.8646
50	8.8900	8.9154	8.9408	8.9662	8.9916	9.0170	9.0424	9.0678	9.0932	9.1186
60	9.1440	9.1694	9.1948	9.2202	9.2456	9.2710	9.2964	9.3218	9.3472	9.3726
70	9.3980	9.4234	9.4488	9.4742	9.4996	9.5250	9.5504	9.5758	9.6012	9.6266
80	9.6520	9.6774	9.7028	9.7282	9.7536	9.7790	9.8044	9.8298	9.8552	9.8806
90	9.9060	9.9314	9.9568	9.9822	10.0076	10.0330	10.0584	10.0838	10.1092	10.1346
400	10.1600	10.1854	10.2108	10.2362	10.2616	10.2870	10.3124	10.3378	10.3632	10.3886
10	10.4140	10.4394	10.4648	10.4902	10.5156	10.5410	10.5664	10.5918	10.6172	10.6426
20	10.6680	10.6934	10.7188	10.7442	10.7696	10.7950	10.8204	10.8458	10.8712	10.8966
30	10.9220	10.9474	10.9728	10.9932	11.0236	11.0490	11.0744	11.0998	11.1252	11.1506
40	14.1760	11.2014	11.2268	11.2522	11.2776	11.3030	11.3284	11.3538	11.3792	11.4046
50	11.4300	11.4554	11.4808	11.5062	11.5316	11.5570	11.5824	11.6078	11.6332	11.6586
60	11.6840	11.7094	11.7348	11.7602	11.7856	11.8110	11.8364	11.8618	11.8872	11.9126
70	11.9380	11.9634	11.9888	12.0142	12.0396	12.0650	12.0904	12.1158	12.1412	12.1666
80	12.1920	12.2174	12.2428	12.2682	12.2936	12.3190	12.3444	12.3698	12.3952	12.4206
90	12.4460	12.4714	12.4968	12.5222	12.5476	12.5730	12.5984	12.6238	12.6492	12.6746

mil	0	1	2	3	4	5	6	7	8	9
	mm									
500	12.7000	12.7254	12.7508	12.7762	12.8016	12.8270	12.8524	12.8778	12.9032	12.9286
10	12.9540	12.9794	13.0048	13.0302	13.0556	13.0810	13.1064	13.1318	13.1572	13.1826
20	13.2080	13.2334	13.2588	13.2842	13.3096	13.3350	13.3604	13.3858	13.4112	13.4366
30	13.4620	13.4874	13.5128	13.5382	13.5636	13.5890	13.6144	13.6398	13.6652	13.6906
40	13.7160	13.7414	13.7668	13.7922	13.8176	13.8430	13.8684	13.8938	13.9192	13.9446
50	13.9700	13.9954	14.0208	14.0462	14.0716	14.0970	14.1224	14.1478	14.1732	14.1986
60	14.2240	14.2494	14.2748	14.3002	14.3256	14.3510	14.3764	14.4018	14.4272	14.4526
70	14.4780	14.5034	14.5288	14.5542	14.5796	14.6050	14.6304	14.6558	14.6812	14.7066
80	14.7320	14.7574	14.7828	14.8082	14.8336	14.8590	14.8844	14.9098	14.9352	14.9606
90	14.9860	15.0114	15.0368	15.0622	15.0876	15.1130	15.1384	15.1638	15.1892	15.2146
600	15.2400	15.2654	15.2908	15.3162	15.3416	15.3670	15.3924	15.4178	15.4432	15.4686
10	15.4940	15.5194	15.5448	15.5702	15.5956	15.6210	15.6464	15.6718	15.6972	15.7226
20	15.7480	15.7734	15.7988	15.8242	15.8496	15.8750	15.9004	15.9258	15.9512	15.9766
30	16.0020	16.0274	16.0528	16.0782	16.1036	16.1290	16.1514	16.1798	16.2052	16.2306
40	16.2560	16.2314	16.3068	16.3322	16.3576	16.3830	16.4084	16.4338	16.4592	16.4846
50	16.5100	16.5354	16.5608	16.5862	16.6116	16.6370	16.6624	16.6878	16.7132	16.7386
60	16.7640	16.7894	16.8148	16.8402	16.8656	16.8910	16.9164	16.9418	16.9672	16.9926
70	17.0180	17.0434	17.0688	17.0942	17.1196	17.1450	17.1704	17.1958	17.2212	17.2466
80	17.2720	17.2974	17.3228	17.3482	17.3736	17.3990	17.4244	17.4498	17.4752	17.5006
90	17.5260	17.5514	17.5768	17.6022	17.6276	17.6530	17.6784	17.7038	17.7292	17.7546
700	17.7800	17.8054	17.8308	17.8562	17.8816	17.9070	17.9324	17.9578	17.9832	18.0086
10	18.0340	18.0594	18.0348	18.1102	18.1356	18.1610	18.1864	18.2118	18.2372	18.2626
20	18.2880	18.3134	18.3388	18.3642	18.3896	18.4150	18.4404	18.4658	18.4912	18.5166
30	18.5420	18.5674	18.5928	18.6182	18.6436	18.6690	18.6944	18.7198	18.7452	18.7706
40	18.7960	18.8214	18.8468	18.8722	18.8976	18.9230	18.9484	18.9738	18.9992	19.0246
50	19.0500	19.0754	19.1008	19.1262	19.1516	19.1770	19.2024	19.2278	19.2532	19.2786
60	19.3040	19.3294	19.3543	19.3802	19.4056	19.4310	19.4564	19.4818	19.5072	19.5326
70	19.5580	19.5834	19.6088	19.6342	19.6596	19.6850	19.7104	19.7358	19.7612	19.7866
80	19.8120	19.8374	19.8628	19.8882	19.9136	19.9390	19.9644	19.9898	20.0152	20.0406
90	20.0660	20.0914	20.1168	20.1422	20.1676	20.1930	20.2184	20.2438	20.2692	20.2945
800	20.3200	20.3454	20.3708	20.3962	20.4216	20.4470	20.4724	20.4978	20.5232	20.5486
10	20.5740	20.5994	20.6248	20.6502	20.6756	20.7010	20.7264	20.7518	20.7772	20.8026
20	20.8280	20.8534	20.8788	20.9042	20.9296	20.9550	20.9804	21.0058	21.0312	21.0566
30	21.0820	21.1074	21.1328	21.1582	21.1836	21.2090	21.2344	21.2598	21.2852	21.3106
40	21.3360	21.3614	21.3868	21.4122	21.4376	21.4630	21.4884	21.5138	21.5392	21.5646
50	21.5900	21.6154	21.6408	21.6662	21.6916	21.7170	21.7424	21.7678	21.7932	21.8186
60	21.8440	21.8694	21.8948	21.9202	21.9456	21.9710	21.9964	22.0218	22.0472	22.0726
70	22.0980	22.1234	22.1488	22.1742	22.1996	22.2250	22.2504	22.2758	22.3012	22.3266
80	22.3520	22.3774	22.4028	22.4282	22.4536	22.4790	22.5044	22.5298	22.5552	22.5806
90	22.6060	22.6314	22.6568	22.6822	22.7076	22.7330	22.7584	22.7838	22.8092	22.8346
900	22.8600	22.8854	22.9108	22.9362	22.9616	22.9870	23.0124	23.0378	23.0632	23.0886
10	23.1140	23.1394	23.1648	23.1902	23.2156	23.2410	23.2664	23.2918	23.3172	23.3426
20	23.3680	23.3934	23.4188	23.4442	23.4696	23.4950	23.5204	23.5458	23.5712	23.5966
30	23.6220	23.6474	23.6728	23.6982	23.7236	23.7490	23.7744	23.7998	23.8252	23.8506
40	23.8760	23.9014	23.9268	23.9522	23.9776	24.0030	24.0284	24.0538	24.0792	24.1046
50	24.1300	24.1554	24.1808	24.2062	24.2316	24.2570	24.2824	24.3078	24.3332	24.3586
60	24.3840	24.4094	24.4348	24.4602	24.4856	24.5110	24.5364	24.5618	24.5872	24.6126
70	24.6380	24.6634	24.6888	24.7142	24.7396	24.7650	24.7904	24.8158	24.8412	24.8666
80	24.8920	24.9174	24.9428	24.9682	24.9936	25.0190	25.0444	25.0698	25.0952	25.1206
90	25.1460	25.1714	25.1968	25.2222	25.2476	25.2730	25.2984	25.3238	25.3492	25.3746
1000	25.4000									

3) 미터〔m〕→ 야드〔yd〕로 환산

m	0	1	2	3	4	5	6	7	8	9
	yd									
—	—	1.0936	2.1872	3.2808	4.3745	5.4681	6.5617	7.6553	8.7489	9.8425
10	10.936	12.030	13.123	14.217	15.311	16.404	17.498	18.591	19.685	20.779
20	21.872	22.966	24.059	25.153	26.247	27.340	28.434	29.528	30.621	31.715
30	32.808	33.902	34.996	36.089	37.183	38.276	39.370	40.464	41.557	42.651
40	43.745	44.838	45.932	47.025	48.119	49.213	50.306	51.400	52.493	53.587
50	54.681	55.774	56.868	57.962	59.055	60.149	61.242	62.336	63.430	64.523
60	65.617	66.710	67.804	68.898	69.991	71.085	72.178	73.272	74.366	75.459
70	76.553	77.647	78.740	79.834	80.927	82.021	83.115	84.208	85.302	86.395
80	87.489	88.583	89.676	90.770	91.864	92.957	94.051	95.144	96.238	97.332
90	98.425	99.519	100.61	101.71	102.80	103.89	104.99	106.08	107.17	108.27
100	109.36	110.45	111.55	112.64	113.74	114.83	115.92	117.02	118.11	119.20
10	120.30	121.39	122.48	123.58	124.67	125.77	126.86	127.95	129.05	130.14
20	131.23	132.33	133.42	134.51	135.61	136.70	137.80	138.89	139.98	141.08
30	142.17	143.26	144.36	145.45	146.54	147.64	148.73	149.83	150.92	152.01
40	153.11	154.20	155.29	156.39	157.48	158.57	159.67	160.76	161.85	162.95
50	164.04	165.14	166.23	167.32	168.42	169.51	170.60	171.70	172.79	173.88
60	174.98	176.07	177.17	178.26	179.35	180.45	181.54	182.63	183.73	184.82
70	185.91	187.01	188.10	189.20	190.29	191.38	192.48	193.57	194.66	195.76
80	196.85	197.94	199.04	200.13	201.22	202.32	203.41	204.51	205.60	206.69
90	207.79	208.88	209.97	211.07	212.16	213.25	214.35	215.44	216.54	217.63
200	218.72	219.82	220.91	222.00	223.10	224.19	225.28	226.38	327.47	228.57
10	229.66	230.75	231.85	232.94	234.03	235.13	236.22	237.31	238.41	239.50
20	240.59	241.69	242.78	243.88	244.97	246.06	247.16	248.25	249.34	250.44
30	251.53	252.62	253.72	254.81	255.91	257.00	258.09	259.19	260.28	261.37
40	262.47	263.56	264.65	265.75	266.84	267.94	269.03	270.12	271.22	272.31
50	273.40	274.50	275.59	276.68	277.78	278.87	279.97	281.06	282.15	283.25
60	284.34	285.43	286.53	287.62	288.71	289.81	290.90	291.99	293.09	294.18
70	295.28	296.37	297.46	298.56	299.65	300.74	301.84	302.93	304.02	305.12
80	306.21	307.31	308.40	309.49	310.59	311.68	312.77	313.87	314.96	316.05
90	317.15	318.24	319.34	320.43	321.52	322.62	323.71	324.80	325.90	326.99
300	328.08	329.18	330.27	331.36	332.46	333.55	334.65	335.74	336.83	337.93
10	339.02	340.11	341.21	342.30	343.39	344.49	345.58	346.68	347.77	348.86
20	349.96	351.05	352.14	353.24	354.33	355.42	356.52	357.61	358.71	359.80
30	360.89	361.99	363.08	364.17	365.27	366.36	367.45	368.55	369.64	370.73
40	371.83	372.92	374.02	375.11	376.20	377.30	378.39	379.48	380.58	381.67
50	382.76	383.86	384.95	386.05	387.14	388.23	389.33	390.42	391.51	392.61
60	393.70	394.79	395.89	396.98	398.08	399.17	400.26	401.36	402.45	403.54
70	404.64	405.73	406.82	407.92	409.01	410.10	411.20	412.29	413.39	414.48
80	415.57	416.67	417.76	418.85	419.95	421.04	422.13	423.23	424.32	425.42
90	426.51	427.60	428.70	429.79	430.88	431.98	433.07	434.16	435.26	436.35
400	437.45	438.54	439.63	440.73	441.82	442.91	444.01	445.10	446.19	447.29
10	448.38	449.48	450.57	451.66	452.76	453.85	454.94	456.04	457.13	458.22
20	459.32	460.41	461.50	462.60	463.69	464.79	465.88	466.97	468.07	469.16
30	470.25	471.35	472.44	473.53	474.63	475.72	476.82	477.91	479.00	480.10
40	481.19	482.28	483.38	484.47	485.56	486.66	487.75	488.85	489.94	491.03
50	492.13	493.22	494.31	495.41	496.50	497.59	498.69	499.78	500.87	501.97
60	503.06	504.16	505.25	506.34	507.44	508.53	509.62	510.72	511.81	512.90
70	514.00	515.09	516.19	517.28	518.37	519.47	520.56	521.65	522.75	523.84
80	524.93	526.03	527.12	528.22	529.31	530.40	531.50	532.59	533.68	534.78
90	535.87	536.96	538.06	539.15	540.24	541.34	542.43	543.53	544.62	545.71

m	0	1	2	3	4	5	6	7	8	9
	yd									
500	546.81	547.90	548.99	550.09	551.18	552.27	553.37	554.46	555.56	556.65
10	557.74	558.84	559.93	561.02	562.12	563.21	564.30	565.40	566.49	567.59
20	568.68	569.77	570.87	571.96	573.05	574.15	575.24	576.33	577.43	578.52
30	579.62	580.71	581.80	582.90	583.99	585.08	586.18	587.27	588.36	589.46
40	590.55	591.64	592.74	593.83	594.93	596.02	597.11	598.21	599.30	600.39
50	601.49	602.58	603.67	604.77	605.86	606.96	608.05	609.14	610.24	611.33
60	612.42	613.52	614.61	615.70	616.80	617.89	618.99	620.08	621.17	622.27
70	623.36	624.45	625.55	626.64	627.73	628.83	629.92	631.01	632.11	633.20
80	634.30	635.39	636.48	637.58	638.67	639.76	640.86	641.95	643.04	644.14
90	645.23	646.33	647.42	648.51	649.61	650.70	651.79	652.89	653.98	655.07
600	656.17	657.26	658.36	659.45	660.54	661.64	662.73	663.82	664.92	666.01
10	667.10	668.20	669.29	670.38	671.48	672.57	673.67	674.76	675.85	676.95
20	678.04	679.13	680.23	681.32	682.41	683.51	684.60	685.70	686.79	687.88
30	688.98	690.07	691.16	692.26	693.35	694.44	695.54	696.63	697.73	698.82
40	699.91	701.01	702.10	703.19	704.29	705.38	706.47	707.57	708.66	709.76
50	710.85	711.94	713.04	714.13	715.22	716.32	717.41	718.50	719.60	720.69
60	721.78	722.88	723.97	725.07	726.16	727.25	728.35	729.44	730.53	731.63
70	732.72	733.81	734.91	736.00	737.10	738.19	739.28	740.38	741.47	742.56
80	743.66	744.75	745.84	746.94	748.03	749.13	750.22	751.31	752.41	753.50
90	754.59	755.69	756.78	757.87	758.97	760.06	761.15	762.25	763.34	764.44
700	765.53	766.62	767.72	768.81	769.90	771.00	772.09	773.18	774.28	775.37
10	776.47	777.56	778.65	779.75	780.84	781.93	783.03	784.12	785.21	786.31
20	787.40	788.50	789.59	790.68	791.78	792.87	793.96	795.06	796.15	797.24
30	798.34	799.43	800.52	801.62	802.71	803.81	804.90	905.99	807.09	808.18
40	809.27	810.37	811.46	812.55	813.65	814.74	815.84	816.93	818.02	819.12
50	820.21	821.30	822.40	823.49	824.58	825.68	826.77	827.87	828.96	830.05
60	831.15	832.24	833.33	834.43	835.52	836.61	837.71	838.80	839.90	840.99
70	842.08	843.18	844.27	845.36	846.46	847.55	848.64	849.74	850.83	851.92
80	853.02	854.11	855.21	856.30	857.39	858.49	859.58	860.67	861.77	862.86
90	863.95	865.05	866.14	867.24	868.33	869.42	870.52	871.61	872.70	873.80
800	874.89	875.98	877.08	878.17	879.27	880.36	881.45	882.55	883.64	884.73
10	885.83	886.92	888.01	889.11	890.20	891.29	892.39	893.48	894.58	895.67
20	896.76	897.86	898.95	900.04	901.14	902.23	903.32	904.42	905.51	906.61
30	907.70	908.79	909.89	910.98	912.07	913.17	914.26	915.35	916.45	917.54
40	918.64	919.73	920.82	921.92	923.01	924.10	925.20	926.29	927.38	928.48
50	929.57	930.66	931.76	932.85	933.95	935.04	936.13	937.23	938.32	939.41
60	940.51	941.60	942.69	943.79	944.88	945.98	947.07	948.16	949.26	950.35
70	951.44	952.54	953.63	954.72	955.82	956.91	958.01	959.10	960.19	961.29
80	962.38	963.47	964.57	965.66	966.75	967.85	968.94	970.03	971.13	972.22
90	973.32	974.41	975.50	976.60	977.69	978.78	979.88	980.97	982.06	983.16
900	984.25	985.35	986.44	987.53	988.63	989.72	990.81	991.91	993.00	994.09
10	995.19	996.28	997.38	998.47	999.56	1000.7	1001.7	1002.8	1003.9	1005.0
20	1006.1	1007.2	1008.3	1009.4	1010.5	1011.6	1012.7	1013.8	1014.9	1016.0
30	1017.1	1018.2	1019.2	1020.3	1021.4	1022.5	1023.6	1024.7	1025.8	1026.9
40	1028.0	1029.1	1030.2	1031.3	1032.4	1033.5	1034.6	1035.7	1036.7	1037.8
50	1038.9	1040.0	1041.1	1042.2	1043.3	1044.4	1045.5	1046.6	1047.7	1048.8
60	1049.9	1051.0	1052.1	1053.1	1054.2	1055.3	1056.4	1057.5	1058.6	1059.7
70	1060.8	1061.9	1063.0	1064.1	1065.2	1066.3	1067.4	1068.5	1069.6	1070.6
80	1071.7	1072.8	1073.9	1075.0	1076.1	1077.2	1078.3	1079.4	1080.5	1081.6
90	1082.7	1083.8	1084.9	1086.0	1087.1	1088.1	1089.2	1090.3	1091.4	1092.5
1000	1093.6	1094.7	1095.8	1096.9	1098.0	1099.1	1100.2	1101.3	1102.4	1103.5

4) 야드〔yd〕→ 미터〔m〕로 환산

yd	0	1	2	3	4	5	6	7	8	9
	m									
—	—	0.9144	1.8288	2.7432	3.6576	4.5720	5.4864	6.4008	7.3152	8.2296
10	9.1440	10.058	10.973	11.887	12.802	13.716	14.630	15.545	16.459	17.374
20	18.288	19.202	20.117	21.031	21.946	22.860	23.774	24.689	25.603	26.518
30	27.432	28.346	29.261	30.175	31.090	32.004	32.918	33.833	34.747	35.662
40	36.576	37.490	38.405	39.319	40.234	41.148	42.062	42.977	43.891	44.806
50	45.720	46.634	47.549	48.463	49.378	50.292	51.206	52.121	53.035	53.950
60	54.864	55.778	56.693	57.607	58.522	59.436	60.350	61.265	62.179	63.094
70	64.008	64.922	65.837	66.751	67.666	68.580	69.494	70.409	71.323	72.238
80	73.152	74.066	74.981	75.895	76.810	77.724	78.638	79.553	80.467	81.382
90	82.296	83.210	84.125	85.039	85.954	86.868	87.782	88.697	89.611	90.526
100	91.440	92.354	93.269	94.183	95.098	96.012	96.926	97.841	98.755	99.670
10	100.58	101.50	102.41	103.33	104.24	105.16	106.07	106.98	107.90	108.81
20	109.73	110.64	111.56	112.47	113.39	114.30	115.21	116.13	117.04	117.96
30	118.87	119.79	120.70	121.62	122.53	123.44	124.36	125.27	126.19	127.10
40	128.02	128.93	129.84	130.76	131.67	132.59	133.50	134.42	135.53	136.25
50	137.16	138.07	138.99	139.90	140.82	141.73	142.65	143.56	144.48	145.39
60	146.30	147.22	148.13	149.05	149.96	150.88	151.79	152.70	153.62	154.53
70	155.45	156.36	157.28	158.19	159.11	160.02	160.93	161.85	162.76	163.68
80	164.59	165.51	166.42	167.34	168.25	169.16	170.08	170.99	171.91	172.82
90	173.74	174.65	175.56	176.48	177.39	178.31	179.22	180.14	181.05	181.97
200	182.88	183.79	184.71	185.62	186.54	187.45	188.37	189.28	190.20	191.11
10	192.02	192.94	193.85	194.77	195.68	196.60	197.51	198.42	199.34	200.25
20	201.17	202.08	203.00	203.91	204.83	205.74	206.65	207.57	208.48	209.40
30	210.31	211.23	212.14	213.06	213.97	214.88	215.80	216.71	217.63	218.54
40	219.46	220.37	221.28	222.20	223.11	224.03	224.94	225.86	226.77	227.69
50	228.60	229.51	230.43	231.34	232.26	233.17	234.09	235.00	235.92	236.83
60	237.74	238.66	239.57	240.49	241.40	242.32	243.23	244.14	245.06	245.97
70	246.89	247.80	248.72	249.63	250.55	251.46	252.37	253.29	254.20	255.12
80	256.03	256.95	257.86	258.78	259.69	260.60	261.52	262.43	263.35	264.26
90	265.18	266.09	267.00	267.92	268.83	269.75	270.66	271.58	272.49	273.41
300	274.32	275.23	276.15	277.06	277.98	278.89	279.81	280.72	281.64	282.55
10	283.46	284.38	285.29	286.21	287.12	288.04	288.95	289.86	290.78	291.69
20	292.61	293.52	294.44	295.35	296.27	297.18	298.09	299.01	299.92	300.84
30	301.75	302.67	303.58	304.50	305.41	306.32	307.24	308.15	309.07	309.98
40	310.90	311.81	312.72	313.64	314.55	315.47	316.38	317.30	318.21	319.13
50	320.04	320.95	321.87	322.78	323.70	324.61	325.53	326.44	327.36	328.27
60	329.18	330.10	331.01	331.93	332.84	333.76	334.67	335.58	336.50	337.41
70	338.33	339.24	340.16	341.07	341.99	342.90	343.81	344.73	345.64	346.56
80	347.47	348.39	349.30	350.22	351.13	352.04	352.96	353.87	354.79	355.70
90	356.62	357.53	358.44	359.36	360.27	361.19	362.10	363.02	363.93	364.85
400	365.76	366.67	367.59	368.50	369.42	370.33	371.25	372.16	373.08	373.99
10	374.90	375.82	376.73	377.65	378.56	379.48	380.39	381.30	382.22	383.13
20	384.05	384.96	385.88	386.79	387.71	388.62	389.53	390.45	391.36	392.28
30	393.19	394.11	395.02	395.94	396.85	397.76	398.68	399.59	400.51	401.42
40	402.34	403.25	404.16	405.08	405.99	406.91	407.82	408.74	409.65	410.57
50	411.48	412.39	413.31	414.22	415.14	416.05	416.97	417.88	418.80	419.71
60	420.62	421.54	422.45	423.37	424.28	425.20	426.11	427.02	427.94	428.85
70	429.77	430.68	431.60	432.51	433.43	434.34	435.25	436.17	437.08	438.00
80	438.91	439.83	440.74	441.66	442.57	443.48	444.40	445.31	446.23	447.14
90	448.06	448.97	449.88	450.80	451.71	452.63	453.54	454.46	455.37	456.29

yd	0	1	2	3	4	5	6	7	8	9
	m									
500	457.20	458.11	459.03	459.94	460.86	461.77	462.69	463.60	464.52	465.43
10	466.34	467.26	468.17	469.09	470.00	470.92	471.83	472.74	473.66	474.57
20	475.49	476.40	477.32	478.23	479.15	480.06	480.97	481.89	482.80	483.72
30	484.63	485.55	486.46	487.38	488.29	489.20	490.12	491.03	491.95	492.86
40	493.78	494.69	495.60	496.52	497.43	498.35	499.26	500.18	501.09	502.01
50	502.92	503.83	504.75	505.66	506.58	507.49	508.41	509.32	510.24	511.15
60	512.06	512.98	513.89	514.81	515.72	516.64	517.55	518.46	519.38	520.29
70	521.21	522.12	523.04	523.95	524.87	525.78	526.69	527.61	528.52	529.44
80	530.35	531.27	532.18	533.10	534.01	534.92	535.84	536.75	537.67	538.58
90	539.50	540.41	541.32	542.24	543.15	544.07	544.98	545.90	546.81	547.73
600	548.64	549.55	550.47	551.38	552.30	553.21	554.13	555.04	555.96	556.87
10	557.78	558.70	559.61	560.53	561.44	562.36	563.27	564.18	565.10	566.01
20	566.93	567.84	568.76	569.67	570.59	571.50	572.41	573.33	574.24	575.16
30	576.07	576.99	577.90	578.82	579.73	580.64	581.56	582.47	583.39	584.30
40	585.22	586.13	587.04	587.96	588.87	589.79	590.70	591.62	592.53	593.45
50	594.36	595.27	596.19	597.10	598.02	598.93	599.85	600.76	601.68	602.59
60	603.50	604.42	605.33	606.25	607.16	608.08	608.99	609.90	610.82	611.73
70	612.65	613.56	614.48	615.39	616.31	617.22	618.13	619.05	619.96	620.88
80	621.79	622.71	623.62	624.54	625.45	626.36	627.28	628.19	629.11	630.02
90	630.94	631.85	632.76	633.68	634.59	635.51	636.42	637.34	638.25	639.17
700	640.08	640.99	641.91	642.82	643.74	644.65	645.57	646.48	647.40	648.31
10	649.22	650.14	651.05	651.97	652.88	653.80	654.71	655.62	656.54	657.45
20	658.37	659.28	660.20	661.11	662.03	662.94	663.85	664.77	665.68	666.60
30	667.51	668.43	669.34	670.26	671.17	672.08	673.00	673.91	674.83	675.74
40	676.66	677.57	678.48	679.40	680.31	681.23	682.14	683.06	683.97	684.89
50	685.80	686.71	687.63	688.54	689.46	690.37	691.29	692.20	693.12	694.03
60	694.94	695.86	696.77	697.69	698.60	699.52	700.43	701.34	702.26	703.17
70	704.09	705.00	705.92	706.83	707.75	708.66	709.57	710.49	711.40	712.32
80	713.23	714.15	715.06	715.98	716.89	717.80	718.72	719.63	720.55	721.46
90	722.38	723.29	724.20	725.12	726.03	726.95	727.86	728.78	729.69	730.61
800	731.52	732.43	733.35	734.26	735.18	736.09	737.01	737.92	738.84	739.75
10	740.66	741.58	742.49	743.41	744.32	745.24	746.15	747.06	747.98	748.89
20	749.81	750.72	751.64	752.55	753.47	754.38	755.29	756.21	757.12	758.04
30	758.95	759.87	760.78	761.70	762.61	763.52	764.44	765.35	766.27	767.18
40	768.10	769.01	769.92	770.84	771.75	772.67	773.58	774.50	775.41	776.33
50	777.24	778.15	779.07	779.98	780.90	781.81	782.73	783.64	784.56	785.47
60	786.38	787.30	788.21	798.13	790.04	790.96	791.87	792.78	793.70	794.61
70	795.53	796.44	797.36	798.27	799.19	800.10	801.01	801.93	802.84	803.76
80	804.67	805.59	806.50	807.42	808.33	809.24	810.16	811.07	811.99	812.90
90	813.82	814.73	815.64	816.56	817.47	818.39	819.30	820.22	821.13	822.05
900	822.96	823.87	824.79	825.70	826.62	827.53	828.45	829.36	830.28	831.19
10	832.10	833.02	833.93	834.85	835.76	836.68	837.59	838.50	839.42	840.33
20	841.25	842.16	843.08	843.99	844.91	845.82	846.73	847.65	848.56	894.48
30	850.39	851.31	852.22	853.14	854.05	854.96	855.88	856.79	857.71	858.62
40	859.54	860.45	861.36	862.28	863.19	864.11	865.02	865.94	866.85	867.77
50	868.68	869.59	870.51	871.42	872.34	873.25	874.17	875.08	876.00	876.91
60	877.82	878.74	879.65	880.57	881.48	882.40	883.31	884.22	885.14	886.05
70	886.97	887.88	888.80	889.71	890.63	891.54	892.45	893.37	894.28	895.20
80	896.11	897.03	897.94	898.86	899.77	900.68	901.60	902.51	903.43	904.34
90	905.26	906.17	907.08	908.00	908.91	909.83	910.74	911.66	912.57	913.49
1000	914.40	915.31	916.23	917.14	918.06	918.97	919.89	920.80	921.72	922.63

5) 미터(m) → 피트(ft)로 환산

m	0	1	2	3	4	5	6	7	8	9
	ft									
—	—	3.2808	6.5617	9.8425	13.123	16.404	19.685	22.966	26.247	29.528
10	32.808	36.089	39.370	42.651	45.932	49.213	52.493	55.774	59.055	62.336
20	65.617	68.898	72.178	75.459	78.740	82.021	85.302	88.583	91.864	95.144
30	98.425	101.71	104.99	108.27	111.55	114.83	118.11	121.39	124.67	127.95
40	131.23	134.51	137.80	141.08	144.36	147.64	150.92	154.20	157.48	160.76
50	164.04	167.32	170.60	173.88	177.17	180.45	183.73	187.01	190.29	193.57
60	196.85	200.13	203.41	206.69	209.97	213.25	216.54	219.82	223.10	226.38
70	229.66	232.94	236.22	239.50	242.78	246.06	249.34	252.62	255.91	259.19
80	262.47	265.75	269.03	272.31	275.59	278.87	282.15	285.43	288.71	291.99
90	259.28	298.56	301.84	305.12	308.40	311.68	314.96	318.24	321.52	324.80
100	328.08	331.36	334.65	337.93	341.21	344.49	347.77	351.05	354.33	357.61
10	360.89	364.17	367.45	370.73	374.02	377.30	380.58	383.86	387.14	390.42
20	393.70	396.98	400.26	403.54	406.82	410.10	413.39	416.67	419.95	423.23
30	426.51	429.79	433.07	436.35	439.63	442.91	446.19	449.48	452.76	456.04
40	495.32	462.60	465.88	469.16	472.44	475.72	479.00	482.28	485.56	488.85
50	492.13	495.41	498.69	501.97	505.25	508.53	511.81	515.09	518.37	521.65
60	524.93	528.22	531.50	534.78	538.06	541.34	544.62	547.90	551.18	554.46
70	557.74	561.02	564.30	567.59	570.87	574.15	577.43	580.71	583.99	587.27
80	590.55	593.83	597.11	600.39	603.67	606.96	610.24	613.52	616.80	620.08
90	623.36	626.64	626.92	633.20	636.48	639.76	643.04	646.33	649.61	352.89
200	656.17	659.45	662.73	666.01	669.29	672.57	675.85	679.13	682.41	685.70
10	688.98	692.26	695.54	698.82	702.10	705.38	708.66	711.94	715.22	718.50
20	721.78	725.07	728.35	731.63	734.91	738.19	741.47	744.75	748.03	751.31
30	754.59	757.87	761.15	764.44	767.72	771.00	774.28	777.56	780.84	784.12
40	787.40	790.68	793.96	797.24	800.52	803.81	807.09	810.37	813.65	816.93
50	820.21	823.49	826.77	830.05	833.33	836.61	839.90	843.18	846.46	849.74
60	853.02	856.30	859.58	862.86	866.14	869.42	872.70	875.98	879.27	882.55
70	885.83	889.11	892.39	895.67	898.95	902.23	905.51	908.79	912.07	915.35
80	918.64	921.92	925.20	928.48	931.76	935.04	938.32	941.60	944.88	948.16
90	951.44	954.72	958.01	961.29	964.57	967.85	971.13	974.41	977.69	980.97
300	984.25	987.53	990.81	994.09	997.38	1000.7	1003.9	1007.2	1010.5	1013.8
10	1017.1	1020.3	1023.6	1026.9	1030.2	1033.5	1036.7	1040.0	1043.3	1046.6
20	1049.9	1053.1	1056.4	1059.7	1063.0	1066.3	1069.6	1072.8	1076.1	1079.4
30	1082.7	1086.0	1089.2	1092.5	1095.8	1099.1	1102.4	1105.6	1108.9	1112.2
40	1115.5	1118.8	1122.0	1125.3	1128.6	1131.9	1135.2	1138.5	1141.7	1145.0
50	1148.3	1151.6	1154.9	1158.1	1161.4	1164.7	1168.0	1171.3	1174.5	1177.8
60	1181.1	1184.4	1187.7	1190.9	1194.2	1197.5	1200.8	1204.1	1207.3	1210.6
70	1213.9	1217.2	1220.5	1223.8	1227.0	1230.3	1233.6	1236.9	1240.2	1243.4
80	1246.7	1250.0	1253.3	1256.6	1259.8	1263.1	1266.4	1269.7	1273.0	1276.2
90	1279.5	1282.8	1286.1	1289.4	1292.7	1295.9	1299.2	1302.5	1305.8	1309.1
400	1312.3	1315.6	1318.9	1322.2	1325.5	1328.7	1332.0	1335.3	1338.6	1341.9
10	1345.1	1348.4	1351.7	1355.0	1358.3	1361.5	1364.8	1368.1	1371.4	1374.7
20	1378.0	1381.2	1384.5	1387.8	1391.1	1394.4	1397.6	1400.9	1404.2	1407.5
30	1410.8	1414.0	1417.3	1420.6	1423.9	1427.2	1430.4	1433.7	1437.0	1440.3
40	1443.6	1446.9	1450.1	1453.4	1456.7	1460.0	1463.3	1466.5	1469.8	1473.1
50	1476.4	1479.7	1482.9	1486.2	1489.5	1492.8	1496.1	1499.3	1502.6	1505.9
60	1509.2	1512.5	1515.7	1519.0	1522.3	1525.6	1528.9	1532.2	1535.4	1538.7
70	1542.0	1545.3	1548.6	1551.8	1555.1	1558.4	1561.7	1565.0	1568.2	1571.5
80	1574.8	1578.1	1581.4	1584.6	1587.9	1591.2	1594.5	1597.8	1601.0	1604.3
90	1607.6	1610.9	1614.2	1617.5	1620.7	1624.0	1627.3	1630.6	1633.9	1637.1

m	0	1	2	3	4	5	6	7	8	9
	ft									
500	1640.4	1643.7	1647.0	1650.3	1653.5	1656.8	1660.1	1663.4	1666.7	1669.9
10	1673.2	1676.5	1679.8	1683.1	1686.4	1689.6	1692.9	1696.2	1699.5	1702.8
20	1706.0	1709.3	1712.6	1715.9	1719.2	1722.4	1725.7	1729.0	1732.3	1735.6
30	1738.8	1742.1	1745.4	1748.7	1752.0	1755.2	1758.5	1761.8	1765.1	1768.4
40	1771.7	1774.9	1778.2	1781.5	1784.8	1788.1	1791.3	1794.6	1797.9	1801.2
50	1804.5	1807.7	1811.0	1814.3	1817.6	1820.9	1824.1	1827.4	1830.7	1834.0
60	1837.3	1840.6	1843.8	1847.1	1850.4	1853.7	1857.0	1860.2	1863.5	1866.8
70	1870.1	1873.4	1876.6	1879.9	1883.2	1886.5	1889.8	1893.0	1896.3	1899.6
80	1902.9	1906.2	1909.4	1912.7	1916.0	1919.3	1922.6	1925.9	1929.1	1932.4
90	1935.7	1939.0	1942.3	1945.5	1948.8	1952.1	1955.4	1958.7	1961.9	1965.2
600	1968.5	1971.8	1975.1	1978.3	1981.6	1984.9	1988.2	1991.5	1994.8	1998.0
10	2001.3	2004.6	2007.9	2011.2	2014.4	2017.7	2021.0	2024.3	2027.6	2030.8
20	2034.1	2037.4	2040.7	2044.0	2047.2	2050.5	2053.8	2057.1	2060.4	2063.6
30	2066.9	2070.2	2073.5	2076.8	2080.1	2083.3	2086.6	2089.9	2093.2	2096.5
40	2099.7	2103.0	2106.3	2109.6	2112.9	2116.1	2119.4	2122.7	2126.0	2129.3
50	2132.5	2135.8	2139.1	2142.4	2145.7	2149.0	2152.2	2155.5	2158.8	2162.1
60	2165.4	2168.6	2171.9	2175.2	2178.5	2181.8	2185.0	2188.3	2191.6	2194.9
70	2198.2	2201.4	2204.7	2208.0	2211.3	2214.6	2217.8	2221.1	2224.4	2227.7
80	2231.0	2234.3	2237.5	2240.8	2244.1	2247.4	2250.7	2253.9	2257.2	2260.5
90	2263.8	2267.1	2270.3	2273.6	2276.9	2280.2	2283.5	2286.7	2290.0	2293.3
700	2296.6	2299.9	2303.1	2306.4	2309.7	2313.0	2316.3	2319.6	2322.8	2326.1
10	2329.4	2332.7	2336.0	2339.2	2342.5	2345.8	2349.1	2352.4	2355.6	2358.9
20	2362.2	2365.5	2368.8	2372.0	2375.3	2378.6	2381.9	2385.2	2388.5	2391.7
30	2395.0	2398.3	2401.6	2404.9	2408.1	2411.4	2414.7	2418.0	2421.3	2424.5
40	2427.8	2431.1	2434.4	2437.7	2440.9	2444.2	2447.5	2450.8	2454.1	2457.3
50	2460.6	2463.9	2467.2	2470.5	2473.8	2477.0	2480.3	2483.6	2486.9	2490.2
60	2493.4	2496.7	2500.0	2503.3	2506.6	2509.8	2513.1	2516.4	2519.7	2523.0
70	2526.2	2529.5	2532.8	2536.1	2539.4	2542.7	2545.9	2549.2	2552.5	2555.8
80	2559.1	2562.3	2565.6	2568.9	2572.2	2575.5	2578.7	2582.0	2585.3	2588.6
90	2591.9	2595.1	2598.4	2601.7	2605.0	2608.3	2611.5	2614.8	2618.1	2621.4
800	2624.7	2628.0	2631.2	2634.5	2637.8	2641.1	2644.4	2647.6	2650.9	2654.2
10	2657.5	2660.8	2664.0	2667.3	2670.6	2673.9	2677.2	2680.4	2683.7	2687.0
20	2690.3	2693.6	2696.9	2700.1	2703.4	2706.7	2710.0	2713.3	2716.5	2719.8
30	2723.1	2726.4	2729.7	2732.9	2736.2	2739.5	2742.8	2946.1	2749.3	2752.6
40	2755.9	2759.2	2762.5	2765.7	2769.0	2772.3	2775.6	2778.9	2782.2	2785.4
50	2788.7	2792.0	2795.3	2798.6	2801.8	2805.1	2808.4	2811.7	2815.0	2818.2
60	2821.5	2824.8	2828.1	2831.4	2834.6	2837.9	2841.2	2844.5	2847.8	2851.0
70	2854.3	2857.6	2860.9	2864.2	2867.5	2870.7	2874.0	2877.3	2880.6	2883.9
80	2887.1	2890.4	2893.7	2897.0	2900.3	2903.5	2906.8	2910.1	2913.4	2916.7
90	2919.9	2923.2	2926.5	2929.8	2933.1	2936.4	2939.6	2942.9	2946.2	2949.5
900	2952.8	2956.0	2959.3	2962.6	2965.9	2969.2	2972.4	2975.7	2979.0	2982.3
10	2985.6	2988.8	2992.1	2995.4	2998.7	3002.0	3005.2	3008.5	3011.8	3015.1
20	3018.4	3021.7	3024.9	3028.2	3031.5	3034.8	3038.1	3041.3	3044.6	3047.9
30	3051.2	3054.5	3057.7	3061.0	3064.3	3067.6	3070.9	3074.1	3077.4	3080.7
40	3084.0	3087.3	3090.6	3093.8	9097.1	3100.4	3103.7	3107.0	3110.2	3113.5
50	3116.8	3120.1	3123.4	3126.6	3129.9	3133.2	3136.5	3139.8	3143.0	3146.3
60	3149.6	3152.9	3156.2	3159.4	3162.7	3166.0	3169.3	3172.6	3175.9	3179.1
70	3182.4	3185.7	3189.0	3192.3	3195.5	3198.8	3202.1	3205.4	3208.7	3211.9
80	3215.2	3218.5	3221.8	3225.1	3228.3	3231.6	3234.9	3238.2	3241.5	3244.8
90	3248.0	3251.3	3254.6	3257.9	3261.2	3264.4	3267.7	3271.0	3274.3	3277.6
1000	3280.8	3284.1	3287.4	3290.7	3294.0	3297.2	3300.5	3303.8	3307.1	3310.4

6) 피트〔ft〕→ 미터〔m〕로 환산

ft	0	1	2	3	4	5	6	7	8	9
	m									
—	—	0.3048	0.6096	0.9144	1.2192	1.5240	1.8288	2.1336	2.4384	2.7432
10	3.0480	3.3528	3.6576	3.9624	4.2672	4.5720	4.8768	5.1816	5.4864	5.7912
20	6.0960	6.4008	6.7056	7.0104	7.3152	7.6200	7.9248	8.2296	8.5344	8.8392
30	9.1440	9.4488	9.7536	10.058	10.363	10.668	10.973	11.278	11.582	11.887
40	12.192	12.497	12.802	13.106	13.411	13.716	14.021	14.326	14.630	14.935
50	15.240	15.545	15.850	16.154	16.459	16.764	17.069	17.374	17.678	17.983
60	18.288	18.593	18.898	19.202	19.507	19.812	20.117	20.422	20.726	21.031
70	21.336	21.641	21.946	22.250	22.555	22.860	23.165	23.470	23.774	24.079
80	24.384	24.689	24.994	25.298	25.603	25.908	26.213	26.518	26.822	27.127
90	27.432	27.737	28.042	28.346	28.651	28.956	29.261	29.566	29.870	30.175
100	30.480	30.785	31.090	31.394	31.699	32.004	32.309	32.614	32.918	33.223
10	33.528	33.833	34.138	34.442	34.747	35.052	35.357	35.662	35.966	36.271
20	36.576	36.881	37.186	37.490	37.795	38.100	38.405	38.710	39.014	39.319
30	39.624	39.929	40.234	40.538	40.843	41.148	41.453	41.758	42.062	42.367
40	42.672	42.977	43.282	43.586	43.891	44.196	44.501	44.806	45.110	45.415
50	45.720	46.025	46.330	46.634	46.939	47.244	47.549	47.854	48.158	48.463
60	48.768	49.073	49.378	49.682	49.987	50.292	50.597	50.902	51.206	51.511
70	51.816	52.121	52.426	52.730	53.035	53.340	53.645	53.950	54.254	54.559
80	54.864	55.169	55.474	55.778	56.083	56.388	56.693	56.998	57.302	57.607
90	57.912	58.217	58.522	58.826	59.131	59.436	59.741	60.046	60.350	60.655
200	60.960	61.265	61.570	61.874	62.179	62.484	62.789	63.094	63.398	63.703
10	64.008	64.313	64.618	64.922	65.227	65.532	65.837	66.142	66.446	66.751
20	67.056	67.361	67.666	67.970	68.275	68.580	68.885	69.190	69.494	69.799
30	70.104	70.409	70.714	71.018	71.323	71.628	71.933	72.238	72.542	72.847
40	73.152	73.457	73.762	74.066	74.371	74.676	74.981	75.286	75.590	75.895
50	76.200	76.505	76.810	77.114	77.419	77.724	78.029	78.334	78.638	78.943
60	79.248	79.553	79.858	80.162	80.467	80.772	81.077	81.382	81.686	81.991
70	82.296	82.601	82.906	83.210	83.515	83.820	84.125	84.430	84.734	85.039
80	85.344	85.649	85.954	86.258	86.563	86.868	87.173	87.487	87.782	88.087
90	88.392	88.697	89.002	89.306	89.611	89.916	90.221	90.526	90.830	91.135
300	91.440	91.745	92.050	92.354	92.659	92.964	93.269	93.574	93.878	94.183
10	94.488	94.793	95.098	95.402	95.707	96.012	96.317	96.622	96.926	97.231
20	97.536	97.841	98.146	98.450	98.755	99.060	99.365	99.670	99.974	100.28
30	100.58	100.89	101.19	101.50	101.80	102.11	102.41	102.72	103.02	103.33
40	103.63	103.94	104.24	104.55	104.85	105.16	105.46	105.77	106.07	106.38
50	106.68	106.98	107.29	107.59	107.90	108.20	108.51	108.81	109.12	109.42
60	109.73	110.03	110.34	110.64	110.95	111.25	111.56	111.86	112.17	112.47
70	112.78	113.08	113.39	113.69	114.00	114.30	114.60	114.91	115.21	115.52
80	115.82	116.13	116.43	116.74	117.04	117.35	117.65	117.96	118.26	118.57
90	118.87	119.18	119.48	119.79	120.09	120.40	120.70	121.01	121.31	121.62
400	121.92	122.22	122.53	122.83	123.14	123.44	123.75	124.05	124.36	124.66
10	124.97	125.27	125.58	125.88	126.19	126.49	126.80	127.10	127.41	127.71
20	128.02	128.32	128.63	128.93	129.24	129.54	129.84	130.15	130.45	130.76
30	131.06	131.37	131.67	131.98	132.28	132.59	132.89	133.20	133.50	133.81
40	134.11	134.42	134.72	135.03	135.33	135.64	135.94	136.25	136.55	136.86
50	137.16	137.46	137.77	138.07	138.38	138.68	138.99	139.29	139.60	139.90
60	140.21	140.51	140.82	141.12	141.43	141.73	142.04	142.34	142.65	142.95
70	143.26	143.56	143.87	144.17	144.48	144.78	145.08	145.39	145.69	146.00
80	146.30	146.61	146.91	147.22	147.52	147.83	148.13	148.44	148.74	149.05
90	149.35	149.66	149.96	150.27	150.57	150.88	151.18	151.49	151.79	152.10

ft	0	1	2	3	4	5	6	7	8	9
	m									
500	152.40	152.70	153.01	153.31	153.62	153.92	154.23	154.53	154.84	155.14
10	155.45	155.75	156.06	156.36	156.67	156.97	157.28	157.58	157.89	158.19
20	158.50	158.80	159.11	159.41	159.72	160.02	160.32	160.63	160.93	161.24
30	161.54	161.85	162.15	162.46	162.76	163.07	163.37	163.68	163.98	164.29
40	164.59	164.90	165.20	165.51	165.81	166.12	166.42	166.73	167.03	167.34
50	167.64	167.94	168.25	168.55	168.86	169.16	169.47	169.77	170.08	170.38
60	170.69	170.99	171.30	171.60	171.91	172.21	172.52	172.82	173.13	173.43
70	173.74	174.04	174.35	174.65	174.96	175.26	175.56	175.87	176.17	176.48
80	176.78	177.09	177.39	177.70	178.00	178.31	178.61	178.92	179.22	179.53
90	179.83	180.14	180.44	180.75	181.05	181.36	181.66	181.97	182.27	182.58
600	182.88	183.18	183.49	183.79	184.10	184.40	184.71	185.01	185.32	185.62
10	185.93	186.23	186.54	186.84	187.15	187.45	187.76	188.06	188.37	188.67
20	188.98	189.28	189.59	189.89	190.20	190.50	190.80	191.11	191.41	191.72
30	192.02	192.33	192.63	192.94	193.24	193.55	193.85	194.16	194.46	194.77
40	195.07	195.38	195.68	195.99	196.29	196.60	196.90	197.21	197.51	197.82
50	198.12	198.42	198.73	199.03	199.34	199.64	199.95	200.25	200.56	200.86
60	201.17	201.47	201.78	202.08	202.39	202.69	203.00	203.30	203.61	203.91
70	204.22	204.52	204.83	205.13	205.44	205.74	206.04	206.35	206.65	206.96
80	207.26	207.57	207.87	208.18	208.48	208.79	209.09	209.40	209.70	210.01
90	210.31	210.62	210.92	211.23	211.53	211.84	212.14	212.45	212.75	213.06
700	213.36	213.66	213.97	214.27	214.58	214.88	215.19	215.49	215.80	216.10
10	216.41	216.71	217.02	217.32	217.63	217.93	218.24	218.54	218.85	219.15
20	219.46	219.76	220.07	220.37	220.68	220.98	221.28	221.59	221.89	222.20
30	222.50	222.81	223.11	223.42	223.72	224.03	224.33	224.64	224.94	225.25
40	225.55	225.86	226.16	226.47	226.77	227.08	227.38	227.69	227.99	228.30
50	228.60	228.90	229.21	229.51	229.82	230.12	230.43	230.73	231.04	231.34
60	231.65	231.95	232.26	232.56	232.87	233.17	233.48	233.78	234.09	234.39
70	234.70	235.00	235.31	235.61	235.92	236.22	236.52	236.83	237.13	237.44
80	237.74	238.05	238.35	238.66	238.96	239.27	239.57	239.88	240.18	240.49
90	240.79	241.10	241.40	241.71	242.01	242.32	242.62	242.93	243.23	243.54
800	243.84	244.14	244.45	244.75	245.06	245.36	245.67	245.97	246.28	246.58
10	246.89	247.19	247.50	247.80	248.11	248.41	248.72	249.02	249.33	249.63
20	249.94	250.24	250.55	250.85	251.16	251.46	251.76	252.07	252.37	252.68
30	252.98	253.29	253.59	253.90	254.20	254.51	254.81	255.12	255.42	255.73
40	256.03	256.34	256.64	256.95	257.25	257.56	257.86	258.17	258.47	258.78
50	259.08	259.38	259.69	259.99	260.30	260.60	260.91	261.21	261.52	261.82
60	262.13	262.43	262.74	263.04	263.35	263.65	263.96	264.26	264.57	264.87
70	265.18	265.48	265.79	266.09	266.40	266.70	267.00	267.31	267.61	267.92
80	268.22	268.53	268.83	269.14	269.44	269.75	270.05	270.36	270.66	270.97
90	271.27	271.58	271.88	272.19	272.49	272.80	273.10	273.41	273.71	274.02
900	274.32	274.62	274.93	275.23	275.54	275.84	276.15	276.45	276.76	277.06
10	277.37	277.67	277.98	278.28	278.59	278.89	279.20	279.50	279.81	280.11
20	280.42	280.72	281.03	281.33	281.64	281.94	282.24	282.55	282.85	283.16
30	283.46	283.77	284.07	284.38	284.68	284.99	285.29	285.60	285.90	286.21
40	286.51	286.82	287.12	287.43	287.73	288.04	288.34	288.65	288.95	289.26
50	289.56	289.86	290.17	290.47	290.78	291.08	291.39	291.69	292.00	292.30
60	292.61	292.91	293.22	293.52	293.83	294.13	294.44	294.74	295.05	295.35
70	295.66	295.96	296.27	296.57	296.88	297.18	297.48	297.79	298.09	298.40
80	298.70	299.01	299.31	299.62	299.92	300.23	300.53	300.84	301.14	301.45
90	301.75	302.06	302.36	302.67	302.97	303.28	303.58	303.89	304.19	304.50
1000	304.80	305.10	305.41	305.71	306.02	306.32	306.63	306.93	307.24	307.54

7) 킬로미터〔km〕→ 마일〔mil〕로 환산

km	0	1	2	3	4	5	6	7	8	9
	mil									
—	—	0.6214	1.2427	1.8641	2.4855	3.1069	3.7282	4.3496	4.9710	5.5923
10	6.2137	6.8351	7.4565	8.0778	8.6992	9.3206	9.9419	10.563	11.185	11.806
20	12.427	13.049	13.670	14.292	14.913	15.534	16.156	16.777	17.398	18.020
30	18.641	19.263	19.884	20.505	21.127	21.748	22.369	22.991	23.612	24.233
40	24.855	25.476	26.098	26.719	27.340	27.962	28.583	29.204	29.826	30.447
50	31.069	31.690	32.311	32.933	33.554	34.175	34.797	35.418	36.040	36.661
60	37.282	37.904	38.525	39.146	39.768	40.389	41.010	41.632	42.253	42.875
70	43.496	44.117	44.739	45.360	45.981	46.603	47.224	47.846	48.467	49.088
80	49.710	50.331	50.952	51.574	52.195	52.817	53.438	54.059	54.681	55.302
90	55.923	56.545	57.166	57.788	58.409	59.030	59.652	60.273	60.894	61.516
100	62.137	62.758	63.380	64.001	64.623	65.244	65.865	66.487	67.108	67.729
10	68.351	68.972	69.594	70.215	70.836	71.458	72.079	72.700	73.322	73.943
20	74.565	75.186	75.807	76.429	77.050	77.671	78.293	78.914	79.536	80.157
30	80.778	81.400	82.021	82.642	83.264	83.885	84.506	85.128	85.749	86.371
40	86.992	87.613	88.235	88.856	89.477	90.099	90.720	91.342	91.963	92.584
50	93.206	93.827	94.448	95.070	95.691	96.313	96.934	97.555	98.177	98.798
60	99.419	100.04	100.66	101.28	101.90	102.53	103.15	103.77	104.39	105.01
70	105.63	106.25	106.88	107.50	108.12	108.74	109.36	109.98	110.60	111.23
80	111.85	112.47	113.09	113.71	114.33	114.95	115.58	116.20	116.82	117.44
90	118.06	118.68	119.30	119.92	120.55	121.17	121.79	122.41	123.03	123.65
200	124.27	124.90	125.52	126.14	126.76	127.38	128.00	128.62	129.25	129.87
10	130.49	131.11	131.73	132.35	132.97	133.59	134.22	134.84	135.46	136.08
20	136.70	137.32	137.94	138.57	139.19	139.81	140.43	141.05	141.67	142.29
30	142.92	143.54	144.16	144.78	145.40	146.02	146.64	147.26	147.89	148.51
40	149.13	149.75	150.37	150.99	151.61	152.24	152.86	153.48	154.10	154.72
50	155.34	155.96	156.59	157.21	157.83	158.45	159.07	159.69	160.31	160.94
60	161.56	162.18	162.80	163.42	164.04	164.66	165.28	165.91	166.53	167.15
70	167.77	168.39	169.01	169.63	170.26	170.88	171.50	172.12	172.74	173.36
80	173.98	174.61	175.23	175.85	176.47	177.09	177.71	178.33	178.95	179.58
90	180.20	180.82	181.44	182.06	182.68	183.30	183.93	184.55	185.17	185.79
300	186.41	187.03	187.65	188.28	188.90	189.52	190.14	190.76	191.38	192.00
10	192.63	193.25	193.87	194.49	195.11	195.73	196.35	196.97	197.60	198.22
20	198.84	199.46	200.08	200.70	201.32	201.95	202.57	203.19	203.81	204.43
30	205.05	205.67	206.30	206.92	207.54	208.16	208.78	209.40	210.02	210.64
40	211.27	211.89	212.51	213.13	213.75	214.37	214.99	215.62	216.24	216.86
50	217.48	218.10	218.72	219.34	219.97	220.59	221.21	221.83	222.45	223.07
60	223.69	224.32	224.94	225.56	226.18	226.80	227.42	228.04	228.66	229.29
70	229.91	230.53	231.15	231.77	232.39	233.01	233.64	234.26	234.88	235.50
80	236.12	236.74	237.36	237.99	238.61	239.23	239.85	240.47	241.09	241.71
90	242.33	242.96	243.58	244.20	244.82	245.44	246.06	246.68	247.31	247.93
400	248.55	249.17	249.79	250.41	251.03	251.66	252.28	252.90	253.52	254.14
10	254.76	255.38	256.00	256.63	257.25	257.87	258.49	259.11	259.73	260.35
20	260.98	261.60	262.22	262.84	263.46	264.08	264.70	265.33	265.95	266.57
30	267.19	267.81	268.43	269.05	269.68	270.30	270.92	271.54	272.16	272.78
40	273.40	274.02	274.65	275.27	275.89	276.51	277.13	277.75	278.37	279.00
50	279.62	280.24	280.86	281.48	282.10	282.72	283.35	283.97	284.59	285.21
60	285.83	286.45	287.07	287.69	288.32	288.94	289.56	290.18	290.80	291.42
70	292.04	292.67	293.29	293.91	294.53	295.15	295.77	296.39	297.02	297.64
80	298.26	298.88	299.50	300.12	300.74	301.37	301.99	302.61	303.23	303.85
90	304.47	305.09	305.71	306.34	306.96	307.58	308.20	308.82	309.44	310.06

km	0	1	2	3	4	5	6	7	8	9
	mil									
500	310.69	311.31	311.93	312.55	313.17	313.79	314.41	315.04	315.66	316.28
10	316.90	317.52	318.14	318.76	319.38	320.01	320.63	321.25	321.87	322.49
20	323.11	323.73	324.36	324.98	325.60	326.22	326.84	327.46	328.08	328.71
30	329.33	329.95	330.57	331.19	331.81	332.43	333.05	333.68	334.30	334.92
40	335.54	336.16	336.78	337.40	338.03	338.65	339.27	339.89	340.51	341.13
50	341.75	342.38	343.00	343.62	344.24	344.86	345.48	346.10	346.73	347.35
60	347.97	348.59	349.21	349.83	350.45	351.07	351.70	352.32	352.94	353.56
70	354.18	354.80	355.42	356.05	356.67	357.29	357.91	358.53	359.15	359.77
80	360.40	361.02	361.64	362.26	362.88	363.50	364.12	364.74	365.37	365.99
90	366.61	367.23	367.85	368.47	369.09	369.72	370.34	370.96	371.58	372.20
600	372.82	373.44	374.07	374.69	375.31	375.93	376.55	377.17	377.79	378.42
10	379.04	379.66	380.28	380.90	381.52	382.14	382.76	383.39	384.01	384.63
20	385.25	385.87	386.49	387.11	387.74	388.36	388.98	389.60	390.22	390.84
30	391.46	382.09	392.71	393.33	393.95	394.57	395.19	395.81	396.43	397.06
40	397.68	398.30	398.92	399.54	400.16	400.78	401.41	402.03	402.65	403.27
50	403.89	404.51	405.13	405.76	406.38	407.00	407.62	408.24	408.86	409.48
60	410.10	410.73	411.35	411.97	412.59	413.21	413.83	414.45	415.08	415.70
70	416.32	416.94	417.56	418.18	418.80	419.43	420.05	420.67	421.29	421.91
80	422.53	423.15	423.78	424.40	425.02	425.64	426.26	426.88	427.50	428.12
90	428.75	429.37	429.99	430.61	431.23	431.85	432.47	433.10	433.72	434.34
700	434.96	435.58	436.20	436.82	437.45	438.07	438.69	439.31	439.93	440.55
10	441.17	441.79	442.42	443.04	443.66	444.28	444.90	445.52	446.14	446.77
20	447.39	448.01	448.63	449.25	449.87	450.49	451.12	451.74	452.36	452.98
30	453.60	454.22	454.84	455.47	456.09	456.71	457.33	457.95	458.57	459.19
40	459.81	460.44	461.06	461.68	462.30	462.92	463.54	464.16	464.79	465.41
50	466.03	466.65	467.27	467.89	468.51	469.14	469.76	470.38	471.00	471.62
60	472.24	472.86	473.48	474.11	474.73	475.35	475.97	476.59	477.21	477.83
70	478.46	479.08	479.70	480.32	480.94	481.56	482.18	482.81	483.43	484.05
80	484.67	485.29	485.91	486.53	487.16	487.78	488.40	489.02	489.64	490.26
90	490.88	491.50	492.13	492.75	493.37	493.99	494.61	495.23	495.85	496.48
800	497.10	497.72	498.34	498.96	499.58	500.20	500.83	501.45	502.07	502.69
10	503.31	503.93	504.55	505.17	505.80	506.42	507.04	507.66	508.28	508.90
20	509.52	510.15	510.77	511.39	512.01	512.63	513.25	513.87	514.50	515.12
30	515.74	516.36	516.98	517.60	518.22	518.84	519.47	520.09	520.71	521.33
40	521.95	522.57	523.19	523.82	524.44	525.06	525.68	526.30	526.92	527.54
50	528.17	528.79	529.41	530.03	530.65	531.27	531.89	532.52	533.14	533.76
60	534.38	535.00	535.62	536.24	536.86	537.49	538.11	538.73	539.35	539.97
70	540.59	541.21	541.84	542.46	543.08	543.70	544.32	544.94	545.56	546.19
80	546.81	547.43	548.05	548.67	549.29	549.91	550.53	551.16	551.78	552.40
90	553.02	553.64	554.26	554.88	555.51	556.13	556.75	557.37	557.99	558.61
900	559.23	559.86	560.48	561.10	561.72	562.34	562.96	563.58	564.21	564.83
10	565.45	566.07	566.69	567.31	567.93	568.55	569.18	569.80	570.42	571.04
20	571.66	572.28	572.90	573.53	574.15	574.77	575.39	576.01	576.63	577.25
30	577.88	578.50	579.12	579.74	580.36	580.98	581.60	582.22	582.85	583.47
40	584.09	584.71	585.33	585.95	586.57	587.20	587.82	588.44	589.06	589.68
50	590.30	590.92	591.55	592.17	592.79	593.41	594.03	594.65	595.27	595.89
60	596.52	597.14	597.76	598.38	599.00	599.62	600.24	600.87	601.49	602.11
70	602.73	603.35	603.97	604.59	605.22	605.84	606.46	607.08	607.70	608.32
80	608.94	609.57	610.19	610.81	611.43	612.05	612.67	613.29	613.91	614.54
90	615.16	615.78	616.40	617.02	617.64	618.26	618.89	619.51	620.13	620.75
1000	621.37	621.99	622.61	623.24	623.86	624.48	625.10	625.72	626.34	626.96

8) 마일〔mil〕→ 킬로미터〔km〕로 환산

mil	0	1	2	3	4	5	6	7	8	9
	km									
—	—	1.6093	3.2187	4.8280	6.4374	8.0467	9.6561	11.265	12.875	14.484
10	16.093	17.703	19.312	20.921	22.531	24.140	25.750	27.359	28.968	30.578
20	32.187	33.796	35.406	37.015	38.624	40.234	41.843	43.452	45.062	46.671
30	48.280	49.890	51.499	53.108	54.718	56.327	57.936	59.546	61.155	62.764
40	64.374	65.983	67.592	69.202	70.811	72.420	74.030	75.639	77.249	78.858
50	80.467	82.077	83.686	85.295	86.905	88.514	90.123	91.733	93.342	94.951
60	96.561	98.170	99.779	101.39	103.00	104.61	106.22	107.83	109.44	111.04
70	112.65	114.26	115.87	117.48	119.09	120.70	122.31	123.92	125.53	127.14
80	128.75	130.36	131.97	133.58	135.18	136.79	138.40	140.01	141.62	143.23
90	144.84	146.45	148.06	149.67	151.28	152.89	154.50	156.11	157.72	159.33
100	160.93	162.54	164.15	165.76	167.37	168.98	170.59	172.20	173.81	175.42
10	177.03	178.64	180.25	181.86	183.47	185.07	186.68	188.29	189.90	191.51
20	193.12	194.73	196.34	197.95	199.56	201.17	202.78	204.39	206.00	207.61
30	209.21	210.82	212.43	214.04	215.65	217.26	218.87	220.48	222.09	223.70
40	225.31	226.92	228.53	230.14	231.75	233.35	234.96	236.57	238.18	239.79
50	241.40	243.01	244.62	246.23	247.84	249.45	251.06	252.67	254.28	255.89
60	257.50	259.10	260.71	262.32	263.93	265.54	267.15	268.76	270.37	271.98
70	273.59	275.20	276.81	278.42	280.03	281.64	283.24	284.85	286.46	288.07
80	289.68	291.29	292.90	294.51	296.12	297.73	299.34	300.95	302.56	304.17
90	305.78	307.38	308.99	310.60	312.21	313.82	315.43	317.04	318.65	320.26
200	321.87	323.48	325.09	326.70	328.31	329.92	331.52	333.13	334.74	336.35
10	337.96	339.57	341.18	342.79	344.40	346.01	347.62	349.23	350.84	352.45
20	354.06	355.67	357.27	358.88	360.49	362.10	363.71	365.32	366.93	368.54
30	370.15	371.76	373.37	374.98	376.59	378.20	379.81	381.41	383.02	384.63
40	386.24	387.85	389.46	391.07	392.68	394.29	395.90	397.51	399.12	400.73
50	402.34	403.95	405.55	407.16	408.77	410.38	411.99	413.60	415.21	416.82
60	418.43	420.04	421.65	423.26	424.87	426.48	428.09	429.69	431.30	432.91
70	434.52	436.13	437.74	439.35	440.96	442.57	444.18	445.79	447.40	449.01
80	450.62	452.23	453.84	455.44	457.05	458.66	460.27	461.88	463.49	465.10
90	466.71	468.32	469.93	471.54	473.15	474.76	476.37	477.98	479.58	481.19
300	482.80	484.41	486.02	487.63	489.24	490.85	492.46	494.07	495.68	497.29
10	498.90	500.51	502.12	503.72	505.33	506.94	508.55	510.16	511.77	513.38
20	514.99	516.60	518.21	519.82	521.43	523.04	524.65	526.26	527.86	529.47
30	531.08	532.69	534.30	535.91	537.52	539.13	540.74	542.35	543.96	545.57
40	547.18	548.79	550.40	552.00	553.61	555.22	556.83	558.44	560.05	561.66
50	563.27	564.88	566.49	568.10	569.71	571.32	572.93	574.54	576.15	577.75
60	579.36	580.97	582.58	584.19	585.80	587.41	589.02	590.63	592.24	593.85
70	595.46	597.07	598.68	600.29	601.89	603.50	605.11	606.72	608.33	609.94
80	611.55	613.16	614.77	616.38	617.99	619.60	621.21	622.82	624.43	626.03
90	627.64	629.25	630.86	632.47	634.08	635.69	637.30	638.91	640.52	642.13
400	643.74	645.35	646.96	648.57	650.17	651.78	653.39	655.00	656.61	658.22
10	659.83	661.44	663.05	664.66	666.27	667.88	669.49	971.10	672.71	674.32
20	675.92	677.53	679.14	680.75	682.36	683.97	685.58	687.19	688.80	690.41
30	692.02	693.63	695.24	696.85	698.46	700.06	701.67	703.28	704.89	706.50
40	708.11	709.72	711.33	712.94	714.55	716.16	717.77	719.38	720.99	722.60
50	724.20	725.81	727.42	729.03	730.64	732.25	733.86	735.47	737.08	738.69
60	740.30	741.91	743.52	745.13	746.74	748.34	749.95	751.56	753.17	754.78
70	756.39	758.00	759.61	761.22	762.83	764.44	766.05	767.66	769.27	770.88
80	772.49	774.09	775.70	777.31	778.92	780.53	782.14	783.75	785.36	786.97
90	788.58	790.19	791.80	793.41	795.02	796.63	798.23	799.84	801.45	803.06

mil	0	1	2	3	4	5	6	7	8	9
	km									
500	804.67	806.28	807.89	809.50	811.11	812.72	814.33	815.94	817.55	819.16
10	820.77	822.37	823.98	825.59	827.20	828.81	830.42	832.03	833.64	835.25
20	836.86	838.47	840.08	841.69	843.30	844.91	846.51	848.12	849.73	851.34
30	852.95	854.56	856.17	857.78	859.39	861.00	862.61	864.22	865.83	867.44
40	869.05	870.66	872.26	873.87	875.48	877.09	878.70	880.31	881.92	883.53
50	885.14	886.75	888.36	889.97	891.58	893.19	894.80	896.40	898.01	899.62
60	901.23	902.84	904.45	906.06	907.67	909.28	910.89	912.50	914.11	915.72
70	917.33	918.94	920.54	922.15	923.76	925.37	926.98	928.59	930.20	931.81
80	933.42	935.03	936.64	938.25	939.86	941.47	943.08	944.68	946.29	947.90
90	949.51	951.12	952.73	954.34	955.95	957.56	959.17	960.78	962.39	964.00
600	965.61	967.22	968.83	970.43	972.04	973.65	975.26	976.87	978.48	980.09
10	981.70	983.31	984.92	986.53	988.14	989.75	991.36	992.97	994.57	996.18
20	997.79	999.40	1001.0	1002.6	1004.2	1005.8	1007.4	1009.1	1010.7	1012.3
30	1013.9	1015.5	1017.1	1018.7	1020.3	1021.9	1023.5	1025.2	1026.8	1028.4
40	1030.0	1031.6	1032.2	1034.8	1036.4	1038.0	1039.6	1041.2	1042.9	1044.5
50	1046.1	1047.7	1049.3	1050.9	1052.5	1054.1	1055.7	1057.3	1058.9	1060.6
60	1062.2	1063.8	1065.4	1067.0	1068.6	1070.2	1071.8	1073.4	1075.0	1076.7
70	1078.3	1079.9	1081.5	1083.1	1084.7	1086.3	1087.9	1089.5	1091.1	1092.7
80	1094.4	1096.0	1097.6	1099.2	1100.8	1102.4	1104.0	1105.6	1107.2	1108.8
90	1110.4	1112.1	1113.7	1115.2	1116.9	1118.5	1120.1	1121.7	1123.3	1124.9
700	1126.5	1128.2	1129.8	1131.4	1133.0	1134.6	1136.2	1137.8	1139.4	1141.0
10	1142.6	1144.2	1145.9	1147.5	1149.1	1150.7	1152.3	1153.9	1155.5	1157.1
20	1158.7	1160.3	1161.9	1163.6	1165.2	1166.8	1168.4	1170.0	1171.6	1173.2
30	1174.8	1176.4	1178.0	1179.6	1181.3	1182.9	1184.5	1186.1	1187.7	1189.3
40	1190.9	1192.5	1194.1	1195.7	1197.4	1199.0	1200.6	1202.2	1203.8	1205.4
50	1207.0	1208.6	1210.2	1211.8	1213.4	1215.1	1216.7	1218.3	1219.9	1221.5
60	1223.1	1224.7	1226.3	1227.9	1229.5	1231.1	1232.8	1234.4	1236.0	1237.6
70	1239.2	1240.8	1242.4	1244.0	1245.6	1247.2	1248.9	1250.5	1252.1	1253.7
80	1255.3	1256.9	1258.5	1260.1	1261.7	1263.3	1264.9	1266.6	1268.2	1269.8
90	1271.4	1273.0	1274.6	1276.2	1277.8	1279.4	1281.0	1282.6	1284.3	1285.9
800	1287.5	1289.1	1290.7	1292.3	1293.9	1295.5	1297.1	1298.7	1300.3	1302.0
10	1303.6	1305.2	1306.8	1308.4	1310.0	1311.6	1313.2	1314.8	1316.4	1318.1
20	1319.7	1321.3	1322.9	1324.5	1326.1	1327.7	1329.3	1330.9	1332.5	1334.1
30	1335.8	1337.4	1339.0	1340.6	1342.2	1343.8	1345.4	1347.0	1348.6	1350.2
40	1351.8	1353.5	1355.1	1356.7	1358.3	1359.9	1361.5	1363.1	1364.7	1366.3.
50	1367.9	1369.6	1371.2	1372.8	1374.4	1376.0	1377.6	1379.2	1380.8	1382.4
60	1384.0	1385.6	1387.3	1388.9	1390.5	1392.1	1393.7	1395.3	1396.9	1398.5
70	1400.1	1401.7	1403.3	1405.0	1406.6	1408.2	1409.8	1411.4	1413.0	1414.6
80	1416.2	1417.8	1419.4	1421.1	1422.7	1424.3	1425.9	1427.5	1429.1	1430.7
90	1432.3	1433.9	1435.5	1437.1	1438.8	1440.4	1442.0	1443.6	1445.2	1446.8
900	1448.4	1450.0	1451.6	1453.2	1454.8	1456.5	1458.1	1459.7	1461.3	1462.9
10	1464.5	1466.1	1467.7	1469.3	1470.9	1472.5	1474.2	1475.8	1477.4	1479.0
20	1480.6	1482.2	1483.8	1485.4	1487.0	1488.6	1490.3	1491.9	1493.5	1495.1
30	1496.7	1498.3	1499.9	1501.5	1503.1	1504.7	1506.3	1508.0	1509.6	1511.2
40	1512.8	1514.4	1516.0	1517.6	1519.2	1520.8	1522.4	1524.0	1525.7	1527.3
50	1528.9	1530.5	1532.1	1533.7	1535.3	1536.9	1538.5	1540.1	1541.8	1543.4
60	1545.0	1546.6	1548.2	1549.8	1551.4	1553.0	1554.6	1556.2	1557.8	1559.5
70	1561.1	1562.7	1564.3	1565.9	1567.5	1569.1	1570.7	1572.3	1573.9	1575.5
80	1577.2	1578.8	1580.4	1582.0	1583.6	1585.2	1586.8	1588.4	1590.0	1591.6
90	1593.3	1594.9	1596.5	1598.1	1599.7	1601.3	1602.9	1604.5	1606.1	1607.7
1000	1609.3	1611.0	1612.6	1614.2	1615.8	1617.4	1619.0	1620.6	1622.2	1623.3

9) 킬로미터〔km〕→ 해리〔nm〕로 환산

km	0	1	2	3	4	5	6	7	8	9
	nm									
—	—	0.5400	1.0799	1.6199	2.1598	2.6998	3.2397	3.7797	4.3197	4.8596
10	5.3996	5.9395	6.4795	7.0194	7.5594	8.0994	8.6393	9.1793	9.7192	10.259
20	10.799	11.339	11.879	12.419	12.959	13.499	14.039	14.579	15.119	15.659
30	16.199	16.739	17.279	17.819	18.359	18.898	19.438	19.978	20.518	21.058
40	21.598	22.138	22.678	23.218	23.758	24.298	24.838	25.378	25.918	26.458
50	26.998	27.538	28.078	28.618	29.158	29.698	30.238	30.778	31.317	31.857
60	32.397	32.937	33.477	34.017	34.557	35.097	35.637	36.177	36.717	37.257
70	37.797	38.337	38.877	39.417	39.957	40.497	41.037	41.577	42.117	42.657
80	43.197	43.737	44.276	44.816	45.356	45.896	46.436	46.976	47.516	48.056
90	48.596	49.136	49.676	50.216	50.756	51.296	51.836	52.376	52.916	53.456
100	53.996	54.536	55.076	55.616	56.156	56.695	57.235	57.775	58.315	58.855
10	59.395	59.935	60.475	61.015	61.555	62.095	62.635	63.175	63.715	64.255
20	64.795	65.335	65.875	66.415	66.955	97.495	68.035	68.575	69.114	69.654
30	70.194	70.734	71.274	71.814	72.354	72.894	73.434	73.974	74.514	75.054
40	75.594	76.134	76.674	77.214	77.754	78.294	78.834	79.374	79.914	80.454
50	80.994	81.533	82.073	82.613	83.153	83.693	84.233	84.773	85.313	85.853
60	86.393	86.933	87.473	88.013	88.553	89.093	89.633	90.173	90.713	91.253
70	91.793	92.333	92.873	93.413	93.952	94.492	95.032	95.572	96.112	96.652
80	97.192	97.732	98.272	98.812	99.352	99.892	100.43	100.97	101.51	102.05
90	102.59	103.13	103.67	104.21	104.75	105.29	105.83	106.37	106.91	107.45
200	107.99	108.53	109.07	109.61	110.15	110.69	111.23	111.77	112.31	112.85
10	113.39	113.93	114.47	115.01	115.55	116.09	116.63	117.17	117.71	118.25
20	118.79	119.33	119.87	120.41	120.95	121.49	122.03	122.57	123.11	123.65
30	124.19	124.73	125.27	125.81	126.35	126.89	127.43	127.97	128.51	129.05
40	129.59	130.13	130.67	131.21	131.75	132.29	132.83	133.37	133.91	134.45
50	134.99	135.53	136.07	136.61	137.15	137.69	138.23	138.77	139.31	139.85
60	140.39	140.93	141.47	142.01	142.55	143.09	143.63	144.17	144.71	145.25
70	145.79	146.33	146.87	147.41	147.95	148.49	149.03	149.57	150.11	150.65
80	151.19	151.73	152.27	152.81	153.35	153.89	154.43	154.97	155.51	156.05
90	156.59	157.13	157.67	158.21	158.75	159.29	159.83	160.37	160.91	161.45
300	161.99	162.53	163.07	163.61	164.15	164.69	165.23	165.77	166.31	166.85
10	167.39	167.93	168.47	169.01	169.55	170.09	170.63	171.17	171.71	172.25
20	172.79	173.33	173.87	174.41	174.95	175.49	176.03	176.57	177.11	177.65
30	178.19	178.73	179.27	179.81	180.35	180.89	181.43	181.97	183.51	183.05
40	183.59	184.13	184.67	185.21	185.75	186.29	186.83	187.37	187.90	188.44
50	188.98	189.52	190.06	190.60	191.14	191.68	192.22	192.76	193.30	193.84
60	194.38	194.92	195.46	196.00	196.54	197.08	197.62	198.16	198.70	199.24
70	199.78	200.32	200.86	201.40	201.94	202.48	203.02	203.56	204.10	204.64
80	205.18	205.72	206.26	206.80	207.34	207.88	208.42	208.96	209.50	210.04
90	210.58	211.12	211.66	212.20	212.74	213.28	213.82	214.36	214.90	215.44
400	215.98	216.52	217.06	217.60	218.14	218.68	219.22	219.76	220.30	220.84
10	221.38	221.92	222.46	223.00	223.54	224.08	224.62	225.16	225.70	226.24
20	226.78	227.32	227.86	228.40	228.94	229.48	230.02	230.56	231.10	231.64
30	232.18	232.72	233.26	233.80	234.34	234.88	235.42	235.96	236.50	237.04
40	237.58	238.12	238.66	239.20	239.74	240.28	240.82	241.36	241.90	242.44
50	242.98	243.52	244.06	244.60	245.14	245.68	246.22	246.76	247.30	247.84
60	248.38	248.92	249.46	250.00	250.54	251.08	251.62	252.16	252.70	253.24
70	253.78	254.32	254.86	255.40	255.94	256.48	257.02	257.56	258.10	258.64
80	259.18	259.72	260.26	260.80	261.34	261.88	262.42	262.96	263.50	264.04
90	264.58	265.12	265.66	266.20	266.74	267.28	267.82	268.36	268.90	269.44

km	0	1	2	3	4	5	6	7	8	9
	nm									
500	269.98	270.52	271.06	271.60	272.14	272.68	273.22	273.76	274.30	274.84
10	275.38	275.92	276.46	277.00	277.54	278.08	278.62	279.16	279.70	280.24
20	280.78	281.32	281.86	282.40	282.94	283.48	284.02	284.56	285.10	285.64
30	286.18	286.72	287.26	287.80	288.34	288.88	289.42	289.96	290.50	291.04
40	291.58	292.12	292.66	293.20	293.74	294.28	294.82	295.36	295.90	296.44
50	296.98	297.52	298.06	298.60	299.14	299.68	300.22	300.76	301.30	301.84
60	302.38	302.92	303.46	304.00	304.54	305.08	305.62	306.16	306.70	307.24
70	307.78	308.32	308.86	309.40	309.94	310.48	311.02	311.56	312.10	312.63
80	313.17	313.71	314.25	314.79	315.33	315.87	316.41	316.95	317.49	318.03
90	318.57	319.11	319.65	320.19	320.73	321.27	321.81	822.35	322.89	323.43
600	323.97	324.51	325.05	325.59	326.13	326.67	327.21	327.75	328.29	328.83
10	329.37	329.91	330.45	330.99	331.53	332.07	332.61	333.15	333.69	334.23
20	334.77	335.31	335.85	336.39	336.93	337.47	338.01	338.55	339.09	339.63
30	340.17	340.71	341.25	341.79	342.33	342.87	343.41	343.95	344.49	345.03
40	345.57	346.11	346.65	347.19	347.73	348.27	248.81	349.35	349.89	350.43
50	350.97	351.51	352.05	352.59	353.13	353.67	354.21	354.75	355.29	355.83
60	356.37	356.91	357.45	357.99	358.53	359.07	359.61	360.15	360.69	361.23
70	361.77	362.31	362.85	363.39	363.93	364.47	365.01	365.55	366.09	366.63
80	367.17	367.71	368.25	368.79	369.33	369.87	370.41	370.95	371.49	372.03
90	372.57	373.11	373.65	374.19	374.73	375.27	375.81	376.35	376.89	377.43
700	377.97	378.51	379.05	379.59	380.13	380.67	381.21	381.75	382.29	382.83
10	383.37	383.91	384.45	384.99	385.53	386.07	386.61	387.15	387.69	388.23
20	388.77	389.31	389.85	390.39	390.93	391.47	392.01	392.55	393.09	393.63
30	394.17	394.71	395.25	395.79	396.33	396.87	397.41	397.95	398.49	399.03
40	399.57	400.11	400.65	401.19	401.73	402.27	402.81	403.35	403.89	404.43
50	404.97	405.51	406.05	406.59	407.13	407.67	408.21	408.75	409.29	409.83
60	410.37	410.91	411.45	411.99	412.53	413.07	413.61	414.15	414.69	415.23
70	415.77	416.31	416.85	417.39	417.93	418.47	419.01	419.55	420.09	420.63
80	421.17	421.71	422.25	422.79	423.33	423.87	424.41	424.95	425.49	426.03
90	426.57	427.11	427.65	428.19	428.73	429.27	429.81	430.35	430.89	431.43
800	431.97	432.15	433.05	433.59	434.13	434.67	435.21	435.75	436.29	436.83
10	437.37	437.90	438.44	438.98	439.52	440.06	440.60	441.14	441.68	442.22
20	442.76	443.30	443.84	444.38	444.92	445.46	446.00	446.54	447.08	447.62
30	448.16	448.70	449.24	449.78	450.32	450.86	451.40	451.94	452.48	453.02
40	453.56	454.10	454.64	455.18	455.72	456.26	456.80	457.34	457.88	458.42
50	458.96	459.50	460.04	460.58	461.12	461.66	462.20	462.74	463.28	463.82
60	464.36	464.90	465.44	465.98	466.52	467.06	467.60	468.14	468.68	469.22
70	469.76	470.30	470.84	471.38	471.92	472.46	473.00	473.54	474.08	474.62
80	475.16	475.70	476.24	476.78	477.32	477.86	478.40	478.94	479.48	480.02
90	480.56	481.10	481.64	482.18	482.72	483.26	483.80	484.34	484.88	485.42
900	485.96	486.50	487.04	487.58	488.12	488.66	489.20	489.74	490.28	490.82
10	491.36	491.90	492.44	492.98	493.52	494.06	494.60	495.14	495.68	496.22
20	496.76	497.30	497.84	498.38	498.92	499.46	500.00	500.54	501.08	501.62
30	502.16	502.70	503.24	503.78	504.32	504.86	505.40	505.94	506.48	507.02
40	507.56	508.10	508.64	509.18	509.72	510.26	510.80	511.34	511.88	512.42
50	512.96	513.50	514.04	514.58	515.12	515.66	516.20	516.74	517.28	517.82
60	518.36	518.90	519.44	519.98	520.52	521.06	521.60	522.14	522.68	523.22
70	523.76	524.30	524.84	525.38	525.92	526.46	527.00	527.54	528.08	528.62
80	529.16	529.70	530.24	530.78	531.32	531.86	532.40	532.94	533.48	534.02
90	534.56	535.10	535.64	536.18	536.72	537.26	537.80	538.34	538.88	539.42
1000	539.96	540.50	541.04	541.58	542.12	542.66	543.20	543.74	544.28	544.82

10) 해리〔nm〕 → 킬로미터〔km〕로 환산

nm	0	1	2	3	4	5	6	7	8	9
	km									
—	—	1.8520	3.7040	5.5560	7.4080	9.2600	11.112	12.964	14.816	16.668
10	18.520	20.372	22.224	24.076	25.928	27.780	29.632	31.484	33.336	35.188
20	37.040	38.892	40.744	42.596	44.448	46.300	48.152	50.004	51.856	53.708
30	55.560	57.412	59.264	61.116	62.968	64.820	66.672	68.524	70.376	72.228
40	74.080	75.932	77.784	79.636	81.488	83.340	85.192	87.044	88.896	90.748
50	92.600	94.452	96.304	98.156	100.01	101.86	103.71	105.56	107.42	109.27
60	111.12	112.97	114.82	116.68	118.53	120.38	122.23	124.08	125.94	127.79
70	129.64	131.49	133.34	135.20	137.05	138.90	140.75	142.60	144.46	146.31
80	148.16	150.01	151.86	153.72	155.57	157.42	159.27	161.12	162.98	164.83
90	166.68	168.53	170.38	172.24	174.09	175.94	177.79	179.64	181.50	183.35
100	185.20	187.05	188.90	190.76	192.61	194.46	196.31	198.16	200.02	201.87
10	203.72	205.57	207.42	209.28	211.13	212.98	214.83	216.68	218.54	220.39
20	222.24	224.09	225.94	227.80	229.65	231.50	233.35	235.20	237.06	238.91
30	240.76	242.61	244.46	246.32	248.17	250.02	251.87	253.72	255.58	257.43
40	259.28	261.13	262.98	264.84	266.69	268.54	270.39	272.24	274.10	275.95
50	277.80	279.65	281.50	283.36	285.21	287.06	288.91	290.76	292.62	294.47
60	296.32	298.17	300.02	301.88	303.73	305.58	307.43	309.28	311.14	312.99
70	314.84	316.69	318.54	320.40	322.25	324.10	325.95	327.80	329.66	331.51
80	333.36	335.21	337.06	338.92	340.77	342.62	344.47	346.32	348.18	350.03
90	351.88	353.73	355.58	357.44	359.29	361.14	362.99	364.84	366.70	368.55
200	370.40	372.25	374.10	375.96	377.81	379.66	381.51	383.36	385.22	387.07
10	388.92	390.77	392.62	394.48	396.33	398.18	400.03	401.88	403.74	405.59
20	407.44	409.29	411.14	413.00	414.85	416.70	418.55	420.40	422.26	424.11
30	425.96	427.81	429.66	431.52	433.37	435.22	437.07	438.92	440.78	442.63
40	444.48	446.33	448.18	450.04	451.89	453.74	455.59	457.44	459.30	461.15
50	463.00	464.85	466.70	468.56	470.41	472.26	474.11	475.96	477.82	479.67
60	481.52	483.37	485.22	487.08	488.93	490.78	492.63	494.48	496.34	498.19
70	500.04	501.89	503.74	505.60	507.45	509.30	511.15	513.00	514.86	516.71
80	518.56	520.41	522.26	524.12	525.97	527.82	529.67	531.52	533.38	535.23
90	537.08	538.93	540.78	542.64	544.49	546.34	548.19	550.04	551.90	553.75
300	555.60	557.45	559.30	561.16	563.01	564.86	566.71	568.56	570.42	572.27
10	574.12	575.97	577.82	579.68	581.53	583.38	585.23	587.08	588.94	590.79
20	592.64	594.49	596.34	598.20	600.05	601.90	603.75	605.60	607.46	609.31
30	611.16	613.01	614.86	616.72	618.57	620.42	622.27	624.12	625.98	627.83
40	629.68	631.53	633.38	635.24	637.09	638.94	640.79	642.64	644.50	646.35
50	648.20	650.05	651.90	653.76	655.61	657.46	659.31	661.16	663.02	664.87
60	666.72	668.57	670.42	672.28	674.13	675.98	677.83	679.68	681.54	683.39
70	685.24	687.09	688.94	690.80	692.65	694.50	696.35	698.20	700.06	701.91
80	703.76	705.61	707.46	709.32	711.17	713.02	714.87	716.72	718.58	720.43
90	722.28	724.13	725.98	727.84	729.69	731.54	733.39	735.24	737.10	738.95
400	740.80	742.65	744.50	746.36	748.21	750.06	751.91	753.76	755.62	757.47
10	759.32	761.17	763.02	764.88	766.73	768.58	770.43	772.28	774.14	775.99
20	777.84	779.69	781.54	783.40	785.25	787.10	788.95	790.80	792.66	794.51
30	796.36	798.21	800.06	801.92	803.77	805.62	807.47	809.32	811.18	813.03
40	814.88	816.73	818.58	820.44	822.29	824.14	825.99	827.84	829.70	831.55
50	833.40	835.25	837.10	838.96	840.81	842.66	844.51	846.36	848.22	850.07
60	851.92	853.77	855.62	857.48	859.33	861.18	863.03	864.88	866.74	868.59
70	870.44	872.29	874.14	876.00	877.85	879.70	881.55	883.40	885.26	887.11
80	888.96	890.81	892.66	894.52	896.37	898.22	900.07	901.92	903.78	905.63
90	907.48	909.33	911.18	913.04	914.89	916.74	918.59	920.44	922.30	924.15

nm	0	1	2	3	4	5	6	7	8	9
	km									
500	926.00	927.85	929.70	931.56	933.41	935.26	937.11	938.96	940.82	942.67
10	944.52	946.37	948.22	950.08	951.93	953.78	955.63	957.48	959.34	961.19
20	963.04	964.89	966.74	968.60	970.45	972.30	974.15	976.00	977.86	979.71
30	981.56	983.41	985.26	987.12	988.97	990.82	992.67	994.52	996.38	998.23
40	1000.1	1001.9	1003.8	1005.6	1007.5	1009.3	1011.2	1013.0	1014.9	1016.7
50	1018.6	1020.5	1022.3	1024.2	1026.0	1027.9	1029.7	1031.6	1033.4	1035.3
60	1037.1	1039.0	1040.8	1042.7	1044.5	1046.4	1048.2	1050.1	1051.9	1053.8
70	1055.6	1057.5	1059.3	1061.2	1063.0	1064.9	1066.8	1068.6	1070.5	1072.3
80	1074.2	1076.0	1077.9	1079.7	1081.6	1083.4	1085.3	1087.1	1089.0	1090.8
90	1092.7	1094.5	1096.4	1098.2	1100.1	1101.9	1103.8	1105.6	1107.5	1109.3
600	1111.2	1113.1	1114.9	1116.8	1118.6	1120.5	1122.3	1124.2	1126.0	1127.9
10	1129.7	1131.6	1133.4	1135.3	1137.1	1139.0	1140.8	1142.7	1144.5	1146.4
20	1148.2	1150.1	1151.9	1153.8	1155.6	1157.5	1159.4	1161.2	1163.1	1164.9
30	1166.8	1168.6	1170.5	1172.3	1174.2	1176.0	1177.9	1179.7	1181.6	1183.4
40	1185.3	1187.1	1189.0	1190.8	1192.7	1194.5	1196.4	1198.2	1200.1	1201.9
50	1203.8	1205.7	1207.5	1209.4	1211.2	1213.1	1214.9	1216.8	1218.6	1220.5
60	1222.3	1224.2	1226.0	1227.9	1229.7	1231.6	1233.4	1235.3	1237.1	1239.0
70	1240.8	1242.7	1244.5	1246.4	1248.2	1250.1	1252.0	1253.8	1255.7	1257.5
80	1259.4	1261.2	1263.1	1264.9	1266.8	1268.6	1270.5	1272.3	1274.2	1276.0
90	1277.9	1279.7	1281.6	1283.4	1285.3	1287.1	1289.0	1290.8	1292.7	1294.5
700	1294.4	1298.3	1300.1	1302.0	1303.8	1305.7	1307.5	1309.4	1311.2	1313.1
10	1314.9	1316.8	1318.6	1320.5	1322.3	1324.2	1326.0	1327.9	1329.7	1331.6
20	1333.4	1335.3	1337.1	1339.0	1340.8	1342.7	1344.6	1346.4	1348.3	1350.1
30	1352.0	1353.8	1355.7	1357.5	1359.4	1361.2	1363.1	1364.9	1366.8	1368.6
40	1370.5	1372.3	1374.2	1376.0	1377.9	1379.7	1381.6	1383.4	1385.3	1387.1
50	1389.0	1390.9	1392.7	1394.6	1396.4	1398.3	1400.1	1402.0	1403.8	1405.7
60	1407.5	1409.4	1411.2	1413.1	1414.9	1416.8	1418.6	1420.5	1422.3	1424.2
70	1426.0	1427.9	1429.7	1431.6	1433.4	1435.3	1437.2	1439.0	1440.8	1442.7
80	1444.6	1446.4	1448.3	1450.1	1452.0	1453.8	1455.7	1457.5	1459.4	1461.2
90	1463.1	1464.9	1466.8	1468.6	1470.5	1472.3	1474.2	1476.0	1477.9	1479.7
800	1481.6	1483.5	1485.3	1487.2	1489.0	1490.9	1492.7	1494.6	1496.4	1498.3
10	1500.1	1502.0	1503.8	1505.7	1507.5	1509.4	1511.2	1513.1	1514.9	1516.8
20	1518.6	1520.5	1522.3	1524.2	1526.0	1527.9	1529.8	1531.6	1533.5	1535.3
30	1537.2	1539.0	1540.9	1542.7	1544.6	1546.4	1548.3	1550.1	1552.0	1553.8
40	1555.7	1557.5	1559.4	1561.2	1563.1	1564.9	1566.8	1568.6	1570.5	1572.3
50	1574.2	1576.1	1577.9	1579.8	1581.6	1583.5	1585.3	1587.2	1589.0	1590.9
60	1592.7	1594.6	1596.4	1598.3	1600.1	1602.0	1603.8	1605.7	1607.5	1609.4
70	1611.2	1613.1	1614.9	1616.8	1618.6	1620.5	1622.4	1624.2	1626.1	1627.9
80	1629.8	1631.6	1633.5	1635.3	1637.2	1639.0	1640.9	1642.7	1644.6	1646.4
90	1648.3	1650.1	1652.0	1653.8	1655.7	1657.5	1659.4	1661.2	1663.0	1664.9
900	1666.8	1668.7	1670.5	1672.4	1674.2	1676.1	1677.9	1679.8	1681.6	1683.5
10	1685.3	1687.2	1689.0	1690.9	1692.7	1694.6	1696.4	1698.3	1700.1	1702.0
20	1703.8	1705.7	1707.5	1709.4	1711.2	1713.1	1715.0	1716.8	1718.7	1720.5
30	1722.4	1724.2	1726.1	1727.9	1729.8	1731.6	1733.5	1735.3	1737.2	1739.0
40	1740.9	1742.7	1744.6	1746.4	1748.3	1750.1	1752.0	1753.8	1755.7	1757.5
50	1759.4	1761.3	1763.1	1765.0	1766.8	1768.7	1770.5	1772.4	1774.2	1776.1
60	1777.9	1779.8	1781.6	1783.5	1785.3	1787.2	1789.0	1790.9	1792.7	1794.6
70	1796.4	1798.3	1800.1	1802.0	1803.8	1805.7	1807.6	1809.4	1811.3	1813.1
80	1815.0	1816.8	1818.7	1820.5	1822.4	1824.2	1826.1	1827.9	1829.8	1831.6
90	1833.5	1835.3	1837.2	1839.0	1840.9	1842.7	1844.6	1846.4	1848.3	1850.1
1000	1852.0	1853.9	1855.7	1857.6	1859.4	1861.3	1863.1	1865.0	1866.8	1868.7

11) 그램〔g〕→ 온스〔oz〕로 환산

g	0	1	2	3	4	5	6	7	8	9
	oz									
—	—	0.0353	0.0705	0.1058	0.1411	0.1764	0.2116	0.2469	0.2822	0.3175
10	0.3527	0.3880	0.4233	0.4586	0.4938	0.5291	0.5644	0.5997	0.6349	0.6702
20	0.7055	0.7408	0.7760	0.8113	0.8466	0.8818	0.9171	0.9524	0.9877	1.0229
30	1.0582	1.0935	1.1288	1.1640	1.1993	1.2346	1.2699	1.3051	1.3404	1.3757
40	1.4110	1.4462	1.4815	1.5168	1.5521	1.5873	1.6226	1.6579	1.6932	1.7284
50	1.7637	1.7990	1.8342	1.8695	1.9048	1.9401	1.9753	2.0106	2.0459	2.0812
60	2.1164	2.1517	2.1870	2.2223	2.2575	2.2928	2.3281	2.3634	2.3986	2.4339
70	2.4692	2.5045	2.5397	2.5750	2.6103	2.6455	2.6808	2.7161	2.7514	2.7866
80	2.8219	2.8572	2.8925	2.9277	2.9630	2.9983	3.0336	3.0688	3.1041	3.1314
90	3.1747	3.2099	3.2452	3.2805	3.3158	3.3510	3.3863	3.4216	3.4568	3.4921
100	3.5274	3.5627	3.5979	3.6332	3.6685	3.7038	3.7390	3.7743	3.8096	3.8449
10	3.8801	3.9154	3.9507	3.9860	4.0212	4.0565	4.0918	4.1271	4.1623	4.1996
20	4.2329	4.2681	4.3034	4.3387	4.3740	4.4092	4.4445	4.4798	4.5151	4.5503
30	4.5856	4.6209	4.6562	4.6914	4.7267	4.7620	4.7973	4.8325	4.8678	4.9031
40	4.9384	4.9736	5.0089	5.0442	5.0795	5.1147	5.1500	5.1853	5.2205	5.2558
50	5.2911	5.3264	5.3616	5.3969	5.4322	5.4575	5.5027	5.5380	5.5733	5.6086
60	5.6438	5.6791	7.7144	5.7497	5.7849	5.8202	5.8555	5.8908	5.9260	5.9613
70	5.9966	6.0318	6.0671	6.1024	6.1377	6.1729	6.2082	6.2435	6.2788	6.3140
80	6.3493	6.3846	6.4199	6.4551	6.4904	6.5257	6.5610	6.5962	6.6315	6.6668
90	6.7021	6.7373	6.7726	6.8079	6.8431	6.8784	6.9137	6.9490	6.9842	7.0195
200	7.0548	7.0901	7.1253	7.1606	7.1959	7.2312	7.2664	7.3017	7.3370	7.3723
10	7.4075	7.4428	7.4781	7.5134	7.5486	7.5839	7.6192	7.6544	7.6897	7.7250
20	7.7603	7.7955	7.8308	7.8661	7.9014	7.9366	7.9719	8.0072	8.0425	8.0777
30	8.1130	8.1483	8.1836	8.2188	8.2541	8.2894	8.3247	8.3599	8.3952	8.4305
40	8.4658	8.5010	8.5363	8.5716	8.6068	8.6421	8.6774	8.7127	8.7479	8.7832
50	8.8155	8.8538	8.8890	8.9243	8.9596	8.9949	9.0301	9.0654	9.1007	9.1360
60	9.1712	9.2065	9.2418	9.2771	9.3123	9.3476	9.3829	9.4181	9.4534	9.4887
70	9.5240	9.5592	9.5945	9.6298	9.6651	9.7003	9.7356	9.7709	9.8062	9.8414
80	9.8767	9.9120	9.9473	9.9825	10.018	10.053	10.088	10.124	10.159	10.194
90	10.229	10.265	10.300	10.335	10.371	10.406	10.441	10.476	10.512	10.547
300	10.582	10.617	10.653	10.688	10.723	10.759	10.794	10.829	10.864	10.900
10	10.935	10.970	11.005	11.041	11.076	11.111	11.147	11.182	11.217	11.252
20	11.288	11.323	11.358	11.393	11.429	11.464	11.499	11.535	11.570	11.605
30	11.640	11.676	11.711	11.746	11.782	11.817	11.852	11.887	11.923	11.958
40	11.993	12.028	12.064	12.099	12.134	12.170	12.205	12.240	12.275	12.311
50	12.346	12.381	12.416	12.452	12.487	12.522	12.558	12.593	12.628	12.663
60	12.699	12.734	12.769	12.804	12.840	12.875	12.910	12.946	12.980	13.016
70	13.051	13.087	13.122	13.157	13.192	13.228	13.263	13.298	13.334	13.369
80	13.404	13.439	13.475	13.510	13.545	13.580	13.616	13.651	13.686	13.722
90	13.757	13.792	13.827	13.863	13.898	13.933	13.968	14.004	14.039	14.074
400	14.110	14.145	14.180	14.215	14.251	14.286	14.321	14.357	14.392	14.427
10	14.462	14.498	14.533	14.568	14.603	14.639	14.674	14.709	14.745	14.780
20	14.815	14.850	14.886	14.921	14.956	14.991	15.027	15.062	15.097	15.133
30	15.168	15.203	15.238	15.274	15.309	15.344	15.379	15.415	15.450	15.485
40	15.521	15.556	15.591	15.626	15.662	15.697	15.732	15.767	15.803	15.838
50	15.873	15.909	15.944	15.979	16.014	16.050	16.085	16.120	16.155	16.191
60	16.226	16.261	16.297	16.332	16.367	16.402	16.438	16.473	16.508	16.543
70	16.579	16.614	16.649	16.685	16.720	16.755	16.790	16.826	16.861	16.896
80	16.932	16.967	17.002	17.037	17.073	17.108	17.143	17.178	17.214	17.249
90	17.284	17.320	17.355	17.390	17.425	17.461	17.496	17.531	17.566	17.602

g	0	1	2	3	4	5	6	7	8	9
	oz									
500	17.637	17.672	17.708	17.743	17.778	17.813	17.849	17.884	17.919	17.954
10	17.990	18.025	18.060	18.096	18.131	18.166	18.201	18.237	18.272	18.307
20	18.342	18.378	18.413	18.448	18.484	18.519	18.554	18.589	18.625	18.660
30	18.695	18.730	18.766	18.801	18.836	18.872	18.902	18.942	18.977	19.013
40	19.048	19.083	19.118	19.154	19.189	19.224	19.260	19.295	19.330	19.365
50	19.401	19.436	19.471	19.506	19.542	19.577	19.612	19.648	19.683	19.718
60	19.753	19.789	19.824	19.859	19.895	19.930	19.965	20.000	20.036	20.071
70	20.106	20.141	20.177	20.212	20.247	20.283	20.318	20.353	20.388	20.424
80	20.459	20.494	20.529	20.565	20.600	20.635	20.671	20.706	20.741	20.776
90	20.812	20.847	20.882	20.917	20.953	20.988	21.023	21.059	21.094	21.129
600	21.164	21.200	21.235	21.270	21.305	21.341	21.376	21.411	21.447	21.482
10	21.517	21.552	21.588	21.623	21.658	21.693	21.729	21.764	21.799	21.835
20	21.870	21.905	21.940	21.976	22.011	22.046	22.081	22.117	22.152	22.187
30	22.223	22.258	22.293	22.328	22.364	22.399	22.434	22.470	22.505	22.540
40	22.575	22.611	22.646	22.681	22.716	22.752	22.787	22.822	22.858	22.893
50	22.928	22.963	22.999	23.034	23.069	23.104	23.140	23.175	23.210	23.246
60	23.281	23.316	23.351	23.387	23.422	23.457	23.492	23.528	23.563	23.598
70	23.634	23.669	23.704	23.739	23.775	23.110	23.845	23.880	23.916	23.591
80	23.986	24.022	24.057	24.092	24.127	24.163	24.198	24.233	24.268	24.304
90	24.339	24.374	24.410	24.445	24.480	24.515	24.551	24.586	24.621	24.656
700	24.692	24.727	24.762	24.798	24.833	24.868	24.903	24.939	24.974	25.009
10	25.045	25.080	25.115	25.150	25.186	25.221	25.256	25.291	25.327	25.362
20	25.397	25.433	25.468	25.503	25.538	25.574	25.609	25.644	25.679	25.715
30	25.750	25.785	25.821	25.856	25.891	25.926	25.962	25.997	26.032	26.067
40	26.103	26.138	26.173	26.209	26.244	26.279	26.314	26.350	26.385	26.420
50	26.455	26.491	26.529	26.561	26.597	26.632	26.667	26.702	26.738	26.773
60	26.808	26.843	26.879	26.914	26.949	26.985	27.020	27.055	27.090	27.126
70	27.161	27.196	27.231	27.267	27.302	27.337	27.373	27.408	27.443	27.478
80	27.514	27.549	27.584	27.620	27.655	27.690	27.725	27.761	27.796	27.831
90	27.866	27.902	27.937	27.972	28.008	28.043	28.078	28.113	28.149	28.184
800	28.219	28.254	28.290	28.325	28.360	28.396	28.431	28.466	28.501	28.537
10	28.572	28.607	28.642	28.678	28.713	28.748	28.784	28.819	28.854	28.889
20	28.925	28.960	28.995	29.030	29.066	29.101	29.136	29.172	29.207	29.242
30	29.277	29.313	29.348	29.383	29.418	29.454	29.489	29.524	29.560	29.595
40	29.630	29.665	29.701	29.736	29.771	29.806	29.842	29.877	29.912	29.948
50	29.983	30.018	30.053	30.089	30.124	30.159	30.195	30.230	30.265	30.300
60	30.336	30.371	30.406	30.441	30.477	30.512	30.547	30.583	30.618	30.653
70	30.688	30.724	30.759	30.794	30.829	30.865	30.900	30.935	30.971	31.006
80	31.041	31.076	31.112	31.147	31.182	31.217	31.253	31.288	31.323	31.359
90	31.394	31.429	31.464	31.500	31.535	31.570	31.605	31.041	31.676	31.711
900	31.747	31.782	31.817	31.852	31.888	31.923	31.958	31.993	32.029	32.064
10	32.099	32.135	32.170	32.205	32.240	32.276	32.311	32.346	32.381	32.417
20	32.452	32.487	32.523	32.558	32.593	32.628	32.664	32.699	32.734	32.770
30	32.805	32.840	32.875	32.911	32.946	32.981	33.016	33.052	33.087	33.122
40	33.158	33.193	33.228	33.263	33.299	33.334	33.369	33.404	33.440	33.475
50	33.510	33.546	33.581	33.616	33.651	33.687	33.722	33.757	33.792	33.828
60	33.863	33.898	33.934	33.969	34.004	34.039	34.075	34.110	34.145	34.180
70	34.216	34.251	34.286	34.322	34.357	34.392	34.427	34.463	34.498	34.533
80	34.568	34.604	34.639	34.674	34.710	34.745	34.780	34.815	34.851	34.886
90	34.921	34.956	34.992	35.027	35.062	35.098	35.133	35.168	35.203	35.239
1000	35.274	—	—	—	—	—	—	—	—	—

12) 온스〔oz〕→ 그램〔g〕으로 환산

oz	0	1	2	3	4	5	6	7	8	9
	g									
—	—	28.350	56.699	85.049	113.40	141.75	170.10	198.45	226.80	255.15
10	283.50	311.84	340.19	368.54	396.89	425.24	453.59	481.94	510.29	538.64
20	566.99	595.34	623.69	652.04	680.39	708.74	737.09	765.44	793.79	822.14
30	850.49	878.84	907.18	935.53	963.88	992.23	1020.6	1048.9	1077.3	1105.6
40	1134.0	1162.3	1190.7	1219.0	1247.4	1275.7	1304.1	1332.4	1360.8	1389.1
50	1417.5	1445.8	1474.2	1502.5	1530.9	1559.2	1587.6	1615.9	1644.3	1672.6
60	1701.0	1729.3	1757.7	1786.0	1814.4	1842.7	1871.1	1899.4	1927.8	1956.1
70	1984.5	2012.8	2041.2	2069.5	2097.9	2126.2	2154.6	2182.9	2211.3	2239.6
80	2268.0	2296.3	2324.7	2353.0	2381.4	2409.7	2438.1	2466.4	2494.8	2523.1
90	2551.5	2579.8	2608.2	2636.5	2664.9	2693.2	2721.6	2749.9	2778.3	2806.6
100	2835.0	2863.3	2891.7	2920.0	2948.4	2976.7	3005.1	3033.4	3061.7	3090.1
10	3118.4	3146.8	3175.1	3203.5	3231.8	3260.2	3288.5	3316.9	3345.2	3373.6
20	3401.9	3430.3	3458.6	3487.0	3515.3	3543.7	3572.0	3600.4	3628.7	3657.1
30	3685.4	3713.8	3742.1	3770.5	3798.8	3827.2	3855.5	3883.9	3912.2	3940.6
40	3968.9	3997.3	4025.6	4054.0	4082.3	4110.7	4139.0	4167.4	4195.7	4224.1
50	4252.4	4280.8	4309.1	4337.5	4365.8	4394.2	4422.5	4450.9	4479.2	4507.6
60	4536.9	4564.3	4592.6	4621.0	4649.3	4677.7	4706.0	4734.4	4762.7	4791.1
70	4819.4	4847.8	4876.1	4904.5	4932.8	4961.2	4989.5	5017.9	5046.2	5074.6
80	5102.9	5131.3	5159.6	5188.0	5216.3	5244.7	5273.0	5301.4	5329.7	5358.1
90	5386.4	5414.8	5443.1	5471.5	5499.8	5528.2	5556.5	5584.9	5613.2	5641.6
200	5669.9	5698.3	5726.6	5755.0	5783.3	5811.7	5840.0	5868.4	5896.7	5925.1
10	5953.4	5981.8	6010.1	6038.4	6066.8	6095.1	6123.5	6151.8	6180.2	6208.5
20	6236.9	6265.2	6293.6	6321.9	6350.3	6378.6	6407.0	6435.3	6463.7	6492.0
30	6520.4	6548.7	6577.1	6605.4	6633.8	6662.1	6690.5	6718.8	6787.2	6775.5
40	6803.9	6832.2	6860.6	6888.9	6917.3	6945.6	6974.0	7002.3	7030.7	7059.0
50	7087.4	7115.7	7144.1	7172.4	7200.8	7229.1	7257.5	7285.8	7314.2	7342.5
60	7370.9	7399.2	7427.6	7455.9	7484.3	7512.6	7541.0	7569.3	7597.7	7626.0
70	7654.4	7682.7	7711.1	7739.4	7767.8	7796.1	7824.5	7852.8	7881.2	7909.5
80	7937.9	7966.2	7994.6	8022.9	8051.3	8079.6	8108.0	8136.3	8164.7	8193.0
90	8221.4	8249.7	8278.1	8306.4	8334.8	8363.1	8391.5	8419.8	8448.2	8476.5
300	8504.9	8533.2	8561.6	8589.9	8618.3	8646.6	8675.0	8703.3	8731.7	8760.0
10	8788.4	8816.7	8845.1	8873.4	8901.8	8930.1	8958.5	8986.8	9015.2	9043.5
20	9071.8	9100.2	9128.5	9156.9	9185.2	9213.6	9241.9	9270.3	9298.6	9327.0
30	9355.3	9383.7	9412.0	9440.4	9468.7	9497.1	9525.4	9553.8	9582.1	9610.5
40	9638.8	9667.2	9695.5	9723.9	9752.2	9780.6	9808.9	9837.3	9865.6	9894.0
50	9922.3	9950.7	9979.0	10007	10036	10064	10092	10121	10149	10177
60	10206	10234	10263	10291	10319	10348	10376	10404	10433	10461
70	10489	10518	10546	10574	10603	10631	10659	10688	10716	10744
80	10773	10801	10830	10858	10886	10915	10943	10971	11000	11028
90	11056	11085	11113	11141	11170	11198	11226	11255	11283	11311
400	11340	11368	11397	11425	11453	11482	11510	11538	11567	11595
10	11623	11652	11680	11708	11737	11765	11793	11822	11850	11878
20	11907	11935	11964	11992	12020	12049	12077	12105	12134	12162
30	12190	12219	12247	12275	12304	12332	12360	12389	12417	12445
40	12474	12502	12530	12559	12587	12616	12644	12672	12701	12729
50	12757	12786	12814	12842	12871	12899	12927	12956	12984	13012
60	13041	13069	13097	13126	13154	13183	13211	13239	13268	13296
70	13324	13353	13381	13409	13438	13466	13494	13523	13551	13579
80	13608	13636	13664	13693	13721	13750	13778	13806	13835	13863
90	13891	13920	13948	13976	14005	14033	14061	14090	14118	14146

oz	0	1	2	3	4	5	6	7	8	9
	g									
500	14175	14203	14231	14260	14288	14317	14345	14373	14402	14430
10	14458	14487	14515	14543	14572	14600	14628	14657	14685	14713
20	14742	14770	14798	14827	14855	14884	14912	14940	14969	14997
30	15025	15054	15082	15110	15139	15167	15195	15224	15252	15280
40	15309	15337	15365	15394	15422	15450	15479	15507	15536	15564
50	15592	15621	15649	15677	15706	15734	15762	15791	15819	15847
60	15876	15904	15932	15961	15989	16017	16046	16074	16103	16131
70	16159	16188	16216	16244	16273	16301	16329	16358	16386	16414
80	16443	16471	16499	16528	16556	16584	16613	16641	16670	16698
90	16726	16755	16783	16811	16840	16868	16896	16925	16953	16981
600	17010	17038	17066	17095	17123	17151	17180	17208	17237	17265
10	17293	17322	17350	17378	17407	17435	17463	17492	17520	17548
20	17577	17605	17633	17662	17690	17718	17747	17775	17804	17832
30	17860	17889	17917	17945	17974	18002	18030	18059	18087	18115
40	18144	18172	18200	18229	18257	18285	18314	18342	18370	18399
50	18427	18456	18484	18512	18541	18569	18527	18626	18654	18682
60	18711	18739	18767	18796	18824	18852	18881	18909	18937	18966
70	18994	19023	19051	19079	19108	19136	19164	19193	19221	19249
80	19278	19306	19334	19363	19391	19419	19448	19476	19504	19533
90	19561	19590	19618	19646	19675	19703	19731	19760	19788	19816
700	19845	19873	19901	19930	19958	19986	20015	20043	20071	20100
10	20128	20157	20185	20213	20242	20270	20298	20327	20355	20383
20	20412	20440	20468	20497	20525	20553	20582	20610	20638	20667
30	20695	20724	20752	20780	20809	20837	20865	20894	20922	20950
40	20979	21007	21035	21064	21092	21120	21149	21177	21205	21234
50	21262	21290	21319	21347	21376	21404	21432	21461	21489	21517
60	21546	21574	21602	21631	21659	21687	21716	21744	21772	21801
70	21829	21857	21886	21914	21943	21971	21999	22028	22056	22084
80	22113	22141	22169	22198	22226	22254	22283	22311	22339	22368
90	22396	22424	22453	22481	22510	22538	22566	22595	22623	22651
800	22680	22708	22736	22765	22793	22821	22850	22878	22906	22935
10	22963	22991	23020	23048	23077	23105	23133	23162	23190	23218
20	23247	23275	23303	23332	23306	23388	23417	23445	23473	23502
30	23530	23558	23587	23615	23644	23672	23700	23729	23757	23785
40	23814	23842	23870	23899	23927	23955	23984	24012	24040	24069
50	24097	24125	24154	24182	24210	24239	24267	24296	24324	24352
60	24381	24409	24437	24466	24494	24522	24551	24579	24607	24636
70	24664	24692	24721	24749	24777	24806	24834	24863	24891	24919
80	24948	24976	25004	25033	25061	25089	25118	25146	25174	25203
90	25231	25259	25288	25316	25344	25373	25401	25430	25458	25486
900	25515	25543	25571	25600	25628	25656	25685	25713	25741	25770
10	25798	25826	25855	25883	25911	25940	25968	25997	26025	26053
20	26082	26110	26138	26167	26195	26223	262552	26280	26308	26337
30	26365	26393	26422	26450	26478	26507	26535	26564	26592	26620
40	26649	26677	26705	26734	26762	26790	26819	26847	26875	26904
50	26932	26960	26989	27017	27045	27074	27102	27131	27159	27187
60	27216	27244	27272	27301	27329	27357	27380	27414	27442	27471
70	27499	27527	27556	27584	27612	27641	27669	27697	27726	27754
80	27783	27811	27839	27868	27896	27924	27953	27981	28009	28038
90	28066	28094	28123	28151	28179	28208	28236	26264	28293	28321
1000	28350	—	—	—	—	—	—	—	—	—

13) 킬로그램〔kg〕→ 파운드〔lb〕로 환산

kg	0	1	2	3	4	5	6	7	8	9
	lb									
—	—	2.20462	4.40924	6.61387	8.81849	11.0231	13.2277	15.4324	17.6370	19.8416
10	22.0462	24.2508	26.4555	28.6601	30.8647	33.0693	35.2740	37.4786	39.6832	41.8878
20	44.0924	46.2971	48.5017	50.7063	52.9109	55.1156	57.3202	59.5248	61.7294	63.9340
30	66.1387	68.3433	70.5479	72.7525	74.9572	77.1618	79.3664	81.5710	83.7756	85.9803
40	88.1849	90.3895	92.5941	94.7988	97.0034	99.2080	101.413	103.617	105.822	108.026
50	110.231	112.436	114.640	116.845	119.050	121.254	123.459	125.663	127.868	130.073
60	132.277	134.482	136.687	138.891	141.096	143.300	145.505	147.710	149.914	152.119
70	154.324	156.528	158.733	160.937	163.142	165.347	167.551	169.756	171.961	174.165
80	176.370	178.574	180.779	182.984	185.188	187.393	189.598	191.802	194.007	196.211
90	198.416	200.621	202.825	205.030	207.235	209.439	211.644	213.848	216.053	218.258
100	220.462	222.667	224.871	227.076	229.281	231.485	233.690	235.895	238.099	240.304
10	242.508	244.713	246.918	249.122	251.327	253.532	255.736	257.941	260.145	262.350
20	264.555	266.759	268.964	271.169	273.373	275.578	277.782	279.987	282.192	284.396
30	286.601	288.806	291.010	293.215	295.419	297.624	299.829	302.033	304.238	306.442
40	308.647	310.852	313.056	315.261	317.466	319.670	321.875	324.079	326.284	328.489
50	330.693	332.898	335.103	337.308	339.512	341.716	343.921	346.126	348.330	350.535
60	352.740	354.944	337.149	359.353	361.558	363.763	365.967	368.172	370.377	372.581
70	374.786	376.990	379.195	381.400	383.604	385.809	388.014	390.218	392.423	394.627
80	396.832	399.037	401.241	403.446	405.651	407.855	410.060	412.264	414.469	416.674
90	418.878	421.083	423.288	425.492	427.697	429.901	432.106	434.311	436.515	438.720
200	440.924	443.129	445.334	447.538	449.743	451.948	454.152	456.357	458.561	460.766
10	462.971	465.175	467.380	469.585	471.789	473.994	476.198	478.403	480.608	482.812
20	485.017	487.222	489.426	491.631	493.835	490.040	498.245	500.449	502.654	504.859
30	507.063	509.268	511.472	513.677	515.882	518.086	520.291	522.495	524.700	526.905
40	529.109	531.314	533.519	535.723	537.928	540.132	542.337	544.542	546.746	518.951
50	551.156	553.360	555.565	557.769	559.974	562.179	564.383	566.588	568.793	570.997
60	573.202	575.406	577.611	579.816	582.020	584.225	586.430	588.634	590.839	593.043
70	595.248	597.453	599.657	601.862	604.067	606.271	608.476	610.680	612.885	615.090
80	617.294	619.499	621.703	623.908	626.113	628.317	630.522	632.727	634.931	637.136
90	639.340	641.545	643.750	645.954	648.159	650.364	652.568	654.773	656.977	659.182
300	661.387	663.591	665.796	668.001	670.205	672.410	674.614	676.819	679.024	681.228
10	683.433	685.638	687.842	690.047	692.251	694.456	696.661	698.865	701.070	703.275
20	705.479	707.684	709.888	712.093	714.298	716.502	718.707	720.912	723.116	725.321
30	727.525	729.730	731.935	734.139	736.344	738.548	740.753	742.958	745.162	747.367
40	749.572	751.776	753.981	756.185	758.390	760.595	762.799	765.004	767.209	769.413
50	771.618	773.822	776.027	778.232	780.436	782.641	784.846	787.050	789.255	791.459
60	793.664	795.869	798.073	800.278	802.483	804.687	806.892	809.096	811.301	813.506
70	815.710	817.915	820.120	822.324	824.529	826.733	828.938	831.143	833.347	835.552
80	837.756	739.961	842.166	844.370	846.575	848.780	850.984	853.189	855.393	857.598
90	859.803	862.007	864.212	866.417	868.621	870.826	873.030	875.235	877.440	879.644
400	881.849	884.054	886.258	888.463	890.667	892.872	895.077	897.281	899.486	901.691
10	903.895	908.100	908.304	910.509	912.714	914.918	917.123	919.328	921.532	923.737
20	925.941	928.146	930.351	932.555	934.760	936.964	939.169	941.374	943.578	945.783
30	947.988	950.192	952.397	954.601	956.806	959.011	961.215	963.420	965.625	967.829
40	970.034	972.238	974.443	976.648	978.852	981.057	983.262	985.456	987.671	989.875
50	992.080	994.285	996.489	998.694	1000.90	1003.10	1005.31	1007.51	1009.72	1011.92
60	1014.13	1016.33	1018.54	1020.74	1022.94	1025.15	1027.35	1029.56	1031.76	1033.97
70	1036.17	1038.38	1040.58	1042.79	1044.99	1047.20	1049.40	1051.60	1053.81	1056.01
80	1058.22	1050.42	1062.63	1064.83	1067.04	1069.24	1071.45	1073.65	1075.86	1078.06
90	1080.26	1082.47	1084.67	1086.88	1089.08	1091.29	1093.49	1095.70	1097.90	1100.11

kg	0	1	2	3	4	5	6	7	8	9
	lb									
500	1102.31	1104.52	1106.72	1108.93	1111.13	1113.33	1115.54	1117.74	1119.95	1122.15
10	1124.36	1126.56	1128.77	1130.97	1133.18	1135.38	1137.59	1139.79	1141.99	1144.20
20	1146.40	1148.61	1150.81	1153.02	1155.22	1157.43	1159.63	1161.84	1164.04	1166.25
30	1168.45	1170.65	1172.86	1175.06	1177.27	1179.47	1181.68	1183.88	1186.09	1188.29
40	1190.50	1192.70	1194.91	1197.11	1199.31	1201.52	1203.72	1205.93	1208.13	1210.34
50	1212.54	1214.75	1216.95	1219.16	1221.36	1223.57	1225.77	1227.97	1230.18	1232.38
60	1234.59	1236.79	1239.00	1241.20	1243.41	1245.61	1247.82	1250.02	1252.23	1254.43
70	1256.63	1258.84	1261.04	1263.25	1265.45	1267.66	1269.86	1272.07	1274.27	1276.48
80	1278.68	1280.89	1283.09	1285.29	1287.50	1289.70	1291.91	1294.11	1296.32	1298.52
90	1300.73	1302.93	1305.14	1307.34	1309.55	1311.75	1313.95	1316.16	1318.36	1320.57
600	1322.77	1324.98	1327.18	1329.39	1331.59	1333.80	1336.00	1338.21	1340.41	1342.62
10	1344.82	1347.02	1349.23	1351.43	1353.64	1355.84	1358.05	1360.25	1362.46	1364.66
20	1366.87	1369.07	1371.28	1373.48	1375.68	1377.89	1380.09	1382.30	1384.50	1386.71
30	1388.91	1391.12	1393.32	1395.53	1397.73	1399.94	1402.14	1404.34	1406.55	1408.75
40	1410.96	1413.16	1415.37	1417.57	1419.78	1421.98	1424.19	1426.39	1428.60	1430.80
50	1433.00	1435.21	1437.41	1439.62	1441.82	1444.03	1446.23	1448.44	1450.64	1452.85
60	1455.05	1457.26	1459.46	1461.66	1463.87	1466.07	1468.28	1470.48	1472.69	1474.89
70	1477.10	1479.30	1481.51	1483.71	1485.92	1488.12	1490.32	1492.53	1494.73	1496.94
80	1499.14	1501.35	1503.55	1505.76	1507.96	1510.17	1512.37	1514.58	1516.78	1518.98
90	1521.19	1523.39	1525.60	1527.80	1530.01	1532.21	1534.42	1536.62	1538.82	1541.03
700	1543.24	1545.44	1547.64	1549.85	1552.05	1554.26	1556.46	1558.67	1560.87	1563.08
10	1565.28	1567.49	1569.69	1571.90	1574.10	1576.30	1578.51	1580.71	1582.92	1585.12
20	1537.33	1589.53	1591.74	1593.94	1596.15	1598.35	1600.56	1602.76	1604.97	1607.17
30	1609.37	1611.58	1613.78	1615.99	1618.19	1620.40	1622.60	1624.81	1627.01	1629.22
40	1631.12	1633.63	1635.83	1638.03	1640.24	1642.44	1644.65	1646.85	1649.06	1651.26
50	1653.47	1655.67	1657.88	1660.08	1662.29	1664.49	1666.69	1668.90	1671.10	1673.31
60	1675.51	1677.72	1679.92	1682.13	1684.33	1686.54	1688.74	1690.95	1693.15	1695.35
70	1697.56	1699.76	1701.97	1704.17	1706.38	1708.58	1710.79	1712.99	1715.20	1717.40
80	1719.61	1721.81	1724.01	1726.22	1728.42	1730.63	1732.83	1735.04	1737.24	1739.45
90	1741.65	1743.86	1746.06	1748.27	1750.47	1752.67	1754.88	1757.08	1759.29	1761.49
800	1763.70	1765.90	1768.11	1770.31	1772.52	1774.72	1776.93	1779.13	1781.33	1783.54
10	1785.74	1787.95	1790.15	1792.36	1794.56	1796.77	1798.97	1801.18	1803.38	1805.59
20	1807.79	1809.99	1812.20	1814.40	1816.61	1818.81	1821.02	1823.22	1825.43	1827.63
30	1829.84	1832.04	1834.25	1836.45	1838.65	1840.86	1843.06	1845.27	1847.47	1849.68
40	1851.88	1854.09	1856.29	1858.50	1860.70	1862.91	1865.11	1867.32	1869.52	1871.72
50	1873.93	1876.13	1878.34	1880.54	1882.75	1884.95	1887.16	1889.36	1891.57	1893.77
60	1895.98	1898.18	1900.38	1902.59	1904.79	1907.00	1909.20	1911.41	1913.61	1915.82
70	1918.02	1920.23	1922.43	1924.64	1926.84	1929.04	1931.25	1933.45	1935.66	1937.86
80	1940.07	1942.27	1944.48	1946.68	1948.89	1951.09	1953.30	1955.50	1957.70	1959.91
90	1962.11	1964.32	1966.52	1968.73	1970.93	1973.14	1975.34	1977.55	1979.75	1981.96
900	1984.16	1986.36	1988.57	1990.77	1992.98	1995.18	1997.39	1999.59	2001.80	2004.00
10	2006.21	2008.41	2010.62	2012.82	2015.02	2017.23	2019.43	2021.64	2023.84	2026.05
20	2028.25	2030.46	2032.66	2034.87	2037.07	2039.28	2041.48	2043.68	2045.89	2048.09
30	2050.30	2052.50	2054.71	2056.91	2059.12	2061.32	2063.53	2065.73	2067.94	2070.14
40	2072.35	2074.55	2076.75	2078.96	2081.16	2083.37	2085.57	2087.78	2089.98	2092.19
50	2094.39	2096.60	2098.80	2101.01	2103.21	2105.41	2107.62	2109.82	2112.03	2114.23
60	2116.44	2118.64	2120.85	2123.05	2125.26	2127.46	2129.67	2131.87	2134.07	2136.28
70	2138.48	2140.69	2142.89	2145.10	2147.30	2149.51	2151.71	2153.92	2155.12	2158.33
80	2160.53	2162.73	2164.94	2167.14	2169.35	2171.55	2173.76	2175.96	2178.17	2180.37
90	2182.58	2184.78	2186.99	2189.19	2191.39	2193.60	2195.80	2198.01	2200.21	2202.42
1000	2204.62	–	–	–	–	–	–	–	–	–

14) 파운드〔lb〕→ 킬로그램〔kg〕으로 환산

lb	0	1	2	3	4	5	6	7	8	9
	kg									
—	—	0.45359	0.90718	1.36078	1.81437	2.26796	2.72155	3.17515	3.62874	4.08233
10	4.53592	4.98952	5.44311	5.89670	6.35029	6.80389	7.25748	7.71107	8.16466	8.61826
20	9.07185	9.52544	9.97903	10.4326	10.8862	11.3398	11.7934	12.2470	12.7006	13.1542
30	13.6078	14.0614	14.5150	14.9686	15.4221	15.8757	16.3293	16.7829	17.2365	17.6901
40	18.1437	18.5973	19.0509	19.5045	19.9581	20.4117	20.8653	21.3188	21.7724	22.2260
50	22.6796	23.1332	23.5868	24.0404	24.4940	24.9476	25.4012	25.8548	26.3084	26.7620
60	27.2155	27.6691	28.1227	28.5763	29.0299	29.4835	29.9371	30.3907	30.8443	31.2979
70	31.7515	32.2051	32.6587	33.1122	33.5658	34.0194	34.4730	34.9266	35.3802	35.8338
80	36.2874	36.7410	37.1946	37.6482	38.1018	38.5554	39.0089	39.4625	39.9161	40.3697
90	40.8233	41.2769	41.7305	42.1841	42.6377	43.0913	43.5449	43.9985	44.4521	44.9057
100	46.3592	45.8128	46.2664	46.7200	47.1736	47.6272	48.0808	48.5344	48.9880	49.4416
10	49.8952	50.3488	50.8024	51.2559	51.7095	52.1631	52.6167	53.0703	53.5239	53.9775
20	54.4311	54.8847	55.3383	55.7919	56.2455	56.6991	57.1526	57.6062	58.0598	58.5134
30	58.9670	59.4206	59.8742	60.3278	60.7814	61.2350	61.6886	62.1422	62.5958	63.0493
40	63.5029	63.9565	64.4101	64.8637	65.3173	65.7709	66.2245	66.6781	67.1317	67.5853
50	68.0389	68.4925	68.9460	69.3996	69.8532	70.3068	70.7604	71.2140	71.6676	72.1212
60	72.5750	73.0284	73.4820	73.9356	74.3892	74.8428	75.2963	75.7499	76.2035	76.6571
70	77.1107	77.5643	78.0179	78.4715	78.9251	79.3787	79.8323	80.2859	80.7395	81.1930
80	81.6466	82.1002	82.5538	83.0074	83.4610	83.9146	84.3682	84.8218	85.2754	85.7290
90	86.1826	86.6362	87.0897	87.5433	87.9969	88.4505	88.9041	89.3577	89.8113	90.2649
200	90.7185	91.1721	91.6257	92.0793	92.5329	92.9864	93.4400	93.8939	94.3472	94.8008
10	95.2544	95.7080	96.1616	96.6152	97.0688	97.5224	97.9700	98.4296	98.8881	99.3367
20	99.7903	100.244	100.698	101.151	101.605	102.058	102.512	102.965	103.419	103.873
30	104.326	104.780	105.233	105.687	106.141	106.594	107.048	107.501	107.955	108.409
40	108.862	109.316	109.769	110.223	110.677	111.130	111.584	112.037	112.491	112.945
50	113.398	113.852	114.305	114.759	115.212	115.666	116.120	116.573	117.027	117.480
60	117.934	118.388	118.841	119.295	119.748	120.202	120.656	121.109	121.563	122.016
70	122.470	122.924	123.377	123.831	124.284	124.738	125.192	125.645	126.099	126.552
80	127.006	127.459	127.913	128.367	128.820	129.274	129.727	130.181	130.635	131.088
90	131.542	131.995	132.449	132.903	133.356	133.810	134.263	134.717	135.171	135.624
300	136.078	136.531	136.985	137.439	137.892	138.346	138.799	139.253	139.706	140.160
10	140.614	141.067	141.521	141.974	142.428	142.882	143.335	143.789	144.242	144.696
20	145.150	145.603	146.057	146.510	146.964	147.418	147.871	148.325	148.778	149.232
30	149.686	150.139	150.593	151.046	151.500	151.953	152.407	152.861	153.314	153.768
40	154.221	154.675	155.129	155.582	156.036	156.489	156.943	157.397	157.850	158.304
50	158.757	159.211	159.665	160.118	160.572	161.025	161.479	161.932	162.386	162.840
60	163.293	163.747	164.200	164.654	165.108	165.561	166.015	166.468	166.922	167.376
70	167.829	168.283	168.736	169.190	169.644	170.097	170.551	171.004	171.458	171.912
80	172.365	172.819	173.272	173.726	174.179	174.633	175.087	175.540	175.994	176.447
90	176.901	177.355	177.808	178.262	178.715	179.169	179.623	180.076	180.530	180.983
400	181.437	181.891	182.344	182.798	183.251	183.705	184.159	184.612	185.066	185.519
10	185.973	186.426	186.880	187.334	187.787	188.241	188.694	189.148	189.602	190.055
20	190.509	190.962	191.416	191.870	192.323	192.777	193.230	193.684	194.138	194.591
30	195.045	195.498	195.952	196.406	196.859	197.313	197.766	198.220	198.673	199.127
40	199.581	200.034	200.488	200.941	201.395	201.849	202.302	202.756	203.209	203.663
50	204.117	204.570	205.024	205.477	205.931	206.385	206.838	207.292	207.745	208.199
60	208.653	209.106	209.560	210.013	210.467	210.920	211.374	211.828	212.281	212.735
70	213.188	213.642	214.096	214.549	215.003	215.456	215.910	216.364	216.817	217.271
80	217.724	218.178	218.632	219.085	219.539	219.992	220.446	220.900	221.853	221.807
90	222.260	222.714	223.167	223.621	224.075	224.528	224.982	225.435	225.889	226.843

lb	0	1	2	3	4	5	6	7	8	9
	kg									
500	226.796	227.250	227.703	228.157	228.611	229.064	229.518	229.971	230.425	230.879
10	231.332	231.786	232.239	232.693	233.147	233.600	234.054	234.507	234.961	235.414
20	235.868	236.322	236.775	237.229	237.682	238.136	238.590	239.043	239.497	239.950
30	240.404	240.858	241.311	241.765	242.218	242.672	243.126	243.579	244.033	244.486
40	244.940	245.394	245.847	246.301	246.754	247.208	247.661	248.115	248.569	249.022
50	249.476	249.929	250.383	250.837	251.290	251.744	252.197	252.651	253.105	253.558
60	254.012	254.465	254.919	255.373	255.826	256.280	256.733	257.187	257.640	258.094
70	258.548	259.001	259.455	259.908	260.362	260.816	261.269	261.723	262.176	262.630
80	263.084	263.537	263.991	264.444	264.898	265.352	265.805	266.259	266.712	267.166
90	267.620	268.073	268.527	268.980	269.434	269.887	270.341	270.795	271.248	271.702
600	272.155	272.609	273.063	273.516	273.970	274.423	274.877	275.331	275.784	276.238
10	276.691	277.145	277.599	278.052	278.506	278.959	279.413	279.867	280.320	280.774
20	281.227	281.681	282.134	282.588	283.042	283.495	283.949	284.402	284.856	285.310
30	285.763	286.217	286.670	287.124	287.578	288.031	288.485	288.938	289.392	289.846
40	290.299	290.753	291.206	291.660	292.114	292.567	293.021	293.474	293.928	294.381
50	294.835	295.289	295.742	296.196	296.649	297.103	297.557	298.010	298.464	298.917
60	299.371	299.825	300.278	300.732	301.185	301.639	302.093	302.546	303.000	303.453
70	303.907	304.361	304.814	305.268	305.721	306.175	306.628	307.082	307.536	307.989
80	308.443	308.896	309.350	309.804	310.257	310.711	311.164	311.618	312.072	312.525
90	312.979	313.432	313.886	314.340	314.793	315.247	315.700	316.154	316.808	317.061
700	317.515	317.968	318.422	318.875	319.329	319.783	320.236	320.690	321.143	321.597
10	322.051	322.504	322.958	323.411	323.865	324.319	324.772	325.226	325.679	326.133
20	326.587	327.040	327.494	327.947	328.401	328.855	329.308	329.762	330.215	330.669
30	331.122	331.576	332.300	332.483	332.937	333.390	333.844	334.298	334.751	335.205
40	335.658	336.112	336.566	337.019	337.473	337.926	338.380	338.834	339.287	339.741
50	340.194	340.648	341.101	341.555	342.009	342.462	342.916	343.369	343.823	344.277
60	344.730	345.184	345.637	346.091	346.545	346.998	347.452	347.905	348.359	348.813
70	349.266	349.720	350.173	350.627	351.081	351.534	351.988	352.441	352.895	353.349
80	353.802	354.256	354.709	355.163	355.616	356.070	356.524	356.977	357.431	357.884
90	358.338	358.792	359.245	359.699	360.152	360.606	361.060	361.513	361.967	362.420
800	362.874	363.328	363.781	364.235	364.688	365.142	365.595	366.049	366.503	366.956
10	367.410	367.863	368.317	368.771	369.224	369.678	370.131	370.585	371.039	371.492
20	371.946	372.399	372.853	373.307	373.760	374.214	374.667	375.121	375.575	376.028
30	376.481	376.935	377.389	377.842	378.296	378.750	379.203	379.657	380.110	380.564
40	381.018	381.471	381.925	382.378	382.832	383.286	383.739	384.193	384.646	385.100
50	385.554	386.007	386.461	386.914	387.368	387.822	388.275	388.729	389.182	389.636
60	390.089	390.543	390.997	391.450	391.904	392.357	392.811	393.265	393.718	394.172
70	394.625	395.079	395.533	395.986	396.440	396.893	397.347	397.801	398.254	398.708
80	399.161	399.615	400.069	400.522	400.976	401.429	401.883	402.336	402.790	403.244
90	403.697	404.151	404.604	405.058	405.512	405.965	406.419	406.872	407.326	407.780
900	408.233	408.687	409.140	409.594	410.048	410.501	410.955	411.408	411.862	412.316
10	412.769	413.223	413.676	414.130	414.583	415.037	415.491	415.944	416.398	416.851
20	417.305	417.759	418.212	418.666	419.119	419.573	420.027	420.481	420.934	421.387
30	421.841	422.295	422.748	423.202	423.655	424.109	424.563	425.016	425.470	425.923
40	426.377	426.830	427.284	427.738	428.191	428.645	429.098	429.552	430.006	430.459
50	430.913	431.366	431.820	432.274	732.727	433.181	433.634	434.083	434.542	434.995
60	435.449	435.902	436.356	436.810	437.263	437.717	438.170	438.624	439.077	439.531
70	439.985	440.438	440.892	441.345	441.799	442.253	442.706	443.160	443.613	444.067
80	444.521	444.974	445.428	445.881	446.335	446.789	447.242	447.696	448.149	448.603
90	449.057	449.510	449.964	450.417	450.871	451.324	451.778	452.232	452.685	453.139
1000	453.592	—	—	—	—	—	—	—	—	—

15) 리터〔l〕→ 갤런〔gal(US)〕으로 환산

l	0	1	2	3	4	5	6	7	8	9
	gal(US)									
—	—	0.2642	0.5283	0.7925	1.0567	1.3209	1.5850	1.8492	2.1134	2.3775
10	2.6417	2.9059	3.1701	3.4342	3.6984	3.9626	4.2268	4.4909	4.7551	5.0193
20	5.2834	5.5476	5.8118	6.0760	6.3401	6.6043	6.8685	7.1326	7.3968	7.6610
30	7.9252	8.1893	8.4535	8.7177	8.9819	9.2460	9.5102	9.7744	10.039	10.303
40	10.567	10.831	11.095	11.359	11.624	11.888	12.152	12.416	12.680	12.944
50	13.209	13.473	13.737	14.001	14.265	14.529	14.794	15.058	15.322	15.586
60	15.850	16.115	16.379	16.643	16.907	17.171	17.435	17.700	17.964	18.228
70	18.492	18.756	19.020	19.285	19.549	19.813	20.077	20.341	20.605	20.870
80	21.134	21.398	21.662	21.926	22.190	22.455	22.719	22.983	23.247	23.511
90	23.775	24.040	24.304	24.568	24.832	25.096	25.361	25.625	25.889	26.153
100	26.417	26.681	26.946	27.210	27.474	27.738	28.002	28.266	28.531	28.795
10	29.059	29.323	29.587	29.851	30.116	30.380	30.644	30.908	31.172	31.436
20	31.701	31.965	32.229	32.493	32.757	33.022	33.286	33.550	33.814	34.078
30	34.342	34.607	34.871	35.135	35.399	35.663	35.927	36.192	36.456	36.720
40	36.984	37.248	37.512	37.777	38.041	38.305	38.569	38.833	39.097	39.362
50	39.626	39.890	40.154	40.418	40.683	40.947	41.211	41.475	41.739	42.003
60	42.268	42.532	42.796	43.060	43.324	43.588	43.853	44.117	44.381	44.645
70	44.909	45.173	45.438	45.702	45.966	46.230	46.494	46.758	47.023	47.287
80	47.551	47.815	48.079	48.344	48.608	48.872	49.136	49.400	49.664	49.929
90	50.193	50.457	50.721	50.985	51.249	51.514	51.778	52.042	52.306	52.570
200	52.834	53.099	53.363	53.627	53.891	54.155	54.419	54.684	54.948	55.212
10	55.476	55.740	56.005	56.269	56.533	56.797	57.061	57.325	57.590	57.854
20	58.118	58.382	58.646	58.910	59.175	59.439	59.703	59.967	60.231	60.495
30	60.760	61.024	61.288	61.552	61.816	62.080	62.345	62.609	62.873	63.137
40	63.401	63.665	63.930	64.194	64.458	64.722	64.986	65.251	65.515	65.779
50	66.043	66.307	66.571	66.836	67.100	67.364	67.628	67.892	68.156	68.421
60	68.685	68.949	69.213	69.477	69.741	70.006	70.270	70.534	70.798	71.062
70	71.326	71.591	71.855	72.119	72.383	72.647	72.912	73.176	73.440	73.704
80	73.968	74.232	74.497	74.761	75.025	75.289	75.553	75.817	76.082	76.346
90	76.610	76.874	77.138	77.402	77.667	77.931	78.195	78.459	78.723	78.987
300	79.252	79.516	79.780	80.044	80.308	80.573	80.837	81.101	81.365	81.629
10	81.893	82.158	82.422	82.686	82.950	83.214	83.478	83.743	84.007	84.271
20	84.535	84.799	85.063	85.328	85.592	85.856	86.120	86.384	86.648	86.913
30	87.177	87.441	87.705	87.969	88.234	88.498	88.762	89.026	89.290	89.554
40	89.819	90.083	90.347	90.611	90.875	91.139	91.404	91.668	91.932	92.196
50	92.460	92.724	92.989	93.253	93.517	93.781	94.045	94.309	94.574	94.838
60	95.102	95.366	95.630	95.895	96.159	96.423	96.687	96.951	97.215	97.480
70	97.744	98.008	98.272	98.536	98.800	99.065	99.329	99.593	99.857	100.12
80	100.39	100.65	100.91	101.18	101.44	101.71	101.97	102.23	102.50	102.76
90	103.03	103.29	103.56	103.82	104.08	104.35	104.61	104.88	105.14	105.40
400	105.67	105.93	106.20	106.46	106.73	106.99	107.25	107.52	107.78	108.05
10	108.31	108.57	108.84	109.10	109.37	109.63	109.90	110.16	110.42	110.69
20	110.95	111.22	111.48	111.74	112.01	112.27	112.54	112.80	113.07	113.33
30	113.59	113.86	114.12	114.39	114.65	114.91	115.18	115.44	115.71	115.97
40	116.24	116.50	116.76	117.03	117.29	117.56	117.82	118.08	118.35	118.61
50	118.88	119.14	119.41	119.67	119.93	120.20	120.46	120.73	120.99	121.26
60	121.52	121.78	122.05	122.31	122.58	122.84	123.10	123.37	123.63	123.90
70	124.16	124.43	124.69	124.95	125.22	125.48	125.75	126.01	126.27	126.54
80	126.80	127.07	127.33	127.60	127.86	128.12	128.39	128.65	128.92	129.18
90	129.44	129.71	129.97	130.24	130.50	130.77	131.03	131.29	131.56	131.82

l	0	1	2	3	4	5	6	7	8	9
	gal(US)									
500	132.09	132.35	132.61	132.88	133.14	133.41	133.67	133.94	134.20	134.46
10	134.73	134.99	135.26	135.52	135.78	136.05	136.31	136.58	136.84	137.11
20	137.37	137.63	137.90	138.16	138.43	138.69	138.95	139.22	139.48	139.75
30	140.01	140.28	140.54	140.80	141.07	141.33	141.60	141.86	142.12	142.39
40	142.65	142.92	143.18	143.45	143.71	143.97	144.24	144.50	144.77	145.03
50	145.29	145.56	145.82	146.09	146.35	146.62	146.88	147.14	147.41	147.67
60	147.94	148.20	148.46	148.73	148.99	149.26	149.52	149.79	150.05	150.31
70	150.58	150.84	151.11	151.37	151.63	151.90	152.16	152.43	152.69	152.96
80	153.22	153.48	153.75	154.01	154.28	154.54	154.80	155.07	155.33	155.60
90	155.86	156.13	156.39	156.65	156.92	157.18	157.45	157.71	157.97	158.24
600	158.50	158.77	159.03	159.30	159.56	159.82	160.09	160.35	160.62	160.88
10	161.15	161.41	161.67	161.94	162.20	162.47	162.73	162.99	163.26	163.52
20	163.79	164.05	164.32	164.58	164.84	165.11	165.37	165.64	165.90	166.16
30	166.43	166.69	166.96	167.22	167.49	167.75	168.01	168.28	168.54	168.81
40	169.07	169.33	169.60	169.86	170.13	170.39	170.66	170.92	171.18	171.45
50	171.71	171.98	172.24	172.50	172.77	173.03	173.30	173.56	173.83	174.09
60	174.35	174.62	174.88	175.15	175.41	175.67	175.94	176.20	176.47	176.73
70	177.00	177.26	177.52	177.79	178.05	178.32	178.58	178.84	179.11	179.37
80	179.64	179.90	180.17	180.43	180.69	180.96	181.22	181.49	181.75	182.01
90	182.28	182.54	182.81	183.07	183.34	183.60	183.86	184.13	184.39	184.66
700	184.92	185.18	185.45	185.71	185.98	186.24	186.51	186.77	187.03	187.30
10	187.56	187.83	188.09	188.35	188.62	188.88	189.15	189.41	189.68	189.94
20	190.20	190.47	190.73	191.00	191.26	191.52	191.79	192.05	192.32	192.58
30	192.85	193.11	193.37	193.64	193.90	194.17	194.43	194.69	194.96	195.22
40	195.49	195.75	196.02	196.28	196.54	196.81	197.07	197.34	197.60	197.86
50	198.13	198.39	198.66	198.92	199.19	199.45	199.71	199.98	200.24	200.51
60	200.77	201.04	201.30	201.56	201.83	202.09	202.36	202.62	202.88	203.15
70	203.41	203.68	203.94	204.21	204.47	204.73	205.00	205.26	205.53	205.79
80	206.05	206.32	206.58	206.85	207.11	207.38	207.64	207.90	208.17	208.43
90	208.70	208.96	209.22	209.49	209.75	210.02	210.28	210.55	210.81	211.07
800	211.34	211.60	211.87	212.13	212.39	212.66	212.92	213.19	213.45	213.72
10	213.98	214.24	214.51	214.77	215.04	215.30	215.56	215.83	216.09	216.36
20	216.62	216.89	217.15	217.41	217.68	217.94	218.21	218.47	218.73	219.00
30	219.26	219.53	219.79	220.06	220.32	220.58	220.85	221.11	221.38	221.64
40	221.90	222.17	222.43	222.70	222.96	223.23	223.49	223.75	224.02	224.28
50	224.55	224.81	225.07	225.34	225.60	225.87	226.13	226.40	226.66	226.92
60	227.19	227.45	227.72	227.98	228.24	228.51	228.77	229.04	229.30	229.57
70	229.83	230.09	230.36	230.62	230.89	231.15	231.41	231.68	231.94	232.21
80	232.47	232.74	233.00	233.26	233.53	233.79	234.06	234.32	234.58	234.85
90	235.11	235.38	235.64	235.91	236.17	236.43	236.70	236.96	237.23	237.49
900	237.75	238.02	238.28	238.55	238.81	239.08	239.34	239.60	239.87	240.13
10	240.40	240.66	240.93	241.19	241.45	241.72	241.98	242.25	242.51	242.77
20	243.04	243.30	243.57	243.83	244.10	244.36	244.62	244.89	245.15	245.42
30	245.68	245.94	246.21	246.47	246.74	247.00	247.27	247.53	247.79	248.06
40	248.32	248.59	248.85	249.11	249.38	249.64	249.91	250.17	250.44	250.70
50	250.96	251.23	251.49	251.76	252.02	252.28	252.55	252.81	253.08	253.34
60	253.61	253.87	254.13	254.40	254.66	254.93	255.19	255.45	255.72	255.98
70	256.25	256.51	256.78	257.04	257.30	257.57	257.83	258.10	258.36	258.62
80	258.89	259.15	259.42	259.68	259.95	260.21	260.47	260.74	261.00	261.27
90	261.53	261.79	262.06	262.32	262.59	262.85	263.12	263.38	263.64	263.91
1000	264.17	264.44	264.70	264.96	265.23	265.49	265.76	266.02	266.29	266.55

16) 갤런〔gal(US)〕→ 리터〔l〕로 환산

gal (US)	0	1	2	3	4	5	6	7	8	9
	l									
—	—	3.7854	7.5708	11.356	15.142	18.927	22.712	26.498	30.283	34.069
10	37.854	41.640	45.425	49.210	52.996	56.781	60.567	64.352	68.137	71.923
20	75.708	79.494	83.279	87.064	90.850	94.635	98.421	102.21	105.99	109.781
30	113.56	117.35	121.13	124.92	128.70	132.49	136.27	140.06	143.85	147.63
40	151.42	155.20	158.99	162.77	166.56	170.34	174.13	177.91	181.70	185.49
50	189.27	193.06	196.84	200.63	204.41	208.20	211.98	215.77	219.55	223.34
60	227.12	230.91	234.70	238.48	242.27	246.05	249.84	253.62	257.41	261.19
70	264.98	268.76	272.55	276.33	280.12	283.91	287.69	291.48	295.26	299.05
80	302.83	306.62	310.40	314.19	317.97	321.76	325.55	329.33	333.12	336.90
90	340.69	344.47	348.26	352.04	355.83	359.61	363.40	367.18	370.97	374.76
100	378.54	382.33	386.11	389.90	393.68	397.47	401.25	405.04	408.82	412.61
10	416.40	420.18	423.97	427.75	431.54	435.32	439.11	442.89	446.68	450.46
20	454.25	458.03	461.82	465.61	469.39	473.18	476.96	480.75	484.53	488.32
30	492.10	495.89	499.67	503.46	507.24	511.03	514.82	518.60	522.39	526.17
40	529.96	533.74	537.53	541.31	545.10	548.88	552.67	556.46	560.24	564.03
50	567.81	571.60	575.38	579.17	582.95	586.74	590.52	594.31	598.09	601.88
60	605.67	609.45	613.24	617.02	620.81	624.59	628.38	632.16	635.95	639.73
70	643.52	647.31	651.09	654.88	658.66	662.45	666.23	670.02	673.80	677.59
80	681.37	685.16	688.94	692.73	696.52	700.30	704.09	707.87	711.66	715.44
90	719.23	723.01	726.80	730.58	734.37	738.15	741.94	745.73	749.51	753.30
200	757.08	760.87	764.65	768.44	772.22	776.01	779.79	783.58	787.37	791.15
10	794.94	798.72	802.51	806.29	810.08	813.86	817.65	821.43	825.22	829.00
20	832.79	836.58	840.36	844.15	847.93	851.72	855.50	859.29	863.07	866.86
30	870.64	874.43	878.22	882.00	885.79	889.57	993.36	897.14	900.93	904.71
40	908.50	912.28	916.07	919.85	923.64	927.43	931.21	935.00	938.78	942.57
50	946.35	950.14	953.92	957.71	961.49	965.28	969.06	972.85	976.64	980.42
60	984.21	987.99	991.78	995.56	999.35	1003.1	1006.9	1010.7	1014.5	1018.3
70	1022.1	1025.8	1029.6	1033.4	1037.2	1041.0	1044.8	1048.6	1052.3	1056.1
80	1059.9	1063.7	1067.5	1071.3	1075.1	1078.8	1082.6	1086.4	1090.2	1094.0
90	1097.8	1101.6	1105.3	1109.1	1112.9	1116.7	1120.5	1124.3	1128.1	1131.8
300	1135.6	1139.4	1143.2	1147.0	1150.8	1154.6	1158.3	1162.1	1165.9	1169.7
10	1173.5	1177.3	1181.0	1184.8	1188.6	1192.4	1196.2	1200.0	1203.8	1207.5
20	1211.3	1215.1	1218.9	1222.7	1226.5	1230.3	1234.0	1237.8	1241.6	1245.4
30	1249.2	1253.0	1256.8	1260.5	1264.3	1268.1	1271.9	1275.7	1279.5	1283.3
40	1287.0	1290.8	1294.6	1298.4	1302.2	1306.0	1309.8	1313.5	1317.3	1321.1
50	1324.9	1328.7	1332.5	1336.2	1340.0	1343.8	1347.6	1351.4	1355.2	1359.0
60	1362.7	1366.5	1370.3	1374.1	1377.9	1381.7	1385.5	1389.2	1393.0	1396.8
70	1400.6	1404.4	1408.2	1412.0	1415.7	1419.5	1423.3	1427.1	1430.9	1434.7
80	1438.5	1442.2	1446.0	1449.8	1453.6	1457.4	1461.2	1465.0	1468.7	1472.5
90	1476.3	1480.1	1483.9	1487.7	1491.5	1495.2	1499.0	1502.8	1506.6	1510.4
400	1514.2	1517.9	1521.7	1525.5	1529.3	1533.1	1536.9	1540.7	1544.4	1548.2
10	1552.0	1558.8	1559.6	1563.4	1567.2	1570.9	1574.7	1578.5	1582.3	1586.1
20	1589.9	1593.7	1597.4	1601.2	1605.0	1608.8	1612.6	1616.4	1620.2	1623.9
30	1627.7	1631.5	1635.3	1639.1	1642.9	1646.7	1650.4	1654.2	1658.0	1661.8
40	1665.6	1669.4	1673.2	1676.9	1680.7	1684.5	1688.3	1692.1	1695.9	1699.6
50	1703.4	1707.2	1711.0	1714.8	1718.6	1722.4	1726.1	1729.9	1733.7	1737.5
60	1741.3	1745.1	1748.9	1752.6	1756.4	1760.2	1764.0	1767.8	1771.6	1775.4
70	1779.1	1782.9	1786.7	1790.5	1794.3	1798.1	1801.9	1805.6	1809.4	1813.2
80	1817.0	1820.8	1824.6	1828.4	1832.1	1835.9	1839.7	1843.5	1847.3	1851.1
90	1854.9	1858.6	1862.4	1866.2	1870.0	1873.8	1877.6	1881.3	1885.1	1888.9

gal (US)	0	1	2	3	4	5	6	7	8	9
	l									
500	1892.7	1896.5	1900.3	1904.1	1907.8	1911.6	1915.4	1919.2	1923.0	1926.8
10	1930.6	1934.3	1938.1	1941.9	1945.7	1949.5	1953.3	1957.1	1960.8	1964.6
20	1968.4	1972.2	1976.0	1979.8	1983.6	1987.3	1991.1	1994.9	1998.7	2002.5
30	2006.3	2010.1	2013.8	2017.6	2021.4	2025.2	2029.0	2032.8	2036.6	2040.3
40	2044.1	2047.9	2051.7	2055.5	2059.3	2063.0	2066.8	2070.6	2074.4	2078.2
50	2082.0	2085.8	2089.5	2093.3	2097.1	2100.9	2104.7	2108.5	2112.3	2116.0
60	2119.8	2123.6	2127.4	2131.2	2135.0	2138.8	2142.5	2146.3	2150.1	2153.9
70	2157.7	2161.5	2165.3	2169.0	2172.8	2176.6	2180.4	2184.2	2188.0	2191.8
80	2195.5	2199.3	2203.1	2206.9	2210.7	2214.5	2218.3	2222.0	2225.8	2229.6
90	2233.4	2237.2	2241.0	2244.7	2248.5	2252.3	2256.1	2259.9	2263.7	2267.5
600	2271.2	2275.0	2278.8	2282.6	2286.4	2290.2	2294.0	2297.7	2301.5	2305.3
10	2309.1	2312.9	2316.7	2320.5	2324.2	2328.0	2331.8	2335.6	2339.4	2343.2
20	2347.0	2350.7	2354.5	2358.3	2362.1	2365.9	2369.7	2373.5	2377.2	2381.0
30	2384.8	2388.6	2392.4	2396.2	2399.9	2403.7	2407.5	2411.3	2415.1	2418.9
40	2422.7	2426.4	2430.2	2434.0	2437.8	2441.6	2445.4	2449.2	2452.9	2456.7
50	2460.5	2464.3	2468.1	2471.9	2475.7	2479.4	2483.2	2487.0	2490.8	2494.6
60	2498.4	2502.2	2505.9	2509.7	2513.5	2517.3	2521.1	2524.9	2528.7	2532.4
70	2536.2	2540.0	2543.8	2547.6	2551.4	2555.2	2558.9	2562.7	2566.5	2570.3
80	2574.1	2577.9	2581.6	2585.4	2589.2	2593.0	2596.8	2600.6	2604.4	2608.1
90	2611.9	2615.7	2619.5	2623.3	2627.1	2630.9	2634.6	2638.4	2642.2	2646.0
700	2649.8	2653.6	2657.4	2661.1	2664.9	2668.7	2672.5	2676.3	2680.1	2683.9
10	2687.6	2691.4	2695.2	2699.0	2702.8	2706.6	2710.4	2714.1	2717.9	2721.7
20	2725.5	2729.3	2733.1	2736.9	2740.6	2744.4	2748.2	2752.0	2755.8	2759.6
30	2763.3	2767.1	2770.9	2774.7	2778.5	2782.3	2786.1	2789.8	2793.6	2797.4
40	2801.2	2805.0	2808.8	2812.6	2816.3	2820.1	2823.9	2827.7	2831.5	2835.3
50	2839.1	2842.8	2846.6	2850.4	2854.2	2858.0	2861.8	2865.6	2869.3	2873.1
60	2876.9	2880.7	2884.5	2888.3	2892.1	2895.8	2899.6	2903.4	2907.2	2911.0
70	2914.8	2918.6	2922.3	2926.1	2929.9	2933.7	2937.5	2941.3	2945.0	2948.8
80	2952.6	2956.4	2960.2	2964.0	2967.8	2971.5	2975.3	2979.4	2982.9	2986.7
90	2990.5	2994.3	2998.0	3001.8	3005.6	3009.4	3013.2	3017.0	3020.8	3024.5
800	3028.3	3032.1	3035.9	3039.7	3043.5	3047.3	3051.0	3054.8	3058.6	3062.4
10	3066.2	3070.0	3073.8	3077.5	3081.3	3085.1	3088.9	3092.7	3096.5	3100.3
20	3104.0	3107.8	3111.6	3115.4	3119.2	3123.0	3126.7	3130.5	3134.3	3138.1
30	3141.9	3145.7	3149.5	3153.2	3157.0	3160.8	3164.6	3168.4	3172.2	3176.0
40	3179.7	3183.5	3187.3	3191.1	3194.9	3198.7	3202.5	3206.2	3210.0	3213.8
50	3217.6	3221.4	3225.2	3229.0	3232.7	3236.5	3240.3	3244.1	3247.9	3251.7
60	3255.5	3259.2	3263.0	3266.8	3270.6	3274.4	3278.2	3282.0	3285.7	3289.5
70	3293.3	3297.1	3300.9	3304.7	3308.4	3312.2	3316.0	3319.8	3323.6	3327.4
80	3331.2	3334.9	3338.7	3342.5	3346.3	3350.1	3353.9	3357.7	3361.4	3365.2
90	3369.0	3372.8	3376.6	3380.4	3384.2	3387.9	3391.7	3395.5	3399.3	3403.1
900	3406.9	3410.7	3414.4	3418.2	3422.0	3425.8	3429.6	3433.4	3437.2	3440.9
10	3444.7	3448.5	3452.3	3456.1	3459.9	3463.7	3467.4	3471.2	3475.0	3478.8
20	3482.6	3486.4	3490.1	3493.9	3497.7	3501.5	3505.3	3509.1	3512.9	3516.6
30	3520.4	3524.2	3528.0	3531.8	3535.6	3539.4	3543.1	3546.9	3550.7	3554.5
40	3558.3	3562.1	3565.9	3569.6	3573.4	3577.2	3581.0	3584.8	3588.6	3592.4
50	3596.1	3599.9	3603.7	3607.5	3611.3	3615.1	3618.9	3622.6	3626.4	3630.2
60	3634.0	3637.8	3641.6	3645.3	3649.1	3652.9	3656.7	3660.5	3664.3	3668.1
70	3671.8	3675.6	3679.4	3683.2	3687.0	3690.8	3694.6	3698.3	3702.1	3705.9
80	3709.7	3713.5	3717.3	3721.1	3724.8	3728.6	3732.4	3736.2	3740.0	3743.8
90	3747.6	3751.3	3755.1	3758.9	3762.7	3766.5	3770.3	3774.1	3777.8	3781.6
1000	3785.4	3789.2	3793.0	3796.8	3800.6	3804.3	3808.1	3811.9	3815.7	3819.5

17) 킬로리터〔k*l*〕→ 미(美) 배럴〔barrel(US)〕로 환산

k*l*	0	1	2	3	4	5	6	7	8	9
	barrel(US)									
—	—	6.2898	12.580	18.869	25.159	31.449	37.739	44.029	50.319	56.608
10	62.898	69.188	75.478	81.768	88.058	94.347	100.64	106.93	113.22	119.51
20	125.80	132.09	138.38	144.67	150.96	157.25	163.54	169.83	176.12	182.40
30	188.69	194.98	201.27	207.56	213.85	220.14	226.43	232.72	239.01	245.30
40	251.59	257.88	264.17	270.46	276.75	288.04	289.33	295.62	301.91	308.20
50	314.49	320.78	327.07	333.36	339.65	345.94	352.23	358.52	364.81	371.10
60	377.39	383.68	389.97	396.26	402.55	408.84	415.13	421.42	427.71	434.00
70	440.29	446.58	452.87	459.16	465.45	471.74	478.03	484.32	490.61	496.90
80	503.19	509.48	515.77	522.06	528.35	534.63	540.92	547.21	553.50	559.79
90	566.08	572.37	578.66	584.95	591.24	597.53	603.82	610.11	616.40	622.69
100	628.98	635.27	641.56	647.85	654.14	660.43	666.72	673.01	679.30	685.59
10	691.88	698.17	704.46	710.75	717.04	723.33	729.62	735.91	742.20	748.49
20	754.78	761.07	767.36	773.65	779.94	786.23	792.52	798.81	805.10	811.39
30	817.68	823.97	830.26	836.55	842.84	849.13	855.42	861.71	868.00	874.29
40	880.58	886.86	893.15	899.44	905.73	912.02	918.31	924.60	930.89	937.18
50	943.47	949.76	956.05	962.34	968.63	974.92	981.21	987.50	993.79	1000.1
60	1006.4	1012.7	1019.0	1025.2	1031.5	1037.8	1044.1	1050.4	1056.7	1063.0
70	1069.3	1075.6	1081.8	1088.1	1094.4	1100.7	1107.0	1113.3	1119.6	1125.9
80	1132.2	1138.5	1144.7	1151.0	1157.3	1163.6	1169.9	1176.2	1182.5	1188.8
90	1195.1	1201.4	1207.6	1213.9	1220.2	1226.5	1232.8	1239.1	1245.4	1251.7
200	1258.0	1264.3	1270.5	1276.8	1283.1	1289.4	1295.7	1302.0	1308.3	1314.6
10	1320.9	1327.2	1333.4	1339.7	1346.0	1352.3	1358.6	1364.9	1371.2	1377.5
20	1383.8	1390.1	1396.3	1402.6	1408.9	1415.2	1421.5	1427.8	1434.1	1440.4
30	1446.7	1452.9	1459.2	1465.5	1471.8	1478.1	1484.4	1490.7	1497.0	1503.3
40	1509.6	1515.8	1522.1	1528.4	1534.7	1541.0	1547.3	1553.6	1559.9	1566.2
50	1572.5	1578.7	1585.0	1591.3	1597.6	1603.9	1610.2	1616.5	1622.8	1629.1
60	1635.4	1641.6	1647.9	1654.2	1660.5	1666.8	1673.1	1679.4	1685.7	1692.1
70	1698.3	1704.5	1710.8	1717.1	1723.4	1729.7	1736.0	1742.3	1748.6	1754.9
80	1761.2	1767.4	1773.7	1780.0	1786.3	1792.6	1798.9	1805.2	1811.5	1817.8
90	1824.0	1830.3	1836.6	1842.9	1849.2	1855.5	1861.8	1868.1	1874.4	1880.7
300	1886.9	1893.2	1899.5	1905.8	1912.1	1918.4	1924.7	1931.0	1937.3	1943.6
10	1949.8	1956.1	1962.4	1968.7	1975.0	1981.3	1987.6	1993.9	2000.2	2006.5
20	2012.7	2019.0	2025.3	2031.6	2037.9	2044.2	2050.5	2056.8	2063.1	2069.4
30	2075.6	2081.9	2088.2	2094.5	2100.8	2107.1	2113.4	2119.7	2126.0	2132.2
40	2138.5	2144.8	2151.1	2157.4	2163.7	2170.0	2176.3	2182.6	2188.9	2195.1
50	2201.4	2207.7	2214.0	2220.3	2226.6	2232.9	2239.2	2245.5	2251.8	2258.0
60	2264.3	2270.6	2276.9	2283.2	2289.5	2295.8	2302.1	2308.4	2314.7	2320.9
70	2327.2	2333.5	2339.8	2346.1	2352.4	2358.7	2365.0	2371.3	2377.6	2383.8
80	2390.1	2396.4	2402.7	2409.0	2415.3	2421.6	2427.9	2434.2	2440.5	2446.7
90	2453.0	2459.3	2465.6	2471.9	2478.2	2484.5	2490.8	2497.1	2503.3	2509.6
400	2515.9	2522.2	2528.5	2534.8	2541.1	2547.4	2553.7	2560.0	2566.2	2572.5
10	2578.8	2585.1	2591.4	2597.7	2604.0	2610.3	2616.6	2622.9	2629.1	2635.4
20	2641.7	2648.0	2654.3	2660.6	2666.9	2673.2	2679.5	2685.8	2692.0	2698.3
30	2704.6	2710.9	2717.2	2723.5	2729.8	2736.1	2742.4	2748.7	2754.9	2761.2
40	2767.5	2773.8	2780.1	2786.4	2792.7	2799.0	2805.3	2811.6	2817.8	2824.1
50	2830.4	2836.7	2843.0	2849.3	2855.6	2861.9	2868.2	2874.4	2880.7	2887.0
60	2893.3	2899.6	2905.9	2912.2	2918.5	2924.8	2931.1	2937.3	2943.6	2949.9
70	2956.2	2962.5	2968.8	2975.1	2981.4	2987.7	2994.0	3000.2	3006.5	3012.8
80	3019.1	3025.4	3031.7	3038.0	3044.3	3050.6	3056.9	3063.1	3069.4	3075.7
90	9082.0	3088.3	3094.6	3100.9	3107.2	3113.5	3119.8	3126.0	3132.3	3138.6

kl	0	1	2	3	4	5	6	7	8	9
	barrel(US)									
500	3144.9	3151.2	3157.5	3163.8	3170.1	3176.4	3182.7	3188.9	3195.2	3201.5
10	3207.8	3214.1	3220.4	3226.7	3233.0	3239.3	3245.5	3251.8	3258.1	3264.4
20	3270.7	3277.0	3283.3	3289.6	3295.9	3302.2	3308.4	3314.7	3321.0	3327.3
30	3333.6	3339.9	3346.2	3352.5	3358.8	3365.1	3371.3	3377.6	3383.9	3390.2
40	3396.5	3402.8	3409.1	3415.4	3421.7	3428.0	3434.2	3440.5	3446.8	3453.1
50	3459.4	3465.7	3472.0	3478.3	3484.6	3490.9	3497.1	3503.4	3509.7	3516.0
60	3522.3	3528.6	3534.9	3541.2	3547.5	3553.7	3560.0	3566.3	3572.6	3578.9
70	3585.2	3591.5	3597.8	3604.1	3610.4	3616.6	3622.9	3629.2	3635.5	3641.8
80	3648.1	3654.4	3660.7	3667.0	3673.3	3679.5	3685.8	3692.1	3698.4	3704.7
90	3711.0	3717.3	3723.6	3729.9	3736.2	3742.4	3748.7	3755.0	3761.3	3767.6
600	3773.9	3780.2	3786.5	3792.8	3799.1	3805.3	3811.6	3817.9	3824.2	3830.5
10	3836.8	3843.1	3849.4	3855.7	3862.0	3868.2	3874.5	3880.8	3887.1	3893.4
20	3899.7	3906.0	3912.3	3918.6	3924.8	3931.1	3937.4	3943.7	3950.0	3956.3
30	3962.6	3968.9	3975.2	3981.5	3987.7	3994.0	4000.3	4006.6	4012.9	4019.2
40	4025.5	4031.8	4038.1	4044.4	4050.6	4056.9	4063.2	4069.5	4075.8	4082.1
50	4088.4	4094.7	4101.0	4107.3	4113.5	4119.8	4126.1	4132.4	4138.7	4145.0
60	4151.3	4157.6	4163.9	4170.2	4176.4	4182.7	4189.0	4195.3	4201.6	4207.9
70	4214.2	4220.5	4226.8	4233.1	4239.3	4245.6	4251.9	4258.2	4264.5	4270.8
80	4277.1	4283.4	4289.7	4295.9	4302.2	4308.5	4314.8	4321.1	4327.4	4333.7
90	4340.0	4346.3	4352.6	4358.8	4365.1	4371.4	4377.7	4384.0	4390.3	4396.6
700	4402.9	4409.2	4415.5	4421.7	4428.0	4434.3	4440.6	4446.9	4453.2	4459.5
10	4465.8	4472.1	4478.4	4484.6	4490.9	4497.2	4503.5	4509.8	4516.1	4522.4
20	4528.7	4535.0	4541.3	4547.5	4553.8	4560.1	4566.4	4572.7	4579.0	4585.3
30	4591.6	4597.9	4604.2	4610.4	4616.7	4623.0	4629.3	4635.6	4641.9	4648.2
40	4654.5	4660.8	4667.0	4673.3	4679.6	4685.9	4692.2	4698.5	4704.8	4711.1
50	4717.4	4723.7	4729.9	4736.2	4742.5	4748.8	4755.1	4761.4	4767.7	4774.0
60	4780.3	4786.6	4792.8	4799.1	4805.4	4811.7	4818.0	4824.3	4830.6	4836.9
70	4843.2	4849.5	4855.7	4862.0	4868.3	4874.6	4880.9	4887.2	4893.5	4899.8
80	4906.1	4912.4	4918.6	4924.0	4931.2	4937.5	4943.8	4950.1	4956.4	4962.7
90	4969.0	4975.2	4981.5	4987.8	4994.1	5000.4	5006.7	5013.0	5019.3	5025.6
800	5031.9	5038.1	5044.4	5050.7	5057.0	5063.3	5069.6	5075.9	5082.2	5088.5
10	5094.8	5101.0	5107.3	5113.6	5119.9	5126.2	5132.5	5138.8	5145.1	5151.4
20	5157.7	5163.9	5170.2	5176.5	5182.8	5189.1	5195.4	5201.7	5208.0	5214.3
30	5220.6	5226.8	5233.1	5239.4	5245.7	5252.0	5258.3	5264.6	5270.9	5277.2
40	5283.5	5289.7	5296.0	5302.3	5308.6	5314.9	5321.2	5327.5	5338.8	5340.1
50	5346.3	5352.6	5358.9	5365.2	5371.5	5377.8	5384.1	5390.4	5396.7	5403.0
60	5409.2	5415.5	5421.8	5428.1	5434.4	5440.7	5447.0	5453.3	5459.6	5465.9
70	5472.1	5478.4	5484.7	5491.0	5497.3	5503.6	5509.9	5516.2	5522.5	5528.8
80	5535.0	5541.3	5547.6	5553.9	5560.2	5566.5	5572.8	5579.1	5585.4	5591.7
90	5597.9	5604.2	5610.5	5616.8	5623.1	5629.4	5635.7	5642.0	5648.3	5654.6
900	5660.8	5667.1	5673.4	5679.7	5686.0	5692.3	5698.6	5704.9	5711.2	5717.4
10	5723.7	5730.0	5736.3	5742.6	5748.9	5755.2	5761.5	5767.8	5774.1	5780.3
20	5786.6	5792.9	5799.2	5805.5	5811.8	5818.1	5824.4	5830.7	5837.0	5843.2
30	5849.5	5855.8	5862.1	5868.4	5874.7	5881.0	5887.3	5893.6	5899.9	5906.1
40	5912.4	5918.7	5925.0	5931.3	5937.6	5943.9	5950.2	5956.5	5962.8	5969.0
50	5975.3	5981.6	5987.9	5994.2	6000.5	6006.8	6013.1	6019.4	6025.6	6031.9
60	6038.2	6044.5	6050.8	6057.1	6063.4	6069.7	6076.0	6082.3	6088.5	6094.8
70	6101.1	6107.4	6113.7	6120.0	6126.3	6132.6	6138.9	6145.2	6151.4	6157.7
80	6164.0	6170.3	6176.6	6182.9	6189.2	6195.5	6201.8	6208.1	6214.3	6220.6
90	6626.9	6233.2	6239.5	6245.8	6252.1	6258.4	6264.7	6271.0	6277.2	6283.5
1000	6289.8	6296.1	6302.4	6308.7	6315.0	6321.3	6327.6	6333.9	6340.1	6346.4

18) 미(美) 배럴〔barrel(US)〕→ 킬로리터〔kl〕로 환산

barrel (US)	0	1	2	3	4	5	6	7	8	9
	kl									
—	—	0.1590	0.3180	0.4770	0.6359	0.7949	0.9539	1.1129	1.2719	1.4309
10	1.5899	1.7489	1.9078	2.0668	2.2258	2.3848	2.5438	2.7028	2.8618	3.0208
20	3.1797	3.3387	3.4977	3.6567	3.8157	3.9747	4.1337	4.2926	4.4516	4.6106
30	4.7696	4.9286	5.0876	5.2466	5.4056	5.5645	5.7235	5.8825	6.0415	6.2005
40	6.3595	6.5185	6.6775	6.8364	6.9954	7.1544	7.3134	7.4724	7.6314	7.7904
50	7.9494	8.1083	8.2673	8.4263	8.5853	8.7443	8.9033	9.0623	9.2212	9.3802
60	9.5392	9.6982	9.8572	10.016	10.175	10.334	10.493	10.652	10.811	10.970
70	11.129	11.288	11.447	11.606	11.765	11.924	12.083	12.242	12.401	12.560
80	12.719	12.878	13.037	13.196	13.355	13.514	13.673	13.832	13.991	14.150
90	14.309	14.468	14.627	14.786	14.945	15.104	15.263	15.422	15.581	15.740
100	15.899	16.058	16.217	16.376	16.535	16.694	16.853	17.012	17.171	17.330
10	17.489	17.648	17.807	17.966	18.125	18.284	18.442	18.601	18.760	18.919
20	19.078	19.237	19.396	19.555	19.714	19.873	20.032	20.191	20.350	20.509
30	20.668	20.827	20.986	21.145	21.304	21.463	21.622	21.781	21.940	22.099
40	22.258	22.417	22.576	22.735	22.894	23.053	23.212	23.371	23.530	23.639
50	23.848	24.007	24.166	24.325	24.484	24.643	24.802	24.961	25.120	25.279
60	25.438	25.597	25.756	25.915	26.074	26.233	26.392	26.551	26.710	26.869
70	27.028	27.187	27.346	27.505	27.664	27.823	27.982	28.141	28.300	28.459
80	28.618	28.777	28.936	29.095	29.254	29.413	29.572	29.731	29.890	30.049
90	30.208	30.367	30.526	30.684	30.843	31.002	31.161	31.320	31.479	31.638
200	31.797	31.956	32.115	32.274	32.433	32.592	32.751	32.910	33.069	33.228
10	33.387	33.546	33.705	33.864	34.023	34.182	34.341	34.500	34.659	34.818
20	34.977	35.136	35.295	35.454	35.613	35.772	35.931	36.090	36.249	36.408
30	36.567	36.726	36.885	37.044	37.203	37.362	37.521	37.680	37.839	37.998
40	38.157	38.316	38.475	38.634	38.793	38.952	39.111	39.270	39.429	39.588
50	39.747	39.906	40.065	40.224	40.383	40.542	40.701	40.860	41.019	41.178
60	41.337	41.496	41.655	41.814	41.973	42.132	42.291	42.450	42.609	42.768
70	42.926	43.085	43.244	43.403	43.562	43.721	43.880	44.039	44.198	44.357
80	44.516	44.675	44.834	44.993	45.152	45.311	45.470	45.629	45.788	45.947
90	46.106	46.265	46.424	46.583	46.742	46.901	47.060	47.219	47.378	47.537
300	47.696	47.855	48.014	48.173	48.332	48.491	48.650	48.809	48.968	49.127
10	49.286	49.445	49.604	49.763	49.922	50.081	50.240	50.399	50.558	50.717
20	50.876	51.035	51.194	51.353	51.512	51.671	51.830	51.989	52.148	52.307
30	52.466	52.625	52.784	52.943	53.102	53.261	53.420	53.579	53.738	53.897
40	54.056	54.215	54.374	54.533	54.692	54.851	55.010	55.168	55.327	55.486
50	55.645	55.804	55.963	56.122	56.281	56.440	56.599	56.758	56.917	57.076
60	57.235	57.394	57.553	57.712	57.871	58.030	58.189	58.348	58.507	58.666
70	58.825	58.984	59.143	59.302	59.461	59.620	59.779	59.938	60.097	60.256
80	60.415	60.574	60.733	60.892	61.051	61.210	61.369	61.528	61.687	61.846
90	62.005	62.164	62.323	62.482	62.641	62.800	62.959	63.118	63.277	63.436
400	63.595	63.754	63.913	64.072	64.231	64.390	64.549	64.708	64.867	65.026
10	65.185	65.344	65.503	65.662	65.821	65.980	66.139	66.298	66.457	66.616
20	66.775	66.934	67.093	67.252	67.410	67.569	67.728	67.887	68.046	68.205
30	68.364	68.523	68.682	68.841	69.000	69.159	69.318	69.477	69.636	69.795
40	69.954	70.113	70.272	70.431	70.590	70.749	70.908	71.067	71.226	71.385
50	71.544	71.703	71.862	72.021	72.180	72.339	72.498	72.657	72.816	72.975
60	73.134	73.293	73.452	73.611	73.770	73.929	74.088	74.247	74.406	74.565
70	74.724	74.883	75.042	75.201	75.360	75.519	75.678	75.837	75.996	76.155
80	76.314	76.473	76.632	76.791	76.950	77.109	77.268	77.427	77.586	77.745
90	77.904	78.063	78.222	78.381	78.540	78.699	78.858	79.017	79.176	79.335

barrel (US)	0	1	2	3	4	5	6	7	8	9
	kl									
500	79.494	79.652	79.811	79.970	80.129	80.288	80.447	80.606	80.765	80.924
10	81.083	81.242	81.401	81.560	81.719	81.878	82.037	82.196	82.355	82.514
20	82.673	82.832	82.991	83.150	83.309	83.468	83.627	83.786	83.945	84.104
30	84.263	84.422	84.581	84.740	84.899	85.058	85.217	85.376	85.535	85.694
40	85.853	86.012	86.171	86.330	86.489	86.648	86.807	86.966	87.125	87.284
50	87.443	87.602	87.761	87.920	88.079	88.238	88.397	88.556	88.715	88.874
60	89.033	89.192	89.351	89.510	89.669	89.828	89.987	90.146	90.305	90.464
70	90.623	90.782	90.941	91.100	91.259	91.418	91.577	91.735	91.894	92.053
80	92.212	92.371	92.530	92.689	92.848	93.007	93.166	93.325	93.484	93.643
90	93.802	93.961	94.120	94.279	94.438	94.597	94.756	94.915	95.074	95.233
600	95.392	95.551	95.710	95.869	96.028	96.187	96.346	96.505	96.664	96.823
10	96.982	97.141	97.300	97.459	97.618	97.777	97.936	98.095	98.254	98.413
20	98.572	98.731	98.890	99.049	99.208	99.367	99.526	99.685	99.844	100.00
30	100.16	100.32	100.48	100.64	100.80	100.96	101.12	101.27	101.43	101.59
40	101.75	101.91	102.07	102.23	102.39	102.55	102.71	102.86	103.02	103.18
50	103.34	103.50	103.66	103.82	103.98	104.14	104.30	104.45	104.61	104.77
60	104.93	105.09	105.25	105.41	105.57	105.73	105.89	106.04	106.20	106.36
70	106.52	106.68	106.84	107.00	107.16	107.32	107.48	107.63	107.79	107.95
80	108.11	108.27	108.43	108.59	108.75	108.91	109.07	109.22	109.38	109.54
90	109.70	109.86	110.02	110.18	110.34	110.50	110.65	110.81	110.97	111.13
700	111.29	111.45	111.61	111.77	111.93	112.09	112.24	112.40	112.56	112.72
10	112.88	113.04	113.20	113.36	113.52	113.68	113.83	113.99	114.15	114.31
20	114.47	114.63	114.79	114.95	115.11	115.27	115.42	115.58	115.74	115.90
30	116.06	116.22	116.38	116.54	116.70	116.86	117.01	117.17	117.33	117.49
40	117.65	117.81	117.97	118.13	118.29	118.45	118.60	118.76	118.92	119.08
50	119.24	119.40	119.56	119.72	119.88	120.04	120.19	120.35	120.51	120.67
60	120.83	120.99	121.15	121.31	121.47	121.63	121.78	121.94	122.10	122.26
70	122.42	122.58	122.74	122.90	123.06	123.21	123.37	123.53	123.69	123.85
80	124.01	124.17	124.33	124.49	124.65	124.80	124.96	125.12	125.28	125.44
90	125.60	125.76	125.92	126.08	126.24	126.39	126.55	126.71	126.87	127.03
800	127.19	127.35	127.51	127.67	127.83	127.98	128.14	128.30	128.46	128.62
10	128.78	128.94	129.10	129.26	129.42	129.57	129.73	129.89	130.05	130.21
20	130.37	130.53	130.69	130.85	131.01	131.16	131.32	131.48	131.64	131.80
30	131.96	132.12	132.28	132.44	132.60	132.75	132.91	133.07	133.23	133.39
40	133.55	133.71	133.87	134.03	134.19	134.34	134.50	134.66	134.82	134.98
50	135.14	135.30	135.46	135.62	135.77	135.93	136.09	136.25	136.41	136.57
60	136.73	136.89	137.05	137.21	137.36	137.52	137.68	137.84	138.00	138.16
70	138.32	138.48	138.64	138.80	138.95	139.11	139.27	139.43	139.59	139.75
80	139.91	140.07	140.23	140.39	140.54	140.70	140.86	141.02	141.18	141.34
90	141.50	141.66	141.82	141.98	142.13	142.29	142.45	142.61	142.77	142.93
900	143.09	143.25	143.41	143.57	143.72	143.88	144.04	144.20	144.36	144.52
10	144.68	144.84	145.00	145.16	145.31	145.47	145.63	145.79	145.95	146.11
20	146.27	146.43	146.59	146.75	146.90	147.06	147.22	147.38	147.54	147.70
30	147.86	148.02	148.18	148.33	148.49	148.65	148.81	148.97	149.13	149.29
40	149.45	149.61	149.77	149.92	150.08	150.24	150.40	150.56	150.72	150.88
50	151.04	151.20	151.36	151.51	151.67	151.83	151.99	152.15	152.31	152.47
60	152.63	152.79	152.95	153.10	153.26	153.42	153.58	153.74	153.90	154.06
70	154.22	154.38	154.54	154.69	154.85	155.01	155.17	155.33	155.49	155.65
80	155.81	155.97	156.13	156.28	156.44	156.60	156.76	156.92	157.08	157.24
90	157.40	157.56	157.72	157.87	158.03	158.19	158.35	158.51	158.67	158.83
1000	158.99	159.15	159.30	159.46	159.62	159.78	159.94	160.10	160.26	160.42

19) 제곱 센티미터〔cm²〕→ 제곱 인치〔in²〕로 환산

cm^2	0	1	2	3	4	5	6	7	8	9
	in^2									
—	—	0.15550	0.3100	0.4650	0.6200	0.7750	0.9300	1.0850	1.2400	1.3950
10	1.5500	1.7050	1.8600	2.0150	2.1700	2.3250	2.4800	2.6350	2.7900	2.9450
20	3.1000	3.2550	3.4100	3.5650	3.7200	3.8750	4.0300	4.1850	4.3400	4.4950
30	4.6500	4.8050	4.9600	5.1150	5.2700	5.4250	5.5800	5.7350	5.8900	6.0450
40	6.2000	6.3550	6.5100	6.6650	6.8200	6.9750	7.1300	7.2850	7.4400	7.5950
50	7.7500	7.9050	8.0600	8.2150	8.3700	8.5250	8.6800	8.8350	8.9900	9.1450
60	9.3000	9.4550	9.6100	9.7650	9.9200	10.075	10.230	10.385	10.540	10.695
70	10.850	11.005	11.160	11.315	11.470	11.625	11.780	11.935	12.090	12.245
80	12.400	12.555	12.710	12.865	13.020	13.175	13.330	13.485	13.640	13.795
90	13.950	14.105	14.260	14.415	14.570	14.725	14.880	15.035	15.190	15.345
100	15.500	15.655	15.810	15.965	16.120	16.275	16.430	16.585	16.740	16.895
10	17.050	17.205	17.360	17.515	17.670	17.825	17.980	18.135	18.290	18.445
20	18.600	18.775	18.910	19.065	19.220	19.375	19.530	19.685	19.840	19.995
30	20.150	20.305	20.460	20.615	20.770	20.925	21.080	21.235	21.390	21.545
40	21.700	21.855	22.010	22.165	22.320	22.475	22.630	22.785	22.940	23.095
50	23.250	23.405	23.560	23.715	23.870	24.025	24.180	24.335	24.490	24.645
60	24.800	24.955	25.110	25.265	25.420	25.575	25.730	25.885	26.040	26.195
70	26.350	26.505	26.660	26.815	26.970	27.125	27.280	27.435	27.590	27.745
80	27.900	28.055	28.210	28.365	28.520	28.675	28.830	28.985	29.140	29.295
90	29.450	29.605	29.760	29.915	30.070	30.225	30.380	30.535	30.690	30.845
200	31.000	31.155	31.310	31.465	31.620	31.775	31.930	32.085	32.240	32.395
10	32.550	32.705	32.860	33.015	33.170	33.325	33.480	33.635	33.790	33.945
20	34.100	34.255	34.410	34.565	34.720	34.875	35.030	35.185	35.340	35.495
30	35.650	35.805	35.960	36.115	36.270	36.425	36.580	36.735	36.890	37.045
40	37.200	37.355	37.510	37.665	37.820	37.975	38.130	38.285	38.440	38.595
50	38.750	38.905	39.060	39.215	39.370	39.525	39.680	39.835	39.990	40.145
60	40.300	40.455	40.610	40.765	40.920	41.075	41.230	41.385	41.540	41.695
70	41.850	42.005	42.160	42.315	42.470	42.625	42.780	42.935	43.090	43.245
80	43.400	43.555	43.710	43.865	44.020	44.175	44.330	44.485	44.640	44.795
90	44.950	45.105	45.260	45.415	45.570	45.725	45.880	46.035	46.190	46.345
300	46.500	46.655	46.810	46.965	47.120	47.275	47.430	47.585	47.740	47.895
10	48.050	48.205	48.360	48.515	48.670	48.825	48.980	49.135	49.290	49.445
20	49.600	49.755	49.910	50.065	50.220	50.375	50.530	50.685	50.840	50.995
30	51.150	51.305	51.460	51.615	51.770	51.925	52.080	52.235	52.390	52.545
40	52.700	52.855	53.010	53.165	53.320	53.475	53.630	53.785	53.940	54.095
50	54.250	54.405	54.560	54.715	54.870	55.025	55.180	55.335	55.490	55.645
60	55.800	55.955	56.110	56.265	56.420	56.575	56.730	56.885	57.040	57.195
70	57.350	57.505	57.660	57.815	57.970	58.125	58.280	58.435	58.590	58.745
80	58.900	59.055	59.210	59.365	59.520	59.675	59.830	59.985	60.140	60.295
90	60.450	60.605	60.760	60.915	61.070	61.225	61.380	61.535	61.690	61.845
400	62.000	62.155	62.310	62.465	62.620	62.775	62.930	63.085	63.240	63.395
10	63.550	63.705	63.860	64.015	64.170	64.325	64.480	64.635	64.790	64.945
20	65.100	65.255	65.410	65.565	65.720	65.875	66.030	66.185	66.340	66.495
30	66.650	66.805	66.960	67.115	67.270	67.425	67.580	67.735	67.890	68.045
40	68.200	68.355	68.510	68.665	68.820	68.975	69.130	69.285	69.440	69.595
50	69.750	69.905	70.060	70.215	70.370	70.525	70.680	70.835	70.990	71.145
60	71.300	71.455	71.610	71.765	71.920	72.075	72.230	72.385	72.540	72.695
70	72.850	73.005	73.160	73.315	73.470	73.625	73.780	73.935	74.090	74.245
80	74.400	74.555	74.710	74.865	75.020	75.175	75.330	75.485	75.640	75.795
90	75.950	76.105	76.260	76.415	76.570	76.725	76.880	77.035	77.190	77.345

cm²	0	1	2	3	4	5	6	7	8	9
	in²									
500	77.500	77.655	77.810	77.965	78.120	78.275	78.430	78.585	78.740	78.895
10	79.050	79.205	79.360	79.515	79.670	79.825	79.980	80.135	80.290	80.445
20	80.600	80.755	80.910	81.065	81.220	81.375	81.530	81.685	81.840	81.995
30	82.150	82.305	82.460	82.615	82.770	82.925	83.080	83.235	83.390	83.545
40	83.700	83.855	84.010	84.165	84.320	84.475	84.630	84.785	84.940	85.095
50	85.250	85.405	85.560	85.715	85.870	86.025	86.180	86.335	86.490	86.645
60	86.800	86.955	87.110	87.265	87.420	87.575	87.730	87.885	88.040	88.195
70	88.350	88.505	88.660	88.815	88.970	89.125	89.280	89.435	89.590	89.745
80	89.900	90.055	90.210	90.365	90.520	90.675	90.830	90.985	91.140	91.295
90	91.450	91.605	91.760	91.915	92.070	92.225	92.380	92.535	92.690	92.845
600	93.000	93.155	93.310	93.465	93.620	93.775	93.930	94.085	94.240	94.395
10	94.550	94.705	94.860	95.015	95.170	95.325	95.480	95.635	95.790	95.945
20	96.100	96.255	96.410	96.565	96.720	96.875	97.030	97.185	97.340	97.495
30	97.650	97.805	97.960	98.115	98.270	98.425	98.580	98.735	98.890	99.045
40	99.200	99.355	99.510	99.665	99.820	99.975	100.13	100.29	100.44	100.60
50	100.75	100.91	101.06	101.22	101.37	101.53	101.68	101.84	101.99	102.15
60	102.30	102.46	102.61	102.77	102.92	103.08	103.23	103.39	103.54	103.70
70	103.85	104.01	104.16	104.32	104.47	104.63	104.78	104.94	105.09	105.25
80	105.40	105.56	105.71	105.87	106.02	106.18	106.33	106.49	106.64	106.80
90	106.95	107.11	107.26	107.42	107.57	107.73	107.88	108.04	108.19	108.35
700	108.50	108.66	108.81	108.97	109.12	109.28	109.43	109.59	109.74	109.90
10	110.05	110.21	110.36	110.52	110.67	110.83	110.98	111.14	111.29	111.45
20	111.60	111.76	111.91	112.07	112.22	112.38	112.53	112.69	112.84	113.00
30	113.15	113.31	113.46	113.62	113.77	113.93	114.08	114.24	114.39	114.55
40	114.70	114.86	115.01	115.17	115.32	115.48	115.63	115.79	115.94	116.10
50	116.25	116.41	116.56	116.72	116.87	117.03	117.18	117.34	117.49	117.65
60	117.80	117.96	118.11	118.27	118.42	118.58	118.73	118.89	119.04	119.20
70	119.35	119.51	119.66	119.82	119.97	120.13	120.28	120.44	120.59	120.75
80	120.90	121.06	121.21	121.37	121.52	121.68	121.83	121.99	122.14	122.30
90	122.45	122.61	122.76	122.92	123.07	123.23	123.38	123.54	123.69	123.85
800	124.00	124.16	124.31	124.47	124.62	124.78	124.93	125.09	125.24	125.40
10	125.55	125.71	125.86	126.02	126.17	126.33	126.48	126.64	126.79	126.95
20	127.10	127.26	127.41	127.57	127.72	127.88	128.03	128.19	128.34	128.50
30	128.65	128.81	128.96	129.12	129.27	129.43	129.58	129.74	129.89	130.05
40	130.20	130.36	130.51	130.67	130.82	130.98	131.13	131.29	131.44	131.60
50	131.75	131.91	132.06	132.22	132.37	132.53	132.68	132.84	132.99	133.15
60	133.30	133.46	133.61	133.77	133.92	134.08	134.23	134.39	134.54	134.70
70	134.85	135.01	135.16	135.32	135.47	135.63	135.78	135.94	136.09	136.25
80	136.40	136.56	136.71	136.87	137.02	137.18	137.33	137.49	137.64	137.80
90	137.95	138.11	138.26	138.42	138.57	138.73	138.88	139.04	139.19	139.35
900	139.50	139.66	139.81	139.97	140.12	140.28	140.43	140.59	140.74	140.90
10	141.05	141.21	141.36	141.52	141.67	141.83	141.98	142.14	142.29	142.45
20	142.60	142.76	142.91	143.07	143.22	143.38	143.53	143.69	143.84	144.00
30	144.15	144.31	144.46	144.62	144.77	144.93	145.08	145.24	145.39	145.55
40	145.70	145.86	146.01	146.17	146.32	146.48	146.63	146.79	146.94	147.10
50	147.25	147.41	147.56	147.72	147.87	148.03	148.18	148.34	148.49	148.65
60	148.80	148.96	149.11	149.27	149.42	149.58	149.73	149.89	150.04	150.20
70	150.35	150.51	150.66	150.82	150.97	151.13	151.28	151.44	151.59	151.75
80	151.90	152.06	152.21	152.37	152.52	152.68	152.83	152.99	153.14	153.30
90	153.45	153.61	153.76	153.92	154.07	154.23	154.38	154.54	154.69	154.85
1000	155.00	155.16	155.31	155.47	155.62	155.78	155.93	156.09	156.24	156.40

20) 제곱 인치〔in^2〕→ 제곱 센티미터〔cm^2〕로 환산

in^2	0	1	2	3	4	5	6	7	8	9
	cm^2									
—	—	6.4516	12.903	19.355	25.806	32.258	38.710	45.161	51.613	58.064
10	64.516	70.968	77.419	83.871	90.322	96.774	103.23	109.68	116.13	122.58
20	129.03	135.48	141.94	148.39	154.84	161.29	167.74	174.19	180.64	187.10
30	193.55	200.00	206.45	212.90	219.35	225.81	232.26	238.71	245.16	251.61
40	258.06	264.52	270.97	277.42	283.87	290.32	296.77	303.23	309.68	316.13
50	322.58	329.03	335.48	341.93	348.39	354.84	361.29	367.74	374.19	380.64
60	387.10	393.55	400.00	406.45	412.90	419.35	425.81	432.26	438.71	445.16
70	451.61	458.06	464.52	470.97	477.42	483.87	490.32	496.77	503.22	509.68
80	516.13	522.58	529.03	535.48	541.93	548.39	554.84	561.29	567.74	574.19
90	580.64	587.10	593.55	600.00	606.45	612.90	619.35	625.81	632.26	638.71
100	645.16	651.61	658.06	664.51	670.97	677.42	683.87	690.32	696.77	703.22
10	709.68	716.13	722.58	729.03	735.48	741.93	748.39	754.84	761.29	767.74
20	774.19	780.64	787.10	793.55	800.00	806.45	812.90	819.35	825.80	832.26
30	838.71	845.16	851.61	858.06	864.51	870.97	877.42	883.87	890.32	895.77
40	903.22	909.68	916.13	922.58	929.03	935.48	941.93	948.39	354.84	961.29
50	967.74	974.19	980.64	987.09	993.55	1000.0	1006.4	1012.9	1019.4	1025.8
60	1032.3	1038.7	1045.2	1051.6	1058.1	1064.5	1071.0	1077.4	1083.9	1090.3
70	1096.8	1103.2	1109.7	1116.1	1122.6	1129.0	1135.5	1141.9	1148.4	1154.8
80	1161.3	1167.7	1174.2	1180.6	1187.1	1193.5	1200.0	1206.4	1212.9	1219.4
90	1225.8	1232.3	1238.7	1245.2	1251.6	1258.1	1264.5	1271.0	1277.4	1283.9
200	1290.3	1296.8	1303.2	1309.7	1316.1	1322.6	1329.0	1335.5	1341.9	1348.4
10	1354.8	1361.3	1367.7	1374.2	1380.6	1387.1	1393.5	1400.0	1406.4	1412.9
20	1419.4	1425.8	1432.3	1438.7	1445.2	1451.6	1458.1	1464.5	1471.1	1477.4
30	1483.9	1490.3	1496.8	1503.2	1509.7	1516.1	1522.6	1529.0	1535.5	1541.9
40	1548.4	1554.8	1561.3	1567.7	1574.2	1580.6	1587.1	1593.5	1600.0	1606.4
50	1612.9	1619.4	1625.8	1632.3	1638.7	1645.2	1651.6	1658.1	1664.5	1671.0
60	1677.4	1683.9	1690.3	1696.8	1703.2	1709.7	1716.1	1722.6	1729.0	1735.5
70	1741.9	1748.4	1754.8	1761.3	1767.7	1774.2	1780.6	1787.1	1793.5	1800.0
80	1806.4	1812.9	1819.4	1825.8	1832.3	1838.7	1845.2	1851.6	1858.1	1864.5
90	1871.0	1877.4	1883.9	1890.3	1896.8	1903.2	1909.7	1916.1	1922.6	1929.0
300	1935.5	1941.9	1948.4	1954.8	1961.3	1967.7	1974.2	1980.6	1987.1	1993.5
10	2000.0	2006.4	2012.9	2019.4	2025.8	2032.3	2038.7	2045.2	2051.6	2058.1
20	2064.5	2071.0	2077.4	2083.9	2090.3	2096.8	2103.2	2109.7	2116.1	2122.6
30	2129.0	2135.5	2141.9	2148.4	2154.8	2161.3	2167.7	2174.2	2180.6	2187.1
40	2193.5	2200.0	2206.4	2212.9	2219.4	2225.8	2232.3	2238.7	2245.2	2251.6
50	2258.1	2264.5	2271.0	2277.4	2283.9	2290.3	2296.8	2303.2	2309.7	2316.1
60	2322.6	2329.0	2335.5	2341.9	2348.4	2354.8	2361.3	2367.7	2374.2	2380.6
70	2387.1	2393.5	2400.0	2406.4	2412.9	2419.4	2425.8	2432.3	2438.7	2445.2
80	2451.6	2458.1	2464.5	2471.0	2477.4	2483.9	2490.3	2496.8	2503.2	2509.7
90	2516.1	2522.6	2529.0	2535.5	2541.9	2548.4	2554.8	2561.3	2567.7	2574.2
400	2580.6	2587.1	2593.5	2600.0	2606.4	2612.9	2619.3	2625.8	2632.3	2638.7
10	2645.2	2651.6	2658.1	2664.5	2671.0	2677.4	2683.9	2690.3	2696.8	2703.2
20	2709.7	2716.1	2722.6	2729.0	2735.5	2741.9	2748.4	2754.8	2761.3	2767.7
30	2774.2	2780.6	2787.1	2793.5	2800.0	2806.4	2812.9	2819.3	2825.8	2832.3
40	2838.7	2845.2	2851.6	2858.1	2864.5	2871.0	2877.4	2883.9	2890.3	2896.8
50	2903.2	2909.7	2916.1	2922.6	2929.0	2935.5	2941.9	2948.4	2854.8	2961.3
60	2967.7	2974.2	2980.6	2987.1	2993.5	3000.0	3006.4	3012.9	3019.3	3025.8
70	3032.3	3038.7	3045.2	3051.6	3058.1	3064.5	3071.0	3077.4	3083.9	3090.3
80	3096.8	3103.2	3109.7	3116.1	3122.6	3129.0	3135.5	3141.9	3148.4	3154.8
90	3161.3	3167.7	3174.2	3180.6	3187.1	3193.5	3200.0	3206.4	3212.9	3219.3

in^2	0	1	2	3	4	5	6	7	8	9
	cm^2									
500	3225.8	3232.3	3238.7	3245.2	3251.6	3258.1	3264.5	3271.0	3277.4	3283.9
10	3290.3	3296.8	3303.2	3309.7	3316.1	3322.6	3329.0	3335.5	3341.9	3348.4
20	3354.8	3361.3	3367.7	3374.2	3380.6	3387.1	3393.5	3400.0	3406.4	3412.9
30	3419.3	3425.8	3432.3	3438.7	3445.2	3451.6	3458.1	3464.5	3471.0	3477.4
40	2483.9	3490.3	3496.8	3503.2	3509.7	3516.1	3522.6	3529.0	3535.5	3541.9
50	3548.4	3554.8	3561.3	3567.7	3574.2	3580.6	3587.1	3593.5	3600.0	3606.4
60	3612.9	3619.3	3625.8	3632.3	3638.7	3645.2	3651.6	3658.1	3664.5	3671.0
70	3677.4	3683.9	3690.3	3696.8	3703.2	3709.7	3716.1	3722.6	3729.0	3735.5
80	3741.9	3748.4	3754.8	3761.3	3767.7	3774.2	3780.6	3787.1	3793.5	3800.0
90	3806.4	3812.9	3819.3	3825.8	3832.3	3838.7	3845.2	3851.6	3858.1	3864.5
600	3871.0	3877.4	3883.9	3890.3	3896.8	3903.2	3909.7	3916.1	3922.6	3929.0
10	3933.5	3941.9	3748.4	3954.8	3961.3	3967.7	3974.2	3980.6	3987.1	3993.5
20	4000.0	4006.4	4012.9	4019.3	4025.8	4032.2	4038.7	4045.2	4051.6	4058.1
30	4064.5	4071.0	4077.4	4083.9	4090.3	4096.8	4103.2	4109.7	4116.1	4122.6
40	4129.0	4135.5	4141.9	4148.4	4154.8	4161.3	4167.7	4174.2	4180.6	4187.1
50	4193.5	4200.0	4206.4	4212.9	4219.3	4225.8	4232.2	4238.7	4245.2	4251.6
60	4258.1	4264.5	4271.0	4277.4	4283.9	4290.3	4296.8	4303.2	4309.7	4316.1
70	4322.6	4329.0	4335.5	4341.9	4348.4	4354.8	4361.3	4367.7	4374.2	4380.6
80	4387.1	4393.5	4400.0	4406.4	4412.9	4419.3	4425.8	4432.2	4438.7	4445.2
90	4451.6	4458.1	4464.5	4471.0	4477.4	4483.9	4490.3	4496.8	4503.2	4509.7
700	4515.1	4522.6	4529.0	4535.5	4541.9	4548.4	4554.8	4561.3	4567.7	4574.2
10	4580.6	4587.1	4593.5	4600.0	4606.4	4612.9	4619.3	4625.8	4632.2	4638.7
20	4645.2	4651.6	4658.1	4664.5	4671.0	4677.4	4683.9	4690.3	4696.8	4703.2
30	4709.7	4716.1	4722.6	4729.0	4735.5	4741.9	4748.4	4754.8	4761.3	4767.7
40	4774.2	4780.6	4787.1	4793.5	4800.0	4806.4	4812.9	4819.3	4825.8	4832.2
50	4838.7	4845.2	4851.6	4858.1	4864.5	4871.0	4877.4	4883.9	4890.3	4896.8
60	4903.2	4909.7	4916.1	4922.6	4929.0	4935.5	4941.9	4948.4	4954.8	4961.3
70	4967.7	4974.2	4980.6	4987.1	4993.5	5000.0	5006.4	5012.9	5019.3	5025.8
80	5032.2	5038.7	5045.2	5051.6	5058.1	5064.5	5071.0	5077.4	5083.9	5090.3
90	5096.8	5103.2	5109.7	5116.1	5122.6	5129.0	5135.5	5141.9	5148.4	5154.8
800	5161.3	5167.7	5174.2	5180.6	5187.1	5193.5	5200.0	5206.4	5212.9	5219.3
10	5225.8	5232.2	5238.7	5245.2	5251.6	5258.1	5264.5	5271.0	5277.4	5283.9
20	5290.3	5296.8	5303.2	5309.7	5316.1	5322.6	5329.0	5335.5	5341.9	5348.4
30	5354.8	5361.3	5367.7	5374.2	5380.6	5387.1	5393.5	5400.0	5406.4	5412.9
40	5419.3	5425.8	5432.2	5438.7	5445.2	5451.6	5458.1	5464.5	5471.0	5477.4
50	5483.9	5490.3	5496.8	5503.2	5509.7	5516.1	5522.6	5529.0	5535.5	5541.9
60	5548.4	5554.8	5561.3	5567.7	5574.2	5580.6	5587.1	5593.5	5600.0	5606.4
70	5612.9	5619.3	5625.8	5632.2	5638.7	5645.2	5651.6	5658.1	5664.5	5671.0
80	5677.4	5683.9	5690.3	5696.8	5703.2	5709.7	5716.1	5722.6	5729.0	5735.5
90	5741.9	5748.4	5754.8	5761.3	5767.7	5774.2	5780.6	5787.1	5793.5	5800.0
900	5806.4	5812.9	5819.3	5825.8	5832.2	5838.7	5845.1	5851.6	5858.1	5864.5
10	5871.0	5877.4	5883.9	5890.3	5896.8	5903.2	5909.7	5916.1	5922.6	5929.0
20	5935.5	5941.9	5948.4	5954.8	5961.3	5967.7	5974.2	5980.6	5987.1	5993.5
30	6000.0	6006.4	6012.9	6019.3	6025.8	6032.7	6038.7	6045.1	6051.6	6058.1
40	6064.5	6071.0	6077.4	6083.9	6090.3	6096.8	6103.2	6109.7	6116.1	6122.6
50	6129.0	6135.5	6141.9	6148.4	6154.8	6161.3	6167.7	6174.2	6180.6	6187.1
60	6193.5	6200.0	6206.4	6212.9	6219.3	6225.8	6232.2	6238.7	6245.1	6251.6
70	6258.1	6264.5	6271.0	6277.4	6283.9	6290.3	6296.8	6303.2	6309.7	6316.1
80	6322.6	6329.0	6335.5	6341.9	6348.4	6354.8	6361.3	6367.7	6374.2	6380.6
90	6387.1	6393.5	6400.0	6406.4	6412.9	6419.3	6425.8	6432.2	6438.7	6445.1
1000	6451.6	6458.1	6464.5	6471.0	6477.4	6483.9	6490.3	6496.8	6503.2	6509.7

21) 제곱 미터〔m²〕→ 제곱 야드〔yd²〕로 환산

m^2	0	1	2	3	4	5	6	7	8	9
	yd^2									
—	—	1.1960	2.3920	3.5880	4.7840	5.9800	7.1759	8.3719	9.5679	10.764
10	11.960	13.156	14.352	15.548	16.744	17.940	19.136	20.332	21.528	22.724
20	23.920	25.116	26.312	27.508	28.704	29.900	31.096	32.292	33.488	34.684
30	35.880	37.076	38.272	39.468	40.664	41.860	43.056	44.252	45.448	46.644
40	47.840	49.036	50.232	51.428	52.624	53.820	55.016	56.212	57.408	58.604
50	59.800	60.996	62.192	63.387	64.583	65.779	66.975	68.171	69.367	70.563
60	71.759	72.955	74.151	75.347	76.543	77.739	78.935	80.131	81.327	82.523
70	83.719	84.915	86.111	87.307	88.503	89.699	90.895	92.091	93.287	94.483
80	95.679	96.875	98.071	99.267	100.46	101.66	102.86	104.05	105.25	106.44
90	107.64	108.84	110.03	111.23	112.42	113.62	114.82	116.01	117.21	118.40
100	119.60	120.80	121.99	123.19	124.38	125.58	126.77	127.97	129.17	130.36
10	131.56	132.75	133.95	135.15	136.34	137.54	138.73	139.93	141.13	142.32
20	143.52	144.71	145.91	147.11	148.30	149.50	150.69	151.89	153.09	154.28
30	155.48	156.67	157.87	159.07	160.26	161.46	162.65	163.85	165.05	166.24
40	167.44	168.63	169.83	171.03	172.22	173.42	174.61	175.81	177.01	178.20
50	179.40	180.59	181.79	182.99	184.18	185.38	186.57	187.77	188.97	190.16
60	191.36	192.55	193.75	194.95	196.14	197.34	198.53	199.73	200.93	202.12
70	203.32	204.51	205.71	206.91	208.10	209.30	210.49	211.69	212.89	214.08
80	215.28	216.47	217.67	218.87	220.06	221.26	222.45	223.65	224.85	226.04
90	227.24	228.43	229.63	230.83	232.02	233.22	234.41	235.61	236.81	238.00
200	239.20	240.39	241.59	242.79	243.98	245.18	246.37	247.57	248.77	249.96
10	251.16	252.35	253.55	254.75	255.94	257.14	258.33	259.53	260.73	261.92
20	263.12	264.31	265.51	266.71	267.90	269.10	270.29	271.49	272.69	273.88
30	275.08	276.27	277.47	278.67	279.86	281.06	282.25	283.45	284.65	285.84
40	287.04	288.23	289.43	290.63	291.82	293.02	294.21	295.41	296.61	297.80
50	299.00	300.19	301.39	302.59	303.78	304.98	306.17	307.37	308.57	309.76
60	310.96	312.15	313.35	314.55	315.74	316.94	318.13	319.33	320.53	321.72
70	322.92	324.11	325.31	326.51	327.70	328.90	330.09	331.29	332.49	333.68
80	334.88	336.07	337.27	338.47	339.66	340.86	342.05	343.25	344.45	345.64
90	346.84	348.03	349.23	350.43	351.62	352.82	354.01	355.21	356.41	357.60
300	358.80	359.99	361.19	362.39	363.58	364.78	365.97	367.17	368.37	369.56
10	370.76	371.95	373.15	374.35	375.54	376.74	377.93	379.13	380.32	381.52
20	382.72	383.91	385.11	386.30	387.50	388.70	389.89	391.09	392.28	393.48
30	394.68	395.87	397.07	398.26	399.46	400.66	401.85	403.05	404.24	405.44
40	406.64	407.83	409.03	410.22	411.42	412.62	413.81	415.01	416.20	417.40
50	418.60	419.79	420.99	422.18	423.38	424.58	425.77	426.97	428.16	429.36
60	430.56	431.75	432.95	434.14	435.34	436.54	437.73	438.93	440.12	441.32
70	442.52	443.71	444.91	446.10	447.30	448.50	449.69	450.89	452.08	453.28
80	454.48	455.67	456.87	458.06	459.26	460.46	461.65	462.85	464.04	465.24
90	466.44	467.63	468.83	470.02	471.22	472.42	473.61	474.81	476.00	477.20
400	478.40	479.59	480.79	481.98	483.18	484.38	485.57	486.77	487.96	489.16
10	490.36	491.55	492.75	493.94	495.14	496.34	497.53	498.73	499.92	501.12
20	502.32	503.51	504.71	505.90	507.10	508.30	509.49	510.69	511.88	513.08
30	514.28	515.47	516.67	517.86	519.06	520.26	521.45	522.65	523.84	525.04
40	526.24	527.43	528.63	529.82	531.02	532.22	533.41	534.61	535.80	537.00
50	538.20	539.39	540.59	541.78	542.98	544.18	545.37	546.57	547.76	548.96
60	550.16	551.35	552.55	553.74	554.94	556.14	557.33	558.53	559.72	560.92
70	562.12	563.31	564.51	565.70	566.90	568.10	569.29	570.49	571.68	572.88
80	574.08	575.27	576.47	577.66	578.86	580.06	581.25	582.45	583.64	584.84
90	586.04	587.23	588.43	589.62	590.82	592.02	593.21	594.41	595.60	596.80

m^2	0	1	2	3	4	5	6	7	8	9
	yd^2									
500	598.00	599.19	600.39	601.58	602.78	603.98	605.17	606.37	607.56	608.56
10	609.96	611.15	612.35	613.54	614.74	615.94	617.13	618.33	619.52	620.72
20	621.92	623.11	624.31	625.50	626.70	627.90	629.09	630.29	631.48	632.68
30	633.87	635.07	636.27	637.46	638.66	639.85	641.05	642.25	643.44	644.64
40	645.83	647.03	648.23	649.42	650.62	651.81	653.01	654.21	655.40	656.60
50	657.79	658.99	660.19	661.38	662.58	663.77	664.97	666.17	667.36	668.56
60	669.75	670.95	672.15	673.34	674.54	675.73	676.93	678.13	679.32	680.52
70	681.71	682.91	684.11	685.30	686.50	687.69	688.89	690.09	691.28	692.48
80	693.67	694.87	696.07	697.26	698.46	699.65	700.85	702.05	703.24	404.44
90	705.63	706.83	708.03	709.22	710.42	711.61	712.81	714.01	715.20	716.40
600	717.59	718.79	719.99	721.18	722.38	723.57	724.77	725.97	727.16	728.36
10	729.55	730.75	731.95	733.14	734.34	735.53	736.73	737.93	739.12	740.32
20	741.51	742.71	743.91	745.10	746.30	747.49	748.69	749.89	751.08	752.28
30	753.47	754.67	755.87	757.06	758.26	759.45	760.65	761.85	763.04	764.24
40	765.43	766.63	767.83	769.02	770.22	771.41	772.61	773.81	775.00	776.20
50	777.39	778.59	779.79	780.98	782.18	783.37	784.57	785.77	786.96	788.16
60	789.35	790.55	791.75	792.94	794.14	795.33	796.53	797.73	798.92	800.12
70	801.31	802.51	803.71	804.90	806.10	807.29	808.49	809.69	810.88	812.08
80	813.27	814.47	815.67	816.86	818.06	819.25	820.45	821.65	822.84	824.04
90	825.23	826.43	827.63	828.82	830.02	831.21	832.41	833.61	834.80	836.00
700	837.19	838.39	839.59	840.78	841.98	843.17	844.37	845.57	846.76	847.96
10	849.15	850.35	851.55	852.74	853.94	855.13	856.33	857.53	858.72	859.92
20	861.11	862.31	863.51	864.70	865.90	867.09	868.29	869.49	870.68	871.88
30	873.07	874.27	875.47	876.66	877.86	879.05	880.25	881.45	882.64	883.84
40	885.03	886.23	887.42	888.62	889.82	891.01	892.21	893.40	894.60	895.80
50	896.99	898.19	899.38	900.58	901.78	902.97	904.17	905.36	906.56	907.76
60	908.95	910.15	911.34	912.54	913.74	914.93	916.13	917.32	918.52	919.72
70	920.91	922.11	923.30	924.50	925.70	926.89	928.09	929.28	930.48	931.68
80	932.87	934.07	935.26	936.46	937.66	938.85	940.05	941.24	942.44	943.64
90	944.83	946.03	947.22	948.42	949.62	950.81	952.01	953.20	954.40	955.60
800	956.79	957.99	959.18	960.38	961.58	962.77	963.97	965.16	966.36	967.56
10	968.75	969.95	971.14	972.34	973.54	974.73	975.93	977.12	978.32	979.52
20	980.71	981.91	983.10	984.30	985.50	986.69	987.89	989.08	990.28	991.48
30	992.67	993.87	995.06	996.26	997.46	998.65	999.85	1001.0	1002.2	1003.4
40	1004.6	1005.8	1007.0	1008.2	1009.4	1010.6	1011.8	1013.0	1014.2	1015.4
50	1016.6	1017.8	1019.0	1020.2	1021.4	1022.6	1023.8	1025.0	1026.2	1027.4
60	1028.6	1029.7	1030.9	1032.1	1033.3	1034.5	1035.7	1036.9	1038.1	1039.3
70	1040.5	1041.7	1042.9	1044.1	1045.3	1046.5	1047.7	1048.9	1050.1	1051.3
80	1052.5	1053.7	1054.9	1056.1	1057.3	1058.5	1059.6	1060.8	1062.0	1063.2
90	1064.4	1065.6	1066.8	1068.0	1069.2	1070.4	1071.6	1072.8	1074.0	1075.2
900	1076.4	1077.6	1078.8	1080.0	1081.2	1082.4	1083.6	1084.8	1086.0	1087.2
10	1088.4	1089.5	1090.7	1091.9	1093.1	1094.3	1095.5	1096.7	1097.9	1099.1
20	1100.3	1101.5	1102.7	1103.9	1105.1	1106.3	1107.5	1108.7	1109.9	1111.1
30	1112.3	1113.5	1114.7	1115.9	1117.1	1118.3	1119.4	1120.6	1121.8	1123.0
40	1124.2	1125.4	1126.6	1127.8	1129.0	1130.2	1131.4	1132.6	1133.8	1135.0
50	1136.2	1137.4	1138.6	1139.8	1141.0	1142.2	1143.4	1144.6	1145.8	1147.0
60	1148.2	1149.3	1150.5	1151.7	1152.9	1154.1	1155.3	1156.5	1157.7	1158.9
70	1160.1	1161.3	1162.5	1163.7	1164.9	1166.1	1167.3	1168.5	1169.7	1170.9
80	1172.1	1173.3	1174.5	1175.7	1176.9	1178.1	1179.2	1180.4	1181.6	1182.8
90	1184.0	1185.2	1186.4	1187.6	1188.8	1190.0	1191.2	1192.4	1193.6	1194.8
1000	1196.0	1197.2	1198.4	1199.6	1200.8	1202.0	1203.2	1204.4	1205.6	1206.8

22) 제곱 야드〔yd^2〕→ 제곱 미터〔m^2〕로 환산

yd^2	0	1	2	3	4	5	6	7	8	9
	m^2									
—	—	0.8361	1.6723	2.5084	3.3445	4.1806	5.0168	5.8529	6.6890	7.5251
10	8.3613	9.1974	10.034	10.870	11.706	12.542	13.378	14.214	15.050	15.886
20	16.723	17.559	18.395	19.231	20.067	20.903	21.739	22.575	23.412	24.248
30	25.084	25.920	26.756	27.592	28.428	29.264	30.101	30.937	31.773	32.609
40	33.445	34.281	35.117	35.953	36.790	37.626	38.462	39.298	40.134	40.970
50	41.806	42.642	43.479	44.315	45.151	45.987	46.823	47.659	48.495	49.331
60	50.168	51.004	51.840	52.676	53.512	54.348	55.184	56.021	56.857	57.693
70	58.529	59.365	60.201	61.037	61.873	62.710	63.546	64.382	65.218	66.054
80	66.890	67.726	68.562	69.399	70.235	71.071	71.907	72.743	73.579	74.415
90	75.251	76.088	46.924	77.760	78.596	79.432	80.268	81.104	81.940	82.777
100	83.613	84.449	85.285	86.121	86.957	87.793	88.629	89.466	90.302	91.138
10	91.974	92.810	93.646	94.482	95.318	96.155	96.991	97.827	98.663	99.499
20	110.34	101.17	102.01	102.84	103.68	104.52	105.35	106.19	107.02	107.86
30	108.70	109.53	110.37	111.20	112.04	112.88	113.71	114.55	115.39	116.22
40	117.06	117.89	118.73	119.57	120.40	121.24	122.07	122.91	123.75	124.58
50	125.42	126.26	127.09	127.93	128.76	129.60	130.44	131.27	132.11	132.94
60	133.78	134.62	135.45	136.29	137.12	137.96	138.80	139.63	140.47	141.31
70	142.14	142.98	143.81	144.65	145.49	146.32	147.16	147.99	148.83	149.67
80	150.50	151.34	152.18	153.01	153.85	154.68	155.52	156.36	157.19	158.03
90	158.86	159.70	160.54	161.37	162.21	163.04	163.88	164.72	165.55	166.39
200	167.23	168.06	168.90	169.73	170.57	171.41	172.24	173.08	173.91	174.75
10	175.59	176.42	177.26	178.10	178.93	179.77	180.60	181.44	182.28	183.11
20	183.95	184.78	185.62	186.46	187.29	188.13	188.96	189.80	190.64	191.47
30	192.31	193.15	193.98	194.82	195.65	196.49	197.33	198.16	199.00	199.83
40	200.67	201.51	202.34	203.18	204.01	204.85	205.69	206.52	207.36	208.20
50	209.03	209.87	210.70	211.54	212.38	213.21	214.05	214.88	215.72	216.56
60	217.39	218.23	219.07	219.90	220.74	221.57	222.41	223.25	224.08	224.92
70	225.75	226.59	227.43	228.26	229.10	229.93	230.77	231.61	232.44	233.28
80	234.12	234.95	235.79	236.62	237.46	238.30	239.13	239.97	240.80	241.64
90	242.48	243.31	244.15	244.99	245.82	246.66	247.49	248.33	249.17	250.00
300	250.84	251.67	252.51	253.35	254.18	255.02	255.85	256.69	257.53	258.36
10	259.20	260.04	260.87	261.71	262.54	263.38	264.22	265.05	265.89	266.72
20	267.56	268.40	269.23	270.07	270.91	271.74	272.58	273.41	274.25	275.09
30	275.92	276.76	277.59	278.43	279.27	280.10	280.94	281.77	282.61	283.45
40	284.28	285.12	285.96	286.79	287.63	288.46	289.30	290.14	290.97	291.81
50	292.64	293.48	294.32	295.15	295.99	296.83	297.66	298.50	299.33	300.17
60	301.01	301.84	302.68	303.51	304.35	305.19	306.02	306.86	307.69	308.53
70	309.37	310.20	311.04	311.88	312.71	313.55	314.38	315.22	316.06	316.89
80	317.73	318.56	319.40	320.24	321.07	321.91	322.75	323.58	324.42	325.25
90	326.09	326.93	327.76	328.60	329.43	330.27	331.11	331.94	332.78	333.61
400	334.45	335.29	336.12	336.96	337.80	338.63	339.47	340.30	341.14	341.98
10	342.81	343.65	344.48	345.32	346.16	346.99	347.83	348.66	349.50	350.34
20	351.17	352.01	352.85	353.68	354.52	355.35	356.19	357.03	357.86	358.70
30	359.53	360.37	361.21	362.04	362.88	363.72	364.55	365.39	366.22	367.06
40	367.90	368.73	369.57	370.40	371.24	372.08	372.91	373.75	374.58	375.42
50	376.26	377.09	377.93	378.77	379.60	380.44	381.27	382.11	382.95	383.78
60	384.62	385.45	386.29	387.13	387.96	388.80	389.64	390.47	391.31	392.14
70	392.98	393.82	394.65	395.49	396.32	397.16	398.00	398.83	399.67	400.50
80	401.34	402.18	403.01	403.85	404.69	405.52	406.36	407.19	408.03	408.87
90	409.70	410.54	411.37	412.21	413.05	413.88	141.72	415.56	416.39	417.23

yd²	0	1	2	3	4	5	6	7	8	9
	m²									
500	418.06	418.90	419.74	420.57	421.41	422.24	423.08	423.92	424.75	425.59
10	426.42	427.26	428.10	428.93	429.77	430.61	431.44	432.28	433.11	433.95
20	434.79	435.62	436.46	437.29	438.13	438.97	439.80	440.64	441.48	442.31
30	443.15	443.98	444.82	445.66	446.49	447.33	448.16	449.00	449.84	450.67
40	451.51	452.34	453.18	454.02	454.85	455.69	456.53	457.36	458.20	459.03
50	459.87	460.71	461.54	462.38	463.21	464.05	464.89	465.72	466.56	467.39
60	468.23	469.07	469.90	470.74	471.58	472.41	473.25	474.08	474.92	475.76
70	476.59	477.43	478.26	479.10	479.94	480.77	481.61	482.45	483.28	484.12
80	484.95	485.79	486.63	487.46	488.30	489.13	489.97	490.81	491.64	492.48
90	493.31	494.15	494.99	495.82	496.66	497.50	498.33	499.17	500.00	500.84
600	501.68	502.51	503.35	504.18	505.02	505.86	506.69	507.53	508.37	509.20
10	510.04	510.87	511.71	512.55	513.38	514.22	515.05	515.89	516.73	517.56
20	518.40	519.23	520.07	520.91	521.74	522.58	523.42	524.25	525.09	525.92
30	526.76	527.60	528.43	529.27	530.10	530.94	531.78	532.61	533.45	534.29
40	535.12	535.96	536.79	537.63	538.47	539.30	540.14	540.97	541.81	542.65
50	543.48	544.32	545.15	545.99	546.83	547.66	548.50	549.34	550.17	551.01
60	551.84	552.68	553.52	554.35	555.19	556.02	556.86	557.70	558.53	559.37
70	560.21	561.04	561.88	562.71	563.55	564.39	565.22	566.06	566.89	567.73
80	568.57	569.40	570.24	571.07	571.91	572.75	573.58	574.42	575.26	576.09
90	576.93	577.76	578.60	579.44	580.27	581.11	581.94	582.78	583.62	584.45
700	585.29	586.13	586.96	587.80	588.63	589.47	590.31.	591.14	591.98	592.81
10	593.65	594.49	595.32	596.16	596.99	597.83	598.67	599.50	600.34	601.18
20	602.01	602.85	603.68	604.52	605.36	606.19	607.03	607.86	608.70	609.54
30	610.37	611.21	612.04	612.88	613.72	614.55	615.39	616.23	617.06	617.90
40	618.73	619.57	620.41	621.24	622.08	622.91	623.75	624.59	625.42	626.26
50	627.10	627.93	628.77	629.60	630.44	631.28	632.11	632.95	633.78	634.62
60	635.46	636.29	637.13	637.96	638.80	639.64	640.47	641.31	642.15	642.98
70	643.82	644.65	645.49	646.33	647.16	648.00	648.83	649.67	650.51	651.34
80	652.18	653.02	653.85	654.69	655.52	656.36	657.20	658.03	658.87	659.70
90	660.54	661.38	662.21	663.05	663.88	664.72	665.56	666.39	667.23	668.07
800	668.90	669.74	670.57	671.41	672.25	673.08	673.92	674.75	675.59	676.43
10	677.26	678.10	678.94	697.77	680.61	681.44	682.28	683.12	683.95	684.79
20	685.62	686.46	687.30	688.13	688.97	689.80	690.64	691.48	692.31	693.15
30	693.99	694.82	695.66	696.49	697.33	698.17	699.00	699.84	700.67	701.51
40	702.35	703.18	704.02	704.86	705.69	706.53	707.36	708.20	709.04	709.87
50	710.71	711.54	712.38	713.22	714.05	714.89	715.72	716.56	717.40	718.23
60	719.07	719.91	720.74	721.58	722.41	723.25	724.09	724.92	725.76	726.59
70	727.43	728.27	729.10	729.94	730.77	731.61	732.45	733.28	734.12	734.96
80	735.79	736.63	737.46	738.30	739.14	739.97	740.81	741.64	742.48	743.32
90	744.15	744.99	745.83	746.66	747.50	748.33	749.17	750.01	750.84	751.68
900	752.51	753.35	754.19	755.02	755.86	756.69	757.53	758.37	759.20	760.04
10	760.88	761.77	762.55	763.38	764.22	765.06	765.89	766.73	767.56	768.40
20	769.24	770.07	770.91	771.75	772.58	773.42	774.25	775.09	775.93	776.76
30	777.60	778.43	779.27	780.11	780.94	781.78	782.61	783.45	784.29	785.12
40	785.96	786.80	787.63	788.47	789.30	790.14	790.98	791.81	792.65	793.48
50	794.32	795.16	795.99	796.83	797.67	798.50	799.34	800.17	801.01	801.85
60	802.68	803.52	804.35	805.19	806.03	806.86	807.70	808.53	809.37	810.21
70	811.04	811.88	812.72	813.55	814.39	815.22	816.06	816.90	817.73	818.57
80	819.40	820.24	821.08	821.91	822.75	823.59	824.42	825.26	826.09	826.93
90	827.77	828.60	829.44	830.27	831.11	831.95	832.78	833.62	834.45	835.29
1000	836.13	836.96	837.80	838.64	839.47	840.31	841.14	841.98	842.82	843.65

23) 제곱 미터〔m²〕→ 제곱 피트〔ft²〕로 환산

m²	0	1	2	3	4	5	6	7	8	9
	ft²									
—	—	10.764	21.528	32.292	43.056	53.820	64.583	75.347	86.111	96.875
10	107.64	118.40	129.17	139.93	150.69	161.46	172.22	182.99	193.75	204.51
20	215.28	226.04	236.81	247.57	258.33	269.10	279.86	290.63	301.39	312.15
30	322.92	333.68	344.45	355.21	365.97	376.74	387.50	398.26	409.03	419.79
40	430.56	441.32	452.08	462.85	473.61	484.38	495.14	505.90	516.67	527.43
50	538.20	548.96	559.72	570.49	581.25	592.02	602.78	613.54	624.31	635.07
60	645.83	656.60	667.36	678.13	688.89	699.65	710.42	721.18	731.95	742.71
70	753.47	764.24	775.00	785.77	796.53	807.29	818.06	828.82	839.59	850.35
80	861.11	871.88	882.64	893.40	904.17	914.93	925.70	936.46	947.22	957.99
90	968.75	979.52	990.28	1001.0	1011.8	1022.6	1033.3	1044.1	1054.9	1065.6
100	1076.4	1087.2	1097.9	1108.7	1119.4	1130.2	1141.0	1151.7	1162.5	1173.3
10	1184.0	1194.8	1205.6	1216.3	1227.1	1237.9	1248.6	1259.4	1270.1	1280.9
20	1291.7	1302.4	1313.2	1324.0	1334.7	1345.5	1356.3	1367.0	1377.8	1388.5
30	1399.3	1410.1	1420.8	1431.6	1442.4	1453.1	1463.9	1474.7	1485.4	1496.2
40	1506.9	1517.7	1528.5	1539.5	1550.0	1560.8	1571.5	1582.3	1593.1	1603.8
50	1614.6	1625.4	1636.1	1646.9	1657.6	1668.4	1679.2	1689.9	1700.7	1711.5
60	1722.2	1733.0	1743.8	1754.5	1765.3	1776.0	1786.8	1797.6	1808.3	1819.1
70	1829.9	1840.6	1851.4	1862.2	1872.9	1883.7	1894.4	1905.2	1916.0	1926.7
80	1937.5	1948.3	1959.0	1969.8	1980.6	1991.3	2002.1	2012.9	2023.6	2034.4
90	2045.1	2055.9	2066.7	2077.4	2088.2	2099.0	2109.7	2120.5	2131.3	2142.0
200	2152.8	2163.5	2174.3	2185.1	2195.8	2206.6	2217.4	2228.1	2238.9	2249.7
10	2260.4	2271.2	2281.9	2292.7	2303.5	2314.2	2325.0	2335.8	2346.5	2357.3
20	2368.1	2378.8	2389.6	2400.4	2411.1	2421.9	2432.6	2443.4	2454.2	2464.9
30	2475.7	2486.5	2497.2	2508.0	2518.8	2529.5	2540.3	2551.0	2561.8	2572.6
40	2583.3	2594.1	2604.9	2615.6	2626.4	2637.2	2647.9	2658.7	2669.5	2680.2
50	2691.0	2701.7	2712.5	2723.3	2734.0	2744.8	2755.6	2766.3	2777.1	2787.9
60	2798.6	2809.4	2820.1	2830.9	2841.7	2852.4	2863.2	2874.0	2884.7	2895.5
70	2906.3	2917.0	2927.8	2938.5	2949.3	2960.1	2970.8	2981.6	2992.4	3003.1
80	3013.9	3024.7	3035.4	3046.2	3057.0	3067.7	3078.5	3089.2	3100.0	3110.8
90	3121.5	3132.3	3143.1	3153.8	3164.6	3175.4	3186.1	3196.9	3207.6	3218.4
300	3229.2	3239.9	3250.7	3261.5	3272.2	3283.0	3293.8	3304.5	3315.3	3326.0
10	3336.8	3347.6	3358.3	3369.1	3379.9	3390.6	3401.4	3412.2	3422.9	3433.7
20	3444.5	3455.2	3466.0	3476.7	3487.5	3498.3	3509.0	3519.8	3530.6	3541.3
30	3552.1	3562.9	3573.6	3584.4	3595.1	3605.9	3616.7	3627.4	3638.2	3649.0
40	3659.7	3670.5	3681.3	3692.0	3702.8	3713.6	3724.3	3735.1	3745.8	3756.6
50	3767.4	3778.1	3788.9	3799.7	3810.4	3821.2	3832.0	3842.7	3853.5	3864.2
60	3875.0	3885.8	3896.5	3907.3	3918.1	3928.8	3939.6	3950.4	3961.1	3971.9
70	3982.6	3993.4	4004.2	4014.9	4025.7	4036.5	4047.2	4058.0	4068.8	4079.5
80	4090.3	4101.1	4111.8	4122.6	4133.3	4144.1	4154.9	4165.6	4176.4	4187.2
90	4197.9	4208.7	4219.5	4230.2	4241.0	4251.7	4262.5	4273.3	4284.0	4294.8
400	4305.6	4316.3	4327.1	4337.9	4348.6	4359.4	4370.1	4380.9	4391.7	4402.4
10	4413.2	4424.0	4434.7	4445.5	4456.3	4467.0	4477.8	4488.6	4499.3	4510.1
20	4520.8	4531.6	4542.4	4553.1	4563.9	4574.7	4585.4	4596.2	4607.0	4617.7
30	4628.5	4639.2	4650.0	4660.8	4671.5	4682.3	4693.1	4703.8	4714.6	4725.4
40	4736.1	4746.9	4757.7	4768.4	4779.2	4789.9	4800.7	4811.5	4822.2	4833.0
50	4843.8	4854.5	4865.3	4876.1	4886.8	4897.6	4908.3	4919.1	4929.9	4940.6
60	4951.4	4962.2	4972.9	4983.7	4994.5	5005.2	5016.0	5026.7	5037.5	5048.3
70	5059.0	5069.8	5080.6	5091.3	5102.1	5112.9	5123.6	5134.4	5145.2	5155.9
80	5166.7	5177.4	5188.2	5199.0	5209.7	5220.5	5231.3	5242.0	5252.8	5263.6
90	5274.3	5285.1	5295.8	5306.6	5317.4	5328.1	5338.9	5349.7	5360.4	5371.2

m²	0	1	2	3	4	5	6	7	8	9
	ft²									
500	5382.0	5392.7	5403.5	5414.2	5425.0	5435.8	5446.5	5457.3	5468.1	5478.8
10	5489.6	5500.4	5511.1	5521.9	5532.7	5543.4	5554.2	5564.9	5575.7	5586.5
20	5597.2	5608.0	5618.8	5629.5	5640.3	5651.1	5661.8	5672.6	5683.3	5694.1
30	5704.9	5715.6	5726.4	5737.2	5747.9	5758.7	5769.5	5780.2	5791.0	5801.8
40	5812.5	5823.3	5834.0	5844.8	5855.6	5866.3	5877.1	5887.9	5898.6	5909.4
50	5920.2	5930.9	5941.7	5952.4	5963.2	5974.0	5984.7	5995.5	6006.3	6017.0
60	6027.8	6038.6	6049.3	6060.1	6070.8	6081.6	6092.4	6103.1	6113.9	6124.7
70	6135.4	6146.2	6157.0	6167.7	6178.5	6189.3	6200.0	6210.8	6221.5	6232.3
80	6243.1	6253.8	6264.6	6275.4	6286.1	6296.9	6307.7	6318.4	6329.2	6339.9
90	6350.7	6361.5	6372.2	6383.0	6393.8	6404.5	6415.3	6426.1	6436.8	6447.6
600	6458.3	6469.1	6479.9	6490.6	6501.4	6512.2	6522.9	6533.7	6544.5	6555.2
10	6566.0	6576.8	6587.5	6598.3	6609.0	6619.8	6630.6	6641.3	6652.1	6662.9
20	6673.6	6684.4	6695.2	6705.9	6716.7	6727.4	6738.2	6749.0	6759.7	6770.5
30	6781.3	6792.0	6802.8	6813.6	6824.3	6835.1	6845.8	6856.6	6867.4	6878.1
40	6888.9	6899.7	6910.4	6921.2	6932.0	6942.7	6953.5	6964.3	6975.0	6985.8
50	6996.5	7007.3	7018.1	7028.8	7039.6	7050.4	7061.1	7071.9	7082.7	7093.4
60	7104.2	7114.9	7125.7	7136.5	7147.2	7158.0	7168.8	7179.5	7190.3	7201.1
70	7211.8	7222.6	7233.4	7244.1	7254.9	7265.6	7276.4	7287.2	7297.9	7308.7
80	7319.5	7330.2	7341.0	7351.8	7362.5	7373.3	7384.0	7394.8	7405.6	7416.3
90	7427.1	7437.9	7448.6	7459.4	7470.2	7480.9	7491.7	7502.4	7513.2	7524.0
700	7534.7	7545.5	7556.3	7567.0	7577.8	7588.6	7599.3	7610.1	7620.9	7631.6
10	7642.4	7653.1	7663.9	7674.7	7685.4	7696.2	7707.0	7717.7	7728.5	7739.3
20	7750.0	7760.8	7771.5	7782.3	7793.1	7803.8	7814.6	7825.4	7836.1	7846.9
30	7857.7	7868.4	7879.2	7889.9	7900.7	7911.5	7922.2	7933.0	7943.8	7954.5
40	7965.3	7976.1	7986.8	7997.6	8008.4	8019.1	8029.9	8040.6	8051.4	8062.2
50	8072.9	8083.7	8094.5	8105.2	8116.0	8126.8	8137.5	8148.3	8159.0	8169.8
60	8180.6	8191.3	8202.1	8212.9	8223.6	8234.4	8245.2	8255.9	8266.7	8277.5
70	8288.2	8299.0	8309.7	8320.5	8331.3	8342.0	8352.8	8363.6	8374.3	8385.1
80	8395.9	8406.6	8417.4	8428.1	8438.9	8449.7	8460.4	8471.2	8482.0	8492.7
90	8503.5	8514.3	8525.0	8535.8	8546.5	8557.3	8568.1	8578.8	8589.6	8600.4
800	8611.1	8621.9	8632.7	8643.4	8654.2	8665.0	8675.7	8686.5	8697.2	8708.0
10	8718.8	8729.5	8740.3	8751.1	8761.8	8772.6	8783.4	8794.1	8804.9	8815.6
20	8826.4	8837.2	8847.9	8858.7	8869.5	8880.2	8891.0	8901.8	8912.5	8923.3
30	8934.0	8944.8	8955.6	8966.3	8977.1	8987.9	8998.6	9009.4	9020.2	9030.9
40	9041.7	9052.5	9063.2	9074.0	9084.7	9095.5	9106.3	9117.0	9127.8	9138.6
50	9149.3	9160.1	9170.9	9181.6	9192.4	9203.1	9213.9	9224.7	9235.4	9246.2
60	9257.0	3267.7	9278.5	9289.3	9300.0	9310.8	9321.6	9332.3	9343.1	9353.8
70	9364.6	9375.4	9386.1	9396.9	9407.7	9418.4	9429.2	9440.0	9450.7	9461.5
80	9472.2	9483.0	9493.8	9504.5	9515.3	9526.1	9536.8	9547.6	9558.4	9569.1
90	9579.9	9590.6	9601.4	9612.2	9622.9	9633.7	9644.5	9655.2	9666.0	9676.8
900	9687.5	9698.3	9709.1	9719.8	9730.6	9741.3	9752.1	9762.9	9773.6	9784.4
10	9795.2	9805.9	9816.7	9827.5	9838.2	9849.0	9859.7	9870.5	9881.3	9892.0
20	9902.8	9913.6	9924.3	9935.1	9945.9	9956.6	9967.4	9978.1	9988.9	9999.7
30	10010	10021	10032	10043	10053	10064	10075	10086	10097	10107
40	10118	10129	10140	10150	10161	10172	10183	10193	10204	10215
50	10122	10236	10247	10258	10269	10280	10290	10301	10312	10323
60	10333	10344	10355	10366	10376	10387	10398	10409	10419	10430
70	10441	10452	10463	10473	10484	10495	10506	10516	10527	10538
80	10549	10559	10570	10581	10592	10602	10613	10624	10635	10646
90	10656	10667	10678	10689	10699	10710	10721	10732	10742	10753
1000	10764	10775	10785	10796	10807	10818	10828	10839	10850	10861

24) 제곱 피트(ft²) → 제곱 미터(m²)로 환산

ft²	0	1	2	3	4	5	6	7	8	9
	m²									
—	—	0.0929	0.1858	0.2787	0.3716	0.4645	0.5574	0.6503	0.7432	0.8361
10	0.9290	1.0219	1.1148	1.2077	1.3006	1.3935	1.4864	1.5794	1.6723	1.7652
20	1.8581	1.9510	2.0439	2.1368	2.2297	2.3226	2.4155	2.5084	2.6013	2.6942
30	2.7871	2.8800	2.9729	3.0658	3.1587	3.2516	3.3445	3.4374	3.5303	3.6232
40	3.7161	3.8090	3.9019	3.9948	4.0877	4.1806	4.2735	4.3664	4.4593	4.5522
50	4.6452	4.7381	4.8310	4.9239	5.0168	5.1097	5.2026	5.2955	5.3884	5.4813
60	5.5742	5.6671	5.7600	5.8529	5.9458	6.0387	6.1316	6.2245	6.3174	6.4103
70	6.5032	6.5961	6.6890	6.7819	6.8748	6.9677	7.0606	7.1535	7.2464	7.3393
80	7.4322	7.5251	7.6180	7.7109	7.8039	7.8968	7.9897	8.0826	8.1755	8.2684
90	8.3613	8.4542	8.5471	8.6400	8.7329	8.8258	8.9187	9.0116	9.1045	9.1974
100	9.2903	9.3832	9.4761	9.5690	9.6619	9.7548	9.8477	9.9406	10.034	10.126
10	10.219	10.312	10.405	10.498	10.591	10.684	10.777	10.870	10.963	11.055
20	11.148	11.241	11.334	11.427	11.520	11.613	11.706	11.799	11.892	11.984
30	12.077	12.170	12.263	12.356	12.449	12.542	12.635	12.728	12.821	12.914
40	13.006	13.099	13.192	13.285	13.378	13.471	13.564	13.657	13.750	13.843
50	13.935	14.028	14.121	14.214	14.307	14.400	14.493	14.586	14.679	14.772
60	14.864	14.957	15.050	15.143	15.236	15.329	15.422	15.515	15.608	15.701
70	15.794	15.886	15.979	16.072	16.165	16.258	16.351	16.444	16.537	16.630
80	16.723	16.815	16.908	17.001	17.094	17.187	17.280	17.373	17.466	17.559
90	17.652	17.744	17.837	17.930	18.023	18.116	18.209	18.302	18.395	18.483
200	18.581	18.674	18.766	18.859	18.952	19.045	19.138	19.231	19.234	19.417
10	19.510	19.603	19.695	19.788	19.881	19.974	20.067	20.160	20.253	20.346
20	20.439	20.532	20.624	20.717	20.810	20.903	20.996	21.089	21.182	21.275
30	21.368	21.461	21.553	21.646	21.739	21.832	21.925	22.018	22.111	22.204
40	22.297	22.390	22.483	22.575	22.668	22.461	22.854	22.947	23.040	23.133
50	23.226	23.319	23.412	23.504	23.597	23.690	23.783	23.876	23.969	24.062
60	24.155	24.248	24.341	24.433	24.526	24.619	24.712	24.805	24.898	24.991
70	25.084	25.177	25.270	25.363	25.455	25.548	25.641	25.734	25.827	25.920
80	26.013	26.106	26.199	26.292	26.384	26.477	26.570	26.663	26.756	26.849
90	26.942	27.035	27.128	27.221	27.313	27.406	27.499	27.592	27.685	27.778
300	27.871	27.964	28.057	28.150	28.243	28.335	28.428	28.521	28.614	28.707
10	28.800	28.893	28.986	29.079	29.172	29.264	29.357	29.450	29.543	29.636
20	29.729	29.822	29.915	30.008	30.101	30.193	30.286	30.379	30.472	30.565
30	30.658	30.751	30.844	30.937	31.030	31.123	31.215	31.308	31.401	31.494
40	31.587	31.680	31.773	31.866	31.959	32.052	32.144	32.237	32.330	32.423
50	32.516	32.609	32.702	32.795	32.888	32.981	33.073	33.166	33.259	33.352
60	33.445	33.538	33.631	33.724	33.817	33.910	34.002	34.095	34.188	34.281
70	34.374	34.467	34.560	34.653	34.746	34.839	34.932	35.024	35.117	35.210
80	35.303	35.396	35.489	35.582	35.675	35.768	35.861	35.953	36.046	36.139
90	36.232	36.325	36.418	36.511	36.604	36.697	36.790	36.882	36.975	37.068
400	37.161	37.254	37.347	37.440	37.533	37.626	37.719	37.812	37.904	37.997
10	38.090	38.183	38.276	38.369	38.462	38.555	38.648	38.741	38.833	38.926
20	39.019	39.112	39.205	39.298	39.391	39.484	39.577	39.670	39.762	39.855
30	39.948	40.041	40.134	40.227	40.320	40.413	40.506	40.599	40.692	40.784
40	40.877	40.970	41.063	41.156	41.249	41.342	41.435	41.528	41.621	41.713
50	41.806	41.899	41.992	42.085	42.178	42.271	42.364	42.457	42.550	42.642
60	42.735	42.828	42.921	43.014	43.107	43.200	43.293	43.386	43.479	43.572
70	43.664	43.757	43.850	43.943	44.036	44.129	44.222	44.315	44.408	44.501
80	44.593	44.686	44.779	44.872	44.965	45.058	45.151	45.244	45.337	45.430
90	45.522	45.615	45.708	45.801	45.894	45.987	46.080	46.173	46.266	46.359

ft²	0	1	2	3	4	5	6	7	8	9
	m²									
500	46.452	46.544	46.637	46.730	46.823	46.916	47.009	47.102	47.195	47.288
10	47.381	47.473	47.566	47.659	47.752	47.845	47.938	48.031	48.124	48.217
20	48.310	48.402	48.495	48.588	48.681	48.774	48.867	48.960	49.053	49.146
30	49.239	49.331	49.424	49.517	49.610	49.703	49.796	79.889	49.982	50.075
40	50.168	50.561	50.353	50.446	50.539	50.632	50.725	50.818	50.911	51.004
50	51.097	51.190	51.282	51.375	51.468	51.561	51.654	51.747	51.840	51.933
60	52.026	52.119	52.211	52.304	52.397	52.490	52.583	52.676	52.769	52.862
70	52.955	53.048	53.141	53.233	53.326	53.419	53.512	53.605	53.698	53.791
80	53.884	53.977	54.070	54.162	54.255	54.348	54.441	54.534	54.627	54.720
90	54.813	54.906	54.999	55.091	55.184	55.277	55.370	55.463	55.556	55.649
600	55.742	55.835	55.928	56.021	56.113	56.206	56.299	56.392	56.485	56.578
10	56.671	56.764	56.857	56.950	57.042	57.135	57.228	57.321	57.414	57.507
20	57.600	57.693	57.786	57.879	57.971	58.064	58.157	58.250	58.343	58.436
30	38.529	58.622	58.715	58.808	58.901	58.993	59.086	59.179	59.272	59.365
40	59.458	59.551	59.644	59.737	59.830	59.922	60.015	60.108	60.201	60.294
50	60.387	60.480	60.573	60.666	60.759	60.851	60.944	61.037	61.130	61.223
60	61.316	61.409	61.502	61.595	61.688	61.780	61.873	61.966	62.059	62.152
70	62.245	62.338	62.431	62.524	62.617	62.710	62.802	62.895	62.988	63.081
80	63.174	63.267	63.360	63.453	63.546	63.639	63.731	63.824	63.917	64.010
90	64.103	64.196	64.289	64.382	64.475	64.568	64.660	64.753	64.846	64.939
700	65.032	65.125	65.218	65.311	65.404	65.497	65.590	65.682	65.775	65.868
10	65.961	66.054	66.147	66.240	66.333	66.426	66.519	66.611	66.704	66.797
20	66.890	66.983	67.076	67.169	67.262	67.355	67.448	67.540	67.633	67.726
30	67.819	67.912	68.005	68.098	68.191	68.284	68.377	68.470	68.562	68.655
40	68.748	68.841	68.934	69.027	69.120	69.213	69.306	69.399	69.491	69.584
50	69.677	69.770	69.863	69.956	70.049	70.142	70.235	70.328	70.420	70.513
60	70.606	70.699	70.792	70.885	70.978	71.071	71.164	71.257	71.350	71.442
70	71.535	71.628	71.721	71.814	71.907	72.000	72.093	72.186	72.279	72.371
80	72.464	72.557	72.650	72.743	72.836	72.929	73.022	73.115	73.208	73.300
90	73.393	73.486	73.579	73.672	73.765	73.858	73.951	74.044	74.137	74.229
800	74.322	74.415	74.508	74.601	74.694	74.787	74.880	74.973	75.066	75.159
10	75.251	75.344	75.437	75.530	75.623	75.716	75.809	75.902	75.995	76.088
20	76.180	76.273	76.366	76.459	76.552	76.645	76.738	76.831	76.924	77.017
30	77.109	77.202	77.295	77.388	77.481	77.574	77.667	77.760	77.853	77.946
40	78.039	78.131	78.224	78.317	78.410	78.503	78.596	78.689	78.782	78.875
50	78.938	79.060	79.153	79.246	79.339	79.432	79.525	79.618	79.711	79.804
60	79.897	79.989	80.082	80.175	80.268	80.361	80.454	80.547	80.640	80.733
70	80.826	80.919	81.011	81.104	81.197	81.290	81.383	81.476	81.569	81.662
80	81.755	81.848	81.940	82.033	82.126	82.219	82.312	82.405	82.498	82.591
90	82.684	82.777	82.869	82.962	83.055	83.148	83.241	83.334	83.427	83.520
900	83.613	83.706	83.799	83.891	83.984	84.077	84.170	84.263	84.356	84.449
10	84.542	84.635	84.728	84.820	84.913	85.006	85.099	85.192	58.285	85.378
20	85.471	85.564	85.657	85.749	85.842	85.935	86.028	86.121	86.214	86.307
30	86.400	86.493	86.586	86.678	86.771	86.864	86.957	87.050	87.143	87.236
40	87.329	87.422	87.515	87.608	87.700	87.793	87.886	87.979	88.072	88.165
50	88.258	88.351	88.444	88.537	88.629	88.722	88.815	88.908	89.001	89.094
60	89.187	89.280	89.373	89.466	89.558	89.651	89.744	89.837	89.930	90.023
70	90.116	90.209	90.302	90.395	90.488	90.580	90.673	90.766	90.859	90.952
80	91.045	91.138	91.231	91.324	91.417	91.509	91.602	91.695	91.788	91.881
90	91.974	92.067	92.160	92.253	92.346	92.438	92.531	92.624	92.717	92.810
1000	92.903	92.996	93.089	93.182	93.275	93.368	93.460	93.553	93.646	93.739

25) 세제곱 센티미터(cm³) → 세제곱 인치(in³)로 환산

cm³	0	1	2	3	4	5	6	7	8	9
	in³									
—	—	0.0610	0.1220	0.1831	0.2441	0.3051	0.3661	0.4272	0.4882	0.5492
10	0.6102	0.6713	0.7323	0.7933	0.8543	0.9154	0.9764	1.0374	1.0984	1.1594
20	1.2205	1.2815	1.3425	1.4035	1.4646	1.5256	1.5866	1.6476	1.7087	1.7697
30	1.8307	1.8917	1.9528	2.0138	2.0748	2.1358	2.1968	2.2579	2.3189	2.3799
40	2.4409	2.5020	2.5630	2.6240	2.6850	2.7461	2.8071	2.8681	2.9291	2.9902
50	3.0512	3.1122	3.1732	3.2343	3.2953	3.3563	3.4173	3.4783	3.5394	3.6004
60	3.6614	3.7224	3.7835	3.8445	3.9055	3.9665	4.0276	4.0886	4.1496	4.2106
70	4.2717	4.3327	4.3937	4.4547	4.5157	4.5768	4.6378	4.6988	4.7598	4.8209
80	4.8819	4.9429	5.0039	5.0650	5.1260	5.1870	5.2480	5.3091	5.3701	5.4311
90	5.4921	5.5531	5.6142	5.6752	5.7362	5.7972	5.8583	5.9193	5.9803	6.0413
100	6.1024	6.1634	6.2244	6.2854	6.3465	6.4075	6.4685	6.5295	6.5905	6.6516
10	6.7126	6.7736	6.8346	6.8957	6.9567	7.0177	7.0787	7.1398	7.2008	7.2618
20	7.3228	7.3839	7.4449	7.5059	7.5669	7.6280	7.6890	7.7500	7.8110	7.8720
30	7.9331	7.9941	8.0551	8.1161	8.1772	8.2382	8.2992	8.3602	8.4213	8.4823
40	8.5433	8.6043	8.6654	8.7264	8.7874	8.8484	8.9094	8.9705	9.0315	9.0925
50	9.1535	9.2146	9.2756	9.3366	9.3976	9.4587	9.5197	9.5807	9.6417	9.7028
60	9.7638	9.8248	9.8858	9.9468	10.008	10.069	10.130	10.191	10.252	10.313
70	10.374	10.435	10.496	10.557	10.618	10.679	10.740	10.801	10.862	10.923
80	10.984	11.045	11.106	11.167	11.228	11.289	11.350	11.411	11.472	11.533
90	11.594	11.656	11.717	11.778	11.839	11.900	11.961	12.022	12.083	12.144
200	12.205	12.266	12.327	12.388	12.449	12.510	12.571	12.632	12.693	12.754
10	12.815	12.876	12.937	12.998	13.059	13.120	13.181	13.242	13.303	13.364
20	13.425	13.486	13.547	13.608	13.669	13.730	13.791	13.852	13.913	13.974
30	14.035	14.096	14.157	14.219	14.280	14.341	14.402	14.463	14.524	14.585
40	14.646	14.707	14.768	14.829	14.890	14.951	15.012	15.073	15.134	15.195
50	15.256	15.317	15.378	15.439	15.500	15.561	15.622	15.683	15.744	15.805
60	15.866	15.927	15.988	16.049	16.110	16.171	16.232	16.293	16.354	16.415
70	16.476	16.537	16.598	16.659	16.720	16.781	16.843	16.904	16.965	17.026
80	17.087	17.148	17.209	17.270	17.331	17.392	17.453	17.514	17.575	17.636
90	17.697	17.758	17.819	17.880	17.941	18.002	18.063	18.124	18.185	18.246
300	18.307	18.368	18.429	18.490	18.551	18.612	18.673	18.734	18.795	18.856
10	18.917	18.978	19.039	19.100	19.161	19.222	19.283	19.344	19.406	19.467
20	19.528	19.589	19.650	19.711	19.772	19.833	19.894	19.955	20.016	20.077
30	20.138	20.199	20.260	20.321	20.382	20.443	20.504	20.565	20.626	20.687
40	20.748	20.809	20.870	20.931	20.992	21.053	21.114	21.175	21.236	21.297
50	21.358	21.419	21.480	21.541	21.602	21.663	21.724	21.785	21.846	21.907
60	21.968	22.030	22.091	22.152	22.213	22.274	22.335	22.396	22.457	22.518
70	22.579	22.640	22.701	22.762	22.823	22.884	22.945	23.006	23.067	23.128
80	23.189	23.250	23.311	23.372	23.433	23.494	23.555	23.616	23.677	23.738
90	23.799	23.860	23.921	23.982	24.043	24.104	24.165	24.226	24.287	24.348
400	24.409	24.470	24.531	24.593	24.654	24.715	24.776	24.837	24.898	24.959
10	25.020	25.081	25.142	25.203	25.264	25.325	25.386	25.447	25.508	25.569
20	25.630	25.691	25.752	25.813	25.874	25.935	25.996	26.057	26.118	26.179
30	26.240	26.301	26.362	26.423	26.484	26.545	26.606	26.667	26.728	26.789
40	26.850	26.911	26.972	27.033	27.094	27.156	27.217	27.278	27.339	27.400
50	27.461	27.522	27.583	27.644	27.705	27.766	27.827	27.888	27.949	28.010
60	28.071	28.132	28.193	28.254	28.315	28.376	28.437	28.498	28.559	28.620
70	28.681	28.742	28.803	28.864	28.925	28.986	29.047	29.108	29.169	29.230
80	29.291	29.352	29.413	29.474	29.535	29.596	29.657	29.718	29.780	29.841
90	29.902	29.963	30.024	30.085	30.146	30.207	30.268	30.329	30.390	30.451

cm³	0	1	2	3	4	5	6	7	8	9
	in³									
500	30.512	30.573	30.634	30.695	30.756	30.817	30.878	30.939	31.000	31.061
10	31.122	31.183	31.244	31.305	31.366	31.427	31.488	31.549	31.610	31.671
20	31.732	31.793	31.854	31.915	31.976	32.037	32.098	32.159	32.220	32.281
30	32.343	32.404	32.465	32.526	32.587	32.648	32.709	32.770	32.831	32.892
40	23.953	33.014	33.075	33.136	33.197	33.258	33.319	33.380	33.441	33.502
50	33.563	33.624	33.685	33.746	33.807	33.868	33.929	33.990	34.051	34.112
60	34.173	34.234	34.295	34.356	34.417	34.478	34.539	34.600	34.661	34.722
70	34.783	34.844	34.906	34.967	35.028	35.089	35.150	35.211	35.272	35.333
80	35.394	35.455	35.516	35.577	35.638	35.699	35.760	35.821	35.882	35.943
90	36.004	36.065	36.126	36.187	36.248	36.309	36.370	36.431	36.492	36.553
600	36.614	36.675	36.736	36.797	36.858	36.919	36.980	37.041	37.102	37.163
10	37.224	37.285	37.346	37.407	37.468	37.530	37.591	37.652	37.713	37.774
20	37.835	37.896	37.957	38.018	38.079	38.140	38.201	38.262	38.323	38.384
30	38.445	38.506	38.567	38.628	38.689	38.750	38.811	38.872	38.933	38.994
40	39.055	39.116	39.177	39.238	39.299	39.360	39.421	39.482	39.543	39.604
50	39.665	39.726	39.787	39.848	39.909	39.970	40.031	40.093	40.154	40.215
60	40.276	40.337	40.398	40.459	40.520	40.581	40.642	40.703	40.764	40.825
70	40.886	40.947	41.008	41.069	41.130	41.191	41.252	41.313	41.374	41.435
80	41.496	41.557	41.618	41.679	41.740	41.801	41.862	41.923	41.984	42.045
90	42.106	42.167	42.228	42.289	42.350	42.411	42.472	42.533	42.594	42.656
700	42.717	42.778	42.839	42.900	42.961	43.022	43.038	43.144	43.205	43.266
10	43.327	43.388	43.449	43.510	43.571	43.632	43.693	43.754	43.815	43.876
20	43.937	43.998	44.059	44.120	44.181	44.242	44.303	44.364	44.425	44.486
30	44.547	44.608	44.669	44.730	44.791	44.852	44.913	44.974	45.035	45.096
40	45.157	45.218	45.280	45.341	45.402	45.463	45.524	45.585	45.646	45.707
50	45.768	45.829	45.890	45.951	46.012	46.073	46.134	46.195	46.256	46.317
60	46.378	46.439	46.500	46.561	46.622	46.683	46.744	46.805	46.866	46.927
70	46.988	47.049	47.110	47.171	47.232	47.293	47.354	47.415	47.476	47.537
80	47.598	47.659	47.720	47.781	47.843	47.904	47.965	48.026	48.087	48.148
90	48.209	48.270	48.331	48.392	48.453	48.514	48.575	48.636	48.697	48.758
800	48.819	48.880	48.941	49.002	49.063	49.124	49.185	49.246	49.307	49.368
10	49.429	49.490	49.551	49.612	49.673	49.734	49.795	49.856	49.917	49.978
20	50.039	50.100	50.161	50.222	50.283	50.344	50.406	50.467	50.528	50.589
30	50.650	50.711	50.772	50.833	50.894	50.955	51.016	51.077	51.138	51.199
40	51.260	51.321	51.382	51.443	51.504	51.565	51.626	51.687	51.748	51.809
50	51.870	51.931	51.992	52.053	52.114	52.175	52.236	52.297	52.358	52.419
60	52.480	52.541	52.602	52.663	52.724	52.785	52.846	52.907	52.968	53.030
70	53.091	53.152	53.213	53.274	53.335	53.396	53.457	53.518	53.579	53.640
80	53.701	53.762	53.823	53.884	53.945	54.006	54.067	54.128	54.189	54.250
90	54.311	54.372	54.433	54.494	54.555	54.616	54.677	54.738	54.799	54.860
900	54.921	54.982	55.043	55.104	55.165	55.226	55.287	55.348	55.409	55.470
10	55.531	55.593	55.654	55.715	55.776	55.837	55.898	55.959	56.020	56.081
20	56.142	56.203	56.264	56.325	56.386	56.447	56.508	56.569	56.630	56.691
30	56.752	56.813	56.874	56.935	56.996	57.057	57.118	57.179	57.240	57.301
40	57.632	57.423	57.484	57.545	57.606	57.667	57.728	57.789	57.850	57.911
50	57.972	58.033	58.094	58.156	58.217	58.278	58.339	58.400	58.461	58.522
60	58.583	58.644	58.705	58.766	58.827	58.888	58.949	59.010	59.071	59.132
70	59.193	29.254	59.315	59.376	59.437	59.498	59.559	59.620	59.681	59.472
80	59.803	59.864	59.925	59.986	60.047	60.108	60.169	60.230	60.291	60.352
90	60.413	60.474	60.535	60.596	60.657	60.718	60.780	60.841	60.902	60.963
1000	61.024	61.085	61.146	61.207	61.268	61.329	61.390	61.451	61.512	61.573

26) 세제곱 인치〔in³〕→ 세제곱 센티미터〔cm³〕로 환산

in³	0	1	2	3	4	5	6	7	8	9
	cm³									
—	—	16.387	32.774	49.161	65.548	81.936	98.323	114.71	131.10	147.48
10	163.87	180.26	196.65	213.03	229.42	245.81	262.19	278.58	294.97	311.35
20	327.74	344.13	360.52	376.90	393.29	409.68	426.06	442.45	458.84	475.23
30	491.61	508.00	524.39	540.77	557.16	573.55	589.94	606.32	622.71	639.10
40	655.48	671.87	688.26	704.65	721.03	737.42	753.81	770.19	786.58	802.97
50	819.36	835.74	852.13	868.52	884.90	901.29	917.68	934.06	950.45	966.84
60	983.23	999.61	1016.0	1032.4	1048.8	1065.2	1081.5	1097.9	1114.3	1130.7
70	1147.1	1163.5	1179.9	1196.3	1212.6	1229.0	1245.4	1261.8	1278.2	1294.6
80	1311.0	1327.4	1343.7	1360.1	1376.5	1392.9	1409.3	1425.7	1442.1	1458.5
90	1474.8	1491.2	1507.6	1524.0	1540.4	1556.8	1573.2	1589.5	1605.9	1622.3
100	1638.7	1655.1	1671.5	1687.9	1704.3	1720.6	1737.0	1753.4	1769.8	1786.2
10	1802.6	1819.0	1835.4	1851.7	1868.1	1884.5	1900.9	1917.3	1933.7	1950.1
20	1966.5	1982.8	1999.2	2015.6	2032.0	2048.4	2064.8	2081.2	2097.5	2113.9
30	2130.3	2146.7	2163.1	2179.5	2195.9	2212.3	2228.6	2245.0	2261.4	2277.8
40	2294.2	2310.6	2327.0	2343.4	2359.7	2376.1	2392.5	2408.9	2425.3	2441.7
50	2458.1	2474.5	2490.8	2507.2	2523.6	2540.0	2556.4	2572.8	2589.2	2605.5
60	2621.9	2638.3	2654.7	2671.1	2687.5	2703.9	2720.3	2736.6	2753.0	2769.4
70	2785.8	2802.2	2818.6	2835.0	2851.4	2867.7	2884.1	2900.5	2916.0	2933.3
80	2949.7	2966.1	2982.5	2998.8	3015.2	3031.6	3048.0	3064.4	3080.8	3097.2
90	3113.5	3129.9	3146.3	3162.7	3179.1	3195.5	3211.9	3228.3	3244.6	3261.0
200	3277.4	3293.8	3310.2	3326.6	3343.0	3359.4	3375.7	3392.1	3408.5	3424.9
10	3441.3	3457.7	3474.1	3490.5	3506.8	3523.2	3539.6	3556.0	3572.4	3588.8
20	3605.2	3621.5	3637.9	3654.3	3670.7	3687.1	3703.5	3719.9	3736.3	3752.6
30	3769.0	3785.4	3801.8	3818.2	3834.6	3851.0	3867.4	3883.7	3900.1	3916.5
40	3932.9	3949.3	3965.7	3982.1	3998.5	4014.8	4031.2	4047.6	4064.0	4080.4
50	4096.8	4113.2	4129.5	4145.9	4162.3	4178.7	4195.1	4211.5	4227.9	4244.3
60	4260.6	4277.0	4293.4	4309.8	4326.2	4342.6	4359.0	4375.4	4391.7	4408.1
70	4424.5	4440.9	4457.3	4473.7	4490.1	4506.5	4522.8	4539.2	4555.6	4572.0
80	4588.4	4604.8	4621.2	4637.5	4653.9	4670.3	4686.7	4703.1	4719.5	4735.9
90	4752.3	4768.6	4785.0	4801.4	4817.8	4834.2	4850.6	4867.0	4883.4	4899.7
300	4916.1	4932.5	4948.9	4965.3	4981.7	4998.1	5014.5	5030.8	5047.2	5063.6
10	5080.0	5096.4	5112.8	5129.2	5145.5	5161.9	5178.3	5194.7	5211.1	5227.5
20	5243.9	5260.3	5276.6	5293.0	5309.4	5325.8	5342.2	5358.6	5375.0	5391.4
30	5407.7	5424.1	5440.5	5456.9	5473.3	5489.7	5506.1	5522.5	5538.8	5555.2
40	5571.6	5588.0	5604.4	5620.8	5637.2	5653.5	5669.9	5686.3	5702.7	5719.1
50	5735.5	5751.9	5768.3	5784.6	5801.0	5817.4	5833.8	5850.2	5866.6	5883.0
60	5899.4	5915.7	5932.1	5948.5	5964.9	5981.3	5997.7	6014.1	6030.5	6064.8
70	6063.2	6079.6	6096.0	6112.4	6128.8	6145.2	6161.5	6177.9	6194.3	6210.7
80	6227.1	6243.5	6259.9	6276.3	6292.6	6309.0	6325.4	6341.8	6358.2	6374.6
90	6391.0	6407.4	6423.7	6440.1	6456.5	6472.9	6489.3	6505.7	6522.1	6538.5
400	6554.8	6571.2	6587.6	6604.0	6620.4	6636.8	6653.2	6669.5	6685.9	6702.3
10	6718.7	6735.1	6751.5	6767.9	6784.3	6800.6	6817.0	6833.4	6849.8	6866.2
20	6882.6	6899.0	6915.4	6931.7	6948.1	6964.5	6980.9	6997.3	7013.7	7030.1
30	7046.5	7062.8	7079.2	7095.6	7112.0	7128.4	7144.8	7161.2	7177.5	7193.9
40	7210.3	7226.7	7243.1	7259.5	7275.9	7292.3	7308.6	7325.0	7341.4	7357.8
50	7374.2	7390.6	7407.0	7423.4	7439.7	7456.1	7472.5	7488.9	7505.3	7521.7
60	7538.1	7554.5	7570.8	7587.2	7603.6	7620.0	7636.4	7652.8	7669.2	7685.5
70	7701.9	7718.3	7734.7	7751.1	7767.5	7783.9	7800.3	7816.6	7833.0	7849.4
80	7865.8	7882.2	7898.6	7915.0	7931.4	7947.7	7964.1	7980.5	7996.9	8013.3
90	8029.7	8046.1	8062.5	8078.8	8095.2	8111.6	8128.0	8144.4	8160.8	8177.2

in³	0	1	2	3	4	5	6	7	8	9
	cm³									
500	8193.6	8209.9	8226.3	8242.7	8259.1	8275.5	8291.9	8308.3	8324.6	8341.0
10	8357.4	8373.8	8390.2	8406.6	8423.0	8439.4	8455.7	8472.1	8488.5	8504.9
20	8521.3	8537.7	8554.1	8570.5	8586.8	8603.2	8619.6	8636.0	8652.4	8668.8
30	8685.2	8701.6	8717.9	8734.3	8750.7	8767.1	8783.5	8799.9	8816.3	8832.6
40	8849.0	8865.4	8881.8	8898.2	8914.6	8931.0	8947.4	8963.7	8980.1	8996.5
50	9012.9	9029.3	9045.7	9062.1	9078.5	9094.8	9111.2	9127.6	9144.0	9160.4
60	9176.8	9193.2	9209.6	9225.9	9242.3	9258.7	9275.1	9291.5	9307.9	9324.3
70	9340.6	9357.0	9373.4	9389.8	9406.2	9422.6	9439.0	9455.4	9471.7	9488.1
80	9504.5	9520.9	9537.3	9553.7	9570.1	9586.5	9602.8	9619.2	9635.6	9652.0
90	9668.4	9684.8	9701.2	9717.6	9733.9	9750.3	9766.7	9783.1	9799.5	9815.9
600	9832.3	9848.6	9865.0	9881.4	9897.8	9914.2	9930.6	9947.0	9963.4	9979.7
10	9996.1	10013	10029	10045	10062	10078	10094	10111	10127	10144
20	10160	10176	10193	10209	10226	10242	10258	10275	10291	10307
30	10324	10340	10357	10373	10389	10406	10422	10439	10455	10471
40	10488	10504	10521	10537	10553	10570	10586	10602	10619	10635
50	10652	10668	10684	10701	10717	10734	10750	10766	10783	10799
60	10815	10832	10848	10865	10881	10897	10914	10930	10947	10963
70	10979	10996	11012	11029	11045	11061	11078	11094	11110	11127
80	11143	11160	11176	11192	11209	11225	11242	11258	11274	11291
90	11307	11323	11340	11356	11373	11389	11405	11422	11438	11455
700	11471	11487	11504	11520	11537	11553	11569	11586	11602	11618
10	11635	11651	11668	11684	11700	11717	11733	11750	11766	11782
20	11799	11815	11831	11848	11864	11881	11897	11913	11930	11946
30	11963	11979	11995	12012	12028	12045	12061	12077	12094	12110
40	12126	12143	12159	12176	12192	12208	12225	12241	12258	12274
50	12290	12307	12323	12339	12356	12372	12389	12405	12421	12438
60	12454	12471	12487	12503	12520	12536	12553	12569	12585	12602
70	12618	12634	12651	12667	12684	12700	12716	12733	12749	12766
80	12782	12798	12815	12831	12847	12864	12880	12897	12913	12929
90	12946	12962	12979	12995	13011	13028	13044	13061	13077	13093
800	13110	13126	13142	13159	13175	13192	13208	13224	13241	13257
10	13274	13290	13306	13323	13339	13355	13372	13388	13405	13421
20	13437	13454	13470	13487	13503	13519	13536	13552	13569	13585
30	13601	13618	13634	13650	13667	13683	13700	13716	13732	13749
40	13765	13782	13798	13814	13831	13847	13863	13880	13896	13913
50	13929	13945	13962	13978	13995	14011	14027	14044	14060	14077
60	14093	14109	14126	14142	14158	14175	14191	14208	14224	14240
70	14257	14273	14290	14306	14322	14339	14355	14371	14388	14404
80	14421	14437	14453	14470	14486	14503	14519	14535	14552	14568
90	14585	14601	14617	14634	14650	14666	14683	14699	14716	14732
900	14748	14765	14781	14798	14814	14830	14847	14863	14879	14896
10	14912	14929	14945	14961	14978	14994	15011	15027	15043	15060
20	15076	15093	15109	15125	15142	15158	15174	15191	15207	15224
30	15240	15256	15273	15289	15306	15322	15338	15355	15371	15387
40	15404	15420	15437	15453	15469	15486	15502	15519	15535	15551
50	15568	15584	15601	15617	15633	15650	15666	15682	15699	15715
60	15732	15748	15764	15781	15797	15814	15830	15846	15863	15879
70	15895	15912	15928	15945	15961	15977	15994	16010	16027	16043
80	16059	16076	16092	16109	16125	16141	16158	16174	16190	16207
90	16223	16240	16256	16272	16289	16305	16322	16338	16354	16371
1000	16387	16403	16420	16436	16453	16469	16485	16502	16518	16535

27) 세제곱 미터〔m^3〕→ 세제곱 피트〔ft^3〕로 환산

m^3	0	1	2	3	4	5	6	7	8	9
	ft^3									
—	—	35.315	70.629	105.94	141.26	176.57	211.89	247.20	282.52	317.83
10	353.15	388.46	423.78	459.09	494.41	529.72	565.04	600.35	635.67	670.98
20	706.29	741.61	776.92	812.24	847.55	882.87	918.18	953.50	988.81	1024.1
30	1059.4	1094.8	1130.1	1165.4	1200.7	1236.0	1271.3	1306.6	1342.0	1377.3
40	1412.6	1447.9	1483.2	1518.5	1553.8	1589.2	1624.5	1659.8	1695.1	1730.4
50	1765.7	1801.1	1836.4	1871.7	1907.0	1942.3	1977.6	2012.9	2048.3	2083.6
60	2118.9	2154.2	2189.5	2224.8	2260.1	2295.5	2330.8	2366.1	2401.4	2436.7
70	2472.0	2507.3	2542.7	2578.0	2613.3	2648.6	2683.9	2719.2	2754.5	2789.9
80	2825.2	2860.5	2895.8	2931.1	2966.4	3001.8	3037.1	3072.4	3107.7	3143.0
90	3178.3	3213.6	3249.0	3284.3	3319.6	3354.9	3390.2	3425.5	3460.8	3496.2
100	3531.5	3566.8	3602.1	3637.4	3672.7	3708.0	3743.4	3778.7	3814.0	3849.3
10	3884.6	3919.9	3955.2	3990.6	4025.9	4061.2	4096.5	4131.8	4167.1	4202.5
20	4237.8	4273.1	4308.4	4343.7	4379.0	4414.3	4449.7	4485.0	4520.3	4555.6
30	4590.9	4626.2	4661.5	4696.9	4732.2	4767.5	4802.8	4838.1	4873.4	4908.7
40	4944.1	4979.4	5014.7	5050.0	5085.3	5120.6	5155.9	5191.3	5226.6	5261.9
50	5297.2	5332.5	5367.8	5403.2	5438.5	5473.8	5509.1	5544.4	5579.7	5615.0
60	5650.4	5685.7	5721.0	5756.3	5791.6	5826.9	5862.2	5897.6	5932.9	5968.2
70	6003.5	6038.8	6074.1	6109.4	6144.8	6180.1	6215.4	6250.7	6286.0	6321.3
80	6356.7	6392.0	6427.3	6462.6	6497.9	6533.2	6568.5	6603.9	6639.2	6674.5
90	6709.8	6745.1	6780.4	6815.7	6851.1	6886.4	6921.7	6957.0	6992.3	7027.6
200	7062.9	7098.3	7133.6	7168.9	7204.2	7239.5	7274.8	7310.1	7345.5	7380.8
10	7416.1	7451.4	7486.7	7522.0	7557.4	7592.7	7628.0	7663.3	7698.6	7733.9
20	7769.2	7804.6	7839.9	7875.2	7910.5	7945.8	7981.1	8016.4	8051.8	8087.1
30	8122.4	8157.7	8193.0	8228.3	8263.6	8299.0	8334.3	8369.6	8404.9	8440.2
40	8475.5	8510.8	8546.2	8581.5	8616.8	8652.1	8687.4	8722.7	8758.1	8793.4
50	8828.7	8864.0	8899.3	8934.6	8969.9	9005.3	9040.6	9075.9	9111.2	9146.5
60	9181.8	9217.1	9252.5	9287.8	9323.1	9358.4	9393.7	9429.0	9464.3	9499.7
70	9535.0	9570.3	9605.6	9640.9	9676.2	9711.5	9746.9	9782.2	9817.5	9852.8
80	9888.1	9923.4	9958.8	9994.1	10029	10065	10100	10135	10171	10206
90	10241	10277	10312	10347	10383	10418	10453	10488	10524	10559
300	10594	10630	10665	10700	10736	10771	10806	10842	10877	10912
10	10948	10983	11018	11054	11089	11124	11159	11195	11230	11265
20	11301	11336	11371	11407	11442	11477	11513	11548	11583	11619
30	11654	11689	11724	11760	11795	11830	11866	11901	11936	11972
40	12007	12042	12078	12113	12148	12184	12219	12254	12290	12325
50	12360	12395	12431	12466	12501	12537	12572	12607	12643	12678
60	12713	12749	12784	12819	12855	12890	12925	12961	12996	13031
70	13066	13102	13137	13172	13208	13243	13278	13314	13349	13384
80	13420	13455	13490	13526	13561	13596	13631	13667	13702	13737
90	13773	13808	13843	13879	13914	13949	13985	14020	14055	14091
400	14126	14161	14197	14232	14267	14302	14338	14373	14408	14444
10	14479	14514	14550	14585	14620	14656	14691	14726	14762	14797
20	14832	14867	14903	14938	14973	15009	15044	15079	15115	15150
30	15185	15221	15256	15291	15327	15362	15397	15433	15468	15503
40	15538	15574	15609	15644	15680	15715	15750	15786	15821	15856
50	15892	15927	15962	15998	16033	16068	16104	16139	16174	16209
60	16245	16280	16315	16351	16386	16421	16457	16492	16527	16563
70	16598	16633	16669	16704	16739	16774	16810	16845	16880	16916
80	16951	16986	17022	17057	17092	17128	17163	17198	17234	17269
90	17304	17340	17375	17410	17445	17481	17516	17551	17587	17622

m³	0	1	2	3	4	5	6	7	8	9
	ft³									
500	17657	17693	17728	17763	17799	17834	17869	17905	17940	17975
10	18011	18046	18081	18116	18152	18187	18222	18258	18293	18328
20	18364	18399	18434	18470	18505	18540	18576	18611	18646	18681
30	18717	18752	18787	18823	18858	18893	18929	18964	18999	19035
40	19070	19105	19141	19176	19211	19247	19282	19317	19352	19388
50	19423	19458	19494	19529	19564	19600	19635	19670	19706	19741
60	19776	19812	19847	19882	19918	19953	19988	20023	20059	20094
70	20129	20165	20200	20235	20271	20306	20341	20377	20412	20447
80	20483	20518	20553	20588	20624	20659	20694	20730	20765	20800
90	20836	20871	20906	20942	20977	21012	21048	21083	21118	21154
600	21189	21224	21259	21295	21330	21365	21401	21436	21471	21507
10	21542	21577	21613	21648	21683	21719	21754	21789	21824	21860
20	21895	21930	21966	22001	22036	22072	22107	22142	22178	22213
30	22248	22284	22319	22354	22390	22425	22460	22495	22531	22566
40	22601	22637	22672	22707	22743	22778	22813	22849	22884	22919
50	22955	22990	23025	23061	23096	23131	23166	23202	23237	23272
60	23308	23343	23378	23414	23449	23484	23520	23555	23590	23626
70	23661	23696	23731	23767	23802	23837	23873	23908	23943	23979
80	24014	24049	24085	24120	24155	24191	24226	24261	24297	24332
90	24367	24402	24438	24473	24508	24544	24579	24614	24650	24685
700	24720	24756	24791	24826	24862	24897	24932	24968	25003	25038
10	25073	25109	25144	25179	25215	25250	25285	25321	25356	25391
20	25427	25462	25497	25533	25568	25603	25638	25674	25709	25744
30	25780	25815	25850	25886	25921	25956	25992	26027	26062	26098
40	26133	26168	26204	26239	26274	26309	26345	26380	26415	26451
50	26486	26521	26557	26592	26627	26663	26698	26733	26769	26804
60	26839	26875	26910	26945	26980	27016	27051	27086	27122	27157
70	27192	27228	27263	27298	27334	27369	27404	27440	27475	27510
80	27545	27581	27616	27651	27687	27722	27757	27793	27828	27863
90	27899	27934	27969	28005	28040	28075	28111	28146	28181	28216
800	28252	28287	28322	28358	28393	28428	28464	28499	28534	28570
10	28605	28640	28676	28711	28746	28782	28817	28852	28887	28923
20	28958	28993	29029	29064	29099	29135	29170	29205	29241	29276
30	29311	29347	29382	29417	29452	29488	29523	29558	29594	29629
40	29664	29700	29735	29770	29806	29841	29876	29912	29947	29982
50	30018	30053	30088	30123	30159	30194	30229	30265	30300	30335
60	30371	30406	30441	30477	30512	30547	30583	30618	30653	30688
70	30724	30759	30794	30830	30865	30900	30936	30971	31006	31042
80	31077	31112	31148	31183	31218	31254	31289	31324	31359	31395
90	31430	31465	31501	31536	31571	31607	31642	31677	31713	31748
900	31783	31819	31854	31889	51925	31960	31995	32030	32066	32101
10	32136	32172	32207	32242	32278	32313	32348	32384	32419	32454
20	32490	32525	32560	32595	32631	32666	32701	32737	32772	32807
30	32843	32878	32913	32949	32984	33019	33055	33090	33125	33161
40	33196	33231	33266	33302	33337	33372	33408	33443	33478	33514
50	33549	33584	33620	33655	33690	33726	33761	33796	33832	33867
60	33902	33937	33973	34008	34043	34079	34114	34149	34185	34220
70	34255	34291	34326	34361	34397	34432	34467	34502	34538	34573
80	34608	34644	34679	34714	34750	34785	34820	34856	34891	34926
90	34962	34997	35032	35068	35103	35138	35173	35209	35244	35279
1000	35315	35350	35385	35421	35456	35491	35527	35562	35597	35633

28) 세제곱 피트〔ft³〕 → 세제곱 미터〔m³〕로 환산

ft³	0	1	2	3	4	5	6	7	8	9
	m³									
—	—	0.0283	0.0566	0.0850	0.1133	0.1416	0.1699	0.1982	0.2265	0.2549
10	0.2832	0.3115	0.3398	0.3681	0.3964	0.4248	0.4531	0.4814	0.5097	0.5380
20	0.5663	0.5947	0.6230	0.6513	0.6796	0.7079	0.7362	0.7646	0.7929	0.8212
30	0.8495	0.8778	0.9061	0.9345	0.9628	0.9911	1.0194	1.0477	1.0760	1.1044
40	1.1327	1.1610	1.1893	1.2176	1.2459	1.2743	1.3026	1.3309	1.3592	1.3875
50	1.4158	1.4442	1.4725	1.5008	1.5291	1.5574	1.5857	1.6141	1.6424	1.6707
60	1.6990	1.7273	1.7556	1.7840	1.8123	1.8406	1.8689	1.8972	1.9255	1.9539
70	1.9822	2.0105	2.0388	2.0671	2.0954	2.1238	2.1521	2.1804	2.2087	2.2370
80	2.2653	2.2937	2.3220	2.3503	2.3786	2.4069	2.4352	2.4636	2.4919	2.5202
90	2.5485	2.5768	2.6051	2.6335	2.6618	2.6901	2.7184	2.7467	2.7750	2.8034
100	2.8317	2.8600	2.8883	2.9166	2.9449	2.9733	3.0016	3.0299	3.0582	3.0865
10	3.1148	3.1432	3.1715	3.1998	3.2281	3.2564	3.2847	3.3131	3.3414	3.3697
20	3.3980	3.4263	3.4546	3.4830	3.5113	3.5396	3.5679	3.5962	3.6246	3.6529
30	3.6812	3.7095	3.7378	3.7661	3.7945	3.8228	3.8511	3.8794	3.9077	3.9360
40	3.9644	3.9927	4.0210	4.0493	4.0776	4.1059	4.1343	4.1626	4.1909	4.2192
50	4.2475	4.2758	4.3042	4.3325	4.3608	4.3891	4.4174	4.4457	4.4741	4.5024
60	4.5307	4.5590	4.5873	4.6156	4.6440	4.6723	4.7006	4.7289	4.7572	4.7855
70	4.8139	4.8422	4.8705	4.8988	4.9271	4.9554	4.9838	5.0121	5.0404	5.0687
80	5.0970	5.1253	5.1537	5.1820	5.2103	5.2386	5.2669	5.2952	5.3236	5.3519
90	5.3802	5.4085	5.4368	5.4651	5.4935	5.5218	5.5501	5.5784	5.6067	5.6350
200	5.6634	5.6917	5.7200	5.7483	5.7766	5.8049	5.8333	5.8616	5.8899	5.9182
10	5.9465	5.9748	6.0032	6.0315	6.0598	6.0881	6.1164	6.1447	6.1731	6.2014
20	6.2297	6.2580	6.2863	6.3146	6.3430	6.3713	6.3996	6.4279	6.4562	6.4845
30	6.5129	6.5412	6.5695	6.5978	6.6261	6.6544	6.6828	6.7111	6.7394	6.7677
40	6.7960	6.8243	6.8527	6.8810	6.9093	6.9376	6.9659	6.9942	7.0226	7.0509
50	7.0792	7.1075	7.1358	7.1642	7.1925	7.2208	7.2491	7.2774	7.3057	7.3341
60	7.3624	7.3907	7.4190	7.4473	7.4756	7.5040	7.5323	7.5606	7.5889	7.6172
70	7.6455	7.6739	7.7022	7.7305	7.7588	7.7871	7.8154	7.8438	7.8721	7.9004
80	7.9287	7.9570	7.9853	8.0137	8.0420	8.0703	8.0986	8.1269	8.1552	8.1836
90	8.2119	8.2402	8.2685	8.2968	8.3251	8.3535	8.3818	8.4101	8.4384	8.4667
300	8.4950	8.5234	8.5517	8.5800	8.6083	8.6366	8.6649	8.6933	8.7216	8.7499
10	8.7782	8.8065	8.8348	8.8632	8.8915	8.9198	8.9481	8.9764	9.0047	9.0331
20	9.0614	9.0897	9.1180	9.1463	9.1746	9.2030	9.2313	9.2596	9.2879	9.3162
30	9.3445	9.3729	9.4012	9.4295	9.4578	9.4861	9.5144	9.5428	9.5711	9.5994
40	9.6277	9.6560	9.6843	9.7127	9.7410	9.7693	9.7976	9.8259	9.8542	9.8826
50	9.9109	9.9392	9.9675	9.9958	10.024	10.052	10.081	10.109	10.137	10.166
60	10.194	10.222	10.251	10.279	10.307	10.336	10.364	10.392	10.421	10.449
70	10.477	10.506	10.534	10.562	10.590	10.619	10.647	10.675	10.704	10.732
80	10.760	10.789	10.817	10.845	10.874	10.902	10.930	10.959	10.987	11.015
90	11.044	11.072	11.100	11.129	11.157	11.185	11.213	11.242	11.270	11.298
400	11.327	11.355	11.383	11.412	11.440	11.468	11.497	11.525	11.553	11.582
10	11.610	11.638	11.667	11.695	11.723	11.751	11.780	11.808	11.836	11.865
20	11.893	11.921	11.950	11.978	12.006	12.035	12.063	12.091	12.120	12.148
30	12.176	12.205	12.233	12.261	12.289	12.318	12.346	12.374	12.403	12.431
40	12.459	12.488	12.516	12.544	12.573	12.601	12.629	12.658	12.686	12.714
50	12.743	12.771	12.799	12.828	12.856	12.884	12.912	12.941	12.969	12.997
60	13.026	13.054	13.082	13.111	13.139	13.167	13.196	13.224	13.252	13.281
70	13.309	13.337	13.366	13.394	13.422	13.450	13.479	13.507	13.535	13.564
80	13.592	13.620	13.649	13.677	13.705	13.734	13.762	13.790	13.819	13.847
90	13.875	13.904	13.932	13.960	13.988	14.017	14.045	14.073	14.102	14.130

ft³	0	1	2	3	4	5	6	7	8	9
	m³									
500	14.158	14.187	14.215	14.243	14.272	14.300	14.328	14.357	14.385	14.413
10	14.442	14.470	14.498	14.527	14.555	14.583	14.611	14.640	14.668	14.696
20	14.725	14.753	14.781	14.810	14.838	14.866	14.895	14.923	14.951	14.980
30	15.008	15.036	15.065	15.093	15.121	15.149	15.178	15.206	15.234	15.263
40	15.291	15.319	15.348	15.376	15.404	15.433	15.461	15.489	15.518	15.546
50	15.574	15.603	15.631	15.659	15.688	15.716	15.744	15.772	15.801	15.829
60	15.857	15.886	15.914	15.942	15.971	15.999	16.027	16.056	16.084	16.112
70	16.141	16.169	16.197	16.226	16.254	16.282	16.310	16.339	16.367	16.395
80	16.424	16.452	16.480	16.509	16.537	16.565	16.594	16.622	16.650	16.679
90	16.707	16.735	16.764	16.792	16.820	16.848	16.877	16.905	16.933	16.962
600	16.990	17.018	17.047	17.075	17.103	17.132	17.160	17.188	17.217	17.245
10	17.273	17.302	17.330	17.358	17.387	17.415	17.443	17.471	17.500	17.528
20	17.556	17.585	17.613	17.641	17.670	17.698	17.726	17.755	17.783	17.811
30	17.840	17.868	17.896	17.925	17.953	17.981	18.009	18.038	18.066	18.094
40	18.123	18.151	18.179	18.208	18.236	18.264	18.293	18.321	18.349	18.378
50	18.406	18.434	18.463	18.491	18.519	18.548	18.576	18.604	18.632	18.661
60	18.689	18.717	18.746	18.774	18.802	18.831	18.859	18.887	18.916	18.944
70	18.972	19.001	19.029	19.057	19.086	19.114	19.142	19.170	19.199	19.227
80	19.255	19.284	19.312	19.340	19.369	19.397	19.425	19.454	19.482	19.510
90	19.539	19.567	19.595	19.624	19.652	19.680	19.708	19.737	19.765	19.793
700	19.822	19.850	19.878	19.907	19.935	19.963	19.992	20.020	20.048	20.077
10	20.105	20.133	20.162	20.190	20.218	20.247	20.275	20.303	20.331	20.360
20	20.388	20.416	20.445	20.473	20.501	20.530	20.558	20.586	20.615	20.643
30	20.671	20.700	20.728	20.756	20.785	20.813	20.841	20.869	20.898	20.926
40	20.954	20.983	21.011	21.039	21.068	21.096	21.124	21.153	21.181	21.209
50	21.238	21.266	21.294	21.323	21.351	21.379	21.408	21.436	21.464	21.492
60	21.521	21.549	21.577	21.606	21.634	21.662	21.691	21.719	21.747	21.776
70	21.804	21.832	21.861	21.889	21.917	21.946	21.974	22.002	22.030	22.059
80	22.087	22.115	22.144	22.172	22.200	22.229	22.257	22.285	22.314	22.342
90	22.370	22.399	22.427	22.455	22.484	22.512	22.540	22.568	22.597	22.625
800	22.653	22.682	22.710	22.738	22.767	22.795	22.823	22.852	22.880	22.908
10	22.937	22.965	22.993	23.022	23.050	23.078	23.107	23.135	23.163	23.191
20	23.220	23.248	23.276	23.305	23.333	23.361	23.390	23.418	23.446	23.475
30	23.503	23.531	23.560	23.588	23.616	23.645	23.673	23.701	23.729	23.758
40	23.786	23.814	23.843	23.871	23.899	23.928	23.956	23.984	24.013	24.041
50	24.069	24.098	24.126	24.154	24.183	24.211	24.239	24.267	24.296	24.324
60	24.352	24.381	24.409	24.437	24.466	24.494	24.522	24.551	24.579	24.607
70	24.636	24.664	24.692	24.721	24.749	24.777	24.806	24.834	24.862	24.890
80	24.919	24.947	24.975	25.004	25.032	25.060	25.089	25.117	25.145	25.174
90	25.202	25.230	25.259	25.287	25.315	25.344	25.372	25.400	25.428	25.457
900	25.485	25.513	25.542	25.570	25.598	25.627	25.655	25.683	25.712	25.740
10	25.768	25.797	25.825	25.853	25.882	25.910	25.938	25.967	25.995	26.023
20	26.051	26.080	26.108	26.136	26.165	26.193	26.221	26.250	26.278	26.306
30	26.335	26.363	26.391	26.420	26.448	26.476	26.505	26.533	26.561	26.589
40	26.618	26.646	26.674	26.703	26.731	26.759	26.788	26.816	26.844	26.873
50	26.901	26.929	26.958	26.986	27.014	27.043	27.071	27.099	27.127	27.156
60	27.184	27.212	27.241	27.269	27.297	27.326	27.354	27.382	27.411	27.439
70	27.467	27.496	27.524	27.552	27.581	27.609	27.637	27.666	27.694	27.722
80	27.750	27.779	27.807	27.835	27.864	27.892	27.920	27.949	27.977	28.005
90	28.034	28.062	28.090	28.119	28.147	28.175	28.204	28.232	28.260	28.288
1000	28.317	28.345	28.373	28.402	28.430	28.458	28.487	28.515	28.543	28.572

29) 밀리바〔mbar〕→ 수은주 밀리미터〔mmHg〕로 환산

mbar	0	1	2	3	4	5	6	7	8	9
	mmHg									
—	—	0.7501	1.5001	2.2502	3.0003	3.7503	4.5004	5.2504	6.0005	6.7506
10	7.5006	8.2507	9.0008	9.7508	10.501	11.251	12.001	12.751	13.501	14.251
20	15.001	15.751	16.501	17.251	18.002	18.252	19.502	20.252	21.002	21.752
30	22.502	23.252	24.002	24.752	25.502	26.252	27.002	27.752	28.502	29.252
40	30.003	30.753	31.503	32.253	33.003	33.753	34.503	35.253	36.003	36.753
50	37.503	38.253	39.003	39.753	40.503	41.254	42.004	42.754	43.504	44.254
60	45.004	45.754	46.504	47.254	48.004	48.754	49.504	50.254	51.004	51.754
70	52.504	53.255	54.005	54.755	55.505	56.255	57.005	57.755	58.505	59.255
80	60.005	60.755	61.505	62.255	63.005	63.755	64.505	65.256	66.006	66.756
90	67.506	68.256	69.006	69.756	70.506	71.256	72.006	72.756	73.506	74.256
100	75.006	75.756	76.507	77.257	78.007	78.757	79.507	80.257	81.007	81.757
10	82.507	83.257	84.007	84.757	85.507	86.257	87.007	87.757	88.508	89.258
20	90.008	90.758	91.508	92.258	93.008	93.758	94.508	95.258	96.008	96.758
30	97.508	98.258	99.008	99.758	100.51	101.26	102.01	102.76	103.51	104.26
40	105.01	105.76	106.51	107.26	108.01	108.76	109.51	110.26	111.01	111.76
50	112.51	113.26	114.01	114.76	115.51	116.26	117.01	117.76	118.51	119.26
60	120.01	120.76	121.51	122.26	123.01	123.76	124.51	125.26	126.01	126.76
70	127.51	128.26	129.01	129.76	130.51	131.26	132.01	132.76	133.51	134.26
80	135.01	135.76	136.51	137.26	138.01	138.76	139.51	140.26	141.01	141.76
90	142.51	143.26	144.01	144.76	145.51	146.26	147.01	147.76	148.51	149.26
200	150.01	150.76	151.51	152.26	153.01	153.76	154.51	155.26	156.01	156.76
10	157.51	158.26	159.01	159.76	160.51	161.26	162.01	162.76	163.51	164.26
20	165.01	165.76	166.51	167.26	168.01	168.76	169.51	170.26	171.01	171.76
30	172.51	173.26	174.01	174.76	175.51	176.26	177.02	177.77	178.52	179.27
40	180.02	180.77	181.52	182.27	183.02	183.77	184.52	185.27	186.02	186.77
50	187.52	188.27	189.02	189.77	190.52	191.27	192.02	192.77	193.52	194.27
60	195.02	195.77	196.52	197.77	198.02	198.77	199.52	200.27	201.02	201.77
70	202.52	203.27	204.02	204.77	205.52	206.27	207.02	207.77	208.52	209.27
80	210.02	210.77	211.52	212.27	213.02	213.77	214.52	215.27	216.02	216.77
90	217.52	218.27	219.02	219.77	220.52	221.27	222.02	222.27	223.52	224.27
300	225.02	225.77	226.52	227.27	228.02	228.77	229.52	230.27	231.02	231.77
10	232.52	233.27	234.02	234.77	235.52	236.27	237.02	237.77	238.52	239.27
20	240.02	240.77	241.52	242.27	243.02	243.77	244.52	245.27	246.02	246.77
30	247.52	248.27	249.02	249.77	250.52	251.27	252.02	252.77	253.52	254.27
40	255.02	255.77	256.52	257.27	258.02	258.77	259.52	260.27	261.02	261.77
50	262.52	263.27	264.02	264.77	265.52	266.27	267.02	267.77	268.52	269.27
60	270.02	270.77	271.52	272.27	273.02	273.77	274.52	275.27	276.02	276.77
70	277.52	278.27	279.02	279.77	280.52	281.27	282.02	282.77	283.52	284.27
80	285.02	285.77	286.52	287.27	288.02	288.77	289.52	290.27	291.02	291.77
90	292.52	293.27	294.02	294.78	295.53	296.28	297.03	297.78	298.53	299.28
400	300.03	300.78	301.53	302.28	303.03	303.78	304.53	305.28	306.03	306.78
10	307.53	308.28	309.03	309.78	310.53	311.28	312.03	312.78	313.53	314.28
20	315.03	315.78	316.53	317.28	318.03	318.78	319.53	320.28	321.03	321.78
30	322.53	323.28	324.03	324.78	325.53	326.28	327.03	327.78	328.53	329.28
40	330.03	330.78	331.53	332.28	333.03	333.78	334.53	335.28	336.03	336.78
50	337.53	338.28	339.03	339.78	340.53	341.28	342.03	342.78	343.53	344.28
60	345.03	345.78	346.53	347.28	348.03	348.78	349.53	350.28	351.03	351.78
70	352.53	353.28	354.03	354.78	355.53	356.28	357.03	357.78	358.53	359.28
80	360.03	360.78	361.53	362.28	363.03	363.78	364.53	365.28	366.03	366.78
90	367.53	368.28	369.03	369.78	370.53	371.28	372.03	372.78	373.53	374.28
500	375.03	375.78	376.53	377.28	378.03	378.78	379.53	380.28	381.03	381.78
10	382.53	383.28	384.03	384.78	385.53	386.28	387.03	387.78	388.53	389.28
20	390.03	390.78	391.53	392.28	393.03	393.78	394.53	395.28	396.03	396.78
30	397.53	398.28	399.03	399.78	400.53	401.28	402.03	402.78	403.53	404.28
40	405.03	405.78	406.53	407.28	408.03	408.78	409.53	410.28	411.03	411.79
50	412.54	413.29	414.04	414.79	415.54	416.29	417.04	417.79	418.54	419.29
60	420.04	420.79	421.54	422.29	423.04	423.79	424.54	425.29	426.04	426.79

mbar	0	1	2	3	4	5	6	7	8	9
	mmHg									
70	427.54	428.29	429.04	429.79	430.54	431.29	432.04	432.79	433.54	434.29
80	435.04	435.79	436.54	437.29	438.04	438.79	439.54	440.29	441.04	441.79
90	442.54	443.29	444.04	444.79	445.54	446.29	447.04	447.79	448.54	449.29
600	450.04	450.79	451.54	452.29	453.04	453.79	454.54	455.29	456.04	456.79
10	457.54	458.29	459.04	459.79	460.54	461.29	462.04	462.79	463.54	464.29
20	465.04	465.79	466.54	467.29	468.04	468.79	469.54	470.29	471.04	471.79
30	472.54	473.29	474.04	474.79	475.54	476.29	477.04	477.79	478.54	479.29
40	480.04	480.79	481.54	482.29	483.04	483.79	484.54	485.29	486.04	486.79
50	487.54	488.29	489.04	489.79	490.54	491.29	492.04	492.79	493.54	494.29
60	495.04	495.79	496.54	497.29	498.04	498.79	499.54	500.29	501.04	501.79
70	502.54	503.29	504.04	504.79	505.54	506.29	507.04	507.79	508.54	509.29
80	510.04	510.79	511.54	512.29	513.04	513.79	514.54	515.29	516.04	516.79
90	517.54	518.29	519.04	519.79	520.54	521.29	522.04	522.79	523.54	524.29
700	525.04	525.79	526.54	527.29	528.04	528.79	529.55	530.30	531.05	531.80
10	532.55	533.30	534.05	534.80	535.55	536.30	537.05	537.80	538.55	539.30
20	540.05	540.80	541.55	542.30	543.05	543.80	544.55	545.30	546.05	546.80
30	547.55	548.30	549.05	549.80	550.55	551.30	552.05	552.80	553.55	554.30
40	555.05	555.80	556.55	557.30	558.05	558.80	559.55	560.30	561.05	561.80
50	562.55	563.30	564.05	564.80	565.55	566.30	567.05	567.80	568.55	569.30
60	570.05	570.80	571.55	572.30	573.05	573.80	574.55	575.30	576.05	576.80
70	577.55	578.30	579.05	579.80	580.55	581.30	582.05	582.80	583.55	584.30
80	585.05	585.80	586.55	587.30	588.05	588.80	589.55	590.30	591.05	591.80
90	592.55	593.30	597.05	594.80	595.55	596.30	597.05	597.80	598.55	599.30
800	600.05	600.80	601.55	602.30	603.05	603.80	604.55	605.30	606.05	606.80
10	607.55	608.30	609.05	609.80	610.55	611.30	612.05	612.80	613.55	614.30
20	615.05	615.80	616.55	617.30	618.05	618.80	619.55	620.30	621.05	621.80
30	622.55	623.30	624.05	624.80	625.55	626.30	627.05	627.80	628.55	629.30
40	630.05	630.80	631.55	632.30	633.05	633.80	634.55	635.30	636.05	636.80
50	637.55	638.30	639.05	639.80	640.55	641.30	642.05	642.80	643.55	644.30
60	645.05	345.80	646.55	647.31	648.06	648.81	649.56	650.31	651.06	651.81
70	652.56	653.31	654.06	654.81	655.56	656.31	657.06	657.81	658.56	659.31
80	660.06	660.81	661.56	662.31	663.06	663.81	664.56	665.31	666.06	666.81
90	667.56	668.31	669.06	669.81	670.56	671.31	672.06	672.81	673.56	674.31
900	675.06	675.81	676.56	677.31	678.06	678.81	679.56	680.31	681.06	681.81
10	682.56	683.31	684.06	684.81	685.56	686.31	687.06	687.81	688.56	689.31
20	690.06	690.81	691.56	692.31	693.06	693.81	694.56	695.31	696.06	696.81
30	697.56	698.31	699.06	699.81	700.56	701.31	702.06	702.81	703.56	704.31
40	705.06	705.81	706.56	707.31	708.06	708.81	709.56	710.31	711.06	711.81
50	712.56	713.31	714.06	714.81	715.56	716.31	717.06	717.81	718.56	719.31
60	720.06	720.81	721.56	722.31	723.06	723.81	724.56	725.31	726.06	726.81
70	727.56	728.31	729.06	729.81	730.56	731.31	732.06	732.81	733.56	734.31
80	735.06	735.81	736.56	737.31	738.06	738.81	739.56	740.31	741.06	741.81
90	742.56	743.31	744.06	744.81	745.56	746.31	747.06	747.81	748.56	749.31
1000	750.06	750.81	751.56	752.31	753.06	753.81	754.56	755.31	756.06	756.81
10	757.56	758.31	759.06	759.81	760.56	761.31	762.06	762.81	763.56	764.31
20	765.07	765.82	766.57	767.32	768.07	768.82	769.57	770.32	771.07	771.82
30	772.57	773.32	774.07	774.82	775.57	776.32	777.07	777.82	778.57	779.32
40	780.07	780.82	781.57	782.32	783.07	783.82	784.57	785.32	786.07	786.82
50	787.57	788.32	789.07	789.82	790.57	791.32	792.07	792.82	793.57	794.32
60	795.07	795.82	796.57	797.32	798.07	798.82	799.57	800.32	801.07	801.82
70	802.57	803.32	804.07	804.82	805.57	806.32	807.07	807.82	808.57	809.32
80	810.07	810.82	811.57	812.32	813.07	813.82	814.57	815.32	816.07	816.82
90	817.57	818.32	819.07	819.82	820.57	821.32	822.07	822.82	823.57	824.32
1100	825.07	825.82	826.57	827.32	828.07	828.82	829.57	830.32	831.07	831.82
10	832.57	833.32	834.07	834.82	835.57	836.32	837.07	837.82	838.57	839.32
20	840.07	840.82	841.57	842.32	843.07	843.82	844.57	845.32	846.07	846.82
30	847.57	848.32	849.07	849.82	850.57	851.32	852.07	852.82	853.57	854.32
40	855.07	855.82	856.57	857.32	858.07	858.82	859.57	860.32	861.07	861.82

30) 수은주 밀리미터〔mmHg〕→ 밀리바〔mbar〕로 환산

mmHg	0	1	2	3	4	5	6	7	8	9
	mbar									
—	—	1.3322	2.6664	3.9997	5.3329	6.6661	7.9993	9.3325	10.666	11.999
10	13.322	14.665	15.999	17.332	18.665	19.998	21.332	22.665	23.998	25.331
20	26.664	27.998	29.331	30.664	31.997	33.330	34.664	35.997	37.330	38.663
30	39.997	41.330	42.663	43.996	45.329	46.663	47.996	49.329	50.662	51.996
40	53.329	54.662	55.995	57.328	58.662	59.995	61.328	62.661	63.995	55.328
50	66.661	67.994	69.327	70.661	71.994	73.327	74.660	75.994	77.327	78.660
60	79.993	81.326	82.660	83.993	85.326	86.659	87.993	89.326	90.659	91.992
70	93.325	94.659	95.992	97.325	98.658	99.992	101.32	102.66	103.99	105.32
80	106.65	107.99	109.32	110.66	111.99	113.32	114.66	115.99	117.32	118.66
90	119.99	121.32	122.66	123.99	125.32	126.66	127.99	129.32	130.66	131.99
100	133.32	134.66	135.99	137.32	138.65	139.99	141.32	142.65	143.99	145.32
10	146.65	147.99	149.32	150.65	151.99	153.32	154.65	155.99	157.32	158.65
20	159.99	161.32	162.65	163.99	165.32	166.65	167.99	169.32	170.65	171.99
30	173.32	174.65	175.99	177.32	178.65	179.98	181.32	182.65	183.98	185.32
40	186.65	187.98	189.32	190.65	191.98	193.32	194.65	195.98	197.32	198.65
50	199.98	201.32	202.65	203.98	205.32	206.65	207.98	209.32	210.65	211.98
60	213.32	214.65	215.98	217.31	218.65	219.98	221.31	222.65	223.98	225.31
70	226.65	227.98	229.31	230.65	231.98	233.31	234.65	235.98	237.31	238.65
80	239.98	241.31	242.65	243.98	245.31	246.65	247.98	249.31	250.65	251.98
90	253.31	254.65	255.98	257.31	258.64	259.98	261.31	262.64	263.98	265.31
200	266.64	267.98	269.31	270.64	271.98	273.31	274.64	275.98	277.31	278.64
10	279.98	281.31	282.64	283.98	285.31	286.64	287.98	289.31	290.64	291.98
20	293.31	394.64	295.97	297.31	298.64	299.97	301.31	302.64	303.97	305.31
30	306.64	307.97	309.31	310.64	311.97	313.31	314.64	315.97	317.31	318.64
40	319.97	321.31	322.64	323.97	325.31	326.64	327.97	329.31	330.64	331.97
50	333.30	334.64	335.97	337.30	338.64	339.97	341.30	342.64	343.97	345.30
60	346.64	347.97	349.30	350.64	351.97	353.30	354.64	355.97	357.30	358.64
70	359.97	361.30	362.64	363.97	365.30	366.64	367.97	369.30	370.64	371.97
80	373.30	374.63	375.97	377.30	378.63	379.97	381.30	382.63	383.97	385.30
90	386.63	387.97	389.30	390.63	391.97	393.30	394.63	395.97	397.30	398.63
300	399.97	401.30	402.63	403.97	405.30	406.63	407.97	409.30	410.63	411.96
10	413.30	414.63	415.96	417.30	418.63	419.96	421.30	422.63	423.96	425.30
20	426.63	427.96	429.30	430.63	431.96	433.30	434.63	435.96	437.30	438.63
30	439.96	441.30	442.63	443.96	445.30	446.63	447.96	449.30	450.63	451.96
40	453.29	454.63	455.96	457.29	458.63	459.96	461.29	462.63	463.96	465.29
50	466.63	467.96	469.29	470.63	471.96	473.29	474.63	475.96	477.29	478.63
60	479.96	481.29	482.63	483.96	485.29	486.63	487.96	489.29	490.62	491.96
70	493.29	494.62	495.96	497.29	498.62	499.96	501.29	502.62	503.96	505.29
80	506.62	507.96	509.29	510.62	511.96	513.29	514.62	515.96	517.29	518.62
90	519.96	521.29	522.62	523.96	525.29	526.62	527.96	529.29	530.62	531.95
400	533.29	534.62	535.95	537.29	538.62	539.95	541.29	542.62	543.95	545.29
10	546.62	547.95	549.29	550.62	551.95	553.29	554.62	555.95	557.29	558.62
20	559.95	561.29	562.62	563.95	565.29	566.62	567.95	569.28	570.62	571.95
30	573.28	574.62	575.95	577.28	578.62	579.95	581.28	582.62	583.95	585.28
40	586.62	587.95	589.28	590.62	591.95	593.28	594.62	595.95	597.28	598.62
50	599.95	601.28	602.62	603.95	605.28	606.62	607.95	609.28	610.61	611.95
60	613.28	614.61	615.95	617.28	618.61	619.95	621.28	622.61	623.95	625.28
70	626.61	627.95	629.28	630.61	631.95	633.28	634.61	635.95	637.28	638.61
80	639.95	641.28	642.61	643.95	645.28	646.61	647.94	649.28	650.61	851.94
90	653.28	654.61	655.94	957.28	658.61	659.94	661.28	662.61	663.94	665.28

mmHg	0	1	2	3	4	5	6	7	8	9
	mbar									
500	666.61	667.94	669.28	670.61	971.94	673.28	674.61	675.94	677.28	678.61
10	679.94	681.28	682.61	683.94	985.28	686.61	687.94	689.27	690.61	691.94
20	693.27	694.61	695.94	697.27	698.61	699.94	701.27	702.61	703.94	705.27
30	706.61	707.94	709.27	710.61	711.94	713.27	714.61	715.94	717.27	718.61
40	719.94	721.27	722.61	723.94	725.27	726.60	727.94	729.27	730.60	731.94
50	733.27	734.60	735.94	737.27	738.60	739.94	741.27	742.60	743.94	745.27
60	746.60	747.94	749.27	750.60	751.94	753.27	754.60	755.94	757.27	758.60
70	759.91	761.27	762.60	763.94	765.27	766.60	767.93	769.27	770.60	771.93
80	773.27	774.60	775.93	777.27	778.60	779.93	781.27	782.60	783.93	785.27
90	786.60	787.93	789.27	790.60	791.93	793.27	794.60	795.93	797.27	798.60
600	799.93	801.27	802.60	803.93	805.26	806.60	807.93	809.26	810.60	811.93
10	813.26	814.60	815.93	817.26	818.60	819.93	821.26	822.60	823.93	825.26
20	826.60	827.93	829.26	830.60	831.93	833.26	834.60	835.93	837.26	838.60
30	839.93	841.26	842.60	843.93	845.26	846.59	847.93	849.26	850.59	851.93
40	853.26	854.59	855.93	857.26	858.59	859.93	861.26	862.59	863.93	865.26
50	866.59	867.93	869.26	870.59	871.93	873.26	874.59	875.93	877.26	878.59
60	879.93	881.26	882.59	883.92	885.26	886.59	887.92	889.26	890.59	891.92
70	893.26	894.59	895.92	987.26	898.59	899.92	901.26	902.59	903.92	905.26
80	906.59	907.92	909.26	910.59	911.92	913.26	914.59	915.92	917.26	918.59
90	919.92	921.26	922.59	923.92	925.25	926.59	927.92	929.25	930.59	931.92
700	933.25	934.59	935.92	937.25	938.59	939.92	941.25	942.59	943.92	945.25
10	946.59	947.92	949.25	950.59	951.92	953.25	954.59	955.92	957.25	958.59
20	959.92	961.25	962.58	963.92	965.25	966.58	967.92	969.25	970.58	971.92
30	973.25	974.58	975.92	977.25	978.58	979.92	981.25	982.58	983.92	985.25
40	986.58	987.92	989.25	990.58	991.92	993.25	994.58	995.92	997.25	998.58
50	999.92	1001.2	1002.6	1003.9	1005.2	1006.6	1007.9	1009.2	1010.6	1011.9
60	1013.2	1014.6	1015.9	1017.2	1018.6	1019.9	1021.2	1022.6	1023.9	1025.2
70	1026.6	1027.9	1029.2	1030.6	1031.9	1033.2	1034.6	1035.9	1037.2	1038.6
80	1039.9	1041.2	1042.6	1043.9	1045.2	1046.6	1047.9	1049.2	1050.6	1051.9
90	1053.2	1054.6	1055.9	1057.2	1058.6	1059.9	1061.2	1062.6	1063.9	1065.2
800	1066.6	1067.9	1069.2	1070.6	1071.9	1073.2	1074.6	1075.9	1077.2	1078.6
10	1079.9	1081.2	1082.6	1083.6	1085.2	1086.6	1087.9	1089.2	1090.6	1091.9
20	1093.2	1094.6	1095.9	1097.2	1098.6	1099.9	1101.2	1102.6	1103.9	1105.2
30	1106.6	1107.9	1109.2	1110.6	1111.9	1113.2	1114.6	1115.9	1117.2	1118.6
40	1119.9	1121.2	1122.6	1123.9	1125.2	1126.6	1127.9	1129.2	1130.6	1131.9
50	1133.2	1134.6	1135.9	1137.2	1138.6	1139.9	1141.2	1142.6	1143.9	1145.2
60	1146.6	1147.9	1149.2	1150.6	1151.9	1153.2	1154.6	1155.9	1157.2	1158.6
70	1159.9	1161.2	1162.6	1163.9	1165.2	1166.6	1167.9	1169.2	1170.6	1171.9
80	1173.2	1174.6	1175.9	1177.2	1178.6	1179.9	1181.2	1182.6	1183.9	1185.2
90	1186.6	1187.9	1189.2	1190.6	1191.9	1193.2	1194.6	1195.9	1197.2	1198.6
900	1199.9	1201.2	1202.6	1203.9	1205.2	1206.6	1207.9	1209.2	1210.6	1211.9
10	1213.2	1214.6	1215.9	1217.2	1218.6	1219.9	1221.2	1222.6	1223.9	1225.2
20	1226.6	1227.9	1229.2	1230.6	1231.9	1233.2	1234.6	1235.9	1237.2	1238.6
30	1239.9	1241.2	1242.6	1243.9	1245.2	1246.6	1247.9	1249.2	1250.6	1251.9
40	1253.2	1254.6	1255.9	1257.2	1258.6	1259.9	1261.2	1262.6	1263.9	1265.2
50	1266.6	1267.9	1269.2	1270.6	1271.9	1273.2	1274.6	1275.9	1277.2	1278.6
60	1279.9	1281.2	1282.6	1283.9	1285.2	1286.6	1287.9	1289.2	1290.6	1291.9
70	1293.2	1294.6	1295.9	1297.2	1298.6	1299.9	1301.2	1302.6	1303.9	1305.2
80	1306.6	1307.9	1309.2	1310.6	1311.9	1313.2	1314.6	1315.9	1317.2	1318.6
90	1319.9	1321.2	1322.6	1323.9	1325.2	1326.6	1327.9	1329.2	1330.6	1331.9
1000	1333.2	1334.6	1335.9	1337.2	1338.6	1339.9	1341.2	1342.6	1343.9	1345.2

31) 수은주 밀리미터〔mmHg〕→ 기압〔atm〕으로 환산

mmHg	0	10	20	30	40	50	60	70	80	90
	atm									
—	—	0.013	0.026	0.039	0.053	0.066	0.079	0.092	0.105	0.118
100	0.132	0.145	0.158	0.171	0.184	0.197	0.211	0.224	0.237	0.250
200	0.263	0.276	0.289	0.303	0.316	0.329	0.342	0.355	0.368	0.382
300	0.395	0.408	0.421	0.434	0.447	0.461	0.474	0.487	0.500	0.513
400	0.526	0.539	0.553	0.566	0.579	0.592	0.605	0.618	0.632	0.645
500	0.658	0.671	0.684	0.697	0.711	0.724	0.737	0.750	0.763	0.776
600	0.789	0.803	0.816	0.829	0.842	0.885	0.868	0.882	0.895	0.908
700	0.921	0.934	0.947	0.961	0.974	0.987	1.000	1.013	1.026	1.039
800	1.053	1.066	1.079	1.092	1.105	1.118	1.132	1.145	1.158	1.171
900	1.184	1.197	1.211	1.224	1.237	1.250	1.263	1.276	1.289	1.303
1000	1.316									

32) 기압〔atm〕→ 수은주 밀리미터〔mmHg〕로 환산

atm	0	1	2	3	4	5	6	7	8	9
	mmHg									
—	—	76	152	228	304	380	456	532	608	684
1	760	836	912	988	1064	1140	1216	1292	1368	1444
2	1520	1596	1672	1748	1828	1900	1976	2052	2128	2204
3	2280	2356	2432	2508	2584	2660	2736	2812	2888	2964
4	3040	3116	3192	3268	3344	3420	3496	3572	3648	3724
5	3800	3876	3952	4028	4104	4180	4256	4332	4408	4484
6	4560	4636	4712	4788	4864	4940	5016	5092	5168	5244
7	5320	5396	5472	5548	5624	5700	5776	5852	5928	6004
8	6080	6156	6232	6308	6384	6460	6536	6612	6688	6764
9	6840	6916	6992	7068	7144	7220	7296	7372	7448	7524
10	7600									

기호・약호별 색인

〔A〕

〔B〕

〔C〕

〔D〕

[E]

[F]

[G]

〔H〕

〔I〕

〔J〕

〔K〕

〔L〕

〔M〕

〔N〕

〔O〕

〔P〕

〔V〕

〔W〕

〔Y〕

〔γ〕

〔μ〕

〔φ〕

〔Ω〕

〔其他〕

구문(歐文)별 색인

〔A〕

〔B〕

〔C〕

〔D〕

〔E〕

〔F〕

〔G〕

〔H〕

〔I〕

〔J〕

〔K〕

〔L〕

〔M〕

〔N〕

〔O〕

〔P〕

〔Q〕

〔R〕

〔S〕

[U]

〔X〕

〔Y〕

〔Z〕